Jamie Mac[illegible] ... l·com

Devo capire le parole per poterle usare!

parole che si possono scrivere in modi diversi

favour (*USA* **favor**) /ˈfeɪvə(r)/ ◆ *s* favore: *to ask a favour of sb* chiedere un favore a qn

pronuncia e accento

photograph /ˈfəʊtəgrɑːf; *USA* -græf/ ◆ *s* (*anche abbrev* **photo**) fotografia ◆ **1** *vt* fotografare **2** *vi* venire (*in fotografia*): *He photographs well.* È fotogenico. **photographer** /fəˈtɒgrəfə(r)/ *s* fotografo, -a **photographic** /ˌfəʊtəˈgræfɪk/ *agg* fotografico **photography** /fəˈtɒgrəfi/ *s* fotografia (*tecnica*)

esempi che ti aiuteranno a capire come si usa la parola

fortnight /ˈfɔːtnaɪt/ *s* quindici giorni *a fortnight today* oggi a quindici

note lessicali, per imparare altre parole che hanno una qualche relazione con quella che stai usando

avvocato *sm* lawyer

Lawyer è un termine generico che comprende i vari tipi di avvocati in Gran Bretagna. **Solicitor** è l'avvocato che fornisce la consulenza legale e prepara documenti per i clienti. Può intervenire ai processi ma solo nei tribunali di grado inferiore. **Barrister** è l'avvocato che può esercitare in tutti i tribunali. Il **solicitor** lo aiuta a preparare la causa ma generalmente è il barrister che è presente al processo.

LOC **avvocato del diavolo** devil's advocate **avvocato difensore** defence counsel

note culturali che contengono delle informazioni interessanti su usi e costumi in Gran Bretagna

tabaccheria *sf* tobacconist's [*pl* tobacconists]

In Gran Bretagna non ci sono tabaccherie. I francobolli si vendono al **post office** (*ufficio postale*) e in alcuni **newsagents** (*giornalai*) che, oltre ai giornali e ai francobolli, vendono dolciumi e sigarette. Ci sono poi alcuni negozi specializzati che vendono articoli per fumatori.

parole che si usano solamente in alcune situazioni particolari, per esempio per parlare con gli amici, ma non con un professore

backside /ˈbæksaɪd/ *s* (*inform*) sedere

Dizionario
Oxford Study
per studenti d'inglese

Inglese–Italiano
Italiano–Inglese

a cura di
Colin McIntosh

fonetica a cura di
Michael Ashby

OXFORD UNIVERSITY PRESS · 1998

Oxford University Press
Great Clarendon Street, Oxford OX2 6DP

Oxford New York
Athens Auckland Bangkok Bogotá Buenos Aires
Calcutta Cape Town Chennai Dar es Salaam
Delhi Florence Hong Kong Istanbul Karachi
Kuala Lumpur Madrid Melbourne Mexico City
Mumbai Nairobi Paris São Paulo Singapore
Taipei Tokyo Toronto Warsaw

and associated companies in
Berlin Ibadan

OXFORD and OXFORD ENGLISH
are trade marks of Oxford University Press

ISBN 0 19 431463 4

First published 1998
Second impression 1998

Progetto grafico Holdsworth Associates, Isle of Wight
Copertina Stonesfield Design, Stonesfield, Witney, Oxon
Illustrazioni Martin Cox, Margaret Heath, Nigel Paige, Martin Shovel, Paul Thomas, Harry Venning, Michael Woods, Hardlines

Typeset in Great Britain by Tradespools Ltd, Frome, Somerset
Printed in Spain by Unigraf.

Indice

Introduzione

L'***Oxford Study*** è il primo dizionario bilingue di livello intermedio concepito e scritto esclusivamente per gli studenti italiani che stanno imparando l'inglese. È stato compilato da un'équipe di lessicografi che, avendo una vasta esperienza nel campo dell'insegnamento, conoscono bene i problemi degli studenti italiani che stanno iniziando lo studio della lingua inglese. Abbiamo voluto elaborare un dizionario che fosse una guida per gli studenti, per aiutarli nella scoperta della lingua e della cultura inglese. Infatti sono stati inseriti tantissimi esempi su come si usano le parole e molte note grammaticali, culturali e lessicali.

L'***Oxford Study*** appartiene ad una nuova generazione di dizionari pubblicati dalla casa editrice Oxford University Press, unica nel suo genere, perché si basa sul British National Corpus (BNC). Tale corpus è formato da una vastissima raccolta di dati, oltre 100 milioni di parole minuziosamente trascritte che, partendo da varie fonti, riflettono fedelmente la lingua inglese come viene parlata oggi in Gran Bretagna.

Si ringraziano i seguenti lessicografi per la loro dedizione al progetto: Mirella Alessio, Francesca Logi, Loredana Riu e Paola Tite.

Si ringraziano anche Helen Warren per il suo prezioso aiuto fin dall'inizio del progetto e Anouk Mackenzie e Lucy Hall per la loro collaborazione nella fase finale.

Per la correzione delle bozze un ringraziamento anche a Ruth Blackmore, Pat Bulhosen, Janice McNeillie e Donald Watt.

Colin McIntosh

Test su come consultare il dizionario

Per farti capire come si può imparare l'inglese usando il dizionario ***Oxford Study*** ti proponiamo un piccolo test: prova a rispondere a queste domande consultando il dizionario.

1 Come si chiamano la femmina e il piccolo del ***maiale*** in inglese?

2 Come si dice ***calcio*** in inglese americano?

3 Come si chiamano i ***semi*** delle carte in inglese?

4 Nella frase seguente: *I like John's swimsuit* la parola **swimsuit** non è stata usata correttamente. Sapresti sostituirla con la parola giusta?

5 Come si fanno gli auguri ad un amico per il suo ***compleanno***?

6 Cosa dicono gli inglesi quando qualcuno ***starnutisce***?

7 A Natale qual è il menu tradizionale nel Regno Unito?

8 Cosa mangiano gli inglesi il ***martedì grasso***?

9 ***Peace*** e ***piece*** si pronunciano in modo diverso?

10 In quanti modi si può pronunciare il sostantivo ***row*** e cosa vuol dire in ciascun caso?

Lessico

Il dizionario ***Oxford Study*** ti aiuterà ad arricchire il tuo patrimonio lessicale in vari modi: fornendoti molti dettagli sulle parole che già conosci, introducendone altre nuove, ma a loro collegate, aggiungendo la versione americana quando esiste, ecc.

Potrai inoltre imparare delle espressioni inglesi tipiche che vengono usate solo in alcune situazioni particolari.

Ogni paese ha festività e tradizioni particolari: in questo dizionario troverai quelle più importanti nel Regno Unito che ti aiuteranno a capire meglio la cultura inglese.

Pronuncia

Nella sezione inglese–italiano troverai la pronuncia delle parole. I simboli fonetici appaiono a piè di pagina. Consulta inoltre le spiegazioni sui risvolti di copertina all'inizio del dizionario e a pag. 680.

11 La parola ***lung*** è un sostantivo, un aggettivo o un verbo?

12 Abbiamo usato correttamente il sostantivo nella frase *I need some* ***informations***? Perché?

13 Sapresti correggere il verbo nella frase seguente: *Jane* ***do*** *her homework in the library*?

14 Qual è il passato del verbo *to* ***break***?

Categorie grammaticali

Puoi scoprire se la parola è un sostantivo, un verbo o un avverbio, ecc, consultando le parti del discorso indicate per ciascuna voce.

Puoi capire se un sostantivo ha un uso speciale in inglese (qualche volta non si può usare al plurale perché è un sostantivo non numerabile).

Per i verbi troverai le forme più importanti (passato e participio passato). Inoltre sui risvolti troverai l'elenco dei verbi irregolari più importanti.

15 Qual è il plurale di ***party***?

16 Qual è la forma in *-ing* del verbo *to* ***hit***?

Ortografia

Potrai consultare il dizionario per controllare come si scrive una parola perché abbiamo anche indicato quei piccoli cambiamenti che devi fare per formare i plurali o per coniugare i verbi.

17 Come si dice ***spazzolino*** da denti? E ***spazzola*** per i capelli?

18 Cosa si usa per far friggere le uova? Una ***frying pan*** o una ***saucepan***?

Illustrazioni

Abbiamo anche inserito dei disegni per aiutarti ad identificare gli oggetti che appartengono allo stesso gruppo, così potrai scegliere facilmente la parola che ti serve.

19 Come si legge questa ***data*** in inglese: *4 July 1998*?

20 Come si chiama in inglese una persona nata in ***Polonia***?

Informazioni aggiuntive

Consulta le schede di lavoro e le appendici per avere delle informazioni su come si scrive una lettera, come si dice la data, nomi geografici, ecc.

Risposte

1 *Sow* e *piglet*. **2** *Soccer*. **3** *Hearts, diamonds, clubs* e *spades*. **4** *Swimming trunks*. **5** *Happy Birthday!* o *Many happy returns!* **6** *Bless you!* **7** Tacchino e *Christmas Pudding*. **8** *Pancakes*. **9** No. **10** In due modi: /rəʊ/ (fila) e /raʊ/ (lite). **11** Un sostantivo. **12** No, si dice *I need some information* perché è un sostantivo non numerabile. **13** *Jane does her homework in the library*. **14** *Broke*. **15** *Parties*. **16** *Hitting*. **17** *Toothbrush* e *hairbrush*. **18** Una *frying pan*. **19** *July the fourth, nineteen ninety-eight*. **20** *A Pole*.

Esercizio 1

Alla fine di alcune voci troverai la nota *Vedi anche*, seguita da una parola. Se cerchi la voce corrispondente a questa parola, scoprirai delle traduzioni molto interessanti e qualche volta completamente impreviste!

Per esempio alla fine della voce **ago** troverai *Vedi anche* CERCARE. Alla voce **cercare** troverai l'espressione **cercare un ago in un pagliaio** che in inglese si traduce *to look for a needle in a haystack.*

Indovina le espressioni a cui abbiamo fatto riferimento nelle voci seguenti e scopri come si traducono in inglese:

1 ghiro
2 balzo
3 orchestra
4 castello
5 labbro

Cerca il significato delle espressioni a cui abbiamo fatto riferimento nelle voci seguenti:

6 water
7 bird
8 bucket
9 basket
10 bright

Esercizio 2

Completa le frasi seguenti usando le preposizioni corrette:

1 Everybody **laughed** ...... the joke.
2 We were very **pleased** ...... the hotel.
3 It took her a long time to **recover** ...... the accident.
4 He's very **proud** ...... his new motorbike.
5 The house is quite **close** ...... the shops.

Esercizio 3

Consulta il dizionario per cercare la forma corretta del verbo:

1 Have you **finished** .... (clean) your room?
2 He **keeps** .... (phone) me up.
3 I've **persuaded** Jan .... (come) to the party.
4 Try to **avoid** .... (make) mistakes.
5 She **asked** me .... (shut) the door.

Risposte

Esercizio 1

1 dormire come un ghiro *to sleep like a log*
2 prendere la palla al balzo *to seize your opportunity*
3 direttore d'orchestra *conductor*
4 letto a castello *bunk bed*
5 leggere le labbra *to lip-read*
6 like a fish out of water *come un pesce fuor d'acqua*
7 the early bird catches the worm *chi dorme non piglia pesci*
8 to kick the bucket *tirare le cuoia*
9 to put all your eggs in one basket *puntare tutto su una sola carta*
10 to look on the bright side *considerare il lato buono della cosa*

Esercizio 2

1 *at* **2** *with* **3** *from* **4** *of* **5** *to*

Esercizio 3

1 *cleaning* **2** *phoning* **3** *to come* **4** *making* **5** *to shut*

A a

A, a /eɪ/ *s* (*pl* **A's**, **a's**/eɪz/) **1** A, a: *A for Andrew* A come Ancona ◊ *'bean' (spelt) with an 'a'* "bean" scritto con la "a" ◊ *'Awful' begins/starts with an 'A'.* "Awful" comincia per "A". ◊ *'Data' ends in an 'a'.* "Data" termina in "a". **2** (*Mus*) la

a /ə, eɪ/ (*anche* **an** /ən, æn/) *art indet* ☛ **A, an** corrisponde all'italiano *un, uno, una* tranne nei seguenti casi: **1** (*numeri*): *a hundred and twenty people* centoventi persone **2** (*professioni*): *My mother is a solicitor.* Mia madre è avvocato. **3** a, per: *200 words a minute* 200 parole al minuto ◊ *£5 a dozen* cinque sterline alla dozzina **4** (*persone sconosciute*) un certo, una certa: *Do we know a James Smith?* Conosciamo un certo James Smith?

aback /əˈbæk/ *avv Vedi* TAKE

abandon /əˈbændən/ *vt* abbandonare: *an abandoned baby/village* un neonato/paese abbandonato ◊ *We abandoned the attempt.* Abbiamo rinunciato al tentativo.

abbess /ˈæbes/ *s* badessa

abbey /ˈæbi/ *s* (*pl* **-eys**) abbazia

abbot /ˈæbət/ *s* abate

abbreviate /əˈbriːvieɪt/ *vt* abbreviare **abbreviation** *s* abbreviazione

ABC /ˌeɪ biː ˈsiː/ *s* **1** alfabeto **2** abbiccì: *the ABC of cookery* l'abbiccì della cucina

abdicate /ˈæbdɪkeɪt/ *vt, vi* abdicare (a)

abdomen /ˈæbdəmən/ *s* addome **abdominal** /æbˈdɒmɪnl/ *agg* addominale

abduct /əbˈdʌkt, æb-/ *vt* rapire, sequestrare **abduction** *s* rapimento, sequestro di persona

abide /əˈbaɪd/ *vt* sopportare: *I can't abide them.* Non li sopporto. **PHR V to abide by sth 1** (*norma, decisione*) attenersi a qc **2** (*promessa*) tener fede a qc

ability /əˈbɪləti/ *s* (*pl* **-ies**) capacità, abilità: *her ability to accept change* la sua capacità di accettare i cambiamenti ◊ *Despite his ability as a dancer…* Nonostante le sue doti di ballerino…

ablaze /əˈbleɪz/ *agg* **1** in fiamme: *to set sth ablaze* appiccare il fuoco a qc **2 to be ~ with sth** risplendere di qc: *The garden was ablaze with flowers.* Il giardino era un tripudio di fiori.

able[1] /ˈeɪbl/ *agg* **to be ~ to do sth** essere in grado di fare qc; poter fare qc: *Will he be able to help you?* Potrà aiutarti? ◊ *They are not yet able to swim.* Ancora non sono in grado di nuotare. ☛ *Vedi nota a* CAN[2] **LOC** *Vedi* BRING

able[2] /ˈeɪbl/ *agg* (**abler**, **ablest**) capace, bravo

abnormal /æbˈnɔːml/ *agg* anormale **abnormality** /ˌæbnɔːˈmæləti/ *s* (*pl* **-ies**) anormalità

aboard /əˈbɔːd/ *avv, prep* a bordo (di): *aboard the ship* a bordo della nave ◊ *Welcome aboard.* Benvenuti a bordo.

abode /əˈbəʊd/ *s* (*form*) dimora **LOC** *Vedi* FIXED

abolish /əˈbɒlɪʃ/ *vt* abolire **abolition** *s* abolizione

abominable /əˈbɒmɪnəbl; *USA* -mən-/ *agg* abominevole

abort /əˈbɔːt/ **1** *vt, vi* (*Med*) (far) abortire: *to abort the pregnancy* interrompere la gravidanza **2** *vt* sospendere: *They aborted the launch.* Hanno sospeso il lancio.

abortion /əˈbɔːʃn/ *s* aborto (*provocato*): *to have an abortion* abortire ☛ *Confronta* MISCARRIAGE

abortive /əˈbɔːtɪv/ *agg* fallito: *an abortive coup/attempt* un colpo di stato/tentativo fallito

abound /əˈbaʊnd/ *vi* ~ (**with sth**) abbondare (di qc)

about[1] /əˈbaʊt/ *avv* **1** (*anche* **around**) circa, all'incirca: *about the same height as you* alto all'incirca come te **2** (*anche* **around**) verso: *I got home at about half past seven.* Sono arrivato a casa verso le sette e mezza. ☛ *Vedi nota a* AROUND[1] **3** (*anche* **around**) da queste parti: *She's somewhere about.* È da queste parti. ◊ *There are no jobs about at the moment.* In questo periodo non c'è lavoro. **4** quasi: *Dinner's about* *ready.* La cena è quasi pronta. LOC **to be about to do sth** stare per fare qc

about² /əˈbaʊt/ (*anche* **around**, **round**) *part avv* **1** da una parte all'altra: *I could hear people moving about.* Sentivo gente muoversi. **2** qua e là: *people sitting about on the grass* gente seduta qua e là sull'erba ☛ Per l'uso di **about** nei PHRASAL VERBS vedi alla voce del verbo, ad es. **to lie about** a LIE².

about³ /əˈbaʊt/ *prep* **1** in giro per: *papers strewn about the room* fogli sparsi per la stanza ◊ *She's somewhere about the place.* È qui in giro. **2** su, riguardo a: *a book about flowers* un libro sui fiori ◊ *What's the book about?* Di cosa tratta il libro? **3** [*con aggettivi*]: *angry/happy about sth* arrabbiato/contento per qc **4** (*caratteristica*): *There's something about her I don't like.* C'è qualcosa in lei che non mi piace. LOC **how/what about?**: *What about his car?* E la sua macchina? ◊ *How about going swimming?* Che ne dici di andare a nuotare?

above¹ /əˈbʌv/ *avv* su, sopra: *the people in the flat above* quelli del piano di sopra ◊ *children aged eleven and above* ragazzi dagli undici anni in su

above² /əˈbʌv/ *prep* **1** sopra: *1000 metres above sea level* 1.000 metri sopra il livello del mare ☛ *Vedi illustrazione a* SOPRA **2** oltre: *above 50%* oltre il 50% LOC **above all** soprattutto

abrasive /əˈbreɪsɪv/ *agg* **1** (*persona*) brusco **2** (*detergente*) abrasivo

abreast /əˈbrest/ *avv* ~ (**of sb/sth**): *to cycle two abreast* andare in bicicletta fianco a fianco ◊ *A car came abreast of us.* Un'auto si affiancò a noi. LOC **to be/keep abreast of sth** essere/tenersi al corrente di qc

abroad /əˈbrɔːd/ *avv* all'estero: *to go abroad* andare all'estero ◊ *Have you ever been abroad?* Sei mai stato all'estero?

abrupt /əˈbrʌpt/ *agg* **1** (*cambiamento*) repentino, improvviso **2** (*persona*) brusco: *He was very abrupt with me.* È stato molto brusco con me.

absence /ˈæbsəns/ *s* **1** assenza: *absences due to illness* assenze per malattia **2** [*sing*] assenza, mancanza: *the complete absence of noise* la totale assenza di rumore ◊ *in the absence of new evidence* in mancanza di nuove prove LOC *Vedi* CONSPICUOUS

absent /ˈæbsənt/ *agg* **1** assente **2** distratto

absentee /ˌæbsənˈtiː/ *s* assente

absent-minded /ˌæbsənt ˈmaɪndɪd/ *agg* distratto

absolute /ˈæbsəluːt/ *agg* assoluto, totale

absolutely /ˈæbsəluːtli/ *avv* **1** assolutamente: *Are you absolutely sure/certain that...?* Sei assolutamente sicuro che...? ◊ *You are absolutely right.* Hai perfettamente ragione. **2** [*nelle frasi negative*]: *absolutely nothing* un bel niente **3** (*mostrando accordo*): *Oh absolutely!* Altroché!

absolve /əbˈzɒlv/ *vt* ~ **sb** (**from/of sth**) assolvere qn (da qc)

absorb /əbˈsɔːb/ *vt* **1** assorbire: *The roots absorb the water.* Le radici assorbono l'acqua. **2** assimilare: *to absorb information* assimilare informazioni **3** ammortizzare: *to absorb the shock* ammortizzare il colpo

absorbed /əbˈsɔːbd/ *agg* assorto

absorbing /əbˈsɔːbɪŋ/ *agg* (*libro, film*) avvincente

absorption /əbˈsɔːpʃn/ *s* **1** (*liquidi*) assorbimento **2** (*minerali, idee*) assimilazione

abstain /əbˈsteɪn/ *vi* ~ (**from sth**) astenersi (da qc)

abstract /ˈæbstrækt/ ◆ *agg* astratto ◆ *s* (*Arte*) opera astratta LOC **in the abstract** in astratto

absurd /əbˈsɜːd/ *agg* assurdo: *How absurd!* Che assurdità! ◊ *You look absurd in that hat.* Con quel cappello sei ridicolo. **absurdity** *s* (*pl* **-ies**) assurdità

abundance /əˈbʌndəns/ *s* abbondanza

abundant /əˈbʌndənt/ *agg* abbondante

abuse /əˈbjuːz/ ◆ *vt* **1** ~ **sb/sth** abusare di qn/qc: *to abuse your power* abusare del proprio potere **2** insultare **3** maltrattare ◆ /əˈbjuːs/ *s* **1** abuso: *drug abuse* abuso di sostanze stupefacenti **2** abuso sessuale: *child abuse* molestia sessuale sui bambini **3** maltrattamenti **4** [*non numerabile*] insulti: *They shouted abuse at him.* Lo insultarono. **abusive** *agg* offensivo

academic /ˌækəˈdemɪk/ *agg* **1** accademico **2** teorico

academy /əˈkædəmi/ *s* (*pl* **-ies**) accademia

accelerate /əkˈseləreɪt/ *vt, vi* accelerare **acceleration** *s* **1** accelerazione **2** (*veicolo*) ripresa **accelerator** *s* acceleratore

accent /ˈæksent, ˈæksənt/ *s* **1** accento **2** rilievo, risalto

accentuate /əkˈsentʃueɪt/ *vt* accentuare, mettere in risalto

accept /əkˈsept/ **1** *vt, vi* accettare **2** *vt* ammettere: *I've been accepted by the University.* Sono stato ammesso all'università. **3** *vt* (*macchina, apparecchio*): *The machine only accepts 10p coins.* La macchina funziona solo con monete da 10 penny. LOC *Vedi* FACE VALUE

acceptable /əkˈseptəbl/ *agg* ~ (**to sb**) accettabile (per qn)

acceptance /əkˈseptəns/ *s* **1** accettazione **2** approvazione

access /ˈækses/ *s* **1** ~ (**to sth**) accesso (a qc) **2** ~ **to sb** diritto di vedere qn

accessible /əkˈsesəbl/ *agg* accessibile

accessory /əkˈsesəri/ *s* (*pl* **-ies**) [*gen pl*] accessorio LOC **accessory** (**to sth**) complice (di qc)

accident /ˈæksɪdənt/ *s* **1** incidente **2** caso (*fortuito*) LOC **by accident** per caso **accidental** /ˌæksɪˈdentl/ *agg* accidentale, casuale

acclaim /əˈkleɪm/ ◆ *vt* acclamare ◆ *s* [*non numerabile*] plauso

accommodate /əˈkɒmədeɪt/ *vt* **1** ospitare, alloggiare **2** (*veicolo, stanza*): *The car can accommodate four people.* È un'auto a quattro posti.

accommodation /əˌkɒməˈdeɪʃn/ *s* [*non numerabile*] (*GB*) alloggio

accompaniment /əˈkʌmpənimənt/ *s* accompagnamento

accompany /əˈkʌmpəni/ *vt* (*pass, pp* **-ied**) accompagnare

accomplice /əˈkʌmplɪs; *USA* əˈkɒm-/ *s* complice

accomplish /əˈkʌmplɪʃ; *USA* əˈkɒm-/ *vt* compiere, portare a termine

accomplished /əˈkʌmplɪʃt/ *agg* esperto

accomplishment /əˈkʌmplɪʃmənt/ *s* **1** realizzazione **2** dote

accord /əˈkɔːd/ ◆ *s* accordo LOC **in accord** (**with sb/sth**) d'accordo (con qn/qc) **of your own accord** di propria iniziativa ◆ **1** *vi* ~ **with sth** (*form*) concordare con qc **2** *vt* (*form*) accordare, concedere

accordance /əˈkɔːdns/ *s* LOC **in accordance with sth** in conformità a qc

accordingly /əˈkɔːdɪŋli/ *avv* di conseguenza: *to act accordingly* agire di conseguenza

according to *prep* secondo, a seconda di

accordion /əˈkɔːdiən/ *s* fisarmonica

account /əˈkaʊnt/ ◆ *s* **1** (*Fin, Comm*) conto: *current account* conto corrente **2** **accounts** [*pl*] contabilità, conti **3** resoconto, relazione LOC **by/from all accounts** a quanto si dice **of no account** senza alcuna importanza **on account** in acconto **on account of sth** a causa di qc **on no account; not on any account** per nessun motivo **on this/that account** a causa di ciò **to take account of sth; to take sth into account** tenere conto di qc ◆ *vi* ~ (**to sb**) **for sth** rendere conto (a qn) di qc

accountable /əˈkaʊntəbl/ *agg* ~ (**to sb**) (**for sth**) responsabile (verso qn) (di qc) **accountability** /əkaʊntəˈbɪləti/ *s* responsabilità

accountancy /əˈkaʊntənsi/ *s* contabilità, ragioneria

accountant /əˈkaʊntənt/ *s* contabile, ragioniere, -a, commercialista

accumulate /əˈkjuːmjəleɪt/ *vt, vi* accumulare, accumularsi **accumulation** *s* accumulazione, accumulo

accuracy /ˈækjərəsi/ *s* precisione

accurate /ˈækjərət/ *agg* accurato, preciso

accusation /ˌækjuˈzeɪʃn/ *s* accusa

accuse /əˈkjuːz/ *vt* ~ **sb** (**of sth**) accusare qn (di qc): *He was accused of murder.* È stato accusato di omicidio. **the accused** *s* (*pl* **the accused**) l'accusato, -a **accusingly** *avv*: *to look accusingly at sb* guardare qn con aria d'accusa

accustomed /əˈkʌstəmd/ *agg* ~ **to sth** abituato a qc: *to be accustomed to sth* essere abituato a qc ◊ *to become/get/grow accustomed to sth* abituarsi a qc

ace /eɪs/ *s* **1** (*Carte*) asso ☛ *Vedi nota a* CARTA **2** (*Tennis*) ace

ache /eɪk/ ◆ *s* dolore *Vedi anche* BACKACHE, HEADACHE, TOOTHACHE ◆ *vi* far male, dolere

achieve /əˈtʃiːv/ *vt* **1** (*obiettivo, successo*) raggiungere **2** (*risultato*) ottenere **3** (*ambizione*) realizzare **achievement** *s* **1** raggiungimento, realizzazione **2** risultato, successo

aching /ˈeɪkɪŋ/ *agg* dolorante

acid /ˈæsɪd/ ◆ *s* acido ◆ *agg* **1** (*sapore*) acido, agro **2** (*anche* **acidic**) acido **acidity** /əˈsɪdəti/ *s* acidità

acid rain *s* pioggia acida

acknowledge /əkˈnɒlɪdʒ/ *vt* **1** (*errore, verità*) riconoscere **2** (*lettera, documento*) accusare ricevuta di **3** (*persona*) dare segno di accorgersi di **acknowledg(e)ment** *s* **1** riconoscimento **2** avviso di ricevuta **3** ringraziamento (*in libro, ecc*)

acne /ˈækni/ *s* acne

acorn /ˈeɪkɔːn/ *s* ghianda

acoustic /əˈkuːstɪk/ *agg* acustico **acoustics** *s* [*pl*] acustica

acquaintance /əˈkweɪntəns/ *s* **1** conoscenza **2** conoscente LOC **to make sb's acquaintance/to make the acquaintance of sb** (*form*) fare la conoscenza di qn **acquainted** *agg* **1** ~ **with sth** pratico di qc **2** *to become/get acquainted with sb* fare la conoscenza di qn

acquiesce /ˌækwiˈes/ *vi* (*form*) ~ (**in sth**) acconsentire (a qc) **acquiescence** *s* assenso

acquire /əˈkwaɪə(r)/ *vt* **1** (*conoscenze, possedimenti*) acquisire **2** (*informazione*) ottenere **3** (*reputazione*) guadagnarsi, farsi

acquisition /ˌækwɪˈzɪʃn/ *s* acquisto

acquit /əˈkwɪt/ *vt* (**-tt-**) (*Dir*) ~ **sb** (**of sth**) assolvere qn (da qc) **acquittal** *s* (*Dir*) assoluzione

acre /ˈeɪkə(r)/ *s* acro (*4.047 metri quadri*)

acrobat /ˈækrəbæt/ *s* acrobata

across /əˈkrɒs; *USA* əˈkrɔːs/ *part avv, prep* **1** [*si traduce spesso con un verbo*] attraverso: *to swim across* attraversare a nuoto ◊ *to walk across the border* attraversare il confine a piedi ◊ *to take the path across the fields* prendere il sentiero attraverso i campi **2** dall'altra parte: *We were across in no time.* Siamo arrivati dall'altra parte in un batter d'occhio. ◊ *from across the room* dall'altro lato della stanza **3** sopra, di traverso: *a bridge across the river* un ponte sul fiume ◊ *A branch lay across the path.* Sul sentiero c'era un ramo messo di traverso. **4** in larghezza: *The river is half a mile across.* Il fiume è largo mezzo miglio. ☛ Per l'uso di **across** nei PHRASAL VERBS vedi alla voce del verbo, ad es. **to come across** a COME.

acrylic /əˈkrɪlɪk/ *agg, s* acrilico

act /ækt/ ◆ *s* **1** atto: *an act of violence/kindness* un atto di violenza/una gentilezza **2** (*Teat*) atto **3** numero: *a circus act* un numero del circo **4** (*Dir*) decreto, legge LOC **in the act of doing sth** nel fare qc **to get your act together** (*inform*) darsi una mossa **to put on an act** (*inform*) fare la commedia ◆ **1** *vi* agire **2** *vi* comportarsi **3** *vi, vt* (*Teat*) recitare (la parte di) LOC *Vedi* FOOL

acting¹ /ˈæktɪŋ/ *s* recitazione: *Her acting was awful.* Ha recitato malissimo. ◊ *his acting career* la sua carriera di attore

acting² /ˈæktɪŋ/ *agg* facente funzione: *He was acting chairman at the meeting.* Ha fatto da presidente alla riunione. ☛ Si usa solo davanti al sostantivo.

action /ˈækʃn/ *s* **1** azione **2** [*non numerabile*] misure, provvedimenti: *Drastic action is needed.* Bisogna prendere misure drastiche. **3** (*Dir*) azione legale **4** (*Mil*) azione, combattimento LOC **in action** in azione **out of action** fuori uso **to put sth into action** mettere in pratica qc **to take action** passare all'azione *Vedi anche* COURSE

activate /ˈæktɪveɪt/ *vt* attivare

active /ˈæktɪv/ *agg* attivo: *to take an active part in sth* partecipare attivamente a qc ◊ *to take an active interest in sth* interessarsi attivamente di qc

activity /ækˈtɪvəti/ *s* (*pl* **-ies**) **1** attività **2** animazione

actor /ˈæktə(r)/ *s* attore, -trice ☛ *Vedi nota a* ACTRESS

actress /ˈæktrəs/ *s* attrice

> Molti preferiscono usare il termine **actor** sia per le donne che per gli uomini.

actual /ˈæktʃuəl/ *agg* **1** effettivo: *What were his actual words?* Cosa ha detto esattamente? **2** reale: *based on actual* *events* basato su fatti realmente accaduti **3** vero e proprio: *the actual city centre* il centro cittadino vero e proprio ☛ *Confronta* CURRENT senso 1, PRESENT-DAY **LOC in actual fact** in realtà

actually /ˈæktʃuəli/ *avv* **1** in realtà: *He's actually very bright.* In realtà è molto intelligente. **2** esattamente: *What did she actually say?* Cosa ha detto esattamente? **3** *Actually, my name's Sue, not Ann.* Veramente mi chiamo Sue, non Ann. **4** sul serio, davvero: *You actually met her?* L'hai incontrata davvero? ◊ *He actually expected me to leave.* Si aspettava davvero che me ne andassi. ☛ *Confronta* AT PRESENT *a* PRESENT, CURRENTLY *a* CURRENT

acupuncture /ˈækjupʌŋktʃə(r)/ *s* agopuntura

acute /əˈkjuːt/ *agg* **1** grave: *to become more acute* acutizzarsi **2** acuto: *an acute angle* un angolo acuto ◊ *acute appendicitis* appendicite acuta **3** (*rimorso, imbarazzo*) profondo

AD /ˌeɪˈdiː/ *abbr* **anno domini** dopo Cristo

ad /æd/ *s* (*inform*) **advertisement** annuncio (*pubblicità*)

adamant /ˈædəmənt/ *agg* ~ (**about/in sth**) risoluto, categorico (riguardo a qc): *He was adamant about staying behind.* Si è impegnato a rimanere.

adapt /əˈdæpt/ *vt, vi* adattare, adattarsi **adaptable** *agg* adattabile **adaptation** *s* adattamento

adaptor /əˈdæptə(r)/ *s* **1** presa multipla **2** riduttore

add /æd/ *vt* aggiungere, sommare **LOC to add A and B together** sommare A e B **PHR V to add sth on (to sth)** aggiungere qc (a qc) **to add to sth 1** aumentare qc **2** ampliare qc **to add up** (*inform*) quadrare: *His story doesn't add up.* Il suo racconto non quadra. **to add (sth) up** sommare (qc), addizionare (qc) **to add up to sth** ammontare a qc: *The bill adds up to £40.* Il conto ammonta a 40 sterline.

adder /ˈædə(r)/ *s* vipera

addict /ˈædɪkt/ *s*: *drug addict* tossicodipendente ◊ *TV addict* teledipendente **addicted** /əˈdɪktɪd/ *agg* ~ (**to sth**) dipendente (da qc) **addiction** /əˈdɪkʃn/ *s* dipendenza, assuefazione **addictive** /əˈdɪktɪv/ *agg* che dà assuefazione

addition /əˈdɪʃn/ *s* **1** aggiunta **2** (*Mat*) addizione **LOC in addition** in aggiunta **in addition to sth** oltre a qc **additional** *agg* supplementare

additive /ˈædətɪv/ *s* additivo

address /əˈdres; *USA* ˈædres/ ◆ *s* **1** indirizzo: *an address book* una rubrica **2** discorso **LOC** *Vedi* FIXED ◆ *vt* **1** (*lettera, ecc*) indirizzare **2** ~ **sb** rivolgersi a qn **3** ~ (**yourself to**) **sth** dedicarsi a qc

adept /əˈdept/ *agg* abile

adequate /ˈædɪkwət/ *agg* **1** adeguato, sufficiente **2** accettabile

adhere /ədˈhɪə(r)/ *vi* (*form*) **1** aderire **2** ~ **to sth** (*norma, ecc*) osservare qc **adherence** *s* ~ (**to sth**) adesione (a qc) **adherent** *s* aderente

adhesive /ədˈhiːsɪv/ *agg, s* adesivo

adjacent /əˈdʒeɪsnt/ *agg* adiacente

adjective /ˈædʒɪktɪv/ *s* aggettivo

adjoining /əˈdʒɔɪnɪŋ/ *agg* attiguo, adiacente

adjourn /əˈdʒɜːn/ **1** *vt* aggiornare (*riunione, ecc*) **2** *vi* sospendere i lavori

adjust /əˈdʒʌst/ **1** *vt* aggiustare, regolare **2** *vt, vi* ~ (**sth**) (**to sth**) adattare qc (a qc); adattarsi (a qc) **adjustment** *s* **1** aggiustamento, modifica **2** adattamento

administer /ədˈmɪnɪstə(r)/ *vt* **1** amministrare **2** (*medicine, alimenti*) dispensare, somministrare **3** (*castigo*) infliggere

administration /ədˌmɪnɪˈstreɪʃn/ *s* amministrazione

administrative /ədˈmɪnɪstrətɪv/ *agg* amministrativo

administrator /ədˈmɪnɪstreɪtə(r)/ *s* amministratore, -trice

admirable /ˈædmərəbl/ *agg* ammirevole

admiral /ˈædmərəl/ *s* ammiraglio

admiration /ˌædməˈreɪʃn/ *s* ammirazione

admire /ədˈmaɪə(r)/ *vt* ammirare **admirer** *s* ammiratore, -trice **admiring** *agg* pieno di ammirazione

admission /ədˈmɪʃn/ *s* **1** entrata, ingresso **2** (*università*) ammissione **3** (*ospedale*) ricovero **4** ammissione, riconoscimento

admit /ədˈmɪt/ (**-tt-**) **1** *vt* ~ **sb** lasciar

entrare, ammettere qn **2** *vt* ~ **sb** ricoverare qn **3** *vt, vi* ~ **(to) sth** (*colpevolezza*) ammettere qc **4** *vt, vi* ~ **(to) sth** (*errore*) riconoscere qc **admittedly** *avv*: *Admittedly…* Bisogna ammettere che…

adolescent /ˌædəˈlesnt/ *agg, s* adolescente **adolescence** *s* adolescenza

adopt /əˈdɒpt/ *vt* adottare **adopted** *agg* adottivo **adoption** *s* adozione

adore /əˈdɔː(r)/ *vt* adorare

adorn /əˈdɔːn/ *vt* adornare

adrenalin /əˈdrenəlɪn/ *s* adrenalina

adrift /əˈdrɪft/ *agg* alla deriva

adult /ˈædʌlt, əˈdʌlt/ *agg, s* adulto, -a

adultery /əˈdʌltəri/ *s* adulterio

adulthood /ˈædʌlthʊd/ *s* età adulta

advance /ədˈvɑːns; *USA* -ˈvæns/ ◆ *s* **1** progresso **2** (*soldi*) anticipo LOC **in advance** in anticipo ◆ *agg* anticipato: *advance warning* preavviso ◆ **1** *vi, vt* (far) avanzare **2** *vi* fare progressi **advanced** *agg* avanzato **advancement** *s* **1** miglioramento **2** (*lavoro*) avanzamento

advantage /ədˈvɑːntɪdʒ; *USA* -ˈvæn-/ *s* vantaggio LOC **to take advantage of sth** approfittare di qc **to take advantage of sb/sth** approfittarsi di qn/qc **advantageous** /ˌædvənˈteɪdʒəs/ *agg* vantaggioso

advent /ˈædvent/ *s* **1** avvento **2 Advent** (*Relig*) Avvento

adventure /ədˈventʃə(r)/ *s* avventura **adventurer** *s* avventuriero, -a **adventurous** *agg* avventuroso

adverb /ˈædvɜːb/ *s* avverbio

adversary /ˈædvəsəri; *USA* -seri/ *s* (*pl* **-ies**) avversario, -a

adverse /ˈædvɜːs/ *agg* **1** avverso, contrario **2** (*critica*) sfavorevole **adversely** *avv* sfavorevolmente

adversity /ədˈvɜːsəti/ *s* (*pl* **-ies**) avversità

advert /ˈædvɜːt/ *s* (*GB, inform*) annuncio, pubblicità

advertise /ˈædvətaɪz/ **1** *vt*: *to advertise a job in the local newspaper* mettere un'offerta di lavoro sul giornale locale **2** *vi* fare pubblicità **3** *vt* reclamizzare **4** *vi* ~ **for sb/sth** cercare qn/qc (*con annuncio pubblicitario*) **advertisement** /ədˈvɜːtɪsmənt; *USA* ˌædvərˈtaɪzmənt/ (*anche* **advert**, **ad**) *s* ~ **(for sb/sth)** annuncio, pubblicità (per qn/di qc) **advertising** *s* pubblicità: *advertising campaign* campagna pubblicitaria

advice /ədˈvaɪs/ *s* [*non numerabile*] consigli: *a piece of advice* un consiglio ◊ *I asked for her advice.* Le ho chiesto consiglio. ◊ *to seek/take legal advice* consultare un avvocato ☛ *Vedi nota a* INFORMAZIONE

advisable /ədˈvaɪzəbl/ *agg* consigliabile

advise /ədˈvaɪz/ *vt, vi* **1** consigliare, raccomandare: *to advise sb to do sth* consigliare a qn di fare qc ◊ *You would be well advised to…* Faresti bene a… **2** avvertire **adviser** (*USA* **advisor**) *s* consigliere, -a, consulente **advisory** *agg* consultivo

advocacy /ˈædvəkəsi/ *s* ~ **of sth** appoggio a qc

advocate /ˈædvəkeɪt/ *vt* sostenere

aerial /ˈeəriəl/ ◆ *s* (*USA* **antenna**) antenna ◆ *agg* aereo

aerobics /eəˈrəʊbɪks/ *s* [*sing*] aerobica

aerodynamic /ˌeərəʊdaɪˈnæmɪk/ *agg* aerodinamico

aeroplane /ˈeərəpleɪn/ (*USA* **airplane**) *s* aereo

aesthetic /iːsˈθetɪk/ (*USA* **esthetic** /esˈθetɪk/) *agg* estetico

affair /əˈfeə(r)/ *s* **1** affare, faccenda: *the Watergate affair* il caso Watergate **2** avvenimento **3** avventura, relazione LOC *Vedi* STATE[1]

affect /əˈfekt/ *vt* **1** influire su **2** colpire, toccare ☛ *Confronta* EFFECT

affection /əˈfekʃn/ *s* affetto **affectionate** *agg* ~ **(towards sb)** affettuoso (con qn)

affinity /əˈfɪnəti/ *s* (*pl* **-ies**) **1** affinità **2** simpatia

affirm /əˈfɜːm/ *vt* affermare, sostenere

afflict /əˈflɪkt/ *vt* affliggere: *to be afflicted with* soffrire di

affluent /ˈæfluənt/ *agg* ricco, abbiente **affluence** *s* ricchezza

afford /əˈfɔːd/ *vt* **1** permettersi: *Can you afford it?* Te lo puoi permettere? **2** fornire **affordable** *agg* abbordabile (*prezzo*)

afield /əˈfiːld/ *avv* LOC **far/further afield** lontano/più lontano: *from as far afield as…* da posti lontani come…

afloat /əˈfləʊt/ *agg* a galla

afraid /əˈfreɪd/ *agg* **1 to be ~ (of sb/**

sth) aver paura (di qn/qc) **2 to be ~ to do sth** aver paura di fare qc **3 to be ~ for sb** temere per qn LOC **I'm afraid (that)…** purtroppo…: *I'm afraid so/ not.* Temo di sì./Purtroppo no.

afresh /əˈfreʃ/ *avv* da capo

after /ˈɑːftə(r); *USA* ˈæf-/ ◆ *avv* **1** dopo: *soon after* poco dopo ◊ *the day after* il giorno dopo **2** dietro: *She came running after.* Ci corse dietro. ◆ *prep* **1** dopo: *after doing your homework* dopo aver fatto i compiti ◊ *after lunch* dopo pranzo ◊ *the day after tomorrow* dopodomani **2** *time after time* ripetutamente **3** *They're after me.* Mi stanno cercando. ◊ *What are you after?* Cosa cerchi? ◊ *She's after a job in advertising.* Sta cercando un lavoro nel settore pubblicitario. **4** *We named him after you.* Gli abbiamo dato il tuo nome. LOC **after all** dopo tutto ◆ *cong* dopo che

aftermath /ˈɑːftəmɑːθ; *USA* ˈæftəmæθ/ *s* [*sing*] conseguenze LOC **in the aftermath of** nel periodo dopo

afternoon /ˌɑːftəˈnuːn; *USA* ˌæf-/ *s* pomeriggio: *tomorrow afternoon* domani pomeriggio LOC **good afternoon** buon pomeriggio ☛ *Vedi nota a* MORNING

afterthought /ˈɑːftəθɔːt; *USA* ˈæf-/ *s* ripensamento

afterwards /ˈɑːftəwədz; *USA* ˈæf-/ (*USA anche* **afterward**) *avv* dopo, in seguito: *shortly/soon afterwards* poco dopo

again /əˈgen, əˈgeɪn/ *avv* ancora, un'altra volta, di nuovo: *once again* ancora una volta ◊ *never again* mai più ◊ *Don't do it again.* Non farlo più. LOC **again and again** ripetutamente **then/there again** d'altra parte *Vedi anche* NOW, OVER, TIME, YET

against /əˈgenst, əˈgeɪnst/ *prep* contro: *Put the piano against the wall.* Metti il piano contro la parete. ◊ *We were rowing against the current.* Remavamo contro corrente. ◊ *The mountains stood out against the blue sky.* Le montagne si stagliavano contro il cielo azzurro. ☛ Per l'uso di **against** nei PHRASAL VERBS vedi alla voce del verbo, ad es. **come up against** a COME.

age /eɪdʒ/ ◆ *s* **1** età: *to be six years of age* avere sei anni **2** vecchiaia: *It improves with age.* Migliora col tempo. **3** epoca, era **4** eternità: *It's ages since I saw her.* Sono secoli che non la vedo. LOC **age of consent** età legale per consentire a rapporti sessuali **to come of age** diventare maggiorenne **under age** minorenne *Vedi anche* LOOK[1] ◆ *vt, vi* (*p pres* **ageing** *o* **aging** *pass, pp* **aged** /eɪdʒd/) (far) invecchiare

aged /ˈeɪdʒd/ ◆ *agg* **1** dell'età di…: *He died aged 81.* È morto all'età di 81 anni. **2** /ˈeɪdʒɪd/ anziano ◆ /ˈeɪdʒɪd/ *s* [*pl*] **the aged** gli anziani

ageing (*anche* **aging**) /ˈeɪdʒɪŋ/ ◆ *agg* (*iron*) attempato ◆ *s* invecchiamento

agency /ˈeɪdʒənsi/ *s* (*pl* **-ies**) agenzia, ente

agenda /əˈdʒendə/ *s* ordine del giorno

Nota che la parola italiana *agenda* si traduce "diary".

agent /ˈeɪdʒənt/ *s* agente, rappresentante

aggravate /ˈægrəveɪt/ *vt* **1** aggravare **2** irritare **aggravating** *agg* irritante **aggravation** *s* **1** fastidio **2** aggravamento

aggression /əˈgreʃn/ *s* [*non numerabile*] **1** aggressività **2** aggressione: *an act of aggression* un'aggressione

aggressive /əˈgresɪv/ *agg* aggressivo

agile /ˈædʒaɪl; *USA* ˈædʒl/ *agg* agile **agility** /əˈdʒɪləti/ *s* agilità

aging *Vedi* AGEING

agitated /ˈædʒɪteɪtɪd/ *agg* agitato: *to get agitated* mettersi in agitazione **agitation** *s* agitazione

ago /əˈgəʊ/ *avv*: *ten years ago* dieci anni fa ◊ *How long ago did she die?* Quanto tempo fa è morta? ◊ *as long ago as 1950* già nel 1950

Ago si usa con il "simple past": *She arrived a few minutes ago.* È arrivata qualche minuto fa. Con il "past perfect" si usa **before** o **earlier**: *She had arrived two days earlier.* Era arrivata due giorni prima.

☛ *Vedi esempi a* FOR senso 3

agonize, -ise /ˈægənaɪz/ *vi* ~ (**about/ over sth**) tormentarsi (per/su qc) **agonized, -ised** *agg* angosciato **agonizing, -ising** *agg* **1** angoscioso, penoso **2** (*dolore*) straziante

agony /ˈægəni/ *s* (*pl* **-ies**) **1** *to be in agony* soffrire atrocemente **2** (*inform*): *It was agony!* È stato un tormento!

agree /ə'griː/ **1** *vi* ~ (**with sb**) (**on/about sth**) essere d'accordo (con qn) (su qc): *They agreed with me on all the major points.* Erano d'accordo con me su tutti i punti principali. **2** *vi* ~ (**to sth**) acconsentire (a qc); accettare (qc): *He agreed to let me go.* Ha acconsentito a lasciarmi andare. **3** *vt* decidere: *It was agreed that...* È stato deciso di comune accordo che... **4** *vi* andare d'accordo **5** *vi* concordare **6** *vt* (*rapporto, ecc*) approvare **PHR V to agree with sb** andare a genio a qn: *The climate didn't agree with him.* Il clima non gli si confaceva. **agreeable** *agg* **1** piacevole **2** ~ (**to sth**) d'accordo (con qc)

agreement /ə'griːmənt/ *s* **1** accordo, intesa **2** accordo, patto **3** (*Comm*) contratto **LOC in agreement with** d'accordo con

agriculture /'ægrɪkʌltʃə(r)/ *s* agricoltura **agricultural** /ˌægrɪ'kʌltʃərəl/ *agg* agricolo

ah! /ɑː/ *escl* ah!

ahead /ə'hed/ ◆ *part avv* **1** davanti: *She looked* (*straight*) *ahead.* Guardò dritto davanti a sé. ◊ *the road ahead* la strada davanti a noi **2** futuro: *during the months ahead* nei mesi futuri **LOC to be ahead** essere in vantaggio ☛ Per l'uso di **ahead** nei PHRASAL VERBS vedi alla voce del verbo, ad es. **press ahead** a PRESS. ◆ *prep* ~ **of sb/sth 1** (*spazio*) davanti a qn/qc: *directly ahead of us* proprio davanti a noi **2** (*tempo*) prima di qn/qc: *London is about five hours ahead of New York.* Londra è circa cinque ore avanti rispetto a New York. **LOC to be/get ahead of sb/sth** essere in vantaggio su/superare qn/qc

aid /eɪd/ ◆ *s* **1** [*non numerabile*] aiuti (*economici, umanitari*) **2** aiuto, assistenza: *to come/go to sb's aid* accorrere in aiuto di qn **3** sussidio: *teaching aids* sussidi didattici **LOC in aid of sb/sth** a favore di qn/qc ◆ *vt* aiutare

Aids (*anche* **AIDS**) /eɪdz/ *abbr* **acquired immune deficiency syndrome** AIDS

ailment /'eɪlmənt/ *s* acciacco, malanno

aim /eɪm/ ◆ **1** *vt, vi* **to aim** (**sth**) (**at sb/sth**) (*arma*) puntare (qc) (contro qn/qc): *She aimed a blow at his head.* Gli sferrò un colpo alla testa. **2** *vt* **to aim sth at sb/sth** rivolgere qc a qn/qc **3** *vi* **to aim at/for sth** mirare a qc **4** *vi* **to aim to do sth** avere l'intenzione di fare qc ◆ *s* **1** scopo, obiettivo **2** mira **LOC to take aim** prendere la mira

aimless /'eɪmləs/ *agg* senza scopo **aimlessly** *avv* senza meta

ain't /eɪnt/ (*inform*) **1** = AM/IS/ARE NOT *Vedi* BE **2** = HAS/HAVE NOT *Vedi* HAVE

air /eə(r)/ ◆ *s* aria: *air fares* tariffe aeree ◊ *air pollution* inquinamento atmosferico **LOC by air** in aereo, per via aerea **in the air**: *There's something in the air.* C'è qualcosa nell'aria. **to be on the air** andare in onda **to give yourself/put on airs** darsi delle arie (**up**) **in the air** vago *Vedi anche* BREATH, CLEAR, OPEN, THIN ◆ *vt* **1** arieggiare **2** (*abiti*) dare aria a **3** (*lamentela*) esprimere

air-conditioned /'eə kəndɪʃənd/ *agg* climatizzato, con aria condizionata **air-conditioning** *s* aria condizionata

aircraft /'eəkrɑːft/ *s* (*pl* **aircraft**) aeroplano, velivolo

airfield /'eəfiːld/ *s* campo d'aviazione

air force *s* [*v sing o pl*] aeronautica militare

air hostess *s* hostess

airline /'eəlaɪn/ *s* linea aerea **airliner** *s* aereo di linea

airmail /'eəmeɪl/ *s* posta aerea: *by airmail* per via aerea

airplane /'eəpleɪn/ *s* (*USA*) aereo

airport /'eəpɔːt/ *s* aeroporto

air raid *s* incursione aerea

airtight /'eətaɪt/ *agg* a chiusura ermetica

aisle /aɪl/ *s* **1** navata laterale **2** (*aereo*) corridoio

akin /ə'kɪn/ *agg* ~ **to sth** simile a qc

alarm /ə'lɑːm/ ◆ *s* **1** allarme: *to raise/sound the alarm* dare l'allarme **2** (*anche* **alarm clock**) sveglia ☛ *Vedi illustrazione a* OROLOGIO **3** (*anche* **alarm bell**) campanello d'allarme **LOC** *Vedi* FALSE ◆ *vt* allarmare, spaventare: *to be/become/get alarmed* allarmarsi **alarming** *agg* allarmante

alas! /ə'læs/ *escl* purtroppo!

albeit /ˌɔːl'biːɪt/ *cong* (*form*) sebbene

album /'ælbəm/ *s* album

alcohol /'ælkəhɒl; *USA* -hɔːl/ *s* **1** alcol: *alcohol-free* analcolico **2** alcolici: *I never touch alcohol.* Non bevo alcolici. **alco-**

holic /ˌælkəˈhɒlɪk/ *agg* **1** alcolico **2** alcolizzato

ale /eɪl/ *s* birra

alert /əˈlɜːt/ ◆ *agg* sveglio, attento ◆ *s* **1** stato di all'erta: *to be on the alert* stare all'erta **2** allarme: *bomb alert* allarme per una bomba ◆ *vt* ~ **sb (to sth)** avvertire qn (di qc)

algae /ˈældʒiː, ˈælgi/ *s* [*v sing o pl*] alghe ☛ *Vedi nota a* ALGA

algebra /ˈældʒɪbrə/ *s* algebra

alibi /ˈæləbaɪ/ *s* alibi

alien /ˈeɪliən/ ◆ *agg* **1** strano **2** straniero **3** ~ **to sb/sth** estraneo a qn/qc ◆ *s* **1** (*form*) straniero, -a **2** alieno **alienate** *vt* alienare

alight /əˈlaɪt/ *agg*: *to be alight* essere in fiamme LOC *Vedi* SET[2]

align /əˈlaɪn/ **1** *vt* ~ **sth (with sth)** allineare qc (con qc) **2** *v rifl* ~ **yourself with sb** (*Politica*) allinearsi con qn

alike /əˈlaɪk/ ◆ *agg* **1** simile: *to be/look alike* assomigliarsi **2** uguale: *No two are alike.* Non ce ne sono due uguali. ◆ *avv* allo stesso modo: *It appeals to young and old alike.* Piace sia ai grandi che ai piccini.

alive /əˈlaɪv/ *agg* [*mai davanti al sostantivo*] **1** vivo, in vita: *to stay alive* sopravvivere ☛ *Vedi nota a* VIVO **2** *He's the best player alive.* È il miglior giocatore che ci sia. ☛ *Confronta* LIVING LOC **alive and kicking** vivo e vegeto **to keep sth alive 1** (*tradizione*) mantenere in vita qc **2** (*ricordo*) mantenere vivo qc **to keep yourself alive** sopravvivere

all /ɔːl/ ◆ *agg* **1** tutto, tutti: *all four of us* noi quattro **2** qualsiasi: *He denied all knowledge of the crime.* Ha negato di essere a conoscenza del reato. LOC **not as... as all that**: *They're not as rich as all that.* Non sono poi tanto ricchi. **on all fours** carponi *Vedi anche* FOR ◆ *pron* **1** tutto, -a, ecc: *I ate all of it.* L'ho mangiato tutto. ◊ *All of us liked it.* È piaciuto a tutti. ◊ *Are you all going?* Ci andate tutti? **2** *All I want is...* Tutto ciò che desidero è... LOC **all but** quasi: *It was all but impossible.* Era quasi impossibile. **all in all** tutto sommato **all the more** tanto più **at all**: *if it's at all possible* se esiste la minima possibilità **in all** in tutto **not at all 1** per niente **2** (*risposta*) di niente ◆ *avv* **1** tutto: *dressed all in white* tutta vestita di bianco ◊ *all alone* tutto solo ◊ *all excited* tutto eccitato **2** (*Sport*): *The score is two all.* Il punteggio è di due a due. LOC **all along** (*inform*) fin dall'inizio **all over 1** dappertutto **2** *That's her all over.* È tipico di lei. **all the better** tanto meglio **all too** anche troppo **not all that...** non molto... **to be all for sth** essere a favore di qc

allegation /ˌæləˈgeɪʃn/ *s* accusa (*senza prove*)

allege /əˈledʒ/ *vt* sostenere (*senza prove*) **alleged** *agg* presunto **allegedly** *avv* stando a quanto si dice

allegiance /əˈliːdʒəns/ *s* lealtà

allergic /əˈlɜːdʒɪk/ *agg* ~ **(to sth)** allergico (a qc)

allergy /ˈælədʒi/ *s* (*pl* **-ies**) allergia

alleviate /əˈliːvieɪt/ *vt* alleviare **alleviation** *s* alleviamento

alley /ˈæli/ *s* (*pl* **-eys**) (*anche* **alleyway**) vicolo

alliance /əˈlaɪəns/ *s* alleanza

allied /əˈlaɪd, ˈælaɪd/ *agg* ~ **(to sth) 1** collegato (con qc) **2** (*Politica*) alleato (con qc)

alligator /ˈælɪgeɪtə(r)/ *s* alligatore

allocate /ˈæləkeɪt/ *vt* **1** assegnare **2** (*fondi*) stanziare **allocation** *s* **1** assegnazione **2** (*fondi*) stanziamento

allot /əˈlɒt/ *vt* (**-tt-**) ~ **sth (to sb/sth)** assegnare qc (a qn/qc) **allotment** *s* **1** assegnazione **2** (*GB*) appezzamento di terreno pubblico dato in affitto a privati per coltivare verdure

all-out /ˌɔːl ˈaʊt/ ◆ *agg* totale ◆ *avv* LOC **to go all out** mettercela tutta

allow /əˈlaʊ/ *vt* **1** ~ **(sb/sth to do) sth** permettere (a qn/qc di fare) qc: *Dogs are not allowed.* Non è consentito l'ingresso ai cani. ◊ *Are we allowed to look?* Si può guardare?

> **Allow** è usato sia nell'inglese formale che in quello informale. La forma passiva **be allowed to** è molto comune. **Permit** è un termine piuttosto formale e si usa principalmente nel linguaggio scritto. **Let** è informale ed è molto usato nel linguaggio parlato.

2 to ~ **(sb) sth** concedere qc (a qn) **3** calcolare: *You should allow four hours for your journey.* Calcola che ti ci vorranno quattro ore di viaggio.

4 ammettere, riconoscere PHR V **to allow for sth** tenere conto di qc **allowable** *agg* ammissibile

allowance /ə'laʊəns/ *s* **1** limite consentito: *luggage allowance* bagaglio consentito **2** indennità, assegno: *travel allowance* indennità di viaggio **3** detrazione: *tax allowance* detrazione d'imposta LOC **to make allowances for sb/sth** giustificare qn/tener conto di qc

alloy /'ælɔɪ/ *s* lega (*di metalli*)

all right (*anche* **alright**) *agg, avv* **1** bene: *Did you get here all right?* Hai avuto problemi ad arrivare qua? ◊ *Was the translation all right?* La traduzione andava bene? **2** passabile: *The photos were all right.* Le foto erano passabili. **3** (*accordo*) va bene **4** *That's him all right.* È proprio lui.

all-round /ˌɔːl 'raʊnd/ *agg* **1** generale **2** (*atleta*) completo

all-time /'ɔːl taɪm/ *agg* di tutti i tempi: *an all-time low* il minimo storico

ally /ə'laɪ/ ◆ *vt, vi* (*pass, pp* **allied**) ~ **(yourself) with/to sb/sth** allearsi con qn/qc ◆ /'ælaɪ/ *s* (*pl* **-ies**) alleato, -a

almond /'ɑːmənd/ *s* **1** mandorla **2** (*anche* **almond tree**) mandorlo

almost /'ɔːlməʊst/ *avv* quasi ☛ *Vedi nota a* NEARLY

alone /ə'ləʊn/ *agg, avv* **1** solo, da solo: *Are you alone?* Sei da solo?

Nota che **alone** non si usa davanti al sostantivo e non ha connotazioni particolari. **Lonely** invece si può trovare davanti al sostantivo ed ha sempre connotazioni negative: *I want to be alone.* Voglio stare da solo. ◊ *She was feeling very lonely.* Si sentiva molto sola. ◊ *a lonely house* una casa solitaria.

2 solo, soltanto: *You alone can help me.* Solo tu puoi aiutarmi. LOC **to leave/let sb/sth alone** lasciare in pace qn/qc *Vedi anche* LET[1]

along /ə'lɒŋ; *USA* ə'lɔːŋ/ ◆ *prep* lungo: *a walk along the beach* una passeggiata lungo la spiaggia ◆ *part avv*: *I was driving along.* Stavo guidando. ◊ *Bring some friends along (with you).* Porta degli amici.

Along si usa spesso con verbi di moto nei tempi continui quando non si specifica la destinazione. In italiano in genere non si traduce.

LOC **along with** insieme a **come along!** andiamo! ☛ Per l'uso di **along** nei PHRASAL VERBS vedi alla voce del verbo, ad es. **get along** a GET.

alongside /əˌlɒŋ'saɪd; *USA* əlɔːŋ'saɪd/ *prep, avv* accanto (a): *A car drew up alongside.* Ci si affiancò una macchina.

aloud /ə'laʊd/ *avv* a voce alta

alphabet /'ælfəbet/ *s* alfabeto **alphabetical** /ˌælfə'betɪkl/ *agg* alfabetico: *in alphabetical order* in ordine alfabetico

already /ɔːl'redi/ *avv* già: *We got there early but Martin had already left.* Siamo arrivati presto ma Martin era già andato via. ◊ *Have you already eaten?* Hai già mangiato? ◊ *Surely you are not going already!* Ma come, te ne vai di già? ☛ *Vedi nota a* YET

alright /ɔːl'raɪt/ *Vedi* ALL RIGHT

also /'ɔːlsəʊ/ *avv* anche, pure: *I've also met her parents.* Ho conosciuto anche i suoi genitori. ◊ *She was also very rich.* Era anche molto ricca. ☛ *Vedi nota a* ANCHE

altar /'ɔːltə(r)/ *s* altare

alter /'ɔːltə(r)/ **1** *vt, vi* cambiare **2** *vt* (*vestiti*) modificare: *The skirt needs altering.* La gonna ha bisogno di modifiche. **alteration** *s* **1** cambiamento **2** (*vestito*) modifica

alternate /ɔːl'tɜːnət; *USA* 'ɔːltərneɪt/ ◆ *agg* alterno ◆ /'ɔːltɜːneɪt/ *vt, vi* alternare, alternarsi

alternative /ɔːl'tɜːnətɪv/ ◆ *s* alternativa: *She had no alternative but to...* Non aveva altra scelta che quella di... ◆ *agg* alternativo

although (*USA anche* **altho**) /ɔːl'ðəʊ/ *cong* benché ☛ *Vedi nota a* ANCHE, SEBBENE

altitude /'æltɪtjuːd; *USA* -tuːd/ *s* altitudine, quota

altogether /ˌɔːltə'geðə(r)/ *avv* **1** completamente: *I don't altogether agree.* Non sono completamente d'accordo. **2** in tutto **3** *Altogether, it was disappointing.* Tutto sommato è stato deludente.

aluminium /ˌæljə'mɪniəm/ (*USA* **aluminum** /ə'luːmɪnəm/) *s* alluminio

always /'ɔːlweɪz/ *avv* sempre LOC **as always** come sempre

La posizione degli *avverbi di frequenza* (**always**, **never**, **ever**, **usually**, ecc) dipende dal verbo a cui si accompagnano: vanno dopo i verbi ausiliari e modali (**be**, **have**, **can**, ecc) e prima della maggior parte degli altri verbi: *I have never visited her.* Non sono mai andato a trovarla. ◊ *I am always tired.* Sono sempre stanco. ◊ *I usually go shopping on Mondays.* Di solito vado a fare la spesa il lunedì.

am[1] /əm, m, æm/ *Vedi* BE

am[2] (*USA* **AM**) /ˌeɪ ˈem/ *abbr* del mattino: *at 11am* alle 11 del mattino ☛ *Vedi nota a* PM

amalgam /əˈmælgəm/ *s* amalgama

amalgamate /əˈmælgəmeɪt/ *vt, vi* fondere, fondersi (*società, aziende*)

amateur /ˈæmətə(r)/ *agg, s* dilettante

amaze /əˈmeɪz/ *vt* stupire: *to be amazed at/by sth* essere stupito da qc **amazement** *s* stupore **amazing** *agg* stupefacente

ambassador /æmˈbæsədə(r)/ *s* ambasciatore, -trice

amber /ˈæmbə(r)/ ◆ *s* ambra ◆ *agg* **1** d'ambra **2** (*semaforo*) giallo

ambiguity /ˌæmbɪˈgjuːəti/ *s* (*pl* **-ies**) ambiguità

ambiguous /æmˈbɪgjuəs/ *agg* ambiguo

ambition /æmˈbɪʃn/ *s* ambizione

ambitious /æmˈbɪʃəs/ *agg* ambizioso

ambulance /ˈæmbjələns/ *s* ambulanza

ambush /ˈæmbʊʃ/ *s* imboscata

amen /ɑːˈmen, eɪˈmen/ *escl, s* amen

amend /əˈmend/ *vt* correggere, rettificare **amendment** correzione, rettifica

amends /əˈmendz/ *s* [*pl*] LOC **to make amends** (**to sb**) (**for sth**) farsi perdonare (da qn) (per qc)

amenities /əˈmiːnətiz; *USA* əˈmenətiz/ *s* [*pl*] **1** comodità **2** strutture (*ricreative e culturali*)

amiable /ˈeɪmiəbl/ *agg* amabile

amicable /ˈæmɪkəbl/ *agg* amichevole

amid /əˈmɪd/ (*anche* **amidst** /əˈmɪdst/) *prep* (*form*) tra, in mezzo a: *Amid all the confusion, the thieves got away.* In mezzo a tutta la confusione i ladri riuscirono a scappare.

ammunition /ˌæmjuˈnɪʃn/ *s* [*non numerabile*] **1** munizioni **2** (*fig*) argomenti (*da usare in una discussione*)

amnesty /ˈæmnəsti/ *s* (*pl* **-ies**) amnistia

among /əˈmʌŋ/ (*anche* **amongst** /əˈmʌŋst/) *prep* tra: *I was among the last to leave.* Sono stato tra gli ultimi ad andare via. ☛ *Vedi illustrazione a* TRA

amount /əˈmaʊnt/ ◆ *vi* ~ **to sth** **1** ammontare a qc: *Our information doesn't amount to much.* Non abbiamo molti dati. ◊ *John will never amount to much.* John non conterà mai granché. **2** equivalere a qc ◆ *s* **1** quantità **2** (*bolletta, fattura*) importo **3** (*soldi*) somma LOC **any amount of**: *any amount of money* tutti i soldi che vuole

amphibian /æmˈfɪbiən/ *agg, s* anfibio

amphitheatre (*USA* **-ter**) /ˈæmfɪθɪətə(r)/ *s* anfiteatro

ample /ˈæmpl/ *agg* **1** abbondante **2** sufficiente **3** ampio **amply** *avv* ampiamente

amplify /ˈæmplɪfaɪ/ *vt* (*pass, pp* **-fied**) **1** amplificare **2** (*racconto, ecc*) ampliare **amplifier** *s* amplificatore

amuse /əˈmjuːz/ *vt* **1** intrattenere **2** divertire **amusement** *s* divertimento, svago: *amusement arcade* sala giochi ◊ *amusement park* parco dei divertimenti **amusing** *agg* divertente

an *Vedi* A

anaemia (*USA* **anemia**) /əˈniːmiə/ *s* anemia **anaemic** (*USA* **anemic**) *agg* anemico

anaesthetic (*USA* **anesthetic**) /ˌænəsˈθetɪk/ *s* anestesia: *to give sb an anaesthetic* anestetizzare qn

analogy /əˈnælədʒi/ *s* (*pl* **-ies**) analogia: *by analogy with* per analogia con

analyse (*USA* **analyze**) /ˈænəlaɪz/ *vt* analizzare

analysis /əˈnæləsɪs/ *s* (*pl* **-yses** /-əsiːz/) analisi LOC **in the last/final analysis** in ultima analisi

analyst /ˈænəlɪst/ *s* analista

analytic(al) /ˌænəˈlɪtɪk(l)/ *agg* analitico

anarchist /ˈænəkɪst/ *agg, s* anarchico, -a

anarchy /ˈænəki/ *s* anarchia **anarchic** /əˈnɑːkɪk/ *agg* anarchico

anatomy /əˈnætəmi/ *s* (*pl* **-ies**) anatomia

ancestor /ˈænsestə(r)/ *s* antenato, -a **ancestral** /ænˈsestrəl/ *agg* ancestrale: *ancestral home* casa avita **ancestry** /ˈænsestri/ *s* (*pl* **-ies**) ascendenza

anchor /ˈæŋkə(r)/ ◆ *s* **1** ancora **2** (*fig*) appoggio LOC **at anchor** all'ancora *Vedi anche* WEIGH ◆ *vt, vi* ancorare, ancorarsi

ancient /ˈeɪnʃənt/ *agg* **1** antico **2** (*inform*) vecchissimo

and /ænd, ənd/ *cong* **1** e: *you and me* io e te **2** (*numeri*): *one hundred and five* centocinque **3** *Come and help me.* Vieni ad aiutarmi. **4** [*con comparativi*]: *bigger and bigger* sempre più grande **5** (*ripetizione*): *They shouted and shouted.* Continuavano a gridare. ◊ *I've tried and tried.* Ho provato e riprovato. LOC *Vedi* TRY

anecdote /ˈænɪkdəʊt/ *s* aneddoto

anemia, anemic (*USA*) *Vedi* ANAEMIA

anesthetic (*USA*) *Vedi* ANAESTHETIC

angel /ˈeɪndʒl/ *s* angelo: *guardian angel* angelo custode

anger /ˈæŋgə(r)/ ◆ *s* rabbia, collera ◆ *vt* far arrabbiare

angle /ˈæŋgl/ *s* **1** (*Geom*) angolo **2** (*fig*) punto di vista LOC **at an angle** inclinato

angling /ˈæŋglɪŋ/ *s* pesca (*con la lenza*)

angry /ˈæŋgri/ *agg* (**-ier**, **-iest**) **1** ~ (**with sb**) (**at/about sth**) arrabbiato (con qn) (per qc) **2** (*cielo*) tempestoso LOC **to get angry** arrabbiarsi **to make sb angry** far arrabbiare qn **angrily** *avv* con rabbia

anguish /ˈæŋgwɪʃ/ *s* angoscia **anguished** *agg* angosciato

angular /ˈæŋgjələ(r)/ *agg* **1** angolare **2** (*persona*) angoloso, spigoloso

animal /ˈænɪml/ *s* animale: *animal experiments* esperimenti sugli animali

animate /ˈænɪmət/ ◆ *agg* animato (*vivente*) ◆ /ˈænɪmeɪt/ *vt* animare

ankle /ˈæŋkl/ *s* caviglia

anniversary /ˌænɪˈvɜːsəri/ *s* (*pl* **-ies**) anniversario

announce /əˈnaʊns/ *vt* annunciare **announcement** *s* annuncio (*comunicazione*) LOC **to make an announcement** fare una comunicazione **announcer** *s* annunciatore, -trice

annoy /əˈnɔɪ/ *vt* dare fastidio a, seccare **annoyance** *s* fastidio: *much to our annoyance* con nostro grande disappunto **annoyed** *agg* seccato, arrabbiato LOC **to get annoyed** arrabbiarsi **annoying** *agg* fastidioso, seccante

annual /ˈænjuəl/ *agg* annuale **annually** *avv* annualmente

anonymity /ˌænəˈnɪməti/ *s* anonimato

anonymous /əˈnɒnɪməs/ *agg* anonimo

another /əˈnʌðə(r)/ ◆ *agg* un altro: *another one* ancora uno ◊ *another five* altri cinque ◊ *I'll do it another time.* Lo faccio un altro momento. ☛ *Vedi nota a* ALTRO ◆ *pron* un altro, un'altra: *one way or another* in un modo o nell'altro ☛ Il plurale del *pronome* **another** è **others**. Vedi anche ONE ANOTHER

answer /ˈɑːnsə(r); *USA* ˈænsər/ ◆ *s* **1** risposta: *I phoned, but there was no answer.* Ho telefonato ma non ha risposto nessuno. **2** soluzione LOC **in answer (to sth)** in risposta (a qc) **to have/know all the answers** saper tutto ◆ **1** *vt, vi* ~ (**sb/sth**) rispondere (a qn/qc): *to answer the door* andare ad aprire la porta **2** *vt* (*accusa*) replicare a **3** *vt* (*preghiera*) esaudire PHR V **to answer back** rispondere (*con insolenza*) **to answer for sb/sth** rispondere di qn/qc **to answer to sb (for sth)** rispondere davanti a qn (di qc) **to answer to sth** rispondere a qc (*descrizione*)

ant /ænt/ *s* formica

antagonism /ænˈtægənɪzəm/ *s* antagonismo **antagonistic** *agg* ostile

antenna /ænˈtenə/ *s* **1** (*pl* **-nae** /-niː/) (*insetto*) antenna **2** (*pl* **-s**) (*USA*) (*Radio, TV*) antenna

anthem /ˈænθəm/ *s* inno

anthology /ænˈθɒlədʒi/ *s* (*pl* **-ies**) antologia

anthropology /ˌænθrəˈpɒlədʒi/ *s* antropologia **anthropological** /ˌænθrəpəˈlɒdʒɪkl/ *agg* antropologico **anthropologist** /ˌænθrəˈpɒlədʒɪst/ *s* antropologo, -a

antibiotic /ˌæntibaɪˈɒtɪk/ *agg, s* antibiotico

antibody /ˈæntibɒdi/ *s* (*pl* **-ies**) anticorpo

anticipate /ænˈtɪsɪpeɪt/ *vt* **1** ~ **sth** prevedere qc: *as anticipated* come previsto ◊ *We anticipate some difficulties.* Si prevedono difficoltà. **2** ~ **sb/sth** precedere qn/qc

anticipation /æn͵tɪsɪˈpeɪʃn/ *s* **1** previsione **2** attesa, aspettativa

antics /ˈæntɪks/ *s* [*pl*] pagliacciate

antidote /ˈæntidəʊt/ *s* ~ (**for/to sth**) antidoto (contro qc)

antiquated /ˈæntɪkweɪtɪd/ *agg* antiquato

antique /ænˈtiːk/ ◆ *s* pezzo d'antiquariato: *an antique shop* un negozio di antiquariato ◆ *agg* antico **antiquity** /ænˈtɪkwəti/ *s* (*pl* **-ies**) antichità

antithesis /ænˈtɪθəsɪs/ *s* (*pl* **-ses** /ænˈtɪθəsiːz/) antitesi

antler /ˈæntlə(r)/ *s* corno (*di cervo, renna, alce*)

anus /ˈeɪnəs/ *s* (*pl* ~**es**) ano

anxiety /æŋˈzaɪəti/ *s* (*pl* **-ies**) **1** apprensione, preoccupazione **2** (*Med*) ansia **3** ~ **for sth/to do sth** brama di qc/di fare qc

anxious /ˈæŋkʃəs/ *agg* **1** ~ (**about sth**) preoccupato (per qc): *an anxious moment* un momento preoccupante **2** ~ **to do sth** ansioso di fare qc **anxiously** *avv* con ansia

any /ˈeni/ ◆ *agg, pron* ☛ *Vedi nota a* SOME

• **frasi interrogative** **1** un po' di: *Have you got any cash?* Hai dei soldi? ◊ *Do you know any French?* Sai un po' di francese? **2** qualche: *Are there any problems?* C'è qualche problema? ☛ Con questo significato il sostantivo in inglese va al plurale.

• **frasi negative** *He hasn't got any friends.* Non ha amici. ◊ *There isn't any left.* Non ce n'è più. ◊ *We won't do you any harm.* Non ti faremo del male. ☛ *Vedi nota a* NESSUNO

• **frasi condizionali** **1** *If I had any relatives...* Se avessi dei parenti... **2** un po' di: *If he's got any sense, he won't go.* Se ha un briciolo di cervello non ci andrà. **3** qualche: *If you see any mistakes, tell me.* Se trovi qualche errore dimmelo. ☛ Con questo significato il sostantivo in inglese va al plurale.

Nelle frasi condizionali si può usare **some** invece di **any** in molti casi: *If you need some help, tell me.* Se hai bisogno di aiuto, dimmelo.

• **frasi affermative** **1** uno, -a qualunque, ogni: *just like any other boy* come ogni altro ragazzo **2** *Take any one you like.* Prendi quello che ti piace. **3** tutto: *Give her any help she needs.* Dalle tutto l'aiuto di cui ha bisogno.

◆ *avv* [*davanti a comparativo*]: *She doesn't work here any longer.* Non lavora più qui. ◊ *I can't walk any faster.* Non posso camminare più svelto di così. ◊ *She doesn't live here any more.* Non abita più qui.

anybody /ˈenibɒdi/ (*anche* **anyone**) *pron* **1** *Did you talk to anybody?* Hai parlato con qualcuno? ◊ *Is anybody there?* C'è nessuno? **2** [*nelle frasi negative*] nessuno: *I can't see anybody.* Non vedo nessuno. ☛ *Vedi nota a* NOBODY **3** [*nelle frasi affermative*]: *Invite anybody you like.* Invita chi vuoi. ◊ *Ask anybody.* Chiedi a chiunque. **4** [*nelle frasi comparative*]: *He spoke more than anybody.* Ha parlato più di tutti. ☛ *Vedi nota a* EVERYBODY, SOMEBODY LOC **anybody else**: *Anybody else would have refused.* Chiunque altro avrebbe detto di no. *Vedi anche* GUESS

anyhow /ˈenihaʊ/ *avv* **1** (*inform* **any old how**) in qualsiasi modo **2** (*anche* **anyway**) in ogni modo

anyone /ˈeniwʌn/ *Vedi* ANYBODY

anyplace /ˈenipleɪs/ (*USA*) *Vedi* ANYWHERE

anything /ˈeniθɪŋ/ *pron* **1** *Is anything wrong?* C'è qualcosa che non va? ◊ *Is there anything in these rumours?* C'è qualcosa di vero in queste voci? **2** [*nelle frasi affermative*] qualunque cosa: *We'll do anything you say.* Faremo tutto quello che vuoi. **3** [*nelle frasi negative o comparative*] niente: *He never says anything.* Non dice mai niente. ◊ *It was better than anything he'd seen before.* Era meglio di qualunque cosa che avesse visto prima. ☛ *Vedi nota a* NOBODY, SOMETHING LOC **anything but**: *It was anything but pleasant.* È stato tutt'altro che piacevole. ◊ *'Are you tired?' 'Anything but.'* "Sei stanca?" "Niente affatto." **if anything**: *I'm a pacifist, if anything.* Se mai sono un pacifista.

anyway /ˈeniweɪ/ *Vedi* ANYHOW senso 2

anywhere /ˈenɪweə(r)/ (*USA* **anyplace**) *avv, pron* **1** [*nelle frasi interrogative*] in qualche posto **2** [*nelle frasi affermative*]: *I'd live anywhere.* Vivrei dovunque. ◊ *anywhere you like* dove vuoi **3** [*nelle frasi negative*] in nessun posto: *I didn't go anywhere special.* Non sono andato in nessun posto di speciale. ◊ *I haven't got anywhere to stay.* Non ho un posto dove stare. ☛ *Vedi nota a* NOBODY **4** [*nelle frasi comparative*]: *more beautiful than anywhere* più bello di qualsiasi altro posto ☛ *Vedi nota a* SOMEWHERE LOC *Vedi* NEAR

apart /ə'pɑːt/ *avv* **1** *The two men were five metres apart.* I due uomini erano a cinque metri l'uno dall'altro. ◊ *They are a long way apart.* Sono molto lontani l'uno dall'altro. **2** *to stay apart* starsene in disparte **3** separato: *They live apart.* Vivono separati. ◊ *I can't pull them apart.* Non riesco a separarli. LOC **to take sth apart** smontare qc *Vedi anche* JOKE, POLE

apart from (*USA anche* **aside from**) *prep* a parte

apartment /ə'pɑːtmənt/ *s* appartamento

apathy /'æpəθi/ *s* apatia **apathetic** /ˌæpə'θetɪk/ *agg* apatico

ape /eɪp/ ◆ *s* scimmia ◆ *vt* scimmiottare

apologetic /əˌpɒlə'dʒetɪk/ *agg* di scuse: *an apologetic look* uno sguardo di scusa ◊ *to be apologetic* (*about sth*) scusarsi (di qc)

apologize, -ise /ə'pɒlədʒaɪz/ *vi* ~ (**for sth**) scusarsi (di qc)

apology /ə'pɒlədʒi/ *s* (*pl* **-ies**) scuse LOC **to make no apologies/apology (for sth)** non scusarsi (per qc)

apostle /ə'pɒsl/ *s* apostolo

appal (*USA anche* **appall**) /ə'pɔːl/ *vt* (**-ll-**) sconvolgere: *He was appalled at/by her behaviour.* Il suo comportamento l'ha sconvolto. **appalling** *agg* spaventoso

apparatus /ˌæpə'reɪtəs; *USA* -'rætəs/ *s* [*non numerabile*] **1** attrezzatura **2** apparato (*respiratorio, burocratico*)

apparent /ə'pærənt/ *agg* **1** evidente: *to become apparent* diventare chiaro **2** apparente: *for no apparent reason* senza apparente motivo **apparently** *avv* a quanto pare: *Apparently not.* Pare di no.

appeal /ə'piːl/ ◆ *vi* **1** ~ (**to sb**) **for sth** chiedere qc (a qn): *She appealed to the authorities for help.* Ha chiesto aiuto alle autorità. **2** ~ **to sb to do sth** fare appello a qn perché faccia qc: *The police appealed to the crowd not to panic.* La polizia ha invitato la folla a mantenere la calma. **3** fare appello **4** ~ (**to sb**) attrarre (qn) **5** ~ (**against sth**) (*Dir*) ricorrere in appello (contro qc) ◆ *s* **1** richiesta, appello: *an appeal for help* una richiesta di aiuto **2** supplica **3** attrattiva **4** ricorso: *appeal(s) court* corte d'appello **appealing** *agg* **1** attraente: *to look appealing* essere attraente **2** supplichevole

appear /ə'pɪə(r)/ *vi* **1** apparire, comparire: *to appear on TV* apparire in TV **2** sembrare: *You appear to have made a mistake.* Sembra che tu abbia fatto un errore. = SEEM **3** (*imputato*) presentarsi **appearance** *s* **1** apparenza **2** apparizione, comparsa LOC **to keep up appearances** salvare le apparenze

appendicitis /əˌpendə'saɪtɪs/ *s* appendicite

appendix /ə'pendɪks/ *s* **1** (*pl* **-dices** /-dɪsiːz/) (*testo*) appendice **2** (*pl* **-dixes**) (*Anat*) appendice

appetite /'æpɪtaɪt/ *s* **1** appetito: *to give sb an appetite* far venire appetito a qn **2** ~ **for sth** voglia, desiderio di qc LOC *Vedi* WHET

applaud /ə'plɔːd/ *vt, vi* applaudire **applause** *s* [*non numerabile*] applausi: *a big round of applause* un grande applauso

apple /'æpl/ *s* **1** mela ☛ *Vedi illustrazione a* FRUTTA **2** (*anche* **apple tree**) melo

appliance /ə'plaɪəns/ *s* apparecchio: *electrical/kitchen appliances* elettrodomestici

applicable /'æplɪkəbl, ə'plɪkəbl/ *agg* applicabile

applicant /'æplɪkənt/ *s* candidato, -a, aspirante

application /ˌæplɪ'keɪʃn/ *s* **1** domanda (*di assunzione, ecc*): *application form* modulo di domanda **2** applicazione

applied /ə'plaɪd/ *agg* applicato

apply /ə'plaɪ/ (*pass, pp* **applied**) **1** *vt* applicare **2** *vt* (*forza*) fare: *to apply the brakes* frenare **3** *vi* fare domanda **4** *vi* essere valido: *In this case, the rule does not apply.* In questo caso tale norma non è valida. PHR V **to apply for sth** fare domanda per qc **to apply to sb/sth** riguardare qn/qc, valere per qn/qc:

This applies to men and women. Questo vale per uomini e donne. **to apply yourself (to sth)** applicarsi (a qc)

appoint /ə'pɔɪnt/ *vt* **1** nominare **2** (*form*) (*ora, luogo*) fissare **appointment** *s* **1** (*atto*) nomina **2** posto **3** appuntamento (*di lavoro, col medico*)

appraisal /ə'preɪzl/ *s* valutazione

appreciate /ə'priːʃieɪt/ **1** *vt* apprezzare **2** *vt* (*aiuto, ecc*) essere grato per **3** *vt* (*problema*) rendersi conto di **4** *vi* aumentare di valore **appreciation** *s* **1** (*gen, Fin*) apprezzamento **2** comprensione **3** riconoscimento, gratitudine **4** critica (*valutazione*) **appreciative** *agg* **1 to be ~ (of sth)** essere grato (per qc) **2** (*sguardo*) di ammirazione **3** (*pubblico*) caloroso

apprehend /ˌæprɪ'hend/ *vt* catturare, arrestare **apprehension** *s* apprensione: *filled with apprehension* apprensivo **apprehensive** *agg* apprensivo

apprentice /ə'prentɪs/ *s* **1** apprendista: *an apprentice plumber* un apprendista idraulico **2** principiante **apprenticeship** *s* apprendistato

approach /ə'prəʊtʃ/ ◆ **1** *vt, vi* avvicinarsi (a) **2** *vt* ~ **sb** (*per aiuto, informazioni*) rivolgersi a qn **3** *vt* (*problema, compito*) affrontare ◆ *s* **1** l'avvicinarsi **2** accesso **3** approccio

appropriate[1] /ə'prəʊprɪeɪt/ *vt* appropriarsi di

appropriate[2] /ə'prəʊprɪət/ *agg* adatto **appropriately** *avv* adeguatamente, opportunamente

approval /ə'pruːvl/ *s* approvazione, consenso LOC **on approval** in prova

approve /ə'pruːv/ **1** *vt* approvare **2** *vi* ~ **(of sth)** approvare (qc) **3** *vi* ~ **(of sb)**: *They don't approve of him.* Non lo vedono di buon occhio. **approving** *agg* di approvazione

approximate /ə'prɒksɪmət/ ◆ *agg* approssimativo ◆ /ə'prɒksɪmeɪt/ *vi* ~ **to sth** avvicinarsi a qc (*assomigliare*) **approximately** *avv* approssimativamente

apricot /'eɪprɪkɒt/ *s* **1** albicocca **2** (*anche* **apricot tree**) albicocco **3** color albicocca

April /'eɪprəl/ *s* (*abbrev* **Apr**) aprile: *April Fool's Day* il primo d'aprile ☛ *Vedi nota e esempi a* JANUARY

April fool è la persona cui si fa il pesce d'aprile.

apron /'eɪprən/ *s* grembiule (*da cucina*)

apt /æpt/ *agg* (**apter**, **aptest**) adatto LOC **to be apt to do sth** aver la tendenza a fare qc **aptly** *avv* in modo adatto

aptitude /'æptɪtjuːd; *USA* -tuːd/ *s* attitudine

aquarium /ə'kweəriəm/ *s* (*pl* **-riums** *o* **-ria**) acquario

Aquarius /ə'kweəriəs/ *s* Acquario: *My sister is (an) Aquarius.* Mia sorella è dell'Acquario. ◊ *born under Aquarius* nato sotto il segno dell'Acquario

aquatic /ə'kwætɪk/ *agg* acquatico

arable /'ærəbl/ *agg* arabile: *arable farming* coltura del terreno ◊ *arable land* terreno coltivabile

arbitrary /'ɑːbɪtrəri; *USA* 'ɑːbɪtreri/ *agg* **1** arbitrario **2** (*attacco, violenza*) indiscriminato

arbitrate /'ɑːbɪtreɪt/ *vt, vi* arbitrare **arbitration** *s* arbitrato

arc /ɑːk/ *s* arco (*geometria*)

arcade /ɑː'keɪd/ *s* **1** galleria (*di negozi*): *amusement arcade* sala giochi **2** porticato

arch /ɑːtʃ/ ◆ *s* arco (*architettura*) ◆ *vt, vi* inarcare, inarcarsi

archaeology (*USA* **archeology**) /ˌɑːki'ɒlədʒi/ *s* archeologia **archaeological** (*USA* **archeological**) /ˌɑːkiə'lɒdʒɪkl/ *agg* archeologico **archaeologist** (*USA* **archeologist**) /ˌɑːki'ɒlədʒɪst/ *s* archeologo, -a

archaic /ɑː'keɪɪk/ *agg* arcaico

archbishop /ˌɑːtʃ'bɪʃəp/ *s* arcivescovo

archer /'ɑːtʃə(r)/ *s* arciere, -a **archery** *s* tiro con l'arco

architect /'ɑːkɪtekt/ *s* architetto

architecture /'ɑːkɪtektʃə(r)/ *s* architettura **architectural** /ˌɑːkɪ'tektʃərəl/ *agg* architettonico

archive /'ɑːkaɪv/ *s* archivio

archway /'ɑːtʃweɪ/ *s* arco (*architettura*)

ardent /'ɑːdnt/ *agg* ardente, entusiasta

ardour (*USA* **ardor**) /'ɑːdə(r)/ *s* ardore

arduous /'ɑːdjuəs; *USA* -dʒʊ-/ *agg* arduo

are /ə(r), ɑː(r)/ *Vedi* BE

area /'eəriə/ *s* **1** (*anche Mat*) area,

superficie **2** (*Geog*) zona, regione: *area manager* direttore di zona **3** (*per uso specifico*) zona, area **4** (*di attività, ecc*) area

arena /əˈriːnə/ *s* **1** (*Sport*) stadio **2** (*circo*) pista **3** (*fig*) scena

aren't /ɑːnt/ = ARE NOT *Vedi* BE

arguable /ˈɑːgjuəbl/ *agg* **1** *It is arguable that...* È possibile sostenere che... **2** discutibile **arguably** *avv* probabilmente: *Arguably,...* È possibile sostenere che...

argue /ˈɑːgjuː/ **1** *vi* discutere, litigare **2** *vt, vi* discutere, dibattere: *She argues that...* Sostiene che... ◊ *to argue for/against sth* sostenere/essere contro qc

argument /ˈɑːgjumənt/ *s* **1** discussione, lite: *to have an argument* litigare ☛ *Confronta* ROW[3] **2** ~ **for/against sth** argomento a favore/contro qc

arid /ˈærɪd/ *agg* arido

Aries /ˈeəriːz/ *s* Ariete (*segno zodiacale*) ☛ *Vedi esempi a* AQUARIUS

arise /əˈraɪz/ *vi* (*pass* **arose** /əˈrəʊz/ *pp* **arisen** /əˈrɪzn/) **1** (*problema*) sorgere **2** (*opportunità*) presentarsi **3** (*tempesta*) scatenarsi **4** (*situazione, ecc*) crearsi: *should the need arise* in caso di necessità **5** (*antiq*) alzarsi

aristocracy /ˌærɪˈstɒkrəsi/ *s* [*v sing o pl*] (*pl* **-ies**) aristocrazia

aristocrat /ˈærɪstəkræt; *USA* əˈrɪst-/ *s* aristocratico, -a **aristocratic** /ˌærɪstəˈkrætɪk/ *agg* aristocratico

arithmetic /əˈrɪθmətɪk/ *s* aritmetica: *mental arithmetic* calcolo mentale

ark /ɑːk/ *s* arca

arm

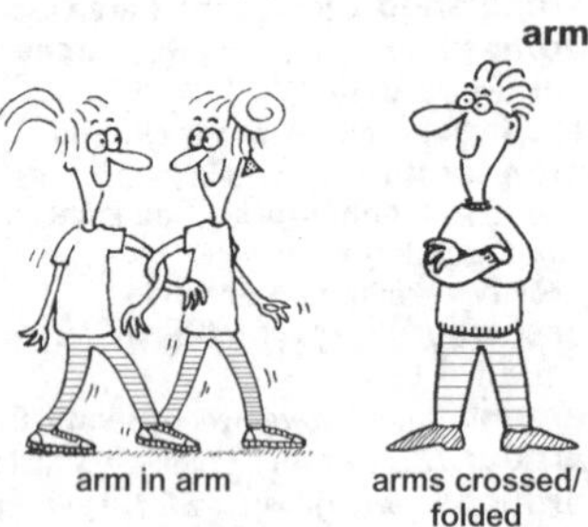

arm in arm

arms crossed/folded

arm /ɑːm/ ◆ *s* **1** braccio: *I've broken my arm.* Mi sono rotto un braccio.

> Nota che in inglese le parti del corpo sono precedute di solito dall'aggettivo possessivo (*my, your, her, ecc*).

2 (*camicia*) manica LOC **arm in arm** (**with sb**) a braccetto (con qn) *Vedi anche* CHANCE, FOLD ◆ *vt, vi* armare, armarsi: *to arm yourself with sth* armarsi di qc

armament /ˈɑːməmənt/ *s* armamento: *armaments factory* fabbrica di armi

armchair /ɑːmˈtʃeə(r)/ *s* poltrona

armed /ɑːmd/ *agg* armato

armed forces (*anche* **armed services**) *s* forze armate

armed robbery *s* rapina a mano armata

armistice /ˈɑːmɪstɪs/ *s* armistizio

armour (*USA* **armor**) /ˈɑːmə(r)/ *s* [*non numerabile*] **1** armatura: *a suit of armour* un'armatura **2** corazza (*navi, mezzi blindati*) LOC *Vedi* CHINK **armoured** (*USA* **armored**) *agg* **1** (*veicolo*) blindato **2** (*nave*) corazzato

armpit /ˈɑːmpɪt/ *s* ascella

arms /ɑːmz/ *s* [*pl*] **1** armi: *the arms race* la corsa agli armamenti **2** stemma LOC **to be up in arms** (**about/over sth**) essere sul piede di guerra (per qc)

army /ˈɑːmi/ *s* [*sing o pl*] (*pl* **armies**) esercito

arose *pass di* ARISE

around[1] /əˈraʊnd/ (*anche* **about**) *avv* **1** circa: *around 200 people* circa 200 persone **2** verso: *around 1850* verso il 1850

> Nelle espressioni di tempo la parola **about** è preceduta dalle preposizioni **at**, **on**, **in**, ecc, mentre la parola **around** non richiede preposizioni: *around/at about five o'clock* verso le cinque ◊ *around/on about 15 June* verso il 15 giugno

3 in giro: *There aren't many good teachers around.* Ci sono pochi insegnanti bravi in giro.

around[2] /əˈraʊnd/ (*anche* **round**, **about**) *part avv* **1** in giro: *I've been dashing (a)round all morning.* Ho corso tutta la mattina. **2** intorno: *to look (a)round* guardarsi intorno ☛ Per l'uso di **around** nei **phrasal verbs** vedi alla voce del verbo, ad es. **to lie around** a LIE[2].

around[3] /əˈraʊnd/ (*anche* **round**) *prep*

1 per: *to travel (a)round the world* girare il mondo **2** intorno a: *sitting (a)round the table* seduti intorno al tavolo

arouse /əˈraʊz/ *vt* **1** suscitare **2** eccitare (*sessualmente*) **3** ~ **sb (from sth)** svegliare qn (da qc)

arrange /əˈreɪndʒ/ *vt* **1** sistemare **2** (*evento*) organizzare **3** ~ **for sb to do sth** predisporre che qn faccia qc **4** ~ **to do sth/that...** rimanere d'accordo di fare qc/che... **5** (*Mus*) arrangiare **arrangement** *s* **1** sistemazione **2** accordo **3 arrangements** [*pl*] preparativi

arrest /əˈrest/ ◆ *vt* **1** (*criminale*) arrestare **2** (*form*) (*inflazione*) arrestare **3** (*attenzione*) attirare ◆ *s* **1** arresto **2** *cardiac arrest* arresto cardiaco LOC **to be under arrest** essere in stato di arresto

arrival /əˈraɪvl/ *s* **1** arrivo **2** (*persona*): *new/recent arrivals* i nuovi arrivati

arrive /əˈraɪv/ *vi* **1** arrivare

Arrive in o **arrive at? Arrive in** si usa quando si arriva in un paese: *When did you arrive in England?* Quando sei arrivato in Inghilterra? **Arrive at** si usa con un edificio come la stazione, l'ufficio, ecc: *We'll phone you as soon as we arrive at the airport.* Ti telefoniamo appena arriviamo all'aeroporto. L'uso di **at** seguito dal nome di una città implica che questa è una tappa di un itinerario. Nota che "arrivare a casa" si dice *to arrive home.*

2 (*inform*) (*aver successo*) arrivare

arrogant /ˈærəgənt/ *agg* arrogante **arrogance** *s* arroganza

arrow /ˈærəʊ/ *s* freccia

arson /ˈɑːsn/ *s* incendio doloso

art /ɑːt/ *s* **1** arte: *a work of art* un'opera d'arte **2 the arts** [*pl*] le Belle Arti: *the Arts Minister* il ministro della Cultura **3 arts** [*pl*] (*discipline*) lettere: *Bachelor of Arts* laurea in lettere

artery /ˈɑːtəri/ *s* (*pl* **-ies**) arteria

arthritis /ɑːˈθraɪtɪs/ *s* artrite **arthritic** *agg, s* artritico, -a

artichoke /ˈɑːtɪtʃəʊk/ *s* carciofo

article /ˈɑːtɪkl/ *s* articolo: *definite/indefinite article* articolo determinativo/indeterminativo ◊ *articles of clothing* capi di vestiario

articulate[1] /ɑːˈtɪkjələt/ *agg* **1** (*persona*) che si esprime bene **2** (*discorso*) articolato

articulate[2] /ɑːˈtɪkjʊleɪt/ *vt, vi* **1** esprimere **2** articolare, pronunciare **3** *articulated lorry* autoarticolato

artificial /ˌɑːtɪˈfɪʃl/ *agg* **1** artificiale **2** (*persona*) falso

artillery /ɑːˈtɪləri/ *s* artiglieria

artisan /ˌɑːtɪˈzæn; *USA* ˈɑːrtɪzn/ *s* artigiano, -a

artist /ˈɑːtɪst/ *s* artista

artistic /ɑːˈtɪstɪk/ *agg* artistico

artwork /ˈɑːtwɜːk/ *s* materiale illustrativo (*di libro, depliant*)

as /əz, æz/ ◆ *prep* **1** (*in qualità di*) come: *Treat me as a friend.* Considerami un amico. ◊ *Use this plate as an ashtray.* Usa questo piatto come portacenere. ◊ *to work as a waiter* fare il cameriere **2** (*età*) da: *as a child* da bambino

Nota che per i paragoni e gli esempi si usa **like**: *a car like yours* una macchina come la tua ◊ *Romantic poets, like Byron, Shelley, etc* poeti romantici come Byron, Shelley, ecc

◆ *avv* **1 as ... as** (così) ... come: *She is as tall as me/as I am.* È alta come me. ◊ *as soon as possible* prima possibile ◊ *I earn as much as her/as she does.* Guadagno quanto lei. **2** come: *as you can see* come vedi ◆ *cong* **1** mentre: *I watched her as she combed her hair.* La guardavo pettinarsi. **2** dato che, poiché: *As you weren't there...* Dato che tu non c'eri... **3** come: *Leave it as you find it.* Lascialo come lo trovi. LOC **as for sb/sth** quanto a qn/qc **as from** (*spec USA* **as of**): *as from/of 12 May* a partire dal 12 maggio **as if/as though** come se: *as if nothing had happened* come se non fosse successo niente **as it is** vista la situazione **as many 1** tanti: *We no longer have as many members.* Non abbiamo più tanti soci. **2** altrettanti: *four jobs in as many months* quattro lavori in altrettanti mesi **as many again/more** altrettanti **as many as 1** *I didn't win as many as him.* Non ne ho vinti tanti quanti lui. **2** fino a: *as many as ten people* fino a dieci persone **3** *You ate three times as many as I did.* Ne hai mangiati il triplo di me. **as many ... as** tanti ... quanti **as much**: *I don't have as* *much as you.* Non ne ho quanto te. ◊ *I thought as much.* Come pensavo. **as much again** altrettanto **as to sth/as regards sth** quanto a qc **as yet** fino ad ora

asbestos /æsˈbestəs, əzˈbestəs/ *s* amianto

ascend /əˈsend/ (*form*) **1** *vi* salire **2** *vt* (*scale*) salire **3** *vt* (*trono*) ascendere a

ascendancy /əˈsendənsi/ *s* ~ (**over sb/sth**) ascendente (su qn/qc)

ascent /əˈsent/ *s* **1** ascensione (*di monte*) **2** salita

ascertain /ˌæsəˈteɪn/ *vt* (*form*) accertare

ascribe /əˈskraɪb/ *vt* ~ **sth to sb/sth** attribuire qc a qn/qc

ash /æʃ/ *s* **1** cenere **2** (*anche* **ash tree**) frassino

ashamed /əˈʃeɪmd/ *agg* **to be** ~ (**of sb/sth**) vergognarsi (di qn/qc) LOC **to be ashamed to do sth** vergognarsi a/di fare qc

ashore /əˈʃɔː(r)/ *avv* a terra: *to go ashore* sbarcare

ashtray /ˈæʃtreɪ/ *s* portacenere

Ash Wednesday *s* mercoledì delle Ceneri

aside /əˈsaɪd/ ◆ *avv* da parte ◆ *s* a parte (*Teat*)

aside from *prep* (*spec USA*) a parte

ask /ɑːsk; *USA* æsk/ **1** *vt, vi* **to ask** (**sb**) (**sth**) chiedere (qc) (a qn): *to ask a question* fare una domanda ◊ *to ask about sth* informarsi su qc **2** *vt, vi* **to ask** (**sb**) **for sth** chiedere qc (a qn) **3** *vt* **to ask sb to do sth** chiedere a qn di fare qc **4** *vt* **to ask sb** (**to sth**) invitare qn (a qc) LOC **don't ask me!** (*inform*) a me lo chiedi? **for the asking**: *The job is yours for the asking.* Il lavoro è tuo, non hai che da chiederlo. **to ask for trouble/it** (*inform*) andarsele a cercare **to ask sb out** chiedere a qn di uscire **to ask sb round** invitare qn a casa propria PHR V **to ask after sb** chiedere di qn (*informazioni*) **to ask for sb** chiedere di qn (*di vedere/parlare*)

asleep /əˈsliːp/ *agg* addormentato: *to fall asleep* addormentarsi ◊ *to be fast/sound asleep* dormire profondamente

> Nota che **asleep** non si usa davanti a un sostantivo, perciò "un bambino addormentato" si traduce *a sleeping baby*.

asparagus /əˈspærəgəs/ *s* [*non numerabile*] asparagi

aspect /ˈæspekt/ *s* **1** (*di una situazione, ecc*) aspetto **2** (*Archit*) esposizione

asphalt /ˈæsfælt; *USA* -fɔːlt/ *s* asfalto

asphyxiate /əsˈfɪksieɪt/ *vt* asfissiare

aspiration /ˌæspəˈreɪʃn/ *s* aspirazione

aspire /əˈspaɪə(r)/ *vi* ~ **to sth** aspirare a qc: *aspiring musicians* aspiranti musicisti

aspirin /ˈæsprɪn, ˈæspərɪn/ *s* aspirina

ass /æs/ *s* **1** asino **2** (*inform*) (*idiota*) scemo, -a

assailant /əˈseɪlənt/ *s* (*form*) aggressore

assassin /əˈsæsɪn; *USA* -sn/ *s* assassino, -a **assassinate** *vt* assassinare **assassination** *s* assassinio ☛ *Vedi nota a* ASSASSINARE

assault /əˈsɔːlt/ ◆ *vt* aggredire, assalire ◆ *s* **1** ~ (**on sb**) aggressione (a qn) **2** ~ (**on sth**) attacco (a qc)

assemble /əˈsembl/ **1** *vt, vi* radunare, radunarsi **2** *vt* (*Mecc*) montare

assembly /əˈsembli/ *s* (*pl* **-ies**) **1** assemblea **2** montaggio: *assembly line* catena di montaggio

assert /əˈsɜːt/ *vt* **1** affermare **2** (*diritti*) far valere LOC **to assert yourself** farsi valere **assertion** *s* affermazione

assertive /əˈsɜːtɪv/ *agg* fermo, che sa farsi valere

assess /əˈses/ *vt* **1** valutare **2** (*tasse, ecc*) accertare l'imponibile di **assessment** *s* giudizio, valutazione **assessor** *s* ispettore delle imposte

asset /ˈæset/ *s* **1** punto di forza: *to be an asset to sb/sth* essere molto prezioso per qn/qc **2 assets** [*pl*] (*Comm*) beni

assign /əˈsaɪn/ *vt* ~ **sb/sth to sb/sth** assegnare qn/qc a qn/qc

assignment /əˈsaɪnmənt/ *s* **1** (*a scuola*) compito **2** incarico

assimilate /əˈsɪməleɪt/ **1** *vt* assimilare **2** *vi* ~ **into sth** integrarsi a qc

assist /əˈsɪst/ *vt, vi* (*form*) aiutare **assistance** *s* (*form*) aiuto, assistenza

assistant /əˈsɪstənt/ *s* **1** assistente, aiutante **2** (*anche* **sales/shop assist-**

ant) commesso, -a **3** *the assistant manager* il vicedirettore

associate¹ /ə'səʊʃiət/ *s* socio, -a

associate² /ə'səʊʃieɪt/ **1** *vt* ~ **sb/sth with sb/sth** associare qn/qc a qn/qc **2** *vi* ~ **with sb** frequentare qn

association /əˌsəʊsi'eɪʃn/ *s* associazione

assorted /ə'sɔːtɪd/ *agg* vari, assortiti

assortment /ə'sɔːtmənt/ *s* assortimento, varietà

assume /ə'sjuːm; *USA* ə'suːm/ *vt* **1** assumere **2** supporre **3** dare per scontato

assumption /ə'sʌmpʃn/ *s* **1** supposizione **2** (*potere*) presa

assurance /ə'ʃɔːrəns; *USA* ə'ʃʊərəns/ *s* **1** garanzia **2** sicurezza di sé

assure /ə'ʃʊə(r)/ **1** *vt* ~ **(sb of) sth** assicurare (qn di) qc **2** *v rifl* ~ **yourself that…** assicurarsi, accertarsi che… **assured** *agg* sicuro

asterisk /'æstərɪsk/ *s* asterisco

asthma /'æsmə; *USA* 'æzmə/ *s* asma **asthmatic** *agg*, *s* asmatico, -a

astonish /ə'stɒnɪʃ/ *vt* stupire **astonishing** *agg* stupefacente, sorprendente **astonishingly** *avv* incredibilmente **astonishment** *s* stupore

astound /ə'staʊnd/ *vt* sbalordire **astounding** *agg* sbalorditivo

astray /ə'streɪ/ *avv* LOC **to go astray 1** andare perso **2** (*fig*) traviarsi

astride /ə'straɪd/ *avv*, *prep* ~ **(sth)** a cavalcioni (di qc)

astrology /ə'strɒlədʒi/ *s* astrologia

astronaut /'æstrənɔːt/ *s* astronauta

astronomy /ə'strɒnəmi/ *s* astronomia **astronomer** *s* astronomo, -a **astronomical** /ˌæstrə'nɒmɪkl/ *agg* astronomico

astute /ə'stjuːt; *USA* ə'stuːt/ *agg* accorto

asylum /ə'saɪləm/ *s* **1** asilo, rifugio **2** (*anche* **lunatic asylum**) (*antiq*) manicomio

at /æt, ət/ *prep* **1** (*posizione, luogo*) a: *at home* a/in casa ◊ *at the door* alla porta ◊ *at your brother's* da tuo fratello ◊ *at the top* in alto **2** (*tempo*): *at 3.35* alle 3.35 ◊ *at dawn* all'alba ◊ *at times* a volte ◊ *at night* di notte ◊ *at Christmas* a Natale ◊ *at the moment* in questo momento **3** (*prezzo, frequenza, velocità*) a: *at 70kph* a 70km/h ◊ *at full volume* a tutto volume ◊ *two at a time* due alla volta **4** (*direzione*) verso: *to stare at sb* fissare qn ◊ *to throw sth at sth* tirare qc contro qc **5** (*reazione*): *surprised at sth* sorpreso di qc ◊ *At this, she fainted.* Al che è svenuta. **6** (*attività*): *She's at work.* È al lavoro. ◊ *to be at war* essere in guerra ◊ *children at play* bambini che giocano

ate *pass di* EAT

atheism /'eɪθiɪzəm/ *s* ateismo **atheist** *s* ateo, -a

athlete /'æθliːt/ *s* atleta

athletic /æθ'letɪk/ *agg* atletico **athletics** *s* [*sing*] atletica

atlas /'ætləs/ *s* **1** atlante **2** (*stradale*) carta

atmosphere /'ætməsfɪə(r)/ *s* **1** atmosfera **2** aria

atom /'ætəm/ *s* **1** atomo **2** (*fig*): *an atom of truth* un briciolo di verità

atomic /ə'tɒmɪk/ *agg* atomico: *atomic weapons* armi nucleari

atrocious /ə'trəʊʃəs/ *agg* **1** atroce **2** pessimo **atrocity** /ə'trɒsəti/ *s* (*pl* **-ies**) atrocità

attach /ə'tætʃ/ *vt* **1** attaccare **2** annettere **3** (*documenti*) allegare **4** (*fig*): *to attach importance to sth* attribuire importanza a qc **attached** *agg*: *to be attached to sb/sth* essere molto attaccato a qn/qc LOC *Vedi* STRING **attachment** *s* **1** accessorio **2** ~ **to sth** attaccamento, affetto per qn/qc

attack /ə'tæk/ *s* ~ **(on sb/sth) 1** attacco (contro qn/qc) **2** aggressione (di qn/qc) **1** *vt, vi* attaccare **2** *vt* aggredire, assalire **attacker** *s* aggressore

attain /ə'teɪn/ *vt* **1** (*ambizione*) realizzare **2** (*scopo*) raggiungere **attainment** *s* **1** (*ambizione*) realizzazione **2** (*scopo*) raggiungimento **3** risultato

attempt /ə'tempt/ ◆ *vt* tentare: *to attempt to do sth* tentare di fare qc ◆ *s* **1** ~ **(at doing/to do sth)** tentativo (di fare qc) **2** *to make an attempt on sb's life* attentare alla vita di qn **attempted** *agg*: *attempted robbery* tentata rapina ◊ *attempted murder* tentato omicidio

attend /ə'tend/ **1** *vt, vi* ~ **(sth)** assistere (a qc) **2** *vi* ~ **to sb/sth** occuparsi di qn/qc **attendance** *s* presenza LOC **in attendance** presente

attendant /ə'tendənt/ *s* custode, addetto, -a

attention /əˈtenʃn/ ◆ *s* attention: *for the attention of…* all'attenzione di… LOC *Vedi* CATCH, FOCUS, PAY ◆ **attention!** *escl* (*Mil*) attenti!

attentive /əˈtentɪv/ *agg* attento

attic /ˈætɪk/ *s* soffitta

attitude /ˈætɪtjuːd; *USA* -tuːd/ *s* atteggiamento

attorney /əˈtɜːni/ *s* (*pl* **-eys**) **1** (*USA*) avvocato **2** mandatario, -a

Attorney-General /əˌtɜːni ˈdʒenrəl/ *s* **1** (*GB*) procuratore generale **2** (*USA*) ≃ ministro della Giustizia

attract /əˈtrækt/ *vt* attrarre, attirare **attraction** *s* **1** attrazione **2** attrattiva **attractive** *agg* **1** (*persona*) attraente **2** (*stipendio, proposta*) interessante

attribute /ˈætrɪbjuːt/ ◆ *s* attributo ◆ /əˈtrɪbjuːt/ *vt* ~ **sth to sth** attribuire qc a qc

aubergine /ˈəʊbəʒiːn/ ◆ *s* melanzana ◆ *agg* color melanzana

auction /ˈɔːkʃn, ˈɒkʃn/ ◆ *s* asta ◆ *vt* vendere all'asta **auctioneer** /ˌɔːkʃəˈnɪə(r)/ *s* banditore, -trice

audible /ˈɔːdəbl/ *agg* udibile

audience /ˈɔːdiəns/ *s* **1** [*v sing o pl*] (*teatro, ecc*) pubblico **2** ~ **with sb** udienza con qn

audit /ˈɔːdɪt/ ◆ *s* revisione di conti ◆ *vt* rivedere (*conti*)

audition /ɔːˈdɪʃn/ ◆ *s* **1** audizione **2** provino ◆ *vi* ~ **for sth** fare un'audizione/un provino per qc

auditor /ˈɔːdɪtə(r)/ *s* revisore dei conti

auditorium /ˌɔːdɪˈtɔːriəm/ *s* (*pl* **-ria** o **-riums**) auditorio

August /ˈɔːgəst/ *s* (*abbrev* **Aug**) agosto ☛ *Vedi nota e esempi a* JANUARY

aunt /ɑːnt; *USA* ænt/ *s* zia: *Aunt Luisa* zia Luisa ◊ *my aunt and uncle* i miei zii **auntie** (*anche* **aunty**) (*inform*) *s* zia

au pair /ˌəʊˈpeə(r)/ *s* ragazza alla pari

austere /ɒˈstɪə(r), ɔːˈstɪə(r)/ *agg* austero **austerity** *s* austerità

authentic /ɔːˈθentɪk/ *agg* autentico

authenticity /ˌɔːθenˈtɪsəti/ *s* autenticità

author /ˈɔːθə(r)/ *s* autore, -trice

authoritarian /ɔːˌθɒrɪˈteəriən/ *agg, s* autoritario, -a

authoritative /ɔːˈθɒrətətɪv; *USA* -teɪtɪv/ *agg* **1** (*libro, fonte*) autorevole **2** (*voce*) autoritario

authority /ɔːˈθɒrəti/ *s* (*pl* **-ies**) autorità LOC **to have it on good authority that…** sapere da fonte autorevole che…

authorization, -isation /ˌɔːθəraɪˈzeɪʃn; *USA* -rɪˈz-/ *s* autorizzazione

authorize, -ise /ˈɔːθəraɪz/ *vt* autorizzare

autobiographical /ˌɔːtəˌbaɪəˈgræfɪkl/ *agg* autobiografico

autobiography /ˌɔːtəbaɪˈɒgrəfi/ *s* (*pl* **-ies**) autobiografia

autograph /ˈɔːtəgrɑːf; *USA* -græf/ ◆ *s* autografo ◆ *vt* firmare

automate /ˈɔːtəmeɪt/ *vt* automatizzare

automatic /ˌɔːtəˈmætɪk/ ◆ *agg* automatico ◆ *s* **1** automatica (*arma*) **2** auto con cambio automatico **automatically** *avv* automaticamente

automation /ˌɔːtəˈmeɪʃn/ *s* automazione

automobile /ˈɔːtəməbiːl, -məʊ-/ *s* (*spec USA*) automobile

autonomous /ɔːˈtɒnəməs/ *agg* autonomo **autonomy** *s* autonomia

autopsy /ˈɔːtɒpsi/ *s* (*pl* **-ies**) autopsia

autumn /ˈɔːtəm/ (*USA* **fall**) *s* autunno

auxiliary /ɔːgˈzɪliəri/ *agg, s* **1** ausiliario, -a **2** (*Gramm*) ausiliare

avail /əˈveɪl/ *s* LOC **to no avail** invano

available /əˈveɪləbl/ *agg* disponibile

avalanche /ˈævəlɑːnʃ; *USA* -læntʃ/ *s* valanga

avant-garde /ˌævɒŋ ˈgɑːd/ *agg* d'avanguardia

avenue /ˈævənjuː; *USA* -nuː/ *s* **1** (*abbrev* **Ave**) viale **2** (*fig*) via

average /ˈævərɪdʒ/ ◆ *s* media: *on average* in media ◆ *agg* **1** medio: *average earnings* reddito medio **2** (*inform, dispreg*) mediocre ◆ *vt* fare la media di PHR V **to average out (at sth)**: *It averages out at 10%.* È in media del 10%.

aversion /əˈvɜːʃn/ *s* avversione

avert /əˈvɜːt/ *vt* **1** (*sguardo*) distogliere **2** (*crisi, ecc*) evitare

aviation /ˌeɪviˈeɪʃn/ *s* aviazione

avid /ˈævɪd/ *agg* avido

avocado /ˌævəˈkɑːdəʊ/ *s* (*pl* **~s**) avocado

avoid /əˈvɔɪd/ *vt* **1** ~ **(doing) sth** evitare (di fare) qc **2** (*responsabilità*) sottrarsi a

await /əˈweɪt/ *vt* (*form*) ~ **sth** attendere, aspettare qc: *A surprise awaited us.* Ci aspettava una sorpresa.

awake /əˈweɪk/ ◆ *agg* **1** sveglio **2** ~ **to sth** (*pericolo, ecc*) conscio di qc ◆ *vt, vi* (*pass* **awoke** /əˈwəʊk/ *pp* **awoken** /əˈwəʊkən/) svegliare, svegliarsi

I verbi **awake** e **awaken** si usano soltanto nel linguaggio formale e letterario. Comunemente si dice **to wake (sb) up**.

awaken /əˈweɪkən/ **1** *vt, vi* svegliare, svegliarsi ☛ *Vedi nota a* AWAKE **2** *vt* ~ **sb to sth** (*pericolo, ecc*) rendere qn consapevole di qc

award /əˈwɔːd/ ◆ *vt* (*premio*) assegnare ◆ *s* premio

aware /əˈweə(r)/ *agg* ~ **of sth** consapevole di qc LOC **as far as I am aware** per quanto ne so **to make sb aware of sth** rendere consapevole qn di qc *Vedi anche* BECOME **awareness** *s* consapevolezza

away /əˈweɪ/ *part avv* **1** (*indicando distanza*): *The hotel is two kilometres away.* L'albergo è a due chilometri. ◊ *It's a long way away.* È molto lontano. **2** [*con verbi di moto*] via: *They took my car away.* Mi hanno portato via la macchina. ◊ *He limped away.* Se ne andò zoppicando. **3** [*uso enfatico con forme progressive*]: *I was working away all night.* Ho passato la notte lavorando. **4** *The snow had melted away.* La neve si era sciolta completamente. **5** (*Sport*) fuori casa: *an away win* una vittoria fuori casa LOC *Vedi* RIGHT ☛ Per gli usi di **away** nei PHRASAL VERBS vedi alla voce del verbo, ad es. **to get away** a GET.

awe /ɔː/ *s* timore reverenziale LOC **to be in awe of sb** avere soggezione di qn **awesome** *agg* impressionante

awful /ˈɔːfl/ *agg* **1** (*incidente, ecc*) terribile **2** *an awful lot of money* un sacco di soldi **awfully** *avv* terribilmente: *I'm awfully sorry.* Sono terribilmente spiacente.

awkward /ˈɔːkwəd/ *agg* **1** (*momento*) inopportuno **2** (*situazione, domanda*) imbarazzante **3** (*persona*) difficile **4** (*movimento*) impacciato

awoke *pass di* AWAKE

awoken *pp di* AWAKE

axe (*USA* **ax**) /æks/ ◆ *s* ascia LOC **to have an axe to grind** avere un interesse personale ◆ *vt* **1** (*costi, servizi*) tagliare **2** licenziare

axis /ˈæksɪs/ *s* (*pl* **axes** /ˈæksiːz/) asse

axle /ˈæksl/ *s* asse (*di ruote*)

aye (*anche* **ay**) /aɪ/ *escl, s* (*antiq*) sì: *The ayes have it.* Ha vinto il sì. ☛ **Aye** è usato in Scozia e nel nord dell'Inghilterra.

Bb

B, b /biː/ *s* (*pl* **B's, b's** /biːz/) **1** B, b: *B for Benjamin* B come Bologna ☛ *Vedi esempi a* A, A **2** (*Mus*) si

babble /ˈbæbl/ ◆ *s* **1** (*voci*) mormorio **2** (*bambino*) balbettio ◆ *vt, vi* farfugliare

babe /beɪb/ *s* (*USA, inform*) ragazza

baby /ˈbeɪbi/ *s* (*pl* **babies**) **1** bambino (*piccolo*): *a newborn baby* un neonato ◊ *a baby girl* una bambina piccola ☛ *Vedi nota a* BAMBINO **2** (*animale*) cucciolo **3** (*USA, inform*) amore

babysit /ˈbeɪbisɪt/ *vi* (**-tt-**) (*pass* **-sat**) ~ (**for sb**) guardare i bambini (a qn) **babysitter** *s* babysitter

bachelor /ˈbætʃələ(r)/ *s* scapolo: *a bachelor flat* un appartamento da scapolo

back¹ /bæk/ ◆ *s* **1** parte di dietro, retro **2** schiena, dorso: *to lie on your back* stare sdraiato sulla schiena **3** schienale LOC **at the back of your mind** sotto sotto **back to back** schiena contro schiena **back to front** al contrario ☛ *Vedi illustrazione a* ROVESCIO **behind sb's back** dietro le spalle di qn **to be glad, pleased, etc to see the back of sb** essere felice che qn se ne vada **to be glad, pleased, etc to see the back of sth** essere felice che qc finisca **to be on sb's back** stare addosso a qn **to get/put sb's back up** far irritare qn **to have your back to the wall** essere con le spalle al muro *Vedi anche* BREAK[1], PAT, TURN ◆ *agg* **1** di dietro, posteriore: *the back door* la porta di dietro **2** (*numero di giornale*) arretrato LOC **by/through the back door** clandestinamente ◆ *avv, part avv* **1** (*movimento, posizione*) indietro: *Stand well back.* Stai bene indietro. **2** (*ripetizione*) di nuovo: *They are back in power.* Sono di nuovo al potere. ◊ *on the way back* al ritorno ◊ *to go there and back* andare e tornare **3** (*tempo*) fa, prima: *a few years back* qualche anno fa/prima ◊ *back in the seventies* negli anni settanta **4** (*reciprocità*): *He smiled back* (*at her*). (Le) ricambiò il sorriso. LOC **to get/have your own back (on sb)** (*inform*) vendicarsi (di qn) **to go, travel, etc back and forth** fare avanti indietro ☛ Per l'uso di **back** nei PHRASAL VERBS vedi alla voce del verbo, ad es. **to go back** a GO[1].

back² /bæk/ **1** *vt* ~ **sb/sth** (**up**) appoggiare qn/qc **2** *vt* finanziare **3** *vt* (*cavallo*) puntare su **4** *vi* ~ (**up**) fare marcia indietro PHR V **to back away (from sb/sth)** indietreggiare (davanti a qn/qc) **to back down**; (*USA*) **to back off** tirarsi indietro **to back on to sth**: *Our house backs on to the lake.* Il retro della casa dà sul lago. **to back out (of an agreement, etc)** tirarsi indietro (da un accordo, ecc)

backache /ˈbækeɪk/ *s* mal di schiena

backbone /ˈbækbəʊn/ *s* spina dorsale

backcloth /ˈbækklɒθ/ (*anche* **backdrop** /ˈbækdrɒp/) *s* fondale (*teatro*)

backfire /ˌbækˈfaɪə(r)/ *vi* **1** (*auto*) fare un ritorno di fiamma **2** (*fig*) fallire **3** ~ **on sb** (*fig*) ritorcersi contro qn

background /ˈbækgraʊnd/ *s* **1** sfondo **2** sottofondo **3** contesto **4** background, ambiente: *He comes from a poor background.* È di famiglia povera.

backing /ˈbækɪŋ/ *s* **1** sostegno, appoggio **2** (*Mus*) accompagnamento

backlash /ˈbæklæʃ/ *s* reazione violenta

backlog /ˈbæklɒg/ *s*: *a huge backlog of work* una montagna di lavoro arretrato

backpack /ˈbækpæk/ *s* zaino

back seat *s* sedile posteriore LOC **to take a back seat** restare in secondo piano

backside /ˈbæksaɪd/ *s* (*inform*) sedere

backstage /ˌbækˈsteɪdʒ/ *avv* dietro le quinte

backup /ˈbækʌp/ *s* **1** appoggio **2** rinforzi **3** (*Informatica*) copia, back-up

backward /ˈbækwəd/ *agg* **1** all'indietro: *a backward glance* un'occhiata indietro **2** (*paese*) arretrato **3** (*bambino*) tardivo

backward(s) /ˈbækwədz/ *avv* **1** indietro, all'indietro: *He fell backwards.* È caduto all'indietro. **2** al contrario LOC **backward(s) and forward(s)** avanti e indietro

backyard /ˌbækˈjɑːd/ (*anche* **yard**) *s* (*GB*) cortile sul retro

bacon /ˈbeɪkən/ *s* bacon, pancetta ☛ *Confronta* HAM, GAMMON

bacteria /bækˈtɪəriə/ *s* [*pl*] batteri

bad /bæd/ *agg* (*comp* **worse** /wɜːs/ *superl* **worst** /wɜːst/) **1** cattivo: *This film's not bad.* Questo film non è male. **2** (*tempo*) brutto **3** dannoso: *It's bad for your health.* Fa male alla salute. **4** (*incidente, situazione*) grave LOC **to be bad at sth**: *I'm bad at Maths.* Vado male in matematica. **to be in sb's bad books**: *I'm in his bad books.* Sono sulla sua lista nera. **to go through/hit a bad patch** (*inform*) passare un periodaccio **too bad 1** peccato: *It's too bad you can't come.* È un peccato che tu non possa venire. **2** (*iron*) peggio per te! *Vedi anche* FAITH, FEELING

bade *pass di* BID

badge /bædʒ/ *s* **1** distintivo, spillino **2** (*fig*) simbolo

badger /ˈbædʒə(r)/ *s* tasso (*animale*)

bad language *s* [*non numerabile*] parolacce

badly /ˈbædli/ *avv* (*comp* **worse** /wɜːs/ *superl* **worst** /wɜːst/) **1** male: *It's badly made.* È fatto male. **2** gravemente: *The house was badly damaged.* La casa ha subito ingenti danni. **3** (*volere, aver bisogno*) assolutamente LOC (**not**) **to be badly off** (non) essere povero

badminton /ˈbædmɪntən/ *s* badminton

bad-tempered /ˌbæd ˈtempəd/ *agg* irascibile

baffle /ˈbæfl/ *vt* sconcertare, lasciare perplesso **baffling** *agg* sconcertante

bag /bæg/ *s* borsa, sacchetto ☛ *Vedi*

illustrazione a CONTAINER **LOC bags of sth** (*inform*) un sacco di qc **to be in the bag** (*inform*) essere cosa fatta *Vedi anche* LET[1], PACK

baggage /ˈbægɪdʒ/ *s* [*non numerabile*] bagagli

bagpipe /ˈbægpaɪp/ (*anche* **bagpipes**, **pipes**) *s* cornamusa

baguette /bæˈget/ *s* filoncino ☛ *Vedi illustrazione a* PANE

bail /beɪl/ *s* [*non numerabile*] (libertà provvisoria su) cauzione **LOC to go/stand bail (for sb)** rendersi garante (per qn)

bailiff /ˈbeɪlɪf/ *s* ufficiale giudiziario

bait /beɪt/ *s* esca

bake /beɪk/ *vt, vi* cuocere in forno: *a baking tin* una teglia **baker** *s* **1** fornaio, -a **2 baker's** panetteria **bakery** *s* (*pl* **-ies**) panetteria

baked beans *s* [*pl*] fagioli in salsa di pomodoro

balance /ˈbæləns/ ◆ *s* **1** equilibrio: *to lose your balance* perdere l'equilibrio **2** (*Fin*) bilancio, saldo **3** (*strumento*) bilancia **LOC on balance** tutto sommato *Vedi anche* CATCH ◆ **1** *vi* ~ **(on sth)** tenersi in equilibrio (su qc) **2** *vt* ~ **sth (on sth)** tenere qc in equilibrio (su qc) **3** *vt* bilanciare, compensare **4** *vt, vi* (*bilancio, conti*) (far) quadrare

balcony /ˈbælkəni/ *s* (*pl* **-ies**) balcone

bald /bɔːld/ *agg* calvo ☛ *Vedi illustrazione a* CAPELLO

ball /bɔːl/ *s* **1** (*Sport*) palla, pallone, pallina **2** gomitolo **3** ballo **LOC (to be) on the ball** (*inform*) (stare) all'erta **to have a ball** (*inform*) divertirsi da matti **to start/set the ball rolling** fare la prima mossa

ballad /ˈbæləd/ *s* ballata

ballet /ˈbæleɪ/ *s* balletto

ballet dancer *s* ballerino classico, ballerina classica

balloon /bəˈluːn/ *s* **1** palloncino **2** pallone aerostatico

ballot /ˈbælət/ *s* votazione (*a scrutinio segreto*)

ballot box *s* urna (*elettorale*)

ballroom /ˈbɔːlruːm/ *s* sala da ballo: *ballroom dancing* ballo liscio

bamboo /ˌbæmˈbuː/ *s* bambù

ban /bæn/ ◆ *vt* (**-nn-**) proibire ◆ *s* **ban (on sth)** bando, divieto (su qc)

banana /bəˈnɑːnə; *USA* bəˈnænə/ *s* banana: *a banana skin* una buccia di banana ☛ *Vedi illustrazione a* FRUTTA

band /bænd/ *s* **1** fascia, striscia **2** (*Mus*) banda, complesso **3** (*Radio*) banda **4** (*ladri, ecc*) banda

bandage /ˈbændɪdʒ/ ◆ *s* fascia ◆ *vt* fasciare

bandwagon /ˈbændwægən/ *s* **LOC to climb/jump on the bandwagon** (*inform*) seguire la corrente

bang /bæŋ/ ◆ **1** *vt* battere: *He banged his fist on the table.* Ha battuto il pugno sul tavolo. ◊ *I banged the box down on the floor.* Ho sbattuto la cassa per terra. **2** *vt* ~ **your head, etc (against/on sth)** battere la testa, ecc (contro qc) **3** *vi* ~ **into sb/sth** sbattere contro qn/qc **4** *vi* (*fuoco d'artificio*) scoppiare, esplodere **5** *vt, vi* (*porta*) sbattere ◆ *s* **1** colpo **2** scoppio ◆ (*inform*) *avv* proprio: *to be bang on time* spaccare il secondo ◊ *bang up to date* aggiornatissimo **LOC bang goes sth**: *Bang went his hopes.* Le sue speranze sono sfumate. **to go bang** (*inform*) esplodere ◆ **bang!** *escl* bang!

banger /ˈbæŋə(r)/ *s* (*GB, inform*) **1** salsiccia **2** mortaretto **3** (*auto*) macinino: *an old banger* un macinino scassato

banish /ˈbænɪʃ/ *vt* bandire

banister /ˈbænɪstə(r)/ *s* ringhiera

bank[1] /bæŋk/ *s* riva (*di fiume, lago*) ☛ *Confronta* SHORE

bank[2] /bæŋk/ ◆ *s* banca: *bank manager* direttore di banca ◊ *bank statement* estratto conto ◊ *bank account* conto in banca ◊ *bank balance* saldo **LOC** *Vedi* BREAK[1] ◆ **1** *vt* (*soldi*) depositare in banca **2** *vi*: *Who do you bank with?* Qual è la tua banca? **PHR V to bank on sb/sth** contare su qn/qc **banker** *s* banchiere, -a

bank holiday *s* (*GB*) giorno festivo

bankrupt /ˈbæŋkrʌpt/ *agg* fallito, in bancarotta **LOC to go bankrupt** fallire **bankruptcy** *s* bancarotta, fallimento

banner /ˈbænə(r)/ *s* stendardo, striscione

banning /ˈbænɪŋ/ *s* proibizione, bando

banquet /ˈbæŋkwɪt/ *s* banchetto

baptism /ˈbæptɪzəm/ *s* battesimo **baptize, -ise** *vt* battezzare

bar /bɑː(r)/ ◆ *s* **1** sbarra **2** bar ☛ *Vedi*

pag. 379. **3** banco **4** (*cioccolata*) tavoletta **5** *a bar of soap* una saponetta **6** (*Mus*) battuta **7** barriera **8** (*sabbia, fango*) barra LOC **behind bars** (*inform*) dietro le sbarre ◆ *vt* (**-rr-**) **to bar sb from doing sth** proibire a qn di fare qc LOC **to bar the way** sbarrare il passo ◆ *prep* tranne

barbarian /bɑːˈbeəriən/ *s* barbaro, -a **barbaric** /bɑːˈbærɪk/ *agg* barbaro, barbarico

barbecue /ˈbɑːbɪkjuː/ *s* **1** barbecue **2** grigliata

barbed wire /ˌbɑːbd ˈwaɪə(r)/ *s* filo spinato

barber /ˈbɑːbə(r)/ *s* barbiere: *at the barber's* dal barbiere

bar chart *s* diagramma a colonna

bare /beə(r)/ *agg* (**barer**, **barest**) **1** nudo ☛ *Vedi nota a* NAKED **2** (*testa*) scoperto **3** (*albero, stanza*) spoglio **4** ~ (**of sth**): *a room bare of furniture* una stanza priva di mobili **5** minimo: *the bare essentials* il minimo indispensabile **barely** *avv* appena, a malapena

barefoot /ˈbeəfʊt/ ◆ *agg* scalzo ◆ *avv* a piedi nudi

bargain /ˈbɑːgən/ ◆ *s* **1** accordo **2** affare, occasione LOC **into the bargain** per di più *Vedi anche* DRIVE ◆ *vi* **1** contrattare **2** tirare sul prezzo PHR V **to bargain for sth** (*inform*) aspettarsi qc **bargaining** *s* contrattazione: *pay bargaining* contrattazioni salariali

barge /bɑːdʒ/ *s* chiatta

baritone /ˈbærɪtəʊn/ *s* baritono

bark[1] /bɑːk/ *s* corteccia

bark[2] /bɑːk/ ◆ *s* latrato ◆ **1** *vi* abbaiare **2** *vt, vi* (*persona*) urlare **barking** *s* latrati, l'abbaiare

barley /ˈbɑːli/ *s* orzo

barmaid /ˈbɑːmeɪd/ *s* barista *f*, cameriera

barman /ˈbɑːmən/ *s* (*pl* **-men** /-mən/) (*USA* **bartender**) barista *m*, cameriere

barn /bɑːn/ *s* granaio

barometer /bəˈrɒmɪtə(r)/ *s* barometro

baron /ˈbærən/ *s* barone

baroness /ˈbærənəs/ *s* baronessa

barracks /ˈbærəks/ *s* [*v sing o pl*] caserma

barrage /ˈbærɑːʒ; *USA* bəˈrɑːʒ/ *s* raffica (*di spari, di domande*)

barrel /ˈbærəl/ *s* **1** barile **2** (*pistola*) canna

barren /ˈbærən/ *agg* arido, povero

barricade /ˌbærɪˈkeɪd/ ◆ *s* barricata ◆ *vt* barricare PHR V **to barricade yourself in** barricarsi

barrier /ˈbæriə(r)/ *s* barriera

barrister /ˈbærɪstə(r)/ *s* avvocato ☛ *Vedi nota a* AVVOCATO

barrow /ˈbærəʊ/ *s Vedi* WHEELBARROW

bartender /ˈbɑːtendə(r)/ *s* (*USA*) barista

base /beɪs/ ◆ *s* base ◆ *vt* **1 to ~ sth on sth** basare qc su qc **2 to be based in/at**: *The company is based in Milan.* La ditta ha sede a Milano. ◊ *He's based in Cairo.* Risiede al Cairo.

basement /ˈbeɪsmənt/ *s* seminterrato, scantinato

bash /bæʃ/ ◆ *vt, vi* (*inform*) **1** colpire violentemente **2** ~ **your head, elbow, etc** (**against/on/into sth**) sbattere la testa, il gomito, ecc (contro qc) ◆ *s* colpo, botta LOC **to have a bash** (**at sth**) (*inform*) provare (qc)

basic /ˈbeɪsɪk/ ◆ *agg* essenziale, di base ◆ **the basics** *s* [*pl*] l'essenziale **basically** *avv* essenzialmente

basil /ˈbæzl/ *s* basilico

basin /ˈbeɪsn/ *s* **1** (*anche* **washbasin**) lavandino ☛ *Confronta* SINK **2** bacinella **3** (*Geog*) bacino

basis /ˈbeɪsɪs/ *s* (*pl* **bases** /ˈbeɪsiːz/) base: *on the basis of sth* sulla base di qc LOC *Vedi* REGULAR

basket /ˈbɑːskɪt; *USA* ˈbæskɪt/ *s* cesta, cesto: *the waste-paper basket* il cestino della carta straccia LOC *Vedi* EGG

basketball /ˈbɑːskɪtbɔːl; *USA* ˈbæs-/ *s* pallacanestro

bass /beɪs/ ◆ *s* **1** (*cantante*) basso **2** *to turn up the bass* aumentare i bassi **3** (*anche* **bass guitar**) basso elettrico **4** (*anche* **double bass**) contrabbasso ◆ *agg* basso ☛ *Confronta* TREBLE[2]

bat[1] /bæt/ *s* pipistrello

bat[2] /bæt/ ◆ *s* **1** mazza **2** racchetta (*per ping-pong*) ◆ *vt, vi* (**-tt-**) battere LOC **not to bat an eyelid** (*inform*) non batter ciglio

batch /bætʃ/ *s* lotto (*di merce*)

bath /bɑːθ; *USA* bæθ/ ◆ *s* (*pl* **~s** /bɑːðz; *USA* bæðz/) **1** bagno: *to have/take a* *bath* fare il bagno **2** vasca da bagno ◆ *vt* (*GB*) fare il bagno a

bathe /beɪð/ **1** *vt* (*ferita*) lavare **2** *vi* (*GB*) fare il bagno

bathroom /ˈbɑːθruːm; *USA* ˈbæθ-/ *s* **1** (*GB*) stanza da bagno **2** (*USA, euf*) gabinetto ☛ *Vedi nota a* TOILET

baton /ˈbætn, ˈbætɒn; *USA* bəˈtɒn/ *s* **1** (*polizia*) manganello **2** (*Mus*) bacchetta **3** (*Sport*) testimone

battalion /bəˈtæliən/ *s* battaglione

batter /ˈbætə(r)/ **1** *vt* ~ **sb** picchiare qn: *to batter sb to death* uccidere qn a bastonate **2** *vt, vi* ~ **(at/on) sth** dare colpi a qc PHR V **to batter sth down** buttare giù qc **battered** *agg* deformato, ammaccato

battery /ˈbætəri/ *s* (*pl* **-ies**) **1** pila **2** (*Auto*) batteria **3** *a battery hen* una gallina allevata in batteria ☛ *Confronta* FREE-RANGE

battle /ˈbætl/ ◆ *s* battaglia LOC *Vedi* FIGHT, WAGE ◆ *vi* **1** ~ **(with/against sb/sth) (for sth)** combattere (con/contro qn/qc) (per qc) **2** ~ **on** continuare a combattere

battlefield /ˈbætlfiːld/ (*anche* **battleground**) *s* campo di battaglia

battlements /ˈbætlmənts/ *s* [*pl*] parapetto

battleship /ˈbætlʃɪp/ *s* corazzata

bauble /ˈbɔːbl/ *s* ninnolo

bawl /bɔːl/ *vi, vt* gridare

bay /beɪ/ ◆ *s* **1** insenatura, baia **2** *loading bay* piazzola di carico **3** (*anche* **bay tree**) alloro **4** baio, -a LOC **to hold/keep sb/sth at bay** tenere a bada qn/qc ◆ *vi* abbaiare

bayonet /ˈbeɪənət/ *s* baionetta

bay window *s* bovindo

bazaar /bəˈzɑː(r)/ *s* **1** bazar **2** vendita di beneficenza *Vedi anche* FÊTE

BC /ˌbiːˈsiː/ *abbr* **before Christ** avanti Cristo

be /bi, biː/ ☛ Per l'uso di **be** con **there** vedi THERE.

● **v intransitivo 1** essere: *Life is unfair.* La vita è ingiusta. ◊ *'Who is it?' 'It's me.'* "Chi è?" "Sono io." ◊ *It's John's.* È di John. ◊ *Be quick!* Sbrigati! ◊ *I was late.* Ero in ritardo. ◊ *Is he still alive?* È sempre vivo? **2** (*di salute*) stare: *How are you?* Come stai? ◊ *I'm fine.* Sto bene. **3** (*posizione*) essere, trovarsi: *Mary's upstairs.* Mary è di sopra. **4** (*origine*) essere: *She's from Italy.* È italiana. **5** [*solo nel passato prossimo*] andare: *I've never been to Scotland.* Non sono mai stata in Scozia. ◊ *Has the plumber been yet?* Non è ancora venuto l'idraulico? ◊ *I've been into town.* Sono andato in centro. ☛ Talvolta **been** è usato come participio di **go**. *Vedi nota a* GO[1]. **6** *I'm right, aren't I?* Ho ragione, no? ◊ *I'm hot/afraid.* Ho caldo/paura. ◊ *Are you in a hurry?* Hai fretta?

Nota che in italiano con sostantivi come *caldo, freddo, fame, sete,* ecc si usa il verbo **avere**. In inglese, invece, si usa **be** con l'aggettivo corrispondente.

7 (*età*) avere: *He is ten (years old).* Ha dieci anni. ☛ *Vedi nota a* OLD, YEAR **8** (*tempo*): *It's cold/hot.* Fa freddo/caldo. ◊ *It's foggy.* C'è nebbia. **9** (*misure*) essere: *He is six feet tall.* È alto 1,80m. **10** (*orario*) essere: *It's two o'clock.* Sono le due. **11** (*prezzo*) costare: *How much is that dress?* Quanto costa quel vestito? ◊ *How much is it?* Quant'è? **12** (*Mat*) fare: *Two and two is/are four.* Due più due fa quattro.

● **v ausiliare 1** [*con participi per formare il passivo*]: *The tree has been cut down.* L'albero è stato tagliato. ◊ *Wine is made from grapes.* Il vino si fa

be

presente	*forma contratta*	*forma contratta negativa*	*passato*
I **am**	I**'m**	**I'm not**	I **was**
you **are**	you**'re**	you **aren't**	you **were**
he/she/it **is**	he**'s**/she**'s**/it**'s**	he/she/it **isn't**	he/she/it **was**
we **are**	we**'re**	we **aren't**	we **were**
you **are**	you**'re**	you **aren't**	you **were**
they **are**	they**'re**	they **aren't**	they **were**

forma in -ing **being** *participio passato* **been**

con l'uva. ◊ *He was killed in the war.* È morto in guerra. ◊ *It is said that he is/ He is said to be rich.* Dicono che sia ricco. **2** [*con -ing per formare i tempi progressivi*]: *What are you doing?* Che stai facendo? ◊ *I'm just coming!* Arrivo! **3** [*con infinito*]: *I am to inform you that…* Devo informarla che… ◊ *They were to be married.* Dovevano sposarsi. ☛ Per le espressioni con **be** vedi alla voce del sostantivo, dell'aggettivo, ecc, ad es. **to be a drain on sth** a DRAIN. PHR V **to be through (to sb/sth)** (*GB*) essere in linea (con qn/qc) **to be through (with sb/sth)** aver finito (con qn/qc)

beach /biːtʃ/ ◆ *s* spiaggia ◆ *vt* tirare in secco

beacon /ˈbiːkən/ *s* **1** faro **2** fuoco di segnalazione **3** (*anche* **radio beacon**) radiofaro

bead /biːd/ *s* **1** perlina **2 beads** [*pl*] collana **3** (*sudore*) goccia

beak /biːk/ *s* becco

beaker /ˈbiːkə(r)/ *s* bicchiere (*di plastica*)

beam /biːm/ ◆ *s* **1** trave **2** (*luce*) raggio **3** (*torcia*) fascio di luce **4** sorriso radioso ◆ **1** *vi*: *to beam at sb* sorridere radiosamente a qn **2** *vt* trasmettere (*alla TV, radio*)

bean /biːn/ *s* **1** fagiolo: *kidney beans* fagioli comuni ◊ *broad beans* fave ◊ *green beans* fagiolini *Vedi anche* BAKED BEANS **2** (*caffè*) chicco

bear[1] /beə(r)/ *s* orso

bear[2] /beə(r)/ (*pass* **bore** /bɔː(r)/ *pp* **borne** /bɔːn/) **1** *vt* sopportare, soffrire **2** *vt* (*firma, segno*) portare **3** *vt* (*peso*) reggere **4** *vt* (*costi, responsabilità*) farsi carico di, assumersi **5** *vt* sopportare, reggere a: *It won't bear close examination.* Non reggerà ad un esame approfondito. **6** *vt* (*form*) (*bambino*) dare alla luce **7** *vt* (*frutti, risultati*) produrre, dare **8** *vi*: *to bear left/right* andare a sinistra/destra LOC **to bear a grudge** serbare rancore **to bear a resemblance to sb/sth** assomigliare a qn/qc **to bear little relation to sth** avere poco a che vedere con qc **to bear sb/sth in mind** tenere a mente qn/qc *Vedi anche* GRIN PHR V **to bear sb/sth out** confermare ciò che qn ha detto/qc **to bear with sb** aver pazienza con qn: *Bear with me a moment.* Abbia solo un attimo di pazienza. **bearable** *agg* sopportabile

beard /bɪəd/ *s* barba **bearded** *agg* barbuto

bearer /ˈbeərə(r)/ *s* **1** (*notizie*) portatore **2** (*documento*) titolare

bearing /ˈbeərɪŋ/ *s* (*Naut*) rilevamento LOC **to get/take your bearings** orizzontarsi **to have a bearing on sth** avere attinenza con qc

beast /biːst/ *s* bestia, belva: *wild beasts* fiere

beat /biːt/ (*pass* **beat** *pp* **beaten** /ˈbiːtn/) ◆ **1** *vt* battere **2** *vt* picchiare: *to beat somebody to death* ammazzare qn di botte **3** *vt* (*uova*) sbattere **4** *vt* (*tamburo*) suonare **5** *vi* (*cuore*) battere **6** *vi* ~ **against/on/at sth** battere contro/ su/a qc: *Somebody was beating at the door.* Qualcuno batteva alla porta. ◊ *The rain was beating against the windows.* La pioggia batteva contro i vetri. **7** *vt* ~ **sb (at sth)** battere qn (a/in qc) **8** *vt* (*record*) battere: *Nothing beats home cooking.* Non c'è niente come la cucina casalinga. LOC **to beat about the bush** menare il can per l'aia **off the beaten track** fuori mano PHR V **to beat sb up** picchiare qn ◆ *s* **1** ritmo **2** (*polizia*) ronda **beating** *s* **1** (*punizione*) botte **2** sconfitta **3** (*cuore*) battito LOC **to take a lot of/some beating** essere difficile da battere

beautiful /ˈbjuːtɪfl/ *agg* **1** bello, splendido **beautifully** *avv* splendidamente

beauty /ˈbjuːti/ *s* (*pl* **-ies**) bellezza

beaver /ˈbiːvə(r)/ *s* castoro

became *pass di* BECOME

because /bɪˈkɒz; *USA* -kɔːz/ *cong* perché **because of** *prep* a causa di: *because of you* a causa tua

beckon /ˈbekən/ **1** *vt, vi* ~ **(to) sb** chiamare qn con un cenno

become /bɪˈkʌm/ *vi* (*pass* **became** /bɪˈkeɪm/ *pp* **become**) diventare: *She's become a doctor.* È diventata medico. ◊ *to become fashionable* diventare di moda ◊ *She became angry.* Si è arrabbiata. *Vedi anche* GET LOC **to become aware of sth** rendersi conto di qc **to become of sb/sth**: *What will become of me?* Cosa ne sarà di me?

bed /bed/ *s* **1** letto: *a single/double bed* un letto singolo/matrimoniale ◊ *to go to bed* andare a letto ◊ *to make the bed* rifare il letto ☛ *Vedi illustrazione a* LETTO **2** (*anche* **river bed**) letto (*di un fiume*) **3** (*anche* **sea bed**) fondo (*marino*) **4** (*fiori*) aiuola *Vedi anche* FLOWER BED

bed and breakfast (*anche abbrev* **B & B, b & b**) *s* ≃ pensione (*solo con prima colazione*)

bedclothes /ˈbedkləʊðz/ *s* [*pl*] (*anche* **bedding**) biancheria (*per il letto*)

bedroom /ˈbedruːm/ *s* camera da letto

bedside /ˈbedsaɪd/ *s*: *at her bedside* al suo capezzale ◊ *bedside table* comodino

bedsit /ˈbedsɪt/ *s* (*GB*) monolocale

bedspread /ˈbedspred/ *s* copriletto ☛ *Vedi illustrazione a* LETTO

bedtime /ˈbedtaɪm/ *s* ora di andare a letto

bee /biː/ *s* ape

beech /biːtʃ/ (*anche* **beech tree**) *s* faggio

beef /biːf/ *s* carne di manzo ☛ *Vedi nota a* CARNE

beefburger /ˈbiːfbɜːgə(r)/ *s* hamburger ☛ *Confronta* BURGER, HAMBURGER

beehive /ˈbiːhaɪv/ *s* alveare

been /biːn, bɪn; *USA* bɪn/ *pp di* BE

beer /bɪə(r)/ *s* birra ☛ *Confronta* BITTER, ALE, LAGER

beetle /ˈbiːtl/ *s* scarabeo

beetroot /ˈbiːtruːt/ (*USA* **beet**) *s* barbabietola

before /bɪˈfɔː(r)/ ◆ *avv* prima: *the day/week before* il giorno/la settimana prima ◊ *I've never seen her before.* Non l'ho mai vista prima. ◆ *prep* **1** prima di: *before lunch* prima di pranzo ◊ *the day before yesterday* ieri l'altro ◊ *He arrived before me.* È arrivato prima di me. ◊ *before going on holiday* prima di andare in ferie **2** davanti a: *right before my eyes* proprio sotto i miei occhi **3** prima di, davanti a: *He puts his work before everything else.* Per lui il lavoro viene prima di tutto. ◆ *cong* prima che: *Before I forget…* Prima che mi dimentichi…

beforehand /bɪˈfɔːhænd/ *avv* prima, in anticipo

beg /beg/ (**-gg-**) **1** *vt, vi* **to beg (sth/for sth) (from sb)** mendicare, elemosinare (qc) (da qn) **2** *vt* **to beg sb to do sth** supplicare qn di fare qc ☛ *Confronta* ASK LOC **to beg sb's pardon 1** chiedere scusa a qn **2** *I beg your pardon?* Scusi?

beggar *s* mendicante

begin /bɪˈgɪn/ *vt, vi* (**-nn-**) (*pass* **began** /bɪˈgæn/ *pp* **begun** /bɪˈgʌn/) ~ (**doing/to do sth**) cominciare (a fare qc): *Shall I begin?* Comincio io? LOC **to begin with 1** tanto per cominciare **2** all'inizio **beginner** *s* principiante **beginning** *s* **1** inizio: *at/in the beginning* all'inizio ◊ *from beginning to end* dall'inizio alla fine **2** origine

behalf /bɪˈhɑːf; *USA* -ˈhæf/ *s* LOC **on behalf of sb/on sb's behalf** (*USA*) **in behalf of sb/in sb's behalf** per conto di qn, a nome di qn

behave /bɪˈheɪv/ *vi* ~ **well, badly, etc (towards sb)** comportarsi bene, male, ecc (verso qn): *Behave yourself!* Comportati bene! ◊ *well-behaved* beneducato

behaviour (*USA* **behavior**) /bɪˈheɪvjə(r)/ *s* comportamento

behind /bɪˈhaɪnd/ ◆ *prep* **1** dietro: *I put it behind the cupboard.* L'ho messo dietro al mobile. ◊ *It's behind you.* È dietro di te. ◊ *What's behind this sudden change?* Cosa c'è sotto questo cambiamento improvviso? **2** in ritardo con: *to be behind schedule* essere indietro sulla tabella di marcia **3** *The voters are behind him.* Ha l'appoggio degli elettori. ◆ *avv* **1** dietro: *to leave sth behind* dimenticare qc ◊ *He was shot from behind.* Gli hanno sparato alle spalle. ◊ *to stay behind* trattenersi ☛ *Confronta* FRONT **2** ~ (**in/with sth**) indietro (in/con qc) ◆ *s* (*euf*) didietro

being /ˈbiːɪŋ/ *s* **1** essere: *human beings* esseri umani **2** esistenza LOC **to come into being** nascere

belated /bɪˈleɪtɪd/ *agg* in ritardo, tardivo

belch /beltʃ/ ◆ *vi* ruttare ◆ *s* rutto

belief /bɪˈliːf/ *s* **1** credenza, convinzione **2** ~ **in sth** fede, fiducia in qc LOC **beyond belief** incredibile **in the belief that…** nella convinzione che… *Vedi anche* BEST

believe /bɪˈliːv/ *vt, vi* credere (a): *I believe so.* Credo di sì. LOC **believe it or not** sembra incredibile *Vedi anche* LEAD[2] PHR V **to believe in sth** credere in qc **believable** *agg* credibile **believer** *s* credente LOC **to be a (great/firm)**

believer in sth essere un (gran) sostenitore di qc

bell /bel/ *s* **1** campana, campanella **2** campanello: *to ring the bell* suonare il campanello ◊ *His name rings a bell.* Il nome mi è familiare.

bellow /ˈbeləʊ/ ◆ **1** *vi* muggire **2** *vt, vi* urlare ◆ *s* **1** muggito **2** urlo

belly /ˈbeli/ *s* (*pl* **-ies**) (*inform*) pancia

belong /bɪˈlɒŋ; *USA* -ˈlɔːŋ/ *vi* **1** ~ **to sb/sth** appartenere a qn/qc **2** stare: *Where does this belong?* Questo dove sta? **belongings** *s* [*pl*] beni, cose: *all my belongings* tutte le mie cose

below /bɪˈləʊ/ ◆ *prep* sotto, al di sotto di: *five degrees below freezing* cinque gradi sotto zero ◆ *avv* sotto, di sotto: *above and below* sopra e sotto

belt /belt/ *s* **1** cintura **2** (*Mecc*) cinghia: *conveyor belt* nastro trasportatore **3** (*Geog*) zona LOC **below the belt**: *That remark was rather below the belt.* Quell'osservazione è stata un colpo basso.

bemused /bɪˈmjuːzd/ *agg* perplesso

bench /bentʃ/ *s* **1** panca, panchina **2** **the bench** la magistratura

benchmark /ˈbentʃmɑːk/ *s* punto di riferimento

bend /bend/ (*pass, pp* **bent** /bent/) ◆ **1** *vt, vi* piegare, piegarsi **2** *vi* (*anche* **to bend down**) (*persona*) piegarsi PHR V **to be bent on (doing) sth** esser deciso a (fare) qc ◆ *s* **1** curva **2** (*fiume*) ansa **3** (*tubo*) gomito

beneath /bɪˈniːθ/ ◆ *prep* (*form*) **1** sotto, al di sotto di **2** indegno di ◆ *avv* sotto, di sotto

benefactor /ˈbenɪfæktə(r)/ *s* benefattore, -trice

beneficial /ˌbenɪˈfɪʃl/ *agg* benefico, vantaggioso

benefit /ˈbenɪfɪt/ ◆ *s* **1** beneficio: *to be of benefit to* giovare a **2** sussidio, indennità: *unemployment benefit* sussidio di disoccupazione **3** *a benefit concert* un concerto di beneficenza LOC **to give sb the benefit of the doubt** concedere a qn il beneficio del dubbio ◆ (*pass, pp* **-fited**, *USA anche* **-fitted**) **1** *vt* giovare a **2** *vi* ~ (**from/by sth**) trarre vantaggio, trarre giovamento (da qc)

benevolent /bəˈnevələnt/ *agg* **1** benevolo **2** benefico, di beneficenza **benevolence** *s* benevolenza

benign /bɪˈnaɪn/ *agg* **1** benevolo **2** (*cancro*) benigno

bent /bent/ ◆ *pass, pp di* BEND ◆ *s* ~ (**for sth**) inclinazione (a/per qc)

bequeath /bɪˈkwiːð/ *vt* (*form*) ~ **sth (to sb)** lasciare in eredità qc (a qn)

bequest /bɪˈkwest/ *s* (*form*) lascito

bereaved /ˈbɪriːvd/ *agg* (*form*) in lutto: *the bereaved* parenti e amici del defunto **bereavement** *s* lutto

beret /ˈbereɪ; *USA* bəˈreɪ/ *s* basco ☛ *Vedi illustrazione a* CAPPELLO

berry /ˈberi/ *s* (*pl* **-ies**) bacca

berserk /bəˈsɜːk/ *agg* furibondo: *to go berserk* andare su tutte le furie

berth /bɜːθ/ ◆ *s* **1** cuccetta **2** (*Naut*) ormeggio ◆ *vt, vi* ormeggiare

beset /bɪˈset/ *vt* (**-tt-**) (*pass, pp* **beset**) (*form*) assillare: *beset by doubts* assillato dai dubbi

beside /bɪˈsaɪd/ *prep* accanto a LOC **beside yourself (with sth)** fuori di sé (da qc)

besides /bɪˈsaɪdz/ ◆ *prep* **1** oltre a **2** a parte: *No one writes to me besides you.* Nessuno mi scrive a parte te. ◆ *avv* inoltre

besiege /bɪˈsiːdʒ/ *vt* **1** (*città*) assediare **2 to** ~ **sb (with sth)** tempestare qn (di qc)

best /best/ ◆ *agg* (*superl di* **good**) migliore: *the best pizza I've ever had* la pizza migliore che abbia mai mangiato ◊ *the best footballer in the world* il miglior calciatore del mondo ◊ *my best friend* il mio miglior amico *Vedi anche* GOOD, BETTER LOC **best before**: *best before January 1999* da consumarsi entro gennaio 1999 **best wishes**: *Best wishes, Ann* Cordiali saluti, Ann ◆ *avv* (*superl di* **well**) meglio: *the best dressed* il più elegante ◊ *Do as you think best.* Fai come meglio credi. ◊ *best-known* più conosciuto LOC **as best you can** meglio che puoi ◆ *s* **1 the best** il/la migliore: *She's the best by far.* È di gran lunga la migliore. **2 the best** il meglio: *to want the best for sb* volere il meglio per qn **3 (the)** ~ **of sth**: *We're (the) best of friends.* Siamo grandi amici. LOC **at best** nella migliore delle ipotesi **to be at your best** essere in forma **to do/try your (level/very) best** fare tutto il possibile **to make the best of a bad job** far buon viso a cattivo gioco **to the**

best of my belief/knowledge per quel che mi risulta

best man *s* testimone dello sposo ☛ *Vedi nota a* MATRIMONIO

bet /bet/ ◆ *vt* (**-tt-**) (*pass, pp* **bet** *o* **betted**) **to bet (sth) on sth** scommettere (qc) su qc LOC **I bet (that)...** (*inform*) scommetto che...: *I bet you he doesn't come.* Scommetto che non viene. ◆ *s* scommessa: *to place/put a bet (on sth)* fare una scommessa (su qc)

betide /bɪˈtaɪd/ LOC *Vedi* WOE

betray /bɪˈtreɪ/ *vt* tradire **betrayal** *s* tradimento

better /ˈbetə(r)/ ◆ *agg* (*comp di* **good**) migliore: *It was better than I expected.* Era meglio di quanto non mi aspettassi. ◊ *He is much better today.* Oggi sta molto meglio. *Vedi anche* BEST, GOOD LOC **to be little/no better than...** non essere altro che ... **to get better 1** migliorare **2** rimettersi **to have seen/known better days** aver visto giorni migliori *Vedi anche* ALL ◆ *avv* **1** (*comp di* **well**) meglio: *She sings better than me/than I (do).* Canta meglio di me. **2** più: *I like him better than before.* Mi piace più di prima. LOC **better late than never** (*detto*) meglio tardi che mai **better safe than sorry** (*detto*) meglio essere prudenti **I'd, you'd, etc better (do sth)** farei/faresti, ecc meglio (a fare qc): *I'd better be going now.* Ora me ne devo proprio andare. **to be better off (doing sth)**: *He'd be better off leaving now.* Ora farebbe meglio ad andarsene. **to be better off (without sb/sth)** stare meglio (senza qn/qc) *Vedi anche* KNOW, SOON ◆ *s* meglio: *I expected better of him.* Mi aspettavo di meglio da lui. LOC **to get the better of sb** avere la meglio su qn: *His shyness got the better of him.* Fu vinto dalla timidezza.

betting shop *s* ricevitoria

between /bɪˈtwiːn/ ◆ *prep* tra ☛ *Vedi illustrazione a* TRA ◆ *avv* (*anche* **in between**) in mezzo

beware /bɪˈweə(r)/ *vi* ~ **(of sb/sth)** stare attento (a qn/qc)

bewilder /bɪˈwɪldə(r)/ *vt* confondere, sconcertare **bewildered** *agg* confuso, sconcertato **bewildering** *agg* sconcertante **bewilderment** *s* perplessità

bewitch /bɪˈwɪtʃ/ *vt* stregare

beyond /bɪˈjɒnd/ ◆ *prep* al di là di LOC **to be beyond sb** (*inform*): *It's beyond me.* Non riesco proprio a capire. ◆ *avv* più oltre, più in là

bias /ˈbaɪəs/ *s* **1** ~ **towards sb/sth** preferenza per qn/qc **2** ~ **against sb/sth** prevenzione contro qn/qc **3** parzialità **biassed** (*anche* **biased**) *agg* prevenuto

bib /bɪb/ *s* **1** bavaglino **2** pettorina (*di grembiule*)

bible /ˈbaɪbl/ *s* bibbia **biblical** *agg* biblico

bibliography /ˌbɪbliˈɒgrəfi/ *s* (*pl* **-ies**) bibliografia

biceps /ˈbaɪseps/ *s* (*pl* **biceps**) bicipite

bicker /ˈbɪkə(r)/ *vi* bisticciare

bicycle /ˈbaɪsɪk(ə)l/ *s* bicicletta: *to ride a bicycle* andare in bicicletta

bid /bɪd/ *vt* (**-dd-**) (*pass, pp* **bid**) offrire (*prezzo*) LOC *Vedi* FAREWELL **bidder** *s* offerente

bide /baɪd/ *vt* LOC **to bide your time** aspettare il momento opportuno

biennial /baɪˈeniəl/ *agg* biennale

big /bɪg/ ◆ *agg* (**bigger**, **biggest**) **1** grande: *the biggest desert in the world* il deserto più grande del mondo

> Sia **big** che **large** si riferiscono alla misura, alla capacità o alla quantità di qualcosa, però **big** è meno formale.

2 maggiore: *my big sister* mia sorella maggiore **3** (*decisione*) importante **4** (*errore*) grave LOC **a big cheese/fish/noise/shot** (*inform*) un pezzo grosso **big business**: *This is big business.* Questa è una miniera d'oro. **to hit/make the big time** (*inform*) sfondare ◆ *avv* (**bigger**, **biggest**) (*inform*) in grande: *to think big* avere delle grandi idee

bigamy /ˈbɪgəmi/ *s* bigamia

bigoted /ˈbɪgətɪd/ *agg* fazioso

bike /baɪk/ *s* (*inform*) **1** bici **2** (*anche* **motor bike**) moto

bikini /bɪˈkiːni/ *s* bikini

bilingual /ˌbaɪˈlɪŋgwəl/ *agg, s* bilingue

bill[1] /bɪl/ ◆ *s* **1** fattura: *phone/gas bills* bollette del telefono/gas ◊ *a bill for 50000 lire* una fattura di 50.000 lire **2** (*ristorante, hotel*) conto: *The bill, please.* Il conto, per favore. **3** cartellone **4** progetto di legge **5** (*USA*): *a ten-dollar bill* un biglietto da dieci dollari LOC **to fill/fit the bill** rispondere ai requisiti richiesti *Vedi anche* FOOT ◆ *vt* **1** *to bill sb for sth* mandare la fattura di qc a qn

2 (*film, spettacolo*) annunciare, mettere in programma

bill² /bɪl/ *s* becco

billboard /ˈbɪlbɔːd/ *s* (*USA*) tabellone pubblicitario

billiards /ˈbɪliədz/ *s* [*sing*] biliardo **billiard** *agg*: *a billiard ball/room/table* una palla/una sala/un tavolo da biliardo

billing /ˈbɪlɪŋ/ *s*: *to get top/star billing* essere in testa al cartellone

billion /ˈbɪljən/ *agg, s* miliardo

> **A billion** si usava per indicare mille miliardi, mentre ora sta per un miliardo. **A trillion** equivale a un milione di milioni.

☛ *Vedi Appendice 1.*

bin /bɪn/ *s* **1** bidone: *waste-paper bin* cestino della carta straccia **2** (*GB*) *Vedi* DUSTBIN

binary /ˈbaɪnəri/ *agg* binario

bind¹ /baɪnd/ *vt* (*pass, pp* **bound** /baʊnd/) **1** ~ **sb/sth** (**together**) legare (insieme) qn/qc **2** ~ **sb/sth** (**together**) (*fig*) unire qn/qc **3** ~ **sb/yourself** (**to sth**) vincolare qn/vincolarsi (a qc) **4** (*libro*) rilegare

bind² /baɪnd/ *s* (*inform*) **1** seccatura: *It's a terrible bind.* È una tremenda seccatura. **2** imbarazzo: *I'm in a bit of a bind.* Sono in un pasticcio.

binder /ˈbaɪndə(r)/ *s* classificatore

binding /ˈbaɪndɪŋ/ ◆ *s* **1** rilegatura **2** bordo, nastro ◆ *agg* ~ (**on/upon sb**) vincolante (per qn)

binge /bɪndʒ/ ◆ *s* (*inform*) baldoria ◆ *vi* mangiare in modo eccessivo

bingo /ˈbɪŋɡəʊ/ *s* tombola

binoculars /bɪˈnɒkjələz/ *s* [*pl*] binocolo

biochemical /ˌbaɪəʊˈkemɪkl/ *agg* biochimico

biochemist /ˌbaɪəʊˈkemɪst/ *s* biochimico, -a **biochemistry** *s* biochimica

biographical /ˌbaɪəˈɡræfɪkl/ *agg* biografico

biography /baɪˈɒɡrəfi/ *s* (*pl* **-ies**) biografia **biographer** *s* biografo, -a

biology /baɪˈɒlədʒi/ *s* biologia **biological** /ˌbaɪəˈlɒdʒɪkl/ *agg* biologico **biologist** /baɪˈɒlədʒɪst/ *s* biologo, -a

bird /bɜːd/ *s* uccello: *bird of prey* uccello rapace LOC *Vedi* EARLY

biro® /ˈbaɪrəʊ/ (*anche* **Biro**) *s* (*pl* **~s**) biro®

birth /bɜːθ/ *s* **1** nascita **2** parto **3** origine LOC **to give birth** partorire **to give birth to sb/sth** dare alla luce qn/ dare inizio a qc

birthday /ˈbɜːθdeɪ/ *s* compleanno: *Happy birthday!* Buon compleanno! ◊ *birthday cards* biglietti di auguri per il compleanno

birthplace /ˈbɜːθpleɪs/ *s* luogo di nascita

biscuit /ˈbɪskɪt/ *s* biscotto

bishop /ˈbɪʃəp/ *s* **1** vescovo **2** alfiere

bit¹ /bɪt/ *s* pezzo, pezzetto: *a bit of paper* un pezzo di carta LOC **a bit 1** un po': *a bit tired* un po' stanco **2** molto: *It rained quite a bit.* È piovuto parecchio. **a bit of sth** un po' di qc: *a bit of margarine* un po' di margarina ◊ *I've got a bit of shopping to do.* Devo fare un po' di spesa. **a bit much** (*inform*) un po' troppo **bit by bit** a poco a poco **bits and pieces** (*inform*) cianfrusaglie **not a bit; not one** (**little**) **bit** affatto: *I don't like it one little bit.* Non mi piace per niente. **to bits**: *to pull/tear sth to bits* fare a pezzi qc ◊ *to fall to bits* cadere a pezzi ◊ *to smash* (*sth*) *to bits* mandare qc/ andare in mille pezzi ◊ *to take sth to bits* smontare qc **to do your bit** (*inform*) fare la propria parte

bit² /bɪt/ *s* morso (*per un cavallo*)

bit³ /bɪt/ *s* (*Informatica*) bit

bit⁴ *pass di* BITE

bitch /bɪtʃ/ *s* cagna ☛ *Vedi nota a* CANE

bite /baɪt/ (*pass* **bit** /bɪt/ *pp* **bitten** /ˈbɪtn/) ◆ **1** *vt, vi* ~ (**sth/into sth**) mordere (qc): *to bite your nails* mangiarsi le unghie **2** *vt* (*insetto*) pungere ◆ *s* **1** morso **2** boccone **3** (*insetto*) puntura

bitter /ˈbɪtə(r)/ ◆ *agg* (**-est**) **1** amaro **2** gelido ◆ *s* (*GB*) birra rossa **bitterly** *avv* amaramente: *It's bitterly cold.* Fa un freddo polare. **bitterness** *s* amarezza

bizarre /bɪˈzɑː(r)/ *agg* **1** (*coincidenza*) strano **2** (*aspetto*) stravagante

black /blæk/ ◆ *agg* (**-er, -est**) **1** (*lett e fig*) nero: *a black eye* un occhio nero ◊ *the black market* il mercato nero **2** (*cielo*) scuro ◆ *s* **1** nero **2** (*persona*) nero, -a ◆ PHR V **to black out** svenire

blackberry /ˈblækbəri, -beri/ *s* (*pl* **-ies**) mora

blackbird /ˈblækbɜːd/ *s* merlo

blackboard /ˈblækbɔːd/ *s* lavagna

blackcurrant /ˌblækˈkʌrənt/ *s* [*numerabile*] ribes nero

blacken /ˈblækən/ *vt* **1** annerire **2** (*reputazione*) macchiare

blacklist /ˈblæklɪst/ ◆ *s* lista nera ◆ *vt* mettere sulla lista nera

blackmail /ˈblækmeɪl/ ◆ *s* ricatto ◆ *vt* ricattare **blackmailer** *s* ricattatore, -trice

blacksmith /ˈblæksmɪθ/ (*anche* **smith**) *s* fabbro ferraio

bladder /ˈblædə(r)/ *s* vescica

blade /bleɪd/ *s* **1** (*coltello, spada, ecc*) lama **2** (*elica, remo*) pala **3** (*erba*) filo

blame /bleɪm/ ◆ *vt* **1** dare la colpa a: *He blames it on her./He blames her for it.* Ne dà la colpa a lei. ☛ Nota che **to blame sb for sth** ha lo stesso significato di **blame sth on sb**. **2** [*nelle frasi negative*]: *You couldn't blame him for being annoyed.* Non gli si può dar torto se è seccato. LOC **to be to blame (for sth)** essere responsabile (di qc) ◆ *s* ~ **(for sth)** colpa (di qc) LOC **to lay/to put the blame (for sth) on sb** dare la colpa (di qc) a qn

bland /blænd/ *agg* (**-er**, **-est**) insipido, blando

blank /blæŋk/ ◆ *agg* **1** (*foglio*) bianco **2** (*assegno, modulo*) in bianco **3** (*muro*) cieco **4** (*cassetta*) vergine **5** (*cartuccia*) a salve **6** (*sguardo*) vacuo ◆ *s* **1** spazio in bianco **2** (*anche* **blank cartridge**) cartuccia a salve

blanket /ˈblæŋkɪt/ ◆ *s* coperta ☛ *Vedi illustrazione a* LETTO ◆ *agg* generale ◆ *vt* coprire completamente

blare /bleə(r)/ *vi* ~ **(out)** essere a tutto volume (*radio*)

blasphemy /ˈblæsfəmi/ *s* [*gen non numerabile*] bestemmia **blasphemous** *agg* blasfemo

blast /blɑːst; *USA* blæst/ ◆ *s* **1** esplosione **2** spostamento d'aria **3** raffica: *a blast of air* un getto d'aria LOC *Vedi* FULL ◆ *vt* far saltare (*con mina*) PHR V **to blast off** (*Aeron*) essere lanciato ◆ **blast!** *escl* accidenti! **blasted** *agg* (*inform*) dannato

blatant /ˈbleɪtnt/ *agg* lampante, sfacciato

blaze /bleɪz/ ◆ *s* **1** incendio **2** bagliore **3** [*sing*] **a ~ of sth**: *a blaze of colour* un'esplosione di colori ◊ *in a blaze of publicity* con molta pubblicità ◆ *vi* **1** ardere **2** (*luci*) brillare **3** (*fig*): *eyes blazing* occhi fiammeggianti

blazer /ˈbleɪzə(r)/ *s* blazer: *school blazer* giacca dell'uniforme scolastica

bleach /bliːtʃ/ ◆ *vt* **1** candeggiare **2** scolorire ◆ *s* candeggiante

bleak /bliːk/ *agg* (**-er**, **-est**) **1** (*paesaggio*) desolato **2** (*tempo*) gelido **3** (*giornata*) tetro **4** (*fig*) scoraggiante **bleakly** *avv* tetramente **bleakness** *s* **1** desolazione **2** tetraggine

bleed /bliːd/ *vi* (*pass, pp* **bled** /bled/) sanguinare **bleeding** *s* emorragia

blemish /ˈblemɪʃ/ ◆ *s* **1** macchia **2** ammaccatura ◆ *vt* macchiare

blend /blend/ ◆ **1** *vt, vi* mescolare, mescolarsi **2** *vi* (*colori*) fondersi PHR V **to blend in (with sth)** essere in armonia (con qc) ◆ *s* (*approv*) miscela **blender** *s* *Vedi* LIQUIDIZER *a* LIQUID

bless /bles/ *vt* (*pass, pp* **blessed** /blest/) benedire LOC **bless you! 1** sei un tesoro! **2** salute! (*dopo uno starnuto*) **to be blessed with sth** godere di qc

blessed /ˈblesɪd/ *agg* **1** santo **2** beato **3** (*inform*) benedetto

blessing /ˈblesɪŋ/ *s* **1** benedizione **2** [*gen sing*] beneplacito LOC **it's a blessing in disguise** (*detto*) non tutto il male vien per nuocere

blew *pass di* BLOW

blind /blaɪnd/ ◆ *agg* cieco LOC *Vedi* TURN ◆ *vt* accecare: *to be blinded* perdere la vista ◊ *blinded by jealousy* accecato dalla gelosia ◆ *s* **1** tenda avvolgibile **2 the blind** [*pl*] i ciechi **blindly** *avv* ciecamente **blindness** *s* cecità

blindfold /ˈblaɪndfəʊld/ ◆ *s* benda (*per gli occhi*) ◆ *vt* bendare gli occhi a ◆ *avv* con gli occhi bendati

blink /blɪŋk/ ◆ *vi* sbattere le palpebre ◆ *s* battito di ciglia

bliss /blɪs/ *s* gioia **blissful** *agg* beato

blister /ˈblɪstə(r)/ *s* **1** vescica (*al piede, ecc*) **2** (*vernice*) bolla

blistering /ˈblɪstərɪŋ/ *agg* torrido

blitz /blɪts/ *s* **1** (*Mil*) blitz **2** (*inform*) ~ **(on sth)** blitz (contro qc)

blizzard /ˈblɪzəd/ *s* bufera di neve

bloated /ˈbləʊtɪd/ *agg* gonfio

blob /blɒb/ *s* goccia, macchia

bloc /blɒk/ *s* [*v sing o pl*] blocco (*politico*)

block /blɒk/ ◆ *s* **1** (*pietra, legno*) blocco **2** (*appartamenti*) palazzo **3** (*edifici*) isolato **4** (*biglietti*) blocchetto: *a block booking* una prenotazione in blocco **5** ingorgo, intoppo: *a mental block* un blocco mentale LOC *Vedi* CHIP ◆ *vt* bloccare

blockade /blɒˈkeɪd/ ◆ *s* blocco (*di porto*) ◆ *vt* bloccare, assediare (*porto, città*)

blockage /ˈblɒkɪdʒ/ *s* **1** ostruzione **2** ingorgo

blockbuster /ˈblɒkbʌstə(r)/ *s* successone

block capitals (*anche* **block letters**) *s* [*pl*] stampatello maiuscolo

bloke /bləʊk/ *s* (*GB, inform*) tizio, tipo

blond (*anche* **blonde**) /blɒnd/ ◆ *agg* (**-er, -est**) biondo ☛ *Vedi nota a* BIONDO ◆ *s* biondo, -a ☛ Si usa **blonde** quando ci si riferisce a una donna.

blood /blʌd/ *s* sangue: *blood group* gruppo sanguigno ◊ *blood pressure* pressione del sangue ◊ *blood test* analisi del sangue LOC *Vedi* FLESH; *Vedi anche* COLD-BLOODED

bloodshed /ˈblʌdʃed/ *s* spargimento di sangue

bloodshot /ˈblʌdʃɒt/ *agg* iniettato di sangue

blood sports *s* [*pl*] sport cruenti

bloodstream /ˈblʌdstriːm/ *s* circolazione del sangue

bloody /ˈblʌdi/ ◆ *agg* (**-ier, -iest**) **1** (*benda*) insanguinato **2** (*ferita*) sanguinante **3** (*battaglia*) sanguinoso ◆ *agg, avv* (*GB, inform*): *That bloody car!* Quella dannata macchina!

bloom /bluːm/ ◆ *s* fiore ◆ *vi* fiorire

blossom /ˈblɒsəm/ ◆ *s* fiore, fiori (*di albero da frutta*) ◆ *vi* fiorire ☛ *Confronta* FLOWER

blot /blɒt/ ◆ *s* **1** macchia (*d'inchiostro*) **2** ~ **on sth** (*fig*): *to be a blot on sth* rovinare qc ◆ *vt* (**-tt-**) **1** (*carta, ecc*) macchiare **2** (*con carta assorbente*) asciugare: *blotting-paper* carta assorbente PHR V **to blot sth out 1** (*pensiero*) scacciare qc **2** (*panorama*) nascondere qc

blotch /blɒtʃ/ *s* chiazza

blouse /blaʊz; *USA* blaʊs/ *s* camicetta

blow /bləʊ/ (*pass* **blew** /bluː/ *pp* **blown** /bləʊn/ *o* **blowed**) ◆ **1** *vi* soffiare **2** *vi* (*mosso dal vento*): *to blow open/shut* spalancarsi/chiudersi di colpo **3** *vt, vi*: *The referee blew his whistle./The referee's whistle blew.* L'arbitro ha fischiato. **4** *vt* (*vento*) spingere: *The wind blew us towards the island.* Il vento ci spinse verso l'isola. LOC **blow it!** accidenti! **to blow your nose** soffiarsi il naso

PHR V **to blow away** volare via

to blow down/over essere abbattuto dal vento **to blow sb/sth down/over** (*vento*) gettare per terra qn/abbattere qc

to blow sth out spegnere qc (*soffiando*)

to blow over (*tempesta, lite*) calmarsi

to blow up 1 (*aereo, ecc*) esplodere **2** (*tempesta, scandalo*) scoppiare **3** (*inform*) arrabbiarsi **to blow sth up 1** (*ponte*) far saltare qc **2** (*pallone, palloncino, ecc*) gonfiare qc **3** (*Foto*) ingrandire qc **4** (*inform*) (*fatto*) esagerare qc ◆ *s* ~ (**to sb/sth**) colpo (per qn/qc) LOC **a blow-by-blow account** (**of sth**) un resoconto (di qc) minuto per minuto **at one blow/at a single blow** in un colpo solo **to come to blows** (**over sth**) venire alle mani (per qc)

blue /bluː/ ◆ *agg* **1** azzurro, blu **2** (*inform*) giù **3** (*film*) porno ◆ *s* **1** azzurro, blu **2 the blues** [*v sing o pl*] (*Mus*) il blues **3 the blues** [*v sing o pl*]: *to have the blues* essere giù LOC **out of the blue** all'improvviso

blueprint /ˈbluːprɪnt/ *s* ~ (**for sth**) programma (di qc)

bluff /blʌf/ ◆ *vi* bluffare ◆ *s* bluff

blunder /ˈblʌndə(r)/ ◆ *s* cantonata ◆ *vi* prendere una cantonata

blunt /blʌnt/ ◆ *vt* smussare ◆ *agg* (**-er, -est**) **1** spuntato **2** smussato: *a blunt instrument* un corpo contundente **3** brusco: *to be blunt with sb* essere franco con qn **4** (*rifiuto*) netto

blur /blɜː(r)/ ◆ *s* immagine confusa ◆ *vt* (**-rr-**) **1** offuscare **2** (*differenza*) attenuare **blurred** *agg* sfocato, indistinto

blurt /blɜːt/ PHR V **to blurt sth out** spiattellare qc

blush /blʌʃ/ ◆ *vi* arrossire ◆ *s* [*numerabile*] rossore **blusher** *s* fard

boar /bɔː(r)/ *s* (*pl* **boar** *o* **~s**) **1** cinghiale **2** verro ☛ *Vedi nota a* MAIALE

board /bɔːd/ ◆ *s* **1** tavola: *ironing board* asse da stiro **2** (*anche* **blackboard**) lavagna, tabellone **3** (*anche* **noticeboard**) bacheca **4** scacchiera **5** cartone **6 the board** (*anche* **the board of directors**) [*v sing o pl*] il consiglio d'amministrazione **7** (*vitto*): *full/half board* pensione completa/mezza pensione ◊ *board and lodgings* vitto e alloggio LOC **above board** regolare **across the board** a tutti i livelli: *a 10% pay increase across the board* un aumento del 10% per tutte le categorie **on board** a bordo ◆ **1** *vt* **~ sth (up/over)** chiudere qc con tavole **2** *vi* imbarcarsi **3** *vt* salire a bordo di

boarder /ˈbɔːdə(r)/ *s* **1** pensionante **2** (*collegio*) convittore, -trice

boarding card (*anche* **boarding pass**) *s* carta d'imbarco

boarding house *s* pensione (*albergo*)

boarding school *s* collegio

boast /bəʊst/ ◆ **1** *vi* **~ (about/of sth)** vantarsi (di qc) **2** *vt* (*form*) vantare: *The town boasts a famous museum.* La città vanta un museo famoso. ◆ *s* vanteria **boastful** *agg* pieno di sé, presuntuoso

boat /bəʊt/ *s* **1** barca: *to go by boat* andare in barca ◊ *rowing boat* barca a remi ◊ *boat race* gara di canottaggio **2** nave LOC *Vedi* SAME

Boat normalmente sta ad indicare un'imbarcazione di piccole dimensioni, ma si usa anche per le navi più grandi, specialmente quelle che trasportano passeggeri.

bob /bɒb/ *vi* (**-bb-**) **to bob (up and down)** andare su e giù (*sull'acqua*) PHR V **to bob up** riemergere, spuntare

bobby /ˈbɒbi/ *s* (*pl* **-ies**) (*GB, inform*) poliziotto

bode /bəʊd/ *vt* (*form*) LOC **to bode ill/well (for sb/sth)** essere di buon/cattivo augurio (per qn/qc)

bodice /ˈbɒdɪs/ *s* corpino

bodily /ˈbɒdɪli/ ◆ *agg* **1** del corpo **2** materiale ◆ *avv* **1** di peso **2** tutt'insieme

body /ˈbɒdi/ *s* (*pl* **bodies**) **1** corpo **2** cadavere **3** [*v sing o pl*] ente: *a government body* un ente pubblico **4** (*acqua*) massa LOC **body and soul** anima e corpo

bodyguard /ˈbɒdigɑːd/ *s* guardia del corpo

bodywork /ˈbɒdiwɜːk/ *s* [*non numerabile*] carrozzeria

bog /bɒg/ ◆ *s* **1** palude **2** (*GB, inform*) cesso ◆ *v* (**-gg-**) PHR V **to get bogged down** (*lett e fig*) impantanarsi **boggy** *agg* paludoso

bogey (*anche* **bogy**) /ˈbəʊgi/ *s* (*pl* **bogeys**) (*anche* **bogeyman**) babau

bogus /ˈbəʊgəs/ *agg* falso, fasullo

boil¹ /bɔɪl/ *s* foruncolo

boil² /bɔɪl/ ◆ *vt, vi* bollire PHR V **to boil down to sth** ridursi a qc **to boil over** traboccare (*bollendo*) ◆ *s* LOC **to be on the boil** bollire **boiling** *agg* bollente: *boiling point* punto di ebollizione ◊ *boiling hot* torrido

boiler /ˈbɔɪlə(r)/ *s* caldaia: *boiler suit* tuta da lavoro

boisterous /ˈbɔɪstərəs/ *agg* chiassoso, animato

bold /bəʊld/ *agg* (**-er**, **-est**) **1** audace **2** sfacciato **3** marcato, nitido **4** neretto LOC **to be/make so bold (as to do sth)** (*form*) permettersi (di fare qc) *Vedi anche* FACE¹ **boldly** *avv* **1** audacemente **2** sfacciatamente **3** nitidamente **boldness** *s* **1** audacia **2** sfacciataggine, impudenza

bolster /ˈbəʊlstə(r)/ *vt* **1 ~ sth (up)** rafforzare qc **2 ~ sb (up)** incoraggiare qn

bolt¹ /bəʊlt/ ◆ *s* **1** chiavistello **2** bullone **3** *a bolt of lightning* un fulmine ◆ *vt* **1** (*porta*) sprangare **2 ~ A to B**; **~ A and B together** imbullonare A a B

bolt² /bəʊlt/ ◆ **1** *vi* (*cavallo*) imbizzarrirsi **2** *vi* darsela a gambe **3** *vt* **~ sth (down)** trangugiare qc ◆ *s* LOC **to make a bolt/dash/run for it** darsela a gambe

bomb /bɒm/ ◆ *s* **1** bomba: *bomb disposal* disinnesco di bombe ◊ *a bomb scare* sospetta presenza di una bomba ◊ *to plant a bomb* mettere una bomba **2 the bomb** la bomba atomica LOC **to go like a bomb** (*inform*) andare come un razzo *Vedi anche* COST ◆ **1** *vt* bombardare **2** *vt* far saltare in aria **3** *vi* **~ along, down, up, etc** (*GB, inform*) sfrecciare

bombard /bɒmˈbɑːd/ *vt* bombardare **bombardment** *s* bombardamento

bomber /ˈbɒmə(r)/ *s* **1** (*aereo*) bombardiere **2** dinamitardo, -a

bombing /ˈbɒmɪŋ/ *s* **1** bombardamento **2** attentato con ordigno esplosivo

bombshell /ˈbɒmʃel/ *s* bomba: *The news came as a bombshell.* La notizia arrivò come una bomba.

bond /bɒnd/ ◆ *vt* incollare ◆ *s* **1** legame **2** accordo **3** (*Fin*) obbligazione: *Government bonds* buoni del Tesoro **4** **bonds** [*pl*] (*spec fig*) catene

bone /bəʊn/ ◆ *s* **1** osso **2** (*pesce*) lisca LOC **bone dry** asciuttissimo **to be a bone of contention** essere il pomo della discordia **to have a bone to pick with sb** avere un conto da saldare con qn **to make no bones about doing sth** non farsi problemi a fare qc *Vedi anche* CHILL, WORK[2] ◆ *vt* disossare

bone marrow *s* midollo osseo

bonfire /ˈbɒnfaɪə(r)/ *s* falò

Bonfire Night *s* (*GB*)

> Si celebra in Gran Bretagna la notte del 5 novembre, con falò e fuochi d'artificio, in occasione dell'anniversario dell'attentato al Parlamento compiuto da Guy Fawkes nel 1605.

bonnet /ˈbɒnɪt/ *s* **1** cuffia (*cappello*) **2** (*USA* **hood**) cofano

bonus /ˈbəʊnəs/ *s* **1** gratifica: *a productivity bonus* un premio di produzione **2** (*fig*) vantaggio in più

bony /ˈbəʊni/ *agg* **1** osseo **2** pieno di lische/tutt'osso **3** ossuto

boo /buː/ ◆ *vt, vi* fischiare ◆ *s* (*pl* **boos**) fischio ◆ **boo!** *escl* bu!

booby-trap /ˈbuːbi træp/ *s* congegno che esplode al contatto

book[1] /bʊk/ *s* **1** libro: *book club* club del libro **2** quaderno **3** (*assegni, risparmio*) libretto **4** **the books** [*pl*] i libri contabili: *to do the books* tenere la contabilità LOC **to be in sb's good books** essere nelle grazie di qn **to do sth by the book** fare qc secondo le regole *Vedi anche* BAD, COOK, LEAF, TRICK

book[2] /bʊk/ **1** *vt, vi* prenotare **2** *vt* ingaggiare **3** *vt* (*inform*) (*polizia*) multare **4** *vt* (*Sport*) ammonire LOC **to be booked up 1** (*concerto*) essere esaurito **2** (*inform*): *I'm booked up.* Sono molto preso. PHR V **to book in** firmare il registro all'arrivo (*albergo*)

bookcase /ˈbʊkkeɪs/ *s* libreria (*mobile*)

booking /ˈbʊkɪŋ/ *s* (*spec GB*) prenotazione

booking office *s* (*spec GB*) biglietteria

booklet /ˈbʊklət/ *s* opuscolo

bookmaker /ˈbʊkmeɪkə(r)/ (*anche* **bookie**) *s* allibratore

bookseller /ˈbʊkˌselə(r)/ *s* libraio, -a

bookshelf /ˈbʊkʃelf/ *s* (*pl* **-shelves** /-ʃelvz/) scaffale per i libri

bookshop /ˈbʊkʃɒp/ (*USA anche* **bookstore**) *s* libreria (*negozio*)

boom /buːm/ ◆ *vi* rimbombare, rombare ◆ *s* rombo

boost /buːst/ ◆ *vt* **1** (*vendite*) incrementare **2** (*morale*) tirare su ◆ *s* **1** aumento **2** spinta

boot /buːt/ *s* **1** stivale, scarpone ☛ *Vedi illustrazione a* SCARPA **2** (*USA* **trunk**) (*macchina*) bagagliaio LOC *Vedi* TOUGH

booth /buːð; *USA* buːθ/ *s* **1** bancarella, baraccone **2** cabina: *polling/telephone booth* cabina elettorale/telefonica

booty /ˈbuːti/ *s* bottino

booze /buːz/ ◆ *s* [*non numerabile*] (*inform*) alcolici ◆ *vi* (*inform*): *to go out boozing* andare a ubriacarsi

border /ˈbɔːdə(r)/ ◆ *s* **1** confine, frontiera

> **Border** e **frontier** si usano per riferirsi ai confini di uno stato, ma **border** si usa principalmente per indicare i confini naturali: *The river forms the border between the two countries.* Il fiume fa da confine fra i due paesi. **Boundary** si usa soprattutto per i confini tra contee.

2 (*giardino*) aiuola **3** bordo, margine ◆ *vt* confinare con, fiancheggiare PHR V **to border on sth** rasentare qc

borderline /ˈbɔːdəlaɪn/ *s* confine LOC **a borderline case** un caso limite

bore[1] *pass di* BEAR[2]

bore[2] /bɔː(r)/ ◆ *vt* **1** trivellare **2** (*foro*) praticare (*con trapano*) ◆ *s* **1** (*persona*) noioso, -a **2** noia, mattone: *What a bore!* Che noia! **3** (*pistola*) calibro **bored** *agg* annoiato: *I'm bored.* Sono annoiato. ☛ *Vedi nota a* NOIOSO **boredom** *s* noia **boring** *agg* noioso: *He's boring.* È noioso. ☛ *Vedi nota a* NOIOSO

born /bɔːn/ ◆ *pp* nato LOC **to be born**

nascere: *She was born in Bath.* È nata a Bath. ◊ *He was born blind.* È cieco dalla nascita. ◆ *agg* [*solo davanti a sostantivo*] nato: *He's a born actor.* È un attore nato.

borne *pp di* BEAR²

borough /ˈbʌrə; *USA* -rəʊ/ *s* comune

borrow

She's **lending** her son some money.

He's **borrowing** some money from his mother.

borrow /ˈbɒrəʊ/ *vt* ~ **sth (from sb/sth)** prendere in prestito qc (da qn/qc) ☛ Più comunemente in italiano si usano i verbi 'dare' o 'prestare' con una struttura grammaticale diversa: *Could I borrow a pen?* Puoi prestarmi una penna? **borrower** *s* mutuatario, -a **borrowing** *s* prestiti: *public sector borrowing* debito pubblico

bosom /ˈbʊzəm/ *s* **1** (*retorico*) seno, petto **2** (*fig*) seno

boss /bɒs/ ◆ *s* (*inform*) capo ◆ *vt* ~ **sb about/around** (*dispreg*) dare ordini a qn **bossy** *agg* (**-ier**, **-iest**) (*dispreg*) prepotente

botany /ˈbɒtəni/ *s* botanica **botanical** /bəˈtænɪkl/ (*anche* **botanic**) *agg* botanico **botanist** /ˈbɒtənɪst/ *s* botanico, -a

both /bəʊθ/ ◆ *pron, agg* entrambi, -e: *Both of us went./We both went.* Siamo andati tutti e due. ◆ *avv* **both ... and ...** sia ... che ...: *The report is both reliable and readable.* Il resoconto oltre ad essere attendibile è anche di piacevole lettura. ◊ *both you and me* sia me che te ◊ *He both plays and sings.* Oltre a suonare canta. LOC *Vedi* NOT ONLY ... BUT ALSO *a* ONLY

bother /ˈbɒðə(r)/ ◆ **1** *vt* seccare, dar fastidio a **2** *vt* preoccupare: *What's bothering you?* Cosa ti preoccupa? **3** *vi* ~ **(to do sth)** disturbarsi (a fare qc): *He didn't even bother to say thank you.* Non si è neanche preso il disturbo di ringraziarmi. **4** *vi* ~ **about sb/sth** preoccuparsi per qn/di qc LOC **I can't be bothered (to do sth)** non mi va (di fare qc) **I'm not bothered** per me è uguale ◆ *s* noia, disturbo ◆ **bother!** *escl* uffa!

bottle /ˈbɒtl/ ◆ *s* **1** bottiglia **2** flacone **3** biberon ◆ *vt* **1** imbottigliare **2** conservare in vasetti

bottle bank *s* contenitore per la raccolta del vetro

bottom /ˈbɒtəm/ *s* **1** (*pagina, scale, mare*) fondo **2** (*collina*) piedi **3** (*Anat*) sedere **4** ultimo, -a: *He's bottom of the class.* È l'ultimo della classe. **5** *bikini bottom* lo slip del bikini ◊ *pyjama bottoms* i pantaloni del pigiama LOC **to be at the bottom of sth** essere all'origine di qc **to get to the bottom of sth** andare in fondo a qc *Vedi anche* ROCK¹

bough /baʊ/ *s* ramo

bought *pass, pp di* BUY

boulder /ˈbəʊldə(r)/ *s* masso

bounce /baʊns/ ◆ **1** *vt, vi* (far) rimbalzare **2** *vi* (*inform*) (*assegno*) essere scoperto PHR V **to bounce back** (*inform*) riprendersi ◆ *s* rimbalzo

bound¹ /baʊnd/ ◆ *vi* balzare ◆ *s* balzo

bound² /baʊnd/ *agg* ~ **for ...** diretto a ...

bound³ *pass, pp di* BIND¹

bound⁴ /baʊnd/ *agg* **1 to be ~ to do sth**: *You're bound to pass your test.* Vedrai che passi l'esame. **2** obbligato (*per legge o dovere*) LOC **bound up with sth** legato a qc

boundary /ˈbaʊndri/ *s* (*pl* **-ies**) confine, limite ☛ *Vedi nota a* BORDER

boundless /ˈbaʊndləs/ *agg* illimitato

bounds /baʊndz/ *s* [*pl*] limiti LOC **out of bounds** vietato

bourgeois /ˌbʊəˈʒwɑː/ *agg, s* borghese

bout /baʊt/ *s* **1** breve periodo di attività: *a drinking bout* una sbornia **2** (*malattia*) attacco **3** (*boxe*) incontro

bow¹ /bəʊ/ *s* **1** fiocco, nodo **2** (*Mus*) archetto **3** (*Sport*) arco

bow² /baʊ/ ◆ **1** *vi* inchinarsi, fare un inchino **2** *vt* chinare, abbassare ◆ *s* **1** inchino **2** (*anche* **bows** [*pl*]) (*Naut*) prua

bowel /ˈbaʊəl/ *s* **1** (*Med*) [*spesso pl*] intestino **2 bowels** [*pl*] (*fig*) viscere

bowl[1] /bəʊl/ *s* **1** ciotola ☛ **Bowl** si usa in molte forme composte e spesso si traduce con una sola parola: *a fruit bowl* una fruttiera ◊ *a sugar bowl* una zuccheriera ◊ *a salad bowl* un'insalatiera. **2** piatto fondo **3** (*gabinetto*) tazza

bowl[2] /bəʊl/ ◆ *s* **1** boccia **2 bowls** [*sing*] gioco delle bocce ◆ *vt, vi* lanciare, tirare

bowler /ˈbəʊlə(r)/ *s* **1** (*Sport*) lanciatore **2** (*anche* **bowler hat**) bombetta ☛ *Vedi illustrazione a* CAPPELLO

bowling /ˈbəʊlɪŋ/ *s* [*non numerabile*] bowling: *bowling alley* pista da bowling

bow tie *s* papillon

box[1] /bɒks/ ◆ *s* **1** scatola: *a cardboard box* una scatola di cartone ☛ *Vedi illustrazione a* CONTAINER **2** cofanetto **3** (*posta*) casella postale **4** (*Teat*) palco **5** (*testimoni*) banco **6** (*cavallo*) box **7** (*telefono*) cabina **8 the box** (*inform, GB*) la tele ◆ *vt* (*anche* **to box up**) imballare

box[2] /bɒks/ **1** *vt* combattere **2** *vi* fare il pugile

boxer /ˈbɒksə(r)/ *s* **1** pugile **2** boxer

boxing /ˈbɒksɪŋ/ *s* boxe

Boxing Day *s* Santo Stefano ☛ *Vedi nota a* NATALE

box number *s* casella postale

box-office /ˈbɒks ɒfɪs/ *s* botteghino

boy /bɔɪ/ *s* **1** bambino: *It's a boy!* È un maschio! **2** figlio: *his eldest boy* il figlio maggiore ◊ *I've got three children, two boys and one girl.* Ho tre figli, due maschi e una femmina. **3** ragazzo: *boys and girls* ragazzi e ragazze

boycott /ˈbɔɪkɒt/ ◆ *vt* boicottare ◆ *s* boicottaggio

boyfriend /ˈbɔɪfrend/ *s* ragazzo, fidanzato: *Is he your boyfriend, or just a friend?* È il tuo ragazzo o solo un amico?

boyhood /ˈbɔɪhʊd/ *s* infanzia

boyish /ˈbɔɪɪʃ/ *agg* **1** (*uomo*) da ragazzo **2** (*donna*) mascolino

bra /brɑː/ *s* reggiseno

brace /breɪs/ ◆ *s* **1** apparecchio (*per i denti*) **2 braces** (*USA* **suspenders**) [*pl*] bretelle ◆ *v rifl* ~ **yourself (for sth)** prepararsi per qc; tenersi forte PHR V **to brace up** (*USA*) farsi coraggio **bracing** *agg* tonificante

bracelet /ˈbreɪslət/ *s* braccialetto

bracket /ˈbrækɪt/ ◆ *s* **1** parentesi: *in brackets* fra parentesi ☛ *Vedi pagg. 376–77.* **2** (*Tec*) staffa **3** categoria: *the 20–30 age bracket* la fascia d'età fra i 20 e i 30 ◆ *vt* **1** mettere tra parentesi **2** mettere insieme

brag /bræg/ *vi* (**-gg-**) ~ **(about sth)** vantarsi (di qc)

braid /breɪd/ *s* (*USA*) *Vedi* PLAIT

brain /breɪn/ *s* **1** cervello **2 brains** [*pl*] cervella **3** cervello, intelligenza: *He's the brains of the family.* È il cervellone della famiglia. LOC **to have sth on the brain** (*inform*) avere il chiodo fisso di qc *Vedi anche* PICK, RACK **brainless** *agg* deficiente **brainy** *agg* (**-ier**, **-iest**) (*inform*) intelligente

brainwash /ˈbreɪnwɒʃ/ *vt* ~ **sb (into doing sth)** fare il lavaggio del cervello a qn (per fargli fare qc) **brainwashing** *s* lavaggio del cervello

brake /breɪk/ ◆ *s* freno: *to put on/apply the brake(s)* azionare i freni ◆ *vt, vi* frenare: *to brake hard* inchiodare

bramble /ˈbræmbl/ *s* mora

bran /bræn/ *s* crusca

branch /brɑːntʃ; *USA* bræntʃ/ ◆ *s* **1** ramo **2** filiale: *your nearest/local branch* la filiale più vicina/del quartiere ◆ PHR V **to branch off 1** svoltare **2** ramificarsi **to branch out (into sth)** estendere le attività a qc, espandersi

brand /brænd/ ◆ *s* **1** (*Comm*) marca ☛ *Confronta* MAKE[2] **2** tipo: *a strange brand of humour* uno strano senso dell'umorismo ◆ *vt* **1** (*bestiame*) marchiare **2** ~ **sb (as sth)** bollare qn (come qc)

brandish /ˈbrændɪʃ/ *vt* brandire

brand new *agg* nuovo di zecca

brash /bræʃ/ *agg* (*dispreg*) sfacciato **brashness** *s* sfacciataggine

brass /brɑːs; *USA* bræs/ *s* **1** ottone **2 the brass** [*v sing o pl*] (*Mus*) gli ottoni

bravado /brəˈvɑːdəʊ/ *s* spavalderia

brave /breɪv/ ◆ *vt* sfidare (*intemperie*) ◆ *agg* (**-er**, **-est**) coraggioso LOC *Vedi* FACE[1]

brawl /brɔːl/ *s* rissa

breach /briːtʃ/ ◆ *s* **1** (*contratto*) inadempienza **2** (*legge, norme di sicurezza*) violazione **3** (*relazione*) rottura LOC **breach of confidence/faith/trust** abuso di fiducia ◆ *vt* **1** (*contratto*) non rispettare **2** (*legge*) violare **3** (*mura*) aprire una breccia in

bread /bred/ *s* **1** [*non numerabile*] pane: *I bought a loaf/two loaves of bread.* Ho comprato una pagnotta/due pagnotte. ◇ *a slice of bread* una fetta di pane

breadcrumbs /ˈbredkrʌmz/ *s* [*pl*] **1** briciole di pane **2** pangrattato: *fish in breadcrumbs* pesce impanato

breadth /bredθ/ *s* larghezza

break[1] /breɪk/ (*pass* **broke** /brəʊk/ *pp* **broken** /ˈbrəʊkən/) **1** *vt, vi* rompere, rompersi: *to break sth in two/in half* spezzare qc in due/a metà ◇ *She's broken her leg.* Si è rotta la gamba. **2** *vt* (*legge*) violare **3** *vt* (*promessa*) mancare a **4** *vt* (*record*) battere **5** *vt* (*caduta*) attutire **6** *vt* (*viaggio*) interrompere **7** *vi* fare una pausa: *Let's break for coffee.* Facciamo una pausa e prendiamo un caffè. **8** *vt* (*popolo*) annientare **9** *vt* (*vizio*) liberarsi da **10** *vt* (*codice*) decifrare **11** *vi* (*tempo*) cambiare **12** *vi* (*temporale, scandalo*) scoppiare **13** *vi* (*notizia*) diventare di dominio pubblico **14** *vi* (*voce*) spezzarsi **15** *vi* (*voce di ragazzo*) cambiare **16** *vi* (*onde*) infrangersi **LOC break it up!** smettetela! **to break the bank** (*inform*): *A meal out won't break the bank.* Una cena fuori non ci manderà in bancarotta. **to break the news (to sb)** dare la notizia (a qn) **to break your back (to do sth)** sudare sette camicie (per fare qc) *Vedi anche* WORD

PHR V to break away (from sth) staccarsi (da qc)

to break down 1 (*auto*) avere un guasto: *We broke down.* Siamo rimasti in panne. **2** (*macchinario*) rompersi **3** (*persona*) crollare: *He broke down and cried.* Scoppiò in lacrime. **4** (*negoziati*) interrompersi **5** (*matrimonio*) fallire **to break sth down 1** abbattere qc **2** suddividere qc **3** scomporre qc

to break in fare irruzione **to break into sth 1** (*ladri*) entrare in qc **2** (*iniziare improvvisamente*): *to break into a run* mettersi a correre ◇ *He broke into a cold sweat.* Gli vennero i sudori freddi.

to break off interrompersi **to break sth off 1** (*pezzo*) staccare qc **2** (*fidanzamento*) rompere qc

to break out 1 (*epidemia, guerra*) scoppiare **2** (*violenza*) esplodere **3** *I've broken out in spots.* Mi si è coperta la pelle di macchie.

to break through sth sfondare qc, fare capolino tra qc

to break up 1 (*riunione*) sciogliersi **2** (*matrimonio*) fallire **3** *Schools break up on 20 July.* Le scuole chiudono il 20 luglio. **to break (up) with sb** rompere con qn **to break sth up 1** disperdere qc **2** (*rissa*) sedare qc

break[2] /breɪk/ *s* **1** apertura, breccia **2** intervallo, pausa, vacanza: *a coffee break* una pausa per il caffè **3** interruzione, rottura: *a break in the routine* un diversivo alla routine **4** (*inform*) possibilità **LOC to give sb a break** dare un'occasione a qn **to make a break (for it)** darsela a gambe *Vedi anche* CLEAN

breakdown /ˈbreɪkdaʊn/ *s* **1** guasto **2** (*salute*) collasso: *a nervous breakdown* un esaurimento nervoso **3** (*statistica*) analisi

breakfast /ˈbrekfəst/ *s* colazione: *to have breakfast* fare colazione ☛ *Vedi pag. 379. Vedi anche* BED AND BREAKFAST

break-in /ˈbreɪk ɪn/ *s* furto con scasso

breakthrough /ˈbreɪkθruː/ *s* passo avanti

breast /brest/ *s* petto, seno: *breast cancer* un cancro al seno

breath /breθ/ *s* respiro: *to take a deep breath* respirare profondamente **LOC a breath of fresh air** una boccata d'aria fresca **to be out of/short of breath** essere senza fiato/avere il fiato corto **to get your breath (again/back)** riprendere fiato **to say sth, speak, etc under your breath** dire qc, parlare, ecc sottovoce **to take sb's breath away** lasciare qn senza fiato *Vedi anche* CATCH, HOLD, WASTE

breathe /briːð/ **1** *vt, vi* respirare **2** *vi* ~ **in/out** inspirare/espirare **3** *vt* ~ **sth in/out** respirare/espirare qc **LOC not to breathe a word (of/about sth) (to sb)** non far parola (di qc) (a qn) **to breathe down sb's neck** (*inform*) stare addosso a qn **to breathe life into sb/sth** infondere un po' di vita a qn/qc **breathing** *s* respiro, respirazione: *heavy breathing* respiro ansimante

breathless /ˈbreθləs/ *agg* senza fiato

breathtaking /ˈbreθteɪkɪŋ/ *agg* da mozzare il fiato

breed /briːd/ (*pass, pp* **bred** /bred/) ◆

1 *vi* (*animali*) riprodursi **2** *vt* (*bestiame*) allevare **3** *vt* generare: *Dirt breeds disease.* La sporcizia è fonte di malattie. ◆ *s* (*cane*) razza

breeze /briːz/ *s* brezza

brew /bruː/ **1** *vt* (*birra*) produrre **2** *vt* (*tè*) fare **3** *vi* (*tè*) essere in infusione **4** *vi* (*fig*) prepararsi: *Trouble is brewing.* Ci sono guai in vista.

bribe /braɪb/ ◆ *s* bustarella ◆ *vt* ~ **sb (into doing sth)** dare una bustarella a qn (perché faccia qc) **bribery** *s* corruzione

brick /brɪk/ ◆ *s* mattone LOC *Vedi* DROP ◆ PHR V **to brick sth in/up** murare qc

bride /braɪd/ *sf* sposa LOC **the bride and groom** gli sposi

bridegroom /ˈbraɪdɡruːm/ (*anche* **groom**) *s* sposo

bridesmaid /ˈbraɪdzmeɪd/ *sf* damigella d'onore ☛ *Vedi nota a* MATRIMONIO

bridge /brɪdʒ/ ◆ *s* ponte ◆ *vt* LOC **to bridge a/the gap between…** ridurre il divario tra…

bridle /ˈbraɪdl/ *s* briglia

brief /briːf/ *agg* (**-er**, **-est**) breve, corto LOC **in brief** in breve **briefly** *avv* **1** brevemente **2** in poche parole

briefcase /ˈbriːfkeɪs/ *s* ventiquattr'ore ☛ *Vedi illustrazione a* BAGAGLIO

briefs /briːfs/ *s* [*pl*] slip

bright /braɪt/ ◆ *agg* (**-er**, **-est**) **1** splendente, brillante: *bright eyes* occhi brillanti **2** (*colore*) vivace **3** (*sorriso, espressione*) radioso **4** (*intelligente*) brillante LOC *Vedi* LOOK[1] ◆ *avv* (**-er**, **-est**) vivamente

brighten /ˈbraɪtn/ **1** *vi* ~ **(up)** ravvivarsi **2** (*tempo*) schiarirsi **3** *vt* ~ **sth (up)** rallegrare qc

brightly /ˈbraɪtli/ *avv* **1** vivamente: *brightly lit* illuminato a giorno ◊ *brightly painted* dipinto a colori vivaci **2** allegramente

brightness /ˈbraɪtnəs/ *s* **1** lucentezza, splendore **2** intelligenza

brilliant /ˈbrɪliənt/ *agg* **1** brillante **2** geniale **brilliance** *s* **1** lucentezza, splendore **2** genialità

brim /brɪm/ *s* **1** orlo: *full to the brim* pieno fino all'orlo **2** tesa (*di cappello*) ☛ *Vedi illustrazione a* CAPPELLO

bring /brɪŋ/ *vt* (*pass, pp* **brought** /brɔːt/) **1** portare: *Can I bring a friend to your party?* Posso portare un amico alla festa? ☛ *Vedi illustrazione a* TAKE **2** (*causa*) intentare LOC **to be able to bring yourself to do sth** trovare il coraggio di fare qc **to bring sb to justice** consegnare qn alla giustizia **to bring sb/sth up to date** aggiornare qn/qc **to bring sth home to sb** far capire qc a qn **to bring sth (out) into the open** rendere qc di dominio pubblico **to bring sth to a close** terminare qc **to bring sb/sth to life** rianimare qn/animare qc **to bring tears to sb's eyes** far venire a qn le lacrime agli occhi **to bring a smile to sb's face** far sorridere qn **to bring up the rear** venire per ultimo *Vedi anche* CHARGE, PEG, QUESTION

PHR V **to bring sth about/on** provocare qc, causare qc

to bring sth back 1 ripristinare qc **2** risvegliare qc

to bring sth down 1 (*aereo*) abbattere qc **2** (*inflazione, ecc*) ridurre qc

to bring sth forward anticipare qc

to bring sth in introdurre qc (*legge*)

to bring sth off (*inform*) portare a termine qc

to bring sth on yourself essere la causa di qc

to bring sth out 1 (*prodotto*) lanciare qc **2** pubblicare qc **3** mettere in evidenza qc

to bring sb round/over (to sth) convincere qn (di qc) **to bring sb round/to** far rinvenire qn

to bring sb and sb together riconciliare qn con qn

to bring sb up allevare qn: *She was brought up by her granny.* È stata allevata dalla nonna. ☛ *Confronta* EDUCATE, RAISE senso 8 **to bring sth up 1** vomitare qc **2** (*argomento*) sollevare qc

brink /brɪŋk/ *s* orlo, ciglio: *on the brink of war* sull'orlo di una guerra

brisk /brɪsk/ *agg* (**-er**, **-est**) **1** (*passo*) svelto **2** (*commercio*) vivace

brittle /ˈbrɪtl/ *agg* (*lett e fig*) fragile

broach /brəʊtʃ/ *vt* affrontare (*argomento*)

broad /brɔːd/ *agg* (**-er**, **-est**) **1** largo **2** (*pianura*) vasto **3** generale: *in the broadest sense of the word* nel senso più ampio della parola

Di solito si usa **wide** per indicare la distanza fra due lati di qualcosa: *The gate is four metres wide.* Il cancello è largo quattro metri. **Broad** si usa con termini geografici: *a broad expanse of desert* una vasta distesa desertica o in frasi come: *broad shoulders* spalle larghe.

LOC **in broad daylight** in pieno giorno

broad bean *s* fava

broadcast /ˈbrɔːdkɑːst; *USA* ˈbrɔːdkæst/ (*pass, pp* **broadcast**) ◆ **1** *vt, vi* (*Radio, TV*) trasmettere **2** *vt* (*opinioni*) diffondere ◆ *s* trasmissione: *party political broadcast* comunicato di propaganda di un partito

broaden /ˈbrɔːdn/ *vt, vi* ~ (**out**) allargare, allargarsi

broadly /ˈbrɔːdli/ *avv* **1** *smiling broadly* con un gran sorriso **2** in generale: *broadly speaking* in linea di massima

broccoli /ˈbrɒkəli/ *s* [*non numerabile*] broccolo

brochure /ˈbrəʊʃə(r); *USA* brəʊˈʃʊər/ *s* opuscolo

broke /brəʊk/ ◆ *agg* (*inform*) al verde LOC **to go broke** andare in fallimento ◆ *pass di* BREAK[1]

broken /ˈbrəʊkən/ ◆ *agg* **1** rotto **2** (*cuore*) infranto ◆ *pp di* BREAK[1]

bronchitis /brɒŋˈkaɪtɪs/ *s* [*non numerabile*] bronchite: *to catch bronchitis* prendere una bronchite

bronze /brɒnz/ ◆ *s* bronzo ◆ *agg* di (color del) bronzo

brooch /brəʊtʃ/ *s* spilla

brood /bruːd/ *vi* ~ (**on/over sth**) rimuginare (su qc)

brook /brʊk/ *s* ruscello

broom /bruːm, brʊm/ *s* **1** scopa ☛ *Vedi illustrazione a* BRUSH **2** (*Bot*) ginestra **broomstick** *s* manico di scopa

broth /brɒθ; *USA* brɔːθ/ *s* [*non numerabile*] brodo

brother /ˈbrʌðə(r)/ *s* **1** fratello: *Does she have any brothers or sisters?* Ha fratelli o sorelle? **2** (*fig*) compagno **brotherhood** *s* [*v sing o pl*] **1** fratellanza, fraternità **2** confraternita **brotherly** *agg* fraterno

brother-in-law /ˈbrʌðər ɪn lɔː/ *s* (*pl* **-ers-in-law**) cognato

brought *pass, pp di* BRING

brow /braʊ/ *s* **1** (*Anat*) fronte ☛ La parola più comune è **forehead**. **2** [*gen pl*] (*anche* **eyebrow**) sopracciglio **3** (*collina*) cima

brown /braʊn/ ◆ *agg, s* (**-er, -est**) **1** marrone **2** (*capelli*) castano **3** (*pelle*) abbronzato **4** (*orso*) bruno **5** *brown bread/rice* pane/riso integrale ◊ *brown paper* carta da pacchi ◆ *vt, vi* rosolare, rosolarsi **brownish** *agg* marroncino

brownie /ˈbraʊni/ *s* **1** (*GB anche* **Brownie**) giovane esploratrice **2** (*USA*) torta al cioccolato con noci

browse /braʊz/ *vi* **1** ~ (**in/through sth**) curiosare (in qc) **2** ~ (**through sth**) (*rivista*) dare una scorsa (a qc) **3** pascolare

bruise /bruːz/ ◆ *s* **1** livido **2** (*frutta*) ammaccatura ◆ **1** *vt, vi* ~ (**yourself**) farsi un livido, coprirsi di lividi **2** *vt* (*gamba, ecc*) farsi un livido a **3** *vt* (*frutta*) ammaccare **bruising** *s* [*non numerabile*]: *He had a lot of bruising.* Era coperto di lividi.

brush /brʌʃ/ ◆ *s* **1** spazzola, spazzolino **2** scopa, scopino **3** pennello **4** spazzolata **5 to have a ~ with sth** aver delle noie con qc ◆ **1** *vt* spazzolare: *to brush your hair/teeth* spazzolarsi i capelli/lavarsi i denti **2** *vt* sfiorare **3** *vi* ~ **past/against sb/sth** sfiorare qn/qc PHR V **to brush sth aside** ignorare qc **to brush sth up/to brush up on sth** dare una ripassata a qc (*lingua*)

brusque /bruːsk; *USA* brʌsk/ *agg* brusco

Brussels sprout (*anche* **sprout**) *s* cavoletto di Bruxelles

brutal /ˈbruːtl/ *agg* brutale **brutality** /bruːˈtæləti/ *s* (*pl* **-ies**) brutalità

brute /bruːt/ ◆ *s* **1** bestia **2** bruto ◆ *agg* bruto **brutish** *agg* da bruto

bubble /ˈbʌbl/ ◆ *s* bolla, bollicina: *to blow bubbles* fare le bolle di sapone ◆ *vi* **1** ribollire **2** gorgogliare **bubbly** *agg* (**-ier**, **-iest**) **1** effervescente **2** (*persona*) spumeggiante

bubble bath *s* bagnoschiuma

bubblegum /ˈbʌblgʌm/ *s* chewing-gum

buck[1] /bʌk/ *s* maschio (*di cervo, lepre, ecc*) ☛ *Vedi nota a* CERVO, CONIGLIO

buck[2] /bʌk/ *vi* sgroppare LOC **to buck the trend** andare contro corrente PHR V **to buck sb up** (*inform*) tirare su il morale a qn

buck[3] /bʌk/ *s* **1** (*USA, inform*) dollaro **2** [*gen pl*] (*inform*) soldi LOC **the buck stops here** mi assumo io tutta la responsabilità **to make a fast/quick buck** far soldi in fretta

bucket /ˈbʌkɪt/ *s* **1** secchio, secchiello **2** (*escavatore, mulino*) pala LOC *Vedi* KICK

buckle /ˈbʌkl/ ◆ *s* fermaglio ◆ **1** *vt* ~ **sth (up)** allacciare qc **2** *vi* (*piegarsi*) deformarsi

bud /bʌd/ *s* bocciolo, gemma

Buddhism /ˈbʊdɪzəm/ *s* buddismo **Buddhist** *agg, s* buddista

budding /ˈbʌdɪŋ/ *agg* in erba

buddy /ˈbʌdi/ *s* (*pl* **-ies**) (*inform*) amico ☛ Si usa soprattutto fra ragazzi e specialmente negli Stati Uniti.

budge /bʌdʒ/ *vt, vi* **1** spostare, spostarsi **2** smuovere, smuoversi

budgerigar /ˈbʌdʒərɪˌgɑː(r)/ *s* pappagallino

budget /ˈbʌdʒɪt/ ◆ *s* **1** preventivo **2** (*Politica*) budget, bilancio: *budget deficit* deficit di bilancio ◆ **1** *vt* stanziare **2** *vi* (*spese*) fare il preventivo: *to budget carefully* stare attento ai soldi **3** *vi* ~ **for sth** mettere in conto qc **budgetary** *agg* di bilancio

buff /bʌf/ ◆ *s* patito, -a: *a film buff* un cinefilo ◆ *agg, s* color camoscio

buffalo /ˈbʌfələʊ/ *s* (*pl* **buffalo** *o* **~es**) **1** bufalo **2** (*USA*) bisonte

buffer /ˈbʌfə(r)/ *s* **1** (*lett e fig*) difesa **2** (*stato*) cuscinetto **3** (*Informatica*) buffer **4** (*GB, inform*) (*anche* **old buffer**) vecchio rimbambito

buffet[1] /ˈbʊfeɪ; *USA* bəˈfeɪ/ *s* buffet: *buffet car* carrozza ristorante

buffet[2] /ˈbʌfɪt/ *vt* sferzare, sballottare **buffeting** *s* violenza

bug /bʌg/ ◆ *s* **1** insetto **2** (*inform*) virus, infezione **3** (*Informatica*) bug **4** (*inform*) (*microfono*) cimice ◆ *vt* (**-gg-**) **1** (*stanza*) mettere microspie in **2** (*conversazione*) ascoltare con un microfono nascosto **3** (*inform, spec USA*) scocciare

buggy /ˈbʌgi/ *s* (*pl* **-ies**) **1** dune buggy **2** (*spec USA*) passeggino

build /bɪld/ *vt* (*pass, pp* **built** /bɪlt/) costruire PHR V **to build sth in 1** incassare qc **2** (*fig*) incorporare qc **to build on sth** consolidare qc **to build up 1** intensificarsi, aumentare **2** accumularsi **to build sb/sth up** adulare qn/gonfiare qc **to build sth up 1** (*collezione*) mettere insieme qc **2** (*impresa*) consolidare qc

builder /ˈbɪldə(r)/ *s* **1** muratore **2** imprenditore edile

building /ˈbɪldɪŋ/ *s* **1** edificio **2** edilizia

building site *s* cantiere edile

building society *s* (*GB*) istituto di credito immobiliare

build-up /ˈbɪld ʌp/ *s* **1** aumento **2** ammassamento **3** ~ **(to sth)** preparativi (per qc) **4** pubblicità

built *pass, pp di* BUILD

built-in /ˌbɪlt ˈɪn/ *agg* **1** a muro **2** innato

built-up /ˌbɪlt ˈʌp/ *agg* edificato: *built-up areas* centri urbani

bulb /bʌlb/ *s* **1** (*Bot*) bulbo **2** (*anche* **light bulb**) lampadina

bulge /bʌldʒ/ ◆ *s* **1** rigonfiamento **2** (*inform*) aumento temporaneo ◆ *vi* **1** ~ **(with sth)** essere gonfio (di qc) **2** (*occhi*) sporgere

bulk /bʌlk/ *s* **1** volume: *bulk buying* comprare all'ingrosso **2** mole **3 the bulk (of sth)** la maggior parte (di qc) LOC **in bulk** all'ingrosso **bulky** *agg* (**-ier**, **-iest**) voluminoso

bull /bʊl/ *s* toro

bulldoze /ˈbʊldəʊz/ *vt* **1** spianare (*con*

bulldozer) **2** ~ **sb into doing sth** costringere qn a fare qc con la forza

bullet /ˈbʊlɪt/ *s* pallottola

bulletin /ˈbʊlətɪn/ *s* **1** (*dichiarazione*) comunicato ufficiale **2** bollettino: *news bulletin* notiziario ◊ *bulletin-board* bacheca

bulletproof /ˈbʊlɪtpruːf/ *agg* antiproiettile

bullfight /ˈbʊlfaɪt/ *s* corrida **bullfighter** *s* torero

bullion /ˈbʊliən/ *s* oro/argento (*in lingotti*)

bull's-eye /ˈbʊlz aɪ/ *s* centro del bersaglio

bully /ˈbʊli/ ◆ *s* (*pl* **-ies**) prepotente ◆ *vt* (*pass, pp* **bullied**) fare il prepotente con, tiranneggiare

bum /bʌm/ ◆ *s* (*inform*) **1** (*GB*) sedere **2** (*USA*) barbone, -a ◆ *v* (*inform*) PHR V **to bum around** vagabondare

bumble-bee /ˈbʌmbl biː/ *s* bombo

bump /bʌmp/ ◆ **1** *vt* ~ **sth** (**against/on sth**) sbattere qc (contro qc) **2** *vi* ~ **into sb/sth** andare a sbattere contro qn/qc PHR V **to bump into sb** imbattersi in qn **to bump sb off** (*inform*) far fuori qn ◆ *s* **1** scossa **2** colpo **3** bernoccolo **4** cunetta

bumper /ˈbʌmpə(r)/ ◆ *s* paraurti: *bumper cars* autoscontro ◆ *agg* eccezionale

bumpy /ˈbʌmpi/ *agg* (**-ier**, **-iest**) **1** (*superficie*) irregolare **2** (*strada*) accidentato **3** (*volo, viaggio*) pieno di scossoni

bun /bʌn/ *s* **1** panino dolce **2** chignon

bunch /bʌntʃ/ ◆ *s* **1** (*uva*) grappolo **2** (*fiori, chiavi*) mazzo **3** (*banane*) casco **4** [*v sing o pl*] (*inform*) gruppo ◆ *vt, vi* raggruppare, raggrupparsi

bundle /ˈbʌndl/ ◆ *s* **1** (*giornali*) fascio **2** (*legna*) fascina **3** (*abiti*) fagotto ◆ *vt* (*anche* **to bundle sth together/up**) fare un fagotto di qc

bung /bʌŋ/ ◆ *s* tappo ◆ *vt* **1** tappare **2** (*GB, inform*) buttare

bungalow /ˈbʌŋgələʊ/ *s* bungalow ☛ *Vedi pag. 380.*

bungle /ˈbʌŋgl/ **1** *vt* pasticciare **2** *vi* fare pasticci

bunk /bʌŋk/ *s* cuccetta LOC **to do a bunk** (*GB, inform*) svignarsela

bunny /ˈbʌni/ (*anche* **bunny-rabbit**) *s* coniglietto

bunting /ˈbʌntɪŋ/ *s* [*non numerabile*] bandierine

buoy /bɔɪ; *USA* ˈbuːi/ ◆ *s* boa ◆ PHR V **to buoy sb up** rincuorare qn **to buoy sth up** tenere a galla qc

buoyant /ˈbɔɪənt; *USA* ˈbuːjənt/ *agg* (*Econ*) sostenuto

burble /ˈbɜːbl/ *vi* **1** (*ruscello*) gorgogliare **2** ~ (**on**) (**about sth**) farfugliare (a proposito di qc)

burden /ˈbɜːdn/ ◆ *s* **1** carico **2** (*fig*) peso ◆ *vt* **1** caricare **2** (*fig*) opprimere **burdensome** *agg* pesante, oneroso

bureau /ˈbjʊərəʊ/ *s* (*pl* **-reaux** *o* **-reaus** /-rəʊz/) **1** (*GB*) scrittoio **2** (*USA*) comò **3** (*spec USA, Politica*) divisione ministeriale **4** ente, agenzia

bureaucracy /bjʊəˈrɒkrəsi/ *s* (*pl* **-ies**) burocrazia **bureaucrat** /ˈbjʊərəkræt/ *s* burocrate **bureaucratic** /ˌbjʊərəˈkrætɪk/ *agg* burocratico

burger /ˈbɜːgə(r)/ *s* (*inform*) hamburger

> **Burger** si usa specialmente in parole composte come *cheeseburger*.

burglar /ˈbɜːglə(r)/ *s* ladro, -a: *burglar alarm* antifurto **burglary** *s* (*pl* **-ies**) furto (*in una casa*) **burgle** *vt* svaligiare ☛ *Vedi nota a* ROB

burgundy /ˈbɜːgəndi/ *s* **1** (*anche* **Burgundy**) (*vino*) borgogna **2** (*colore*) bordeaux

burial /ˈberiəl/ *s* sepoltura

burly /ˈbɜːli/ *agg* (**-ier**, **-iest**) robusto

burn /bɜːn/ (*pass, pp* **burnt** /bɜːnt/ *o* **burned**) ☛ *Vedi nota a* DREAM. ◆ **1** *vt, vi* bruciare: *to be badly burnt* essere gravemente ustionato ◊ *a burning building* un edificio in fiamme **2** *vi* (*fuoco*) ardere **3** *vi*: *to burn to do sth/for sth* morire dalla voglia di (fare) qc **4** *vi* scottare **5** *vi* (*luce, ecc*): *He left the lamp burning.* Ha lasciato la lampada accesa. **6** *vt*: *The boiler burns oil.* La caldaia va a nafta. ◆ *s* ustione, bruciatura

burner /ˈbɜːnə(r)/ *s* fornello

burning /ˈbɜːnɪŋ/ *agg* **1** (*lett e fig*) ardente **2** (*questione*) scottante

burnt /bɜːnt/ ◆ *pass, pp di* BURN ◆ *agg* bruciato

burp /bɜːp/ ◆ **1** *vi* ruttare **2** *vt* (*bambino*) far fare il ruttino a ◆ *s* rutto

burrow /ˈbʌrəʊ/ ◆ *s* tana ◆ *vt* scavare

burst /bɜːst/ ◆ *vt, vi* (*pass, pp* **burst**) **1**

(far) scoppiare **2** *The river burst its banks.* Il fiume ha rotto gli argini. LOC **to be bursting to do sth** morire dalla voglia di fare qc **to burst open** spalancarsi di colpo PHR V **to burst into sth 1** *to burst into a room* irrompere in una stanza **2** *to burst into tears* scoppiare a piangere **to burst out 1** uscire precipitosamente (*da una stanza*) **2** *to burst out laughing* scoppiare a ridere ◆ *s* **1** (*ira, ecc*) scoppio **2** (*pallottole, spari*) raffica **3** (*applausi*) scroscio

bury /ˈberi/ *vt* (*pass, pp* **buried**) **1** seppellire **2** (*coltello*) affondare **3** *She buried her face in her hands.* Si coprì il volto con le mani.

bus /bʌs/ *s* (*pl* **buses**) autobus: *bus conductor/conductress* bigliettaio, -a ◊ *bus driver* autista d'autobus ◊ *bus stop* fermata dell'autobus

bush /bʊʃ/ *s* **1** cespuglio: *a rose bush* un cespuglio di rose ☛ *Confronta* SHRUB **2 the bush** la boscaglia LOC *Vedi* BEAT **bushy** *agg* **1** (*sopracciglia, coda*) folto **2** (*terreno*) cespuglioso

busily /ˈbɪzɪli/ *avv* alacremente

business /ˈbɪznəs/ *s* **1** [*non numerabile*] affari **2** [*davanti a sostantivo*]: *a business card* un biglietto da visita della ditta ◊ *business studies* studi di economia aziendale ◊ *a business trip* un viaggio d'affari **3** impresa, ditta **4** affare: *It's none of your business!* Non sono affari tuoi! **5** (*ad una riunione*): *any other business* varie ed eventuali LOC **on business** per affari **to do business with sb** fare affari con qn **to get down to business** mettersi al lavoro **to go out of business** fallire **to have no business doing sth** non avere il diritto di fare qc *Vedi anche* BIG, MEAN[1], MIND

businesslike /ˈbɪznəslaɪk/ *agg* **1** efficiente **2** (*aspetto, atteggiamento*) professionale

businessman /ˈbɪznəsmən/ *s* (*pl* **-men** /-mən/) uomo d'affari, imprenditore

businesswoman /ˈbɪznɪswʊmən/ *s* (*pl* **-women**) imprenditrice

busk /bʌsk/ *vi* suonare per strada **busker** *s* suonatore, -trice ambulante

bust[1] /bʌst/ *s* **1** (*scultura*) busto **2** petto

bust[2] /bʌst/ ◆ *vt* (*pass, pp* **bust** *o* **busted**) (*inform*) rompere ☛ *Vedi nota a* DREAM ◆ *agg* (*inform*) rotto LOC **to go bust** fallire

bustle /ˈbʌsl/ ◆ *vi* ~ (**about**) darsi da fare ◆ *s* (*anche* **hustle and bustle**) viavai, trambusto **bustling** *agg* animatissimo

busy /ˈbɪzi/ ◆ *agg* (**busier**, **busiest**) **1** ~ (**at/with sth**) indaffarato, occupato (con qc) **2** (*città*) animato **3** (*giornata, programma*) intenso **4** (*USA*): *The line is busy.* La linea è occupata. ◆ *v rifl* ~ **yourself doing sth/with sth** tenersi occupato facendo qc/con qc

busybody /ˈbɪzibɒdi/ *s* (*pl* **-ies**) ficcanaso

but /bʌt, bət/ ◆ *cong* ma: *Not only him but me too.* Non solo lui, ma anche me. ◆ *prep* eccetto: *nobody but you* solo te ◊ *What could I do but cry?* Che cosa potevo fare se non piangere? LOC **but for sb/sth** se non fosse stato per qn/qc **we can but hope, try, etc** non si può far altro che sperare, provare, ecc

butcher /ˈbʊtʃə(r)/ ◆ *s* macellaio, -a ◆ *vt* **1** (*animale*) macellare **2** (*persona*) massacrare

butcher's /ˈbʊtʃəz/ (*anche* **butcher's shop**) *s* macelleria

butler /ˈbʌtlə(r)/ *s* maggiordomo

butt /bʌt/ ◆ *s* **1** botte **2** cisterna **3** (*pistola*) calcio **4** (*sigaretta*) mozzicone **5** (*inform, USA*) culo **6** bersaglio (*di battute*) ◆ *vt* dare una testata a PHR V **to butt in** (*inform*) interrompere

butter /ˈbʌtə(r)/ ◆ *s* burro ◆ *vt* imburrare

buttercup /ˈbʌtəkʌp/ *s* ranuncolo

butterfly /ˈbʌtəflaɪ/ *s* (*pl* **-ies**) farfalla ☛ *Vedi illustrazione a* FARFALLA LOC **to have butterflies (in your stomach)** avere il batticuore

buttock /ˈbʌtək/ *s* natica

button /ˈbʌtn/ ◆ *s* bottone ◆ *vt, vi* ~ (**sth**) (**up**) abbottonare qc; abbottonarsi

buttonhole /ˈbʌtnhəʊl/ *s* occhiello

buttress /ˈbʌtrəs/ *s* contrafforte

buy /baɪ/ ◆ *vt* (*pass, pp* **bought** /bɔːt/) **1 to buy sth (for sb); to buy (sb) sth** comprare qc (per/a qn): *He bought his girlfriend a present.* Ha comprato un regalo per la sua ragazza. ◊ *I bought one for myself for £10.* Me ne sono comprato uno per dieci sterline. **2 to buy sth from sb** comprare qc da qn ◆ *s* acquisto: *a good buy* un buon affare **buyer** *s* acquirente

buzz /bʌz/ ◆ *s* **1** ronzio **2** (*voci*) brusio

3 *I get a real buzz out of flying.* Andare in aereo mi rende euforico. **4** (*inform*) colpo di telefono ◆ *vi* ronzare PHR V **buzz off!** (*inform*) togliti dai piedi!

buzzard /ˈbʌzəd/ *s* poiana

buzzer /ˈbʌzə(r)/ *s* cicalino

by /baɪ/ ◆ *prep* **1** da: *The church was designed by Wren.* La chiesa è stata progettata da Wren. ◊ *I was overcome by fumes.* Sono stato sopraffatto dalle esalazioni. ◊ *a novel by Steinbeck* un romanzo di Steinbeck **2** per: *by post* per posta ◊ *ten (multiplied) by six* dieci per sei **3** accanto a: *Sit by me.* Siediti accanto a me. ◊ *by the sea(side)* al mare **4** entro: *to be home by ten o'clock* essere a casa per le dieci ◊ *She should be there by now.* Ormai dovrebbe essere arrivata ◊ *By the time I got there it was dark.* Quando sono arrivato era già buio. **5** di: *by day/night* di giorno/notte ◊ *by birth/profession* di nascita/ professione **6** in: *to go by boat, car, bicycle* andare in nave, macchina, bicicletta **7** secondo: *by my watch* secondo il mio orologio **8** con: *to pay by cheque* pagare con un assegno ◊ *by force* con la forza **9 by doing sth** facendo qc, a forza di fare qc: *by working hard* lavorando duro ◊ *Let me begin by saying...* Permettetemi di cominciare dicendo... LOC **to have/keep sth by you** avere/ tenere qc a portata di mano ◆ *avv* LOC **by and by** poco dopo **by the by** a proposito **to go, drive, run, etc by** passare, passare in macchina, passare correndo, ecc **to keep/put sth by** tenere/mettere qc da parte *Vedi anche* LARGE

bye! /baɪ/ (*anche* **bye-bye!** /ˌbaɪˈbaɪ, bəˈbaɪ/) *escl* (*inform*) ciao!, arrivederci!

by-election /ˈbaɪ ɪlekʃn/ *s* elezione per coprire un posto resosi vacante in seguito alla morte o alle dimissioni di un parlamentare

bygone /ˈbaɪgɒn/ *agg* passato

by-law (*anche* **bye-law**) /ˈbaɪ lɔː/ *s* ordinanza locale

bypass /ˈbaɪpɑːs; *USA* -pæs/ ◆ *s* circonvallazione ◆ *vt* **1** (*città*) evitare **2** (*persona*) scavalcare

by-product /ˈbaɪ prɒdʌkt/ *s* **1** (*lett*) sottoprodotto **2** (*fig*) conseguenza

bystander /ˈbaɪstændə(r)/ *s* astante

Cc

C, c /siː/ *s* (*pl* **C's**, **c's** /siːz/) **1** C, c: *C for Charlie* C come Como ☛ *Vedi esempi a* A, A **2** (*Mus*) do

cab /kæb/ *s* **1** taxi **2** (*camion*) cabina

cabbage /ˈkæbɪdʒ/ *s* cavolo

cabin /ˈkæbɪn/ *s* **1** (*Naut*) cabina **2** (*Aeron*) cabina passeggeri: *pilot's cabin* cabina di comando **3** capanna

cabinet /ˈkæbɪnət/ *s* **1** armadietto: *bathroom cabinet* armadietto del bagno ◊ *drinks cabinet* mobile bar **2 the Cabinet** [*v sing o pl*] il Consiglio dei Ministri ☛ *Vedi pag. 381.*

cable /ˈkeɪbl/ *s* **1** cavo **2** cablogramma

cable car *s* funivia

cackle /ˈkækl/ ◆ *s* **1** coccodè **2** risata stridula ◆ *vi* **1** (*gallina*) fare coccodè **2** (*persona*) ridere con voce stridula

cactus /ˈkæktəs/ *s* (*pl* **~es** *o* **cacti** /ˈkæktaɪ/) cactus

cadet /kəˈdet/ *s* cadetto

Caesarean (*USA* **Cesarian**) /siˈzeəriən/ (*anche* **Caesarean section**) *s* taglio cesareo

cafeteria /ˌkæfəˈtɪəriə/ *s* mensa ☛ *Vedi pag. 379.*

caffeine /ˈkæfiːn/ *s* caffeina

café /ˈkæfeɪ; *USA* kæˈfeɪ/ *s* bar, caffè ☛ *Vedi pag. 379.*

cage /keɪdʒ/ ◆ *s* gabbia ◆ *vt* mettere in gabbia

cagey /ˈkeɪdʒi/ *agg* (**cagier**, **cagiest**) ~ (**about sth**) (*inform*) evasivo (su qc): *He's very cagey about his family.* Non gli piace parlare della sua famiglia.

cake /keɪk/ *s* torta: *a birthday cake* una torta di compleanno LOC **to have your cake and eat it** (*inform*) volere la botte piena e la moglie ubriaca *Vedi anche* PIECE

caked /keɪkt/ *agg* ~ **with sth** incrostato di qc: *caked with mud* incrostato di fango

calamity /kəˈlæməti/ *s* (*pl* **-ies**) calamità

calculate /ˈkælkjuleɪt/ *vt* calcolare LOC **to be calculated to do sth** essere studiato per fare qc **calculating** *agg* calcolatore **calculation** *s* calcolo

calculator /ˈkælkjʊleɪtə(r)/ *s* calcolatrice

calendar /ˈkælɪndə(r)/ *s* calendario: *calendar month* mese civile

calf[1] /kɑːf; *USA* kæf/ *s* (*pl* **calves** /kɑːvz; *USA* kævz/) **1** vitello ☛ *Vedi nota a* CARNE **2** piccolo (*di foca, ecc*)

calf[2] /kɑːf; *USA* kæf/ *s* (*pl* **calves** /kɑːvz; *USA* kævz/) polpaccio

calibre (*USA* **caliber**) /ˈkælɪbə(r)/ *s* calibro

call /kɔːl/ ◆ *s* **1** chiamata, grido **2** (*Ornitologia*) richiamo **3** visita **4** (*anche* **phone call**, **ring**) telefonata **5** ~ **for sth**: *There isn't much call for such things.* Non c'è molta richiesta di queste cose. LOC **(to be) on call** (essere) di guardia *Vedi anche* CLOSE[1], PORT ◆ **1** *vt, vi* chiamare: *I thought I heard somebody calling.* Mi è sembrato di sentire qualcuno chiamare. ◊ *Could you call a taxi for me please?* Mi può chiamare un taxi, per favore? ◊ *His real name is James but we call him Jim.* Il suo vero nome è James, ma lo chiamiamo Jim. ◊ *What's your dog called?* Come si chiama il tuo cane? **2** *vi* ~ **(out) (to sb) (for sth)** chiamare (qn) (per qc): *She called out to her father for help.* Chiamò suo padre per chiedergli aiuto. **3** *vt* ~ **sth (out)** gridare qc **4** *vi* ~ **(in/round) (on sb)** andare a trovare qn, passare: *Let's call (in) on John.* Andiamo a trovare John. **5** *vi* ~ **(in/round) (at...)** passare (da...): *He was out when I called (round) (to see him).* Era fuori quando sono passato. ◊ *Will you call in at the post office for some stamps?* Puoi passare dall'ufficio postale a comprare dei francobolli? **6** *vi* ~ **at** (*treno*) fare scalo a **7** *vt* (*riunione, elezione*) indire LOC **to call it a day** (*inform*): *Let's call it a day.* Per oggi basta. *Vedi anche* QUESTION
PHR V **to call by** (*inform*) passare: *Could you call by on your way home?* Puoi passare mentre vai a casa?
to call for sb passare a prendere qn: *I'll call for you at seven o'clock.* Passo a prenderti alle sette. **to call for sth** richiedere qc: *The situation calls for prompt action.* La situazione richiede un'azione rapida.
to call sth off revocare, annullare qc
to call sb out chiamare qn: *to call out the troops* mobilitare l'esercito ◊ *to call out the fire brigade* chiamare i pompieri
to call sb up 1 (*spec USA*) telefonare a qn **2** chiamare alle armi qn

caller /ˈkɔːlə(r)/ *s* **1** persona che chiama al telefono **2** visitatore, -trice

callous /ˈkæləs/ *agg* insensibile, crudele

calm /kɑːm; *USA* kɑːlm/ ◆ *agg* (**-er**, **-est**) calmo ◆ *s* calma ◆ *vt, vi* ~ **(sb) (down)** calmare qn; calmarsi: *Just calm down a bit!* Datti una calmata!

calorie /ˈkæləri/ *s* caloria

calves *plurale di* CALF[1,2]

came *pass di* COME

camel /ˈkæml/ *s* **1** cammello **2** color cammello

camera /ˈkæmərə/ *s* macchina fotografica: *a television/video camera* una telecamera/videocamera

camouflage /ˈkæməflɑːʒ/ ◆ *s* mimetizzazione ◆ *vt* mimetizzare

camp /kæmp/ ◆ *s* accampamento: *concentration camp* campo di concentramento ◆ *vi* accamparsi: *to go camping* andare in campeggio

campaign /kæmˈpeɪn/ ◆ *s* campagna (*pubblicitaria, ecc*) ◆ *vi* ~ **(for/against sb/sth)** fare una campagna (per/contro qn/qc) **campaigner** *s* attivista

campsite /ˈkæmpsaɪt/ (*anche* **camping site**) *s* campeggio (*luogo*)

campus /ˈkæmpəs/ *s* (*pl* **~es**) campus

can[1] /kæn/ ◆ *s* scatola, lattina: *a can of sardines* una scatoletta di sardine ◊ *a petrol can* una tanica per la benzina LOC *Vedi* CARRY ☛ *Vedi illustrazione a* CONTAINER ◆ *vt* (**-nn-**) inscatolare

can[2] /kən, kæn/ *v aus modale* (*neg* **cannot** /ˈkænɒt/ *o* **can't** /kɑːnt; *USA* kænt/ *pass* **could** /kəd, kʊd/ *neg* **could not** *o* **couldn't** /ˈkʊdnt/)

Can è un verbo modale seguito dall'infinito senza il TO. Le frasi interrogative e negative si costruiscono senza l'ausiliare *do*. **Can** ha soltanto le forme del presente: *I can't swim.* Non so nuotare; e del passato, che si usa anche per il condizionale: *He couldn't do it.* Non ha potuto farlo. ◊ *Could you come?* Potresti venire? Per tutti gli altri tempi si usa **to be able to**: *Will you be able to come?* Potrai venire? ◊ *I'd like to be able to go.* Mi piacerebbe poter andare.

- **possibilità** potere: *We can catch a bus from here.* Da qui possiamo prendere un autobus. ◊ *She can be very forgetful.* A volte è molto distratta.
- **abilità** sapere: *They can't read or write.* Non sanno né leggere né scrivere. ◊ *Can you swim?* Sai nuotare? ◊ *He couldn't answer the question.* Non ha saputo rispondere alla domanda.
- **permesso** potere: *Can I open the window?* Posso aprire la finestra? ◊ *You can't go swimming today.* Oggi non puoi andare a nuotare. ☛ *Vedi nota a* MAY
- **offerta, richiesta, suggerimento** potere: *Can I peel the potatoes?* Posso aiutarti a sbucciare le patate? ◊ *Could you help me with this box?* Mi puoi dare una mano con questa scatola? ◊ *We can eat in a restaurant, if you want.* Se vuoi possiamo mangiare al ristorante. ☛ *Vedi nota a* MUST
- **con verbi di percezione**: *You can see it everywhere.* Lo si vede dappertutto. ◊ *She could hear them clearly.* Li sentiva bene. ◊ *I can smell something burning.* Sento puzza di bruciato.
- **incredulità**: *Whatever can they be doing?* Cosa staranno combinando? ◊ *Where can she have put it?* Dove l'avrà messo?

canal /kəˈnæl/ *s* **1** canale **2** tubo, condotto: *the birth canal* il canale uterino

canary /kəˈneəri/ *s* (*pl* **-ies**) canarino

cancel /ˈkænsl/ *vt, vi* (**-ll-**, *USA* **-l-**) **1** (*volo, vacanze*) cancellare ☛ *Confronta* POSTPONE **2** (*contratto, ordine*) annullare PHR V **to cancel (sth) out** annullare qc, compensare qc **cancellation** *s* cancellazione

Cancer /ˈkænsə(r)/ *s* Cancro (*segno zodiacale*) ☛ *Vedi esempi a* AQUARIUS

cancer /ˈkænsə(r)/ *s* [*non numerabile*] cancro

candid /ˈkændɪd/ *agg* franco

candidate /ˈkændɪdət, -deɪt; *USA* -deɪt/ *s* candidato, -a **candidacy** *s* candidatura

candle /ˈkændl/ *s* **1** candela **2** (*Relig*) cero

candlelight /ˈkændl laɪt/ *s* lume di candela

candlestick /ˈkændlstɪk/ *s* **1** portacandele **2** candelabro

candy /ˈkændi/ *s* **1** [*non numerabile*] dolciumi **2** (*pl* **-ies**) (*USA*) dolciume (*caramella, cioccolatino*)

cane /keɪn/ *s* **1** (*Bot*) canna **2** vimini **3** bastone **4 the cane** la bacchetta

canister /ˈkænɪstə(r)/ *s* **1** barattolo (*per tè, caffè*) **2** candelotto

cannibal /ˈkænɪbl/ *s* cannibale

cannon /ˈkænən/ *s* (*pl* **cannon** *o* **~s**) cannone

canoe /kəˈnuː/ *s* canoa **canoeing** *s* canottaggio

canopy /ˈkænəpi/ *s* (*pl* **-ies**) **1** baldacchino **2** (*fig*) volta (*del cielo*)

canteen /kænˈtiːn/ *s* mensa ☛ *Vedi pag. 379.*

canter /ˈkæntə(r)/ *s* piccolo galoppo

canvas /ˈkænvəs/ *s* tela

canvass /ˈkænvəs/ **1** *vt, vi* ~ (**sb**) (**for sth**) fare propaganda elettorale (presso qn) (per qc): *to canvass for/on behalf of sb* fare propaganda elettorale per qn ◊ *to go out canvassing* (*for votes*) fare propaganda elettorale **2** *vt* (*opinione*) sondare

canyon /ˈkænjən/ *s* canyon

cap /kæp/ ◆ *s* **1** berretto ☛ *Vedi illustrazione a* CAPPELLO **2** cuffia (*per nuotare, da infermiera*) **3** tappo, cappuccio ◆ *vt* (**-pp-**) superare LOC **to cap it all** per colmare la misura

capability /ˌkeɪpəˈbɪləti/ *s* (*pl* **-ies**) **1** capacità, abilità **2 capabilities** [*pl*] potenzialità

capable /ˈkeɪpəbl/ *agg* ~ **of sth/doing sth** capace di qc/di fare qc

capacity /kəˈpæsəti/ *s* (*pl* **-ies**) **1** capacità, capienza: *filled to capacity* pieno zeppo **2** *at full capacity* a pieno ritmo LOC **in your capacity as sth** in qualità di qc

cape /keɪp/ *s* **1** mantello, cappa **2** (*Geog*) capo

caper /ˈkeɪpə(r)/ ◆ *vi* ~ (**about**) saltellare ◆ *s* (*inform*) birichinata

capillary /kəˈpɪləri; *USA* ˈkæpɪləri/ *s* (*pl* **-ies**) capillare

capital[1] /ˈkæpɪtl/ ◆ *s* **1** (*anche* **capital city**) capitale (*città*) **2** (*anche* **capital letter**) maiuscola **3** (*Archit*) capitello ◆ *agg* **1** capitale: *capital punishment* pena capitale **2** maiuscolo

capital[2] /ˈkæpɪtl/ *s* capitale (*Econ*): *capital gains* plusvalenza ◊ *capital goods* beni capitali LOC **to make capital (out) of sth** trarre vantaggio da qc **capitalism** *s* capitalismo **capitalist** *agg, s* capitalista **capitalize, -ise** *vt* (*Fin*) capitalizzare PHR V **to capitalize on sth** trarre vantaggio da qc

capitulate /kəˈpɪtʃuleɪt/ *vi* ~ **(to sb/sth)** arrendersi (a qn/qc)

capricious /kəˈprɪʃəs/ *agg* capriccioso

Capricorn /ˈkæprɪkɔːn/ *s* Capricorno ☛ *Vedi esempi a* AQUARIUS

capsize /kæpˈsaɪz; *USA* ˈkæpsaɪz/ *vt, vi* capovolgere, capovolgersi

capsule /ˈkæpsjuːl; *USA* ˈkæpsl/ *s* capsula

captain /ˈkæptɪn/ ◆ *s* **1** (*Sport, Naut*) capitano **2** (*aereo*) comandante ◆ *vt* capitanare, essere il capitano di **captaincy** *s* grado di capitano

caption /ˈkæpʃn/ *s* **1** titolo **2** didascalia

captivate /ˈkæptɪveɪt/ *vt* affascinare **captivating** *agg* affascinante

captive /ˈkæptɪv/ ◆ *agg* prigioniero LOC **to hold/take sb captive/prisoner** tenere/fare prigioniero qn ◆ *s* prigioniero, -a **captivity** /kæpˈtɪvəti/ *s* cattività

captor /ˈkæptə(r)/ *s* chi ha fatto prigioniero

capture /ˈkæptʃə(r)/ ◆ *vt* **1** catturare **2** (*lett e fig*) conquistare **3** (*Arte*) cogliere: *Her photographs capture the charm of Venice.* Le sue foto colgono in pieno il fascino di Venezia. ◆ *s* **1** cattura **2** (*città*) presa

car /kɑː(r)/ *s* **1** (*anche* **motor car**, *USA* **automobile**) macchina, automobile: *by car* in macchina ◊ *a car accident* un incidente automobilistico ◊ *a car bomb* un'autobomba **2** (*Ferrovia*): *dining car* carrozza ristorante ◊ *sleeping car* vagone letto **3** (*USA, Ferrovia*) vagone

caramel /ˈkærəmel/ *s* **1** caramello **2** color caramello

carat (*USA* **karat**) /ˈkærət/ *s* carato

caravan /ˈkærəvæn/ *s* **1** (*USA* **trailer**) roulotte: *caravan site* campeggio per roulotte **2** carrozzone **3** carovana

carbohydrate /ˌkɑːbəʊˈhaɪdreɪt/ *s* carboidrato

carbon /ˈkɑːbən/ *s* **1** carbonio: *carbon dating* datare con il carbonio 14: *carbon dioxide/monoxide* anidride carbonica/monossido di carbonio **2** *carbon paper* carta carbone ☛ *Confronta* COAL

carbon copy *s* (*pl* **-ies**) **1** copia in carta carbone **2** (*fig*) ritratto: *She's a carbon copy of her sister.* È identica alla sorella.

carburettor /ˌkɑːbəˈretə(r)/ (*USA* **carburetor** /ˌkɑːrbəˈreɪtər/) *s* carburatore

carcass (*anche* **carcase**) /ˈkɑːkəs/ *s* carcassa (*di animale*)

card /kɑːd/ *s* **1** biglietto d'auguri **2** biglietto da visita **3** scheda: *card index* schedario **4** (*di socio*) tessera **5** carta: *identity card* carta d'identità ◊ *boarding card* carta d'imbarco **6** carta da gioco **7** [*non numerabile*] cartoncino LOC **on the cards** (*inform*) probabile **to get your cards** (*inform*) essere licenziato **to give sb their cards** (*inform*) licenziare qn *Vedi anche* LAY[1], PLAY

cardboard /ˈkɑːdbɔːd/ *s* cartone

cardholder /ˈkɑːdˌhəʊldə(r)/ *s* titolare (*di carta di credito*)

cardiac /ˈkɑːdiæk/ *agg* cardiaco

cardigan /ˈkɑːdɪgən/ *s* cardigan

cardinal /ˈkɑːdɪnl/ ◆ *agg* **1** cardinale **2** (*peccato*) mortale **3** (*importanza*) capitale ◆ *s* (*Relig*) cardinale

care /keə(r)/ ◆ *s* **1** cura: *I've taken a lot of care over the arrangements.* Ho messo molta cura nei preparativi. ◊ *to take care* fare attenzione **2** assistenza: *child care provision* assistenza all'infanzia **3** preoccupazione, preoccupazioni LOC **care of sb** (*indirizzo*) presso qn **that takes care of that** e anche questo è sistemato **to take care of sb/sth** occuparsi di qn/qc **to take care of yourself/sb/sth** badare a se stesso/qn/qc **to take sb into/put sb in care** affidare qn ad un ente assistenziale ◆ *vi* **1** ~ **(about sth)** preoccuparsi (di qc): *I don't care./See if I care.* Non me ne importa un bel niente. **2** ~ **to do sth** volere fare qc LOC **for all I, you, etc care** per quello che me ne/te ne, ecc importa **I, you, etc couldn't care less** non me ne importa/te ne importa, ecc PHR V **to care for sb 1** voler bene a qn **2** curare qn **to care for sth 1** gradire qc **2** amare qc

career /kəˈrɪə(r)/ ◆ *s* carriera: *career prospects* prospettive di carriera ◆ *vi* sfrecciare

carefree /ˈkeəfriː/ *agg* spensierato

careful /ˈkeəfl/ *agg* **1** prudente, cauto: *to be careful (about/of/with sth)* fare attenzione (a qc) **2** (*lavoro, ecc*) accurato **carefully** *avv* attentamente, con cura: *to listen/think carefully* ascoltare/pensare attentamente LOC *Vedi* TREAD

careless /ˈkeələs/ *agg* **1** ~ (**about sth**) incurante (di qc): *to be careless of sth* non curarsi di qc **2** imprudente

carer /ˈkeərə(r)/ *s* familiare che si occupa di una persona malata o anziana

caress /kəˈres/ ◆ *s* carezza ◆ *vt* accarezzare

caretaker /ˈkeəteɪkə(r)/ ◆ *s* (*GB*) **1** custode **2** bidello, -a ◆ *agg* provvisorio

cargo /ˈkɑːgəʊ/ *s* (*pl* **~es**, *USA* **~s**) carico

caricature /ˈkærɪkətjʊə(r)/ ◆ *s* caricatura ◆ *vt* fare la caricatura di

caring /ˈkeərɪŋ/ *agg* affettuoso: *a caring image* un'immagine umanitaria

carnation /kɑːˈneɪʃn/ *s* garofano

carnival /ˈkɑːnɪvl/ *s* carnevale

carnivore /ˈkɑːnɪvɔː(r)/ *s* carnivoro **carnivorous** *agg* carnivoro

carol /ˈkærəl/ *s* canto (*di Natale*)

car park *s* parcheggio

carpenter /ˈkɑːpəntə(r)/ *s* carpentiere **carpentry** *s* carpenteria

carpet /ˈkɑːpɪt/ ◆ *s* **1** tappeto **2** moquette ◆ *vt* mettere la moquette a **carpeting** *s* [*non numerabile*] moquette

carriage /ˈkærɪdʒ/ *s* **1** carrozza **2** (*USA* **car**) (*Ferrovia*) vagone **3** (*merci*) trasporto **carriageway** *s* carreggiata

carrier /ˈkæriə(r)/ *s* **1** portatore, -trice **2** corriere, impresa di trasporti

carrier bag *s* (*GB*) sacchetto, borsa

carrot /ˈkærət/ *s* **1** carota **2** (*fig*) zuccherino

carry /ˈkæri/ (*pass, pp* **carried**) **1** *vt* portare: *to carry a gun* portare la pistola **2** *vt* sostenere **3** *vt* (*votazione*) approvare **4** *v rifl* ~ **yourself**: *She carries herself well.* Ha un portamento elegante. **5** *vi* diffondersi: *Her voice carries well.* Ha una voce forte. LOC **to carry the can** (**for sth**) (*inform*) prendersi la colpa (di qc) **to carry the day** aver successo **to carry weight** aver peso PHR V **to carry sb/sth away 1** (*lett*) portare via qn/qc **2** (*fig*): *Don't get carried away.* Non entusiasmarti troppo.

to carry sth off 1 cavarsela bene in qc **2** vincere qc

to carry on (**with sb**) (*inform*) avere un'avventura (con qn) **to carry on** (**with sth/doing sth**); **to carry sth on** continuare (qc/a fare qc)

to carry sth out 1 (*progetto*) realizzare qc **2** (*indagine*) svolgere qc **3** (*ordine*) eseguire qc **4** (*promessa*) adempiere qc **to carry sth through** realizzare qc

carry-on /ˈkæri ɒn/ *s* (*inform, spec GB*) casino

cart /kɑːt/ ◆ *s* carro ◆ *vt* trasportare con un carro PHR V **to cart sth about/around** (*inform*) portare qc **to cart sb/sth off** (*inform*) trascinare qn/qc

carton /ˈkɑːtn/ *s* **1** (*latte*) cartone **2** (*sigarette*) stecca ☛ *Vedi illustrazione a* CONTAINER

cartoon /kɑːˈtuːn/ *s* **1** vignetta **2** cartone animato **3** (*Arte*) cartone **cartoonist** *s* vignettista

cartridge /ˈkɑːtrɪdʒ/ *s* **1** cartuccia **2** (*Foto*) caricatore

carve /kɑːv/ **1** *vt, vi* scolpire: *carved out of/from/in marble* scolpito nel marmo **2** *vt* (*iniziali, ecc*) incidere **3** *vt, vi* (*Cucina*) tagliare (la carne) PHR V **to carve sth out** (**for yourself**) crearsi qc (*carriera, reputazione*) **to carve sth up** (*inform*) suddividere qc **carving** *s* scultura, intaglio

cascade /kæˈskeɪd/ *s* cascata

case[1] /keɪs/ *s* **1** (*gen*) caso: *It's a case of...* Si tratta di... **2** argomento: *There is a case for banning guns.* Ci sono motivi per mettere al bando le armi da fuoco. **3** (*Dir*) causa: *the case for the defence/prosecution* le argomentazioni della difesa/accusa LOC **in any case** in ogni caso **in case...** nel caso...: *Take an umbrella in case it rains.* Prendi l'ombrello in caso piova. (**just**) **in case** per sicurezza **to make** (**out**) **a case** (**for**

sth) presentare degli argomenti convincenti (per qc) *Vedi anche* BORDERLINE, JUST

case² /keɪs/ *s* **1** valigia, valigetta **2** (*vino*) cassa **3** (*museo*) vetrinetta **4** astuccio

cash /kæʃ/ ◆ *s* [*non numerabile*] **1** contanti: *to pay* (*in*) *cash* pagare in contanti ◊ *cash card* carta del Bancomat ◊ *cash price* prezzo per contanti ◊ *cash dispenser/cashpoint* sportello automatico ◊ *cash flow* liquidità ◊ *cash desk* cassa **2** (*inform*) soldi: *to be short of cash* essere a corto di soldi LOC **cash down** in contanti **cash on delivery** (*abbrev* **COD**) pagamento alla consegna *Vedi anche* HARD ◆ *vt* incassare PHR V **to cash in on sth** approfittarsi di qc **to cash sth in** riscuotere qc

cashier /kæˈʃɪə(r)/ *s* cassiere, -a

cashmere /ˌkæʃˈmɪə(r)/ *s* cachemire

casino /kəˈsiːnəʊ/ *s* (*pl* ~**s**) casinò

cask /kɑːsk; *USA* kæsk/ *s* barile

casket /ˈkɑːskɪt; *USA* ˈkæskɪt/ *s* **1** cofanetto (*per gioielli, ecc*) **2** (*USA*) bara

casserole /ˈkæsərəʊl/ *s* **1** (*anche* **casserole dish**) casseruola ☛ *Vedi illustrazione a* SAUCEPAN **2** *chicken casserole* pollo in casseruola

cassette /kəˈset/ *s* cassetta: *cassette deck/player/recorder* piastra di registrazione/mangiacassette/registratore a cassetta

cast /kɑːst; *USA* kæst/ ◆ *s* **1** [*v sing o pl*] (*Teat*) cast, attori **2** (*Arte*) stampo ◆ *vt* (*pass, pp* **cast**) **1** (*Teat*): *to cast sb as Othello* scritturare qn per la parte di Otello **2** gettare, lanciare: *to cast a glance at sth* gettare uno sguardo su qc **3** *to cast your vote* votare LOC **to cast an eye/your eye(s) over sth** dare un'occhiata a qc **to cast a spell on sb/sth** fare un incantesimo a qn/qc **to cast doubt** (**on sth**) far sorgere dei dubbi (su qc) PHR V **to cast about/around for sth** cercare di trovare qc **to cast sb/sth aside** abbandonare qn/mettere da parte qc **to cast sth off** scartare qc

castaway /ˈkɑːstəweɪ; *USA* ˈkæst-/ *s* naufrago, -a

caste /kɑːst; *USA* kæst/ *s* casta: *caste system* sistema delle caste

cast iron ◆ *s* ghisa ◆ *agg* **1** di ghisa **2** (*salute, alibi*) di ferro

castle /ˈkɑːsl; *USA* ˈkæsl/ *s* **1** castello **2** (*Scacchi*) (*anche* **rook**) torre

castrate /kæˈstreɪt; *USA* ˈkæstreɪt/ *vt* castrare **castration** *s* castrazione

casual /ˈkæʒuəl/ *agg* **1** (*abbigliamento*) casual **2** (*lavoro*) saltuario: *casual workers* avventizi **3** superficiale: *a casual acquaintance* uno conosciuto da poco ◊ *a casual glance* un'occhiata di sfuggita ◊ *casual sex* rapporti sessuali occasionali **4** (*incontro*) fortuito **casually** *avv* **1** di sfuggita **2** in modo informale **3** con disinvoltura

casualty /ˈkæʒuəlti/ *s* (*pl* **-ies**) vittima, ferito

cat /kæt/ *s* **1** gatto: *cat food* cibo per gatti ☛ *Vedi nota a* GATTO **2** felino: *big cat* felino selvatico (*tigre, leone, ecc*) LOC *Vedi* LET¹

catalogue (*anche USA* **catalog**) /ˈkætəlɒg; *USA* -lɔːg/ ◆ *s* **1** catalogo **2** (*fig*): *a catalogue of disasters* una serie di disastri ◆ *vt* catalogare **cataloguing** *s* catalogazione

catalyst /ˈkætəlɪst/ *s* catalizzatore

catapult /ˈkætəpʌlt/ ◆ *s* fionda ◆ *vt* catapultare

cataract /ˈkætərækt/ *s* cataratta

catarrh /kəˈtɑː(r)/ *s* catarro

catastrophe /kəˈtæstrəfi/ *s* catastrofe **catastrophic** /ˌkætəˈstrɒfɪk/ *agg* catastrofico

catch /kætʃ/ (*pass, pp* **caught** /kɔːt/) ◆ **1** *vt, vi* prendere, afferrare: *Here, catch!* Prendi! ◊ *I managed to catch her before she left.* L'ho beccata in tempo prima che uscisse. ◊ *I'll catch you later.* Ci vediamo più tardi. **2** *vt* acchiappare, acciuffare **3** *vt* ~ **sb** (**doing sth**) sorprendere qn (a fare qc) **4** *vt* (*USA, inform*) (*film*) andare a vedere **5** *vt* ~ **sth** (**in/on sth**) impigliare qc (in qc): *He caught his thumb in the door.* Si è chiuso il pollice nella porta. **6** *vt* (*malattia*) prendere **7** *vt* (*parole*) afferrare, cogliere **8** *vi* (*fuoco*) prendere LOC **to catch fire** prendere fuoco **to catch it** (*inform*): *You'll catch it!* Vedrai! **to catch sb off balance** prendere qn in contropiede **to catch sb's attention/eye** attirare l'attenzione/lo sguardo di qn **to catch sight/a glimpse of sb/sth** scorgere qn/qc **to catch your breath 1** riprendere fiato **2** restare senza fiato **to catch your death** (**of**

cold) (*inform*) prendersi una polmonite *Vedi anche* CROSSFIRE, EARLY, FANCY
PHR V to catch at sth *Vedi* TO CLUTCH AT STH *a* CLUTCH
to catch on (*inform*) prendere piede **to catch on** (**to sth**) (*inform*) capire (qc) **to catch sb out 1** cogliere qn in fallo **2** (*Sport*) mettere fuori gioco qn
to be caught up in sth essere coinvolto in qc **to catch up** (**on sth**) mettersi in pari (con qc) **to catch up with sb/to catch sb up** raggiungere qn
◆ *s* **1** presa **2** pescato **3** (*inform, fig*): *He's a good catch.* È un buon partito. **4** gancio, fermaglio **5** (*fig*) tranello: *It's a catch-22* (*situation*). Non c'è via d'uscita. **catching** *agg* contagioso **catchy** *agg* (**-ier**, **-iest**) orecchiabile

catchment area *s* bacino di utenza

catchphrase /ˈkætʃfreɪz/ *s* slogan (*di persona famosa*)

catechism /ˈkætəkɪzəm/ *s* catechismo

categorical /ˌkætəˈɡɒrɪkl; *USA* -ˈɡɔːr-/ (*anche* **categoric**) *agg* categorico (*risposta, rifiuto*) **categorically** *avv* categoricamente

categorize, -ise /ˈkætəɡəraɪz/ *vt* classificare

category /ˈkætəɡəri; *USA* -ɡɔːri/ *s* (*pl* **-ies**) categoria

cater /ˈkeɪtə(r)/ *vi* provvedere ai rinfreschi: *to cater for a party* provvedere ai rinfreschi per una festa ◊ *to cater for all tastes* andare incontro ai gusti di tutti **catering** *s* catering: *the catering industry* il settore della ristorazione

caterpillar /ˈkætəpɪlə(r)/ *s* **1** bruco **2** (*anche* **Caterpillar track**®) cingolato

cathedral /kəˈθiːdrəl/ *s* cattedrale

Catholic /ˈkæθlɪk/ *agg, s* cattolico, -a **Catholicism** /kəˈθɒləsɪzəm/ *s* cattolicesimo

cattle /ˈkætl/ *s* [*pl*] bestiame

caught *pass, pp di* CATCH **LOC** *Vedi* CROSSFIRE

cauldron (*anche* **caldron**) /ˈkɔːldrən/ *s* calderone

cauliflower /ˈkɒlɪflaʊə(r); *USA* ˈkɔːli-/ *s* cavolfiore

cause /kɔːz/ ◆ *vt* causare: *to cause problems* causare problemi ◆ *s* **1** ~ (**of sth**) causa (di qc) **2** ~ (**for sth**) motivo, ragione (di qc): *There is no cause for complaint/to complain.* Non c'è motivo di lamentarsi. **LOC** *Vedi* ROOT

causeway /ˈkɔːzweɪ/ *s* strada rialzata

caustic /ˈkɔːstɪk/ *agg* **1** caustico **2** (*fig*) sarcastico

caution /ˈkɔːʃn/ ◆ **1** *vt, vi* ~ (**sb**) **against sth** mettere in guardia (qn) contro qc **2** *vt* ammonire ◆ *s* **1** cautela, prudenza: *to exercise extreme caution* usare un'estrema cautela **2** diffida **LOC to throw/fling caution to the winds** gettare la prudenza alle ortiche **cautionary** *agg* di avvertimento: *a cautionary tale* una storiella ammonitrice ◊ *to sound a cautionary note* dare un avvertimento

cautious /ˈkɔːʃəs/ *agg* ~ (**about/of sth**) cauto, prudente (con qc) **cautiously** *avv* cautamente

cavalry /ˈkævlri/ *s* [*v sing o pl*] cavalleria

cave /keɪv/ ◆ *s* grotta, caverna: *cave painting* pittura rupestre ◆ **PHR V to cave in 1** crollare **2** (*fig*) cedere

cavern /ˈkævən/ *s* caverna **cavernous** *agg* cavernoso

cavity /ˈkævəti/ *s* (*pl* **-ies**) **1** cavità **2** carie

cease /siːs/ *vt, vi* (*form*) cessare, smettere: *to cease to do sth* smettere di fare qc

ceasefire /ˈsiːsfaɪə(r)/ *s* cessate il fuoco

ceaseless /ˈsiːsləs/ *agg* incessante

cede /siːd/ *vt* ~ **sth** (**to sb**) cedere qc (a qn)

ceiling /ˈsiːlɪŋ/ *s* **1** soffitto **2** (*fig*) tetto, limite massimo

celebrate /ˈselɪbreɪt/ **1** *vt* celebrare **2** *vi* far festa **3** *vt* (*form*) onorare **celebrated** *agg* ~ (**for sth**) celebre (per qc) **celebration** *s* celebrazione: *in celebration of* in commemorazione di **celebratory** /ˌseləˈbreɪtəri/ *agg* di festa, commemorativo

celebrity /səˈlebrəti/ *s* (*pl* **-ies**) celebrità

celery /ˈseləri/ *s* sedano

cell /sel/ *s* **1** cella **2** (*Anat, Politica*) cellula **3** (*Elettr*) elemento (*di batteria*)

cellar /ˈselə(r)/ *s* cantina

cellist /ˈtʃelɪst/ *s* violoncellista

cello /ˈtʃeləʊ/ *s* (*pl* **~s**) violoncello

cellular /ˈseljulə(r)/ *agg* cellulare

cement /sɪˈment/ ◆ *s* cemento ◆ *vt* (*anche fig*) cementare

cemetery /ˈsemətri; *USA* -teri/ *s* (*pl* **-ies**) cimitero ☛ *Confronta* CHURCHYARD

censor /ˈsensə(r)/ ◆ *s* censore ◆ *vt* censurare **censorship** *s* [*non numerabile*] censura

censure /ˈsenʃə(r)/ ◆ *vt* ~ **sb (for sth)** censurare qn (per qc) ◆ *s* censura

census /ˈsensəs/ *s* (*pl* ~**es**) censimento

cent /sent/ *s* centesimo

centenary /senˈtiːnəri; *USA* ˈsentəneri/ *s* (*pl* **-ies**) centenario

center (*USA*) *Vedi* CENTRE

centimetre (*USA* **-meter**) /ˈsentɪmiːtə(r)/ *s* (*abbrev* **cm**) centimetro

centipede /ˈsentɪpiːd/ *s* millepiedi

central /ˈsentrəl/ *agg* centrale: *central London* il centro di Londra ◊ *the central question* la questione centrale LOC **central heating** riscaldamento autonomo **centralize, -ise** *vt* centralizzare **centralization, -isation** *s* accentramento **centrally** *avv* centralmente

centre (*USA* **center**) /ˈsentə(r)/ ◆ *s* **1** centro: *the town centre* il centro della città ◊ *a shopping centre* un centro commerciale **2 the centre** [*v sing o pl*] (*Politica*) il centro: *a centre party* un partito di centro **3** (*calcio*) centravanti **4** (*rugby*) centrocampista ◆ *vt, vi* centrare PHR V **to centre (sth) on/upon/(a)round sb/sth** concentrare qc/concentrarsi su qn/qc

centre forward (*anche* **centre**) *s* centravanti

centre half *s* centromediano

century /ˈsentʃəri/ *s* (*pl* **-ies**) **1** secolo **2** (*cricket*) cento punti

cereal /ˈsɪəriəl/ *s* cereale

cerebral /ˈserəbrəl; *USA* səˈriːbrəl/ *agg* cerebrale

ceremonial /ˌserɪˈməʊniəl/ *agg, s* rituale

ceremony /ˈserəməni; *USA* -məʊni/ *s* (*pl* **-ies**) cerimonia

certain /ˈsɜːtn/ ◆ *agg* **1** sicuro: *That's far from certain.* Non è detto. ◊ *It is certain that he'll be elected.* Verrà eletto di sicuro. **2** certo: *to a certain extent* fino a un certo punto ◊ *a certain Mr Brown* un certo signor Brown LOC **for certain** con certezza **to make certain (that...)** accertarsi che... **to make certain of (doing) sth** accertarsi di (fare) qc ◆ *pron* ~ **of...**: *certain of those present* alcuni dei presenti **certainly** *avv* **1** certamente ☛ *Confronta* SURELY **2** (*come risposta*) certo: *Certainly not!* No di certo! **certainty** *s* (*pl* **-ies**) certezza

certificate /səˈtɪfɪkət/ *s* **1** certificato: *a doctor's certificate* un certificato medico **2** (*Scuola*) diploma

certify /ˈsɜːtɪfaɪ/ *vt* (*pass, pp* **-fied**) **1** certificare **2** (*anche* **to certify insane**): *He was certified (insane).* Fu dichiarato malato di mente. **certification** *s* certificazione

Cesarian (*USA*) *Vedi* CAESAREAN

chain /tʃeɪn/ ◆ *s* catena: *chain mail* cotta di maglia ◊ *chain reaction* reazione a catena ◊ *a chain of mountains* una catena montuosa LOC **in chains** in catene ◆ *vt* ~ **sb/sth (up)** incatenare qn/qc

chainsaw /ˈtʃeɪnsɔː/ *s* motosega

chain-smoke /ˈtʃeɪn sməʊk/ *vi* fumare una sigaretta dopo l'altra

chair /tʃeə(r)/ ◆ *s* **1** sedia: *Pull up a chair.* Si sieda. ◊ *easy chair* poltrona **2 the chair** (*riunione*) la presidenza **3 the (electric) chair** la sedia elettrica **4** (*università*) cattedra ◆ *vt* presiedere (*riunione*)

chairman /ˈtʃeəmən/ *s* (*pl* **-men** /-mən/) presidente ☛ Si preferisce usare la parola **chairperson**, che può indicare sia un uomo che una donna.

chairperson /ˈtʃeəpɜːsn/ *s* presidente, -essa

chairwoman /ˈtʃeəwʊmən/ *s* (*pl* **-women**) presidentessa ☛ Si preferisce usare la parola **chairperson**, che può indicare sia un uomo che una donna.

chalet /ˈʃæleɪ/ *s* chalet, baita

chalk /tʃɔːk/ ◆ *s* [*gen non numerabile*] gesso: *a piece/stick of chalk* un gessetto ◆ PHR V **to chalk sth up**: *They have chalked up numerous victories.* Hanno riportato numerose vittorie.

challenge /ˈtʃælɪndʒ/ ◆ *s* sfida: *to issue a challenge to sb* sfidare qn ◆ *vt* **1** sfidare **2** intimare l'alt a **3** (*verità, ecc*) mettere in dubbio **4** (*lavoro, ecc*) stimolare **challenger** *s* sfidante **challenging** *agg* stimolante, impegnativo

chamber /ˈtʃeɪmbə(r)/ *s* camera: *chamber music* musica da camera ◊ *chamber of commerce* camera di commercio

champagne /ʃæmˈpeɪn/ *s* champagne

champion /ˈtʃæmpiən/ ◆ *s* **1** (*Sport, ecc*) campione, -essa: *the defending/reigning champion* il campione in carica **2** (*causa*) difensore ◆ *vt* difendere **championship** *s* campionato: *world championship* campionato mondiale

chance /tʃɑːns; *USA* tʃæns/ ◆ *s* **1** caso, sorte **2** caso: *a lucky chance* un caso fortunato ◊ *a chance meeting* un incontro fortuito **3** possibilità: *There's a chance I may be late.* È possibile che arrivi in ritardo. **4** occasione, opportunità: *I don't often get the chance to go to the theatre.* Non mi capita spesso l'occasione di andare a teatro. **5** rischio LOC **by (any) chance** per caso **on the (off) chance** sperando nella sorte **the chances are (that)...** (*inform*) è probabile (che)... **to take a chance (on sth)** tentare (qc) sperando nella sorte **to take chances** rischiare *Vedi anche* STAND ◆ *vt* ~ **doing sth** correre il rischio di fare qc LOC **to chance your arm/luck** (*inform*) giocare il tutto per tutto PHR V **to chance on/upon sb/sth** imbattersi in qn/trovare qc per caso

chancellor /ˈtʃɑːnsələ(r); *USA* ˈtʃæns-/ *s* **1** cancelliere: *Chancellor of the Exchequer* Ministro del Tesoro **2** (*GB*) (*università*) rettore onorario

chandelier /ˌʃændəˈlɪə(r)/ *s* lampadario

change /tʃeɪndʒ/ ◆ **1** *vt, vi* cambiare: *to change pounds into dollars* cambiare sterline in dollari ◊ *You've changed so much!* Come sei cambiata! **2** *vt* ~ **sb/sth (into sth)** trasformare qn/qc (in qc) **3** *vi* ~ **from sth (in)to sth** passare da qc a qc **4** *vi* cambiarsi: *to change into something cooler* mettersi qualcosa di più leggero LOC **to change hands** passare di mano **to change places (with sb) 1** cambiare posto (con qn) **2** (*fig*) fare cambio (con qn) **to change your mind** cambiare idea **to change your tune** (*inform*) cambiare atteggiamento *Vedi anche* CHOP PHR V **to change back into sth 1** (*vestito*) rimettersi qc **2** ritornare ad essere qc **to change into sth 1** (*marcia*) innestare qc **2** trasformarsi in qc **to change over (from sth to sth)** passare (da qc a qc) ◆ *s* **1** cambiamento, cambiamenti: *his ability to accept change* la sua capacità di accettare i cambiamenti **2** trasbordo **3** [*non numerabile*] moneta: *loose change* spiccioli **4** (*soldi*) resto **5** cambio: *a change of socks* un altro paio di calze LOC **a change for the better/worse** un miglioramento/peggioramento **a change of heart** un ripensamento **for a change** per cambiare **the change of life** la menopausa **to make a change** cambiare le cose **changeable** *agg* **1** (*persona*) mutevole **2** (*tempo*) variabile

changeover /ˈtʃeɪndʒəʊvə(r)/ *s* cambiamento (*da un sistema ad un altro*)

changing room *s* **1** camerino **2** spogliatoio

channel /ˈtʃænl/ ◆ *s* **1** (*TV*) canale **2** (*Radio*) banda di frequenza **3** alveo **4** canale, stretto **5** (*fig*) via ◆ *vt* (**-ll-**, *USA anche* **-l-**) **1** incanalare **2** scavare

chant /tʃɑːnt; *USA* tʃænt/ ◆ *s* **1** (*Relig*) canto **2** (*folla*) slogan ◆ *vt, vi* **1** (*Relig*) cantare **2** (*folla*) scandire (slogan)

chaos /ˈkeɪɒs/ *s* [*non numerabile*] caos: *to cause chaos* creare il caos **chaotic** /keɪˈɒtɪk/ *agg* caotico

chap /tʃæp/ *s* (*inform, GB*) tizio: *He's a good chap.* È un brav'uomo.

chapel /ˈtʃæpl/ *s* cappella

chaplain /ˈtʃæplɪn/ *s* cappellano

chapped /tʃæpt/ *agg* screpolato

chapter /ˈtʃæptə(r)/ *s* capitolo LOC **to give/quote chapter and verse** dare il riferimento preciso

char /tʃɑː(r)/ *vt, vi* (**-rr-**) carbonizzare, carbonizzarsi

character /ˈkærəktə(r)/ *s* **1** carattere: *character references* referenze ◊ *character assassination* diffamazione **2** (*inform*) tipo: *He's an odd character.* È un tipo strano. **3** (*Letteratura*) personaggio: *the main character* il protagonista **4** reputazione LOC **in/out of character** tipico/atipico

characteristic /ˌkærəktəˈrɪstɪk/ ◆ *agg* caratteristico ◆ *s* caratteristica **characteristically** *avv*: *His answer was characteristically frank.* Rispose con quella franchezza che lo caratterizza.

characterize, -ise /ˈkærəktəraɪz/ *vt* **1** ~ **sb/sth as sth** descrivere qn/qc come qc **2** caratterizzare **characterization, -isation** *s* **1** descrizione **2** caratterizzazione

charade /ʃəˈrɑːd; *USA* ʃəˈreɪd/ *s* (*fig*) farsa

charcoal /ˈtʃɑːkəʊl/ *s* **1** carbone di legna **2** (*Arte*) carboncino **3** (*anche* **charcoal grey**) grigio antracite

charge /tʃɑːdʒ/ ◆ *s* **1** accusa **2** (*Mil, animali, Elettr*) carica **3** (*Sport*) attacco **4** tariffa: *free of charge* gratis **5** cura: *to leave a child in a friend's charge* affidare un bambino ad un amico LOC **in charge (of sb/sth)** responsabile (di qn/qc): *Who's in charge here?* Chi è il responsabile qui? **in/under sb's charge** affidato a qn **to bring/press charges against sb** mettere qn in stato d'accusa **to have charge of sth** essere incaricato di qc **to take charge (of sth)** assumere la direzione (di qc) *Vedi anche* EARTH, REVERSE ◆ **1** *vt* ~ **sb (with sth)** accusare qn (di qc) **2** *vt, vi* ~ **(at sb/sth)** (*Mil, Sport*) caricare (qn/qc): *The children charged down/up the stairs.* I bambini si lanciarono giù/su per le scale. **3** *vt, vi* ~ **(sb) (for sth)** far pagare qc (a qn); far pagare (qn) **4** *vt* (*pistola, batteria*) caricare **5** *vt* (*form*) affidare un incarico a PHR V **to charge sth (up) (to sb)** addebitare qc (a qn) **chargeable** *agg* **1** imputabile, passibile **2** ~ **to sb** (*spesa*) da addebitarsi a qn

chariot /ˈtʃæriət/ *s* carro

charisma /kəˈrɪzmə/ *s* carisma **charismatic** /ˌkærɪzˈmætɪk/ *agg* carismatico

charitable /ˈtʃærətəbl/ *agg* **1** caritatevole **2** indulgente **3** (*organizzazione*) benefico: *to have charitable status* avere lo stato giuridico di associazione benefica

charity /ˈtʃærəti/ *s* (*pl* **-ies**) **1** carità **2** benevolenza **3** (*organizzazione*) associazione benefica: *for charity* a fini di beneficenza ◊ *a registered charity* un'associazione benefica riconosciuta come ente morale

charity shop *s* negozio di abiti e oggetti di seconda mano il cui ricavato va in beneficenza

charm /tʃɑːm/ ◆ *s* **1** fascino **2** amuleto: *a charm bracelet* un braccialetto con ciondoli **3** incantesimo LOC *Vedi* WORK[2] ◆ *vt* affascinare: *a charmed life* una vita fortunata **charming** *agg* incantevole, affascinante

chart /tʃɑːt/ ◆ *s* **1** carta nautica **2** grafico: *flow chart* schema di flusso **3** **the charts** [*pl*] (*dischi*) la Hit Parade ◆ *vt* tracciare una carta di: *to chart the course/the progress of sth* tracciare un grafico del percorso/dei progressi di qc

charter /ˈtʃɑːtə(r)/ ◆ *s* **1** statuto: *royal charter* decreto reale **2** noleggio: *a charter flight* un volo charter ◊ *a charter plane/boat* un charter/una nave a nolo ◆ *vt* **1** concedere con statuto **2** (*aereo*) noleggiare **chartered** *agg* iscritto all'albo: *chartered accountant* commercialista

chase /tʃeɪs/ ◆ *vt, vi* (*lett e fig*) ~ **(after) sb** inseguire qn: *He's always chasing (after) women.* Passa il tempo a correre dietro alle donne. PHR V **to chase about, around, etc** correre a destra e a manca **to chase sb/sth away, off, out, etc** cacciare via, fuori, ecc qn/qc **to chase sth up** (*GB, inform*) scovare qc, sbrigare qc ◆ *s* **1** inseguimento **2** (*animali*) caccia

chasm /ˈkæzəm/ *s* voragine

chassis /ˈʃæsi/ *s* (*pl* **chassis** /ˈʃæsiz/) telaio

chaste /tʃeɪst/ *agg* **1** casto **2** (*stile*) sobrio

chastened /ˈtʃeɪsnd/ *agg* umiliato, mogio **chastening** *agg* che fa riflettere

chastity /ˈtʃæstəti/ *s* castità

chat /tʃæt/ ◆ *s* chiacchierata: *chat show* talk show ◆ *vi* (**-tt-**) ~ **(to/with sb) (about sth)** chiacchierare (con qn) (di qc) PHR V **to chat sb up** (*GB, inform*) abbordare qn **chatty** *agg* (**-ier**, **-iest**) **1** (*persona*) ciarliero **2** (*lettera*) pieno di chiacchiere

chatter /ˈtʃætə(r)/ ◆ *vi* **1** ~ **(away/on)** chiacchierare **2** (*scimmia*) schiamazzare **3** (*uccelli*) squittire **4** (*denti*) battere ◆ *s* parlottio

chauffeur /ˈʃəʊfə(r); *USA* ʃəʊˈfɜːr/ ◆ *s* autista ◆ *vt* ~ **sb around** fare da autista a qn

chauvinism /ˈʃəʊvɪnɪzəm/ *s* **1** sciovinismo **2** maschilismo

chauvinist /ˈʃəʊvɪnɪst/ ◆ *s* **1** sciovinista **2** maschilista ◆ *agg* (*anche* **chauvinistic**) /ˌʃəʊvɪˈnɪstɪk/ **1** sciovinistico **2** maschilista

cheap /tʃiːp/ ◆ *agg* (**-er**, **-est**) **1** a buon

mercato, economico ☛ *Vedi nota a* ECONOMICO **2** scadente **3** (*inform*) (*commento*) meschino **4** (*inform, USA*) tirchio LOC **cheap at the price** regalato ◆ *avv* (*inform*) (**-er**, **-est**) a buon prezzo LOC **not to come cheap** (*inform*): *Success doesn't come cheap.* Nessuno ti regala il successo. **to be going cheap** (*inform*) essere in offerta ◆ *s* LOC **on the cheap** (*inform*) con quattro soldi **cheapen** *vt* degradare: *to cheapen yourself* svendersi **cheaply** *avv* a buon prezzo, a buon mercato

cheat /tʃiːt/ ◆ **1** *vt, vi* imbrogliare **2** *vi* (*a scuola*) copiare PHR V **to cheat sb (out) of sth** fregare qc a qn **to cheat on sb** tradire qn (*essere infedele*) ◆ *s* **1** imbroglione, -a **2** imbroglio, truffa

check /tʃek/ ◆ **1** *vt* controllare *Vedi anche* DOUBLE-CHECK **2** *vt* contenere, frenare LOC **to check (sth) for sth** controllare che non ci sia qc (in qc) PHR V **to check in** fare il check-in **to check in (at...)**; **to check into...** firmare il registro (in...) (*in un albergo*) **to check sth in** registrare qc, fare il check-in di qc (*valigia*) **to check sth off** spuntare qc **to check out (of...)** saldare il conto e andarsene (da...) (*albergo*) **to check sb/sth out** (*USA*) prendere delle informazioni su qn/qc **to check (up) on sb/sth** prendere delle informazioni su qn/qc ◆ *s* **1** controllo, verifica **2** scacco *Vedi anche* CHECKMATE **3** (*USA*) *Vedi* CHEQUE **4** (*USA*) conto (*ristorante*) LOC **to hold/keep sth in check** tenere qc sotto controllo, frenare qc **checked** (*anche* **check**) *agg* a quadretti

check-in /ˈtʃek ɪn/ *s* check-in

checklist /ˈtʃeklɪst/ *s* lista

checkmate /ˈtʃekmeɪt/ (*anche* **mate**) *s* scacco matto

checkout /ˈtʃekaʊt/ *s* cassa (*di supermercato*)

checkpoint /ˈtʃekpɔɪnt/ *s* posto di blocco

check-up /ˈtʃek ʌp/ *s* check-up

cheek /tʃiːk/ *s* **1** guancia **2** faccia tosta: *What (a) cheek!* Che faccia tosta! LOC *Vedi* TONGUE **cheeky** *agg* (**-ier**, **-iest**) sfacciato, impertinente

cheer /tʃɪə(r)/ ◆ **1** *vt, vi* applaudire **2** *vt* rallegrare: *to be cheered by sth* essere rincuorato da qc PHR V **to cheer sb on** incitare qn **to cheer (sb/sth) up** rallegrare qn/qc, farsi animo: *Cheer up!* Su con la vita! ◆ *s* ovazione, applauso: *Three cheers for...* Tre urrà per... **cheerful** *agg* allegro **cheery** *agg* (**-ier**, **-iest**) allegro

cheering /ˈtʃɪərɪŋ/ ◆ *s* [*non numerabile*] acclamazioni ◆ *agg* confortante

cheerio! /ˌtʃɪəriˈəʊ/ *escl* (*GB*) ciao!

cheers! /tʃɪəz/ *escl* (*GB*) **1** cincin! **2** ciao! **3** grazie!

cheese /tʃiːz/ *s* formaggio: *Would you like some cheese?* Vuoi del formaggio? ◊ *a wide variety of cheeses* una vasta scelta di formaggi LOC *Vedi* BIG

cheesecake /ˈtʃiːzkeɪk/ *s* torta di ricotta

cheetah /ˈtʃiːtə/ *s* ghepardo

chemical /ˈkemɪkl/ ◆ *agg* chimico ◆ *s* prodotto chimico

chemist /ˈkemɪst/ *s* **1** farmacista ☛ *Confronta* PHARMACIST **2** chimico, -a **chemist's (shop)** farmacia ☛ *Vedi nota a* PHARMACY

chemistry /ˈkemɪstri/ *s* chimica

cheque (*USA* **check**) /tʃek/ *s* assegno: *by cheque* con un assegno ◊ *cheque card* carta assegni

cheque book (*USA* **checkbook**) *s* libretto degli assegni

cherish /ˈtʃerɪʃ/ *vt* **1** (*libertà, tradizione*) aver caro **2** (*persona*) amare, aver caro **3** (*speranza*) nutrire **4** (*ricordo*) conservare

cherry /ˈtʃeri/ *s* (*pl* **-ies**) **1** ciliegia ☛ *Vedi illustrazione a* FRUTTA **2** (*anche* **cherry tree**) ciliegio: *cherry blossom* fiori di ciliegio **3** (*anche* **cherry red**) rosso ciliegia

cherub /ˈtʃerəb/ *s* (*pl* ~**s** *o* ~**im**) cherubino

chess /tʃes/ *s* scacchi: *chessboard* scacchiera

chest /tʃest/ *s* **1** baule: *chest of drawers* comò **2** torace, petto ☛ *Confronta* BREAST LOC **to get it/something off your chest** (*inform*) togliersi un peso dallo stomaco, scaricarsi la coscienza

chestnut /ˈtʃesnʌt/ ◆ *s* **1** castagna **2** castagno **3** (*inform*) barzelletta vecchia ◆ *agg, s* castano

chew /tʃuː/ *vt* ~ **sth (up)** masticare qc PHR V **to chew sth over** (*inform*) rimuginare su qc

chewing gum *s* [*non numerabile*] chewing-gum, gomma

chick /tʃɪk/ *s* pulcino

chicken /ˈtʃɪkɪn/ ◆ *s* **1** pollo *Vedi anche* COCK, HEN **2** (*inform*) fifone, -a ◆ *v* PHR V **to chicken out** (*inform*) tirarsi indietro per paura ◆ *agg* (*inform*) codardo

chickenpox /ˈtʃɪkɪnpɒks/ *s* [*non numerabile*] varicella

chickpea /ˈtʃɪkpiː/ *s* cece

chicory /ˈtʃɪkəri/ *s* [*non numerabile*] insalata belga

chief /tʃiːf/ ◆ *s* capo ◆ *agg* principale **chiefly** *avv* **1** soprattutto **2** principalmente

chieftain /ˈtʃiːftən/ *s* capo (*di tribù o clan*)

child /tʃaɪld/ *s* (*pl* ~**ren** /ˈtʃɪldrən/) **1** bambino, -a: *child benefit* assegni familiari ◊ *child care* assistenza all'infanzia ◊ *child-minder* bambinaia ◊ *children's clothes/television* abbigliamento/ programmi televisivi per bambini **2** figlio, -a: *Her children are all grown up now.* I figli sono tutti grandi ora. ◊ *an only child* figlio unico **3** (*fig*) figlio, frutto LOC **child's play** (*inform*) un gioco da ragazzi **childbirth** *s* [*non numerabile*] parto **childhood** *s* infanzia **childish** *agg* infantile: *to be childish* comportarsi come un bambino **childless** *agg* senza figli **childlike** *agg* (*approv*) innocente

chili (*USA*) *Vedi* CHILLI

chill /tʃɪl/ ◆ *s* **1** freddo **2** infreddatura: *to catch/get a chill* prendere un colpo d'aria **3** brivido ◆ **1** *vt* gelare **2** *vt* (*cibo*) mettere in fresco: *frozen and chilled foods* alimenti congelati e refrigerati LOC **to chill sb to the bone/marrow** gelare qn fino alle ossa **chilling** *agg* agghiacciante **chilly** *agg* (**-ier**, **-iest**) freddo

chilli (*USA* **chili**) /ˈtʃɪli/ *s* (*pl* ~**es**) (*anche* **chilli pepper**) peperoncino

chime /tʃaɪm/ ◆ *s* **1** scampanio **2** rintocco ◆ *vi* suonare (*campana, orologio*) PHR V **to chime in (with sth)** (*inform*) interrompere (con qc)

chimney /ˈtʃɪmni/ *s* (*pl* **-eys**) camino: *chimney sweep* spazzacamino

chimp /tʃɪmp/ *s* (*inform*) *Vedi* CHIMPANZEE

chimpanzee /ˌtʃɪmpænˈziː/ *s* scimpanzé

chin /tʃɪn/ *s* mento LOC **to keep your chin up** (*inform*) far buon viso a cattivo gioco *Vedi anche* CUP

china /ˈtʃaɪnə/ *s* **1** porcellana **2** porcellane

chink /tʃɪŋk/ *s* fessura, crepa LOC **a chink in sb's armour** il punto debole di qn

chip /tʃɪp/ ◆ *s* **1** scheggia (*di vetro, pietra, ecc*) **2** truciolo **3** scheggiatura **4** patatina fritta ☛ *Vedi illustrazione a* PATATINA **5** (*USA*) *Vedi* CRISP **6** (*casinò*) fiche **7** (*Informatica*) chip LOC **a chip off the old block** (*inform*) un figlio degno del padre **to have a chip on your shoulder** (*inform*) provare risentimento ◆ *vt, vi* scheggiare, scheggiarsi PHR V **to chip in (with sth)** (*inform*) **1** (*discorso*) interrompere (con qc) **2** (*soldi*) contribuire (con qc) **chippings** *s* [*pl*] **1** brecciame **2** (*anche* **wood chippings**) trucioli di legno

chirp /tʃɜːp/ ◆ *s* **1** cinguettio **2** (*grillo*) cri cri ◆ *vi* **1** cinguettare **2** (*grillo*) fare cri cri **chirpy** *agg* pimpante

chisel /ˈtʃɪzl/ ◆ *s* cesello, scalpello ◆ *vt* **1** scolpire: *finely chiselled features* lineamenti finemente cesellati **2** (*con cesello*) cesellare

chivalry /ˈʃɪvəlri/ *s* cavalleria

chive /tʃaɪv/ *s* [*gen pl*] **chives** erba cipollina

chloride /ˈklɔːraɪd/ *s* cloruro

chlorine /ˈklɔːriːn/ *s* cloro

chock-a-block /ˌtʃɒk ə ˈblɒk/ *agg* ~ **(with sth)** pieno zeppo (di qc)

chock-full /ˌtʃɒk ˈfʊl/ *agg* ~ **(of sth)** pieno zeppo (di qc)

chocolate /ˈtʃɒklət/ ◆ *s* **1** cioccolato: *milk/plain chocolate* cioccolato al latte/ fondente ◊ *hot chocolate* cioccolata calda **2** cioccolatino ◆ *agg* **1** (*torta, biscotto*) al cioccolato **2** (*colore*) cioccolato

choice /tʃɔɪs/ ◆ *s* **1** ~ **(between ...)** scelta (fra ...): *to make a choice* scegliere **2** assortimento **3** possibilità: *If I had the choice...* Se dipendesse da me... LOC **out of/from choice** per scelta **to have no choice** non aver altra scelta ◆ *agg* (**-er**, **-est**) di prima scelta

choir /ˈkwaɪə(r)/ *s* [*v sing o pl*] coro: *choir boy* corista

choke /tʃəʊk/ ◆ **1** *vi* ~ (**on sth**) soffocare (con qc): *to choke to death* morire soffocato **2** *vt* soffocare, strangolare **3** *vt* ~ **sth** (**up**) (**with sth**) intasare qc (con qc) PHR V **to choke sth back** soffocare qc ◆ *s* valvola dell'aria

cholera /ˈkɒlərə/ *s* colera

cholesterol /kəˈlestərɒl/ *s* colesterolo

choose /tʃuːz/ (*pass* **chose** /tʃəʊz/ *pp* **chosen** /tʃəʊzn/) **1** *vt* ~ **sb/sth/to do sth** scegliere qn/qc/di fare qc **2** *vi* ~ (**between A and/or B**) scegliere (fra A e B) **3** *vt* ~ **sb/sth as sth** scegliere qn/qc come qc **4** *vt* (*Sport*) selezionare **5** *vi* volere: *whenever I choose* quando mi pare LOC *Vedi* PICK **choosy** *agg* (**-ier**, **-iest**) (*inform*) difficile (*da accontentare*)

chop /tʃɒp/ ◆ *vt, vi* (**-pp-**) **1** ~ **sth** (**up**) (**into sth**) tagliare qc (in qc): *to chop sth in two* tagliare qc a metà ◊ *chopping board* tagliere **2** (*GB, inform*) (*fondi, spese*) tagliare LOC **to chop and change** cambiare parere in continuazione PHR V **to chop sth down** abbattere qc **to chop sth off** (**sth**) tagliar via qc (da qc) ◆ *s* **1** colpo d'ascia **2** colpo (*con il taglio della mano*) **3** (*carne*) costoletta **chopper** *s* **1** ascia **2** (*carne*) mannaia **3** (*inform*) elicottero **choppy** *agg* (**-ier**, **-iest**) mosso (*mare*)

chopsticks /ˈtʃɒpstɪks/ *s* [*pl*] bastoncini cinesi

choral /ˈkɔːrəl/ *agg* corale

chord /kɔːd/ *s* accordo (*musicale*)

chore /tʃɔː(r)/ *s* lavoro (*di routine*): *household chores* faccende domestiche

choreography /ˌkɒriˈɒgrəfi; *USA* ˌkɔːri-/ *s* coreografia **choreographer** *s* coreografo, -a

chorus /ˈkɔːrəs/ ◆ *s* [*v sing o pl*] **1** (*Mus, Teat*) coro: *chorus girl* ballerina di fila **2** ritornello LOC **in chorus** in coro ◆ *vt* dire in coro

chose *pass di* CHOOSE

chosen *pp di* CHOOSE

Christ /kraɪst/ (*anche* **Jesus**, **Jesus Christ**) *s* Cristo

christen /ˈkrɪsn/ *vt* battezzare **christening** *s* battesimo

Christian /ˈkrɪstʃən/ *s, agg* cristiano, -a **Christianity** /ˌkrɪstiˈænəti/ *s* cristianesimo

Christian name (*anche* **first name**) *s* nome (*di battesimo*)

Christmas /ˈkrɪsməs/ *s* Natale: *Christmas Day* il giorno di Natale ◊ *Christmas Eve* la vigilia di Natale ◊ *Merry/Happy Christmas!* Buon Natale! ☛ *Vedi nota a* NATALE

chrome /krəʊm/ *s* cromo

chromium /ˈkrəʊmiəm/ *s* cromo: *chromium-plating/plated* cromatura/cromato

chromosome /ˈkrəʊməsəʊm/ *s* cromosoma

chronic /ˈkrɒnɪk/ *agg* **1** cronico **2** (*bugiardo, ecc*) incallito

chronicle /ˈkrɒnɪkl/ ◆ *s* cronaca ◆ *vt* registrare

chrysalis /ˈkrɪsəlɪs/ *s* (*pl* ~**es**) crisalide

chubby /ˈtʃʌbi/ *agg* (**-ier**, **-iest**) paffuto *Vedi anche* FAT

chuck /tʃʌk/ *vt* (*inform*) **1** gettare **2** ~ **sth** (**in/up**) piantare qc (*lavoro, ecc*) PHR V **to chuck sth away/out** buttar via qc **to chuck sb out** buttar fuori qn

chuckle /ˈtʃʌkl/ ◆ *vi* ridacchiare ◆ *s* risolino

chum /tʃʌm/ *s* (*inform*) amicone, -a

chunk /tʃʌŋk/ *s* pezzo **chunky** *agg* (**-ier**, **-iest**) tozzo

church /tʃɜːtʃ/ *s* chiesa: *church hall* sala parrocchiale LOC **to go to church** andare in chiesa ☛ *Vedi nota a* SCHOOL

churchyard /ˈtʃɜːtʃjɑːd/ (*anche* **graveyard**) *s* cimitero (*vicino ad una chiesa*) ☛ *Confronta* CEMETERY

churn /tʃɜːn/ **1** *vt* ~ **sth** (**up**) (*acqua*) agitare qc **2** *vi* (*acqua*) ribollire **3** *vt* ~ **sth** (**up**) (*zolla*) rimuovere qc **4** *vi* (*stomaco*) torcersi PHR V **to churn sth out** (*inform*) sfornare qc a getto continuo (*libri, ecc*)

chute /ʃuːt/ *s* **1** canale di scarico (*per immondizia*) **2** (*piscina*) scivolo

cider /ˈsaɪdə(r)/ *s* sidro

cigar /sɪˈgɑː(r)/ *s* sigaro

cigarette /ˌsɪgəˈret; *USA* ˈsɪgərət/ *s* sigaretta: *cigarette butt/end* mozzicone di sigaretta

cinder /ˈsɪndə(r)/ *s* [*gen pl*]: *cinders* cenere

cinema /ˈsɪnəmə/ *s* cinema

cinnamon /ˈsɪnəmən/ *s* cannella

circle /ˈsɜːkl/ ◆ *s* **1** cerchio: *the circumference of a circle* la circonferenza di un cerchio ◊ *to stand in a circle* mettersi in cerchio **2** (*amici*) circolo **3** (*Teat*) galleria LOC **to go round in circles** girare sempre intorno allo stesso punto *Vedi anche* FULL, VICIOUS ◆ *vt* **1** girare intorno a **2** *vi* (*uccello, elicottero*) volteggiare **3** *vt* cerchiare

circuit /ˈsɜːkɪt/ *s* **1** giro **2** pista **3** (*Elettr*) circuito

circular /ˈsɜːkjələ(r)/ *agg, s* circolare

circulate /ˈsɜːkjəleɪt/ *vt, vi* (far) circolare

circulation /ˌsɜːkjəˈleɪʃn/ *s* **1** circolazione **2** (*giornale*) tiratura

circumcise /ˈsɜːkəmsaɪz/ *vt* circoncidere **circumcision** /ˌsɜːkəmˈsɪʒn/ *s* circoncisione

circumference /səˈkʌmfərəns/ *s* circonferenza: *the circumference of the earth* la circonferenza terrestre

circumstance /ˈsɜːkəmstəns/ *s* **1** circostanza **2 circumstances** [*pl*] situazione finanziaria LOC **in/under no circumstances** in nessun caso **in/under the circumstances** date le circostanze

circus /ˈsɜːkəs/ *s* circo

cistern /ˈsɪstən/ *s* **1** cisterna **2** serbatoio (*di gabinetto*)

cite /saɪt/ *vt* **1** citare **2** (*USA, Mil*) menzionare

citizen /ˈsɪtɪzn/ *s* cittadino, -a **citizenship** *s* cittadinanza

citrus /ˈsɪtrəs/ *s*: *citrus fruit(s)* agrumi

city /ˈsɪti/ *s* (*pl* **cities**) **1** città: *city centre* centro **2 the City** la City (*centro finanziario di Londra*)

civic /ˈsɪvɪk/ *agg* **1** municipale: *civic centre* centro civico **2** civico

civil /ˈsɪvl/ *agg* **1** civile: *civil strife* conflitto sociale ◊ *civil law* codice/diritto civile ◊ *civil rights/liberties* diritti/libertà civili ◊ *the Civil Service* l'amministrazione pubblica ◊ *civil servant* impiegato, -a statale **2** educato, gentile

civilian /səˈvɪliən/ *s* civile

civilization, -isation /ˌsɪvəlaɪˈzeɪʃn; *USA* -əlɪˈz-/ *s* **1** civiltà **2** civilizzazione

civilized, -ised /ˈsɪvəlaɪzd/ *agg* civilizzato

clad /klæd/ *agg* (*form*) ~ (**in sth**) vestito (di qc)

claim /kleɪm/ ◆ **1** *vt, vi* ~ (**sth**) reclamare (qc) **2** *vt* dichiarare, sostenere **3** *vt* (*attenzione*) esigere **4** *vt* (*vittime*) fare ◆ *s* **1** ~ (**for sth**) richiesta (di qc) **2** ~ (**against sb/sth**) richiesta (a qn/qc) **3** ~ (**on sb/sth**) diritto (su qn/qc) **4** ~ (**to sth**) diritto (a qc) **5** affermazione, pretesa LOC *Vedi* LAY[1], STAKE **claimant** *s* richiedente

clam /klæm/ ◆ *s* vongola ◆ *v* (**-mm-**) PHR V **to clam up** (*inform*) zittirsi

clamber /ˈklæmbə(r)/ *vi* arrampicarsi (*con fatica*)

clammy /ˈklæmi/ *agg* (**-ier, -iest**) sudaticcio, appiccicoso

clamour (*USA* **clamor**) /ˈklæmə(r)/ ◆ *s* clamore ◆ *vi* **1** schiamazzare **2** ~ **for sth** chiedere qc a gran voce **3** ~ **against sth** protestare a gran voce contro qc

clamp /klæmp/ ◆ *s* **1** (*anche* **cramp**) morsetto **2** ceppo bloccaruote ◆ *vt* **1** stringere con un morsetto **2** mettere i ceppi bloccaruote a PHR V **to clamp down on sb/sth** (*inform*) dare un giro di vite a qn/qc

clampdown /ˈklæmpdaʊn/ *s* ~ (**on sth**) giro di vite, freno (a qc)

clan /klæn/ *s* [*v sing o pl*] clan

clandestine /klænˈdestɪn/ *agg* (*form*) clandestino

clang /klæŋ/ ◆ *s* suono metallico ◆ *vt, vi* (far) emettere un suono metallico

clank /klæŋk/ *vi* fare un rumore metallico (*catene, macchinari*)

clap /klæp/ (**-pp-**) ◆ **1** *vt, vi* applaudire **2** *vt*: *to clap your hands (together)* battere le mani ◊ *to clap sb on the back* dare una pacca sulla spalla a qn ◆ *s* **1** applauso **2** *a clap of thunder* un tuono **clapping** *s* [*non numerabile*] applausi

clarify /ˈklærəfaɪ/ *vt* (*pass, pp* **-fied**) chiarire **clarification** *s* chiarimento

clarinet /ˌklærəˈnet/ *s* clarinetto

clarity /ˈklærəti/ *s* chiarezza, lucidità

clash /klæʃ/ ◆ **1** *vt, vi* (far) cozzare **2** *vt, vi* (*piatti*) (far) risuonare **3** *vi* ~ (**with sb**) (**on/over sth**) scontrarsi (con qn) (su qc) **4** *vi* (*date*) coincidere **5** *vi* (*colori*) stridere ◆ *s* **1** fragore **2** ~ (**on/over sth**) scontro (per qc): *a clash of interests* un conflitto di interessi

clasp /klɑːsp; *USA* klæsp/ ◆ *s* fibbia ◆ *vt* stringere

class /klɑːs; *USA* klæs/ ◆ *s* **1** classe: *They're in class.* Sono in classe. ◊ *class struggle/system* lotta di classe/sistema di classi **2** lezione: *I go to cookery classes.* Faccio un corso di cucina. **3** categoria: *They are not in the same class.*

Non si può fare un paragone fra di loro. LOC **in a class of your/its own** senza pari ◆ *vt* ~ **sb/sth (as sth)** definire qn/qc (qc)

classic /ˈklæsɪk/ *agg, s* classico: *It was a classic case.* Fu un caso classico.

classical /ˈklæsɪkl/ *agg* classico

classification /ˌklæsɪfɪˈkeɪʃn/ *s* **1** classificazione **2** categoria

classify /ˈklæsɪfaɪ/ *vt* (*pass, pp* **-fied**) classificare **classified** *agg* **1** classificato: *classified advertisements/ads* piccola pubblicità **2** segreto

classmate /ˈklɑːsmeɪt; *USA* ˈklæs-/ *s* compagno, -a (*di classe*)

classroom /ˈklɑːsruːm, -rʊm; *USA* ˈklæs-/ *s* aula

classy /ˈklɑːsi; *USA* ˈklæsi/ *agg* (**-ier, -iest**) di classe

clatter /ˈklætə(r)/ ◆ *s* (*anche* **clattering** /- ərɪŋ/) **1** acciottolio **2** (*treno*) sferragliare ◆ **1** *vt, vi* far rumore (con) (*piatti*) **2** *vi* (*treno*) sferragliare

clause /klɔːz/ *s* **1** (*Gramm*) proposizione **2** (*Dir*) clausola

claw /klɔː/ ◆ *s* **1** artiglio **2** (*gatto, ecc*) unghia **3** (*aragosta, ecc*) chela **4** (*arnese*) rampino ◆ *vt* graffiare

clay /kleɪ/ *s* argilla

clean /kliːn/ ◆ *agg* (**-er, -est**) **1** pulito: *to wipe clean* pulire **2** (*Sport*) corretto **3** (*foglio, ecc*) nuovo LOC **to make a clean break (with sth)** chiudere (con qc) ◆ *vt, vi* pulire PHR V **to clean sth from/off sth** togliere qc da qc **to clean sb out** (*inform*) ripulire qn **to clean sth out** ripulire qc **to clean (sth) up** ripulire (qc): *to clean up your image* rilanciare la propria immagine **cleaning** *s* [*non numerabile*] pulizie **cleanliness** /ˈklenlinəs/ *s* pulizia (*qualità*) **cleanly** *avv* in modo netto

clean-cut /ˌkliːn ˈkʌt/ *agg* **1** (*immagine*) perbene **2** (*viso, lineamenti*) pulito

cleaner /ˈkliːnə(r)/ *s* **1** addetto, -a alle pulizie **2 cleaners** [*pl*] tintoria

cleanse /klenz/ *vt* ~ **sb/sth (of sth) 1** pulire a fondo qn/qc (da qc) **2** (*fig*) purificare qn/qc (da qc) **cleanser** *s* **1** detersivo **2** (*per il viso*) detergente

clean-shaven /ˌkliːn ˈʃeɪvn/ *agg* sbarbato

clean-up /ˈkliːn ʌp/ *s* pulita

clear /klɪə(r)/ ◆ *agg* (**-er, -est**) **1** (*spiegazione, parole*) chiaro: *The meaning is clear.* Il senso è chiaro. ◊ *It's clear we'll need more time.* È chiaro che ci vorrà più tempo. ◊ *Are you quite clear about what the job involves?* Ti è chiaro cosa implica il lavoro? **2** (*tempo, cielo*) sereno **3** (*vetro*) trasparente **4** (*acqua*) limpido **5** (*foto*) nitido **6** (*coscienza*) pulito **7** libero: *clear of debt* privo di debiti ◊ *Keep next weekend clear.* Tieniti libero per il prossimo fine settimana. LOC **(as) clear as day** chiaro come il sole **(as) clear as mud** per niente chiaro **in the clear** (*inform*) **1** libero da ogni sospetto **2** fuori pericolo **to make sth clear/plain (to sb)** far capire qc (a qn) *Vedi anche* CRYSTAL ◆ **1** *vi* (*tempo*) rasserenarsi **2** *vt* (*dubbio*) chiarire **3** *vi* (*acqua*) diventare limpido **4** *vt* (*tubo*) sbloccare **5** *vt* (*luogo*) sgombrare **6** *vt* ~ **sb (of sth)** assolvere qn (da qc): *to clear your name* ristabilire la propria reputazione **7** *vt* (*ostacolo*) scavalcare, evitare LOC **to clear the air** chiarire le cose **to clear the table** sparecchiare la tavola PHR V **to clear (sth) away/up** togliere (qc) **to clear off** (*inform*) tagliare la corda **to clear sth out** sgombrare qc **to clear up** schiarirsi **to clear sth up** chiarire qc ◆ *avv* (**-er, -est**): *loud and clear* chiaro e forte LOC **to keep/stay/steer clear (of sb/sth)** stare alla larga (da qn/qc)

clearance /ˈklɪərəns/ *s* **1** sgombero: *a clearance sale* una liquidazione **2** spazio libero **3** autorizzazione

clear-cut /ˌklɪə ˈkʌt/ *agg* ben definito

clear-headed /ˌklɪə ˈhedɪd/ *agg* lucido

clearing /ˈklɪərɪŋ/ *s* radura

clearly /klɪəli/ *avv* chiaramente

clear-sighted /ˌklɪə ˈsaɪtɪd/ *agg* lucido

cleavage /ˈkliːvɪdʒ/ *s* décolleté

clef /klef/ *s* chiave (*di violino, ecc*)

clench /klentʃ/ *vt* stringere (*pugni, denti*)

clergy /ˈklɜːdʒi/ *s* [*pl*] clero

clergyman /ˈklɜːdʒimən/ *s* (*pl* **-men** /-mən/) sacerdote

clerical /ˈklerɪkl/ *agg* **1** d'ufficio: *clerical staff* personale amministrativo **2** (*Relig*) clericale

clerk /klɑːk; *USA* klɜːrk/ *s* **1** impiegato, -a **2** (*comune, tribunale*) segretario, -a **3** (*USA*) (*anche* **desk clerk**) receptionist **4** (*USA*) (*in negozio*) commesso, -a

clever /ˈklevə(r)/ *agg* (**-er, -est**) **1** intelligente **2** abile: *to be clever at sth* essere abile in qc **3** (*idea*) geniale **4** furbo LOC **to be too clever** essere troppo furbo **cleverness** *s* **1** intelligenza **2** abilità **3** furbizia

cliché /ˈkliːʃeɪ/ *s* cliché

click /klɪk/ ◆ *s* **1** scatto **2** schiocco **3** tacchettio ◆ **1** *vt*: *to click your heels* battere i tacchi ◊ *to click your fingers* schioccare le dita **2** *vi* (*macchina fotografica, ecc*) scattare **3** *vi* andare subito d'accordo **4** *vi* diventare chiaro LOC **to click open/shut** aprirsi/chiudersi con uno scatto

client /ˈklaɪənt/ *s* cliente

clientele /ˌkliːənˈtel; *USA* ˌklaɪənˈtel/ *s* clientela

cliff /klɪf/ *s* scogliera, precipizio

climate /ˈklaɪmət/ *s* clima: *the economic climate* la situazione economica

climax /ˈklaɪmæks/ *s* culmine

climb /klaɪm/ ◆ **1** *vt* scalare **2** *vi* (*lett e fig*) salire: *The road climbs steeply.* La strada sale ripida. **3** *vt, vi* arrampicarsi (su) LOC **to go climbing** fare alpinismo *Vedi anche* BANDWAGON PHR V **to climb down 1** (*fig*) fare marcia indietro **2** scendere **to climb out of sth 1** *to climb out of bed* alzarsi dal letto **2** (*macchina, ecc*) uscire da qc **to climb (up) on to sth** arrampicarsi su qc **to climb up sth** salire su qc ◆ *s* **1** scalata, arrampicata **2** salita

climber /ˈklaɪmə(r)/ *s* alpinista

clinch /klɪntʃ/ *vt* **1** (*accordo*) concludere **2** (*partita, ecc*) vincere **3** (*vittoria, ecc*) conseguire: *to clinch it* essere decisivo

cling /klɪŋ/ *vi* (*pass, pp* **clung** /klʌŋ/) ~ **(on) to sb/sth** (*lett e fig*) aggrapparsi a qn/qc: *to cling to each other* abbracciarsi forte **clinging** *agg* **1** (*anche* **clingy**) (*abito*) attillato **2** (*dispreg*) (*persona*) appiccicoso

clinic /ˈklɪnɪk/ *s* clinica

clinical /ˈklɪnɪkl/ *agg* **1** clinico **2** (*fig*) distaccato

clink /klɪŋk/ **1** *vi* tintinnare **2** *vt*: *They clinked glasses.* Brindarono.

clip /klɪp/ ◆ *s* **1** graffetta **2** (*gioiello*) spilla ◆ *vt* (**-pp-**) **1** tagliare **2** ~ **sth (on) to sth** attaccare qc su qc con una graffetta PHR V **to clip sth together** attaccare qc con una graffetta

clique /kliːk/ *s* cricca

cloak /kləʊk/ ◆ *s* cappa ◆ *vt* avvolgere: *cloaked in mystery* avvolto nel mistero

cloakroom /ˈkləʊkruːm/ *s* **1** guardaroba **2** (*GB, euf*) toilette ☛ *Vedi nota a* TOILET

clock /klɒk/ ◆ *s* **1** orologio (*da muro*) ☛ *Vedi illustrazione a* OROLOGIO **2** (*inform*) contachilometri **3** (*inform*) tassametro LOC **(a)round the clock** ventiquattr'ore su ventiquattro ◆ *vt* cronometrare PHR V **to clock in/on** timbrare il cartellino all'entrata **to clock off/out** timbrare il cartellino all'uscita **to clock sth up** registrare qc, totalizzare qc **clockwise** *avv, agg* in senso orario

clockwork /ˈklɒkwɜːk/ ◆ *agg* a molla ◆ *s* meccanismo a orologeria LOC **like clockwork** alla perfezione, liscio

clog /klɒg/ ◆ *s* zoccolo ◆ *vt, vi* ~ **(sth) (up)** intasare qc; intasarsi

cloister /ˈklɔɪstə(r)/ *s* chiostro

close[1] /kləʊs/ ◆ *agg* (**-er**, **-est**) **1** (*parente*) stretto **2** (*amico*) intimo **3** (*famiglia, ecc*) unito **4** (*esame, controllo*) accurato **5** (*Sport*) (*partita*) serrato **6** (*tempo*) afoso **7** ~ **to sth** vicino a qc: *close to tears* sul punto di piangere **8** ~ **to sb** unito a qn LOC **it/that was a close call/shave** (*inform*) l'ho, l'hai, ecc scampata per un pelo **to keep a close eye/watch on sb/sth** tenere qn/qc sotto stretta vigilanza ◆ *avv* (**-er**, **-est**) (*anche* **close by**) qui vicino LOC **close on** quasi **close together** vicino **closely** *avv* **1** strettamente **2** attentamente **closeness** *s* **1** vicinanza **2** intimità

close[2] /kləʊz/ ◆ **1** *vt, vi* chiudere, chiudersi **2** *vt, vi* (*riunione*) concludere, concludersi LOC **to close your mind to sth** non volerne sapere di qc PHR V **to close down 1** (*impresa*) chiudere **2** (*TV*) terminare le trasmissioni **to close sth down** chiudere qc (*impresa, ecc*) **to close in** (*giornate*) accorciarsi **to close in (on sb/sth)** (*nebbia, notte*) calare (su qn/qc) ◆ *s* fine: *towards the close of* verso la fine di LOC **to come/draw to a close** avvicinarsi alla fine *Vedi anche* BRING **closed** *agg* chiuso: *a closed door* una porta chiusa

close-knit /ˌkləʊs ˈnɪt/ *agg* molto unito (*famiglia, comunità*)

closet /ˈklɒzɪt/ *s* (*USA*) armadio

close-up /ˈkləʊs ʌp/ *s* primo piano

closing /ˈkləʊzɪŋ/ *agg* **1** finale **2** (*data*) di scadenza **3** *closing time* orario di chiusura

closure /ˈkləʊʒə(r)/ *s* chiusura

clot /klɒt/ *s* **1** coagulo **2** (*GB, inform, scherz*) scemo, -a

cloth /klɒθ; *USA* klɔːθ/ *s* (*pl* ~s /klɒθs; *USA* klɔːðz/) **1** stoffa ☛ *Vedi nota a* STOFFA **2** strofinaccio

clothe /kləʊð/ *vt* ~ **sb/yourself (in sth)** vestire qn (di qc); vestirsi (di qc)

clothes /kləʊðz; *USA* kləʊz/ *s* [*pl*] vestiti: *clothes line* corda del bucato ◊ *clothes-peg* molletta (*da bucato*)

clothing /ˈkləʊðɪŋ/ *s* abbigliamento: *the clothing industry* l'industria dell'abbigliamento

cloud /klaʊd/ ◆ *s* nuvola ◆ *vt* **1** (*ragione*) offuscare **2** (*questione*) complicare PHR V **to cloud (over)** (*cielo, espressione*) rannuvolarsi **cloudless** *agg* sereno **cloudy** *agg* (**-ier**, **-iest**) **1** nuvoloso **2** (*acqua*) torbido

clout /klaʊt/ ◆ *s* (*inform*) **1** ceffone **2** (*fig*) influenza ◆ *vt* (*inform*) dare un ceffone a

clove /kləʊv/ *s* **1** chiodo di garofano **2** **a clove of garlic** uno spicchio d'aglio

clover /ˈkləʊvə(r)/ *s* trifoglio

clown /klaʊn/ *s* pagliaccio

club /klʌb/ ◆ *s* **1** circolo **2** *Vedi* NIGHTCLUB **3** randello **4** (*Sport*) mazza **5** **clubs** [*pl*] (*Carte*) fiori ☛ *Vedi nota a* CARTA ◆ *vt* (**-bb-**) bastonare: *to club sb to death* uccidere qn a bastonate PHR V **to club together (to do sth)** fare una colletta (per fare qc)

clue /kluː/ *s* **1** ~ **(to sth)** indizio (di qc) **2** (*parole crociate*) definizione LOC **not to have a clue** (*inform*) **1** non avere la più pallida idea **2** essere un inetto

clump /klʌmp/ *s* gruppo (*di alberi, ecc*)

clumsy /ˈklʌmzi/ *agg* (**-ier**, **-iest**) **1** goffo, maldestro **2** poco pratico

clung *pass, pp di* CLING

cluster /ˈklʌstə(r)/ ◆ *s* gruppo ◆ PHR V **to cluster/be clustered (together) round sb/sth** raggrupparsi intorno a qn/qc

clutch /klʌtʃ/ ◆ *vt* **1** (*tenere*) stringere **2** (*prendere*) afferrare PHR V **to clutch at sth** cercare di afferrare qc ◆ *s* **1** (pedale della) frizione **2** **clutches** [*pl*] (*dispreg*) grinfie

clutter /ˈklʌtə(r)/ (*dispreg*) ◆ *s* disordine, confusione ◆ *vt* ~ **sth (up)** ingombrare qc

coach /kəʊtʃ/ ◆ *s* **1** pullman **2** (*Ferrovia*) carrozza *Vedi anche* CARRIAGE senso 2 **3** carrozza (*tirata da cavalli*) **4** allenatore, -trice **5** insegnante privato, -a ◆ **1** *vt* (*Sport*) allenare: *to coach a swimmer for the Olympics* allenare un nuotatore per le Olimpiadi **2** *vt, vi* ~ **(sb) (for/in sth)** dare ripetizioni (a qn) (di qc) **coaching** *s* allenamento, preparazione

coal /kəʊl/ *s* **1** carbone **2** tizzone: *hot/live coals* carboni ardenti

coalfield /ˈkəʊlfiːld/ *s* bacino carbonifero

coalition /ˌkəʊəˈlɪʃn/ *s* [*v sing o pl*] coalizione

coal mine (*anche* **pit**) *s* miniera di carbone

coarse /kɔːs/ *agg* (**-er**, **-est**) **1** (*sale, sabbia*) grosso **2** (*tessuto, mani*) ruvido **3** (*persona, gesto*) volgare

coast /kəʊst/ ◆ *s* costa ◆ *vi* **1** (*macchina*) andare in folle **2** (*bicicletta*) andare senza pedalare **coastal** *agg* costiero

coastguard /ˈkəʊstgɑːd/ *s* **1** guardacoste **2** guardia costiera

coastline /ˈkəʊstlaɪn/ *s* litorale

coat /kəʊt/ ◆ *s* **1** cappotto: *coat-hanger* gruccia **2** **white coat** camice bianco **3** (*animale*) pelo, mantello **4** (*vernice*) mano ◆ *vt* ~ **sth (in/with sth)** ricoprire qc (di qc) **coating** *s* strato

coax /kəʊks/ *vt* **1** ~ **sb into/out of (doing) sth** persuadere qn a fare/non fare qc **2** ~ **sb to do sth** convincere con le buone qn a fare qc PHR V **to coax sth out of/from sb** ottenere qc da qn facendo le moine

cobble /ˈkɒbl/ (*anche* **cobblestone**) *s* ciottolo

cobweb /ˈkɒbweb/ *s* ragnatela

cocaine /kəʊˈkeɪn/ *s* cocaina

cock /kɒk/ ◆ *s* **1** gallo **2** maschio ◆ *vt* **1** (*orecchie*) drizzare **2** (*fucile*) armare

cockney /ˈkɒkni/ *s, agg* **1** (*pl* **-eys**) nato, -a nell'East End di Londra **2** (*dialetto*) cockney

cockpit /ˈkɒkpɪt/ *s* cabina del pilota (*di aereo*)

cocktail /ˈkɒkteɪl/ *s* **1** (*lett e fig*) cocktail **2** (*frutta*) macedonia

cocoa /ˈkəʊkəʊ/ *s* **1** cacao **2** (*bibita*) cioccolata calda

coconut /ˈkəʊkənʌt/ *s* **1** noce di cocco **2** cocco

cocoon /kəˈkuːn/ *s* (*lett e fig*) bozzolo

cod /kɒd/ *s* merluzzo

code /kəʊd/ *s* **1** codice: *code name* nome in codice

coercion /kəʊˈɜːʃn/ *s* coercizione

coffee /ˈkɒfi; *USA* ˈkɔːfi/ *s* **1** caffè **2** color caffè

coffin /ˈkɒfɪn/ *s* bara

cog /kɒg/ *s* dente (*di ruota dentata*)

cogent /ˈkəʊdʒənt/ *agg* convincente

coherent /kəʊˈhɪərənt/ *agg* coerente

coil /kɔɪl/ ◆ *s* **1** (*corda*) rotolo **2** (*serpente*) anello **3** (*anticoncezionale*) spirale ◆ **1** *vt* ~ **sth** (**up**) avvolgere qc **2** *vt, vi* ~ (**yourself**) **up** (**around sth**) attorcigliarsi (a qc)

coin /kɔɪn/ ◆ *s* moneta ◆ *vt* coniare

coincide /ˌkəʊɪnˈsaɪd/ *vi* ~ (**with sth**) coincidere (con qc)

coincidence /kəʊˈɪnsɪdəns/ *s* coincidenza

coke /kəʊk/ *s* **1** **Coke®** coca **2** (*inform*) (*cocaina*) coca **3** carbone coke

cold /kəʊld/ ◆ *agg* (**-er**, **-est**) freddo ☛ *Vedi nota a* FREDDO LOC **to be cold 1** (*persona*) aver freddo **2** (*tempo*) fare freddo **3** (*oggetto*) essere freddo **to get cold 1** (*persona*) infreddolirsi **2** (*cibo*) freddarsi **3** (*tempo*) cominciare a far freddo **to get/have cold feet** (*inform*) avere fifa ◆ *s* **1** freddo **2** raffreddore: *to catch (a) cold* prendersi un raffreddore ◆ *avv* senza preparazione

cold-blooded /ˌkəʊld ˈblʌdɪd/ *agg* **1** (*Biol*) a sangue freddo **2** spietato

collaboration /kəˌlæbəˈreɪʃn/ *s* **1** collaborazione **2** collaborazionismo

collapse /kəˈlæps/ ◆ *vi* **1** crollare, cadere **2** avere un collasso **3** (*ditta*) fallire **4** (*prezzo*) tracollare **5** (*sedia*) piegarsi ◆ *s* **1** crollo **2** tracollo **3** (*Med*) collasso

collar /ˈkɒlə(r)/ *s* **1** (*camicia, ecc*) colletto **2** (*per cane*) collare

collateral /kəˈlætərəl/ *s* garanzia

colleague /ˈkɒliːg/ *s* collega

collect /kəˈlekt/ ◆ **1** *vt* ~ **sth** (**up/together**) raccogliere qc: *collected works* opera completa **2** *vt* (*persona*) andare a prendere **3** *vt* (*tasse*) riscuotere **4** *vt* (*francobolli, ecc*) collezionare **5** *vi* (*folla*) radunarsi **6** *vi* (*polvere*) accumularsi ◆ *agg, avv* (*USA*) a carico del destinatario LOC *Vedi* REVERSE **collection** *s* **1** collezione **2** raccolta **3** (*chiesa*) colletta **4** miscuglio, mucchio **collector** *s* collezionista

collective /kəˈlektɪv/ *agg, s* collettivo

college /ˈkɒlɪdʒ/ *s* **1** istituto superiore *Vedi anche* TECHNICAL COLLEGE **2** (*GB*) college (*Oxford, Cambridge, ecc*) **3** (*USA*) università

collide /kəˈlaɪd/ *vi* ~ (**with sb/sth**) scontrarsi (con qn/qc)

colliery /ˈkɒliəri/ *s* (*pl* **-ies**) (*GB*) miniera di carbone *Vedi anche* COAL MINE

collision /kəˈlɪʒn/ *s* scontro

collusion /kəˈluːʒn/ *s* collusione

colon /ˈkəʊlən/ *s* **1** colon **2** due punti ☛ *Vedi pagg. 376–77.*

colonel /ˈkɜːnl/ *s* colonnello

colonial /kəˈləʊniəl/ *agg* coloniale

colony /ˈkɒləni/ *s* [*v sing o pl*] (*pl* **-ies**) colonia

colossal /kəˈlɒsl/ *agg* colossale

colour (*USA* **color**) /ˈkʌlə(r)/ ◆ *s* **1** colore: *colour-blind* daltonico **2 colours** [*pl*] (*squadra, partito*) emblema **3 colours** [*pl*] (*Mil*) bandiera LOC **to be/feel off colour** (*inform*) non sentirsi bene ◆ **1** *vt, vi* colorare **2** *vt* (*opinione*) influenzare PHR V **to colour sth in** colorare qc **to colour** (**up**) (**at sth**) arrossire (per qc) **coloured** (*USA* **colored**) *agg* **1** colorato: *cream-coloured* color panna **2** (*dispreg*) (*persona*) di colore **colourful** (*USA* **colorful**) *agg* **1** a colori vivaci **2** (*persona, vita*) interessante **colouring** (*USA* **coloring**) *s* **1** colorazione **2** colorito **3** colorante **colourless** (*USA* **colorless**) *agg* **1** incolore **2** (*persona, stile*) scialbo

colt /kəʊlt/ *s* puledro ☛ *Vedi nota a* PULEDRO

column /ˈkɒləm/ *s* **1** colonna **2** (*Giornalismo*) rubrica

coma /ˈkəʊmə/ *s* coma

comb /kəʊm/ ◆ *s* pettine ◆ **1** *vt* pettinare: *to comb your hair* pettinarsi **2** *vt, vi* ~ (**through**) **sth** (**for sb/sth**) setacciare, rastrellare qc (alla ricerca di qn/qc)

combat /ˈkɒmbæt/ ◆ *s* [*non numerabile*] combattimento ◆ *vt* combattere

combination /ˌkɒmbɪˈneɪʃn/ *s* combinazione

combine /kəmˈbaɪn/ *vt, vi* combinare, combinarsi **1** *vi* ~ **with sb/sth** (*Comm*) unirsi a qn/qc **2** *vt* (*qualità*) unire

come /kʌm/ *vi* (*pass* **came** /keɪm/ *pp* **come**) **1** venire: *to come running* venire di corsa **2** (*distanza*) coprire: *I've come a long way to be here.* Ho fatto tanta strada per arrivare qui. **3** (*posizione*) essere, arrivare: *to come first* essere il primo **4** (*risultare*): *It came as a surprise.* Fu una sorpresa. ◇ *to come undone* slacciarsi **5** ~ **to/into + sostantivo**: *to come to a halt* fermarsi ◇ *to come into a fortune* ereditare una fortuna **6** (*diventare*): *to come true* avverarsi LOC **come what may** qualunque cosa succeda **to come to nothing**; **not to come to anything** finire in una bolla di sapone **when it comes to (doing) sth** quando si tratta di (fare) qc ☛ Per altre espressioni con **come** vedi alla voce del sostantivo, dell'aggettivo, ecc, ad es. **to come of age** a AGE.
PHR V **to come about (that...)** succedere (che...)
to come across sb/sth trovare qn/qc
to come along 1 arrivare, presentarsi **2** venire **3** *Vedi* TO COME ON
to come apart andare in pezzi
to come away (from sth) venir via (da qc) **to come away (with sth)** andarsene (con qc)
to come back tornare
to come by sth 1 (*ottenere*) procurarsi qc **2** (*graffio, ecc*) farsi qc
to come down 1 scendere **2** (*prezzi, temperatura*) diminuire **3** crollare
to come forward farsi avanti
to come from... venire da...: *Where do you come from?* Di dove sei?
to come in 1 entrare: *Come in!* Entra! **2** arrivare **to come in for sth** (*critica, ecc*) essere oggetto di qc
to come off 1 (*macchia*) andare via **2** (*parte*) staccarsi **3** (*inform*) (*piano*) riuscire, aver successo **to come off sth** staccarsi da qc
to come on 1 (*attore*) entrare in scena **2** (*anche* **to come along**) fare progressi
to come out 1 uscire, venire fuori **2** (*fiore*) spuntare **3** (*foto*) venire **4** (*macchia*) venire via **5** (*qualità*) rivelarsi **6** dichiararsi omosessuale
to come out with sth venir fuori con qc
to come over (to...) (*anche* **to come round (to...)**) venire (a ...) **to come over sb** (*malinconia, paura*) prendere qn: *I can't think what came over me.* Non so cosa mi è preso.
to come round (*anche* **to come to**) rinvenire
to come through (sth) uscire indenne (da qc)
to come to sth 1 ammontare a qc **2** *What are things coming to?* Ma dove andiamo a finire?
to come up 1 (*pianta, sole*) spuntare **2** (*argomento*) saltar fuori **to come up against sth** imbattersi in qc **to come up to sb** avvicinarsi a qn

comeback /ˈkʌmbæk/ *s*: *to make/stage a comeback* tornare alla ribalta

comedian /kəˈmiːdiən/ *s* (*femm* **comedienne** /kəˌmiːdiˈen/) attore comico, attrice comica

comedy /ˈkɒmədi/ *s* (*pl* **-ies**) **1** commedia **2** lato comico

comet /ˈkɒmɪt/ *s* cometa

comfort /ˈkʌmfət/ ◆ *s* **1** benessere, comodità **2** consolazione **3** **comforts** [*pl*] comodità ◆ *vt* consolare

comfortable /ˈkʌmftəbl; *USA* -fərt-/ *agg* **1** comodo **2** (*vittoria*) facile **3** (*maggioranza*) ampio **comfortably** *avv* **1** *to be sitting comfortably* stare comodo **2** (*vincere*) agevolmente LOC **to be comfortably off** vivere agiatamente

comic /ˈkɒmɪk/ ◆ *agg* comico ◆ *s* **1** (*USA* **comic book**) fumetti **2** attore comico, attrice comica

coming /ˈkʌmɪŋ/ ◆ *s* **1** arrivo **2** (*Relig*) avvento ◆ *agg* prossimo

comma /ˈkɒmə/ *s* virgola ☛ *Vedi pagg. 376–77.*

command /kəˈmɑːnd; *USA* -ˈmænd/ ◆ **1** *vt* ~ **sb to do sth** ordinare a qn di fare qc **2** *vt, vi* essere al comando (di) **3** *vt* disporre di **4** *vt* (*castello*) dominare **5** *vt* (*rispetto*) incutere **6** *vt* (*attenzione*) esigere ◆ *s* **1** ordine **2** (*Informatica*) comando **3** (*lingua*) padronanza **commander** *s* **1** (*Mil*) comandante **2** capo

commemorate /kəˈmeməreɪt/ *vt* commemorare

commence /kəˈmens/ *vt, vi* (*form*) cominciare

commend /kəˈmend/ *vt* **1** lodare **2** (*form*) ~ **sb to sb** raccomandare qn a qn **commendable** *agg* meritorio, encomiabile

comment /ˈkɒment/ ◆ *s* **1** commento **2** [*non numerabile*] critiche, commenti ◆ *vi* **1** ~ (**that...**) osservare (che...) **2** ~ (**on sth**) fare commenti (su qc)

commentary /ˈkɒməntri; *USA* -teri/ *s* (*pl* **-ies**) **1** (*Sport*) radiocronaca, telecronaca **2** (*testo*) commento

commentator /ˈkɒmenˌteɪtə(r)/ *s* radiocronista, telecronista

commerce /ˈkɒmɜːs/ *s* commercio ☛ La parola più comune è **trade**.

commercial /kəˈmɜːʃl/ ◆ *agg* **1** commerciale **2** (*TV, Radio*) privato ☛ *Vedi nota a* TELEVISION ◆ *s* annuncio pubblicitario, spot

commission /kəˈmɪʃn/ ◆ *s* **1** commissione **2** incarico ◆ *vt* **1** incaricare **2** commissionare

commissioner /kəˈmɪʃənə(r)/ *s* membro di una commissione (*di un ente governativo*)

commit /kəˈmɪt/ (**-tt-**) **1** *vt* commettere **2** *vt* ~ **sb/sth to sth** affidare qn/qc a qc: *to commit sth to memory* imparare qc a memoria **3** *v rifl* ~ **yourself** (**to sth/to doing sth**) impegnarsi (in qc/a fare qc) ☛ *Confronta* ENGAGED *a* ENGAGE **4** *v rifl* ~ **yourself** (**on sth**) pronunciarsi (su qc) **commitment** *s* **1** ~ (**to sth/to do sth**) impegno (con qc/a fare qc) ☛ *Confronta* ENGAGEMENT senso 2 **2** dedizione

committee /kəˈmɪti/ *s* [*v sing o pl*] commissione, comitato

commodity /kəˈmɒdəti/ *s* (*pl* **-ies**) **1** prodotto **2** (*Fin*) merce

common /ˈkɒmən/ ◆ *agg* **1** ~ (**to sb/sth**) comune (a qn/qc): *common sense* buon senso **2** (*dispreg*) rozzo ☛ *Confronta* ORDINARY LOC **in common** in comune ◆ *s* **1** (*anche* **common land**) terreno di uso pubblico **2 the Commons** *Vedi* THE HOUSE OF COMMONS **commonly** *avv* comunemente

commonplace /ˈkɒmənpleɪs/ *agg* comune

commotion /kəˈməʊʃn/ *s* confusione

communal /ˈkɒmjənl, kəˈmjuːnl/ *agg* in comune

commune /ˈkɒmjuːn/ *s* [*v sing o pl*] comune (*familiare*)

communicate /kəˈmjuːnɪkeɪt/ **1** *vt* ~ **sth** (**to sb/sth**) comunicare qc (a qn/qc) **2** *vi* ~ (**with sb/sth**) comunicare (con qn/qc) **communication** *s* **1** comunicazione **2** (*malattia*) contagio

communion /kəˈmjuːniən/ (*anche* **Holy Communion**) *s* comunione

communiqué /kəˈmjuːnɪkeɪ; *USA* kəˌmjuːnəˈkeɪ/ *s* comunicato

communism /ˈkɒmjunɪzəm/ *s* comunismo **communist** *agg, s* comunista

community /kəˈmjuːnəti/ *s* [*v sing o pl*] (*pl* **-ies**) comunità: *community centre* centro sociale

commute /kəˈmjuːt/ *vi* fare il/la pendolare **commuter** *s* pendolare

compact /kəmˈpækt/ ◆ *agg* compatto ◆ /ˈkɒmpækt/ *s* (*anche* **powder compact**) portacipria

companion /kəmˈpæniən/ *s* compagno, -a **companionship** *s* compagnia

company /ˈkʌmpəni/ *s* (*pl* **-ies**) **1** compagnia **2** [*v sing o pl*] (*Comm*) società, ditta LOC **to keep sb company** fare compagnia a qn *Vedi anche* PART

comparable /ˈkɒmpərəbl/ *agg* ~ (**to/with sb/sth**) paragonabile (a qn/qc)

comparative /kəmˈpærətɪv/ *agg* **1** comparativo **2** relativo

compare /kəmˈpeə(r)/ **1** *vt* ~ **sth with/to sth** paragonare qc a qc **2** *vi* ~ (**with sb/sth**) essere paragonabile (a qn/qc)

comparison /kəmˈpærɪsn/ *s* ~ (**of sth and/to/with sth**) paragone (di qc con qc) LOC **there's no comparison** non c'è paragone

compartment /kəmˈpɑːtmənt/ *s* scompartimento

compass /ˈkʌmpəs/ *s* **1** bussola **2** (*anche* **compasses** [*pl*]) compasso

compassion /kəmˈpæʃn/ *s* compassione **compassionate** *agg* compassionevole

compatible /kəmˈpætəbl/ *agg* compatibile

compel /kəmˈpel/ *vt* (**-ll-**) (*form*) **1** obbligare **2** imporre **compelling** *agg* **1** irresistibile **2** (*motivo*) impellente **3** (*argomento*) convincente *Vedi anche* COMPULSION

compensate /ˈkɒmpenseɪt/ **1** *vt, vi* ~

(**sb**) (**for sth**) compensare (qn) (di qc) **2** *vt* ~ **sb** (**for sth**) risarcire qn (per qc) **3** *vi* ~ (**for sth**) compensare (qc) **compensation** *s* **1** compensazione **2** risarcimento

compete /kəm'piːt/ *vi* **1** ~ (**against/with sb**) (**in sth**) (**for sth**) essere in competizione (con qn) (in qc) (per qc) **2** ~ (**in sth**) (*Sport*) prender parte (a qc)

competent /'kɒmpɪtənt/ *agg* **1** ~ (**as/at/in sth**) competente (come/in qc) **2** ~ **to do sth** in grado di fare qc **competence** *s* competenza

competition /ˌkɒmpə'tɪʃn/ *s* **1** gara, concorso **2** ~ (**with sb/between...**) (**for sth**) concorrenza (con qn/fra...) (per qc) **3 the competition** [*v sing o pl*] la concorrenza

competitive /kəm'petətɪv/ *agg* competitivo

competitor /kəm'petɪtə(r)/ *s* concorrente *Vedi anche* CONTESTANT *a* CONTEST

compile /kəm'paɪl/ *vt* compilare

complacency /kəm'pleɪsnsi/ *s* ~ (**about sth**) autocompiacimento (per qc) **complacent** *agg* compiaciuto

complain /kəm'pleɪn/ *vi* **1** ~ (**to sb**) (**about/at/of sth**) lamentarsi (con qn) (di qc) **2** ~ (**that...**) lamentarsi (perché...) **3** (*ufficialmente*) ~ (**to sb**) (**about sth**) reclamare (con qn) (per qc) **complaint** *s* **1** lamentela **2** reclamo **3** (*Med*) disturbo

complement /'kɒmplɪmənt/ ◆ *s* **1** ~ (**to sth**) complemento (di qc) **2** effettivo ◆ *vt* completare ☛ *Confronta* COMPLIMENT **complementary** /ˌkɒmplɪ'mentri/ *agg* ~ (**to sth**) complementare (a qc)

complete /kəm'pliːt/ ◆ *vt* **1** completare **2** (*modulo*) riempire ◆ *agg* **1** completo **2** completato **3** totale, assoluto: *a complete stranger* un perfetto sconosciuto **completely** *avv* completamente, totalmente **completion** *s* **1** completamento **2** firma (*di un contratto*)

complex /'kɒmpleks/ ◆ *agg* complesso, complicato ◆ *s* complesso

complexion /kəm'plekʃn/ *s* **1** carnagione **2** (*fig*) aspetto

compliance /kəm'plaɪəns/ *s* ubbidienza: *in compliance with* in conformità a

complicate /'kɒmplɪkeɪt/ *vt* complicare **complicated** *agg* complicato **complication** *s* complicazione

compliment /'kɒmplɪmənt/ ◆ *s* **1** complimento: *to pay sb a compliment* fare un complimento a qn **2 compliments** [*pl*] (*form*) ossequi: *with the compliments of* con gli omaggi di ◆ *vt* ~ **sb** (**on sth**) congratularsi con qn (per qc) ☛ *Confronta* COMPLEMENT **complimentary** /ˌkɒmplɪ'mentri/ *agg* **1** lusinghiero **2** (*biglietto*) omaggio

comply /kəm'plaɪ/ *vi* (*pass, pp* **complied**) ~ (**with sth**) ubbidire (a qc)

component /kəm'pəʊnənt/ ◆ *s* **1** componente **2** (*Mecc*) pezzo ◆ *agg*: *component parts* elementi

compose /kəm'pəʊz/ **1** *vt* (*Mus*) comporre **2** *vt* (*lettera*) redigere **3** *vt* (*idee*) riordinare **4** *v rifl* ~ **yourself** ricomporsi **composed** *agg* sereno **composer** *s* compositore, -trice

composition /ˌkɒmpə'zɪʃn/ *s* **1** composizione **2** (*Scuola*) tema *Vedi anche* ESSAY

compost /'kɒmpɒst/ *s* concime

composure /kəm'pəʊʒə(r)/ *s* calma

compound /'kɒmpaʊnd/ ◆ *agg, s* composto ◆ *s* recinto ◆ /kəm'paʊnd/ *vt* peggiorare

comprehend /ˌkɒmprɪ'hend/ *vt* capire *Vedi anche* UNDERSTAND **comprehensible** *agg* ~ (**to sb**) comprensibile (per qn) **comprehension** *s* comprensione

comprehensive /ˌkɒmprɪ'hensɪv/ *agg* completo, esauriente

comprehensive school *s* (*GB*) scuola secondaria

compress /kəm'pres/ *vt* **1** comprimere **2** (*idee*) condensare **compression** *s* compressione

comprise /kəm'praɪz/ *vt* **1** comprendere **2** formare

compromise /'kɒmprəmaɪz/ ◆ *s* compromesso ◆ **1** *vi* ~ (**on sth**) venire a un compromesso (su qc) **2** *vt* compromettere **compromising** *agg* compromettente

compulsion /kəm'pʌlʃn/ *s* ~ (**to do sth**) **1** obbligo (di fare qc) **2** desiderio incontrollabile (di fare qc)

compulsive /kəm'pʌlsɪv/ *agg* **1** (*libro*) avvincente **2** (*comportamento*) incontrollabile **3** (*giocatore, bugiardo*) incorreggibile

compulsory /kəmˈpʌlsəri/ *agg* obbligatorio LOC **compulsory purchase** espropriazione

computer /kəmˈpjuːtə(r)/ *s* computer: *computer programmer* programmatore di computer ☛ *Vedi illustrazione a* COMPUTER **computerize, -ise** *vt* computerizzare **computing** *s* informatica

comrade /ˈkɒmreɪd; *USA* -ræd/ *s* compagno, -a

con /kɒn/ ◆ *s* (*inform*) truffa: *con artist/man* truffatore LOC *Vedi* PRO ◆ *vt* (*inform*) (**-nn-**) **to con sb (out of sth)** estorcere qc a qn; truffare qn

conceal /kənˈsiːl/ *vt* **1** occultare **2** (*gioia, ecc*) dissimulare

concede /kənˈsiːd/ *vt* ~ **(that…)** ammettere (che…)

conceit /kənˈsiːt/ *s* vanità **conceited** *agg* vanitoso

conceivable /kənˈsiːvəbl/ *agg* concepibile **conceivably** *avv*: *She may conceivably not want to do it.* Può anche darsi che non voglia farlo.

conceive /kənˈsiːv/ *vt, vi* **1** concepire **2** ~ **(of) sth** immaginare qc

concentrate /ˈkɒnsntreɪt/ *vt, vi* concentrare, concentrarsi **concentration** *s* concentrazione

concept /ˈkɒnsept/ *s* concetto

conception /kənˈsepʃn/ *s* **1** concezione **2** concetto

concern /kənˈsɜːn/ ◆ **1** *vt* riguardare: *as far as I am concerned* per quanto mi riguarda **2** *v rifl* ~ **yourself with sth** occuparsi di qc **3** *vt* preoccupare ◆ *s* **1** preoccupazione **2** interesse: *It's none of your concern.* Non ti riguarda. **3** ditta **concerned** *agg* preoccupato LOC **to be concerned with sth** trattare di qc **concerning** *prep* riguardo a

concert /ˈkɒnsət/ *s* concerto: *concert hall* sala da concerti

concerted /kənˈsɜːtɪd/ *agg* **1** (*attacco*) concertato **2** (*sforzo*) congiunto

concession /kənˈseʃn/ *s* **1** concessione **2** (*Fin*) sgravio

conciliation /kənˌsɪliˈeɪʃn/ *s* conciliazione **conciliatory** /kənˈsɪliətəri/ *agg* conciliante

concise /kənˈsaɪs/ *agg* conciso

conclude /kənˈkluːd/ **1** *vt, vi* concludere, concludersi **2** *vt* ~ **that…** arrivare alla conclusione che…

conclusion *s* conclusione LOC *Vedi* JUMP

conclusive /kənˈkluːsɪv/ *agg* definitivo, decisivo

concoct /kənˈkɒkt/ *vt* **1** (*spesso dispreg*) mettere insieme **2** (*scusa*) inventare **3** (*piano*) architettare **concoction** *s* **1** miscuglio **2** (*liquido*) intruglio

concord /ˈkɒŋkɔːd/ *s* concordia, armonia

concourse /ˈkɒŋkɔːs/ *s* atrio (*di un edificio*)

concrete /ˈkɒŋkriːt/ ◆ *agg* concreto, tangibile ◆ *s* calcestruzzo

concur /kənˈkɜː(r)/ *vi* (**-rr-**) (*form*) ~ **(with sb/sth) (in sth)** essere d'accordo, coincidere (con qn/qc) (su qc) **concurrence** *s* accordo **concurrent** *agg* simultaneo **concurrently** *avv* simultaneamente

concussion /kənˈkʌʃn/ *s* commozione cerebrale

condemn /kənˈdem/ *vt* **1** ~ **sb/sth** condannare qn/qc **2** ~ **sb (to sth/to do sth)** condannare qn (a qc/a fare qc) **3** (*edificio*) dichiarare inagibile **condemnation** *s* condanna

condensation /ˌkɒndenˈseɪʃn/ *s* **1** condensazione **2** condensa **3** (*testo*) riassunto

condense /kənˈdens/ *vt, vi* ~ **(sth) (into/to sth) 1** condensare qc (in qc); condensarsi (in qc) **2** riassumere qc (in qc); riassumersi (in qc)

condescend /ˌkɒndɪˈsend/ *vi* ~ **to do sth** degnarsi di fare qc

condition /kənˈdɪʃn/ ◆ *s* **1** condizione: *in good condition* in buone condizioni ◊ *weather conditions* le condizioni del tempo ◊ *without conditions* senza condizioni ◊ *the conditions of the treaty* le condizioni del trattato **2** *to be out of condition* essere fuori forma LOC **on condition (that…)** a condizione di/che… **on no condition** (*form*) a nessuna condizione **on one condition** (*form*) a una condizione *Vedi anche* MINT ◆ *vt* condizionare **conditional** *agg* condizionale: *to be conditional on/upon sth* dipendere da qc **conditioner** *s* **1** (*capelli*) balsamo **2** (*biancheria*) ammorbidente

condolence /kənˈdəʊləns/ *s* [*gen pl*]

condoglianze: *to give/send your condolences* porgere le proprie condoglianze

condom /ˈkɒndɒm/ *s* preservativo

condone /kənˈdəʊn/ *vt* perdonare, giustificare

conducive /kənˈdjuːsɪv; *USA* -ˈduːs-/ *agg* ~ **to sth** favorevole a qc

conduct /ˈkɒndʌkt/ ◆ *s* **1** condotta **2** ~ **of sth** gestione di qc ◆ /kənˈdʌkt/ **1** *vt* (*indagine, inchiesta, elettricità*) condurre **2** *vt* (*azienda, orchestra*) dirigere **3** *v rifl* ~ **yourself** (*form*) comportarsi **conductor** *s* **1** (*Mus*) direttore d'orchestra **2** (*GB*) (*autobus*) bigliettaio, -a

Il conducente dell'autobus si chiama **driver**.

3 (*USA*) (*GB* **guard**) (*Ferrovia*) capotreno **4** (*Elettr*) conduttore

cone /kəʊn/ *s* **1** cono **2** (*auto*) birillo **3** (*Bot*) pigna

confectionery /kənˈfekʃənəri/ *s* [*non numerabile*] dolciumi

confederation /kənˌfedəˈreɪʃn/ *s* confederazione

confer /kənˈfɜː(r)/ (-rr-) **1** *vt* ~ **sth on sb** (*titolo*) conferire qc a qn **2** *vi* ~ **with sb** consultarsi con qn

conference /ˈkɒnfərəns/ *s* **1** conferenza: *conference hall* sala per conferenze ☛ *Confronta* LECTURE LOC **in conference** in riunione

confess /kənˈfes/ **1** *vt* confessare **2** *vi* confessarsi: *to confess to sth* confessare qc **confession** *s* confessione

confide /kənˈfaɪd/ *vt* ~ **sth to sb** confidare qc a qn PHR V **to confide in sb** confidarsi con qn

confidence /ˈkɒnfɪdəns/ *s* **1** ~ **(in sb/sth)** fiducia (in qn/qc): *a confidence trick* una truffa **2** sicurezza di sé LOC **to take sb into your confidence** confidarsi con qn *Vedi anche* BREACH, STRICT, VOTE **confident** *agg* **1** sicuro di sé **2** *to be confident of sth/that...* essere sicuro di qc/che... **confidential** /ˌkɒnfɪˈdenʃl/ *agg* confidenziale **confidently** *avv* con sicurezza

confine /kənˈfaɪn/ *vt* **1** costringere: *to be confined to bed* essere costretto a letto **2** limitare **confined** *agg* ristretto (*spazio*) **confinement** *s* reclusione LOC *Vedi* SOLITARY

confines /ˈkɒnfaɪnz/ *s* [*pl*] (*form*) confini

confirm /kənˈfɜːm/ *vt* confermare **confirmed** *agg* impenitente

confirmation /ˌkɒnfəˈmeɪʃn/ *s* **1** conferma **2** (*Rel*) cresima

confiscate /ˈkɒnfɪskeɪt/ *vt* confiscare

conflict /ˈkɒnflɪkt/ ◆ *s* conflitto ◆ /kənˈflɪkt/ *vi* ~ **(with sth)** essere in conflitto (con qc) **conflicting** *agg* contraddittorio: *conflicting evidence* prove contraddittorie

conform /kənˈfɔːm/ *vi* **1** ~ **to sth** conformarsi a qc **2** essere conforme **3** ~ **with/to sth** corrispondere a qc **conformist** *s* conformista **conformity** *s* (*form*) conformità: *in conformity with* in conformità a

confront /kənˈfrʌnt/ *vt* **1** affrontare **2** ~ **sb with sth** mettere qn a confronto con qc: *They confronted him with the facts.* Lo misero di fronte ai fatti. **confrontation** *s* scontro

confuse /kənˈfjuːz/ *vt* **1** ~ **sb/sth (with sb/sth)** confondere qn/qc (con qn/qc) **2** (*questione*) complicare **confused** *agg* confuso: *to get confused* confondersi **confusing** *agg* confuso ☛ *Confronta* CONFUSO **confusion** *s* confusione

congeal /kənˈdʒiːl/ *vi* rapprendersi

congenial /kənˈdʒiːniəl/ *agg* piacevole LOC **congenial to sb** congeniale a qn **congenial to sth** favorevole a qc

congenital /kənˈdʒenɪtl/ *agg* congenito

congested /kənˈdʒestɪd/ *agg* ~ **(with sth)** congestionato (per qc) **congestion** *s* congestione

conglomerate /kənˈglɒmərət/ *s* conglomerato

congratulate /kənˈgrætʃuleɪt/ *vt* ~ **sb (on sth)** congratularsi con qn (per qc) **congratulation** *s* LOC **congratulations!** congratulazioni!

congregate /ˈkɒŋgrɪgeɪt/ *vi* congregarsi **congregation** *s* [*v sing o pl*] insieme di fedeli

congress /ˈkɒŋgres; *USA* -grəs/ *s* [*v sing o pl*] congresso **congressional** /kənˈgreʃənl/ *agg* del congresso

conical /ˈkɒnɪkl/ *agg* conico

conifer /ˈkɒnɪfə(r)/ *s* conifera

conjecture /kənˈdʒektʃə(r)/ *s* congettura, congetture

conjunction /kənˈdʒʌŋkʃn/ *s*

(*Gramm*) congiunzione LOC **in conjunction with** insieme a

conjure /ˈkʌndʒə(r)/ *vi* fare giochi di prestigio PHR V **to conjure sth up 1** fare apparire qc per magia **2** (*spirito*) evocare qc **3** (*ricordi, ecc*) rievocare qc **conjurer** *s* prestigiatore, -trice

connect /kəˈnekt/ **1** *vt, vi* (*gen, Elettr*) collegare, collegarsi **2** *vt*: *connected by marriage* imparentato per matrimonio **3** *vt* ~ **sb/sth** (**with sb/sth**) associare qn/qc (con qn/qc) **4** *vt* ~ **sb** (**with sb**) (*telefono*) mettere in comunicazione qn (con qn) **connection** *s* **1** connessione **2** relazione **3** (*trasporti*) coincidenza LOC **in connection with** a proposito di **to have connections** avere tante conoscenze

connoisseur /ˌkɒnəˈsɜː(r)/ *s* intenditore, -trice

conquer /ˈkɒŋkə(r)/ *vt* **1** conquistare **2** vincere, sconfiggere **conqueror** *s* conquistatore, -trice

conquest /ˈkɒŋkwest/ *s* conquista

conscience /ˈkɒnʃəns/ *s* coscienza LOC **to have sth on your conscience** avere qc sulla coscienza *Vedi anche* EASE

conscientious /ˌkɒnʃiˈenʃəs/ *agg* coscienzioso: *conscientious objector* obiettore di coscienza

conscious /ˈkɒnʃəs/ *agg* **1** conscio **2** (*decisione*) consapevole **consciously** *avv* consapevolmente **consciousness** *s* **1** conoscenza: *to lose/regain consciousness* perdere/riprendere conoscenza **2** **consciousness** (**of sth**) consapevolezza (di qc)

conscript /ˈkɒnskrɪpt/ *s* coscritto **conscription** *s* coscrizione

consecrate /ˈkɒnsɪkreɪt/ *vt* consacrare

consecutive /kənˈsekjətɪv/ *agg* consecutivo

consent /kənˈsent/ ◆ *vi* ~ (**to sth**) acconsentire (a qc) ◆ *s* consenso LOC *Vedi* AGE

consequence /ˈkɒnsɪkwəns; *USA* -kwens/ *s* **1** [*gen pl*] conseguenza: *as a/in consequence of sth* come conseguenza di qc **2** (*form*) importanza: *It's of no consequence.* Non ha importanza.

consequent /ˈkɒnsɪkwənt/ *agg* (*form*) **1** conseguente **2** ~ **on/upon sth** derivante da qc **consequently** *avv* di conseguenza

conservation /ˌkɒnsəˈveɪʃn/ *s* conservazione, tutela: *a conservation area* una zona protetta

conservative /kənˈsɜːvətɪv/ ◆ *agg* **1** conservatore **2** **Conservative** (*Politica*) conservatore *Vedi anche* TORY ◆ *s* conservatore, -trice

conservatory /kənˈsɜːvətri; *USA* -tɔːri/ *s* (*pl* **-ies**) **1** serra **2** (*Mus*) conservatorio

conserve /kənˈsɜːv/ *vt* **1** conservare **2** (*energia, forze*) risparmiare **3** (*natura*) proteggere

consider /kənˈsɪdə(r)/ *vt* **1** considerare: *to consider doing sth* considerare la possibilità di fare qc **2** tener conto di

considerable /kənˈsɪdərəbl/ *agg* considerevole, notevole **considerably** *avv* notevolmente

considerate /kənˈsɪdərət/ *agg* ~ (**towards sb/sth**) rispettoso (verso qn/qc)

consideration /kənˌsɪdəˈreɪʃn/ *s* **1** considerazione: *It is under consideration.* È in esame. **2** fattore LOC **to take sth into consideration** prendere qc in considerazione

considering /kənˈsɪdərɪŋ/ ◆ *cong* considerato che ◆ *prep* considerato

consign /kənˈsaɪn/ *vt* ~ **sb/sth** (**to sth**) relegare qn/qc (in qc): *consigned to oblivion* condannato all'oblio **consignment** *s* **1** consegna **2** partita (*merce*)

consist /kənˈsɪst/ *v* PHR V **to consist of sth** constare di qc, essere composto di qc

consistency /kənˈsɪstənsi/ *s* (*pl* **-ies**) **1** consistenza **2** (*atteggiamento*) coerenza

consistent /kənˈsɪstənt/ *agg* **1** (*persona*) costante **2** ~ (**with sth**) coerente (con qc) **consistently** *avv* **1** costantemente **2** uniformemente

consolation /ˌkɒnsəˈleɪʃn/ *s* consolazione

console /kənˈsəʊl/ *vt* consolare

consolidate /kənˈsɒlɪdeɪt/ *vt, vi* consolidare, consolidarsi

consonant /ˈkɒnsənənt/ *s* consonante

consortium /kənˈsɔːtiəm; *USA* -ˈsɔːrʃɪəm/ *s* (*pl* **-tia** /-tɪə; *USA* -ʃɪə/) consorzio

container

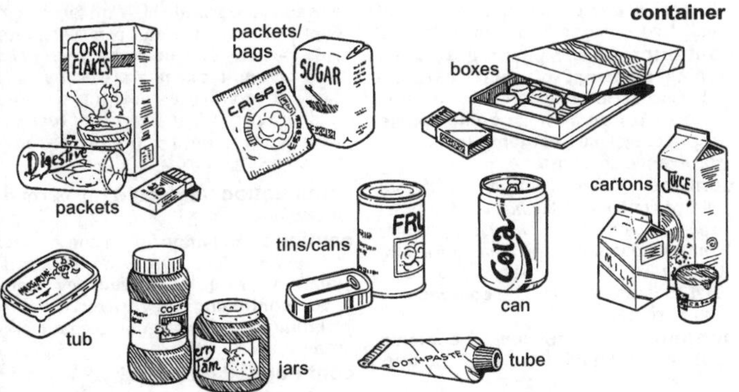

conspicuous /kən'spɪkjuəs/ *agg* **1** che si fa notare: *to make yourself conspicuous* farsi notare **2** (*iron*) **to be ~ for sth** distinguersi per qc **3** visibile LOC **to be conspicuous by your absence** brillare per la propria assenza **conspicuously** *avv* notevolmente

conspiracy /kən'spɪrəsi/ *s* (*pl* **-ies**) cospirazione, congiura **conspiratorial** /kənˌspɪrə'tɔːriəl/ *agg* cospiratorio

conspire /kən'spaɪə(r)/ *vi* cospirare

constable /'kʌnstəbl; *USA* 'kɒn-/ *s* agente di polizia

constant /'kɒnstənt/ ◆ *agg* **1** costante, continuo **2** (*amico, ecc*) fedele ◆ *s* costante **constantly** *avv* costantemente

constipated /'kɒnstɪpeɪtɪd/ *agg* stitico

constipation /ˌkɒnstɪ'peɪʃn/ *s* stitichezza

constituency /kən'stɪtjuənsi/ *s* (*pl* **-ies**) **1** collegio elettorale **2** elettori

constituent /kən'stɪtjuənt/ *s* **1** (*Politica*) elettore, -trice **2** componente

constitute /'kɒnstɪtjuːt/ *vt* costituire

constitution /ˌkɒnstɪ'tjuːʃn; *USA* -'tuːʃn/ *s* costituzione **constitutional** *agg* costituzionale

constraint /kən'streɪnt/ *s* **1** costrizione **2** limitazione

constrict /kən'strɪkt/ *vt* **1** stringere **2** limitare

construct /kən'strʌkt/ *vt* costruire ☛ La parola più comune è **build**. **construction** *s* costruzione

construe /kən'struː/ *vt* interpretare

consul /'kɒnsl/ *s* console

consulate /'kɒnsjələt; *USA* -səl-/ *s* consolato

consult /kən'sʌlt/ *vt, vi* consultare: *consulting room* ambulatorio **consultant** *s* **1** consulente **2** (*Med*) specialista **consultancy** *s* consulenza **consultation** *s* consulto

consume /kən'sjuːm; *USA* -'suːm/ *vt* consumare: *He was consumed with envy.* Era roso dall'invidia. **consumer** *s* consumatore, -trice

consummate /kən'sʌmət/ ◆ *agg* (*form*) consumato, straordinario ◆ /'kɒnsəmeɪt/ *vt* (*form*) **1** coronare **2** (*matrimonio*) consumare

consumption /kən'sʌmpʃn/ *s* **1** consumo **2** (*antiq, Med*) consunzione

contact /'kɒntækt/ ◆ *s* (*gen, Elettr*) contatto: *contact lenses* lenti a contatto LOC **to make contact (with sb/sth)** mettersi in contatto (con qn/qc) ◆ *vt* mettersi in contatto con

contagious /kən'teɪdʒəs/ *agg* contagioso

contain /kən'teɪn/ *vt* contenere: *to contain yourself* contenersi **container** *s* **1** contenitore **2** container: *container lorry/ship* autocarro/nave portacontainer

contaminate /kən'tæmɪneɪt/ *vt* contaminare

contemplate /'kɒntəmpleɪt/ **1** *vt, vi* contemplare, meditare (su) **2** *vt* pensare a: *to contemplate doing sth* pensare di fare qc

contemporary /kən'temprəri; *USA*

-pəreri/ ◆ *agg* contemporaneo ◆ *s* (*pl* **-ies**) **1** coetaneo, -a **2** contemporaneo, -a

contempt /kən'tempt/ *s* **1** disprezzo **2** (*anche* **contempt of court**) oltraggio alla Corte LOC **beneath contempt** spregevole *Vedi anche* HOLD **contemptible** *agg* spregevole **contemptuous** *agg* sprezzante, sdegnoso

contend /kən'tend/ **1** *vi* ~ **with sth** lottare contro qc: *She has a lot of problems to contend with.* Deve lottare contro molti problemi. **2** *vi* ~ (**for sth**) competere, lottare (per qc) **3** *vt* ~ **that...** sostenere che... **contender** *s* concorrente

content[1] /'kɒntent/ (*anche* **contents** [*pl*]) *s* contenuto: *table of contents* indice

content[2] /kən'tent/ ◆ *agg* ~ (**with sth/ to do sth**) contento, soddisfatto (di qc/ di fare qc) ◆ *v rifl* ~ **yourself with sth** accontentarsi di qc **contented** *agg* contento, soddisfatto **contentment** *s* contentezza, soddisfazione

contention /kən'tenʃn/ *s* **1** lizza: *the teams are in contention for...* le due squadre sono in lizza per... **2** controversia LOC *Vedi* BONE

contentious /kən'tenʃəs/ *agg* **1** polemico **2** attaccabrighe

contest /kən'test/ ◆ *vt* **1** (*affermazione*) contestare **2** (*Dir*) impugnare **3** (*seggio*) essere in lizza per ◆ /'kɒntest/ *s* **1** concorso, competizione **2** (*fig*) gara, lotta **contestant** /kən'testənt/ *s* concorrente

context /'kɒntekst/ *s* contesto

continent /'kɒntɪnənt/ *s* **1** (*Geog*) continente **2 the Continent** (*GB*) l'Europa continentale **continental** /ˌkɒntɪ'nentl/ *agg* continentale: *continental quilt* piumino

contingency /kən'tɪndʒənsi/ *s* (*pl* **-ies**) eventualità: *contingency plan* piano di emergenza

contingent /kən'tɪndʒənt/ *s* [*v sing o pl*] contingente

continual /kən'tɪnjuəl/ *agg* continuo **continually** *avv* continuamente

Continual o **continuous**? **Continual** e **continually** si usano per descrivere delle azioni che si ripetono quando si vuole dare una sfumatura negativa: *His continual phone calls started to annoy her.* Le sue continue telefonate cominciavano a infastidirla. **Continuous** e **continuously** si usano per descrivere delle azioni continuative: *There has been a continuous improvement in his work.* Il suo lavoro rileva un costante miglioramento. ◊ *It has rained continuously for three days.* Piove ininterrottamente da tre giorni.

continuation /kənˌtɪnju'eɪʃn/ *s* continuazione

continue /kən'tɪnju:/ *vt, vi* continuare: *to continue doing sth/to do sth* continuare a fare qc **continued** *agg* continuo **continuing** *agg* ricorrente: *a continuing problem* un problema ricorrente

continuity /ˌkɒntɪ'nju:əti; *USA* -'nu:-/ *s* continuità

continuous /kən'tɪnjuəs/ *agg* continuo, ininterrotto **continuously** *avv* in continuazione, ininterrottamente ☛ *Vedi nota a* CONTINUAL

contort /kən'tɔ:t/ *vt, vi* contorcere, contorcersi

contour /'kɒntʊə(r)/ *s* contorno

contraband /'kɒntrəbænd/ *s* contrabbando

contraception /ˌkɒntrə'sepʃn/ *s* contraccezione **contraceptive** *agg, s* anticoncezionale

contract /'kɒntrækt/ ◆ *s* contratto ◆ /kən'trækt/ **1** *vt*: *to be contracted to do sth* aver stipulato un contratto per fare qc **2** *vt* (*matrimonio, malattia, debito*) contrarre **3** *vi* contrarsi **4** *vi* ~ **with sb** stipulare un contratto con qn **contractor** *s* appaltatore

contraction /kən'trækʃən/ *s* contrazione

contradict /ˌkɒntrə'dɪkt/ *vt* contraddire **contradiction** *s* contraddizione **contradictory** *agg* contraddittorio

contrary /'kɒntrəri; *USA* -treri/ ◆ *agg* contrario ◆ *avv* ~ **to sth** contro qc; contrario a qc ◆ **the contrary** *s* il contrario LOC **on the contrary** al contrario

contrast /kən'trɑ:st; *USA* -'træst/ ◆ **1** *vt* ~ **A and/with B** mettere a confronto A con B **2** *vi* ~ (**with sth**) contrastare con qc ◆ /'kɒntrɑ:st; *USA* -træst/ *s* contrasto

contribute /kən'trɪbju:t/ **1** *vt, vi* ~ (**sth**) **to sth** contribuire (con qc) a qc **2**

vi ~ **to sth** (*dibattito*) partecipare a qc **contributor** *s* **1** contribuente **2** (*rivista*) collaboratore, -trice **contributory** *agg* che contribuisce

contribution /ˌkɒntrɪˈbjuːʃn/ *s* **1** contribuzione, contributo **2** (*rivista*) articolo

control /kənˈtrəʊl/ ◆ *s* **1** controllo: *to be in control of sth* tenere sotto controllo qc **2 controls** [*pl*] comandi LOC **to be out of control 1** essere incontrollabile: *Her car went out of control.* Perse il controllo dell'auto. **2** (*persona*) aver perso il controllo ◆ **1** *vt* controllare **2** *vt* (*auto*) manovrare **3** *v rifl* ~ **yourself** controllarsi **4** *vt* (*legge*) regolare **5** *vt* (*spese, inflazione*) contenere

controversial /ˌkɒntrəˈvɜːʃl/ *agg* controverso, polemico

controversy /ˈkɒntrəvɜːsi, kənˈtrɒvəsi/ *s* (*pl* **-ies**) ~ (**about/over sth**) controversia (circa qc)

convene /kənˈviːn/ **1** *vt* convocare **2** *vi* riunirsi

convenience /kənˈviːniəns/ *s* comodità: *public conveniences* gabinetti pubblici

convenient /kənˈviːniənt/ *agg* **1** *if it's convenient* (*for you*) se per lei va bene **2** (*momento*) adatto **3** comodo **4** ~ (**for sth**) vicino (a qc) **conveniently** *avv* a proposito

convent /ˈkɒnvənt; *USA* -vent/ *s* convento

convention /kənˈvenʃn/ *s* **1** congresso **2** convenzione **conventional** *agg* convenzionale LOC **conventional wisdom** saggezza popolare

converge /kənˈvɜːdʒ/ *vi* ~ (**on sth**) convergere (su qc) **convergence** *s* convergenza

conversant /kənˈvɜːsnt/ *agg* (*form*) ~ **with sth** pratico di qc

conversation /ˌkɒnvəˈseɪʃn/ *s* conversazione: *to make conversation* conversare

converse[1] /kənˈvɜːs/ *vi* (*form*) conversare

converse[2] /ˈkɒnvɜːs/ **the converse** *s* il contrario **conversely** *avv* al contrario

conversion /kənˈvɜːʃn; *USA* kənˈvɜːrʒn/ *s* ~ (**from sth**) (**into/to sth**) conversione (da qc) (a qc)

convert /kənˈvɜːt/ ◆ **1** *vt* ~ (**sth**) (**from sth**) (**into/to sth**) convertire qc; convertirsi (da qc) (in qc): *The sofa converts* (*in*)*to a bed.* Il sofà può trasformarsi in un letto. **2** *vt* ~ (**sb**) (**from sth**) (**to sth**) (*Relig*) convertire qn; convertirsi (da qc) (a qc) ◆ /ˈkɒnvɜːt/ *s* ~ (**to sth**) convertito, -a (a qc)

convertible /kənˈvɜːtəbl/ ◆ *agg* ~ (**into/to sth**) convertibile (in qc) ◆ *s* decappottabile

convey /kənˈveɪ/ *vt* **1** (*form*) trasportare, convogliare **2** (*idea, sentimento*) esprimere **3** (*saluti*) porgere **conveyor** (*anche* **conveyor belt**) *s* nastro trasportatore

convict /kənˈvɪkt/ ◆ *vt* ~ **sb** (**of sth**) dichiarare colpevole qn (di qc) ◆ /ˈkɒnvɪkt/ *s* carcerato, -a: *an escaped convict* un evaso **conviction** *s* **1** ~ (**for sth**) condanna (per qc) **2** ~ (**that...**) convinzione (che...): *to carry/lack conviction* essere/non essere convincente

convince /kənˈvɪns/ *vt* ~ **sb** (**that.../of sth**) convincere qn (che.../di qc) **convinced** *agg* convinto **convincing** *agg* convincente

convulse /kənˈvʌls/ *vt* sconvolgere: *convulsed with laughter* morto dal ridere **convulsion** *s* [*gen pl*] convulsione

cook /kʊk/ ◆ **1** *vt, vi* cucinare **2** *vi* (*cibo*) cuocere: *The potatoes aren't cooked.* Le patate non sono cotte. LOC **to cook the books** (*inform, dispreg*) falsificare i libri contabili PHR V **to cook sth up** (*inform*): *to cook up an excuse* inventare una scusa ◆ *s* cuoco, -a

cooker /ˈkʊkə(r)/ *s* cucina (*elettrodomestico*) *Vedi anche* STOVE

cookery /ˈkʊkəri/ *s* [*non numerabile*] cucina: *oriental cookery* cucina orientale

cooking /ˈkʊkɪŋ/ *s* [*non numerabile*]

cucina: *French cooking* cucina francese ◊ *to do the cooking* cucinare ◊ *cooking apple* mela da cuocere

cool /kuːl/ ◆ *agg* (**-er**, **-est**) **1** (*temperatura*) fresco ☛ *Vedi nota a* FREDDO **2** (*inform*) imperturbabile **3** ~ (**towards sb/about sth**) indifferente (verso qn/qc) **4** (*accoglienza*) freddo LOC **to keep/stay cool** non perdere la calma: *Keep cool!* Calma! ◆ *vt, vi* ~ (**sth**) (**down/off**) raffreddare qc; raffreddarsi PHR V **to cool** (**sb**) **down/off** calmare qn, calmarsi ◆ **the cool** *s* [*non numerabile*] il fresco LOC **to keep/lose your cool** (*inform*) mantenere/perdere la calma

cooperate /kəʊˈɒpəreɪt/ *vi* **1** ~ (**with sb**) (**on sth**) cooperare (con qn) (a qc) **2** collaborare **cooperation** *s* **1** cooperazione **2** collaborazione

cooperative /kəʊˈɒpərətɪv/ ◆ *agg* **1** cooperativo **2** disposto a collaborare ◆ *s* cooperativa

coordinate /kəʊˈɔːdɪneɪt/ *vt* coordinare

cop /kɒp/ *s* (*inform*) poliziotto, -a

cope /kəʊp/ *vi* ~ (**with sth**) farcela (con qc): *I can't cope.* Non ce la faccio.

copious /ˈkəʊpiəs/ *agg* (*form*) copioso, abbondante

copper /ˈkɒpə(r)/ *s* **1** rame **2** (*inform, GB*) poliziotto, -a

copy /ˈkɒpi/ ◆ *s* (*pl* **copies**) **1** copia **2** (*rivista, ecc*) numero **3** testo (*per la stampa*) ◆ *vt* (*pass, pp* **copied**) **1** ~ **sth** (**down/out**) (**in/into sth**) copiare qc (su qc) **2** fotocopiare **3** ~ **sb/sth** copiare, imitare qn/qc

copyright /ˈkɒpiraɪt/ ◆ *s* diritti d'autore, copyright ◆ *agg* registrato, protetto da copyright

coral /ˈkɒrəl; *USA* ˈkɔːrəl/ ◆ *s* corallo ◆ *agg* di corallo, corallino

cord /kɔːd/ *s* **1** corda **2** (*USA*) *Vedi* FLEX **3** (*inform*) velluto a coste **4 cords** [*pl*] pantaloni di velluto a coste

cordon /ˈkɔːdn/ ◆ *s* cordone ◆ PHR V **to cordon sth off** transennare qc

corduroy /ˈkɔːdərɔɪ/ *s* velluto a coste

core /kɔː(r)/ *s* **1** torsolo ☛ *Vedi illustrazione a* FRUTTA **2** centro, nucleo: *a hard core* uno zoccolo duro LOC **to the core** fino al midollo

cork /kɔːk/ *s* **1** sughero **2** tappo

corkscrew /ˈkɔːkskruː/ *s* cavatappi

corn /kɔːn/ *s* **1** (*GB*) grano **2** (*USA*) granturco **3** callo

corner /ˈkɔːnə(r)/ ◆ *s* angolo **1** (*anche* **corner kick**) calcio d'angolo LOC (**just**) **round the corner** (proprio) dietro l'angolo ◆ **1** *vt* intrappolare **2** *vi* fare una curva **3** *vt* monopolizzare: *to corner the market in sth* monopolizzare il mercato di qc

cornerstone /ˈkɔːnəstəʊn/ *s* pietra angolare

cornflour /ˈkɔːnflaʊə(r)/ *s* amido di granturco

corollary /kəˈrɒləri; *USA* ˈkɒrəleri/ *s* ~ (**of/to sth**) (*form*) corollario (di qc)

coronation /ˌkɒrəˈneɪʃn; *USA* ˌkɔːr-/ *s* incoronazione

coroner /ˈkɒrənə(r); *USA* ˈkɔːr-/ *s* pubblico ufficiale incaricato delle indagini in casi di morte violenta

corporal /ˈkɔːpərəl/ ◆ *s* (*Mil*) caporalmaggiore ◆ *agg*: *corporal punishment* punizione corporale

corporate /ˈkɔːpərət/ *agg* **1** comune **2** corporativo

corporation /ˌkɔːpəˈreɪʃn/ *s* [*v sing o pl*] **1** consiglio comunale **2** corporazione

corps /kɔː(r)/ *s* [*v sing o pl*] (*pl* **corps** /kɔːz/) corpo

corpse /kɔːps/ *s* cadavere

correct /kəˈrekt/ ◆ *agg* corretto: *Would I be correct in saying…?* Mi sbaglio o…? ◆ *vt* correggere

correlation /ˌkɒrəˈleɪʃn; *USA* ˌkɔːr-/ *s* ~ (**with sth**)/(**between …**) correlazione (con qc)/(fra…)

correspond /ˌkɒrəˈspɒnd; *USA* ˌkɔːr-/ *vi* **1** ~ (**to/with sth**) corrispondere (a qc) **2** ~ (**with sb**) essere in corrispondenza (con qn) **correspondence** *s* corrispondenza **correspondent** *s* corrispondente **corresponding** *agg* corrispondente

corridor /ˈkɒrɪdɔː(r); *USA* ˈkɔːr-/ *s* corridoio

corrosion /kəˈrəʊʒn/ *s* corrosione

corrugated /ˈkɒrəgeɪtɪd/ *agg* ondulato

corrupt /kəˈrʌpt/ ◆ *agg* **1** corrotto **2** depravato ◆ *vt* corrompere **corruption** *s* corruzione

cosmetic /kɒzˈmetɪk/ *agg* cosmetico: *cosmetic surgery* chirurgia estetica **cosmetics** *s* [*pl*] cosmetici

cosmopolitan /ˌkɒzməˈpɒlɪtən/ *agg, s* cosmopolita

cost /kɒst; *USA* kɔːst/ ◆ *vt* **1** (*pass, pp* **cost**) costare **2** (*pass, pp* **costed**) (*Comm*) stabilire il prezzo di LOC **to cost a bomb** costare una barca di soldi *Vedi anche* EARTH ◆ *s* **1** costo: *whatever the cost* costi quel che costi ◊ *cost-effective* conveniente *Vedi anche* PRICE **2 costs** [*pl*] spese LOC **at all costs** a tutti i costi *Vedi anche* COUNT **costly** *agg* (**-ier**, **-iest**) caro, costoso

costume /ˈkɒstjuːm; *USA* -tuːm/ *s* costume, maschera

cosy (*USA* **cozy**) /ˈkəʊzi/ *agg* (**-ier**, **-iest**) accogliente

cot /kɒt/ *s* **1** (*USA* **crib**) lettino **2** (*USA*) branda

cottage /ˈkɒtɪdʒ/ *s* villetta (*in campagna*) ☛ *Vedi pag. 380.*

cotton /ˈkɒtn/ *s* **1** cotone **2** filo (*di cotone*)

cotton wool *s* cotone idrofilo

couch /kaʊtʃ/ ◆ *s* divano ◆ *vt* (*form*) ~ **sth** (**in sth**) esprimere qc (in qc)

cough /kɒf; *USA* kɔːf/ ◆ **1** *vi* tossire **2** *vt* ~ **sth up** espellere qc tossendo PHR V **to cough** (**sth**) **up** (*GB, inform*) sborsare (qc) ◆ *s* tosse

could *pass di* CAN[2]

council /ˈkaʊnsl/ *s* [*v sing o pl*] **1** consiglio comunale: *council flat/house* casa popolare **2** consiglio **councillor** (*USA anche* **councilor**) *s* consigliere

counsel /ˈkaʊnsl/ ◆ *s* **1** (*form*) [*non numerabile*] consiglio *Vedi anche* ADVICE **2** (*pl* **counsel**) avvocato, -essa ☛ *Vedi nota a* AVVOCATO ◆ *vt* (**-ll-**, *USA* **-l-**) (*form*) consigliare (a) **counselling** (*USA anche* **counseling**) *s* terapia, consulenza **counsellor** (*USA anche* **counselor**) *s* **1** consulente, consigliere **2** (*USA o Irl*) avvocato, -essa

count[1] /kaʊnt/ **1** *vt, vi* ~ (**sth**) (**up**) contare (qc) **2** *vi* ~ (**as sth**) valere (come qc) **3** *vi* ~ (**for sth**) importare, contare (qc) **4** *v rifl*: *to count yourself lucky* considerarsi fortunato LOC **to count the cost** (**of sth**) pagare lo scotto (di qc) PHR V **to count down** fare il conto alla rovescia **to count sb/sth in** includere qn/qc **to count on sb/sth** contare su qn/qc **to count sb/sth out** (*inform*) non includere qn/qc **to count towards sth** valere ai fini di qc

count[2] /kaʊnt/ *s* **1** conte **2** conto: *to lose count* perdere il conto

countdown /ˈkaʊntdaʊn/ *s* ~ (**to sth**) conto alla rovescia (per qc)

countenance /ˈkaʊntənəns/ ◆ *vt* (*form*) tollerare ◆ *s* espressione

counter /ˈkaʊntə(r)/ ◆ **1** *vi* ribattere **2** *vt* (*attacco*) rispondere a ◆ *s* **1** (*gioco*) gettone **2** contatore **3** banco (*in negozio, bar*) **4** sportello (*in banca, ufficio*) ◆ *avv* ~ **to sth** contrariamente a qc

counteract /ˌkaʊntərˈækt/ *vt* neutralizzare

counter-attack /ˈkaʊntər ətæk/ *s* contrattacco

counterfeit /ˈkaʊntəfɪt/ *agg* falso

counterpart /ˈkaʊntəpɑːt/ *s* **1** omologo, -a **2** equivalente

counter-productive /ˌkaʊntə prəˈdʌktɪv/ *agg* controproducente

countess /ˈkaʊntəs/ *s* contessa

countless /ˈkaʊntləs/ *agg* innumerevole

country /ˈkʌntri/ *s* (*pl* **-ies**) **1** paese, nazione **2** [*non numerabile*] (*anche* **the country**) la campagna: *country life* la vita di campagna **3** regione, territorio

countryman /ˈkʌntrimən/ *s* (*pl* **-men** /-mən/) **1** connazionale *m* **2** campagnolo

countryside /ˈkʌntrisaɪd/ *s* [*non numerabile*] campagna

countrywoman /ˈkʌntriwʊmən/ *s* (*pl* **-women**) **1** connazionale *f* **2** campagnola

county /ˈkaʊnti/ *s* (*pl* **-ies**) contea

coup /kuː/ *s* (*pl* **~s** /kuːz/) (*Fr*) **1** (*anche* **coup d'état** /kuːdeɪˈtɑː/) (*pl* **~s d'état**) colpo di stato, golpe **2** bel colpo

couple /ˈkʌpl/ ◆ *s* **1** coppia: *a married couple* una coppia di sposi **2** paio LOC **a couple of** un paio di ◆ *vt* **1** associare: *coupled with sth* abbinato a qc **2** (*vagone*) agganciare

coupon /ˈkuːpɒn/ *s* buono, coupon

courage /ˈkʌrɪdʒ/ *s* coraggio LOC *Vedi* DUTCH, PLUCK **courageous** /kəˈreɪdʒəs/ *agg* coraggioso

courgette /kʊəˈʒet/ *s* zucchino

courier /ˈkʊriə(r)/ *s* **1** accompagnatore turistico, accompagnatrice turistica **2** corriere

course /kɔːs/ *s* **1** (*tempo, fiume*) corso **2** (*nave, aereo*) rotta: *to be on/off course* essere in/fuori rotta **3** ~ **(in/on sth)** (*Scuola*) corso (di qc) **4** ~ **of sth** (*Med*) cura a base di qc **5** (*golf*) campo **6** (*macchine*) circuito **7** portata: *first course* primo piatto LOC **a course of action** una linea di condotta **in the course of sth** nel corso di qc **of course** naturalmente *Vedi anche* DUE, MATTER

court /kɔːt/ ◆ *s* **1** ~ **(of law)** corte, tribunale: *a court case* una causa ◊ *court order* ingiunzione del tribunale *Vedi anche* HIGH COURT **2** (*Sport*) campo **3 Court** corte (*reale*) LOC **to go to court (over sth)** andare in tribunale (per qc) **to take sb to court** citare in tribunale qn ◆ *vt* **1** corteggiare **2** (*disastro, ecc*) sfiorare

courteous /ˈkɜːtiəs/ *agg* cortese

courtesy /ˈkɜːtəsi/ *s* (*pl* **-ies**) cortesia LOC **(by) courtesy of sb** per gentile concessione di qn

court martial *s* (*pl* ~**s martial**) corte marziale

courtship /ˈkɔːtʃɪp/ *s* corteggiamento

courtyard /ˈkɔːtjɑːd/ *s* cortile

cousin /ˈkʌzn/ *s* cugino, -a

cove /kəʊv/ *s* cala

covenant /ˈkʌvənənt/ *s* accordo, patto

cover /ˈkʌvə(r)/ ◆ **1** *vt* ~ **sth (up/over) (with sth)** coprire qc (con qc) **2** *vt* ~ **sb/sth (in/with sth)** coprire qn/qc (di/con qc) **3** *vt* (*timidezza, ecc*) dissimulare **4** *vt* (*aspetto, categoria*) includere **5** *vt* (*argomento*) trattare **6** *vi* ~ **for sb** sostituire qn PHR V **to cover sth up** (*dispreg*) nascondere qc **to cover up for sb** fare da copertura a qn ◆ *s* **1** riparo **2** fodera **3** copertina **4 the covers** [*pl*] le coperte **5** ~ **(for sth)** (*fig*) copertura (per qc) **6** ~ **(for sb)** sostituzione (di qn) **7** ~ **(against sth)** copertura (contro qc) LOC **from cover to cover** dalla prima all'ultima pagina **to take cover (from sth)** mettersi al riparo (da qc) **under cover of sth** col favore di qc *Vedi anche* DIVE **coverage** *s* copertura **covering** *s* **1** copertura **2** strato

covert /ˈkʌvət; *USA* ˈkəʊvɜːrt/ *agg* **1** nascosto **2** (*occhiata*) furtivo

cover-up /ˈkʌvər ʌp/ *s* (*dispreg*) occultamento

covet /ˈkʌvət/ *vt* bramare

cow /kaʊ/ *s* mucca ☛ *Vedi nota a* CARNE

coward /ˈkaʊəd/ *s* vigliacco, -a **cowardice** *s* [*non numerabile*] vigliaccheria **cowardly** *agg* vigliacco

cowboy /ˈkaʊbɔɪ/ *s* **1** cowboy **2** (*GB, inform*) filibustiere, mascalzone

coy /kɔɪ/ *agg* (**coyer**, **coyest**) **1** che fa il timido/la timida **2** evasivo

cozy /ˈkəʊzi/ *agg* (*USA*) *Vedi* COSY

crab /kræb/ *s* granchio

crack /kræk/ ◆ *s* **1** ~ **(in sth)** crepa, incrinatura (in qc) **2** ~ **(in sth)** (*fig*) difetto (in qc) **3** fessura **4** botta, boato LOC **the crack of dawn** (*inform*) lo spuntar del giorno ◆ **1** *vt, vi* incrinare, incrinarsi **2** *vt* ~ **sth (open)** aprire qc (*rompendolo*) **3** *vi* ~ **(open)** aprirsi (*rompendosi*) **4** *vt* (*noce*) schiacciare **5** *vt* ~ **sth (on/against sth)** sbattere qc (contro qc) **6** *vt, vi* schioccare **7** *vi* (*persona*) crollare **8** *vt* (*difesa*) far crollare **9** *vt* (*inform*) (*problema*) risolvere **10** *vi* (*voce*) incrinarsi **11** *vt* (*inform*) (*barzelletta*) raccontare LOC **to get cracking** (*inform*) darsi una mossa PHR V **to crack down (on sb/sth)** prendere severe misure (contro qn/qc) **to crack up** (*inform*) (*persona*) crollare

crackdown /ˈkrækdaʊn/ *s* ~ **(on sth)** giro di vite (a qc)

cracker /ˈkrækə(r)/ *s* **1** cracker **2** petardo **3** (*anche* **Christmas cracker**) mortaretto con sorpresa

crackle /ˈkrækl/ ◆ *vi* crepitare ◆ *s* (*anche* **crackling**) crepitio

cradle /ˈkreɪdl/ ◆ *s* (*lett e fig*) culla ◆ *vt* cullare

craft /krɑːft; *USA* kræft/ ◆ *s* **1** arte: *the potter's craft* l'arte della ceramica ◊ *crafts* artigianato ◊ *a craft fair* una fiera dell'artigianato **2** abilità: *to learn your craft* imparare un mestiere **3** imbarcazione ◆ *vt* lavorare, fabbricare

craftsman /ˈkrɑːftsmən; *USA* ˈkræfts-/ *s* (*pl* **-men** /-mən/) **1** artigiano **2** (*fig*) artista **craftsmanship** *s* **1** artigianato **2** maestria

crafty /ˈkrɑːfti; *USA* ˈkræfti/ *agg* (**-ier**, **-iest**) astuto, furbo

crag /kræg/ *s* rupe **craggy** *agg* dirupato

cram /kræm/ **1** *vt* ~ **A into B** stipare, pigiare A in B **2** *vi* ~ **into sth** affollarsi, stiparsi in qc **3** *vi* (*inform*) sgobbare (*per un esame*)

cramp /kræmp/ ◆ *s* **1** [*non numerabile*] crampi **2** **cramps** (*anche* **stomach**

cramps) [*pl*] crampi allo stomaco ◆ *vt* (*progresso*) ostacolare **cramped** *agg* (*spazio*) limitato: *It's a bit cramped in here.* Qui si sta stretti.

crane /kreɪn/ *s* gru

crank /kræŋk/ *s* **1** (*Mecc*) manovella **2** (*inform*) fissato, -a

crash /kræʃ/ ◆ *s* **1** fracasso **2** incidente, scontro: *crash helmet* casco di protezione **3** (*Comm*) fallimento **4** (*Borsa*) crollo ◆ **1** *vt* (*auto*) avere un incidente con: *He crashed his car last Monday.* Lunedì scorso ha avuto un incidente con la macchina. **2** *vt, vi* ~ (**sth**) (**into sth**) (*auto*) schiantare qc/ schiantarsi (contro qc): *He crashed into a lamp-post.* È andato a sbattere contro un lampione. ◆ *agg*: *crash course* corso intensivo ◊ *crash diet* dieta lampo

crash landing *s* atterraggio di fortuna

crass /kræs/ *agg* (*dispreg*) **1** crasso **2** stupido

crate /kreɪt/ *s* cassa (*per frutta, bottiglie*)

crater /ˈkreɪtə(r)/ *s* cratere

crave /kreɪv/ **1** *vt, vi* ~ (**for**) **sth** desiderare ardentemente qc **2** *vt* (*antiq*) (*perdono*) implorare **craving** *s* ~ (**for sth**) gran voglia (di qc)

crawl /krɔːl/ ◆ *vi* **1** andare carponi, trascinarsi **2** (*anche* **to crawl along**) (*traffico*) procedere a passo d'uomo **3** (*inform*) ~ (**to sb**) fare il leccapiedi (con qn) LOC **crawling with sth** brulicante di qc ◆ *s* **1** passo di lumaca **2** (*nuoto*) crawl

crayon /ˈkreɪən/ *s* matita colorata, pastello a cera

craze /kreɪz/ *s* moda, mania

crazy /ˈkreɪzi/ *agg* (**-ier**, **-iest**) (*inform*) **1** pazzo **2** (*idea*) pazzesco **3** *crazy paving* selciato a pavimentazione irregolare

creak /kriːk/ *vi* scricchiolare, cigolare

cream¹ /kriːm/ ◆ *s* **1** panna: *cream cheese* formaggio fresco da spalmare **2** crema, pomata **3 the cream** il fior fiore ◆ *agg, s* color panna **creamy** *agg* (**-ier**, **-iest**) cremoso

cream² /kriːm/ *vt* amalgamare PHR V **to cream sth off** portare via qc

crease /kriːs/ ◆ *s* **1** grinza **2** piega ◆ *vt, vi* sgualcire, sgualcirsi

create /kriˈeɪt/ *vt* creare: *to create a fuss* fare un sacco di storie **creation** *s* creazione **creative** *agg* creativo

creator /kriːˈeɪtə(r)/ *s* creatore, -trice

creature /ˈkriːtʃə(r)/ *s* creatura: *living creatures* esseri viventi ◊ *a creature of habit* una persona abitudinaria ◊ *creature comforts* comodità

crèche /kreʃ/ *s* (*GB*) asilo nido

credentials /krəˈdenʃlz/ *s* [*pl*] **1** credenziali **2** (*per un lavoro*) requisiti

credibility /ˌkredəˈbɪləti/ *s* credibilità

credible /ˈkredəbl/ *agg* verosimile, credibile

credit /ˈkredɪt/ ◆ *s* **1** credito: *on credit* a credito ◊ *creditworthy* solvibile **2** saldo attivo: *to be in credit* avere un saldo attivo **3** (*contabilità*) avere **4** merito **5 credits** [*pl*] titoli di testa/coda LOC **to be a credit to sb/sth** fare onore a qn/qc **to do sb credit** fare onore a qn ◆ *vt* **1** ~ **sb/sth with sth** attribuire il merito di qc a qn/qc **2** (*Fin*) accreditare **3** credere (a) **creditable** *agg* lodevole **creditor** *s* creditore, -trice

creed /kriːd/ *s* credo

creek /kriːk; *USA* krɪk/ *s* **1** (*GB*) insenatura **2** (*USA*) ruscello LOC **to be up the creek** (**without a paddle**) (*inform*) essere nei pasticci

creep /kriːp/ ◆ *vi* (*pass, pp* **crept**) **1** avanzare furtivamente: *to creep up on sb* avvicinarsi furtivamente a qn **2** (*fig*): *A feeling of drowsiness crept over him.* Fu preso dalla sonnolenza. **3** (*pianta*) arrampicarsi ◆ *s* (*inform*) leccapiedi LOC **to give sb the creeps** (*inform*) far venire la pelle d'oca a qn **creepy** *agg* (**-ier**, **-iest**) (*inform*) pauroso, raccapricciante

cremation /krəˈmeɪʃn/ *s* cremazione

crematorium /ˌkreməˈtɔːriəm/ *s* (*pl* **-riums** *o* **-ria** /-ɔːrɪə/) (*USA* **crematory** /ˈkremətɔːri/) crematorio

crept *pass, pp di* CREEP

crescent /ˈkresnt/ *s* **1** mezzaluna: *a crescent moon* la mezzaluna **2** via a semicerchio

cress /kres/ *s* crescione inglese

crest /krest/ *s* **1** cresta **2** (*collina*) cima **3** (*Araldica*) cimiero

crestfallen /ˈkrestfɔːlən/ *agg* abbattuto, avvilito

crevice /ˈkrevɪs/ *s* crepa

crew /kruː/ *s* [*v sing o pl*] **1** equipaggio:

cabin crew assistenti di volo **2** (*canottaggio*) squadra **3** (*Cine*) troupe

crew-cut /ˈkru: kʌt/ *s* taglio a spazzola

crib /krɪb/ ◆ *s* **1** mangiatoia **2** (*USA*) culla **3** (*plagio*) scopiazzatura ◆ *vt, vi* copiare, scopiazzare

cricket /ˈkrɪkɪt/ *s* **1** (*Zool*) grillo **2** (*Sport*) cricket **cricketer** *s* giocatore, -trice di cricket

crime /kraɪm/ *s* **1** crimine, delitto **2** criminalità, delinquenza

criminal /ˈkrɪmɪnl/ ◆ *agg* **1** criminale: *criminal offence* reato ◊ *a criminal record* precedenti penali **2** (*diritto*) penale **3** (*azione*) vergognoso ◆ *s* criminale, delinquente

crimson /ˈkrɪmzn/ *agg* cremisi

cringe /krɪndʒ/ *vi* **1** (*per paura*) ritrarsi **2** (*fig*) morire di vergogna

cripple /ˈkrɪpl/ ◆ *s* invalido, -a ◆ *vt* **1** rendere invalido **2** (*fig*) paralizzare **crippling** *agg* **1** (*malattia*) debilitante **2** (*debito*) esorbitante

crisis /ˈkraɪsɪs/ *s* (*pl* **crises** /-si:z/) crisi

crisp /krɪsp/ ◆ *agg* (**-er**, **-est**) **1** croccante **2** (*verdure*) fresco **3** (*banconota*) nuovo di zecca **4** (*aria*) frizzantino **5** (*modo di fare*) secco ◆ *s* (*anche* **potato crisp**) (*USA* **potato chip**, **chip**) patatina (*in sacchetto*) ☛ *Vedi illustrazione a* PATATINA **crisply** *avv* seccamente **crispy** *agg* (**-ier**, **-iest**) croccante

criterion /kraɪˈtɪəriən/ *s* (*pl* **-ria** /-rɪə/) criterio

critic /ˈkrɪtɪk/ *s* critico, -a **critical** *agg* **1** critico: *to be critical of sb/sth* criticare qn/qc ◊ *critical acclaim* un successo di critica **2** (*momento*) critico, cruciale **3** (*condizione, paziente*) critico **critically** *avv* **1** criticamente **2** *critically ill* gravemente malato

criticism /ˈkrɪtɪsɪzəm/ *s* **1** critica **2** [*non numerabile*] critiche: *He can't take criticism.* Non gli piace essere criticato. **3** [*non numerabile*] critica: *literary criticism* critica letteraria

criticize, -ise /ˈkrɪtɪsaɪz/ *vt* criticare

critique /krɪˈti:k/ *s* analisi critica

croak /krəʊk/ ◆ *vi* **1** gracidare **2** (*fig*) gracchiare ◆ *s* (*anche* **croaking**) il gracidare

crochet /ˈkrəʊʃeɪ; *USA* krəʊˈʃeɪ/ *s* uncinetto

crockery /ˈkrɒkəri/ *s* [*non numerabile*] stoviglie, vasellame

crocodile /ˈkrɒkədaɪl/ *s* coccodrillo

crocus /ˈkrəʊkəs/ *s* (*pl* ~**es** /-siz/) croco

crony /ˈkrəʊni/ *s* (*pl* **-ies**) (*dispreg*) amicone, -a

crook /krʊk/ *s* (*inform*) truffatore, -trice **crooked** /ˈkrʊkɪd/ *agg* (**-er**, **-est**) **1** storto **2** (*percorso*) tortuoso **3** (*inform*) (*persona, azione*) disonesto

crop /krɒp/ ◆ *s* **1** raccolto **2** coltivazione **3** (*fig*) serie ◆ *vt* (**-pp-**) **1** (*capelli*) tagliare a zero **2** (*animali*) brucare PHR V **to crop up** capitare, presentarsi

croquet /ˈkrəʊkeɪ; *USA* krəʊˈkeɪ/ *s* croquet

cross /krɒs; *USA* krɔ:s/ ◆ *s* **1** croce **2** ~ (**between ...**) incrocio (tra ...) ◆ **1** *vt, vi* attraversare: *Shall we cross over?* Attraversiamo? **2** *vt, vi* ~ (**each other/one another**) incrociarsi **3** *v rifl* ~ **yourself** farsi il segno della croce **4** *vt* ostacolare **5** *vt* ~ **sth with sth** (*Zool, Bot*) incrociare qc con qc LOC **to cross your fingers** incrociare le dita ☛ *Vedi illustrazioni a* ARM *e* CROSS-LEGGED **to cross your mind** passare per la mente, venire in mente *Vedi anche* DOT PHR V **to cross sth off/out/through** cancellare qc (*con una riga*): *to cross somebody off the list* depennare un nome da un elenco ◆ *agg* (**-er**, **-est**) **1** arrabbiato: *to get cross* arrabbiarsi **2** (*vento*) contrario

crossbar /ˈkrɒsbɑ:(r); *USA* ˈkrɔ:s-/ *s* **1** barra (*di bicicletta*) **2** (*Sport*) traversa

crossbow /ˈkrɒsbəʊ; *USA* ˈkrɔ:s-/ *s* balestra

cross-country /ˌkrɒs ˈkʌntri; *USA* ˌkrɔ:s/ *agg, avv* campestre, attraverso i campi

cross-examine /ˌkrɒs ɪgˈzæmɪn; *USA* ˌkrɔ:s/ *vt* interrogare, fare il terzo grado a

cross-eyed /ˈkrɒs aɪd; *USA* ˈkrɔ:s/ *agg* strabico

crossfire /ˈkrɒsfaɪə(r); *USA* ˈkrɔ:s-/ *s* fuoco incrociato LOC **to get caught in the crossfire** trovarsi tra due fuochi

crossing /ˈkrɒsɪŋ; *USA* ˈkrɔ:s-/ *s* **1** (*viaggio*) traversata **2** (*strada*) incrocio **3** passaggio a livello **4** passaggio pedonale *Vedi* ZEBRA CROSSING **5** *border crossing* frontiera

cross-legged

cross-legged

with her legs crossed

cross-legged /ˌkrɒs ˈlegd; *USA* ˌkrɔːs/ *agg, avv* a gambe incrociate

crossly /krɒsli/ *avv* con rabbia

crossover /ˈkrɒsəʊvə(r)/ *s* attraversamento, passaggio

cross purposes *s* LOC **at cross purposes**: *We're (talking) at cross purposes.* Stiamo parlando di due cose diverse.

cross-reference /ˌkrɒs ˈrefrəns; *USA* ˌkrɔːs/ *s* rinvio, rimando

crossroads /ˈkrɒsrəʊdz; *USA* ˈkrɔːs-/ *s* **1** incrocio, crocevia **2** (*fig*) svolta decisiva

cross-section /ˌkrɒs ˈsekʃn; *USA* ˌkrɔːs/ *s* **1** sezione, spaccato **2** campione rappresentativo

crossword /ˈkrɒswɜːd; *USA* ˈkrɔːs-/ (*anche* **crossword puzzle**) *s* parole crociate

crotch /krɒtʃ/ (*anche* **crutch**) *s* **1** inforcatura (*di persona*) **2** cavallo (*di pantaloni*)

crouch /kraʊtʃ/ *vi* accovacciarsi, accucciarsi, acquattarsi

crow /krəʊ/ ◆ *s* cornacchia LOC **as the crow flies** in linea d'aria ◆ *vi* **1** (*gallo*) cantare **2** ~ (**over sth**) vantarsi (di qc)

crowbar /ˈkrəʊbɑː(r)/ *s* piede di porco

crowd /kraʊd/ ◆ *s* [*v sing o pl*] **1** folla **2** (*spettatori*) pubblico **3 the crowd** (*dispreg*) la massa **4** (*inform*) gente, compagnia di amici LOC **crowds of/a crowd of** un mucchio di *Vedi anche* FOLLOW ◆ *vt* (*luogo*) affollare PHR V **to crowd (a)round (sb/sth)** affollarsi attorno (a qn/qc) **to crowd in** entrare in massa **to crowd sb/sth in** ammassare qn/qc **crowded** *agg* **1** affollato **2** (*fig*) pieno

crown /kraʊn/ ◆ *s* **1** corona: *crown prince* principe ereditario **2 the Crown** (*GB, Dir*) lo Stato **3** (*testa, cappello*) cocuzzolo **4** (*collina*) cima **5** (*dente*) corona **6** (*protesi*) capsula ◆ *vt* incoronare

crucial /ˈkruːʃl/ *agg* ~ (**to/for sb/sth**) essenziale (per qn/qc)

crucifix /ˈkruːsəfɪks/ *s* crocifisso

crucify /ˈkruːsɪfaɪ/ *vt* (*pass, pp* **-fied**) **1** (*lett*) crocifiggere **2** (*fig*) criticare

crude /kruːd/ *agg* (**-er**, **-est**) **1** grezzo ☛ *Confronta* RAW **2** grossolano

crude oil *s* greggio (*petrolio*)

cruel /kruːəl/ *agg* (**-ller**, **-llest**) ~ (**to sb/sth**) crudele (con qn/qc) **cruelty** *s* (*pl* **-ies**) crudeltà

cruise /kruːz/ ◆ *vi* **1** fare una crociera **2** (*nave*) incrociare **3** (*aereo, auto*) viaggiare a velocità di crociera ◆ *s* crociera **cruiser** *s* **1** (*nave*) incrociatore **2** (*anche* **cabin-cruiser**) cabinato

crumb /krʌm/ *s* **1** briciola **2** (*fig*) briciolo **3 crumbs!** accidenti!

crumble /ˈkrʌmbl/ **1** *vi* ~ (**away**) franare, crollare **2** *vt, vi* (*Cucina*) sbriciolare, sbriciolarsi **crumbly** *agg* (**-ier**, **-iest**) friabile

crumple /ˈkrʌmpl/ *vt, vi* ~ (**sth**) (**up**) accartocciare, sgualcire qc; accartocciarsi, sgualcirsi

crunch /krʌntʃ/ ◆ **1** *vt* ~ **sth** (**up**) sgranocchiare qc **2** *vt, vi* (far) scricchiolare ◆ *s* scricchiolio **crunchy** *agg* (**-ier**, **-iest**) croccante

crusade /kruːˈseɪd/ *s* crociata **crusader** *s* **1** (*Storia*) crociato **2** (*fig*) sostenitore, -trice

crush /krʌʃ/ ◆ *vt* **1** schiacciare: *to be crushed to death* morire schiacciato **2** ~ **sth** (**up**) (*roccia, ecc*) frantumare qc: *crushed ice* ghiaccio tritato **3** (*tessuto*) sgualcire **4** (*rivolta*) stroncare ◆ *s* **1** (*gente*) calca, ressa **2** ~ (**on sb**) (*inform*) cotta (per qn): *She had a crush on her teacher.* Aveva una cotta per il suo professore. **crushing** *agg* pesante (*sconfitta, colpo*)

crust /krʌst/ *s* crosta ☛ *Vedi illustrazione a* PANE **crusty** *agg* (**-ier**, **-iest**) croccante

crutch /krʌtʃ/ *s* **1** stampella, gruccia **2** (*fig*) sostegno **3** *Vedi* CROTCH

crux /krʌks/ *s* nocciolo (*di problema, questione*)

cry /kraɪ/ (*pass, pp* **cried**) ◆ **1** *vi* **to cry (over sb/sth)** piangere (per qn/qc): *to cry for joy* piangere di gioia ◊ *cry-baby* piagnone **2** *vt, vi* **to cry (sth) (out)** gridare (qc) LOC **it's no use crying over spilt milk** è inutile piangere sul latte versato **to cry your eyes/heart out** piangere a calde lacrime PHR V **to cry off** tirarsi indietro **to cry out for sth** (*fig*) avere un gran bisogno di qc ◆ *s* (*pl* **cries**) **1** grido **2** pianto: *to have a (good) cry* sfogarsi piangendo LOC *Vedi* HUE **crying** *agg* LOC **a crying shame** una vergogna

crypt /krɪpt/ *s* cripta

cryptic /ˈkrɪptɪk/ *agg* enigmatico

crystal /ˈkrɪstl/ *s* (*gen, Chim*) cristallo LOC **crystal clear 1** (*acqua*) cristallino **2** (*significato*) chiaro come il sole

cub /kʌb/ *s* **1** cucciolo, piccolo: *a lion/wolf/fox cub* un leoncino/un lupacchiotto/un volpacchiotto **2 the Cubs** [*pl*] i lupetti

cube /kjuːb/ *s* **1** cubo **2** (*cibo*) cubetto: *a sugar cube* una zolletta di zucchero **cubic** *agg* **1** cubico **2** *three cubic metres* tre metri cubi

cubicle /ˈkjuːbɪkl/ *s* **1** (*spiaggia*) cabina **2** camerino di prova **3** (*piscina*) spogliatoio **4** (*bagno*) box

cuckoo /ˈkʊkuː/ *s* (*pl* ~**s**) cuculo

cucumber /ˈkjuːkʌmbə(r)/ *s* cetriolo

cuddle /ˈkʌdl/ ◆ *vt, vi* abbracciare, coccolare, abbracciarsi, coccolarsi PHR V **to cuddle up (to sb)** accoccolarsi (contro qn) ◆ *s* abbraccio, coccole **cuddly** *agg* (**-ier**, **-iest**) (*approv, inform*) coccolone: *cuddly toy* pupazzo di peluche

cue /kjuː/ ◆ *s* **1** segnale **2** (*Teat*) entrata: *He missed his cue.* Ha perso la battuta d'entrata. **3** esempio: *to take your cue from sb* prendere esempio da qn **4** (*anche* **billiard cue**) stecca (*da biliardo*) LOC **(right) on cue** al momento giusto ◆ *vt* **1 to cue sb (in)** dare il segnale a qn **2 to cue sb (in)** (*Teat*) dare la battuta d'entrata a qn

cuff /kʌf/ ◆ *s* **1** polsino **2** scappellotto LOC **off the cuff** improvvisando ◆ *vt* dare uno scappellotto a

cuff link *s* gemello (*per camicia*)

cuisine /kwɪˈziːn/ *s* (*Fr*) cucina (*arte culinaria*)

cul-de-sac /ˈkʌl də sæk/ *s* (*pl* ~**s**) (*Fr*) vicolo cieco

cull /kʌl/ *vt* **1** (*informazioni*) selezionare **2** (*animali*) abbattere (*per controllarne il numero*)

culminate /ˈkʌlmɪneɪt/ *vi* (*form*) ~ **in sth** culminare in qc **culmination** *s* conclusione, culmine

culottes /kjuːˈlɒts/ *s* [*pl*] gonna pantalone

culprit /ˈkʌlprɪt/ *s* colpevole

cult /kʌlt/ *s* **1** ~ **(of sb/sth)** culto (di qn/qc) **2** moda

cultivate /ˈkʌltɪveɪt/ *vt* **1** coltivare **2** (*fig*) sviluppare **cultivated** *agg* **1** colto **2** raffinato **cultivation** *s* coltivazione

cultural /ˈkʌltʃərəl/ *agg* culturale

culture /ˈkʌltʃə(r)/ *s* **1** cultura: *culture shock* shock culturale **2** (*Biol, Bot*) coltura **cultured** *agg* **1** (*persona*) colto **2** *cultured pearl* perla coltivata

cum /kʌm/ *prep*: *a kitchen-cum-dining room* una cucina-tinello

cumbersome /ˈkʌmbəsəm/ *agg* ingombrante, voluminoso

cumulative /ˈkjuːmjələtɪv; *USA* -leɪtɪv/ *agg* **1** complessivo **2** cumulativo

cunning /ˈkʌnɪŋ/ ◆ *agg* **1** (*persona, azione*) astuto **2** (*dispositivo*) ingegnoso ◆ *s* astuzia **cunningly** *avv* astutamente

cup /kʌp/ ◆ *s* **1** tazza: *paper cup* bicchiere di carta ☛ *Vedi illustrazione a* MUG **2** (*premio*) coppa LOC **(not) to be sb's cup of tea** (*inform*) (non) essere il genere di qn ◆ *vt* (*mani*) riunire a coppa: *She cupped a hand over the receiver.* Coprì il ricevitore con una mano. LOC **to cup your chin/face in your hands** appoggiare il mento/il viso sulle mani

cupboard /ˈkʌbəd/ *s* armadio, dispensa: *cupboard love* amore interessato

Wardrobe è un armadio in cui si appendono gli abiti.

cupful /ˈkʌpfʊl/ *s* tazza (*contenuto*)

curate /ˈkjʊərət/ *s* (*Relig*) curato

curative /ˈkjʊərətɪv/ *agg* curativo

curator /kjʊəˈreɪtə(r); *USA* ˈkjʊərətər/ *s* direttore, -trice (*di museo*)

curb /kɜːb/ ◆ *s* **1** (*fig*) freno **2** (*USA*) (*anche* **kerb**) bordo (*del marciapiede*) ◆ *vt* frenare

curd /kɜːd/ *s* caglio: *curd cheese* cagliata

curdle /ˈkɜːdl/ *vt, vi* cagliare, cagliarsi (*latte*)

cure /kjʊə(r)/ ◆ *vt* **1** guarire **2** (*fig*) eliminare **3** (*alimenti*) conservare (*salando, affumicando, essiccando*) ◆ *s* **1** cura, guarigione **2** (*fig*) rimedio

curfew /ˈkɜːfjuː/ *s* coprifuoco

curious /ˈkjʊəriəs/ *agg* curioso **curiosity** /ˌkjʊəriˈɒsəti/ *s* (*pl* **-ies**) **1** curiosità **2** rarità

curl /kɜːl/ ◆ *s* **1** ricciolo **2** (*fumo*) spirale ◆ **1** *vt, vi* arricciare, arricciarsi **2** *vi*: *The smoke curled upwards.* Il fumo saliva a spirale. PHR V **to curl up 1** accartocciarsi **2** accoccolarsi **curly** *agg* (**-ier**, **-iest**) riccio ☛ *Vedi illustrazione a* CAPELLO

currant /ˈkʌrənt/ *s* [*numerabile*] **1 currants** uva di Corinto **2 currants** ribes

currency /ˈkʌrənsi/ *s* (*pl* **-ies**) **1** moneta corrente: *foreign/hard currency* valuta straniera/forte **2** diffusione: *to gain currency* acquistare credito

current /ˈkʌrənt/ ◆ *s* corrente ◆ *agg* **1** attuale: *current affairs* attualità ◊ *the current year* l'anno in corso *Vedi anche* ACCOUNT **2** diffuso **currently** *avv* attualmente

curriculum /kəˈrɪkjələm/ *s* (*pl* ~**s** *o* **-a** /-lə/) programma scolastico

curry /ˈkʌri/ ◆ *s* (*pl* **-ies**) pietanza al curry ◆ *vt* (*pass, pp* **curried**) LOC **to curry favour with sb** accattivarsi il favore di qn

curse /kɜːs/ ◆ *s* **1** imprecazione, bestemmia **2** maledizione **3** rovina, flagello ◆ **1** *vt* maledire **2** *vi* bestemmiare LOC **to be cursed with sth** essere tormentato da qc

cursory /ˈkɜːsəri/ *agg* di sfuggita, superficiale

curt /kɜːt/ *agg* brusco

curtail /kɜːˈteɪl/ *vt* accorciare, ridurre **curtailment** *s* **1** (*potere*) limitazione **2** interruzione

curtain /ˈkɜːtn/ *s* **1** tenda: *to draw the curtains* aprire/chiudere le tende ◊ *lace/net curtains* tendine di tulle **2** (*Teat*) sipario **3** (*inform*) **curtains** [*pl*] ~ (**for sb/sth**) la fine (per qn/qc)

curtsy (*anche* **curtsey**) /ˈkɜːtsi/ ◆ *vi* (*pass, pp* **curtsied** *o* **curtseyed**) fare una riverenza (*donna*) ◆ *s* (*pl* **-ies** *o* **-eys**) riverenza (*donna*)

curve /kɜːv/ ◆ *s* curva ◆ *vi* fare una curva **curved** *agg* **1** curvo **2** (*anche* **curving**) a curva

cushion /ˈkʊʃn/ ◆ *s* **1** cuscino **2** (*fig*) cuscinetto ◆ *vt* **1** attutire **2** ~ **sb/sth** (**against sth**) (*fig*) proteggere qn/qc (da qc)

custard /ˈkʌstəd/ *s* [*non numerabile*] crema pasticciera

custodian /kʌˈstəʊdiən/ *s* **1** custode **2** (*museo, ecc*) soprintendente

custody /ˈkʌstədi/ *s* **1** custodia: *in safe custody* al sicuro **2** carcerazione preventiva, custodia cautelare: *to remand sb in custody* ordinare la custodia cautelare di qn

custom /ˈkʌstəm/ *s* **1** usanza **2** clientela **customary** *agg* consueto: *It is customary to…* È consuetudine… **customer** *s* cliente

customs /ˈkʌstəmz/ *s* [*pl*] **1** (*anche* **the customs**) dogana **2** (*anche* **customs duty**) diritti di dogana

cut /kʌt/ (**-tt-**) (*pass, pp* **cut**) ◆ **1** *vt, vi* tagliare, tagliarsi: *to cut sth in half* tagliare qc a metà *Vedi anche* CHOP **2** *vt* (*gemma*) tagliare, sfaccettare: *cut glass* cristallo sfaccettato **3** *vt* (*fig*) ferire **4** *vt* (*prezzo*) ribassare *Vedi anche* SLASH **5** *vt* (*motore*) spegnere LOC **cut it/that out!** (*inform*) dacci un taglio! **to cut it fine** farcela per un pelo **to cut sb/sth short** interrompere qn/qc

PHR V **to cut across sth 1** oltrepassare qc **2** tagliare per qc

to cut back ridurre le spese **to cut sth back** potare qc **to cut back on sth** ridurre qc

to cut down (on sth): *to cut down on smoking* fumare meno **to cut sth down 1** abbattere qc **2** ridurre qc

to cut in (on sb/sth) 1 (*auto*) tagliare la strada (a qn/qc) **2** interrompere (qn/qc)

to cut sb off 1 diseredare qn **2** (*telefono*): *I've been cut off.* È caduta la linea.

to cut sth off 1 tagliare qc: *to cut 20 seconds off the record* migliorare il record di 20 secondi **2** bloccare qc: *to be cut off* rimanere isolato

to be cut out to be sth; to be cut out for sth (*inform*) essere tagliato per (fare) qc **to cut sth out 1** ritagliare qc **2**

(*informazioni*) tralasciare qc **3** (*escludere*): *to cut out sweets* smettere di mangiare dolci
to cut sth up fare a pezzetti qc, sminuzzare qc
◆ *s* **1** taglio **2** (*inform*) (*guadagno*) parte LOC **a cut above sb/sth** (*inform*) migliore di qn/qc *Vedi anche* SHORT CUT
cutback /ˈkʌtbæk/ *s* taglio, riduzione
cute /kjuːt/ *agg* (**cuter**, **cutest**) (*inform*, *talvolta offensivo*) carino
cutlery /ˈkʌtləri/ *s* [*non numerabile*] posate
cutlet /ˈkʌtlət/ *s* cotoletta
cut-off /ˈkʌt ɒf/ (*anche* **cut-off point**) *s* limite
cut-price /ˌkʌt ˈpraɪs/ *agg*, *avv* a prezzo ridotto
cut-throat /ˈkʌt-θrəʊt/ *agg* spietato
cutting /ˈkʌtɪŋ/ ◆ *s* **1** (*giornale*) ritaglio **2** (*Bot*) talea ◆ *agg* **1** (*vento*) pungente **2** (*commento*) tagliente, mordente
cv (*anche* **CV**) /ˌsiːˈviː/ *abbr* **curriculum vitae** curriculum
cyanide /ˈsaɪənaɪd/ *s* cianuro
cycle /ˈsaɪkl/ ◆ *s* **1** ciclo **2** bicicletta ◆ *vi* andare in bicicletta: *to go cycling* andare in giro in bicicletta **cyclic** (*anche* **cyclical**) *agg* ciclico **cycling** *s* ciclismo **cyclist** *s* ciclista
cyclone /ˈsaɪkləʊn/ *s* ciclone
cylinder /ˈsɪlɪndə(r)/ *s* **1** cilindro **2** (*gas*) bombola **cylindrical** /səˈlɪndrɪkl/ *agg* cilindrico
cymbal /ˈsɪmbl/ *s* piatto (*musica*)
cynic /ˈsɪnɪk/ *s* cinico, -a **cynical** *agg* cinico **cynicism** *s* cinismo
cypress /ˈsaɪprəs/ *s* cipresso
cyst /sɪst/ *s* cisti
cystic fibrosis /ˌsɪstɪk faɪˈbrəʊsɪs/ *s* [*non numerabile*] mucoviscidosi
czar (*anche* **tsar**) /zɑː(r)/ *s* zar
czarina (*anche* **tsarina**) /zɑːˈriːnə/ *s* zarina

Dd

D, d /diː/ *s* (*pl* **D's**, **d's** /diːz/) **1** D, d: *D for David* D come Domodossola ☛ *Vedi esempi a* A, A **2** (*Mus*) re
dab /dæb/ ◆ *vt*, *vi* (**-bb-**) **to dab (at) sth** picchiettare qc PHR V **to dab sth on (sth)** applicare qc con leggeri colpetti (su qc) ◆ *s* pochino
dad /dæd/ (*anche* **daddy** /ˈdædi/) *s* (*inform*) papà
daffodil /ˈdæfədɪl/ *s* trombone (*fiore*)
daft /dɑːft; *USA* dæft/ *agg* (**-er**, **-est**) (*inform*) sciocco
dagger /ˈdægə(r)/ *s* pugnale
daily /ˈdeɪli/ ◆ *agg* giornaliero, quotidiano ◆ *avv* ogni giorno, quotidianamente ◆ *s* (*pl* **-ies**) quotidiano (*giornale*)
dairy /ˈdeəri/ *s* (*pl* **-ies**) latteria
dairy farm *s* caseificio **dairy farming** *s* industria casearia
dairy produce (*anche* **dairy products**) *s* latticini
daisy /ˈdeɪzi/ *s* (*pl* **-ies**) margherita
dale /deɪl/ *s* valle
dam /dæm/ ◆ *s* diga ◆ *vt* costruire una diga su
damage /ˈdæmɪdʒ/ ◆ *vt* danneggiare ◆ *s* **1** [*non numerabile*] danni **2 damages** [*pl*] risarcimento danni **damaging** *agg* nocivo
Dame /deɪm/ *s* (*GB*) titolo cavalleresco conferito a una donna
damn /dæm/ ◆ *vt* dannare ◆ (*anche* **damned**) (*inform*) *agg* maledetto ◆ **damn!** *escl* accidenti! **damnation** *s* dannazione **damning** *agg* **1** (*rapporto*) di condanna, critico **2** (*prove*) schiacciante
damp /dæmp/ ◆ *agg* (**-er**, **-est**) umido ☛ *Vedi nota a* MOIST ◆ *s* umidità ◆ *vt* **1** (*anche* **dampen**) inumidire **2** ~ **sth (down)** attenuare qc; soffocare qc
dance /dɑːns; *USA* dæns/ ◆ *vt*, *vi* ballare ◆ *s* ballo **dancer** *s* ballerino, -a **dancing** *s* ballo
dandelion /ˈdændɪlaɪən/ *s* dente di leone

dandruff /ˈdændrʌf/ *s* forfora

danger /ˈdeɪndʒə(r)/ *s* pericolo LOC **to be in danger of sth** rischiare qc: *They're in danger of losing their jobs.* Rischiano di perdere il lavoro. **dangerous** *agg* pericoloso

dangle /ˈdæŋgl/ **1** *vt* dondolare **1** *vi* penzolare

dank /dæŋk/ *agg* (**-er**, **-est**) (*dispreg*) freddo e umido

dare[1] /deə(r)/ *v aus modale, vi* (*neg* **dare not** *o* **daren't** /deənt/ *o* **don't/doesn't dare** *pass* **dared not** *o* **didn't dare**) (*in frasi negative e in domande*) osare LOC **don't you dare** non ti azzardare: *Don't (you) dare tell her!* Non ti azzardare a dirglielo! **how dare you!** come ti permetti? **I dare say** penso proprio

Quando **dare** è usato come verbo modale, viene seguito dall'infinito senza TO, e nelle frasi negative e interrogative e al passato si usa senza l'ausiliare *do*: *Nobody dared speak.* Nessuno osò parlare. ◊ *I daren't ask my boss for a day off.* Non oso chiedere al capo un giorno libero.

dare[2] /deə(r)/ *vt* ~ **sb** (**to do sth**) sfidare qn (a fare qc)

daring /ˈdeərɪŋ/ ◆ *s* audacia ◆ *agg* ardito, audace

dark /dɑːk/ ◆ **the dark** *s* il buio, l'oscurità LOC **before/after dark** prima del/dopo il tramonto ◆ *agg* (**-er**, **-est**) **1** scuro, buio: *to get/grow dark* farsi buio ◊ *dark green* verde scuro **2** (*persona, carnagione*) bruno **3** oscuro **4** cupo, tetro: *These are dark days.* Viviamo in tempi difficili. LOC **a dark horse** un outsider

darken /ˈdɑːkən/ *vt, vi* **1** oscurare, oscurarsi **2** scurire, scurirsi

dark glasses *s* [*pl*] occhiali scuri

darkly /ˈdɑːkli/ *avv* misteriosamente, cupamente

darkness /ˈdɑːknəs/ *s* oscurità, tenebre: *in darkness* nell'oscurità

darkroom /ˈdɑːkruːm/ *s* camera oscura

darling /ˈdɑːlɪŋ/ *s* tesoro: *Hello, darling!* Ciao tesoro!

dart[1] /dɑːt/ *s* freccetta: *to play darts* giocare a freccette

dart[2] /dɑːt/ *vi* precipitarsi PHR V **to dart away/off** sfrecciare via

dash /dæʃ/ ◆ *s* **1** ~ (**of sth**) goccio (di qc) **2** lineetta ☛ *Vedi pagg. 376–77.* **3** corsa LOC **to make a dash for sth** fare una corsa per qc *Vedi anche* BOLT[2] ◆ **1** *vi* affrettarsi: *I must dash.* Devo proprio scappare. **2** *vi* andare di corsa: *He dashed across the room.* Attraversò di corsa la stanza. ◊ *I dashed upstairs.* Sono corso di sopra. **3** *vt* (*speranze, ecc*) infrangere PHR V **to dash sth off** buttar giù qc

dashboard /ˈdæʃbɔːd/ *s* cruscotto

data /ˈdeɪtə, ˈdɑːtə; *USA* ˈdætə/ *s* **1** [*sing*] (*Informatica*) dati **2** [*v sing o pl*] dati, informazioni

database /ˈdeɪtəbeɪs/ *s* database

date[1] /deɪt/ ◆ *s* **1** data **2** (*inform*) appuntamento LOC **out of date 1** fuori moda **2** antiquato **3** scaduto **to date** fino a oggi **up to date 1** moderno **2** aggiornato *Vedi anche* BRING ◆ *vt* datare **dated** *agg* **1** fuori moda **2** antiquato

date[2] /deɪt/ *s* dattero

daughter /ˈdɔːtə(r)/ *s* figlia

daughter-in-law /ˈdɔːtər ɪn lɔː/ *s* (*pl* **-ers-in-law**) nuora

daunting /ˈdɔːntɪŋ/ *agg* scoraggiante: *the daunting task of…* l'ardua impresa di…

dawn /dɔːn/ ◆ *s* alba: *from dawn till dusk* dall'alba al tramonto LOC *Vedi* CRACK ◆ *vi* albeggiare

day /deɪ/ *s* **1** giorno: *all day* tutto il giorno ◊ *every day* tutti i giorni **2** giornata **3 days** [*pl*] epoca LOC **by day/night** di giorno/notte **day by day** giorno per giorno **day in, day out** tutti i santi giorni **from one day to the next** da un giorno all'altro **one/some day** un giorno **one of these days** uno di questi giorni **the day after tomorrow** dopodomani **the day before yesterday** l'altroieri **these days 1** in questi giorni **2** di questi tempi **to this day** ancor oggi *Vedi anche* BETTER, CALL, CARRY, CLEAR, EARLY, FINE

daydream /ˈdeɪdriːm/ ◆ *s* sogno a occhi aperti ◆ *vi* sognare a occhi aperti

daylight /ˈdeɪlaɪt/ *s* luce del giorno: *in daylight* alla luce del giorno LOC *Vedi* BROAD

day off *s* giorno libero

day return *s* biglietto giornaliero di andata e ritorno

daytime /ˈdeɪtaɪm/ *s* giorno: *in the daytime* di giorno

day-to-day /ˌdeɪ tə ˈdeɪ/ *agg* a giornata

day trip *s* gita di un giorno

daze /deɪz/ *s* LOC **in a daze** stordito **dazed** *agg* stordito

dazzle /ˈdæzl/ *vt* abbagliare

dead /ded/ ◆ *agg* **1** morto ☛ *Vedi nota a* MORTO **2** (*ramo*) secco **3** (*braccio, ecc*) intorpidito **4** (*batteria*) scarico **5** (*telefono*): *The line's gone dead.* È caduta la linea. ◆ *avv* completamente: *You're dead right.* Hai pienamente ragione. LOC *Vedi* FLOG, DROP, STOP ◆ *s* LOC **in the/at dead of night** nel cuore della notte **deaden** *vt* **1** (*suono*) attutire **2** (*dolore*) alleviare

dead end *s* vicolo cieco

dead heat *s* testa a testa: *It was a dead heat between Peters and Murray.* Peters e Murray hanno tagliato il traguardo contemporaneamente.

deadline /ˈdedlaɪn/ *s* scadenza, termine di consegna

deadlock /ˈdedlɒk/ *s* punto morto

deadly /ˈdedli/ *agg* (**-ier**, **-iest**) mortale LOC *Vedi* EARNEST

deaf /def/ *agg* (**-er**, **-est**) sordo: *deaf and dumb* sordomuto **deafen** *vt* assordare **deafening** *agg* assordante **deafness** *s* sordità

deal[1] /diːl/ *s* LOC **a good/great deal** molto: *It's a good/great deal warmer today.* Oggi fa molto più caldo.

deal[2] /diːl/ *s* **1** affare **2** accordo

deal[3] /diːl/ *vt, vi* (*pass, pp* **dealt** /delt/) (*carte da gioco*) dare ☛ *Vedi nota a* CARTA PHR V **to deal in sth** commerciare in qc: *to deal in drugs/arms* trafficare droga/armi **to deal with sb 1** trattare con qn **2** fare i conti con qn **3** occuparsi di qn **to deal with sth 1** (*problema*) affrontare qc **2** (*situazione*) gestire qc **3** (*argomento*) trattare di qc

dealer /ˈdiːlə(r)/ *s* **1** commerciante **2** (*droga, armi*) trafficante **3** (*carte da gioco*) chi dà le carte

dealing /ˈdiːlɪŋ/ *s* (*droga, armi*) traffico LOC **to have dealings with sb/sth** trattare con qn/qc

dealt *pass, pp di* DEAL[3]

dean /diːn/ *s* **1** decano **2** (*università*) preside

dear /dɪə(r)/ ◆ *agg* (**-er**, **-est**) **1** caro **2** (*lettera*): *Dear Sir* Egregio signore ◊ *Dear Jason,...* Caro Jason,... ☛ *Vedi pagg. 370–71.* **3** (*GB*) (*costoso*) caro LOC **oh dear!** mamma mia! ◆ *s* tesoro **dearly** *avv* moltissimo

death /deθ/ *s* morte: *death certificate* certificato di morte ◊ *death penalty/sentence* pena di morte/condanna a morte ◊ *to beat sb to death* uccidere qn a forza di botte LOC **to put sb to death** giustiziare qn *Vedi anche* CATCH, MATTER, SICK **deathly** *agg* (**-lier**, **-liest**) di tomba: *deathly cold/pale* freddo/pallido come un cadavere

debase /dɪˈbeɪs/ *vt* ~ **yourself/sb/sth** degradarsi/degradare qn/qc

debatable /dɪˈbeɪtəbl/ *agg* discutibile

debate /dɪˈbeɪt/ ◆ *s* dibattito ◆ *vt, vi* dibattere, discutere

debit /ˈdebɪt/ ◆ *s* addebito ◆ *vt* addebitare

debris /ˈdeɪbriː; *USA* dəˈbriː/ *s* [*non numerabile*] detriti

debt /det/ *s* debito LOC **to be in debt** avere debiti **debtor** *s* debitore, -trice

decade /ˈdekeɪd; *USA* diˈkeɪd/ *s* decennio

decadent /ˈdekədənt/ *agg* decadente **decadence** *s* decadenza

decaffeinated /ˌdiːˈkæfɪneɪtɪd/ *agg* decaffeinato

decay /dɪˈkeɪ/ ◆ *vi* **1** (*denti*) cariarsi **2** (*cadavere*) decomporsi **3** (*società*) decadere ◆ *s* [*non numerabile*] **1** (*anche* **tooth decay**) [*non numerabile*] carie **2** (*cadavere*) decomposizione **3** (*società*) decadimento

deceased /dɪˈsiːst/ ◆ *agg* (*form*) deceduto ◆ **the deceased** *s* il defunto, la defunta

deceit /dɪˈsiːt/ *s* inganno **deceitful** *agg* **1** disonesto **2** (*parole*) falso

deceive /dɪˈsiːv/ *vt* ingannare

December /dɪˈsembə(r)/ *s* (*abbrev* **Dec**) dicembre ☛ *Vedi nota e esempi a* JANUARY

decency /ˈdiːsnsi/ *s* decenza, decoro

decent /ˈdiːsnt/ *agg* **1** decente, ammodo **2** decente, discreto **3** gentile

deception /dɪˈsepʃn/ *s* inganno

deceptive /dɪˈseptɪv/ *agg* ingannevole

decide /dɪˈsaɪd/ **1** *vi* ~ (**against sb/sth**) decidere (a sfavore di qn/qc) **2** *vi* ~ **on sb/sth** optare per qn/qc **3** *vt* far decidere, determinare **decided** *agg* **1** (*chiaro*) netto **2** deciso, risoluto

decimal /ˈdesɪml/ *agg*, *s* decimale: *decimal point* virgola (*di numero*)

decipher /dɪˈsaɪfə(r)/ *vt* decifrare

decision /dɪˈsɪʒn/ *s* ~ (**on/against sth**) decisione (su/a sfavore di qc): *decision-making* il prendere le decisioni

decisive /dɪˈsaɪsɪv/ *agg* **1** decisivo **2** deciso, risoluto

deck /dek/ *s* **1** (*Naut*) ponte di coperta **2** (*autobus*) piano **3** mazzo (*di carte*) **4** (*anche* **cassette deck**, **tape deck**) piastra di registrazione

deckchair /ˈdektʃeə(r)/ *s* sedia a sdraio

declaration /ˌdekləˈreɪʃn/ *s* dichiarazione

declare /dɪˈkleə(r)/ **1** *vt* dichiarare **2** *vi* ~ **for/against sb/sth** pronunciarsi a favore di/contro qn/qc

decline /dɪˈklaɪn/ ◆ **1** *vt* declinare, rifiutare **2** *vi* ~ **to do sth** rifiutarsi di fare qc **3** *vi* (*potere, vendite*) diminuire ◆ *s* **1** calo **2** declino

decompose /ˌdiːkəmˈpəʊz/ *vt, vi* decomporre, decomporsi

décor /ˈdeɪkɔː(r); *USA* deɪˈkɔːr/ *s* [*non numerabile*] arredamento

decorate /ˈdekəreɪt/ *vt* **1** ~ **sth** (**with sth**) decorare qc (con qc) **2** tappezzare e pitturare **3** ~ **sb** (**for sth**) decorare qn (a qc) (*valore, ecc*) **decoration** *s* decorazione

decorative /ˈdekərətɪv; *USA* ˈdekəreɪtɪv/ *agg* decorativo

decoy /ˈdiːkɔɪ/ *s* **1** uccello da richiamo **2** (*fig*) esca

decrease /dɪˈkriːs/ ◆ **1** *vi* diminuire **2** *vt* ridurre ◆ /ˈdiːkriːs/ *s* ~ (**in sth**) diminuzione, riduzione (in/di qc)

decree /dɪˈkriː/ ◆ *s* decreto ◆ *vt* (*pass, pp* **decreed**) decretare

decrepit /dɪˈkrepɪt/ *agg* decrepito

dedicate /ˈdedɪkeɪt/ *vt* dedicare, consacrare **dedication** *s* **1** dedizione **2** dedica

deduce /dɪˈdjuːs; *USA* dɪˈduːs/ *vt* dedurre (*fatto, principio*)

deduct /dɪˈdʌkt/ *vt* detrarre (*tasse, spese*)

deduction /dɪˈdʌkʃn/ *s* **1** (*fatto*) deduzione **1** (*spese*) detrazione

deed /diːd/ *s* **1** (*form*) azione, atto **2** impresa **3** (*Dir*) atto notarile

deem /diːm/ *vt* (*form*) ritenere, giudicare

deep /diːp/ ◆ *agg* (**-er**, **-est**) **1** profondo **2** di profondità: *The pool is only one metre deep.* La piscina è profonda soltanto un metro. **3** (*colore*) intenso, cupo **4** ~ **in sth** immerso, assorto in qc ◆ *avv* (**-er**, **-est**) a fondo, in profondità: *Don't go in too deep!* Non andare nell'acqua alta! ◊ *deep into the night* fino a tarda notte LOC **deep down** (*inform*) in fondo **to go/run deep** essere radicato **deeply** *avv* profondamente, vivamente

deepen /ˈdiːpən/ *vt, vi* (far) diventare più profondo, aumentare

deep-freeze /ˌdiːp ˈfriːz/ *s* *Vedi* FREEZER

deer /dɪə(r)/ *s* (*pl* **deer**) cervo ☛ *Vedi nota a* CERVO

default /dɪˈfɔːlt/ ◆ *s* **1** inadempimento **2** contumacia LOC **by default** per forfait ◆ *vi* **1** essere contumace **2** ~ (**on sth**) non onorare (qc) ◆ *agg* (*Informatica*) di default

defeat /dɪˈfiːt/ ◆ *vt* **1** sconfiggere **2** (*fig*) frustrare: *This crossword has defeated me.* Davanti a questo cruciverba mi sono dovuto arrendere. ◆ *s* sconfitta: *to admit/accept defeat* darsi per vinto

defect[1] /dɪˈfekt/ *vi* **1** ~ (**from sth**) defezionare (da qc) **2** ~ **to sth** passare a qc **defection** *s* **1** defezione **2** fuga (*per motivi politici*) **defector** *s* fuoriuscito, -a

defect[2] /ˈdiːfekt, dɪˈfekt/ *s* difetto ☛ *Vedi nota a* MISTAKE **defective** /dɪˈfektɪv/ *agg* difettoso

defence (*USA* **defense**) /dɪˈfens/ *s* **1** ~ (**of sth**) (**against sth**) difesa (di qc) (contro qc) **2 the defence** [*v sing o pl*] (*processo*) la difesa **defenceless** *agg* indifeso **defend** /dɪˈfend/ *vt* ~ **sb/sth** (**against/from sb/sth**) difendere, proteggere qn/qc (da qn/qc) **defendant** *s* imputato, -a ☛ *Confronta* PLAINTIFF **defensive** /dɪˈfensɪv/ *agg* ~ (**about sth**) sulla difensiva (a proposito di qc) LOC **to put sb/to be on the defensive** mettere qn/essere sulla difensiva

defer /dɪˈfɜː(r)/ *vt* (**-rr-**) ~ **sth** (**to sth**) rinviare qc (a qc) **deference** /ˈdefərəns/ *s* riguardo, rispetto LOC **in deference to sb/sth** per riguardo a qn/qc

defiance /dɪˈfaɪəns/ *s* sfida, disobbedienza **defiant** *agg* di sfida

deficiency /dɪˈfɪʃnsi/ *s* (*pl* **-ies**) carenza **deficient** *agg* ~ (**in sth**) carente (di qc)

define /dɪˈfaɪn/ *vt* ~ **sth** (**as sth**) definire qc (come qc)

definite /ˈdefɪnət/ *agg* **1** (*data, proposta*) preciso **2** sicuro, definitivo: *Our holiday plans are now definite.* Ora i nostri programmi per le vacanze sono definitivi. **3** ~ (**about sth/that...**) sicuro (di qc/che...) **4** (*Gramm*): *the definite article* l'articolo determinativo **definitely** *avv* **1** decisamente: *to state sth definitely* affermare qc con sicurezza ◊ *I haven't decided definitely.* Non ho ancora deciso in modo definitivo. **2** senz'altro, di sicuro: *I'll definitely come.* Vengo senz'altro.

definition /ˌdefɪˈnɪʃn/ *s* definizione

definitive /dɪˈfɪnətɪv/ *agg* definitivo

deflate /diːˈfleɪt/ *vt, vi* sgonfiare, sgonfiarsi

deflect /dɪˈflekt/ *vt* ~ **sth** (**from sth**) deviare qc (da qc)

deform /dɪˈfɔːm/ *vt* deformare **deformed** *agg* deforme **deformity** *s* (*pl* **-ies**) deformità

defrost /ˌdiːˈfrɒst; *USA* ˌdiːˈfrɔːst/ *vt* **1** (*frigo*) sbrinare **2** (*alimento*) scongelare

deft /deft/ *agg* abile

defunct /dɪˈfʌŋkt/ *agg* (*form*) morto e sepolto

defuse /ˌdiːˈfjuːz/ *vt* **1** (*bomba*) disinnescare **2** (*tensione*) allentare

defy /dɪˈfaɪ/ *vt* (*pass, pp* **defied**) **1** disubbidire **2** ~ **sb to do sth** sfidare qn a fare qc

degenerate /dɪˈdʒenəreɪt/ *vi* ~ (**from sth**) (**into sth**) degenerare (da qc) (a qc) **degeneration** *s* degenerazione

degrade /dɪˈgreɪd/ *vt* degradare **degradation** *s* degradazione

degree /dɪˈgriː/ *s* **1** grado **2** laurea: *a university degree* una laurea universitaria ◊ *to choose a degree course* scegliere un corso di laurea LOC **by degrees** gradualmente

deity /ˈdeɪəti/ *s* (*pl* **-ies**) divinità

dejected /dɪˈdʒektɪd/ *agg* avvilito, abbattuto

delay /dɪˈleɪ/ ◆ **1** *vt* ritardare: *The train was delayed.* Il treno era in ritardo. ☛ *Confronta* LATE **2** *vi* tardare, indugiare: *Don't delay!* Non perdere tempo! **3** *vt* rinviare, rimandare ◆ *s* ritardo **delaying** *agg* dilatorio: *delaying tactics* manovre dilatorie

delegate /ˈdelɪgət/ ◆ *s* delegato, -a ◆ /ˈdelɪgeɪt/ *vt* ~ **sth** (**to sb**) delegare qc (a qn) **delegation** *s* [*v sing o pl*] delegazione

delete /dɪˈliːt/ *vt* cancellare, togliere **deletion** *s* cancellazione, eliminazione

deliberate[1] /dɪˈlɪbərət/ *agg* intenzionale, voluto

deliberate[2] /dɪˈlɪbəreɪt/ *vi* ~ (**about/on sth**) (*form*) deliberare (su qc) **deliberation** *s* [*gen pl*] **1** riflessione **2** discussione

delicacy /ˈdelɪkəsi/ *s* (*pl* **-ies**) **1** delicatezza **2** specialità (*cibo*)

delicate /ˈdelɪkət/ *agg* delicato: *delicate china* porcellana finissima

delicatessen /ˌdelɪkəˈtesn/ *s* negozio di specialità gastronomiche

delicious /dɪˈlɪʃəs/ *agg* delizioso

delight[1] /dɪˈlaɪt/ *s* piacere: *the delights of living in the country* il piacere di vivere in campagna LOC **to take delight in** (**doing**) **sth 1** dilettarsi in qc/a fare qc **2** (*dispreg*) godere di qc/nel fare qc

delight[2] /dɪˈlaɪt/ **1** *vt* riempire di gioia **2** *vi* ~ **in** (**doing**) **sth** dilettarsi in qc/a fare qc **delighted** *agg* **1** ~ (**at/with sth**) contentissimo (di qc) **2** ~ (**to do sth/that...**) felice (di fare qc/che...)

delightful /dɪˈlaɪtfl/ *agg* incantevole

delinquent /dɪˈlɪŋkwənt/ *agg, s* delinquente **delinquency** *s* delinquenza

delirious /dɪˈlɪriəs/ *agg* delirante: *delirious with joy* pazzo di gioia **delirium** *s* delirio

deliver /dɪˈlɪvə(r)/ *vt* **1** (*posta, merci*) consegnare **2** (*messaggio*) comunicare **3** (*discorso*) tenere **4** (*bambino*) far nascere **5** (*pugno, colpo*) tirare **delivery** *s* (*pl* **-ies**) **1** consegna **2** parto LOC *Vedi* CASH

delta /ˈdeltə/ *s* delta

delude /dɪˈluːd/ *vt* illudere, ingannare

deluge /ˈdeljuːdʒ/ ◆ *s* (*form*) **1** diluvio

2 (*fig*) valanga ◆ *vt* ~ **sb/sth (with sth)** inondare qn/qc (di qc)

delusion /dɪˈluːʒn/ *s* illusione, allucinazione

de luxe /də ˈlʌks, -ˈlʊks/ *agg* di lusso

demand /dɪˈmɑːnd; *USA* dɪˈmænd/ ◆ *s* **1** ~ **(for sb to do sth)** esigenza (che qn faccia qc) **2** ~ **(that…)** esigenza (che…) **3** ~ **(for sb/sth)** domanda, richiesta (di qn/qc) LOC **in demand** richiesto **on demand** su richiesta *Vedi anche* SUPPLY ◆ *vt* **1** esigere, pretendere **2** richiedere **demanding** *agg* esigente

demise /dɪˈmaɪz/ *s* (*form*) decesso: *the demise of the Soviet Union* il crollo dell'Unione Sovietica

demo /ˈdeməʊ/ *s* (*pl* ~**s**) (*inform*) manifestazione (*di protesta*)

democracy /dɪˈmɒkrəsi/ *s* (*pl* **-ies**) democrazia **democrat** /ˈdeməkræt/ *s* democratico, -a **democratic** /ˌdeməˈkrætɪk/ *agg* democratico

demographic /ˌdeməˈgræfɪk/ *agg* demografico

demolish /dɪˈmɒlɪʃ/ *vt* demolire **demolition** *s* demolizione

demon /ˈdiːmən/ *s* demone, demonio **demonic** *agg* demoniaco, diabolico

demonstrate /ˈdemənstreɪt/ **1** *vt* dimostrare **2** *vi* ~ **(against/in favour of sb/sth)** manifestare (contro/per qn/qc) **demonstration** *s* **1** dimostrazione **2** ~ **(against/in favour of sb/sth)** manifestazione (contro/per qn/qc)

demonstrative /dɪˈmɒnstrətɪv/ *agg* **1** espansivo, affettuoso **2** (*Gramm*) dimostrativo

demonstrator /ˈdemənstreɪtə(r)/ *s* manifestante

demoralize, -ise /dɪˈmɒrəlaɪz; *USA* -ˈmɔːr-/ *vt* demoralizzare

demure /dɪˈmjʊə(r)/ *agg* pieno di contegno

den /den/ *s* tana, covo

denial /dɪˈnaɪəl/ *s* **1** ~ **(that…/of sth)** smentita (che…/di qc) **2** ~ **of sth** negazione, rifiuto di qc

denim /ˈdenɪm/ *s* tessuto jeans

denomination /dɪˌnɒmɪˈneɪʃn/ *s* setta

denounce /dɪˈnaʊns/ *vt* ~ **sb/sth (to sb) (as sth)** denunciare qn/qc (a qn) (come qc)

dense /dens/ *agg* (**-er**, **-est**) denso **density** *s* (*pl* **-ies**) densità

dent /dent/ ◆ *s* ammaccatura ◆ *vt*, *vi* ammaccare, ammaccarsi

dental /ˈdentl/ *agg* **1** dentale **2** dentistico, odontoiatrico: *dental floss* filo interdentale

dentist /ˈdentɪst/ *s* dentista

denunciation /dɪˌnʌnsiˈeɪʃn/ *s* denuncia

deny /dɪˈnaɪ/ *vt* (*pass*, *pp* **denied**) **1** negare **2** (*dichiarazione*) smentire

deodorant /diˈəʊdərənt/ *s* deodorante

depart /dɪˈpɑːt/ *vi* (*form*) ~ **(for…) (from…)** partire (per…) (da…)

department /dɪˈpɑːtmənt/ *s* (*abbrev* **Dept**) **1** dipartimento, sezione **2** ministero **departmental** /ˌdiːpɑːtˈmentl/ *agg* di sezione

department store *s* grande magazzino

departure /dɪˈpɑːtʃə(r)/ *s* ~ **(from…)** partenza (da…)

depend /dɪˈpend/ *vi* LOC **that depends**; **it (all) depends** dipende PHR V **to depend on/upon sb/sth** contare su qn/qc **to depend on sb/sth (for sth)** dipendere da qn/qc (per qc) **dependable** *agg* affidabile

dependant (*spec USA* **-ent**) /dɪˈpendənt/ *s* persona a carico **dependence** *s* ~ **(on/upon sb/sth)** dipendenza (da qn/qc) **dependent** *agg* **1 to be** ~ **on/upon sb/sth** dipendere da qn/qc **2** (*persona*) poco indipendente

depict /dɪˈpɪkt/ *vt* rappresentare, descrivere

depleted /dɪˈpliːtɪd/ *agg* diminuito

deplore /dɪˈplɔː(r)/ *vt* deplorare

deploy /dɪˈplɔɪ/ *vt*, *vi* schierare, schierarsi

deport /dɪˈpɔːt/ *vt* deportare **deportation** *s* deportazione

depose /dɪˈpəʊz/ *vt* deporre (*leader*, *capo*)

deposit /dɪˈpɒzɪt/ ◆ *vt* **1** (*soldi*) depositare **2** ~ **sth (with sb)** (*beni*) affidare qc (in custodia a qn) ◆ *s* **1** (*Fin*) deposito: *deposit account* conto di risparmio ◊ *safety deposit box* cassetta di sicurezza **2** (*affitto*) cauzione **3** ~ **(on sth)** acconto (per qc) **4** deposito, giacimento

depot /ˈdepəʊ; *USA* ˈdiːpəʊ/ *s* **1** deposito, magazzino **2** (*autobus*) deposito **3** (*USA*) stazione (*di treni o autobus*)

depress /dɪˈpres/ *vt* deprimere **depression** *s* depressione

deprivation /ˌdeprɪˈveɪʃn/ *s* indigenza

deprive /dɪˈpraɪv/ *vt* ~ **sb/sth of sth** privare qn/qc di qc **deprived** *agg* bisognoso

depth /depθ/ *s* profondità LOC **in depth** a fondo

deputation /ˌdepjuˈteɪʃn/ *s* [*v sing o pl*] delegazione

deputize, -ise /ˈdepjətaiz/ *vi* ~ **(for sb)** fare le veci (di qn)

deputy /ˈdepjəti/ *s* (*pl* **-ies**) **1** vice, sostituto, -a: *deputy chairman* vicepresidente **2** (*Politica*) deputato

deranged /dɪˈreɪndʒd/ *agg* squilibrato

deregulation /ˌdiːregjʊˈleɪʃn/ *s* deregolamentazione

derelict /ˈderəlɪkt/ *agg* fatiscente

deride /dɪˈraɪd/ *vt* deridere, ridicolizzare

derision /dɪˈrɪʒn/ *s* derisione **derisive** /dɪˈraɪsɪv/ *agg* di derisione **derisory** /dɪˈraɪsəri/ *agg* irrisorio

derivation /ˌderɪˈveɪʃn/ *s* derivazione **derivative** *s* derivato

derive /dɪˈraɪv/ **1** *vt* ~ **sth from sth** ricavare, trarre qc da qc: *to derive comfort from sth* trovare conforto in qc **2** *vt, vi* **(sth)** ~ **from sth** derivare (qc) da qc

derogatory /dɪˈrɒgətri; *USA* -tɔːri/ *agg* spregiativo

descend /dɪˈsend/ *vt, vi* (*form*) scendere **descendant** *s* discendente

descent /dɪˈsent/ *s* **1** discesa **2** discendenza

describe /dɪˈskraɪb/ *vt* ~ **sb/sth (as sth)** descrivere qn/qc (come qc) **description** *s* descrizione

desert[1] /ˈdezət/ *s* deserto

desert[2] /dɪˈzɜːt/ **1** *vt* ~ **sb/sth** abbandonare qn/qc **2** *vi* (*Mil*) disertare **deserted** *agg* deserto **deserter** *s* disertore

deserve /dɪˈzɜːv/ *vt* meritare LOC *Vedi* RICHLY *a* RICH **deserving** *agg* meritevole

design /dɪˈzaɪn/ ◆ *s* **1** ~ **(for/of sth)** modello, progetto (di qc) **2** progettazione **3** motivo, fantasia **4** design ◆ *vt* disegnare, progettare

designate /ˈdezɪgneɪt/ *vt* **1** ~ **sb/sth (as) sth** (*form*) designare qn/qc (come) qc **2** nominare

designer /dɪˈzaɪnə(r)/ *s* **1** (*moda*) stilista **2** (*auto*) progettista **3** (*arredamento*) designer

desirable /dɪˈzaɪərəbl/ *agg* **1** (*uomo, donna*) desiderabile **2** (*qualità*) ideale

desire /dɪˈzaɪə(r)/ ◆ *s* **1** ~ **(for sb/sth)** desiderio (per qn/di qc) **2** ~ **(to do sth)** desiderio (di fare qc) **3** ~ **(for sth/to do sth)** voglia (di qc/di fare qc): *He had no desire to see her.* Non aveva alcuna voglia di vederla. ◆ *vt* desiderare

desk /desk/ *s* **1** scrivania **2** banco

desolate /ˈdesələt/ *agg* **1** (*paesaggio*) desolato, deserto **2** (*futuro*) triste **desolation** *s* **1** desolazione **2** tristezza

despair /dɪˈspeə(r)/ ◆ *vi* (*form*) ~ **(of sth/doing sth)** disperare (di qc/di fare qc) ◆ *s* disperazione **despairing** *agg* disperato

despatch /dɪˈspætʃ/ *s, vt Vedi* DISPATCH

desperate /ˈdespərət/ *agg* disperato

despicable /dɪˈspɪkəbl/ *agg* spregevole

despise /dɪˈspaɪz/ *vt* disprezzare

despite /dɪˈspaɪt/ *prep* nonostante, malgrado

despondent /dɪˈspɒndənt/ *agg* avvilito, demoralizzato

despot /ˈdespɒt/ *s* despota

dessert /dɪˈzɜːt/ (*anche* **sweet**) *s* dessert ☛ La parola più comune è **pudding**.

dessertspoon /dɪˈzɜːtspuːn/ *s* **1** cucchiaio da dessert **2** (*anche* **dessertspoonful**) cucchiaiata

destination /ˌdestɪˈneɪʃn/ *s* destinazione

destined /ˈdestɪnd/ *agg* (*form*) destinato: *It was destined to fail.* Era destinato a fallire.

destiny /ˈdestəni/ *s* (*pl* **-ies**) destino

destitute /ˈdestɪtjuːt; *USA* -tuːt/ *agg* indigente

destroy /dɪˈstrɔɪ/ *vt* distruggere **destroyer** *s* cacciatorpediniere

destruction /dɪˈstrʌkʃn/ *s* distruzione **destructive** *agg* distruttivo

detach /dɪˈtætʃ/ *vt* ~ **sth (from sth)** staccare qc (da qc) **detachable** *agg* staccabile

detached /dɪˈtætʃd/ *agg* **1** imparziale, obiettivo **2** *a detached house* una villetta unifamiliare ☛ *Confronta* SEMI-DETACHED *e vedi pag. 380.*

detachment /dɪˈtætʃmənt/ *s* **1** distacco **2** (*Mil*) distaccamento

detail /ˈdiːteɪl; *USA* dɪˈteɪl/ ◆ *s* dettaglio, particolare LOC **in detail** nei particolari, dettagliatamente **to go into detail(s)** entrare nei dettagli ◆ *vt* elencare dettagliatamente **detailed** *agg* dettagliato, particolareggiato

detain /dɪˈteɪn/ *vt* **1** trattenere **2** (*polizia*) detenere **detainee** *s* detenuto, -a

detect /dɪˈtekt/ *vt* **1** avvertire, individuare **2** (*frode*) scoprire **detectable** *agg* percepibile **detection** *s* individuazione: *to escape detection* passare inosservato

detective /dɪˈtektɪv/ *s* investigatore, detective: *a detective story* un romanzo poliziesco

detention /dɪˈtenʃn/ *s* detenzione: *detention centre* riformatorio

deter /dɪˈtɜː(r)/ *vt* (-rr-) ~ **sb (from doing sth)** dissuadere qn (dal fare qc)

detergent /dɪˈtɜːdʒənt/ *agg*, *s* detersivo, detergente

deteriorate /dɪˈtiərɪəreɪt/ *vi* deteriorarsi, peggiorare **deterioration** *s* deterioramento

determination /dɪˌtɜːmɪˈneɪʃn/ *s* determinazione

determine /dɪˈtɜːmɪn/ *vt* determinare, decidere: *the determining factor* il fattore determinante ◊ *to determine the cause of an accident* determinare le cause di un incidente **determined** *agg* ~ **(to do sth)** determinato, deciso (a fare qc)

determiner /dɪˈtɜːmɪnə(r)/ *s* (*Gramm*) determinante

deterrent /dɪˈterənt; *USA* -ˈtɜː-/ *s* deterrente: *nuclear deterrent* deterrente nucleare

detest /dɪˈtest/ *vt* detestare *Vedi anche* HATE

detonate /ˈdetəneɪt/ *vt*, *vi* (far) detonare

detour /ˈdiːtʊə(r); *USA* dɪˈtʊər/ *s* deviazione ☛ *Confronta* DIVERSION

detract /dɪˈtrækt/ *vi* ~ **from sth** sminuire qc: *The incident detracted from our enjoyment of the evening.* L'incidente ci ha guastato la serata.

detriment /ˈdetrɪmənt/ *s* LOC **to the detriment of sb/sth** a detrimento di qn/qc **detrimental** /ˌdetrɪˈmentl/ *agg* ~ **(to sb/sth)** dannoso (per qn/qc)

devalue /ˌdiːˈvæljuː/ *vt*, *vi* svalutare, svalutarsi **devaluation** *s* svalutazione

devastate /ˈdevəsteɪt/ *vt* **1** devastare **2** (*persona*) sconvolgere **devastating** *agg* **1** devastatore **2** sconvolgente **devastation** *s* devastazione

develop /dɪˈveləp/ **1** *vt*, *vi* sviluppare, svilupparsi **2** *vt* (*piano, prodotto*) elaborare, studiare **3** *vt*, *vi* (*sintomo, segno*) manifestare, manifestarsi **4** *vt* (*terreno*) valorizzare, costruire su **developed** *agg* sviluppato **developer** *s* costruttore **developing** *agg* in via di sviluppo

development /dɪˈveləpmənt/ *s* **1** sviluppo, evoluzione: *development area* zona di sviluppo industriale ◊ *There has been a new development.* C'è stato uno sviluppo. **2** (*anche* **developing**) (*Foto*) sviluppo

deviant /ˈdiːviənt/ *agg*, *s* **1** anormale **2** (*sessuale*) pervertito, -a

deviate /ˈdiːvieɪt/ *vi* ~ **(from sth)** deviare (da qc) **deviation** *s* ~ **(from sth)** deviazione (da qc)

device /dɪˈvaɪs/ *s* **1** congegno, dispositivo: *an explosive device* un ordigno esplosivo ◊ *a nuclear device* una bomba atomica **2** (*piano*) stratagemma LOC *Vedi* LEAVE

devil /ˈdevl/ *s* diavolo, demonio: *You lucky devil!* Che fortuna sfacciata!

devious /ˈdiːviəs/ *agg* **1** (*mezzi, persona*) subdolo **2** (*percorso*) tortuoso

devise /dɪˈvaɪz/ *vt* ideare, creare

devoid /dɪˈvɔɪd/ *agg* ~ **of sth** privo di qc

devolution /ˌdiːvəˈluːʃn; *USA* ˌdev-/ *s* decentramento

devote /dɪˈvəʊt/ **1** *v rifl* ~ **yourself to sb/sth** dedicarsi a qn/qc **2** *vt* ~ **sth to sb/sth** dedicare qc a qn/qc **3** *vt* ~ **sth to sth** (*risorse*) destinare qc a qc **devoted** *agg* ~ **(to sb/sth)** devoto, affezionato (a qn/qc): *They're devoted to each other.* Sono molto legati l'uno all'altro.

devotee /ˌdevəˈtiː/ *s* **1** appassionato, -a **2** devoto, -a

devotion /dɪˈvəʊʃn/ *s* ~ **(to sb/sth)** devozione (a qn/qc)

devour /dɪˈvaʊə(r)/ *vt* divorare

devout /dɪˈvaʊt/ *agg* **1** devoto, pio **2**

(*speranza, desiderio*) fervido **devoutly** *avv* **1** devotamente **2** fervidamente

dew /djuː; *USA* duː/ *s* rugiada

dexterity /dekˈsterəti/ *s* destrezza

diabetes /ˌdaɪəˈbiːtiːz/ *s* [*non numerabile*] diabete **diabetic** *agg, s* diabetico, -a

diabolic /ˌdaɪəˈbɒlɪk/ (*anche* **diabolical**) *agg* diabolico

diagnose /ˈdaɪəgnəʊz; *USA* ˌdaɪəgˈnəʊs/ *vt* diagnosticare: *I've been diagnosed as having hepatitis.* Hanno diagnosticato una epatite. **diagnosis** /ˌdaɪəgˈnəʊsɪs/ *s* (*pl* **-oses** /-ˈnəʊsiːz/) diagnosi **diagnostic** *agg* diagnostico

diagonal /daɪˈægənl/ *agg, s* diagonale **diagonally** *avv* diagonalmente

diagram /ˈdaɪəgræm/ *s* diagramma

dial /ˈdaɪəl/ ◆ *s* **1** (*orologio, strumento*) quadrante **2** (*telefono*) disco combinatore **3** (*radio*) scala delle frequenze ◆ *vt* (**-ll-**, *USA* **-l-**) comporre (*numero telefonico*): *to dial a wrong number* sbagliare numero

dialect /ˈdaɪəlekt/ *s* dialetto

dialling code *s* prefisso (*telefonico*)

dialling tone *s* segnale di libero

dialogue (*USA anche* **dialog**) /ˈdaɪəlɒg; *USA* -lɔːg/ *s* dialogo

diameter /daɪˈæmɪtə(r)/ *s* diametro: *It is 15cm in diameter.* Misura 15cm di diametro.

diamond /ˈdaɪəmənd/ *s* **1** diamante **2** rombo **3** *diamond jubilee* sessantesimo anniversario **4 diamonds** [*pl*] (*Carte*) quadri ☛ *Vedi nota a* CARTA

diaphragm /ˈdaɪəfræm/ *s* diaframma

diarrhoea (*USA* **diarrhea**) /ˌdaɪəˈrɪə/ *s* [*non numerabile*] diarrea

diary /ˈdaɪəri/ *s* (*pl* **-ies**) **1** diario **2** agenda

dice[1] /daɪs/ *s* (*pl* **dice**) dado: *to roll/throw the dice* tirare/lanciare i dadi ◊ *to play dice* giocare a dadi

dice[2] /daɪs/ *vt* tagliare a dadini

dictate /dɪkˈteɪt; *USA* ˈdɪkteɪt/ *vt, vi* ~ (**sth**) (**to sb**) dettare (qc) (a qn) PHR V **to dictate to sb**: *You can't dictate to your children how to run their lives.* Non puoi dire ai tuoi figli come vivere la propria vita. **dictation** *s* dettato

dictator /dɪkˈteɪtə(r); *USA* ˈdɪkteɪtər/ *s* dittatore, -trice **dictatorship** *s* dittatura

dictionary /ˈdɪkʃənri; *USA* -neri/ *s* (*pl* **-ies**) dizionario

did *pass di* DO

didactic /daɪˈdæktɪk/ *agg* (*form, talvolta dispreg*) didattico

didn't /ˈdɪd(ə)nt/ = DID NOT *Vedi* DO

die /daɪ/ *vi* (*pass, pp* **died** *p pres* **dying**) (*lett e fig*) morire: *to die of/from sth* morire di qc ☛ *Vedi nota a* MORTO LOC **to be dying for sth/to do sth** morire dalla voglia di qc/di fare qc PHR V **to die away** affievolirsi **to die down 1** spegnersi **2** (*vento*) calmarsi **to die off** morire uno dopo l'altro **to die out 1** (*animali*) estinguersi **2** (*tradizione*) scomparire

diesel /ˈdiːzl/ *s* diesel: *diesel fuel/oil* gasolio

diet /ˈdaɪət/ ◆ *s* **1** alimentazione **2** dieta LOC **to be/go on a diet** essere/mettersi a dieta ◆ *vi* seguire una dieta **dietary** *agg* dietetico

differ /ˈdɪfə(r)/ *vi* **1** ~ (**from sb/sth**) essere diverso (da qn/qc) **2** ~ (**with sb**) (**about/on sth**) dissentire (da qn) (su qc)

difference /ˈdɪfrəns/ *s* differenza: *to make up the difference* (*in price*) versare la differenza (di una cifra) ◊ *a difference of opinion* una divergenza di opinioni LOC **it makes all the difference** questo cambia tutto **it makes no difference** fa lo stesso **what difference does it make?** cosa cambia?

different /ˈdɪfrənt/ *agg* ~ (**from sb/sth**); ~ (**than sb/sth**) (*USA*) diverso (da qn/qc) **differently** *avv* diversamente, in modo diverso

differentiate /ˌdɪfəˈrenʃieɪt/ *vt, vi* ~ **between A and B**; ~ **A from B** distinguere fra A e B; distinguere A da B **differentiation** *s* distinzione

difficult /ˈdɪfɪkəlt/ *agg* difficile **difficulty** *s* (*pl* **-ies**) **1** difficoltà: *with great difficulty* a fatica **2** (*situazione difficile*) problema, difficoltà: *to get/run into difficulties* trovarsi in difficoltà ◊ *to make difficulties for sb* creare ostacoli a qn

diffident /ˈdɪfɪdənt/ *agg* poco sicuro di sé **diffidence** *s* mancanza di fiducia in se stesso

dig /dɪg/ ◆ *vt, vi* (**-gg-**) (*pass, pp* **dug** /dʌg/) **1** scavare: *to dig for sth* scavare alla ricerca di qc **2 to dig** (**sth**) **into sth** conficcare qc/conficcarsi in qc: *The* *chair back was digging into his back.* La spalliera gli si stava conficcando nella schiena. LOC **to dig your heels in** impuntarsi PHR V **to dig in** (*inform*) (*pasto*) attaccare a mangiare **to dig sb/sth out** tirar fuori qn/qc scavando **to dig sth up 1** (*pianta*) estirpare qc **2** (*oggetto nascosto*) dissotterrare qc **3** (*strada*) fare scavi in qc ◆ *s* scavo, scavi **digger** *s* escavatore

digest[1] /ˈdaɪdʒest/ *s* compendio

digest[2] /daɪˈdʒest/ **1** *vt, vi* digerire, digerirsi **2** *vt* assimilare **digestion** *s* digestione

digit /ˈdɪdʒɪt/ *s* cifra **digital** *agg* digitale

dignified /ˈdɪgnɪfaɪd/ *agg* dignitoso

dignitary /ˈdɪgnɪtəri; *USA* -teri/ *s* dignitario

dignity /ˈdɪgnəti/ *s* dignità

digression /daɪˈgreʃn/ *s* digressione

dike *Vedi* DYKE

dilapidated /dɪˈlæpɪdeɪtɪd/ *agg* **1** in rovina **2** (*veicolo*) sgangherato

dilemma /dɪˈlemə, daɪ-/ *s* dilemma

dilute /daɪˈljuːt; *USA* -ˈluːt/ *vt* **1** diluire **2** (*fig*) attenuare

dim /dɪm/ ◆ *agg* (**dimmer**, **dimmest**) **1** (*luce*) debole, fioco **2** (*ricordo, idea*) vago **3** (*prospettiva*) poco promettente, triste **4** (*inform*) (*persona*) tonto **5** (*vista*) debole ◆ (**-mm-**) **1** *vt* (*luce*) abbassare **2** *vi* (*luce*) affievolirsi **3** *vt, vi* (*fig*) offuscare, offuscarsi, annebbiare, annebbiarsi

dime /daɪm/ *s* (*USA*) moneta da 10 cents

dimension /dɪˈmenʃn, daɪ-/ *s* dimensione

diminish /dɪˈmɪnɪʃ/ *vt, vi* diminuire

diminutive /dɪˈmɪnjətɪv/ ◆ *agg* **1** minuto **1** (*Gramm*) diminutivo ◆ *s* (*Gramm*) diminutivo

dimly /ˈdɪmli/ *avv* **1** (*illuminare*) fiocamente **2** (*ricordare*) vagamente **3** (*vedere*) appena

dimple /ˈdɪmpl/ *s* fossetta

din /dɪn/ *s* [*sing*] **1** (*gente*) chiasso **2** (*macchinario*) frastuono

dine /daɪn/ *vi* (*form*) ~ (**on sth**) cenare, pasteggiare (a qc) *Vedi anche* DINNER PHR V **to dine out** cenare fuori **diner** *s* **1** commensale **2** (*USA*) tavola calda

dinghy /ˈdɪŋgi/ *s* (*pl* **dinghies**) **1** dinghy **2** gommone

dingy /ˈdɪndʒi/ *agg* (**-ier**, **-iest**) squallido

dining room *s* sala da pranzo

dinner /ˈdɪnə(r)/ *s* **1** [*non numerabile*] cena: *to have dinner* cenare **2** pranzo: *to have dinner* pranzare **3** banchetto ☛ *Vedi nota a* NATALE **4** (*anche* **dinner party**) (*con amici*) cena ☛ *Vedi pag. 379.*

dinner jacket *s* smoking

dinosaur /ˈdaɪnəsɔː(r)/ *s* dinosauro

diocese /ˈdaɪəsɪs/ *s* diocesi

dioxide /daɪˈɒksaɪd/ *s* biossido: *carbon dioxide* anidride carbonica

dip /dɪp/ (**-pp-**) ◆ **1** *vt* **to dip sth (in/into sth)** immergere, intingere qc (in qc) **2** *vi* discendere **3** *vt, vi* abbassare, abbassarsi: *to dip the headlights* abbassare i fari ◆ *s* **1** (*inform*) nuotatina **2** (*Geog*) avvallamento **3** pendenza **4** (*prezzi, ecc*) ribasso

diploma /dɪˈpləʊmə/ *s* diploma

diplomacy /dɪˈpləʊməsi/ *s* diplomazia **diplomat** /ˈdɪpləmæt/ *s* diplomatico **diplomatic** /ˌdɪpləˈmætɪk/ *agg* (*lett e fig*) diplomatico **diplomatically** *avv* diplomaticamente

dire /ˈdaɪə(r)/ (**direr**, **direst**) *agg* **1** (*form*) terribile, grave **2** (*inform*) tremendo, pessimo: *Living conditions are dire.* Le condizioni di vita sono pessime.

direct /dɪˈrekt, daɪ-/ ◆ *vt* dirigere: *Could you direct me to...?* Può indicarmi la strada per...? ◆ *agg* **1** diretto **2** totale: *the direct opposite* l'esatto opposto ◆ *avv* direttamente: *You can fly direct to London.* Puoi andare a Londra con un volo diretto.

direct debit *s* mandato di pagamento permanente

direction /dɪˈrekʃn, daɪ-/ *s* **1** direzione **2 directions** [*pl*] indicazioni: *to ask (sb) for directions* chiedere la strada (a qn)

directive /dɪˈrektɪv, daɪ-/ *s* direttiva

directly /dɪˈrektli, daɪ-/ *avv* **1** direttamente: *directly opposite (sth)* proprio di fronte (a qc) **2** subito

directness /dɪˈrektnəs, daɪ-/ *s* franchezza

director /dɪˈrektə(r), daɪ-/ *s* **1** dirigente **2** direttore, -trice **3** (*Cine*) regista

directorate /dɪˈrektərət, daɪ-/ *s* **1**

consiglio direttivo **2** Direzione Generale

directory /dəˈrektəri, daɪ-/ *s* (*pl* **-ies**) elenco (*telefonico*), repertorio

dirt /dɜːt/ *s* **1** sporco, sporcizia **2** terra **3** (*inform*) oscenità LOC *Vedi* TREAT

dirty /ˈdɜːti/ ◆ *vt, vi* (*pass, pp* **dirtied**) sporcare, sporcarsi ◆ *agg* (**-ier, -iest**) **1** (*lett e fig*) sporco **2** (*barzelletta, libro, ecc*) spinto: *a dirty word* una parolaccia **3** (*inform*) sleale: *a dirty trick* un brutto scherzo

disability /ˌdɪsəˈbɪləti/ *s* (*pl* **-ies**) **1** menomazione **2** (*Med*) invalidità

disabled /dɪsˈeɪbld/ ◆ *agg* invalido ◆ **the disabled** *s* [*pl*] gli invalidi

disadvantage /ˌdɪsədˈvɑːntɪdʒ; *USA* -ˈvæn-/ *s* svantaggio LOC **to be at a disadvantage** essere svantaggiato **to put sb at a disadvantage** mettere qn in condizioni di svantaggio **disadvantaged** *agg* svantaggiato **disadvantageous** *agg* svantaggioso

disagree /ˌdɪsəˈgriː/ *vi* (*pass, pp* **-reed**) ~ **(with sb/sth) (about/on sth)** essere in disaccordo (con qn/qc) (su qc): *He disagreed with her on how to spend the money.* Non era d'accordo con lei su come spendere i soldi. PHR V **to disagree with sb** far stare male qn (*cibo, clima*) **disagreeable** *agg* antipatico **disagreement** *s* **1** disaccordo **2** discrepanza

disappear /ˌdɪsəˈpɪə(r)/ *vi* sparire: *It disappeared into the bushes.* È sparito tra i cespugli. **disappearance** *s* scomparsa

disappoint /ˌdɪsəˈpɔɪnt/ *vt* deludere **disappointed** *agg* **1** ~ **(about/at/by sth)** deluso (per/da qc) **2** ~ **(in/with sb/sth)** scontento (di qn/qc): *I'm disappointed in you.* Mi deludi. **disappointing** *agg* deludente **disappointment** *s* delusione

disapproval /ˌdɪsəˈpruːvl/ *s* disapprovazione

disapprove /ˌdɪsəˈpruːv/ *vi* ~ **(of sb/sth)** disapprovare (qn/qc) **disapproving** *agg* di disapprovazione

disarm /dɪsˈɑːm/ *vt, vi* disarmare, disarmarsi **disarmament** *s* disarmo

disassociate /ˌdɪsəˈsəʊʃieɪt/ *Vedi* DISSOCIATE

disaster /dɪˈzɑːstə(r); *USA* -ˈzæs-/ *s* disastro **disastrous** *agg* disastroso

disband /dɪsˈbænd/ *vt, vi* sciogliere, sciogliersi (*organizzazione*)

disbelief /ˌdɪsbɪˈliːf/ *s* incredulità

disc (*anche USA* **disk**) /dɪsk/ *s* disco *Vedi anche* DISK

discard /dɪˈskɑːd/ *vt* scartare, disfarsi di

discern /dɪˈsɜːn/ *vt* percepire, discernere

discernible /dɪˈsɜːnəbl/ *agg* percepibile

discharge /dɪsˈtʃɑːdʒ/ ◆ *vt* **1** (*rifiuti*) scaricare **2** (*Mil*) congedare **3** (*Med*) (*paziente*) dimettere **4** (*dovere*) assolvere ◆ /ˈdɪstʃɑːdʒ/ *s* **1** (*elettrica, di artiglieria*) scarica **2** (*rifiuti*) scarico **3** (*Mil*) congedo **4** (*Dir*): *conditional discharge* libertà condizionata **5** (*Med*) secrezione

disciple /dɪˈsaɪpl/ *s* discepolo

discipline /ˈdɪsəplɪn/ ◆ *s* disciplina ◆ *vt* punire **disciplinary** *agg* disciplinare

disc jockey *s* (*pl* **-eys**) (*abbrev* **DJ**) disc jockey

disclose /dɪsˈkləʊz/ *vt* (*form*) rivelare **disclosure** /dɪsˈkləʊʒə(r)/ *s* rivelazione

disco /ˈdɪskəʊ/ (*anche* **discotheque** /ˈdɪskətek/) *s* (*pl* **~s**) discoteca

discolour (*USA* **discolor**) /dɪsˈkʌlə(r)/ *vt, vi* scolorire, scolorirsi

discomfort /dɪsˈkʌmfət/ *s* [*non numerabile*] disagio

disconcerted /ˌdɪskənˈsɜːtɪd/ *agg* sconcertato **disconcerting** *agg* sconcertante

disconnect /ˌdɪskəˈnekt/ *vt* **1** staccare **2** (*luce, gas, ecc*) sospendere l'erogazione di **disconnected** *agg* sconnesso, incoerente

discontent /ˌdɪskənˈtent/ (*anche* **discontentment**) *s* ~ **(with/over sth)** malcontento (per qc) **discontented** *agg* scontento

discontinue /ˌdɪskənˈtɪnjuː/ *vt* sospendere, interrompere

discord /ˈdɪskɔːd/ *s* (*form*) **1** discordia **2** (*Mus*) dissonanza **discordant** /dɪsˈkɔːdənt/ *agg* **1** (*opinioni*) discorde **2** (*suono*) dissonante, stonato

discount[1] /dɪsˈkaʊnt; *USA* ˈdɪskaʊnt/ *vt* **1** non badare a, ignorare **2** (*Comm*) scontare

discount[2] /ˈdɪskaʊnt/ *s* sconto LOC **at a discount** a prezzo scontato

discourage /dɪsˈkʌrɪdʒ/ *vt* **1** scoraggiare **2** ~ **sth** opporsi a qc; sconsigliare qc **3** ~ **sb from doing sth** dissuadere qn dal fare qc **discouraging** *agg* scoraggiante

discover /dɪsˈkʌvə(r)/ *vt* scoprire **discovery** *s* (*pl* **-ies**) scoperta

discredit /dɪsˈkredɪt/ *vt* screditare

discreet /dɪˈskriːt/ *agg* discreto

discrepancy /dɪsˈkrepənsi/ *s* (*pl* **-ies**) discrepanza

discretion /dɪˈskreʃn/ *s* **1** discrezione **2** giudizio: *Use your discretion.* Fai come meglio credi. LOC **at sb's discretion** a discrezione di qn

discriminate /dɪˈskrɪmɪneɪt/ *vi* **1** ~ (**between...**) distinguere (tra...) **2** ~ **against/in favour of sb** fare discriminazioni ai danni/a favore di qn **discriminating** *agg* raffinato **discrimination** *s* **1** discernimento **2** buon gusto **3** discriminazione

discuss /dɪˈskʌs/ *vt* ~ **sth** (**with sb**) discutere di qc (con qn) **discussion** *s* discussione, dibattito ☛ *Confronta* ARGUMENT.

disdain /dɪsˈdeɪn/ *s* disdegno, disprezzo

disease /dɪˈziːz/ *s* malattia

In generale, **disease** si usa per disturbi specifici, come *heart disease, Parkinson's disease*, mentre **illness** si riferisce alla condizione di essere malato o al periodo in cui si è malati. *Vedi esempi a* ILLNESS.

diseased *agg* malato

disembark /ˌdɪsɪmˈbɑːk/ *vi* ~ (**from sth**) sbarcare (da qc) (*nave, aereo*)

disenchanted /ˌdɪsɪnˈtʃɑːntɪd/ *agg* ~ (**with sb/sth**) deluso (da qn/qc)

disentangle /ˌdɪsɪnˈtæŋgl/ *vt* **1** sbrogliare **2** ~ **sb/sth** (**from sth**) liberare qn/qc (da qc)

disfigure /dɪsˈfɪgə(r); *USA* -gjər/ *vt* deturpare

disgrace /dɪsˈgreɪs/ ◆ *vt* disonorare: *to disgrace yourself* fare una brutta figura ◆ *s* **1** disgrazia, disonore **2** ~ (**to sb/sth**) vergogna (per qn/qc) LOC **in disgrace** (**with sb**) in disgrazia (presso qn) **disgraceful** *agg* vergognoso

disgruntled /dɪsˈgrʌntld/ *agg* **1** ~ (**at/about sth**) risentito (per qc) **2** ~ (**with sb**) seccato (con qn)

disguise /dɪsˈgaɪz/ ◆ *vt* **1** ~ **sb/sth** (**as sb/sth**) mascherare qn/qc (da qn/qc) **2** (*voce*) contraffare **3** (*sentimento*) dissimulare ◆ *s* travestimento LOC **in disguise** travestito *Vedi anche* BLESSING

disgust /dɪsˈgʌst/ *s* disgusto

disgusting /dɪsˈgʌstɪŋ/ *s* disgustoso, schifoso

dish /dɪʃ/ ◆ *s* **1** piatto: *to wash/do the dishes* lavare i piatti ◊ *the national dish* il piatto tipico nazionale ◆ PHR V **to dish sth out 1** (*cibo*) servire qc **2** (*soldi*) sganciare qc **to dish sth up** servire qc

disheartened /dɪsˈhɑːtnd/ *agg* scoraggiato **disheartening** *agg* scoraggiante

dishevelled (*USA* **disheveled**) /dɪˈʃevld/ *agg* **1** (*capelli*) arruffato **2** (*vestiti, aspetto*) in disordine

dishonest /dɪsˈɒnɪst/ *agg* **1** (*persona*) disonesto **2** fraudolento **dishonesty** *s* disonestà

dishonour (*USA* **dishonor**) /dɪsˈɒnə(r)/ ◆ *s* disonore ◆ *vt* disonorare **dishonourable** (*USA* **dishonorable**) *agg* disonorevole

dishwasher /ˈdɪʃwɒʃə(r)/ *s* lavapiatti

disillusion /ˌdɪsɪˈluːʒn/ ◆ *s* (*anche* **disillusionment**) ~ (**with sth**) disincanto (nei confronti di qc) ◆ *vt* disilludere

disinfect /ˌdɪsɪnˈfekt/ *vt* disinfettare **disinfectant** *s* disinfettante

disintegrate /dɪsˈɪntɪgreɪt/ *vt, vi* disintegrare, disintegrarsi **disintegration** *s* disintegrazione, disgregamento

disinterested /dɪsˈɪntrəstɪd/ *agg* disinteressato

disjointed /dɪsˈdʒɔɪntɪd/ *agg* sconnesso

disk /dɪsk/ *s* **1** (*spec USA*) *Vedi* DISC **2** (*Informatica*) disco

disk drive *s* disk drive, unità a dischi magnetici ☛ *Vedi illustrazione a* COMPUTER

diskette /dɪsˈket/ *s* dischetto

dislike /dɪsˈlaɪk/ ◆ *vt* non gradire, avere antipatia per ◆ *s* ~ (**of sb/sth**) avversione, antipatia (per qn/qc) LOC **to take a dislike to sb/sth** prendere in antipatia qn/qc

dislocate /ˈdɪsləkeɪt; *USA* -ləʊk-/ *vt* slogare, lussare: *He's dislocated a shoulder.* Si è lussato una spalla. **dislocation** *s* slogatura, lussazione

dislodge /dɪsˈlɒdʒ/ *vt* ~ **sb/sth** (**from sth**) far sgombrare qn/qc (da qc)

disloyal /dɪsˈlɔɪəl/ *agg* ~ (**to sb/sth**) sleale (verso qn/qc) **disloyalty** *s* slealtà
dismal /ˈdɪzməl/ *agg* **1** tetro **2** (*inform*) pessimo
dismantle /dɪsˈmæntl/ *vt* **1** smontare **2** (*edificio*) smantellare **3** (*nave*) disarmare
dismay /dɪsˈmeɪ/ ◆ *s* ~ (**at sth**) costernazione, sgomento (per qc) ◆ *vt* costernare, sgomentare
dismember /dɪsˈmembə(r)/ *vt* smembrare
dismiss /dɪsˈmɪs/ *vt* **1** ~ **sb** (**from sth**) licenziare, destituire qn (da qc) **2** ~ **sb/sth** (**as sth**) scartare qn/qc (per essere qc) **dismissal** *s* **1** licenziamento **2** rifiuto **dismissive** *agg* sprezzante
dismount /dɪsˈmaʊnt/ *vi* ~ (**from sth**) smontare (da qc)
disobedient /ˌdɪsəˈbiːdiənt/ *agg* ~ (**to sb/sth**) disubbidiente (a qn/qc) **disobedience** *s* disubbidienza
disobey /ˌdɪsəˈbeɪ/ *vt, vi* disubbidire
disorder /dɪsˈɔːdə(r)/ *s* disordine: *in disorder* in disordine **disorderly** *agg* **1** disordinato **2** turbolento LOC *Vedi* DRUNK[1]
disorganized, -ised /dɪsˈɔːgənaɪzd/ *agg* disorganizzato
disorientate /dɪsˈɔːriənteɪt/ *vt* disorientare
disown /dɪsˈəʊn/ *vt* rinnegare
dispatch (*anche* **despatch**) /dɪˈspætʃ/ ◆ *vt* (*form*) **1** inviare **2** (*riunione, pranzo*) finire in fretta ◆ *s* **1** invio **2** (*Giornalismo*) dispaccio
dispel /dɪˈspel/ *vt* (**-ll-**) dissipare
dispense /dɪˈspens/ *vt* distribuire PHR V **to dispense with sb/sth** fare a meno di qn/qc
disperse /dɪˈspɜːs/ *vt, vi* disperdere, disperdersi **dispersal** (*anche* **dispersion**) *s* dispersione
displace /dɪsˈpleɪs/ *vt* **1** spostare **2** rimpiazzare
display /dɪˈspleɪ/ ◆ *vt* **1** esporre **2** (*sentimento, ecc*) mostrare, manifestare **3** (*Informatica*) mostrare su schermo ◆ *s* **1** esposizione **2** manifestazione **3** (*Informatica*) display LOC **on display** esposto
disposable /dɪˈspəʊzəbl/ *agg* **1** usa e getta **2** (*Fin*) disponibile
disposal /dɪˈspəʊzl/ *s* eliminazione, smaltimento LOC **at your/sb's disposal** a propria disposizione/a disposizione di qn
disposed /dɪˈspəʊzd/ *agg* disposto LOC **to be ill/well disposed towards sb/sth** essere maldisposto/bendisposto verso qn/qc
disposition /ˌdɪspəˈzɪʃn/ *s* indole, temperamento
disproportionate /ˌdɪsprəˈpɔːʃənət/ *agg* sproporzionato
disprove /ˌdɪsˈpruːv/ *vt* confutare
dispute /dɪˈspjuːt/ ◆ *s* **1** discussione **2** controversia, disputa LOC **in dispute 1** in discussione **2** (*Dir*) in lite ◆ **1** *vt* contestare **2** *vi* discutere
disqualify /dɪsˈkwɒlɪfaɪ/ *vt* (*pass, pp* **-fied**) squalificare: *to disqualify sb from doing sth* vietare a qn di fare qc
disregard /ˌdɪsrɪˈgɑːd/ ◆ *vt* non tenere conto di (*consiglio, errore*) ◆ *s* ~ (**for/of sb/sth**) indifferenza (verso qn/qc)
disreputable /dɪsˈrepjətəbl/ *agg* poco raccomandabile
disrepute /ˌdɪsrɪˈpjuːt/ *s* discredito
disrespect /ˌdɪsrɪˈspekt/ *s* mancanza di rispetto
disrupt /dɪsˈrʌpt/ *vt* disturbare, portare il caos in **disruption** *s* disturbo caos
disruptive /dɪsˈrʌptɪv/ *agg* **1** (*studente*) indisciplinato **2** (*influenza*) deleterio
dissatisfaction /ˌdɪsˌsætɪsˈfækʃn/ *s* scontento, malcontento
dissatisfied /dɪˈsætɪsfaɪd/ *agg* ~ (**with sb/sth**) scontento (di qn/qc)
dissent /dɪˈsent/ *s* dissenso **dissenting** *agg* dissenziente
dissertation /ˌdɪsəˈteɪʃn/ *s* ~ (**on sth**) tesi, dissertazione (su qc)
dissident /ˈdɪsɪdənt/ *agg, s* dissidente
dissimilar /dɪˈsɪmɪlə(r)/ *agg* ~ (**from/to sb/sth**) diverso (da qn/qc)
dissociate /dɪˈsəʊʃieɪt/ (*anche* **disassociate** /ˌdɪsəˈsəʊʃieɪt/) **1** *v rifl* ~ **yourself from sb/sth** dissociarsi da qn/qc **2** *vt* dissociare, separare
dissolve /dɪˈzɒlv/ *vt, vi* dissolvere, dissolversi, sciogliere, sciogliersi **1** *vi* svanire
dissuade /dɪˈsweɪd/ *vt* ~ **sb** (**from sth/doing sth**) dissuadere qn (da qc/dal fare qc)
distance /ˈdɪstəns/ ◆ *s* distanza: *from/*

at a distance da lontano/a distanza LOC **in the distance** in lontananza ◆ *vt* ~ **sb (from sb/sth)** tenere a distanza qn (da qn/qc) **distant** *agg* **1** distante, lontano **2** (*parente*) lontano

distaste /dɪsˈteɪst/ *s* ~ **(for sb/sth)** ripugnanza (per qn/qc) **distasteful** *agg* ripugnante

distil (*USA* **distill**) /dɪˈstɪl/ *vt* (**-ll-**) ~ **sth (off/out) (from sth)** distillare qc (da qc) **distillery** *s* distilleria

distinct /dɪˈstɪŋkt/ *agg* **1** chiaro **2** ~ **(from sth)** distinto (da qc): *as distinct from sth* in contrapposizione a qc **distinction** *s* **1** distinzione **2** onore: *a violinist of some distinction* un eccellente violinista **distinctive** *agg* particolare

distinguish /dɪˈstɪŋgwɪʃ/ **1** *vt* ~ **A (from B)** distinguere A (da B) **2** *vi* ~ **between A and B** distinguere tra A e B **3** *v rifl* ~ **yourself** distinguersi

distort /dɪˈstɔːt/ *vt* **1** distorcere, deformare **2** (*fig*) travisare **distortion** *s* **1** distorsione **2** travisamento

distract /dɪˈstrækt/ *vt* ~ **sb (from sth)** distrarre qn (da qc) **distracted** *agg* fuori di sé **distraction** *s* distrazione: *to drive sb to distraction* far impazzire qn

distraught /dɪˈstrɔːt/ *agg* sconvolto

distress /dɪˈstres/ *s* **1** angoscia **2** dolore, pena **3** pericolo: *a distress signal* un segnale di richiesta di soccorso **distressed** *agg* angosciato **distressing** *agg* penoso

distribute /dɪˈstrɪbjuːt/ *vt* ~ **sth (to/among sb/sth)** distribuire qc (a/tra qn/qc) **distribution** *s* distribuzione **distributor** *s* concessionario

district /ˈdɪstrɪkt/ *s* **1** distretto **2** zona

distrust /dɪsˈtrʌst/ ◆ *s* [*sing*] diffidenza ◆ *vt* diffidare di **distrustful** *agg* diffidente

disturb /dɪˈstɜːb/ *vt* disturbare: *I'm sorry to disturb you.* Scusi se la disturbo. LOC **do not disturb** si prega di non disturbare **to disturb the peace** turbare la quiete pubblica **disturbance** *s* **1** disturbo: *to cause a disturbance* disturbare **2** disordini **disturbed** *agg* squilibrato **disturbing** *agg* inquietante

disuse /dɪsˈjuːs/ *s* disuso: *to fall into disuse* cadere in disuso **disused** *agg* abbandonato, in disuso

ditch /dɪtʃ/ ◆ *s* fossato, fosso ◆ *vt* (*inform*) mollare, piantare

dither /ˈdɪðə(r)/ *vi* (*inform*) ~ **(about sth)** tentennare (davanti a qc)

ditto /ˈdɪtəʊ/ *s* idem

Ditto si riferisce al simbolo (") che si usa per evitare le ripetizioni in una lista.

dive /daɪv/ ◆ *vi* (*pass* **dived** *o USA* **dove** /dəʊv/ *pp* **dived**) **1** ~ **(from/off sth) (into sth)** tuffarsi (da qc) (in qc) **2** (*sottomarino*) immergersi **3** ~ **(down) (for sth)** (*persona*) immergersi (alla ricerca di qc) **4** (*aereo*) scendere in picchiata **5** ~ **into/under sth** lanciarsi in/sotto qc LOC **to dive for cover** buttarsi al riparo ◆ *s* tuffo **diver** *s* sommozzatore, -trice

diverge /daɪˈvɜːdʒ/ *vi* **1** ~ **(from sth)** (*strade, linee*) divergere (da qc); separarsi **2** (*form*) (*opinioni*) divergere **divergence** *s* divergenza **divergent** *agg* divergente

diverse /daɪˈvɜːs/ *agg* svariato **diversification** *s* diversificazione **diversify** *vt, vi* (*pass, pp* **-fied**) diversificare, diversificarsi

diversion /daɪˈvɜːʃn; *USA* -ˈvɜːrʒn/ *s* deviazione

diversity /daɪˈvɜːsəti/ *s* varietà

divert /daɪˈvɜːt/ *vt* ~ **sb/sth (from sth) (to sth)** deviare qn/qc (da qc) (verso qc)

divide /dɪˈvaɪd/ **1** *vt* ~ **sth (up) (into sth)** dividere qc (in qc) **2** *vi* ~ **(up) into sth** dividersi in qc **3** *vt* ~ **sth (out/up) (between/among sb)** dividere, ripartire qc (tra qn) **4** *vt* ~ **sth (between A and B)** dividere qc (tra A e B) **5** *vt* separare **6** *vt* ~ **sth by sth** (*Mat*) dividere qc per qc **divided** *agg* diviso

dividend /ˈdɪvɪdend/ *s* dividendo

divine /dɪˈvaɪn/ *agg* divino

diving /daɪvɪŋ/ *s* **1** tuffi **2** immersione

diving board *s* trampolino

division /dɪˈvɪʒn/ *s* **1** divisione **2** reparto **3** (*Sport*) serie: *First Division* serie A **divisional** *agg* di divisione

divorce /dɪˈvɔːs/ ◆ *s* divorzio ◆ *vt, vi* divorziare (da): *to get divorced* divorziare **divorcee** /dɪˌvɔːˈsiː/ *s* divorziato, -a

divulge /daɪˈvʌldʒ/ *vt* ~ **sth (to sb)** rivelare qc (a qn)

DIY /ˌdiː aɪ ˈwaɪ/ *abbr* **do-it-yourself**

dizzy /ˈdɪzi/ *agg* (**-ier**, **-iest**): *to get/feel dizzy* avere il capogiro **dizziness** *s* capogiro, vertigini

DJ /ˌdiː ˈdʒeɪ/ *abbr* **disc jockey**

do	
presente	*forma contratta negativa*
I **do**	I **don't**
you **do**	you **don't**
he/she/it **does**	he/she/it **doesn't**
we **do**	we **don't**
you **do**	you **don't**
they **do**	they **don't**
passato	**did**
forma in -ing	**doing**
participio passato	**done**

do[1] /duː/ *v aus* ☛ In italiano **do** non si traduce. Indica il tempo del verbo e concorda con il soggetto della frase.

• **frasi interrogative e negative**: *Does she speak French?* Parla francese? ◊ *Did you go home?* Sei andato a casa? ◊ *She didn't go to Paris.* Non è andata a Parigi. ◊ *He doesn't want to come with us.* Non vuole venire con noi.

• **question tags 1** [*frase affermativa*]: **do** + n't + soggetto (pron pers)?: *John lives here, doesn't he?* John abita qui, no? **2** [*frase negativa*]: **do** + soggetto (pron pers)?: *Mary doesn't know, does she?* Mary non lo sa, vero? **3** [*frase affermativa*]: **do** + soggetto (pron pers)?: *So you told them, did you?* Quindi gliel'hai detto, vero?

• **frasi affermative con uso enfatico**: *He does look tired.* Ha proprio l'aria stanca. ◊ *Well, I did warn you.* Be', ti avevo avvertito. ◊ *Oh, do be quiet!* Insomma, fate silenzio!

• **per evitare ripetizioni**: *He drives better than he did a year ago.* Guida meglio di un anno fa. ◊ *She knows more than he does.* Lei ne sa più di lui. ◊ *'Who won?' 'I did.'* "Chi ha vinto?" "Io" ◊ *'He smokes.' 'So do I.'* "Lui fuma." "Anch'io." ◊ *Peter didn't go and neither did I.* Peter non ci è andato e io nemmeno. ◊ *You didn't know her but I did.* Tu non la conoscevi ma io sì.

do[2] /duː/ (*3a pers sing pres* **does** /dʌz/ *pass* **did** /dɪd/ *pp* **done** /dʌn/)

• *vt, vi* fare ☛ Si usa **to do** quando si parla di un'attività senza specificare esattamente di cosa si tratta, ad esempio quando è accompagnato da *something*, *nothing*, *anything*, *everything*, ecc: *What are you doing this evening?* Cosa fai stasera? ◊ *Are you doing anything tomorrow?* Hai qualcosa da fare domani? ◊ *We'll do what we can to help you.* Faremo il possibile per aiutarti. ◊ *What does she want to do?* Cosa vuole fare? ◊ *I've got nothing to do.* Non ho niente da fare. ◊ *I have a number of things to do today.* Ho diverse cose da fare oggi. ◊ *Do as you please.* Fai come ti pare. ◊ *Do as you're told!* Fai quello che ti ho detto!

• **to do + the, my, ecc + -ing** *vt* (*doveri e hobby*) fare: *to do the washing up* lavare i piatti ◊ *to do the ironing* stirare ◊ *to do the/your shopping* fare la spesa

• **to do + (the, my, ecc) + sostantivo** *vt*: *to do your homework* fare i compiti ◊ *to do a test/an exam* fare un esame ◊ *to do an English course* fare un corso d'inglese ◊ *to do business* fare affari ◊ *to do your duty* fare il proprio dovere ◊ *to do your job* fare il proprio lavoro ◊ *to do the housework* fare le faccende domestiche ◊ *to do your hair/to have your hair done* acconciarsi i capelli/andare dal parrucchiere

• **altri usi 1** *vt*: *to do your best* fare del proprio meglio ◊ *to do good* fare del bene ◊ *to do sb a favour* fare un favore a qn **2** *vi* andare bene: *Will £10 do?* Vanno bene 10 sterline? ◊ *All right, a pencil will do.* Va bene, una matita fa lo stesso. ◊ *Will next Friday do?* Va bene venerdì prossimo? **3** *vi* andare: *She's doing well at school.* Va bene a scuola. ◊ *How's the business doing?* Come vanno gli affari? ◊ *He did badly in the exam.* Gli è andato male l'esame.

LOC **it/that will never/won't do**: *It (simply) won't do.* Non va bene. ◊ *It would never do to...* Non starebbe bene che... **that does it!** (*inform*) basta! questo è troppo! **that's done it** (*inform*) ecco, è tutto rovinato! **that will do!** basta così! **to be/have to do with sb/sth** avere a che fare con qn/qc: *What's it got to do with you?* A te che te ne importa? ☛ Per altre espressioni con **do** vedi alla voce del sostantivo, dell'aggettivo, ecc, ad es. **to do your bit** a BIT.

PHR V **to do away with sth** disfarsi di

qc, abolire qc
to do sth up 1 allacciare qc **2** abbottonare qc **3** impacchettare qc **4** rimettere a nuovo qc
to do with 1 *I could do with a good night's sleep.* Una bella dormita mi farebbe proprio bene. ◊ *We could do with a holiday.* Avremmo bisogno di una bella vacanza. **2** *She won't have anything to do with him.* Non vuole avere niente a che fare con lui.
to do without (sb/sth) fare a meno (di qn/qc) ☛ *Vedi anche esempi a* MAKE.

do[3] /duː/ *s* (*pl* **dos** *o* **do's** /duːz/) LOC **do's and don'ts** le regole

docile /ˈdəʊsaɪl; *USA* ˈdɒsl/ *agg* docile

dock[1] /dɒk/ ◆ *s* **1** darsena **2 docks** [*pl*] porto ◆ **1** *vt, vi* (*Naut*) (far) entrare in bacino, (far) attraccare **2** *vt, vi* (*Aeron*) agganciare, agganciarsi

dock[2] /dɒk/ *s* banco degli imputati

dock[3] /dɒk/ *vt* decurtare (*paga*)

doctor /ˈdɒktə(r)/ ◆ *s* (*abbrev* **Dr**) **1** (*Med*) medico, dottore, -essa **2** ~ **(of sth)** (*titolo*) dottore (in qc) ◆ *vt* (*inform*) **1** manipolare, alterare **2** (*alimenti*) adulterare

doctorate /ˈdɒktərət/ *s* dottorato di ricerca

doctrine /ˈdɒktrɪn/ *s* dottrina

document /ˈdɒkjumənt/ ◆ *s* documento ◆ *vt* documentare

documentary /ˌdɒkjuˈmentri/ *agg, s* (*pl* **-ies**) documentario

dodge /dɒdʒ/ **1** *vi* scansarsi: *She dodged round the corner.* Si nascose dietro l'angolo. **2** *vt* (*colpo*) schivare: *to dodge awkward questions* eludere domande imbarazzanti **3** *vt* (*inseguitore*) seminare

dodgy /ˈdɒdʒi/ *agg* (**-ier**, **-iest**) (*inform, spec GB*) rischioso: *Sounds a bit dodgy to me.* Mi puzza. ◊ *He's a dodgy character.* È un tipo losco. ◊ *a dodgy situation* una situazione delicata ◊ *a dodgy wheel* una ruota difettosa

doe /dəʊ/ *s* femmina (*di cervo, daino, coniglio, lepre, ecc*) ☛ *Vedi nota a* CERVO, CONIGLIO

does /dəz, dʌz/ *Vedi* DO

doesn't /ˈdʌz(ə)nt/ = DOES NOT *Vedi* DO

dog /dɒg; *USA* dɔːg/ ◆ *s* cane LOC *Vedi* TREAT ◆ *vt* (**-gg-**) perseguitare: *He was dogged by misfortune.* Era perseguitato dalla sfortuna.

dogged /ˈdɒgɪd; *USA* ˈdɔːgɪd/ *agg* (*approv*) tenace **doggedly** *avv* tenacemente

doggie (*anche* **doggy**) /ˈdɒgi; *USA* ˈdɔːgi/ *s* (*inform*) cagnolino

dogsbody /ˈdɒgzbɒdi; *USA* ˈdɔːg-/ *s* (*pl* **-ies**) (*GB*) factotum

do-it-yourself /ˌduː ɪt jəˈself/ *s* (*abbrev* **DIY**) fai da te

the dole /dəʊl/ *s* (*GB, inform*) sussidio di disoccupazione: *to be/go on the dole* ricevere/iscriversi alle liste per il sussidio disoccupazione

doll /dɒl; *USA* dɔːl/ *s* bambola

dollar /ˈdɒlə(r)/ *s* dollaro: *a dollar bill* una banconota da un dollaro

dolly /ˈdɒli; *USA* ˈdɔːli/ *s* bambolina

dolphin /ˈdɒlfɪn/ *s* delfino

domain /dəˈmeɪn/ *s* **1** (*lett*) domini **2** campo, sfera: *outside my domain* fuori dalla mia competenza

dome /dəʊm/ *s* cupola **domed** *agg* a cupola

domestic /dəˈmestɪk/ *agg* **1** domestico **2** (*volo*) nazionale **3** (*politica, affari*) interno **domesticated** *agg* **1** addomesticato **2** casalingo

dominant /ˈdɒmɪnənt/ *agg* predominante **dominance** *s* predominio

dominate /ˈdɒmɪneɪt/ *vt, vi* dominare **domination** *s* dominazione

domineering /ˌdɒmɪˈnɪərɪŋ/ *agg* dominante

dominion /dəˈmɪniən/ *s* dominio

domino /ˈdɒmɪnəʊ/ *s* **1** (*pl* ~**es**) tessera del domino **2 dominoes** [*sing*]: *to play dominoes* giocare a domino

donate /dəʊˈneɪt; *USA* ˈdəʊneɪt/ *vt* donare, offrire **donation** *s* donazione, offerta

done /dʌn/ ◆ *pp di* DO[2] ◆ *agg* cotto, pronto

donkey /ˈdɒŋki/ *s* (*pl* **-eys**) asino

donor /ˈdəʊnə(r)/ *s* donatore, -trice

don't /dəʊnt/ = DO NOT *Vedi* DO[1,2]

doom /duːm/ *s* [*sing*] **1** (*form*) rovina: *to send a man to his doom* mandare un uomo incontro alla morte **2** pessimismo **doomed** *agg* condannato, destinato: *doomed to failure* destinato al fallimento

door /dɔː(r)/ *s* **1** porta **2** (*auto*) sportello **3** *Vedi* DOORWAY LOC **(from) door to door** di porta in porta: *a door-to-door* *salesman* un venditore a domicilio **out of doors** all'aria aperta

doorbell /ˈdɔːbel/ *s* campanello (*di casa*)

doormat /ˈdɔːmæt/ *s* zerbino

doorstep /ˈdɔːstep/ *s* gradino della porta LOC **on your doorstep** a un passo

doorway /ˈdɔːweɪ/ *s* vano (*della porta*)

dope[1] /dəʊp/ *s* (*inform*) tonto, -a

dope[2] /dəʊp/ *vt* drogare

dope test *s* controllo antidoping

dormant /ˈdɔːmənt/ *agg* inattivo

dormitory /ˈdɔːmətri; *USA* -tɔːri/ *s* (*pl* **-ies**) dormitorio

dosage /ˈdəʊsɪdʒ/ *s* dose, posologia

dose /dəʊs/ *s* dose

dot /dɒt/ ◆ *s* **1** punto, puntino **2** pois LOC **on the dot** (*inform*) in punto ◆ *vt* (**-tt-**) mettere i puntini su LOC **to dot your/the i's and cross your/the t's** dare gli ultimi ritocchi

dote /dəʊt/ *vi* ~ **on sb/sth** stravedere per qn/qc **doting** *agg*: *doting parents* genitori che stravedono per i figli

double[1] /ˈdʌbl/ ◆ *agg* doppio: *double figures* numero a due cifre ◊ *She earns double what he does.* Guadagna il doppio di lui. ◆ *avv*: *to see double* vederci doppio ◊ *bent double* piegato in due ◊ *to fold a blanket double* piegare in due una coperta

double[2] /ˈdʌbl/ *s* **1** (*whisky, ecc*) doppio **2** (*persona*) sosia **3** (*Cine*) controfigura **4 doubles** [*pl*] doppio (*tennis*): *mixed doubles* doppio misto

double[3] /ˈdʌbl/ **1** *vt, vi* raddoppiare **2** *vt* ~ **sth** (**up/over/across/back**) piegare qc (in due) **3** *vi* ~ **as sth** fungere anche da qc PHR V **to double back** tornare sui propri passi **to double** (**sb**) **up**: *to be doubled up with laughter* sbellicarsi dalle risate ◊ *to double up with pain* piegarsi in due dal dolore

double-barrelled /ˌdʌbl ˈbærəld/ *agg* **1** (*fucile*) a doppia canna **2** (*GB*) (*cognome*) doppio

double bass *s* contrabbasso

double bed *s* letto matrimoniale ☛ *Vedi illustrazione a* LETTO

double-breasted /ˌdʌbl ˈbrestɪd/ *agg* doppiopetto

double-check /ˌdʌbl ˈtʃek/ *vt* ricontrollare

double-cross /ˌdʌbl ˈkrɒs/ *vt* fare il doppio gioco con

double-decker /ˌdʌbl ˈdekə(r)/ (*anche* **double-decker bus**) *s* autobus a due piani

double-edged /ˌdʌbl ˈedʒd/ *agg* a doppio taglio

double glazed *agg* con doppivetri

double glazing *s* doppivetri

doubly /ˈdʌbli/ *avv* doppiamente: *to make doubly sure of sth* assicurarsi bene di qc

doubt /daʊt/ ◆ *s* **1** ~ (**about sth**) dubbio (su qc) **2** ~ **as to** (**whether**)... incertezza circa... LOC **beyond a/all/any doubt** fuori dubbio **in doubt** in dubbio **no doubt**; **without** (**a**) **doubt** senza dubbio *Vedi anche* BENEFIT, CAST ◆ *vt, vi* dubitare (di) **doubter** *s* scettico, -a **doubtless** *avv* senza dubbio, indubbiamente

doubtful /ˈdaʊtfl/ *agg* dubbio, incerto: *to be doubtful about* (*doing*) *sth* avere dei dubbi su/sul fare qc **doubtfully** *avv* senza convinzione

dough /dəʊ/ *s* impasto, pasta

doughnut /ˈdəʊnʌt/ *s* krapfen, bombolone ☛ *Vedi illustrazione a* PANE

dour /dʊə(r)/ *agg* (*form*) arcigno

douse (*anche* **dowse**) /daʊs/ *vt* ~ **sb/sth** (**in/with sth**) infradiciare qn/qc (con qc)

dove[1] /dʌv/ *s* colomba

dove[2] (*USA*) *pass di* DIVE

dowdy /ˈdaʊdi/ *agg* (**-ier**, **-iest**) (*dispreg*) scialbo

down[1] /daʊn/ *part avv* **1** giù: *face down* a faccia in giù **2** in giù, in basso: *Inflation is down this month.* Questo mese l'inflazione è scesa. ◊ *I'm £50 down.* Mi mancano 50 sterline. **3** *Ten down, five to go.* Dieci sono fatti, ne restano altri cinque. **4** (*Informatica*): *The computer's down.* C'è un guasto al computer. LOC **down with sb/sth!** abbasso qn/qc! **to be/feel down** (*inform*) essere/sentirsi giù ☛ Per l'uso di **down** nei PHRASAL VERBS vedi alla voce del verbo, ad es. **to go down** a GO.

down[2] /daʊn/ *prep* giù per, in fondo a: *down the hill* giù per la collina ◊ *down the corridor on the right* in fondo al corridoio sulla destra ◊ *He ran his eyes down the list.* Scorse l'elenco da cima a fondo.

down[3] /daʊn/ *s* **1** piumino (*piume*) **2** peluria, lanugine

down-and-out /ˈdaʊn ən ˌaʊt/ *s* barbone, -a

downcast /ˈdaʊnkɑːst; *USA* -kæst/ *agg* abbattuto, avvilito

downfall /ˈdaʊnfɔːl/ *s* [*sing*] rovina: *Drink will be your downfall.* L'alcol sarà la tua rovina.

downgrade /ˈdaʊngreɪd/ *vt* ~ **sb/sth (from ... to ...)** declassare qn/qc (da ... a ...)

downhearted /ˌdaʊnˈhɑːtɪd/ *agg* scoraggiato

downhill /ˌdaʊnˈhɪl/ *avv, agg* in discesa LOC **to be (all) downhill (from here/there)** essere una passeggiata (a partire da ora/qui) **to go downhill** andare sempre peggio

downmarket /ˌdaʊnˈmɑːkɪt/ *agg* per una fascia di mercato inferiore, dozzinale

downpour /ˈdaʊnpɔː(r)/ *s* acquazzone

downright /ˈdaʊnraɪt/ ◆ *agg* assoluto: *downright stupidity* idiozia bell'e buona ◆ *avv* davvero

the downs /daʊnz/ *s* [*pl*] colline di gesso nell'Inghilterra del Sud

downside /ˈdaʊnsaɪd/ *s* inconveniente

Down's syndrome *s* sindrome di Down

downstairs /ˌdaʊnˈsteəz/ ◆ *avv* al piano di sotto, giù ◆ *agg* (del piano) di sotto ◆ *s* [*sing*] pianterreno

downstream /ˌdaʊnˈstriːm/ *avv* a valle

down-to-earth /ˌdaʊn tuː ˈɜːθ/ *agg* con i piedi per terra

downtown /ˌdaʊnˈtaʊn/ *avv* (*USA*) in centro

downtrodden /ˈdaʊntrɒdn/ *agg* oppresso

downturn /ˈdaʊntɜːn/ *s* calo: *a downturn in sales* un calo nelle vendite

down under ◆ *s* gli antipodi ◆ *avv* agli antipodi

downward /ˈdaʊnwəd/ ◆ *agg* verso il basso, in giù: *a downward trend* una tendenza al ribasso ◆ *avv* (*anche* **downwards**) verso il basso, in giù

downy /daʊni/ *agg* coperto di peluria

dowry /ˈdaʊri/ *s* (*pl* **-ies**) dote (*per un matrimonio*)

dowse *Vedi* DOUSE

doze /dəʊz/ ◆ *vi* dormicchiare PHR V **to doze off** appisolarsi ◆ *s* sonnellino

dozen /ˈdʌzn/ *s* (*abbrev* **doz**) dozzina: *There were dozens of people.* C'erano decine di persone. ◊ *two dozen eggs* due dozzine di uova

dozy /ˈdəʊzi/ *agg* (**-ier**, **-iest**) assonnato

drab /dræb/ *agg* monotono, grigio

draft /drɑːft; *USA* dræft/ ◆ *s* **1** abbozzo, brutta copia: *a draft bill* un progetto di legge **2** (*Fin*) tratta **3** (*USA*) **the draft** la leva **4** (*USA*) *Vedi* DRAUGHT ◆ *vt* **1** abbozzare, stendere (*la prima versione di*) **2** (*USA, Mil*) arruolare **3** distaccare

drafty (*USA*) *Vedi* DRAUGHTY

drag[1] /dræg/ *s* **1 a drag** (*inform*) (*persona, cosa*) uno strazio **2** (*inform*): *a man in drag* un uomo travestito da donna

drag[2] /dræg/ (**-gg-**) **1** *vt* trascinare **2** *vi* strascicare **3** *vi* (*tempo*) passare lentamente **4** *vt* (*Naut*) dragare **5** *vi* ~ **(on)** (*riunione, lezione*) trascinarsi

dragon /ˈdrægən/ *s* drago

dragonfly /ˈdrægənflaɪ/ *s* libellula

drain /dreɪn/ ◆ *s* (tubo di) scarico, canale di scolo LOC **to be a drain on sth** essere un salasso per qc ◆ *vt* **1** (*verdure, pasta*) scolare **2** (*palude*) prosciugare LOC **to be/feel drained** sentirsi sfinito: *She felt drained of all energy.* Si sentiva completamente priva di energie. PHR V **to drain away 1** (*lett*) scolare **2** (*fig*) esaurirsi **drainage** *s* drenaggio

draining board *s* piano del lavello

drainpipe /ˈdreɪnpaɪp/ *s* tubo di scarico

drama /ˈdrɑːmə/ *s* **1** opera teatrale **2** dramma: *drama school* accademia d'arte drammatica ◊ *drama student* studente d'arte drammatica **dramatic** *agg* **1** drammatico **2** spettacolare **dramatically** *avv* **1** in modo teatrale **2** in modo straordinario

dramatist /ˈdræmətɪst/ *s* drammaturgo, -a **dramatization, -isation** *s* adattamento televisivo/cinematografico **dramatize, -ise 1** *vt* adattare per la televisione/il cinema **1** *vi, vt* drammatizzare

drank *pass di* DRINK

drape /dreɪp/ *vt* **1** ~ **sth across/round sth** (*abito, tessuto*) avvolgere qc intorno a qc **2** ~ **sth (with sth)** drappeggiare, coprire qc (con qc) **3** ~ **sb/sth (in sth)** avvolgere qn/qc (in qc)

drastic /ˈdræstɪk/ *agg* drastico **drastically** *avv* drasticamente

draught /drɑːft/ (*USA* **draft** /dræft/) *s* **1** corrente (*d'aria*) **2** **draughts** [*sing*] dama (*gioco*) LOC **on draught** alla spina

draughtsman /ˈdrɑːftsmən; *USA* ˈdræfts-/ *s* (*pl* **-men** /-mən/) disegnatore, -trice

draughty /ˈdrɑːfti/ (*USA* **drafty** /ˈdræfti/) *agg* (**-ier**, **-iest**) con molti spifferi

draw[1] /drɔː/ *s* **1** [*gen sing*] sorteggio ☛ *Confronta* RAFFLE **2** pareggio

draw[2] /drɔː/ (*pass* **drew** /druː/ *pp* **drawn** /drɔːn/) **1** *vt*, *vi* disegnare: *to draw a picture* fare un disegno **2** *vi*: *to draw near* avvicinarsi ◊ *to draw level with sb* affiancarsi a qn **3** *vt* ~ **sb/sth (into/towards sth)** tirare qn/qc (in/verso qc) **4** *vt* (*tende*) tirare **5** *vt* ~ **sth (out of/from sth)** tirare fuori, estrarre qc (da qc) **6** *vt* (*carrozza*) trainare **7** *vt* ~ **sb/sth (to sb/sth)** attrarre qn/qc (verso qn/qc) **8** *vi* (*Sport*) pareggiare LOC *Vedi* CLOSE[2]

PHR V **to draw back** indietreggiare **to draw sth back** tirare indietro qc

to draw in (*treno*) entrare in stazione

to draw on/upon sth far ricorso a qc

to draw out 1 (*giornate*) allungarsi **2** (*treno*) uscire dalla stazione

to draw up fermarsi **to draw sth up 1** (*sedia*) avvicinare qc **2** (*documento*) redigere qc

drawback /ˈdrɔːbæk/ *s* ~ **(of/to sth/to doing sth)** inconveniente, svantaggio di qc/di fare qc

drawer /drɔː(r)/ *s* cassetto

drawing /ˈdrɔːɪŋ/ *s* disegno

drawing pin *s* puntina da disegno

drawing-room /ˈdrɔːɪŋ ruːm/ *s* salotto

drawl /drɔːl/ *s* cadenza strascicata

drawn[1] *pp di* DRAW[2]

drawn[2] /drɔːn/ *agg* tirato (*persona, viso*)

dread /dred/ ◆ *s* terrore ◆ *vt* avere il terrore di: *I dread to think what will happen.* Tremo all'idea di cosa succederà. **dreadful** *agg* **1** terribile, spaventoso **2** (*cibo, tempo*) tremendo, pessimo: *I feel dreadful.* Mi sento uno straccio. ◊ *I feel dreadful about what happened.* Mi vergogno da morire per quel che è successo. **dreadfully** *avv* terribilmente

dream /driːm/ ◆ *s* (*lett e fig*) sogno: *to have a dream about sb/sth* sognare qn/qc ◊ *to go around in a dream/live in a dream world* avere sempre la testa tra le nuvole ◆ (*pass, pp* **dreamt** /dremt/ *o* **dreamed**) **1** *vt*, *vi* ~ **(about/of sth/doing sth)** sognare (qc/di fare qc): *I dreamt (that) I could fly.* Ho sognato di volare. **2** *vt* sognarsi, credersi: *I never dreamt (that) I'd see you again.* Non avrei mai creduto di rivederti.

Alcuni verbi hanno sia la forma regolare che quella irregolare del passato e del participio passato: **dream**: **dreamed/dreamt**, **spoil**: **spoiled/spoilt**, ecc. In inglese britannico si preferiscono le forme irregolari (**dreamt**, **spoilt**, ecc), mentre in inglese americano si usano le forme regolari (**dreamed**, **spoiled**, ecc). Comunque, quando il participio ha valore di aggettivo si usa sempre la forma irregolare: *a spoilt child* un bambino viziato.

dreamer *s* sognatore, -trice **dreamy** *agg* (**-ier**, **-iest**) **1** sognatore, distratto **2** (*ricordo*) vago **dreamily** *avv* distrattamente

dreary /ˈdrɪəri/ *agg* (**-ier**, **-iest**) **1** deprimente **2** noioso

dredge /dredʒ/ *vt*, *vi* dragare **dredger** (*anche* **dredge**) *s* draga

drench /drentʃ/ *vt* infradiciare: *drenched (to the skin)* bagnato fradicio

dress /dres/ ◆ *s* **1** vestito **2** [*non numerabile*] abbigliamento: *to have no dress sense* non sapersi vestire *Vedi anche* FANCY DRESS ◆ **1** *vt*, *vi* vestire, vestirsi: *to dress as sth* vestirsi da qc ◊ *to dress smartly* vestirsi bene ☛ Quando ci si vuol riferire all'azione del vestirsi si dice **get dressed**. **2** *vt* (*ferita*) medicare **3** *vt* (*insalata*) condire LOC **(to be) dressed in black** (essere) vestito di nero PHR V **to dress (sb) up (as sb/sth)** mascherare qn (da qn/qc), mascherarsi (da qn/qc) **to dress up (in sth)** mascherarsi (con qc) **to dress sth up** presentare qc sotto una veste migliore **to dress up** mettersi elegante

dress circle *s* (*GB*) prima galleria

dresser /ˈdresə(r)/ *s* **1** credenza **2** (*USA*) toilette (*mobile*)

dressing /ˈdresɪŋ/ *s* **1** medicazione **2** condimento

dressing gown *s* vestaglia

dressing room *s* camerino (*per attori*)

dressing table *s* toilette (*mobile*)

dressmaker /ˈdresmeɪkə(r)/ *s* sarto, -a **dressmaking** *s* sartoria, taglio e cucito

drew *pass di* DRAW[2]

dribble /ˈdrɪbl/ **1** *vi* sbavare **2** *vt, vi* dribblare

dried *pass, pp di* DRY

drier (*anche* **dryer**) /ˈdraɪə(r)/ *s* asciugabiancheria *Vedi anche* TUMBLE-DRIER

drift /drɪft/ ◆ *vi* **1** essere trasportato dalla corrente/dal vento **2** (*sabbia, neve*) accumularsi **3** vagare: *to drift into doing sth* finire con il fare qc ◆ *s* **1** [*sing*] senso generale **2** cumulo (*di sabbia, neve*) **drifter** *s* vagabondo, -a

drill /drɪl/ ◆ *s* **1** trapano: *a pneumatic drill* un martello pneumatico **2** esercitazioni (*militari*) **3** (*Scuola*) esercizio **4** esercitazione: *a fire drill* un esercizio antincendio ◆ *vt* **1** forare, trapanare, trivellare: *to drill a hole* praticare un buco con il trapano **2** esercitare

drily *Vedi* DRYLY

drink /drɪŋk/ ◆ *s* bevanda: *Have a drink of water.* Bevi un po' d'acqua. ◊ *to go for a drink* andare a bere qualcosa ◊ *a soft drink* una bibita analcolica ◆ *vt, vi* (*pass* **drank** /dræŋk/ *pp* **drunk** /drʌŋk/) bere: *Don't drink and drive.* Se hai bevuto, non guidare. LOC **to drink sb's health** bere alla salute di qn PHR V **to drink a toast to sth** fare un brindisi a qc **to drink sth down** mandar giù qc **to drink sth in** (*storia, film*) essere immerso in qc **to drink sth up** finire di bere qc **drinker** *s* bevitore, -trice **drinking** *s* il bere

drinking water *s* acqua potabile

drip /drɪp/ ◆ *vi* (**-pp-**) gocciolare LOC **to be dripping with sweat** grondare di sudore ◆ *s* **1** goccia **2** (*Med*) fleboclisi: *He was on a drip.* Aveva una flebo.

drive /draɪv/ (*pass* **drove** /drəʊv/ *pp* **driven** /ˈdrɪvn/) ◆ **1** *vt, vi* guidare: *Can you drive?* Sai guidare? **2** *vi* andare in macchina: *Did you drive?* Sei venuto in macchina? **3** *vt* portare (*in macchina*) **4** *vt* condurre, portare: *to drive sb crazy* far impazzire qn ◊ *to drive sb to drink* portare qn al bere **5** *vt* (*ruote, motore*) azionare LOC **to be driving at sth**: *What are you driving at?* Dove vuoi arrivare? **to drive a hard bargain** insistere per far accettare le proprie condizioni PHR V **to drive away; to drive off** andarsene (*in macchina*) **to drive sb/sth back** respingere qn/qc **to drive sb/sth off** cacciare via qn/qc **to drive sb on** spingere qn ◆ *s* **1** giro (*in macchina*): *to go for a drive* andare a fare un giro in macchina ◊ *It's one hour's drive from here.* È a un'ora di macchina da qui. **2** (*USA* **driveway**) viale d'accesso **3** (*Sport*) drive **4** grinta **5** campagna commerciale **6** (*Mecc*) trasmissione, trazione: *It's four-wheel drive.* Ha quattro ruote motrici. ◊ *a left-hand drive car* una macchina con la guida a sinistra **7** (*Informatica*) drive

drive-in /ˈdraɪv ɪn/ *s* (*USA*) drive-in

driven *pp di* DRIVE

driver /ˈdraɪvə(r)/ *s* conducente, autista: *train driver* macchinista LOC **to be in the driver's seat** essere al timone

driving licence (*USA* **driver's license**) *s* patente di guida

driving school *s* scuola guida

driving test *s* esame di guida

drizzle /ˈdrɪzl/ ◆ *s* pioggerella ◆ *vi* piovigginare

drone /drəʊn/ ◆ *vi* ronzare: *to drone on about sth* continuare a parlare di qc in modo monotono ◆ *s* ronzio

drool /druːl/ *vi* sbavare: *to drool over sb/sth* sbavare per qn/qc

droop /druːp/ *vi* **1** cadere (*per stanchezza, sonno*) **2** (*fiore*) afflosciarsi **3** (*avvilirsi*) abbattersi **drooping** (*anche* **droopy**) *agg* **1** cascante **2** (*fiore*) appassito

drop /drɒp/ ◆ *s* **1** goccia **2** goccio: *Would you like a drop of wine?* Vuoi un goccio di vino? **3** [*sing*] salto (*distanza*): *a sheer drop* un precipizio **4** [*sing*] calo, abbassamento: *a drop in prices/in temperature* un calo dei prezzi/della temperatura LOC **a drop in the ocean** una goccia nel mare **at the drop of a hat** in quattro e quattr'otto ◆ (**-pp-**) **1** *vi* cadere: *He dropped to his knees.* Cadde in ginocchio. **2** *vt* lasciar cadere: *to drop a bomb* lanciare una bomba ◊ *to drop anchor* gettare l'ancora **3** *vi* (*persona, animale*) crollare: *I feel ready to drop.* Non mi reggo più in piedi. ◊ *to* *work till you drop* lavorare fino allo sfinimento **4** *vt, vi* calare, diminuire **5** *vt* ~ **sb/sth (off)** (*pacchetto, passeggero*) lasciare qn/qc **6** *vt* omettere: *He's been dropped from the team.* Lo hanno escluso dalla squadra. **7** *vt* ~ **sb** mollare qn **8** *vt* ~ **sth** (*idea, abitudine*) abbandonare: *Drop everything!* Molla tutto! ◊ *Can we drop the subject?* Lasciamo perdere questo argomento, per favore. LOC **to drop a brick** (*inform*) fare una gaffe **to drop a hint (to sb)/drop (sb) a hint** far capire qualcosa (a qn) **to drop dead** (*inform*) cadere stecchito: *Drop dead!* Va' al diavolo! **to drop sb a line** (*inform*) mandare due righe a qn *Vedi anche* LET[1] PHR V **to drop back; to drop behind** rimanere indietro **to drop by/in/over/round**: *Why don't you drop by/over/round?* Passa a trovarmi. ◊ *They dropped in for lunch.* Sono venuti per pranzo. **to drop in on sb** fare un salto da qn **to drop off** (*inform*) addormentarsi **to drop out (of sth)** ritirarsi (da qc): *to drop out (of university)* abbandonare gli studi ◊ *to drop out (of society)* abbandonare la società

drop-out /ˈdrɒp aʊt/ *s* emarginato, -a

droppings /ˈdrɒpɪŋz/ *s* [*pl*] escrementi (*di animali*)

drought /draʊt/ *s* siccità

drove *pass di* DRIVE

drown /draʊn/ *vt, vi* affogare PHR V **to drown sb out** coprire la voce di qn **to drown sth out** (*suono, voce*) coprire qc

drowsy /ˈdraʊzi/ *agg* (**-ier**, **-iest**) mezzo addormentato: *This drug can make you drowsy.* Questa medicina può dare sonnolenza.

drudgery /ˈdrʌdʒəri/ *s* lavoro pesante

drug /drʌg/ ◆ *s* **1** (*Med*) farmaco, medicina: *a drug company* una casa farmaceutica **2** droga: *to be on drugs* drogarsi ◆ *vt* (**-gg-**) drogare

drug abuse *s* abuso di droghe

drug addict *s* tossicodipendente **drug addiction** *s* tossicodipendenza

drugstore /ˈdrʌgstɔː(r)/ *s* (*USA*) negozio che vende medicinali, giornali e generi alimentari *Vedi anche* PHARMACY

drum /drʌm/ ◆ *s* **1** (*Mus*) tamburo: *the drums* la batteria **2** bidone (*di petrolio, ecc*) **3** tamburo (*di lavatrice*) ◆ (**-mm-**) **1** *vi* suonare il tamburo **2** *vt, vi* ~ **(sth) on sth** tamburellare (con qc) su qc PHR V **to drum sth into sb/into sb's head** ripetere incessantemente qc a qn **to drum sb out (of sth)** espellere qn (da qc) **to drum sth up** conquistarsi (*interesse, clienti*) **drummer** *s* batterista

drumstick /ˈdrʌmstɪk/ *s* **1** (*Mus*) bacchetta (*di batteria*) **2** (*Cucina*) coscia (*di pollo*)

drunk[1] /drʌŋk/ ◆ *agg* ubriaco: *to be drunk with joy* essere pazzo di gioia LOC **drunk and disorderly**: *to be charged with being drunk and disorderly* essere accusato di ubriachezza molesta **to get drunk** ubriacarsi ◆ *s Vedi* DRUNKARD

drunk[2] *pp di* DRINK

drunkard /ˈdrʌŋkəd/ *s* ubriacone, -a

drunken /ˈdrʌŋkən/ *agg* **1** ubriaco: *drunken driving* guida in stato di ebbrezza **2** alcolizzato **drunkenness** *s* **1** ubriachezza **2** alcolismo

dry /draɪ/ ◆ *agg* (**drier**, **driest**) **1** asciutto: *Tonight will be dry.* Stanotte non pioverà. **2** secco: *dry white wine* vino bianco secco **3** *a dry sense of humour* un umorismo all'inglese LOC *Vedi* BONE, HIGH[1], HOME, RUN ◆ *vt, vi* (*pass, pp* **dried**) asciugare, asciugarsi PHR V **to dry out** asciugarsi **to dry up** seccarsi (*fiume*) **to dry sth up** asciugare qc (*piatti*) ◆ *s* LOC **in the dry** all'asciutto

dry-clean /draɪ ˈkliːn/ *vt* lavare a secco **dry-cleaner's** *s* tintoria **dry-cleaning** *s* lavaggio a secco

dryer *Vedi* DRIER

dry land *s* terraferma

dryly (*anche* **drily**) /ˈdraɪli/ *avv* seccamente

dryness /ˈdraɪnəs/ *s* **1** secchezza **2** aridità **3** ironia

dual /ˈdjuːəl; *USA* ˈduːəl/ *agg* doppio

dual carriageway *s* (*GB*) strada a doppia carreggiata

dub /dʌb/ *vt* (**-bb-**) doppiare **dubbing** *s* doppiaggio

dubious /ˈdjuːbiəs; *USA* ˈduː-/ *agg* **1** *to be dubious about sth* avere dei dubbi riguardo a qc **2** (*dispreg*) (*comportamento*) dubbio **dubiously** *avv* **1** con sospetto **2** in modo sospetto

duchess (*anche* **Duchess** *nei titoli*) /ˈdʌtʃəs/ *s* duchessa

duck /dʌk/ ◆ *s* anatra ☛ *Vedi nota a* ANATRA ◆ **1** *vt, vi* abbassare (la testa): *He ducked behind a rock.* Si nascose dietro una roccia. **2** *vt* (*responsabilità*) evitare PHR V **to duck out of sth** (*inform*) scansare qc: *She tried to duck out of the meeting.* Ha cercato di scansare la riunione.

duct /dʌkt/ *s* condotto

dud /dʌd/ ◆ *agg* (*inform*) **1** difettoso, inutile **2** (*assegno*) a vuoto ◆ *s* (*inform*): *This battery is a dud.* Questa pila non funziona.

due /dju:; *USA* du:/ ◆ *agg* **1** dovuto: *the money due to him* i soldi che gli spettano ◊ *Our thanks are due to...* Ringraziamo... ◊ *Payment is due on the fifth.* Il termine per il pagamento è il cinque. ◊ *with all due respect* con il dovuto rispetto ◊ *It's all due to her.* Dobbiamo tutto a lei. **2** *The bus is due (in) at five o'clock.* L'autobus dovrebbe arrivare alle cinque. ◊ *She's due to arrive soon.* Dovrebbe arrivare tra poco. **3 due (for) sth**: *I reckon I'm due (for) a holiday.* Credo mi spettino dei giorni di ferie. LOC **in due course** a tempo debito **to be due to sth** essere dovuto a qc: *The delay was due to bad weather.* Il ritardo era dovuto al maltempo. ◆ **dues** *s [pl]* quota d'iscrizione LOC **to give sb their due** per essere onesti nei confronti di qn ◆ *avv*: *due south* dritto verso sud

duel /ˈdju:əl; *USA* ˈdu:əl/ *s* duello

duet /djuˈet; *USA* du:ˈet/ *s* duetto

duffle coat /ˈdʌfl kəʊt/ *s* montgomery

dug *pass, pp di* DIG

duke (*anche* **Duke** *nei titoli*) /dju:k; *USA* du:k/ *s* duca

dull /dʌl/ *agg* (**-er**, **-est**) **1** (*tempo*) grigio **2** (*colore*) spento **3** (*superficie*) opaco **4** (*luce*) fosco **5** (*dolore, rumore*) sordo **6** (*libro, festa*) noioso **7** (*lama*) smussato **dully** *avv* con tono monotono

duly /ˈdju:li; *USA* ˈdu:li/ *avv* **1** debitamente **2** come previsto

dumb /dʌm/ *agg* (**-er**, **-est**) **1** muto: *to be deaf and dumb* essere sordomuto **2** (*inform*) scemo **dumbly** *avv* senza dire una parola

dumbfounded (*anche* **dumfounded**) /dʌmˈfaʊndɪd/ (*anche* **dumbstruck**) *agg* ammutolito

dummy /ˈdʌmi/ ◆ *s* (*pl* **-ies**) **1** manichino **2** facsimile **3** ciuccio **4** (*inform*) scemo, -a ◆ *agg* finto: *a dummy run* un giro di prova

dump /dʌmp/ ◆ **1** *vt* buttare: *I dumped my bags on the floor.* Ho posato le borse per terra. **2** *vt, vi* (*rifiuti*) scaricare: *No dumping.* Divieto di scarico. ◊ *dumping ground* discarica **3** *vt* (*inform, dispreg*) mollare, piantare ◆ *s* **1** discarica **2** (*Mil*) deposito **3** (*inform, dispreg*) topaia

dumpling /ˈdʌmplɪŋ/ *s* gnocco di pasta cotto al vapore o bollito servito in Gran Bretagna con lo stufato

dumps /dʌmps/ *s [pl]* LOC **to be (down) in the dumps** (*inform*) essere giù di morale

dune /dju:n; *USA* du:n/ (*anche* **sand-dune**) *s* duna

dung /dʌŋ/ *s* letame

dungarees /ˌdʌŋgəˈri:z/ *s [pl]* tuta, salopette

dungeon /ˈdʌndʒən/ *s* cella sotterranea

duo /ˈdju:əʊ; *USA* ˈdu:əʊ/ *s* (*pl* **duos**) duo

dupe /dju:p; *USA* du:p/ *vt* ingannare

duplicate /ˈdju:plɪkeɪt; *USA* ˈdu:-/ ◆ *vt* **1** (*documento*) fare un duplicato di **2** (*azione*) ripetere ◆ /ˈdju:plɪkət; *USA* ˈdu:-/ *s, agg* duplicato: *a duplicate letter* un duplicato della lettera

durable /ˈdjʊərəbl; *USA* ˈdʊə-/ ◆ *agg* **1** (*amicizia*) duraturo **2** (*materiale*) resistente ◆ **durables** (*anche* **consumer durables**) *s [pl]* elettrodomestici **durability** /ˌdjʊərəˈbɪləti; *USA* ˌdʊə-/ *s* resistenza

duration /djuˈreɪʃn; *USA* du-/ *s* durata LOC **for the duration** (*inform*) fino alla fine

duress /djuˈres; *USA* du-/ *s* LOC **to do sth under duress** fare qc sotto costrizione

during /ˈdjʊərɪŋ; *USA* ˈdʊər-/ *prep* durante

dusk /dʌsk/ *s* crepuscolo: *at dusk* all'imbrunire

dusky /ˈdʌski/ *agg* (**-ier**, **-iest**) scuro di carnagione

dust /dʌst/ ◆ *s* polvere: *gold dust* polvere d'oro ◆ *vt, vi* spolverare PHR V **to dust sb/sth down/off** dare una spolverata a qn/qc **to dust sth with sth** spolverare qc di qc

dustbin /ˈdʌstbɪn/ *s* secchio della spazzatura

duster /ˈdʌstə(r)/ *s* straccio per spolverare: *feather duster* piumino (*per spolverare*)

dustman /ˈdʌstmən/ *s* (*pl* **-men** /-mən/) netturbino

dustpan /ˈdʌstpæn/ *s* paletta (*per raccogliere spazzatura*)

dusty /ˈdʌsti/ *agg* (**-ier**, **-iest**) polveroso

Dutch /dʌtʃ/ *agg* LOC **to give yourself Dutch courage** (*inform, scherz*) farsi coraggio con un bicchierino **to go Dutch (with sb)** fare alla romana (con qn)

dutiful /ˈdju:tɪfl; *USA* ˈdu:-/ *agg* (*form*) diligente, coscienzioso **dutifully** *avv* come di dovere

duty /ˈdju:ti; *USA* ˈdu:ti/ *s* (*pl* **duties**) **1** dovere, obbligo: *to do your duty* (*by sb*) fare il proprio dovere (verso qn) **2** compito, mansione: *duty officer* ufficiale di servizio **3** ~ (**on sth**) tassa (su qc) *Vedi anche* TARIFF senso 2 LOC **to be on/off duty** essere/non essere di servizio

duty-free /ˈdju:tɪ fri:; *USA* ˈdu:ti-/ *agg* esente da dazio

duvet /ˈdu:veɪ/ *s* piumone® ☛ *Vedi illustrazione a* LETTO

dwarf /dwɔ:f/ ◆ *s* (*pl* **dwarfs** *o* **dwarves** /dwɔ:vz/) nano, -a ◆ *vt* far sembrare minuscolo: *a house dwarfed by skyscrapers* una casa che sembra minuscola in confronto ai grattacieli

dwell /dwel/ *vi* (*pass, pp* **dwelt** /dwelt/ *o* **dwelled**) ~ **in/at sth** (*antiq, retor*) dimorare in qc PHR V **to dwell on/upon sth 1** insistere su qc **2** rimuginare su qc **dwelling** (*anche* **dwelling place**) *s* dimora

dwindle /ˈdwɪndl/ *vi* diminuire, ridursi: *to dwindle* (*away*) *to nothing* ridursi a un niente

dye /daɪ/ ◆ *vt, vi* (*3a pers sing pres* **dyes** *pass, pp* **dyed** *p pres* **dyeing**) tingere: *to dye sth blue* tingere qc di azzurro ◆ *s* tinta, colore

dying /ˈdaɪɪŋ/ *agg* **1** (*persona*) morente, moribondo **2** (*parole, momenti*) ultimo: *her dying wish* il suo ultimo desiderio ◇ *a dying breed* una razza in via di estinzione

dyke (*anche* **dike**) /daɪk/ *s* **1** diga **2** canale di scolo

dynamic /daɪˈnæmɪk/ *agg* dinamico

dynamics /daɪˈnæmɪks/ *s* [*pl*] dinamica

dynamism /ˈdaɪnəmɪzəm/ *s* dinamismo

dynamite /ˈdaɪnəmaɪt/ ◆ *s* **1** dinamite **2** (*fig*) bomba ◆ *vt* far saltare con la dinamite

dynamo /ˈdaɪnəməʊ/ *s* (*pl* ~**s**) dinamo

dynasty /ˈdɪnəsti; *USA* ˈdaɪ-/ *s* (*pl* **-ies**) dinastia

dysentery /ˈdɪsəntri; *USA* -teri/ *s* dissenteria

dyslexia /dɪsˈleksiə/ *s* dislessia **dyslexic** *agg, s* dislessico, -a

dystrophy /ˈdɪstrəfi/ *s* distrofia

Ee

E, e /i:/ *s* (*pl* **E's**, **e's** /i:z/) **1** E, e: *E for Edward* E come Empoli ☛ *Vedi esempi a* A, A **2** (*Mus*) mi

each /i:tʃ/ ◆ *agg* ogni, ciascuno

> **Each** si traduce quasi sempre "ciascuno" e **every** "tutti". Fa eccezione il caso in cui ci si riferisce a qualcosa che si ripete a intervalli regolari: *The Olympics are held every four years.* Le Olimpiadi si svolgono ogni quattro anni. *Vedi nota a* EVERY

◆ *pron* ognuno, -a, ciascuno, -a: *each for himself* ognuno per sé ◆ *avv* ciascuno: *We have two each.* Ne abbiamo due ciascuno.

each other *pron* l'un l'altro ☛ **Each other** si usa per riferirsi a due persone e **one another** per riferirsi a più di due: *We love each other.* Ci amiamo. ◇ *They all looked at one another.* Si guardavano l'un l'altro. ☛ *Vedi illustrazione a* SI

eager /ˈiːɡə(r)/ *agg* ~ (**for sth/to do sth**) desideroso (di qc/di fare qc): *eager to please* desideroso di far cosa gradita **eagerly** *avv* con entusiasmo **eagerness** *s* ansia, desiderio

eagle /ˈiːɡl/ *s* aquila

ear[1] /ɪə(r)/ *s* orecchio: *to have an ear/a good ear for sth* avere orecchio per qc LOC **to be all ears** (*inform*) essere tutto orecchi **to be up to your ears/eyes in work** avere un sacco di lavoro *Vedi anche* PLAY, PRICK

ear[2] /ɪə(r)/ *s* spiga

earache /ˈɪəreɪk/ *s* [*gen sing*] mal d'orecchi

eardrum /ˈɪədrʌm/ *s* timpano (*dell'orecchio*)

earl /ɜːl/ *s* conte

early /ˈɜːli/ ◆ *agg* (-**ier**, -**iest**) **1** presto: *It's still early.* È ancora presto. **2** (*treno*) di buon'ora **3** anticipato **4** (*morte*) prematuro **5** (*ricordi, abitanti*) primo: *my earliest memories* i miei primi ricordi ◊ *at an early age* in tenera età ◊ *the early 20th century* il primo Novecento ◆ *avv* (-**ier**, -**iest**) **1** presto **2** in anticipo **3** prematuramente **4** all'inizio di: *early last week* all'inizio della scorsa settimana LOC **as early as ...**: *as early as 1988* già nel 1988 **at the earliest** non prima di: *Monday at the earliest* non prima di lunedì **early on** all'inizio: *earlier on* prima **it's early days** (**yet**) (*spec GB*) è (ancora) presto **the early bird catches the worm** (*modo di dire*) chi dorme non piglia pesci **the early hours** le prime ore della mattina **to be an early bird** (*scherz*) essere mattiniero

earmark /ˈɪəmɑːk/ *vt* destinare

earn /ɜːn/ *vt* **1** (*soldi*) guadagnare: *to earn a living* guadagnarsi da vivere **2** meritarsi

earnest /ˈɜːnɪst/ *agg* **1** (*carattere*) serio **2** (*desiderio*) sincero LOC **in** (**deadly**) **earnest** sul serio: *She was in deadly earnest.* Diceva sul serio. **earnestly** *avv* con serietà **earnestness** *s* serietà

earnings /ˈɜːnɪŋz/ *s* [*pl*] guadagni

earphones /ˈɪəfəʊnz/ *s* [*pl*] cuffia (*di radio, ecc*)

earring /ˈɪərɪŋ/ *s* orecchino

earshot /ˈɪəʃɒt/ *s* LOC **to be within/out of earshot** essere/non essere a portata d'orecchio

earth /ɜːθ/ ◆ *s* **1 the Earth** (*pianeta*) la Terra **2** (*Geol, Elettr*) terra LOC **how/what/why, etc on earth/in the world** (*inform*) come/che/perché, ecc diavolo?: *What on earth are you doing?* Che diavolo stai facendo? **to charge/cost/pay the earth** (*inform*) far pagare/costare/pagare un occhio della testa **to come back/down to earth** (**with a bang/bump**) (*inform*) tornare alla dura realtà ◆ *vt* (*Elettr, spec GB*) collegare a terra

earthly /ˈɜːθli/ *agg* **1** (*lett*) terreno **2** (*inform, fig*): *You haven't an earthly (chance) of winning.* Non hai la minima possibilità di vittoria. ☛ In questo senso si usa di solito in frasi negative e interrogative.

earthquake /ˈɜːθkweɪk/ (*anche* **quake**) *s* terremoto

ease /iːz/ ◆ *s* **1** facilità, disinvoltura **2** agio LOC (**to be/feel**) **at** (**your**) **ease** (essere/sentirsi) a proprio agio *Vedi anche* ILL, MIND ◆ *vt* **1** (*dolore*) alleviare **2** (*tensione, traffico*) ridurre **3** (*situazione*) normalizzare **4** (*restrizione*) rendere meno rigido LOC **to ease sb's conscience** mettere a posto la coscienza di qn **to ease sb's mind** tranquillizzare qn PHR V **to ease** (**sb/sth**) **into, onto, etc sth** mettere (qn/qc) con delicatezza in, su, ecc qc **to ease off 1** (*tensione*) allentarsi **2** (*traffico*) diminuire **to ease up 1** (*auto*) rallentare **2** (*situazione*) normalizzarsi **to ease up on sb** non essere troppo duro con qn **to ease up on sth** andarci piano con qc

easel /ˈiːzl/ *s* cavalletto

easily /ˈiːzəli/ *avv* **1** facilmente *Vedi anche* EASY **2** senza dubbio: *It's easily the best.* È senza dubbio il migliore. **3** molto probabilmente

east /iːst/ ◆ *s* **1** (*anche* **the east**, **the East**) (*abbrev* **E**) (l')est: *Newcastle is in the East of England.* Newcastle è nell'est dell'Inghilterra. ◊ *eastbound* diretto a est **2 the East** l'Oriente ◆ *agg* dell'est, orientale: *east winds* venti da est ◆ *avv* a est: *They headed east.* Si diressero a est. *Vedi anche* EASTWARD(s)

Easter /ˈiːstə(r)/ *s* Pasqua: *an Easter egg* un uovo di Pasqua

eastern (*anche* **Eastern**) /ˈiːstən/ *agg* dell'est, orientale

eastward(s) /ˈiːstwəd(z)/ *avv* verso est *Vedi anche* EAST *avv*

easy/ˈiːzi/ ◆ *agg* (**-ier**, **-iest**) **1** facile **2** tranquillo: *My mind is easier now.* Sono più tranquillo adesso. LOC **I'm easy** (*inform*, *spec GB*) per me è lo stesso ◆ *avv* (**-ier**, **-iest**) LOC **easier said than done** si fa presto a dirlo **take it easy!** calma! **to go easy on/with sth** (*inform*) andarci piano con qc **to go easy on/ with sb** (*inform*) non essere troppo duro con qn **to take it/things easy** prendersela con calma *Vedi anche* FREE

easygoing /ˌiːziˈgəʊɪŋ/ *agg* accomodante: *She's very easygoing.* È una molto tranquilla.

eat/iːt/ *vt*, *vi* (*pass* **ate**/et; *USA* eɪt/ *pp* **eaten** /ˈiːtn/) mangiare LOC **to be eaten up with sth** essere roso da qc **to be eating sb**: *What's eating you?* Cosa ti rode? **to eat out of sb's hand** pendere dalle labbra di qn **to eat your words** rimangiarsi quello che si è detto *Vedi anche* CAKE PHR V **to eat away at sth/ eat sth away 1** (*lett*) erodere qc **2** (*fig*) rodere qc **to eat into sth 1** corrodere qc **2** (*fig*) intaccare qc (*riserve*) **to eat out** mangiare fuori (*al ristorante*) **to eat (sth) up** finire di mangiare (qc) **to eat sth up** (*fig*): *This car eats up petrol!* Questa macchina consuma moltissima benzina! **eater** *s*: *He's a big eater.* È un mangione.

eavesdrop /ˈiːvzdrɒp/ *vi* (**-pp-**) ~ **(on sb/sth)** ascoltare di nascosto (qn/qc)

ebb /eb/ ◆ *vi* **to ebb (away) 1** (*marea*) abbassarsi **2** (*fig*) diminuire ◆ **the ebb** *s* [*sing*] (*lett e fig*) il riflusso LOC **on the ebb** in diminuzione **the ebb and flow (of sth)** gli alti e bassi (di qc)

ebony/ˈebəni/ *s* ebano

echo/ˈekəʊ/ ◆ *s* (*pl* **echoes**) (*anche fig*) eco ◆ **1** *vt* ~ **sth (back)**: *The tunnel echoed back their words.* Le loro parole riecheggiarono nel tunnel. **2** *vt* (*fig*) fare eco a, ripetere **3** *vi* riecheggiare

ecological /ˌiːkəˈlɒdʒɪkl/ *agg* ecologico **ecologically** *avv* ecologicamente

ecology /iˈkɒlədʒi/ *s* ecologia **ecologist** *s* ecologo, -a

economic /ˌiːkəˈnɒmɪk, ˌekəˈnɒmɪk/ *agg* **1** (*sviluppo, politica*) economico ☛ *Confronta* ECONOMICAL **2** redditizio

economical /ˌiːkəˈnɒmɪkl, ˌekəˈnɒmɪkl/ *agg* (*veicolo, apparecchio*) economico ☛ A differenza di **economic, economical** può essere variato da parole come *more*, *less*, *very*, ecc: *a more economical car* una macchina più economica. LOC **to be economical with the truth** non dire proprio tutta la verità **economically** *avv* economicamente

economics /ˌiːkəˈnɒmɪks, ˌekəˈnɒmɪks/ *s* [*sing*] economia **economist** *s* economista

economize, -ise /ɪˈkɒnəmaɪz/ *vi* economizzare: *to economize on petrol* risparmiare sulla benzina

economy/ɪˈkɒnəmi/ *s* (*pl* **-ies**) economia: *to make economies* fare economia ◊ *economy size* confezione economica

ecstasy/ˈekstəsi/ *s* (*pl* **-ies**) estasi: *to be in/go into ecstasy/ecstasies* (*over sth*) andare in estasi (per qc) **ecstatic** /ɪkˈstætɪk/ *agg* in estasi

edge/edʒ/ ◆ *s* **1** bordo **2** filo (*di lama*) LOC **to be on edge** avere i nervi a fior di pelle **to have an/the edge on/over sb/sth** (*inform*) essere in vantaggio su qn/qc **to take the edge off sth 1** sciupare qc **2** (*appetito, rabbia*) placare qc ◆ *vt*, *vi* ~ **(sth) (with sth)** bordare (qc) (di/con qc) PHR V **to edge (your way) along, away, etc** avanzare, allontanarsi, ecc poco a poco: *I edged slowly towards the door.* Mi sono avvicinato piano piano alla porta.

edgy/ˈedʒi/ *agg* (*inform*) teso

edible/ˈedəbl/ *agg* commestibile

edit /ˈedɪt/ *vt* **1** (*libro*) curare **2** (*articolo, traduzione*) revisionare **3** (*giornale*) dirigere **edition** *s* edizione

editor /ˈedɪtə(r)/ *s* **1** (*giornale*) direttore, -trice **2** (*articolo*) redattore, -trice **3** (*libro*) curatore, -trice

educate /ˈedʒukeɪt/ *vt* istruire, educare: *He was educated abroad.* Ha studiato all'estero. ☛ *Confronta* RAISE, TO BRING SB UP *a* BRING **educated** *agg* colto, istruito LOC **an educated guess** una previsione attendibile

education/ˌedʒuˈkeɪʃn/ *s* **1** istruzione, insegnamento **2** pedagogia **educational** *agg* **1** (*sistema, metodo*) educativo **2** (*esperienza*) istruttivo

eel/iːl/ *s* anguilla

eerie (*anche* **eery**) /ˈɪəri/ *agg* (**-ier**, **-iest**) sinistro, pauroso

effect /ɪˈfekt/ ◆ *s* effetto: *It had no effect on her.* Non ha avuto nessun effetto su di lei. LOC **for effect** per far colpo **to come into effect** entrare in vigore **in effect** effettivamente **to take effect 1** fare effetto **2** entrare in vigore **to no effect** inutilmente **to this effect** a questo fine *Vedi anche* WORD ◆ (*form*) *vt* operare (*un cambiamento*) ☛ *Confronta* AFFECT

effective /ɪˈfektɪv/ *agg* **1** (*sistema, medicina*) ~ (**in doing sth**) efficace (per fare qc) **2** di grande effetto **effectively** *avv* **1** efficacemente **2** di fatto **effectiveness** *s* efficacia

effeminate /ɪˈfemɪnət/ *agg* effeminato

efficient /ɪˈfɪʃnt/ *agg* efficiente **efficiency** *s* efficienza **efficiently** *avv* efficientemente

effort /ˈefət/ *s* **1** sforzo: *to make an effort* sforzarsi **2** tentativo: *That was a good effort.* È stato un buon tentativo.

eg /ˌiːˈdʒiː/ *abbr* ad esempio (=ad es.)

egg /eg/ ◆ *s* uovo LOC **to put all your eggs in one basket** puntare tutto su una sola carta ◆PHR V **to egg sb on (to do sth)** incitare qn (a fare qc)

eggplant /ˈegplɑːnt/ *s* (*spec USA*) *Vedi* AUBERGINE

eggshell /ˈegʃel/ *s* guscio (*d'uovo*)

ego /ˈegəʊ; *USA* ˈiːgəʊ/ *s* amor proprio, io: *to boost sb's ego* dare un'iniezione di fiducia a qn

eight /eɪt/ *agg, pron, s* otto ☛ *Vedi esempi a* FIVE **eighth** *agg, pron, avv, s* ottavo ☛ *Vedi esempi a* FIFTH

eighteen /ˌeɪˈtiːn/ *agg, pron, s* diciotto ☛ *Vedi esempi a* FIVE **eighteenth** *agg, pron, avv, s* diciottesimo ☛ *Vedi esempi a* FIFTH

eighty /ˈeɪti/ *agg, pron, s* ottanta ☛ *Vedi esempi a* FIFTY, FIVE **eightieth** *agg, pron, avv, s* ottantesimo ☛ *Vedi esempi a* FIFTH

either /ˈaɪðə(r), ˈiːðər/ ◆ *agg* **1** uno o l'altro: *Either kind of flour will do.* Uno o l'altro tipo di farina va bene. ◇ *either way*... in un caso o nell'altro... **2** tutt'e due: *on either side of the road* su tutt'e due i lati della strada **3** [*nelle frasi negative*] nessuno dei due ◆ *pron* **1** l'uno o l'altro **2** [*nelle frasi negative*] né l'uno né l'altro: *I don't want either of them.* Non voglio né l'uno né l'altro. ☛ *Vedi nota a* NESSUNO ◆ *avv* **1** neanche: *'I'm not going.' 'I'm not either.'* "Non ci vado." "Neanch'io." **2 either... or...** o... o..., né... né...

☛ *Confronta con* ALSO, TOO *e vedi nota a* NEITHER

eject /iˈdʒekt/ **1** *vt* (*form*) espellere **2** *vt* emettere **3** *vi* lanciarsi: *The pilot had to eject.* Il pilota si è dovuto lanciare dall'aereo.

elaborate[1] /ɪˈlæbərət/ *agg* elaborato, complicato

elaborate[2] /ɪˈlæbəreɪt/ *vi* ~ (**on sth**) entrare nei particolari (di qc); approfondire (qc)

elapse /ɪˈlæps/ *vi* (*form*) trascorrere

elastic /ɪˈlæstɪk/ ◆ *agg* **1** elastico **2** flessibile ◆ *s* elastico

elastic band *s* elastico

elated /iˈleɪtɪd/ *agg* esultante

elbow /ˈelbəʊ/ *s* gomito

elder /ˈeldə(r)/ *agg, pron* maggiore, più vecchio, -a: *Pitt the Elder* Pitt il Vecchio

> Il comparativo e il superlativo di **old** sono **older** e **oldest**: *He is older than me.* Lui è più grande di me. ◇ *the oldest building in the city* l'edificio più antico della città. Quando si confronta l'età delle persone, soprattutto dei membri di una famiglia, si usano spesso **elder** e **eldest** come aggettivi e come pronomi: *my eldest brother* mio fratello maggiore ◇ *the elder of the two brothers* il maggiore dei due fratelli. Nota che **elder** e **eldest** non si possono usare con *than* e come aggettivi si possono usare solo davanti al sostantivo.

elderly *agg* anziano: *the elderly* gli anziani

eldest /ˈeldɪst/ *agg, pron* maggiore: *the eldest* il maggiore ☛ *Vedi nota a* ELDER

elect /ɪˈlekt/ *vt* eleggere **election** *s* elezione ☛ *Vedi pag. 381.* **electoral** *agg* elettorale **electorate** *s* [*v sing o pl*] elettorato

electric /ɪˈlektrɪk/ *agg* elettrico **electrical** *agg* elettrico ☛ *Vedi nota a* ELETTRICO **electrician** /ɪˌlekˈtrɪʃn/ *s* elettricista **electricity** /ɪˌlekˈtrɪsəti/ *s* elettricità: *to switch off the electricity* staccare la corrente **electrification** *s* elettrificazione **electrify** *vt* (*pass, pp* **-fied**) **1** elettrificare **2** (*fig*) elettrizzare

electrocute /ɪˈlektrəkjuːt/ *vt* folgorare (*con la corrente*)

electrode /ɪˈlektrəʊd/ *s* elettrodo

electron /ɪˈlektrɒn/ *s* elettrone

electronic /ɪˌlekˈtrɒnɪk/ *agg* elettronico **electronics** *s* [*sing*] elettronica

elegant /ˈelɪgənt/ *agg* elegante **elegance** *s* eleganza

element /ˈelɪmənt/ *s* elemento

elementary /ˌelɪˈmentri/ *agg* elementare

elephant /ˈelɪfənt/ *s* elefante

elevator /ˈelɪveɪtə(r)/ *s* (*USA*) ascensore

eleven /ɪˈlevn/ *agg, pron, s* undici ☛ *Vedi esempi a* FIVE **eleventh** *agg, pron, avv, s* undicesimo ☛ *Vedi esempi a* FIFTH

elicit /iˈlɪsɪt/ *vt* (*form*) ottenere

eligible /ˈelɪdʒəbl/ *agg*: *to be eligible for sth* avere diritto a qc ◊ *to be eligible to do sth* avere i requisiti per fare qualcosa ◊ *an eligible bachelor* un buon partito

eliminate /ɪˈlɪmɪneɪt/ *vt* eliminare

elk /elk/ *s* alce

elm /elm/ (*anche* **elm tree**) *s* olmo

elope /ɪˈləʊp/ *vi* fare una fuga d'amore

eloquent /ˈeləkwənt/ *agg* eloquente

else /els/ *avv* [*con pronomi indefiniti, interrogativi o negativi e con avverbi*] altro: *Did you see anybody else?* Hai visto qualcun altro? ◊ *anyone else* chiunque altro ◊ *everyone/everything else* tutti gli altri/tutto il resto ◊ *It must have been somebody else.* Dev'essere stato qualcun altro. ◊ *nobody else* nessun altro ◊ *Anything else?* Altro? ◊ *somewhere else* da qualche altra parte ◊ *What else?* Cos'altro? **elsewhere** *avv* altrove

elude /iˈluːd/ *vt* sfuggire a **elusive** *agg* inafferrabile: *an elusive quality* una qualità difficile da definire

e-mail /ˈiː meɪl/ ◆ *s* e-mail: *My e-mail address is martini@oup.co.uk.* Il mio indirizzo e-mail è martini@oup.co.uk. ☛ Si legge "martini at oup dot co dot uk". ◆ *vt* mandare un e-mail a: *As soon as she found out she e-mailed me.* Appena l'ha saputo mi ha mandato un e-mail.

emaciated /ɪˈmeɪʃieɪtɪd/ *agg* emaciato

emanate /ˈeməneɪt/ *vi* ~ **from sb/sth** emanare, provenire da qn/qc

emancipation /ɪˌmænsɪˈpeɪʃn/ *s* emancipazione

embankment /ɪmˈbæŋkmənt/ *s* terrapieno, argine

embark /ɪmˈbɑːk/ *vt, vi* **1** ~ **(for...)** imbarcarsi (per...) **2** ~ **on sth** intraprendere qc

embarrass /ɪmˈbærəs/ *vt* mettere in imbarazzo, imbarazzare **embarrassed** *agg* imbarazzato: *to feel embarrassed* vergognarsi **embarrassing** *agg* imbarazzante **embarrassment** *s* **1** imbarazzo **2** (*persona o cosa*) fonte d'imbarazzo

embassy /ˈembəsi/ *s* (*pl* **-ies**) ambasciata

embedded /ɪmˈbedɪd/ *agg* **1** incastrato **2** (*denti, spada*) conficcato

ember /ˈembə(r)/ *s* **embers** brace

embezzlement /ɪmˈbezlmənt/ *s* appropriazione indebita

embittered /ɪmˈbɪtəd/ *agg* amareggiato

embody /ɪmˈbɒdi/ *vt* (*pass, pp* **-died**) (*form*) incarnare **embodiment** *s* personificazione

embrace /ɪmˈbreɪs/ ◆ *vt, vi* abbracciare, abbracciarsi ◆ *s* abbraccio

embroider /ɪmˈbrɔɪdə(r)/ *vt, vi* ricamare **embroidery** *s* [*non numerabile*] ricamo

embryo /ˈembriəʊ/ *s* (*pl* ~**s** /-əʊz/) embrione

emerald /ˈemərəld/ *s* smeraldo

emerge /iˈmɜːdʒ/ *vi* ~ **(from sth)** emergere, sorgere (da qc): *It emerged that...* È venuto fuori che... **emergence** *s* comparsa

emergency /iˈmɜːdʒənsi/ *s* (*pl* **-ies**) emergenza: *emergency exit* uscita di sicurezza

emigrate /ˈemɪgreɪt/ *vi* emigrare **emigrant** *s* emigrante, emigrato, -a **emigration** *s* emigrazione

eminent /ˈemɪnənt/ *agg* illustre

emission /iˈmɪʃn/ *s* (*form*) **1** (*calore, suoni*) emissione **2** (*gas, vapori*) esalazione

emit /iˈmɪt/ *vt* (**-tt-**) **1** (*raggi, suoni*) emettere **2** (*vapori*) esalare

emotion /ɪˈməʊʃn/ *s* **1** sentimento **2** (*turbamento*) emozione **emotional** *agg* **1** (*persona, problema*) emotivo **2** (*musica, storia*) commovente **emotive** *agg* che fa presa sui sentimenti: *an* *emotive issue* una questione che suscita forti reazioni

empathy /ˈempəθi/ *s* empatia

emperor /ˈempərə(r)/ *s* imperatore

emphasis /ˈemfəsɪs/ *s* (*pl* **-ases** /-əsiːz/) **1** accento: *The emphasis is on the first syllable.* L'accento cade sulla prima sillaba. **2** ~ (**on sth**) rilievo (dato a qc) **emphatic** *agg* categorico, enfatico

emphasize, -ise /ˈemfəsaɪz/ *vt* **1** accentuare **2** sottolineare, mettere in evidenza

empire /ˈempaɪə(r)/ *s* impero

employ /ɪmˈplɔɪ/ *vt* **1** *They employ 600 people.* Danno lavoro a 600 persone. ◊ *He's employed in a biscuit factory.* Lavora in un biscottificio. **2** adoperare **employee** *s* dipendente **employer** *s* datore, -trice di lavoro **employment** *s* impiego, occupazione, lavoro ☛ *Vedi nota a* WORK[1]

empress /ˈemprəs/ *s* imperatrice

empty /ˈempti/ ◆ *agg* **1** vuoto **2** vano ◆ (*pass, pp* **emptied**) **1** *vt* ~ **sth** (**out**) (**onto/into sth**) vuotare, versare qc (su/in qc) **2** *vt* (*stanza, edificio*) sgombrare **3** *vi* svuotarsi **emptiness** *s* vuoto

empty-handed /ˌempti ˈhændɪd/ *agg* a mani vuote

enable /ɪˈneɪbl/ *vt* ~ **sb to do sth** consentire a qn di fare qc

enact /ɪˈnækt/ *vt* (*form*) **1** (*Teat*) rappresentare **2** (*legge*) emanare

enamel /ɪˈnæml/ *s* smalto

enchanting /ɪnˈtʃɑːntɪŋ; *USA* -ˈtʃænt-/ *agg* incantevole

encircle /ɪnˈsɜːkl/ *vt* circondare, accerchiare

enclose /ɪnˈkləʊz/ *vt* **1** ~ **sth** (**with sth**) recintare qc (con qc) **2** accludere: *I enclose… /Please find enclosed…* Accludo… **enclosure** *s* allegato

encore /ˈɒŋkɔː(r)/ ◆ *escl* bis! ◆ *s* bis

encounter /ɪnˈkaʊntə(r)/ ◆ *vt* (*form*) incontrare ◆ *s* incontro

encourage /ɪnˈkʌrɪdʒ/ *vt* **1** ~ **sb** (**in sth/to do sth**) incoraggiare qn (in qc/a fare qc) **2** favorire **encouragement** *s* ~ (**to sb**) (**to do sth**) incoraggiamento (per qn) (a fare qc) **encouraging** *agg* incoraggiante

encyclopedia (*anche* **-paedia**) /ɪnˌsaɪkləˈpiːdiə/ *s* enciclopedia

end /end/ ◆ *s* **1** fine *f*, estremità: *from end to end* da un'estremità all'altra **2** (*bastone, coda*) punta **3** (*filo, ecc*) capo **4** *the east end of town* la zona a est della città **5** (*tempo*) fine *f*: *at the end of the month* alla fine del mese ◊ *from beginning to end* dall'inizio alla fine **6** scopo, fine *m* **7** (*Sport*) metà campo LOC **in the end** alla fine **on end 1** ritto **2** di fila: *for hours on end* per ore e ore **to be at the end of your tether** non poterne più **to come to an end** arrivare alla fine *Vedi anche* LOOSE, MEANS[1], ODDS, WIT ◆ *vt, vi* terminare, finire PHR V **to end in sth 1** (*parola*) finire in qc **2** (*risultato*) concludersi in qc: *Their argument ended in tears.* La lite si è conclusa in lacrime. **to end up** (**as sth/doing sth**) finire (come qc/per fare qc) **to end up** (**in…**) andare a finire (in…)

endanger /ɪnˈdeɪndʒə(r)/ *vt* mettere in pericolo

endear /ɪnˈdɪə(r)/ *vt* (*form*) ~ **sb to sb** rendere simpatico qn a qn ~ **yourself to sb** accattivarsi le simpatie di qn **endearing** *agg* accattivante

endeavour (*USA* **-vor**) /ɪnˈdevə(r)/ ◆ *s* (*form*) sforzo, tentativo ◆ *vi* (*form*) ~ **to do sth** sforzarsi di fare qc

ending /ˈendɪŋ/ *s* fine *f*: *a story with a happy ending* una storia a lieto fine

endless /ˈendləs/ *agg* **1** interminabile, senza fine **2** infinito

endorse /ɪnˈdɔːs/ *vt* **1** approvare **2** (*assegno*) girare **endorsement** *s* **1** approvazione **2** girata **3** (*sulla patente*) annotazione di infrazione

endow /ɪnˈdaʊ/ *vt* ~ **sb/sth with sth** dotare qn/qc di qc **endowment** *s* donazione

endurance /ɪnˈdjʊərəns; *USA* -ˈdʊə-/ *s* resistenza

endure /ɪnˈdjʊə(r); *USA* -ˈdʊər/ **1** *vt* sopportare ☛ Nelle frasi negative è più comune dire **can't bear** o **can't stand**. **2** *vi* durare **enduring** *agg* duraturo

enemy /ˈenəmi/ *s* (*pl* **-ies**) nemico, -a

energy /ˈenədʒi/ *s* [*gen non numerabile*] (*pl* **-ies**) energia **energetic** /ˌenəˈdʒetɪk/ *agg* **1** (*esercizio*) vigoroso **2** (*persona*) pieno d'energia

enforce /ɪnˈfɔːs/ *vt* far osservare (*legge*) **enforcement** *s* applicazione

engage /ɪnˈgeɪdʒ/ **1** *vt* ~ **sb** (**as sth**) (*form*) ingaggiare qn (come qc) **2** *vt* (*form*) (*tempo, pensieri*) occupare **3** *vt* (*form*) (*attenzione*) attirare **4** *vi* ~ (**with sth**) (*Mecc*) ingranare (con qc) PHR V **to engage in sth** dedicarsi a qc **to engage sb in sth**: *I engaged him in conversation.* Ho conversato con lui. **engaged** *agg* **1** occupato, impegnato **2** (*GB*) (*USA* **busy**) (*Telec*) occupato **3** ~ (**to sb**) fidanzato (con qn): *to get engaged* fidanzarsi **engaging** *agg* attraente

engagement /ɪn'geɪdʒmənt/ *s* **1** fidanzamento **2** appuntamento, impegno

engine /'endʒɪn/ *s* **1** motore: *The engine is overheating.* Il motore si sta surriscaldando.

> La parola **engine** si usa per il motore di un veicolo e **motor** per quello degli elettrodomestici. **Engine** è di solito a benzina e **motor** elettrico.

2 (*anche* **locomotive**) locomotiva: *engine driver* macchinista

engineer /ˌendʒɪ'nɪə(r)/ ◆ *s* **1** ingegnere **2** (*telefono, manutenzione, ecc*) tecnico, -a **3** (*nave*) macchinista **4** (*aereo*) motorista **5** (*USA*) macchinista (*di treno*) ◆ *vt* **1** (*inform, spesso dispreg*) architettare **2** costruire

engineering /ˌendʒɪ'nɪərɪŋ/ *s* ingegneria

engrave /ɪn'greɪv/ *vt* **to** ~ **B on A/A with B** incidere B su A **engraving** *s* incisione

engrossed /ɪn'grəʊst/ *agg* assorto

engulf /ɪn'gʌlf/ *vt* inghiottire, avviluppare: *engulfed in flames* avviluppato nelle fiamme

enhance /ɪn'hɑːns; *USA* -'hæns/ *vt* **1** aumentare, migliorare **2** (*aspetto*) valorizzare

enjoy /ɪn'dʒɔɪ/ *vt* **1** godersi: *I enjoyed the show.* Lo spettacolo mi è piaciuto. ◊ *Enjoy your meal!* Buon appetito! **2** ~ **doing sth**: *He enjoys playing tennis.* Gli piace giocare a tennis. LOC **to enjoy yourself** divertirsi: *Enjoy yourself!* Divertiti! **enjoyable** *agg* piacevole **enjoyment** *s* piacere: *He spoiled my enjoyment of the film.* Mi ha rovinato il film.

enlighten /ɪn'laɪtn/ *vt* ~ **sb** (**about/as to/on sth**) illuminare qn (su qc) **enlightened** *agg* progressista **enlightenment** *s* (*form*) **1** chiarimenti **2 the Enlightenment** l'Illuminismo

enlist /ɪn'lɪst/ **1** *vi* ~ (**in/for sth**) (*Mil*) arruolarsi (in qc) **2** *vt* ~ **sb** (**in/for sth**) ingaggiare qn (per qc): *to enlist sb's help* ottenere l'aiuto di qn

enmity /'enməti/ *s* inimicizia

enormous /ɪ'nɔːməs/ *agg* enorme **enormously** *avv* enormemente: *I enjoyed it enormously.* Mi è piaciuto moltissimo.

enough /ɪ'nʌf/ ◆ *agg, pron* abbastanza: *Is that enough food for ten?* Sarà sufficiente per dieci quella roba da mangiare? ◊ *That's enough!* Basta! ◊ *I've saved up enough to go on holiday.* Ho risparmiato abbastanza per andare in vacanza. LOC **to have had enough** (**of sb/sth**) averne abbastanza (di qn/qc) ◆ *avv* **1** ~ (**for sb/sth**) abbastanza (per qn/qc) **2** ~ (**to do sth**) abbastanza (per fare qc): *Is it near enough to go on foot?* È abbastanza vicino per andarci a piedi? ☛ Nota che **enough** segue sempre l'aggettivo e **too** lo precede: *You're not old enough./You're too young.* Sei troppo giovane. *Confronta con* TOO LOC **curiously, oddly, strangely, etc enough** stranamente

enquire (*anche* **inquire**) /ɪn'kwaɪə(r)/ (*form*) **1** *vt* domandare **2** *vi* ~ (**about sb/sth**) chiedere informazioni (su qn/qc) **enquiring** (*anche* **inquiring**) *agg* (*mente, sguardo*) indagatore **enquiry** *Vedi* INQUIRY

enrage /ɪn'reɪdʒ/ *vt* fare infuriare

enrich /ɪn'rɪtʃ/ *vt* ~ **sth** (**with sth**) arricchire qc (con qc)

enrol (*spec USA* **enroll**) /ɪn'rəʊl/ *vt, vi* (**-ll-**) ~ (**sb**) (**in/as sth**) iscrivere qn (a/come qc); iscriversi (a/come qc) **enrolment** (*spec USA* **enrollment**) *s* iscrizione

ensure (*USA* **insure**) /ɪn'ʃʊə(r)/ *vt* assicurare (*garantire*)

entangle /ɪn'tæŋgl/ *vt* **1** ~ **sth** (**in/with sth**) impigliare qc (in qc) **2** ~ **sb** (**in/with sth**) invischiare qn (in qc) **entanglement** *s* coinvolgimento

enter /'entə(r)/ **1** *vt* entrare in: *The thought never entered my head.* Non mi è mai passato per la testa. **2** *vt, vi* ~ (**for**) **sth** partecipare a qc **3** *vt* (*scuola, università*) iscriversi a **4** *vt* ~ **sth** (**up**) (**in sth**) annotare qc (in qc) PHR V **to enter into sth 1** (*negoziati*) cominciare **2** (*accordo*) arrivare a **3** entrarci: *What* *he wants doesn't enter into it.* Quello che lui vuole non c'entra niente.

enterprise /ˈentəpraɪz/ *s* **1** impresa **2** spirito d'iniziativa **enterprising** *agg* intraprendente

entertain /ˌentəˈteɪn/ **1** *vt, vi* ricevere (*in casa*) **2** *vt* ~ **sb (with sth)** divertire qn (con qc) **3** *vt* (*idea*) prendere in considerazione **4** *vt* (*dubbi*) nutrire **entertainer** *s* artista di varietà **entertaining** *agg* divertente **entertainment** *s* **1** [*non numerabile*] divertimento: *the world of entertainment* il mondo dello spettacolo **2** [*numerabile*] spettacolo

enthralling /ɪnˈθrɔːlɪŋ/ *agg* avvincente

enthusiasm /ɪnˈθjuːziæzəm; *USA* -ˈθuː-/ *s* ~ **(for/about sth)** entusiasmo (per qc) **enthusiast** *s* appassionato, -a **enthusiastic** /ɪnˌθjuːziˈæstɪk/ *agg* entusiasta

entice /ɪnˈtaɪs/ *vt* allettare

entire /ɪnˈtaɪə(r)/ *agg* intero: *the entire family* tutta la famiglia **entirely** *avv* completamente **entirety** *s* totalità

entitle /ɪnˈtaɪtl/ *vt* **1** ~ **sb to (do) sth** dare diritto a qn a (fare) qc: *to be entitled to (do) sth* avere diritto a (fare) qc **2** (*libro*) intitolare **entitlement** *s* diritto

entity /ˈentəti/ *s* (*pl* **-ies**) entità

entrance /ˈentrəns/ *s* ~ **(to sth)** **1** (*porta*) entrata, ingresso (di qc) **2** (*azione*) ingresso (a/in qc) **3** (*diritto*) ammissione (a qc)

entrant /ˈentrənt/ *s* ~ **(for sth)** partecipante, concorrente a qc

entrepreneur /ˌɒntrəprəˈnɜː(r)/ *s* imprenditore, -trice

entrust /ɪnˈtrʌst/ *vt* ~ **sb with sth/sth to sb** affidare qc a qn

entry /ˈentri/ *s* (*pl* **-ies**) **1** ~ **(into sth)** entrata, ingresso (a/in qc) **2** (*diario*) annotazione **3** (*dizionario*) voce LOC **No entry 1** (*persone*) Vietato l'ingresso **2** (*veicoli*) Divieto d'accesso

envelop /ɪnˈveləp/ *vt* ~ **sb/sth (in sth)** avvolgere qn/qc (in qc)

envelope /ˈenvələʊp, ˈɒn-/ *s* busta

enviable /ˈenviəbl/ *agg* invidiabile **envious** *agg* invidioso

environment /ɪnˈvaɪrənmənt/ **the environment** *s* l'ambiente **environmental** /ɪnˌvaɪrənˈmentl/ *agg* ambientale **environmentalist** *s* ambientalista

envisage /ɪnˈvɪzɪdʒ/ *vt* prevedere

envoy /ˈenvɔɪ/ *s* inviato, -a

envy /ˈenvi/ ◆ *s* invidia ◆ *vt* (*pass, pp* **envied**) invidiare

enzyme /ˈenzaɪm/ *s* enzima

ephemeral /ɪˈfemərəl/ *agg* effimero

epic /ˈepɪk/ ◆ *s* **1** poema epico, epopea **2** (*genere letterario*) epica ◆ *agg* epico

epidemic /ˌepɪˈdemɪk/ *s* epidemia

epilepsy /ˈepɪlepsi/ *s* epilessia **epileptic** /ˌepɪˈleptɪk/ *agg, s* epilettico, -a

episode /ˈepɪsəʊd/ *s* episodio

epitaph /ˈepɪtɑːf; *USA* -tæf/ *s* epitaffio

epitome /ɪˈpɪtəmi/ *s* LOC **to be the epitome of sth** essere la personificazione di qc

epoch /ˈiːpɒk; *USA* ˈepək/ *s* (*form*) epoca, era

equal /ˈiːkwəl/ ◆ *agg* uguale: *equal opportunities* pari opportunità LOC **to be on equal terms (with sb)** essere su un piano di parità (con qn) ◆ *s* pari: *without equal* senza pari ◆ *vt* (**-ll-**) (*USA* **-l-**) **1** uguagliare **2** (*Mat*) fare: *13 plus 29 equals 42.* 13 più 29 fa 42. **equality** /ɪˈkwɒləti/ *s* uguaglianza, parità **equally** *avv* **1** ugualmente, altrettanto **2** (*dividere*) in parti uguali

equate /iˈkweɪt/ *vt* ~ **sth (to/with sth)** identificare qc (con qc)

equation /ɪˈkweɪʒn/ *s* equazione

equator /ɪˈkweɪtə(r)/ *s* equatore

equilibrium /ˌiːkwɪˈlɪbriəm, ˌek-/ *s* equilibrio

equinox /ˈiːkwɪnɒks, ˈek-/ *s* equinozio

equip /ɪˈkwɪp/ *vt* (**-pp-**) **1** ~ **sb/sth (with sth) (for sth)** attrezzare qn/qc (con/di qc) (per qc) **2** ~ **sb (for sth)** preparare qn (a/per qc) **equipment** *s* [*non numerabile*] attrezzatura, apparecchiatura: *a piece of equipment* un apparecchio

equitable /ˈekwɪtəbl/ *agg* (*form*) equo

equivalent /ɪˈkwɪvələnt/ *agg, s* ~ **(to sth)** equivalente (a qc)

era /ˈɪərə/ *s* era

eradicate /ɪˈrædɪkeɪt/ *vt* sradicare, eliminare

erase /ɪˈreɪz; *USA* ɪˈreɪs/ *vt* ~ **sth (from sth)** cancellare qc (da qc) ☛ Per i segni a matita si usa più comunemente **rub out**. **eraser** (*USA*) (*GB* **rubber**) *s* gomma (*da cancellare*)

erect /ɪˈrekt/ ◆ *vt* **1** (*monumento*) erigere **2** (*edificio*) costruire ◆ *agg* **1**

dritto **2** (*pene*) eretto **erection** *s* erezione

erode /ɪˈrəʊd/ *vt* erodere

erotic /ɪˈrɒtɪk/ *agg* erotico

errand /ˈerənd/ *s* commissione: *to run errands for sb* fare commissioni per qn

erratic /ɪˈrætɪk/ *agg* (*spesso dispreg*) **1** irregolare **2** (*comportamento*) imprevedibile

error /ˈerə(r)/ *s* (*form*) errore: *to make an error* commettere un errore ◊ *The letter was sent to you in error.* La lettera è stata inviata a lei per errore. ☛ La parola **mistake** è più comune di **error**. Tuttavia in alcune costruzioni si può usare solo **error**: *human error* errore umano ◊ *an error of judgement* un errore di valutazione. *Vedi nota a* MISTAKE LOC *Vedi* TRIAL

erupt /ɪˈrʌpt/ *vi* **1** (*vulcano*) entrare in eruzione **2** (*violenza*) esplodere

escalate /ˈeskəleɪt/ *vi* **1** (*prezzo, livello*) aumentare rapidamente **2** *vt, vi* intensificare, intensificarsi **escalation** *s* **1** aumento **2** escalation

escalator /ˈeskəleɪtə(r)/ *s* scala mobile

escapade /ˌeskəˈpeɪd, ˈeskəpeɪd/ *s* avventura

escape /ɪˈskeɪp/ ◆ **1** *vi* ~ (**from sb/sth**) fuggire (da qn/qc) **2** *vt, vi* sfuggire (a): *They escaped unharmed.* Ne sono usciti illesi. **3** *vi* (*gas, liquido*) fuoriuscire LOC **to escape (sb's) notice** sfuggire all'attenzione di qn, passare inosservato *Vedi anche* LIGHTLY ◆ *s* **1** ~ (**from sth**) fuga (da qc): *to make your escape* darsi alla fuga **2** (*gas*) fuga **3** (*liquido*) perdita LOC *Vedi* NARROW

escort /ˈeskɔːt/ ◆ *s* **1** [*v sing o pl*] scorta **2** (*form*) accompagnatore, -trice ◆ /ɪˈskɔːt/ *vt* ~ **sb** (**to sth**) accompagnare qn (a qc)

especially /ɪˈspeʃəli/ *avv* **1** particolarmente **2** specialmente, soprattutto **3** appositamente, espressamente ☛ *Vedi nota a* SPECIALLY

espionage /ˈespiənɑːʒ/ *s* spionaggio

essay /ˈeseɪ/ *s* **1** (*Letteratura*) saggio **2** (*Scuola*) tema

essence /ˈesns/ *s* essenza LOC **in essence** in sostanza **essential** *agg* **1** ~ (**to/for sth**) indispensabile (a qc) **2** essenziale, fondamentale **essentially** *avv* essenzialmente, fondamentalmente

establish /ɪˈstæblɪʃ/ *vt* **1** (*organizzazione*) istituire, costituire **2** (*rapporto, usanza*) stabilire **3** (*causa, identità*) accertare **4** ~ **yourself** affermarsi **established** *agg* **1** (*ditta*) ben avviato **2** (*religione*) di Stato **establishment** *s* **1** costituzione, istituzione **2** azienda, istituto **3 the Establishment** (*GB*) la classe dirigente, l'establishment

estate /ɪˈsteɪt/ *s* **1** proprietà, tenuta **2** (*beni*) patrimonio **3** *Vedi* HOUSING ESTATE

estate agent *s* agente immobiliare

estate (car) *s* station wagon

esteem /ɪˈstiːm/ *s* LOC **to hold sb/sth in high/low esteem** avere grande/poca stima di qn/qc

esthetic (*USA*) *Vedi* AESTHETIC

estimate /ˈestɪmət/ ◆ *s* **1** valutazione **2** preventivo ◆ /ˈestɪmeɪt/ *vt* valutare, stimare

estimation /ˌestɪˈmeɪʃn/ *s* opinione, giudizio

estranged /ɪˈstreɪndʒd/ *agg* (*marito, moglie*) separato LOC **to become estranged from sb** allontanarsi da qn

estuary /ˈestʃuəri; *USA* -ueri/ *s* (*pl* **-ies**) estuario

etching /etʃɪŋ/ *s* incisione all'acquaforte

eternal /ɪˈtɜːnl/ *agg* eterno **eternity** *s* eternità

ether /ˈiːθə(r)/ *s* etere **ethereal** *agg* etereo

ethics /ˈeθɪks/ *s* [*sing*] etica **ethical** *agg* etico, morale

ethnic /ˈeθnɪk/ *agg* etnico

ethos /ˈiːθɒs/ *s* (*form*) ethos, norma di vita

etiquette /ˈetɪket, -kət/ *s* etichetta: *professional etiquette* etica professionale

EU /ˌiːˈjuː/ *abbr* **European Union** Unione Europea

Euro-MP /ˈjʊərəʊ empiː/ *s* eurodeputato, -a

evacuate /ɪˈvækjueɪt/ *vt* **1** (*città*) evacuare **2** (*abitanti*) far sfollare **evacuee** /ɪˌvæ kjuˈiː/ *s* sfollato, -a

evade /ɪˈveɪd/ *vt* **1** (*persona, attacco*) sfuggire a: *to evade one's responsibilities* sottrarsi alle proprie responsabilità **2** (*tasse*) evadere

evaluate /ɪˈvæljueɪt/ *vt* valutare

evaporate /ɪˈvæpəreɪt/ **1** *vt, vi* (far)

evaporare **2** *vi* (*fig*) svanire **evaporation** *s* evaporazione

evasion /ɪˈveɪʒn/ *s* **1** lo sfuggire, il sottrarsi **2** (*tasse*) evasione **evasive** *agg* evasivo

eve /iːv/ *s* vigilia ☛ *Vedi nota a* VIGILIA

even[1] /ˈiːvn/ ◆ *agg* **1** (*superficie*) liscio, piano **2** (*colore*) uniforme **3** (*temperatura*) costante **4** (*quantità, valore*) uguale **5** (*numero*) pari ☛ *Confronta* ODD ◆ PHR V **to even out** livellarsi **to even sth out** ripartire qc **to even sth up** pareggiare, appianare qc

even[2] /ˈiːvn/ *avv* **1** [*uso enfatico*] perfino, anche: *He didn't even open the letter.* Non ha neanche aperto la lettera. **2** [*con comparativi*] ancora: *even bigger* ancora più grande LOC **even if** anche se ☛ *Vedi nota a* ANCHE **even so** ciò nonostante **even though** sebbene ☛ *Vedi nota a* ANCHE

evening /ˈiːvnɪŋ/ *s* **1** sera: *tomorrow evening* domani sera ◊ *an evening class* un corso serale ◊ *evening dress* abito da sera ◊ *the evening meal* la cena ◊ *an evening paper* un giornale della sera ☛ *Vedi nota a* MORNING **2** serata LOC **good evening** buonasera

evenly /ˈiːvənli/ *avv* **1** (*distribuire*) in modo uniforme **2** (*spartire*) in parti uguali

event /ɪˈvent/ *s* avvenimento LOC **at all events/in any event** in ogni caso **in the event** di fatto **in the event of sth** in caso di qc **eventful** *agg* denso di avvenimenti, movimentato

eventual /ɪˈventʃuəl/ *agg* finale **eventually** *avv* alla fine

ever /ˈevə(r)/ *avv* **1** mai: *more than ever* più che mai ◊ *Has it ever happened before?* È mai successo prima? **2** *for ever* (*and ever*) per sempre LOC **ever since** da allora ☛ *Vedi nota a* ALWAYS, MAI

every /ˈevri/ *agg* ogni: *every* (*single*) *time* ogni volta ◊ *every day* tutti i giorni ◊ *every 10 minutes* ogni dieci minuti

Si usa **every** per riferirsi a tutti gli elementi di un gruppo: *Every player was on top form.* Tutti i giocatori erano in piena forma. **Each** si usa per riferirsi a ciascuno individualmente: *The Queen shook hands with each player after the game.* La regina ha stretto la mano a ciascun giocatore dopo la partita. *Vedi nota a* EACH.

LOC **every last...** proprio tutti/tutte... **every now and again/then** di tanto in tanto **every other...**: *every other day* un giorno sì e uno no ◊ *every other week* ogni due settimane **every so often** di tanto in tanto

everybody /ˈevribɒdi/ (*anche* **everyone** /ˈevriwʌn/) *pron* tutti, ognuno

Everybody, **anybody** e **somebody** richiedono il verbo al singolare, ma il pronome possessivo va al plurale (tranne che nel linguaggio formale): *Somebody has left their jacket behind.* Qualcuno si è dimenticato di prendere la giacca.

everyday /ˈevrideɪ/ *agg* quotidiano, di tutti i giorni: *for everyday use* per uso comune ◊ *in everyday use* di uso corrente

Everyday si usa solo davanti a un sostantivo. Non va confuso con l'espressione **every day**, che significa 'tutti i giorni'.

everything /ˈevriθɪŋ/ *pron* tutto

everywhere /ˈevriweə(r)/ *avv* dappertutto

evict /ɪˈvɪkt/ *vt* ~ **sb** (**from sth**) sfrattare qn (da qc)

evidence /ˈevɪdəns/ *s* [*non numerabile*] **1** prova, prove: *insufficient evidence* insufficenza di prove **2** testimonianza: *to give evidence* testimoniare **evident** *agg* ~ (**to sb**) (**that...**) evidente (per qn) (che...) **evidently** *avv* evidentemente, chiaramente

evil /ˈiːvl/ ◆ *agg* malvagio, orribile ◆ *s* (*form*) male

evocative /ɪˈvɒkətɪv/ *agg* evocativo: *That smell is evocative of my childhood.* Quell'odore mi ricorda la mia infanzia.

evoke /ɪˈvəʊk/ *vt* evocare

evolution /ˌiːvəˈluːʃn; *USA* ˌev-/ *s* evoluzione

evolve /iˈvɒlv/ *vi* **1** (*pianta, animale*) evolversi **2** (*teoria, progetto*) svilupparsi

ewe /juː/ *s* pecora

exact /ɪgˈzækt/ *agg* **1** (*cifra*) esatto **2** (*persona*) preciso

exacting /ɪgˈzæktɪŋ/ *agg* esigente

exactly /ɪgˈzæktli/ *avv* esattamente LOC **exactly!** esatto!

exaggerate /ɪgˈzædʒəreɪt/ *vt* esagerare **exaggerated** *agg* esagerato

exam /ɪgˈzæm/ *s* (*Scuola*) esame: *to sit an exam* dare un esame

examination /ɪgˌzæmɪˈneɪʃn/ *s* (*form*) **1** esame **2** ispezione **3** visita (*medica*) **examine** *vt* esaminare, ispezionare

example /ɪgˈzɑːmpl; *USA* -ˈzæmpl/ *s* esempio LOC **for example** (*abbrev* **eg**) per esempio *Vedi anche* SET[2]

exasperate /ɪgˈzɑːspəreɪt/ *vt* esasperare **exasperation** *s* esasperazione

excavate /ˈekskəveɪt/ *vt, vi* scavare

exceed /ɪkˈsiːd/ *vt* superare **exceedingly** *avv* estremamente

excel /ɪkˈsel/ *vi* (**-ll-**) ~ **in/at sth** eccellere in qc

excellent /ˈeksələnt/ *agg* eccellente **excellence** *s* eccellenza

except /ɪkˈsept/ *prep* **1** ~ (**for**) **sb/sth** eccetto qn/qc **2** ~ **that…** eccetto che … **exception** *s* eccezione **exceptional** *agg* eccezionale

excerpt /ˈeksɜːpt/ *s* ~ (**from sth**) brano (di qc)

excess /ɪkˈses/ *s* eccesso **excessive** *agg* eccessivo

exchange /ɪksˈtʃeɪndʒ/ ◆ *s* **1** scambio: *in exchange for* in cambio di **2** (*Fin*): *exchange rate* tasso di cambio ◆ *vt* **1** ~ **A for B** cambiare A con B **2** ~ **sth** (**with sb**) scambiare qc (con qn)

the Exchequer /ɪksˈtʃekə(r)/ *s* (*GB*) il ministero delle Finanze

excite /ɪkˈsaɪt/ *vt* **1** (*persona*) entusiasmare, eccitare **2** (*interesse*) provocare **excitable** *agg* eccitabile **excited** *agg* entusiasta, eccitato ☛ *Vedi nota a* NOIOSO **excitement** *s* emozione, eccitazione **exciting** *agg* entusiasmante, emozionante ☛ *Vedi nota a* NOIOSO

exclaim /ɪkˈskleɪm/ *vi* esclamare **exclamation** *s* esclamazione

exclamation mark *s* punto esclamativo

exclude /ɪkˈskluːd/ *vt* ~ **sb/sth** (**from sth**) escludere qn/qc (da qc) **exclusion** *s* ~ (**of sb/sth**) (**from sth**) esclusione (di qn/qc) (da qc)

exclusive /ɪkˈskluːsɪv/ *agg* **1** esclusivo **2** ~ **of sb/sth** senza includere qn/qc

excursion /ɪkˈskɜːʃn; *USA* -ɜːrʒn/ *s* gita, escursione

excuse /ɪkˈskjuːs/ ◆ *s* ~ (**for sth/doing sth**) scusa, giustificazione (per qc/per fare qc) ◆ /ɪkˈskjuːz/ *vt* **1** ~ **sb/sth** (**for sth/doing sth**) scusare, giustificare qn/qc (per qc/per aver fatto qc) **2** ~ **sb** (**from sth**) dispensare qn (da qc/dal fare qc)

> Si dice **excuse me** per interrompere qualcuno o per richiamarne l'attenzione: *Excuse me, madam!* Scusi, signora!
> Si usa **sorry** per chiedere scusa di qualcosa: *I'm sorry I'm late.* Scusate il ritardo. ◊ *Did I hit you? I'm sorry!* Ti ho urtato? Scusa! Nell'inglese americano si usa **excuse me** invece di **sorry**.

execute /ˈeksɪkjuːt/ *vt* **1** (*persona*) giustiziare **2** (*lavoro*) eseguire **execution** *s* esecuzione (*capitale*) **executioner** *s* boia

executive /ɪgˈzekjətɪv/ *s* dirigente, funzionario, -a

exempt /ɪgˈzempt/ ◆ *agg* ~ (**from sth**) esente (da qc) ◆ *vt* ~ **sb/sth** (**from sth**) esentare, esonerare qn/qc (da qc) **exemption** *s* esenzione, esonero

exercise /ˈeksəsaɪz/ ◆ *s* esercizio ◆ **1** *vi* fare ginnastica **2** *vt* (*diritto, potere*) esercitare

exert /ɪgˈzɜːt/ **1** *vt* ~ **sth** (**on sb/sth**) esercitare qc (su qn/qc) **2** *v rifl* ~ **yourself** fare uno sforzo **exertion** *s* sforzo

exhaust[1] /ɪgˈzɔːst/ *s* **1** (*anche* **exhaust pipe**) tubo di scappamento **2** (*anche* **exhaust fumes**) gas di scarico

exhaust[2] /ɪgˈzɔːst/ *vt* **1** stancare eccessivamente **2** esaurire **exhausted** *agg* **1** esausto **2** esaurito **exhausting** *agg* estenuante **exhaustion** *s* esaurimento **exhaustive** *agg* approfondito, esauriente

exhibit /ɪgˈzɪbɪt/ ◆ *s* oggetto esposto ◆ *vt* **1** (*quadro*) esporre **2** (*tendenza, caratteristica*) mostrare

exhibition /ˌeksɪˈbɪʃn/ *s* esposizione, mostra

exhilarating /ɪgˈzɪləreɪtɪŋ/ *agg* che rende euforico **exhilaration** *s* euforia

exile /ˈeksaɪl/ ◆ *s* **1** esilio **2** esule ◆ *vt* esiliare

exist /ɪgˈzɪst/ *vi* **1** esistere **2** ~ (**on sth**) vivere (di qc) **existence** *s* esistenza **existing** *agg* attuale

exit /ˈeksɪt/ *s* uscita

exotic /ɪɡˈzɒtɪk/ *agg* esotico

expand /ɪkˈspænd/ *vt, vi* **1** espandere, espandersi **2** (*metallo*) dilatare, dilatarsi **3** (*ditta*) ingrandire, ingrandirsi PHR V **to expand on sth** entrare nei dettagli di qc

expanse /ɪkˈspæns/ *s* ~ (**of sth**) distesa (di qc)

expansion /ɪkˈspænʃn/ *s* **1** espansione **2** dilatazione **3** sviluppo

expansive /ɪkˈspænsɪv/ *agg* espansivo

expatriate /ˌeksˈpætriət; *USA* -ˈpeɪt-/ *s* residente all'estero

expect /ɪkˈspekt/ *vt* **1** ~ **sth** (**from sb/ sth**) aspettarsi qc (da qn/qc) **2** (*spec GB*) supporre: *I expect so.* Penso di sì. **expectant** *agg* **1** pieno di aspettativa **2** *an expectant mother* una donna in stato interessante **expectancy** *s* attesa *Vedi anche* LIFE EXPECTANCY **expectation** *s* ~ (**of sth**) aspettativa (di qc) LOC **against/ contrary to** (**all**) **expectation**(**s**) contro tutte le aspettative

expedition /ˌekspəˈdɪʃn/ *s* spedizione (*esplorativa, militare*)

expel /ɪkˈspel/ *vt* (**-ll-**) ~ **sb/sth** (**from sth**) espellere qn/qc (da qc)

expend /ɪkˈspend/ *vt* ~ **sth** (**on/upon sth/doing sth**) (*form*) impiegare, consumare qc in qc/nel fare qc

expendable /ɪkˈspendəbl/ *agg* (*form*) **1** (*persona*) sacrificabile **2** (*cosa*) non indispensabile, sostituibile

expenditure /ɪkˈspendɪtʃə(r)/ *s* spesa, spese

expense /ɪkˈspens/ *s* spesa, spese **expensive** *agg* caro, costoso

experience /ɪkˈspɪəriəns/ ◆ *s* esperienza ◆ *vt* provare **experienced** *agg*: *an experienced teacher* un insegnante con molta esperienza

experiment /ɪkˈsperɪmənt/ ◆ *s* esperimento ◆ *vi* **1** ~ (**on sb/sth**) fare esperimenti (su qn/qc) **2** ~ (**with sth**) sperimentare (qc)

expert /ˈekspɜːt/ *agg, s* ~ (**at/in/on sth/ at doing sth**) esperto, -a in qc/nel fare qc **expertise** /ˌekspɜːˈtiːz/ *s* competenza

expire /ɪkˈspaɪə(r)/ *vi* scadere: *My passport had expired.* Il mio passaporto era scaduto. **expiry** *s* scadenza

explain /ɪkˈspleɪn/ *vt* ~ **sth** (**to sb**) spiegare qc (a qn): *Explain this to me.* Spiegami questo. **explanation** *s* ~ (**of/for sth**) spiegazione (di qc) **explanatory** /ɪkˈsplænətri; *USA* -tɔːri/ *agg* esplicativo

explicit /ɪkˈsplɪsɪt/ *agg* esplicito

explode /ɪkˈspləʊd/ *vt, vi* (far) esplodere

exploit[1] /ˈeksplɔɪt/ *s* exploit, prodezza

exploit[2] /ɪkˈsplɔɪt/ *vt* sfruttare **exploitation** *s* sfruttamento

explore /ɪkˈsplɔː(r)/ *vt, vi* esplorare **exploration** *s* esplorazione **explorer** *s* esploratore, -trice

explosion /ɪkˈspləʊʒn/ *s* esplosione **explosive** *agg, s* esplosivo

export /ˈekspɔːt/ ◆ *s* merce d'esportazione ◆ /ɪkˈspɔːt/ *vt, vi* esportare

expose /ɪkˈspəʊz/ **1** *vt* ~ **sb/sth** (**to sth**) esporre qn/qc (a qc) **2** *v rifl* ~ **yourself** (**to sth**) esporsi (a qc) **3** *vt* (*colpevole*) smascherare **exposed** *agg* poco riparato **exposure** *s* **1** ~ (**to sth**) esposizione (a qc) **2** assideramento: *to die of exposure* morire assiderato **3** rivelazione, smascheramento

express /ɪkˈspres/ ◆ *agg* **1** espresso ◆ *avv* per espresso ◆ *vt* ~ **sth** (**to sb**) esprimere qc (a qn): *to express yourself* esprimersi ◆ *s* **1** (*anche* **express train**) espresso (*treno*)

expression /ɪkˈspreʃn/ *s* espressione

expressive /ɪkˈspresɪv/ *agg* espressivo, eloquente

expressly /ɪkˈspresli/ *avv* espressamente

expulsion /ɪkˈspʌlʃn/ *s* espulsione

exquisite /ˈekskwɪzɪt, ɪkˈskwɪzɪt/ *agg* bellissimo, squisito

extend /ɪkˈstend/ **1** *vt* (*larghezza*) estendere, ampliare **2** *vt* (*lunghezza, tempo*) prolungare **3** *vi* estendersi **4** *vt* (*credito, scadenza*) prorogare **5** *vt* (*mano*) tendere **6** *vt* (*benvenuto, ringraziamenti*) porgere

extension /ɪkˈstenʃn/ *s* **1** estensione **2** ~ (**to sth**) annesso (di qc) **3** (*periodo*) prolungamento **4** (*scadenza, credito*) proroga **5** (*Telec*) (*casa*) derivazione **6** (*Telec*) (*ufficio*) interno **7** (*Elettr*) prolunga

extensive /ɪkˈstensɪv/ *agg* **1** (*area*) vasto **2** (*danni*) ingente **3** (*conoscenza, uso*) ampio **extensively** *avv* ampiamente: *He's travelled extensively in China.* Ha viaggiato molto in Cina.

extent /ɪkˈstent/ *s* portata, grado: *the full extent of the losses* il valore reale delle perdite subite LOC **to a large/great extent** in larga misura **to a lesser extent** in minor misura **to some/a certain extent** fino a un certo punto **to what extent** in che misura, fino a che punto

exterior /ɪkˈstɪəriə(r)/ ◆ *agg* esterno, esteriore ◆ *s* **1** esterno **2** (*persona*) aspetto esteriore

exterminate /ɪkˈstɜːmɪneɪt/ *vt* sterminare

external /ɪkˈstɜːnl/ *agg* esterno: *external affairs* affari esteri

extinct /ɪkˈstɪŋkt/ *agg* **1** (*animale*) estinto: *to become extinct* estinguersi **2** (*vulcano*) spento

extinguish /ɪkˈstɪŋgwɪʃ/ *vt* estinguere (*fuoco*) ☛ Il termine più comune è **put out**. **extinguisher** *s* estintore

extort /ɪkˈstɔːt/ *vt* ~ **sth (from sb)** estorcere qc (a qn) **extortion** *s* estorsione

extortionate /ɪkˈstɔːʃənət/ *agg* esorbitante

extra /ˈekstrə/ ◆ *agg* **1** in più, extra: *extra charge* supplemento ◊ *Wine is extra.* Il vino non è incluso. **2** (*Sport*): *extra time* tempo supplementare ◆ *avv* di più: *to pay extra* pagare un supplemento ◆ *s* **1** extra **2** (*Cine*) comparsa

extract /ɪkˈstrækt/ ◆ *vt* **1** ~ **sth (from sth)** estrarre qc (da qc) **2** ~ **sth (from sb/sth)** estorcere, strappare qc (a qn/qc) ◆ /ˈekstrækt/ *s* **1** estratto **2** (*libro, musica*) brano **3** (*film*) spezzone

extraordinary /ɪkˈstrɔːdnri; *USA* -dəneri/ *agg* straordinario

extravagant /ɪkˈstrævəgənt/ *agg* **1** (*persona*) prodigo **2** (*gusto*) dispendios **3** (*idea, comportamento*) esagerato eccessivo **extravagance** *s* **1** sperpero lusso

extreme /ɪkˈstriːm/ *agg, s* estremo *with extreme care* con la massima atten zione **extremely** *avv* estremament **extremist** *s* estremista **extremit** /ɪkˈstreməti/ *s* (*pl* **-ies**) estremità

extricate /ˈekstrɪkeɪt/ *vt* (*form*) ~ **sb sth (from sth)** liberare, districare qn qc (da qc)

extrovert /ˈekstrəvɜːt/ *s, agg* estro verso, -a

exuberant /ɪgˈzjuːbərənt; *USA* -ˈzuː- *agg* esuberante

exude /ɪgˈzjuːd; *USA* -ˈzuːd/ *vt, vi* (*form*) trasudare, stillare **2** (*fig* emanare

eye /aɪ/ ◆ *s* occhio: *to have sharp eye* avere una buona vista LOC **before you very eyes** proprio sotto gli occhi **in the eyes of sb/in sb's eyes** agli occhi di q **in the eyes of the law** secondo la legg (**not**) **to see eye to eye with sb** (non condividere l'opinione di qn **to keep a eye on sb/sth** tenere d'occhio qn/q *Vedi anche* BRING, CAST, CATCH, CLOSE CRY, EAR[1], MEET[1], MIND, NAKED, TURN ◆ *v* (*part pres* **eyeing**) scrutare

eyeball /ˈaɪbɔːl/ *s* bulbo oculare

eyebrow /ˈaɪbraʊ/ *s* sopracciglio LO *Vedi* RAISE

eye-catching /ˈaɪ kætʃɪŋ/ *agg* che s nota

eyelash /ˈaɪlæʃ/ (*anche* **lash**) *s* cigli (*occhio*)

eye-level /ˈaɪ levl/ *agg* all'altezza deg occhi

eyelid /ˈaɪlɪd/ (*anche* **lid**) *s* palpebr LOC *Vedi* BAT[2]

eyesight /ˈaɪsaɪt/ *s* vista

eyewitness /ˈaɪwɪtnəs/ *s* testimon oculare

Ff

F, f /ef/ *s* (*pl* **F's**, **f's** /efs/) **1** F, f: *F for Frederick* F come Firenze ☛ *Vedi esempi a* A, A **2** (*Mus*) fa

fable /ˈfeɪbl/ *s* favola

fabric /ˈfæbrɪk/ *s* **1** tessuto, stoffa ☛ *Vedi nota a* STOFFA **2 the ~ (of sth)** [*sing*] (*lett e fig*) la struttura (di qc)

fabulous /ˈfæbjələs/ *agg* fantastico

façade /fəˈsɑːd/ *s* (*lett e fig*) facciata

face¹ /feɪs/ *s* **1** viso, faccia: *to wash your face* lavarsi la faccia ◊ *face down(wards)/up(wards)* a faccia in giù/su **2** faccia, superficie: *the South face of...* il versante meridionale di... ◊ *a rock face* una parete di roccia **3** quadrante (*di orologio*) LOC **face to face** faccia a faccia: *to come face to face with sth* trovarsi di fronte a qc **in the face of sth 1** nonostante qc **2** di fronte a qc **on the face of it** (*inform*) a prima vista **to make/pull faces** fare le boccacce **to put a bold, brave, good, etc face on it** far buon viso a cattivo gioco **to sb's face** in faccia a qn ☛ *Confronta* BEHIND SB'S BACK *a* BACK¹ *Vedi anche* BRING, CUP, SAVE, STRAIGHT

face² /feɪs/ *vt* **1** essere di fronte a: *They sat down facing each other.* Si sedettero uno di fronte all'altro. **2** dare su: *a house facing the park* una casa che dà sul parco **3** (*lett e fig*) affrontare: *to face facts* affrontare la realtà **4** (*condanna, multa*) rischiare **5** rivestire LOC *Vedi* LET¹ PHR V **to face up to sb/sth** affrontare qn/qc

faceless /ˈfeɪsləs/ *agg* anonimo

facelift /ˈfeɪslɪft/ *s* **1** lifting **2** (*fig*) restauro

facet /ˈfæsɪt/ *s* sfaccettatura

facetious /fəˈsiːʃəs/ *agg* (*dispreg*) spiritoso

face value *s* valore nominale LOC **to accept/take sth at its face value** prendere qc alla lettera

facial /ˈfeɪʃl/ ◆ *agg* del viso, facciale ◆ *s* trattamento di bellezza per il viso

facile /ˈfæsaɪl; *USA* ˈfæsl/ *agg* (*dispreg*) superficiale

facilitate /fəˈsɪlɪteɪt/ *vt* (*form*) facilitare

facility /fəˈsɪləti/ *s* **1** [*sing*] facilità **2 facilities** [*pl*]: *sports/banking facilities* impianti sportivi/servizi bancari

fact /fækt/ *s* fatto: *the fact that...* il fatto che... LOC **facts and figures** (*inform*) dati e cifre **in fact 1** infatti **2** in realtà **the facts of life** (*euf*) come nascono i bambini *Vedi anche* ACTUAL, MATTER, POINT

factor /ˈfæktə(r)/ *s* fattore

factory /ˈfæktəri/ *s* (*pl* **-ies**) fabbrica: *a shoe factory* un calzaturificio ◊ *factory workers* operai

factual /ˈfæktʃuəl/ *agg* basato sui fatti

faculty /ˈfæklti/ *s* (*pl* **-ies**) **1** facoltà: *Arts Faculty* Facoltà di Lettere **2** (*USA*) corpo insegnante

fad /fæd/ *s* **1** mania **2** moda

fade /feɪd/ **1** *vt, vi* scolorire, scolorirsi, sbiadire, sbiadirsi **2** *vi* (*fiore, bellezza*) appassire PHR V **to fade away** affievolirsi, deperire

fag /fæg/ *s* **1** [*sing*] (*inform*) sfacchinata **2** (*GB, inform*) sigaretta **3** (*USA, offensivo*) frocio

fail /feɪl/ ◆ **1** *vt* (*esame*) essere bocciato a **2** *vt* (*candidato*) respingere **3** *vi* ~ **(in sth)** non riuscire (in qc): *to fail in your duty* venir meno al proprio dovere **4** *vi* ~ **to do sth**: *They failed to notice anything unusual.* Non notarono niente di strano. **5** *vi* (*forza*) venire a mancare **6** *vi* (*salute*) peggiorare **7** *vi* (*raccolto*) andare perso **8** *vi* (*motore*) fermarsi **9** *vi* (*freni*) non funzionare **10** *vi* (*azienda*) fallire ◆ *s* bocciatura LOC **without fail** senz'altro

failing /ˈfeɪlɪŋ/ ◆ *s* difetto ◆ *prep* in mancanza di: *failing that* se ciò non è possibile

failure /ˈfeɪljə(r)/ *s* **1** fallimento, fiasco **2** guasto: *engine failure* guasto al motore ◊ *heart failure* arresto cardiaco **3** ~ **to do sth**: *His failure to answer puzzled her.* La sorprese che non avesse risposto.

faint /feɪnt/ ◆ *agg* (**-er**, **-est**) **1** (*suono, speranza*) debole **2** (*traccia, odore*) leggero **3** (*somiglianza*) vago **4** ~ **(from/**

with sth) debole (per qc): *to feel faint* sentirsi svenire ◆ *vi* svenire ◆ *s* [*sing*] svenimento **faintly** *avv* **1** debolmente **2** vagamente

fair /feə(r)/ ◆ *s* **1** fiera: *a trade fair* una fiera campionaria **2** luna park ◆ *agg* (**-er**, **-est**) **1** ~ (**to/on sb**) giusto, imparziale (con qn): *It's not fair.* Non vale. **2** (*tempo*) bello **3** (*capelli*) biondo ☛ *Vedi nota a* BIONDO **4** (*carnagione*) chiaro **5** (*conoscenza, risultato, ecc*) discreto: *a fair size* abbastanza grande LOC **fair and square 1** in pieno **2** chiaramente **fair game** un bersaglio legittimo **fair play** correttezza **to have, etc** (**more than**) **your fair share of sth**: *We've had more than our fair share of rain.* Abbiamo avuto la nostra bella razione di pioggia.

fair-haired /ˌfeə ˈheəd/ *agg* biondo

fairly /ˈfeəli/ *avv* **1** in modo imparziale, equamente **2** [*davanti a agg o avv*] abbastanza: *It's fairly easy.* È abbastanza facile. ◊ *It's fairly good.* È discreto. ◊ *fairly quickly* abbastanza rapidamente

Gli avverbi **fairly**, **quite**, **rather** e **pretty** modificano l'intensità dell'aggettivo o dell'avverbio cui si riferiscono. **Fairly** è il meno forte.

fairy /ˈfeəri/ *s* (*pl* **-ies**) fata: *fairy tale* fiaba ◊ *fairy godmother* fata buona

faith /feɪθ/ *s* ~ (**in sb/sth**) fede, fiducia (in qn/qc) LOC **in bad/good faith** in malafede/in buona fede **to put your faith in sb/sth** fidarsi di qn/qc *Vedi anche* BREACH

faithful /ˈfeɪθfl/ *agg* fedele, leale **faithfully** *avv* fedelmente LOC *Vedi* YOURS

fake /feɪk/ ◆ *s* **1** (*quadro*) falso **2** (*oggetto*) imitazione ◆ *agg* falso ◆ **1** *vt* (*firma, documento*) falsificare **2** *vt, vi* fingere

falcon /ˈfɔːlkən; *USA* ˈfælkən/ *s* falcone

fall /fɔːl/ ◆ *s* **1** (*lett e fig*) caduta **2** ribasso, calo **3** *a fall of snow* una nevicata **4** (*USA*) autunno **5** [*gen pl*] (*Geog*) cascate ◆ *vi* (*pass* **fell** /fel/ *pp* **fallen** /ˈfɔːlən/) **1** (*lett e fig*) cadere **2** (*prezzo, temperatura*) calare

Talvolta il verbo **fall** indica un cambiamento di stato, ad es.: *He fell asleep.* Si addormentò. ◊ *He fell ill.* Si ammalò.

LOC **to fall in love** (**with sb**) innamorarsi (di qn) **to fall short of sth** non corrispondere a qc **to fall victim to sth** essere vittima di qc *Vedi anche* FOOT PHR V **to fall apart** cadere a pezzi

to fall back indietreggiare **to fall back on sb/sth** ricorrere a qn/qc

to fall behind (**sb/sth**) rimanere indietro (rispetto a qn/qc) **to fall behind with sth** essere in arretrato con qc

to fall down 1 (*persona*) cadere **2** (*edificio*) crollare

to fall for sb (*inform*) prendersi una cotta per qn

to fall for sth (*inform*): *You fell for it.* Ci sei cascato.

to fall in 1 (*soffitto*) crollare **2** (*Mil*) mettersi in riga

to fall off cadere, diminuire

to fall on/upon sb ricadere su qn

to fall out (**with sb**) litigare (con qn)

to fall over cadere **to fall over sth** inciampare in qc

to fall through fallire

fallen /ˈfɔːlən/ ◆ *agg* caduto ◆ *pp di* FALL

false /fɔːls/ *agg* **1** falso **2** (*ciglia, ecc*) finto **3** (*mezzi*) fraudolento LOC **a false alarm** un falso allarme **a false move** un passo falso **a false start** una falsa partenza

falsify /ˈfɔːlsɪfaɪ/ *vt* (*pass, pp* **-fied**) falsificare

falter /ˈfɔːltə(r)/ *vi* **1** (*persona*) vacillare **2** (*voce*) tremare

fame /feɪm/ *s* fama

familiar /fəˈmɪliə(r)/ *agg* **1** familiare **2** **to be ~ with sb/sth** conoscere bene qn/qc **familiarity** /fəˌmɪliˈærəti/ *s* **1** ~ **with sth** conoscenza di qc **2** familiarità

family /ˈfæməli/ *s* [*v sing o pl*] (*pl* **-ies**) famiglia: *family name* cognome ◊ *a family man* un padre di famiglia ◊ *family tree* albero genealogico ☛ *Vedi nota a* FAMIGLIA LOC *Vedi* RUN

famine /ˈfæmɪn/ *s* carestia

famous /ˈfeɪməs/ *agg* famoso

fan /fæn/ ◆ *s* **1** ventaglio **2** ventilatore **3** fan, tifoso, -a ◆ *vt* (**-nn-**) **1** fare vento a **2** (*discussione, fuoco*) alimentare PHR V **to fan out** disporsi a ventaglio

fanatic /fəˈnætɪk/ *s* fanatico, -a **fanatic** (**al**) *agg* fanatico

fanciful /ˈfænsɪfl/ *agg* **1** (*idea*) stravagante **2** (*persona*) fantasioso

fancy /ˈfænsi/ ◆ *s* **1** capriccio **2** fantasia ◆ *agg* stravagante: *nothing fancy* niente di speciale ◆ *vt* (*pass, pp* **fancied**) **1** credere, immaginare **2** (*inform*) avere voglia di **3** (*GB, inform*) trovare attraente: *I don't fancy him.* Non mi piace. LOC **fancy (that)!** pensa un po'! **to catch/take sb's fancy** entusiasmare qn: *whatever takes your fancy* qualsiasi cosa ti piaccia **to fancy yourself as sth** (*inform*) credere di essere qc **to take a fancy to sb/sth** incapricciarsi di qn/qc

fancy dress *s* [*non numerabile*] maschera (*costume*)

fantastic /fænˈtæstɪk/ *agg* fantastico

fantasy /ˈfæntəsi/ *s* (*pl* **-ies**) fantasia

far /fɑː(r)/ ◆ *agg* (*comp* **farther** /ˈfɑːðə(r)/ *o* **further** /ˈfɜːðə(r)/ *superl* **farthest** /ˈfɑːðɪst/ *o* **furthest** /ˈfɜːðɪst/) **1** estremo: *the far end* l'altra estremità **2** opposto: *on the far bank* sulla riva opposta **3** (*antiq*) lontano ◆ *avv* (*comp* **farther** /ˈfɑːðə(r)/ *o* **further** /ˈfɜːðə(r)/ *superl* **furthest** /ˈfɜːðɪst/) *Vedi anche* FURTHER, FURTHEST **1** lontano: *Is it far?* È lontano? ◊ *How far is it?* Quanto è lontano? ☛ Con questo significato si usa in frasi negative o interrogative. In frasi affermative si trova più spesso **a long way**. **2** [*con preposizioni, comparativi*] molto: *far above/far beyond sth* molto più in alto/molto al di là di qc ◊ *It's far easier for him.* Per lui è molto più facile. LOC **as far as** fino a **as/so far as**: *as far as I know* per quel che ne so **as/so far as sb/sth is concerned** per quanto riguarda qn/qc **by far** di gran lunga **far and wide** da tutte le parti **far away** lontano **far from it** (*inform*) al contrario **far from (doing) sth** ben lontano da qc/dal fare qc **go too far** oltrepassare i limiti **in so far as** nella misura in cui **so far 1** finora **2** fino a un certo punto *Vedi anche* AFIELD, FEW

faraway /ˈfɑːrəweɪ/ *agg* **1** (*posto*) lontano **2** (*sguardo*) assente

fare /feə(r)/ ◆ *s* tariffa, prezzo del biglietto ◆ *vi* (*form*): *fare well/badly* procedere bene/male

farewell /ˌfeəˈwel/ ◆ *escl* (*antiq, form*) addio ◆ *s* addio: *farewell party* festa d'addio LOC **bid/say farewell to sb/sth** dire addio a qn/qc

farm /fɑːm/ ◆ *s* fattoria ◆ **1** *vi* fare l'agricoltore, fare l'allevatore **2** *vt* coltivare, allevare

farmer /ˈfɑːmə(r)/ *s* contadino, -a, coltivatore, -trice

farmhouse /ˈfɑːmhaʊs/ *s* fattoria (*casa*)

farming /ˈfɑːmɪŋ/ *s* agricoltura

farmyard /ˈfɑːmjɑːd/ *s* aia

fart /fɑːt/ ◆ *s* (*inform*) scoreggia ◆ *vi* (*inform*) scoreggiare

farther /ˈfɑːðə(r)/ *avv* (*comp di* **far**) più lontano: *I can swim farther than you.* Posso andare più lontano di te, a nuoto. ☛ *Vedi nota a* FURTHER

farthest /ˈfɑːðɪst/ *agg, avv* (*superl di* **far**) *Vedi* FURTHEST

fascinate /ˈfæsɪneɪt/ *vt* affascinare **fascinating** *agg* affascinante

fascism /ˈfæʃɪzəm/ *s* fascismo **fascist** *agg, s* fascista

fashion /ˈfæʃn/ ◆ *s* **1** moda **2** [*sing*] maniera LOC **be/go out of fashion** essere fuori/passare di moda **be in/come into fashion** essere/diventare di moda *Vedi anche* HEIGHT ◆ *vt* modellare, fabbricare

fashionable /ˈfæʃnəbl/ *agg* di moda

fast[1] /fɑːst; *USA* fæst/ ◆ *agg* (**-er**, **-est**) **1** veloce

Sia **fast** che **quick** significano veloce, ma **fast** si usa per descrivere persone, animali o cose che si muovono a gran velocità: *a fast horse/runner/car* un cavallo/un corridore/una macchina veloce, mentre **quick** si riferisce a qualcosa che si effettua in breve tempo: *a quick decision/visit* una rapida decisione/visita.

2 (*orologio*): *to be fast* andare avanti ◊ *That clock is ten minutes fast.* Quell'orologio va avanti di dieci minuti. LOC *Vedi* BUCK[3] ◆ *avv* (**-er**, **-est**) in fretta, rapidamente

fast[2] /fɑːst; *USA* fæst/ ◆ *agg* **1** ben fissato **2** (*colore*) resistente ◆ *avv*: *fast asleep* profondamente addormentato LOC *Vedi* HOLD, STAND

fast[3] /fɑːst; *USA* fæst/ ◆ *vi* digiunare ◆ *s* digiuno

fasten /ˈfɑːsn; *USA* ˈfæsn/ **1** *vt* ~ **sth (down)** fissare bene qc: *Fasten your seat belts.* Allacciare le cinture di sicurezza.

2 *vt* ~ **sth** (**up**) allacciare qc: *Fasten up your coat.* Abbottonati il cappotto. **3** *vt* appuntare, fissare: *fasten sth* (*together*) unire qc **4** *vi* allacciarsi, abbottonarsi

fastidious /fəˈstɪdiəs, fæ-/ *agg* pignolo, esigente

fat /fæt/ ◆ *agg* (**fatter**, **fattest**) grasso: *You're getting fat.* Stai ingrassando. ☛ Altri termini, meno diretti di **fat** sono **chubby**, **stout**, **plump** e **overweight**. ◆ *s* grasso

fatal /ˈfeɪtl/ *agg* **1** ~ (**to sb/sth**) mortale, fatale (per qn/qc) **2** (*form*) fatidico **fatality** /fəˈtæləti/ *s* (*pl* **-ies**) vittima (*di un incidente*)

fate /feɪt/ *s* destino, sorte **fated** *agg* destinato **fateful** *agg* fatidico

father /ˈfɑːðə(r)/ ◆ *s* padre: *Father Christmas* Babbo Natale ☛ *Vedi nota a* NATALE ◆ *vt* generare LOC **like father, like son** tale padre, tale figlio

father-in-law /ˈfɑːðər ɪn lɔː/ *s* (*pl* **-ers-in-law**) suocero

fatigue /fəˈtiːg/ ◆ *s* fatica, stanchezza ◆ *vt* affaticare, stancare

fatten /ˈfætn/ *vt* **1** (*animale*) ingrassare *Vedi anche* TO LOSE/PUT ON WEIGHT *a* WEIGHT

fatty /ˈfæti/ *agg* **1** (*Med*) adiposo **2** (**-ier**, **-iest**) (*cibo*) grasso

fault /fɔːlt/ ◆ *vt* criticare: *He can't be faulted.* Non gli si può rimproverare nulla. ◆ *s* **1** difetto **2** guasto **3** colpa: *Whose fault is it?* Di chi è la colpa? ◊ *It's not my fault.* Non è colpa mia. **4** (*Sport*) fallo **5** (*Geol*) faglia LOC **be at fault** avere torto *Vedi anche* FIND

faultless /ˈfɔːltləs/ *agg* perfetto, impeccabile

faulty /ˈfɔːlti/ *agg* (**-ier**, **-iest**) difettoso

fauna /ˈfɔːnə/ *s* fauna

favour (*USA* **favor**) /ˈfeɪvə(r)/ ◆ *s* favore: *to ask a favour of sb* chiedere un favore a qn LOC **in favour of** (**doing**) **sth** favorevole a (fare) qc *Vedi anche* CURRY ◆ *vt* **1** essere a favore di **2** preferire

favourable (*USA* **favor-**) /ˈfeɪvərəbl/ *agg* **1** ~ (**for sth**) favorevole (a qc) **2** ~ (**to/towards sb/sth**) a favore (di qn/qc)

favourite (*USA* **favor-**) /ˈfeɪvərɪt/ ◆ *s* favorito, -a ◆ *agg* preferito

fawn /fɔːn/ ◆ *s* cerbiatto ☛ *Vedi nota a* CERVO ◆ *agg*, *s* beige

fax /fæks/ ◆ *s* fax ◆ *vt* **1 to fax sb** mandare un fax a qn **2 to fax sth** (**to sb**) faxare qc (a qn)

fear /fɪə(r)/ ◆ *vt* temere: *I fear so/not.* Ho paura di sì/no. ◆ *s* paura, timore: *to shake with fear* tremare di paura LOC **for fear of** (**doing**) **sth** per paura di (fare) qc **for fear** (**that/lest**)... per paura (che)... **in fear of sb/sth** con la paura di qn/qc

fearful /ˈfɪəfl/ *agg* spaventoso, terribile

fearless /ˈfɪələs/ *agg* intrepido

fearsome /ˈfɪəsəm/ *agg* terrificante

feasible /ˈfiːzəbl/ *agg* fattibile **feasibility** /ˌfiːzəˈbɪləti/ *s* fattibilità

feast /fiːst/ ◆ *s* **1** banchetto **2** (*Relig*) festa ◆ *vi* banchettare

feat /fiːt/ *s* prodezza, impresa

feather /ˈfeðə(r)/ *s* piuma

feature /ˈfiːtʃə(r)/ ◆ *s* **1** caratteristica **2 features** [*pl*] lineamenti ◆ *vt*: *featuring Jack Lemmon* che ha come protagonista Jack Lemmon **featureless** *agg* privo di carattere

February /ˈfebruəri; *USA* -ueri/ *s* (*abbrev* **Feb**) febbraio ☛ *Vedi nota e esempi a* JANUARY

fed *pass, pp di* FEED

federal /ˈfedərəl/ *agg* federale

federation /ˌfedəˈreɪʃn/ *s* federazione

fed up *agg* ~ (**about/with sb/sth**) (*inform*) stufo (di qn/qc)

fee /fiː/ *s* **1** [*gen pl*] onorario, parcella **2** quota (*d'iscrizione*) **3** *school fees* tasse scolastiche

feeble /ˈfiːbl/ *agg* (**-er**, **-est**) **1** debole **2** (*dispreg*) (*scusa*) pietoso

feed /fiːd/ (*pass, pp* **fed** /fed/) ◆ **1** *vi* ~ (**on sth**) nutrirsi (di qc) **2** *vt* dar da mangiare a **3** *vt* (*dati, ecc*) introdurre ◆ *s* **1** pasto, poppata **2** mangime

feedback /ˈfiːdbæk/ *s* reazioni

feel /fiːl/ (*pass, pp* **felt** /felt/) ◆ **1** *vt* sentire, toccare: *She felt the water.* Ha toccato l'acqua per controllarne la temperatura. ☛ *Vedi nota a* SENTIRE **2** *vi* sentirsi: *I felt like a fool.* Mi sono sentito uno stupido. ◊ *to feel sick/sad* avere la nausea/sentirsi triste ◊ *to feel cold/hungry* avere freddo/fame **3** *vt, vi* pensare: *How do you feel about him?*

Cosa ne pensi di lui? **4** *vi* (*oggetto, materiale*) sembrare (*al tatto*): *It feels like leather.* A toccarlo sembra cuoio. LOC **to feel as if/as though ...**: *I feel as if I'm going to be sick.* Mi sento come se stessi per vomitare. **to feel good** sentirsi bene **to feel like (doing) sth**: *I felt like hitting him.* Mi ha fatto venir voglia di picchiarlo. **to feel sorry for sb** dispiacersi per qn: *I felt sorry for the children.* Mi hanno fatto pena i bambini. **to feel sorry for yourself** piangersi addosso **to feel yourself** sentirsi in forma **to feel your way** procedere a tentoni *Vedi anche* COLOUR, DOWN[1], DRAIN, EASE PHR V **to feel about (for sth)** cercare (qc) a tastoni **to feel for sb** provare compassione per qn **to feel up to doing sth** sentirsi in grado di fare qc **to feel up to sth** sentirsi all'altezza di qc ◆ *s*: *Let me have a feel.* Fammi toccare. LOC **to get the feel of (doing) sth** (*inform*) abituarsi a (fare) qc

feeling /ˈfiːlɪŋ/ *s* **1** ~ **(of ...)** sensazione (di ...): *I've got a feeling that ...* Ho l'impressione che ... **2** [*sing*] opinione **3** [*gen pl*] sentimento **4** sensibilità: *lose all feeling* perdere del tutto la sensibilità LOC **bad/ill feeling** rancore *Vedi anche* MIXED *a* MIX

feet *plurale di* FOOT

fell /fel/ **1** *pass di* FALL **2** *vt* (*albero*) abbattere **3** *vt* (*persona*) atterrare

fellow /ˈfeləʊ/ *s* **1** compagno: *fellow countryman, -men* compatriota, -i ◇ *fellow passenger* compagno di viaggio ◇ *fellow Italians* compatrioti italiani **2** (*inform*) tipo: *He's a nice fellow.* È un tipo in gamba.

fellowship /ˈfeləʊʃɪp/ *s* **1** compagnia **2** borsa di studio

felt[1] *pass, pp di* FEEL

felt[2] /felt/ *s* feltro

female /ˈfiːmeɪl/ ◆ *agg* **1** femminile ☛ Si riferisce alle caratteristiche fisiche delle donne: *the female figure* la figura femminile *Confronta* FEMININE. **2** femmina

Female e **male** specificano il sesso di persone o animali: *a female friend, a male colleague; a female rabbit, a male eagle, etc.*

3 della donna: *female equality* la parità della donna ◆ *s* femmina

feminine /ˈfemənɪn/ *agg* femminile

Feminine si usa per le qualità considerate tipiche delle donne. Confronta EFFEMINATE.

feminism /ˈfemənɪzəm/ *s* femminismo **feminist** *s* femminista

fence[1] /fens/ ◆ *s* **1** steccato, staccionata **2** reticolato ◆ *vt* recintare

fence[2] /fens/ *vi* tirare di scherma **fencing** *s* scherma

fend /fend/ PHR V **to fend for yourself** arrangiarsi **to fend sb/sth off** difendersi da qn/qc

ferment /fəˈment/ ◆ *vt, vi* (far) fermentare ◆ /ˈfɜːment/ *s* fermento (*fig*)

fern /fɜːn/ *s* felce

ferocious /fəˈrəʊʃəs/ *agg* feroce

ferocity /fəˈrɒsəti/ *s* ferocia

ferry /ˈferi/ ◆ *s* (*pl* **-ies**) traghetto: *car ferry* nave traghetto ◆ *vt* (*pass, pp* **ferried**) traghettare

fertile /ˈfɜːtaɪl; *USA* ˈfɜːrtl/ *agg* **1** fertile, fecondo **2** (*immaginazione*) fervido: *fertile debate* discussione produttiva

fertility /fəˈtɪləti/ *s* fertilità

fertilization, -isation /ˌfɜːtəlaɪˈzeɪʃn/ *s* fecondazione

fertilize, -ise /ˈfɜːtəlaɪz/ *vt* **1** fecondare **2** fertilizzare **fertilizer, -iser** *s* fertilizzante

fervent /ˈfɜːvənt/ (*anche* **fervid**) *agg* fervente, ardente

fester /ˈfestə(r)/ *vi* infettarsi

festival /ˈfestɪvl/ *s* **1** festival **2** (*Relig*) festa

fetch /fetʃ/ *vt* **1** portare **2** andare a chiamare, andare a prendere ☛ *Vedi illustrazione a* TAKE **3** (*somma*) rendere, fruttare: *What price did it fetch?* A che prezzo è stato venduto?

fête /feɪt/ *s* festa: *the village fête* la sagra paesana *Vedi anche* BAZAAR

feud /fjuːd/ ◆ *s* faida ◆ *vi* ~ **(with sb/sth)** essere in lotta (con qn/qc)

feudal /ˈfjuːdl/ *agg* feudale **feudalism** *s* feudalesimo

fever /ˈfiːvə(r)/ *s* (*lett e fig*) febbre **feverish** *agg* **1** febbricitante **2** febbrile

few /fjuː/ *agg, pron* **1** (**fewer**, **fewest**) pochi, -e: *every few minutes* ogni due minuti ◇ *fewer than six* meno di sei ☛ *Vedi nota a* LESS **2** **a few** qualche, alcuni

Few o **a few**? *Few* ha un significato piuttosto negativo ed equivale a "poco". *A few* ha un significato positivo ed equivale a "diversi, alcuni". Confronta le seguenti frasi: *Few people turned up.* È venuta poca gente. ◊ *I've got a few friends coming for dinner.* Ho degli amici a cena.

LOC **a good few; quite a few; not a few** un bel po' (di), parecchi **few and far between** rari

fiancé (*femm* **fiancée**) /fɪˈɒnseɪ; *USA* ˌfiːɑːnˈseɪ/ *s* fidanzato, -a

fib /fɪb/ ◆ *s* (*inform*) bugia ◆ *vi* (*inform*) (**-bb-**) dire (le) bugie

fibre (*USA* **fiber**) /ˈfaɪbə(r)/ *s* (*lett e fig*) fibra **fibrous** *agg* fibroso

fickle /ˈfɪkl/ *agg* volubile

fiction /ˈfɪkʃn/ *s* narrativa

fiddle /ˈfɪdl/ ◆ *s* (*inform*) **1** violino **2** imbroglio LOC *Vedi* FIT[1] ◆ **1** *vt* (*inform*) (*libri contabili, ecc*) falsificare **2** *vi* suonare il violino **3** *vi* ~ (**about/around**) **with sth** giocherellare con qc PHR V **to fiddle around** perdere tempo **fiddler** *s* violinista

fiddly /ˈfɪdli/ *agg* (*inform*) complicato

fidelity /fɪˈdeləti; *USA* faɪ-/ *s* ~ (**to sb/sth**) fedeltà (verso qn/qc) ☛ La parola più comune è **faithfulness**.

field /fiːld/ *s* (*lett e fig*) campo

fiend /fiːnd/ *s* **1** demonio **2** (*inform*) fanatico **fiendish** *agg* (*inform*) diabolico

fierce /fɪəs/ *agg* (**-er**, **-est**) **1** (*animale*) feroce **2** (*opposizione*) accanito

fifteen /ˌfɪfˈtiːn/ *agg, pron, s* quindici ☛ *Vedi esempi a* FIVE **fifteenth** *agg, pron, avv, s* quindicesimo ☛ *Vedi esempi a* FIFTH

fifth (*abbrev* **5th**) /fɪfθ/ ◆ *agg, pron, avv, s* quinto: *We live on the fifth floor.* Abitiamo al quinto piano. ◊ *It's his fifth birthday today.* Oggi compie cinque anni. ◊ *She came fifth in the world championships.* È arrivata quinta ai campionati mondiali. ◊ *the fifth to arrive* il quinto ad arrivare ◊ *I was fifth on the list.* Ero la quinta della lista. ◊ *I've had four cups of coffee already, so this is my fifth.* Ho già bevuto quattro caffè, questo è il quinto. ◊ *three fifths* tre quinti ◆ *s* **1 the fifth** il cinque: *They'll be arriving on the fifth of March.* Arriveranno il cinque marzo. **2** (*anche* **fifth gear**) quinta (*marcia*): *to change into fifth* mettere la quinta

I numeri ordinali si abbreviano mettendo il numero in cifra seguito dalle ultime due lettere della parola: *1st, 2nd, 3rd, 20th, ecc.*

☛ *Vedi Appendice 1.*

fifty /ˈfɪfti/ *agg, pron, s* cinquanta: *the fifties* gli anni cinquanta ◊ *to be in your fifties* essere sulla cinquantina ☛ *Vedi esempi a* FIVE LOC **to go fifty-fifty** fare a metà **fiftieth** *agg, pron, s* cinquantesimo ☛ Vedi esempi a FIFTH e Appendice 1.

fig /fɪg/ *s* **1** fico (*frutto*) **2** (*anche* **fig tree**) fico (*albero*)

fight /faɪt/ ◆ *s* **1** ~ (**for/against sb/sth**) lotta (per/contro qn/qc): *A fight broke out in the pub.* Nel bar si scatenò una rissa. **2** combattimento, scontro

Quando si tratta di scontri continui (specialmente durante una guerra) si usa spesso **fighting**: *There has been heavy/fierce fighting in the capital.* Ci sono stati aspri combattimenti nella capitale.

3 ~ (**to do sth**) lotta (per fare qc) LOC **to give up without a fight** arrendersi senza combattere **to put up a good/poor fight** difendersi bene/male *Vedi anche* PICK ◆ (*pass, pp* **fought** /fɔːt/) **1** *vi, vt* ~ (**against/with sb/sth**) (**about/over sth**) combattere (contro qn/qc) (per qc) **2** *vi, vt* ~ (**sb/with sb**) (**about/over sth**) litigare (con qn) (per qc): *They fought (with) each other about/over the money.* Hanno litigato per i soldi. **3** *vt* (*corruzione, droga*) combattere LOC **to fight a battle (against sth)** combattere una battaglia (contro qc) **to fight it out**: *They must fight it out between them.* Devono vedersela fra loro. **to fight tooth and nail** combattere con le unghie e con i denti **to fight your way across, into, through, etc sth** farsi strada a fatica attraverso, in, tra, ecc qc PHR V **to fight back** contrattaccare **to fight for sth** lottare per qc **to fight sb/sth off** respingere qn/qc

fighter /ˈfaɪtə(r)/ *s* **1** combattente **2** caccia (*aereo*)

figure /ˈfɪgə(r); *USA* ˈfɪgjər/ ◆ *s* **1** cifra, numero **2** [*gen sing*] somma, ammontare **3** figura, personaggio: *a key figure* un personaggio chiave **4** personale: *to have a good figure* avere un bel personale **5** figura, forma LOC **to put a figure on sth** indicare il costo di qc, precisare qc *Vedi anche* FACT ◆ **1** *vi* ~ (**in sth**) figurare (in qc) **2** (*inform*) *vi*: *It/That figures.* È logico. **3** *vt* (*spec USA*) immaginare: *It's what I figured.* Me lo immaginavo. PHR V **to figure sth out** riuscire a capire qc

file /faɪl/ ◆ *s* **1** cartella **2** dossier: *to be on file* essere archiviato **3** (*Informatica*) file **4** lima **5** fila: *in single file* in fila indiana LOC *Vedi* RANK ◆ **1** *vt* ~ **sth** (**away**) archiviare qc **2** *vt* (*domanda*) presentare **3** *vt* limare **4** *vi* ~ (**past sth**) sfilare (davanti a qc) **5** *vi* ~ **in/out, etc** entrare/uscire, ecc in fila

fill /fɪl/ **1** *vi* ~ (**with sth**) riempirsi (di qc) **2** *vt* ~ **sth** (**with sth**) riempire qc (di qc) **3** *vt* (*dente*) otturare **4** *vt* (*carica*) occupare LOC *Vedi* BILL[1] PHR V **to fill in for sb** sostituire qn **to fill sth in/out** compilare qc (*modulo*) **to fill sb in** (**on sth**) mettere qn al corrente (di qc)

fillet /ˈfɪlɪt/ *s* filetto

filling /ˈfɪlɪŋ/ *s* **1** otturazione **2** ripieno

film /fɪlm/ ◆ *s* **1** pellicola **2** strato sottile **3** film: *film-maker* regista ◊ *film-making* cinematografia ◊ *film star* divo del cinema ◆ *vt* filmare **filming** *s* riprese

filter /ˈfɪltə(r)/ ◆ *s* filtro ◆ *vt, vi* filtrare

filth /fɪlθ/ *s* **1** sporcizia **2** oscenità

filthy /ˈfɪlθi/ *agg* (**-ier**, **-iest**) **1** (*mani, abiti*) sudicio **2** (*linguaggio*) volgare **3** (*abitudine, tempo*) brutto

fin /fɪn/ *s* pinna

final /ˈfaɪnl/ ◆ *s* **1** *the men's final(s)* la finale maschile **2 finals** [*pl*] esami dell'ultimo anno universitario ◆ *agg* ultimo, finale LOC *Vedi* ANALYSIS, STRAW

finally /ˈfaɪnəli/ *avv* **1** alla fine, infine **2** definitivamente **3** finalmente

finance /ˈfaɪnæns, fəˈnæns/ ◆ *s* finanza: *finance company* società finanziaria ◊ *the finance minister* il Ministro delle Finanze ◆ *vt* finanziare **financial** /faɪˈnænʃl, fəˈnæ-/ *agg* finanziario, economico: *financial year* anno finanziario

find /faɪnd/ *vt* (*pass, pp* **found** /faʊnd/) **1** trovare, scoprire **2** *to find sb guilty* giudicare qn colpevole LOC **to find fault** (**with sb/sth**) trovare da ridire (su qn/qc) **to find your feet** ambientarsi **to find your way** trovare la strada *Vedi anche* MATCH[2], NOWHERE PHR V **to find (sth) out** scoprire (qc) **to find sb out** smascherare qn **finding** *s* **1** conclusione **2** sentenza

fine /faɪn/ ◆ *agg* (**finer**, **finest**) **1** ottimo: *I'm fine.* Sto bene. ◊ *Tomorrow's fine for me.* Domani va benissimo. **2** (*seta, sabbia, ecc*) fine **3** (*lineamenti*) delicato **4** (*tempo*) bello: *a fine day* una bella giornata **5** (*distinzione*) sottile LOC **one fine day** un bel giorno ◆ *avv* (*inform*) molto bene: *That suits me fine.* Mi va benissimo. LOC *Vedi* CUT ◆ *s* multa ◆ *vt* ~ **sb** (**for doing sth**) multare qn (per aver fatto qc)

fine art (*anche* **the fine arts**) *s* belle arti

finger /ˈfɪŋgə(r)/ *s* dito (*della mano*): *little finger* mignolo ◊ *forefinger/first finger* indice ◊ *middle finger* medio ◊ *ring finger* anulare *Vedi anche* THUMB ☛ *Confronta* TOE LOC **to be all fingers and thumbs** essere maldestro **to put your finger on sth** identificare qc *Vedi anche* CROSS, WORK[2]

fingernail /ˈfɪŋgəneɪl/ *s* unghia (*della mano*)

fingerprint /ˈfɪŋgəprɪnt/ *s* impronta digitale

fingertip /ˈfɪŋgətɪp/ *s* punta del dito LOC **to have sth at your fingertips 1** aver qc sulla punta delle dita **2** avere qc sottomano

finish /ˈfɪnɪʃ/ ◆ **1** *vt, vi* ~ (**sth/doing sth**) finire (qc/di fare qc) **2** *vt* ~ **sth** (**off/up**) (*cena*) finire qc PHR V **to finish up**: *You'll finish up in hospital.* Finirai all'ospedale. ◆ **1** fine **2** traguardo

finishing line *s* traguardo

fir /fɜː(r)/ (*anche* **fir tree**) *s* abete

fire /ˈfaɪə(r)/ ◆ **1** *vt, vi* sparare: *to fire at sb/sth* sparare a qn/qc **2** *vt* (*domande*): *to fire questions at sb* tempestare qn di domande **3** *vt* (*inform*) ~ **sb** licenziare qn **4** *vt* (*fantasia*) infiammare ◆ *s* **1** fuoco **2** stufa **3** incendio: *fire alarm* allarme antincendio **4** spari LOC **to be on fire** essere in fiamme **to be/come under fire** essere/finire sotto tiro *Vedi anche* CATCH, FRYING PAN, SET[2]

firearm /ˈfaɪərɑːm/ *s* [*gen pl*] arma da fuoco

fire engine *s* autopompa

fire escape *s* scala antincendio

fire extinguisher (*anche* **extinguisher**) *s* estintore

firefighter /ˈfaɪəˌfaɪtə(r)/ *s* vigile del fuoco

fireman /ˈfaɪəmən/ *s* (*pl* **-men** /-mən/) vigile del fuoco

fireplace /ˈfaɪəpleɪs/ *s* caminetto

fire station *s* caserma dei vigili del fuoco

firewood /ˈfaɪəwʊd/ *s* legna (*da ardere*)

firework /ˈfaɪəwɜːk/ *s* fuoco d'artificio

firing /ˈfaɪərɪŋ/ *s* tiro: *firing line* linea del fuoco ◊ *firing squad* plotone d'esecuzione

firm /fɜːm/ ◆ *s* [*v sing o pl*] ditta, impresa ◆ *agg* (**-er**, **-est**) **1** solido **2** deciso LOC **a firm hand** mano ferma **to be on firm ground** andare sul sicuro *Vedi anche* BELIEVER *a* BELIEVE ◆ *avv* LOC *Vedi* HOLD

first (*abbrev* **1st**) /fɜːst/ ◆ *agg, pron* primo, -a, ecc: *a first night* una prima teatrale ◊ *first name* nome di battesimo ◆ *avv* **1** per primo: *to come first in the race* vincere la gara **2** per la prima volta: *I first came to Oxford in 1981.* Sono venuto ad Oxford per la prima volta nel 1981. **3** innanzitutto **4** prima: *Finish your dinner first.* Prima finisci di mangiare. ◆ *s* **1 the first** il primo (*del mese*) **2** (*anche* **first gear**) prima (*marcia*) ☛ *Vedi esempi a* FIFTH LOC **at first** all'inizio **at first hand** di prima mano **first come, first served** in ordine di arrivo **first of all** prima di tutto **first thing** per prima cosa **first things first** prima le cose più importanti **from first to last** dall'inizio alla fine **from the (very) first** fin dal primo momento **to put sb/sth first** mettere qn/qc al primo posto *Vedi anche* HEAD[1]

first aid *s* pronto soccorso: *first aid kit* cassetta del pronto soccorso

first class ◆ *s* prima classe: *first class ticket* biglietto di prima classe ◆ *avv*: *to travel first class* viaggiare in prima classe ☛ *Vedi nota a* STAMP

first-hand /ˌfɜːst ˈhænd/ *agg* di prima mano *avv* direttamente

firstly /ˈfɜːstli/ *avv* in primo luogo

first-rate /ˌfɜːst ˈreɪt/ *agg* ottimo, di prima qualità

fish /fɪʃ/ *s* pesce: *fish and chips* pesce con patatine fritte

Fish quando è sostantivo numerabile ha due plurali: **fish** e **fishes**. **Fish** è il termine più comune: *I caught a lot of fish.* Ho preso un sacco di pesci. **Fishes** è un po' antiquato e letterario ed è usato nel linguaggio tecnico.

LOC **an odd/a queer fish** (*inform*) un tipo strano **like a fish out of water** come un pesce fuor d'acqua *Vedi anche* BIG

fisherman /ˈfɪʃəmən/ *s* (*pl* **-men** /-mən/) pescatore

fishing /ˈfɪʃɪŋ/ *s* la pesca

fishmonger /ˈfɪʃmʌŋgə(r)/ *s* (*GB*) pescivendolo, -a: *fishmonger's* pescheria

fishy /ˈfɪʃi/ *agg* (**-ier**, **-iest**) **1** di pesce (*puzzare, sapere*) **2** (*inform*) sospetto: *There's something fishy going on.* C'è qualcosa che mi puzza.

fist /fɪst/ *s* pugno **fistful** *s* pugno, manciata

fit[1] /fɪt/ *agg* (**fitter**, **fittest**) **1 fit (for sb/sth)** adatto (a qn/qc): *a meal fit for a king* un pranzo da re **2 fit to do sth** (*inform*) in condizione di fare qc **3** in forma LOC **(as) fit as a fiddle** sano come un pesce **to keep fit** tenersi in forma

fit[2] /fɪt/ (**-tt-**) (*pass, pp* **fitted**, *USA* **fit**) ◆ **1** *vi* **to fit (in/into sth)** entrare (in qc): *It doesn't fit in/into the box.* Non sta nella scatola. **2** *vt* essere la misura giusta per: *These shoes don't fit (me).* Queste scarpe non mi stanno. ☛ *Vedi nota a* STARE **3** *vt* **to fit sth with sth** equipaggiare qc con qc **4** *vt* **to fit sth on(to) sth** montare qc a/su qc **5** *vt* concordare con: *to fit the description* corrispondere alla descrizione LOC **to fit sb like a glove** andare a pennello a qn *Vedi anche* BILL[1] PHR V **to fit in (with sb/sth)** adattarsi (a qn/qc) ◆ *s* LOC **to be a good, tight, etc fit** stare bene, stretto, ecc a qn

fit[3] /fɪt/ *s* attacco (*tosse, ridarella, ecc*) LOC **to have/throw a fit** andare su tutte le furie: *She'll have/throw a fit!* Le verrà un colpo!

fitness /ˈfɪtnəs/ *s* forma fisica

fitted /ˈfɪtɪd/ *agg*: *fitted carpet* moquette ◊ *fitted kitchen* cucina componibile ◊ *fitted wardrobes* armadi a muro

fitting /ˈfɪtɪŋ/ ◆ *agg* opportuno, appropriato ◆ *s* **1 fittings** [*pl*] accessori **2**

(*abito*) prova: *fitting room* camerino (*in negozio*)

five /faɪv/ *agg, pron, s* cinque: *page five* pagina cinque ◊ *five past nine* le nove e cinque ◊ *on 5 May* il 5 maggio ◊ *all five of them* tutti e cinque ◊ *There were five of us.* Eravamo in cinque. ☛ *Vedi Appendice 1.* **fiver** *s* (*GB, inform*) (biglietto da) cinque sterline

fix /fɪks/ ◆ *s* (*inform*) guaio, pasticcio: *to be in/get yourself into a fix* essere/cacciarsi nei guai ◆ *vt* **1 to fix sth (on sth)** fissare qc (su qc) **2** aggiustare **3** (*ora, data*) stabilire **4 to fix sth (for sb)** (*pranzo*) preparare qc (per qn) **5** (*inform*) (*elezioni*) truccare **6** (*inform*) **to fix sb** sistemare qn PHR V **to fix on sb/sth** decidersi per qn/qc **to fix sb up with sth** (*inform*) procurare qc a qn **to fix sth up** fissare qc

fixed /fɪkst/ *agg* fisso LOC **of no fixed abode/address** senza fissa dimora

fixture /ˈfɪkstʃə(r)/ *s* **1 fixtures** [*pl*] infissi **2** (*Sport*) incontro **3** (*inform*) presenza fissa

fizz /fɪz/ *vi* **1** frizzare **2** sibilare

fizzy /ˈfɪzi/ *agg* (**-ier**, **-iest**) gassato, frizzante

flabby /ˈflæbi/ *agg* (*inform, dispreg*) (**-ier**, **-iest**) flaccido

flag /flæg/ ◆ *s* **1** bandiera **2** bandierina ◆ *vi* (**-gg-**) indebolirsi, stancarsi

flagrant /ˈfleɪgrənt/ *agg* flagrante

flair /fleə(r)/ *s* **1** [*sing*] ~ **for sth** predisposizione per qc **2** stile

flake /fleɪk/ ◆ *s* **1** (*sapone, vernice*) scaglia **2** (*neve*) fiocco ◆ *vi* ~ **(off/away)** scrostarsi

flamboyant /flæmˈbɔɪənt/ *agg* **1** (*persona*) stravagante **2** (*abito*) vistoso

flame /fleɪm/ *s* (*lett e fig*) fiamma

flammable /ˈflæməbl/ (*anche* **inflammable**) *agg* infiammabile

flan /flæn/ *s* flan ☛ *Vedi nota a* PIE

flank /flæŋk/ ◆ *s* fianco ◆ *vt* fiancheggiare

flannel /ˈflænl/ *s* **1** flanella **2** guanto di spugna

flap /flæp/ ◆ *s* **1** (*busta*) linguetta **2** (*tasca*) patta **3** (*tavola*) ribalta **4** (*Aeronautica*) flap ◆ (**-pp-**) *vt, vi* sbattere

flare /fleə(r)/ ◆ *s* **1** razzo da segnalazione **2** bagliore **3** svasatura ◆ *vi* **1** balenare **2** (*fig*) scoppiare: *Tempers flared.* Si accesero gli animi. PHR V **to flare up 1** (*fuoco*) divampare **2** (*rivolta*) scoppiare **3** (*malattia*) avere una recrudescenza

flash /flæʃ/ ◆ *s* **1** (*lett e fig*) lampo: *a flash of lightning* un lampo ◊ *a flash of genius* un lampo di genio **2** (*Foto, notizia*) flash LOC **a flash in the pan** un fuoco di paglia **in a/like a flash** in un lampo ◆ **1** *vi* lampeggiare: *It flashed on and off.* Si accendeva e spegneva. **2** brillare **3** *vt* (*luce*) proiettare: *The driver flashed his headlights.* L'autista lampeggiò. **4** *vt* (*notizia*) diffondere rapidamente PHR V **to flash by, past, through, etc** passare, attraversare, ecc come un lampo

flashy /ˈflæʃi/ *agg* (**-ier**, **-iest**) vistoso, appariscente

flask /flɑːsk; *USA* flæsk/ *s* **1** thermos® **2** (*per liquori*) fiaschetta

flat /flæt/ ◆ *s* **1** appartamento **2** *the flat of your hand* il palmo della mano **3** [*gen pl*] (*Geog*): *mud flats* palude **4** (*Mus*) bemolle ☛ *Confronta* SHARP **5** (*USA, inform*) gomma a terra ◆ *agg* (**flatter**, **flattest**) **1** piatto, piano **2** (*ruota*) sgonfio **3** (*batteria*) scarico **4** (*bibita*) sgassato **5** (*Mus*) scordato, stonato **6** (*tariffa*) unico ◆ *avv* (**flatter**, **flattest**): *to lie down flat* sdraiarsi LOC **flat out** a più non posso **in 10 seconds, etc flat** in 10 secondi, ecc netti

flatly /ˈflætli/ *avv* nettamente, categoricamente

flatten /ˈflætn/ **1** *vt* ~ **sth (out)** spianare, appiattire qc **2** *vt* ~ **sb** abbattere qn **3** *vt* ~ **sth** distruggere qc **4** *vi* ~ **(out)** (*panorama*) appiattirsi

flatter /ˈflætə(r)/ **1** *vt* adulare, lusingare: *I was flattered by your invitation.* Il tuo invito mi ha lusingato. **2** *vt* (*vestito, ecc*) donare a **3** *v rifl* ~ **yourself (that...)** illudersi che... **flattering** *agg* **1** (*abito, colore*) che dona **2** (*offerta, commento*) lusinghiero

flaunt /flɔːnt/ *vt* (*dispreg*) ~ **sth** ostentare qc

flavour (*USA* **flavor**) /ˈfleɪvə(r)/ ◆ *s* sapore, gusto ◆ *vt* condire, insaporire

flaw /flɔː/ *s* difetto **flawed** *agg* **1** difettoso **2** (*ragionamento*) erroneo **flawless** *agg* perfetto, impeccabile

flea /fliː/ *s* pulce: *flea market* mercato delle pulci

fleck /ˈflek/ *s* **1** granello **2** macchiolina

flee /fliː/ (*pass, pp* **fled** /fled/) **1** *vi* fuggire **2** *vt* fuggire da, scappare da

fleet /fliːt/ *s* [*v sing o pl*] **1** (*auto*) parco **2** (*pescherecci*) flotta

flesh /fleʃ/ *s* **1** carne **2** (*frutto*) polpa ☛ *Vedi illustrazione a* FRUTTA LOC **flesh and blood** carne e ossa **in the flesh** di persona **your own flesh and blood** carne della propria carne

flew *pass di* FLY

flex /fleks/ ◆ *s* (*USA* **cord**) filo (*flessibile*) ◆ *vt* flettere, contrarre

flexible /ˈfleksəbl/ *agg* flessibile

flick /flɪk/ ◆ *s* **1** colpetto **2** movimento brusco ◆ *vt* **1** dare un colpetto a **2** ~ **sth on/off** accendere/spegnere qc PHR V **to flick through sth** sfogliare qc (*giornale*)

flicker /ˈflɪkə(r)/ ◆ *vi* tremolare: *a flickering light* una luce tremolante ◆ *s* **1** (*luce*) tremolio **2** (*fig*) barlume

flight /flaɪt/ *s* **1** volo **2** fuga **3** (*uccelli*) stormo **4** (*scale*) rampa LOC **to take (to) flight** darsi alla fuga

flimsy /ˈflɪmzi/ *agg* (**-ier**, **-iest**) **1** (*tessuto*) leggero **2** (*oggetto*) poco solido **3** (*scusa*) debole

flinch /flɪntʃ/ *vi* **1** trasalire **2** ~ **from sth** tirarsi indietro di fronte a qc

fling /flɪŋ/ ◆ *vt* (*pass, pp* **flung** /flʌŋ/) **1** ~ **sth (at sth)** gettare, lanciare qc (contro qc): *She flung her arms around him.* Gli gettò le braccia al collo. **2** *He flung open the door.* Spalancò la porta. LOC *Vedi* CAUTION ◆ *s* avventura (*amorosa*)

flint /flɪnt/ *s* **1** selce **2** pietrina (*di accendino*)

flip /flɪp/ (**-pp-**) **1** *vt* dare un colpetto a: *to flip a coin* fare a testa o croce **2** *vt* ~ **sth (over)** rivoltare qc **3** *vi* ~ **(over)** girarsi **4** *vi* (*inform*) uscire dai gangheri

flippant /ˈflɪpənt/ *agg* poco serio, frivolo

flirt /flɜːt/ ◆ *vi* flirtare ◆ *s* **1** civetta (*fig*) **2** farfallone

flit /flɪt/ *vi* (**-tt-**) svolazzare

float /fləʊt/ ◆ **1** *vi* galleggiare **2** *vi* (*nuotatore*) fare il morto **3** *vt* (*barca*) far galleggiare **4** *vt* (*progetto, idea*) lanciare ◆ *s* **1** galleggiante **2** salvagente **3** (*carnevale*) carro

flock /flɒk/ ◆ *s* **1** (*pecore*) gregge **2** (*uccelli*) stormo **3** (*gente*) folla ◆ *vi* **1** affollarsi **2** ~ **to sth** prendere d'assalto qc

flog /flɒg/ *vt* (**-gg-**) **1** frustare **2** ~ **sth (off) (to sb)** (*GB, inform*) rifilare qc (a qn) LOC **to flog a dead horse** pestare l'acqua nel mortaio

flood /flʌd/ ◆ *s* **1** inondazione, alluvione **2 the Flood** (*Relig*) il Diluvio Universale **3** (*fig*) diluvio, marea ◆ **1** *vt* inondare **2** *vi* allagarsi PHR V **to flood in** arrivare in grande quantità

flooding /ˈflʌdɪŋ/ *s* [*non numerabile*] alluvione, inondazione

floodlight /ˈflʌdlaɪt/ ◆ *s* riflettore ◆ *vt* (*pass, pp* **floodlighted** *o* **floodlit** /-lɪt/) illuminare a giorno

floor /flɔː(r)/ ◆ *s* **1** pavimento: *on the floor* sul pavimento **2** piano: *on the fourth floor* al quarto piano **3** (*mare, valle*) fondo ◆ *vt* (*inform*) mettere fuori combattimento

floorboard /ˈflɔːbɔːd/ *s* asse (*del pavimento*)

flop /flɒp/ ◆ *s* (*inform*) fiasco ◆ *vi* (**-pp-**) **1** accasciarsi **2** (*inform*) (*commedia*) far fiasco **3** (*inform*) (*azienda*) fallire

floppy /ˈflɒpi/ *agg* (**-ier**, **-iest**) **1** floscio **2** (*orecchie*) penzolante

floppy disk (*anche* **floppy**, **diskette**) *s* floppy disk ☛ *Vedi illustrazione a* COMPUTER

flora /ˈflɔːrə/ *s* flora

floral /ˈflɔːrəl/ *agg* floreale: *a floral tribute* un omaggio floreale

florist /ˈflɒrɪst; *USA* ˈflɔːr-/ *s* fioraio, -a **florist's** *s* fioraio (*negozio*)

flounder /ˈflaʊndə(r)/ *vi* **1** dibattersi **2** essere in difficoltà, impappinarsi

flour /ˈflaʊə(r)/ *s* farina

flourish /ˈflʌrɪʃ/ ◆ **1** *vi* prosperare, fiorire **2** *vt* (*agitare*) brandire ◆ *s* **1** gesto plateale **2** *a flourish of the pen* uno svolazzo

flow /fləʊ/ ◆ *s* **1** flusso **2** fiume (*di parole*) **3** circolazione ◆ *vi* (*pass, pp* **-ed**) **1** (*lett e fig*) fluire: *to flow into the sea* sfociare nel mare **2** circolare **3** (*marea*) salire LOC *Vedi* EBB PHR V **to flow in/out**: *Is the tide flowing in or out?* La marea si sta alzando o abbassando? **to flow into sth** riversarsi in qc

flower /ˈflaʊə(r)/ ◆ *s* fiore ☛ *Confronta* BLOSSOM ◆ *vi* fiorire

flower bed *s* aiuola

flowering /ˈflaʊərɪŋ/ ◆ *s* fioritura ◆ *agg* (*pianta*) da fiore

flowerpot /ˈflaʊəpɒt/ *s* vaso da fiori

flown *pp di* FLY

flu /fluː/ *s* [*non numerabile*] (*inform*) influenza: *to have flu* essere influenzato

fluctuate /ˈflʌktʃueɪt/ *vi* ~ (**between ...**) fluttuare, oscillare (tra ...)

fluent /ˈfluːənt/ *agg* **1** *She's fluent in/She speaks fluent French.* Parla il francese correntemente. **2** (*oratore*) eloquente **3** (*stile*) scorrevole

fluff /flʌf/ *s* **1** pelucchi: *a piece of fluff* un pelucco **2** (*pulcino*) lanugine **fluffy** *agg* (**-ier, -iest**) **1** coperto di lanugine **2** soffice, vaporoso

fluid /ˈfluːɪd/ ◆ *agg* **1** fluido, liquido **2** (*progetto*) flessibile **3** (*situazione*) fluido, instabile **4** (*stile, movimento*) fluido, sciolto ◆ *s* **1** liquido **2** (*Chim, Biol*) fluido

fluke /fluːk/ *s* (*inform*) colpo di fortuna

flung *pass, pp di* FLING

flurry /ˈflʌri/ *s* (*pl* **-ies**) **1** folata, scroscio: *a flurry of snow* un turbine di neve **2** ~ (**of sth**) (*attività*) turbinio (di qc)

flush /flʌʃ/ ◆ *s* rossore: *hot flushes* caldane ◆ **1** *vi* arrossire **2** *vt*: *to flush the toilet* tirare l'acqua

fluster /ˈflʌstə(r)/ *vt* innervosire: *to get flustered* agitarsi

flute /fluːt/ *s* flauto

flutter /ˈflʌtə(r)/ ◆ **1** *vi* (*uccello, farfalla*) svolazzare **2** *vt, vi* (*ali*) sbattere **3** *vi* (*bandiera*) sventolare **4** *vt* (*ciglia*) sbattere ◆ *s* **1** (*bandiera*) sventolio **2** (*ali, ciglia*) battito **3** *all of a/in a flutter* in agitazione

fly /flaɪ/ ◆ *s* (*pl* **flies**) **1** mosca **2** (*anche* **flies** [*pl*]) patta (*di pantaloni*) ◆ (*pass* **flew** /fluː/ *pp* **flown** /fləʊn/) **1** *vi* volare: *to fly away/off* volare via **2** *vi* andare in aereo: *to fly in/out/back* arrivare/partire/tornare in aereo **3** *vt* (*aereo*) pilotare **4** *vt* (*passeggeri, merci*) trasportare in aereo **5** *vi*: *I must fly.* Devo scappare. **6** *vi*: *The wheel flew off.* La ruota schizzò via. ◊ *The door flew open.* La porta si spalancò all'improvviso. **7** *vi* (*capelli*) svolazzare **8** *vt* (*bandiera*) issare **9** *vt* (*aquilone*) far volare LOC *Vedi* CROW, LET[1], TANGENT PHR V **to fly at sb** lanciarsi contro qn

flying /ˈflaɪɪŋ/ ◆ *s* volo, il volare: *flying lessons* lezioni di volo ◆ *agg* volante

flying saucer *s* disco volante

flying start *s* LOC **to get off to a flying start** iniziare brillantemente

flyover /ˈflaɪəʊvə(r)/ *s* cavalcavia

foam /fəʊm/ ◆ *s* **1** schiuma **2** (*anche* **foam rubber**) gommapiuma ◆ *vi* spumeggiare

focus /ˈfəʊkəs/ ◆ *s* (*pl* ~**es** *o* **foci** /ˈfəʊsaɪ/) fuoco (*obiettivo*) LOC **to be in focus/out of focus** essere a fuoco/sfocato ◆ (**-s-** *o* **-ss-**) **1** *vt, vi* mettere a fuoco **2** *vt* ~ **sth on sth** concentrare qc su qc LOC **to focus your attention/mind on sth** concentrare l'attenzione/concentrarsi su qc

fodder /ˈfɒdə(r)/ *s* foraggio

foetus (*USA* **fetus**) /ˈfiːtəs/ *s* feto

fog /fɒg; *USA* fɔːg/ ◆ *s* nebbia ☛ *Confronta* HAZE, MIST ◆ *vi* (**-gg-**) (*anche* **to fog up**) appannarsi, annebbiarsi

foggy /ˈfɒgi; *USA* ˈfɔːgi/ *agg* (**-ier**, **-iest**) nebbioso: *a foggy day* una giornata di nebbia

foil /fɔɪl/ ◆ *s* lamina di metallo: *aluminium foil* carta d'alluminio ◆ *vt* **1** sventare **2** frustrare

fold /fəʊld/ ◆ **1** *vt, vi* piegare, piegarsi **2** *vi* (*inform*) (*ditta*) chiudere i battenti **3** *vi* (*inform*) (*commedia*) chiudere LOC **to fold your arms** incrociare le braccia ☛ *Vedi illustrazione a* ARM PHR V **to fold (sth) back/down/up** ripiegare qc/piegarsi ◆ *s* **1** piega **2** ovile

folder /ˈfəʊldə(r)/ *s* cartellina

folding /ˈfəʊldɪŋ/ *agg* pieghevole ☛ Si usa solo davanti a un sostantivo: *a folding table/bed* un tavolo/un letto pieghevole

folk /fəʊk/ ◆ *s* **1** [*pl*] gente: *country folk* gente di campagna **2 folks** [*pl*] (*inform*) gente **3 folks** [*pl*] (*inform*) genitori: *my folks* i miei ◆ *agg* folk, popolare

follow /ˈfɒləʊ/ *vt, vi* **1** seguire **2** (*spiegazione*) capire **3** ~ (**from sth**) risultare (da qc) LOC **as follows** come segue **to follow the crowd** seguire la massa PHR V **to follow on** seguire: *to follow on from sth* essere una conseguenza di qc **to follow sth through** portare a termine qc **to follow sth up 1** (*indizio*) seguire **2** (*contatto, offerta*) fare seguito a

follower /ˈfɒləʊə(r)/ *s* seguace

following /ˈfɒləʊɪŋ/ ◆ *agg* seguente ◆ *s* **1 the following** [*v sing o pl*] ciò che segue **2** seguito, seguaci ◆ *prep* in seguito a: *following the burglary* in seguito al furto

follow-up /ˈfɒləʊ ʌp/ *s* seguito

fond /fɒnd/ *agg* (**-er**, **-est**) **1** [*davanti a sostantivo*] affettuoso: *fond memories* dei teneri ricordi ◊ *a fond smile* un sorriso affettuoso **2 to be ~ of sb** voler bene a qn **3 to be ~ of (doing) sth** essere un patito di qc **4** (*speranza*) vano

fondle /ˈfɒndl/ *vt* accarezzare

food /fuːd/ *s* cibo: *There wasn't enough food at the party.* Non c'era abbastanza da mangiare alla festa. ◊ *Chinese food* la cucina cinese LOC **(to give sb) food for thought** (dare a qn) qualcosa su cui riflettere

food processor *s* robot di cucina

foodstuffs /ˈfuːdstʌfs/ *s* [*pl*] generi alimentari

fool /fuːl/ ◆ *s* (*dispreg*) stupido, -a, sciocco, -a LOC **to act/play the fool** fare lo stupido **to be no/nobody's fool** non essere uno scemo **to make a fool of sb** far fare la figura dello scemo a qn **to make a fool of yourself** coprirsi di ridicolo ◆ **1** *vi* scherzare **2** *vt* ingannare PHR V **to fool about/around** perdere tempo: *Stop fooling about with that knife!* Smettila di giocare con quel coltello!

foolish /ˈfuːlɪʃ/ *agg* **1** stupido **2** ridicolo

foolproof /ˈfuːlpruːf/ *agg* infallibile, semplicissimo

foot /fʊt/ ◆ *s* **1** (*pl* **feet** /fiːt/) piede: *at the foot of the stairs* al fondo delle scale **2** (*pl* **feet** *o* **foot**) (*abbrev* **ft**) (*unità di misura*) piede (*30,48 centimetri*) ☛ *Vedi Appendice 1.* LOC **on foot** a piedi **to fall/land on your feet** cadere in piedi **to put your feet up** riposarsi **to put your foot down** fare opposizione **to put your foot in it** fare una gaffe *Vedi anche* COLD, FIND, SWEEP ◆ *vt* LOC **to foot the bill (for sth)** pagare il conto (di qc)

football /ˈfʊtbɔːl/ *s* **1** pallone **2** calcio (*sport*) ☛ *Vedi nota a* CALCIO **footballer** *s* calciatore, -trice

footing /ˈfʊtɪŋ/ *s* [*non numerabile*] **1** punto d'appoggio, equilibrio: *to lose your footing* perdere l'equilibrio **2** (*fig*) base: *on an equal footing* in condizioni di parità

footnote /ˈfʊtnəʊt/ *s* nota (*a piè di pagina*)

footpath /ˈfʊtpɑːθ; *USA* -pæθ/ *s* sentiero

footprint /ˈfʊtprɪnt/ *s* [*gen pl*] impronta (*del piede*)

footstep /ˈfʊtstep/ *s* passo: *to follow in sb's footsteps* seguire le orme di qn

footwear /ˈfʊtweə(r)/ *s* [*non numerabile*] calzatura

for /fə(r), fɔː(r)/ ◆ *prep* **1** per: *a letter for you* una lettera per te ◊ *What's it for?* A cosa serve? ◊ *the train for Glasgow* il treno per Glasgow ◊ *It's time for supper.* È ora di cena. ◊ *for her own good* per il suo bene ◊ *What can I do for you?* In cosa posso esserle utile? **2** (*in espressioni di tempo*) per, da: *They are going for a month.* Se ne vanno per un mese. ◊ *How long are you here for?* Quanto ti fermi? ◊ *I haven't seen him for two days.* Non lo vedo da due giorni.

For o **since**? Quando **for** si traduce con "da", può essere confuso con **since**. Entrambe le parole esprimono la durata dell'azione descritta dal verbo, però **for** specifica la durata dell'azione, mentre **since** specifica l'inizio di tale azione: *I've been living here for three months.* Abito qui da tre mesi. ◊ *I've been living here since August.* Abito qui da agosto. Nota che in entrambi i casi il verbo è al passato prossimo, mai al presente.

3 [*con infinito*]: *There's no need for you to go.* Non c'è bisogno che tu vada. ◊ *It's impossible for me to do it.* Mi è impossibile farlo. **4** (*altri usi di for*): *I for Irene* I come Irene ◊ *for miles and miles* per miglia e miglia ◊ *What does he do for a job?* Che lavoro fa? LOC **for all**: *for all his wealth* nonostante tutti i suoi soldi **to be for sth** essere a favore di qc **to be for it** (*inform*): *He's for it now!* Adesso vedrà! ☛ Per l'uso di **for** nei PHRASAL VERBS, vedi alla voce del verbo, ad es. **to look for** a LOOK. ◆ *cong* (*form, antiq*) poiché, dal momento che

forbade (*anche* **forbad**) *pass di* FORBID

forbid /fəˈbɪd/ *vt* (*pass* **forbade** /fəˈbæd; *USA* fəˈbeɪd/ *o* **forbad** *pp* **forbidden** /fəˈbɪdn/) ~ **sb to do sth** proibire a qn di fare qc: *It is forbidden to smoke.* È vietato fumare. ◇ *They forbade them from entering.* Vietarono loro l'ingresso. **forbidding** *agg* **1** minaccioso **2** impervio

force /fɔːs/ ◆ *s* (*lett e fig*) forza: *the armed forces* le forze armate LOC **by force** con la forza **in force** in vigore: *to be in/come into force* essere/entrare in vigore ◆ *vt* ~ **sb** (**to do sth**) costringere qn (a fare qc) PHR V **to force sth on sb** imporre qc a qn

forcible /ˈfɔːsəbl/ *agg* **1** forzato **2** convincente **forcibly** *avv* **1** con la forza **2** energicamente

ford /fɔːd/ ◆ *s* guado ◆ *vt* guadare

fore /fɔː(r)/ ◆ *agg* anteriore ◆ *s* LOC **to be/come to the fore** essere in primo piano/mettersi in luce

forearm /ˈfɔːrɑːm/ *s* avambraccio

forecast /ˈfɔːkɑːst; *USA* -kæst/ ◆ *vt* (*pass, pp* **forecast** *o* **forecasted**) prevedere ◆ *s* previsione

forefinger /ˈfɔːfɪŋgə(r)/ *s* dito indice

forefront /ˈfɔːfrʌnt/ *s* LOC **at/in the forefront of sth** all'avanguardia di qc

foreground /ˈfɔːgraʊnd/ *s* primo piano (*in foto, dipinto*)

forehead /ˈfɒrɪd, ˈfɔːhed; *USA* ˈfɔːrɪd/ *s* (*Anat*) fronte

foreign /ˈfɒrən; *USA* ˈfɔːr-/ *agg* **1** straniero **2** estero: *foreign exchange* valuta estera ◇ *Foreign Office/Secretary* ministero/ministro degli Esteri **3** (*form*) ~ **to sb/sth** estraneo a qn/qc

foreigner /ˈfɒrənə(r)/ *s* straniero, -a

foremost /ˈfɔːməʊst/ ◆ *agg* principale, più importante ◆ *avv* in primo luogo

forerunner /ˈfɔːrʌnə(r)/ *s* precursore

foresee /fɔːˈsiː/ *vt* (*pass* **foresaw** /fɔːˈsɔː/ *pp* **foreseen** /fɔːˈsiːn/) prevedere **forseeable** *agg* prevedibile LOC **for/in the foreseeable future** nell'immediato futuro

foresight /ˈfɔːsaɪt/ *s* lungimiranza

forest /ˈfɒrɪst; *USA* ˈfɔːr-/ *s* foresta

foretell /fɔːˈtel/ *vt* (*pass, pp* **foretold** /fɔːˈtəʊld/) (*form*) predire

forever /fəˈrevə(r)/ *avv* **1** (*anche* **for ever**) per sempre **2** sempre: *You're forever getting in the way.* Stai sempre tra i piedi.

foreword /ˈfɔːwɜːd/ *s* prefazione

forgave *pass di* FORGIVE

forge /fɔːdʒ/ ◆ *s* fucina ◆ *vt* **1** (*metallo, relazione*) forgiare **2** (*firma, banconota*) contraffare PHR V **to forge ahead** procedere spedito

forgery /ˈfɔːdʒəri/ *s* (*pl* **-ies**) **1** contraffazione **2** falso

forget /fəˈget/ (*pass* **forgot** /fəˈgɒt/ *pp* **forgotten** /fəˈgɒtn/) **1** *vt, vi* ~ (**sth/to do sth**) dimenticare (qc/di fare qc): *He forgot to pay me.* Si è dimenticato di pagarmi. LOC **not forgetting...** senza dimenticare... PHR V **to forget about sb/sth** dimenticarsi di qn/qc **forgetful** *agg* smemorato, distratto

forgive /fəˈgɪv/ *vt* (*pass* **forgave** /fəˈgeɪv/ *pp* **forgiven** /fəˈgɪvn/) perdonare: *Forgive me for interrupting.* Scusami se ti interrompo. **forgiveness** *s* perdono: *to ask (for) forgiveness (for sth)* chiedere perdono (per qc) **forgiving** *agg* indulgente

forgot *pass di* FORGET

forgotten *pp di* FORGET

fork /fɔːk/ ◆ *s* **1** forchetta **2** forcone **3** bivio ◆ *vi* **1** (*strada*) biforcarsi **2** (*persona*): *to fork left* girare a sinistra PHR V **to fork out** (**for/on sth**) (*inform*) sborsare (per qc)

form /fɔːm/ ◆ *s* **1** forma: *in the form of sth* sotto forma di qc **2** modulo: *application form* modulo di domanda **3** forma: *as a matter of form* per rispettare le forme **4** (*Scuola*) classe LOC **in/off form** in forma/fuori forma *Vedi anche* SHAPE ◆ **1** *vt* formare: *to form an idea (of sb/sth)* farsi un'idea (di qn/qc) **2** *vi* formarsi

formal /ˈfɔːml/ *agg* **1** (*comportamento, linguaggio*) formale **2** (*pranzo, dichiarazione*) ufficiale: *formal dress* abito da cerimonia **3** (*qualifiche*) riconosciuto

formality /fɔːˈmæləti/ *s* (*pl* **-ies**) formalità: *legal formalities* formalità di legge

formally /ˈfɔːməli/ *avv* **1** ufficialmente **2** *formally dressed* in abito da cerimonia

format /ˈfɔːmæt/ *s* formato

formation /fɔːˈmeɪʃn/ *s* formazione

former /ˈfɔːmə(r)/ ◆ *agg* **1** vecchio: *the former champion* l'ex campione **2** *in former times* in passato **3** primo: *the former solution* la prima soluzione ◆ **the former** *pron* il primo, la prima, ecc: *The former was much better than the latter.* Quello era meglio di questo. ☛ *Confronta* LATTER

formerly /ˈfɔːməli/ *avv* **1** precedentemente **2** in passato

formidable /ˈfɔːmɪdəbl/ *agg* **1** (*rivale, squadra*) temibile **2** (*compito*) arduo

formula /ˈfɔːmjələ/ *s* (*pl* **~s** *o nell'uso scientifico* **-lae** /ˈfɔːmjʊliː/) formula

forsake /fəˈseɪk/ *vt* (*pass* **forsook** /fəˈsʊk/ *pp* **forsaken** /fəˈseɪkən/) (*form*) abbandonare

fort /fɔːt/ *s* forte (*costruzione*)

forth /fɔːθ/ *avv* (*form*) in avanti: *from that day forth* da quel giorno in poi LOC **and (so on and) so forth** e così via *Vedi anche* BACK[1]

forthcoming /ˌfɔːθˈkʌmɪŋ/ *agg* **1** prossimo: *the forthcoming election* le prossime elezioni **2** (*film, libro*) di prossima uscita **3** (*aiuto*) disponibile ☛ Non si usa davanti a sostantivo : *No offer was forthcoming.* Non è stata fatta nessuna offerta. **4** (*persona*) comunicativo ☛ Non si usa davanti a sostantivo.

forthright /ˈfɔːθraɪt/ *agg* **1** (*persona*) schietto, diretto **2** (*opinione*) franco

fortieth *Vedi* FORTY

fortification /ˌfɔːtɪfɪˈkeɪʃn/ *s* fortificazione

fortify /ˈfɔːtɪfaɪ/ *vt* (*pass, pp* **fortified**) **1** fortificare **2** ~ **sb/yourself** rafforzare qn/rafforzarsi

fortnight /ˈfɔːtnaɪt/ *s* quindici giorni: *a fortnight today* oggi a quindici

fortnightly /ˈfɔːtnaɪtli/ ◆ *agg* quindicinale ◆ *avv* ogni quindici giorni

fortress /ˈfɔːtrəs/ *s* fortezza

fortunate /ˈfɔːtʃənət/ *agg* fortunato

fortune /ˈfɔːtʃuːn/ *s* **1** patrimonio, fortuna: *to be worth a fortune* valere una fortuna **2** sorte LOC *Vedi* SMALL

forty /ˈfɔːti/ *agg, pron, s* quaranta ☛ *Vedi esempi a* FIFTY, FIVE **fortieth** *agg, pron, avv, s* quarantesimo ☛ *Vedi esempi a* FIFTH

forward /ˈfɔːwəd/ ◆ *agg* **1** in avanti **2** anteriore: *a forward position* una posizione avanzata **3** per il futuro: *forward planning* pianificazione per il futuro **4** sfacciato ◆ *avv* **1** (*anche* **forwards**) in avanti **2** avanti: *from that day forward* da quel giorno in poi LOC *Vedi* BACKWARD(S) ◆ *vt* ~ **sth (to sb)** inoltrare qc (a qn): *please forward* si prega di inoltrare ◊ *forwarding address* nuovo recapito ◆ *s* attaccante

fossil /ˈfɒsl/ *s* (*lett e fig*) fossile

foster /ˈfɒstə(r)/ *vt* **1** incoraggiare, promuovere **2** avere in affidamento

fought *pass, pp di* FIGHT

foul /faʊl/ ◆ *agg* **1** (*odore, sapore*) disgustoso **2** (*acqua, aria*) fetido **3** (*umore*) pessimo **4** (*tempo*) brutto **5** (*linguaggio*) osceno ◆ *s* fallo (*Sport*) ◆ *vt* commettere un fallo su (*Sport*) PHR V **to foul sth up** rovinare qc

foul play *s* delitto

found[1] *pass, pp di* FIND

found[2] /faʊnd/ *vt* **1** fondare **2** basare: *founded on fact* basato sulla realtà

foundation /faʊnˈdeɪʃn/ *s* **1** fondazione **2 the foundations** [*pl*] le fondamenta **3** fondamento **4** (*anche* **foundation cream**) fondotinta

founder /ˈfaʊndə(r)/ *s* fondatore, -trice

fountain /ˈfaʊntən; *USA* -tn/ *s* fontana

fountain pen *s* penna stilografica

four /fɔː(r)/ *agg, pron, s* quattro ☛ *Vedi esempi a* FIVE

fourteen /ˌfɔːˈtiːn/ *agg, pron, s* quattordici ☛ *Vedi esempi a* FIVE **fourteenth** *agg, pron, avv, s* quattordicesimo ☛ *Vedi esempi a* FIFTH

fourth (*abbrev* **4th**) /fɔːθ/ ◆ *agg, pron avv* quarto ◆ *s* **1 the fourth** il quattro *the fourth of September* il quattro settembre **2** (*anche* **fourth gear**) quarta (*marcia*) ☛ *Vedi esempi a* FIFTH

> Per indicare la frazione "un quarto" si dice **a quarter**: *We ate a quarter of the cake each.* Abbiamo mangiato un quarto di torta ciascuno.

fowl /faʊl/ *s* (*pl* **fowl** *o* **~s**) volatile (*da cortile*)

fox /fɒks/ *s* (*femm* **vixen** /ˈvɪksn/) volpe

foyer /ˈfɔɪeɪ; *USA* ˈfɔɪər/ *s* (*teatro*) foyer

fraction /ˈfrækʃn/ *s* frazione

fracture /ˈfræktʃə(r)/ ◆ *s* frattura ◆ *vt vi* fratturare, fratturarsi

fragile /ˈfrædʒaɪl; *USA* -dʒl/ *agg* (*lett e fig*) fragile

fragment /ˈfrægmənt/ ◆ *s* frammento ◆ /frægˈment/ *vt, vi* frammentare frammentarsi

fragrance /ˈfreɪgrəns/ *s* profumo fragranza

fragrant /ˈfreɪgrənt/ *agg* profumato fragrante

frail /freɪl/ *agg* fragile, delicato ☛ Si

usa soprattutto per persone anziane o malate.

frame /freɪm/ ◆ *s* **1** cornice **2** (*bicicletta, finestra*) telaio **3** (*occhiali*) montatura LOC **frame of mind** stato d'animo ◆ *vt* **1** (*foto, dipinto*) incorniciare **2** (*domanda*) formulare **3** (*inform*) ~ **sb** incastrare qn

framework /ˈfreɪmwɜːk/ *s* struttura

franc /fræŋk/ *s* franco (*valuta*)

frank /fræŋk/ *agg* franco, sincero

frantic /ˈfræntɪk/ *agg* **1** (*persona*) fuori di sé **2** (*attività*) frenetico

fraternal /frəˈtɜːnl/ *agg* fraterno

fraternity /frəˈtɜːnəti/ *s* (*pl* **-ies**) **1** fraternità, fratellanza **2** comunità, confraternità

fraud /frɔːd/ *s* **1** (*atto*) frode **2** (*persona*) impostore, -ora

fraught /frɔːt/ *agg* **1** ~ **with sth** pieno di qc **2** teso

fray /freɪ/ *vt, vi* logorare, logorarsi

freak /friːk/ *s* (*inform, dispreg*) **1** persona strana **2** fanatico, -a

freckle /ˈfrekl/ *s* lentiggine **freckled** *agg* lentigginoso

free /friː/ ◆ *agg* (**freer** /friːə(r)/**freest** /ˈfriːɪst/) **1** libero: *free speech* libertà di parola ◊ *free will* libero arbitrio ◊ *to set sb free* liberare qn ◊ *to be free of/from worries* non avere preoccupazioni ◊ *to pull (yourself) free* liberarsi **2** gratis, gratuito: *admission free* ingresso gratuito ◊ *free of charge* gratuito ◊ *free gift* omaggio **3** ~ **with sth** prodigo di qc **4** (*dispreg*): *to be too free* (*with sb*) prendersi troppe libertà (con qn) LOC **free and easy** rilassato **of your own free will** di spontanea volontà **to get, have, etc a free hand** avere carta bianca ◆ *vt* (*pass, pp* **freed**) ~ **sb/sth (from/of sth)** liberare qn/qc (da qc) ◆ *avv* gratis, gratuitamente **freely** *avv* liberamente, generosamente

freedom /ˈfriːdəm/ *s* **1** libertà: *freedom of speech* libertà di parola **2** ~ **(to do sth)** libertà (di fare qc) **3** ~ **from sth** libertà da qc

free-range /ˌfriː ˈreɪndʒ/ *agg* ruspante: *free-range eggs* uova di gallina ruspante ☛ *Confronta* BATTERY senso 3

freeway /ˈfriːweɪ/ *s* (*USA*) autostrada

freeze /friːz/ (*pass* **froze** /frəʊz/ *pp* **frozen** /ˈfrəʊzn/) ◆ **1** *vt, vi* gelare, gelarsi: *I'm freezing!* Sto morendo di freddo! ◊ *freezing point* punto di congelamento **2** *vt, vi* (*cibi, prezzi, salari*) congelare, congelarsi **3** *vi* bloccarsi: *Freeze!* Fermo! ◆ *s* **1** (*anche* **freeze-up**) gelata **2** (*stipendi, prezzi*) congelamento, blocco

freezer /ˈfriːzə(r)/ *s* **1** (*anche* **deep-freeze**) congelatore **2** freezer

freight /freɪt/ *s* merci

French window (*USA anche* **French door**) *s* portafinestra

frenzied /ˈfrenzid/ *agg* frenetico, convulso

frenzy /ˈfrenzi/ *s* [*gen sing*] frenesia

frequency /ˈfriːkwənsi/ *s* (*pl* **-ies**) frequenza

frequent /ˈfriːkwənt/ ◆ *agg* frequente ◆ /friˈkwent/ *vt* frequentare

frequently /ˈfriːkwəntli/ *avv* frequentemente ☛ *Vedi nota a* ALWAYS

fresh /freʃ/ *agg* (**-er**, **-est**) **1** nuovo, altro **2** recente **3** (*cibo, aria*) fresco **4** *fresh water* acqua dolce LOC *Vedi* BREATH **freshly** *avv* di recente: *freshly baked* appena sfornato **freshness** *s* **1** freschezza **2** novità

freshen /ˈfreʃn/ **1** *vt* ~ **sth (up)** dare un'aria nuova a qc **2** *vi* (*aria*) rinfrescare PHR V **to freshen (yourself) up** rinfrescarsi

freshwater /ˈfreʃˌwɔːtə(r)/ *agg* di acqua dolce

fret /fret/ *vi* (**-tt-**) ~ **(about/at/over sth)** agitarsi (per qc)

friar /ˈfraɪə(r)/ *s* frate

friction /ˈfrɪkʃn/ *s* (*lett e fig*) frizione

Friday /ˈfraɪdeɪ, ˈfraɪdi/ *s* (*abbrev* **Fri**) venerdì ☛ *Vedi esempi a* MONDAY LOC **Good Friday** Venerdì Santo

fridge /frɪdʒ/ *s* (*inform*) frigo: *fridge-freezer* frigocongelatore

fried /fraɪd/ ◆ *pass, pp di* FRY ◆ *agg* fritto

friend /frend/ *s* **1** amico, -a **2** ~ **of/to sth** sostenitore, -trice di qc LOC **to be friends (with sb)** essere amico di qn, essere amici **to have friends in high places** avere qualche santo in Paradiso **to make friends (with sb)** fare amicizia (con qn)

friendly /ˈfrendli/ *agg* (**-ier**, **-iest**) **1** (*persona*) simpatico ☛ Nota che **sympathetic** significa "comprensivo".

2 (*rapporto, partita*) amichevole 3 (*gesto, consiglio*) da amico 4 (*luogo*) accogliente **friendliness** *s* cordialità, simpatia

friendship /ˈfrendʃɪp/ *s* amicizia

fright /fraɪt/ *s* spavento: *to give sb a fright* fare paura a qn ◊ *to get a fright* spaventarsi

frighten /ˈfraɪtn/ *vt* spaventare, fare paura a **frightened** *agg* spaventato: *to be frightened* (*of sb/sth*) aver paura (di qn/qc) LOC *Vedi* WIT **frightening** *agg* pauroso, spaventoso

frightful /ˈfraɪtfl/ *agg* 1 orribile 2 (*inform*) (*per enfatizzare*): *a frightful mess* un disordine terribile **frightfully** *avv* (*inform*) estremamente: *I'm frightfully sorry.* Mi dispiace moltissimo

frigid /ˈfrɪdʒɪd/ *agg* 1 frigido 2 glaciale

frill /frɪl/ *s* 1 (*gala*) volant 2 [*gen pl*] (*fig*) fronzolo: *no frills* senza fronzoli

fringe /frɪndʒ/ ◆ *s* 1 frangia ☛ *Vedi illustrazione a* CAPELLO 2 (*fig*) margine ◆ *vt* LOC **to be fringed by/with sth** essere bordato di qc

frisk /frɪsk/ 1 *vt* (*inform*) perquisire 2 *vi* saltellare **frisky** *agg* vivace

frivolity /frɪˈvɒləti/ *s* frivolezza

frivolous /ˈfrɪvələs/ *agg* frivolo

fro /frəʊ/ *avv Vedi* TO

frock /frɒk/ *s* vestito

frog /frɒg; *USA* frɔːg/ *s* 1 rana 2 (*inform, offensivo*) francese

from /frəm, frɒm/ *prep* 1 (*provenienza, tempo, posizione*) da: *from Rome to London* da Roma a Londra ◊ *I'm from Scotland.* Sono scozzese. ◊ *from bad to worse* di mal in peggio ◊ *the train from Florence* il treno proveniente da Firenze ◊ *a present from a friend* un regalo di un amico ◊ *to take sth away from sb* portare via qc a qn ◊ *from above/below* dall'alto/dal basso ◊ *from time to time* di tanto in tanto ◊ *from yesterday* da ieri ☛ *Vedi nota a* SINCE 2 per: *from choice* per scelta ◊ *from what I can gather* da quanto ho capito 3 tra: *to choose from...* scegliere tra ... 4 con: *Wine is made from grapes.* Il vino si fa con l'uva. 5 (*Mat*): *13 from 34 leaves 21.* 34 meno 13 fa 21. LOC **from...on**: *from now on* d'ora in poi ◊ *from then on* da allora in poi ☛ Per l'uso di **from** nei PHRASAL VERBS vedi alla voce del verbo, ad es. **to hear from** a HEAR.

front /frʌnt/ ◆ *s* 1 **the ~ (of sth)** il davanti (di qc): *If you can't see the board, sit at the front.* Se non vedi la lavagna, siediti davanti. ◊ *at the front of the queue* in cima alla fila 2 **the front** (*Mil*) il fronte 3 copertura: *a front for sth* una copertura per qc 4 fronte: *on the financial front* sul fronte economico ◆ *agg* davanti, anteriore (*ruote, zampe*) ◆ *avv* LOC **in front** davanti: *the row in front* la fila davanti ☛ *Vedi illustrazione a* DAVANTI **up front** (*inform*) in anticipo *Vedi anche* BACK[1] ◆ *prep* LOC **in front of** davanti a ☛ Nota che "di fronte" si dice **opposite**. *Vedi illustrazione a* DAVANTI.

front cover *s* copertina

front door *s* porta d'ingresso

frontier /ˈfrʌntɪə(r); *USA* frʌnˈtɪər/ *s* ~ **(with sth/between...)** frontiera (con qc/tra...) ☛ *Vedi nota a* BORDER

front page *s* prima pagina

front row *s* prima fila

frost /frɒst; *USA* frɔːst/ ◆ *s* 1 gelo, gelata 2 brina ◆ *vt, vi* ghiacciare, ghiacciarsi **frosty** *agg* (**-ier**, **-iest**) 1 gelato 2 coperto di brina

froth /frɒθ; *USA* frɔːθ/ ◆ *s* schiuma ◆ *vi* fare la schiuma

frown /fraʊn/ ◆ *s* cipiglio ◆ *vi* aggrottare le sopracciglia PHR V **to frown on/upon sth** disapprovare qc

froze *pass di* FREEZE

frozen *pp di* FREEZE

fruit /fruːt/ *s* 1 [*gen non numerabile*] frutta: *fruit and vegetables* frutta e verdura ◊ *a piece of fruit* un frutto ◊ *fruit salad* macedonia 2 (*fig*) frutto: *the fruit(s) of your labours* il frutto del proprio lavoro

fruitful /ˈfruːtfl/ *agg* fruttuoso

fruition /fru'ɪʃn/ *s*: *to come to fruition* realizzarsi
fruitless /'fru:tləs/ *agg* infruttuoso
frustrate /frʌ'streɪt; *USA* 'frʌstreɪt/ *vt* **1** (*persona*) frustrare **2** (*tentativo*) rendere vano
fry /fraɪ/ *vt, vi* (*pass, pp* **fried** /fraɪd/) friggere
frying pan /'fraɪɪŋ pæn/ (*USA anche* **frypan**) *s* padella ☛ *Vedi illustrazione a* SAUCEPAN LOC **out of the frying pan into the fire** dalla padella alla brace
fuel /'fju:əl/ *s* **1** combustibile **2** carburante
fugitive /'fju:dʒətɪv/ *agg, s* fuggiasco, -a: *a fugitive from justice* un latitante
fulfil (*USA* **fulfill**) /fʊl'fɪl/ *vt* (**-ll-**) **1** (*promessa*) mantenere **2** (*desiderio, bisogno, requisito*) soddisfare **3** (*ruolo*) rivestire
full /fʊl/ ◆ *agg* (**-er**, **-est**) **1** ~ (**of sth**) pieno (di qc) **2** ~ **of sth** preso da qc **3** ~ (**up**) sazio: *I'm full up.* Sono pieno. **4** (*albergo, aereo*) completo, pieno **5** (*discussione, istruzioni*) esauriente **6** (*ora, tariffa*) intero **7** (*vestiti*) ampio LOC (**at**) **full blast** a tutto volume (**at**) **full speed** a tutta velocità **full of yourself** (*dispreg*) pieno di sé **in full** per intero **in full swing** in pieno corso **to come full circle** essere di nuovo al punto di partenza **to the full** al massimo ◆ *avv* **1** *full in the face* in piena faccia **2** *You know full well that...* Sai benissimo che...
full board *s* pensione completa
full-length /ˌfʊl 'leŋθ/ *agg* **1** (*foto*) in piedi **2** (*abito*) lungo
full stop (*anche* **full point**, *USA* **period**) *s* punto ☛ *Vedi pagg. 376–77.*
full-time /ˌfʊl 'taɪm/ *agg, avv* a tempo pieno
fully /'fʊli/ *avv* **1** completamente **2** almeno: *fully two hours* almeno due ore
fumble /'fʌmbl/ *vi* ~ (**with sth**) armeggiare (con qc)
fume /fju:m/ ◆ *s* [*gen pl*] esalazione: *poisonous fumes* esalazioni tossiche ◆ *vi* essere furioso
fun /fʌn/ ◆ *s* divertimento: *to have fun* divertirsi LOC **to make fun of sb/sth** prendere in giro qn/qc *Vedi anche* POKE ◆ *agg* (*inform*) divertente
function /'fʌŋkʃn/ ◆ *s* **1** funzione **2** ricevimento, cerimonia ◆ *vi* **1** funzionare **2** ~ **as sth** fare da qc
fund /fʌnd/ ◆ *s* **1** fondo (*soldi*) **2 funds** [*pl*] fondi ◆ *vt* finanziare, sovvenzionare
fundamental /ˌfʌndə'mentl/ ◆ *agg* ~ (**to sth**) fondamentale (per qc) ◆ *s* [*gen pl*] fondamento
funeral /'fju:nərəl/ *s* **1** funerale: *funeral parlour* impresa di pompe funebri **2** corteo funebre
funfair /'fʌnfeə(r)/ *s* luna park
fungus /'fʌŋgəs/ *s* (*pl* **-gi** /-gaɪ, -dʒaɪ/ *o* **-guses** /-gəsɪz/) fungo
funnel /'fʌnl/ ◆ *s* **1** imbuto **2** fumaiolo (*di nave, locomotiva*) ◆ *vt* (**-ll-**, *USA* **-l-**) incanalare
funny /'fʌni/ *agg* (**-ier**, **-iest**) **1** divertente, buffo **2** strano
fur /fɜ:(r)/ *s* **1** pelo (*di animale*) **2** pelliccia: *a fur coat* una pelliccia
furious /'fjʊəriəs/ *agg* **1** ~ (**at sth/with sb**) furioso (per qc/con qn) **2** (*protesta, attacco, lite*) violento **3** (*discussione*) acceso **furiously** *avv* furiosamente
furnace /'fɜ:nɪs/ *s* fornace
furnish /'fɜ:nɪʃ/ *vt* **1** ~ **sth** (**with sth**) arredare qc (con qc): *a furnished flat* un appartamento ammobiliato **2** ~ **sb/sth with sth** fornire qn/qc di qc **furnishings** *s* [*pl*] mobilia
furniture /'fɜ:nɪtʃə(r)/ *s* [*non numerabile*] mobili: *a piece of furniture* un mobile ☛ *Vedi nota a* INFORMAZIONE
furrow /'fʌrəʊ/ ◆ *s* solco ◆ *vt* solcare: *a furrowed brow* una fronte corrugata
furry /'fɜ:ri/ *agg* (**-ier**, **-iest**) peloso
further /'fɜ:ðə(r)/ ◆ *agg* **1** (*anche* **farther**) più lontano: *Which is further?* Qual è più lontano? **2** ulteriore: *until further notice* fino a nuovo avviso ◊ *for further details/information...* per ulteriori informazioni... ◆ *avv* **1** (*anche* **farther**) più lontano: *How much further is it to Oxford?* Quanto manca a Oxford? **2** inoltre: *Further to my letter...* A seguito della mia lettera... **3** più: *to hear nothing further* non avere più notizie LOC *Vedi* AFIELD

Farther o **further**? Entrambi sono comparativi di **far**, ma sono sinonimi solo quando ci si riferisce alla distanza: *Which is further/farther?* Qual è più lontano?

furthermore /ˌfɜːðəˈmɔː(r)/ *avv* inoltre

furthest /ˈfɜːðɪst/ *agg, avv* (*superl di* **far**) più lontano: *the furthest corner of Europe* la parte più remota d'Europa

fury /ˈfjʊəri/ *s* furia, rabbia

fuse /fjuːz/ ◆ *s* **1** fusibile **2** miccia **3** (*USA anche* **fuze**) spoletta ◆ **1** *vi* (*metallo*) fondersi: *The lights had fused.* Erano saltate le valvole. **2** *vt* ~ **sth** (**together**) saldare qc (insieme)

fusion /ˈfjuːʒn/ *s* fusione

fuss /fʌs/ ◆ *s* [*non numerabile*] agitazione, storie LOC **to make a fuss of/over sb** coprire qn di attenzioni **to make a fuss about/over sth** fare storie per qc **to kick up a fuss** (**about/over sth**) piantare una grana (per qc) ◆ *vi* **1** ~ (**about**) agitarsi, affannarsi **2** ~ **over sb** coprire qn di attenzioni

fussy /ˈfʌsi/ *agg* (**-ier**, **-iest**) **1** pignolo **2** ~ (**about sth**) esigente, difficile (riguardo a qc)

futile /ˈfjuːtaɪl; *USA* -tl/ *agg* vano

future /ˈfjuːtʃə(r)/ ◆ *s* **1** futuro: *in the near future* in un prossimo futuro **2** avvenire LOC **in future** in futuro *Vedi anche* FORESEE ◆ *agg* futuro

fuzzy /ˈfʌzi/ *agg* (**-ier**, **-iest**) **1** (*golfino, coperta*) peloso **2** (*capelli*) crespo **3** (*foto*) sfocato **4** (*mente*) confuso

Gg

G, g /dʒiː/ *s* (*pl* **G's**, **g's** /dʒiːz/) **1** G, g: *G for George* G come Genova ☛ *Vedi esempi a* A, A **2** (*Mus*) sol

gab /gæb/ *s* LOC *Vedi* GIFT

gable /ˈgeɪbl/ *s* frontone

gadget /ˈgædʒɪt/ *s* aggeggio

gag /gæg/ ◆ *s* **1** (*lett e fig*) bavaglio **2** battuta ◆ *vt* (**-gg-**) (*lett e fig*) imbavagliare

gage (*USA*) *Vedi* GAUGE

gaiety /ˈgeɪəti/ *s* allegria

gain /geɪn/ ◆ *s* **1** guadagno, profitto **2** aumento **3** vantaggio ◆ **1** *vt* ottenere, acquistare: *to gain control* ottenere il controllo **2** *vt* aumentare di: *to gain two kilos* aumentare di due chili ◊ *to gain speed* acquistare velocità **3** *vi* ~ **by/from** (**doing**) **sth** guadagnare da qc/facendo qc **4** *vi* (*orologio*) andare avanti PHR V **to gain on sb/sth** incalzare qn/qc

gait /geɪt/ *s* [*sing*] passo, andatura

galaxy /ˈgæləksi/ *s* (*pl* **-ies**) galassia

gale /geɪl/ *s* bufera

gallant /ˈgælənt/ *agg* **1** (*form*) valoroso, prode **2** *anche* /ˌgəˈlænt/ galante **gallantry** *s* **1** prodezza **2** galanteria

gallery /ˈgæləri/ *s* (*pl* **-ies**) **1** (*anche* **art gallery**) galleria d'arte **2** galleria **3** loggione

galley /ˈgæli/ *s* (*pl* **-eys**) **1** cambusa **2** (*Naut*) galea

gallon /ˈgælən/ *s* (*abbrev* **gall**) gallone (*4,5 litri*)

gallop /ˈgæləp/ ◆ **1** *vt* lanciare al galoppo **2** *vi* andare al galoppo ◆ *s* galoppo

the gallows /ˈgæləʊz/ *s* la forca

gamble /ˈgæmbl/ ◆ *vt, vi* (*soldi*) giocare PHR V **to gamble on doing sth** contare di fare qc ◆ *s* **1** giocata **2** (*fig*): *to be a gamble* essere un rischio **gambler** *s* giocatore, -trice (*d'azzardo*) **gambling** *s* gioco d'azzardo

game /geɪm/ ◆ *s* **1** gioco **2** partita ☛ *Confronta* MATCH² **3 games** [*pl*] attività sportive (*a scuola*) **4** [*non numerabile*] cacciagione LOC *Vedi* FAIR, MUG ◆ *agg*: *Are you game?* Ti va?

gammon /ˈgæmən/ *s* [*non numerabile*] prosciutto ☛ *Confronta* BACON, HAM

gang /gæŋ/ ◆ *s* **1** [*v sing o pl*] banda **2** (*lavoratori*) squadra ◆ PHR V **to gang up on sb** far comunella contro qn

gangster /ˈgæŋstə(r)/ *s* gangster

gangway /ˈgæŋweɪ/ *s* **1** passerella **2** (*GB*) corridoio (*tra sedili, ecc*)

gaol /dʒeɪl/ *Vedi* JAIL

gap /gæp/ *s* **1** apertura, varco **2** spazio **3** (*tempo*) intervallo: *a gap in the conversation* una pausa nella conversazione **4** (*fig*) divario **5** (*mancanza*) lacuna LOC *Vedi* BRIDGE

gape /geɪp/ *vi* **1** ~ (**at sb/sth**) guardare a bocca aperta (qn/qc) **2** aprirsi, spalancarsi **gaping** *agg* (*voragine, squarcio*) enorme: *a gaping wound* una ferita aperta

garage /ˈgærɑːʒ, ˈgærɪdʒ; *USA* gəˈrɑːʒ/ *s* **1** garage **2** autofficina **3** stazione di servizio

garbage /ˈgɑːbɪdʒ/ *s* (*USA*) [*non numerabile*] (*lett e fig*) spazzatura

garbled /ˈgɑːbld/ *agg* confuso

garden /ˈgɑːdn/ ◆ *s* giardino ◆ *vi* fare del giardinaggio **gardener** *s* giardiniere, -a **gardening** *s* giardinaggio

gargle /ˈgɑːgl/ *vi* fare gargarismi

garish /ˈgeərɪʃ/ *agg* sgargiante

garland /ˈgɑːlənd/ *s* ghirlanda

garlic /ˈgɑːlɪk/ *s* [*non numerabile*] aglio: *a clove of garlic* uno spicchio d'aglio

garment /ˈgɑːmənt/ *s* (*form*) indumento, capo di vestiario

garnish /ˈgɑːnɪʃ/ ◆ *vt* guarnire ◆ *s* guarnizione

garrison /ˈgærɪsn/ *s* [*v sing o pl*] guarnigione

gas /gæs/ ◆ *s* (*pl* ~**es**, *anche USA* **gasses**) **1** gas: *gas mask* maschera antigas **2** (*USA, inform*) benzina ◆ *vt* (**-ss-**) asfissiare col gas

gash /gæʃ/ *s* ferita profonda

gasoline /ˈgæsəliːn/ *s* (*USA*) benzina

gasp /gɑːsp/ ◆ **1** *vi* rimanere senza fiato **2** *vi* boccheggiare: *to gasp for air* respirare a fatica **3** *vt* ~ **sth** (**out**) dire qc con voce soffocata ◆ *s* grido soffocato

gas station *s* (*USA*) distributore di benzina

gate /geɪt/ *s* **1** cancello **2** (*aeroporto*) uscita

gatecrash /ˈgeɪtkræʃ/ *vt, vi* imbucarsi (a)

gateway /ˈgeɪtweɪ/ *s* **1** entrata, passaggio **2** ~ **to sth** (*fig*) chiave per qc

gather /ˈgæðə(r)/ **1** *vi* radunarsi **2** *vi* (*nuvole*) addensarsi **3** *vt* ~ **sb** (**together**) radunare qn **4** *vt* ~ **sth** (**together**) raccogliere qc **5** *vt* (*fiori, frutta*) raccogliere **6** *vt* dedurre, concludere **7** *vt* ~ **sth** (**in**) (*stoffa*) increspare qc **8** *vt* (*velocità*) acquistare PHR V **to gather round** radunarsi **to gather round sb/sth** raccogliersi intorno a qn/qc **to gather sth up** raccogliere qc **gathering** *s* riunione, raduno

gaudy /ˈgɔːdi/ *agg* (**-ier**, **-iest**) (*dispreg*) vistoso, chiassoso

gauge /geɪdʒ/ ◆ *s* **1** spessore, diametro **2** (*Ferrovia*) scartamento **3** indicatore di livello ◆ *vt* **1** misurare, calcolare **2** valutare

gaunt /gɔːnt/ *agg* smunto

gauze /gɔːz/ *s* garza (*tessuto*)

gave *pass di* GIVE

gay /geɪ/ ◆ *agg* **1** gay **2** (*antiq*) gaio ◆ *s* gay

gaze /geɪz/ ◆ *vi* ~ (**at sb/sth**) fissare (qn/qc): *They gazed into each other's eyes.* Si guardarono fisso negli occhi. ◆ *s* [*sing*] sguardo fisso

GCSE /ˌdʒiːsiːesˈiː/ *abbr* (*GB*) **General Certificate of Secondary Education** diploma d'istruzione secondaria conseguito a 15 o 16 anni

gear /gɪə(r)/ ◆ *s* **1** attrezzatura, roba: *camping gear* attrezzatura da campeggio **2** (*automobile*) marcia: *to change gear* cambiare marcia *Vedi anche* REVERSE **3** (*Mecc*) ingranaggio ◆ PHR V **to gear sth to/towards sth** adattare qc a qc, rivolgere qc a qc **to gear (sb/sth) up (for/to do sth)** preparare qn/qc (per qc/per fare qc), prepararsi (per qc/per fare qc)

gearbox /ˈgɪəbɒks/ *s* scatola del cambio

geese *plurale di* GOOSE

gem /dʒem/ *s* **1** pietra preziosa, gemma **2** (*fig*) gioiello, perla

Gemini /ˈdʒemɪnaɪ/ *s* Gemelli (*segno zodiacale*) ☛ *Vedi esempi a* AQUARIUS

gender /ˈdʒendə(r)/ *s* **1** (*Gramm*) genere **2** sesso

gene /dʒiːn/ *s* gene

general /ˈdʒenrəl/ ◆ *agg* generale: *as a general rule* di regola ◊ *the general public* il grande pubblico LOC **in general** generalmente ◆ *s* generale

general election *s* elezioni politiche

generalize, -ise /ˈdʒenrəlaɪz/ *vi* ~ (**about sth**) generalizzare (qc) **generalization, -isation** *s* generalizzazione

generally /ˈdʒenrəli/ *avv* generalmente: *generally speaking...* parlando in generale...

general practice *s* (*GB*) medicina generale

general practitioner *s* (*abbrev* **GP**) (*GB*) medico generico

general-purpose /ˌdʒenrəl ˈpɜːpəs/ *agg* per tutti gli usi

generate /ˈdʒenəreɪt/ *vt* generare **generation** *s* generazione: *the generation gap* il gap generazionale

generator /ˈdʒenəreɪtə(r)/ *s* generatore

generosity /ˌdʒenəˈrɒsəti/ *s* generosità

generous /ˈdʒenərəs/ *agg* **1** (*persona, dono*) generoso **2** (*porzione*) abbondante

genetic /dʒəˈnetɪk/ *agg* genetico **genetics** *s* [*sing*] genetica

genial /ˈdʒiːniəl/ *agg* affabile

genital /ˈdʒenɪtl/ *agg* genitale **genitals** (*anche* **genitalia** /ˌdʒenɪˈteɪliə/) *s* [*pl*] (*form*) genitali

genius /ˈdʒiːniəs/ *s* (*pl* **geniuses**) genio

genocide /ˈdʒenəsaɪd/ *s* genocidio

gent /dʒent/ *s* **1 the Gents** [*sing*] (*GB, inform*) il bagno degli uomini **2** (*inform, scherz*) signore

genteel /dʒenˈtiːl/ *agg* (*dispreg*) distinto **gentility** /dʒenˈtɪlati/ *s* (*approv, iron*) distinzione

gentle /ˈdʒentl/ *agg* (**-er**, **-est**) **1** (*persona, carattere, pendio*) dolce **2** (*calore*) moderato **3** (*tocco*) delicato **4** (*brezza*) leggero **gentleness** *s* **1** dolcezza **2** delicatezza **3** leggerezza **gently** *avv* **1** dolcemente **2** (*cuocere*) a fuoco lento

gentleman /ˈdʒentlmən/ *s* (*pl* **-men** /-mən/) signore *Vedi anche* LADY

genuine /ˈdʒenjuɪn/ *agg* **1** (*quadro*) autentico **2** (*persona*) sincero

geography /dʒiˈɒgrəfi/ *s* geografia **geographer** /dʒiˈɒgrəfə(r)/ *s* geografo, -a **geographical** /ˌdʒiːəˈgræfɪkl/ *agg* geografico

geology /dʒiˈɒlədʒi/ *s* geologia **geological** /ˌdʒiːəˈlɒdʒɪkl/ *agg* geologico **geologist** /dʒiˈɒlədʒɪst/ *s* geologo, -a

geometry /dʒiˈɒmətri/ *s* geometria **geometric** /dʒɪəˈmetrɪk/ (*anche* **geometrical** /-ɪkl/) *agg* geometrico

geriatric /ˌdʒeriˈætrɪk/ ◆ *agg* geriatrico ◆ *s* anziano, -a

germ /dʒɜːm/ *s* microbo

gesture /ˈdʒestʃə(r)/ *s* gesto: *a gesture of friendship* un gesto di amicizia

get /get/ (**-tt-**) (*pass* **got** /gɒt/ *pp* **got**, *USA* **gotten** /ˈgɒtn/)

- **to get + s/pron** *vt* ricevere, ottenere, afferrare: *to get a shock* prendere un[o] spavento ◊ *to get a letter* ricevere un[a] lettera ◊ *How much did you get for you[r] car?* Quanto ti hanno dato per l[a] macchina? ◊ *She gets bad headaches*. Soffre di forti mal di testa. ◊ *I didn't ge[t] the joke.* Non ho capito la barzelletta.
- **to get + oggetto + infinito o -ing** *v[t]* **to get sb/sth doing sth/to do sth** far[e] che qn/qc faccia qc: *to get the car t[o] start* far partire la macchina ◊ *to ge[t] him talking* farlo parlare
- **to get + oggetto + participio** *v[t]* (*con attività che vogliamo qualcun altr[o] faccia per noi*): *to get your hair cu[t]* tagliarsi i capelli ◊ *You should get you[r] watch repaired.* Dovresti farti riparar[e] l'orologio. ☛ *Confronta* HAVE senso 5
- **to get + oggetto + agg** *vt* (*riuscire [a] far diventare...*): *to get sth right* indovi[nare] qc ◊ *to get the supper ready* prepa[rare] la cena ◊ *to get* (*yourself*) *read[y]* prepararsi
- **to get + agg** *vi* diventare, farsi: *to ge[t] wet* bagnarsi ◊ *It's getting late.* Si st[a] facendo tardi. ◊ *to get better* migliorar[e]
- **to get + participio** *vi*: *to get fed u[p] with sth* stufarsi di qc ◊ *to get used t[o] sth* abituarsi a qc ◊ *to get lost* perders[i]

Alcune combinazioni di **to get + parti[ci]cipio** si traducono con verbi riflessivi[:] *to get bored* annoiarsi ◊ *to get dresse[d]* vestirsi ◊ *to get drunk* ubriacarsi ◊ *t[o] get married* sposarsi. Il verbo **get** s[i] coniuga normalmente: *She soon go[t] used to it.* Si abituò presto. ◊ *I'm gettin[g] dressed.* Mi sto vestendo. ◊ *We'll ge[t] married next year.* Ci sposeremo l'ann[o] prossimo. **Get + participio** si us[a] anche per esprimere azioni che acca[] dono per caso, improvvisamente o ina[] spettatamente: *I got caught in a heav[y] rainstorm.* Mi ha sorpreso il temporale ◊ *Simon got hit by the ball.* Simon [è] stato colpito dalla palla.

- **altri usi 1** *vi* **to get to do sth**: *to get t[o] know sb/sth* imparare a conoscere qn[/] qc ◊ *to get to like sb/sth* imparare a[d] amare qn/qc **2** *vi* **to get to...** (*movi[] mento*) arrivare a...: *Where have the[y] got to?* Dove si sono cacciati? **3 hav[e] got** *Vedi* HAVE

LOC to get away from it all (*inform[]*) andarsene lontano da tutto e da tutti **t[o] get (sb) nowhere**; **not to get (sb**

aɪ	aʊ	ɔɪ	ɪə	eə	ʊə	ʒ	h	ŋ
five	now	join	near	hair	pure	vision	how	sing

anywhere (*inform*) non portare (qn) a niente **to get there** riuscire ☛ Per altre espressioni con **get** vedi alla voce del sostantivo, dell'aggettivo, ecc, ad es. **to get the hang of sth** a HANG.

▸ PHR V **to get about/(a)round 1** (*persona, animale*) muoversi **2** (*voce, notizia*) spargersi
to get sth across (to sb) comunicare qc (a qn)
to get ahead (of sb) superare (qn)
to get along with sb; **to get along (together)** andare d'accordo (con qn)
to get (a)round to (doing) sth trovare il tempo per qc/per fare qc
to get at sb (*inform*) prendersela con qn **to get at sth** (*inform*) insinuare qc: *What are you getting at?* Dove vuoi arrivare?
to get away (from ...) andarsene (da ...)
to get away with sth 1 (*ladri*) scappare con qc **2** cavarsela con qc: *He got away with a fine.* Se l'è cavata con una multa.
to get away with (doing) sth: *Nobody gets away with insulting me like that.* Nessuno può insultarmi così e passarla liscia. ◊ *You'll never get away with it!* Non la passerai liscia!
to get back ritornare **to get back at sb** (*inform*) vendicarsi di qn **to get sth back** recuperare qc
to get behind (with sth) rimanere indietro (con qc)
to get by riuscire a passare
to get down 1 abbassarsi **2** (*bambini*) alzarsi da tavola **to get down to (doing) sth** affrontare qc/mettersi a fare qc **to get sb down** (*inform*) deprimere qn
to get in; **to get into sth 1** (*treno*) arrivare (in un luogo) **2** (*persona*) rientrare **3** salire (in qc) (*macchina*) **to get sth in** raccogliere qc
to get off (sth) 1 uscire (da qc) (*dal lavoro*) **2** (*macchina, treno*) scendere (da qc) **to get sth off (sth)** togliere qc (da qc)
to get on 1 (*anche* **to get along**) procedere: *How did you get on?* Com'è andata? **2** farsi strada **3** (*anche* **to get along**) cavarsela **to get on**; **to get onto sth** salire (su qc) **to get on to sth** occuparsi di qc, passare a considerare qc **to get on with sb**; **to get on (together)** (*anche* **to get along**) andare d'accordo (con qn) **to get on with sth** continuare a fare qc: *Get on with your work!* Continuate a lavorare! **to get sth on** mettersi qc (*vestiti*)
to get out (of sth) 1 uscire (da qc): *Get out (of here)!* Fuori di qui! **2** (*macchina*) scendere (da qc) **to get out of (doing) sth** evitare (di fare) qc **to get sth out of sb/sth** tirare fuori qc da qn/qc
to get over sth 1 (*problema*) superare qc **2** (*timidezza*) vincere qc **3** (*shock, malattia*) riprendersi da qc
to get round sb (*inform*) convincere qn
to get (a)round to (doing) sth trovare il tempo per (fare) qc
to get through sth 1 (*soldi, pranzo*) far fuori qc **2** (*compito*) terminare qc **to get through (to sb)** (*al telefono*) mettersi in contatto (con qn) **to get through to sb** comunicare con qn
to get together (with sb) riunirsi (con qn) **to get sb/sth together** riunire qn/qc
to get up alzarsi **to get up to sth 1** arrivare a qc **2** combinare qc **to get sb up** far alzare qn

getaway /ˈgetəweɪ/ *s* fuga (*dopo un crimine*): *their getaway car* l'auto per la fuga

ghastly /ˈgɑːstli; *USA* ˈgæstli/ *agg* (**-ier, -iest**) orribile: *the whole ghastly business* questa orribile faccenda

ghetto /ˈgetəʊ/ *s* (*pl* **~s**) ghetto

ghost /gəʊst/ *s* fantasma LOC **to give up the ghost** esalare l'ultimo respiro
ghostly *agg* (**-ier, -iest**) spettrale

giant /ˈdʒaɪənt/ *s, agg* gigante

gibberish /ˈdʒɪbərɪʃ/ *s* fesserie

giddy /ˈgɪdi/ *agg* (**-ier, -iest**) stordito: *I feel giddy.* Mi gira la testa.

gift /gɪft/ *s* **1** regalo *Vedi anche* PRESENT **2** ~ **(for sth/doing sth)** dono (di qc/di fare qc) **3** (*inform*): *That exam question was a real gift!* Quella domanda all'esame era facilissima. LOC **to have the gift of the gab** avere una buona parlantina *Vedi anche* LOOK[1] **gifted** *agg* dotato

gift token (*anche* **gift voucher**) *s* buono regalo

gift-wrap /ˈgɪft ræp/ *vt* incartare in confezione regalo

gig /gɪg/ *s* (*inform*) concerto

gigantic /dʒaɪˈgæntɪk/ *agg* gigantesco

giggle /ˈgɪgl/ ◆ *vi* ~ **(at sb/sth)** ridacchiare (di qn/qc) ◆ *s* **1** risarella **2** scherzo: *I only did it for a giggle.* L'ho fatto solo per ridere. **3 the giggles** [*pl*] la risarella

gilded /ˈgɪldɪd/ (*anche* **gilt** /gɪlt/) *agg* dorato

gimmick /ˈgɪmɪk/ *s* trovata pubblicitaria

ginger /ˈdʒɪndʒə(r)/ ◆ *s* zenzero ◆ *agg* rossiccio, fulvo: *ginger hair* capelli rossicci ◊ *a ginger cat* un gatto rosso

gingerly /ˈdʒɪndʒəli/ *avv* cautamente

gipsy *Vedi* GYPSY

giraffe /dʒəˈrɑːf; *USA* -ˈræf/ *s* giraffa

girl /gɜːl/ *s* bambina, ragazza

girlfriend /ˈgɜːlfrend/ *s* **1** ragazza, fidanzata **2** (*spec USA*) amica

gist /dʒɪst/ *s* LOC **to get the gist of sth** capire il succo di qc

give /gɪv/ (*pass* **gave** /geɪv/ *pp* **given** /ˈgɪvn/) ◆ **1** *vt* ~ **sth (to sb)**; ~ **(sb) sth** dare qc (a qn): *I gave each of the boys an apple.* Ho dato una mela a ciascuno dei ragazzi. ◊ *The news gave us rather a shock.* La notizia ci ha scioccato. **2** *vi* ~ **(to sth)** donare soldi (per qc) **3** *vi* cedere **4** *vt* (*tempo, considerazione*) dedicare **5** *vt* contagiare: *You've given me your cold.* Mi hai contagiato il raffreddore. **6** *vt* concedere, riconoscere: *I'll give you that.* Lo ammetto. **7** *vt* (*concerto, spettacolo*) fare: *to give a lecture* tenere una conferenza LOC **don't give me that!** a chi la racconti? **give or take sth**: *an hour and a half, give or take a few minutes* un'ora e mezza, minuto più minuto meno **not to give a damn, a hoot, etc (about sb/sth)** (*inform*) fregarsene (di qn/qc): *She doesn't give a damn about it.* Se ne frega altamente. ☛ Per altre espressioni con **give** vedi alla voce del sostantivo, dell'aggettivo, ecc, ad es. **to give rise to sth** a RISE.

PHR V **to give sth away** donare qc **to give sb/sth away** tradire qn/svelare qc

to give (sb) back sth; **to give sth back (to sb)** restituire qc (a qn)

to give in (to sb/sth) cedere (a qn/qc)

to give sth in consegnare qc

to give sth out distribuire qc

to give up rinunciare, arrendersi **to give sth up**; **to give up doing sth** abbandonare qc, smettere di fare qc: *to give up hope* abbandonare ogni speranza ◊ *to give up smoking* smettere di fumare

◆ *s* LOC **give and take** disponibilità al compromesso

given /ˈgɪvn/ ◆ *agg, prep* dato ◆ *pp* d GIVE

glad /glæd/ *agg* (**gladder**, **gladdest**) **1** **to be ~ (about sth/to do sth/that...)** essere contento (di qc/di fare qc/che...): *I'm glad (that) I did it.* Sono contento di averlo fatto. **2 to be ~ to do sth** essere lieto di fare qc: *'Can you help?' 'I'd be glad to.'* "Puoi aiutare?" "Con piacere." **3 to be ~ of sth** essere grato di qc

Glad e **pleased** si usano per dire che qualcuno è contento in seguito a una circostanza o a un fatto concreto: *Are you glad/pleased about getting the job?* Sei contento di aver avuto il lavoro? **Happy** descrive uno stato mentale e può precedere il sostantivo che accompagna: *Are you happy in your new job?* Sei soddisfatto del tuo nuovo lavoro? ◊ *a happy occasion* una felice occasione ◊ *happy memories* bei ricordi.

gladly *avv* con piacere

glamour (*USA* **glamor**) /ˈglæmə(r)/ *s* glamour **glamorous** *agg* **1** (*persona*) affascinante **2** (*lavoro*) prestigioso

glance /glɑːns; *USA* glæns/ ◆ *vi* ~ **at/over/through sth** dare uno sguardo a qc ◆ *s* rapida occhiata, sguardo: *to take a glance at sth* dare uno sguardo a qc LOC **at a glance** a colpo d'occhio

gland /glænd/ *s* ghiandola

glare /gleə(r)/ ◆ *s* **1** bagliore accecante **2** occhiata fulminante ◆ *vi* ~ **at sb/sth** fulminare con lo sguardo qn/qc **glaring** *agg* **1** (*errore*) lampante **2** (*espressione*) torvo **3** (*luce*) abbagliante **glaringly** *avv*: *glaringly obvious* palese

glass /glɑːs; *USA* glæs/ *s* **1** [*non numerabile*] vetro: *a pane of glass* una lastra di vetro ◊ *broken glass* vetri rotti **2** bicchiere: *a glass of water* un bicchiere d'acqua **3 glasses** (*anche* **spectacles**) [*pl*] occhiali: *a new pair of glasses* un paio di occhiali nuovi LOC *Vedi* RAISE

glaze /gleɪz/ ◆ *s* **1** (*ceramica*) smalto **2** (*Cucina*) glassa (*di uovo*) ◆ *vt* **1** (*ceramica*) invetriare **2** (*Cucina*) glassare (*con uovo*) *Vedi anche* DOUBLE GLAZING PHR V **to glaze over** diventare vitreo **glazed** *agg* **1** (*occhi*) vitreo **2** (*ceramica*) invetriato

gleam /gliːm/ ◆ *s* **1** barlume **2** sprazzo ◆ *vi* brillare, luccicare **gleaming** *agg* lucente

lean /gliːn/ *vt* raccogliere (*informazioni*)
lee /gliː/ *s* gioia **gleeful** *agg* gioioso
len /glen/ *s* vallone
lide /glaɪd/ ◆ *s* scivolamento ◆ *vi* **1** scivolare silenziosamente **2** (*in aria*) planare **glider** *s* aliante
limmer /ˈglɪmə(r)/ *s* **1** barlume **2** ~ (**of sth**) (*fig*) briciolo (di qc): *a glimmer of hope* un filo di speranza
limpse /glɪmps/ ◆ *s* rapida occhiata LOC *Vedi* CATCH ◆ *vt* intravedere
lint /glɪnt/ ◆ *vi* **1** scintillare **2** (*occhi*) brillare ◆ *s* **1** scintillio **2** (*occhi*) luccichio
listen /ˈglɪsn/ *vi* luccicare
litter /ˈglɪtə(r)/ ◆ *vi* scintillare ◆ *s* **1** scintillio **2** (*fig*) splendore
loat /gləʊt/ *vi* ~ (**about/over sth**) gongolare (per qc)
lobal /ˈgləʊbl/ *agg* **1** mondiale: *global warming* riscaldamento dell'atmosfera terrestre **2** (*visione*) globale
lobe /gləʊb/ *s* **1** globo **2** mappamondo
loom /gluːm/ *s* **1** oscurità **2** tristezza **3** pessimismo **gloomy** *agg* (**-ier**, **-iest**) **1** (*luogo*) tetro **2** (*giornata*) uggioso **3** (*prospettiva*) deprimente **4** (*espressione, voce, ecc*) triste
lorious /ˈglɔːriəs/ *agg* **1** glorioso **2** (*giornata*) splendido
lory /ˈglɔːri/ ◆ *s* **1** gloria **2** splendore ◆ *vi* ~ **in sth** gloriarsi di qc
loss /glɒs/ ◆ *s* **1** lucentezza **2** (*anche* **gloss paint**) vernice lucida ☛ *Confronta* MATT **3** (*fig*) vernice **4** ~ (**on sth**) nota esplicativa (su qc) ◆ PHR V **to gloss over sth** glissare su qc **glossy** *agg* (**-ier**, **-iest**) **1** lucido **2** (*rivista*) patinato
lossary /ˈglɒsəri/ *s* (*pl* **-ies**) glossario
love /glʌv/ *s* guanto LOC *Vedi* FIT[2]
low /gləʊ/ ◆ *vi* **1** essere incandescente **2** brillare **3** (*guance*) infiammarsi **4** ~ (**with sth**) splendere (di qc): *to be glowing with health* sprizzare salute ◆ *s* **1** luce diffusa **2** colorito sano **3** soddisfazione
lucose /ˈgluːkəʊs/ *s* glucosio
lue /gluː/ ◆ *s* colla ◆ *vt* (*p pres* **gluing**) incollare
lutton /ˈglʌtn/ *s* **1** ghiottone, -a **2** ~ **for sth** (*inform, fig*): *to be a glutton for punishment* essere un/una masochista

gnarled /nɑːld/ *agg* nodoso
gnaw /nɔː/ *vt, vi* **1** ~ (**at**) **sth** rodere qc **2** ~ (**at**) **sb** tormentare qn
gnome /nəʊm/ *s* gnomo
go[1] /gəʊ/ *vi* (*3a pers sing pres* **goes** /gəʊz/ *pass* **went** /went/ *pp* **gone** /gɒn; *USA* gɔːn/) **1** andare: *I went to bed at ten o'clock.* Sono andato a letto alle dieci. ◊ *to go home* andare a casa

Been si usa come participio passato di **go** quando si vuole indicare che qualcuno è andato in un posto e ne è tornato: *Have you ever been to London?* Sei mai stato a Londra? **Gone** implica che qualcuno è andato da qualche parte e non è ancora tornato: *John's gone to Peru. He'll be back in May.* John è andato in Perù. Tornerà a maggio.

2 andarsene, andar via **3** (*treno, ecc*) partire **4 to go + -ing** andare: *to go fishing/swimming/camping* andare a pescare/a nuotare/in campeggio **5 to go for a + sostantivo** andare: *to go for a walk* andare a fare una passeggiata **6** (*progresso*) andare: *How's it going?* Come va? ◊ *All went well.* È andato tutto bene. **7** (*macchinario*) funzionare **8** diventare: *to go mad/blind/pale* impazzire/diventare cieco/impallidire *Vedi anche* BECOME **9** fare (*emettere un suono*): *Cats go 'miaow'.* I gatti fanno "miao". **10** finire: *My headache's gone.* Mi è passato il mal di testa. ◊ *Is it all gone?* È finito tutto? **11** (*tele, freni*) rompersi **12** (*tempo*) passare LOC **to be going to do sth**: *We're going to buy a house.* Stiamo per comprare una casa. ◊ *He's going to fall!* Sta per cadere! ☛ Per le espressioni con **go** vedi alla voce del sostantivo, dell'aggettivo, ecc, ad es. **to go astray** a ASTRAY.
PHR V **to go about** (*anche* **to go (a)round**) **1** [*con agg o -ing*] andare in giro: *to go about naked* andare in giro nudo **2** (*pettegolezzo*) circolare **to go about (doing) sth**: *How should I go about telling him?* Come dovrei dirglielo?
to go ahead (**with sth**) andare avanti (con qc)
to go along with sb/sth essere d'accordo con qn/qc
to go (a)round (*anche* **to go about**) **1** [*con agg o -ing*] andare in giro **2** (*pettegolezzo*) circolare
to go away andarsene, andar via

to go back ritornare **to go back on sth** mancare a qc (*parola, promessa*)
to go by passare: *as time goes by* col tempo
to go down 1 abbassarsi **2** (*nave*) affondare **3** (*sole*) tramontare **to go down (with sb)** (*film, commento*) essere accolto (da qn)
to go for sb attaccare qn **to go for sb/sth** valere per qn/qc: *That goes for you too.* Ciò vale anche per te.
to go in entrare **to go in for (doing) sth** interessarsi di qc (*hobby, ecc*)
to go in (sth) entrarci (in qc) **to go into sth 1** entrare in qc (*professione*) **2** esaminare qc: *to go into (the) details* entrare nei particolari
to go off 1 andarsene **2** (*arma*) sparare **3** (*bomba*) esplodere **4** (*allarme*) suonare **5** (*luce*) spegnersi **6** (*alimenti*) andare a male **7** (*avvenimento*) andare: *It went off well.* È andato bene. **to go off sb/sth** perdere interesse per qn/qc **to go off with sth** portar via qc
to go on 1 andare avanti **2** (*luce*) accendersi **3** succedere: *What's going on here?* Cosa succede qui? **4** (*situazione*) continuare, andare avanti **to go on (about sb/sth)** non finirla più di parlare (di qn/qc) **to go on (with sth/doing sth)** continuare (qc/a fare qc)
to go out 1 uscire **2** (*luce*) spegnersi
to go over sth 1 esaminare qc **2** (*di nuovo*) ripassare qc **to go over to sth** passare a qc (*partito, ecc*)
to go round 1 girare, circolare **2** (*quantità*) bastare **to go (a)round** (*anche* **to go about**) **1** [*con agg o -ing*] andare in giro **2** (*pettegolezzo*) circolare
to go through essere approvato (*legge, ecc*) **to go through sth 1** esaminare, controllare qc **2** (*di nuovo*) rivedere, ripassare qc **3** (*soffrire*) passare qc **to go through with sth** andare avanti con qc
to go together intonarsi, star bene insieme
to go up 1 aumentare **2** (*edificio*) essere costruito **3** saltare in aria
to go with sth andar bene con qc
to go without affrontare privazioni **to go without sth** fare a meno di qc: *She went without sleep for three days.* È rimasta tre giorni senza dormire.

go[2] /gəʊ/ *s* (*pl* **goes** /gəʊz/) **1** turno (*in gioco*): *Whose go is it?* A chi tocca? *Vedi* TURN **2** (*inform*) energia, dinamism[o] LOC **to be on the go** (*inform*) esser[e] indaffarato **to have a go (at sth/doin[g] sth)** (*inform*) provare (a fare qc)

goad /gəʊd/ *vt* ~ **sb (into doing st[h])** incitare qn (a fare qc)

go-ahead /ˈgəʊ əhed/ ◆ *s* th[e] **go-ahead** l'okay: *to give sb/sth th[e] go-ahead* dare l'okay a qn/qc ◆ *ag[g]* intraprendente

goal /gəʊl/ *s* **1** porta (*Sport*) **2** gol **3** (*fig*) meta **goalkeeper** (*anche inform* **goali[e]**) *s* portiere (*Sport*) **goalpost** *s* palo (*dell[a] porta*)

goat /gəʊt/ *s* capra

gobble /ˈgɒbl/ *vt* ~ **sth (up/dow[n])** ingollare qc

go-between /ˈgəʊ bɪtwiːn/ *s* interm[e]diario, -a

god /gɒd/ *s* **1** dio **2 God** [*sing*] Dio LO[C] *Vedi* KNOW, SAKE

godchild /ˈgɒdtʃaɪld/ *s* figlioccio, -a

god-daughter /ˈgɒd dɔːtə(r)/ *s* figlio[c]cia

goddess /ˈgɒdes/ *s* dea

godfather /ˈgɒdfɑːðə(r)/ *s* padrino

godmother /ˈgɒdmʌðə(r)/ *s* madrina

godparent /ˈgɒdpeərənt/ *s* padrin[o], madrina

godsend /ˈgɒdsend/ *s* dono del cielo

godson /ˈgɒdsʌn/ *s* figlioccio

goggles /ˈgɒglz/ *s* [*pl*] occhiali (*[d]i protezione*)

going /ˈgəʊɪŋ/ ◆ *s* **1** [*sing*] partenza [**2**] *Good going!* Ben fatto! ◊ *That was goo[d] going.* È stata una bella impresa. ◊ *Th[e] path was rough going.* Si procedeva co[n] difficoltà. LOC **to get out, etc while th[e] going is good** andarsene finché [è] possibile ◆ *agg* LOC **a going concer[n]** un'azienda avviata **the going rate (f[or] sth)** la tariffa corrente (per qc)

gold /gəʊld/ *s* oro: *a gold bracelet* u[n] braccialetto d'oro LOC **(as) good a[s] gold** buono come un angelo

gold dust *s* polvere d'oro: *Good plum[b]ers are like gold dust.* I buoni idrauli[ci] sono come le mosche bianche.

golden /ˈgəʊldən/ *agg* **1** d'oro **2** dora[to] LOC *Vedi* WEDDING

goldfish /ˈgəʊldfɪʃ/ *s* pesce rosso

golf /gɒlf/ *s* golf: *golf course* campo d[i] golf **golf club** *s* **1** circolo di golf [**2**] mazza da golf **golfer** *s* golfista

gone /gɒn; *USA* gɔːn/ ◆ *pp di* GO[1] ◆ *prep*: *It was gone midnight.* Era mezzanotte passata.

gonna /ˈgɒnə/ (*inform*) = GOING TO *a* GO[1]

good /gʊd/ ◆ *agg* (*comp* **better** /ˈbetə(r)/ *superl* **best** /best/) **1** buono: *good nature* bontà d'animo **2** *to be good at sth* essere bravo in qc **3** ~ **to sb** buono con qn **4** *Vegetables are good for you.* La verdura fa bene. LOC **as good as** praticamente: *as good as new* come nuovo **good for you, her, etc!** (*inform*) bravo, brava, ecc! ☛ Per altre espressioni con **good** vedi alla voce del sostantivo, dell'aggettivo, ecc, ad es. **a good many** a MANY. ◆ *s* **1** bene **2 the good** i buoni LOC **for good** per sempre **it's no good (doing sth)** non serve a niente (fare qc) **to do sb good** fare bene a qn

goodbye /ˌgʊdˈbaɪ/ *escl, s* arrivederci: *to say goodbye to sb* salutare qn ☛ Altre formule di saluto più informali sono **bye**, **cheerio** e **cheers**.

good-humoured /ˌgʊd ˈhjuːməd/ *agg* **1** gioviale, di buon umore **2** (*discussione*) cordiale

good-looking /ˌgʊd ˈlʊkɪŋ/ *agg* bello

good-natured /ˌgʊd ˈneɪtʃəd/ *agg* **1** affabile **2** (*scherzo*) bonario

goodness /ˈgʊdnəs/ ◆ *s* **1** bontà **2** valore nutritivo ◆ *escl* santo cielo! LOC *Vedi* KNOW

goods /gʊdz/ *s* [*pl*] **1** beni **2** merce, articoli

goodwill /ˌgʊdˈwɪl/ *s* buona volontà

goose /guːs/ *s* (*pl* **geese** /giːs/) (*masch* **gander** /ˈgændə(r)/) oca

gooseberry /ˈgʊzbəri; *USA* ˈguːsberi/ *s* [*numerabile*] (*pl* **-ies**) **gooseberries** uva spina

goose-pimples /ˈguːs pɪmplz/ *s* [*pl*] (*anche* **goose-flesh**) pelle d'oca

gorge /gɔːdʒ/ *s* gola (*Geog*)

gorgeous /ˈgɔːdʒəs/ *agg* (*inform*) bellissimo

gorilla /gəˈrɪlə/ *s* gorilla

gory /ˈgɔːri/ *agg* (**gorier**, **goriest**) **1** violento, cruento **2** raccapricciante

go-slow /ˌgəʊ ˈsləʊ/ *s* sciopero bianco

gospel /ˈgɒspl/ *s* vangelo

gossip /ˈgɒsɪp/ ◆ *s* **1** [*non numerabile*] (*dispreg*) pettegolezzi **2** (*dispreg*) pettegolo, -a ◆ *vi* ~ **(with sb) (about sth)** spettegolare (con qn) (di qc)

got *pass, pp di* GET ☛ *Vedi nota a* AVERE

Gothic /ˈgɒθɪk/ *agg* gotico

gotten (*USA*) *pp di* GET

gouge /gaʊdʒ/ *vt* scavare PHR V **to gouge sth out** scavare qc

gout /gaʊt/ *s* gotta

govern /ˈgʌvn/ *vt, vi* governare **governing** *agg* al potere

governess /ˈgʌvənəs/ *s* istitutrice

government /ˈgʌvənmənt/ *s* [*v sing o pl*] governo LOC **in government** al governo **governmental** /ˌgʌvnˈmentl/ *agg* governativo

governor /ˈgʌvənə(r)/ *s* **1** governatore **2** direttore, -trice

gown /gaʊn/ *s* **1** vestito **2** (*Università, Dir*) toga **3** (*Med*) camice

GP /ˌdʒiːˈpiː/ *abbr* **general practitioner**

grab /græb/ (**-bb-**) ◆ **1** *vt* afferrare **2** *vt* (*attenzione*) attirare **3** *vi* ~ **at sb/sth** cercare di afferrare qn/qc **4** *vt* ~ **sth (from sb)** strappare qc di mano a qn PHR V **to grab hold of sb/sth** afferrare qn/qc ◆ *s* LOC **to make a grab for/at sth** cercare di afferrare qc

grace /greɪs/ ◆ *s* **1** grazia **2** proroga: *five days' grace* una dilazione di cinque giorni **3** *to say grace* dire una preghiera di ringraziamento (*a tavola*) ◆ *vt* **1** adornare **2** ~**sb/sth (with sth)** onorare qn/qc (di qc) **graceful** *agg* **1** aggraziato **2** garbato

gracious /ˈgreɪʃəs/ *agg* **1** cortese **2** elegante

grade /greɪd/ ◆ *s* **1** qualità, livello **2** (*Scuola*) voto **3** (*USA, Scuola*) classe **4** (*USA, Geog*) pendenza LOC **to make the grade** (*inform*) farcela ◆ *vt* **1** classificare **2** (*USA, Scuola*) correggere (*compito*) **grading** *s* classificazione

gradient /ˈgreɪdiənt/ *s* (*GB*) pendenza

gradual /ˈgrædʒuəl/ *agg* **1** graduale **2** (*pendenza*) lieve **gradually** *avv* gradualmente, poco a poco

graduate /ˈgrædʒʊət/ ◆ *s* **1** ~ **(in sth)**: *She's a chemistry graduate.* È laureata in chimica. **2** (*USA*) diplomato, -a ◆ /ˈgrædʒʊeɪt/ **1** *vi* ~ **(in sth)** laurearsi (in qc) **2** *vi* ~ **(in sth)** (*USA*) diplomarsi (in qc) **3** *vt* graduare **graduation** *s* cerimonia di laurea

graffiti /grəˈfiːti/ *s* [*non numerabile*] graffiti

graft /grɑːft; *USA* græft/ ◆ *s* (*Bot, Med*) innesto ◆ *vt* ~ **sth** (**onto sth**) innestare qc (su qc)

grain /greɪn/ *s* **1** [*non numerabile*] cereali **2** chicco **3** (*legno*) venatura

gram (*anche* **gramme**) /græm/ *s* (*abbrev* **g**) grammo ☛ *Vedi Appendice 1.*

grammar /ˈgræmə(r)/ *s* grammatica

grammar school *s* (*GB*) liceo

grammatical /grəˈmætɪkl/ *agg* **1** grammaticale **2** grammaticalmente corretto

gramme /græm/ *s* *Vedi* GRAM

gramophone /ˈgræməfəʊn/ *s* (*antiq*) grammofono

grand /grænd/ ◆ *agg* (**-er**, **-est**) **1** magnifico, grandioso **2** (*antiq*, *inform*) stupendo **3 Grand** (*titoli*) gran **4** *a grand piano* un pianoforte a coda ◆ *s* (*pl* **grand**) (*inform*) mille dollari o sterline

grandad /ˈgrændæd/ *s* (*inform*) nonno

grandchild /ˈgræntʃaɪld/ *s* (*pl* **-children**) nipote (*di nonni*)

granddaughter /ˈgrændɔːtə(r)/ *s* nipote *f* (*di nonni*)

grandeur /ˈgrændʒə(r)/ *s* grandiosità, splendore

grandfather /ˈgrænfɑːðə(r)/ *s* nonno

grandma /ˈgrænmɑː/ *s* (*inform*) nonna

grandmother /ˈgrænmʌðə(r)/ *s* nonna

grandpa /ˈgrænpɑː/ *s* (*inform*) nonno

grandparent /ˈgrænpeərənt/ *s* nonno, -a

grandson /ˈgrænsʌn/ *s* nipote *m* (*di nonni*)

grandstand /ˈgrændstænd/ *s* (*Sport*) tribuna coperta

granite /ˈgrænɪt/ *s* granito

granny /ˈgræni/ *s* (*pl* **-ies**) (*inform*) nonna

grant /grɑːnt/ ◆ *vt* ~ **sth** (**to sb**) concedere qc (a qn) LOC **to take sb for granted** non rendersi conto di quanto qn valga **to take sth for granted** dare qc per scontato ◆ *s* **1** sovvenzione **2** (*Università*) borsa di studio

grape /greɪp/ *s* [*numerabile*] acino: *grapes* uva ◊ *a bunch of grapes* un grappolo d'uva

grapefruit /ˈgreɪpfruːt/ *s* (*pl* **grapefrui**[t] *o* **~s**) pompelmo

grapevine /ˈgreɪpvaɪn/ *s* **1** vite (*pianta*) **2 the grapevine** (*fig*): *to hear sth on the grapevine* sentir dire qc in giro

graph /grɑːf; *USA* græf/ *s* grafico (*diagramma*)

graphic /ˈgræfɪk/ *agg* **1** grafico **2** (*descrizione*) particolareggiato, efficace **graphics** *s* [*pl*] grafica, illustrazioni

grapple /ˈgræpl/ *vi* **1** ~ (**with sb**) lottare (con qn) **2** ~ (**with sb/sth**) (*fig*) essere alle prese (con qn/qc)

grasp /grɑːsp; *USA* græsp/ ◆ *vt* **1** afferrare **2** (*occasione*) cogliere al volo ◆ *s* **1** (*fig*): *within/beyond the grasp of* alla portata/fuori dalla portata di **2** padronanza **grasping** *agg* avido

grass /grɑːs; *USA* græs/ *s* erba, prato

grasshopper /ˈgrɑːshɒpə(r)/ *s* cavalletta

grassland /ˈgrɑːslænd, -lənd/ (*anche* **grasslands** [*pl*]) *s* prateria

grass roots *s* base (*di partito*)

grassy /graːsi; *USA* græsi/ *agg* (**-ier**, **-iest**) erboso

grate /greɪt/ ◆ **1** *vt* grattugiare **2** *vi* stridere **3** *vi* ~ (**on sb/sth**) (*fig*) irritare (qn/qc) ◆ *s* grata (*di caminetto*)

grateful /ˈgreɪtfl/ *agg* **1** ~ (**to sb**) (**for sth**) grato (a qn) (per qc) **2** ~ (**that...**) contento (che ...)

grater /greɪtə(r)/ *s* grattugia

gratitude /ˈgrætɪtjuːd; *USA* -tuːd/ *s* ~ (**to sb**) (**for sth**) gratitudine (a qn) (per qc)

grave /greɪv/ ◆ *agg* (**-er**, **-est**) (*form*) serio ☛ La parola più comune è **serious**. ◆ *s* tomba

gravel /ˈgrævl/ *s* ghiaia

graveyard /ˈgreɪvjɑːd/ (*anche* **churchyard**) *s* cimitero (*presso una chiesa*) ☛ *Confronta* CEMETERY

gravity /ˈgrævəti/ *s* (*Fis*) gravità

gravy /ˈgreɪvi/ *s* salsa fatta con il sugo della carne

gray /greɪ/ (*USA*) *Vedi* GREY

graze /greɪz/ ◆ **1** *vi* pascolare **2** *vt* ~ **sth** (**against/on sth**) sbucciarsi, scorticarsi qc (contro qc) **3** *vt* rasentare, sfiorare ◆ *s* escoriazione

grease /griːs/ ◆ *s* **1** grasso **2** (*Mecc*) lubrificante **3** brillantina ◆ *vt* ingras[sare]

sare, lubrificare **greasy** *agg* (**-ier**, **-iest**) unto, grasso

great /greɪt/ ◆ *agg* (**-er**, **-est**) **1** grande: *in great detail* con dovizia di particolari ◊ *the world's greatest tennis player* il miglior tennista al mondo ◊ *We're great friends.* Siamo grandi amici. ◊ *I'm not a great reader.* Non leggo molto. ◊ *great care* molta cura ◊ *great heat* gran caldo **2** (*età*) venerando **3** (*cura*) molto **4** (*inform*) fantastico: *We had a great time.* Ci siamo divertiti un sacco. ◊ *It's great to see you!* Che piacere rivederti! ◊ *I feel great.* Sto benissimo. **5** ~ **at sth** bravissimo in qc **6** (*inform*) molto: *a great big dog* un cane enorme LOC *Vedi* BELIEVER *a* BELIEVE, DEAL[1], EXTENT ◆ *s* [*gen pl*] (*inform*) *one of the jazz greats* uno dei grandi del jazz **greatly** *avv* molto: *It varies greatly.* Varia molto. **greatness** *s* grandezza

great-grandfather /ˌgreɪt ˈgrænfɑːðə(r)/ *s* bisnonno

great-grandmother /ˌgreɪt ˈgrænmʌðə(r)/ *s* bisnonna

greed /griːd/ *s* **1** ~ (**for sth**) avidità (di qc) **2** golosità **greedily** *avv* **1** avidamente **2** voracemente **greedy** *agg* (**-ier**, **-iest**) **1** ~ (**for sth**) avido (di qc) **2** goloso

green /griːn/ ◆ *agg* (**-er**, **-est**) verde ◆ *s* **1** verde **2 greens** [*pl*] verdura **3** prato **greenery** *s* verde (*piante e fogliame*)

greengrocer /ˈgriːnˌgrəʊsə(r)/ *s* (*GB*) fruttivendolo, -a: *greengrocer's* (*shop*) negozio di frutta e verdura

greenhouse /ˈgriːnhaʊs/ *s* serra: *the greenhouse effect* l'effetto serra

greet /griːt/ *vt* **1** salutare: *He greeted me with a smile.* Mi salutò con un sorriso. ☛ *Confronta* SALUTE **2** ~ **sth with sth** accogliere qc con qc **greeting** *s* **1** saluto **2** accoglienza

grenade /grəˈneɪd/ *s* granata (*Mil*)

grew *pass di* GROW

grey (*USA anche* **gray**) /greɪ/ ◆ *agg* (**-er**, **-est**) **1** (*lett e fig*) grigio: *to go/turn grey* ingrigire ◊ *grey-haired* dai capelli grigi ◆ *s* (*pl* **greys**) grigio

greyhound /ˈgreɪhaʊnd/ *s* levriero

grid /grɪd/ *s* **1** griglia **2** (*elettricità, gas*) rete **3** (*cartina*) reticolato

grief /griːf/ *s* ~ (**over/at sth**) dolore (per qc) LOC **to come to grief** (*inform*) **1** fallire **2** (*persona*) finir male

grievance /ˈgriːvns/ *s* ~ (**against sb**) rimostranza (contro qn)

grieve /griːv/ (*form*) **1** *vt* addolorare **2** *vi* ~ (**for/over/about sb/sth**) piangere la scomparsa di qn/qc **3** *vi* ~ **at/about/over sth** addolorarsi per qc

grill /grɪl/ ◆ *s* **1** grill, griglia ☛ *Vedi illustrazione a* COOKER **2** grigliata **3** *Vedi* GRILLE ◆ **1** *vt, vi* cuocere alla griglia **2** *vt* (*inform, fig*) fare il terzo grado a

grille (*anche* **grill**) /grɪl/ *s* grata

grim /grɪm/ *agg* (**grimmer**, **grimmest**) **1** (*aspetto, persona*) severo, serio **2** (*luogo*) lugubre, desolato **3** deprimente **4** macabro

grimace /grɪˈmeɪs; *USA* ˈgrɪməs/ ◆ *s* smorfia ◆ *vi* ~ (**at sb/sth**) fare una smorfia (a qn/qc)

grime /graɪm/ *s* sporcizia **grimy** *agg* (**-ier**, **-iest**) sporco

grin /grɪn/ ◆ *vi* (**-nn-**) ~ (**at sb/sth**) fare un sorriso da un orecchio all'altro (a qn/qc) LOC **to grin and bear it** stringere i denti e andare avanti ◆ *s* sorriso da un orecchio all'altro

grind /graɪnd/ (*pass, pp* **ground** /graʊnd/) ◆ **1** *vt, vi* macinare, macinarsi **2** *vt* (*coltello, denti*) arrotare **3** *vt* (*spec USA*) (*carne*) macinare LOC **to grind to a halt/standstill 1** (*veicolo*) fermarsi lentamente **2** (*processo*) arrestarsi gradualmente *Vedi anche* AXE ◆ *s* (*inform*): *the daily grind* il tran tran quotidiano

grip /grɪp/ (**-pp-**) ◆ **1** *vt, vi* afferrare **2** *vt* fare presa su **3** *vt* (*attenzione*) assorbire **4** *vt* (*terrore*) prendere ◆ *s* **1** presa **2** ~ (**on sb/sth**) (*fig*) dominio, controllo (su qn/qc) **3** manico, impugnatura LOC **to come/get to grips with sb/sth** (*lett e fig*) affrontare qn/qc **gripping** *agg* avvincente

grit /grɪt/ ◆ *s* **1** ghiaia **2** grinta ◆ *vt* (**-tt-**) ricoprire di ghiaia LOC **to grit your teeth** (*lett e fig*) stringere i denti

groan /grəʊn/ ◆ *vi* **1** ~ (**with sth**) gemere (di qc) **2** (*porta, ecc*) scricchiolare **3** ~ (**on**) (**about/over sth**) lamentarsi (di qc) **4** ~ (**at sth**) rumoreggiare (per qc) ◆ *s* **1** gemito **2** scricchiolio

grocer /ˈgrəʊsə(r)/ *s* **1** negoziante di generi alimentari **2 grocer's** (*anche*

grocery shop, **grocery store**) alimentari (*negozio*) **groceries** *s* [*pl*] generi alimentari

groggy /ˈgrɒgi/ *agg* (**-ier**, **-iest**) intontito

groin /grɔɪn/ *s* inguine

groom /gruːm/ ◆ *s* **1** palafreniere **2** = BRIDEGROOM **LOC** *Vedi* BRIDE ◆ *vt* **1** (*cavallo*) strigliare **2** *immaculately groomed* perfettamente curato **3** ~ **sb** (**for sth/to do sth**) preparare qn (a qc/a fare qc)

groove /gruːv/ *s* solco, scanalatura

grope /grəʊp/ *vi* **1** andare a tentoni **2** ~ (**about**) **for sth** cercare qc a tastoni

gross /grəʊs/ ◆ *s* (*pl* **gross** *o* **grosses**) grossa (*dodici dozzine*) ◆ *agg* (**-er**, **-est**) **1** obeso **2** (*maniere*) grossolano **3** (*violazione, esagerazione*) flagrante **4** (*ingiustizia, errore*) grave **5** (*peso, stipendio*) lordo **6** (*ammontare*) totale, complessivo ◆ *vt* incassare (*al lordo*) **grossly** *avv* estremamente

grotesque /grəʊˈtesk/ *agg* grottesco

ground /graʊnd/ ◆ *s* **1** (*lett*) suolo, terra, terreno **2** (*fig*) terreno: *I'm on more familiar ground here.* Questo è un argomento che conosco meglio. **3** campo (*da gioco*) **4 grounds** [*pl*] terreno, giardini **5** [*gen pl*] motivo, ragione **6 grounds** [*pl*] fondi (*di caffè*) **LOC on the ground** a terra, per terra **to get off the ground 1** partire, prendere il via **2** (*aereo*) decollare **to give/lose ground** (**to sb/sth**) perdere terreno (rispetto a qn/qc) **razed to the ground** raso al suolo *Vedi anche* FIRM, MIDDLE, THIN ◆ *vt* **1** (*aereo*) non far decollare **2** (*inform*) non far uscire ◆ *pass, pp di* GRIND ◆ *agg* **1** (*caffè*) macinato **2** (*spec USA*) (*carne*) tritato **grounding** *s* [*sing*] **a** ~ (**in sth**) le basi (di qc) **groundless** *agg* infondato

ground floor *s* **1** pianterreno **2 ground-floor** [*davanti a sostantivo*] del/al pianterreno *Vedi anche* FLOOR

group /gruːp/ ◆ *s* [*v sing o pl*] (*gen, Mus*) gruppo ◆ *vt, vi* raggruppare, raggrupparsi **grouping** *s* gruppo (*in un partito, un'organizzazione*)

grouse /graʊs/ *s* (*pl* **grouse**) gallo cedrone

grove /grəʊv/ *s* boschetto: *an olive grove* un oliveto

grovel /ˈgrɒvl/ *vi* (**-ll-**, *USA* **-l-**) (*dispreg*) ~ (**to sb**) strisciare (davanti a qn) **grovelling** *agg* servile

grow /grəʊ/ (*pass* **grew** /gruː/ *pp* **grown** /grəʊn/) **1** *vi* crescere **2** *vt* (*capelli, barba*) farsi crescere **3** *vt* (*pianta*) coltivare **4** *vi* [+ *agg*] diventare: *to grow old/rich* invecchiare/arricchirsi **5** *vi*: *He grew to rely on her.* Cominciò a dipendere da lei. **PHR V to grow into sth** diventare qc: *She'd grown into a beautiful young woman.* Si era fatta una gran bella ragazza. **to grow on sb** piacere sempre di più a qn: *This music grows on you.* Questa musica più l'ascolti più ti piace. **to grow up** crescere, diventare adulto: *when I grow up* da grande ◊ *Oh, grow up!* Non fare il bambino! ◊ *Children grow up fast.* I bambini crescono in fretta. *Vedi anche* GROWN-UP **growing** *agg* crescente

growl /graʊl/ ◆ *vi* ringhiare ◆ *s* ringhio

grown /grəʊn/ ◆ *agg* adulto: *a grown man* un uomo ◆ *pp di* GROW

grown-up /ˌgrəʊn ˈʌp/ ◆ *agg* grande, adulto ◆ /ˈgrəʊn ʌp/ *s* adulto, -a, grande

growth /grəʊθ/ *s* **1** crescita, sviluppo **2** ~ (**in/of sth**) aumento (in/di qc) **3** [*sing*]: *a week's growth of beard* la barba di una settimana **4** tumore

grub /grʌb/ *s* **1** larva **2** (*inform*) roba da mangiare

grubby /ˈgrʌbi/ *agg* (**-ier**, **-iest**) (*inform*) sudicio

grudge /grʌdʒ/ ◆ *vt* ~ **sb sth 1** volerne a qn per qc; invidiare qn per qc **2** dare qc a qn di malavoglia ◆ *s*: *to have a grudge against sb* serbare rancore a qn **LOC** *Vedi* BEAR[2] **grudgingly** *avv* di malavoglia, a malincuore

gruelling (*USA* **grueling**) /ˈgruːəlɪŋ/ *agg* estenuante

gruesome /ˈgruːsəm/ *agg* orribile

gruff /grʌf/ *agg* burbero

grumble /ˈgrʌmbl/ ◆ *vi* ~ (**about/at/over sth**) brontolare (per qc) ◆ *s* lamentela

grumpy /ˈgrʌmpi/ *agg* (**-ier**, **-iest**) (*inform*) scorbutico

grunt /grʌnt/ ◆ *vi* grugnire ◆ *s* grugnito

guarantee /ˌgærənˈtiː/ ◆ *s* ~ (**of sth/**

that…) garanzia (di qc/che…) ◆ *vt* garantire

guard /gɑːd/ ◆ *vt* sorvegliare, fare la guardia a PHR V **to guard against sth** guardarsi da qc, premunirsi contro qc ◆ *s* **1** guardia, vigilanza: *to be on guard* essere di guardia ◇ *guard dog* cane da guardia **2** guardia, sentinella **3** [*v sing o pl*] guardia (*gruppo di soldati*) **4** (*macchinario*) dispositivo di sicurezza **5** (*GB, Ferrovia*) capotreno LOC **to be on your guard** stare in guardia **to catch sb off guard** prendere qn alla sprovvista **guarded** *agg* cauto, guardingo

guardian /ˈgɑːdiən/ *s* **1** custode: *guardian angel* angelo custode **2** tutore, -trice

guerrilla (*anche* **guerilla**) /gəˈrɪlə/ *s* guerrigliero, -a: *guerrilla war(fare)* guerriglia

guess /ges/ ◆ *vt, vi* **1** indovinare **2** ~ **at sth** provare a indovinare qc **3** (*inform, spec USA*) pensare, credere: *I guess so/not.* Penso di sì/no. ◆ *s* supposizione, congettura: *to have/make a guess* (*at sth*) provare a indovinare (qc) ◇ *guesswork* congetture LOC **it's anybody's guess** Dio solo lo sa *Vedi anche* HAZARD

guest /gest/ *s* **1** ospite (*invitato*) **2** cliente (*di albergo*): *guest house* pensione

guidance /ˈgaɪdns/ *s* guida, direzione

guide /gaɪd/ ◆ *s* **1** (*persona*) guida **2** (*anche* **guidebook**) (*libro*) guida **3** (*anche* **Guide**, **Girl Guide**) Guida (*negli scout*) ◆ *vt* guidare: *to guide sb to sth* condurre qn a qc ◇ *to be guided by sb/sth* farsi guidare da qn/qc

guide dog /ˈgaɪd dɒg/ *s* cane per ciechi

guideline /ˈgaɪdlaɪn/ *s* direttiva

guilt /gɪlt/ *s* colpa, colpevolezza **guilty** *agg* (**-ier**, **-iest**) colpevole LOC *Vedi* PLEAD

guinea pig /ˈgɪni pɪg/ *s* (*lett e fig*) cavia

guise /gaɪz/ *s* parvenza

guitar /gɪˈtɑː(r)/ *s* chitarra

gulf /gʌlf/ *s* **1** (*Geog*) golfo **2** abisso

gull /gʌl/ (*anche* **seagull**) *s* gabbiano

gullible /ˈgʌləbl/ *agg* credulone

gulp /gʌlp/ ◆ *vt* **1** ~ **sth** (**down**) ingoiare qc **2** *vi* deglutire ◆ *s* sorsata

gum /gʌm/ *s* **1** (*Anat*) gengiva **2** gomma **3** chewing gum *Vedi* BUBBLEGUM, CHEWING GUM

gun /gʌn/ ◆ *s* **1** arma da fuoco **2** segnale di partenza *Vedi anche* MACHINE-GUN, PISTOL, RIFLE, SHOTGUN ◆ *v* (**-nn-**) PHR V **to gun sb down** (*inform*) abbattere qn a colpi di arma da fuoco

gunfire /ˈgʌnfaɪə(r)/ *s* [*non numerabile*] spari

gunman /ˈgʌnmən/ *s* (*pl* **-men** /-mən/) bandito (*armato*)

gunpoint /ˈgʌnpɔɪnt/ *s* LOC **at gunpoint** sotto la minaccia di un'arma da fuoco

gunpowder /ˈgʌnpaʊdə(r)/ *s* polvere da sparo

gunshot /ˈgʌnʃɒt/ *s* sparo

gurgle /ˈgɜːgl/ *vi* gorgogliare

gush /gʌʃ/ *vi* **1** ~ (**out**) (**from sth**) sgorgare (da qc) **2** ~ (**over sb/sth**) (*dispreg*) parlare con grande entusiasmo (di qn/qc)

gust /gʌst/ *s* raffica (*di vento*)

gusto /ˈgʌstəʊ/ *s* (*inform*) entusiasmo

gut /gʌt/ ◆ *s* **1 guts** [*pl*] (*inform*) budella **2 guts** [*pl*] (*fig*) coraggio, fegato **3** intestino **4** *What's your gut reaction?* Cosa ti dice l'istinto? ◆ *vt* (**-tt-**) **1** togliere le interiora a **2** sventrare (*edificio*)

gutter /ˈgʌtə(r)/ *s* **1** cunetta (*canaletto*) **2** grondaia **3** *the gutter press* la stampa scandalistica

guy /gaɪ/ *s* (*inform*) tizio, tipo

guzzle /ˈgʌzl/ ~ **sth** (**down/up**) (*inform*) *vt* trangugiare, tracannare qc

gymnasium /dʒɪmˈneɪziəm/ (*pl* **-siums** *o* **-sia** /-zɪə/) (*inform* **gym**) *s* palestra

gymnastics /dʒɪmˈnæstɪks/ (*inform* **gym**) *s* [*sing*] ginnastica **gymnast** /ˈdʒɪmnæst/ *s* ginnasta

gynaecologist (*USA* **gyne-**) /ˌgaɪnəˈkɒlədʒɪst/ *s* ginecologo, -a

gypsy (*anche* **gipsy**, **Gypsy**) /ˈdʒɪpsi/ *s* (*pl* **-ies**) zingaro, -a

Hh

H, h /eɪtʃ/ *s* (*pl* **H's**, **h's** /ˈeɪtʃɪz/) H, h: *H for Harry* H come hotel ☛ *Vedi esempi a* A, A

habit /ˈhæbɪt/ *s* **1** abitudine **2** (*Relig*) tonaca

habitation /ˌhæbɪˈteɪʃn/ *s* abitazione: *not fit for human habitation* inabitabile

habitual /həˈbɪtʃuəl/ *agg* abituale

hack[1] /hæk/ *vt, vi* ~ (**at**) **sth** tagliare, fare a pezzi qc

hack[2] /hæk/ *vi* ~ (**into sth**) (*Informatica, inform*) inserirsi (in qc) (*illegalmente*) **hacking** *s* accesso illegale (*in un sistema computerizzato*)

had /həd, hæd/ *pass, pp di* HAVE

hadn't /ˈhæd(ə)nt/ = HAD NOT *Vedi* HAVE

haemoglobin (*USA* **hem-**) /ˌhiːməˈgləʊbɪn/ *s* emoglobina

haemorrhage (*USA* **hem-**) /ˈhemərɪdʒ/ *s* emorragia

haggard /ˈhægəd/ *agg* tirato, smunto

haggle /ˈhægl/ *vi* ~ (**over/about sth**) contrattare (su qc)

hail[1] /heɪl/ ◆ *s* [*non numerabile*] grandine ◆ *vi* grandinare

hail[2] /heɪl/ *vt* **1** chiamare **2** ~ **sb/sth as sth** acclamare qn/qc come qc

hailstone /ˈheɪlstəʊn/ *s* chicco di grandine

hailstorm /ˈheɪlstɔːm/ *s* grandinata

hair /heə(r)/ *s* **1** [*non numerabile*] capelli: *She's got straight hair.* Ha i capelli lisci. ☛ *Vedi nota a* INFORMAZIONE ☛ *Vedi illustrazione a* CAPELLO **2** [*numerabile*] capello, pelo LOC *Vedi* PART

hairbrush /ˈheəbrʌʃ/ *s* spazzola (*per capelli*) ☛ *Vedi illustrazione a* BRUSH

haircut /ˈheəkʌt/ *s* taglio (*di capelli*): *to have/get a haircut* tagliarsi i capelli

hairdo /ˈheəduː/ *s* (*pl* ~**s**) (*inform*) pettinatura

hairdresser /ˈheədresə(r)/ *s* parrucchiere, -a **hairdresser's** *s* parrucchiere (*negozio*) **hairdressing** *s*: *a hairdressing course* un corso per parrucchieri

hairdryer /ˈheədraɪə(r)/ *s* asciugacapelli

hairpin /ˈheəpɪn/ *s* forcina: *hairpin bend* tornante

hairstyle /ˈheəstaɪl/ *s* acconciatura

hairy /ˈheəri/ *agg* (**-ier**, **-iest**) peloso

half /hɑːf; *USA* hæf/ ◆ *s* (*pl* **halves** /hɑːvz; *USA* hævz/) metà: *The second half of the book is more interesting.* La seconda metà del libro è più interessante. ◊ *two and a half hours* due ore e mezzo LOC **to break, etc sth in half** dividere, ecc qc in due **to go halves (with sb)** fare a metà (con qn) ◆ *agg, pron* metà: *half the team* metà della squadra ◊ *half a pint of beer* mezza pinta di birra ◊ *half an hour* mezz'ora ◊ *to cut sth by half* ridurre qc a metà LOC **half (past) one, two, etc** l'una, le due, ecc e mezzo ◆ *avv* a metà, a mezzo: *The job is only half done.* Il lavoro è fatto solo a metà.

half board *s* mezza pensione

half-brother /ˈhɑːf brʌðə(r); *USA* ˈhæf-/ *s* fratellastro

half-hearted /ˌhɑːf ˈhɑːtɪd; *USA* ˌhæf-/ *agg* timido (*tentativo*) **half-heartedly** *avv* con poco entusiasmo, con scarsa convinzione

half-sister /ˈhɑːf sɪstə(r); *USA* ˈhæf-/ *s* sorellastra

half-term /ˌhɑːf ˈtɜːm; *USA* ˌhæf-/ *s* (*GB*) vacanze scolastiche di una settimana a metà trimestre

half-time /ˌhɑːf ˈtaɪm; *USA* ˌhæf-/ *s* (*Sport*) intervallo

halfway /ˌhɑːf ˈweɪ; *USA* ˌhæf-/ *avv* a metà strada, a metà: *halfway between London and Glasgow* a metà strada tra Londra e Glasgow ◊ *halfway through the film* a metà del film *agg* di mezzo, intermedio

halfwit /ˈhɑːfwɪt; *USA* ˈhæf-/ *s* idiota

hall /hɔːl/ *s* **1** (*anche* **hallway**) ingresso **2** sala (*di riunioni, concerti*) **3** (*anche* **hall of residence**) casa dello studente

hallmark /ˈhɔːlmɑːk/ *s* **1** (*di metalli preziosi*) marchio **2** (*fig*) caratteristica (*di qualità*)

Hallowe'en /ˌhæləʊ'iːn/ *s*

Halloween (31 ottobre) significa 'vigilia d'Ognissanti' ed è la notte dei fantasmi e delle streghe. È tradizione intagliare una zucca dandole le sembianze di una faccia e poi mettervi dentro una candela. I bambini si mascherano e vanno di casa in casa chiedendo caramelle o soldi. Quando qualcuno apre la porta dicono **trick or treat**, cioè 'o ci dai qualcosa o ti facciamo uno scherzo'.

hallucination /həˌluːsɪ'neɪʃn/ *s* allucinazione
hallway *Vedi* HALL
halo /'heɪləʊ/ *s* (*pl* **haloes** *o* **~s**) aureola
halt /hɔːlt/ ◆ *s* sosta, fermata LOC *Vedi* GRIND ◆ *vt, vi* fermare, fermarsi: *Halt!* Alt!
halting /'hɔːltɪŋ/ *agg* titubante
halve /hɑːv; *USA* hæv/ *vt* **1** dividere in due **2** dimezzare
halves *plurale di* HALF
ham /hæm/ *s* prosciutto
hamburger /'hæmbɜːgə(r)/ (*anche* **burger**) *s* hamburger
hamlet /'hæmlət/ *s* paesino
hammer /'hæmə(r)/ ◆ *s* martello ◆ **1** *vt* martellare **2** *vt* (*inform, fig*) stracciare (*in gioco, partita*) PHR V **to hammer sth in** conficcare qc a martellate
hammock /'hæmək/ *s* amaca
hamper[1] /'hæmpə(r)/ *s* (*GB*) cesto (*per alimenti*)
hamper[2] /'hæmpə(r)/ *vt* ostacolare
hamster /'hæmstə(r)/ *s* criceto
hand /hænd/ ◆ *s* **1** mano **2** [*sing*] (*anche* **handwriting**) scrittura **3** (*abilità*) mano, tocco **4** lancetta ☛ *Vedi illustrazione a* OROLOGIO **5** bracciante, manovale **6** marinaio **7** (*carte*) mano **8** unità di misura corrispondente a 10,16 cm, usata per indicare l'altezza di un cavallo LOC **at hand** a portata di mano **by hand** a mano: *made by hand* fatto a mano ◊ *delivered by hand* consegnato a mano **close/near at hand** a due passi: *He lives close at hand.* Abita a due passi. **hand in hand 1** mano nella mano **2** (*fig*) di pari passo **hands up!** mani in alto! **in hand 1** a disposizione **2** (*lavoro*) tra le mani, in corso **3** (*situazione*) sotto controllo **on hand** disponibile **on the one hand...on the other (hand)...** da un lato...dall'altro (lato)... **out of hand 1** fuori controllo **2** senza esitazione **to give/lend sb a hand** dare una mano a qn **to hand** a portata di mano *Vedi anche* CHANGE, CUP, EAT, FIRM, FIRST, FREE, HEAVY, HELP, HOLD, MATTER, PALM, SHAKE, UPPER ◆ *vt* passare PHR V **to hand sth back (to sb)** restituire qc (a qn) **to hand sth in (to sb)** consegnare qc (a qn) **to hand sth out (to sb)** distribuire qc (a qn)
handbag /'hændbæg/ (*USA* **purse**) *s* borsetta, borsa
handbook /'hændbʊk/ *s* manuale
handbrake /'hændbreɪk/ *s* freno a mano
handcuff /'hændkʌf/ *vt* ammanettare **handcuffs** *s* [*pl*] manette
handful /'hændfʊl/ *s* (*pl* **~s**) **1** manciata, pugno **2** *a handful of students* uno sparuto numero di studenti LOC **to be a (real) handful** (*inform*) essere una peste
handicap /'hændikæp/ ◆ *s* handicap ◆ *vt* (**-pp-**) **1** svantaggiare **2** (*Sport*) assegnare un handicap a **handicapped** *agg* handicappato
handicrafts /'hændikrɑːfts; *USA* -kræfts/ *s* [*pl*] artigianato
handkerchief /'hæŋkətʃɪf, -tʃiːf/ *s* (*pl* **~chiefs** *o* **-chieves** /-tʃiːvz/) fazzoletto
handle /'hændl/ ◆ *s* **1** manico ☛ *Vedi illustrazioni a* SAUCEPAN *e* MUG **2** maniglia ◆ *vt* **1** maneggiare **2** (*macchinario*) manovrare **3** (*gente*) trattare **4** saper prendere
handlebars /'hændlbɑːz/ *s pl* manubrio
handmade /ˌhænd'meɪd/ *agg* fatto a mano, artigianale

In inglese si possono formare degli aggettivi composti per tutte le attività manuali: ad es. **hand-built** (costruito a mano), **hand-painted** (dipinto a mano), **hand-knitted** (lavorato a mano), ecc.

handout /'hændaʊt/ *s* **1** donazione (*di viveri, abiti o denaro*) **2** volantino **3** comunicato stampa **4** (*conferenza, lezione*) fotocopia
handshake /'hændʃeɪk/ *s* stretta di mano
handsome /'hænsəm/ *agg* **1** bello ☛ Si usa soprattutto per un uomo. **2** (*regalo*) generoso

handwriting /ˈhændraɪtɪŋ/ *s* scrittura, calligrafia

handwritten /ˌhændˈrɪtn/ *agg* scritto a mano

handy /ˈhændi/ *agg* (**-ier**, **-iest**) **1** pratico, utile **2** a portata di mano: *Our flat is very handy for the shops.* Abbiamo i negozi a due passi da casa.

hang /hæŋ/ (*pass, pp* **hung** /hʌŋ/) ◆ **1** *vt* appendere **2** *vi* essere appeso, pendere **3** *vi* penzolare, ricadere **4** (*pass, pp* **hanged**) *vt, vi* impiccare, essere impiccato **5** *vi* ~ (**above/over sb/sth**) sovrastare qn/qc; pesare su qn PHR V **to hang about/around** (*inform*) gironzolare **to hang on** (*inform*) aspettare: *Hang on a minute!* Aspetta un attimo! **to hang sth out** stendere qc **to hang up** (*inform*) riagganciare (*il telefono*): *She hung up on me.* Mi ha messo giù il telefono. ◆ *s* LOC **to get the hang of sth** (*inform*) fare la mano a qc

hangar /ˈhæŋə(r)/ *s* hangar

hanger /ˈhæŋə(r)/ (*anche* **clothes hanger**, **coat-hanger**) *s* gruccia (*per abiti*)

hang-glider /ˈhæŋ glaɪdə(r)/ *s* deltaplano (*velivolo*) **hang-gliding** *s* deltaplano (*sport*)

hangman /ˈhæŋmən/ *s* (*pl* **-men** /-mən/) **1** boia (*per impiccagioni*) **2** (*gioco*) l'impiccato

hangover /ˈhæŋəʊvə(r)/ *s* postumi di una sbornia

hang-up /ˈhæŋ ʌp/ *s* (*gergale*) complesso

haphazard /hæpˈhæzəd/ *agg* casuale: *in a haphazard fashion* a casaccio

happen /ˈhæpən/ *vi* accadere, succedere: *whatever happens* qualunque cosa succeda ◊ *if you happen to go into town* se ti capita di andare in centro **happening** *s* avvenimento

happy /ˈhæpi/ *agg* (**-ier**, **-iest**) **1** felice: *a happy marriage* un matrimonio riuscito ◊ *a happy memory* un bel ricordo ◊ *a happy ending* un lieto fine **2** contento, soddisfatto ☛ *Vedi nota a* GLAD **happily** *avv* **1** felicemente **2** fortunatamente **happiness** *s* felicità

harass /ˈhærəs, həˈræs/ *vt* tormentare, assillare **harassment** *s* persecuzione, molestia

harbour (*USA* **harbor**) /ˈhɑːbə(r)/ ◆ *s* porto ◆ *vt* **1** dare rifugio a, nasconder[e] **2** (*sospetto*) nutrire

hard /hɑːd/ ◆ *agg* (**-er**, **-est**) **1** duro [2] difficile: *It's hard to tell.* È difficile dir[lo] con sicurezza. ◊ *It's hard for me to sa[y] no.* Non mi è facile dire di no. ◊ *hard t[o] please* esigente **3** (*lavoro*) duro: *a har[d] worker* un gran lavoratore **4** (*persona*) duro, severo **5** *hard liquor* superalc[o]lici ◊ *hard drugs* droga pesante LO[C] **hard cash** denaro contante **hard luck** (*inform*) che scalogna! **the hard way** ne[l] modo più difficile **to give sb a har[d] time** far dannare qn **to have a har[d] time** passarsela male **to take a har[d] line (on/over sth)** adottare la linea dur[a] (su qc) *Vedi anche* DRIVE ◆ *avv* (**-er**, **-est**) **1** (*lavorare*) duro, sodo: *to tr[y] hard* sforzarsi **2** (*tirare, piovere*) forte [3] (*pensare, guardare*) bene **4** (*colpire*) duramente LOC **to be hard put to d[o] sth** essere in difficoltà a fare qc **to b[e] hard up** essere al verde

hardback /ˈhɑːdbæk/ *s* libro con l[a] copertina rigida: *hardback editio[n]* edizione rilegata ☛ *Confronta* PAPERBACK

hard disk *s* hard disk

harden /ˈhɑːdn/ *vt, vi* (*anche fig*) indurire, indurirsi: *a hardened criminal* u[n] criminale incallito **hardening** *s* indurimento

hardly /ˈhɑːdli/ *avv* **1** a malapena: [*I*] *hardly know her.* La conosco appena. [2] *It's hardly surprising.* Non è certo un[a] sorpresa. ◊ *I can hardly believe it* Stento a crederci! **3** *hardly anybod[y]* quasi nessuno ◊ *hardly ever* quasi ma[i]

hardship /ˈhɑːdʃɪp/ *s* privazioni, difficoltà

hardware /ˈhɑːdweə(r)/ *s* **1** ferramenta: *a hardware store* un negozio d[i] ferramenta **2** (*Mil*) armamenti **3** (*Informatica*) hardware

hard-working /ˌhɑːd ˈwɜːkɪŋ/ *agg* diligente

hardy /ˈhɑːdi/ *agg* (**-ier**, **-iest**) **1** robusto, resistente **2** (*Bot*) rustico

hare /heə(r)/ *s* lepre

harm /hɑːm/ ◆ *s* male, danno: *H[e] meant no harm.* Non aveva cattiv[e] intenzioni. ◊ *There's no harm in asking* Chiedere non costa niente. ◊ (*There's*) *no harm done.* Non è successo niente LOC **out of harm's way** al sicuro **t[o]**

have

presente	*forma contratta*	*forma contratta negativa*	*passato forma contratta*
I **have**	I**'ve**	I **haven't**	I**'d**
you **have**	you**'ve**	you **haven't**	you**'d**
he/she/it **has**	he**'s**/she**'s**/it**'s**	he/she/it **hasn't**	he**'d**/she**'d**/it**'d**
we **have**	we**'ve**	we **haven't**	we**'d**
you **have**	you**'ve**	you **haven't**	you**'d**
they **have**	they**'ve**	they **haven't**	they**'d**

passato **had** *forma in -ing* **having** *participio passato* **had**

come to harm: *You'll come to no harm.* Non ti succederà niente. **to do more harm than good** fare più male che bene ◆ *vt* **1** (*persona*) far del male a **2** (*cosa*) danneggiare **harmful** *agg* dannoso, nocivo **harmless** *agg* innocuo

harmony /ˈhɑːməni/ *s* (*pl* **-ies**) armonia

harness /ˈhɑːnɪs/ ◆ *s* [*sing*] finimenti ◆ *vt* **1** (*cavallo*) bardare, attaccare **2** (*energia*) sfruttare

harp /hɑːp/ ◆ *s* arpa ◆ PHR V **to harp on (about) sth** continuare a menarla con qc

harsh /hɑːʃ/ *agg* (**-er**, **-est**) **1** (*superficie*) ruvido **2** (*colore, luce*) troppo forte **3** (*voce, suono*) sgradevole, stridente **4** (*clima*) rigido **5** (*punizione*) duro, severo **harshly** *avv* duramente, aspramente

harvest /ˈhɑːvɪst/ ◆ *s* raccolto ◆ *vt* raccogliere

has /həz, hæz/ *Vedi* HAVE

hasn't /ˈhæz(ə)nt/ = HAS NOT *Vedi* HAVE

hassle /ˈhæsl/ ◆ *s* (*inform*) **1** (*complicazione*) seccatura, discussione: *Don't give me any hassle!* Non mi scocciare! ◆ *vt* (*inform*) scocciare

haste /heɪst/ *s* fretta LOC **in haste** in fretta **hasten** /ˈheɪsn/ **1** *vi* affrettarsi **2** *vt* affrettare, accelerare **hastily** *avv* precipitosamente **hasty** *agg* (**-ier**, **-iest**) affrettato

hat /hæt/ *s* cappello ☛ *Vedi illustrazione a* CAPPELLO LOC *Vedi* DROP

hatch[1] /hætʃ/ *s* **1** boccaporto **2** passavivande

hatch[2] /hætʃ/ **1** *vi* ~ **(out)** (*pulcino*) uscire (*dall'uovo*) **2** *vi* (*uovo*) schiudersi **3** *vt* (*uovo*) covare, far schiudere **4** *vt* ~ **sth (up)** elaborare qc

hate /heɪt/ ◆ *vt* **1** odiare, detestare **2** *I would hate him to think I don't care.* Non sopporterei che pensasse che non m'importa. ◊ *I hate to bother you, but…* Mi dispiace disturbarla, ma… ◆ *s* **1** odio **2** (*inform*) *my pet hate* la cosa che odio di più **hateful** *agg* odioso **hatred** *s* odio

haul /hɔːl/ ◆ *vt* tirare, trascinare ◆ *s* **1** tragitto, viaggio **2** retata (*di pesce*) **3** bottino

haunt /hɔːnt/ ◆ *vt* **1** (*fantasma*) abitare **2** (*persona*) frequentare **3** (*ricordo, rimorso*) perseguitare ◆ *s* luogo prediletto **haunted** *agg*: *a haunted house* una casa stregata

have /həv, hæv/ ◆ *aus*: *'I've finished my work.' 'So have I.'* "Ho finito il lavoro." "Anch'io." ◊ *I've never been to Scotland.* Non sono mai stato in Scozia. ◊ *'Have you seen it?' 'Yes, I have./No, I haven't.'* "L'hai visto?" "Sì/No." ◊ *He's gone home, hasn't he?* È andato a casa, no? ◆ *vt* **1** (*anche* **have got**) avere: *She's got a new car.* Ha la macchina nuova. ◊ *Have you got any money on you?* Hai dei soldi con te? ◊ *to have flu/a headache* avere l'influenza/il mal di testa ☛ *Vedi nota a* AVERE **2** ~ **(got) sth to do** avere qc da fare: *I've got a bus to catch.* Devo prendere l'autobus. **3** ~ **(got) to do sth** dover fare qc: *I've got to go to the bank.* Devo andare in banca. ◊ *Did you have to pay a fine?* Hai dovuto pagare una multa? ◊ *It has to be done.* Va fatto. **4** fare: *to have a bath/wash* fare il bagno/lavarsi ◊ *to have breakfast/lunch/dinner* far colazione/pranzare/cenare ◊ *to have a cup of coffee* prendere un caffè ◊ *to have a party* dare una festa ☛ Nota che la costruzione **to have + sostantivo** in italiano viene spesso resa con un verbo. **5** ~ **sth done** far fare qc: *to have a dress made* farsi fare un vestito ◊ *He's had his hair cut.* Si è tagliato i capelli. ◊

She had her bag stolen. Le hanno rubato la borsa. **6** permettere, tollerare: *I won't have it!* Così non mi sta bene! LOC **to have had it** (*inform*): *The TV has had it.* La TV è andata. **to have it (that)**: *Rumour has it that...* Si dice che... ◊ *As luck would have it...* Come volle il caso... **to have to do with sb/sth** avere a che fare con qn/qc ☛ Per altre espressioni con **have** vedi alla voce del sostantivo, dell'aggettivo, ecc, ad es. **to have a sweet tooth** a SWEET. PHR V **to have sth back** riavere qc: *I'll let you have it back soon.* Te lo restituisco tra poco. **to have sth on 1** (*abito*) avere qc addosso: *He's got a tie on today.* Oggi ha la cravatta. **2** avere qc da fare: *I've got a lot on.* Sono molto occupato. ◊ *Have you got anything on tonight?* Hai qualcosa in programma per stasera?

haven /ˈheɪvn/ *s* rifugio

haven't /ˈhæv(ə)nt/ = HAVE NOT *Vedi* HAVE

havoc /ˈhævək/ *s* devastazione LOC **to play havoc with sth** scombussolare qc **to wreak havoc on sth** devastare qc

hawk /hɔːk/ *s* falco

hay /heɪ/ *s* fieno: *hay fever* raffreddore da fieno

hazard /ˈhæzəd/ ◆ *s* rischio, pericolo: *to be a health hazard* essere dannoso per la salute ◆ *vt* rischiare LOC **to hazard a guess** tirare a indovinare **hazardous** *agg* rischioso, pericoloso

haze /heɪz/ *s* foschia ☛ *Confronta* FOG, MIST

hazel /ˈheɪzl/ ◆ *s* nocciòlo ◆ *agg* color nocciola

hazelnut /ˈheɪzlnʌt/ *s* nocciola

hazy /ˈheɪzi/ *agg* (**hazier**, **haziest**) **1** (*giornata*) di foschia **2** (*idea*) vago **3** (*persona*) confuso

he /hiː/ ◆ *pron pers* egli, lui: *He's in Paris.* È a Parigi. ☛ In inglese il *pronome personale soggetto* non si può omettere. *Confronta* HIM. ◆ *s* [*sing*] maschio: *Is it a he or a she?* È un maschio o una femmina?

head[1] /hed/ *s* **1** testa: *It never entered my head.* Non mi è mai passato per la mente. ◊ *to have a good head for business* essere tagliato per gli affari **2 a/per head** a testa: *ten pounds a head* dieci sterline a testa **3** (*fila, scale, letto*) cima: *at the head of the table* a capotavola **4** (*chiodo*) capocchia **5** (*organizzazione*) capo: *the heads of government* i capi di governo **6** (*scuola*) direttore, -trice, preside **7** (*registratore*) testina **8** (*birra*) schiuma LOC **head first** a capofitto **heads or tails?** testa o croce? **not to make head or tail of sth** non capire niente di qc **to be/go above/over your head** essere troppo difficile **to go to your head** dare alla testa *Vedi anche* HIT, SHAKE, TOP[1]

head[2] /hed/ *vt* **1** (*lista*) essere in testa a **2** (*organizzazione*) essere a capo di **3** (*pallone*) colpire di testa PHR V **to head for sth** dirigersi verso qc

headache /ˈhedeɪk/ *s* **1** mal di testa **2** preoccupazione, grattacapo

heading /ˈhedɪŋ/ *s* intestazione, titolo

headlight /ˈhedlaɪt/ (*anche* **headlamp**) *s* faro (*di auto*)

headline /ˈhedlaɪn/ *s* **1** (*giornale*) titolo **2 the headlines** [*pl*] il sommario (*di telegiornale*)

headmaster /hedˈmɑːstə(r)/ *s* direttore (*di una scuola*), preside *m*

headmistress /ˌhedˈmɪstrəs/ *s* direttrice (*di una scuola*), preside *f*

head office *s* sede centrale

head-on /hed ˈɒn/ *agg* frontale *avv* frontalmente

headphones /ˈhedfəʊnz/ *s* [*pl*] cuffie

headquarters /ˌhedˈkwɔːtəz/ *s* (*abbrev* **HQ**) [*v sing o pl*] sede centrale, quartier generale

head start *s*: *You had a head start over me.* Sei partito avvantaggiato rispetto a me.

headway /ˈhedweɪ/ *s* LOC **to make headway** fare progressi

heal /hiːl/ **1** *vi* cicatrizzare, guarire **2** *vt* ~ **sb/sth** guarire qn/qc

health /helθ/ *s* salute: *health centre* poliambulatorio LOC *Vedi* DRINK

healthy /ˈhelθi/ *agg* (**-ier**, **-iest**) **1** (*lett*) sano, in buona salute **2** salutare, salubre

heap /hiːp/ ◆ *s* mucchio ◆ *vt* ~ **sth (up)** ammucchiare qc

hear /hɪə(r)/ (*pass, pp* **heard** /hɜːd/) **1** *vt, vi* (*suono*) sentire: *I can't hear a thing.* Non sento niente. ◊ *I heard someone laughing.* Ho sentito qualcuno che rideva. ☛ *Vedi nota a* SENTIRE **2** *vt* (*discorso*) ascoltare **3** *vt* (*Dir*) esaminare PHR V **to hear about sth** venire a sapere di qc **to hear from sb** avere notizie di qn **to hear of sb/sth** sentir parlare di qn/qc: *I've never heard of him.* Non l'ho mai sentito nominare.

hearing /ˈhɪərɪŋ/ *s* **1** (*anche* **sense of hearing**) udito **2** (*Dir*) udienza

heart /hɑːt/ *s* **1** cuore: *heart failure/ a heart attack* un infarto ◊ *the heart of the matter* il nocciolo della questione **2** **hearts** [*pl*] (*nelle carte*) cuori ☛ *Vedi nota a* CARTA LOC **at heart** in fondo **by heart** a memoria **to take heart** farsi coraggio **to take sth to heart** prendersela per qc **your/sb's heart sinks**: *When I saw the queue my heart sank.* Quando ho visto la coda mi sono cadute le braccia. *Vedi anche* CHANGE, CRY, SET[2]

heartbeat /ˈhɑːtbiːt/ *s* battito cardiaco

heartbreak /ˈhɑːtbreɪk/ *s* crepacuore **heartbreaking** *agg* straziante **heartbroken** *agg* affranto

hearten /ˈhɑːtn/ *vt* rincuorare, incoraggiare **heartening** *agg* incoraggiante

heartfelt /ˈhɑːtfelt/ *agg* sincero, sentito

hearth /hɑːθ/ *s* focolare

heartless /ˈhɑːtləs/ *agg* spietato, senza cuore

hearty /ˈhɑːti/ *agg* (**-ier**, **-iest**) **1** (*accoglienza*) caloroso, cordiale **2** (*persona*) gioviale **3** (*pasto*) sostanzioso

heat /hiːt/ ◆ *s* **1** calore: *on a low heat* a fuoco basso **2** caldo: *I can't stand the heat.* Non sopporto il caldo. **3** (*Sport*) prova eliminatoria LOC **to be on heat** (*USA*) **to be in heat** essere in calore ◆ *vt, vi* ~ (**sth**) (**up**) riscaldare qc; riscaldarsi **heated** *agg* **1** *a heated pool* una piscina riscaldata ◊ *centrally heated* con riscaldamento centralizzato **2** (*discussione*) animato **heater** *s* **1** termosifone, stufa (*elettrica*) **2** scaldabagno

heath /hiːθ/ *s* landa

heathen /ˈhiːðn/ *s* pagano, -a

heather /ˈheðə(r)/ *s* erica

heating /ˈhiːtɪŋ/ *s* riscaldamento

heatwave /ˈhiːtweɪv/ *s* ondata di caldo

heave /hiːv/ ◆ **1** *vt, vi* tirare con forza **2** *vi* ~ (**at/on sth**) tirare con forza (qc) **3** *vt* (*inform*) scagliare ◆ *s* sforzo

heaven (*anche* **Heaven**) *s* /ˈhevn/ (*Relig*) cielo, paradiso LOC *Vedi* KNOW, SAKE

heavenly /ˈhevnli/ *agg* **1** (*Relig*) celestiale, divino **2** (*Astron*) celeste **3** (*inform*) divino

heavily /ˈhevɪli/ *avv* **1** molto: *heavily loaded* molto carico ◊ *to drink heavily* bere molto ◊ *rain heavily* piovere forte **2** pesantemente

heavy /ˈhevi/ *agg* (**-ier**, **-iest**) **1** pesante: *How heavy is it?* Quanto pesa? **2** (*traffico, pioggia*) intenso **3** (*raffreddore, bevitore, perdite*) forte **4** (*fumatore*) accanito

heavyweight /ˈheviweɪt/ *s* **1** peso massimo **2** (*fig*) pezzo grosso

heckle /ˈhekl/ *vt, vi* interrompere

hectare /ˈhekteə(r)/ *s* ettaro

hectic /ˈhektɪk/ *agg* frenetico

he'd /hiːd/ **1** = HE HAD *Vedi* HAVE **2** = HE WOULD *Vedi* WOULD

hedge /hedʒ/ ◆ *s* **1** siepe **2** ~ (**against sth**) difesa (contro qc) ◆ **1** *vt* schivare **2** *vi* tergiversare

hedgehog /ˈhedʒhɒg; *USA* -hɔːg/ *s* riccio

heed /hiːd/ ◆ *vt* (*form*) tener conto di ◆ *s* LOC **to take heed of sth** tener conto di qc

heel /hiːl/ *s* **1** tallone **2** tacco ☛ *Vedi illustrazione a* SCARPA LOC *Vedi* DIG

hefty /ˈhefti/ *agg* (**-ier**, **-iest**) (*inform*) **1** (*persona, cosa*) grosso **2** (*colpo*) forte

height /haɪt/ *s* **1** altezza **2** (*Geog*) altitudine **3** (*fig*) apice, culmine: *at/in the height of summer* in piena estate LOC **the height of fashion** l'ultima moda

heighten /ˈhaɪtn/ *vt, vi* aumentare

heir /eə(r)/ *s* ~ (**to sth**) erede (di qc)

heiress /ˈeərəs/ *s* ereditiera

held *pass, pp di* HOLD

helicopter /ˈhelɪkɒptə(r)/ *s* elicottero

hell /hel/ *s* inferno: *to go to hell* andare all'inferno ☛ Nota che **hell** non ha l'articolo. LOC **a/one hell of a...** (*inform*) *I got a hell of a shock.* Mi son preso un gran spavento. **hellish** *agg* infernale

he'll /hiːl/ = HE WILL *Vedi* WILL

hello /həˈləʊ/ *escl, s* ciao, buongiorno: *Say hello to her for me.* Salutala da parte mia.

helm /helm/ *s* timone

helmet /ˈhelmɪt/ *s* casco, elmetto

help /help/ ◆ **1** *vt, vi* aiutare: *Help!* Aiuto! ◊ *How can I help you?* Desidera? **2** *v rifl* ~ **yourself (to sth)** servirsi (di qc) LOC **a helping hand**: *to give/lend (sb) a helping hand* dare una mano (a qn) **can/could not help doing sth** non poter fare a meno di fare qc: *I couldn't help laughing.* Mi è venuto da ridere. ◊ *He can't help it.* Non ci può far niente. **it can't/couldn't be helped** non ci si può/ è potuto far niente PHR V **to help (sb) out** dare una mano (a qn) ◆ *s* [*non numerabile*] aiuto: *It wasn't much help.* Non è servito a molto.

helper /ˈhelpə(r)/ *s* aiutante

helpful /ˈhelpfl/ *agg* **1** di grande aiuto, disponibile **2** (*consiglio*) utile

helping /ˈhelpɪŋ/ *s* porzione

helpless /ˈhelpləs/ *agg* **1** indifeso, debole **2** impotente

helter-skelter /ˌheltə ˈskeltə(r)/ ◆ *s* scivolo a spirale ◆ *agg* caotico

hem /hem/ ◆ *s* orlo (*di vestito*) ◆ *vt* (**-mm-**) fare l'orlo a PHR V **to hem sb/ sth in 1** circondare qn/qc **2** inibire qn

hemisphere /ˈhemɪsfɪə(r)/ *s* emisfero

hemo- (*USA*) *Vedi* HAEMO-

hen /hen/ *s* gallina

hence /hens/ *avv* **1** (*tempo*) da qui: *3 years hence* da qui a 3 anni **2** (*per questo motivo*) dunque, perciò

henceforth /ˌhensˈfɔːθ/ *avv* (*form*) d'ora in poi

hepatitis /ˌhepəˈtaɪtɪs/ *s* [*non numerabile*] epatite

her /hə, ɜː(r), ə(r), hɜː(r)/ ◆ *pron pers* **1** [*come complemento oggetto*] la, lei: *I saw her.* L'ho vista. **2** [*come complemento indiretto*] le, a lei: *I told her the truth.* Le ho detto la verità. **3** [*dopo prep o il verbo* **to be**] lei: *I think of her often.* Penso spesso a lei. ◊ *She took it with her.* Lo portò con sé. ◊ *It wasn't her that did it.* Non è stata lei a farlo. ☛ *Confronta* SHE ◆ *agg poss* il suo, ecc (*di lei*): *her book* il suo libro ◊ *her books* i suoi libri ☛ **Her** si usa anche riferendosi ad automobili, navi o nazioni. *Confronta* HERS *e vedi nota a* MY

herald /ˈherəld/ ◆ *s* messaggero ◆ *vt* annunciare (*arrivo, inizio*) **heraldry** *s* araldica

herb /hɜːb; *USA* ɜːrb/ *s* erba (*aromatica o medicinale*) **herbal** *agg* a base di erbe: *herbal tea* tisana

herd /hɜːd/ ◆ *s* mandria ☛ *Confronta* FLOCK ◆ *vt* condurre

here /hɪə(r)/ ◆ *avv* qui, qua: *I live a mile from here.* Vivo ad un miglio da qui. ◊ *Please sign here.* Si prega di firmare qui.

> Nelle frasi che cominciano con **here** il verbo si trova dopo il soggetto se questo è un pronome: *Here they are, at last!* Eccoli, finalmente! ◊ *Here it is, on the table!* Eccolo lì, sul tavolo! e prima del verbo se si tratta di un sostantivo: *Here comes the bus.* Ecco l'autobus.

LOC **here and there** qua e là **here you are** ecco qui **to be here** arrivare: *They'll be here any minute.* Arriveranno a minuti. ◆ *escl* **1** ehi! **2** (*offrendo qualcosa*) ecco!, tieni! **3** (*risposta*) presente!

hereditary /həˈredɪtri; *USA* -teri/ *agg* ereditario

heresy /ˈherəsi/ *s* (*pl* **-ies**) eresia

heritage /ˈherɪtɪdʒ/ *s* [*gen sing*] patrimonio culturale

hermit /ˈhɜːmɪt/ *s* eremita

hero /ˈhɪərəʊ/ *s* (*pl* ~**es**) eroe: *sporting heroes* i grandi dello sport **heroic** /həˈrəʊɪk/ *agg* eroico **heroism** /ˈherəʊɪzəm/ *s* eroismo

heroin /ˈherəʊɪn/ *s* eroina (*droga*)

heroine /ˈherəʊɪn/ *s* eroina (*persona*)

herring /ˈherɪŋ/ *s* (*pl* **herring** *o* ~**s**) aringa LOC *Vedi* RED

hers /hɜːz/ *pron poss* il suo, ecc (*di lei*): *a friend of hers* un suo amico ◊ *Where are hers?* Dove sono i suoi?

herself /hɜːˈself/ *pron* **1** [*uso riflessivo*] si: *Did she hurt herself?* Si è fatta male? **2** [*dopo prep*] sé, se stessa: *'I'm free,' she said to herself.* "Sono libera", si disse. **3** [*uso enfatico*] lei stessa: *She told me the news herself.* Lei stessa mi ha dato la notizia. LOC **by herself 1** da sé: *She did it all by herself.* L'ha fatto tutto da sé. **2** sola: *She was all by herself.* Era tutta sola.

he's /hiːz/ **1** = HE IS *Vedi* BE **2** = HE HAS *Vedi* HAVE

hesitant /ˈhezɪtənt/ *agg* esitante, indeciso

hesitate /ˈhezɪteɪt/ *vi* esitare: *Don't hesitate to call.* Non esitare a chiamare **hesitation** *s* esitazione

heterogeneous /ˌhetərəˈdʒiːniəs/ *agg* eterogeneo

heterosexual /ˌhetərəˈsekʃuəl/ *agg, s* eterosessuale

hexagon /ˈheksəgən; *USA* -gɒn/ *s* esagono

heyday /ˈheɪdeɪ/ *s* tempi d'oro

hi! /haɪ/ *escl* (*inform*) ciao!

hibernate /ˈhaɪbəneɪt/ *vi* andare in letargo **hibernation** *s* letargo

hiccup (*anche* **hiccough**) /ˈhɪkʌp/ *s* **1** singhiozzo: *I've got (the) hiccups.* Ho il singhiozzo. **2** (*inform*) contrattempo

hid *pass di* HIDE[1]

hidden /ˈhɪdn/ **1** *pp di* HIDE[1] **2** *agg* nascosto

hide[1] /haɪd/ *vi* (*pass* **hid** /hɪd/ *pp* **hidden** /ˈhɪdn/) **1** nascondersi: *David was hiding under the bed.* David si era nascosto sotto il letto. **2** ~ **sth (from sb)** nascondere qc (a qn): *The trees hid the house from view.* La casa era nascosta dagli alberi.

hide[2] /haɪd/ *s* pelle (*di animale*)

hide-and-seek /ˌhaɪd n ˈsiːk/ *s* nascondino: *to play hide-and-seek* giocare a nascondino

hideous /ˈhɪdiəs/ *agg* orribile

hiding[1] /ˈhaɪdɪŋ/ *s* LOC **to be in/go into hiding** essere nascosto/nascondersi

hiding[2] /ˈhaɪdɪŋ/ *s* (*inform*) LOC **to give sb a hiding** riempire qn di botte

hierarchy /ˈhaɪərɑːki/ *s* (*pl* **-ies**) gerarchia

hieroglyphics /ˌhaɪərəˈglɪfɪks/ *s* geroglifici

high[1] /haɪ/ *agg* (**-er**, **-est**) **1** (*prezzo, soffitto, temperatura*) alto ☛ *Vedi nota a* ALTO **2** *to have a high opinion of sb* stimare molto qn ◊ *high hopes* grandi speranze **3** (*vento, velocità*) forte **4** (*ideali, principi*) nobile, elevato: *to set high standards* stabilire dei criteri severi ◊ *I have it on the highest authority.* Lo so da fonte attendibile. ◊ *She has friends in high places.* Ha amicizie influenti. **5** *the high life* la bella vita ◊ *the high point of the evening* il clou della serata **6** (*suono*) acuto **7** *in high summer* in piena estate ◊ *high season* alta stagione **8** (*inform*) ~ **(on sth)** fatto (di qc) (*droghe, alcolici*) LOC **to leave sb high and dry** piantare in asso qn **to be x metres, feet, etc high** essere alto x metri, piedi, ecc: *The wall is two metres high.* Il muro è alto due metri. ◊ *How high is it?* Quant'è alto? *Vedi anche* ESTEEM

high[2] /haɪ/ ◆ *s* culmine ◆ *avv* (**-er**, **-est**) in alto

highbrow /ˈhaɪbraʊ/ *agg* (*spesso dispreg*) intellettualoide

high-class /ˌhaɪ ˈklɑːs/ *agg* di prim'ordine

high chair *s* seggiolone

High Court *s* Corte Suprema

higher education *s* studi superiori

high jump *s* salto in alto

highland /ˈhaɪlənd/ *s* [*gen pl*] zona montuosa

high-level /ˌhaɪ ˈlevl/ *agg* ad alto livello

highlight /ˈhaɪlaɪt/ ◆ *s* **1** clou **2** [*gen pl*] (*capelli*) colpi di sole ◆ *vt* mettere in evidenza

highly /ˈhaɪli/ *avv* **1** molto, estremamente: *highly unlikely* estremamente improbabile **2** *to think/speak highly of sb* avere molta stima/parlare molto bene di qn

highly strung *agg* nervoso

Highness /ˈhaɪnəs/ *s* Altezza

high-powered /ˌhaɪ ˈpaʊəd/ *agg* **1** (*auto, motore*) potente **2** (*persona*) dinamico **3** (*lavoro*) prestigioso

high pressure /ˌhaɪ ˈpreʃə/ ◆ *s* (*Meteor*) alta pressione ◆ *agg* (*metodo di vendita*) aggressivo

high-rise /ˈhaɪ raɪz/ ◆ *s* palazzone ◆ *agg* (*palazzo*) a molti piani

high school *s* (*spec USA*) scuola media superiore

high street *s* strada principale, corso: *high-street shops* negozi sulla strada principale

high-tech (*anche* **hi-tech**) /ˌhaɪ ˈtek/ *agg* (*inform*) tecnologicamente avanzato

highway /ˈhaɪweɪ/ *s* **1** (*spec USA*) strada (*che congiunge centri abitati*) **2** *the Highway Code* il codice della strada

hijack /ˈhaɪdʒæk/ ◆ *vt* **1** dirottare **2** (*fig*) impadronirsi di ◆ *s* dirottamento **hijacker** *s* dirottatore, -trice

hike /haɪk/ ◆ *s* escursione a piedi ◆ *vi* fare un'escursione a piedi **hiker** *s* escursionista

hilarious /hɪˈleəriəs/ *agg* divertentissimo, esilarante

hill /hɪl/ *s* **1** collina, colle **2** pendio **hilly** *agg* collinoso

hillside /ˈhɪlsaɪd/ *s* pendio

hilt /hɪlt/ *s* impugnatura LOC **(up) to the hilt 1** completamente **2** (*appoggiare*) incondizionatamente

him /hɪm/ *pron pers* **1** [*come complemento oggetto*] lo, lui: *I hit him.* L'ho picchiato. **2** [*come complemento indiretto*] gli, a lui: *I told him the truth.* Gli ho detto la verità. **3** [*dopo prep o il verbo* **to be**] lui: *The present is for him.* Il regalo è per lui. ◊ *He always has it with him.* Lo porta sempre con sé. ◊ *It must be him.* Dev'essere lui. ☛ *Confronta* HE

himself /hɪmˈself/ *pron* **1** [*uso riflessivo*] si: *Did he hurt himself?* Si è fatto male? **2** [*dopo prep*] sé, se stesso: *'I tried,' he said to himself.* "Ho provato", si disse. **3** [*uso enfatico*] lui stesso: *He said so himself.* L'ha detto lui stesso. LOC **by himself 1** da sé: *He did it all by himself.* L'ha fatto tutto da sé. **2** solo: *He was all by himself.* Era tutto solo.

hinder /ˈhɪndə(r)/ *vt* intralciare, ostacolare: *His backache seriously hindered him in his work.* Il mal di schiena gli ha creato molte difficoltà sul lavoro. ◊ *Our progress was hindered by bad weather.* Il maltempo ha ostacolato il lavoro.

hindrance /ˈhɪndrəns/ *s* ~ **(to sb/sth)** intralcio, ostacolo (a qn/qc)

hindsight /ˈhaɪndsaɪt/ *s*: *with* (*the benefit of*)/*in hindsight* col senno di poi

Hindu /ˌhɪnˈduː; *USA* ˈhɪnduː/ *agg, s* indù **Hinduism** *s* induismo

hinge /hɪndʒ/ ◆ *s* cardine ◆ PHR V **to hinge on sth** dipendere da qc

hint /hɪnt/ ◆ *s* **1** allusione, accenno **2** pizzico, ombra: *There was a hint of sadness in his voice.* C'era un'ombra di tristezza nella sua voce. **3** consiglio pratico ◆ **1** *vi* ~ **at sth** alludere a qc **2** *vt, vi* ~ **(to sb) that...** lasciar capire (a qn) che...

hip /hɪp/ *s* anca, fianco

hippopotamus /ˌhɪpəˈpɒtəməs/ *s* (*pl* **-muses** /-məsɪz/ *o* **-mi** /-maɪ/) (*anche* **hippo**) ippopotamo

hire /ˈhaɪə(r)/ ◆ *vt* **1** noleggiare **2** (*dipendente*) assumere ◆ *s* noleggio: *Bicycles for hire.* Si noleggiano biciclette. ◊ *to buy sth on hire purchase* comprare qc a rate

his /hɪz/ **1** *agg poss* il suo, ecc (*di lui*): *his case* la sua valigia ◊ *his cases* le sue valigie **2** *pron poss* il suo, ecc (*di lui*): *a friend of his* un suo amico ◊ *He lent me his.* Mi ha prestato il suo. ☛ *Vedi nota a* MY

hiss /hɪs/ ◆ **1** *vi* sibilare **2** *vt, vi* fischiare (*per esprimere disapprovazione*) ◆ *s* sibilo

historian /hɪˈstɔːriən/ *s* storico, -a

historic /hɪˈstɒrɪk; *USA* -ˈstɔːr-/ *agg* storico **historical** *agg* storico ☛ *Confronta* STORICO

history /ˈhɪstri/ *s* (*pl* **-ies**) **1** storia: *history of art* storia dell'arte **2** (*Med*) precedenti (*della malattia*)

hit /hɪt/ ◆ *vt* (**-tt-**) (*pass, pp* **hit**) **1** (*anche fig*) colpire: *Rural areas have been worst hit by the strike.* Le zone rurali sono state le più colpite dallo sciopero. **2** colpire, ferire: *He's been hit in the leg by a bullet.* È stato ferito alla gamba da un proiettile. **3** (*auto*) sbattere contro **4** **to hit sth (on/against sth)** urtare qc (a/contro qc): *I hit my knee against the table.* Ho urtato il ginocchio contro il tavolo. LOC **to hit it off (with sb)** (*inform*) andare subito d'accordo (con qn): *Pete and Sue hit it off immediately.* Peter e Sue sono andati subito d'accordo. **to hit the nail on the head** colpire nel segno *Vedi anche* HOME PHR V **to hit back (at sb/sth)** restituire il colpo (a qn), reagire (a qc) **to hit out (at sb/sth)** scagliarsi (contro qn/qc) ◆ *s* **1** colpo **2** successo

hit-and-run /ˌhɪt ən ˈrʌn/ *agg*: *a hit-and-run driver* un pirata della strada

hitch[1] /hɪtʃ/ *vt, vi*: *to hitch* (*a ride*) fare l'autostop ◊ *Can I hitch a lift with you as far as the station?* Mi dai uno strappo fino alla stazione? PHR V **to hitch sth up** (*pantaloni, gonna*) tirarsi su qc

hitch[2] /hɪtʃ/ *s* intoppo, difficoltà: *without a hitch* senza intoppi

hitch-hike /ˈhɪtʃ haɪk/ *vi* fare l'autostop **hitch-hiker** *s* autostoppista

hi-tech *Vedi* HIGH-TECH

hive /haɪv/ (*anche* **beehive**) *s* alveare

hoard /hɔːd/ ◆ *s* **1** gruzzolo **2** provviste, scorte ◆ *vt* accumulare

hoarding /ˈhɔːdɪŋ/ (*USA* **billboard**) *s* tabellone pubblicitario

hoarse /hɔːs/ *agg* rauco

hoax /həʊks/ *s* scherzo di cattivo gusto: *a hoax bomb warning* falsa segnalazione di una bomba

hob /hɒb/ *s* piastra (*di cucina*)

hobby /ˈhɒbi/ *s* (*pl* **hobbies**) hobby

hockey /ˈhɒki/ *s* hockey (*su prato*)

hoe /həʊ/ *s* zappa

hog /hɒg; *USA* hɔːg/ ◆ *s* maiale ◆ *vt* (*inform*) accaparrarsi

hoist /hɔɪst/ *vt* issare, sollevare

hold /həʊld/ (*pass, pp* **held** /held/) ◆ **1** *vt* tenere: *She was holding the baby in her arms.* Teneva in braccio il bambino. ◊ *to hold hands* tenersi per mano **2** *vt, vi* reggere **3** *vt* trattenere: *They are holding three people hostage.* Tengono in ostaggio tre persone. **4** *vt* (*opinione, conversazione, passaporto*) avere **5** *vt* contenere: *The car won't hold you all.* Non c'è spazio per tutti in macchina. **6** *vt* (*posizione, carica*) occupare **7** *vt* (*form*) **to hold that…** ritenere che… **8** *vi* (*offerta, accordo*) essere valido **9** *vt* (*titolo, record*) detenere **10** *vi* (*al telefono*) attendere LOC **don't hold your breath!** non sperarci troppo! **hold it!** (*inform*) aspetta! **to hold fast to sth** tenersi forte a qc **to hold firm to sth** essere risoluto in qc **to hold hands (with sb)** tenersi per mano (con qn) **to hold sb to ransom** (*fig*) tenere in scacco qn **to hold sb/sth in contempt** disprezzare qn/qc **to hold the line** restare in linea **to hold your breath** trattenere il fiato *Vedi anche* BAY, CAPTIVE, CHECK, ESTEEM

PHR V **to ~ sth against sb** (*inform*) volerne a qn per qc

to hold sb/sth back frenare qn/qc **to hold sth back** nascondere qc (*informazioni*)

to hold forth dilungarsi

to hold on (to sb/sth) aggrapparsi (a qn/qc) **to hold sth on/down** tenere fermo qc

to hold out 1 (*provviste*) durare **2** (*persona*) resistere

to hold up (a bank, etc) rapinare (una banca, ecc) **to hold sb/sth up** far fare tardi a qn/rallentare qc

to hold with sth essere d'accordo con qc

◆ *s* **1** *to keep a firm hold of sth* tenere ben stretto qc **2** (*Sport*) presa **3** ~ **(on/over sb/sth)** influenza, ascendente (su qn/qc) **4** (*nave, aereo*) stiva LOC **to take hold of sb/sth** prendere qn/qc **to get hold of sb** mettersi in contatto con qn

holdall /ˈhəʊldɔːl/ *s* borsa da viaggio

holder /ˈhəʊldə(r)/ *s* **1** (*passaporto, posto*) titolare **2** (*biglietto*) possessore **3** contenitore

hold-up /ˈhəʊld ʌp/ *s* **1** (*traffico*) ingorgo **2** intoppo **3** rapina a mano armata

hole /həʊl/ *s* **1** buco **2** (*anche Sport*) buca: *a hole in the road* una buca nella strada **3** tana **4** (*inform*) pasticcio LOC *Vedi* PICK

holiday /ˈhɒlədeɪ/ ◆ *s* **1** festa **2** (*USA* **vacation**) vacanza: *to be/go on holiday* essere/andare in vacanza ◊ *I'm entitled to 20 days' holiday a year.* Mi spettano venti giorni di ferie all'anno. ◆ *vi* passare le vacanze

holiday-maker /ˈhɒlədeɪ meɪkə(r)/ *s* villeggiante

holiness /ˈhəʊlinəs/ *s* santità

hollow /ˈhɒləʊ/ ◆ *agg* **1** vuoto, cavo **2** (*guance, occhi*) infossato **3** (*suono*) cupo **4** (*fig*) falso, vano ◆ *s* **1** conca **2** affossamento **3** *the hollow of her hands* il cavo delle mani ◆ *vt* (*anche* **to hollow sth out**) scavare qc

holly /ˈhɒli/ *s* agrifoglio

holocaust /ˈhɒləkɔːst/ *s* olocausto

holy /ˈhəʊli/ *agg* (**holier**, **holiest**) **1** santo **2** sacro, benedetto **3** pio

homage /ˈhɒmɪdʒ/ *s* [*non numerabile*] (*form*) omaggio: *to pay homage to sb/sth* rendere omaggio a qn/qc

home /həʊm/ ◆ *s* **1** (*focolare*) casa **2** (*per orfani, ecc*) istituto: *a children's home* un istituto per l'infanzia abbandonata ◊ *an old people's home* una casa di riposo per anziani **3** (*fig*) culla **4** (*Zool*) habitat **5** (*corsa, gara*) traguardo LOC **at home 1** a casa, in casa **2** a proprio agio: *Make yourself at home!* Fai come se fossi a casa tua! **3** (*Sport*) in casa ◆ *agg* **1** (*vita*) familiare: *home comforts* le comodità della casa **2** (*cucina*) casalingo, fatto in casa **3** (*non straniero*) nazionale: *the Home Office* il Ministero degli Interni **4** (*Sport*) di casa, in casa **5** (*paese, città*) natale ◆ *avv* **1** a casa: *to go home* andare a casa

2 (*conficcare, ecc*) a fondo LOC **home and dry** in salvo **to hit/strike home** colpire nel segno *Vedi anche* BRING

homeland /ˈhəʊmlænd/ *s* patria

homeless /ˈhəʊmləs/ ◆ *agg* senza tetto ◆ **the homeless** *s* [*pl*] i senzatetto

homely /ˈhəʊmli/ *agg* (**-ier**, **-iest**) **1** (*GB*) (*persona*) semplice **2** (*luogo*) familiare, accogliente **3** (*USA, dispreg*) brutto

home-made /ˌhəʊm ˈmeɪd/ *agg* casalingo, fatto in casa

homesick /ˈhəʊmsɪk/ *agg*: *to be/feel homesick* sentire la mancanza di casa

homework /ˈhəʊmwɜːk/ *s* [*non numerabile*] compiti (*per casa*)

homicide /ˈhɒmɪsaɪd/ *s* omicidio ☛ *Confronta* MANSLAUGHTER, MURDER **homicidal** /ˌhɒmɪˈsaɪdl/ *agg* omicida

homogeneous /ˌhɒməˈdʒiːniəs/ *agg* omogeneo

homosexual /ˌhɒməˈsekʃuəl/ *agg, s* omosessuale **homosexuality** /ˌhɒməsekʃu ˈæləti/ *s* omosessualità

honest /ˈɒnɪst/ *agg* **1** (*persona*) onesto **2** (*risposta*) franco, schietto **3** *to earn an honest wage/penny* guadagnarsi onestamente da vivere **honestly** *avv* **1** onestamente **2** [*uso enfatico*] sinceramente: *Well, honestly!* Ma, veramente!

honesty /ˈɒnəsti/ *s* **1** onestà **2** sincerità: *in all honesty* in tutta sincerità

honey /ˈhʌni/ *s* **1** miele **2** (*inform, USA*) (*vezzeggiativo*) tesoro

honeymoon /ˈhʌnimuːn/ *s* (*lett e fig*) luna di miele

honk /hɒŋk/ *vt, vi* suonare (il clacson)

honorary /ˈɒnərəri; *USA* ˈɒnəreri/ *agg* **1** (*carica, titolo*) onorifico **2** (*laurea*) honoris causa **3** (*cittadinanza*) onorario

honour (*USA* **honor**) /ˈɒnə(r)/ ◆ *s* **1** onore **2** (*titolo*) onorificenza **3 honours** [*pl*]: (*first class*) *honours degree* laurea con lode **4 your Honour**, **his/her Honour**: *your Honour* Vostro Onore ◇ *his/her Honour Judge Hawkins* Sua eccellenza il giudice Hawkins LOC **in honour of sb/sth**; **in sb's/sth's honour** in onore di qn/qc ◆ *vt* **1** ~ **sb/sth (with sth)** onorare qn/qc (con qc) **2** ~ **sb/sth with sth** conferire qc a qn/qc **3** (*promessa*) rispettare **4** (*cambiale, impegno*) onorare

honourable (*USA* **honorable**) /ˈɒnərəbl/ *agg* **1** d'onore **2** onorevole

hood /hʊd/ *s* **1** cappuccio **2** (*carrozzina, auto*) capote **3** (*USA*) *Vedi* BONNET

hoof /huːf/ *s* (*pl* ~**s** *o* **hooves** /huːvz/) zoccolo (*di animale*)

hook /hʊk/ ◆ *s* **1** gancio, uncino ☛ *Vedi illustrazione a* GANCIO **2** (*pesca*) amo ☛ *Vedi illustrazione a* GANCIO LOC **off the hook** staccato (*telefono*) **to get sb off the hook** (*inform*) cavare qn dagli impicci **to let sb off the hook** (*inform*) farla passare liscia a qn ◆ *vt, vi* agganciare, agganciarsi LOC **to be hooked (on sb)** (*inform*) essere cotto (di qn) **to be hooked (on sth)** (*inform*) dipendere da qc/essere dipendente

hooligan /ˈhuːlɪgən/ *s* teppista **hooliganism** *s* teppismo

hoop /huːp/ *s* cerchio

hooray! /hʊˈreɪ/ *escl Vedi* HURRAH

hoot /huːt/ ◆ *s* **1** (*gufo*) verso **2** colpo di clacson ◆ **1** *vi* (*gufo*) gufare **2** *vi* ~ **(at sb/sth)** suonare il clacson (a qn/qc) **3** *vt* (*clacson*) suonare

Hoover® /ˈhuːvə(r)/ *s* aspirapolvere **hoover** *vt, vi* pulire con l'aspirapolvere

hooves /huːvz/ *s plurale di* HOOF

hop /hɒp/ ◆ *vi* (**-pp-**) **1** (*persona*) saltellare (*su una gamba sola*) ☛ *Vedi illustrazione a* SALTARE **2** (*animale*) saltellare, saltare ◆ *s* **1** saltello **2** (*Bot*) luppolo

hope /həʊp/ ◆ *s* **1** ~ **(of/for sth)** speranza (di qc) **2** ~ **(of doing sth/that…)** speranza (di fare qc/che …) ◆ **1** *vi* ~ **(for sth)** sperare (in qc) **2** *vt* ~ **to do sth/that…** sperare di fare qc/che…: *I hope not/so.* Spero di no/sì. LOC **I should hope not!** speriamo proprio di no!

hopeful /ˈhəʊpfl/ *agg* **1** (*persona*) speranzoso, fiducioso: *to be hopeful that…* sperare che… **2** (*situazione, segno*) promettente, incoraggiante **hopefully** *avv* **1** con ottimismo, con speranza **2** *hopefully,…* si spera che…

hopeless /ˈhəʊpləs/ *agg* **1** (*persona, situazione*) disperato **2** (*compito*) impossibile **3** ~ **at sth/doing sth** negato per qc/per fare qc **hopelessly** *avv* (*enfatico*) completamente: *hopelessly in love* perdutamente innamorato

horde /hɔːd/ *s* (*a volte dispreg*) orda: *hordes of people* una marea di gente

horizon /hə'raɪzn/ *s* **1 the horizon** l'orizzonte **2 horizons** [*gen pl*] (*fig*) orizzonti

horizontal /ˌhɒrɪ'zɒntl; *USA* ˌhɔːr-/ ◆ *agg* orizzontale ◆ *s* linea orizzontale, piano orizzontale

hormone /'hɔːməʊn/ *s* ormone

horn /hɔːn/ *s* **1** (*gen, Mus*) corno **2** (*auto*) clacson

horoscope /'hɒrəskəʊp; *USA* 'hɔːr-/ *s* oroscopo

horrendous /hɒ'rendəs/ *agg* **1** orrendo **2** (*inform*) (*eccessivo*) spaventoso

horrible /'hɒrəbl; *USA* 'hɔːr-/ *agg* orribile, spaventoso

horrid /'hɒrɪd; *USA* 'hɔːrɪd/ *agg* **1** orribile **2** sgarbato

horrific /hə'rɪfɪk/ *agg* terrificante, spaventoso

horrify /'hɒrɪfaɪ; *USA* 'hɔːr-/ *vt* (*pass, pp* **-fied**) lasciare inorridito, sconvolgere **horrifying** *agg* sconvolgente, orripilante

horror /'hɒrə(r); *USA* 'hɔːr-/ *s* orrore, terrore: *a horror film* un film dell'orrore

horse /hɔːs/ *s* cavallo **LOC** *Vedi* DARK, FLOG, LOOK[1]

horseman /'hɔːsmən/ *s* (*pl* **-men** /-mən/) cavaliere

horsepower /'hɔːspaʊə(r)/ *s* (*pl* **horsepower**) (*abbrev* **hp**) cavallo vapore

horseshoe /'hɔːsʃuː/ *s* ferro di cavallo

horsewoman /'hɔːswʊmən/ *sf* (*pl* **-women**) amazzone

horticulture /'hɔːtɪkʌltʃə(r)/ *s* orticoltura **horticultural** /ˌhɔːtɪ'kʌltʃərəl/ *agg* di orticoltura

hose /həʊz/ (*anche* **hosepipe**) *s* tubo (*di gomma*)

hospice /'hɒspɪs/ *s* ospedale per malati terminali

hospitable /hɒ'spɪtəbl, 'hɒspɪtəbl/ *agg* ospitale

hospital /'hɒspɪtl/ *s* ospedale ☛ *Vedi nota a* SCHOOL

hospitality /ˌhɒspɪ'tæləti/ *s* ospitalità

host /həʊst/ ◆ *s* **1** moltitudine: *a host of admirers* uno stuolo di ammiratori **2** (*femm anche* **hostess**) ospite (*che accoglie*) **3** (*TV*) presentatore, -trice **4 the Host** (*Relig*) l'Ostia ◆ *vt* presentare: *Atlanta hosted the 1996 Olympic Games.* Atlanta ospitò i giochi olimpici nel 1996.

hostage /'hɒstɪdʒ/ *s* ostaggio

hostel /'hɒstl/ *s* **1** (*studenti*) pensionato **2** (*senzatetto*) ospizio

hostess /'həʊstəs, -tes/ *s* **1** ospite *f* (*che accoglie*) **2** (*TV*) presentatrice **3** entraîneuse, hostess

hostile /'hɒstaɪl; *USA* -tl/ *agg* **1** ostile **2** (*territorio*) nemico

hostility /hɒ'stɪləti/ *s* ostilità

hot /hɒt/ *agg* (**hotter**, **hottest**) **1** caldo: *in hot weather* quando fa caldo ☛ *Vedi nota a* FREDDO **2** (*sapore*) piccante **LOC to be hot 1** (*persona*) aver caldo **2** (*tempo*): *It's very hot.* Fa molto caldo. *Vedi anche* PIPING *a* PIPE

hotel /həʊ'tel/ *s* albergo

hotly /'hɒtli/ *avv* accanitamente, violentemente

hound /haʊnd/ ◆ *s* cane da caccia ◆ *vt* perseguitare

hour /'aʊə(r)/ *s* **1** ora: *half an hour* mezz'ora **2 hours** [*pl*] orario: *office/opening hours* orario d'ufficio/d'apertura **3** [*gen sing*] momento **LOC after hours** dopo l'orario d'ufficio/l'ora di chiusura **on the hour** all'ora in punto *Vedi anche* EARLY **hourly** *agg, avv* ogni ora

house /haʊs/ ◆ *s* (*pl* **~s** /'haʊzɪz/) **1** casa **2** (*Teat*) sala: *There was a full house.* La sala era al completo. **LOC on the house** offerto dalla casa/ditta *Vedi anche* MOVE ◆ /haʊz/ *vt* alloggiare, ospitare

household /'haʊshəʊld/ *s*: *a large household* una casa dove abitano molte persone ◊ *household chores* lavori domestici **householder** *s* padrone, -a di casa

housekeeper /'haʊskiːpə(r)/ *s* governante **housekeeping** *s* **1** andamento della casa **2** spese di casa

the House of Commons (*anche* **the Commons**) *s* [*v sing o pl*] la Camera dei Comuni ☛ *Vedi pag. 381.*

the House of Lords (*anche* **the Lords**) *s* [*v sing o pl*] la Camera dei Lords ☛ *Vedi pag. 381.*

the Houses of Parliament *s* il Palazzo del Parlamento

housewife /'haʊswaɪf/ *s* (*pl* **-wives**) casalinga

housework /ˈhaʊswɜːk/ *s* [*non numerabile*] lavori domestici

housing /ˈhaʊzɪŋ/ *s* [*non numerabile*] alloggi

housing estate *s* zona residenziale

hover /ˈhɒvə(r); *USA* ˈhʌvər/ *vi* **1** (*uccello, elicottero*) librarsi **2** (*persona*) gironzolare intorno

how /haʊ/ ◆ *avv interr* **1** come: *Tell me how to spell it.* Dimmi come si scrive. ◊ *How is your job?* Come va il lavoro? ◊ *How can that be?* Ma come può essere? **2** quanto: *How tall are you?* Quanto sei alto? ◊ *How old are you?* Quanti anni hai? ◊ *How fast were you going?* A che velocità andavi? **3 how many** quanti **how much** quanto: *How much is it?* Quanto viene? ◊ *How many letters did you write?* Quante lettere hai scritto? LOC **how about...?**: *How about it?* Cosa ne dici? **how are you?** come stai? **how come...?** come mai...? **how do you do?** piacere

How do you do? si usa quando si fanno le presentazioni in modo formale. Si risponde *how do you do?* **How are you?** invece si usa nella conversazione informale. Si può rispondere: *fine, very well, not too well,* ecc.

◆ *avv* (*form*) come..., che...: *How cold it is!* Che freddo fa! ◊ *How you've grown!* Come sei cresciuto! ◆ *cong* come: *I dress how I like.* Vesto come mi pare.

however /haʊˈevə(r)/ ◆ *avv* **1** comunque, però **2** per quanto: *however strong you are* per quanto forte tu sia ◊ *however hard he tries* per quanto provi ◆ *cong* (*anche* **how**) come: *how(ever) you like* come ti pare ◆ *avv interr* come: *However did she do it?* Ma come ha fatto?

howl /haʊl/ ◆ *s* **1** ululato **2** urlo, grido: *howls of laughter* scrosci di risate ◆ *vi* **1** ululare **2** gridare

hub /hʌb/ *s* **1** mozzo (*di ruota*) **2** (*fig*) centro, cuore

hubbub /ˈhʌbʌb/ *s* baccano, confusione

huddle /ˈhʌdl/ ◆ *vi* **1** rannicchiarsi **2** ammassarsi ◆ *s* gruppetto, mucchietto

hue /hjuː/ *s* (*form*) **1** sfumatura **2** tinta LOC **hue and cry** protesta clamorosa

huff /hʌf/ *s* stizza: *to be in a huff* essere stizzito

hug /hʌg/ ◆ *s* abbraccio: *to give sb a hug* abbracciare qn ◆ *vt* (**-gg-**) abbracciare

huge /hjuːdʒ/ *agg* enorme, smisurato

hull /hʌl/ *s* scafo

hullo *Vedi* HELLO

hum /hʌm/ ◆ *s* **1** ronzio **2** (*voci*) brusio ◆ (**-mm-**) **1** *vi* ronzare **2** *vt, vi* canticchiare **3** *vi* (*inform*) fervere: *to hum with activity* fervere di attività

human /ˈhjuːmən/ *agg, s* umano: *human being* essere umano ◊ *human rights* diritti dell'uomo ◊ *human nature* la natura umana ◊ *the human race* il genere umano

humane /hjuːˈmeɪn/ *agg* umanitario, umano

humanitarian /hjuːˌmænɪˈteəriən/ *agg* umanitario

humanity /hjuːˈmænəti/ *s* **1** umanità **2** **humanities** [*pl*] studi umanistici

humble /ˈhʌmbl/ ◆ *agg* (**-er**, **-est**) umile ◆ *vt* umiliare: *to humble yourself* abbassarsi

humid /ˈhjuːmɪd/ *agg* umido **humidity** /hjuːˈmɪdəti/ *s* umidità

Humid e **humidity** si riferiscono solo all'umidità atmosferica.

☛ *Vedi nota a* MOIST

humiliate /hjuːˈmɪlieɪt/ *vt* umiliare **humiliating** *agg* umiliante **humiliation** *s* umiliazione

humility /hjuːˈmɪləti/ *s* umiltà

hummingbird /ˈhʌmɪŋbɜːd/ *s* colibrì

humorous /ˈhjuːmərəs/ *agg* **1** umoristico **2** divertente

humour (*USA* **humor**) /ˈhjuːmə(r)/ ◆ *s* **1** umorismo **2** lato umoristico ◆ *vt* assecondare, compiacere

hump /hʌmp/ *s* **1** (*strada*) dosso **2** (*persona, cammello*) gobba

hunch[1] /hʌntʃ/ *s* presentimento, intuizione

hunch[2] /hʌntʃ/ *vt, vi* ~ (**sth**) (**up**) curvare qc/curvarsi

hundred /ˈhʌndrəd/ *agg, pron, s* cento centinaio ☛ *Vedi esempi a* FIVE **hundredth** *agg, pron, avv, s* centesimo ☛ *Vedi esempi a* FIFTH

hung *pass, pp di* HANG

hunger /ˈhʌŋgə(r)/ ◆ *s* fame ☛ *Vedi nota a* FAME ◆ PHR V **to hunger for after sth** desiderare ardentemente qc

hungry /ˈhʌŋgri/ *agg* (**-ier**, **-iest**) affamato: *I'm hungry.* Ho fame.
hunk /hʌŋk/ *s* bel pezzo
hunt /hʌnt/ ◆ *vt, vi* **1** cacciare, andare a caccia (di) **2** ~ **for sb/sth** cercare qn/qc ◆ *s* **1** battuta di caccia **2** ricerca **hunter** *s* cacciatore, -trice **hunting** *s* caccia: *to go hunting* andare a caccia
hurdle /ˈhɜːdl/ *s* **1** (*Sport, fig*) ostacolo **2** graticcio (*per recinto*)
hurl /hɜːl/ *vt* **1** scagliare, scaraventare **2** (*insulti*) lanciare
hurrah! /həˈrɑː/ (*anche* **hooray!**) *escl* evviva! ~ **for sb/sth** viva qn/qc!
hurricane /ˈhʌrɪkən; *USA* -keɪn/ *s* uragano
hurried /ˈhʌrid/ *agg* fatto in fretta, affrettato
hurry /ˈhʌri/ ◆ *s* [*sing*] fretta LOC **to be in a hurry** avere fretta ◆ (*pass, pp* **hurried**) **1** *vt* **to** ~ **sb** fare fretta a qn **2** *vt, vi* **to** ~ (**sth**) fare (qc) in fretta PHR V **to hurry up** (*inform*) sbrigarsi, fare in fretta
hurt /hɜːt/ (*pass, pp* **hurt**) **1** *vt* far male a: *to get hurt* farsi male **2** *vi* far male: *My leg hurts.* Mi fa male la gamba. **3** *vt* (*sentimento*) ferire, offendere **4** *vt* (*interesse, reputazione*) danneggiare **hurtful** *agg* che fa male, crudele
hurtle /ˈhɜːtl/ *vi* precipitarsi, sfrecciare
husband /ˈhʌzbənd/ *s* marito
hush /hʌʃ/ ◆ *s* [*sing*] silenzio ◆ PHR V **to hush sb/sth up** far tacere qn/mettere a tacere qc
husky /ˈhʌski/ ◆ *agg* (**-ier**, **-iest**) roco ◆ *s* (*pl* **-ies**) husky
hustle /ˈhʌsl/ ◆ *vt* **1** spingere **2** (*inform*) rifilare ◆ *s* LOC **hustle and bustle** trambusto

hut /hʌt/ *s* capanna, baita
hybrid /ˈhaɪbrɪd/ *agg, s* ibrido
hydrant /ˈhaɪdrənt/ *s* idrante
hydraulic /haɪˈdrɔːlɪk/ *agg* idraulico
hydroelectric /ˌhaɪdrəʊɪˈlektrɪk/ *agg* idroelettrico
hydrogen /ˈhaɪdrədʒən/ *s* idrogeno
hyena (*anche* **hyaena**) /haɪˈiːnə/ *s* iena
hygiene /ˈhaɪdʒiːn/ *s* igiene **hygienic** *agg* igienico
hymn /hɪm/ *s* inno
hype /haɪp/ ◆ *s* (*inform*) battage ◆ PHR V **to hype sth** (**up**) (*inform*) fare un gran battage a qc
hypermarket /ˈhaɪpəmɑːkɪt/ *s* (*GB*) ipermercato
hyphen /ˈhaɪfn/ *s* trattino ☛ *Vedi pagg. 376–77.*
hypnosis /hɪpˈnəʊsɪs/ *s* ipnosi
hypnotic /hɪpˈnɒtɪk/ *agg* ipnotico
hypnotism /ˈhɪpnətɪzəm/ *s* ipnotismo **hypnotist** *s* ipnotizzatore, -trice
hypnotize, -ise /ˈhɪpnətaɪz/ *vt* (*lett e fig*) ipnotizzare
hypochondriac /ˌhaɪpəˈkɒndriæk/ *s* ipocondriaco, -a
hypocrisy /hɪˈpɒkrəsi/ *s* ipocrisia
hypocrite /ˈhɪpəkrɪt/ *s* ipocrita **hypocritical** /ˌhɪpəˈkrɪtɪkl/ *agg* ipocrita
hypothesis /haɪˈpɒθəsɪs/ *s* (*pl* **-ses** /-siːz/) ipotesi
hypothetical /ˌhaɪpəˈθetɪkl/ *agg* ipotetico
hysteria /hɪˈstɪəriə/ *s* isteria
hysterical /hɪˈsterɪkl/ *agg* isterico
hysterics /hɪˈsterɪks/ *s* [*pl*] **1** crisi isterica **2** (*inform*) attacco di riso

Ii

I, i /aɪ/ *s* (*pl* **I's**, **i's** /aɪz/) I,i: *I for Isaac* I come Imola ☛ *Vedi esempi a* A, A

I /aɪ/ *pron pers* io: *I am 15* (*years old*). Ho 15 anni. ☛ In inglese il *pronome personale soggetto* non si può omettere. *Confronta* ME 3

ice /aɪs/ ◆ *s* [*non numerabile*] ghiaccio: *ice cube* cubetto di ghiaccio ◆ *vt* glassare

iceberg /ˈaɪsbɜːg/ *s* iceberg

icebox /ˈaɪsbɒks/ *s* **1** freezer **2** (*USA*) frigorifero

ice cream *s* gelato

ice lolly /ˌaɪs ˈlɒli/ *s* (*pl* **-ies**) ghiacciolo (*gelato*)

ice rink *s* pista di pattinaggio su ghiaccio

ice-skate /ˈaɪs skeɪt/ ◆ *s* pattino da ghiaccio ◆ *vi* pattinare su ghiaccio **ice-skating** *s* pattinaggio su ghiaccio

icicle /ˈaɪsɪkl/ *s* ghiacciolo (*di fontana, grondaia*)

icing /ˈaɪsɪŋ/ *s* glassa: *icing sugar* zucchero a velo

icon (*anche* **ikon**) /ˈaɪkɒn/ *s* icona

icy /ˈaɪsi/ *agg* (**icier**, **iciest**) **1** ghiacciato **2** (*vento, persona*) gelido

I'd /aɪd/ **1** = I HAD *Vedi* HAVE **2** = I WOULD *Vedi* WOULD

idea /aɪˈdɪə/ *s* idea LOC **to get/have the idea that...** avere l'impressione che... **to get the idea** capire **to give sb ideas** mettere delle idee in testa a qn **to have no idea** non averne idea

ideal /aɪˈdiːəl/ *agg*, *s* ideale

idealism /aɪˈdiːəlɪzəm/ *s* idealismo **idealist** *s* idealista **idealistic** /ˌaɪdiəˈlɪstɪk/ *agg* idealista

idealize, -ise /aɪˈdiːəlaɪz/ *vt* idealizzare

ideally /aɪˈdiːəli/ *avv* **1** *She's ideally suited to the job.* È perfetta per questo lavoro. **2** *Ideally, they should all help.* L'ideale sarebbe che tutti dessero una mano.

identical /aɪˈdentɪkl/ *agg* ~ (**to/with sb/sth**) identico a qn/qc

identification /aɪˌdentɪfɪˈkeɪʃn/ *s* identificazione: *identification papers* documenti d'identità ◊ *identification parad*[...] confronto all'americana

identify /aɪˈdentɪfaɪ/ *vt* (*pass*, *pp* **-fied**) **1** ~ **sb/sth as sb/sth** identificare, rico[...]noscere qn/qc come qn/qc **2** ~ **sth with sth** identificare qc con qc

identity /aɪˈdentəti/ *s* (*pl* **-ies**) identità *a case of mistaken identity* uno scambi[o] di persona

ideology /ˌaɪdiˈɒlədʒi/ *s* (*pl* **-ies**) ideo[...]logia

idiom /ˈɪdiəm/ *s* **1** espressione idioma[...]tica **2** (*artista*) stile

idiosyncrasy /ˌɪdiəˈsɪŋkrəsi/ *s* piccol[...] mania

idiot /ˈɪdiət/ *s* (*inform*) idiota **idiotic** /ˌɪdiˈɒtɪk/ *agg* idiota

idle /ˈaɪdl/ ◆ *agg* (**idler**, **idlest**) **1** pigr[o] **2** disoccupato **3** (*macchinario*) inattiv[o] **4** vano, inutile ◆ PHR V **to idle sth away** sprecare qc **idleness** *s* pigrizia ozio

idol /ˈaɪdl/ *s* idolo **idolize, -ise** *vt* idola[...]trare

idyllic /ɪˈdɪlɪk; *USA* aɪˈd-/ *agg* idillico

ie /ˌaɪ ˈiː/ *abbr* cioè

if /ɪf/ *cong* **1** se: *If he were here...* S[e] fosse qui... **2** quando, ogni volta che: *in doubt* in caso di dubbio **3** (*anch*[e] **even if**) anche se LOC **if I were you** s[e] fossi in te **if only** se solo: *If only I ha*[d] *known!* Se solo lo avessi saputo! **if so** s[e] è così

igloo /ˈɪgluː/ *s* (*pl* ~**s**) iglù

ignite /ɪgˈnaɪt/ **1** *vi* prendere fuoco **2** *v*[t] dare fuoco a **ignition** *s* (*motore*) accen[...]sione

ignominious /ˌɪgnəˈmɪniəs/ *ag*[g] vergognoso

ignorance /ˈɪgnərəns/ *s* ignoranza

ignorant /ˈɪgnərənt/ *agg* ignorante: [...] *be ignorant of sth* ignorare qc

ignore /ɪgˈnɔː(r)/ *vt* ignorare

I'll /aɪl/ **1** = I SHALL *Vedi* SHALL **2** = I WI[LL] *Vedi* WILL

ill /ɪl/ ◆ *agg* **1** (*USA* **sick**) malato: [...] *fall/be taken ill* ammalarsi ◊ *to feel* [...] sentirsi male ☛ *Vedi nota a* MALATO [...] cattivo ◆ *avv* male: *to speak ill of s*[...]

parlar male di qn ☛ Si usa in molti composti, ad es. **ill-fated** sfortunato, **ill-bred** maleducato, **ill-advised** imprudente LOC **ill at ease** a disagio *Vedi anche* BODE, DISPOSED, FEELING ◆ *s* (*form*) male

legal /ɪˈliːgl/ *agg* illegale

legible /ɪˈledʒəbl/ *agg* illeggibile

legitimate /ˌɪləˈdʒətɪmət/ *agg* illegittimo

l feeling *s* rancore

l health *s* cattiva salute

licit /ɪˈlɪsɪt/ *agg* illecito

literate /ɪˈlɪtərət/ *agg* **1** analfabeta **2** ignorante

lness /ˈɪlnəs/ *s* malattia: *mental illness* malattia mentale ☛ *Vedi nota a* DISEASE

logical /ɪˈlɒdʒɪkl/ *agg* illogico

l-treatment /ˌɪl ˈtriːtmənt/ *s* maltrattamenti

luminate /ɪˈluːmɪneɪt/ *vt* illuminare **illuminating** *agg* rivelatore, istruttivo **illumination** *s* **1** illuminazione **2 illuminations** [*pl*] (*GB*) luminarie

lusion /ɪˈluːʒn/ *s* illusione LOC **to be under an illusion** illudersi

lusory /ɪˈluːsəri/ *agg* illusorio

lustrate /ˈɪləstreɪt/ *vt* illustrare **illustration** *s* **1** illustrazione **2** esemplificazione

lustrious /ɪˈlʌstriəs/ *agg* illustre

m /aɪm/ = I AM *Vedi* BE

nage /ˈɪmɪdʒ/ *s* immagine **imagery** *s* immagini (*poetiche*)

naginary /ɪˈmædʒɪnəri; *USA* -əneri/ *agg* immaginario

nagination /ɪˌmædʒɪˈneɪʃn/ *s* immaginazione, fantasia **imaginative** /ɪˈmædʒɪnətɪv/ *agg* fantasioso

nagine /ɪˈmædʒɪn/ *vt* immaginare, immaginarsi

nbalance /ɪmˈbæləns/ *s* squilibrio

nbecile /ˈɪmbəsiːl; *USA* -sl/ *s* imbecille

nitate /ˈɪmɪteɪt/ *vt* imitare

nitation /ˌɪmɪˈteɪʃn/ *s* imitazione

nmaculate /ɪˈmækjələt/ *agg* **1** immacolato **2** impeccabile

nmaterial /ˌɪməˈtɪəriəl/ *agg* irrilevante

nmature /ˌɪməˈtjʊə(r); *USA* -ˈtʊər/ *agg* immaturo

immeasurable /ɪˈmeʒərəbl/ *agg* incommensurabile

immediate /ɪˈmiːdiət/ *agg* **1** immediato: *to take immediate action* provvedere immediatamente **2** (*parente*) prossimo **3** (*problema, bisogno*) urgente

immediately /ɪˈmiːdiətli/ ◆ *avv* **1** immediatamente, subito: *immediately in front of the station* subito davanti alla stazione **2** (*riguardare*) direttamente ◆ *cong* (*GB*) non appena: *immediately I saw her* non appena l'ho vista

immense /ɪˈmens/ *agg* immenso, grandissimo

immerse /ɪˈmɜːs/ *vt* (*lett e fig*) immergere **immersion** *s* immersione

immigrant /ˈɪmɪgrənt/ *agg*, *s* immigrante

immigration /ˌɪmɪˈgreɪʃn/ *s* immigrazione

imminent /ˈɪmɪnənt/ *agg* imminente

immobile /ɪˈməʊbaɪl; *USA* -bl/ *agg* immobile

immobilize, -ise /ɪˈməʊbəlaɪz/ *vt* immobilizzare

immoral /ɪˈmɒrəl; *USA* ɪˈmɔːrəl/ *agg* immorale

immortal /ɪˈmɔːtl/ *agg* immortale **immortality** /ˌɪmɔːˈtæləti/ *s* immortalità

immovable /ɪˈmuːvəbl/ *agg* **1** (*oggetto*) non movibile, fisso **2** (*persona*) irremovibile

immune /ɪˈmjuːn/ *agg* ~ (**to/against sth**) immune (a qc) **immunity** *s* immunità

immunize, -ise /ˈɪmjʊnaɪz/ *vt* ~ **sb** (**against sth**) immunizzare qn (contro qc) **immunization, -isation** *s* immunizzazione

imp /ɪmp/ *s* diavoletto

impact /ˈɪmpækt/ *s* **1** impatto **2** (*fig*) effetto

impair /ɪmˈpeə(r)/ *vt* danneggiare, deteriorare: *impaired vision* vista lesa **impairment** *s* lesione

impart /ɪmˈpɑːt/ *vt* **1** conferire **2** ~ **sth** (**to sb**) comunicare qc (a qn)

impartial /ɪmˈpɑːʃl/ *agg* imparziale

impassioned /ɪmˈpæʃnd/ *agg* appassionato

impassive /ɪmˈpæsɪv/ *agg* impassibile

impatience /ɪmˈpeɪʃns/ *s* impazienza

impatient /ɪmˈpeɪʃnt/ *agg* impaziente
impeccable /ɪmˈpekəbl/ *agg* impeccabile
impede /ɪmˈpiːd/ *vt* ostacolare
impediment /ɪmˈpedɪmənt/ *s* **1** ~ **(to sb/sth)** ostacolo (a qn/qc) **2** (*Med*): *a speech impediment* un difetto di pronuncia
impel /ɪmˈpel/ *vt* (**-ll-**) costringere, spingere
impending /ɪmˈpendɪŋ/ *agg* imminente
impenetrable /ɪmˈpenɪtrəbl/ *agg* impenetrabile
imperative /ɪmˈperətɪv/ ◆ *agg* **1** essenziale, indispensabile **2** (*tono*) imperioso ◆ *s* imperativo
imperceptible /ˌɪmpəˈseptəbl/ *agg* impercettibile
imperfect /ɪmˈpɜːfɪkt/ *agg, s* imperfetto
imperial /ɪmˈpɪəriəl/ *agg* imperiale **imperialism** *s* imperialismo
impersonal /ɪmˈpɜːsənl/ *agg* impersonale
impersonate /ɪmˈpɜːsəneɪt/ *vt* **1** imitare **2** fingersi
impertinent /ɪmˈpɜːtɪnənt/ *agg* impertinente
impetus /ˈɪmpɪtəs/ *s* impulso
implausible /ɪmˈplɔːzəbl/ *agg* poco plausibile
implement /ˈɪmplɪmənt/ ◆ *s* utensile, attrezzo ◆ *vt* **1** (*piano*) attuare **2** (*legge*) applicare **implementation** *s* **1** (*piano*) attuazione **2** (*legge*) applicazione
implicate /ˈɪmplɪkeɪt/ *vt* ~ **sb (in sth)** implicare qn (in qc)
implication /ˌɪmplɪˈkeɪʃn/ *s* **1** insinuazione **2** conseguenza **3** implicazione (*in un crimine*)
implicit /ɪmˈplɪsɪt/ *agg* **1** ~ **(in sth)** implicito (in qc): *an implicit agreement* un tacito accordo **2** assoluto
implore /ɪmˈplɔː(r)/ *vt* implorare
imply /ɪmˈplaɪ/ *vt* (*pass, pp* **implied**) **1** insinuare **2** implicare
import /ɪmˈpɔːt/ ◆ *vt* importare ◆ *s* /ˈɪmpɔːt/ **1** articolo d'importazione **2** importazione
important /ɪmˈpɔːtnt/ *agg* importante: *vitally important* di vitale importanza ◇ *It's not important.* Non ha importanza. **importance** *s* importanza

impose /ɪmˈpəʊz/ *vt* ~ **sth (on sb/sth)** imporre qc (a qn/qc) PHR V **to impose on/upon sb/sth** approfittare di qn/qc **imposing** *agg* imponente **imposition** **1** imposizione **2** disturbo (*incomodo*)
impossible /ɪmˈpɒsəbl/ ◆ *agg* impossibile **2** insopportabile ◆ **the impossible** *s* l'impossibile **impossibility** /ɪmˌpɒsəˈbɪləti/ *s* impossibilità
impotence /ˈɪmpətəns/ *s* impotenza **impotent** *agg* impotente
impoverished /ɪmˈpɒvərɪʃt/ *agg* impoverito
impractical /ɪmˈpræktɪkl/ *agg* poco pratico
impress /ɪmˈpres/ **1** *vt* fare una buona impressione a, colpire favorevolmente **2** *vt* ~ **sth on/upon sb** imprimere, inculcare qc in qn **3** *vi* fare una buona impressione
impression /ɪmˈpreʃn/ *s* **1** impressione: *to be under the impression that...* avere l'impressione che... **2** imitazione
impressive /ɪmˈpresɪv/ *agg* notevole, imponente
imprison /ɪmˈprɪzn/ *vt* incarcerare **imprisonment** *s* reclusione *Vedi anche* LIFE
improbable /ɪmˈprɒbəbl/ *agg* improbabile
impromptu /ɪmˈprɒmptjuː; *USA* -tuː/ *agg* improvvisato
improper /ɪmˈprɒpə(r)/ *agg* **1** (*uso*) improprio **2** (*proposta, comportamento*) sconveniente **3** (*transazione, contratto*) irregolare
improve /ɪmˈpruːv/ *vt, vi* migliorare PHR V **to improve on/upon sth** superare qc **improvement** *s* **1** ~ **(on/in sth)** miglioramento (rispetto a qc/di qc): *to be an improvement on sth* essere meglio di qc **2** miglioria
improvise /ˈɪmprəvaɪz/ *vt, vi* improvvisare
impulse /ˈɪmpʌls/ *s* impulso LOC **on impulse** d'impulso
impulsive /ɪmˈpʌlsɪv/ *agg* impulsivo
in /ɪn/ ◆ *prep* **1** in: *in here/there* qui dentro/là dentro ◇ *in the rain* sotto la pioggia ◇ *in the newspaper* sul giornale **2** [*dopo superl*]: *the best shops in town* i più bei negozi della città **3** (*tempo*): *in the morning* la mattina ◇ *in the daytime* di giorno ◇ *ten in the morning* le dieci di mattina **4** in: *He did it in two days*

Lo ha fatto in due giorni. **5** tra: *I'm leaving in two days/two days' time.* Parto tra due giorni. **6** *5p in the pound* cinque penny per sterlina ◊ *one in ten people* una persona su dieci **7** (*descrizione, maniera*): *the girl in glasses* la ragazza con gli occhiali ◊ *covered in mud* coperto di fango ◊ *Say it in English.* Dillo in inglese. ◊ *20 metres in length* lungo 20 metri **8 + ing**: *In saying that…* Dicendo questo… LOC **in that…** visto che… ◆ *part avv* **1 to be in** esserci (*in casa, ufficio*): *Is anyone in?* C'è nessuno? **2** (*treno, ecc*): *to be/get in* essere arrivato/arrivare ◊ *Applications must be in by…* Le domande devono pervenire entro… **3** di moda LOC **to be in for sth** (*inform*): *He's in for a surprise!* Lo aspetta una sorpresa! **to be in on sth** (*inform*) partecipare a qc, essere al corrente di qc **to have (got) it in for sb** (*inform*): *He's got it in for me.* Ce l'ha con me. ☛ Per l'uso di **in** nei PHRASAL VERBS vedi alla voce del verbo, ad es. **to go in** a GO[1]. ◆ *s* LOC **the ins and outs (of sth)** tutti i particolari (di qc)

inability /ˌɪnəˈbɪləti/ *s* ~ **(of sb) (to do sth)** incapacità (di qn) (di fare qc)

inaccessible /ˌɪnækˈsesəbl/ *agg* inaccessibile

inaccurate /ɪnˈækjərət/ *agg* inesatto

inaction /ɪnˈækʃn/ *s* inerzia

inadequate /ɪnˈædɪkwət/ *agg* **1** inadeguato **2** non all'altezza

inadvertently /ˌɪnədˈvɜːtəntli/ *avv* inavvertitamente

inappropriate /ˌɪnəˈprəʊpriət/ *agg* ~ **(to/for sb/sth)** inappropriato (a/per qn/qc)

inaugural /ɪˈnɔːgjərəl/ *agg* inaugurale

inaugurate /ɪˈnɔːgjəreɪt/ *vt* **1** ~ **sb (as sth)** insediare qn (nella carica di qc) **2** inaugurare

incapable /ɪnˈkeɪpəbl/ *agg* **1** ~ **of (doing) sth** incapace di (fare) qc **2** incapace, incompetente

incapacity /ˌɪnkəˈpæsəti/ *s* ~ **(to do sth)** incapacità (di fare qc)

incense /ˈɪnsens/ *s* incenso

incensed /ɪnˈsenst/ *agg* ~ **(by/at sth)** furibondo (per qc)

incentive /ɪnˈsentɪv/ *s* ~ **(to do sth)** incentivo (per fare qc)

incessant /ɪnˈsesnt/ *agg* incessante **incessantly** *avv* incessantemente

incest /ˈɪnsest/ *s* incesto

inch /ɪntʃ/ *s* (*abbrev* **in**) pollice (*2,54 centimetri*) ☛ *Vedi Appendice 1.* LOC **not to give an inch** non cedere di un millimetro

incidence /ˈɪnsɪdəns/ *s* ~ **of sth** tasso di qc

incident /ˈɪnsɪdənt/ *s* **1** avvenimento, episodio **2** *without incident* senza incidenti

incidental /ˌɪnsɪˈdentl/ *agg* **1** secondario: *incidental expenses* spese accessorie **2** fortuito **3** ~ **to sth** connesso a qc **incidentally** *avv* **1** a proposito, tra l'altro **2** fortuitamente

incisive /ɪnˈsaɪsɪv/ *agg* **1** incisivo **2** (*persona*) acuto

incite /ɪnˈsaɪt/ *vt* ~ **sb (to sth)** incitare qn (a qc)

inclination /ˌɪnklɪˈneɪʃn/ *s* **1** ~ **to/towards sth** inclinazione, tendenza a qc **2** ~ **for sth/to do sth** voglia di (fare) qc

incline /ɪnˈklaɪn/ ◆ **1** *vt* inclinare, chinare **2** *vi* declinare, digradare ◆ /ˈɪŋklaɪn/ *s* pendio, pendenza **inclined** *agg* **to be ~ to do sth 1** (*volontà*) essere propenso a fare qc **2** (*tendènza*) essere incline, tendere a fare qc

include /ɪnˈkluːd/ *vt* ~ **sb/sth (in/among sth)** includere, comprendere qn/qc (in/tra qc) **including** *prep* incluso, compreso

inclusion /ɪnˈkluːʒn/ *s* inclusione

inclusive /ɪnˈkluːsɪv/ *agg* **1** tutto compreso: *to be inclusive of sth* includere qc **2** compreso: *from Monday to Friday inclusive* da lunedì a venerdì compreso

incoherent /ˌɪnkəʊˈhɪərənt/ *agg* incoerente

income /ˈɪŋkʌm/ *s* reddito: *income tax* imposta sul reddito

incoming /ˈɪnkʌmɪŋ/ *agg* (*governo*) entrante

incompetent /ɪnˈkɒmpɪtənt/ *agg, s* incompetente

incomplete /ˌɪnkəmˈpliːt/ *agg* incompleto

incomprehensible /ɪnˌkɒmprɪˈhensəbl/ *agg* incomprensibile

inconceivable /ˌɪnkənˈsiːvəbl/ *agg* inconcepibile

inconclusive /ˌɪnkənˈkluːsɪv/ *agg* inconcludente

incongruous /ɪnˈkɒŋgruəs/ *agg* fuori luogo

inconsiderate /ˌɪnkənˈsɪdərət/ *agg* sconsiderato

inconsistent /ˌɪnkənˈsɪstənt/ *agg* incoerente: *to be inconsistent with sth* essere in contraddizione con qc

inconspicuous /ˌɪnkənˈspɪkjuəs/ *agg* **1** appena visibile: *to make yourself inconspicuous* non farsi notare **2** (*colore*) poco appariscente

inconvenience /ˌɪnkənˈviːniəns/ ◆ *s* disturbo, noia ◆ *vt* disturbare

inconvenient /ˌɪnkənˈviːniənt/ *agg* **1** scomodo **2** (*momento*) inopportuno

incorporate /ɪnˈkɔːpəreɪt/ *vt* **1** ~ **sth** (**in/into sth**) incorporare, includere qc (in qc) **2** (*USA, Comm*) costituire come società per azioni

incorrect /ˌɪnkəˈrekt/ *agg* errato, sbagliato

increase /ˈɪŋkriːs/ ◆ *s* ~ (**in sth**) aumento (di/in qc) LOC **on the increase** (*inform*) in aumento ◆ *vt, vi* aumentare **increasing** *agg* crescente **increasingly** *avv* sempre più

incredible /ɪnˈkredəbl/ *agg* incredibile

indecisive /ˌɪndɪˈsaɪsɪv/ *agg* **1** indeciso **2** non risolutivo

indeed /ɪnˈdiːd/ *avv* **1** [*uso enfatico*] veramente: *very big indeed* grandissimo ◊ *Thank you very much indeed!* Grazie infinite! **2** (*risposta, commento*) ah sì?: *Did you indeed?* Ah sì? **3** (*con risposta affermativa*) certamente **4** (*form*) infatti

indefensible /ˌɪndɪˈfensəbl/ *agg* ingiustificabile (*condotta*)

indefinite /ɪnˈdefɪnət/ *agg* **1** vago **2** indefinito **3** *indefinite article* articolo indeterminativo **indefinitely** *avv* indefinitamente

indelible /ɪnˈdeləbl/ *agg* indelebile

indemnity /ɪnˈdemnəti/ *s* **1** assicurazione **2** risarcimento

independence /ˌɪndɪˈpendəns/ *s* indipendenza

independent /ˌɪndɪˈpendənt/ *agg* **1** indipendente **2** (*TV, scuola*) privato

in-depth /ˌɪn ˈdepθ/ *agg* approfondito

indescribable /ˌɪndɪˈskraɪbəbl/ *ag* indescrivibile

index /ˈɪndeks/ *s* **1** (*pl* **indexes**) (*libr* indice: *index-linked* indicizzato **2** *ind* *finger* dito indice **3** (*pl* **indexes**) (*anc* **card index**) catalogo a schede **4** (**indices** /ˈɪndɪsiːz/) (*Mat*) esponente

indicate /ˈɪndɪkeɪt/ **1** *vt* indicare **2** (*Auto*) mettere la freccia

indication /ˌɪndɪˈkeɪʃn/ *s* **1** indicazio **2** segno: *There is every indicati that...* Tutto fa pensare che...

indicative /ɪnˈdɪkətɪv/ *agg* indicativ

indicator /ˈɪndɪkeɪtə(r)/ *s* **1** indicato **2** (*Auto*) freccia

indices *plurale di* INDEX senso 4

indictment /ɪnˈdaɪtmənt/ *s* **1** imput zione **2** (*fig*) critica

indifference /ɪnˈdɪfrəns/ *s* indif renza

indifferent /ɪnˈdɪfrənt/ *agg* **1** indif rente **2** (*dispreg*) mediocre

indigenous /ɪnˈdɪdʒənəs/ *agg* (*for* indigeno

indigestion /ˌɪndɪˈdʒestʃən/ *s* [*n* *numerabile*] indigestione

indignant /ɪnˈdɪgnənt/ *agg* indignat

indignation /ˌɪndɪgˈneɪʃn/ *s* indign zione

indignity /ɪnˈdɪgnəti/ *s* umiliazione

indirect /ˌɪndəˈrekt, -daɪˈr-/ *agg* in retto **indirectly** *avv* indirettamente

indiscreet /ˌɪndɪˈskriːt/ *agg* indiscre

indiscretion /ˌɪndɪˈskreʃn/ *s* indisc zione

indiscriminate /ˌɪndɪˈskrɪmɪnət/ *a* indiscriminato

indispensable /ˌɪndɪˈspensəbl/ *a* indispensabile

indisputable /ˌɪndɪˈspjuːtəbl/ *a* inconfutabile

indistinct /ˌɪndɪˈstɪŋkt/ *agg* indisti (*vago*)

individual /ˌɪndɪˈvɪdʒuəl/ ◆ *agg* singolo: *each individual person* og singolo individuo **2** individuale personale ◆ *s* individuo **individua** *avv* uno per uno, individualmente

individualism /ˌɪndɪˈvɪdʒuəlɪzəm/ individualismo

indoctrination /ɪnˌdɒktrɪˈneɪʃn/ indottrinamento

indoor /ˈɪndɔː(r)/ *agg* al coperto: *indo* (*swimming*) *pool* piscina coperta

indoors /ˌɪnˈdɔːz/ *avv* all'interno, in casa

induce /ɪnˈdjuːs; *USA* -ˈduːs/ *vt* **1** ~ **sb to do sth** persuadere qn a fare qc **2** provocare **3** (*Med*): *to induce labour* provocare le doglie

induction /ɪnˈdʌkʃn/ *s* induzione: *an induction course* un corso introduttivo

indulge /ɪnˈdʌldʒ/ **1** *vt*: *to indulge yourself* viziarsi **2** *vt* (*capriccio, voglia*) assecondare, soddisfare **3** *vi* ~ **(in sth)** lasciarsi andare (a qc)

indulgence /ɪnˈdʌldʒəns/ *s* **1** indulgenza **2** vizio, piccolo lusso **indulgent** *agg* indulgente

industrial /ɪnˈdʌstriəl/ *agg* **1** industriale: *industrial estate* zona industriale ◊ *industrial action* agitazione sindacale **2** (*infortunio*) sul lavoro **industrialist** *s* industriale

industrialization, -isation /ɪnˌdʌstrɪəlaɪˈzeɪʃn; *USA* -lɪˈz-/ *s* industrializzazione

industrialize, -ise /ɪnˈdʌstrɪəlaɪz/ *vt* industrializzare

industrious /ɪnˈdʌstriəs/ *agg* diligente, che lavora duro

industry /ˈɪndəstri/ *s* (*pl* **-ies**) **1** industria **2** (*form*) operosità

inedible /ɪnˈedəbl/ *agg* (*form*) non commestibile

ineffective /ˌɪnɪˈfektɪv/ *agg* **1** inefficace **2** (*persona*) incapace

inefficiency /ˌɪnɪˈfɪʃnsi/ *s* inefficienza **inefficient** *agg* **1** inefficace **2** incapace

ineligible /ɪnˈelɪdʒəbl/ *agg* **to be** ~ **(for sth/to do sth)** non aver diritto (a qc/a fare qc)

inept /ɪˈnept/ *agg* inetto

inequality /ˌɪnɪˈkwɒləti/ *s* (*pl* **-ies**) disuguaglianza

inert /ɪˈnɜːt/ *agg* inerte

inertia /ɪˈnɜːʃə/ *s* inerzia

inescapable /ˌɪnɪˈskeɪpəbl/ *agg* ineluttabile

inevitable /ɪnˈevɪtəbl/ *agg* inevitabile **inevitably** *avv* inevitabilmente

inexcusable /ˌɪnɪkˈskjuːzəbl/ *agg* imperdonabile

inexhaustible /ˌɪnɪgˈzɔːstəbl/ *agg* **1** inesauribile **2** instancabile

inexpensive /ˌɪnɪkˈspensɪv/ *agg* economico

inexperience /ˌɪnɪkˈspɪəriəns/ *s* inesperienza **inexperienced** *agg* inesperto: *inexperienced in sth* poco pratico di qc

inexplicable /ˌɪnɪkˈsplɪkəbl/ *agg* inesplicabile

infallible /ɪnˈfæləbl/ *agg* infallibile **infallibility** /ɪnˌfæləˈbɪləti/ *s* infallibiltà

infamous /ˈɪnfəməs/ *agg* famigerato

infancy /ˈɪnfənsi/ *s* **1** infanzia **2** (*fig*) i primi passi: *The project was halted while it was still in its infancy.* Il progetto fu bloccato quando aveva appena mosso i primi passi.

infant /ˈɪnfənt/ ◆ *s* bambino piccolo: *infant school* scuola elementare (per bambini dai 5 ai 7 anni) ◊ *infant mortality rate* tasso di mortalità infantile ☛ **Baby**, **toddler** e **child** sono i termini più comuni. ◆ *agg* ai primi passi

infantile /ˈɪnfəntaɪl/ *agg* (*offensivo*) infantile

infantry /ˈɪnfəntri/ *s* [*v sing o pl*] fanteria

infatuated /ɪnˈfætʃueɪtɪd/ *agg* ~ **(with sb/sth)** infatuato (di qn/qc) **infatuation** *s* ~ **(with/for sb/sth)** infatuazione (per qn/qc)

infect /ɪnˈfekt/ *vt* **1** infettare, contagiare **2** (*fig*) contagiare **infection** *s* infezione **infectious** *agg* infettivo, contagioso

infer /ɪnˈfɜː(r)/ *vt* (**-rr-**) dedurre **inference** *s* deduzione: *by inference* per deduzione

inferior /ɪnˈfɪərɪə(r)/ *agg*, *s* inferiore **inferiority** /ɪnˌfɪəriˈɒrəti/ *s* inferiorità

infertile /ɪnˈfɜːtaɪl; *USA* -tl/ *agg* sterile **infertility** /ˌɪnfɜːˈtɪləti/ *s* sterilità

infest /ɪnˈfest/ *vt* infestare **infestation** *s* infestazione

infidelity /ˌɪnfɪˈdeləti/ *s* (*form*) infedeltà

infiltrate /ˈɪnfɪltreɪt/ *vt*, *vi* infiltrare, infiltrarsi

infinite /ˈɪnfɪnət/ *agg* infinito **infinitely** *avv* infinitamente

infinitive /ɪnˈfɪnətɪv/ *s* infinito (*Gramm*)

infinity /ɪnˈfɪnəti/ *s* **1** infinità **2** infinito

infirm /ɪnˈfɜːm/ *agg* infermo **infirmity** *s* (*pl* **-ies**) infermità

infirmary /ɪnˈfɜːməri/ *s* (*pl* **-ies**) **1** ospedale **2** infermeria

inflamed /ɪnˈfleɪmd/ *agg* **1** (*Med*)

infiammato **2** ~ **(by/with sth)** (*fig*) acceso (di qc)

inflammable /ɪnˈflæməbl/ *agg* infiammabile

Nota che **inflammable** e **flammable** sono sinonimi.

inflammation /ˌɪnfləˈmeɪʃn/ *s* infiammazione

inflate /ɪnˈfleɪt/ *vt, vi* gonfiare, gonfiarsi

inflation /ɪnˈfleɪʃn/ *s* inflazione

inflexible /ɪnˈfleksəbl/ *agg* (*lett e fig*) rigido

inflict /ɪnˈflɪkt/ *vt* ~ **sth (on sb) 1** infliggere qc (a qn) **2** (*inform, spesso scherz*) imporre qc (a qn)

influence /ˈɪnfluəns/ ◆ *s* influenza ◆ *vt* influenzare

influential /ˌɪnfluˈenʃl/ *agg* influente

influenza /ˌɪnfluˈenzə/ (*form*) (*inform* **flu** /fluː/) *s* influenza

influx /ˈɪnflʌks/ *s* influsso

inform /ɪnˈfɔːm/ **1** *vt* ~ **sb (of/about sth)** informare qn (di qc) **2** *vi* ~ **against/on sb** denunciare qn **informant** *s* informatore, -trice

informal /ɪnˈfɔːml/ *agg* **1** informale **2** (*incontro*) non ufficiale

information /ˌɪnfəˈmeɪʃn/ *s* [*non numerabile*] informazioni: *a piece of information* un'informazione ◇ *I need some information on...* Ho bisogno di alcune informazioni su ... ☛ *Vedi nota a* INFORMAZIONE

information technology *s* informatica

informative /ɪnˈfɔːmətɪv/ *agg* istruttivo

informer /ɪnˈfɔːmə(r)/ *s* informatore, -trice

infrastructure /ˈɪnfrəˌstrʌktʃə(r)/ *s* infrastruttura

infrequent /ɪnˈfriːkwənt/ *agg* poco frequente

infringe /ɪnˈfrɪndʒ/ *vt* infrangere, violare

infuriate /ɪnˈfjʊərieɪt/ *vt* infuriare **infuriating** *agg* esasperante

ingenious /ɪnˈdʒiːniəs/ *agg* ingegnoso

ingenuity /ˌɪndʒəˈnjuːəti; *USA* -ˈnuː-/ *s* ingegnosità

ingrained /ɪnˈgreɪnd/ *agg* **1** (*pregiudizio, abitudine*) radicato **2** (*sporco*) incrostato

ingredient /ɪnˈgriːdiənt/ *s* ingredient[e]

inhabit /ɪnˈhæbɪt/ *vt* abitare

inhabitant /ɪnˈhæbɪtənt/ *s* abitante

inhale /ɪnˈheɪl/ **1** *vi, vt* respirare **2** *v*[*t*] (*fumatore*) aspirare

inherent /ɪnˈhɪərənt, -ˈher-/ *agg* **1** ~ **i**[**n**] **sth** intrinseco a qc **2** ~ **in sb** innato i[n] qn **inherently** *avv* di per sé

inherit /ɪnˈherɪt/ *vt* ereditare **inheritance** *s* eredità

inhibit /ɪnˈhɪbɪt/ *vt* **1** inibire **2** ~ **s**[**b**] **from doing sth** impedire a qn di fare q[c] **inhibited** *agg* inibito **inhibition** *s* inib[i]zione

inhospitable /ˌɪnhɒˈspɪtəbl/ *agg* in[o]spitale

inhuman /ɪnˈhjuːmən/ *agg* disumano

initial /ɪˈnɪʃl/ ◆ *agg, s* iniziale ◆ *vt* (**-ll-** *USA* **-l-**) siglare (*con le proprie inizial*[*i*]) **initially** *avv* all'inizio, inizialmente

initiate /ɪˈnɪʃieɪt/ *vt* (*form*) dare inizi[o] a, avviare **initiation** *s* **1** iniziazione [**2**] inizio

initiative /ɪˈnɪʃətɪv/ *s* iniziativa

inject /ɪnˈdʒekt/ *vt* **1** iniettare **2** ~ **s**[**b**] **with sth** fare un'iniezione di qc a q[n] **injection** *s* iniezione

injure /ˈɪndʒə(r)/ *vt* ferire: *Five peop*[*le*] *were injured in the crash.* Cinqu[e] persone sono rimaste ferite nell'inc[i]dente. ☛ *Vedi nota a* FERITA **injure**[**d**] *agg* **1** ferito **2** (*tono*) offeso

injury /ˈɪndʒəri/ *s* (*pl* **-ies**) **1** ferit[a] *injury time* minuti di recupero ☛ *Ve*[*di*] *nota a* FERITA **2** (*fig*) danno, offesa

injustice /ɪnˈdʒʌstɪs/ *s* ingiustizia

ink /ɪŋk/ *s* inchiostro

inkling /ˈɪŋklɪŋ/ *s* ~ **(of sth/that...** indizio, idea (di qc/che...)

inland /ˈɪnlənd/ ◆ *agg* (dell')interno ◆ /ˌɪnˈlænd/ *avv* verso l'interno

Inland Revenue *s* (*GB*) Fisco

in-laws /ˈɪn lɔːz/ *s* [*pl*] (*inform*) suoce[ri]

inlet /ˈɪnlet/ *s* **1** insenatura **2** imbocca[tura]

inmate /ˈɪnmeɪt/ *s* detenuto, -a

inn /ɪn/ *s* (*GB*) locanda

innate /ɪˈneɪt/ *agg* innato

inner /ˈɪnə(r)/ *agg* **1** interno, interior[e] **2** intimo

nnermost /ˈɪnəməʊst/ *agg* più recondito

nnocent /ˈɪnəsnt/ *agg* innocente **innocence** *s* innocenza

nnocuous /ɪˈnɒkjuəs/ *agg* innocuo

nnovate /ˈɪnəveɪt/ *vi* introdurre delle innovazioni **innovation** *s* innovazione **innovative** (*anche* **innovatory**) *agg* innovativo

nnuendo /ˌɪnjuˈendəʊ/ *s* (*dispreg*) insinuazione

nnumerable /ɪˈnjuːmərəbl; *USA* ɪˈnuː-/ *agg* innumerevole

noculate (*anche* **innoculate**) /ɪˈnɒkjuleɪt/ *vt* vaccinare **inoculation** *s* vaccinazione

nput /ˈɪnpʊt/ *s* **1** contributo **2** (*Informatica*) input

nquest /ˈɪŋkwest/ *s* ~ (**on sb/into sth**) inchiesta (su qn/qc)

nquire *Vedi* ENQUIRE

nquiry (*anche* **enquiry**) /ɪnˈkwaɪəri; *USA* ˈɪnkwəri/ *s* (*pl* **-ies**) **1** (*form*) domanda **2 inquiries** [*pl*] ufficio informazioni **3** inchiesta

nquisition /ˌɪnkwɪˈzɪʃn/ *s* (*form*) interrogatorio

nquisitive /ɪnˈkwɪzətɪv/ *agg* (troppo) curioso

nsane /ɪnˈseɪn/ *agg* pazzo

nsanity /ɪnˈsænəti/ *s* pazzia

nsatiable /ɪnˈseɪʃəbl/ *agg* insaziabile

nscribe /ɪnˈskraɪb/ *vt* ~ **sth** (**in/on sth**) scrivere, incidere qc (in/su qc)

nscription /ɪnˈskrɪpʃn/ *s* **1** iscrizione (*su pietra, medaglia*) **2** dedica (*su un libro*)

nsect /ˈɪnsekt/ *s* insetto **insecticide** /ɪnˈsektɪsaɪd/ *s* insetticida

nsecure /ˌɪnsɪˈkjʊə(r)/ *agg* **1** malsicuro **2** insicuro **insecurity** *s* insicurezza

nsensitive /ɪnˈsensətɪv/ *agg* **1** ~ (**to sth**) (*persona*) insensibile (a qc) **2** (*atto*) privo di sensibilità **insensitivity** /ɪnˌsensəˈtɪvəti/ *s* insensibilità

nseparable /ɪnˈseprəbl/ *agg* inseparabile

nsert /ɪnˈsɜːt/ *vt* inserire, introdurre

nside /ɪnˈsaɪd/ ◆ *s* **1** interno: *The door was locked from the inside.* La porta era chiusa a chiave dall'interno. **2 insides** [*pl*] (*inform*) budella LOC **inside out 1** a rovescio (*l'interno all'esterno*): *You've got your cardigan on inside out.* Hai il golf a rovescio. ☛ *Vedi illustrazione a* ROVESCIO **2** da cima a fondo: *She knows these streets inside out.* Conosce queste strade come le sue tasche. ◆ *agg* [*davanti a sostantivo*] **1** interno, interiore: *the inside pocket* la tasca interna **2** interno: *inside information* informazioni riservate ◆ *prep* (*USA* **inside of**) dentro: *Is there anything inside the box?* C'è niente dentro la scatola? ◆ *avv* dentro: *Let's go inside.* Andiamo dentro. ◊ *Pete's inside.* Pete è dentro. **insider** *s* uno, -a degli addetti ai lavori

insight /ˈɪnsaɪt/ *s* **1** intuito, perspicacia **2** ~ (**into sth**) percezione (di qc)

insignificant /ˌɪnsɪgˈnɪfɪkənt/ *agg* insignificante **insignificance** *s* poca importanza

insincere /ˌɪnsɪnˈsɪə(r)/ *agg* falso, ipocrita **insincerity** *s* falsità, ipocrisia

insinuate /ɪnˈsɪnjueɪt/ *vt* insinuare **insinuation** *s* insinuazione

insist /ɪnˈsɪst/ *vi* **1** ~ (**on sth/on doing sth**) insistere (su qc/nel fare qc) **2** ~ **on** (**doing**) **sth** insistere per (fare) qc: *She always insists on a room to herself.* Insiste sempre per avere una camera singola.

insistence /ɪnˈsɪstəns/ *s* insistenza **insistent** *agg* insistente

insolent /ˈɪnsələnt/ *agg* insolente **insolence** *s* insolenza

insomnia /ɪnˈsɒmniə/ *s* insonnia

inspect /ɪnˈspekt/ *vt* **1** ispezionare **2** (*Mil*) passare in rassegna **inspection** *s* ispezione **inspector** *s* **1** ispettore, -trice **2** controllore

inspiration /ˌɪnspəˈreɪʃn/ *s* ispirazione

inspire /ɪnˈspaɪə(r)/ *vt* **1** ispirare **2** ~ **sb with sth** infondere qc a qn

instability /ˌɪnstəˈbɪləti/ *s* instabilità

install (*USA anche* **instal**) /ɪnˈstɔːl/ *vt* installare

installation /ˌɪnstəˈleɪʃn/ *s* installazione

instalment (*USA anche* **installment**) /ɪnˈstɔːlmənt/ *s* **1** (*editoria*) fascicolo, dispensa **2** (*televisione*) episodio **3** ~ (**on sth**) rata (di qc): *to pay in instalments* pagare a rate

instance /ˈɪnstəns/ *s* caso LOC **for instance** ad esempio

instant /ˈɪnstənt/ ◆ *s* istante ◆ *agg* **1**

immediato **2** *instant coffee* caffè solubile **instantly** *avv* immediatamente

instantaneous /ˌɪnstənˈteɪniəs/ *agg* istantaneo

instead /ɪnˈsted/ ◆ *avv* invece ◆ *prep* ~ **of sb/sth** invece di qn/qc

instigate /ˈɪnstɪgeɪt/ *vt* **1** istigare a **2** (*idea, indagine*) promuovere **instigation** *s* istigazione

instil (*USA* **instill**) /ɪnˈstɪl/ *vt* (**-ll-**) ~ **sth** (**in/into sb**) infondere qc (in qn)

instinct /ˈɪnstɪŋkt/ *s* istinto **instinctive** /ɪnˈstɪŋktɪv/ *agg* istintivo

institute /ˈɪnstɪtjuːt; *USA* -tuːt/ ◆ *s* istituto ◆ *vt* (*form*) **1** (*regola, abitudine*) introdurre **2** (*inchiesta*) avviare

institution /ˌɪnstɪˈtjuːʃn; *USA* -ˈtuːʃn/ *s* istituzione **institutional** *agg* istituzionale

instruct /ɪnˈstrʌkt/ *vt* **1** ~ **sb (in sth)** insegnare (qc) a qn **2** dare istruzioni a

instruction /ɪnˈstrʌkʃn/ *s* **1 instruction(s) (to do sth)** istruzione, istruzioni (per fare qc) **2** ~ **(in sth)** insegnamento (di qc)

instructive /ɪnˈstrʌktɪv/ *agg* istruttivo

instructor /ɪnˈstrʌktə(r)/ *s* istruttore, -trice

instrument /ˈɪnstrəmənt/ *s* strumento

instrumental /ˌɪnstrəˈmentl/ *agg* **1 to be ~ in doing sth** giocare un ruolo importante nel fare qc **2** (*Mus*) strumentale

insufferable /ɪnˈsʌfrəbl/ *agg* insopportabile

insufficient /ˌɪnsəˈfɪʃnt/ *agg* insufficiente

insular /ˈɪnsjələ(r); *USA* -sələr/ *agg* di idee ristrette

insulate /ˈɪnsjuleɪt; *USA* -səl-/ *vt* **1** isolare **2** (*persona*) proteggere **insulation** *s* isolamento (*termico, acustico, ecc*)

insult /ˈɪnsʌlt/ ◆ *s* insulto ◆ /ɪnˈsʌlt/ *vt* insultare **insulting** *agg* offensivo

insurance /ɪnˈʃɔːrəns; *USA* -ˈʃʊər-/ *s* [*non numerabile*] assicurazione

insure /ɪnˈʃʊə(r)/ *vt* **1** ~ **sb/sth (against sth)** assicurare qn/qc (contro qc): *to insure sth for £5000* assicurare qc per 5.000 sterline **2** (*USA*) *Vedi* ENSURE

intake /ˈɪnteɪk/ *s* **1** (*persone*) ammissioni: *an annual intake of 20* 20 ammissioni all'anno **2** (*cibo*) consumo

integral /ˈɪntɪgrəl/ *agg* integrante: *an integral part of sth* parte integrante d qc

integrate /ˈɪntɪgreɪt/ *vt, vi* integrare integrarsi **integration** *s* integrazione

integrity /ɪnˈtegrəti/ *s* integrità

intellectual /ˌɪntəˈlektʃuəl/ *agg,* intellettuale **intellectually** *avv* intellettualmente

intelligence /ɪnˈtelɪdʒəns/ *s* intelligenza **intelligent** *agg* intelligente **intelligently** *avv* intelligentemente

intend /ɪnˈtend/ *vt* **1** ~ **to do sth** pensare di fare qc; avere intenzione di fare qc **2 intended for sb/sth** destinato a qn/qc: *It is intended for Sally.* È per Sally. ◊ *They're not intended for eating/to be eaten.* Non sono da mangiare. **3** ~ **sb to do sth**: *I intend you to succeed me* Voglio che tu sia il mio successore. ◊ *You weren't intended to hear that remark.* Non dovevi sentire quell'osservazione. **4** ~ **sth as sth**: *It was intended as a joke.* Voleva essere una battuta.

intense /ɪnˈtens/ *agg* (**-er**, **-est**) **1** intenso **2** (*emozione*) profondo, forte **3** (*persona*) di forti sentimenti **intensely** *avv* estremamente, profondamente **intensify** *vt, vi* (*pass, pp* **-fied**) intensificare, intensificarsi, aumentare **intensity** *s* intensità, forza

intensive /ɪnˈtensɪv/ *agg* intensivo *intensive care* terapia intensiva

intent /ɪnˈtent/ ◆ *agg* **1** (*concentrato*) attento **2 to be ~ on/upon doing sth** essere deciso a fare qc **3 to be ~ on/upon sth** essere assorto in qc ◆ *s* LOC **to all intents (and purposes)** a tutti gli effetti

intention /ɪnˈtenʃn/ *s* intenzione: *to have the intention of doing sth* avere l'intenzione di fare qc ◊ *I have no intention of doing it.* Non ho alcuna intenzione di farlo. **intentional** *agg* intenzionale: *It wasn't intentional.* Non l'ho fatto apposta. *Vedi anche* DELIBERATE[1] **intentionally** *avv* intenzionalmente

intently /ɪnˈtentli/ *avv* attentamente

interact /ˌɪntərˈækt/ *vi* interagire **interaction** *s* **1** (*persone*) relazione **2** (*cose*) interazione

intercept /ˌɪntəˈsept/ *vt* intercettare

interchange /ˌɪntəˈtʃeɪndʒ/ ◆ *vt* scambiare ◆ /ˈɪntətʃeɪndʒ/ *s* scambio

interchangeable /ˌɪntəˈtʃeɪndʒəbl/ *agg* intercambiabile

interconnect /ˌɪntəkəˈnekt/ *vi* **1** connettersi, intersecarsi **2** (*anche* **intercommunicate**) (*stanze*) essere comunicanti **interconnected** *agg*: *to be interconnected* essere in connessione **interconnection** *s* connessione

intercourse /ˈɪntəkɔːs/ *s* (*form*) rapporti sessuali

interest /ˈɪntrəst/ ◆ *s* interesse ~ (**in sth**) interesse (per qc): *It is of no interest to me.* Non mi interessa. ◇ *her main interest in life* quello che più le interessa nella vita LOC **in sb's interest**(**s**) nell'interesse di qn **in the interest**(**s**) **of sth**: *in the interest(s) of safety* per ragioni di sicurezza *Vedi anche* VEST[2] ◆ *vt* **1** interessare **2** ~ **sb in sth** interessare qn a qc

interested /ˈɪntrəstɪd/ *agg* interessato: *to be interested in sth* interessarsi di qc ☛ *Vedi nota a* NOIOSO

interesting /ˈɪntrəstɪŋ/ *agg* interessante ☛ *Vedi nota a* NOIOSO **interestingly** *avv* curiosamente

interfere /ˌɪntəˈfɪə(r)/ *vi* **1** ~ (**in sth**) intromettersi (in qc) **2** ~ **with sth** manomettere qc **3** ~ **with sth** intralciare qc, rendere difficile qc **interference** *s* [*non numerabile*] **1** ~ (**in sth**) intromissione (in qc) **2** (*Radio*) interferenza **3** (*USA, Sport*) *Vedi* OBSTRUCTION **interfering** *agg* invadente

interim /ˈɪntərɪm/ ◆ *agg* provvisorio ◆ *s* LOC **in the interim** nel frattempo

interior /ɪnˈtɪərɪə(r)/ ◆ *agg* **1** interno **2** interiore ◆ *s* interno

interlude /ˈɪntəluːd/ *s* intermezzo, intervallo

intermediate /ˌɪntəˈmiːdiət/ *agg* intermedio

intermission /ˌɪntəˈmɪʃn/ *s* intervallo (*Teat, TV*)

intern /ɪnˈtɜːn/ *vt* internare

internal /ɪnˈtɜːnl/ *agg* interno: *internal affairs* affari interni ◇ *internal injuries* ferite interne ◇ *internal market* mercato interno **internally** *avv* internamente

international /ˌɪntəˈnæʃnəl/ ◆ *agg* internazionale ◆ *s* (*Sport*) **1** campionato internazionale **2** giocatore, -trice della nazionale **internationally** *avv* internazionalmente

interpret /ɪnˈtɜːprɪt/ *vt* **1** interpretare **2** tradurre **interpretation** *s* interpretazione **interpreter** *s* interprete ☛ *Confronta* TRANSLATOR *a* TRANSLATE

interrelated /ˌɪntərɪˈleɪtɪd/ *agg* correlato

interrogate /ɪnˈterəgeɪt/ *vt* interrogare (*polizia*) **interrogation** *s* interrogatorio **interrogator** *s* chi fa l'interrogatorio

interrogative /ˌɪntəˈrɒgətɪv/ *agg* interrogativo

interrupt /ˌɪntəˈrʌpt/ *vt, vi* interrompere: *I'm sorry to interrupt but there's a phone call for you.* Scusi se la interrompo, ma la vogliono al telefono. **interruption** *s* interruzione

intersect /ˌɪntəˈsekt/ *vi* intersecarsi, incrociarsi **intersection** *s* intersezione, incrocio

interspersed /ˌɪntəˈspɜːst/ *agg* ~ **with sth** inframmezzato con qc

intertwine /ˌɪntəˈtwaɪn/ *vt, vi* intrecciare, intrecciarsi

interval /ˈɪntəvl/ *s* intervallo

intervene /ˌɪntəˈviːn/ *vi* (*form*) **1** ~ (**in sth**) intervenire (in qc) **2** (*tempo*) intercorrere **3** (*evento*) sopraggiungere **intervening** *agg*: *in the intervening time* nel frattempo

intervention /ˌɪntəˈvenʃn/ *s* intervento

interview /ˈɪntəvjuː/ ◆ *s* **1** intervista **2** colloquio di lavoro ◆ *vt* **1** intervistare **2** fare un colloquio di lavoro a **interviewee** *s* **1** intervistato, -a **2** (*lavoro*) candidato, -a **interviewer** *s* **1** intervistatore, -trice **2** (*lavoro*) chi esamina il candidato

interweave /ˌɪntəˈwiːv/ *vt, vi* (*pass* **-wove** /-ˈwəʊv/ *pp* **-woven** /-ˈwəʊvn/) intrecciare, intrecciarsi

intestine /ɪnˈtestɪn/ *s* intestino: *the small/large intestine* l'intestino tenue/crasso

intimacy /ˈɪntɪməsi/ *s* intimità

intimate[1] /ˈɪntɪmət/ *agg* **1** (*amico, ristorante*) intimo **2** (*amicizia*) stretto **3** (*form*) (*conoscenza*) approfondito

intimate[2] /ˈɪntɪmeɪt/ *vt* ~ **sth** (**to sb**) (*form*) lasciar capire qc (a qn) **intimation** *s* (*form*) indicazione, segno

intimidate /ɪnˈtɪmɪdeɪt/ *vt* intimidire **intimidation** *s* intimidazione

into /ˈɪntə/ ☛ Davanti a vocale e in fine di frase si pronuncia /ˈɪntuː/. *prep*

1 (*direzione*) in, dentro (a): *to come into a room* entrare in una stanza ◊ *He put it into the box.* Lo ha messo dentro la scatola. ◊ *to get into the car* salire in macchina ◊ *She went into town.* È andata in centro. ◊ *to translate into Italian* tradurre in italiano **2** contro: *to drive into a wall* sbattere contro un muro **3** (*tempo, distanza*): *long into the night* a notte fonda ◊ *far into the distance* in lontananza **4** (*Mat*): *12 into 144 goes 12 times.* 144 diviso 12 fa 12. LOC **to be into sth** (*inform*): *She's into motor bikes.* È appassionata di moto. ☛ Per l'uso di **into** nei PHRASAL VERBS vedi alla voce del verbo, ad es. **to look into** a LOOK[1].

intolerable /ɪnˈtɒlərəbl/ *agg* intollerabile

intolerance /ɪnˈtɒlərəns/ *s* intolleranza

intolerant /ɪnˈtɒlərənt/ *agg* (*dispreg*) intollerante

intonation /ˌɪntəˈneɪʃn/ *s* intonazione

intoxicated /ɪnˈtɒksɪkeɪtɪd/ *agg* (*form, lett e fig*) ubriaco: *She was intoxicated by her success.* Il successo le aveva dato alla testa.

intoxication /ɪnˌtɒksɪˈkeɪʃn/ *s* ubriachezza

intrepid /ɪnˈtrepɪd/ *agg* intrepido

intricate /ˈɪntrɪkət/ *agg* intricato, complicato

intrigue /ˈɪntriːg, ɪnˈtriːg/ ◆ *s* intrigo ◆ /ɪnˈtriːg/ **1** *vi* tramare **2** *vt* affascinare, incuriosire: *I'm intrigued by your accent.* Il tuo accento mi incuriosisce. **intriguing** *agg* affascinante, avvincente

intrinsic /ɪnˈtrɪnsɪk, -zɪk/ *agg* intrinseco

introduce /ˌɪntrəˈdjuːs; *USA* -ˈduːs/ *vt* **1** ~ **sb/sth** (**to sb**) presentare qn/qc (a qn) ☛ *Vedi nota a* PRESENTARE **2** ~ **sb to sth** iniziare qn a qc; far conoscere qc a qn **3** (*prodotto, riforma*) introdurre

introduction /ˌɪntrəˈdʌkʃn/ *s* **1** presentazioni **2** ~ (**to sth**) introduzione, prefazione (a qc) **3** [*sing*] ~ **to sth** prima esperienza con qc **4** [*non numerabile*] introduzione (*prodotto, riforma*)

introductory /ˌɪntrəˈdʌktəri/ *agg* introduttivo: *an introductory offer* un'offerta di lancio

introvert /ˈɪntrəvɜːt/ *s* introverso, -a

intrude /ɪnˈtruːd/ *vi* (*form*) **1** disturbare, importunare **2** ~ (**on/upon sth**) intromettersi, immischiarsi (in qc) **intruder** *s* intruso, -a **intrusion** *s* intrusione **intrusive** *agg* importuno, invadente

intuition /ˌɪntjuˈɪʃn; *USA* -tu-/ *s* intuizione, intuito

intuitive /ɪnˈtjuːɪtɪv; *USA* -ˈtuː-/ *agg* intuitivo

inundate /ˈɪnʌndeɪt/ *vt* ~ **sb/sth** (**with sth**) inondare qn/qc (di qc): *We were inundated with applications.* Siamo stati inondati di richieste.

invade /ɪnˈveɪd/ **1** *vt* invadere **2** *vi* fare un'invasione **invader** *s* invasore

invalid /ˈɪnvəlɪd, ˈɪnvəliːd/ ◆ *s* invalido -a, infermo, -a ◆ /ɪnˈvælɪd/ *agg* non valido

invalidate /ɪnˈvælɪdeɪt/ *vt* **1** invalidare **2** smentire

invaluable /ɪnˈvæljuəbl/ *agg* inestimabile

invariably /ɪnˈveəriəbli/ *avv* invariabilmente

invasion /ɪnˈveɪʒn/ *s* invasione

invent /ɪnˈvent/ *vt* inventare **invention** *s* invenzione **inventive** *agg* **1** inventivo **2** (*persona*) dotato di inventiva **inventiveness** *s* inventiva **inventor** *s* inventore, -trice

inventory /ˈɪnvəntri; *USA* -tɔːri/ *s* (*pl* **-ies**) inventario

invert /ɪnˈvɜːt/ *vt* invertire

invertebrate /ɪnˈvɜːtɪbrət/ *agg*, *s* invertebrato

inverted commas /ɪnˌvɜːtɪd ˈkɒməz/ *s pl* virgolette: *in inverted commas* tra virgolette

invest /ɪnˈvest/ **1** *vt* investire (*soldi*) **2** *vi* ~ **in sth** investire in qc

investigate /ɪnˈvestɪgeɪt/ *vt, vi* investigare (su), indagare (su)

investigation /ɪnˌvestɪˈgeɪʃn/ *s* ~ **into sth** indagine su qc

investigative /ɪnˈvestɪgətɪv; *USA* -geɪtɪv/ *agg* investigativo

investigator /ɪnˈvestɪgeɪtə(r)/ *s* investigatore, -trice

investment /ɪnˈvestmənt/ *s* ~ (**in sth**) investimento (in qc)

investor /ɪnˈvestə(r)/ *s* investitore -trice (*Fin*)

invigorating /ɪnˈvɪgəreɪtɪŋ/ *agg* tonificante

invincible /ɪnˈvɪnsəbl/ *agg* invincibile
invisible /ɪnˈvɪzəbl/ *agg* invisibile
invitation /ˌɪnvɪˈteɪʃn/ *s* invito
invite /ɪnˈvaɪt/ ◆ *vt* **1** ~ **sb (to/for sth)/(to do sth)** invitare qn (a qc)/(a fare qc) **2** (*commenti*) chiedere: *to invite trouble* cercare guai PHR V **to invite sb back** invitare qn a casa: *He invited me back for coffee.* Mi ha invitato a casa sua per un caffè. **to invite sb in** invitare qn a entrare **to invite sb out** invitare qn a uscire **to invite sb over/round** invitare qn a casa ◆ /ˈɪnvaɪt/ *s* (*inform*) invito **inviting** /ɪnˈvaɪtɪŋ/ *agg* invitante
invoice /ˈɪnvɔɪs/ ◆ *s* ~ **(for sth)** fattura (di qc) ◆ *vt* **1** ~ **sth** fatturare qc **2** ~ **sb** fare la fattura a qn
involuntary /ɪnˈvɒləntri/ *agg* involontario
involve /ɪnˈvɒlv/ *vt* **1** comportare, implicare: *The job involves me/my living in London.* Il lavoro comporta che viva a Londra. **2** ~ **sb in sth** far partecipare qn a qc: *Everybody was involved in the project.* Tutti hanno partecipato al progetto. **3** ~ **sb in sth** coinvolgere qn in qc: *Don't involve me in your problems.* Non voglio essere coinvolto nei tuoi problemi. **4** ~ **sb in sth** implicare qn in qc: *to be/get involved in sth* essere implicato in qc **5 be/become/get involved with sb** avere una relazione con qn **involved** *agg* complicato **involvement** *s* **1** coinvolgimento **2** ~ **(with sb)** relazione (con qn)
inward /ˈɪnwəd/ ◆ *agg* **1** (*pensiero, sentimento*) interiore, intimo **2** (*direzione*) verso l'interno ◆ *avv* (*anche* **inwards**) verso l'interno **inwardly** *avv* dentro di sé
IQ /ˌaɪˈkjuː/ *abbr* **intelligence quotient** quoziente d'intelligenza: *She's got an IQ of 120.* Ha un quoziente d'intelligenza di 120.
iris /ˈaɪrɪs/ *s* **1** (*Anat*) iride **2** (*Bot*) iris
iron /ˈaɪən; *USA* ˈaɪərn/ ◆ *s* **1** (*Chim*) ferro **2** ferro da stiro ◆ *vt* stirare PHR V **to iron sth out 1** (*pieghe*) stirare qc **2** (*problemi, dissapori*) appianare qc **ironing** *s* **1** stiratura: *to do the ironing* stirare ◊ *ironing board* asse da stiro **2** roba da stirare, roba stirata
ironic /aɪˈrɒnɪk/ *agg* ironico: *It is ironic that...* È un'ironia della sorte che... ☛ *Confronta* SARCASTIC *a* SARCASM
ironically *avv* ironicamente: *ironically...* per ironia...
irony /ˈaɪrəni/ *s* (*pl* **-ies**) ironia
irrational /ɪˈræʃənl/ *agg* irrazionale **irrationality** /ɪræʃəˈnæləti/ *s* irrazionalità **irrationally** *avv* irrazionalmente
irrelevant /ɪˈreləvənt/ *agg* non pertinente **irrelevance** *s* non pertinenza
irresistible /ˌɪrɪˈzɪstəbl/ *agg* irresistibile **irresistibly** *avv* irresistibilmente
irrespective of /ˌɪrɪˈspektɪv əv/ *prep* a prescindere da
irresponsible /ˌɪrɪˈspɒnsəbl/ *agg* irresponsabile **irresponsibility** /ˌɪrɪˌspɒnsəˈbɪləti/ *s* irresponsabilità **irresponsibly** *avv* irresponsabilmente
irrigation /ˌɪrɪˈgeɪʃn/ *s* irrigazione
irritable /ˈɪrɪtəbl/ *agg* irritabile **irritability** /ˌɪrɪtəˈbɪləti/ *s* irritabilità **irritably** *avv* in modo irritato
irritate /ˈɪrɪteɪt/ *vt* irritare: *He's easily irritated.* Si irrita facilmente. **irritating** *agg* irritante: *How irritating!* Che seccatura! **irritation** *s* **1** (*Med*) irritazione **1** (*fastidio*) seccatura
is /s, z, ɪz/ *Vedi* BE
Islam /ɪzˈlɑːm, ˈɪzlɑːm/ *s* Islam
island /ˈaɪlənd/ *s* (*abbrev* **I**, **Is**) isola: *a desert island* un'isola deserta **islander** *s* isolano, -a
isle /aɪl/ *s* (*abbrev* **I**, **Is**) isola ☛ Si usa soprattutto nei nomi geografici, ad es.: *the Isle of Man Confronta* ISLAND.
isn't /ˈɪznt/ = IS NOT *Vedi* BE
isolate /ˈaɪsəleɪt/ *vt* ~ **sb/sth (from sb/sth)** isolare qn/qc (da qn/qc) **isolated** *agg* isolato **isolation** *s* isolamento (*separazione*) LOC **in isolation (from sb/sth)** isolato (da qn/qc): *Looked at in isolation...* Considerato fuori dal contesto...
issue /ˈɪʃuː, ˈɪsjuː/ ◆ *s* **1** questione, problema **2** (*banconote*) emissione **3** (*passaporto*) rilascio **4** (*giornale*) numero LOC **to make an issue (out) of sth** fare un problema di qc ◆ **1** *vt* ~ **sth (to sb)**/~ **sb with sth** dare qc (a qn) **2** *vt* pubblicare **3** *vt* (*banconote*) emettere **4** *vt* (*passaporto*) rilasciare **5** *vt* (*ordini, istruzioni*) dare **6** *vi* ~ **from sth** (*form*) uscire da qc
it /ɪt/ *pron pers*
• **come soggetto e complemento**

☛ **It** sostituisce animale o cosa. Si può anche utilizzare parlando di un neonato. **1** [*come soggetto*] esso, essa: *Where is it?* Dov'è? ◊ *The baby is crying, I think it's hungry.* Il bambino piange, penso che abbia fame. ◊ *Who is it?* Chi è? ◊ *It's me.* Sono io. ☛ In inglese il *pronome personale soggetto* non si può omettere. **2** [*come complemento oggetto*] lo, la: *Did you buy it?* L'hai comprato? ◊ *Give it to me.* Dammelo. **3** [*come complemento indiretto*] gli, le: *Give it some milk.* Dagli un po' di latte. **4** [*dopo prep*]: *This box is heavy. What's inside it?* La scatola è pesante. Cosa c'è dentro? ◊ *Tell me about it.* Parlamene.

• **uso impersonale** ☛ Spesso **it** non ha un significato proprio e si usa come soggetto grammaticale in frasi che in italiano sono impersonali. Di solito perciò non si traduce. **1** (*tempo, distanza e tempo atmosferico*): *It's ten past three.* Sono le tre e dieci. ◊ *It's May 12.* È il 12 maggio. ◊ *It's two miles to the beach.* La spiaggia è a due miglia da qui. ◊ *It's a long time since they left.* È da molto che sono partiti. ◊ *It's raining.* Piove. ◊ *It's hot.* Fa caldo. **2** (*altre costruzioni*): *Does it matter what colour the hat is?* Ha importanza il colore del cappello? ◊ *I'll come at seven if it's convenient.* Vengo alle sette, se va bene. ◊ *It's Jim I want to see, not his brother.* È Jim che voglio vedere, non suo fratello.

LOC **that's it! 1** proprio così!, ecco! **2** questo è tutto! **3** basta! **that's just it!** è proprio questo il problema!

italics /ɪˈtælɪks/ *s* [*pl*] corsivo

itch /ɪtʃ/ ◆ *s* prurito ◆ *vi* **1** prudere: *My leg itches.* Mi prude la gamba. **2** (*persona*) avere prurito: *to be itching to do sth* avere la smania di fare qc **itchy** *agg*: *My skin is itchy.* Ho prurito.

it'd /ˈɪtəd/ **1** = IT HAD *Vedi* HAVE **2** = IT WOULD *Vedi* WOULD

item /ˈaɪtəm/ *s* **1** articolo **2** (*anche* **news item**) notizia

itinerary /aɪˈtɪnərəri; *USA* -reri/ *s* (*pl* **-ies**) itinerario

it'll /ˈɪtl/ = IT WILL *Vedi* WILL

its /ɪts/ *agg poss* il suo, ecc (*di cosa, animale o neonato*): *The table isn't in its place.* La tavola non è al suo posto. ☛ *Vedi nota a* MY

it's /ɪts/ **1** = IT IS *Vedi* BE **2** = IT HAS *Vedi* HAVE ☛ *Confronta* ITS

itself /ɪtˈself/ *pron* **1** [*uso riflessivo*] si, se stesso, -a: *The cat was washing itself.* Il gatto si stava lavando. **2** [*dopo prep*] sé, se stesso, -a **3** [*uso enfatico*] esso stesso, essa stessa **4** *She is kindness itself.* È la bontà fatta persona. LOC **by itself 1** da sé **2** solo **in itself** di per sé

I've /aɪv/ = I HAVE *Vedi* HAVE

ivory /ˈaɪvəri/ *s* avorio

ivy /ˈaɪvi/ *s* edera

Jj

J, j /dʒeɪ/ *s* (*pl* **J's**, **j's** /dʒeɪz/) J, j: *J for Jack* J come jolly ☛ *Vedi esempi a* A, A

jab /dʒæb/ ◆ *vt, vi* (**-bb-**) dare colpi (*con il dito, ecc*): *She jabbed at a potato with her fork.* Punzecchiò la patata con la forchetta. PHR V **to jab sth into sb/sth** conficcare qc in qn/qc ◆ *s* **1** iniezione **2** colpo

jack /dʒæk/ *s* **1** (*Mecc*) cric **2** (*anche* **knave**) (*Carte*) fante ☛ *Vedi nota a* CARTA

jackal /ˈdʒækl/ *s* sciacallo

jackdaw /ˈdʒækdɔː/ *s* taccola (*uccello*)

jacket /ˈdʒækɪt/ *s* **1** giacca ☛ *Confronta* CARDIGAN **2** giubbotto **3** sopraccoperta (*di libro*)

jackpot /ˈdʒækpɒt/ *s* primo premio (*in denaro*)

jade /dʒeɪd/ *agg, s* giada

jaded /ˈdʒeɪdɪd/ *agg* (*dispreg*) svogliato

jagged /ˈdʒægɪd/ *agg* **1** dentellato, seghettato **2** (*costa*) frastagliato

jaguar /ˈdʒægjʊə(r)/ *s* giaguaro

jail /dʒeɪl/ *s* carcere

jam /dʒæm/ ◆ *s* **1** marmellata ☛ *Confronta* MARMALADE **2** calca, ressa: *traffic jam* ingorgo stradale **3** (*inform*): *to be in/get into a jam* essere/ mettersi nei pasticci ◆ **(-mm-) 1** *vt, vi* bloccare, bloccarsi **2** *vt* affollare **3** *vt* **to jam sth into, under, etc sth** ficcare qc in, sotto, ecc qc: *He jammed the flowers into a vase.* Ficcò i fiori in un vaso. ◊ *The three of them were jammed into a phone booth.* I tre erano pigiati in una cabina telefonica. **4** *vt* (*Radio*) disturbare con interferenze

jangle /ˈdʒæŋgl/ *vt, vi* (far) tintinnare

January /ˈdʒænjuəri; *USA* -jʊeri/ *s* (*abbrev* **Jan**) gennaio: *They are getting married this January/in January.* Si sposano a gennaio. ◊ *on January 1st* il primo gennaio ◊ *every January* ogni anno a gennaio ◊ *next January* a gennaio dell'anno prossimo ☛ In inglese i nomi dei mesi si scrivono con la maiuscola.

jar[1] /dʒɑː(r)/ *s* vasetto, barattolo di vetro ☛ *Vedi illustrazione a* CONTAINER

jar[2] /dʒɑː(r)/ **(-rr-) 1** *vi* **to jar (on sb/sth)** irritare (qn/qc) **2** *vi* **to jar (with sth)** stonare (con qc) **3** *vt* urtare

jargon /ˈdʒɑːgən/ *s* gergo

jasmine /ˈdʒæzmɪn; *USA* ˈdʒæzmən/ *s* gelsomino

jaundice /ˈdʒɔːndɪs/ *s* itterizia **jaundiced** *agg* astioso

javelin /ˈdʒævlɪn/ *s* giavellotto

jaw /dʒɔː/ *s* **1** [*gen pl*]: *lower jaw* mandibola ◊ *upper jaw* mascella **2 jaws** [*pl*] fauci

jazz /dʒæz/ ◆ *s* jazz ◆ PHR V **to jazz sth up** animare qc **jazzy** (*inform*) *agg* vistoso

jealous /ˈdʒeləs/ *agg* **1** geloso **2** invidioso **jealousy** *s* [*gen non numerabile*] (*pl* **-ies**) **1** gelosia **2** invidia

jeer /dʒɪə(r)/ ◆ *vt, vi* ~ **(at) sb/sth** beffare qn/qc; beffarsi di qn/qc ◆ *s* beffa

jelly /ˈdʒeli/ *s* (*pl* **-ies**) gelatina

jellyfish /ˈdʒelifɪʃ/ *s* (*pl* **jellyfish** *o* **~es**) medusa

jeopardize, -ise /ˈdʒepədaɪz/ *vt* mettere a repentaglio

jeopardy /ˈdʒepədi/ *s* LOC **(to be, put, etc) in jeopardy** (essere, mettere, ecc) a repentaglio

jerk /dʒɜːk/ ◆ *s* **1** strattone, scossone **2** (*inform, dispreg*) idiota ◆ *vt, vi* muovere a strattoni, muoversi a strattoni

jet[1] /dʒet/ *s* **1** (*anche* **jet aircraft**) jet, reattore **2** (*acqua, gas*) getto

jet[2] /dʒet/ *s* giaietto: *jet-black* nero come l'ebano

jetty /ˈdʒeti/ *s* (*pl* **-ies**) imbarcadero, molo

Jew /dʒuː/ *s* ebreo, -a *Vedi anche* JUDAISM

jewel /ˈdʒuːəl/ *s* **1** gioiello **2** pietra preziosa **jeweller** (*USA* **jeweler**) *s* gioielliere, -a **jeweller's** (*anche* **jeweller's shop**) *s* gioielleria **jewellery** (*anche* **jewelry**) *s* [*non numerabile*] gioielli: *jewellery box/case* portagioie

Jewish /ˈdʒuːɪʃ/ *agg* **1** ebreo **2** ebraico

jigsaw /ˈdʒɪgsɔː/ (*anche* **jigsaw puzzle**) *s* puzzle

jingle /ˈdʒɪŋgl/ ◆ *s* **1** [*sing*] tintinnio **2** jingle ◆ *vt, vi* (far) tintinnare

jinx /dʒɪŋks/ ◆ *s* (*inform*) **1** scalogna, iettatura **2** iettatore, -trice ◆ *vt* (*inform*) portare scalogna a

job /dʒɒb/ *s* **1** lavoro, impiego ☛ *Vedi nota a* WORK[1] **2** compito LOC **a good job** (*inform*): *It's a good job you've come.* Meno male che sei venuto. **out of a job** senza lavoro

jobcentre /ˈdʒɒbˌsentə(r)/ *s* (*GB*) ufficio di collocamento

jobless /ˈdʒɒbləs/ *agg* disoccupato

jockey /ˈdʒɒki/ *s* (*pl* **-eys**) fantino

jog /dʒɒg/ ◆ *s* [*sing*] **1** colpetto **2** *to go for a jog* andare a fare footing ◆ **(-gg-) 1** *vt* urtare, spingere **2** *vi* fare footing LOC **to jog sb's memory** rinfrescare la memoria a qn

jogger /ˈdʒɒgə(r)/ *s* persona che fa footing

jogging /ˈdʒɒgɪŋ/ *s* footing

join /dʒɔɪn/ ◆ *s* giuntura, cucitura ◆ **1** *vt* ~ **sth (on)to sth** unire qc a qc **2** *vt* ~ **sb** unirsi a qn **3** *vi* ~ **up (with sb/sth)** unirsi (a qn/qc) **4** *vt, vi* (*club, partito*) iscriversi (a) **5** *vt, vi* (*ditta*) entrare (in) PHR V **to join in (sth)** partecipare (a qc)

joiner /ˈdʒɔɪnə(r)/ *s* (*GB*) falegname

joint[1] /dʒɔɪnt/ *agg* comune, collettivo

joint[2] /dʒɔɪnt/ *s* **1** (*Anat*) articolazione **2** (*giunto*) giuntura **3** pezzo di carne (*per arrosto*): *the Sunday joint* l'arrosto domenicale **4** (*gergale, dispreg*) locale **5** (*gergale*) spinello **jointed** *agg* snodabile

joke /dʒəʊk/ ◆ *s* **1** barzelletta: *to tell a joke* raccontare una barzelletta **2** scherzo: *to play a joke on sb* fare uno scherzo a qn **3** [*sing*]: *As a painter he's a joke.* Come pittore fa ridere. ◆ *vi* ~ (**with sb**) scherzare (con qn) LOC **joking apart** scherzi a parte

joker /ˈdʒəʊkə(r)/ *s* **1** (*inform*) burlone, -a **2** (*inform*) buffone, -a **3** (*Carte*) jolly

jolly /ˈdʒɒli/ ◆ *agg* (**-ier**, **-iest**) allegro ◆ *avv* (*GB, inform*) molto: *jolly good* molto buono

jolt /dʒəʊlt/ ◆ **1** *vi* sobbalzare **2** *vt* urtare ◆ *s* **1** scossone, strattone **2** (*sorpresa*) colpo

jostle /ˈdʒɒsl/ *vt, vi* spintonare

jot /dʒɒt/ *v* (**-tt-**) PHR V **to jot sth down** buttar giù (*appunti, note*)

journal /ˈdʒɜːnl/ *s* **1** rivista (*specializzata*) **2** diario **journalism** *s* giornalismo **journalist** *s* giornalista

journey /ˈdʒɜːni/ *s* (*pl* **-eys**) viaggio, tragitto ☛ *Vedi nota a* VIAGGIO

joy /dʒɔɪ/ *s* gioia: *to jump for joy* fare salti di gioia LOC *Vedi* PRIDE **joyful** *agg* gioioso **joyfully** *avv* gioiosamente

joystick /ˈdʒɔɪstɪk/ *s* **1** (*Aeron*) barra di comando **2** (*Informatica*) joystick ☛ *Vedi illustrazione a* COMPUTER

jubilant /ˈdʒuːbɪlənt/ *agg* esultante **jubilation** *s* giubilo

jubilee /ˈdʒuːbɪliː/ *s* anniversario

Judaism /ˈdʒuːdeɪɪzəm; *USA* -dəɪzəm/ *s* giudaismo

judge /dʒʌdʒ/ ◆ *s* **1** giudice **2** ~ (**of sth**) intenditore, -trice (di qc) ◆ *vt, vi* giudicare: *judging by/from…* a giudicare da…

judgement (*anche* **judgment** *spec Dir*) /ˈdʒʌdʒmənt/ *s* giudizio: *to use your own judgement* agire secondo il proprio giudizio

judicious /dʒuˈdɪʃəs/ *agg* giudizioso **judiciously** *avv* giudiziosamente

judo /ˈdʒuːdəʊ/ *s* judo

jug /dʒʌg/ (*USA* **pitcher**) *s* caraffa

juggle /ˈdʒʌgl/ *vt, vi* **1** ~ (**sth/with sth**) fare giochi di destrezza (con qc) **2** ~ (**with**) **sth** (*fig*) manipolare qc: *She juggles home, career and children.* Riesce a giostrarsi tra casa, bambini e lavoro.

juice /dʒuːs/ *s* **1** succo **2** (*carne*) sugo

juicy *agg* (**-ier**, **-iest**) **1** succoso **2** (*inform*) (*storia*) piccante

July /dʒuˈlaɪ/ *s* (*abbrev* **Jul**) luglio ☛ *Vedi nota e esempi a* JANUARY

jumble /ˈdʒʌmbl/ ◆ *vt* ~ **sth** (**up**) mettere alla rinfusa qc ◆ *s* **1** miscuglio **2** (*GB*) roba di seconda mano per vendite di beneficenza: *a jumble sale* una vendita di beneficenza

jumbo /ˈdʒʌmbəʊ/ *agg* (*inform*) maxi

jump /dʒʌmp/ ◆ *s* **1** salto *Vedi anche* HIGH JUMP, LONG JUMP **2** (*prezzi*) impennata ◆ **1** *vt, vi* saltare: *to jump up and down* saltellare ◊ *to jump up* balzare in piedi ☛ *Vedi illustrazione a* SALTARE **2** *vi* sussultare: *It made me jump.* Mi ha fatto fare un salto. **3** *vi* avere un'impennata LOC **jump to it!** (*inform*) sbrigati! **to jump the queue** (*GB*) passare avanti (*in una fila*) **to jump to conclusions** giungere a conclusioni affrettate *Vedi anche* BANDWAGON PHR V **to jump at sth** cogliere al volo qc

jumper /ˈdʒʌmpə(r)/ *s* **1** (*GB*) maglione ☛ *Vedi nota a* SWEATER **2** saltatore, -trice

jumpy /ˈdʒʌmpi/ *agg* (**-ier**, **-iest**) (*inform*) nervoso

junction /ˈdʒʌŋkʃn/ *s* incrocio (*strade*)

June /dʒuːn/ *s* (*abbrev* **Jun**) giugno ☛ *Vedi nota e esempi a* JANUARY

jungle /ˈdʒʌŋgl/ *s* giungla

junior /ˈdʒuːnɪə(r)/ ◆ *agg* **1** di grado inferiore, subalterno **2** (*abbrev* **Jr**) junior **3** (*GB*): *junior school* scuola elementare ◆ *s* **1** subalterno, -a **2** [*preceduto da aggettivo possessivo*]: *He is three years her junior.* È di tre anni più giovane di lei. **3** (*GB*) alunno, -a di scuola elementare

junk /dʒʌŋk/ *s* [*non numerabile*] **1** (*inform*) roba **2** cianfrusaglie

junk food *s* (*inform, dispreg*) [*non numerabile*] porcherie (*da mangiare*)

junk mail *s* posta spazzatura

Jupiter /ˈdʒuːpɪtə(r)/ *s* Giove

juror /ˈdʒʊərə(r)/ *s* membro della giuria

jury /ˈdʒʊəri/ *s* [*v sing o pl*] (*pl* **-ies**) giuria

just /dʒʌst/ ◆ *avv* **1** proprio, esattamente: *It's just what I need.* È proprio quello che mi serve. ◊ *That's just it!* Esatto! ◊ *just here* proprio qui **2** ~ **as**

proprio quando: *She arrived just as we were leaving.* È arrivata proprio quando ce ne stavamo andando. **3 ~ as ... as ...**: *She's just as beautiful as her mother.* È bella quanto sua madre. **4 to have ~ done sth** avere appena fatto qc: *She's just gone out.* È appena uscita. ◊ *We had just arrived when...* Eravamo appena arrivati, quando... ◊ *'Just married'* "Sposi novelli" **5 (only) ~** appena, per un pelo: *I can (only) just reach the shelf.* Arrivo appena allo scaffale. **6 ~ over/under**: *It's just over a kilo.* È poco più di un chilo. **7** ora: *We're just going.* Partiamo ora. **8 to be ~ about/going to do sth** stare per fare qc: *I was just about/going to phone you.* Stavo per chiamarti. **9** semplicemente: *It's just one of those things.* Sono cose che capitano. **10** (*con imperativi*): *Just let me say something!* Fammi parlare! **11** solo: *I waited an hour just to see you.* Ho aspettato un'ora solo per vederti. ◊ *just for fun* tanto per ridere LOC **it is just as well (that...)** meno male (che...) **just about** (*inform*) quasi: *I know just about everyone.* Conosco quasi tutti. **just in case** per precauzione **just like 1** proprio come: *It was just like old times.* È stato proprio come una volta. **2** tipico: *It's just like her to be late.* È da lei arrivare in ritardo. **just like that** lì su due piedi **just now** proprio ora ◆ *agg* giusto: *a just cause* una giusta causa

justice /ˈdʒʌstɪs/ *s* **1** giustizia **2** giudice: *justice of the peace* giudice di pace LOC **to do justice to sb** rendere giustizia a qn **to do justice to sth** fare onore a qc: *We couldn't do justice to her cooking.* Non abbiamo potuto fare onore alla sua tavola. **to do yourself justice**: *He didn't do himself justice in the exam.* All'esame non ha dato il meglio di sé. *Vedi anche* BRING, MISCARRIAGE

justifiable /ˌdʒʌstɪˈfaɪəbl, ˈdʒʌstɪfaɪəbl/ *agg* giustificabile **justifiably** *avv* a ragione: *She was justifiably angry.* Era comprensibilmente arrabbiata.

justify /ˈdʒʌstɪfaɪ/ *vt* (*pass, pp* **-fied**) giustificare

justly /ˈdʒʌstli/ *avv* giustamente

jut /dʒʌt/ *v* (**-tt-**) PHR V **to jut out** sporgere

juvenile /ˈdʒuːvənaɪl/ ◆ *s* minorenne ◆ *agg* **1** per ragazzi **2** (*criminalità*) minorile **3** (*dispreg*) puerile

juxtapose /ˌdʒʌkstəˈpəʊz/ *vt* (*form*) giustapporre **juxtaposition** *s* giustapposizione

Kk

K, k /keɪ/ *s* (*pl* **K's, k's** /keɪz/) K, k: *K for king* K come kursaal ☛ *Vedi esempi a* A, A

kaleidoscope /kəˈlaɪdəskəʊp/ *s* caleidoscopio

kangaroo /ˌkæŋgəˈruː/ *s* (*pl* **~s**) canguro

karate /kəˈrɑːti/ *s* karatè

kebab /kɪˈbæb/ *s* spiedino di carne e verdura

keel /kiːl/ ◆ *s* chiglia ◆ PHR V **to keel over** (*inform*) crollare

keen /kiːn/ *agg* (**-er, -est**) **1** entusiasta **2 to be ~ (to do sth)** avere una gran voglia (di fare qc) **3** (*interesse*) vivo **4** (*olfatto*) fine **5** (*udito, intelligenza*) acuto LOC **to be keen on sb** avere un debole per qn **to be keen on sth** essere appassionato di qc: *He's very keen on tennis.* Gli piace molto il tennis. **keenly** *avv* **1** con entusiasmo **2** (*sentire*) profondamente

keep /kiːp/ (*pass, pp* **kept** /kept/) ◆ **1** *vi* rimanere, stare: *Keep still!* Stai fermo! ◊ *Keep quiet!* State zitti! ◊ *You must keep warm.* Non devi prender freddo. **2** *vi* **~ (on) doing sth** continuare a fare qc: *He keeps interrupting me.* Continua ad interrompermi. **3** *vt* [*con agg, avv o -ing*] fare, tenere: *to keep sb waiting* far aspettare qn ◊ *to keep sb amused* far divertire qn ◊ *to keep sb happy* far contento qn ◊ *Don't keep us in suspense.* Non tenerci col fiato sospeso. **4** *vt* trattenere: *What kept you?*

Perché sei in ritardo? **5** *vt* tenere: *Do you want to keep these old newspapers?* Vuoi tenere questi vecchi giornali? ◊ *Keep the change.* Tenga pure il resto. ◊ *Will you keep my place in the queue?* Mi tieni il posto nella fila? **6** *vt* (*negozio, animale*) avere **7** *vt* (*segreto, promessa*) mantenere **8** *vi* (*cibo*) durare, mantenersi **9** *vt* (*conti, diario*) tenere **10** *vt* (*famiglia, persona*) mantenere, provvedere a **11** *vt* (*orario, appuntamento*) rispettare ☛ Per le espressioni con **keep** vedi alla voce del sostantivo, dell'aggettivo, ecc, ad es. **to keep your word** a **word**.

PHR V **to keep away (from sb/sth)** stare lontano (da qn/qc) **to keep sb/sth away (from sb/sth)** tenere qn/qc lontano (da qn/qc)

to keep sth (back) from sb (*verità*) nascondere qc a qn

to keep sth down 1 (*prezzi, stipendi*) contenere qc **2** (*voce, testa*) abbassare qc

to keep sb from doing sth trattenere qn dal fare qc, impedire a qn di fare qc **to keep (yourself) from doing sth** trattenersi dal fare qc

to keep off (sth) non avvicinarsi (a qc), non toccare (qc): *Keep off the grass.* Non calpestare l'erba. **to keep sb/sth off (sb/sth)** tenere qn/qc lontano (da qn/qc): *Keep your hands off me!* Giù le mani!

to keep on (at sb) (about sb/sth) non dare pace (a qn) (per qn/qc)

to keep out (of sth) restare fuori (da qc)

to keep (yourself) to yourself starsene per conto proprio **to keep sb/sth out (of sth)** tener fuori qn/qc (da qc): *Keep Out!* Vietato l'ingresso. **to keep sth to yourself** tenersi qc per sé

to keep up (with sb/sth) 1 tener dietro a qn/qc **2** tenersi aggiornato (su qc) **to keep sth up 1** tener su qc **2** (*tradizione, standard*) mantenere qc **3** continuare a fare qc: *Keep it up!* Forza!

◆ *s* mantenimento

keeper /ˈkiːpə(r)/ *s* **1** (*zoo*) guardiano **2** (*museo*) custode **3** (*Sport*) portiere

keeping /ˈkiːpɪŋ/ *s* LOC **in/out of keeping (with sth)** in armonia/disaccordo (con qc) **in sb's keeping** sotto la custodia di qn

kennel /ˈkenl/ *s* canile

kept *pass, pp di* KEEP

kerb (*spec USA* **curb**) /kɜːb/ *s* bordo del marciapiede

ketchup /ˈketʃəp/ *s* ketchup

kettle

kettle /ˈketl/ *s* bollitore

key /kiː/ ◆ *s* (*pl* **keys**) **1** chiave: *the car keys* le chiavi della macchina **2** (*Mus*) chiave: *the key of C major* la chiave di do maggiore ◊ *to change key* cambiare tonalità **3** tasto **4 key (to sth)** (*successo, mistero*) chiave (di qc) ◆ *agg* chiave ◆ *vt* **to key sth (in)** battere, digitare qc

keyboard /ˈkiːbɔːd/ *s* tastiera ☛ *Vedi illustrazione a* COMPUTER

keyhole /ˈkiːhəʊl/ *s* buco della serratura

khaki /ˈkɑːki/ *agg, s* (tela) cachi

kick /kɪk/ ◆ **1** *vt* dare un calcio a **2** *vt* (*palla*) colpire (*con il piede*): *to kick the ball into the river* tirare la palla nel fiume con un calcio **3** *vi* (*persona*) dare calci **4** *vi* (*animale*) scalciare LOC **to kick the bucket** (*inform*) tirare le cuoia *Vedi anche* ALIVE PHR V **to kick off** dare il calcio d'inizio **to kick sb out (of sth)** (*inform*) cacciare via qn (da qc) ◆ *s* **1** calcio, pedata **2** (*inform*): *for kicks* per divertimento

kick-off /ˈkɪk ɒf/ *s* calcio d'inizio

kid /kɪd/ ◆ *s* **1** (*inform*) bambino, -a, ragazzino, -a **2** (*inform, spec USA*): *his kid sister* la sorella minore **3** (*Zool*) capretto ◆ (**-dd-**) **1** *vt* (*inform*) prendere in giro **2** *vi* (*inform*) scherzare: *Are you kidding?* Scherzi? **3** *v rifl* **to kid yourself** illudersi

kidnap /ˈkɪdnæp/ *vt* (**-pp-**, *USA* **-p-**) rapire, sequestrare **kidnapper** *s* rapitore, -trice **kidnapping** *s* rapimento, sequestro

kidney /ˈkɪdni/ *s* (*pl* **-eys**) **1** rene **2** rognone

kill /kɪl/ ◆ *vt, vi* uccidere: *Smoking kills.* Il fumo uccide. ◊ *She was killed in a car crash.* È rimasta uccisa in un incidente stradale. LOC **to kill time** ammazzare il tempo PHR V **to kill sb/sth off** sterminare qn/qc ◆ *s* (*animale* *ucciso*) preda LOC **to go/move in for the kill** prepararsi a dare il colpo di grazia

killer *s* assassino, -a

illing /ˈkɪlɪŋ/ *s* uccisione LOC **to make a killing** fare un colpo grosso

iln /kɪln/ *s* fornace

ilo /ˈkiːləʊ/ (*anche* **kilogramme**, **kilogram**) /ˈkɪləgræm/ *s* (*pl* ~**s**) (*abbrev* **kg**) chilo ☛ *Vedi Appendice 1.*

ilometre (*USA* **-meter**) /kɪlˈɒmɪtə(r)/ *s* (*abbrev* **km**) chilometro

ilt /kɪlt/ *s* kilt

in /kɪn/ (*anche* **kinsfolk**) *s* [*pl*] (*antiq, form*) familiari *Vedi anche* NEXT OF KIN

ind[1] /kaɪnd/ (**-er**, **-est**) *agg* gentile

ind[2] /kaɪnd/ *s* tipo, specie: *the best of its kind* il migliore della sua categoria LOC **in kind 1** (*pagare*) in natura **2** (*fig*) con la stessa moneta **kind of** (*inform*): *kind of scared* come impaurito *Vedi anche* NOTHING

indly /ˈkaɪndli/ ◆ *avv* **1** gentilmente **2** *Kindly wait outside!* Abbia la cortesia di aspettare fuori! LOC **not to take kindly to sb/sth**: *He didn't take kindly to the idea.* Non gli è piaciuta l'idea. ◆ *agg* (**-ier**, **-iest**) gentile

indness /ˈkaɪndnəs/ *s* gentilezza

ing /kɪŋ/ *s* re ☛ *Vedi nota a* CARTA

ingdom /ˈkɪŋdəm/ *s* regno

ingfisher /ˈkɪŋfɪʃə(r)/ *s* martin pescatore

inship /ˈkɪnʃɪp/ *s* parentela

iosk /ˈkiːɒsk/ *s* **1** chiosco (*dei giornali, ecc*) **2** (*antiq, GB*) cabina telefonica

ipper /ˈkɪpə(r)/ *s* aringa affumicata

iss /kɪs/ ◆ *vt, vi* baciare, baciarsi ◆ *s* bacio LOC **the kiss of life** la respirazione bocca a bocca

it /kɪt/ *s* **1** attrezzatura **2** scatola di montaggio

itchen /ˈkɪtʃɪn/ *s* cucina

ite /kaɪt/ *s* aquilone

itten /ˈkɪtn/ *s* gattino ☛ *Vedi nota a* GATTO

itty /ˈkɪti/ *s* (*pl* **-ies**) (*inform*) cassa comune

nack /næk/ *s* abilità: *to get the knack of sth* fare la mano a qc

nead /niːd/ *vt* impastare, lavorare

nee /niː/ *s* ginocchio LOC **to be/go (down) on your knees** essere/mettersi in ginocchio

kneecap /ˈniːkæp/ *s* rotula

kneel /niːl/ *vi* (*pass, pp* **knelt** /nelt/, spec USA **kneeled**) ☛ *Vedi nota a* DREAM ~ (**down**) inginocchiarsi

knew *pass di* KNOW

knickers /ˈnɪkəz/ *s* [*pl*] (*GB*) mutandine (*da donna*)

knife /naɪf/ ◆ *s* (*pl* **knives** /naɪvz/) coltello ◆ *vt* accoltellare

knight /naɪt/ ◆ *s* **1** cavaliere **2** (*Scacchi*) cavallo ◆ *vt* nominare cavaliere **knighthood** *s* cavalierato

knit /nɪt/ (**-tt-**) (*pass, pp* **knitted**) **1** *vt* ~ (**sb**) **sth** fare qc a maglia (per qn) **2** *vi* lavorare a maglia **3** *Vedi* CLOSE-KNIT **knitting** *s* [*non numerabile*] lavoro a maglia: *knitting needle* ferro da calza

knitwear /ˈnɪtweə(r)/ *s* [*non numerabile*] maglieria

knob /nɒb/ *s* **1** (*porta*) pomo **2** (*radio, televisione*) manopola **3** *a knob of butter* una noce di burro

knock /nɒk/ ◆ **1** *vt, vi* colpire: *to knock your head on the ceiling* battere la testa contro il soffitto **2** *vi*: *to knock at/on the door* bussare alla porta **3** *vt* (*inform*) criticare PHR V **to knock sb down 1** gettare a terra qn, stendere qn **2** investire qn **to knock sth down** buttare giù qc **to knock off (sth)** (*inform*): *to knock off (work)* finire di lavorare **to knock sth off**: *He knocked £10 off the price.* Ha fatto uno sconto di 10 sterline. **to knock sth off (sth)** far cadere qc (da qc) **to knock sb out 1** (*boxe*) mettere qn k.o. **2** stordire qn, lasciare qn in stato di incoscienza **3** (*inform*) lasciare qn a bocca aperta **to knock sb/sth over** far cadere qn/qc ◆ *s* **1** (*lett e fig*) colpo **2** *There was a knock at the door.* Bussarono alla porta.

knockout /ˈnɒkaʊt/ *s* **1** knock out **2** *a knockout (tournament)* un'eliminatoria

knot /nɒt/ ◆ *s* **1** nodo **2** capannello (*di persone*) ◆ *vt* (*pass, pp* **-tt-**) fare un nodo a, annodare

know /nəʊ/ (*pass* **knew** /njuː; *USA* nuː/ *pp* **known** /nəʊn/) ◆ **1** *vt, vi* ~ (**how to do sth**) sapere (fare qc): *to know how to swim* saper nuotare ◊ *to know a little English* sapere un po' d'inglese ◊ *I know (that...)* So che... ◊ *Let me know if...* Fammi sapere se... **2** *vt*: *I've never known anyone to...* Non si è mai visto nessuno... **3** *vt* conoscere: *to get to know sb* conoscere meglio qn ☛ *Vedi nota a* CONOSCERE LOC **for all you know** per quanto ne sai **God/ goodness/Heaven knows** sa Dio/il Cielo **to know best**: *You know best.* Nessuno lo sa meglio di te. **to know better (than that/than to do sth)**: *You ought to know better!* Avresti dovuto saperlo! ◊ *I should have known better.* Avrei dovuto immaginarmelo. **you never know** non si sa mai *Vedi anche* ANSWER, ROPE PHR V **to know of sb/sth** sapere di qn/qc: *Not that I know of.* Che io sappia, no. ◆ *s* LOC **to be in the know** (*inform*) essere al corrente

knowing /ˈnəʊɪŋ/ *agg* (*occhiat*[a]) d'intesa **knowingly** *avv* deliberat[a]mente

knowledge /ˈnɒlɪdʒ/ *s* [*non numer*[a]*bile*] **1** conoscenza: *Not to my know*[*l*]*ledge.* Non che io sappia. **2** saper[e], conoscenza LOC **in the knowledg[e] that...** sapendo che... **knowledgeab[le]** *agg* ben informato

known *pp di* KNOW

knuckle /ˈnʌkl/ ◆ *s* nocca ◆ PHR V **knuckle down (to sth)** (*inform*) mett[ersi di buona] mano (a qc) **to knuckle under** (*inform*) cedere

Koran /kəˈrɑːn; *USA* -ˈræn/ *s* Corano

L l

L, l /el/ *s* (*pl* **L's, l's** /elz/) L, l: *L for Lucy* L come Livorno ☛ *Vedi esempi a* A, A

label /ˈleɪbl/ ◆ *s* etichetta ◆ *vt* (**-ll-**, *USA* **-l-**) **1** mettere l'etichetta su, etichettare **2** ~ **sb/sth as sth** (*fig*) etichettare, classificare qn/qc come qc

laboratory /ləˈbɒrətri; *USA* ˈlæbrətɔːri/ *s* (*pl* **-ies**) laboratorio

laborious /ləˈbɔːriəs/ *agg* faticoso

labour (*USA* **labor**) /ˈleɪbə(r)/ ◆ *s* **1** [*non numerabile*] lavoro **2** [*non numerabile*] manodopera: *parts and labour* pezzi di ricambio e manodopera ◊ *labour relations* relazioni industriali **3** [*non numerabile*] doglie: *to be in labour* avere le doglie **4 Labour** (*anche* **the Labour Party**) [*v sing o pl*] (*GB*) il partito laburista ☛ *Confronta* LIBERAL senso 2, TORY ◆ *vi* lavorare sodo, impegnarsi **laboured** (*USA* **labored**) *agg* **1** difficoltoso, faticoso **2** (*stile*) pesante **labourer** (*USA* **laborer**) *s* manovale, bracciante

labyrinth /ˈlæbərɪnθ/ *s* labirinto

lace /leɪs/ ◆ *s* **1** pizzo **2** (*anche* **shoelace**) laccio (*per scarpe*) ☛ *Vedi illustrazione a* SCARPA ◆ *vt, vi* allacciare, allacciarsi

lack /læk/ ◆ *vt* ~ **sth**: *We lack time.* Ci manca il tempo. LOC **to be lacking** mancare **to be lacking in sth** manca[re] di qc ◆ *s* mancanza, carenza

lacquer /ˈlækə(r)/ *s* lacca

lacy /ˈleɪsi/ *agg* di pizzo

lad /læd/ *s* (*inform*) ragazzo

ladder /ˈlædə(r)/ *s* **1** scala a pio[li] ☛ *Vedi illustrazione a* SCALA [**2**] smagliatura (*nelle calze*) **3** (*fig*) scal[a] (*sociale, professionale*)

laden /ˈleɪdn/ *agg* ~ **(with sth)** caric[o] (di qc)

ladies /ˈleɪdiz/ *s* **1** *plurale di* LADY [**2**] *Vedi* LADY senso 4

lady /ˈleɪdi/ *s* (*pl* **ladies**) **1** signor[a]: *Ladies and gentlemen...* Signore [e] signori... *Vedi anche* GENTLEMAN [**2**] dama **3 Lady** Lady (*titolo*) *Vedi anch*[*e*] LORD **4 Ladies** [*sing*] (*GB*) toilette pe[r] signore

ladybird /ˈleɪdibɜːd/ *s* coccinella

lag /læg/ ◆ *vi* (**-gg-**) LOC **to lag behin[d] (sb/sth)** rimanere indietro (rispetto [a]) qn/qc) ◆ *s* (*anche* **time lag**) interval[lo] di tempo

lager /ˈlɑːgə(r)/ *s* birra chia[ra] ☛ *Confronta* BEER

lagoon /ləˈguːn/ *s* laguna

laid *pass, pp di* LAY[1]

laid-back /ˌleɪd ˈbæk/ *agg* (*inform*[*ale*]) rilassato

lain *pp di* LIE[2]

ke /leɪk/ *s* lago

mb /læm/ *s* agnello ☛ *Vedi nota a* CARNE

me /leɪm/ *agg* **1** zoppo **2** (*scusa*) zoppicante

ment /lə'ment/ *vt, vi* **1** ~ (**for/over**) **sb/sth** piangere qn/qc **2** ~ (**sth**) lamentarsi (di qc)

mp /læmp/ *s* lampada: *a street lamp* un lampione

mp-post /'læmp pəʊst/ *s* lampione

mpshade /'læmpʃeɪd/ *s* paralume

nd /lænd/ ◆ *s* **1** terra, terraferma: *by land* via terra ◊ *on dry land* sulla terraferma **2** terreno, terra: *arable land* terreno coltivabile ◊ *a plot of land* un appezzamento (di terreno) ◊ *to work on the land* lavorare la terra **3** (*proprietà*) terreni **4** terra, paese: *the finest in the land* il migliore del paese ◆ **1** *vt, vi* sbarcare **2** *vt, vi* (*aereo*) (far) atterrare **3** *vi* cadere: *The ball landed in the water.* La palla finì nell'acqua. **4** *vt* (*inform*) (*posto, contratto*) accaparrarsi, ottenere LOC *Vedi* FOOT PHR V **to land sb with sb/sth** (*inform*) affibbiare qn/qc a qn: *I got landed with the washing up.* Mi è toccato lavare i piatti.

nding /'lændɪŋ/ *s* **1** atterraggio **2** sbarco **3** pianerottolo

ndlady /'lændleɪdi/ *s* (*pl* **-ies**) **1** padrona di casa **2** proprietaria, padrona (*di pensione o pub*)

ndlord /'lændlɔːd/ *s* **1** padrone di casa **2** proprietario, padrone (*di pensione o pub*)

ndmark /'lændmɑːk/ *s* **1** (*lett*) punto di riferimento **2** (*fig*) pietra miliare

ndmine /'lændmaɪn/ *s* mina (*terrestre*)

ndowner /'lændəʊnə(r)/ *s* proprietario terriero, proprietaria terriera

ndscape /'lændskeɪp/ *s* paesaggio ☛ *Vedi nota a* SCENERY

ndslide /'lændslaɪd/ *s* **1** (*lett*) frana **2** (*anche* **landslide victory**) (*fig*) vittoria schiacciante

ne /leɪn/ *s* **1** viottolo **2** via, viuzza **3** (*Auto, Sport*) corsia: *slow/fast lane* corsia veicoli lenti/corsia di sorpasso

nguage /'læŋgwɪdʒ/ *s* **1** linguaggio: *to use bad language* dire parolacce **2** lingua

ntern /'læntən/ *s* lanterna

lap[1] /læp/ *s* grembo: *to sit in/on sb's lap* sedere sulle ginocchia di qn

lap[2] /læp/ *s* giro (*di pista*)

lap[3] /læp/ (**-pp-**) **1** *vi* (*acqua*) sciabordare **2** *vt* **to lap sth** (**up**) lappare, leccare qc PHR V **to lap sth up** (*inform*) godersi qc, bearsi di qc

lapel /lə'pel/ *s* risvolto (*di giacca*)

lapse /læps/ ◆ *s* **1** errore: *a lapse of memory* un vuoto di memoria **2** mancanza (*nel comportamento*): *a lapse in taste* una caduta di tono **3** (*tempo*) intervallo: *after a lapse of six years* dopo un intervallo di sei anni ◆ *vi* **1** *to lapse back into bad habits* ricadere nelle cattive abitudini ◊ *to lapse into silence* smettere di parlare **2** (*Dir*) andare in prescrizione, scadere

larder /'lɑːdə(r)/ *s* dispensa

large /lɑːdʒ/ ◆ *agg* (**-er**, **-est**) **1** grande: *small, medium or large* piccolo, medio o grande ◊ *to a large extent* in gran parte **2** (*persona, animale, somma*) grosso ☛ *Vedi nota a* BIG LOC **by and large** generalmente *Vedi anche* EXTENT ◆ *s* LOC **at large 1** in libertà **2** nell'insieme: *the world at large* il mondo nel complesso

largely /'lɑːdʒli/ *avv* in gran parte

large-scale /'lɑːdʒ skeɪl/ *agg* **1** su larga scala **2** (*cartina, modello*) a grande scala

lark /lɑːk/ *s* allodola

laser /'leɪzə(r)/ *s* laser: *laser printer* stampante laser

lash /læʃ/ ◆ *s* **1** frustata **2** *Vedi* EYELASH ◆ *vt* **1** frustare **2** (*coda*) agitare **3** ~ **sb/sth to sth** legare qn/qc a qc PHR V **to lash out at/against sb/sth 1** menare colpi contro qn/qc **2** inveire contro qn/qc

lass /læs/ (*anche* **lassie** /'læsi/) *s* (*Scozia*) ragazza

last /lɑːst; *USA* læst/ ◆ *agg* **1** ultimo: *last thing at night* prima di andare a letto ☛ *Vedi nota a* LATE **2** scorso: *last month* il mese scorso ◊ *last night* ieri sera ◊ *the night before last* l'altro ieri notte LOC **as a/in the last resort** come ultima risorsa **to have the last laugh** ridere per ultimo **to have the last word** avere l'ultima parola *Vedi anche* ANALYSIS, EVERY, FIRST, STRAW, THING ◆ *s* **the last** (**of sth**) l'ultimo, l'ultima (di qc):

the last but one il penultimo/la penultima LOC **at (long) last** finalmente ◆ *avv* **1** (per) ultimo: *He came last.* È arrivato ultimo. **2** l'ultima volta: *I last saw her on Tuesday.* L'ultima volta che l'ho vista è stato martedì. LOC **(and) last but not least** ultimo, ma non per questo meno importante ◆ *vi* ~ **(for) hours, days, etc** durare (per) ore, giorni, ecc **lasting** *agg* duraturo **lastly** *avv* infine

latch /lætʃ/ ◆ *s* **1** chiavistello **2** serratura a scatto ◆ PHR V **to latch on (to sth)** (*inform*) afferrare qc, capire

late /leɪt/ ◆ *agg* (**later**, **latest**) **1** in ritardo: *to be late* essere in ritardo ◊ *My flight was an hour late.* Il mio volo ha avuto un'ora di ritardo. **2** tardi: *It's getting late.* Si sta facendo tardi. ◊ *It's a bit late for that.* Ormai è un po' tardi. **3** tardivo: *in the late 19th century* nel tardo Ottocento ◊ *She's in her late twenties.* Si avvicina alla trentina. **4 latest** l'ultimo, il più recente

Il superlativo **latest** significa "il più recente, il più nuovo": *the latest technology* la tecnologia più avanzata. L'aggettivo **last** significa "l'ultimo di una serie": *The last bus is at twelve.* L'ultimo autobus è a mezzanotte.

5 [*davanti a sostantivo*] defunto LOC **at the latest** al più tardi ◆ *avv* (**later**, **latest**) tardi: *He arrived half an hour late.* È arrivato con mezz'ora di ritardo. LOC **later on** più tardi *Vedi anche* BETTER, SOON

lately /ˈleɪtli/ *avv* ultimamente

lather /ˈlɑːðə(r); *USA* ˈlæð-/ *s* schiuma

latitude /ˈlætɪtjuːd; *USA* -tuːd/ *s* latitudine

the latter /ˈlætə(r)/ *pron* il secondo, la seconda, quest'ultimo, quest'ultima ☛ *Confronta* FORMER

laugh /lɑːf; *USA* læf/ ◆ *vi* ridere LOC *Vedi* BURST PHR V **to laugh at sb/sth** ridere di qn/qc **to laugh at sth** (*barzelletta*) ridere a qc ◆ *s* **1** risata **2** (*inform*) (*evento o persona*): *What a laugh!* Che ridere! LOC **She's always good for a laugh.** Ci fa sempre fare due risate. *Vedi anche* LAST **laughable** *agg* ridicolo **laughter** *s* [*non numerabile*] riso: *to roar with laughter* ridere fragorosamente

launch[1] /lɔːntʃ/ ◆ *vt* **1** (*lett e fig*) lanciare **2** (*nave*) varare PHR V **t[o] launch into sth** (*discorso, ecc*) lanciars[i] in qc ◆ *s* **1** lancio **2** (*nave*) varo

launch[2] /lɔːntʃ/ *s* lancia (*barca*)

launderette /lɔːnˈdret/ *s* lavanderi[a] automatica ☛ *Confronta* LAUNDRY

laundry /ˈlɔːndri/ *s* (*pl* **-ies**) **1** bucat[o] *to do the laundry* fare il bucato ☛ L[a] parola più comune è **washing**. **2** lavar[ia]deria: *laundry service* servizio di lavar[ia]deria ☛ *Confronta* LAUNDERETTE

lava /ˈlɑːvə/ *s* lava

lavatory /ˈlævətri/ *s* (*pl* **-ies**) (*form*[ale]) gabinetto, bagno ☛ *Vedi nota a* TOILE[T]

lavender /ˈlævəndə(r)/ *s* lavanda

lavish /ˈlævɪʃ/ *agg* **1** prodigo **2** abbon[dante], sontuoso

law /lɔː/ *s* legge: *against the law* contr[o] la legge ◊ *She's studying law.* Studi[a] legge. ◊ *civil/criminal law* diritt[o] civile/penale LOC **law and order** ordin[e] pubblico *Vedi anche* EYE **lawful** *ag*[g] legale *Vedi anche* LEGAL

lawn /lɔːn/ *s* prato

lawsuit /ˈlɔːsuːt/ *s* processo, causa

lawyer /ˈlɔːjə(r)/ *s* avvocato, -ess[a] ☛ *Vedi nota a* AVVOCATO

lay[1] /leɪ/ (*pass*, *pp* **laid** /leɪd/) **1** *v*[t] mettere, poggiare **2** *vt* (*fondamenta*) gettare **3** *vt* (*filo, tubo*) installare **4** *v*[t] stendere ☛ *Vedi nota a* LIE[2] **5** *vt, v*[i] deporre (le uova) LOC **to lay claim t[o] sth** reclamare qc **to lay your cards o[n] the table** mettere le carte in tavola *Ved*[i] *anche* BLAME, TABLE PHR V **to lay st[h] aside** mettere qc da parte **to lay st[h] down 1** (*pacco, bagagli*) metter giù qc [2] (*armi*) deporre qc **3** (*regola, principio*) fissare, stabilire qc **to lay sb off** (*inform*) mettere qn in cassa integrazione **to la[y] sth on 1** (*luce, gas*) allacciare qc [2] (*inform*) offrire qc **to lay sth out 1** dispo[r]re, presentare qc **2** (*argomento*) esporr[e] qc **3** (*città, giardino*) pianificare qc

lay[2] *pass di* LIE[2]

lay[3] /leɪ/ *agg* **1** laico **2** (*non esperto*) profano

lay-by /ˈleɪ baɪ/ *s* (*pl* **-bys**) (*GB*) piaz[z]zola di sosta

layer /ˈleɪə(r)/ *s* strato **layered** *agg* [a] strati, stratificato

lazy /ˈleɪzi/ *agg* (**lazier**, **laziest**) pigro

lead[1] /led/ *s* piombo **leaded** *agg* co[n] piombo

lead² /liːd/ ◆ *s* **1** (*gara*) vantaggio: *to be in the lead* essere in testa **2** esempio **3** (*Teat*) parte principale **4** (*Carte*) mano (*il giocare per primi*): *It's your lead.* Sei tu di mano. **5** indizio, pista **6** guinzaglio **7** (*Elettr*) filo ◆ (*pass, pp* **led** /led/) **1** *vt* condurre, guidare **2** *vt* ~ **sb to do sth** portare qn a fare qc **3** *vi* ~ **to/into sth** (*porta, ecc*) portare a/in qc: *This door leads into the garden.* Questa porta dà sul giardino. **4** *vi* ~ **to sth** portare, dar luogo a qc **5** *vt* (*vita*) condurre **6** *vi* essere in testa **7** *vt* essere a capo di LOC **to lead sb to believe (that)...** far credere a qn che... **to lead the way** (**to sth**) aprire la strada (a qc) PHR V **to lead up to sth** preparare il terreno per qc **leader** *s* **1** capo **2** (*Sport*) chi è in testa **leadership** *s* **1** direzione (*di partito, gruppo, ecc*) **2** [*v sing o pl*] dirigenza **leading** *agg* principale

leaf /liːf/ *s* (*pl* **leaves** /liːvz/) foglia LOC **to take a leaf out of sb's book** prendere esempio da qn *Vedi anche* TURN **leafy** *agg* (**-ier**, **-iest**) ricco di foglie: *leafy vegetables* verdure a foglia

leaflet /ˈliːflət/ *s* depliant, volantino

league /liːg/ *s* **1** associazione, lega **2** (*Sport*) serie **3** (*inform*): *They're just not in the same league.* Tra loro non c'è paragone. LOC **in league (with sb)** in combutta (con qn)

leak /liːk/ ◆ *s* **1** perdita (*di gas, acqua*) **2** (*fig*) fuga di notizie ◆ **1** *vi* (*recipiente*) perdere **2** *vi* (*liquido, gas*) uscire **3** *vt* (*informazioni*) rivelare

lean¹ /liːn/ *agg* (**-er**, **-est**) magro

She is **leaning against** a tree.

He is **leaning out of** a window.

lean² /liːn/ (*pass, pp* **leant** /lent/ *o* **leaned**) ☛ *Vedi nota a* DREAM **1** *vi* pendere, essere inclinato: *to lean out of the window* sporgersi dalla finestra ◊ *to lean back* appoggiarsi all'indietro ◊ *to lean forward* sporgersi in avanti **2** *vt, vi* ~ **(sth) against/on sth** appoggiare qc, appoggiarsi a qc **leaning** *s* tendenza, propensione

leap /liːp/ ◆ *vi* (*pass, pp* **leapt** /lept/ *o* **leaped**) ☛ *Vedi nota a* DREAM saltare, balzare: *My heart leapt.* Ho avuto un tuffo al cuore. ◆ *s* salto

leap year *s* anno bisestile

learn /lɜːn/ (*pass, pp* **learnt** /lɜːnt/ *o* **learned**) ☛ *Vedi nota a* DREAM *vt, vi* **1** *vi* ~ **(of/about) sth** imparare qc, venire a sapere (di) qc LOC **He's learnt his lesson.** Gli è servito di lezione. *Vedi anche* ROPE **learner** *s* principiante, studente **learning** *s* **1** (*azione*) apprendimento **2** (*conoscenze*) cultura

lease /liːs/ ◆ *s* contratto d'affitto LOC *Vedi* NEW ◆ *vt* **1** ~ **sth (to sb)** dare in affitto qc (a qn) **2** ~ **sth (from sb)** prendere in affitto qc (da qn)

least /liːst/ ◆ *pron* (*superl di* **little**) minore, meno di tutti: *It's the least I can do.* È il minimo che possa fare. LOC **at least** almeno, per lo meno **not in the least** affatto **not least** specialmente *Vedi anche* LAST ◆ *agg* minore ◆ *avv* meno: *when I least expected it* quando meno me lo aspettavo

leather /ˈleðə(r)/ *s* cuoio, pelle

leave /liːv/ (*pass, pp* **left** /left/) ◆ **1** *vt* lasciare: *Leave it to me.* Ci penso io. ◊ *Leave me alone* Lasciami in pace. ◊ *She left the room* È uscita dalla stanza. **2** *vi* andarsene **3** *vi, vt* partire (da) **4** *vt* (*ombrello, borsa, ecc*) dimenticare **5** *vt* **to be left** rimanere, restare: *You've only got two days left.* Ti restano solo due giorni. LOC **to leave sb to their own devices/to themselves** lasciare che qn si arrangi da solo *Vedi anche* ALONE PHR V **to leave behind** lasciare, dimenticare ◆ *s* congedo LOC **on leave** in congedo

leaves *plurale di* LEAF

lecture /ˈlektʃə(r)/ ◆ *s* **1** lezione (*universitaria*): *to give a lecture* fare una lezione **2** conferenza: *to give a lecture* tenere una conferenza ☛ *Confronta* CONFERENCE **3** paternale LOC **lecture theatre** aula magna ◆ **1** *vi* ~ **(on sth)** fare una lezione/conferenza (su qc) **2** *vt* ~ **sb (for/about sth)** fare la paternale a qn (per/su qc) **lecturer** *s* **1**

~ **(in sth)** (*università*) professore, -essa (di qc) **2** conferenziere, -a

led *pass, pp di* LEAD[2]

ledge /ledʒ/ *s* **1** sporgenza: *the window ledge* il davanzale della finestra **2** (*Geog*) piattaforma sottomarina

leek /liːk/ *s* porro (*verdura*)

left[1] *pass, pp di* LEAVE

left[2] /left/ ◆ *s* **1** sinistra: *on the left* a sinistra **2 the Left** [*v sing o pl*] (*Politica*) la Sinistra ◆ *agg* sinistro ◆ *avv* a sinistra: *Turn/Go left.* Gira/Vai a sinistra.

left-hand /ˈleft hænd/ *agg* sinistro, di sinistra: *on the left-hand side* sulla sinistra **left-handed** *agg* mancino

left luggage office *s* deposito bagagli

leftover /ˈleftəʊvə(r)/ *agg* avanzato, rimanente: *leftover chicken* avanzi di pollo **leftovers** *s* [*pl*] avanzi

left wing *agg* di sinistra (*politicamente*)

leg /leg/ *s* **1** (*persona, mobile, pantaloni*) gamba ☛ *Vedi illustrazione a* CROSS-LEGGED **2** (*animale*) zampa **3** (*carne*) coscia, cosciotto LOC **to give sb a leg up** (*inform*) aiutare qn a salire **not to have a leg to stand on** (*inform*) non avere una scusa che regga *Vedi anche* PULL, STRETCH

legacy /ˈlegəsi/ *s* (*pl* **-ies**) **1** eredità **2** (*fig*) retaggio

legal /ˈliːgl/ *agg* legale, di legge: *to take legal action against sb* fare causa a qn *Vedi anche* LAWFUL *a* LAW **legality** /lɪˈgæləti/ *s* legalità **legalization, -isation** *s* legalizzazione **legalize, -ise** *vt* legalizzare

legend /ˈledʒənd/ *s* leggenda **legendary** *agg* leggendario

leggings /ˈlegɪŋz/ *s* [*pl*] pantacollant, fuseaux

legible /ˈledʒəbl/ *agg* leggibile

legion /ˈliːdʒən/ *s* **1** legione **1** (*fig*) stuolo

legislate /ˈledʒɪsleɪt/ *vi* ~ **(for/against sth)** promulgare delle leggi (a favore/contro qc) **legislation** *s* legislazione **legislative** *agg* legislativo **legislature** *s* (*form*) organi legislativi

legitimacy /lɪˈdʒɪtɪməsi/ *s* (*form*) legittimità

legitimate /lɪˈdʒɪtɪmət/ *agg* **1** legittimo, lecito **2** valido

leisure /ˈleʒə(r); *USA* ˈliːʒər/ *s* tempo libero, svago: *leisure time* tempo libero LOC **at your leisure** con comodo

leisure centre *s* centro ricreativo

leisurely /ˈleʒəli; *USA* ˈliːʒərli/ ◆ *agg* tranquillo, rilassato ◆ *avv* tranquillamente

lemon /ˈlemən/ *s* limone ☛ *Vedi illustrazione a* FRUTTA

lemonade /ˌleməˈneɪd/ *s* **1** gazzosa **2** limonata

lend /lend/ *vt* (*pass, pp* **lent** /lent/) prestare LOC *Vedi* HAND ☛ *Vedi illustrazione a* BORROW

length /leŋθ/ *s* **1** lunghezza: *20 metres in length* lungo 20 metri **2** durata: *for some length of time* per un certo periodo LOC **to go to any, great, etc lengths (to do sth)** fare di tutto (per fare qc) **lengthen** *vt, vi* allungare, allungarsi **lengthy** *agg* (**-ier**, **-iest**) molto lungo

lenient /ˈliːniənt/ *agg* **1** indulgente **2** (*punizione*) leggero

lens /lenz/ *s* (*pl* **lenses**) **1** (*Foto*) obiettivo **2** (*occhiali*) lente: *contact lenses* lenti a contatto

lent *pass, pp di* LEND

lentil /ˈlentl/ *s* lenticchia

Leo /ˈliːəʊ/ *s* (*pl* **Leos**) Leone (*segno zodiacale*) ☛ *Vedi esempi a* AQUARIUS

leopard /ˈlepəd/ *s* leopardo

lesbian /ˈlezbiən/ ◆ *agg* lesbico ◆ *s* lesbica

less /les/ ◆ *avv* ~ **(than...)** meno (di/che...): *I see him less often these days.* In questo periodo lo vedo meno. LOC **less and less** sempre meno *Vedi anche* EXTENT, MORE ◆ *agg, pron* ~ **(than...)** meno (di/che...): *I have less than you.* Ne ho meno di te.

> **Less** è il comparativo di **little** e di solito si usa con sostantivi non numerabili: *'I've got very little money.' 'I have even less money* (*than you*).*'* "Ho pochi soldi." "Io ne ho ancora meno (di te)." **Fewer** è il comparativo di **few** e di solito si usa con sostantivi plurali: *fewer accidents, people, etc* meno incidenti, gente, ecc. Nell'inglese parlato, tuttavia, è più frequente usare **less** anziché **fewer**, anche con i sostantivi plurali.

lessen *vi, vt* diminuire **lesser** *agg*

minore: *to a lesser extent* in grado minore

lesson /ˈlesn/ *s* lezione: *I have four English lessons a week.* Ho quattro ore d'inglese alla settimana. LOC *Vedi* LEARN, TEACH

let[1] /let/ *vt* (**-tt-**) (*pass, pp* **let**) lasciare, fare, permettere: *to let sb do sth* lasciare fare qc a qn ◊ *My dad won't let me smoke in my bedroom.* Mio padre non mi lascia fumare in camera. ☛ *Vedi nota a* ALLOW

Let us + infinito senza il TO si usa per esprimere un suggerimento. Ad eccezione del linguaggio formale, si usa comunemente la forma contratta **let's**: *Let's go!* Andiamo! La forma negativa è **let's not** o **don't let's**: *Let's not argue.* Non litighiamo.

LOC **let alone** tanto meno: *I can't afford new clothes, let alone a holiday.* Non mi posso permettere dei vestiti nuovi, figuriamoci una vacanza. **let's face it** (*inform*) diciamocelo chiaramente **let's say** diciamo **to let fly at sb/sth** scagliarsi contro qn/qc **to let fly with sth** sparare con qc **to let off steam** (*inform*) sfogarsi **to let sb know sth** far sapere qc a qn **to let sb/sth go**; **to let go of sb/sth** mollare qn/qc **to let sb/sth loose** lasciare andare qn/qc **to let sth slip** lasciarsi scappare qc (*parlando*) **to let the cat out of the bag** lasciarsi scappare un segreto **to let the matter drop/rest** lasciar perdere la cosa **to let yourself go** lasciarsi andare *Vedi anche* HOOK PHR V **to let sb down** deludere qn **to let sb in/out** far entrare/uscire qn **to let sb off** non punire qn: *I'll let you off this time.* Per questa volta chiudo un occhio. ◊ *For once my mum let me off washing up.* Per una volta la mia mamma non mi ha fatto lavare i piatti. **to let sth off 1** (*bomba*) far esplodere qc **2** (*fuochi artificiali*) accendere qc

let[2] /let/ *vt* (**-tt-**) (*pass, pp* **let**) (*GB*) **to let sth** (**to sb**) affittare qc (a qn) LOC **to let** affittasi

lethal /ˈliːθl/ *agg* letale

lethargy /ˈleθədʒi/ *s* fiacchezza, apatia **lethargic** /ləˈθɑːdʒɪk/ *agg* fiacco, apatico

let's /lets/ = LET US *Vedi* LET[1]

letter /ˈletə(r)/ *s* lettera: *to post a letter* imbucare una lettera ◊ *a five-letter word* una parola di cinque lettere LOC **to the letter** alla lettera

letter box *s* **1** (*anche* **postbox**) (*strada*) buca delle lettere **2** (*porta*) cassetta delle lettere

lettuce /ˈletɪs/ *s* lattuga

leukaemia (*USA* **leukemia**) /luːˈkiːmiə/ *s* leucemia

level /ˈlevl/ ◆ *agg* **1** piano, piatto: *a level spoonful* un cucchiaio raso **2** orizzontale, diritto **3** ~ (**with sb/sth**) allo stesso livello (di qn/qc) LOC *Vedi* BEST ◆ *s* livello: *1000 metres above sea-level* 1.000 metri sul livello del mare ◊ *high-level negotiations* negoziati ad alto livello ◆ *vt* (**-ll-**, *USA* **-l-**) livellare PHR V **to level sth at sb/sth** lanciare qc contro qn/qc (*accusa*) **to level off/out** stabilizzarsi

level crossing *s* passaggio a livello

lever /ˈliːvə(r); *USA* ˈlevər/ *s* leva (*asta*) **leverage** *s* **1** (*fig*) influenza, potere **2** (*lett*) azione/forza di una leva

levy /ˈlevi/ ◆ *vt* (*pass, pp* **levied**) imporre (*tassa*) ◆ *s* **1** riscossione (*di tasse*) **2** tassa, imposta

liability /ˌlaɪəˈbɪləti/ *s* (*pl* **-ies**) **1** ~ (**for sth**) responsabilità (per qc) **2** (*inform*) peso morto, palla al piede **liable** *agg* **1** ~ (**for sth**) responsabile (di qc) **2** ~ **to sth** soggetto a qc **3** ~ **to do sth** propenso a fare qc

liaison /liˈeɪzn; *USA* ˈlɪəzɒn/ *s* **1** coordinamento **2** relazione (*sentimentale, sessuale*)

liar /ˈlaɪə(r)/ *s* bugiardo, -a

libel /ˈlaɪbl/ *s* diffamazione

liberal /ˈlɪbərəl/ *agg* **1** liberale **2 Liberal** (*Politica*) liberale: *the Liberal Democrats* il partito democratico liberale ☛ *Confronta* LABOUR senso 4, TORY

liberate /ˈlɪbəreɪt/ *vt* ~ **sb/sth** (**from sth**) liberare qn/qc (da qc) **liberated** *agg* emancipato **liberation** *s* **1** liberazione **2** emancipazione

liberty /ˈlɪbəti/ *s* (*pl* **-ies**) libertà *Vedi anche* FREEDOM LOC **to take liberties** prendersi delle libertà

Libra /ˈliːbrə/ *s* Bilancia (*segno zodiacale*) ☛ *Vedi esempi a* AQUARIUS

library /ˈlaɪbrəri; *USA* -breri/ *s* (*pl* **-ies**) biblioteca **librarian** /laɪˈbreəriən/ *s* bibliotecario, -a

lice *plurale di* LOUSE

licence (*USA* **license**) /ˈlaɪsns/ *s* **1** licenza: *driving licence* patente di guida ◊ *TV licence* abbonamento alla televisione *Vedi* OFF-LICENCE **2** (*form*) permesso

lick /lɪk/ ◆ *vt* leccare ◆ *s* leccata

licorice (*USA*) *Vedi* LIQUORICE

lid /lɪd/ *s* coperchio ☛ *Vedi illustrazione a* SAUCEPAN

lie[1] /laɪ/ ◆ *vi* (*pass, pp* **lied** *p pres* **lying**) **to lie (to sb) (about sth)** mentire (a qn) (su qc) ◆ *s* bugia: *to tell lies* dire bugie

lie[2] /laɪ/ *vi* (*pass* **lay** /leɪ/ *pp* **lain** /leɪn/ *p pres* **lying**) **1** sdraiarsi, essere sdraiato **2** essere: *The problem lies in...* Il problema sta in... **3** (*città*) trovarsi PHR V **to lie about/around 1** bighellonare **2** essere sparso: *Don't leave all your clothes lying around.* Non lasciare i vestiti sparsi dappertutto. **to lie back** rilassarsi **to lie down 1** sdraiarsi **2** riposarsi **to lie in** (*GB*) (*USA* **to sleep in**) (*inform*) rimanere a letto (*la mattina*)

Confronta i verbi **lie** e **lay**. Il verbo **lie** (**lay, lain, lying**) è intransitivo e significa "sdraiarsi, essere sdraiato": *I was feeling ill, so I lay down on the bed for a while.* Non mi sentivo bene, così mi sono sdraiato sul letto per un po'. Attenzione a non confonderlo con **lie** (**lied, lied, lying**), che significa "mentire". **Lay** (**laid, laid, laying**), invece, è transitivo e significa "mettere": *She laid her dress on the bed to keep it neat.* Ha messo il vestito sul letto perché non si sgualcisse.

lieutenant /lef ˈtenənt; *USA* luːˈt-/ *s* tenente

life /laɪf/ (*pl* **lives** /laɪvz/) *s* **1** vita: *late in life* in età avanzata ◊ *a friend for life* un amico per tutta la vita ◊ *private life* la vita privata *Vedi* LONG-LIFE **2** (*anche* **life sentence**, **life imprisonment**) ergastolo LOC **to come to life** animarsi **to take your (own) life** togliersi la vita *Vedi anche* BREATHE, BRING, FACT, KISS, MATTER, NEW, PRIME, TIME, TRUE, WALK, WAY

lifebelt /ˈlaɪfbelt/ (*anche* **lifebuoy**) *s* salvagente

lifeboat /ˈlaɪfbəʊt/ *s* scialuppa di salvataggio

life expectancy *s* (*pl* **-ies**) durata media della vita

lifeguard /ˈlaɪfgɑːd/ *s* bagnino, -a

life jacket *s* giubbotto di salvataggio

lifelong /ˈlaɪflɒŋ/ *agg* di tutta la vita

lifestyle /ˈlaɪfstaɪl/ *s* stile di vita

lifetime /ˈlaɪftaɪm/ *s* vita LOC **th chance of a lifetime** un'occasion unica

lift /lɪft/ ◆ **1** *vt* ~ **sb/sth (up)** sollevar alzare qn/qc **2** *vt* (*divieto*) togliere **3** *ι* (*nebbia, nuvole*) disperdersi PHR V **t lift off** decollare ◆ *s* **1** *to give sb a li* dare un passaggio a qn **2** (*USA* **eleva tor**) ascensore **3** carica (*d'energia, a vita*) LOC *Vedi* THUMB

light /laɪt/ ◆ *s* **1** luce: *to turn on/off th light* accendere/spegnere la luce (**traffic**) **lights** [*pl*] semaforo **3 a ligh** *Have you got a light?* Hai da accender LOC **in the light of sth** alla luce di qc **t come to light** venire alla luce, eme gere *Vedi anche* SET[2] ◆ *agg* (**-er**, **-est**) (*stanza*) luminoso **2** (*colore*) chiaro (*persona, oggetto*) leggero: *two kil lighter* due chili meno ◆ (*pass, pp* **l** /lɪt/ *o* **lighted**) **1** *vt, vi* accender accendersi **2** *vt* illuminare ☛ In gener si usa **lighted** come aggettivo davan al sostantivo: *a lighted candle* un candela accesa e **lit** come verbo: *He l a candle.* Accese una candela. PHR V **t light up (with sth)** illuminarsi (per q (*viso, occhi*) ◆ *avv*: *to travel light* via giare leggero

light bulb *Vedi* BULB

lighten /ˈlaɪtn/ *vt, vi* **1** (*colore*) schi rire, schiarirsi **2** alleggerire, allegg rirsi **3** sollevare, sollevarsi (*da un preoccupazione*)

lighter /ˈlaɪtə(r)/ *s* accendino

light-headed /ˌlaɪt ˈhedɪd/ *agg* into tito

light-hearted /ˌlaɪt ˈhɑːtɪd/ *agg* spensierato **2** (*discussione*) non imp gnato

lighthouse /ˈlaɪthaʊs/ *s* faro (*sul mar*

lighting /ˈlaɪtɪŋ/ *s* illuminazione: *stre lighting* illuminazione stradale

lightly /ˈlaɪtli/ *avv* **1** leggermente **2** all leggera LOC **to get off/escape light** (*inform*) cavarsela con poco

lightness /ˈlaɪtnəs/ *s* **1** chiarezz luminosità **2** leggerezza

lightning /ˈlaɪtnɪŋ/ *s* [*non numerabil* fulmini, lampi

ghtweight /ˈlaɪtweɪt/ ◆ *s* peso leggero (*boxe*) ◆ *agg* **1** leggero **2** dei pesi leggeri (*boxe*)

ke[1] /laɪk/ *vt* **1** *I like ice-cream/ swimming.* Mi piace il gelato/nuotare. ◊ *Do you like fish?* Ti piace il pesce? ☛ *Vedi nota a* PIACERE **2** (*desiderio, richiesta*): *I would like to help, but I can't.* Mi piacerebbe poterti aiutare ma non posso. ◊ *I'd like an ice cream.* Voglio un gelato. ◊ *I'd like a new car.* Mi piacerebbe una macchina nuova. ◊ *I'd like you to meet her.* Vorrei che tu la conoscessi. LOC **if you like** se vuoi **likeable** *agg* piacevole, simpatico

ke[2] /laɪk/ ◆ *prep* come: *to look/be like sb* assomigliare a qn ◊ *He cried like a child.* Ha pianto come un bambino. ◊ *He acted like an idiot.* Si è comportato da idiota. ◊ *European countries like Italy, France, etc* paesi europei come l'Italia, la Francia, ecc ◊ *What's the weather like?* Che tempo fa? ◊ *What's she like?* Che tipo è? ◊ *What's your new house like?* Com'è la casa? ◊ *Do it like this.* Fallo così. ☛ *Confronta* AS LOC *Vedi* JUST ◆ *cong* (*inform*) **1** come: *It didn't end quite like I expected it to.* Non è finita come mi aspettavo. **2** come se *Vedi anche* AS IF/THOUGH *a* AS

kely /ˈlaɪkli/ ◆ *agg* (**-ier**, **-iest**) **1** probabile: *It's likely to rain.* È probabile che piova. ◊ *She's very likely to ring me/ It's very likely that she'll ring me.* È molto probabile che mi telefoni. **2** (*candidato, posto*) adatto ◆ *avv* LOC **not likely!** (*inform*) neanche per sogno! **likelihood** *s* [*sing*] probabilità

ken /ˈlaɪkən/ *vt* (*form*) ~ **sth to sth** paragonare qc a qc

keness /ˈlaɪknəs/ *s* somiglianza: *a family likeness* l'aria di famiglia

kewise /ˈlaɪkwaɪz/ *avv* (*form*) **1** allo stesso modo: *to do likewise* fare lo stesso **2** anche **3** inoltre

king /ˈlaɪkɪŋ/ *s* LOC **to be to sb's liking** (*form*) essere di gradimento di qn **to take a liking to sb** prendere qn in simpatia

lac /ˈlaɪlək/ *s* **1** (*fiore*) lillà **2** (*colore*) lilla

ly /ˈlɪli/ *s* (*pl* **lilies**) giglio

mb /lɪm/ *s* (*Anat*) arto

me[1] /laɪm/ *s* calce

lime[2] /laɪm/ ◆ *s* limetta ◆ *agg*, *s* (*anche* **lime green**) verde acido

limelight /ˈlaɪmlaɪt/ *s*: *in the limelight* sotto i riflettori

limestone /ˈlaɪmstəʊn/ *s* pietra calcarea

limit[1] /ˈlɪmɪt/ *s* limite: *the speed limit* il limite di velocità LOC **within limits** entro certi limiti **limitation** *s* limitazione **limitless** *agg* illimitato

limit[2] /ˈlɪmɪt/ *vt* ~ **sb/sth** (**to sth**) limitare qn/qc (a qc) **limited** *agg* limitato **limiting** *agg* limitativo, restrittivo

limousine /ˈlɪməziːn, ˌlɪməˈziːn/ *s* limousine

limp[1] /lɪmp/ *agg* **1** molle, floscio **2** fiacco

limp[2] /lɪmp/ ◆ *vi* zoppicare ◆ *s*: *to have a limp* zoppicare

line[1] /laɪn/ *s* **1** linea, riga **2** fila, coda **3** **lines** [*pl*] righe, versi: *to learn your lines* imparare le battute **4** ruga **5** corda: *a fishing line* una lenza da pesca ◊ *a clothes line* il filo del bucato **6** linea: *The line is engaged.* È occupato. **7** [*sing*]: *the official line* la posizione ufficiale LOC **along/on the same lines** dello stesso genere **in line with sth** in accordo con qc *Vedi anche* DROP, HARD, HOLD, TOE

line[2] /laɪn/ *vt*: *a street lined with trees* una strada alberata ◊ *Thousands of people lined the streets.* Migliaia di persone si affollavano lungo le strade. PHR V **to line up** (**for sth**) mettersi in fila (per qc) **lined** *agg* **1** (*carta*) a righe **2** (*viso*) rugoso

line[3] /laɪn/ *vt* ~ **sth** (**with sth**) foderare, rivestire qc (di qc) **lined** *agg* foderato, rivestito **lining** *s* fodera, rivestimento

line drawing *s* disegno a penna/matita

linen /ˈlɪnɪn/ *s* **1** lino **2** biancheria (*per la casa*)

liner /ˈlaɪnə(r)/ *s* transatlantico

linger /ˈlɪŋgə(r)/ *vi* **1** (*persona*) indugiare, attardarsi **2** (*ricordo, odore, tradizione*) perdurare, persistere

linguist /ˈlɪŋgwɪst/ *s* **1** poliglotta **2** linguista **linguistic** /lɪŋˈgwɪstɪk/ *agg* linguistico **linguistics** *s* [*sing*] linguistica

link /lɪŋk/ ◆ *s* **1** anello (*di catena*) **2** legame, collegamento: *satellite link* collegamento via satellite ◆ *vt* **1** collegare, congiungere: *to link arms with sb* prendere sottobraccio qn PHR V **to link up (with sb)** unirsi (a qn) **to link up (with sth)** collegarsi (con qc)

lion /ˈlaɪən/ *s* leone: *a lion-tamer* un domatore di leoni ◊ *a lion-cub* un leoncino

lip /lɪp/ *s* labbro

lip-read /ˈlɪp riːd/ *vi* (*pass, pp* **lip-read** /-red/) leggere le labbra

lipstick /ˈlɪpstɪk/ *s* rossetto

liqueur /lɪˈkjʊə(r); *USA* -ˈkɜːr/ *s* liquore

liquid /ˈlɪkwɪd/ ◆ *s* liquido ◆ *agg* liquido **liquidize, -ise** *vt* passare al frullatore **liquidizer, -iser** (*anche* **blender**) *s* frullatore

liquor /ˈlɪkə(r)/ *s* **1** (*GB*) alcolici **2** (*USA*) superalcolici

liquorice (*USA* **licorice**) /ˈlɪkərɪs/ *s* liquirizia

lisp /lɪsp/ ◆ *s* lisca (*nel parlare*) ◆ **1** *vi* parlare con la lisca **2** *vt* dire con la lisca

list /lɪst/ ◆ *s* lista: *to make a list* fare una lista ◊ *waiting list* lista d'attesa ◆ *vt* **1** fare la lista di **2** elencare

listen /ˈlɪsn/ *vi* **1** ~ **(to sb/sth)** ascoltare (qn/qc) **2** ~ **to sb/sth** dare ascolto a qn/qc PHR V **to listen (out) for**: *Listen (out) for the phone.* Fai attenzione se squilla il telefono. **listener** *s* **1** (*Radio*) ascoltatore, -trice **2** *He's a good listener.* È uno che sa ascoltare.

lit *pass, pp di* LIGHT

literacy /ˈlɪtərəsi/ *s* il saper leggere e scrivere

literal /ˈlɪtərəl/ *agg* letterale **literally** *avv* letteralmente

literary /ˈlɪtərəri; *USA* -reri/ *agg* letterario

literate /ˈlɪtərət/ *agg* che sa leggere e scrivere

literature /ˈlɪtrətʃə(r); *USA* -tʃʊər/ *s* **1** letteratura **2** (*inform*) materiale informativo

litre (*USA* **liter**) /ˈliːtə(r)/ *s* (*abbrev* **l**) litro ☛ *Vedi Appendice 1.*

litter /ˈlɪtə(r)/ ◆ *s* **1** rifiuti, cartacce **2** nidiata, cucciolata ◆ *vt* (*rifiuti*) coprire: *Newspapers littered the floor.* Il pavimento era coperto di giornali.

litter bin *s* cestino dei rifiuti

little /ˈlɪtl/ ◆ *agg* ☛ Il comparativo **littler** e il superlativo **littlest** sono poco comuni e di solito al loro posto s usano **smaller** e **smallest**. **1** piccolo *When I was little...* Quando er piccolo... ◊ *my little brother* mio fratel lo minore ◊ *your little finger* il mignol ◊ *Poor little thing!* Poverino! **2** poco: *W have very little time left.* Ci è rimast pochissimo tempo. ☛ *Vedi nota a* LES

Little o **a little**? *Little* ha un sens negativo e equivale a "poco". *A little* h un senso molto più positivo e equival a "un po' di". Con **only**, comunque, s usa generalmente *a little.* Confronta l seguenti espressioni: *I've got little hope* Ho poche speranze. ◊ *You shoul always carry a little money with you* Dovresti sempre portare un po' di sold con te.

◆ *s, pron* poco: *There was little anyon could do.* Non si è potuto far molto. ◊ *only want a little.* Ne voglio solo un po' ◆ *avv* poco: *little more than an hou ago* poco più di un'ora fa ◊ *I'm a littl tired.* Sono un po' stanco. LOC **as littl as possible** il meno possibile **little b little** poco a poco **little or nothing** poc o niente

live[1] /laɪv/ ◆ *agg* **1** vivo ☛ *Vedi nota* VIVO **2** (*proiettili*) carico **3** (*Elettr*) sott tensione **4** (*TV*) in diretta **5** (*concerto musica*) dal vivo ◆ *avv* in diretta

live[2] /lɪv/ *vi* **1** vivere **2** (*fig*) abitare *Where do you live?* Dove abiti? **3** (*fig* rimanere vivo PHR V **to live for st** vivere per qc **to live on** continuare vivere **to live on sth** vivere di qc **to liv through sth** sopravvivere a qc **to liv up to sth** non venir meno a qc **to liv with sth** accettare qc

livelihood /ˈlaɪvlihʊd/ *s* mezzi d sostentamento

lively /ˈlaɪvli/ *agg* (**-ier**, **-iest**) vivace

liver /ˈlɪvə(r)/ *s* fegato

lives *plurale di* LIFE

livestock /ˈlaɪvstɒk/ *s* bestiame

living /ˈlɪvɪŋ/ ◆ *s* vita: *to earn/make living* guadagnarsi da vivere ◊ *What d you do for a living?* Che lavoro fai? *cost/standard of living* costo della vita tenore di vita ◆ *agg* [*solo davanti sostantivo*] vivente: *living creature* esseri viventi ☛ *Confronta* ALIVE LO **in/within living memory** a memori d'uomo

ving room (*GB* **sitting room**) *s* soggiorno

zard /ˈlɪzəd/ *s* lucertola

oad /ləʊd/ ◆ *s* **1** carico, peso **2 loads (of sth)** [*pl*] (*inform*) un mucchio (di qc) LOC **a load of (old) rubbish, etc** (*inform*): *What a load of rubbish!* Che sciocchezze! ◆ **1** *vt* ~ **sth (into/onto sth)** caricare qc (su qc) **2** *vt* ~ **sth (up) (with sth)** caricare qc (di qc) **3** *vt* ~ **sb/sth down** caricare troppo qn/qc **4** *vi* ~ **(up)/(up with sth)** rifornirsi (di qc) **loaded** *agg* carico LOC **a loaded question** una domanda tendenziosa

oaf /ləʊf/ *s* (*pl* **loaves** /ləʊvz/) pagnotta: *a loaf of bread* una pagnotta ☛ *Vedi illustrazione a* PANE

oan /ləʊn/ *s* prestito

oathe /ləʊð/ *vt* detestare **loathing** *s* disgusto

oaves *plurale di* LOAF

obby /ˈlɒbi/ ◆ *s* (*pl* **-ies**) **1** atrio, hall **2** [*v sing o pl*] (*Politica*) lobby ◆ *vt, vi* (*pass, pp* **lobbied**) ~ **(sb) (for sth)** far pressione (su qn) (per qc)

obster /ˈlɒbstə(r)/ *s* aragosta

ocal /ˈləʊkl/ *agg* **1** locale: *local authority* autorità locale **2** (*Med*) localizzato: *local anaesthetic* anestesia locale **locally** *avv* localmente, nei paraggi: *Do you live locally?* Abita qui vicino?

ocate /ləʊˈkeɪt; *USA* ˈləʊkeɪt/ *vt* **1** trovare **2** situare

ocation /ləʊˈkeɪʃn/ *s* **1** posto, posizione **2** localizzazione LOC **to be on location** girare gli esterni

och /lɒk, lɒx/ *s* (*Scozia*) lago

ock /lɒk/ ◆ *s* **1** serratura **2** lucchetto **3** (*canale*) chiusa ◆ *vt, vi* **1** chiudere a chiave, chiudersi a chiave **2** (*meccanismo*) bloccare, bloccarsi PHR V **to lock sth away/up** tenere qc al sicuro **to lock sb up** mettere dentro qn, rinchiudere qn

ocker /ˈlɒkə(r)/ *s* armadietto (*in spogliatoio, stazione, ecc*)

odge /lɒdʒ/ ◆ *s* **1** casa del guardiano **2** (*caccia, pesca*) padiglione **3** portineria ◆ **1** *vi* ~ **(with sb/at...)** essere a pensione (presso qn/in...) **2** *vt, vi* ~ **(sth) in sth** conficcare qc; conficcarsi in qc **lodger** *s* pensionante (*in una casa*) **lodging** *s* **1** alloggio: *board and lodging* vitto e alloggio **2 lodgings** [*pl*] camere in affitto

loft /lɒft; *USA* lɔːft/ *s* soffitta

log[1] /lɒg; *USA* lɔːg/ *s* **1** tronco **2** ceppo

log[2] /lɒg; *USA* lɔːg/ ◆ *s* diario di bordo ◆ *vt* (**-gg-**) annotare (*sul diario di bordo*) PHR V **to log in/on** (*Informatica*) aprire una sessione **to log off/out** (*Informatica*) terminare una sessione

logic /ˈlɒdʒɪk/ *s* logica **logical** *agg* logico

logo /ˈləʊgəʊ/ *s* (*pl* ~**s**) logo

lollipop /ˈlɒlipɒp/ *s* lecca lecca

lonely /ˈləʊnli/ *agg* **1** solitario, solo: *to feel lonely* sentirsi solo ☛ *Vedi nota a* ALONE **2** solitario, isolato **loneliness** *s* solitudine **loner** *s* solitario, -a

long[1] /lɒŋ; *USA* lɔːŋ/ ◆ *agg* (**longer** /lɒŋgə(r)/ **longest** /lɒŋgɪst/) lungo: *It's two metres long.* È lungo due metri. ◊ *a long time ago* molto tempo fa ◊ *How long are the holidays?* Quanto durano le vacanze? ◊ *a long way away* molto lontano LOC **in the long run** alla lunga *Vedi anche* TERM ◆ *avv* (**longer** /lɒŋgə(r)/ **longest** /lɒŋgɪst/) **1** a lungo: *How long does the film last?* Quanto dura il film? ◊ *Stay as long as you like.* Rimani quanto vuoi. ◊ *How long have you known her?* Quant'è che la conosci? ◊ *long ago* molto tempo fa ◊ *long before/after* molto prima/dopo **2** *the whole night long* tutta la notte ◊ *all day long* tutto il giorno LOC **as/so long as 1** finché **2** purché **for long** da/per molto tempo **no longer/not any longer** non più: *I can't stay any longer.* Non posso restare oltre.

long[2] /lɒŋ; *USA* lɔːŋ/ *vi* **1** ~ **for sth/to do sth** desiderare tanto qc/fare qc **2** ~ **for sb to do sth** desiderare tanto che qn faccia qc **longing** *s* desiderio

long-distance /ˌlɒŋ ˈdɪstəns/ *agg, avv* su lunga distanza: *to phone long-distance* fare un'interurbana

longitude /ˈlɒndʒɪtjuːd; *USA* -tuːd/ *s* longitudine ☛ *Confronta* LATITUDE

long jump *s* salto in lungo

long-life /ˌlɒŋ ˈlaɪf/ *agg* a lunga conservazione

long-range /ˌlɒŋ ˈreɪndʒ/ *agg* **1** (*previsione*) a lungo termine **2** (*missile*) a lunga portata **3** (*aereo*) a lungo raggio d'azione

long-sighted /ˈlɒŋ saɪtɪd/ *agg* presbite

long-standing /ˌlɒŋ ˈstændɪŋ/ *agg* che dura da molto

long-suffering /ˌlɒŋ ˈsʌfərɪŋ/ *agg* estremamente paziente

long-term /ˌlɒŋ ˈtɜːm/ *agg* a lungo termine

loo /luː/ *s* (*pl* **loos**) (*GB, inform*) gabinetto ☛ *Vedi nota a* TOILET

look[1] /lʊk/ *vi* **1** ~ **(at sb/sth)** guardare (qn/qc): *She looked out of the window.* Guardò fuori dalla finestra. ◊ *Well, look at her!* Ma guarda quella! **2** sembrare: *You look tired.* Hai l'aria stanca. **3** ~ **onto sth** dare su qc LOC **don't look a gift horse in the mouth** (*modo di dire*) a caval donato non si guarda in bocca **(not) to look yourself** (non) essere lo stesso: *Since she got ill she hasn't looked herself.* Da quando si è ammalata non è più la stessa. **to look on the bright side** considerare il lato buono della cosa **to look sb up and down** squadrare qn **to look your age** dimostrare la propria età: *She's fifty, but she doesn't look it.* Ha cinquant'anni ma non li dimostra.
PHR V **to look after yourself/sb** aver cura di se stessi/badare a qn
to look at sth 1 (*rapporto*) esaminare qc **2** (*possibilità*) considerare qc **to look at sb/sth** guardare qn/qc
to look back on sth ripensare a qc
to look down on sb/sth (*inform*) disprezzare qn/qc
to look for sb/sth cercare qn/qc
to look forward to doing sth non veder l'ora di fare qc: *I'm looking forward to the Christmas holidays.* Non vedo l'ora che arrivino le vacanze di Natale.
to look into sth esaminare qc
to look on assistere
to look out: *Look out!* Attento! **to look out for sb/sth** cercare di vedere qn/qc
to look sth over esaminare qc
to look round 1 girarsi (*per vedere*) **2** guardarsi intorno **to look round sth** dare un'occhiata a qc
to look up 1 alzare gli occhi **2** (*inform*) migliorare **to look up to sb** ammirare qn **to look sth up** cercare qc (*su un dizionario, ecc*)

look[2] /lʊk/ *s* **1** occhiata, sguardo: *to have/take a look at sth* dare un'occhiata a qc **2** *to have a look for sth* cercare qc **3** aspetto, aria **4** look, moda **5 looks** [*pl*] aspetto: *good looks* bellezza

lookout /ˈlʊkaʊt/ *s* vedetta, sentinella LOC **to be on the lookout for sb/sth; to keep a lookout for sb/sth** *Vedi* TO LOOK OUT (FOR SB/STH) *a* LOOK[1]

loom /luːm/ ◆ *s* telaio ◆ *vi* **1** ~ **(u**[p]) apparire (*in modo indistinto e mina*c*cioso*) **2** (*fig*) incombere

loony /ˈluːni/ *s* (*pl* **-ies**) *agg* (*infor*m*, dispreg*) matto, -a

loop /luːp/ ◆ *s* **1** anello, occhiello **2** (*c*o*n nodo*) cappio ◆ **1** *vi* formare un anello [2] *vt*: *to loop sth round/over sth* passare q[c] intorno a qc

loophole /ˈluːphəʊl/ *s* scappatoia

loose /luːs/ ◆ *agg* (**-er**, **-est**) **1** (*capel*l*i, frutta*) sciolto: *loose change* spiccioli [2] (*bottone*) che si sta staccando **3** (*abit*o) ampio, largo **4** (*disciplina*) rilassato [5] (*nodo, vite*) allentato **6** (*animal*e) sciolto, scappato LOC **to be at a loos**e **end** non aver niente da fare *Vedi anc*h*e* LET[1] ◆ *s* LOC **to be on the loose** esse[re] scappato **loosely** *avv* **1** senza stringe[re] **2** in modo approssimativo

loosen /ˈluːsn/ *vt, vi* allentare, alle[n]tarsi: *The wine had loosened his tongu*e. Il vino gli aveva sciolto la lingua. PHR [V] **to loosen up 1** sciogliere i muscoli [2] rilassarsi

loot /luːt/ ◆ *s* bottino ◆ **1** *vt* sacche[g]giare **2** *vi* darsi al saccheggio **looting** saccheggio

lop /lɒp/ *vt* (**-pp-**) potare PHR V **to lo**[p] **sth off/away** tagliar via qc

lopsided /ˌlɒp ˈsaɪdɪd/ *agg* **1** sbilenc[o], di traverso **2** (*fig*) non equilibrato

lord /lɔːd/ *s* **1** signore **2 the Lord** Signore: *the Lord's Prayer* il Padren[o]stro **3 the Lords** *Vedi* THE HOUSE [OF] LORDS **4 Lord** (*GB*) (*titolo*) Lord *Ve*[di] *anche* LADY **lordship** *s* LOC **your/h**[is] **Lordship** Vostra/Sua Signoria

lorry /ˈlɒri; *USA* ˈlɔːri/ *s* (*pl* **-ies**) (*anc*h*e spec USA* **truck**) camion

lose /luːz/ (*pass, pp* **lost** /lɒst; *US*A lɔːst/) **1** *vt, vi* perdere: *He lost his title* [to] *the Russian.* Il russo gli ha portato v[ia] il titolo. **2** *vt* ~ **sb sth** far perdere qc [a] qn: *It lost us the game.* Ci è costata [la] partita. **3** *vi* (*orologio*) restare indiet[ro] LOC **to lose your mind** impazzire [to] **lose your nerve** farsi prendere d[al] panico **to lose sight of sb/sth** perde[re] di vista qn/qc: *We must not lose sight* [of] *the fact that…* Non dobbiamo dimen[ti]care che… **to lose your touch** perde[re] la mano **to lose your way** perdersi *Ve*[di] *anche* COOL, GROUND, TEMPER[1], TOSS, TRACK, WEIGHT **PHR V to lose out (on sth)/ (to sb/sth)** (*inform*) rimetterci (qc)/(rispetto a qn/qc) **loser** *s* perdente

oss /lɒs; *USA* lɔːs/ *s* perdita **LOC to be at a loss for words** essere senza parole

ost /lɒst/ ◆ *agg* perso: *to get lost* perdersi **LOC get lost!** (*gergale*) sparisci! ◆ *pass, pp di* LOSE

ost property *s* (ufficio) oggetti smarriti

ot[1] /lɒt/ **the (whole) lot** ◆ *s* tutto: *That's the lot!* Questo è tutto! ◆ **a lot, lots** *pron* (*inform*) molto, -a, ecc: *He spends a lot on clothes.* Spende molto nei vestiti. ☛ *Vedi nota a* MOLTO ◆ **a lot of, lots of** *agg* (*inform*) molto, molti: *lots of people* molta gente ◊ *What a lot of presents!* Quanti regali! ☛ *Vedi nota a* MANY *Vedi anche* MOLTO **LOC to see a lot of sb** vedere molto qn ◆ *avv* molto: *It's a lot colder today.* Oggi fa molto più freddo. ◊ *Thanks a lot.* Grazie mille.

ot[2] /lɒt/ *s* **1** lotto **2** *What do you lot want?* Voialtri cosa volete? ◊ *I don't go out with that lot.* Non esco con quelli. **3** sorte, destino

otion /ˈləʊʃn/ *s* lozione

ottery /ˈlɒtəri/ *s* (*pl* **-ies**) lotteria

oud /laʊd/ ◆ *agg* (**-er**, **-est**) **1** (*rumore*) forte **2** (*colore*) vistoso ◆ *avv* (**-er**, **-est**) forte: *Speak louder.* Parla più forte. **LOC out loud** a voce alta

oudspeaker /laʊdˈspiːkə(r)/ (*anche* **speaker**) *s* altoparlante, cassa (*di stereo*)

ounge /laʊndʒ/ ◆ *vi* ~ (**about/around**) poltrire, oziare ◆ *s* **1** soggiorno **2** (*aeroporto*) sala d'attesa: *departure lounge* sala d'attesa (*per l'imbarco*) **3** (*in hotel*) salone

ouse /laʊs/ *s* (*pl* **lice** /laɪs/) pidocchio

ousy /ˈlaʊzi/ *agg* (**-ier**, **-iest**) terribile: *to feel lousy* stare da cani

out /laʊt/ *s* giovinastro

ovable /ˈlʌvəbl/ *agg* adorabile, carino

ove /lʌv/ ◆ *s* **1** amore: *love story/song* storia/canzone d'amore ☛ Nota che per le persone si dice **love** *for* **somebody** e per le cose **love** *of* **something**. **2** (*Sport*) zero **LOC to be in love (with sb)** essere innamorato (di qn) **to give/send sb your love** mandare i saluti a qn **to make love (to sb)** fare l'amore (con qn) *Vedi anche* FALL ◆ *vt* **1** amare, voler bene a **2** *She loves horses.* Adora i cavalli. ◊ *He loves swimming.* Gli piace molto nuotare. ◊ *I'd love to come.* Verrei tanto volentieri.

love affair *s* relazione (*amorosa*)

lovely /ˈlʌvli/ *agg* (**-ier**, **-iest**) **1** bello **2** carino, delizioso **3** piacevole: *We had a lovely time.* Ci siamo divertiti molto.

lovemaking /ˈlʌvmeɪkɪŋ/ *s* il fare l'amore

lover /ˈlʌvə(r)/ *s* **1** amante **2** ~ (**of sth**) appassionato, -a (di qc)

loving /ˈlʌvɪŋ/ *agg* affettuoso **lovingly** *avv* affettuosamente

low /ləʊ/ ◆ *agg* (**lower**, **lowest**) **1** basso: *low pressure* bassa pressione ◊ *low quality TV* TV scadente ◊ *lower lip* labbro inferiore ◊ *lower case* minuscolo ◊ *the lower middle classes* le classi medio-basse ☛ *Confronta* HIGH[1], UPPER **2** abbattuto: *to feel low* sentirsi giù **LOC to keep a low profile** cercare di passare inosservato *Vedi anche* ESTEEM ◆ *avv* (**lower**, **lowest**) (in) basso: *to fly low* volare basso **LOC** *Vedi* STOOP ◆ *s* minimo

low-alcohol /ˌləʊ ˈælkəhɒl/ *agg* a basso contenuto alcolico

low-calorie /ˌləʊ ˈkæləri/ *agg* a basso contenuto calorico

low-cost /ˌləʊ ˈkɒst/ *agg* a basso prezzo

lower /ˈləʊə(r)/ *vt, vi* abbassare, abbassarsi

low-fat /ˌləʊ ˈfæt/ *agg* magro (*alimenti*): *low-fat yogurt* yogurt magro

low-key /ˌləʊ ˈkiː/ *agg* moderato, discreto

lowlands /ˈləʊləndz/ *s* [*pl*] pianura, bassopiano **lowland** *agg* di/in pianura

loyal /ˈlɔɪəl/ *agg* ~ (**to sb/sth**) leale, fedele (a qn/qc) **loyalist** *s* lealista **loyalty** *s* (*pl* **-ies**) lealtà, fedeltà

luck /lʌk/ *s* fortuna, sorte: *bad luck* sfortuna ◊ *a stroke of luck* un colpo di fortuna **LOC no such luck!** magari! **to be in/out of luck** essere fortunato/sfortunato *Vedi anche* CHANCE, HARD

lucky /ˈlʌki/ *agg* (**-ier**, **-iest**) **1** fortunato **2** *It's lucky she's still here.* Per fortuna è ancora qui. **luckily** *avv* fortunatamente

ludicrous /ˈluːdɪkrəs/ *agg* ridicolo

luggage /ˈlʌgɪdʒ/ (*USA* **baggage**) *s*

[*non numerabile*] bagagli ☛ *Vedi nota a* INFORMAZIONE

luggage rack *s* rete portabagagli

lukewarm /ˌluːkˈwɔːm/ *agg* tiepido

lull /lʌl/ ◆ *vt* **1** calmare **2** cullare ◆ *s* periodo di calma

lumber /ˈlʌmbə(r)/ **1** *vt* ~ **sb with sb/sth** affibbiare qn/qc a qn **2** *vi* muoversi pesantemente **lumbering** *agg* goffo

lump /lʌmp/ ◆ *s* **1** pezzo: *a sugar lump* una zolletta di zucchero **2** grumo **3** (*Med*) nodulo ◆ *vt* ~ **sb/sth together** mettere insieme qn/qc **lumpy** *agg* (**-ier**, **-iest**) **1** (*salsa*) grumoso **2** (*superficie*) bitorzoluto

lump sum *s* pagamento unico

lunacy /ˈluːnəsi/ *s* [*non numerabile*] pazzia

lunatic /ˈluːnətɪk/ *s* pazzo, -a

lunch /lʌntʃ/ ◆ *s* pranzo: *to have lunch* pranzare ◊ *the lunch hour* l'ora di pranzo LOC *Vedi* PACKED *a* PACK ◆ *vi* pranzare ☛ *Vedi pag. 379.*

lunchtime /ˈlʌntʃtaɪm/ *s* l'ora d pranzo

lung /lʌŋ/ *s* polmone

lurch /lɜːtʃ/ ◆ *s* sobbalzo ◆ *vi* **1** (*persona*) barcollare **2** (*vettura*) sobbal zare **3** (*nave*) beccheggiare

lure /lʊə(r)/ ◆ *s* attrattiva ◆ *vt* attirare

lurid /ˈlʊərɪd/ *agg* **1** (*colore*) sgargiante **2** (*descrizione, racconto*) impressio nante

lurk /lɜːk/ *vi* stare in agguato

luscious /ˈlʌʃəs/ *agg* appetitoso

lush /lʌʃ/ *agg* rigoglioso

lust /lʌst/ ◆ *s* **1** lussuria **2** ~ **for st** sete di qc ◆ *vi* ~ **after/for sb/sth** deside rare qn/qc

luxurious /lʌgˈʒʊəriəs/ *agg* lussuoso

luxury /ˈlʌkʃəri/ *s* (*pl* **-ies**) lusso: *luxury hotel* un albergo di lusso

lying *Vedi* LIE[1,2]

lyric /ˈlɪrɪk/ ◆ *agg* lirico ◆ **lyrics** *s* [*pl* parole (*di una canzone*)

lyrical /ˈlɪrɪkl/ *agg* lirico

Mm

M, m /em/ *s* (*pl* **M's**, **m's** /emz/) M, m: *M for Mary* M come Milano ☛ *Vedi esempi a* A, A

mac (*anche* **mack**) /mæk/ *s* (*GB, inform*) *Vedi* MACKINTOSH

macabre /məˈkɑːbrə/ *agg* macabro

macaroni /ˌmækəˈrəʊni/ *s* [*non numerabile*] maccheroni

machine /məˈʃiːn/ *s* macchina (*apparecchio*)

machine-gun /məˈʃiːn gʌn/ *s* mitragliatrice

machinery /məˈʃiːnəri/ *s* macchinario

mackintosh /ˈmækɪntɒʃ/ (*anche* **mac**, **mack** /mæk/) *s* (*GB*) impermeabile

mad /mæd/ *agg* (**madder**, **maddest**) **1** matto: *to go mad* impazzire ◊ *to be mad about sb/sth* impazzire per qn/andare matto per qc **2** (*inform, spec USA*) **mad (at/with sb)** furioso (con qn) LOC **like mad** (*inform*) come un matto **madly** *avv* pazzamente: *to be madly in love with sb* essere pazzamente innamorato di q

madness *s* pazzia

madam /ˈmædəm/ *s* [*sing*] (*form* signora

maddening /ˈmædnɪŋ/ *agg* esaspe rante

made *pass, pp di* MAKE[1]

magazine /ˌmægəˈziːn; *US* ˈmægəziːn/ *s* (*abbrev* **mag**) (*inform* rivista

maggot /ˈmægət/ *s* verme, baco

magic /ˈmædʒɪk/ ◆ *s* magia LOC **like magic** come per magia ◆ *agg* magico **magical** *agg* magico **magician** *s* mago -a *Vedi anche* CONJURER *a* CONJURE

magistrate /ˈmædʒɪstreɪt/ *s* magi strato: *the magistrates' court* la pretur

magnet /ˈmægnət/ *s* calamita **magnetic** /mægˈnetɪk/ *agg* magnetico **magnetism** /ˈmægnətɪzəm/ *s* magnetism

magnetize, -ise *vt* magnetizzare

magnificent /mægˈnɪfɪsnt/ *agg* magnifico **magnificence** *s* magnificenza

magnify /ˈmægnɪfaɪ/ *vt* (*pass, pp* **-fied**) ingrandire **magnification** *s* ingrandimento

magnifying glass *s* lente d'ingrandimento

magnitude /ˈmægnɪtjuːd; *USA* -tuːd/ *s* **1** grandezza **2** importanza **3** (*Astron*) magnitudine

mahogany /məˈhɒgəni/ *agg, s* (di) mogano

maid /meɪd/ *s* **1** domestica, cameriera **2** (*antiq*) fanciulla

maiden /ˈmeɪdn/ *s* (*antiq*) fanciulla

maiden name *s* nome da ragazza

mail /meɪl/ ◆ *s* [*non numerabile*] (*spec USA*) posta

Nell'inglese britannico la parola **post** è molto più comune di **mail**, ma **mail** è ormai entrata nella lingua, specialmente nelle parole composte come **electronic mail**, **junk mail** e **airmail**.

◆ *vt* ~ **sth (to sb)** mandare, inviare qc (a qn)

mailbox /ˈmeɪlbɒks/ (*USA*) (*GB* **letter box**) *s* **1** buca delle lettere **2** cassetta delle lettere

mailman /ˈmeɪlmæn/ *s* (*USA*) (*pl* **-men** /-mən/) *Vedi* POSTMAN

mail order *s* vendita per corrispondenza

maim /meɪm/ *vt* mutilare

main[1] /meɪn/ *agg* principale: *main course* piatto principale LOC **in the main** per lo più **the main thing** l'essenziale **mainly** *avv* principalmente

main[2] /meɪn/ *s* **1** conduttura: *a gas/water main* una tubatura del gas/dell'acqua **2 the mains** [*pl*] le condutture

mainland /ˈmeɪnlænd/ *s* terraferma, continente

main line *s* (*Ferrovia*) linea principale

mainstream /ˈmeɪnstriːm/ *s* corrente principale

maintain /meɪnˈteɪn/ *vt* **1** mantenere: *to maintain good relations* mantenere buoni rapporti **2** mantenere in buono stato: *well-maintained* in buono stato **3** ~ **sth/that...** sostenere qc/che...

maintenance /ˈmeɪntənəns/ *s* **1** mantenimento **2** manutenzione **3** alimenti (*soldi*)

maize /meɪz/ *s* granturco ☛ Quando ci si riferisce al granturco cucinato si usa la parola **sweetcorn**. *Confronta* CORN

majestic /məˈdʒestɪk/ *agg* maestoso

majesty /ˈmædʒəsti/ *s* (*pl* **-ies**) **1** maestà **2 Majesty**: *Your/Her Majesty* Vostra/Sua maestà

major /ˈmeɪdʒə(r)/ ◆ *agg* **1** principale, importante, maggiore: *to make major changes* attuare dei grossi cambiamenti ◊ *a major problem* un problema grosso **2** (*Mus*) maggiore ◆ *s* maggiore

majority /məˈdʒɒrəti; *USA* -ˈdʒɔːr-/ *s* (*pl* **-ies**) **1** [*v sing o pl*] maggioranza: *The majority was/were in favour.* La maggioranza era favorevole. **2** [*davanti a sostantivo*] maggioritario: *majority rule* governo di maggioranza

make[1] /meɪk/ *vt* (*pass, pp* **made** /meɪd/) **1** ~ **sth (from/out of sth)** fare qc (con/da qc); fabbricare, produrre qc (con qc): *We made Christmas decorations from paper and string.* Abbiamo fatto le decorazioni natalizie con carta e spago. ◊ *What's it made (out) of?* Di cosa è fatto? ◊ *It's made in Japan.* È fatto in Giappone. ◊ *I'll make you a cup of coffee.* Ti faccio un caffè. **2** (*creare*): *to make a noise/hole/list* fare un rumore/un buco/una lista ◊ *to make plans* fare progetti ◊ *to make an impression* colpire **3** (*eseguire, compiere*): *She makes films for children.* Fa film per bambini. ◊ *to make a phone call* fare una telefonata ◊ *to make a visit/trip* fare una visita/un viaggio ◊ *to make an improvement* migliorare ◊ *to make an effort/a change* fare uno sforzo/un cambiamento **4** (*convertire*) ~ **sth into sth** trasformare qc in qc: *We can make this room into a bedroom.* In questa stanza possiamo farci una camera da letto. **5** (*costringere*) ~ **sb/sth do sth**: *She made me wash the dishes.* Mi ha fatto lavare i piatti. ◊ *The onions made her cry.* Le cipolle l'hanno fatta piangere. ☛ Il verbo all'infinito che segue **make** è senza il TO, ad eccezione delle espressioni passive: *I can't make him do it.* Non posso obbligarlo a farlo. ◊ *You've made her feel guilty.* L'hai fatta sentire in colpa. ◊ *He was made to wait at the police station.* Lo fecero aspettare in questura. **6** (*rendere*) ~ **sb/sth + aggettivo/sostantivo**: *He makes me happy.* Mi rende felice. ◊ *He makes me angry.* Mi fa arrabbiare. ◊ *That will* *only make things worse.* Questo peggiorerà le cose. ◊ *He made my life hell.* Mi ha reso la vita impossibile. **7** (*nominare*) ~ **sb sth** fare qn qc: *to be made a partner in a law firm* diventare socio in uno studio legale **8** (*diventare*): *He'll make a good teacher.* Sarà un buon insegnante. **9** (*guadagnare*) fare: *She makes lots of money.* Fa un sacco di soldi. **10** (*dire*): *to make an offer/a promise* fare un'offerta/una promessa ◊ *to make an excuse* trovare una scusa ◊ *to make a comment* fare un'osservazione **11** (*inform*) (*arrivare, finire*) farcela: *Can you make it* (*to the party/to the top*)*?* Ce la fai (a venire alla festa/ad arrivare in cima)? LOC **to make do with sth** arrangiarsi (con qc) **to make it** (*inform*) farcela **to make the most of sth** sfruttare al massimo qc ☛ Per altre espressioni con **make** vedi alla voce del sostantivo, dell'aggettivo, ecc, ad es. **to make love** a LOVE.

PHR V **to be made for sb/each other** essere fatto per qn/essere fatti l'uno per l'altro **to make for sth** contribuire a qc **to make for sb/sth** dirigersi verso qn/qc: *to make for home* essere diretto a casa

to make sth of sb/sth pensare qc di qn/qc: *What do you make of it all?* Cosa ne pensi di tutto questo?

to make off (**with sth**) svignarsela (con qc)

to make sth out: *to make out a cheque for £10* fare un assegno di 10 sterline **to make sb/sth out 1** (riuscire a) capire qn/qc **2** distinguere qn/qc: *to make out sb's handwriting* decifrare la calligrafia di qn

to make up for sth compensare qc **to make up** (**with sb**) fare la pace (con qn) **to make sb/yourself up** truccare qn/truccarsi **to make sth up 1** formare qc: *the groups that make up our society* i gruppi che costituiscono la società **2** inventare qc: *to make up an excuse* inventarsi una scusa

make[2] /meɪk/ *s* marca ☛ *Confronta* BRAND

maker /ˈmeɪkə(r)/ *s* fabbricante

makeshift /ˈmeɪkʃɪft/ *agg* di fortuna, improvvisato

make-up /ˈmeɪk ʌp/ *s* [*non numerabile*] **1** trucco, cosmetici **2** composizione **3** carattere

making /ˈmeɪkɪŋ/ *s* fabbricazione LOC **to be the making of sb** essere la chiave del successo di qn **to have the makings of sth 1** (*persona*) avere la stoffa di qc **2** (*cosa*) avere quello che ci vuole per essere qc

male /meɪl/ ◆ *agg* **1** maschile: *a male goat* un caprone **2** (*Elettr*) maschio ☛ *Vedi nota a* FEMALE ◆ *s* maschio

malice /ˈmælɪs/ *s* cattiveria, malevolenza **malicious** /məˈlɪʃəs/ *agg* cattivo

malignant /məˈlɪgnənt/ *agg* maligno (*tumore*)

mall /mæl, mɔːl/ (*anche* **shopping mall**) *s* centro commerciale

malnutrition /ˌmælnjuːˈtrɪʃn; *USA* -nuː-/ *s* denutrizione

malt /mɔːlt/ *s* malto

mammal /ˈmæml/ *s* mammifero

mammoth /ˈmæməθ/ ◆ *s* mammut ◆ *agg* gigantesco

man[1] /mæn/ *s* (*pl* **men** /men/) uomo: *a young man* un giovanotto ◊ *a man's shirt* una camicia da uomo LOC **the man in the street** (*GB*) l'uomo della strada

Man e **mankind** si usano nel senso generico di "tutti gli uomini e le donne". Tuttavia, alcuni considerano questo uso discriminatorio e preferiscono usare parole come **humanity, the human race** (singolare) o **humans, human beings, people** (plurale).

man[2] /mæn/ *vt* (**-nn-**) **1** (*ufficio*) dotare di personale **2** (*nave*) equipaggiare

manage /ˈmænɪdʒ/ **1** *vt* (*ditta*) dirigere **2** *vt* (*proprietà*) amministrare **3** *vi* ~ (**without sb/sth**) farcela (senza qn/qc): *I can't manage on £50 a week.* Non ce la faccio con 50 sterline alla settimana. **4** *vt, vi*: *to manage to do sth* riuscire a fare qc ◊ *Can you manage it?* Ce la fai? ◊ *Can you manage six o'clock?* Ce la fai per le sei? ◊ *I couldn't manage another mouthful.* Non riuscirei a mangiarne un altro boccone. **manageable** *agg* **1** maneggevole **2** (*persona, animale*) trattabile, docile

management /ˈmænɪdʒmənt/ *s* direzione, gestione: *management committee* comitato direttivo ◊ *a management consultant* un consulente di gestione aziendale

manager /ˈmænɪdʒə(r)/ *s* **1** direttore

-trice **2** (*negozio*) gestore **3** (*proprietà*) amministratore, -trice **4** (*Teat*) impresario, -a **5** (*Sport*) manager **manageress** *s* direttrice, gerente *f* **managerial** /ˌmænəˈdʒɪəriəl/ *agg* direttivo, manageriale

managing director *s* amministratore delegato

mandate /ˈmændeɪt/ *s* ~ (**to do sth**) delega, mandato (per fare qc) **mandatory** /ˈmændətəri; *USA* -tɔːri/ *agg* obbligatorio

mane /meɪn/ *s* criniera

maneuver (*USA*) *Vedi* MANOEUVRE

manfully /ˈmænfəli/ *avv* valorosamente

mangle /ˈmæŋgl/ *vt* maciullare, stritolare

manhood /ˈmænhʊd/ *s* età virile

mania /ˈmeɪniə/ *s* mania **maniac** *agg, s* maniaco, -a: *to drive like a maniac* guidare come un pazzo

manic /ˈmænɪk/ *agg* **1** maniaco **2** maniacale

manicure /ˈmænɪkjʊə(r)/ *s* manicure

manifest /ˈmænɪfest/ *vt* manifestare: *to manifest itself* manifestarsi **manifestation** *s* manifestazione **manifestly** *avv* in modo manifesto

manifesto /ˌmænɪˈfestəʊ/ *s* (*pl* ~**s** o ~**es**) manifesto (*programma*)

manifold /ˈmænɪfəʊld/ *agg* (*form*) molteplice

manipulate /məˈnɪpjuleɪt/ *vt* manipolare **manipulation** *s* manipolazione **manipulative** *agg* che cerca di manipolare

mankind /mænˈkaɪnd/ *s* il genere umano ☛ *Vedi nota a* MAN[1]

manly /ˈmænli/ *agg* (**-ier**, **-iest**) virile

man-made /ˌmæn ˈmeɪd/ *agg* artificiale

manned /mænd/ *agg* pilotato da un equipaggio

manner /ˈmænə(r)/ *s* **1** maniera, modo **2** comportamento **3 manners** [*pl*] educazione: (*good*) *manners* buona educazione ◊ *bad manners* maleducazione ◊ *It's bad manners to stare.* Non sta bene fissare la gente. ◊ *He has no manners.* È maleducato.

mannerism /ˈmænərɪzəm/ *s* vezzo

manoeuvre (*USA* **maneuver**) /məˈnuːvə(r)/ ◆ *s* manovra ◆ *vt, vi* manovrare

manor /ˈmænə(r)/ *s* **1** (*Storia*) feudo **2** (*anche* **manor house**) maniero

manpower /ˈmænpaʊə(r)/ *s* manodopera

mansion /ˈmænʃn/ *s* casa signorile

manslaughter /ˈmænslɔːtə(r)/ *s* omicidio colposo ☛ *Confronta* HOMICIDE, MURDER

mantelpiece /ˈmæntlˌpiːs/ (*anche* **chimney-piece**) *s* mensola del caminetto

manual /ˈmænjuəl/ ◆ *agg* manuale ◆ *s* manuale: *a training manual* un manuale di istruzioni **manually** *avv* manualmente

manufacture /ˌmænjʊˈfæktʃə(r)/ *vt* **1** fabbricare, confezionare ☛ *Confronta* PRODUCE **2** (*scusa*) inventare **manufacturer** *s* fabbricante

manure /məˈnjʊə(r)/ *s* letame

manuscript /ˈmænjuskrɪpt/ *agg, s* manoscritto

many /ˈmeni/ *agg, pron* **1** molti, -e: *Many people disagree.* Molta gente non è d'accordo. ◊ *I haven't got many left.* Non me ne restano molti. ◊ *In many ways, I regret it.* Per molti versi, mi dispiace.

> La traduzione di **molto** dipende dal sostantivo che sostituisce o che lo segue. Nelle frasi affermative si usa **a lot (of)**: *She's got a lot of friends.* Ha molti amici. ◊ *Lots of people are poor.* Molta gente è povera. Nelle frasi negative e interrogative si usa **many** o **a lot of** quando il sostantivo è al plurale: *I haven't seen many women as bosses.* Non ho visto molte donne direttori. Si usa **much** o **a lot of** quando il sostantivo è al singolare: *I haven't eaten much (food).* Non ho mangiato molto. *Vedi anche* MOLTO.

2 ~ **a sth**: *Many a politician has been ruined by scandal.* Molti uomini politici sono stati rovinati dagli scandali. ◊ *many a time* molte volte LOC **a good/great many** moltissimi, -e *Vedi anche* SO

map /mæp/ ◆ *s* carta, pianta LOC **to put sb/sth on the map** far conoscere qn/qc ◆ *vt* (**-pp-**) tracciare una mappa di PHR V **to map sth out** pianificare qc

tʃ	dʒ	v	θ	ð	s	z	ʃ
chin	**June**	**van**	**thin**	**then**	**so**	**zoo**	**she**

maple /ˈmeɪpl/ *s* acero
marathon /ˈmærəθən; *USA* -θɒn/ *s* maratona: *to run a marathon* prender parte a una maratona ◊ *The interview was a real marathon.* Il colloquio fu una vera e propria maratona.
marble /ˈmɑːbl/ *s* **1** marmo: *a marble statue* una statua di marmo **2** biglia
March /mɑːtʃ/ *s* (*abbrev* **Mar**) marzo ☛ *Vedi nota e esempi a* JANUARY
march /mɑːtʃ/ ◆ *vi* marciare LOC **to get your marching orders** ricevere il benservito *Vedi anche* QUICK PHR V **to march sb away/off to sth** spedire qn in/a qc **to march in** entrare risolutamente **to march past (sb)** sfilare (davanti a qn) **to march up to sb** andare risolutamente da qn ◆ *s* marcia LOC **on the march** in marcia **marcher** *s* dimostrante
mare /ˈmeə(r)/ *s* giumenta
margarine /ˌmɑːdʒəˈriːn; *USA* ˈmɑːrdʒərɪn/ (*GB, inform* **marge** /mɑːdʒ/) *s* margarina
margin /ˈmɑːdʒɪn/ *s* margine **marginal** *agg* **1** marginale **2** (*nota*) a margine **marginally** *avv* lievemente
marina /məˈriːnə/ *s* porticciolo
marine /məˈriːn/ ◆ *agg* marino ◆ *s* soldato di marina
marital /ˈmærɪtl/ *agg* coniugale: *marital status* stato civile
maritime /ˈmærɪtaɪm/ *agg* marittimo
mark[1] /mɑːk/ *s* marco
mark[2] /mɑːk/ ◆ *s* **1** macchia, impronta **2** segno: *punctuation marks* segni di punteggiatura **3** voto: *a good/poor mark* un bel/brutto voto LOC **on your marks, (get) set, go!** ai vostri posti, attenti, via! **to be up to the mark** essere in forma **to make your mark** lasciare il segno *Vedi anche* OVERSTEP ◆ *vt* **1** macchiare **2** segnare **3** (*compito*) correggere LOC **to mark time** (*Mil, fig*) segnare il passo **mark my words** fa' attenzione a quello che ti dico PHR V **to mark sth up/down** aumentare/ridurre il prezzo di qc **marked** /mɑːkt/ *agg* notevole **markedly** /ˈmɑːkɪdli/ *avv* (*form*) notevolmente
marker /ˈmɑːkə(r)/ *s* segnale: *a marker buoy* una boa di segnalazione
market /ˈmɑːkɪt/ ◆ *s* mercato LOC **in the market for sth** (*inform*) interessato a comprare qc **on the market** in vendita: *to put sth on the market* mettere qc in vendita ◆ *vt* vendere lanciare sul mercato **marketable** *agg* commercializzabile
marketing /ˈmɑːkətɪŋ/ *s* marketing
market place (*anche* **market square**) *s* piazza del mercato
market research *s* ricerca di mercat
marmalade /ˈmɑːməleɪd/ *s* marmelata di agrumi
maroon /məˈruːn/ *agg, s* bordeaux
marooned /məˈruːnd/ *agg* abbandonato
marquee /mɑːˈkiː/ *s* padiglione (*tenda*
marriage /ˈmærɪdʒ/ *s* matrimoni ☛ *Vedi nota a* MATRIMONIO
married /ˈmærid/ *agg* ~ **(to sb)** sposat (con qn): *to get married* sposarsi
marrow[1] /ˈmærəʊ/ *s* midollo LOC *Ved* CHILL
marrow[2] /ˈmærəʊ/ *s* zucca
marry /ˈmæri/ *vt, vi* (*pass, pp* **married**) sposare, sposarsi *Vedi anche* MARRIED
Mars /mɑːz/ *s* Marte
marsh /mɑːʃ/ *s* palude
marshal /ˈmɑːʃl/ ◆ *s* **1** maresciallo (*USA*) sceriffo ◆ *vt* (**-ll-**, *USA* **-l-**) (*truppa*) schierare **2** (*idee, dati*) ordinare
marshy /ˈmɑːʃi/ *agg* (**-ier**, **-iest**) paludoso
martial /ˈmɑːʃl/ *agg* marziale
Martian /ˈmɑːʃn/ *agg, s* marziano
martyr /ˈmɑːtə(r)/ *s* martire **martyrdom** *s* martirio
marvel /ˈmɑːvl/ ◆ *s* meraviglia, prodigio ◆ *vi* (**-ll-**, *USA* **-l-**) ~ **at sth** rimaner incantato davanti a qc **marvellous** (*USA* **marvelous**) *agg* meraviglioso splendido: *We had a marvellous time.* C siamo divertiti moltissimo. ◊ (*That's marvellous!* Splendido!
Marxism /ˈmɑːksɪzəm/ *s* marxism **Marxist** *agg, s* marxista
marzipan /ˈmɑːzɪpæn, ˌmɑːzɪˈpæn/ marzapane
mascara /mæˈskɑːrə; *USA* -ˈskærə/ mascara
mascot /ˈmæskət, -skɒt/ *s* mascotte
masculine /ˈmæskjəlɪn/ *agg* **1** masco lino **2** (*Gramm*) maschile **masculinity** /ˌmæskjuˈlɪnəti/ *s* mascolinità
mash /mæʃ/ ◆ *s* (*GB, inform*) purea d

patate ◆ *vt* ~ **sth** (**up**) passare, schiacciare qc: *mashed potatoes* purea di patate

mask /mɑːsk; *USA* mæsk/ ◆ *s* (*lett e fig*) maschera ◆ *vt* mascherare **masked** *agg* **1** in maschera **2** (*bandito*) mascherato

mason[1] /ˈmeɪsn/ *s* **1** muratore **2** scalpellino

mason[2] (*anche* **Mason**) /ˈmeɪsn/ *s* massone **masonic** (*anche* **Masonic**) /məˈsɒnɪk/ *agg* massonico

masonry /ˈmeɪsənri/ *s* muratura

masquerade /ˌmɑːskəˈreɪd; *USA* ˌmæsk-/ ◆ *s* mascherata, montatura ◆ *vi* ~ **as sth** farsi passare per qc

mass[1] (*anche* **Mass**) /mæs/ *s* (*Relig, Mus*) messa

mass[2] /mæs/ ◆ *s* **1** massa: *a mass of snow* una massa di neve **2** mucchio, gran quantità: *masses of letters* una montagna di lettere **3** [*usato come agg*] massiccio, di massa: *a mass grave* una fossa comune ◊ *mass hysteria* isteria collettiva **4 the masses** [*pl*] le masse LOC **the** (**great**) **mass of...** la (gran) massa di... **to be a mass of sth** essere coperto di qc ◆ *vt, vi* **1** radunare, radunarsi, ammassare, ammassarsi **2** (*Mil*) adunare, adunarsi, concentrare, concentrarsi

massacre /ˈmæsəkə(r)/ ◆ *s* massacro ◆ *vt* massacrare

massage /ˈmæsɑːʒ; *USA* məˈsɑːʒ/ ◆ *vt* massaggiare ◆ *s* massaggio

massive /ˈmæsɪv/ *agg* **1** monumentale, enorme **2** massiccio, solido **massively** *avv* enormemente

mass-produce /ˌmæs prəˈdjuːs/ *vt* produrre in serie

mass production *s* produzione in serie

mast /mɑːst; *USA* mæst/ *s* **1** (*barca*) albero **2** (*televisione*) traliccio

master /ˈmɑːstə(r); *USA* ˈmæs-/ ◆ *s* **1** padrone **2** maestro **3** (*Naut*) capitano **4** (*nastro*) originale **5** *master bedroom* camera da letto principale LOC **a master plan** progetto di massima ◆ *vt* **1** dominare, controllare **2** imparare a fondo **masterful** *agg* **1** autoritario **2** magistrale

masterly /ˈmɑːstəli; *USA* ˈmæs-/ *agg* magistrale

mastermind /ˈmɑːstəmaɪnd; *USA* ˈmæs-/ ◆ *s* cervello (*persona intelligente*) ◆ *vt* dirigere, essere il cervello di

masterpiece /ˈmɑːstəpiːs; *USA* ˈmæs-/ *s* capolavoro

Master's degree (*anche* **Master's**) *s* master

mastery /ˈmɑːstəri; *USA* ˈmæs-/ *s* **1** ~ (**of sth**) padronanza (di qc) **2** ~ (**over sb/sth**) superiorità (su qn/qc)

masturbate /ˈmæstəbeɪt/ *vi* masturbarsi **masturbation** *s* masturbazione

mat /mæt/ *s* **1** stuoia, tappetino **2** (*Sport*) tappeto **3** sottopiatto, sottobicchiere **4** groviglio *Vedi anche* MATTED

match[1] /mætʃ/ *s* fiammifero

match[2] /mætʃ/ *s* **1** (*Sport*) partita, incontro **2** *This is an exact match.* Questo è identico. **3** ~ (**for sth**) coordinato (di qc) LOC **a good match** un buon partito **to find/to meet your match** trovare pane per i propri denti

match[3] /mætʃ/ **1** *vt, vi* intonarsi (a): *matching shoes and handbag* scarpe e borsetta abbinate **2** *vt* uguagliare PHR V **to match up** coincidere **to match up to sb/sth** essere all'altezza di qn/qc **to match sth up** (**with sth**) ricomporre qc (con qc)

matchbox /ˈmætʃbɒks/ *s* scatola di fiammiferi

mate[1] /meɪt/ ◆ *s* **1** (*GB, inform*) compagno, amico **2** (*idraulico, elettricista*) aiutante **3** (*Naut*) secondo **4** (*Zool*) compagno, -a ◆ *vt, vi* accoppiare, accoppiarsi

mate[2] /meɪt/ (*anche* **checkmate**) *s* scacco matto

material /məˈtɪəriəl/ ◆ *s* **1** materiale: *raw materials* materie prime **2** stoffa ☛ *Vedi nota a* STOFFA ◆ *agg* materiale **materially** *avv* sostanzialmente **materialist** *s* materialista **materialistic** /məˌtɪəriəˈlɪstɪk/ *agg* materialista

materialism /məˈtɪəriəlɪzəm/ *s* materialismo

materialize, -ise /məˈtɪəriəlaɪz/ *vi* materializzarsi

maternal /məˈtɜːnl/ *agg* materno: *his maternal grandmother* la sua nonna materna

maternity /məˈtɜːnəti/ *s* maternità

mathematical /ˌmæθəˈmætɪkl/ *agg* matematico **mathematician** /ˌmæθəməˈtɪʃn/ *s* matematico, -a **mathe-**

matics /ˌmæθəˈmætɪks/ *s* [*sing*] matematica

maths /mæθs/ *s* [*sing*] (*inform*) matematica

mating /ˈmeɪtɪŋ/ *s* accoppiamento LOC **mating season** la stagione degli amori

matinée /ˈmætɪneɪ; *USA* ˌmætnˈeɪ/ *s* matinée (*cinema, teatro*)

matrimony /ˈmætrɪməni; *USA* -məʊni/ *s* (*form*) matrimonio **matrimonial** /ˌmætrɪˈməʊniəl/ *agg* matrimoniale

matron /ˈmeɪtrən/ *s* capoinfermiera

matt (*USA* **matte**) /mæt/ ◆ *agg* opaco (*colore*) ◆ *s* (*anche* **matt paint**) vernice opaca ☛ *Confronta* GLOSS

matted /ˈmætɪd/ *agg* arruffato

matter /ˈmætə(r)/ ◆ *s* **1** questione: *I have nothing further to say on the matter.* Non ho niente da aggiungere sulla faccenda. **2** (*Fis*) materia **3** materiale: *printed matter* stampe LOC **a matter of hours, minutes, days, etc** una questione di ore, minuti, giorni, ecc **a matter of life and death** una questione di vita o di morte **a matter of opinion** una questione di punti di vista **as a matter of course** per abitudine **as a matter of fact** in verità **for that matter** peraltro **no matter who, what, where, when, etc**: *no matter what he says* qualsiasi cosa dica ◊ *no matter how rich he is* per quanto ricco sia ◊ *no matter what* qualsiasi cosa accada **(to be) a matter of...** (essere) una questione di... **to be the matter (with sb/ sth)** (*inform*): *What's the matter with him?* Che cos'ha? ◊ *Is anything the matter?* C'è qualcosa che non va? ◊ *What's the matter with my dress?* Che cos'ha il mio vestito che non va? **to take matters into your own hands** decidere di far da sé *Vedi anche* LET[1], MINCE, WORSE ◆ *vi* ~ **(to sb)** importare (a qn)

matter-of-fact /ˌmætər əv ˈfækt/ *agg* **1** (*stile*) prosaico **2** (*persona*) pratico

mattress /ˈmætrəs/ *s* materasso ☛ *Vedi illustrazione a* LETTO

mature /məˈtjʊə(r); *USA* -ˈtʊər/ ◆ *agg* **1** maturo **2** (*Comm*) in scadenza ◆ **1** *vt, vi* maturare **2** *vi* (*Comm*) scadere **maturity** *s* maturità

maul /mɔːl/ *vt* sbranare

mausoleum /ˌmɔːsəˈliːəm/ *s* mausoleo

mauve /məʊv/ *agg, s* color malva

maverick /ˈmævərɪk/ *s* anticonformista

maxim /ˈmæksɪm/ *s* massima

maximize, -ise /ˈmæksɪmaɪz/ *vt* massimizzare

maximum /ˈmæksɪməm/ *agg, s* (*pl* **maxima** /ˈmæksɪmə/) (*abbrev* **max**) massimo

May /meɪ/ *s* maggio ☛ *Vedi nota e esempi a* JANUARY

may /meɪ/ *v aus modale* (*pass* **might** /maɪt/ *neg* **might not** *o* **mightn't** /ˈmaɪtnt/)

> **May** è un verbo modale seguito dall'infinito senza il TO. Le frasi interrogative e negative si costruiscono senza l'ausiliare *do*. **May** ha solo due forme: il presente **may** e il passato **might**.

1 (*permesso*) potere: *You may come if you wish.* Se vuoi puoi venire. ◊ *May I go to the toilet?* Posso andare al gabinetto? ◊ *You may as well go home.* Tanto vale che tu vada a casa.

> Per chiedere il permesso, **may** è considerato più educato di **can**, anche se **can** è usato di più: *Can I come in?* Posso entrare? ◊ *May I get down from the table?* Posso alzarmi da tavola? ◊ *I'll take a seat, if I may.* Se non le dispiace mi siedo. Al passato si usa di più **could** che **might**: *She asked if she could come in.* Chiese se poteva entrare.

2 (*anche* **might**) (*possibilità*) potere: *They may/might not come.* Può darsi che non vengano. ☛ *Vedi nota a* POTERE[1] LOC **be that as it may** sia come sia

maybe /ˈmeɪbi/ *avv* forse

mayhem /ˈmeɪhem/ *s* [*non numerabile*] cagnara

mayonnaise /ˌmeɪəˈneɪz; *USA* ˈmeɪəneɪz/ *s* maionese

mayor /meə(r); *USA* ˈmeɪər/ *s* sindaco **mayoress** /meəˈres/ *s* **1** (*anche* **lady mayor**) sindaco (*donna*) **2** moglie del sindaco

maze /meɪz/ *s* labirinto

me /miː/ *pron pers* **1** [*come complemento*] mi: *Call me.* Telefonami. ◊ *Tell me all about it.* Raccontami tutto. **2** [*dopo prep*] me: *Come with me.* Vieni con me. ◊ *as for me* in quanto a me **3** [*da solo o dopo il verbo* **to be**] io: *Hello, it's me.* Pronto, sono io. ☛ *Confronta* I

meadow /ˈmedəʊ/ *s* prato

meagre (*USA* **meager**) /ˈmiːgə(r)/ *agg* scarso, magro

meal /miːl/ *s* pasto: *to go out for a meal* mangiare fuori LOC **to make a meal of sth** (*inform*) far un affare di stato di qc *Vedi anche* SQUARE

mean[1] /miːn/ *vt* (*pass, pp* **meant** /ment/) **1** voler dire, significare: *Do you know what I mean?* Sai cosa voglio dire? ◊ *What does "stapler" mean?* Cosa vuol dire 'stapler'? **2** ~ **sth (to sb)** dire qc (a qn): *That name doesn't mean anything to me.* Quel nome non mi dice niente. ◊ *You know how much Jane means to me.* Sai quanto Jane sia importante per me. **3** comportare: *His new job means him travelling more.* Il suo nuovo lavoro comporta più viaggi. **4** intendere: *I didn't mean to.* Non l'ho fatto apposta. ◊ *I meant to have washed the car today.* Avevo pensato di lavare la macchina oggi. ◊ *She meant it as a joke.* Stava solo scherzando. **5** dire sul serio: *I'm never coming back—I mean it!* Non ci torno —lo dico sul serio! LOC **I mean** (*inform*) voglio dire: *It's very warm, isn't it? I mean, for this time of year.* Fa molto caldo, vero? Voglio dire per la stagione. ◊ *We went there on Tuesday, I mean Thursday.* Ci andammo martedì, cosa dico, giovedì. **to be meant for each other** essere fatti l'uno per l'altro **to mean business** (*inform*) fare sul serio **to mean well** avere buone intenzioni

mean[2] /miːn/ *agg* (**-er**, **-est**) **1** ~ **(with sth)** avaro (con qc) **2** ~ **(to sb)** meschino (con qn)

mean[3] /miːn/ *s* **1** mezzo **2** (*Mat*) media **mean** *agg* medio

meander /mɪˈændə(r)/ *vi* **1** (*fiume*) fare dei meandri **2** (*persona*) girovagare **3** (*conversazione*) divagare

meaning /ˈmiːnɪŋ/ *s* significato **meaningful** *agg* significativo **meaningless** *agg* senza senso

means[1] /miːnz/ *s* [*v sing o pl*] mezzo: *a means of transport* un mezzo di trasporto LOC **a means to an end** un mezzo per raggiungere un fine **by all means** (*form*) certamente *Vedi anche* WAY

means[2] /miːnz/ *s* [*pl*] mezzi (*reddito*)

meant *pass, pp di* MEAN[1]

meantime /ˈmiːntaɪm/ *avv* frattanto LOC **in the meantime** nel frattempo

meanwhile /ˈmiːnwaɪl/ *avv* frattanto

measles /ˈmiːzlz/ *s* [*non numerabile*] morbillo

measurable /ˈmeʒərəbl/ *agg* **1** misurabile **2** (*aumento*) sensibile

measure /ˈmeʒə(r)/ ◆ *vt, vi* misurare PHR V **to measure sb/sth up (for sth)** prendere le misure a qn/qc (per qc): *The tailor measured me up for a suit.* Il sarto mi ha preso le misure per un abito. **to measure up (to sth)** essere all'altezza (di qc) ◆ *s* **1** misura: *weights and measures* pesi e misure **2** provvedimento: *to take measures to do sth* prendere provvedimenti per fare qc LOC **a measure of sth** segno di qc **for good measure** in aggiunta **half measures** mezze misure **to make sth to measure** fare qc su misura

measured /ˈmeʒəd/ *agg* **1** (*linguaggio*) misurato **2** (*passo*) cadenzato

measurement /ˈmeʒəmənt/ *s* **1** misurazione **2** misura

meat /miːt/ *s* carne

meatball /ˈmiːtbɔːl/ *s* polpetta di carne

meaty /ˈmiːti/ *agg* (**-ier**, **-iest**) **1** (*sapore*) di carne **2** (*fig*) sostanzioso

mechanic /məˈkænɪk/ *s* meccanico **mechanical** *agg* meccanico **mechanically** *avv* meccanicamente: *I'm not mechanically minded.* Non me ne intendo di meccanica.

mechanics /məˈkænɪks/ *s* **1** [*sing*] meccanica (*scienza*) **2 the mechanics** [*pl*] (*fig*) la meccanica

mechanism /ˈmekənɪzəm/ *s* meccanismo

medal /ˈmedl/ *s* medaglia **medallist** (*USA* **medalist**) *s*: *to be a gold/silver medallist* essere medaglia d'oro/ d'argento

medallion /məˈdæliən/ *s* medaglione

meddle /ˈmedl/ *vi* (*dispreg*) **1** ~ **(in sth)** immischiarsi (in qc) **2** ~ **with sth** toccare qc

media /ˈmiːdiə/ *s* **1 the media** [*pl*] i mass media: *media studies* scienze delle comunicazioni **2** *plurale di* MEDIUM[1]

mediaeval *Vedi* MEDIEVAL

mediate /ˈmiːdieɪt/ *vi* mediare **mediation** *s* mediazione **mediator** *s* mediatore, -trice

medic /ˈmedɪk/ *s* (*inform*) **1** dottore, -essa **2** studente di medicina

medical /ˈmedɪkl/ ◆ *agg* **1** di medicina: *medical student* studente di medicina **2** medico ◆ *s* (*inform*) visita medica

medication /ˌmedɪˈkeɪʃn/ *s* medicinali

medicinal /məˈdɪsɪnl/ *agg* medicinale

medicine /ˈmedsn; *USA* ˈmedɪsn/ *s* medicina

medieval (*anche* **mediaeval**) /ˌmediˈiːvl; *USA* ˌmiːd-/ *agg* medievale

mediocre /ˌmiːdɪˈəʊkə(r)/ *agg* mediocre **mediocrity** /ˌmiːdɪˈɒkrəti/ *s* **1** mediocrità **2** (*persona*) mediocre

meditate /ˈmedɪteɪt/ *vi* ~ (**on sth**) meditare (su qc) **meditation** *s* meditazione

medium[1] /ˈmiːdɪəm/ ◆ *s* **1** (*pl* **media**) mezzo **2** (*pl* ~**s**) via di mezzo *Vedi anche* MEDIA ◆ *agg* medio: *I'm medium.* Porto la taglia media.

medium[2] /ˈmɪːdɪəm/ *s* medium

medley /ˈmedli/ *s* (*pl* **-eys**) pot-pourri

meek /miːk/ *agg* (**-er**, **-est**) mite, umile **meekly** *avv* umilmente

meet[1] /miːt/ (*pass, pp* **met** /met/) **1** *vt, vi* incontrare, incontrarsi: *What time shall we meet?* A che ora ci vediamo? ◊ *Our eyes met.* I nostri sguardi si incrociarono. ◊ *Will you meet me at the station?* Verrai a prendermi alla stazione? **2** *vi* riunirsi **3** *vt, vi* conoscere, conoscersi: *Pleased to meet you.* Lieto di conoscerla. ◊ *I'd like you to meet…* Ti presento… ◊ *We've already met.* Ci siamo già conosciuti. ☛ *Vedi nota a* CONOSCERE **4** *vt* (*richiesta*) soddisfare: *They failed to meet payments on their loan.* Non hanno potuto far fronte alle rate del prestito. LOC **to meet sb's eye** incrociare lo sguardo di qn *Vedi anche* MATCH[2] PHR V **to meet up** (**with sb**) incontrare qn, incontrarsi **to meet with sb** (*USA*) avere un incontro con qn

meet[2] /miːt/ *s* **1** (*GB*) raduno per una partita di caccia **2** (*USA*) raduno (*sportivo*) *Vedi anche* MEETING senso 3

meeting /ˈmiːtɪŋ/ *s* **1** incontro: *meeting place* luogo di incontro **2** riunione: *Annual General Meeting* assemblea generale annuale **3** (*Sport*) raduno *Vedi anche* MEET[2]

megaphone /ˈmegəfəʊn/ *s* megafono

melancholy /ˈmelənkɒli/ ◆ *s* malinconia ◆ *agg* **1** (*persona*) malinconico **2** (*cosa*) triste

mellow /ˈmeləʊ/ ◆ *agg* (**-er**, **-est**) **1** (*frutta, vino*) maturo **2** (*colore*) caldo **3** (*suono*) melodioso **4** (*atteggiamento*) comprensivo **5** (*inform*) brillo ◆ **1** *vt, vi* (*persona*) addolcire, addolcirsi **2** *vi* (*vino*) maturare

melodious /məˈləʊdiəs/ *agg* melodioso

melodrama /ˈmelədrɑːmə/ *s* melodramma **melodramatic** /ˌmelədrəˈmætɪk/ *agg* melodrammatico

melody /ˈmelədi/ *s* (*pl* **-ies**) melodia **melodic** /məˈlɒdɪk/ *agg* melodico

melon /ˈmelən/ *s* melone ☛ *Vedi illustrazione a* PANE

melt /melt/ **1** *vt, vi* fondere, fondersi: *melting point* punto di fusione **2** *vt, vi* sciogliere, sciogliersi: *to melt in the mouth* sciogliersi in bocca **3** *vt, vi* (*fig*) (far) svanire PHR V **to melt away** sciogliersi, disperdersi **to melt sth down** fondere qc **melting** *s* **1** scioglimento **2** fusione

melting pot *s* crogiolo (*di razze, culture*) LOC **to be in/go into the melting pot** essere in discussione

mêlée /ˈmeleɪ; *USA* ˈmeɪleɪ/ *s* (*Fr*) confusione

member /ˈmembə(r)/ *s* **1** membro: *Member of Parliament* (*MP*) deputato, -a ◊ *a member of the audience* uno spettatore **2** (*club*) socio, -a **3** (*Anat*) membro **membership** *s* **1** iscrizione: *to apply for membership* far domanda di iscrizione ◊ *membership card* tessera di iscrizione **2** *The club has a membership of 300.* Il club ha 300 soci.

membrane /ˈmembreɪn/ *s* membrana

memento /məˈmentəʊ/ *s* (*pl* **-os** *o* **-oes**) ricordo

memo /ˈmeməʊ/ *s* (*pl* ~**s**) (*inform*) circolare: *an inter-office memo* una comunicazione di servizio

memoir /ˈmemwɑː(r)/ *s* **memoirs** [*pl*] memorie

memorabilia /ˌmemərəˈbɪliə/ *s* [*pl*] cimeli

memorable /ˈmemərəbl/ *agg* memorabile

memorandum /ˌmeməˈrændəm/ *s* (*pl* **-anda** /-də/ *o* ~**s**) **1** promemoria **2** ~ (**to sb**) comunicazione di servizio (per qn) **3** (*Dir*) memorandum

memorial /mə'mɔːriəl/ *s* ~ **(to sb/sth)** monumento commemorativo (di qn/qc)

memorize, -ise /'meməraɪz/ *vt* memorizzare

memory /'meməri/ *s* (*pl* **-ies**) **1** memoria: *from memory* a memoria *Vedi anche* BY HEART *a* HEART **2** ricordo LOC **in memory of sb/to the memory of sb** in memoria di qn *Vedi anche* JOG, LIVING, REFRESH

men *plurale di* MAN[1]

menace /'menəs/ ◆ *s* **1** ~ **(to sb/sth)** minaccia (per qn/qc) **2 a menace** (*inform, scherz*) una piaga ◆ *vt* ~ **sb/sth (with sth)** minacciare qn/qc (con qc) **menacing** *agg* minaccioso

menagerie /mə'nædʒəri/ *s* serraglio

mend /mend/ ◆ **1** *vt* aggiustare *Vedi anche* FIX **2** *vi* guarire LOC **to mend your ways** correggersi ◆ *s* rammendo LOC **on the mend** (*inform*) in via di guarigione **mending** *s* **1** rammendo (*di abito*) **2** cose da rammendare

menfolk /'menfəʊk/ *s* [*pl*] uomini

meningitis /ˌmenɪn'dʒaɪtɪs/ *s* meningite

menopause /'menəpɔːz/ *s* menopausa

menstrual /'menstruəl/ *agg* mestruale

menstruation /ˌmenstru'eɪʃn/ *s* mestruazione

menswear /'menzweə(r)/ *s* abbigliamento da uomo

mental /'mentl/ *agg* **1** mentale: *mental hospital* ospedale psichiatrico **2** (*inform, dispreg*) pazzo **mentally** *avv* mentalmente: *mentally ill/disturbed* malato di mente

mentality /men'tæləti/ *s* (*pl* **-ies**) **1** mentalità **2** (*form*) intelligenza

mention /'menʃn/ ◆ *vt* menzionare, accennare a: *worth mentioning* degno di menzione LOC **don't mention it** non c'è di che **not to mention…** senza contare… ◆ *s* menzione, accenno

mentor /'mentɔː(r)/ *s* mentore

menu /'menjuː/ *s* menu

mercantile /'mɜːkəntaɪl; *USA* -tiːl, -tɪl/ *agg* mercantile

mercenary /'mɜːsənəri; *USA* -neri/ ◆ *agg* **1** mercenario **2** (*fig*) venale ◆ *s* (*pl* **-ies**) mercenario, -a

merchandise /'mɜːtʃəndaɪz/ *s* [*non numerabile*] merce **merchandising** *s* merchandising

merchant /'mɜːtʃənt/ *s* **1** commerciante *Vedi anche* DEAL[3], DEALER **2** (*Storia*) mercante **3** *merchant bank* banca d'affari ◊ *merchant navy* marina mercantile

merciful *Vedi* MERCY

Mercury /'mɜːkjəri/ *s* Mercurio

mercury /'mɜːkjəri/ (*anche* **quicksilver**) *s* mercurio

mercy /'mɜːsi/ *s* **1** pietà, clemenza: *to have mercy on sb* avere pietà di qn ◊ *mercy killing* eutanasia **2** *It's a mercy that…* È una fortuna che… LOC **at the mercy of sb/sth** alla mercé di qn/qc **merciful** *agg* **1** ~ **(to/towards sb)** compassionevole, clemente (con qn) **2** (*evento*): *merciful relief* grande sollievo **mercifully** *avv* **1** con compassione, con pietà **2** fortunatamente **merciless** *agg* ~ **(to/towards sb)** spietato (con qn)

mere /mɪə(r)/ *agg* semplice, puro: *He's a mere child.* È solo un bambino. ◊ *mere coincidence* pura combinazione ◊ *the mere thought of him* il solo pensare a lui LOC **the merest…** il minimo…: *The merest glimpse was enough.* Una semplice occhiata fu più che sufficiente. **merely** *avv* soltanto, semplicemente

merge /mɜːdʒ/ *vt, vi* ~ **(sth) (with sth)** **1** (*Comm, anche fig*) fondere qc; fondersi (con qc): *Three small companies merged into one large one.* Tre ditte di piccole dimensioni si sono fuse per formarne una grande. ◊ *Past and present merge in Oxford.* Ad Oxford il passato si mescola al presente. **2** (*fig*) fondere qc; fondersi (con qc) **merger** *s* fusione

meringue /mə'ræŋ/ *s* meringa

merit /'merɪt/ ◆ *s* merito: *to judge sth on its merits* giudicare qc per i suoi meriti ◆ *vt* (*form*) meritare, essere degno di

mermaid /'mɜːmeɪd/ *s* sirena

merry /'meri/ *agg* (**-ier**, **-iest**) **1** allegro: *Merry Christmas!* Buon Natale! **2** (*inform*) brillo LOC **to make merry** (*antiq*) divertirsi **merriment** *s* (*form*) allegria

merry-go-round /'meri gəʊ raʊnd/ *s* giostra

mesh /meʃ/ ◆ *s* **1** maglia: *wire mesh* rete metallica **2** (*Mecc*) ingranaggio **3** (*fig*) rete ◆ *vi* ~ **(with sth)** **1** ingranare (con qc) **2** (*fig*) essere compatibile (con qc)

mesmerize, -ise /ˈmezməraɪz/ *vt* ipnotizzare

mess /mes/ ◆ *s* **1** disordine: *This kitchen's a mess!* Questa cucina è un casino! **2** (*inform, euf*) (*escremento*) bisogni **3** disastro, caos **4** *You look a mess!* Guarda in che stato sei! **5** (*Mil*) (*USA anche* **mess hall**) mensa ◆ *vt* (*USA, inform*) scompigliare

PHR V **to mess about/around 1** fare lo stupido **2** trafficare **to mess sb about/around; to mess about/around with sb** menare per il naso qn **to mess sth about/around; to mess about/around with sth** pasticciare con qc

to mess sb up (*inform*) traumatizzare qn **to mess sth up 1** mettere sottosopra qc, sporcare qc: *Don't mess up my hair!* Non spettinarmi! **2** incasinare qc

to mess with sb/sth (*inform*) provocare qn/intromettersi in qc

message /ˈmesɪdʒ/ *s* **1** messaggio **2** commissione LOC **to get the message** (*inform*) capire l'antifona

messenger /ˈmesɪndʒə(r)/ *s* messaggero, -a

Messiah (*anche* **messiah**) /məˈsaɪə/ *s* Messia

messy /ˈmesi/ *agg* (**-ier, -iest**) **1** sporco **2** disordinato **3** (*fig*) ingarbugliato

met *pass, pp di* MEET[1]

metabolism /məˈtæbəlɪzəm/ *s* metabolismo

metal /ˈmetl/ *s* metallo: *metalwork* lavorazione del metallo **metallic** /məˈtælɪk/ *agg* metallico

metamorphose /ˌmetəˈmɔːfəʊz/ *vt, vi* (*form*) trasformare, trasformarsi **metamorphosis** /ˌmetəˈmɔːfəsɪs/ *s* (*pl* **-oses** /-əsiːz/) (*form*) metamorfosi

metaphor /ˈmetəfə(r)/ *s* metafora **metaphorical** /ˌmetəˈfɒrɪkl; *USA* -ˈfɔːr-/ *agg* metaforico ☛ *Confronta* LITERAL

metaphysics /ˌmetəˈfɪzɪks/ *s* [*non numerabile*] metafisica **metaphysical** *agg* metafisico

meteor /ˈmiːtɪɔː(r)/ *s* meteora **meteoric** /ˌmiːtiˈɒrɪk; *USA* -ˈɔːr-/ *agg* fulmineo

meteorite /ˈmiːtiəraɪt/ *s* meteorite

meter /ˈmiːtə(r)/ ◆ *s* **1** contatore **2** (*USA*) *Vedi* METRE ◆ *vt* misurare con un contatore

methane /ˈmiːθeɪn/ (*anche* **marsh gas**) *s* metano

method /ˈmeθəd/ *s* metodo: *a method of payment* un modo di pagamento **methodical** /məˈθɒdɪkl/ *agg* metodico **methodology** *s* metodologia

Methodist /ˈmeθədɪst/ *agg, s* metodista

methylated spirits /ˌmeθəleɪtɪd ˈspɪrɪts/ (*inform, GB* **meths**) *s* alcol denaturato

meticulous /məˈtɪkjələs/ *agg* meticoloso

metre (*USA* **meter**) /ˈmiːtə(r)/ *s* (*abbrev* **m**) metro ☛ *Vedi Appendice 1.*

metric /ˈmetrɪk/ *agg* metrico: *the metric system* il sistema metrico decimale

metropolis /məˈtrɒpəlɪs/ *s* (*pl* **-lises**) metropoli **metropolitan** /ˌmetrəˈpɒlɪtən/ *agg* metropolitano

miaow /miˈaʊ/ ◆ *escl* miao ◆ *s* miagolio ◆ *vi* miagolare

mice *plurale di* MOUSE

mickey /ˈmɪki/ *s* LOC **to take the mickey (out of sb)** (*inform*) prendere in giro (qn)

micro /ˈmaɪkrəʊ/ (*anche* **microcomputer**) *s* microcomputer

microbe /ˈmaɪkrəʊb/ *s* microbo

microchip /ˈmaɪkrəʊtʃɪp/ (*anche* **chip**) *s* microchip

microcosm /ˈmaɪkrəkɒzəm/ *s* microcosmo

micro-organism /ˌmaɪkrəʊ ˈɔːgənɪzəm/ *s* microorganismo

microphone /ˈmaɪkrəfəʊn/ *s* microfono

microprocessor /ˈmaɪkrəʊ ˈprəʊsesə(r)/ *s* microprocessore

microscope /ˈmaɪkrəskəʊp/ *s* microscopio **microscopic** /ˌmaɪkrəˈskɒpɪk/ *agg* microscopico

microwave /ˈmaɪkrəweɪv/ *s* **1** microonda **2** (*anche* **microwave oven**) forno a microonde

mid /mɪd/ *agg*: *in mid-July* a metà luglio ◊ *mid-morning* a metà mattina ◊ *in mid sentence* in mezzo alla frase ◊ *mid-life crisis* crisi di mezza età

mid-air /ˌmɪd ˈeə(r)/ *s*: *in mid-air* a mezz'aria ◊ *to leave sth in mid-air* lasciare qc in sospeso

midday /ˌmɪdˈdeɪ/ *s* mezzogiorno

middle /ˈmɪdl/ ◆ *s* **1 the middle** [*sing*]

centro, mezzo: *in the middle of the night* nel cuore della notte **2** (*inform*) vita, cintura LOC **in the middle of nowhere** (*inform*) a casa del diavolo ◆ *agg* centrale, di mezzo: *middle finger* dito medio ◊ *middle management* quadri intermedi LOC **the middle ground** terreno neutro **(to take/follow) a middle course** (prendere/seguire) una via di mezzo

middle age *s* mezza età **middle-aged** *agg* di mezza età

middle class *s* borghesia: *the middle classes* la borghesia **middle-class** *agg* borghese

middleman /ˈmɪdlmæn/ *s* (*pl* **-men** /-men/) intermediario

middle name *s* secondo nome

middle-of-the-road /ˌmɪdl əv ðə ˈrəʊd/ *agg* (*spesso dispreg*) moderato

middleweight /ˈmɪdlweɪt/ *s* peso medio

midfield /ˌmɪdˈfiːld/ *s* centrocampo: *midfield player* centrocampista **midfielder** *s* centrocampista

midge /mɪdʒ/ *s* moscerino

midget /ˈmɪdʒɪt/ *s* nano, -a

midnight /ˈmɪdnaɪt/ *s* mezzanotte

midriff /ˈmɪdrɪf/ *s* addome

midst /mɪdst/ *s* mezzo: *in the midst of* nel mezzo di LOC **in our midst** tra di noi

midsummer /ˌmɪdˈsʌmə(r)/ *s* piena estate: *Midsummer('s) Day* festa di San Giovanni (24 giugno)

midway /ˌmɪdˈweɪ/ *avv* ~ (**between ...**) a mezza strada (tra ...)

midweek /ˌmɪdˈwiːk/ *s* metà settimana LOC **in midweek** a metà settimana

midwife /ˈmɪdwaɪf/ *s* (*pl* **-wives** /-waɪvz/) ostetrica **midwifery** /ˈmɪdwɪfəri/ *s* ostetricia

midwinter /ˌmɪdˈwɪntə(r)/ *s* pieno inverno

miffed /mɪft/ *agg* (*inform*) seccato

might[1] /maɪt/ *v aus modale* (*neg* **might not** *o* **mightn't** /ˈmaɪtnt/) **1** *pass di* MAY **2** (*anche* **may**) (*possibilità*) potere: *The situation might have disastrous consequences.* La situazione potrebbe avere conseguenze catastrofiche. ◊ *They might not come.* Può darsi che non vengano. ◊ *I might be able to.* Forse posso. **3** (*form*): *Might I make a suggestion?* Mi permette un suggerimento? ◊ *And who might she be?* Chi sarebbe? ◊ *You might at least offer to help!* Almeno potresti offrire di dare una mano. ◊ *You might have told me!* Avresti potuto dirmelo! ☛ *Vedi nota a* MAY, POTERE[1]

might[2] /maɪt/ *s* [*non numerabile*] forza: *with all his might* con tutte le sue forze ◊ *military might* potenza militare **mightily** *avv* (*inform*) enormemente **mighty** *agg* (**-ier**, **-iest**) **1** poderoso, potente **2** imponente

migraine /ˈmiːgreɪn; *USA* ˈmaɪgreɪn/ *s* emicrania

migrant /ˈmaɪgrənt/ ◆ *agg* **1** (*persona*) emigrante **2** (*uccello*) migratore ◆ *s* emigrante

migrate /maɪˈgreɪt; *USA* ˈmaɪgreɪt/ *vi* **1** (*persona*) emigrare **2** (*uccello*) migrare **migratory** /ˈmaɪgrətri, maɪ ˈgreɪtəri; *USA* ˈmaɪgrətɔːri/ *agg* di passo

mike /maɪk/ *s* microfono

mild /maɪld/ *agg* (**-er**, **-est**) **1** (*carattere*) dolce **2** (*clima*) temperato: *a mild winter* un inverno mite **3** (*sapore, ecc*) delicato **4** (*castigo, malattia*) lieve **mildly** *avv* leggermente, un po': *mildly surprised* un po' sorpreso LOC **to put it mildly** a dir poco, per usare un eufemismo

mildew /ˈmɪldjuː; *USA* ˈmɪlduː/ *s* muffa

mild-mannered /ˌmaɪld ˈmænəd/ *agg* dal carattere docile

mile /maɪl/ *s* **1** miglio **2 miles** (*inform*): *He's miles better.* Sta molto meglio. **3** *spec* **the mile** corsa di un miglio LOC **miles from anywhere/nowhere** a casa del diavolo **to be miles away** (*inform*) essere distratto **to see/tell, etc sth a mile off** (*inform*) vedere qc lontano un miglio **mileage** *s* **1** chilometraggio **2** (*inform, fig*) vantaggio

milestone /ˈmaɪlstəʊn/ *s* pietra miliare

milieu /ˈmiːljɜː; *USA* ˌmiːˈljɜː/ *s* (*pl* **-eus** *o* **-eux**) ambiente (*sociale*)

militant /ˈmɪlɪtənt/ *agg, s* militante

military /ˈmɪlətri; *USA* -teri/ ◆ *agg* militare ◆ *s* [*v sing o pl*] i militari, l'esercito

militia /məˈlɪʃə/ *s* [*v sing o pl*] milizia **militiaman** *s* (*pl* **-men** /-mən/) miliziano

milk /mɪlk/ ◆ *s* latte: *milk products* latticini ◊ *milk shake* frappé LOC *Vedi*

CRY ◆ *vt* **1** mungere **2** (*fig*) sfruttare **milky** *agg* (**-ier**, **-iest**) **1** (*caffè, tè, ecc*) con molto latte **2** lattiginoso, opalescente

milkman /ˈmɪlkmən/ *s* (*pl* **-men** /-mən/) lattaio

mill /mɪl/ ◆ *s* **1** mulino **2** macinino **3** fabbrica: *steel mill* acciaieria ◆ *vt* macinare PHR V **to mill about/around** brulicare **miller** *s* mugnaio, -a

millennium /mɪˈleniəm/ *s* (*pl* **-ia** /-nɪə/ *o* **-iums**) millennio

millet /ˈmɪlɪt/ *s* miglio (*cereale*)

million /ˈmɪljən/ *agg, pron, s* (*anche fig*) milione: *a million people* un milione di persone ◊ *a million stars* un milione di stelle ☛ *Vedi esempi a* FIVE LOC **one, etc in a million** unico **millionth** *agg, pron, s* milionesimo ☛ *Vedi esempi a* FIFTH

millstone /ˈmɪlstəʊn/ *s* macina LOC **a millstone round your neck** una palla al piede

mime /maɪm/ ◆ *s* mimo (*arte*): *a mime artist* un mimo ◆ *vt, vi* mimare, imitare

mimic /ˈmɪmɪk/ ◆ *vt* (*pass, pp* **mimicked** *p pres* **mimicking**) imitare ◆ *s* imitatore, -trice **mimicry** *s* imitazione

mince /mɪns/ ◆ *vt* tritare (*carne*) LOC **not to mince matters**; **not to mince (your) words** non avere peli sulla lingua ◆ *s* (*USA* **ground beef**) carne macinata

mincemeat /ˈmɪnsmiːt/ *s* frutta secca tritata e spezie LOC **to make mincemeat of sb/sth** (*inform*) ridurre qn in polpette/demolire qc

mince pie *s* tartina di frutta secca

mind /maɪnd/ ◆ *s* **1** (*intelletto*) mente: *to be sound in mind and body* essere sano di corpo e di mente ◊ *mind-boggling* inconcepibile **2** pensiero: *My mind was on other things.* Stavo pensando ad altro. **3** ragione: *to lose your mind* perdere la testa LOC **in your mind's eye** nell'immaginazione **to be in two minds about (doing) sth** essere indeciso su qc/se fare qc **to be on your mind**: *What's on your mind?* Cosa ti preoccupa? **to be out of your mind** (*inform*) essere uscito di senno **to come/spring to mind** venire in mente **to have a (good) mind to do sth** (*inform*) avere una gran voglia di fare qc **to have a mind of your own** pensare con la propria testa **to have sb/sth i[n] mind (for sth)** avere in mente qn/q[c] (per qc) **to keep your mind on st[h]** concentrarsi su qc **to make up you[r] mind** decidersi **to my mind** secondo m[e] **to put/set your/sb's mind at ease/res[t]** tranquillizzarsi/tranquillizzare qn **t[o] put/set/turn your mind to sth** concentrarsi su qc, applicarsi a qc **to tak[e] your/sb's mind off sth** distrarsi distrarre qn da qc *Vedi anche* BACK BEAR², CHANGE, CLOSE², CROSS, FOCUS FRAME, GREAT, PREY, SIGHT, SLIP, SOUND SPEAK, STATE¹, UPPERMOST ◆ **1** *vt* badar[e] a **2** *vt, vi*: *Do you mind if I smoke?* Le d[à] noia il fumo? ◊ *I don't mind.* Per me [è] uguale. ◊ *Would you mind going tomorrow?* Ti dispiace andare domani? ◊ *[I] wouldn't mind a drink.* Berrei volentieri qualcosa. **3** *vt* preoccuparsi di *Don't mind him.* Non fargli caso. **4** *vt, vi* fare attenzione (a): *Mind your head* Attento alla testa! LOC **do you mind?** (*iron, dispreg*) ma che fa? **mind you[r] mind** (*inform*) intendiamoci **neve[r] mind** non importa **never you min[d]** (*inform*) non sono affari tuoi **to min[d] your own business** badare ai fatt[i] propri PHR V **to mind out (for sb/sth)** fare attenzione (a qn/qc) **minder** *s* [1] bambinaia **2** guardia del corpo **mindfu[l]** *agg* (*form*) consapevole **mindless** *ag[g]* stupido

mine¹ /maɪn/ *pron poss* il mio, ecc: *[a] friend of mine* un mio amico ◊ *Where'[s] mine?* Dov'è il mio? ☛ *Confronta* MY

mine² /maɪn/ ◆ *s* **1** miniera: *min[e] worker* minatore **2** mina ◆ *vt* **1** estrarr[e] (*carbone*) **2** (*lett e fig*) minare **miner** [*s*] minatore

minefield /ˈmaɪnfiːld/ *s* campo minat[o]

mineral /ˈmɪnərəl/ *s* minerale: *minera[l] water* acqua minerale

mingle /ˈmɪŋgl/ **1** *vi* ~ **with sb** mescolarsi a qn (*a una festa*): *The presiden[t] mingled with his guests.* Il presidente s[i] mescolò agli ospiti. **2** *vi* ~ **(with sth)** mescolarsi (con qc) **3** *vt* mescolare

miniature /ˈmɪnətʃə(r); *USA* ˈmɪnɪətʃʊər/ *s* miniatura

minibus /ˈmɪnibʌs/ *s* (*GB*) pulmino

minicab /ˈmɪnikæb/ *s* (*GB*) taxi

minimal /ˈmɪnɪməl/ *agg* minimo

minimize, -ise /ˈmɪnɪmaɪz/ *vt* minimizzare

minimum /ˈmɪnɪməm/ ◆ *s* (*pl* **minima** /-mə/) (*abbrev* **min**) [*gen sing*] minimo: *with a minimum of effort* con un minimo sforzo ◆ *agg* minimo: *There is a minimum charge of…* C'è una tariffa minima di…

mining /ˈmaɪnɪŋ/ *s* estrazione: *the mining industry* l'industria mineraria

minister /ˈmɪnɪstə(r)/ ◆ *s* **1** (*USA* **secretary**) ~ (**for/of sth**) ministro (di qc) ☛ *Vedi nota a* MINISTRO **2** pastore (*protestante*) ☛ *Vedi nota a* PRIEST ◆ *vi* ~ **to sb/sth** (*form*) assistere qn/qc **ministerial** /ˌmɪnɪˈstɪəriəl/ *agg* ministeriale

ministry /ˈmɪnɪstri/ *s* (*pl* **-ies**) **1** (*USA* **department**) (*Politica*) ministero **2 the ministry** sacerdozio: *to enter/go into/take up the ministry* diventare sacerdote

mink /mɪŋk/ *s* visone

minor /ˈmaɪnə(r)/ ◆ *agg* **1** minore, piccolo: *minor repairs* riparazioni di poca importanza ◇ *minor injuries* ferite lievi **2** (*Mus*) minore ◆ *s* minorenne

minority /maɪˈnɒrəti; *USA* -ˈnɔːr-/ *s* [*v sing o pl*] (*pl* **-ies**) minoranza: *a minority vote* un voto di minoranza LOC **to be in a/the minority** essere in/la minoranza

mint /mɪnt/ ◆ *s* **1** menta **2** mentina **3** (*anche* **the Royal Mint**) la Zecca **4** [*sing*] (*inform*) patrimonio: *to make a mint* fare soldi a palate LOC **in mint condition** in perfette condizioni ◆ *vt* battere (*moneta*)

minus /ˈmaɪnəs/ ◆ *prep* **1** meno **2** (*inform*) senza: *I'm minus my car today.* Oggi non ho la macchina. **3** (*temperatura*) sotto zero: *minus five* cinque gradi sotto zero ◆ *agg* (*Scuola*) meno: *B minus* (*B-*) quasi buono ◆ *s* **1** (*anche* **minus sign**) segno meno **2** (*inform*) svantaggio: *the pluses and minuses of sth* i vantaggi e gli svantaggi di qc

minute[1] /ˈmɪnɪt/ *s* **1** minuto **2** attimo, momento: *Wait a minute!/Just a minute!* Un momento! **3** istante: *at that very minute* in quel preciso istante **4** nota (*ufficiale*) **5 minutes** [*pl*] verbale (*di una riunione*) LOC **not for a/one minute/moment** (*inform*) neanche per un momento **the minute/moment (that)…** non appena…

minute[2] /maɪˈnjuːt; *USA* -ˈnuːt/ *agg* (**-er**, **-est**) **1** minuscolo **2** minuzioso **minutely** *avv* minuziosamente

miracle /ˈmɪrəkl/ *s* miracolo: *a miracle cure* una cura miracolosa LOC **to do/work miracles/wonders** (*inform*) fare miracoli **miraculous** /mɪˈrækjələs/ *agg* miracoloso: *He had a miraculous escape.* Se l'è cavata per un pelo.

mirage /ˈmɪrɑːʒ, mɪˈrɑːʒ/ *s* miraggio

mirror /ˈmɪrə(r)/ ◆ *s* **1** (*lett e fig*) specchio: *mirror image* immagine speculare **2** (*macchina*) specchietto retrovisore ◆ *vt* riflettere

mirth /mɜːθ/ *s* (*form*) **1** risate **2** allegria

misadventure /ˌmɪsədˈventʃə(r)/ *s* **1** (*form*) disavventura **2** (*Dir*): *death by misadventure* morte accidentale

misbehave /ˌmɪsbɪˈheɪv/ *vi* comportarsi male **misbehaviour** (*USA* **misbehavior**) *s* comportamento scorretto

miscalculation /ˌmɪskælkjuˈleɪʃn/ *s* errore di calcolo

miscarriage /ˌmɪsˈkærɪdʒ, ˈmɪs-/ *s* (*Med*) aborto (*spontaneo*) LOC **miscarriage of justice** errore giudiziario

miscellaneous /ˌmɪsəˈleɪniəs/ *agg* vario: *miscellaneous expenditure* spese varie

mischief /ˈmɪstʃɪf/ *s* **1** birichinate: *to keep out of mischief* non cacciarsi nei guai **2** misfatti **mischievous** *agg* **1** (*bambino*) birichino **2** (*sorriso*) malizioso

misconceive /ˌmɪskənˈsiːv/ *vt* (*form*) capire male: *a misconceived project* un piano progettato male **misconception** *s* idea sbagliata: *It is a popular misconception that…* È un errore diffuso credere che…

misconduct /ˌmɪsˈkɒndʌkt/ *s* (*form*) **1** (*Dir*) cattiva condotta: *professional misconduct* reato professionale **2** (*Comm*) cattiva amministrazione

miser /ˈmaɪzə(r)/ *s* avaro, -a **miserly** *agg* (*dispreg*) **1** (*persona*) avaro **2** (*stipendio, aumento*) misero

miserable /ˈmɪzrəbl/ *agg* **1** infelice, triste **2** miserabile **3** deprimente: *miserable weather* tempo deprimente ◇ *I had a miserable time.* Non mi sono divertito affatto. **miserably** *avv* **1** tristemente **2** miseramente: *Their efforts failed miserably.* I loro sforzi fallirono miseramente.

misery /ˈmɪzəri/ *s* (*pl* **-ies**) **1** tristezza,

sofferenza: *a life of misery* una vita di sofferenze **2** [*gen pl*] avversità **3** (*GB, inform*) lagna LOC **to put sb out of their misery** (*lett e fig*) mettere fine alle sofferenze di qn

misfortune /ˌmɪsˈfɔːtʃuːn/ *s* disgrazia

misgiving /ˌmɪsˈɡɪvɪŋ/ *s* [*gen pl*] dubbio

misguided /ˌmɪsˈɡaɪdɪd/ *agg* (*form*) malaccorto

mishap /ˈmɪshæp/ *s* contrattempo

misinform /ˌmɪsɪnˈfɔːm/ *vt* ~ **sb (about sth)** (*form*) informare male qn (su qc)

misinterpret /ˌmɪsɪnˈtɜːprɪt/ *vt* interpretare male **misinterpretation** *s* interpretazione errata

misjudge /ˌmɪsˈdʒʌdʒ/ *vt* **1** (*persona*) giudicare male **2** (*distanza, quantità*) calcolare male

mislay /ˌmɪsˈleɪ/ *vt* (*pass, pp* **mislaid**) smarrire

mislead /ˌmɪsˈliːd/ *vt* (*pass, pp* **misled** /-ˈled/) ~ **sb (about/as to sth)** indurre in errore qn (a proposito di qc): *Don't be misled by…* Non lasciarti ingannare da… **misleading** *agg* ingannevole

mismanagement /ˌmɪsˈmænɪdʒmənt/ *s* cattiva amministrazione

misogynist /mɪˈsɒdʒɪnɪst/ *s* misogino

misplaced /ˌmɪsˈpleɪst/ *agg* **1** smarrito **2** (*affetto, fiducia*) malriposto **3** fuori luogo

misprint /ˈmɪsprɪnt/ *s* refuso

misread /ˌmɪsˈriːd/ *vt* (*pass, pp* **misread** /-ˈred/) **1** leggere male **2** interpretare male

misrepresent /ˌmɪsˌreprɪˈzent/ *vt* ~ **sb** dare un'immagine sbagliata di qn

Miss /mɪs/ *s* Signorina (=Sig.na) ☛ *Vedi nota a* SIGNORINA

miss /mɪs/ ◆ **1** *vt, vi* mancare: *to miss your footing* mettere un piede in fallo **2** *vt* non vedere: *You can't miss it.* Non puoi sbagliarti. ◊ *I missed what you said.* Mi è sfuggito quello che hai detto. ◊ *to miss the point* non capire **3** *vt* perdere: *The flight was delayed, so I missed my connection.* Il mio volo era in ritardo e ho perso la coincidenza. **4** *vt* notare la mancanza di: *I didn't miss my wallet until I got home.* Non mi ero accorto di non avere il portafoglio finché sono tornato a casa. **5** *vt* sentire la mancanza di: *I miss you.* Mi manchi. **6** *vt* evitare: *to narrowly miss (hitting sth* schivare per un pelo qc LOC **not t miss much**; **not to miss a trick** (*inforn* essere molto sveglio PHR V **to miss sb sth out** saltare qn/qc **to miss out (o sth)** (*inform*) perdere l'occasione (di qc ◆ *s* colpo mancato LOC **to give sth miss** (*inform*) saltare qc

missile /ˈmɪsaɪl; *USA* ˈmɪsl/ *s* **1** proiettile **2** (*Mil*) missile

missing /ˈmɪsɪŋ/ *agg* **1** smarrito mancante: *He has a tooth missing.* G manca un dente. **3** scomparso: *missin persons* persone scomparse

mission /ˈmɪʃn/ *s* missione

missionary /ˈmɪʃənri; *USA* -neri/ *s* (**-ies**) missionario, -a

mist /mɪst/ ◆ *s* **1** nebbiolin ☛ *Confronta* FOG, HAZE **2** (*fig*) nebbi *lost in the mists of time* perso nell notte dei tempi ◆ PHR V **to mist ove up** annebbiarsi, appannarsi **misty** *ag* (**-ier, -iest**) **1** (*giornata*) nebbioso **2** (*fi* indistinto

mistake /mɪˈsteɪk/ ◆ *s* errore, sbagli *to make a mistake* sbagliarsi

> Le parole **mistake**, **error**, **fault** **defect** hanno diverse sfumature significato. **Mistake** e **error** hanno stesso significato, ma **error** è p formale. **Fault** indica la colpevolezza una persona: *It's all your fault.* È tut colpa tua. Si può anche usare per u guasto: *an electrical fault* un guas all'impianto elettrico ◊ *He has man faults.* Ha molti difetti. **Defect** è un'in perfezione non grave.

LOC **and no mistake** (*inform*) senz dubbio **by mistake** per sbaglio ◆ (*pass* **mistook** /mɪˈstʊk/ *pp* **mistake** /mɪˈsteɪkən/) **1** fraintendere: *I mistoo your meaning/what you meant.* H frainteso quello che hai detto. **2** ~ **s sth for sb/sth** prendere qn/qc per qn qc LOC **there's no mistaking sb/s** non si può sbagliare su qn/qc **mis taken** *agg* **to be ~ (about sb/st** sbagliarsi (su qn/qc): *if I'm not mi taken* se non mi sbaglio **mistakenl** *avv* erroneamente, per errore

mister /ˈmɪstə(r)/ *s* (*abbrev* **Mr**) signor

mistletoe /ˈmɪsltəʊ/ *s* vischio

mistook *pass di* MISTAKE

mistreat /ˌmɪsˈtriːt/ *vt* maltrattare

mistress /ˈmɪstrəs/ *s* **1** padrona Ve

anche MASTER **2** (*spec GB*) professoressa **3** amante

nistrust /ˌmɪsˈtrʌst/ ◆ *vt* diffidare di ◆ *s* ~ (**of sb/sth**) diffidenza (verso qn/qc)

nisty *Vedi* MIST

nisunderstand /ˌmɪsʌndəˈstænd/ *vt*, *vi* (*pass*, *pp* **misunderstood** /ˌmɪsˌʌndəˈstʊd/) capire male **misunderstanding** *s* **1** malinteso **2** dissapore

nisuse /ˌmɪsˈjuːs/ *s* **1** (*parola*) uso improprio **2** (*fondi*) cattivo uso **3** (*potere*) abuso

nitigate /ˈmɪtɪgeɪt/ *vt* (*form*) **1** mitigare **2** alleviare

nix /mɪks/ ◆ **1** *vt*, *vi* mescolare, mescolarsi **2** *vi* **to mix** (**with sb**) legare (con qn): *She mixes well with other children.* Socializza bene con gli altri bambini. LOC **to be/get mixed up in sth** (*inform*) essere/trovarsi coinvolto in qc PHR V **to mix sth in(to sth)** incorporare qc (a qc) **to mix sb/sth up** (**with sb/sth**) scambiare qn/qc (per qn/qc) ◆ *s* **1** mescolanza **2** (*Cucina*) preparato **mixed** *agg* **1** (*matrimonio, classe*) misto **2** assortito **3** (*tempo*) variabile LOC **to have mixed feelings** (**about sb/sth**) essere combattuto (a proposito di qn/qc) **mixer** *s* **1** frullatore **2** (*inform*): *to be a good/bad mixer* essere/non essere molto socievole **mixture** *s* **1** mescolanza **2** miscuglio **mix-up** *s* (*inform*) confusione

noan /məʊn/ ◆ *vi* **1** gemere **2** ~ (**about sth**) (*inform*) lamentarsi (di qc) ◆ *s* **1** gemito **2** (*inform*) lamentela

noat /məʊt/ *s* fossato (*di castello*)

nob /mɒb/ ◆ *s* [*v sing o pl*] **1** folla **2** (*inform*) banda (*di delinquenti*) ◆ *vt* (**-bb-**) prendere d'assalto

nobile /ˈməʊbaɪl; *USA* -bl *anche* -biːl/ *agg* **1** mobile: *mobile library* biblioteca ambulante ◊ *mobile home* grande roulotte ◊ *mobile phone* telefono cellulare **mobility** /məʊˈbɪləti/ *s* mobilità

nobilize, -ise /ˈməʊbəlaɪz/ *vt*, *vi* (*Mil*) mobilitare, mobilitarsi

nock /mɒk/ ◆ **1** *vt* farsi beffe di **2** *vi* ~ (**at sb/sth**) farsi beffe (di qn/qc): *a mocking smile* un sorriso beffardo ◆ *s* LOC **to make mock of sb/sth** ridicolizzare qn/qc ◆ *agg* **1** finto: *mock battle* battaglia simulata **2** falso, di imitazione **mockery** *s* [*non numerabile*] **1** scherno **2** ~ (**of sth**) parodia (di qc) LOC **to make a mockery of sth** mettere in ridicolo qc

mode /məʊd/ *s* (*form*) **1** modo **2** (*trasporto*) mezzo

model /ˈmɒdl/ ◆ *s* **1** modello **2** modello, -a **3** modellino: *scale model* modello in scala ◊ *model car* modellino di auto ◆ (**-ll-**, *USA* **-l-**) **1** *vt* (*modello*) indossare **2** *vi* fare il modello/la modella **3** *vt* modellare PHR V **to model yourself on sb/sth** prendere a modello qn/qc **to model sth on sb/sth** modellare qc su qn/qc **modelling** (*USA* **modeling**) *s* **1** modellismo **2** professione di modello/modella

moderate /ˈmɒdərət/ ◆ *agg* **1** moderato: *Cook over a moderate heat.* Cuocere a fuoco moderato. ◆ *s* moderato, -a ◆ /ˈmɒdəreɪt/ *vt*, *vi* moderare, moderarsi: *a moderating influence* un influsso moderatore **moderation** *s* moderazione LOC **in moderation** con moderazione

modern /ˈmɒdn/ *agg* moderno: *to study modern languages* studiare lingue **modernity** /məˈdɜːnəti/ *s* modernità **modernize, -ise** *vt*, *vi* modernizzare, modernizzarsi

modest /ˈmɒdɪst/ *agg* **1** modesto **2** (*prezzo*) modico **3** ~ (**about sth**) (*approv*) modesto (a proposito di qc) **modesty** *s* modestia

modify /ˈmɒdɪfaɪ/ *vt* (*pass*, *pp* **-fied**) modificare ☛ La parola più comune è **change**.

module /ˈmɒdjuːl; *USA* -dʒuːl/ *s* modulo **modular** *agg* modulare

mogul /ˈməʊgl/ *s* magnate

moist /mɔɪst/ *agg* umido: *a rich, moist fruit cake* un plumcake soffice e gustoso

> Sia **moist** che **damp** si traducono "umido"; **damp** ha spesso una connotazione negativa: *damp walls* muri umidi ◊ *cold damp rainy weather* tempo freddo, umido e piovoso.

moisten /ˈmɔɪsn/ *vt*, *vi* inumidire, inumidirsi **moisture** /ˈmɔɪstʃə(r)/ *s* umidità **moisturize, -ise** *vt* idratare **moisturizer, -iser** *s* crema idratante

molar /ˈməʊlə(r)/ *s* molare

mold (*USA*) *Vedi* MOULD[1,2]

moldy (*USA*) *Vedi* MOULDY *a* MOULD[2]

mole /məʊl/ *s* **1** neo **2** (*lett e fig*) talpa

molecule /ˈmɒlɪkjuːl/ *s* molecola **molecular** *agg* molecolare

molest /məˈlest/ *vt* **1** molestare **2** importunare

mollify /ˈmɒlɪfaɪ/ *vt* (*pass, pp* **-fied**) ammansire, calmare

molten /ˈməʊltən/ *agg* fuso

mom (*USA, inform*) *Vedi* MUM

moment /ˈməʊmənt/ *s* momento, istante: *One moment/Just a moment/Wait a moment.* Un momento. ◊ *I'll only be/I won't be a moment.* Faccio in un attimo. LOC **at a moment's notice** immediatamente **at the moment** al momento, in questo momento **for the moment/present** per il momento, per ora **the moment of truth** il momento della verità *Vedi anche* MINUTE[1], SPUR

momentary /ˈməʊməntri; *USA* -teri/ *agg* momentaneo **momentarily** *avv* momentaneamente

momentous /məˈmentəs, məʊˈm-/ *agg* molto importante

momentum /məˈmentəm, məʊˈm-/ *s* **1** impeto **2** (*Fis*) momento: *to gain/gather momentum* acquistare velocità

monarch /ˈmɒnək/ *s* monarca **monarchy** *s* (*pl* **-ies**) monarchia

monastery /ˈmɒnəstri; *USA* -teri/ *s* (*pl* **-ies**) monastero

monastic /məˈnæstɪk/ *agg* monastico

Monday /ˈmʌndeɪ, ˈmʌndi/ *s* (*abbrev* **Mon**) lunedì ☛ In inglese i giorni della settimana si scrivono sempre con la maiuscola: *every Monday* tutti i lunedì ◊ *last/next Monday* lunedì scorso/prossimo ◊ *the Monday before last/after next* lunedì di due settimane fa/non questo lunedì, ma il prossimo ◊ *Monday morning/evening* lunedì mattina/sera ◊ *Monday week/a week on Monday* lunedì a otto ◊ *I'll see you* (*on*) *Monday.* Ci vediamo lunedì. ◊ *We usually play badminton on Mondays/on a Monday.* Di solito giochiamo a badminton il lunedì. ◊ *The museum is open Monday to Friday.* Il museo apre dal lunedì al venerdì. ◊ *Did you read the article in Monday's paper?* Hai letto l'articolo sul giornale di lunedì?

monetary /ˈmʌnɪtri; *USA* -teri/ *agg* monetario

money /ˈmʌni/ *s* [*non numerabile*] soldi: *to spend/save money* spendere/risparmiare soldi ◊ *to earn/make money* guadagnare/fare soldi ◊ *money worries* problemi economici LOC **to get your money's worth** spendere bene i propri soldi

monitor /ˈmɒnɪtə(r)/ ◆ *s* **1** (*TV, Informatica*) monitor **2** (*elezioni*) osservatore, -trice ◆ *vt* **1** controllare **2** (*Radio*) ascoltare **monitoring** *s* **1** controllo **2** (*Radio*) ascolto

monk /mʌŋk/ *s* monaco

monkey /ˈmʌŋki/ *s* (*pl* **-eys**) **1** scimmia **2** (*inform*) (*bambino*) diavoletto

monogamy /məˈnɒgəmi/ *s* monogamia **monogamous** *agg* monogamo

monolithic /ˌmɒnəˈlɪθɪk/ *agg* (*lett e fig*) monolitico

monologue (*USA anche* **monolog**) /ˈmɒnəlɒg; *USA* -lɔːg/ *s* monologo

monopolize, -ise /məˈnɒpəlaɪz/ *vt* monopolizzare

monopoly /məˈnɒpəli/ *s* (*pl* **-ies**) monopolio

monoxide /mɒˈnɒksaɪd/ *s* monossido

monsoon /ˌmɒnˈsuːn/ *s* **1** monsone **2** stagione dei monsoni

monster /ˈmɒnstə(r)/ *s* mostro **monstrous** /ˈmɒnstrəs/ *agg* mostruoso

monstrosity /mɒnˈstrɒsəti/ *s* (*pl* **-ies**) mostruosità

month /mʌnθ/ *s* mese: *£14 a month* 14 sterline al mese ◊ *I haven't seen her for months.* Non la vedo da mesi.

monthly /ˈmʌnθli/ ◆ *agg* mensile ◆ *avv* mensilmente ◆ *s* (*pl* **-ies**) mensile

monument /ˈmɒnjumənt/ *s* ~ (**to sth**) monumento (a qc) **monumental** /ˌmɒnjuˈmentl/ *agg* **1** monumentale **2** (*fig*) colossale

moo /muː/ *vi* muggire

mood /muːd/ *s* **1** umore: *to be in a good/bad mood* essere di buon/cattivo umore **2** cattivo umore: *He's in a mood.* È di cattivo umore. **3** atmosfera **4** (*Gramm*) modo LOC **to be in the/in no mood to do sth/for (doing) sth** sentirsi/non sentirsi in vena di (fare) qc **moody** *agg* (**-ier, -iest**) **1** lunatico **2** di cattivo umore

moon /muːn/ ◆ *s* luna: *moonbeam* raggio di luna ◊ *moonless* senza luna LOC **over the moon** (*inform*) al settimo cielo ◆ *vi* ~ (**about/around**) (*inform*) aggirarsi con aria trasognata

moonlight /ˈmuːnlaɪt/ ◆ *s* chiaro di

luna ◆ *vi* (*pass, pp* **-lighted**) (*inform*) lavorare in nero **moonlit** *agg* illuminato dalla luna

Moor /mʊə(r)/ *s* moro, -a **Moorish** *agg* moresco

moor[1] /mʊə(r)/ *s* brughiera

moor[2] /mʊə(r)/ **1** *vt* ~ **sth (to sth)** ormeggiare qc (a qc) **2** *vi* ormeggiarsi **mooring** *s* **moorings** [*pl*] ormeggio

moorland /ˈmʊərlənd/ *s* brughiera

mop /mɒp/ ◆ *s* **1** mocio Vileda® **2** (*capelli*) cespuglio ◆ *vt* (**-pp-**) **1** lavare (*con uno straccio*) **2** (*faccia*) asciugarsi PHR V **to mop sth up** asciugare qc con uno straccio

mope /məʊp/ *vi* essere depresso PHR V **to mope about/around** aggirarsi avvilito

moped /ˈməʊped/ *s* ciclomotore

moral /ˈmɒrəl; *USA* ˈmɔːrəl/ ◆ *s* **1** morale **2 morals** [*pl*] moralità ◆ *agg* **1** morale **2** *a moral tale* un racconto con morale **moralistic** /mɒrəˈlɪstɪk/ *agg* (*spesso dispreg*) moralistico **morality** /məˈræləti/ *s* moralità: *standards of morality* valori morali **moralize, -ise** *vi* ~ **(about/on sth)** (*spesso dispreg*) moraleggiare (riguardo a qc) **morally** *avv* moralmente: *to behave morally* comportarsi onestamente

morale /məˈrɑːl; *USA* -ˈræl/ *s* morale (*spirito*)

morbid /ˈmɔːbɪd/ *agg* morboso **morbidity** /mɔːˈbɪdəti/ *s* morbosità

more /mɔː(r)/ ◆ *agg* più: *more money* più soldi ◊ *More tea, anyone?* Qualcuno vuole dell'altro tè? ◆ *pron* più: *You've had more to drink than me/than I have.* Hai bevuto più di me. ◊ *more than £50* più di 50 sterline ◊ *I hope we'll see more of you.* Spero di vederti più spesso. ◆ *avv* **1** più ☛ **More** si usa per formare i comparativi degli *aggettivi* e degli *avverbi* formati da due o più sillabe: *more quickly* più in fretta ◊ *more expensive* più caro **2** ancora: *once more* ancora una volta ◊ *It's more of a hindrance than a help.* È più d'intralcio che d'aiuto. ◊ *That's more like it!* Così va meglio! ◊ *even more so* ancor di più LOC **to be more than happy, glad, willing, etc to do sth** essere ben contento di fare qc **more and more** sempre di più: *more and more depressed* sempre più depresso **more or less** più o meno: *more or less finished* quasi finito **what is more** e per di più *Vedi anche* ALL

moreover /mɔːˈrəʊvə(r)/ *avv* inoltre, per di più

morgue /mɔːg/ *s* obitorio

morning /ˈmɔːnɪŋ/ *s* **1** mattina: *on Sunday morning* domenica mattina ◊ *in the early hours of Monday morning* nelle prime ore di lunedì mattina ◊ *at three in the morning* alle tre di notte **2** [*davanti a sostantivo*] del mattino, mattutino: *the morning papers* i giornali del mattino LOC **good morning!** buongiorno! ☛ Nella lingua familiare spesso si dice solo **morning!** invece di **good morning! in the morning 1** di mattina, la mattina: *eleven o'clock in the morning* le undici del mattino **2** (*di domani*): *I'll ring her up in the morning.* Le telefono domattina.

Con **morning**, **afternoon** e **evening** si usa la preposizione **in** quando ci si riferisce a un determinato momento della giornata: *at three o'clock in the afternoon* alle tre del pomeriggio, e **on** quando si fa riferimento a un periodo dell'anno: *on a cool May morning* un fresco mattino di maggio ◊ *on Monday afternoon* lunedì pomeriggio ◊ *on the morning of the 4th of September* la mattina del 4 settembre. Nelle espressioni in cui **morning**, **afternoon** e **evening** sono preceduti da **tomorrow**, **this**, **that** e **yesterday** non si usa alcuna preposizione: *They're leaving this evening.* Partono stasera. ◊ *I saw her yesterday morning.* L'ho vista ieri mattina.

moron /ˈmɔːrɒn/ *s* (*inform, offensivo*) deficiente

morose /məˈrəʊs/ *agg* cupo **morosely** *avv* con aria cupa

morphine /ˈmɔːfiːn/ *s* morfina

morsel /ˈmɔːsl/ *s* boccone

mortal /ˈmɔːtl/ ◆ *s* mortale ◆ *agg* mortale **mortality** /mɔːˈtæləti/ *s* mortalità

mortar /ˈmɔːtə(r)/ *s* **1** malta **2** mortaio

mortgage /ˈmɔːgɪdʒ/ ◆ *s* mutuo ipotecario: *mortgage (re)payments* rate del mutuo ◆ *vt* ipotecare

mortify /ˈmɔːtɪfaɪ/ *vt* (*pass, pp* **-fied**) umiliare, mortificare

mortuary /ˈmɔːtʃəri; *USA* ˈmɔːtʃʊeri/ *s* (*pl* **-ies**) camera mortuaria

mosaic /məʊˈzeɪɪk/ *s* mosaico

Moslem *Vedi* MUSLIM

mosque /mɒsk/ *s* moschea

mosquito /məsˈkiːtəʊ, mɒs-/ *s* (*pl* **-oes**) zanzara: *mosquito net* zanzariera

moss /mɒs; *USA* mɔːs/ *s* muschio

most /məʊst/ ◆ *agg* **1** più: *Who got (the) most votes?* Chi ha avuto più voti? **2** la maggior parte di: *most days* quasi tutti i giorni ◆ *pron* **1** di più: *I ate (the) most.* Io ho mangiato più di tutti. ◊ *the most I could offer you* il massimo che potrei darti **2** la maggior parte di: *most of the day* quasi tutto il giorno ◊ *Most of you know the reason.* La maggior parte di voi sa il motivo.

> **Most** è il superlativo di **much** e di **many** e si usa con sostantivi non numerabili o plurali: *Who's got most money?* Chi ha più soldi? ◊ *most children* la maggioranza dei bambini. Tuttavia, davanti a pronomi o quando il sostantivo è preceduto da *the* o da un aggettivo possessivo o dimostrativo si usa **most of**: *most of us* la maggior parte di noi ◊ *most of my friends* la maggior parte dei miei amici ◊ *most of these newspapers* la maggior parte di questi giornali.

◆ *avv* **1** più ☛ Si usa per il superlativo delle locuzioni avverbiali e degli aggettivi e avverbi di due o più sillabe: *This is the most interesting book I've ever read.* Questo è il libro più interessante che abbia mai letto. ◊ *What annoyed me (the) most was that...* Ciò che mi ha seccato di più è stato che... ◊ *most of all* soprattutto **2** molto: *most likely* molto probabilmente ◊ *a most unusual present* un regalo davvero insolito LOC **at (the) most** al massimo **mostly** *avv* per lo più, in genere

moth /mɒθ; *USA* mɔːθ/ *s* **1** falena ☛ *Vedi illustrazione a* FARFALLA **2** (*anche* **clothes-moth**) tarma

mother /ˈmʌðə(r)/ ◆ *s* madre ◆ *vt* **1** far da madre a **2** essere troppo protettivo con **motherhood** *s* maternità **mother-in-law** *s* (*pl* **-ers-in-law**) suocera **motherly** *agg* materno **mother-to-be** *s* (*pl* **-ers-to-be**) futura mamma **mother tongue** *s* madrelingua

motif /məʊˈtiːf/ *s* **1** motivo **2** tema

motion /ˈməʊʃn/ ◆ *s* **1** movimento moto: *a motion picture* un film mozione LOC **to go through th motions (of doing sth)** (*inform*) fare q pro forma, far finta (di fare qc) **to pu set sth in motion** mettere qc in fun zione, avviare qc *Vedi anche* SLOW ◆ *vi* ~ **to/for sb to do sth** fare cenno a q di fare qc **2** *vt*: *to motion sb in/forwar* fare cenno a qn di entrare/venir avanti **motionless** *agg* immobile

motivate /ˈməʊtɪveɪt/ *vt* motivare

motive /ˈməʊtɪv/ *s* ~ (**for sth**) motiv movente (di qc): *He had an ulteric motive.* Aveva secondi fini. ☛ L traduzione più comune di "motivo" **reason**.

motor /ˈməʊtə(r)/ *s* **1** motore ☛ *Ved nota a* ENGINE **2** (*GB, antiq, scher* macchina, auto **motoring** *s*: *the stress of motoring in big cities* lo stress d guidare nelle grandi città **motorist** automobilista **motorize, -ise** *vt* mot rizzare

motorbike /ˈməʊtəbaɪk/ *s* (*inform* moto

motor boat *s* motoscafo

motor car *s* (*form, antiq*) automobile

motorcycle /ˈməʊtəsaɪkl/ *s* motoc cletta

motor racing *s* corse automobilistich

motorway /ˈməʊtəweɪ/ *s* autostrada

mottled /ˈmɒtld/ *agg* variopint chiazzato, pezzato

motto /ˈmɒtəʊ/ *s* (*pl* **-oes**) motto

mould[1] (*USA* **mold**) /məʊld/ ◆ stampo ◆ *vt* modellare, plasmare

mould[2] (*USA* **mold**) /məʊld/ *s* muf **mouldy** (*USA* **moldy**) *agg* ammuffito

mound /maʊnd/ *s* **1** collinetta montagna (*di roba*)

mount /maʊnt/ ◆ *s* **1** monte **2** support **3** cavalcatura **4** (*foto*) passe-partout ◆ *vt* (*cavallo*) montare **2** *vt* (*fot francobolli*) sistemare **3** *vt* (*mostr* organizzare, allestire **4** (*gioiell* montare **5** *vi* ~ (**up**) (**to sth**) crescer (fino a raggiungere qc) **mounting** *ag* crescente

mountain /ˈmaʊntən; *USA* -ntn/ *s* montagna: *mountain range* caten montuosa **2 the mountains** [*pl*] (*i contrasto con il mare*) la montagn **mountaineer** /ˌmaʊntɪˈnɪə(r)/ *s* alp nista **mountaineering** /ˌmaʊntɪˈnɪərɪŋ s alpinismo **mountainous** /ˈmaʊntənəs/ *agg* montuoso

ountainside /ˈmaʊntənsaɪd/ *s* fianco della montagna

ourn /mɔːn/ **1** *vi* essere addolorato **2** *vi* essere in lutto **3** *vt* ~ **sb** piangere la morte di qn **4** *vt* ~ **sth** rimpiangere qc **mourner** *s* chi piange un defunto **mournful** *agg* triste, funereo **mourning** *s* lutto: *dressed in mourning* vestito a lutto

ouse /maʊs/ *s* (*pl* **mice** /maɪs/) **1** topo **2** (*Informatica*) mouse ☛ *Vedi illustrazione a* COMPUTER

oustache /məˈstɑːʃ/ (*USA* **mustache** /ˈmʌstæʃ/) *s* baffi

outh /maʊθ/ *s* (*pl* ~**s** /maʊðz/) **1** bocca **2** foce LOC *Vedi* LOOK[1] **mouthful** *s* **1** boccone **2** sorso

outhpiece /ˈmaʊθpiːs/ *s* **1** (*Mus*) bocchino **2** microfono (*di telefono*) **3** (*fig*) portavoce

ovable /ˈmuːvəbl/ *agg* movibile, mobile

ove /muːv/ ◆ *s* **1** movimento **2** trasloco **3** (*nel lavoro*) trasferimento **4** (*Scacchi*) mossa, turno: *Whose move is it?* A chi tocca? **5** passo LOC **to get a move on** (*inform*) sbrigarsi **to make a move 1** muoversi **2** andarsene *Vedi anche* FALSE ◆ **1** *vi* muoversi, spostarsi: *Don't move!* Fermo! **2** *vi* (*Scacchi*) muovere **3** *vt, vi* trasferire, trasferirsi: *They sold the house and moved to Scotland.* Hanno venduto la casa e si sono trasferiti in Scozia. ◊ *He has been moved to London.* Lo hanno trasferito a Londra. ◊ *They had to move out.* Hanno dovuto trasferirsi. **4** *vt* spostare: *I'm going to move the car before they give me a ticket.* Vado a spostare la macchina prima che mi facciano la multa. **5** *vt* commuovere **6** *vt* ~ **sb (to do sth)** indurre qn (a fare qc) LOC **to move house** cambiar casa, traslocare *Vedi anche* KILL

PHR V **to move about/around** muoversi

to move (sth) away allontanare qc, allontanarsi

to move forward avanzare

to move in trasferirsi

to move on ripartire

to move out 1 trasferirsi **2** (*esercito*) ritirarsi

ovement /ˈmuːvmənt/ *s* **1** movimento, spostamento **2** [*non numerabile*] ~ **(towards/away from sth)** tendenza (verso qc/contraria a qc) **3** (*Mecc*) meccanismo

movie /ˈmuːvi/ (*spec USA*) *s* film: *to go to the movies* andare al cinema

moving /ˈmuːvɪŋ/ *agg* **1** (*parte*) mobile **2** (*veicolo*) in moto **3** (*storia*) commovente

mow /məʊ/ *vt* (*pass* **mowed** *pp* **mown** /məʊn/ *o* **mowed**) tagliare, falciare PHR V **to mow sb down** falciare qn **mower** *s* tagliaerba, falciatrice

MP /ˌem ˈpiː/ *abbr* (*GB*) **Member of Parliament** deputato, -a

Mr /ˈmɪstə(r)/ *abbr* Signor (=Sig.)

Mrs /ˈmɪsɪz/ *abbr* Signora (=Sig.ra)

Ms /mɪz, məz/ *abbr* Signora (=Sig.ra) ☛ *Vedi nota a* SIGNORINA

much /mʌtʃ/ ◆ *agg* molto: *not much traffic* poco traffico ◆ *pron* molto, -a, ecc: *How much is it?* Quant'è? ◊ *too much* troppo ◊ *as much as you can* più che puoi ◊ *for much of the day* per gran parte della giornata ☛ *Vedi nota a* MANY *Vedi anche* MOLTO ◆ *avv* molto: *Much to her surprise…* Con sua grande sorpresa… ◊ *much-needed* estremamente necessario ◊ *much too cold* troppo freddo ☛ *Vedi nota a* MOLTO LOC **much as** per quanto: *Much as I'd like to, I can't.* Mi piacerebbe tanto, ma non posso. **much the same** più o meno uguale **not much of a…**: *He's not much of an actor.* Non è granché come attore. *Vedi anche* AS, SO

muck /mʌk/ ◆ *s* **1** letame **2** (*inform, spec GB*) sudiciume **3** (*inform, spec GB*) porcherie ◆ *v* (*inform, spec GB*) PHR V **to muck about/around** gingillarsi **to muck sth up** rovinare qc **mucky** *agg* (**-ier**, **-iest**) sudicio

mucus /ˈmjuːkəs/ *s* [*non numerabile*] muco

mud /mʌd/ *s* fango: *mudguard* parafango LOC *Vedi* CLEAR **muddy** *agg* (**-ier**, **-iest**) **1** fangoso, infangato **2** (*fig*) torbido

muddle /ˈmʌdl/ ◆ *vt* **1** ~ **sth (up)** mettere sottosopra qc **2** ~ **sb/sth (up)** confondere qn/qc **3** ~ **A (up) with B**; ~ **A and B (up)** confondere A con B ◆ *s* **1** disordine **2** ~ **(about/over sth)** confusione (con qc): *to get (yourself) into a* *muddle* confondersi **muddled** *agg* confuso

muffled /ˈmʌfld/ *agg* **1** (*grido*) soffocato **2** (*suono*) attutito **3** ~ **(up) (in sth)** imbacuccato in qc

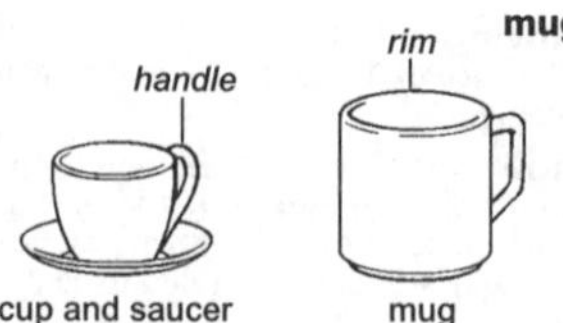

mug /mʌg/ ◆ *s* **1** tazzone **2** (*inform, dispreg, scherz*) muso **3** (*inform*) fesso, -a LOC **it's a mug's game** (*dispreg, GB*) è da idioti ◆ *vt* (**-gg-**) aggredire **mugger** *s* aggressore **mugging** *s* aggressione (*per rapina*)

muggy /ˈmʌgi/ *agg* (**-ier**, **-iest**) afoso

mulberry /ˈmʌlbəri; *USA* ˈmʌlberi/ *s* **1** (*anche* **mulberry tree**, **mulberry bush**) gelso **2** mora (*di gelso*)

mule /mjuːl/ *s* **1** mulo, -a **2** ciabatta

mull /mʌl/ PHR V **to mull sth over**: *I'd like to mull it over.* Vorrei pensarci su.

multicoloured (*USA* **multicolored**) /ˌmʌltiˈkʌləd/ *agg* multicolore

multilingual /ˌmʌltiˈlɪŋgwəl/ *agg* multilingue

multinational /ˌmʌltiˈnæʃnəl/ *agg, s* multinazionale

multiple /ˈmʌltɪpl/ ◆ *agg* multiplo, molteplice ◆ *s* multiplo

multiple sclerosis /ˌmʌltɪpl skləˈrəʊsɪs/ *s* sclerosi a placche

multiplication /ˌmʌltɪplɪˈkeɪʃn/ *s* moltiplicazione: *multiplication table* tavola pitagorica

multiplicity /ˌmʌltɪˈplɪsəti/ *s* ~ **of sth** molteplicità di qc

multiply /ˈmʌltɪplaɪ/ (*pass, pp* **-lied**) *vt, vi* moltiplicare, moltiplicarsi

multi-purpose /ˌmʌlti ˈpɜːpəs/ *agg* multiuso

multi-storey /ˌmʌlti ˈstɔːri/ *agg* a più piani: *multi-storey car park* parcheggio a più piani

multitude /ˈmʌltɪtjuːd; *USA* -tuːd/ *s* (*form*) moltitudine

mum /mʌm/ (*USA* **mom** /mɒm/) *s* (*inform*) mamma

mumble /ˈmʌmbl/ *vt, vi* farfugliare *Don't mumble.* Non mangiarti le parole

mummy /ˈmʌmi/ *s* (*pl* **-ies**) **1** (*USA* **mommy** /ˈmɒmi/) (*inform*) mamma mummia

mumps /mʌmps/ *s* [*sing*] orecchioni

munch /mʌntʃ/ *vt, vi* ~ **(on) sth** sgranocchiare qc

mundane /mʌnˈdeɪn/ *agg* banale

municipal /mjuːˈnɪsɪpl/ *agg* municipale, comunale

munitions /mjuːˈnɪʃnz/ *s* [*pl*] munizioni

mural /ˈmjʊərəl/ *s* murale

murder /ˈmɜːdə(r)/ ◆ *s* **1** omicidio assassinio ☛ *Confronta* MANSLAUGHTER, HOMICIDE **2** (*inform, fig*) una fat caccia LOC **to get away with murder** (*spesso scherz, inform*) passarla sempr liscia ◆ *vt* assassinare, uccider ☛ *Vedi nota a* ASSASSINARE **murderer** assassino, -a, omicida **murderous** *ag* **1** omicida: *a murderous look* un'oc chiata assassina **2** micidiale

murky /mɜːki/ *agg* (**-ier**, **-iest**) **1** tenebroso, cupo **2** (*lett e fig*) torbido

murmur /mɜːmə(r)/ ◆ *s* mormorio LOC **without a murmur** senza fiatare ◆ *vt, v* mormorare

muscle /ˈmʌsl/ ◆ *s* **1** muscolo: *Don move a muscle!* Non ti muovere! **2** (*fig* potere ◆ PHR V **to muscle in (on sth** (*inform, dispreg*) immischiarsi (in qc **muscular** *agg* **1** muscolare **2** musco loso

muse /mjuːz/ ◆ *s* musa ◆ **1** *vi* ~ **(about over/on/upon sth)** rimuginare (qc meditare (su qc) **2** *vt*: *'How interesting he mused.* "Interessante", disse tra sé sé.

museum /mjuˈziəm/ *s* museo

mushroom /ˈmʌʃrʊm, -ruːm/ ◆ fungo ☛ *Vedi illustrazione a* FUNGO ◆ *vi* (*talvolta dispreg*) spuntare com funghi, svilupparsi rapidamente

mushy /mʌʃi/ *agg* **1** molle **2** (*inform dispreg*) sdolcinato

music /ˈmjuːzɪk/ *s* **1** musica: *a piece o music* un pezzo musicale ◊ *music-hal* teatro di varietà **2** (*testo*) spartito **musical** *agg* **1** musicale, di musica **2** *to b musical* essere portato per la music **musical** (*anche* **musical comedy**) commedia musicale **musician** *s* mus cista **musicianship** *s* maestria musicale

musk /mʌsk/ *s* muschio (*per profumi*)

musket /ˈmʌskɪt/ *s* moschetto

Muslim /ˈmʊzlɪm; *USA* ˈmʌzləm/ (*anche* **Moslem** /ˈmɒzləm/) *agg*, *s* musulmano, -a *Vedi anche* ISLAM

muslin /ˈmʌzlɪn/ *s* mussola

mussel /ˈmʌsl/ *s* cozza

must /məst, mʌst/ ◆ *v aus modale* (*neg* **must not** *o* **mustn't** /ˈmʌsnt/)

Must è un verbo modale seguito dall'infinito senza il TO. Le frasi interrogative e negative si costruiscono senza l'ausiliare *do*: *Must you go?* Devi andare? ◊ *We mustn't tell her.* Non dobbiamo dirglielo. **Must** ha soltanto le forme del presente: *I must leave early.* Devo andar via presto. Per tutti gli altri tempi si usa **to have to**: *He'll have to come tomorrow.* Dovrà venir domani. ◊ *We had to eat quickly.* Abbiamo dovuto mangiare in fretta.

• **obbligo e divieto** dovere: *'Must you go so soon?' 'Yes, I must.'* 'Devi già partire?' 'Sì.'

Must si usa per impartire un ordine o quando si vuole che qualcuno faccia una certa cosa: *The children must be back by four.* I bambini devono tornare per le quattro. ◊ *I must stop smoking.* Devo smettere di fumare. Quando l'ordine è imposto dall'esterno, ad es. da una legge, una regola, ecc, si usa **to have to**: *The doctor says I have to stop smoking.* Il medico dice che devo smettere di fumare. ◊ *You have to send it before Tuesday.* Devi spedirlo prima di martedì. La forma negativa **must not** o **mustn't** esprime un divieto: *You mustn't open other people's post.* Non devi aprire la posta altrui. **Haven't got to** o **don't have to** esprime l'assenza di necessità, di obbligo: *You don't have to go if you don't want to.* Non c'è bisogno che tu ci vada se non hai voglia.

• **suggerimento** dovere: *You must come to lunch one day.* Devi venire a pranzo uno di questi giorni. ☛ Nella maggior parte dei casi, per esprimere un suggerimento o un consiglio si usa **ought to** o **should**.

• **probabilità** dovere: *You must be hungry.* Devi aver fame. ◊ *You must be Mr Smith.* Lei deve essere il signor Smith.

LOC **if you must** se proprio devi

◆ *s* (*inform*): *It's a must.* È assolutamente necessario. ◊ *His new book is a must.* Il suo ultimo libro è da non perdere.

mustache (*USA*) *Vedi* MOUSTACHE

mustard /ˈmʌstəd/ *s* **1** senape **2** color senape

muster /ˈmʌstə(r)/ **1** *vt, vi* adunare, adunarsi **2** *vt* (*aiuto, sostegno*) ottenere **3** *vt* (*forza*) fare appello a: *muster* (*up*) *enthusiasm* entusiasmarsi ◊ *muster a smile* riuscire a sorridere ◊ *muster one's courage* farsi coraggio

musty /ˈmʌsti/ *agg* (**-ier**, **-iest**) **1** stantio, ammuffito: *smell musty* puzzare di muffa **2** (*dispreg, fig*) sorpassato, stantio

mutant /ˈmjuːtənt/ *agg*, *s* mutante

mutate /mjuːˈteɪt; *USA* ˈmjuːteɪt/ **1** *vi* ~ (**into sth**) trasformarsi (in qc) **2** *vi* (*Biol*) subire una mutazione **3** *vt* trasformare, mutare **mutation** *s* mutazione

mute /mjuːt/ ◆ *agg* muto ◆ *s* **1** (*Mus*) sordina **2** (*antiq*) (*persona*) muto, -a ◆ *vt* **1** attutire **2** (*Mus*) mettere la sordina a **muted** *agg* **1** (*suoni, colori*) smorzato **2** (*critica*) velato **3** (*Mus*) in sordina

mutilate /ˈmjuːtɪleɪt/ *vt* mutilare

mutiny /ˈmjuːtəni/ *s* (*pl* **-ies**) ammutinamento **mutinous** *agg* ribelle

mutter /ˈmʌtə(r)/ **1** *vt, vi* ~ (**sth**) (**to sb**) (**about sth**) borbottare (qc) (a qn) (su qc) **2** *vi* ~ (**about/against/at sb/sth**) mormorare (contro qn/qc)

mutton /ˈmʌtn/ *s* carne di montone ☛ *Vedi nota a* CARNE

mutual /ˈmjuːtʃuəl/ *agg* **1** reciproco **2** comune: *a mutual friend* un amico comune **mutually** *avv* reciprocamente: *mutually beneficial* vantaggioso per entrambi

muzzle /ˈmʌzl/ ◆ *s* **1** muso **2** museruola **3** (*di arma da fuoco*) bocca ◆ *vt* **1** mettere la museruola a **2** (*fig*) ridurre al silenzio

my /maɪ/ *agg poss* il mio, ecc: *It was my fault.* È stata colpa mia. ◊ *My God!* Dio mio! ◊ *My feet are cold.* Ho i piedi freddi.

In inglese l'aggettivo possessivo viene usato quando si parla di parti del corpo e capi di abbigliamento. *Confronta* MINE[1]

myopia /maɪˈəʊpiə/ *s* miopia **myopic** /maɪˈɒpɪk/ *agg* miope

myriad /ˈmɪriəd/ ◆ *s* miriade ◆ *agg*: *their myriad activities* le loro molteplici attività

myself /maɪˈself/ *pron* **1** [*uso riflessivo*] mi, me stesso, -a: *I cut myself.* Mi sono tagliato. ◊ *I said to myself...* Mi sono detto... **2** [*uso enfatico*] io stesso, -a: *If I hadn't seen it myself...* Se non lo avessi visto con i miei occhi... LOC **by myself** **1** da me: *I did it all by myself.* L'ho fatto tutto da me. **2** solo: *I was all by myself.* Ero tutto solo.

mysterious /mɪˈstɪəriəs/ *agg* misterioso

mystery /ˈmɪstri/ *s* (*pl* **-ies**) **1** mister **2** *mystery tour* viaggio con destinazio a sorpresa ◊ *a mystery disease* u malattia misteriosa

mystic /ˈmɪstɪk/ ◆ *s* mistico, -a ◆ *a* (*anche* **mystical**) mistico **mysticism** misticismo

mystification /ˌmɪstɪfɪˈkeɪʃn/ *s* perplessità **2** (*dispreg*) mistificazione

mystify /ˈmɪstɪfaɪ/ *vt* (*pass, pp* **-fie** lasciar perplesso **mystifying** *agg* sco certante

mystique /mɪˈstiːk/ *s* (*approv*) [*sin* fascino

myth /mɪθ/ *s* mito **mythical** *agg* miti

mythology /mɪˈθɒlədʒi/ *s* mitolog **mythological** /ˌmɪθəˈlɒdʒɪkl/ *agg* mi logico

Nn

N, n /en/ *s* (*pl* **N's, n's** /enz/) N, n: *N for Nellie* N come Napoli ☛ *Vedi esempi a* A, A

nag /næg/ **1** *vt, vi* (**-gg-**) **to nag (at) sb** tormentare qn **2** *vi* lagnarsi **nagging** *agg* **1** (*dolore, sospetto*) continuo **2** brontolone

nail /neɪl/ ◆ *s* **1** unghia: *a nail file* una limetta da unghie ◊ *nail varnish/polish* smalto per unghie *Vedi anche* FINGERNAIL, TOENAIL **2** chiodo LOC *Vedi* FIGHT, HIT ◆ PHR V **nail sb down**: *to nail somebody down to a date/a price* far fissare una data/un prezzo a qn **nail sth to sth** inchiodare qc a qc

naive (*anche* **naïve**) /naɪˈiːv/ *agg* ingenuo

naked /ˈneɪkɪd/ *agg* **1** nudo: *stark naked* nudo come un verme

In inglese nudo si traduce in tre modi: **bare**, **naked** e **nude**. **Bare** si usa per riferirsi a parti del corpo: *bare arms*, **naked** si riferisce in genere a tutto il corpo: *a naked body* e **nude** si usa in senso artistico o erotico: *a nude figure*.

2 (*fiamma*) scoperto LOC **with the naked eye** a occhio nudo

name /neɪm/ ◆ *s* **1** nome: *What's yo name?* Come ti chiami? ◊ *firs Christian name* nome di battesimo *last name* cognome ☛ *Confron* SURNAME **2** fama, reputazione **3** nom personalità LOC **by name** di nome **by/ the name of** (*form*) di nome **in t name of sb/sth** in nome di qn/qc ◆ *vt* ~ **sb/sth sth** chiamare qn/qc qc **2** ~ **s sth (after sb)** (*USA*) ~ **sb/sth (for s** mettere il nome (di qn) a qn/qc **3** (*ide tificare*) nominare **4** (*prezzo, dat* fissare

nameless /ˈneɪmləs/ *agg* anonim senza nome

namely /ˈneɪmli/ *avv* vale a dire, cio

namesake /ˈneɪmseɪk/ *s* omonimo, -

nanny /ˈnæni/ *s* (*pl* **-ies**) (*GB*) bamb naia

nap /næp/ *s* pisolino: *have/take a n* fare un pisolino

nape /neɪp/ (*anche* **nape of the neck** nuca

napkin /ˈnæpkɪn/ (*anche* **table napki** *s* tovagliolo

nappy /ˈnæpi/ *s* (*pl* **-ies**) pannolino

narcotic /nɑːˈkɒtɪk/ *agg, s* narcotico

narrate /nəˈreɪt; *USA* ˈnæreɪt/ *vt* raccontare, narrare **narrator** *s* narratore, -trice

narrative /ˈnærətɪv/ ◆ *s* narrazione ◆ *agg* narrativo

narrow /ˈnærəʊ/ ◆ *agg* (**-er**, **-est**) **1** stretto **2** limitato **3** (*maggioranza*) scarso LOC **have a narrow escape** farcela per un pelo ◆ *vt, vi* restringere, restringersi PHR V **narrow sth down to sth** ridurre qc a qc **narrowly** *avv*: *He narrowly escaped drowning.* C'è mancato poco che affogasse.

narrow-minded /ˌnærəʊ ˈmaɪndɪd/ *agg* gretto

nasal /ˈneɪzl/ *agg* nasale

nasty /ˈnɑːsti; *USA* ˈnæs-/ *agg* (**-ier**, **-iest**) **1** antipatico, cattivo: *be nasty to sb* trattar male qn **2** (*situazione, ferita, tempo*) brutto

nation /ˈneɪʃn/ *s* nazione

national /ˈnæʃnəl/ ◆ *agg* nazionale: *national service* servizio militare ◆ *s* cittadino, -a

National Health Service *s* (*abbrev* **NHS**) Servizio Sanitario Nazionale

National Insurance *s* (*GB*) Previdenza Sociale: *National Insurance contributions* contributi per la Previdenza Sociale

nationalism /ˈnæʃnəlɪzəm/ *s* nazionalismo **nationalist** *agg, s* nazionalista

nationality /ˌnæʃəˈnæləti/ *s* (*pl* **-ies**) nazionalità

nationalize, -ise /ˈnæʃnəlaɪz/ *vt* nazionalizzare

nationally /ˈnæʃnəli/ *avv* in tutto il paese, su scala nazionale

nationwide /ˌneɪʃnˈwaɪd/ *agg, avv* su tutto il territorio nazionale

native /ˈneɪtɪv/ ◆ *s* **1** *He's a native of Aberdeen.* È originario di Aberdeen. ◇ *The koala is a native of Australia.* Il koala è originario dell'Australia. **2** (*spesso dispreg*) indigeno, -a ◆ *agg* **1** natale: *native land* patria ◇ *native language/tongue* madrelingua **2** indigeno **3** innato **4** ~ **to…** originario di…

natural /ˈnætʃrəl/ *agg* **1** naturale **2** nato: *She's a natural musician* È una musicista nata. **3** innato

naturalist /ˈnætʃrəlɪst/ *s* naturalista

naturally /ˈnætʃrəli/ *avv* **1** naturalmente **2** per natura

nature /ˈneɪtʃə(r)/ *s* **1** (*anche* **Nature**) natura **2** carattere: *good nature* buon carattere ◇ *It's not in my nature to…* Non è da me… **3** tipo: *cases of this nature* casi di questo genere

naughty /ˈnɔːti/ *agg* (**-ier**, **-iest**) **1** (*inform*) birichino, cattivo: *be naughty* comportarsi male **2** spinto

nausea /ˈnɔːsiə; *USA* ˈnɔːʒə/ *s* nausea

nauseating /ˈnɔːzieɪtɪŋ/ *agg* nauseante, disgustoso

nautical /ˈnɔːtɪkl/ *agg* nautico

naval /ˈneɪvl/ *agg* navale: *naval officer* ufficiale di marina

nave /neɪv/ *s* navata centrale

navel /ˈneɪvl/ *s* ombelico

navigate /ˈnævɪgeɪt/ **1** *vi* calcolare la rotta **2** *vi* (*in auto*) fare da navigatore **3** *vt* (*barca*) governare **4** *vt* (*fiume*) navigare **navigation** *s* **1** navigazione **2** nautica **navigator** *s* ufficiale di rotta, navigatore, -trice

navy /ˈneɪvi/ *s* (*pl* **-ies**) **1** marina militare: *to join the navy* entrare in marina **2** (*anche* **navy-blue**) blu scuro

Nazi /ˈnɑːtsi/ *s, agg* nazista

NB /ˌenˈbiː/ *abbr* **nota bene** nota bene

near /nɪə(r)/ ◆ *agg* (**-er**, **-est**) **1** vicino: *Which town is nearer?* Quale città è più vicina? ◇ *get nearer* avvicinarsi

> Nota che davanti a un sostantivo si usa l'aggettivo **nearby** al posto di **near**: *a nearby village* un paese vicino ◇ *The village is very near.* Il paese è vicinissimo. Quando però si vuole la forma comparativa e superlativa dell'aggettivo, si ricorre a **near** anche prima di un sostantivo: *the nearest shop* il negozio più vicino.

2 (*fig*) prossimo: *in the near future* nel prossimo futuro ◆ *prep* vicino a: *I live near the station.* Abito vicino alla stazione. ◇ *Is there a bank near here?* C'è una banca qui vicino? ◇ *near the beginning* verso l'inizio ◆ *avv* (**-er**, **-est**) vicino: *I live quite near.* Abito abbastanza vicino. ◇ *We are getting near to Christmas.* Manca poco a Natale.

Nota che *I live nearby* è più comune di *I live near*, ma **near** viene usato insieme a **quite**, **very**, ecc: *I live quite near.*

LOC **be not anywhere near sth**; **be nowhere near sth** essere ben lontano da qc *Vedi anche* HAND ◆ *vt, vi* avvicinarsi (a)

nearby /ˌnɪəˈbaɪ/ *agg, avv* vicino: *She lives nearby.* Abita qui vicino. ☛ *Vedi nota a* NEAR

nearly /ˈnɪəli/ *avv* quasi: *He nearly fell down.* Per poco non cadeva.

Molto spesso **almost** e **nearly** sono intercambiabili. Tuttavia solo **almost** può essere usato per modificare avverbi che terminano in **-ly**: *almost completely* quasi completamente, e solo **nearly** può essere modificato da altri avverbi: *I very nearly left.* C'è mancato poco che me ne andassi.

LOC **not nearly** per niente

neat /niːt/ (**-er**, **-est**) *agg* **1** ordinato, curato **2** (*scrittura*) chiaro **3** (*inform, spec USA*) fantastico **4** (*liquore*) liscio **neatly** *avv* **1** (*tagliare, sistemare*) con cura **2** (*spiegare, entrare*) perfettamente

necessarily /ˌnesəˈserəli, ˈnesəsərəli/ *avv* necessariamente, per forza

necessary /ˈnesəsəri; *USA* -seri/ *agg* **1** necessario: *Is it necessary for us to meet/necessary that we meet?* È necessario incontrarsi/che ci incontriamo? ◊ *if necessary* eventualmente **2** (*conseguenza*) inevitabile

necessitate /nəˈsesɪteɪt/ *vt* (*form*) rendere necessario, richiedere

necessity /nəˈsesəti/ *s* (*pl* **-ies**) necessità

neck /nek/ *s* collo: *to break your neck* rompersi l'osso del collo *Vedi anche* PAIN LOC **neck and neck (with sb/sth)** testa a testa (con qn/qc) **to be up to your neck in sth** essere in qc fino al collo *Vedi anche* BREATHE, MILLSTONE, RISK, SCRUFF, WRING

necklace /ˈnekləs/ *s* collana

neckline /ˈneklaɪn/ *s* scollatura

need /niːd/ ◆ *v aus modale* (*neg* **need not** *o* **needn't** /ˈniːdnt/) (*obbligo*) dovere: *You needn't have come.* Non c'era bisogno che venissi. ◊ *Need I explain it again?* Devo spiegarlo un'altra volta?

Quando **need** ha la funzione di u[...] modale è seguito dall'infinito senza [...] TO e le frasi interrogative e negative s[...] costruiscono senza l'ausiliare *do.*

◆ *vt* **1** aver bisogno di: *Do you need an[y] help?* Hai bisogno d'aiuto? ◊ *The gras[s] needs cutting.* L'erba va tagliata. **2** ~ **t[o] do sth** (*obbligo*) dover fare qc: *Do u[...] really need to leave so early?* Dobbiam[o] davvero partire così presto? ☛ I[n] questo caso si può usare anche il verb[o] modale, che però è più formale: *Nee[d] we really leave so early?* ◆ *s* ~ **(for st[h])** bisogno (di qc) LOC **if need be** se sar[à] necessario **be in need of sth** ave[re] bisogno di qc

needle /ˈniːdl/ *s* ago LOC *Vedi* PIN

needless /ˈniːdləs/ *agg* inutile LO[C] **needless to say** inutile dire

needlework /ˈniːdlwɜːk/ *s* [*non num[e]rabile*] cucito, ricamo

needy /ˈniːdi/ *agg* bisognoso

negative /ˈnegətɪv/ *agg, s* negativo

neglect /nɪˈglekt/ ◆ *vt* **1** ~ **sb/sth** tr[a]scurare qn/qc **2** ~ **to do sth** non fare q[c] ◆ *s* trascuratezza: *in a state of neglect* i[n] stato di abbandono

negligent /ˈneglɪdʒənt/ *agg* negligent[e] **negligence** *s* negligenza

negligible /ˈneglɪdʒəbl/ *agg* insigni[fi]cante

negotiate /nɪˈgəʊʃieɪt/ **1** *vt, vi* ~ **(st[h]) (with sb)** negoziare (qc) (con qn) **2** [...] (*ostacolo*) superare **negotiation** [*spesso pl*] trattativa

neigh /neɪ/ ◆ *vi* nitrire ◆ *s* nitrito

neighbour (*USA* **neighbor**) /ˈneɪbə(r)[/] *s* **1** vicino, -a **2** prossimo **neighbourhood** (*USA* **-borhood**) *s* vicinato **neighbouring** (*USA* **-boring**) *agg* vicin[o], confinante

neither /ˈnaɪðə(r), ˈniːðə(r)/ ◆ *ag[g]*, *pron* nessuno ☛ *Vedi nota a* NESSUNO [◆] *avv* **1** nemmeno

Quando **neither** vuol dire 'nemmeno[',] si può sostituire con **nor**. Co[n] entrambi si usa la costruzion[e] **neither/nor + v aus/v modale** [+] **soggetto**: *'I didn't go.' 'Neither/nor di[d] I.'* "Non ci sono andato." "Nemmen[o] io." ◊ *I can't swim and neither/nor ca[n] my brother.* Io non so nuotare [e] nemmeno mio fratello.
Either può significare 'nemmeno', m[a]

solo in una frase negativa, e la sua posizione è diversa: *I don't like it, and I can't afford it either.* Non mi piace e nemmeno posso permettermelo. ◊ *My sister didn't go either.* Nemmeno mia sorella ci è andata. ◊ *'I haven't seen that film.' 'I haven't either.'* "Non l'ho visto quel film." "Nemmeno io."

2 neither ... nor né ... né

neon /ˈniːɒn/ *s* neon

nephew /ˈnevjuː, ˈnefjuː/ *s* nipote *m* (*di zii*): *I've got two nephews and one niece.* Ho tre nipoti, due maschi e una femmina. ☛ *Vedi nota a* NIPOTE

Neptune /ˈneptjuːn; *USA* -tuːn/ *s* Nettuno

nerve /nɜːv/ *s* **1** nervo: *nerve-racking* logorante **2** coraggio **3** (*dispreg, inform*): *You've got a nerve!* Che faccia tosta! LOC **get on your nerves** (*inform*) dare ai nervi *Vedi anche* LOSE

nervous /ˈnɜːvəs/ *agg* **1** (*Med*) nervoso: *a nervous breakdown* un esaurimento nervoso **2** ~ **(about/of sth/doing sth)** ansioso, nervoso (per qc/all'idea di fare qc) **nervousness** *s* ansia, nervosismo

nest /nest/ *s* (*lett e fig*) nido

nestle /ˈnesl/ **1** *vi* accoccolarsi, rannicchiarsi **2** *vi* (*paesino*) nascondersi, annidarsi **3** *vt, vi* ~ **(sth) against/on, etc sb/sth** appoggiare qc; appoggiarsi a qn/qc

net /net/ ◆ *s* rete: *net curtains* tendine di tulle ◆ *agg* (*anche* **nett**) **1** (*peso, stipendio*) netto **2** (*risultato*) finale **netting** *s* [*non numerabile*] rete: *wire netting* rete metallica

netball /ˈnetbɔːl/ *s* gioco simile alla pallacanestro, molto popolare in GB nelle scuole

nettle /ˈnetl/ *s* ortica

network /ˈnetwɜːk/ ◆ *s* rete (*di amici, strade*) ◆ *vt* trasmettere (*alla TV*)

neurotic /njʊəˈrɒtɪk; *USA* nʊ-/ *agg, s* nevrotico, -a

neutral /ˈnjuːtrəl; *USA* ˈnuː-/ *agg* **1** neutrale **2** (*colore*) neutro

never /ˈnevə(r)/ *avv* **1** mai **2** *I never thought I'd make it.* Non pensavo proprio di farcela. ◊ *That will never do.* Questo è inaccettabile. LOC **well, I never (did)!** chi l'avrebbe mai detto! ☛ *Vedi nota a* ALWAYS, MAI

nevertheless /ˌnevəðəˈles/ *avv* (*form*) tuttavia

new /njuː; *USA* nuː/ *agg* (**newer**, **newest**) **1** nuovo: *What's new?* Ci sono novità? **2 new to sth** poco abituato a qc: *I'm new to this town.* È da poco che sono in questa città. **3** nuovo, altro: *my new school* la mia nuova scuola ◊ *a new job* un altro lavoro LOC **a new lease of life** (*USA*) **a new lease on life** una nuova vita **(as) good as new** come nuovo *Vedi anche* TURN **newly** *avv* appena, da poco **newness** *s* novità (*qualità*)

newborn /ˈnjʊːbɔːn/ *agg* neonato: *a newborn baby* un neonato ☛ *Vedi nota a* BAMBINO

newcomer /ˈnjuːkʌmə(r)/ *s* nuovo arrivato, nuova arrivata

news /njuːz; *USA* nuːz/ *s* [*non numerabile*] **1** notizie: *The news is not good.* Le notizie non sono buone. ◊ *a piece of news* una notizia ◊ *Have you got any news?* Sai qualcosa? ◊ *It's news to me.* Mi giunge nuovo. ☛ *Vedi nota a* INFORMAZIONE **2 the news** il telegiornale, il giornale radio LOC *Vedi* BREAK[1]

newsagent /ˈnjuːʒeɪdzənt/ (*USA* **newsdealer**) *s* giornalaio, -a: *newsagent's* edicola ☛ *Vedi nota a* TABACCHERIA

newspaper /ˈnjuːsˌpeɪpə(r); *USA* ˈnuːz-/ *s* giornale

news-stand /ˈnjuːs stænd; *USA* ˈnuːz/ *s* edicola

new year *s* anno nuovo: *New Year's Day* Capodanno ◊ *New Year's Eve* San Silvestro ☛ *Vedi nota a* ULTIMO

next /nekst/ ◆ *agg* **1** prossimo, seguente: (*the*) *next time you see her* la prossima volta che la vedi ◊ (*the*) *next day* il giorno dopo ◊ *next month* il mese prossimo ◊ *It's not ideal, but it's the next best thing.* Non è l'ideale, ma è la cosa migliore. **2** (*contiguo*) accanto LOC **the next few days, months, etc** i prossimi giorni, mesi, ecc *Vedi anche* DAY ◆ **next to** *prep* **1** accanto a **2** (*ordine*) dopo **3** quasi: *next to nothing* una sciocchezza ◊ *next to last* il penultimo ◆ *avv* **1** dopo, adesso: *What shall we do next?* Cosa facciamo adesso? ◊ *What did they do next?* Poi cosa hanno fatto? **2** *when we next meet* la prossima volta che ci vediamo **3** (*comparazione*): *the next* *oldest* il successivo per antichità ◆ **the next** *s* [*sing*] il prossimo, la prossima, il seguente, la seguente: *Who's next?* A chi tocca?

next door *agg, avv*: *my next-door neighbour* il mio vicino di casa ◊ *the room next door* la stanza accanto ◊ *They live next door.* Abitano qui accanto.

next of kin *s* parente prossimo, parenti prossimi *Vedi anche* KIN

nibble /ˈnɪbl/ *vt, vi* ~ (**at sth**) mangiucchiare, mordicchiare (qc)

nice /naɪs/ *agg* (**nicer**, **nicest**) **1** ~ (**to sb**) carino, simpatico (con qn) ☛ Nota che **sympathetic** significa "comprensivo". **2** (*giornata, tempo, sorriso*) bello: *You look nice.* Stai benissimo. ◊ *to have a nice time* divertirsi **3** (*odore, sapore*) buono: *It smells nice.* Ha un buon odore. LOC **nice and...** (*inform*) bello...: *nice and warm* bello caldo **nicely** *avv* **1** bene: *That will do nicely.* Questo va benissimo. **2** gentilmente

niche /nɪtʃ, niːʃ/ *s* **1** nicchia **2** (*fig*) posto, spazio

nick /nɪk/ ◆ *s* **1** tacca, taglio **2 the nick** (*GB, inform*) la galera, la centrale (*di polizia*) LOC **in the nick of time** appena in tempo ◆ *vt* **1** intaccare, tagliare **2** ~ **sth** (**from sb/sth**) fregare qc (a qn/qc)

nickel /ˈnɪkl/ *s* **1** nichel **2** (*USA*) moneta da 5 centesimi di dollaro

nickname /ˈnɪkneɪm/ ◆ *s* soprannome ◆ *vt* soprannominare

nicotine /ˈnɪkətiːn/ *s* nicotina

niece /niːs/ *s* nipote *f* (*di zii*) ☛ *Vedi nota a* NIPOTE

night /naɪt/ *s* **1** notte, sera: *the night before last* l'altro ieri sera ◊ *night school* scuola serale ◊ *night shift* turno di notte **2** (*Teat*) serata: *the first/opening night* la prima LOC **at night** la notte, di notte, di sera: *ten o'clock at night* le dieci di sera **good night** buona notte *Vedi anche* DAY, DEAD

nightclub /ˈnaɪtklʌb/ *s* locale notturno, discoteca

nightdress /ˈnaɪtdres/ *s* (*anche inform* **nightie**, **nighty**) camicia da notte

nightfall /ˈnaɪtfɔːl/ *s* crepuscolo

nightingale /ˈnaɪtɪŋgeɪl; *USA* -tng-/ *s* usignolo

nightlife /ˈnaɪtlaɪf/ *s* vita notturna

nightly /ˈnaɪtli/ ◆ *avv* ogni notte, ogni sera ◆ *agg* **1** notturno **2** (*regolare*) d[i] tutte le notti, di tutte le sere

nightmare /ˈnaɪtmeə(r)/ *s* (*lett e fig*) incubo **nightmarish** *agg* da incubo

night-time /ˈnaɪt taɪm/ *s* notte

nil /nɪl/ *s* **1** (*Sport*) zero **2** nulla

nimble /ˈnɪmbl/ *agg* (**-er**, **-est**) **1** agile **2** (*mente*) vivace

nine /naɪn/ *agg, pron, s* nove ☛ *Ved[i] esempi a* FIVE **ninth** *agg, pron, avv, s* nono ☛ *Vedi esempi a* FIFTH

nineteen /ˌnaɪnˈtiːn/ *agg, pron, s* diciannove ☛ *Vedi esempi a* FIVE **nineteenth** *agg, pron, avv, s* diciannovesimo ☛ *Vedi esempi a* FIFTH

ninety /ˈnaɪnti/ *agg, pron, s* novant[a] ☛ *Vedi esempi a* FIFTY, FIVE **ninetieth** *agg, pron, avv, s* novantesimo ☛ *Ved[i] esempi a* FIFTH

nip /nɪp/ (**-pp-**) **1** *vt* pizzicare, morsicare **2** *vi* (*inform*): *to nip out* uscire u[n] attimo ◊ *to nip down to the bank* fare u[n] salto in banca

nipple /ˈnɪpl/ *s* capezzolo

nitrogen /ˈnaɪtrədʒən/ *s* azoto

no /nəʊ/ ◆ *agg neg* [*davanti a sostantivo*] **1** nessuno: *We've no time.* No[n] abbiamo tempo. ◊ *No two people thin[k] alike.* Non ci sono due persone che l[a] pensino allo stesso modo. ☛ *Vedi not[a] a* NESSUNO **2** (*divieto*): *No smoking* Vietato fumare. **3** (*enfatico*): *She's n[o] fool.* Non è certo scema. ◊ *It's no joke* Non è mica uno scherzo. ◆ *avv ne[g]* [*davanti a agg comparativo e avv*] non *His car is no bigger/more expensiv[e] than mine.* La sua macchina non è pi[ù] grande/cara della mia. ◆ *escl* no!

nobility /nəʊˈbɪləti/ *s* nobiltà

noble /ˈnəʊbl/ *agg, s* (**-er** /ˈnəʊblə(r)/, **-est** /ˈnəʊblɪst/) nobile

nobody /ˈnəʊbədi/ ◆ *pron* (*anche* **no one** /ˈnəʊwʌn/) nessuno

> In inglese non si possono usare du[e] negazioni nella stessa frase. Poiché l[e] parole **nobody**, **nothing** e **nowhere** sono negazioni, il verbo deve essere sempre alla forma affermativa: *Nobody saw him.* Non lo ha visto nessuno. ◊ *She said nothing.* Non ha detto niente ◊ *Nothing happened.* Non è successo niente. Se il verbo è alla forma negativa bisogna usare **anybody**, **anything** e **anywhere**: *I didn't see anybody.* Non

ho visto nessuno. ◊ *She didn't say anything.* Non ha detto niente.

◆ *s* (*pl* **-ies**) nessuno, nullità

nocturnal /nɒkˈtɜːnl/ *agg* notturno

nod /nɒd/ (**-dd-**) ◆ **1** *vi* annuire **2** *vt*: *He nodded his head.* Fece di sì con la testa. **3** *vi* **to nod (to/at sb)** salutare (qn) con un cenno del capo **4** *vi* **to nod at sth** indicare qc con un cenno del capo **5** *vi* ciondolare il capo PHR V **to nod off** (*inform*) appisolarsi ◆ *s* cenno del capo LOC **to give (sb) the nod** dare il permesso (a qn)

noise /nɔɪz/ *s* rumore, chiasso LOC **to make a noise (about sth)** fare una scenata (per qc) *Vedi anche* BIG **noisily** *avv* **1** rumorosamente **2** in modo vistoso **noisy** *agg* (**-ier**, **-iest**) rumoroso, chiassoso

nomad /ˈnəʊmæd/ *s* nomade **nomadic** /nəʊˈmædɪk/ *agg* nomade

nominal /ˈnɒmɪnl/ *agg* nominale **nominally** *avv* nominalmente

nominate /ˈnɒmɪneɪt/ *vt* **1** ~ **sb (for sth)** candidare qn (a qc) **2** ~ **sb (as sth)** nominare qn (qc) **3** ~ **sth (as sth)** designare qc (come qc) **nomination** *s* **1** candidatura **2** nomina

nominee /ˌnɒmɪˈniː/ *s* **1** candidato, -a **2** persona nominata

none /nʌn/ ◆ *pron* **1** nessuno, -a: *None (of them) is/are alive now.* Nessuno (di loro) è più in vita. **2** [*con sostantivi o pronomi non numerabili*]: *'Is there any bread left?' 'No, none.'* "C'è ancora del pane?" "No, non ce n'è più." **3** (*form*) nessuno: *and none more so than…* e nessuno più di… LOC **none but** solo **none other than …** nientemeno che … ◆ *avv* **1** *I'm none the wiser.* Ne so quanto prima. ◊ *He's none the worse for it.* Non gli è successo niente. **2** *none too clean* per niente pulito

nonetheless *avv* /ˌnʌnðəˈles/ nondimeno, ciononostante

non-existent /ˌnɒn ɪɡˈzɪstənt/ *agg* inesistente

non-fiction /ˌnɒn ˈfɪkʃn/ *s* opere non di narrativa

nonsense /ˈnɒnsns; *USA* -sens/ *s* [*non numerabile*] scemenze **nonsensical** /nɒnˈsensɪkl/ *agg* assurdo

non-stop /ˌnɒn ˈstɒp/ ◆ *agg* **1** (*volo*) diretto **2** continuo ◆ *avv* **1** direttamente, senza far scalo **2** ininterrottamente, senza sosta

noodle /ˈnuːdl/ *s* taglierino

noon /nuːn/ *s* (*form*) mezzogiorno: *at noon* a mezzogiorno ◊ *twelve noon* mezzogiorno

no one *Vedi* NOBODY

noose /nuːs/ *s* cappio

nor /nɔː(r)/ *cong, avv* **1** né **2** nemmeno: *Nor do I.* Nemmeno io. ☛ *Vedi nota a* NEITHER

norm /nɔːm/ *s* norma

normal /ˈnɔːml/ ◆ *agg* normale ◆ *s* la norma: *Things are back to normal.* La situazione è tornata alla normalità. **normally** *avv* normalmente ☛ *Vedi nota a* ALWAYS

north /nɔːθ/ ◆ *s* (*anche* **the north**, **the North**) (*abbrev* **N**) (il) nord: *Leeds is in the North of England.* Leeds è nel nord dell'Inghilterra. ◊ *northbound* diretto a nord ◆ *agg* del nord, settentrionale: *north winds* venti del nord ◆ *avv* a nord: *They headed north.* Si diressero a nord. *Vedi anche* NORTHWARD(S)

north-east /ˌnɔːθ ˈiːst/ ◆ *s* (*abbrev* **NE**) nordest ◆ *agg* di nordest, nordorientale ◆ *avv* a nordest **north-eastern** *agg* nordorientale

northern (*anche* **Northern**) /ˈnɔːðən/ *agg* del nord, settentrionale: *She has a northern accent.* Ha un accento del nord. ◊ *the northern hemisphere* l'emisfero boreale **northerner** *s* settentrionale, abitante del nord

northward(s) /ˈnɔːθwəd(z)/ *avv* verso nord *Vedi anche* NORTH *avv*

north-west /ˌnɔːθ ˈwest/ ◆ *s* (*abbrev* **NW**) nordovest ◆ *agg* di nordovest ◆ *avv* a nordovest **north-western** *agg* nordoccidentale

nose /nəʊz/ ◆ *s* **1** naso **2** (*aereo*) muso **3** (*lett e fig*) fiuto LOC *Vedi* BLOW ◆ PHR V **to nose about/around** (*inform*) curiosare

nosey (*anche* **nosy**) /ˈnəʊzi/ *agg* (**-ier**, **-iest**) (*inform*, *dispreg*) curioso: *She's very nosey.* È una gran ficcanaso.

nostalgia /nɒˈstældʒə/ *s* nostalgia (*del passato*)

nostril /ˈnɒstrəl/ *s* narice

not /nɒt/ *avv* non: *I hope not.* Spero di no. ◊ *I'm afraid not.* Temo di no. ◊ *Certainly not!* No di certo! ◊ *Not any* *more.* Non più. ◊ *Not even...* Nemmeno... ◊ *Why not?* Perché no?

Not viene usato per la forma negativa dei verbi ausiliari e modali (**be**, **do**, **have**, **can**, **must**, ecc) e spesso si ricorre alla forma contratta **-n't**: *She is not/isn't going.* ◊ *We did not/didn't go.* ◊ *I must not/mustn't go.* La forma non contratta (**not**) è più formale o enfatica. Essa viene inoltre usata per la forma negativa dei verbi subordinati: *He warned me not to be late.* Mi ha raccomandato di non fare tardi. ◊ *I expect not.* Suppongo di no.

LOC **not at all 1** (*risposta*) di niente *Vedi anche* WELCOME **2** per niente **not that...** non che...: *It's not that I mind...* Non che m'importi...

notably /ˈnəʊtəbli/ *avv* **1** in particolare **2** particolarmente, notevolmente

notch /nɒtʃ/ ◆ *s* **1** tacca **2** grado ◆ PHR V **to notch sth up** (*inform*) segnare qc

note /nəʊt/ ◆ *s* **1** nota, biglietto: *to make a note* (*of sth*) prendere nota (di qc) ◊ *to take notes* prendere appunti ◊ *notepaper* carta da lettere **2** (*anche* **banknote**, *USA* **bill**) biglietto, banconota **3** (*Mus*) nota ◆ *vt* notare, osservare PHR V **to note sth down** annotare qc **noted** *agg* ~ (**for/as sth**) noto (per/per essere qc)

notebook /ˈnəʊtbʊk/ *s* blocco per appunti, taccuino

noteworthy /ˈnəʊtwɜːði/ *agg* degno di nota

nothing /ˈnʌθɪŋ/ *pron* **1** niente ☛ *Vedi nota a* NOBODY **2** zero LOC **for nothing 1** gratis **2** per niente, inutilmente **nothing much** non un granché **nothing of the kind/sort** niente del genere: *I was told she was very pleasant but she's nothing of the kind/sort.* Mi avevano detto che era molto simpatica, ma non lo è per niente. **to have nothing to do with sb/sth** non aver niente a che fare con qn/qc

notice /ˈnəʊtɪs/ ◆ *s* **1** annuncio, cartello: *noticeboard* bacheca **2** avviso, preavviso: *until further notice* fino a nuovo avviso ◊ *to give one month's notice* dare un mese di preavviso **3** *to hand in one's notice* dare le dimissioni **4** recensione LOC **to take no notice/not to take any notice of sb/sth** non far caso a qn/qc *Vedi anche* ESCAPE, MOMENT ◆ *vt* accorgersi di, notare **noticeable** *agg* evidente, sensibile

notify /ˈnəʊtɪfaɪ/ *vt* (*pass, pp* **-fied**) (*form*) ~ **sb** (**of sth**); ~ **sth to sb** informare qn (di qc)

notion /ˈnəʊʃn/ *s* **1** ~ (**that...**) idea (che...) **2** [*non numerabile*] ~ (**of sth**) idea (di qc): *without any notion of what he would do* senza aver idea di quello che avrebbe fatto

notorious /nəʊˈtɔːriəs/ *agg* (*dispreg*) ~ (**for/as sth**) tristemente noto, famigerato (per qc/per essere qc)

notwithstanding /ˌnɒtwɪθˈstændɪŋ/ *prep* (*form*) nonostante

nought /nɔːt/ *s* zero

noun /naʊn/ *s* nome, sostantivo

nourish /ˈnʌrɪʃ/ *vt* nutrire **nourishing** *agg* nutriente

novel /ˈnɒvl/ ◆ *agg* originale, nuovo ◆ *s* romanzo **novelist** *s* romanziere, -a

novelty /ˈnɒvlti/ *s* (*pl* **-ies**) novità

November /nəʊˈvembə(r)/ *s* (*abbrev* **Nov**) novembre ☛ *Vedi nota e esempi a* JANUARY

novice /ˈnɒvɪs/ *s* novizio, -a, principiante

now /naʊ/ ◆ *avv* **1** ora, adesso: *by now* già ◊ *right now* subito ◊ *any day now* a giorni **2** allora, ora LOC **(every) now and again/then** ogni tanto ◆ *cong* **now (that...)** ora che...

nowadays /ˈnaʊədeɪz/ *avv* oggigiorno

nowhere /ˈnəʊweə(r)/ *avv* da nessuna parte: *There's nowhere to park.* Non c'è posto per parcheggiare. ◊ *It was nowhere to be found.* Non si trovava da nessuna parte. ☛ *Vedi nota a* NOBODY LOC *Vedi* MIDDLE, NEAR

nozzle /ˈnɒzl/ *s* boccaglio

nuance /ˈnjuːɑːns; *USA* ˈnuː-/ *s* sfumatura

nuclear /ˈnjuːkliə(r); *USA* ˈnuː-/ *agg* nucleare

nucleus /ˈnjuːkliəs; *USA* ˈnuː-/ *s* (*pl* **nuclei** /-kliaɪ/) nucleo

nude /njuːd; *USA* nuːd/ ◆ *agg* nudo (*artistico o erotico*) ☛ *Vedi nota a* NAKED ◆ *s* nudo LOC **in the nude** nudo **nudity** *s* nudità

nudge /nʌdʒ/ *vt* **1** dare una gomitata a *Vedi anche* ELBOW **2** spingere via

nuisance /ˈnjuːsns; *USA* ˈnuː-/ *s*

seccatura: *to be a nuisance* dare fastidio **2** rompiscatole

null /nʌl/ *agg* LOC **null and void** nullo

numb /nʌm/ ◆ *agg* intorpidito: *numb with shock* paralizzato per lo spavento ◆ *vt* **1** intorpidire **2** (*fig*) paralizzare, inebetire

number /ˈnʌmbə(r)/ ◆ *s* (*abbrev* **No**) numero *Vedi* REGISTRATION NUMBER LOC **a number of...** un certo numero di...: *a number of times* varie volte ◆ *vt* **1** numerare **2** ammontare a

number plate *s* targa (*di macchina*)

numerical /njuːˈmerɪkl; *USA* nuː-/ *agg* numerico

numerous /ˈnjuːmərəs; *USA* ˈnuː-/ *agg* (*form*) numeroso

nun /nʌn/ *s* suora

nurse /nɜːs/ ◆ *s* **1** infermiere, -a **2** (*anche* **nursemaid**) bambinaia *Vedi anche* NANNY ◆ **1** *vt* (*lett e fig*) curare, assistere **2** *vt* allattare **3** *vi* succhiare **4** *vt* cullare **5** *vt* (*sentimenti*) nutrire *Vedi anche* NURTURE senso 2 **nursing** *s* professione di infermiere: *She's decided to go into nursing.* Ha deciso di fare l'infermiera. ◊ *nursing home* casa di riposo

nursery /ˈnɜːsəri/ *s* (*pl* **-ies**) **1** asilo infantile: *nursery education* istruzione prescolastica ◊ *nursery rhyme* filastrocca *Vedi anche* CRÈCHE, PLAYGROUP **2** stanza dei bambini **3** vivaio

nurture /ˈnɜːtʃə(r)/ *vt* **1** (*bambino*) allevare **2** nutrire **3** (*talento, amicizia*) coltivare

nut /nʌt/ *s* **1** noce, nocciolina **2** dado (*per bullone*) **3** (*inform, dispreg*) (*GB* **nutter**) pazzo, -a **4** fanatico, -a **nutty** *agg* (**-ier**, **-iest**) **1** *a nutty flavour* un sapore di noce **2** (*inform*) pazzo

nutcase /ˈnʌtkeɪs/ *s* (*inform*) pazzo, -a

nutcrackers /ˈnʌtkrækəz/ *s* [*pl*] schiaccianoci

nutmeg /ˈnʌtmeg/ *s* noce moscata

nutrient /ˈnjuːtriənt; *USA* ˈnuː-/ *s* (*form*) sostanza nutritiva

nutrition /njuˈtrɪʃn; *USA* nu-/ *s* nutrimento, alimentazione **nutritional** *agg* nutritivo **nutritious** *agg* nutriente

nuts /nʌts/ *agg* (*inform*) **1** pazzo **2** ~ **about sb** pazzo di qn **3** ~ **about/on sth** fanatico di qc

nutshell /ˈnʌtʃel/ *s* guscio (*di noce*) LOC **(to put sth) in a nutshell** (dire qc) in poche parole

nutty *Vedi* NUT

nylon /ˈnaɪlɒn/ *s* nailon

nymph /nɪmf/ *s* ninfa

Oo

O, o /əʊ/ *s* (*pl* **O's**, **o's** /əʊz/) **1** O, o: *O for Oliver* O come Otranto ☛ *Vedi esempi a* A, A **2** zero

Quando si legge lo zero in una serie di numeri, ad es. 01865, si pronuncia come la lettera **O**: /ˌəʊ wʌn eɪt sɪks ˈfaɪv/.

oak /əʊk/ (*anche* **oak tree**) *s* quercia, rovere

oar /ɔː(r)/ *s* remo

oasis /əʊˈeɪsɪs/ *s* (*pl* **oases** /-siːz/) (*lett e fig*) oasi

oath /əʊθ/ *s* **1** giuramento **2** imprecazione LOC **on/under oath** sotto giuramento

oats /əʊts/ *s* [*pl*] (fiocchi di) avena

obedient /əˈbiːdiənt/ *agg* ubbidiente **obedience** *s* ubbidienza

obese /əʊˈbiːs/ *agg* (*form*) obeso

obey /əˈbeɪ/ *vt, vi* ubbidire (a)

obituary /əˈbɪtʃuəri; *USA* -tʃʊeri/ *s* (*pl* **-ies**) necrologio

object /ˈɒbdʒɪkt/ ◆ *s* **1** oggetto **2** obiettivo, scopo **3** (*Gramm*) complemento ◆ /əbˈdʒekt/ *vi* ~ (**to sb/sth**) opporsi, essere contrario (a qn/qc): *If he doesn't object.* Se non ha niente in contrario.

objection /əbˈdʒekʃn/ *s* ~ (**to/against sth/doing sth**) obiezione (a qc/a fare qc): *I've no objection to her coming.* Non ho niente in contrario che lei venga.

objective /əbˈdʒektɪv/ *agg, s* obiettivo

obligation /ˌɒblɪˈgeɪʃn/ *s* **1** obbligo, dovere **2** impegno LOC **to be under an/no obligation (to do sth)** (non) essere obbligato (a fare qc)
obligatory /əˈblɪgətri; *USA* -tɔːri/ *agg* (*form*) obbligatorio, d'obbligo
oblige /əˈblaɪdʒ/ *vt* **1** obbligare **2** ~ **sb (with sth/by doing sth)** (*form*) fare la cortesia a qn (di fare qc) **obliged** *agg* ~ **(to sb) (for sth/doing sth)** grato (a qn) (per qc/per aver fatto qc) LOC **much obliged** grazie mille **obliging** *agg* gentile
obliterate /əˈblɪtəreɪt/ *vt* (*form*) **1** distruggere **2** (*ricordo*) cancellare
oblivion /əˈblɪviən/ *s* oblio
oblivious /əˈblɪviəs/ *agg* ~ **of/to sth** ignaro di qc
oblong /ˈɒblɒŋ; *USA* -lɔːŋ/ ◆ *s* rettangolo ◆ *agg* rettangolare
oboe /ˈəʊbəʊ/ *s* oboe
obscene /əbˈsiːn/ *agg* osceno
obscure /əbˈskjʊə(r)/ ◆ *agg* **1** poco chiaro **2** sconosciuto ◆ *vt* oscurare, nascondere
observant /əbˈzɜːvənt/ *agg* che ha spirito di osservazione, attento
observation /ˌɒbzəˈveɪʃn/ *s* osservazione
observatory /əbˈzɜːvətri; *USA* -tɔːri/ *s* (*pl* **-ies**) osservatorio
observe /əbˈzɜːv/ *vt* **1** osservare, notare **2** (*form*) (*festa*) osservare **observer** *s* osservatore, -trice
obsess /əbˈses/ *vt* ossessionare **obsession** *s* ~ **(with/about sb/sth)** fissazione (per qn/di qc) **obsessive** *agg* (*dispreg*) ossessivo
obsolete /ˈɒbsəliːt/ *agg* obsoleto
obstacle /ˈɒbstəkl/ *s* ostacolo
obstetrician /ˌɒbstəˈtrɪʃn/ *s* ostetrico, -a
obstinate /ˈɒbstɪnət/ *agg* ostinato
obstruct /əbˈstrʌkt/ *vt* ostruire
obstruction /əbˈstrʌkʃn/ *s* ostruzione
obtain /əbˈteɪn/ *vt* ottenere **obtainable** *agg* reperibile
obvious /ˈɒbviəs/ *agg* ovvio **obviously** *avv* ovviamente
occasion /əˈkeɪʒn/ *s* **1** occasione **2** avvenimento LOC **on the occasion of sth** (*form*) in occasione di qc
occasional /əˈkeɪʒənl/ *agg* sporadico: *She reads the occasional book.* Legge un libro ogni tanto. **occasionally** *avv* ogni tanto ☛ *Vedi nota a* ALWAYS
occupant /ˈɒkjəpənt/ *s* **1** inquilino, -a **2** titolare
occupation /ˌɒkjuˈpeɪʃn/ *s* **1** occupazione **2** professione ☛ *Vedi nota a* WORK[1]
occupational /ˌɒkjuˈpeɪʃənl/ *agg* professionale: *occupational hazards* rischi professionali ◇ *occupational therapy* ergoterapia
occupier /ˈɒkjʊpaɪə(r)/ *s* inquilino
occupy /ˈɒkjupaɪ/ (*pass, pp* **occupied**) **1** *vt* occupare **2** *v rifl* ~ **yourself (in doing sth/with sth)** tenersi occupato (facendo qc/con qc)
occur /əˈkɜː(r)/ *vi* (*pass, pp* **occurred**) **1** accadere **2** (*form*) trovarsi **3** ~ **to sb** venire in mente a qn
occurrence /əˈkʌrəns/ *s* **1** fatto, evento **2** (*form*) frequenza
ocean /ˈəʊʃn/ *s* oceano LOC *Vedi* DROP ☛ *Vedi nota a* OCEANO
o'clock /əˈklɒk/ *avv*: *six o'clock* le sei
October /ɒkˈtəʊbə(r)/ *s* (*abbrev* **Oct**) ottobre ☛ *Vedi nota e esempi a* JANUARY
octopus /ˈɒktəpəs/ *s* (*pl* ~**es**) polpo
odd /ɒd/ *agg* **1** (**odder**, **oddest**) strano **2** (*numero*) dispari **3** (*scarpa, calza*) spaiato **4** avanzato **5** *thirty-odd* trenta e rotti **6** *He has the odd cigarette.* Fuma una sigaretta ogni tanto. LOC **to be the odd man/one out 1** essere l'eccezione **2** essere d'avanzo *Vedi anche* FISH
oddity /ˈɒdəti/ *s* (*pl* **-ies**) **1** (*anche* **oddness**) stranezza **2** (*persona*) tipo strano
oddly /ˈɒdli/ *avv* stranamente: *Oddly enough…* La cosa strana è che…
odds /ɒdz/ *s* [*pl*] **1** probabilità: *The odds are that…* La cosa più probabile è che… LOC **it makes no odds** non fa differenza **odds and ends** (*GB, inform*) oggetti vari, cianfrusaglie **to be at odds (with sb) (over/on sth)** essere in disaccordo (con qn) (su qc)
odour (*USA* **odor**) /ˈəʊdə(r)/ *s* (*form*) odore: *body odour* odore di sudore ☛ **Odour** si usa in contesti più formali rispetto a **smell** e talvolta implica che si tratta di un odore sgradevole.
of /əv, ɒv/ *prep* **1** di: *a girl of six* una bambina di sei anni ◇ *It's made of wood.*

È di legno. ◊ *two kilos of rice* due chili di riso ◊ *It was very kind of him.* È stato molto gentile da parte sua. **2** (*con possessivi*): *a friend of John's* un amico di John ◊ *a cousin of mine* un mio cugino **3** (*con quantità*): *There were five of us.* Eravamo in cinque. ◊ *most of all* più di tutto ◊ *The six of us went.* Noi sei ci siamo andati. **4** *the first of March* il primo marzo **5** (*causa*) di: *What did she die of?* Di che cosa è morta?

off /ɒf; *USA* ɔːf/ ◆ *agg* (*cibo, latte*) andato a male ◆ *part avv* **1** (*distanza*): *five miles off* a cinque miglia di distanza ◊ *some way off* a una certa distanza ◊ *not far off* non molto lontano **2** *You left the lid off.* Lo hai lasciato senza coperchio. ◊ *with her shoes off* scalza **3** *I must be off.* Devo andare. **4** (*inform*): *The meeting is off.* La riunione è stata annullata. **5** (*gas, elettricità*) sospeso **6** (*macchinari, luce*) spento **7** (*rubinetto*) chiuso **8** *a day off* un giorno libero **9** *five per cent off* un cinque per cento di sconto *Vedi* WELL OFF LOC **off and on; on and off** ogni tanto **to be off (for sth)** (*inform*): *How are you off for cash?* Come stai a soldi? ☛ *Confronta* BADLY, BETTER ◆ *prep* **1** da: *to fall off sth* cadere da qc **2** *a street off the main road* una traversa **3** *off the coast of Ireland* al largo della costa irlandese **4** (*inform*): *to be off your food* aver perso l'appetito LOC **come off it!** ma va'! ☛ Per gli usi di **off** nei PHRASAL VERBS vedi alla voce del verbo, ad es. **to go off** a GO[1].

off-duty /ˈɒf djuːti/ *agg* non in servizio

offence (*USA* **offense**) /əˈfens/ *s* **1** reato **2** offesa LOC **to take offence (at sth)** offendersi (per qc)

offend /əˈfend/ *vt* offendere: *to be offended* offendersi **offender** *s* **1** trasgressore **2** colpevole: *a young offenders institution* un istituto per la delinquenza minorile

offensive /əˈfensɪv/ ◆ *agg* **1** offensivo **2** (*odore, ecc*) sgradevole ◆ *s* offensiva

offer /ˈɒfə(r); *USA* ˈɔːf-/ ◆ *vt, vi* offrire, offrirsi: *to offer to do sth* offrirsi di fare qc ◆ *s* offerta **offering** *s* offerta

offhand /ˌɒfˈhænd; *USA* ˌɔːf-/ ◆ *avv* su due piedi ◆ *agg* sgarbato

office /ˈɒfɪs; *USA* ˈɔːf-/ *s* **1** ufficio: *office hours* orario di ufficio ◊ *ticket office* biglietteria **2** carica: *to take office* assumere la carica LOC **to be in office** essere in carica

officer /ˈɒfɪsə(r); *USA* ˈɔːf-/ *s* **1** (*esercito*) ufficiale **2** (*governo*) funzionario, -a **3** (*anche* **police officer**) agente di polizia

official /əˈfɪʃl/ ◆ *agg* ufficiale ◆ *s* funzionario, -a **officially** *avv* ufficialmente

off-licence /ˈɒf laɪsns/ *s* (*GB*) negozio di alcolici

off-peak /ˌɒf ˈpiːk; *USA* ˌɔːf/ *agg* **1** (*prezzo, tariffa*) ridotto **2** (*periodo*) non di punta

off-putting /ˈɒf pʊtɪŋ; *USA* ˌɔːf/ *agg* (*inform*) **1** sconcertante **2** scostante

offset /ˈɒfset; *USA* ˈɔːf-/ *vt* (**-tt-**) (*pass, pp* **offset**) compensare, bilanciare

offshore /ˌɒfˈʃɔː(r); *USA* ˌɔːf-/ *agg* **1** (*isola*) vicino alla costa **2** (*vento*) di terra **3** (*pesca*) costiero

offside /ˌɒfˈsaɪd; *USA* ˌɔːf-/ *agg, avv* (in) fuorigioco

offspring /ˈɒfsprɪŋ; *USA* ˈɔːf-/ *s* (*pl* **offspring**) (*form*) **1** figlio, prole **2** piccolo

often /ˈɒfn, ˈɒftən; *USA* ˈɔːfn/ *avv* spesso: *How often do you see her?* Ogni quanto la vedi? ☛ *Vedi nota a* ALWAYS LOC *Vedi* EVERY

oh! /əʊ/ *escl* **1** oh! **2** *Oh yes I will!* E invece sì! ◊ *Oh no you won't!* E invece no!

oil /ɔɪl/ ◆ *s* **1** petrolio: *oilfield* giacimento petrolifero ◊ *oil rig* piattaforma petrolifera ◊ *oil tanker* petroliera ◊ *oil well* pozzo petrolifero **2** olio ◆ *vt* lubrificare **oily** *agg* (**oilier**, **oiliest**) **1** oleoso **2** unto

oil slick *s* chiazza di petrolio

okay (*anche* **OK**) /ˌəʊˈkeɪ/ ◆ *agg, avv* (*inform*) passabile, discreto ◆ *escl* va bene! ◆ *vt* approvare ◆ *s* approvazione

old /əʊld/ ◆ *agg* (**older**, **oldest**) ☛ *Vedi nota a* ELDER **1** vecchio: *old age* vecchiaia ◊ *old people* gli anziani ◊ *the Old Testament* il Vecchio Testamento **2** *How old are you?* Quanti anni hai? ◊ *She is two (years old).* Ha due anni.

> Per dire "ho dieci anni" si dice *I am ten* o *I am ten years old*. Però, per dire "un bambino di dieci anni" si dice *a boy of ten* o *a ten-year-old boy*.

☛ *Vedi nota a* YEAR **3** vecchio, precedente: *my old French teacher* la mia vecchia professoressa di francese LOC *Vedi* CHIP ◆ **the old** *s* [*pl*] gli anziani

old-fashioned /ˌəʊld ˈfæʃnd/ *agg* **1** antiquato **2** all'antica

olive /ˈɒlɪv/ ◆ *s* **1** oliva: *olive oil* olio d'oliva **2** (*anche* **olive tree**) olivo ◆ *agg* **1** (*anche* **olive green**) verde oliva **2** (*pelle*) olivastro

the Olympic Games *s* [*pl*] **1** (*Storia*) i giochi olimpici **2** (*anche* **the Olympics**) le Olimpiadi

omelette (*anche* **omelet**) /ˈɒmlət/ *s* frittata

omen /ˈəʊmen/ *s* presagio, auspicio

ominous /ˈɒmɪnəs/ *agg* minaccioso: *an ominous sign* un sinistro presagio

omission /əˈmɪʃn/ *s* omissione

omit /əˈmɪt/ *vt* (**-tt-**) **1** ~ **doing/to do sth** trascurare di fare qc **2** omettere

omnipotent /ɒmˈnɪpətənt/ *agg* onnipotente

on /ɒn/ ◆ *part avv* **1** (*esprimendo continuità dell'azione*): *to play on* continuare a suonare ◊ *further on* più avanti ◊ *from that day on* a partire da quel giorno **2** (*vestiti*) addosso **3** (*apparecchio, luce*) acceso **4** (*rubinetto*) aperto **5** *There's a good film on at the Odeon.* C'è un bel film all'Odeon. LOC **on and on** senza sosta *Vedi anche* OFF ◆ *prep* **1** (*anche* **upon**) su, sopra: *on the table* sul tavolo ◊ *on the wall* al muro **2** (*trasporto*): *to go on the train/bus* andare in treno/autobus ◊ *to go on foot* andare a piedi **3** (*date*): *on Sunday* domenica ◊ *on Sundays* la domenica ◊ *on 3 May* il 3 maggio **4** (*anche* **upon**) [+ *-ing*]: *on arriving home* arrivato a casa **5** (*riguardo a*) su: *a book on psychology* un libro di psicologia **6** (*consumo*): *to be on drugs* drogarsi ◊ *to live on fruit/on £20 a week* vivere di frutta/con 20 sterline alla settimana **7** *on the telephone* al telefono **8** (*attività, stato, ecc*): *on holiday* in vacanza ◊ *to be on duty* essere in servizio ☛ Per gli usi di **on** nei PHRASAL VERBS, vedi alla voce del verbo, ad es. **to get on** a GET.

once /wʌns/ ◆ *cong* non appena: *Once he'd gone...* Non appena se n'andò... ◆ *avv* una volta: *once a week* una volta alla settimana LOC **at once 1** immediatamente **2** contemporaneamente **once again/more** ancora una volta **once and for all** una volta per tutte **once in a while** una volta ogni tanto **once or twice** un paio di volte **once upon a time there was...** c'era una volta...

oncoming /ˈɒnkʌmɪŋ/ *agg* in senso contrario

one[1] /wʌn/ *agg, pron, s* uno, una ☛ *Vedi esempi a* FIVE

one[2] /wʌn/ ◆ *agg* **1** un(o), una: *one morning* una mattina **2** unico: *the one way to succeed* l'unico modo per riuscire **3** lo stesso: *of one mind* della stessa idea ◆ *pron* **1** [*dopo aggettivo*]: *the little ones* i piccoli ◊ *I prefer this/that one.* Preferisco questo/quello. ◊ *Which one?* Quale? ◊ *another one* un altro ◊ *It's better than the old one.* È meglio di quello vecchio. **2** quello, -a, ecc: *the one at the end* quello alla fine ◊ *the ones in the middle* quelli nel mezzo **3** uno, una: *I need a pen. Have you got one?* Mi serve una penna. Ne hai una? ◊ *one of her friends* un suo amico ◊ *to tell one from the other* distinguere uno dall'altro **4** [*come soggetto*] (*form*): *One must be sure.* Bisogna essere sicuri. ☛ *Vedi nota a* YOU LOC **(all) in one** tutto in uno **one by one** uno a uno **one or two** un paio (di), uno o due

one another *pron* l'un l'altro ☛ *Vedi nota a* EACH OTHER

one-off /ˌwʌn ˈɒf/ *agg, s* (fatto) eccezionale

oneself /wʌnˈself/ *pron* **1** [*uso riflessivo*] se stesso: *to cut oneself* tagliarsi **2** [*uso enfatico*]: *to do it oneself* farlo da sé LOC **by oneself 1** da sé: *to do it by oneself* farlo da sé **2** solo: *to be by oneself* essere solo

one-way /ˌwʌn ˈweɪ/ *agg* **1** a senso unico **2** (*biglietto*) di sola andata

ongoing /ˈɒngəʊɪŋ/ *agg* **1** in corso **2** attuale

onion /ˈʌnjən/ *s* cipolla

onlooker /ˈɒnlʊkə(r)/ *s* spettatore, -trice

only /ˈəʊnli/ ◆ *avv* soltanto, solo LOC **not only...but also** non solo...ma anche **only just 1** *I've only just arrived.* Sono appena arrivato. **2** *I can only just see.* Ci vedo a malapena. *Vedi anche* IF ◆ *agg* unico: *our only hope* l'unica speranza ◊ *He is an only child.* È figlio unico. ◆ *cong* (*inform*) solo che, ma

onset /ˈɒnset/ *s* inizio

onslaught /ˈɒnslɔːt/ *s* ~ (**on sb/sth**) attacco (contro qn/qc)

onto (*anche* **on to**) /ˈɒntə, ˈɒntuː/ *prep* su, sopra: *to climb* (*up*) *onto sth* salire sopra qc PHR V **to be onto sb** (*inform*) essere sulle tracce di qn **to be onto sth** essere sulla pista di qc

onward /ˈɒnwəd/ ◆ *agg* (*form*) in avanti: *your onward journey* il proseguimento del suo viaggio ◆ *avv* (*anche* **onward(s)**) **1** avanti **2** in poi, in avanti: *from then onwards* da allora in poi

ooze /uːz/ **1** *vt*, *vi* ~ (**with**) **sth** trasudare qc **2** *vi* ~ **from/out of sth** stillare da qc

opaque /əʊˈpeɪk/ *agg* opaco

open /ˈəʊpən/ ◆ *agg* **1** aperto: *Don't leave the door open.* Non lasciare la porta aperta. **2** (*veduta*) ampio **3** *to be open about something* essere franco riguardo a qualcosa ◊ *an open secret* un segreto di Pulcinella **4** (*fig*): *to leave sth open* lasciare aperto qc LOC **in the open air** all'aria aperta *Vedi anche* BURST, CLICK, WIDE ◆ **1** *vt*, *vi* aprire, aprirsi: *What time do the shops open?* A che ora aprono i negozi? **2** *vt* (*processo*) cominciare PHR V **to open into/onto sth** dare su qc **to open sth out** spiegare qc, aprire qc **to open up** (*inform*) aprirsi **to open (sth) up** aprire qc, aprirsi: *Open up!* Aprite! ◆ **the open** *s* l'aria aperta LOC **to come (out) into the open** venire allo scoperto *Vedi anche* BRING **opener** *s*: *a tin opener* un apriscatole ◊ *a bottle opener* un apribottiglie **openly** *avv* apertamente **openness** *s* franchezza

open-air /ˌəʊpən ˈeə(r)/ *agg* all'aria aperta, all'aperto

opening /ˈəʊpnɪŋ/ ◆ *s* **1** apertura, varco **2** inizio **3** (*anche* **opening-night**) (*Teat*) prima **4** inaugurazione **5** (*lavoro*) posto vacante **6** opportunità ◆ *agg* primo, iniziale

open-minded /ˌəʊpən ˈmaɪndɪd/ *agg* aperto

opera /ˈɒprə/ *s* opera lirica: *opera house* teatro dell'opera

operate /ˈɒpəreɪt/ **1** *vt*, *vi* (*macchinario*) (far) funzionare **2** *vi* (*impresa*) operare **3** *vt* (*negozio, servizio*) gestire **4** *vi* ~ (**on sb**) (**for sth**) (*Med*) operare (qn) (di qc): *operating theatre* sala operatoria

operation /ˌɒpəˈreɪʃn/ *s* **1** operazione **2** funzionamento LOC **to be in/come into operation 1** essere/entrare in funzione **2** (*Dir*) essere/entrare in vigore **operational** *agg* **1** di funzionamento **2** di gestione **3** operativo, in funzione

operative /ˈɒpərətɪv; *USA* -reɪt-/ ◆ *agg* **1** operante **2** (*Dir*) in vigore **3** (*Med*) operatorio ◆ *s* operaio, -a

operator /ˈɒpəreɪtə(r)/ *s* operatore, -trice: *radio operator* radiotelegrafista ◊ *switchboard operator* centralinista

opinion /əˈpɪniən/ *s* ~ (**of/about sb/sth**) opinione (di/su qn/qc) LOC **in my opinion** a mio parere *Vedi anche* MATTER

opinion poll *Vedi* POLL senso 4

opponent /əˈpəʊnənt/ *s* **1** ~ (**at/in sth**) avversario, -a (in qc) **2** *to be an opponent of sth* essere contrario a qc

opportunity /ˌɒpəˈtjuːnəti; *USA* -ˈtuːn-/ *s* (*pl* **-ies**) ~ (**for/of doing sth**); ~ (**to do sth**) opportunità (di fare qc) LOC **to take the opportunity to do sth/of doing sth** cogliere l'occasione per fare qc

oppose /əˈpəʊz/ *vt* **1** ~ **sth** opporsi a qc **2** ~ **sb** fare opposizione a qn **opposed** *agg* contrario: *to be opposed to sth* essere contrario a qc LOC **as opposed to**: *quality as opposed to quantity* qualità piuttosto che quantità **opposing** *agg* avversario

opposite /ˈɒpəzɪt/ ◆ *agg* **1** di fronte: *the house opposite* la casa di fronte **2** contrario: *the opposite sex* l'altro sesso ◆ *avv* di fronte: *She was sitting opposite.* Era seduta di fronte. ◆ *prep* ~ **sb/sth** di fronte a qn/qc: *opposite each other* uno di fronte all'altro ◆ *s* **the** ~ (**of sth**) il contrario (di qc) ☛ *Vedi illustrazione a* DAVANTI

opposition /ˌɒpəˈzɪʃn/ *s* ~ (**to sb/sth**) opposizione (a qn/qc)

oppress /əˈpres/ *vt* opprimere **oppressed** *agg* oppresso **oppression** *s* oppressione **oppressive** *agg* **1** oppressivo **2** opprimente

opt /ɒpt/ *vi* **to opt to do sth** optare per fare qc PHR V **to opt for sth** optare per qc **to opt out** (**of sth**) non partecipare (a qc)

optical /ˈɒptɪkl/ *agg* ottico

optician /ɒpˈtɪʃn/ *s* **1** ottico **2** optometrista **3** **optician's** (*negozio*) ottica

optimism /ˈɒptɪmɪzəm/ *s* ottimismo **optimist** *s* ottimista **optimistic**

/ˌɒptɪˈmɪstɪk/ *agg* ~ (**about sth**) ottimista (riguardo a qc)

optimum /ˈɒptɪməm/ (*anche* **optimal**) *agg* ottimale

option /ˈɒpʃn/ *s* **1** scelta **2** opzione **optional** *agg* facoltativo

or /ɔː(r)/ *cong* **1** o, oppure *Vedi anche* EITHER **2** (*altrimenti*) oppure, se no **3** [*dopo negativo*] né *Vedi anche* NEITHER LOC **or so** più o meno: *an hour or so* circa un'ora **somebody/something/somewhere or other** (*inform*) qualcuno/qualcosa/da qualche parte *Vedi anche* RATHER, WHETHER

oral /ˈɔːrəl/ ◆ *agg* orale ◆ *s* esame orale

orange /ˈɒrɪndʒ; *USA* ˈɔːr-/ ◆ *s* **1** arancia ☛ *Vedi illustrazione a* FRUTTA **2** (*anche* **orange tree**) arancio **3** (*colore*) arancione ◆ *agg* arancione

orbit /ˈɔːbɪt/ ◆ *s* (*lett e fig*) orbita ◆ *vt, vi* ~ (**around**) **sth** orbitare attorno a qc

orchard /ˈɔːtʃəd/ *s* frutteto

orchestra /ˈɔːkɪstrə/ *s* [*v sing o pl*] orchestra

orchid /ˈɔːkɪd/ *s* orchidea

ordeal /ɔːˈdiːl, ˈɔːdiːl/ *s* esperienza traumatica

order /ˈɔːdə(r)/ ◆ *s* **1** ordine: *in alphabetical order* in ordine alfabetico **2** (*Comm*) ordinazione **3** [*v sing o pl*] (*Relig*) ordine LOC **in order 1** in ordine, in regola **2** (*accettabile*) permesso **in order that...** affinché... **in order to...** per... **in running/working order** perfettamente funzionante **out of order** guasto: *It's out of order.* Non funziona. *Vedi anche* LAW, MARCHING *a* MARCH, PECKING *a* PECK ◆ **1** *vt* ~ **sb to do sth** ordinare a qn di fare qc **2** *vt* ~ **sth** ordinare qc **3** *vt, vi* (*cibo, bevande, ecc*) ordinare **4** *vt* (*form*) mettere in ordine, riordinare PHR V **to order sb about/around** dare ordini a qn, comandare qn

orderly /ˈɔːdəli/ *agg* **1** ordinato, metodico **2** disciplinato

ordinary /ˈɔːdnri; *USA* ˈɔː rdəneri/ *agg* comune, normale: *ordinary people* gente comune ☛ *Confronta* COMMON senso 3 LOC **out of the ordinary** fuori del comune, straordinario

ore /ɔː(r)/ *s* minerale grezzo: *gold/iron ore* minerale grezzo di oro/ferro

oregano /ˌɒrɪˈɡɑːnəʊ/ *s* origano

organ /ˈɔːɡən/ *s* organo

organic /ɔːˈɡænɪk/ *agg* **1** organico **2** (*prodotto, agricoltura*) biologico

organism /ˈɔːɡənɪzəm/ *s* organismo

organization, -isation /ˌɔːɡənaɪˈzeɪʃn; *USA* -nɪˈz-/ *s* organizzazione **organizational, -isational** *agg* organizzativo

organize, -ise /ˈɔːɡənaɪz/ **1** *vt, vi* organizzare, organizzarsi **2** *vt* (*idee*) riordinare **organizer, -iser** *s* organizzatore, -trice

orgy /ˈɔːdʒi/ *s* (*pl* **-ies**) (*lett e fig*) orgia

orient /ˈɔːrɪənt/ ◆ *vt* (*spec USA*) *Vedi* ORIENTATE ◆ **the Orient** *s* l'Oriente **oriental** /ˌɔːriˈentl/ *agg* orientale

orientate /ˈɔːriənteɪt/ (*USA* **orient**) *vt* ~ **sb/sth** (**towards sb/sth**) orientare qn/qc (verso qn/qc): *to orientate yourself* orientarsi **orientation** *s* orientamento

origin /ˈɒrɪdʒɪn/ *s* origine

original /əˈrɪdʒənl/ ◆ *agg* **1** originale **2** originario, primo ◆ *s* originale LOC **in the original** in lingua/versione originale **originality** /əˌrɪdʒəˈnæləti/ *s* originalità **originally** *avv* **1** originalmente **2** originariamente, all'inizio

originate /əˈrɪdʒɪneɪt/ **1** *vi* ~ **in/from sth** avere origine in/da qc; essere originario di qc **2** *vt* creare

ornament /ˈɔːnəmənt/ *s* **1** ornamento **2** soprammobile **ornamental** /ˌɔːnəˈmentl/ *agg* ornamentale

ornate /ɔːˈneɪt/ *agg* (*spesso dispreg*) **1** riccamente ornato **2** (*linguaggio, stile*) ornato

orphan /ˈɔːfn/ ◆ *s* orfano, -a ◆ *vt*: *to be orphaned* rimanere orfano **orphanage** *s* orfanotrofio

orthodox /ˈɔːθədɒks/ *agg* ortodosso

ostrich /ˈɒstrɪtʃ/ *s* struzzo

other /ˈʌðə(r)/ ◆ *agg* **1** altro: *All their other children have left home.* Tutti gli altri figli sono andati via di casa. ◊ *Have you got other plans?* Hai altri programmi? ◊ *That other car was better.* Quell'altra macchina era migliore. ◊ *some other time* un'altra volta ☛ *Vedi nota a* ALTRO LOC **the other day, morning, week, etc** l'altro giorno, l'altra mattina, settimana, ecc *Vedi anche* EVERY, OR, WORD ◆ *pron* **1** **others** [*pl*] altri, -e: *Others have said this before.* Questo è già stato detto da altri. ◊ *Have you got any others?* Ne hai altre? **2 the other** l'altro, l'altra: *I'll keep one and she can have the other.* Ne tengo uno io e lei può prendere l'altro. **3 the others** [*pl*] gli altri, le altre: *This shirt is too small and the others are too big.* Questa camicia è troppo piccola e le altre sono troppo grandi. ◆ **other than** *prep* **1** tranne (che) **2** diversamente da

otherwise /ˈʌðəwaɪz/ ◆ *avv* **1** (*form*) diversamente, altrimenti **2** altrimenti, a parte ciò ◆ *cong* altrimenti, se no ◆ *agg* diverso

otter /ˈɒtə(r)/ *s* lontra

ouch! /aʊtʃ/ *escl* ahi!

ought to /ˈɔːt tə, ˈɔːt tuː/ *v aus modale* (*neg* **ought not** *o* **oughtn't** /ˈɔːtnt/)

Ought è un verbo modale seguito dall'infinito con il TO. Le frasi interrogative e negative si costruiscono senza l'ausiliare *do*.

1 *You ought to do it.* Dovresti farlo. ◊ *I ought to have gone.* Avrei dovuto andarci. ☛ *Confronta* MUST **2** *Five ought to be enough.* Cinque dovrebbero bastare.

ounce /aʊns/ *s* (*abbrev* **oz**) oncia (*28,35 grammi*) ☛ *Vedi Appendice 1.*

our /ɑː(r), ˈaʊə(r)/ *agg poss* il nostro, ecc: *Our house is in the centre.* La nostra casa è in centro. ☛ *Vedi nota a* MY

ours /ɑːz, ˈaʊəz/ *pron poss* il nostro, ecc: *a friend of ours* una nostra amica ◊ *Where's ours?* Dov'è il nostro?

ourselves /ɑːˈselvz, aʊəˈselvz/ *pron* **1** [*uso riflessivo*] ci: *We enjoyed ourselves.* Ci siamo divertiti. **2** [*dopo prep*] noi **3** [*uso enfatico*] noi stessi LOC **by ourselves 1** da noi: *We did it all by ourselves.* L'abbiamo fatto tutto da noi. **2** soli/sole: *We were all by ourselves.* Eravamo soli.

out /aʊt/ ◆ *part avv* **1** fuori: *to be out* non essere in casa/essere uscito **2** *The sun is out.* È uscito il sole. **3** fuori moda **4** (*inform*) (*possibilità, ecc*) scartato **5** (*luce, ecc*) spento **6** *to call out* (*loud*) chiamare ad alta voce **7** (*calcolo*) sbagliato: *The bill is out by five pounds.* C'è un errore di cinque sterline nel conto. **8** (*giocatore*) eliminato **9** (*palla*) fuori *Vedi anche* OUT OF LOC **to be out to do sth** essere deciso a fare qc ☛ Per l'uso di **out** nei PHRASAL VERBS, vedi alla voce del verbo, ad es. **to pick out** a PICK. ◆ *s* LOC *Vedi* IN

outbreak /ˈaʊtbreɪk/ *s* **1** insorgenza **2** (*guerra*) scoppio

outburst /ˈaʊtbɜːst/ *s* scoppio, esplosione

outcast /ˈaʊtkɑːst; *USA* -kæst/ *s* emarginato, -a

outcome /ˈaʊtkʌm/ *s* risultato

outcry /ˈaʊtkraɪ/ *s* (*pl* **-ies**) protesta

outdo /ˌaʊtˈduː/ *vt* (*3a pers sing pres* **-does** /-ˈdʌz/ *pass* **-did** /-ˈdɪd/ *pp* **-done** /-ˈdʌn/) superare

outdoor /ˈaʊtdɔː(r)/ *agg* all'aria aperta: *an outdoor swimming pool* una piscina scoperta

outdoors /ˌaʊtˈdɔːz/ *avv* all'aria aperta, fuori

outer /ˈaʊtə(r)/ *agg* esterno, esteriore

outfit /ˈaʊtfɪt/ *s* mise, completo

outgoing /ˈaʊtgəʊɪŋ/ *agg* **1** in partenza **2** (*Politica*) uscente **3** estroverso

outgrow /ˌaʊtˈgrəʊ/ *vt* (*pass* **outgrew** /-ˈgruː/ *pp* **outgrown** /-ˈgrəʊn/) **1** *He's outgrown his shoes.* Le scarpe non gli stanno più. **2** (*abitudine, ecc*) perdere

outing /ˈaʊtɪŋ/ *s* escursione, gita

outlandish /aʊtˈlændɪʃ/ *agg* bizzarro

outlaw /ˈaʊtlɔː/ ◆ *vt* bandire ◆ *s* fuorilegge

outlet /ˈaʊtlet/ *s* **1** ~ (**for sth**) scarico, sbocco (per qc) **2** ~ (**for sth**) (*fig*) valvola di sfogo, sbocco (per qc) **3** (*Comm*) punto vendita

outline /ˈaʊtlaɪn/ ◆ *s* **1** contorno, profilo **2** linee generali, abbozzo ◆ *vt* **1** profilare, delineare i contorni di **2** descrivere a grandi linee

outlive /ˌaʊtˈlɪv/ *vt* ~ **sb/sth** sopravvivere a qn/qc

outlook /ˈaʊtlʊk/ *s* **1** ~ (**onto/over sth**) vista, veduta (su qc) **2** ~ (**on sth**) (*fig*) concezione (di qc) **3** ~ (**for sth**) prospettiva, previsione (per qc)

outnumber /ˌaʊtˈnʌmbə(r)/ *vt* ~ **sb** superare numericamente qn

out of /ˈaʊt əv/ *prep* **1** fuori: *out of season* fuori stagione ◊ *I want that dog out of the house.* Non voglio quel cane in casa. ◊ *to jump out of bed* saltare giù dal letto **2** (*causa*) per: *out of interest* per interesse **3** su: *eight out of every ten* otto su dieci **4** da: *to copy sth out of a* *book* copiare qc da un libro **5** (*materiale*) di: *made out of plastic* fatto di plastica **6** senza: *to be out of work* essere senza lavoro

outpost /ˈaʊtpəʊst/ *s* avamposto

output /ˈaʊtpʊt/ *s* **1** produzione **2** (*Fis*) potenza

outrage /ˈaʊtreɪdʒ/ ◆ *s* **1** strage **2** scandalo **3** sdegno ◆ /aʊtˈreɪdʒ/ *vt* ~ **sb/sth** indignare qn/qc **outrageous** *agg* **1** scandaloso, vergognoso **2** stravagante

outright /ˈaʊtraɪt/ ◆ *avv* **1** apertamente, chiaro e tondo **2** all'istante, sul colpo **3** in blocco **4** nettamente ◆ *agg* **1** aperto **2** (*vittoria*) netto **3** (*rifiuto*) categorico

outset /ˈaʊtset/ *s* LOC **at/from the outset (of sth)** all'inizio/dall'inizio (di qc)

outside /ˌaʊtˈsaɪd/ ◆ *s* esterno: *on/from the outside* all'esterno/dall'esterno ◆ *prep* (*spec USA* **outside of**) fuori di: *Wait outside the door.* Aspetta fuori della porta. ◆ *avv* fuori ◆ /ˈaʊtsaɪd/ *agg* esterno

outsider /ˌaʊtˈsaɪdə(r)/ *s* **1** estraneo, -a **2** (*dispreg*) intruso, -a **3** (*concorrente*) outsider

outskirts /ˈaʊtskɜːts/ *s* [*pl*] periferia

outspoken /aʊtˈspəʊkən/ *agg* franco, schietto

outstanding /aʊtˈstændɪŋ/ *agg* **1** eccellente, eccezionale **2** (*caratteristica, eccezione*) notevole **3** (*conto, pagamento*) pendente, da saldare **4** (*problema, questione*) irrisolto

outstretched /ˌaʊtˈstretʃt/ *agg* aperto, teso: *with outstretched arms* a braccia aperte

outward /ˈaʊtwəd/ *agg* **1** esteriore **2** (*viaggio*) di andata **outwardly** *avv* esteriormente, apparentemente **outwards** *avv* verso l'esterno

outweigh /ˌaʊtˈweɪ/ *vt*: *The advantages far outweigh the disadvantages.* I vantaggi superano di gran lunga gli svantaggi.

oval /ˈəʊvl/ *agg* ovale

ovary /ˈəʊvəri/ *s* (*pl* **-ies**) **1** ovaia **2** ovario

oven /ˈʌvn/ *s* forno *Vedi anche* STOVE ☛ *Vedi illustrazione a* COOKER

over /ˈəʊvə(r)/ ◆ *part avv* **1** *to knock sth over* rovesciare qc ◇ *to fall over* cadere **2** *to turn sth over* rigirare qc **3** *over here/there* di qua/di là ◇ *They came over to see us.* Sono venuti a trovarci. **4 left over** avanzato: *Is there any food left over?* È avanzato qualcosa da mangiare? **5** (*oltre*): *children of five and over* bambini dai cinque anni in su **6** finito, terminato LOC **(all) over again** di nuovo, da capo **over and done with** finito per sempre **over and over (again)** ripetutamente, tante volte *Vedi anche* ALL ◆ *prep* **1** sopra: *She was wearing an apron over her skirt.* Sopra la gonna portava il grembiule. ◇ *We flew over the Alps.* Abbiamo sorvolato le Alpi. ☛ *Vedi illustrazione a* SOPRA **2** dall'altra parte di: *He lives over the road.* Abita dall'altra parte della strada. **3** oltre: (*for*) *over a month* (per) oltre un mese **4** (*tempo*) durante: *We'll discuss it over lunch.* Ne discuteremo a pranzo. **5** (*a causa di*): *an argument over money* una discussione per questioni di soldi LOC **over and above** oltre a ☛ Per l'uso di **over** nei PHRASAL VERBS, vedi alla voce del verbo, ad es. **to think over** a THINK.

over- /ˈəʊvə(r)/ *pref* **1** eccessivamente: *over-ambitious* eccessivamente ambizioso **2** (*età*) ultra: *the over-60s* gli ultrasessantenni

overall /ˌəʊvərˈɔːl/ ◆ *agg* **1** totale **2** generale **3** (*vincitore, maggioranza*) assoluto ◆ *avv* **1** in totale **2** in generale ◆ /ˈəʊvərɔːl/ *s* **1** (*GB*) camice **2 overalls** [*pl*] tuta da lavoro

overbearing /ˌəʊvəˈbeərɪŋ/ *agg* autoritario

overboard /ˈəʊvəbɔːd/ *avv* fuori bordo

overcame *pass di* OVERCOME

overcast /ˌəʊvəˈkɑːst; *USA* -ˈkæst/ *agg* nuvoloso

overcharge /ˌəʊvəˈtʃɑːdʒ/ *vt, vi* ~ **(sb) (for sth)** far pagare di più (a qn) (per qc)

overcoat /ˈəʊvəkəʊt/ *s* cappotto

overcome /ˌəʊvəˈkʌm/ *vt* (*pass* **overcame** /-ˈkeɪm/ *pp* **overcome**) **1** (*difficoltà, ecc*) superare **2** sopraffare: *to be overcome by smoke/with emotion* essere sopraffatto dal fumo/dall'emozione

overcrowded /ˌəʊvəˈkraʊdɪd/ *agg* sovraffollato **overcrowding** *s* sovraffollamento

overdo /ˌəʊvəˈduː/ *vt* (*pass* **overdid** /-ˈdɪd/ *pp* **overdone** /-ˈdʌn/) **1** esage rare con **2** cuocere troppo LOC **to overdo it/things** strafare

overdraft /ˈəʊvədrɑːft; *USA* -dræft/ *s* scoperto di conto

overdue /ˌəʊvəˈdjuː; *USA* -ˈduː/ *agg* **1** atteso da tempo: *The time for reform is overdue.* Si attende da tempo una riforma. **2** (*Fin*) scaduto e non pagato

overestimate /ˌəʊvərˈestɪmeɪt/ *vt* sovrastimare, sopravvalutare

overflow /ˌəʊvəˈfləʊ/ ◆ **1** *vi* straripare, traboccare **2** *vt*: *The river overflowed its banks.* Il fiume è straripato. **3** *vi* traboccare: *The town was overflowing with tourists.* La città traboccava di turisti. ◆ /ˈəʊvəfləʊ/ *s* **1** straripamento **2** liquido traboccato **3** (*anche* **overflow pipe**) troppopieno

overgrown /ˌəʊvəˈgrəʊn/ *agg* **1** un po' troppo cresciuto **2** (*giardino*) coperto d'erbacce

overhang /ˌəʊvəˈhæŋ/ (*pass, pp* **overhung** /-ˈhʌŋ/) **1** *vt* sovrastare **2** *vi* sporgere: *overhanging* sporgente

overhaul /ˌəʊvəˈhɔːl/ ◆ *vt* revisionare, mettere a punto ◆ /ˈəʊvəhɔːl/ *s* revisione, messa a punto

overhead /ˈəʊvəhed/ ◆ *agg* **1** soprelevato **2** (*cavo*) aereo **3** (*luce*) del lampadario ◆ /ˌəʊvəˈhed/ *avv* in alto

overhear /ˌəʊvəˈhɪə(r)/ *vt* (*pass, pp* **overheard** /-ˈhɜːd/) sentire (*per caso*)

overhung *pass, pp di* OVERHANG

overjoyed /ˌəʊvəˈdʒɔɪd/ *agg* **1** ~ (**at sth**) euforico (per qc) **2** ~ (**to do sth**) felicissimo (di fare qc)

overland /ˈəʊvəlænd/ *agg, avv* via terra

overlap /ˌəʊvəˈlæp/ ◆ *vt, vi* (**-pp-**) **1** sovrapporre, sovrapporsi **2** (*fig*) coincidere in parte (con), accavallarsi ◆ /ˈəʊvəlæp/ *s* **1** sovrapposizione **2** (*fig*) coincidenza, accavallamento

overleaf /ˌəʊvəˈliːf/ *avv* a tergo, sul retro

overload /ˌəʊvəˈləʊd/ ◆ *vt* ~ **sb/sth** (**with sth**) sovraccaricare qn/qc (con/di qc) ◆ /ˈəʊvələʊd/ *s* sovraccarico

overlook /ˌəʊvəˈlʊk/ *vt* **1** dare su **2** ignorare **3** non notare **4** (*perdonare*) lasciar passare, chiudere un occhio su

overnight /ˌəʊvəˈnaɪt/ ◆ *avv* **1** durante la notte: *to travel overnight* viaggiare di notte ◊ *to stay overnight* fermarsi a passare la notte **2** (*inform*) nello spazio di un mattino ◆ *agg* **1** di una notte, per notte **2** (*inform*) (*cambiamento*) fulmineo

overpower /ˌəʊvəˈpaʊə(r)/ *vt* dominare, sopraffare **overpowering** *agg* oppressivo, soffocante

overran *pass di* OVERRUN

overrate /ˌəʊvəˈreɪt/ *vt* sovrastimare, sopravvalutare

override /ˌəʊvəˈraɪd/ *vt* (*pass* **overrode** /-ˈrəʊd/ *pp* **overridden** /-ˈrɪdn/) **1** non tenere conto di **2** prevalere su **overriding** /ˌəʊvə ˈraɪdɪŋ/ *agg* principale, primario

overrule /ˌəʊvəˈruːl/ *vt* annullare (*decisione*)

overrun /ˌəʊvəˈrʌn/ (*pass* **overran** /-ˈræn/ *pp* **overrun**) **1** *vt* invadere **2** *vi* superare il tempo concesso

oversaw *pass di* OVERSEE

overseas /ˌəʊvəˈsiːz/ ◆ *agg* estero, straniero ◆ *avv* all'estero

oversee /ˌəʊvəˈsiː/ *vt* (*pass* **oversaw** /-ˈsɔː/ *pp* **overseen** /-ˈsiːn/) soprintendere a, sorvegliare

overshadow /ˌəʊvəˈʃædəʊ/ *vt* **1** rattristare **2** (*persona, risultato*) eclissare

oversight /ˈəʊvəsaɪt/ *s* omissione, svista

oversleep /ˌəʊvəˈsliːp/ *vi* (*pass, pp* **overslept** /-ˈslept/) non svegliarsi in tempo

overspend /ˌəʊvəˈspend/ (*pass, pp* **overspent** /-ˈspent/) **1** *vi* spendere troppo **2** *vt* (*preventivo*) spendere più di

overstate /ˌəʊvəˈsteɪt/ *vt* esagerare

overstep /ˌəʊvəˈstep/ *vt* (**-pp-**) eccedere LOC **to overstep the mark** passare il segno

overt /ˈəʊvɜːt; *USA* əʊˈvɜːrt/ *agg* (*form*) palese

overtake /ˌəʊvəˈteɪk/ (*pass* **overtook** /-ˈtʊk/ *pp* **overtaken** /-ˈteɪkən/) **1** *vt, vi* (*auto*) sorpassare **2** *vt* (*fig*) cogliere di sorpresa

overthrow /ˌəʊvəˈθrəʊ/ ◆ *vt* (*pass* **overthrew** /-ˈθruː/ *pp* **overthrown** /-ˈθrəʊn/) rovesciare ◆ *s* rovesciamento

overtime /ˈəʊvətaɪm/ **1** *s* straordinario **2** *avv*: *to work overtime* fare lo straordinario

overtone /ˈəʊvətəʊn/ *s* [*gen pl*] sfumatura

overtook *pass di* OVERTAKE

overture /ˈəʊvətjʊə(r)/ *s* (*Mus*) ouverture LOC **to make overtures (to sb)** mostrarsi disponibile (verso qn)

overturn /ˌəʊvəˈtɜːn/ **1** *vt, vi* rovesciare, rovesciarsi **2** *vt* (*decisione*) annullare

overview /ˈəʊvəvjuː/ *s* (*form*) prospetto

overweight /ˌəʊvəˈweɪt/ *agg* sovrappeso ☛ *Vedi nota a* FAT

overwhelm /ˌəʊvəˈwelm/ *vt* sopraffare **overwhelming** *agg* **1** (*vittoria, maggioranza*) schiacciante **2** (*desiderio, voglia*) irresistibile

overwork /ˌəʊvəˈwɜːk/ *vt, vi* (far) lavorare troppo

owe /əʊ/ *vt* dovere (*soldi*)

owing to /ˈəʊɪŋ tu/ *prep* a causa di

owl /aʊl/ *s* gufo

own /əʊn/ ◆ *agg, pron* proprio, mio, tuo, suo, nostro, vostro, loro: *It was my own idea.* Era un'idea mia. LOC **of your own** proprio: *a house of your own* una casa propria **(all) on your own 1** tutto solo **2** da solo, senza aiuto *Vedi anche* BACK[1] ◆ *vt* possedere, avere PHR V **to own up to sth** (*inform*) ammettere qc

owner /ˈəʊnə(r)/ *s* proprietario, -a **ownership** *s* [*non numerabile*] proprietà, possesso

ox /ɒks/ *s* (*pl* **oxen** /ˈɒksn/) bue

oxygen /ˈɒksɪdʒən/ *s* ossigeno

oyster /ˈɔɪstə(r)/ *s* ostrica

ozone /ˈəʊzəʊn/ *s* ozono: *the ozone layer* lo strato di ozono

Pp

P, p /piː/ *s* (*pl* **P's, p's** /piːz/) P, p: *P for Peter* P come Palermo ☛ *Vedi esempi a* A, A

pace /peɪs/ ◆ *s* **1** passo **2** ritmo LOC **to keep pace (with sb/sth) 1** mantenere il passo (con qn/qc) **2** tenersi al passo (con qn/qc) ◆ *vt* (*con inquietudine*) camminare su e giù per LOC **to pace up and down (a room, etc)** camminare avanti e indietro (in una stanza, ecc)

pacify /ˈpæsɪfaɪ/ *vt* (*pass, pp* **-fied**) **1** (*critici, creditori*) rabbonire **2** (*zona, regione*) pacificare

pack /pæk/ ◆ *s* **1** zaino **2** confezione, pacchetto: *The pack contains a pen, ten envelopes and twenty sheets of writing paper.* La confezione contiene una penna, dieci buste e venti fogli per corrispondenza. ☛ *Vedi nota a* PARCEL **3** [*v sing o pl*] (*cani*) muta **4** [*v sing o pl*] (*lupi*) branco **5** (*USA* **deck**) (*carte*) mazzo ◆ **1** *vt, vi* fare (le valigie) **2** *vt* mettere in valigia **3** *vt* impacchettare **4** *vt* ~ **sth into sth** mettere qc in qc **5** *vt* ~ **sth in sth** avvolgere qc con qc **6** *vt* (*cassa*) riempire **7** *vt* (*cibo*) inscatolare **8** *vt* (*posto*) riempire LOC **to pack your bags** far fagotto PHR V **to pack sth in** (*inform*) mollare qc, piantare qc: *I've packed in my job.* Ho mollato il lavoro. **to pack (sb/sth) into sth** stipare qn/qc in qc, stiparsi in qc **to pack up** (*inform*) guastarsi **packed** *agg* **1** pieno: *The orchestra played to a packed house.* L'orchestra suonò davanti al teatro gremito. **2** ~ **with sth** pieno zeppo di qc LOC **a packed lunch** un pranzo al sacco

package /ˈpækɪdʒ/ ◆ *s* pacco ☛ *Vedi nota a* PARCEL ◆ *vt* confezionare **packaging** *s* confezione, imballaggio

package holiday (*anche* **package tour**) *s* viaggio organizzato

packet /ˈpækɪt/ *s* pacchetto ☛ *Vedi illustrazione a* CONTAINER *e nota a* PARCEL

packing /ˈpækɪŋ/ *s* imballaggio

pact /pækt/ *s* patto

pad /pæd/ ◆ *s* **1** *a pad of cotton wool* un batuffolo di cotone **2** cuscinetto **3** *shoulder pads* spalline **4** (*Sport*) parastinchi **5** (*carta*) bloc-notes, blocchetto ◆ *vt* (**-dd-**) imbottire PHR V **to pad about, along, around, etc** camminare con passo felpato **to pad sth out** (*fig*) rimpolpare qc (*libro, articolo*) **padding** *s* **1** imbottitura **2** (*fig*) riempitivo

paddle /ˈpædl/ ◆ *s* pagaia LOC **to have a paddle** sguazzare nell'acqua *Vedi anche* CREEK ◆ **1** *vt* (*barca*) spingere con la pagaia **2** *vi* pagaiare **3** *vi* sguazzare nell'acqua

padlock /ˈpædlɒk/ *s* lucchetto

paediatrician (*USA* **pedi-**) /ˌpiːdiəˈtrɪʃn/ *s* pediatra

pagan /ˈpeɪɡən/ *agg, s* pagano, -a

page /peɪdʒ/ ◆ *s* pagina, foglio ◆ *vt* chiamare (*con l'altoparlante/con il cercapersone*)

paid /peɪd/ ◆ *pass, pp di* PAY ◆ *agg* rimunerato LOC **to put paid to sth** metter fine a qc

pain /peɪn/ *s* **1** dolore: *Is she in pain?* Soffre? ◊ *painkiller* analgesico ◊ *I've got a pain in my neck.* Mi fa male il collo. **2** ~ (**in the neck**) (*inform*) (*spec persona*) rompiscatole LOC **to be at pains to do sth** sforzarsi di fare qc **to take great pains with/over sth** mettere grande cura in qc **pained** *agg* **1** addolorato **2** offeso **painful** *agg* **1** *to be painful* far male **2** doloroso **3** (*dovere*) spiacevole **4** (*decisione*) difficile **painfully** *avv* terribilmente: *He's painfully thin.* È magro da far pena. **painless** *agg* indolore

painstaking /ˈpeɪnzteɪkɪŋ/ *agg* **1** (*lavoro*) accurato **2** (*persona*) coscienzioso

paint /peɪnt/ ◆ *s* tinta, vernice ◆ *vt, vi* dipingere **painter** *s* **1** pittore, -trice **2** imbianchino, -a **painting** *s* **1** pittura (*arte*) **2** quadro

paintbrush /ˈpeɪntbrʌʃ/ *s* pennello ☛ *Vedi illustrazione a* BRUSH

paintwork /ˈpeɪntwɜːk/ *s* vernice, tinta (*strato*)

pair /peə(r)/ ◆ *s* **1** paio: *a pair of trousers* un paio di pantaloni **2** [*v sing o pl*] coppia (*persone, animali*): *the winning pair* la coppia vincente ☛ *Confronta* COUPLE ◆ PHR V **to pair off/up (with sb)** fare coppia (con qn) **to pair sb off with sb** far mettere qn in coppia con qn

pajamas (*USA*) *Vedi* PYJAMAS

pal /pæl/ *s* (*inform*) amico, -a

palace /ˈpæləs/ *s* palazzo

palate /ˈpælət/ *s* palato

pale /peɪl/ ◆ *agg* (**paler**, **palest**) pallido LOC **to go/turn pale** impallidire ◆ *s* LOC **beyond the pale** (*comportamento*) inaccettabile

pall /pɔːl/ ◆ *vi* **1** venire a noia **2** ~ **on sb** annoiare qn ◆ *s* **1** drappo funebre **2** (*fig*) cappa (*di fumo*)

pallid /ˈpælɪd/ *agg* pallido

pallor /ˈpælə(r)/ *s* pallore

palm /pɑːm/ ◆ *s* **1** palmo **2** (*anche* **palm tree**) palma LOC **to have sb in the palm of your hand** avere qn in pugno ◆ PHR V **to palm sb/sth off (on sb)** (*inform*) rifilare qn/qc (a qn)

paltry /ˈpɔːltri/ *agg* (**-ier**, **-iest**) insignificante

pamper /ˈpæmpə(r)/ *vt* (*spesso dispreg*) viziare

pamphlet /ˈpæmflət/ *s* **1** opuscolo **2** (*politico*) volantino

pan /pæn/ *s* pentola ☛ *Vedi illustrazione a* SAUCEPAN LOC *Vedi* FLASH

pancake /ˈpænkeɪk/ *s* frittella, crêpe ☛ *Vedi nota a* MARTEDÌ

panda /ˈpændə/ *s* panda

pander /ˈpændə(r)/ PHR V **to pander to sb/sth** (*dispreg*) assecondare qn/qc

pane /peɪn/ *s* vetro (*di finestra*): *a pane of glass* una lastra di vetro ◊ *a windowpane* un vetro

panel /ˈpænl/ *s* **1** (*parete, porta*) pannello **2** (*comandi*) quadro **3** [*v sing o pl*] (*TV, Radio*) gruppo di esperti **4** [*v sing o pl*] giuria **panelled** (*USA* **paneled**) *agg* a pannelli **panelling** (*USA* **paneling**) *s* rivestimento a pannelli

pang /pæŋ/ *s* (*lett e fig*) fitta: *hunger pangs* morsi della fame ◊ *pangs of conscience* rimorsi di coscienza

panic /ˈpænɪk/ ◆ *s* panico: *panic-stricken* preso dal panico ◆ **1** *vi* (**-ck-**) farsi prendere dal panico **2** *vt* (**-ck-**) impaurire

pant /pænt/ *vi* ansimare

panther /ˈpænθə(r)/ *s* **1** pantera **2** (*USA*) puma

panties /ˈpæntiz/ *s* (*inform*) [*pl*] mutandine

pantomime /ˈpæntəmaɪm/ *s* **1** (*GB*) commedia musicale per bambini, tipica del periodo natalizio, basata su una fiaba **2** (*fig*) farsa

pantry /ˈpæntri/ *s* (*pl* **-ies**) dispensa

pants /pænts/ *s* [*pl*] **1** (*GB*) mutande **2** (*USA*) pantaloni

paper /ˈpeɪpə(r)/ ◆ *s* **1** [*non numerabile*] carta: *a piece of paper* un foglio/pezzo di carta **2** giornale **3** (*anche* **wallpaper**) carta da parati **4** **papers** [*pl*] documenti **5 papers** [*pl*] carte **6** esame scritto **7** (*scientifico, accademico*) articolo, relazione LOC **on paper 1** per iscritto **2** (*fig*) sulla carta ◆ *vt* tappezzare (*pareti*)

paperback /ˈpeɪpəbæk/ *s, agg* tascabile

paperwork /ˈpeɪpəwɜːk/ *s* [*non numerabile*] pratiche

par /pɑː(r)/ *s* LOC **below par** (*inform*) non in forma **to be on a par with sb/sth** essere allo stesso livello di qn/qc

parable /ˈpærəbl/ *s* parabola (*racconto*)

parachute /ˈpærəʃuːt/ *s* paracadute

parade /pəˈreɪd/ ◆ *s* **1** parata **2** (*anche* **parade ground**) piazza d'armi ◆ **1** *vi* sfilare **2** *vi* (*Mil*) adunarsi **3** *vt* (*dispreg*) (*cultura, ricchezza*) fare sfoggio di **4** *vt* (*per le strade*) portare in giro

paradise /ˈpærədaɪs/ *s* paradiso

paradox /ˈpærədɒks/ *s* paradosso

paraffin /ˈpærəfɪn/ *s* cherosene

paragraph /ˈpærəgrɑːf; *USA* -græf/ *s* paragrafo

parallel /ˈpærəlel/ ◆ *agg* parallelo ◆ *s* **1** (*gen, Geog*) parallelo **2** (*Sport*) parallela

paralyse (*USA* **paralyze**) /ˈpærəlaɪz/ *vt* paralizzare

paralysis /pəˈræləsɪs/ *s* [*non numerabile*] paralisi

paramount /ˈpærəmaʊnt/ *agg* fondamentale: *of paramount importance* di capitale importanza

paranoid /ˈpærənɔɪd/ *agg* paranoico

paraphrase /ˈpærəfreɪz/ *vt* parafrasare

parasite /ˈpærəsaɪt/ *s* parassita

parcel /ˈpɑːsl/ (*USA* **package**) *s* pacco

> **Parcel** (USA **package**) si usa per indicare i pacchi per spedizioni postali. Un altro termine per pacchi e pacchetti è **package**. **Packet** (USA **pack**) è usato per riferirsi a pacchetti o sacchetti di merce venduti nei negozi: *a packet of cigarettes/crisps*. **Pack** si usa per riferirsi alle confezioni di oggetti diversi venduti come un tutt'uno: *The pack contains needles and thread.* Nella confezione ci sono ago e filo. *Vedi anche* PACKAGING *a* PACKAGE e illustrazione a CONTAINER

parched /pɑːtʃt/ *agg* **1** riarso **2** (*persona*) assetato

parchment /ˈpɑːtʃmənt/ *s* pergamena

pardon /ˈpɑːdn/ ◆ *s* **1** perdono **2** (*Dir*) grazia, condono LOC *Vedi* BEG ◆ *vt* (*form*) perdonare LOC **pardon?** (*USA* **pardon me?**) prego?, come? **pardon me!** scusi!

parent /ˈpeərənt/ *s* genitore: *the parent company* la società madre

> Nota che la parola italiana *parente* si traduce "relative".

parentage *s* **1** origini **2** genitori **parental** /pəˈrentl/ *agg* dei genitori **parenthood** /ˈpeərənthʊd/ *s* maternità paternità

parish /ˈpærɪʃ/ *s* [*v sing o pl*] parrocchia: *parish priest* parroco

park /pɑːk/ ◆ *s* **1** parco: *parkland* parco **2** (*USA*) campo sportivo ◆ *vt, vi* parcheggiare

parking /ˈpɑːkɪŋ/ *s* [*non numerabile*] parcheggio: *no parking* sosta vietata ◊ *a parking ticket/fine* una multa per sosta vietata ◊ *a parking space* un parcheggio ◊ *a parking meter* un parchimetro

parliament /ˈpɑːləmənt/ *s* [*v sing o pl*] parlamento: *the European/Scottish Parliament* il Parlamento europeo/scozzese ◊ *Member of Parliament* deputato ☛ *Vedi pag 381.* **parliamentary** /ˌpɑːləˈmentri/ *agg* parlamentare

parlour (*USA* **parlor**) /ˈpɑːlə(r)/ *s* salotto

parody /ˈpærədi/ *s* (*pl* **-ies**) parodia

parole /pəˈrəʊl/ *s* libertà condizionale

parrot /ˈpærət/ *s* pappagallo

parsley /ˈpɑːsli/ *s* prezzemolo

parsnip /ˈpɑːsnɪp/ *s* pastinaca

part /pɑːt/ ◆ *s* **1** parte: *in part exchange* come pagamento parziale **2** pezzo: *spare parts* pezzi di ricambio **3** (*TV*) episodio **4** (*Cine, Teat*) ruolo, parte **5 parts** [*pl*]: *She's not from these parts.* Non è di queste parti. LOC **for my part** per quanto mi riguarda **for the most part** per lo più **on the part of sb/on sb's part**: *It was a mistake on my part.* È stato un errore da parte mia. **the best/better part of sth** la maggior parte di qc: *for the best part of a year* per quasi un anno **to take part (in sth)** partecipare (a qc) **to take sb's part** prendere le parti di qn ◆ **1** *vt, vi* separare, separarsi: *We parted on good terms.* Ci siamo lasciati da buoni amici **2** *vt, vi* (*tende, labbra*) aprire, aprirsi LOC **to part company (with sb)** separarsi (da qn) **to part your hair** farsi la riga PHR V **to part with sth 1** separarsi da qc, disfarsi di qc **2** (*soldi*) sborsare

partial /ˈpɑːʃl/ *agg* **1** parziale **2** ~ (**towards sb/sth**) parziale (verso qn/qc) LOC **to be partial to sb/sth** avere un debole per qn/qc **partially** *avv* parzialmente

participant /pɑːˈtɪsɪpənt/ *s* partecipante

participate /pɑːˈtɪsɪpeɪt/ *vi* ~ (**in sth**) partecipare (a qc) **participation** *s* partecipazione

particle /ˈpɑːtɪkl/ *s* **1** pezzettino, particella **2** (*Gramm*) particella

particular /pəˈtɪkjələ(r)/ ◆ *agg* **1** particolare: *in this particular case* in questo caso specifico **2** ~ (**about sth**) pignolo, difficile (per qc) ◆ **particulars** *s* [*pl*] dettagli, dati **particularly** *avv* particolarmente

parting /ˈpɑːtɪŋ/ *s* **1** separazione **2** (*capelli*) riga

partisan /ˌpɑːtɪˈzæn, ˈpɑːtɪzæn; *USA* ˈpɑːrtɪzn/ ◆ *agg* di parte ◆ *s* **1** sostenitore, -trice **2** (*Mil*) partigiano, -a

partition /pɑːˈtɪʃn/ *s* **1** (*Politica*) divisione **2** tramezzo

partly /ˈpɑːtli/ *avv* in parte

partner /ˈpɑːtnə(r)/ *s* **1** (*Comm*) socio, -a **2** (*ballo, sport, relazione*) compagno, -a **partnership** *s* **1** associazione **2** (*Comm*) società

partridge /ˈpɑːtrɪdʒ/ *s* pernice

part-time /ˌpɑːt ˈtaɪm/ *agg, avv* part-time

party /ˈpɑːti/ *s* (*pl* **-ies**) **1** festa **2** (*Politica*) partito **3** gruppo, comitiva **4** (*Dir*) parte in causa LOC **to be (a) party to sth** partecipare a qc

pass /pɑːs; *USA* pæs/ ◆ *s* **1** (*esame*) sufficienza **2** (*permesso*) lasciapassare **3** (*autobus, ecc*) abbonamento **4** (*Sport*) passaggio **5** (*montagna*) passo LOC **to make a pass at sb** (*inform*) fare delle avances a qn ◆ **1** *vt, vi* passare **2** *vt* (*ostacolo, limite*) superare **3** *vi* succedere

PHR V **to pass as sb/sth** *Vedi* TO PASS FOR SB/STH

to pass away (*euf*) mancare (*morire*)

to pass by (sb/sth) passare (davanti/accanto a qn/qc) **to pass sb/sth by 1** oltrepassare qn/qc **2** ignorare qn/qc

to pass for sb/sth passare per qn/qc

to pass sb/sth off as sb/sth far passare qn/qc per qn/qc

to pass out svenire

to pass sth round far circolare, passare qc

to pass sth up (*inform*) lasciarsi sfuggire (*occasione*)

passable /ˈpɑːsəbl; *USA* ˈpæs-/ *agg* **1** passabile, accettabile **2** transitabile

passage /ˈpæsɪdʒ/ *s* **1** (*anche* **passageway**) passaggio, corridoio **2** passaggio, brano

passenger /ˈpæsɪndʒə(r)/ *s* passeggero, -a

passer-by /ˌpɑːsə ˈbaɪ; *USA* ˌpæsər/ *s* (*pl* **-s-by** /ˌpɑːsəz ˈbaɪ/) passante

passing /ˈpɑːsɪŋ; *USA* ˈpæs-/ ◆ *agg* **1** passeggero **2** (*occhiata*) di sfuggita **3** (*commento*) en passant **4** (*auto, persona*) di passaggio ◆ *s* **1** passaggio: *with the passing of time* col passare del tempo ◊ *the passing of an era* la fine di un'epoca **2** (*form*) scomparsa LOC **in passing** di sfuggita

passion /ˈpæʃn/ *s* passione **passionate** *agg* appassionato, passionale

passive /ˈpæsɪv/ ◆ *agg* passivo ◆ *s* (*anche* **passive voice**) forma passiva

passport /ˈpɑːspɔːt; *USA* ˈpæs-/ *s* passaporto

password /ˈpɑːswɜːd/ (*anche* **watchword**) *s* parola d'ordine

past /pɑːst; *USA* pæst/ ◆ *agg* **1** passato **2** *past students* ex-studenti **3** ultimo: *in the past few days* negli ultimi giorni ◆ *s* **1** passato **2** (*anche* **past tense**) passato (*grammatica*) ◆ *prep* **1** *half past two* le due e mezzo **2** (*con verbi di movimento*): *to walk past sb/sth* passare davanti/accanto a qn/qc **3** oltre: *It's past five o'clock.* Sono le cinque passate. ◊ *It's past your bedtime.* Dovresti già essere a letto. LOC **not to put it past sb (to do sth)**: *I wouldn't put it past him to do it.* Non mi stupirei affatto se lo facesse. ◆ *avv* accanto, davanti: *to walk past* passare

paste /peɪst/ *s* **1** impasto, pasta **2** colla **3** pâté

pastime /ˈpɑːstaɪm; *USA* ˈpæs-/ *s* passatempo

pastor /ˈpɑːstə(r); *USA* ˈpæs-/ *s* pastore (*sacerdote*)

pastoral /ˈpɑːstərəl; *USA* ˈpæs-/ *agg* pastorale

pastry /ˈpeɪstri/ *s* **1** (*pl* **-ies**) pasta (*dolce*) **2** [*non numerabile*] pasta (*frolla, sfoglia, ecc*)

pasture /ˈpɑːstʃə(r); *USA* ˈpæs-/ *s* pascolo

pat /pæt/ ◆ *vt* (**-tt-**) **1** dare dei colpetti a **2** (*animale*) accarezzare ◆ *s* **1** colpetto **2** carezza **3** (*burro*) pezzetto **LOC to give sb a pat on the back** congratularsi con qn

patch /pætʃ/ ◆ *s* **1** (*stoffa*) pezza, toppa **2** (*su un occhio*) benda **3** (*nebbia, ecc*) zona, pezzetto: *patches of fog* banchi di nebbia **4** orto **5** (*colore*) macchia **6** (*GB, inform*) (*area di lavoro*) zona **LOC not to be a patch on sb/sth** non essere niente a paragone di qn/qc *Vedi anche* BAD ◆ *vt* rattoppare **PHR V to patch sth up 1** riparare qc alla meglio **2** (*divergenza*) risolvere qc **patchy** *agg* (**-ier**, **-iest**) **1** irregolare: *patchy fog* nebbia a banchi **2** (*qualità*) disuguale **3** (*preparazione*) lacunoso

patchwork /ˈpætʃwɜːk/ *s* **1** patchwork **2** (*fig*) mosaico

patent /ˈpeɪtnt; *USA* ˈpætnt/ ◆ *agg* **1** palese **2** (*Comm*) brevettato ◆ *s* brevetto ◆ *vt* brevettare **patently** *avv* palesemente

paternal /pəˈtɜːnl/ *agg* paterno

path /pɑːθ; *USA* pæθ/ *s* **1** (*anche* **pathway**, **footpath**) sentiero, vialetto **2** strada, passaggio: *The tree blocked our path.* L'albero ci bloccava la strada. **3** traiettoria **4** (*fig*) strada

pathetic /pəˈθetɪk/ *agg* **1** patetico **2** (*inform*) (*insufficiente*) pietoso

pathological /ˌpæθəˈlɒdʒɪkl/ *agg* patologico **pathology** /pəˈθɒlədʒi/ *s* patologia

pathos /ˈpeɪθɒs/ *s* pathos

patience /ˈpeɪʃns/ *s* **1** pazienza **2** (*GB*) solitario (*gioco*) **LOC** *Vedi* TRY

patient /ˈpeɪʃnt/ ◆ *s* paziente ◆ *agg* paziente

patio /ˈpætiəʊ/ *s* (*pl* **~s** /-əʊz/) **1** terrazza **2** patio

patriarch /ˈpeɪtriɑːk; *USA* ˈpæt-/ *s* patriarca

patriot /ˈpætrɪət; *USA* ˈpeɪt-/ *s* patriota **patriotic** /ˌpætrɪˈɒtɪk; *USA* ˌpeɪt-/ *agg* patriottico

patrol /pəˈtrəʊl/ ◆ *vt* (**-ll-**) pattugliare ◆ *s* **1** giro d'ispezione **2** pattuglia

patron /ˈpeɪtrən/ *s* **1** patrocinatore, -trice **2** (*antiq*) mecenate **3** (*ristorante*) cliente **patronage** *s* **1** patrocinio **2** *I, the service isn't good enough I can take my patronage elsewhere.* Se il servizio non è buono, mi servirò altrove. **3** clientelismo

patronize, -ise /ˈpætrənaɪz; *USA* ˈpeɪt-/ *vt* **1** trattare con condiscendenza **2** patrocinare **3** (*luogo*) frequentare abitualmente **patronizing, -ising** *agg* condiscendente

pattern /ˈpætn/ *s* **1** motivo, disegno (*su stoffa, carta*) **2** (*lavoro manuale*) modello, campione **3** schema, esempio **patterned** *agg* fantasia

pause /pɔːz/ ◆ *s* pausa *Vedi anche* BREAK[2] ◆ *vi* fare una pausa, fermarsi

pave /peɪv/ *vt* lastricare **LOC to pave the way (for sb/sth)** spianare la strada (a qn/qc)

pavement /ˈpeɪvmənt/ *s* **1** (*USA* **sidewalk**) marciapiede **2** (*USA*) pavimentazione stradale

pavilion /pəˈvɪliən/ *s* **1** (*GB*) tribuna con spogliatoi **2** padiglione

paving /ˈpeɪvɪŋ/ *s* pavimentazione *paving stones* lastre di pavimentazione

paw /pɔː/ ◆ *s* zampa ◆ *vt* **1** dare una zampata a **2** toccare (*maldestramente* o *sessualmente*)

pawn[1] /pɔːn/ *s* **1** pedone (*scacchi*) **2** (*fig*) pedina

pawn[2] /pɔːn/ *vt* impegnare (*al monte di pietà*)

pawnbroker /ˈpɔːnˌbrəʊkə(r)/ *s* prestatore, -trice su pegno

pay /peɪ/ ◆ *s* [*non numerabile*] paga: *a pay rise/increase* un aumento di stipendio ◊ *pay claim* rivendicazione salariale ◊ *pay day* giorno di paga ◊ *pay packet* busta paga *Vedi anche* INCOME ◆ (*pass pp* **paid**) **1** *vt* **to pay sth (to sb) (for sth)** pagare qc (a qn) (per qc) **2** *vt, vi* **to pay sb (for sth)** pagare qn (per qc) **3** *vi* **to pay for sth** pagare qc **4** *vi* convenire **LOC to pay attention (to sb/sth)** fare attenzione (a qn/qc) **to pay sb a compliment/pay a compliment to sb** fare un complimento a qn **to pay sb a visit** andare a trovare qn **to pay sth a visit** visitare qc *Vedi anche* EARTH
PHR V to pay sb back rimborsare qn **to pay sb back sth; to pay sth back** restituire qc (a qn)
to pay sth in versare qc (*soldi*)

to pay off (*inform*) funzionare, dare i suoi frutti **to pay sb off** liquidare qn (*dipendenti*) **to pay sth off** finire di pagare
to pay up pagare, saldare un debito
payable *agg* pagabile

ayment /ˈpeɪmənt/ *s* **1** pagamento **2** [*non numerabile*]: *in/as payment for* come ricompensa per

ay-off /ˈpeɪ ɒf/ *s* (*inform*) **1** tangente **2** ricompensa

ayroll /ˈpeɪrəʊl/ *s* **1** libro paga **2** importo delle paghe

C /ˌpiː ˈsiː/ *abbr* (*pl* **PCs**) **1 personal computer** personal computer **2 police constable** agente di polizia

E /ˌpiː ˈiː/ *abbr* **physical education** educazione fisica

ea /piː/ *s* pisello

eace /piːs/ *s* pace: *peace of mind* serenità di spirito LOC **peace and quiet** pace e tranquillità **to be at peace** (**with sb/sth**) essere in pace (con qn/qc) **to make** (**your**) **peace** (**with sb**) fare la pace (con qn) *Vedi anche* DISTURB
peaceful *agg* **1** pacifico **2** tranquillo

each /piːtʃ/ *s* **1** pesca ☛ *Vedi illustrazione a* FRUTTA **2** (*anche* **peach tree**) pesco **3** color pesca

eacock /ˈpiːkɒk/ *s* pavone

eak /piːk/ ◆ *s* **1** (*montagna*) vetta **2** punta **3** visiera **4** apice ◆ *agg* massimo: *peak hours* ore di punta ◊ *in peak condition* in ottime condizioni ◆ *vi* raggiungere il punto massimo **peaked** *agg* **1** a punta **2** (*cappello*) con visiera

eal /piːl/ *s* **1** (*campane*) scampanio **2** *peals of laughter* uno scoppio di risate

eanut /ˈpiːnʌt/ *s* **1** nocciolina americana **2 peanuts** [*pl*] (*inform*) una miseria (*pochi soldi*)

ear /peə(r)/ *s* **1** pera ☛ *Vedi illustrazione a* FRUTTA **2** (*anche* **pear tree**) pero

earl /pɜːl/ *s* (*lett e fig*) perla

easant /ˈpeznt/ *s* **1** contadino, -a ☛ *Vedi nota a* CONTADINO **2** (*inform, dispreg*) zoticone, -a

eat /piːt/ *s* torba

ebble /ˈpebl/ *s* ciottolo (*di fiume*)

eck /pek/ ◆ **1** *vt, vi* beccare **2** (*inform*) *vt* dare un bacio veloce a LOC **pecking order** (*inform*) ordine gerarchico ◆ *s* **1** beccata **2** (*inform*) bacio veloce

peckish /ˈpekɪʃ/ *agg* (*inform*): *to feel peckish* avere un languorino

peculiar /pɪˈkjuːliə(r)/ *agg* **1** strano **2** particolare **3** ~ (**to sb/sth**) proprio (di qn/qc) **peculiarity** /pɪˌkjuːliˈærəti/ *s* (*pl* **-ies**) peculiarità **peculiarly** *avv* **1** particolarmente **2** in modo strano

pedal /ˈpedl/ ◆ *s* pedale ◆ *vi* (*pass* **-ll-**, *USA* **-l-**) pedalare

pedantic /pɪˈdæntɪk/ *agg* (*dispreg*) pedante

pedestrian /pəˈdestriən/ ◆ *s* pedone: *pedestrian precinct/crossing* zona/passaggio pedonale ◆ *agg* (*dispreg*) pedestre

pediatrician (*USA*) *Vedi* PAEDIATRICIAN

pedigree /ˈpedɪgriː/ ◆ *s* **1** (*animale*) pedigree **2** (*persona*) ascendenza, albero genealogico ◆ *agg* di razza

pee /piː/ ◆ *vi* (*inform*) fare la pipì ◆ *s* (*inform*) **1** pipì: *have a pee* fare la pipì

peek /piːk/ *vi* ~ **at sb/sth** dare una sbirciata a qn/qc

peel /piːl/ ◆ **1** *vt* sbucciare **2** *vi* spellarsi PHR V **to peel** (**away/off**) **1** (*carta da parati*) staccarsi **2** (*tinta*) venir via **to peel sth away/back/off 1** staccare qc, togliere qc ◆ *s* [*non numerabile*] buccia, scorza

> Per la scorza del limone si usa **rind** o **peel**, mentre per l'arancia si usa solo **peel**. **Skin** si usa per la buccia della banana e per altri frutti con la buccia molto sottile, come la pesca. *Vedi illustrazione a* FRUTTA

peep /piːp/ ◆ *vi* **1** ~ **at sb/sth** dare una sbirciata a qn/qc **2** ~ **over, through, etc sth** sbirciare da qc PHR V **to peep out/through** spuntare ◆ *s* **1** sbirciata **2** pio pio: *I haven't heard a peep out of him all day.* In tutto il giorno non ha detto una parola. LOC **to have/take a peep at sb/sth** dare una sbirciata a qn/qc

peer /pɪə(r)/ ◆ *vi* ~ **at sb/sth** scrutare qn/qc ☛ Talvolta implica il dover aguzzare la vista per vedere. PHR V **to peer out** (**of sth**) sporgersi (da qc) ◆ *s* **1** pari **2** coetaneo, -a **3** (*GB*) Pari, nobile **the peerage** *s* [*v sing o pl*] i Pari, la nobiltà

peeved /piːvd/ *agg* (*inform*) seccato, scocciato

peg /peg/ ◆ *s* **1** (*anche* **clothes-peg**)

molletta (*per i panni*) **2** (*al muro*) attaccapanni LOC **to bring/take sb down a peg (or two)** far abbassare la cresta a qn ◆ *vt* (**-gg-**) **1** (*prezzi, salari*) stabilizzare **2 to peg sth to sth** appendere qc a qc

pejorative /pɪˈdʒɒrətɪv; *USA* -ˈdʒɔːr-/ *agg* (*form*) peggiorativo

pelican /ˈpelɪkən/ *s* pellicano

pellet /ˈpelɪt/ *s* **1** (*carta, pane, ecc*) pallina **2** (*pistola*) pallino **3** (*fertilizzante*) granello

pelt /pelt/ ◆ *s* pelle, pelliccia ◆ *vt* (*inform*) ~ **sb with sth** tirare qc addosso a qn LOC **to pelt down (with rain)** piovere a dirotto PHR V **to pelt along, down, up, etc (sth)**: *They pelted down the hill.* Corsero a più non posso giù per la collina.

pelvis /ˈpelvɪs/ *s* bacino (*corpo umano*) **pelvic** *agg* pelvico

pen /pen/ *s* **1** penna, pennarello **2** (*animali*) recinto

penalize, -ise /ˈpiːnəlaɪz/ *vt* penalizzare

penalty /ˈpenlti/ *s* (*pl* **-ies**) **1** (*castigo*) pena **2** ammenda **3** svantaggio **4** (*Sport*) penalità **5** (*calcio*) rigore

pence /pens/ *s* (*abbrev* **p**) penny

pencil /ˈpensl/ *s* lapis, matita: *pencil-sharpener* temperamatite

pendant /ˈpendənt/ *s* ciondolo

pending /ˈpendɪŋ/ ◆ *agg* (*form*) in sospeso ◆ *prep* in attesa di

pendulum /ˈpendjələm; *USA* -dʒʊləm/ *s* pendolo

penetrate /ˈpenɪtreɪt/ *vt* **1** penetrare, addentrarsi in **2** (*organizzazione*) infiltrarsi in PHR V **to penetrate into sth** introdursi in qc **to penetrate through sth** attraversare qc **penetrating** *agg* **1** perspicace **2** (*sguardo, suono*) penetrante

penfriend /ˈpenfrend/ *s* amico, -a di penna

penguin /ˈpeŋgwɪn/ *s* pinguino

penicillin /ˌpenɪˈsɪlɪn/ *s* penicillina

peninsula /pəˈnɪnsjələ; *USA* -nsələ/ *s* penisola

penis /ˈpiːnɪs/ *s* pene

penknife /ˈpennaɪf/ *s* (*pl* **-knives** /-naɪvz/) temperino (*coltello*)

penniless /ˈpeniləs/ *agg* senza un soldo

penny /ˈpeni/ *s* (*pl* **pence** /pens/ o **pennies** /ˈpeniz/) **1** penny: *It was worth every penny.* Ne è valsa la pena. **2** (*fig*) soldo: *It cost a pretty penny.* È costato fior di quattrini. **3** (*USA*) centesimo

pension /ˈpenʃn/ ◆ *s* pensione (*soldi*) ◆ PHR V **to pension sb off** mandare in pensione qn **to pension sth off** mettere a riposo qc **pensioner** *s* pensionato, -a

penthouse /ˈpenthaʊs/ *s* superattico

pent-up /ˈpent ʌp/ *agg* represso

penultimate /penˈʌltɪmət/ *agg* penultimo

people /ˈpiːpl/ ◆ *s* **1** [*pl*] gente: *People are saying that...* La gente dice che... **2** [*pl*] persone: *ten people* dieci persone ☛ *Confronta* PERSON **3 the people** [*pl*] il pubblico **4** (*nazione*) popolo ◆ *v*[...] popolare

pepper /ˈpepə(r)/ *s* **1** pepe: *peppercorn* granello di pepe **2** peperone

peppermint /ˈpepəmɪnt/ *s* **1** menta piperita **2** (*anche* **mint**) mentina

per /pə(r)/ *prep* a: *per person* a testa ◊ *£60 per day* 60 sterline al giorno ◊ *per annum* all'anno

perceive /pəˈsiːv/ *vt* (*form*) **1** percepire, notare **2** interpretare

per cent /pə ˈsent/ *agg, avv* per cento **percentage** *s* percentuale: *percentage increase* incremento percentuale

perceptible /pəˈseptəbl/ *agg* percettibile

perception /pəˈsepʃn/ *s* (*form*) **1** percezione **2** sensibilità, perspicacia **3** punto di vista

perceptive /pəˈseptɪv/ *agg* (*form*) perspicace

perch /pɜːtʃ/ ◆ *s* **1** (*per uccellini*) pertica **2** posizione elevata **3** pesce persico ◆ *vi* posarsi, appollaiarsi: *to be perched on sth* essere appollaiato su qc

percussion /pəˈkʌʃn/ *s* percussione

perennial /pəˈreniəl/ *agg* perenne

perfect[1] /ˈpɜːfɪkt/ *agg* **1** perfetto **2** ~ **for sb/sth** ideale per qn/qc **3** completo: *a perfect stranger* un perfetto sconosciuto

perfect[2] /pəˈfekt/ *vt* perfezionare

perfection /pəˈfekʃn/ *s* perfezione LOC **to perfection** alla perfezione **perfectionist** *s* perfezionista

erfectly /ˈpɜːfɪktli/ *avv* **1** perfettamente **2** completamente

erforate /ˈpɜːfəreɪt/ *vt* perforare **perforated** *agg* perforato **perforation** *s* **1** perforazione **2** linea perforata

erform /pəˈfɔːm/ **1** *vt* (*funzione, compito*) svolgere **2** *vt* (*operazione, lavoro*) eseguire **3** *vt* (*dovere*) adempiere **4** *vt* (*balletto, commedia*) rappresentare **5** *vi* (*attore*) recitare **6** *vt, vi* (*pezzo musicale*) eseguire, suonare

erformance /pəˈfɔːməns/ *s* **1** (*Cine, Teat, Mus*) spettacolo: *the evening performance* lo spettacolo serale **2** (*attore, cantante*) interpretazione **3** (*musicista*) esecuzione **4** (*atleta, macchina*) prestazione **5** (*studente, azienda*) rendimento **6** (*compito, lavoro*) esecuzione, svolgimento **7** (*dovere*) adempimento

erformer /pəˈfɔːmə(r)/ *s* artista (*di spettacolo*)

erfume /ˈpɜːfjuːm; *USA* pərˈfjuːm/ *s* profumo

erhaps /pəˈhæps, præps/ *avv* forse, può darsi: *perhaps not* forse no *Vedi anche* MAYBE

eril /ˈperəl/ *s* pericolo, rischio

erimeter /pəˈrɪmɪtə(r)/ *s* perimetro

eriod /ˈpɪəriəd/ *s* **1** periodo: *over a period of three years* nel corso di tre anni **2** epoca: *period dress/furniture* abiti/mobili d'epoca **3** (*Scuola*) ora **4** (*Med*) mestruazioni **5** (*spec USA*) *Vedi* FULL STOP

eriodic /ˌpɪəriˈɒdɪk/ (*anche* **periodical** /ˌpɪəriˈɒdɪkl/) *agg* periodico

eriodical /ˌpɪəriˈɒdɪkl/ *s* periodico

erish /ˈperɪʃ/ *vi* (*form*) **1** perire **2** (*stoffa, guarnizione*) deteriorarsi **perishable** *agg* deperibile

erjury /ˈpɜːdʒəri/ *s* spergiuro

erk /pɜːk/ ◆ *v* (*inform*) PHR V **to perk up 1** tirarsi su di morale **2** (*affari*) migliorare **to perk sb up** tirare su qn **to perk sth up** valorizzare qc ◆ *s* (*inform*) vantaggio (*di un impiego*)

erm /pɜːm/ ◆ *s* permanente ◆ *vt*: *to have your hair permed* farsi la permanente

ermanent /ˈpɜːmənənt/ *agg* permanente, fisso **permanently** *avv* **1** (*paralizzato, ecc*) in modo permanente **2** (*danneggiato*) irreparabilmente **3** (*ubriaco, ecc*) perennemente

permissible /pəˈmɪsəbl/ *agg* permesso, ammissibile

permission /pəˈmɪʃn/ *s* ~ (**for sth/to do sth**) permesso, autorizzazione (per qc/per fare qc)

permissive /pəˈmɪsɪv/ *agg* (*spesso dispreg*) permissivo

permit /pəˈmɪt/ ◆ *vt, vi* (**-tt-**) (*form*) permettere: *If time permits...* Se c'è tempo... ☛ *Vedi nota a* ALLOW ◆ /ˈpɜːmɪt/ *s* **1** permesso, autorizzazione **2** lasciapassare

perpendicular /ˌpɜːpənˈdɪkjələ(r)/ *agg* **1** ~ (**to sth**) perpendicolare (a qc) **2** (*scogliera*) a picco

perpetrate /ˈpɜːpətreɪt/ *vt* (*form*) commettere

perpetual /pəˈpetʃuəl/ *agg* **1** perpetuo **2** incessante, continuo

perpetuate /pəˈpetʃueɪt/ *vt* perpetuare

perplexed /pəˈplekst/ *agg* perplesso

persecute /ˈpɜːsɪkjuːt/ *vt* ~ **sb** (**for sth**) perseguitare qn (per qc) **persecution** *s* persecuzione

persevere /ˌpɜːsɪˈvɪə(r)/ *vi* **1** ~ (**in/with sth**) perseverare (in qc) **2** ~ (**with sb**) insistere (con qn) **perseverance** *s* perseveranza

persist /pəˈsɪst/ *vi* **1** ~ (**in sth/in doing sth**) persistere, ostinarsi (in qc/a fare qc) **2** ~ **with sth** continuare con qc **3** persistere, durare **persistence** *s* **1** perseveranza, ostinazione **2** persistere **persistent** *agg* **1** ostinato, insistente **2** persistente, continuo

person /ˈpɜːsn/ *s* persona ☛ Il plurale *persons* si usa solo nel linguaggio formale. *Confronta* PEOPLE LOC **in person** di persona, in persona **personal** *agg* personale: *personal assistant* segretario particolare ◇ *personal column(s)* piccoli annunci LOC **to become/get personal** scendere nel personale **personality** /ˌpɜːsəˈnæləti/ *s* (*pl* **-ies**) personalità **personalized, -ised** *agg* personalizzato **personally** *avv* personalmente: *to know sb personally* conoscere qn di persona LOC **to take it personally** prendersela **to take sth personally** prendersela per qc

personify /pəˈsɒnɪfaɪ/ *vt* (*pass, pp* **-fied**) personificare, rappresentare: *He is kindness personified.* È la gentilezza in persona.

personnel /ˌpɜːsəˈnel/ *s* [*v sing o pl*]

personale (*ufficio*): *personnel officer* impiegato dell'ufficio del personale

perspective /pə'spektɪv/ *s* prospettiva LOC **to put sth in (its true) perspective** vedere qc nella giusta prospettiva

perspire /pə'spaɪə(r)/ *vi* (*form*) traspirare, sudare **perspiration** *s* **1** traspirazione **2** sudore ☛ La parola più comune è **sweat**.

persuade /pə'sweɪd/ *vt* **1** ~ **sb to do sth** persuadere qn a fare qc **2** ~ **sb (of sth)** persuadere qn (di qc) **persuasion** *s* **1** persuasione **2** convinzione (*religiosa, politica*) **persuasive** *agg* convincente, persuasivo

pertinent /'pɜːtɪnənt; *USA* -tənənt/ *agg* (*form*) pertinente

perturb /pə'tɜːb/ *vt* (*form*) turbare

pervade /pə'veɪd/ *vt* ~ **sth 1** (*odore, sensazione*) pervadere qc **2** (*idea*) diffondersi in qc **pervasive** (*anche* **pervading**) *agg* **1** (*odore*) penetrante **2** (*idea, sensazione*) diffuso

perverse /pə'vɜːs/ *agg* **1** (*persona, comportamento*) ribelle, irragionevole **2** (*piacere, desiderio*) perverso **perversion** *s* **1** perversione **2** (*di giustizia, verità*) travisamento

pervert /pə'vɜːt/ ◆ *vt* **1** travisare, deviare **2** corrompere, pervertire ◆ /'pɜːvɜːt/ *s* pervertito, -a

pessimist /'pesɪmɪst/ *s* pessimista **pessimistic** /ˌpesɪ'mɪstɪk/ *agg* pessimista, pessimistico

pest /pest/ *s* **1** insetto/animale nocivo: *pest control* disinfestazione **2** (*inform, fig*) rompiscatole

pester /'pestə(r)/ *vt* tormentare

pet /pet/ ◆ *s* **1** animale domestico ◆ *agg* **1** prediletto **2** (*animale*): *We have a pet iguana.* Abbiamo in casa un'iguana. **3** (*cibo*) per animali domestici

petal /'petl/ *s* petalo

peter /'piːtə(r)/ PHR V **to peter out 1** (*conversazione, entusiasmo*) spegnersi **2** (*sentiero*) finire

petition /pə'tɪʃn/ *s* petizione

petrol /'petrəl/ (*USA* **gasoline**, **gas**) *s* benzina

petroleum /pə'trəʊliəm/ *s* petrolio

petrol station *s* benzinaio, stazione di servizio

petticoat /'petɪkəʊt/ *s* sottoveste, sottogonna

petty /'peti/ (**-ier, -iest**) *agg* (*dispreg*) **1** insignificante **2** *petty cash* piccola cassa **3** (*persona, comportamento*) meschino ◆ *petty crime* reati minori

pew /pjuː/ *s* banco (*di chiesa*)

phantom /'fæntəm/ *s, agg* fantasma

pharmaceutical /ˌfɑːmə'sjuːtɪkl; *USA* -'suː-/ *agg* farmaceutico

pharmacist /'fɑːməsɪst/ *s* farmacista ☛ *Confronta* CHEMIST

pharmacy /'fɑːməsi/ *s* (*pl* **-ies**) farmacia

> 'Farmacia' nel senso di negozio si dice **pharmacy** o **chemist's (shop)** in inglese britannico e **drugstore** in inglese americano.

phase /feɪz/ ◆ *s* fase ◆ *vt* scaglionare PHR V **to phase sth in/out** introdurre/eliminare qc gradualmente

pheasant /'feznt/ *s* (*pl* **pheasant** *o* ~**s**) fagiano

phenomena *s plurale di* PHENOMENON

phenomenal /fə'nɒmɪnl/ *agg* fenomenale

phenomenon /fə'nɒmɪnən; *USA* -nɒn/ *s* (*pl* **-ena** /-ɪnə/) fenomeno

phew! /fjuː/ *escl* uff!

philanthropist /fɪ'lænθrəpɪst/ *s* filantropo, -a

philosopher /fɪ'lɒsəfə(r)/ *s* filosofo, -a

philosophical /ˌfɪlə'sɒfɪkl/ (*anche* **philosophic**) *agg* filosofico

philosophy /fə'lɒsəfi/ *s* (*pl* **-ies**) filosofia

phlegm /flem/ *s* flemma **phlegmatic** *agg* flemmatico

phobia /'fəʊbiə/ *s* fobia

phone /fəʊn/ *Vedi* TELEPHONE

phonecard® /'fəʊnkɑːd/ *s* scheda telefonica

phone-in /'fəʊn ɪn/ *s* programma televisivo o radiofonico con telefonate in diretta

phon(e)y /'fəʊni/ *agg* (*inform*) (**-ier**, **-iest**) fasullo

photo /'fəʊtəʊ/ *s* (*pl* ~**s** /-təʊz/) *Vedi* PHOTOGRAPH

photocopier /'fəʊtəʊˌkɒpiə(r)/ *s* fotocopiatrice

photocopy /'fəʊtəʊkɒpi/ ◆ *vt* (*pass, pp* **-pied**) fotocopiare ◆ *s* (*pl* **-ies**) fotocopia

photograph /'fəʊtəgrɑːf; *USA* -græf/ ◆ *s* (*anche abbrev* **photo**) fotografia ◆ **1** *v* fotografare **2** *vi* venire (*in fotografia*): *He photographs well.* È fotogenico. **photographer** /fəˈtɒgrəfə(r)/ *s* fotografo, -a **photographic** /ˌfəʊtəˈgræfɪk/ *agg* fotografico **photography** /fəˈtɒgrəfi/ *s* fotografia (*tecnica*)

phrase /freɪz/ ◆ *s* **1** locuzione, sintagma **2** espressione, modo di dire: *phrase book* dizionarietto di frasi utili *Vedi anche* CATCHPHRASE **LOC** *Vedi* TURN ◆ *vt* **1** esprimere **2** (*Mus*) fraseggiare

physical /ˈfɪzɪkl/ ◆ *agg* fisico: *physical fitness* forma fisica ◆ *s* visita medica **physically** *avv* fisicamente: *physically fit* in buona forma fisica ◊ *physically handicapped* handicappato fisico

physician /fɪˈzɪʃn/ *s* medico

physicist /ˈfɪzɪsɪst/ *s* fisico, -a

physics /ˈfɪzɪks/ *s* [*sing*] fisica

physiology /ˌfɪziˈɒlədʒi/ *s* fisiologia

physiotherapy /ˌfɪziəʊˈθerəpi/ *s* fisioterapia **physiotherapist** *s* fisioterapista

physique /fɪˈziːk/ *s* fisico (*corporatura*)

pianist /ˈpɪənɪst/ *s* pianista

piano /pɪˈænəʊ/ *s* (*pl* ~**s** /-nəʊz/) pianoforte: *piano stool* sgabello per pianoforte

pick /pɪk/ ◆ **1** *vt* scegliere, selezionare ☛ *Vedi nota a* CHOOSE **2** *vt* (*fiore, frutta*) cogliere **3** *vt* grattare: *to pick your teeth* pulirsi i denti con lo stuzzicadenti ◊ *to pick your nose* mettersi le dita nel naso ◊ *to pick a hole* (*in sth*) fare un buco (in qc) **4** *vt* ~ **sth from/off sth** togliere qc da qc **5** *vt* (*serratura*) forzare **6** *vi* ~ **at sth** spilluzzicare qc **LOC to pick a fight/quarrel (with sb)** attaccare briga (con qn) **to pick and choose** scegliere accuratamente **to pick holes in sth** criticare qc **to pick sb's brains** chiedere dei suggerimenti a qn **to pick sb's pocket** rubare il portafoglio a qn **to pick up speed** acquistare velocità *Vedi anche* BONE **PHR V to pick on sb 1** fare il prepotente con qn **2** scegliere qn (*per un lavoro faticoso o spiacevole*)
to pick sb/sth out 1 individuare qn/qc **2** evidenziare qc **3** scegliere qn/qc
to pick up 1 (*affari*) migliorare **2** (*vento*) aumentare **3** riprendere **to pick sb up 1** (*spec in macchina*) passare a prendere qn **2** (*inform*) rimorchiare qn **3** (*polizia*) fermare qn **4** tirare su qn: *to pick up a child* prendere un bambino in braccio **to pick sth up 1** imparare qc **2** (*malattia, accento, abitudine*) prendere qc **3** raccogliere qc **to pick yourself up** rialzarsi ◆ *s* **1** scelta: *Take your pick.* Scegli quello che vuoi. **2 the pick (of sth)** il migliore (di qc) **3** piccone

pickle /ˈpɪkl/ *s* sottaceto **LOC to be in a pickle** essere nei guai

pickpocket /ˈpɪkpɒkɪt/ *s* borsaiolo, -a

picnic /ˈpɪknɪk/ *s* picnic

pictorial /pɪkˈtɔːriəl/ *agg* **1** illustrato **2** (*Arte*) pittorico

picture /ˈpɪktʃə(r)/ ◆ *s* **1** quadro, dipinto **2** disegno **3** illustrazione, figura **4** fotografia **5** ritratto **6** (*fig*) ritratto: *the picture of health* il ritratto della salute **7** immagine, idea **8** (*TV*) immagine **9** (*GB*) film **10 the pictures** [*pl*] (*GB*) il cinema **LOC to put sb in the picture** mettere qn al corrente ◆ **1** *v rifl* ~ **yourself** immaginarsi **2** *vt* raffigurare, ritrarre

picturesque /ˌpɪktʃəˈresk/ *agg* pittoresco

pie /paɪ/ *s* **1** (*dolce*) torta: *apple pie* torta di mele **2** (*salato*) pasticcio

> **Pie** è una torta con ripieno. **Tart** invece è una torta tipo crostata.

piece /piːs/ ◆ *s* **1** pezzo **2** (*carta*) foglio, pezzetto **3** appezzamento **4** *a piece of advice/news* un consiglio/una notizia ◊ *a piece of furniture/clothing* un mobile/un indumento ☛ **A piece of... o pieces of...** si usa con i sostantivi non numerabili. **5** moneta: *a 50p piece* una moneta da 50 penny **LOC in one piece** intatto, incolume **to be a piece of cake** (*inform*) essere una cosa semplicissima *Vedi anche* BIT[1] ◆ **PHR V to piece sth together** ricostruire qc

piecemeal /ˈpiːsmiːl/ ◆ *avv* poco alla volta ◆ *agg* graduale

pier /pɪə(r)/ *s* pontile

pierce /pɪəs/ *vt* **1** (*pallottola, freccia*) forare, trafiggere, penetrare in **2** forare: *to have your ears pierced* farsi i buchi nelle orecchie **3** (*suono*) penetrare **piercing** *agg* **1** (*grido*) acuto, lacerante **2** (*sguardo*) penetrante

piety /ˈpaɪəti/ *s* devozione (*religiosa*)

pig /pɪg/ *s* **1** maiale **2** (*inform, dispreg*) porco ☛ *Vedi nota a* CARNE, MAIALE **3** (*anche* **greedy pig**) porco, -a

pigeon /ˈpɪdʒɪn/ *s* piccione

pigeon-hole /ˈpɪdʒɪn həʊl/ *s* casella (*per posta e messaggi*)

piglet /ˈpɪglət/ *s* maialino ☛ *Vedi nota a* MAIALE

pigment /ˈpɪgmənt/ *s* pigmento

pigsty /ˈpɪgstaɪ/ *s* (*pl* **-ies**) (*lett e fig*) porcile

pigtail /ˈpɪgteɪl/ *s* **1** treccina **2** codino

pile /paɪl/ ◆ *s* **1** pila **2** ~ **(of sth)** (*inform*) un mucchio di qc ◆ *vt* impilare, ammucchiare: *to be piled with sth* essere pieno di qc PHR V **to pile in/out** fare ressa per entrare/uscire **to pile up 1** accumularsi **2** (*veicoli*) tamponarsi a catena **to pile sth up** accumulare qc

pile-up /ˈpaɪl ʌp/ *s* tamponamento a catena

pilgrim /ˈpɪlgrɪm/ *s* pellegrino, -a **pilgrimage** *s* pellegrinaggio

pill /pɪl/ *s* **1** pillola **2 the pill** (*inform*) (*anticoncezionale*) la pillola

pillar /ˈpɪlə(r)/ *s* colonna, pilastro

pillar box *s* (*GB*) buca delle lettere (*a colonna*)

pillow /ˈpɪləʊ/ *s* guanciale ☛ *Vedi illustrazione a* LETTO **pillowcase** *s* federa

pilot /ˈpaɪlət/ ◆ *s* **1** pilota **2** (*TV*) programma pilota ◆ *agg* pilota (*sperimentale*)

pimple /ˈpɪmpl/ *s* brufolo

PIN /pɪn/ (*anche* **PIN number**) *s* **personal identification number** numero di codice segreto (*di carta di credito*)

pin /pɪn/ ◆ *s* **1** spillo **2** (*di spina*) spinotto **3** perno LOC **pins and needles** formicolio (*sensazione*) ◆ *vt* (**-nn-**) **1** attaccare (*con uno spillo/una puntina*), appuntare **2** (*persona, braccia*) immobilizzare PHR V **to pin sb down to sth 1** *to pin sb down to a date* far fissare una data a qn **2** (*a terra, contro il muro*) immobilizzare qn

pincer /ˈpɪnsə(r)/ *s* **1** (*Zool*) chela **2 pincers** [*pl*] tenaglie

pinch /pɪntʃ/ ◆ **1** *vt* pizzicare **2** *vt, vi* (*scarpe, ecc*) stringere **3** *vt* ~ **sth (from sb/sth)** (*inform*) fregare qc (a qn/da qc) ◆ *s* **1** pizzicotto **2** (*sale, ecc*) pizzico LOC **at a pinch** in caso di necessità

pine /paɪn/ ◆ *s* (*anche* **pine tree**) pino ◆ *vi* **1** ~ **(away)** languire, consumarsi **2** ~ **for sb/sth** sentire la mancanza di qn qc

pineapple /ˈpaɪnæpl/ *s* ananas ☛ *Ved illustrazione a* FRUTTA

ping /pɪŋ/ *s* suono metallico

ping-pong /ˈpɪŋ pɒŋ/ (*anche* **tabl tennis**) *s* (*inform*) ping-pong

pink /pɪŋk/ ◆ *agg* **1** rosa **2** (*a vergogna*) rosso ◆ *s* **1** rosa (*colore*) (*Bot*) garofano

pinnacle /ˈpɪnəkl/ *s* **1** (*fig*) apice (*Archit*) pinnacolo **3** (*di montagna*) vetta

pinpoint /ˈpɪnpɔɪnt/ *vt* **1** localizzar con esattezza **2** individuare, mettere fuoco

pint /paɪnt/ *s* **1** (*abbrev* **pt**) pinta (*0,56 litri*) ☛ *Vedi Appendice 1.* **2** *to have pint* farsi una birra

pin-up /ˈpɪn ʌp/ *s* foto (*di modello modella da appendere al muro*)

pioneer /ˌpaɪəˈnɪə(r)/ ◆ *s* (*lett e fig*) pionere, -a ◆ *vt* **to** ~ **sth** essere il prim a fare qc **pioneering** *agg* pionieristic

pious /ˈpaɪəs/ *agg* **1** pio, devoto (*dispreg*) bigotto

pip /pɪp/ *s* seme (*in limone, uva, ecc* ☛ *Vedi illustrazione a* FRUTTA

pipe /paɪp/ ◆ *s* **1** tubo **2** pipa **3** (*Mus* piffero **4 pipes** [*pl*] *Vedi* BAGPIPE ◆ convogliare (*per mezzo di tubatura* PHR V **to pipe down** (*inform*) fare siler zio **piping** *agg* LOC **piping hot** bollent

pipeline /ˈpaɪplaɪn/ *s* conduttura, ole dotto, gasdotto LOC **to be in the pipe line** (*ordinazione, cambiamento*) esser in arrivo

piracy /ˈpaɪrəsi/ *s* pirateria

pirate /ˈpaɪrət/ ◆ *s* pirata ◆ *vt* ripr durre abusivamente

Pisces /ˈpaɪsiːz/ *s* Pesci (*segno zodiacale*) ☛ *Vedi esempi a* AQUARIUS

pistol /ˈpɪstl/ *s* pistola

piston /ˈpɪstən/ *s* stantuffo, pistone

pit /pɪt/ ◆ *s* **1** fossa **2** miniera (*c carbone*) **3** buco **4 the pit** (*GB, Teat*) platea **5 the pits** [*pl*] (*automobilism* box **6** (*spec USA*) seme, nocciolo LOC **t be the pits** (*inform*) fare schifo ◆ *v* (**-tt** PHR V **to pit sb/sth against sb/st** contrapporre qn/qc a qn/qc

pitch /pɪtʃ/ ◆ *s* **1** (*Sport*) campo **2** (*Mu* altezza **3** (*tetto*) inclinazione **4** (*GI* posto (*per banco al mercato*) **5** pec *pitch-black* nero come la pece ◆ **1** *vt* (*tenda*) piantare **2** *vt* (*discorso*) impostare **3** *vt* (*palla*) lanciare **4** *vi* (*persona*) cadere **5** *vi* (*nave, aereo*) beccheggiare PHR V **to pitch in** (*inform*) darci dentro **to pitch in (with sth)** aiutare (con qc)

pitched *agg* (*battaglia*) campale

pitcher /ˈpɪtʃə(r)/ *s* brocca

pitfall /ˈpɪtfɔːl/ *s* trappola (*difficoltà*)

pith /pɪθ/ *s* parte bianca fra la scorza e la polpa di arance, limoni, ecc

pitiful /ˈpɪtɪfl/ *agg* pietoso

pitiless /ˈpɪtiləs/ *agg* spietato

pity /ˈpɪti/ ◆ *s* **1** pietà, compassione **2** *What a pity!* Che peccato! ◇ *It's a pity she's not here.* È un peccato che non sia qui. LOC **to take pity on sb** avere pietà di qn ◆ *vt* (*pass, pp* **pitied**) compatire

pivot /ˈpɪvət/ *s* perno

placard /ˈplækɑːd/ *s* cartello

placate /pləˈkeɪt; *USA* ˈpleɪkeɪt/ *vt* calmare, placare

place /pleɪs/ ◆ *s* **1** posto, luogo **2** (*per sedersi, parcheggiare*) posto **3** *It's not my place to…* Non spetta a me… **4** (*inform*): *my/your place* casa mia/tua LOC **all over the place** (*inform*) **1** dappertutto **2** in disordine **in place** a posto, al proprio posto **in the first, second, etc place** in primo, secondo, ecc luogo **out of place 1** fuori posto **2** fuori luogo **to take place** aver luogo *Vedi anche* CHANGE, HAPPEN ◆ *vt* **1** mettere, collocare **2** ~ **sb** ricordarsi di qn **3** ~ **sth (with sb/sth)**: *to place an order with sb/sth* fare un'ordinazione a qn/qc **4** *to be placed* piazzarsi

plague /pleɪg/ ◆ *s* **1** peste **2** ~ **of sth** invasione di qc (*topi, locuste, ecc*) ◆ *vt* tormentare, assillare

plaice /pleɪs/ *s* (*pl* **plaice**) platessa

plain /pleɪn/ ◆ *agg* (**-er**, **-est**) **1** chiaro, ovvio **2** schietto: *in plain language* in parole povere **3** semplice: *plain paper* carta non rigata ◇ *plain fabric* tessuto in tinta unita ◇ *plain flour* farina senza lievito ◇ *plain chocolate* cioccolato fondente **4** (*aspetto*) scialbo LOC **to make sth plain** far capire chiaramente qc: *Do I make myself plain?* Mi sono spiegato? *Vedi anche* CLEAR ◆ *avv* semplicemente: *It's just plain stupid.* È decisamente stupido. **plainly** *avv* **1** chiaramente **2** francamente **3** semplicemente

plain clothes *agg*: *a plain clothes policeman* un poliziotto in borghese

plaintiff /ˈpleɪntɪf/ *s* querelante

plait /plæt/ (*USA* **braid**) *s* treccia

plan /plæn/ ◆ *s* **1** piano, progetto **2** pianta (*di città, edificio*) **3** schema LOC *Vedi* MASTER ◆ (**-nn-**) **1** *vt* pianificare, organizzare: *What do you plan to do?* Cosa pensi di fare? **2** *vi* fare programmi PHR V **to plan sth out** pianificare, organizzare qc

plane /pleɪn/ *s* **1** (*anche* **aeroplane**, *USA* **airplane**) aereo: *a plane crash* un incidente aereo **2** (*Geom*) piano **3** pialla

planet /ˈplænɪt/ *s* pianeta

plank /plæŋk/ *s* **1** tavola, asse **2** (*fig*) punto principale (*di programma politico*)

planner /ˈplænə(r)/ *s* pianificatore, -trice

planning /ˈplænɪŋ/ *s* pianificazione, progettazione: *planning permission* licenza edilizia

plant /plɑːnt; *USA* plænt/ ◆ *s* **1** (*Bot*) pianta: *a plant pot* un vaso per piante **2** (*Mecc*) impianto **3** stabilimento, fabbrica ◆ *vt* **1** piantare **2** (*giardino*) coltivare: *to plant a garden with roses* piantare delle rose in un giardino **3** (*inform*) (*oggetti rubati*) nascondere (*per incriminare*) **4** (*dubbio, sospetto*) far venire: *Who planted such a notion in your head?* Chi ti ha messo in testa una cosa del genere?

plantation /plænˈteɪʃn, plɑːn-/ *s* **1** piantagione **2** bosco (*piantato*): *a plantation of firs* un'abetaia

plaque /plɑːk; *USA* plæk/ *s* **1** placca, targa **2** placca (*sui denti*)

plaster /ˈplɑːstə(r); *USA* ˈplæs-/ ◆ *s* **1** intonaco **2** (*anche* **plaster of Paris**) gesso: *to put sth in plaster* ingessare qc **3** (*anche* **a sticking plaster**) un cerotto ◆ *vt* **1** intonacare **2** spalmare **3** (*fig*) ricoprire: *to plaster the town with posters* tappezzare la città di manifesti

plastic /ˈplæstɪk/ ◆ *s* plastica ◆ *agg* **1** di plastica **2** (*flessibile*) plastico

plasticine ® /ˈplæstəsiːn/ *s* plastilina

plate /pleɪt/ *s* **1** piatto **2** (*metallo*) lastra, placca: *plate glass* vetro piano **3** vasellame (*d'oro/d'argento*) **4** (*Tipografia*) cliché **5** (*illustrazione*) tavola (*fuori testo*)

plateau /ˈplætəʊ; *USA* plæˈtəʊ/ *s* (*pl* ~**s** *o* **-eaux** /-təʊz/) altopiano

platform /ˈplætfɔːm/ *s* **1** palco **2** marciapiede (*di binario*): *The train leaves from platform 5.* Il treno parte dal binario 5. **3** (*Politica*) programma (*di partito*)

platinum /ˈplætɪnəm/ *s* platino

platoon /pləˈtuːn/ *s* (*Mil*) plotone

plausible /ˈplɔːzəbl/ *agg* **1** (*scusa, versione*) plausibile, credibile **2** (*persona*) convincente

play /pleɪ/ ◆ *s* **1** (*Teat*) opera teatrale **2** (*di corda*) gioco **3** (*di forze, personalità*) gioco LOC **a play on words** un gioco di parole **to be at play** giocare **in play** per scherzo *Vedi anche* CHILD, FAIR, FOOL ◆ **1** *vt, vi* giocare (a): *to play football/cards* giocare a calcio/carte ◊ *to play a game* fare un gioco **2** *vt* ~ **sb** (*Sport*) giocare contro qn **3** *vt* (*una carta*) giocare **4** *vt, vi* (*strumento*) suonare: *to play the guitar* suonare la chitarra **5** *vt* (*disco*) mettere **6** *vi* (*musica*) suonare **7** *vt* (*Sport*) (*colpo*) fare **8** *vt*: *to play a trick* (*on sb*) fare uno scherzo (a qn) **9** *vt* (*ruolo, scena*) interpretare **10** *vi* (*commedia*) venir rappresentato: *'Romeo and Juliet' is playing at the National Theatre.* Al National Theatre danno 'Romeo and Juliet'. **11** *vt*: *to play the fool* fare lo stupido LOC **to play it by ear** (*inform*) improvvisare **to play (sth) by ear** suonare (qc) a orecchio **to play truant** marinare la scuola **to play your cards well/right** giocare bene le proprie carte *Vedi anche* HAVOC PHR V **to play along (with sb)** stare al gioco (di qn) **to play sth down** minimizzare qc **to play A off against B** mettere A e B l'uno contro l'altro **to play (sb) up** (*inform*) dare delle noie (a qn) **player** *s* **1** giocatore, -trice **2** (*Mus*) suonatore, -trice **playful** *agg* **1** (*persona, cucciolo*) giocherellone **2** (*carattere*) allegro **3** (*osservazione*) scherzoso

playground /ˈpleɪgraʊnd/ *s* cortile (*di scuola*), parco giochi

playgroup /ˈpleɪgruːp/ *s* asilo

playing card (*anche* **card**) *s* carta da gioco

playing field *s* campo da gioco

play-off /ˈpleɪ ɒf/ *s* spareggio, play-off

playtime /ˈpleɪtaɪm/ *s* ricreazione

playwright /ˈpleɪraɪt/ *s* commediografo, -a

plea /pliː/ *s* **1** ~ (**for sth**) appello (per qc) **2** supplica **3** pretesto: *on a plea of ill health* con la scusa di problemi di salute **4** (*Dir*) dichiarazione: *to enter a plea of guilty/not guilty* dichiararsi colpevole/innocente

plead /pliːd/ (*pass, pp* **pleaded**, *USA* **pled** /pled/) **1** *vi* ~ (**with sb**) implorare (qn) **2** *vi* ~ **for sth** implorare qc **3** *vi* ~ **for sb** perorare in favore di qn **4** *vt* (*difesa*) addurre come difesa/scusante LOC **to plead guilty/not guilty** dichiararsi colpevole/innocente

pleasant /ˈpleznt/ *agg* (**-er**, **-est**) piacevole, bello **pleasantly** *avv* **1** piacevolmente **2** cordialmente

please /pliːz/ ◆ **1** *vt* accontentare **2** *vt vi* far piacere (a) **3** *vi*: *for as long as you please* quanto ti pare ◊ *I'll do whatever I please.* Farò quello che mi va. LOC **as you please** come vuoi **please yourself** fai come ti pare! ◆ *escl* **1** per favore! **2** (*form*): *Please come in.* Prego, si accomodi. ◊ *Please do not smoke.* Si prega di non fumare. LOC **please do!** prego, faccia pure! **pleased** *agg* **1** contento ☛ *Vedi nota a* GLAD **2** ~ (**with sb/sth**) soddisfatto (di qn/qc) LOC **to be pleased to do sth** fare qc volentieri, avere il piacere di fare qc: *I'd be pleased to come.* Sarò lieto di venire. **pleased to meet you!** piacere! **pleasing** *agg* gradito, gradevole

pleasure /ˈpleʒə(r)/ *s* piacere: *It gives me pleasure to introduce…* Ho il piacere di presentarvi… LOC **my pleasure** non c'è di che **to take pleasure in sth**: *She takes great pleasure in her work.* Il lavoro le dà molte soddisfazioni. **with pleasure** con piacere *Vedi anche* BUSINESS **pleasurable** *agg* piacevole

pled (*USA*) *pass, pp di* PLEAD

pledge /pledʒ/ ◆ *s* **1** promessa solenne **2** pegno ◆ **1** *vt, vi* (*form*) promettere **2** *vt* impegnare

plentiful /ˈplentɪfl/ *agg* abbondante LOC **to be in plentiful supply** abbondare

plenty /ˈplenti/ ◆ *pron* **1** molto, -a, ecc: *plenty to do* molto da fare **2** sufficiente: *plenty of time* abbastanza tempo ◊ *That's plenty, thank you.* Basta così, grazie. ◆ *avv* **1** (*inform*): *plenty high* *enough* alto più che a sufficienza **2** (*USA*) molto LOC **plenty more** molto altro

pliable /ˈplaɪəbl/ (*anche* **pliant** /ˈplaɪənt/) *agg* **1** flessibile **2** malleabile, influenzabile

pliers /ˈplaɪəz/ *s* [*pl*] pinze

plight /plaɪt/ *s* situazione critica

plod /plɒd/ *vi* (**-dd-**) trascinarsi PHR V **to plod away (at sth)** sgobbare (su qc)

plonk /plɒŋk/ PHR V **to plonk sth down** lasciar cadere qc di peso

plot /plɒt/ ◆ *s* **1** lotto **2** appezzamento **3** (*libro, film*) trama **4** complotto, intrigo ◆ **1** *vt* (**-tt-**) (*grafico*) tracciare **2** *vt, vi* (*omicidio, colpo*) tramare, complottare

plough (*USA* **plow**) /plaʊ/ ◆ *s* aratro ◆ *vt, vi* arare LOC **to plough (your way) through sth** procedere a fatica in qc PHR V **to plough sth back** (*guadagni*) reinvestire qc **to plough into sb/sth** scontrarsi con qn/qc

ploy /plɔɪ/ *s* manovra, trucco

pluck /plʌk/ ◆ *vt* **1** strappare **2** (*fiore, frutto*) cogliere **3** spennare **4** (*sopracciglia*) depilarsi **5** (*corde*) pizzicare LOC **to pluck up courage (to do sth)** armarsi di coraggio (e fare qc) ◆ *s* (*inform*) coraggio, fegato

plug /plʌg/ ◆ *s* **1** tappo (*di lavandino, barile*) **2** (*Elettr*) spina ☛ *Vedi illustrazione a* SPINA **3** (*auto*) candela **4** (*inform*) pubblicità (*di disco, libro*) ◆ *vt* (**-gg-**) **1** (*buco*) tappare **2** (*inform*) fare pubblicità a PHR V **to plug sth in(to sth)** attaccare qc (a qc) (*apparecchio elettrico*)

plum /plʌm/ *s* **1** susina ☛ *Vedi illustrazione a* FRUTTA **2** (*anche* **plum tree**) susino

plumage /ˈpluːmɪdʒ/ *s* piumaggio, piume

plumber /ˈplʌmə(r)/ *s* idraulico **plumbing** *s* **1** impianto idraulico **2** mestiere di idraulico

plummet /ˈplʌmɪt/ *vi* **1** cadere a piombo, precipitare **2** (*fig*) precipitare

plump /plʌmp/ ◆ *agg* rotondo, paffuto *Vedi anche* FAT ◆ PHR V **to plump for sb/sth** decidersi per qn/qc

plunder /ˈplʌndə(r)/ *vt* **1** (*posto*) saccheggiare **2** (*merce*) fare razzia di

plunge /plʌndʒ/ ◆ **1** *vi* precipitare **2** *vi* immergersi, tuffarsi **3** *vt* (*lett e fig*) gettare **4** *vt* (*mano*) ficcare **5** *vt* (*pugnale*) conficcare ◆ *s* **1** tuffo, immersione **2** caduta **3** (*prezzi*) calo LOC **to take the plunge** fare il gran passo

plural /ˈplʊərəl/ *agg, s* plurale

plus /plʌs/ ◆ *prep* **1** (*Mat*) più: *Five plus six equals eleven.* Cinque più sei fa undici. **2** più: *plus the fact that…* e in più c'è il fatto che… ◆ *cong* e inoltre ◆ *agg* **1** più di: *£500 plus* 500 sterline e oltre ◊ *He must be forty plus.* Deve aver superato la quarantina. **2** (*Mat*) più: *The temperature is plus four degrees.* La temperatura è di quattro gradi centigradi. ◆ *s* **1** (*anche* **plus sign**) più **2 a ~ (for sb)** (*inform*) un punto a favore (per qn): *the pluses and minuses of sth* i vantaggi e gli svantaggi di qc

plush /plʌʃ/ *agg* (*inform*) lussuoso

Pluto /ˈpluːtəʊ/ *s* Plutone

plutonium /pluːˈtəʊniəm/ *s* plutonio

ply /plaɪ/ ◆ *s* **1** *Vedi* PLYWOOD **2** (*carta*) strato **3** (*lana*) capo ◆ (*pass, pp* **plied** /plaɪd/) **1** *vt* (*form*) (*arnese*) maneggiare: *to ply your trade* esercitare il proprio mestiere **2** *vi* (*nave, autobus*) fare la spola PHR V **to ply sb with drink/food** continuare a offrire da bere/mangiare a qn **to ply sb with questions** bombardare qn di domande

plywood /ˈplaɪwʊd/ *s* compensato

pm (*USA* **PM**) /ˌpiː ˈem/ *abbr* del pomeriggio, di sera: *at 4.30pm* alle 16.30

> Nota che quando si precisa l'ora con **am** o **pm** non si usa **o'clock**: *Shall we meet at three o'clock/3pm?* Ti va bene se ci vediamo alle tre?

pneumatic /njuːˈmætɪk; *USA* nuː-/ *agg* pneumatico: *pneumatic drill* martello pneumatico

pneumonia /njuːˈməʊniə; *USA* nuː-/ *s* [*non numerabile*] polmonite

PO /ˌpiːˈəʊ/ *abbr* **Post Office**

poach /pəʊtʃ/ **1** *vt* cuocere (*in un po' d'acqua, latte, ecc*) **2** *vt* (*uovo*) cuocere in camicia **3** *vt, vi* cacciare/pescare di frodo **4** *vt* (*idea*) soffiare **poacher** *s* cacciatore, pescatore (*di frodo*)

pocket /ˈpɒkɪt/ ◆ *s* **1** tasca: *pocket money* paghetta ◊ *pocket knife* temperino ◊ *a pocket-sized guide* una guida tascabile **2** *pockets of resistance/unemployment* sacche di resistenza/disoccupazione LOC **to be out of pocket** rimetterci *Vedi anche* PICK ◆ *vt* **1** mettersi in tasca **2** intascare

pod /pɒd/ *s* baccello
podium /ˈpəʊdiəm/ *s* podio
poem /ˈpəʊɪm/ *s* poesia
poet /ˈpəʊɪt/ *s* poeta
poetic /pəʊˈetɪk/ *agg* poetico: *poetic justice* giustizia divina
poetry /ˈpəʊətri/ *s* poesia (*genere, qualità*)
poignant /ˈpɔɪnjənt/ *agg* commovente
point /pɔɪnt/ ◆ *s* **1** (*gen, anche Geom*) punto **2** (*anche Geog*) punta **3** (*Mat*) virgola (*decimale*) **4** questione: *the point is...* il fatto è ... **5** scopo: *What's the point?* A che scopo? ◊ *There's no point.* È inutile. **6** (*anche* **power point**) presa (*di corrente*) **7 points** [*pl*] (*GB, Ferrovia*) scambio LOC **in point of fact** in realtà **point of view** punto di vista **to be beside the point** non entrarci (*argomento*) **to make a point of doing sth** non mancare di fare qc, assicurarsi di fare qc **to make your point** dire la propria **to take sb's point** capire quello che qn vuol dire **to the point** pertinente, che va dritto al punto *Vedi anche* PROVE, SORE, STRONG ◆ **1** *vi* ~ **(at/to sb/sth)** indicare (qn/qc) (*con il dito*) **2** *vi* ~ **to sth** (*fig*) indicare, far pensare a qc **3** *vt* ~ **sth at sb** puntare qc verso/contro qn: *to point your finger* (*at sb/sth*) indicare (qn/qc) con il dito PHR V **to point sth out (to sb)** far notare qc (a qn)
point-blank /ˌpɔɪnt ˈblæŋk/ ◆ *agg* **1** *at point-blank range* a bruciapelo **2** (*rifiuto*) secco ◆ *avv* **1** (*anche fig*) a bruciapelo **2** (*rifiutare*) categoricamente
pointed /ˈpɔɪntɪd/ *agg* **1** appuntito **2** (*fig*) implicito
pointer /ˈpɔɪntə(r)/ *s* **1** indice (*di contatore, bilancia, ecc*) **2** bacchetta **3** (*inform*) consiglio **4** indizio
pointless /ˈpɔɪntləs/ *agg* **1** gratuito, senza senso **2** inutile
poise /pɔɪz/ *s* **1** portamento **2** padronanza di sé **poised** *agg* **1** sospeso **2** padrone di sé
poison /ˈpɔɪzn/ ◆ *s* veleno ◆ *vt* **1** avvelenare **2** (*fig*) corrompere, avvelenare **poisoning** *s* **1** avvelenamento **2** intossicazione: *food poisoning* intossicazione alimentare **poisonous** *agg* velenoso
poke /pəʊk/ *vt* dare un colpetto a (*con oggetto appuntito, dito, ecc*): *to poke your finger into sth* ficcare il dito in qc LOC **to poke fun at sb/sth** prendere in giro qn/qc PHR V **to poke about/around** (*inform*) frugare **to poke out (of sth)/through (sth)** spuntare fuori (da qc)
poker /ˈpəʊkə(r)/ *s* **1** attizzatoio **2** poker
poker-faced /ˌpəʊkə ˈfeɪst/ *agg* impassibile
poky /ˈpəʊki/ *agg* (*inform*) (**pokier pokiest**) piccolo: *I've got a poky little room.* La mia camera è un buco.
polar /ˈpəʊlə(r)/ *agg* polare: *polar bear* orso bianco
pole /pəʊl/ *s* **1** (*Geog, Fis*) polo **2** palo *pole-vault* salto con l'asta LOC **to be poles apart** essere agli antipodi, essere tutta un'altra cosa
police /pəˈliːs/ ◆ *s* [*pl*] polizia: *police constable/officer* agente di polizia *police force* corpo di polizia ◊ *police state* stato di polizia ◊ *police station* commissariato ◆ *vt* presidiare
policeman /pəˈliːsmən/ *s* (*pl* **-men** /-mən/) poliziotto
policewoman /pəˈliːswʊmən/ *s* (*pl* **-women**) donna poliziotto
policy /ˈpɒləsi/ *s* (*pl* **-ies**) **1** politica, linea di condotta **2** (*assicurazione*) polizza
polio /ˈpəʊliəʊ/ (*form* **poliomyelitis**) poliomielite
polish /ˈpɒlɪʃ/ ◆ *vt* **1** lucidare, levigare **2** (*occhiali, scarpe*) pulire **3** (*fig*) perfezionare PHR V **to polish sb off** sbarazzarsi di qn (*uccidere*) **to polish sth off** (*inform*) **1** (*cibo*) spolverare **2** (*lavoro*) sbrigare ◆ *s* **1** lucido **2** lucidata **3** (*mobili*) cera **4** (*unghie*) smalto **5** (*fig*) raffinatezza **polished** *agg* **1** lucido, lustro **2** (*modi, stile*) raffinato **3** (*esecuzione*) impeccabile
polite /pəˈlaɪt/ *agg* **1** educato, cortese **2** (*comportamento*) corretto
political /pəˈlɪtɪkl/ *agg* politico
politician /ˌpɒləˈtɪʃn/ *s* politico
politics /ˈpɒlətɪks/ *s* **1** [*v sing o pl*] politica **2** [*pl*] idee politiche **3** [*sing*] (*disciplina*) scienze politiche
poll /pəʊl/ *s* **1** elezioni **2** votazione: *to take a poll on something* mettere qualcosa ai voti **3 the polls** [*pl*]: *to go to the polls* andare alle urne **4** sondaggio
pollen /ˈpɒlən/ *s* polline
pollute /pəˈluːt/ *vt* ~ **sth (with sth)**

inquinare qc (di qc) **2** (*fig*) corrompere qc (con qc) **pollution** *s* **1** inquinamento **2** (*fig*) corruzione

polo /ˈpəʊləʊ/ *s* polo (*sport*)

polo neck *s* maglione a collo alto, dolcevita

polyester /ˌpɒlɪˈestə(r); *USA* ˈpɒliːestər/ *s* poliestere

polystyrene /ˌpɒliˈstaɪriːn/ *s* polistirolo

polythene /ˈpɒlɪθiːn/ *s* polietilene

pomp /pɒmp/ *s* **1** pompa, fasto **2** (*dispreg*) ostentazione

pompous /ˈpɒmpəs/ *agg* (*dispreg*) **1** pomposo **2** presuntuoso

pond /pɒnd/ *s* stagno, laghetto

ponder /ˈpɒndə(r)/ *vt, vi* ~ (**on/over sth**) riflettere (su qc)

pony /ˈpəʊni/ *s* (*pl* **ponies**) pony: *pony-trekking* escursioni a cavallo ◊ *ponytail* coda di cavallo

poodle /ˈpuːdl/ *s* barboncino

pool /puːl/ ◆ *s* **1** pozza **2** (*anche* **swimming pool**) piscina **3** (*luce*) cerchio **4** *a pool of cars* un parco macchine ◊ *a pool of doctors* una équipe medica **5** stagno **6** (*poker*) piatto **7** biliardo a buca **8 the** (**football**) **pools** [*pl*] ≃ il totocalcio ◆ *vt* (*fondi, idee*) mettere insieme

poor /pʊə(r)/ ◆ *agg* (**-er, -est**) **1** povero **2** cattivo: *in poor taste* di cattivo gusto ◊ *poor quality* qualità scadente **3** (*luce, visibilità*) scarso LOC *Vedi* FIGHT ◆ **the poor** *s* [*pl*] i poveri

poorly /pɔːli; *USA* pʊərli/ ◆ *avv* **1** male **2** poveramente ◆ *agg*: *He has been poorly all week.* È stato poco bene tutta la settimana.

pop /pɒp/ ◆ *s* **1** schiocco **2** scoppio, botto **3** (*inform*) (*bibita*) gazzosa **4** (*USA*) papà **5** musica pop ◆ *avv*: *to go pop* schioccare ◆ (**-pp-**) **1** *vi* schioccare, scoppiettare **2** *vi* fare pum **3** *vt, vi* (*pallone*) (far) scoppiare **4** *vt* (*tappo*) far saltare PHR V **to pop across, back, down, out, etc** (*inform*) attraversare, tornare, scendere, uscire, ecc: *He's just popped out to the bank.* È andato un attimo in banca. **to pop sth back** (*inform*) rimettere qc **to pop sth in** (*inform*) mettere qc **to pop in** passare, fare un salto **to pop out** (**of sth**) saltare fuori (da qc) **to pop up** capitare

popcorn /ˈpɒpkɔːn/ *s* popcorn

pope /pəʊp/ *s* papa

poplar /ˈpɒplə(r)/ *s* pioppo

poppy /ˈpɒpi/ *s* (*pl* **-ies**) papavero

popular /ˈpɒpjələ(r)/ *agg* **1** popolare: (*not*) *to be popular with sb* (non) essere gradito a qn **2** di moda **3** *the popular press* la stampa scandalistica **4** (*opinione*) comune, generale **popularize, -ise** *vt* **1** rendere popolare **2** divulgare

population /ˌpɒpjuˈleɪʃn/ *s* popolazione: *population explosion* boom demografico

porcelain /ˈpɔːsəlɪn/ *s* [*non numerabile*] porcellana

porch /pɔːtʃ/ *s* **1** portico **2** (*USA*) veranda

pore /pɔː(r)/ ◆ *s* poro ◆ PHR V **to pore over sth** studiare attentamente qc

pork /pɔːk/ *s* carne di maiale ☛ *Vedi nota a* CARNE

porn /pɔːn/ *s* (*inform*) porno

pornography /pɔːˈnɒgrəfi/ *s* pornografia

porous /ˈpɔːrəs/ *agg* poroso

porpoise /ˈpɔːpəs/ *s* focena

porridge /ˈpɒrɪdʒ; *USA* ˈpɔːr-/ *s* [*non numerabile*] porridge

port /pɔːt/ *s* **1** porto **2** (*nave, aereo*) babordo LOC **port of call** scalo

portable /ˈpɔːtəbl/ *agg* portatile

porter /ˈpɔːtə(r)/ *s* **1** (*stazione*) facchino **2** (*albergo*) portiere

porthole /ˈpɔːthəʊl/ *s* oblò

portion /ˈpɔːʃn/ *s* **1** parte **2** (*pasto*) porzione

portrait /ˈpɔːtreɪt, -trət/ *s* **1** ritratto **2** (*fig*) quadro

portray /pɔːˈtreɪ/ *vt* **1** ritrarre **2** ~ **sb/sth (as sth)** rappresentare qn/qc (come qc) **portrayal** *s* rappresentazione, raffigurazione

pose /pəʊz/ ◆ **1** *vi* (*per ritratto*) posare, mettersi in posa **2** *vi* (*dispreg*) atteggiarsi **3** *vi* ~ **as sb/sth** farsi passare per qn/qc **4** *vt* (*difficoltà, domanda*) porre ◆ *s* (*anche dispreg*) posa

posh /pɒʃ/ *agg* (**-er, -est**) **1** (*hotel, auto*) di lusso **2** (*zona*) elegante **3** (*spec dispreg*) (*persona, accento*) snob

position /pəˈzɪʃn/ ◆ *s* **1** posizione **2** ~ (**on sth**) (*opinione*) posizione (riguardo a/su qc) **3** (*lavoro*) posizione, posto LOC **to be in a/no position to do sth** essere/

non essere nella condizione di fare qc ◆ *vt* collocare, disporre

positive /ˈpɒzətɪv/ *agg* **1** positivo **2** decisivo, categorico **3** ~ (**about sth/that...**) sicuro (di qc/che...) **4** totale, vero: *a positive disgrace* proprio una vergogna **positively** *avv* **1** in modo costruttivo **2** positivamente, con ottimismo **3** decisamente **4** assolutamente

possess /pəˈzes/ *vt* **1** possedere, avere **2** *What possessed you?* Cosa ti è preso? **possession** *s* **1** possesso **2 possessions** [*pl*] beni LOC **to be in possession of sth** essere in possesso di qc

possibility /ˌpɒsəˈbɪləti/ *s* (*pl* **-ies**) **1** possibilità: *within/beyond the bounds of possibility* entro/oltre i limiti del possibile **2 possibilities** [*pl*] potenziale *Vedi anche* CHANCE

possible /ˈpɒsəbl/ *agg* possibile: *if possible* se è possibile ◊ *as quickly as possible* più alla svelta possibile LOC **to make sth possible** rendere possibile qc **possibly** *avv* forse: *Could you possibly open the window?* Potrebbe aprire la finestra? ◊ *It can't possibly be true!* Non può essere vero! ◊ *You can't possibly wear that!* Non puoi vestirti così!

post /pəʊst/ ◆ *s* **1** palo **2** (*lavoro*) posto **3** (*spec USA* **mail**) posta: *postcode* codice di avviamento postale ◊ *first/second post* prima/seconda posta ☛ *Vedi nota a* MAIL ◆ *vt* **1** (*spec USA* **to mail**) spedire, imbucare **2** assegnare (*per lavoro*) **3** (*sentinella*) mettere LOC **to keep sb posted** (**about sth**) tenere qn al corrente (su qc)

postage /ˈpəʊstɪdʒ/ *s* affrancatura: *postage stamp* francobollo

postal /ˈpəʊstl/ *agg* postale: *postal vote* voto per posta

postbox /ˈpəʊstbɒks/ *s* buca delle lettere ☛ *Confronta* LETTER BOX

postcard /ˈpəʊstkɑːd/ *s* cartolina

poster /ˈpəʊstə(r)/ *s* **1** (*annuncio*) manifesto **2** poster

posterity /pɒˈsterəti/ *s* posterità

postgraduate /ˌpəʊstˈgrædʒuət/ ◆ *agg* **1** (*corso*) post laurea **2** (*studente*) che fa un corso post laurea ◆ *s* laureato/laureata che continua gli studi

posthumous /ˈpɒstjʊməs; *USA* ˈpɒstʃəməs/ *agg* postumo

postman /ˈpəʊstmən/ (*USA* **mailman**) *s* (*pl* **-men** /-mən/) postino

post-mortem /ˌpəʊst ˈmɔːtəm/ *s* autopsia

post office *s* ufficio postale ☛ *Vedi nota a* TABACCHERIA

postpone /pəˈspəʊn/ *vt* rimandare, rinviare

postscript /ˈpəʊstskrɪpt/ *s* **1** poscritto **2** (*fig*) nota conclusiva

posture /ˈpɒstʃə(r)/ *s* **1** postura **2** atteggiamento

post-war /ˌpəʊst ˈwɔː(r)/ *agg* del dopoguerra

postwoman /ˈpəʊst wʊmən/ *s* (*pl* **-women**) postina

pot /pɒt/ *s* **1** pentola: *pots and pans* pentole **2** (*decorativo*) barattolo, vaso **3** (*pianta*) vaso **4** (*inform*) erba (*marijuana*) LOC **to go to pot** (*inform*) andare in malora

potassium /pəˈtæsiəm/ *s* potassio

potato /pəˈteɪtəʊ/ *s* (*pl* **-oes**) patata

potent /ˈpəʊtnt/ *agg* **1** potente **2** (*ragione, argomentazione*) valido, convincente **potency** *s* forza

potential /pəˈtenʃl/ ◆ *agg* potenziale ◆ *s* ~ (**for sth**) potenziale (di/per qc) **potentially** *avv* potenzialmente

pothole /ˈpɒthəʊl/ *s* **1** (*Geol*) marmitta **2** (*strada*) buca

potted /ˈpɒtɪd/ *agg* **1** in vaso **2** in barattolo, in scatola **3** (*storia, resoconto*) condensato

potter /ˈpɒtə(r)/ PHR V **to potter about/around** (**sth**) fare dei lavoretti (in qc) ◆ *s* vasaio, -a **pottery** *s* [*non numerabile*] **1** (*arte*) ceramica **2** (*oggetti*) ceramiche: *a piece of pottery* un oggetto in ceramica

potty /ˈpɒti/ ◆ *agg* (**-ier, -iest**) (*GB, inform*) **1** (*matto*) toccato **2 to be ~ about sb/sth** andare matto per qn/qc ◆ *s* (*pl* **-ies**) (*inform*) vasino (*per bambini*)

pouch /paʊtʃ/ *s* **1** borsellino, marsupio **2** (*tabacco*) borsa **3** (*Zool*) marsupio

poultry /ˈpəʊltri/ *s* [*non numerabile*] pollame

pounce /paʊns/ *vi* **1** ~ (**on sb/sth**) balzare (addosso a qn/qc) **2** (*fig*) attaccare qn/qc

pound /paʊnd/ ◆ *s* **1** (*moneta*) sterlina **2** (*abbrev* **lb**) (*peso*) libbra (*0,454 kg*) ☛ *Vedi Appendice 1.* ◆ **1** *vi* ~ (**at sth**) battere (a/contro qc) **2** *vi* avanzare con passi pesanti **3** *vi* ~ (**with sth**) (*cuore*) battere forte (per qc) **4** *vt*: *to pound sth to pieces* pestare qc ◊ *to pound sth to a pulp* ridurre qc in poltiglia **5** *vt* picchiare **pounding** *s* **1** (*lett e fig*) martellio **2** *to take a pounding* prendere una batosta

pour /pɔː(r)/ **1** *vi* fluire, scorrere **2** *vi* (*anche* **to pour with rain**) piovere a dirotto **3** *vt* versare (*mettere*) ☛ *Vedi illustrazione a* VERSARE **PHR V to pour in 1** entrare a frotte **2** (*luce, lettere*) inondare **to pour sth in** aggiungere qc (*versando*) **to pour out (of sth) 1** versare (da qc) **2** uscire in massa (da qc) **to pour sth out 1** (*bibita*) servire, versare qc **2** (*esprimere*) sfogare qc

pout /paʊt/ *vi* fare il broncio

poverty /ˈpɒvəti/ *s* **1** povertà **2** (*di idee*) carenza **poverty-stricken** *agg* poverissimo

powder /ˈpaʊdə(r)/ [*gen non numerabile*] **1** polvere (*medicinali, cibo, ecc*) **2** cipria ◆ *vt* incipriare: *to powder your face* incipriarsi il viso **powdered** *agg* in polvere

power /ˈpaʊə(r)/ ◆ *s* **1** potere: *power-sharing* partecipazione al potere **2 powers** [*pl*] capacità, facoltà **3** forza **4** potenza **5** energia: *nuclear power* energia nucleare **6** (*elettricità*) corrente: *power cut* interruzione di corrente ◊ *power station* centrale elettrica ◊ *power point* presa di corrente LOC **the powers that be** (*spec iron*) quelli che comandano **to do sb a power of good** (*inform*) fare un gran bene a qn ◆ *vt* azionare **powerful** *agg* **1** potente **2** (*colpo, emozione*) forte **powerless** *agg* **1** impotente (*senza potere*) **2** ~ **to do sth** incapace di fare qc

practicable /ˈpræktɪkəbl/ *agg* attuabile

practical /ˈpræktɪkl/ *agg* pratico: *practical joke* burla **practically** *avv* **1** praticamente, quasi **2** basato sulla pratica

practice /ˈpræktɪs/ *s* **1** pratica **2** (*Sport*) allenamento **3** (*Mus*) esercizi **4** (*Med*) ambulatorio *Vedi anche* GENERAL PRACTICE **5** (*professione*) esercizio: *to be in practice* esercitare LOC **to be out of practice** essere fuori esercizio

practise (*USA* **practice**) /ˈpræktɪs/ **1** *vt, vi* fare pratica (di), esercitarsi (a/con) **2** *vi* (*Sport*) allenarsi **3** *vt* (*sport, religione*) praticare **4** *vt, vi* ~ (**as sth**) (*professione*) esercitare (la professione di qc) **5** *vt* (*qualità*): *to practise self-restraint* esercitare l'autocontrollo **practised** (*USA* **practiced**) *agg* ~ (**in sth**) esperto (di/in qc)

practitioner /prækˈtɪʃənə(r)/ *s* **1** esperto, -a **2** medico *Vedi anche* GENERAL PRACTITIONER

pragmatic /prægˈmætɪk/ *agg* pragmatico

praise /preɪz/ ◆ *vt* **1** elogiare, lodare ◆ *s* [*non numerabile*] **1** elogio **2** (*Relig*) lode **praiseworthy** *agg* lodevole

pram /præm/ (*USA* **buggy**) *s* carrozzina

prawn /prɔːn/ *s* gamberetto

pray /preɪ/ *vi* pregare

prayer /preə(r)/ *s* preghiera

preach /priːtʃ/ **1** *vt, vi* (*Relig*) predicare **2** *vi* ~ (**at/to sb**) (*dispreg*) fare la predica (a qn) **3** *vt* consigliare **preacher** *s* predicatore

precarious /prɪˈkeəriəs/ *agg* precario

precaution /prɪˈkɔːʃn/ *s* precauzione **precautionary** *agg* precauzionale

precede /prɪˈsiːd/ *vt* **1** precedere **2** (*discorso*) introdurre

precedence /ˈpresɪdəns/ *s* precedenza

precedent /ˈpresɪdənt/ *s* precedente

preceding /prɪˈsiːdɪŋ/ *agg* precedente

precinct /ˈpriːsɪŋkt/ *s* **1** (*anche* **precincts**) recinto (*di cattedrale*) **2** (*GB*): *pedestrian precinct* zona pedonale

precious /ˈpreʃəs/ ◆ *agg* **1** prezioso **2** ~ **to sb** molto caro a qn ◆ *avv* LOC **precious few/little** ben poco, ben pochi

precipice /ˈpresəpɪs/ *s* precipizio

precise /prɪˈsaɪs/ *agg* preciso **precisely** *avv* **1** precisamente, esattamente **2** (*orario*) in punto **3** con precisione **precision** *s* precisione

preclude /prɪˈkluːd/ *vt* (*form*) precludere

precocious /prɪˈkəʊʃəs/ *agg* precoce

preconceived /ˌpriːkənˈsiːvd/ *agg* preconcetto **preconception** *s* preconcetto

precondition /ˌpriːkənˈdɪʃn/ *s* condizione indispensabile

predator /ˈpredətə(r)/ *s* predatore (*animale*) **predatory** *agg* predatore

predecessor /ˈpriːdɪsesə(r); *USA* ˈpredə-/ *s* predecessore

predicament /prɪˈdɪkəmənt/ *s* situazione difficile

predict /prɪˈdɪkt/ *vt* predire, pronosticare **predictable** *agg* prevedibile **prediction** *s* previsione, pronostico

predominant /prɪˈdɒmɪnənt/ *agg* predominante **predominantly** *avv* prevalentemente

pre-empt /pri ˈempt/ *vt* anticipare

preface /ˈprefəs/ *s* **1** prefazione, prologo **2** (*discorso*) introduzione

prefer /prɪˈfɜː(r)/ *vt* (-rr-) preferire: *Would you prefer cheese or dessert?* Cosa preferisci, formaggio o dessert? ☛ *Vedi nota a* PREFERIRE **preferable** /ˈprefrəbl/ *agg* preferibile **preferably** /ˈprefrəbli/ preferibilmente **preference** /ˈprefrəns/ *s* preferenza LOC **in preference to sb/sth** piuttosto che qn/qc **preferential** /ˌprefəˈrenʃl/ *agg* preferenziale: *preferential treatment* trattamento di favore

prefix /ˈpriːfɪks/ *s* prefisso (*grammaticale*)

pregnant /ˈpregnənt/ *agg* **1** incinta **2** (*animale*) gravida **pregnancy** *s* (*pl* **-ies**) gravidanza

prejudice /ˈpredʒudɪs/ ◆ *s* **1** [*non numerabile*] pregiudizi **2** pregiudizio LOC **without prejudice to sb/sth** senza danneggiare qn/qc ◆ *vt* **1** (*persona*) predisporre **2** pregiudicare, compromettere **prejudiced** *agg* prevenuto LOC **to be prejudiced against sb/sth** avere dei pregiudizi contro qn/qc

preliminary /prɪˈlɪmɪnəri; *USA* -neri/ ◆ *agg* **1** preliminare **2** (*Sport*) eliminatorio ◆ **preliminaries** *s* [*pl*] preliminari

prelude /ˈpreljuːd/ *s* (*anche Mus*) preludio

premature /ˈprematjʊə(r); *USA* ˌpriːməˈtʊər/ *agg* prematuro

premier /ˈpremiə(r); *USA* ˈpriːmiər/ ◆ *s* premier, primo ministro ☛ *Vedi pag. 381.* ◆ *agg* principale

première /ˈpremɪeə(r); *USA* prɪˈmɪər/ *s* prima (*spettacolo*)

premises /ˈpremɪsɪz/ *s* [*pl*] **1** locali **2** (*ditta*) sede

premium /ˈpriːmiəm/ *s* (*assicurazione, stipendio*) premio LOC **to be at a premium** essere assai ricercato

preoccupation /priɒkjuˈpeɪʃn/ *s* **1** preoccupazione: *my main preoccupation* la mia prima preoccupazione **2** ~ **(with sth)** ossessione (di qc) **preoccupied** *agg* assorto: *preoccupied with money* ossessionato dai soldi

preparation /ˌprepəˈreɪʃn/ *s* **1** preparazione **2 preparations** [*pl*] **(for sth)** preparativi (per qc)

preparatory /prɪˈpærətri; *USA* -tɔːri/ *agg* preparatorio

prepare /prɪˈpeə(r)/ **1** *vi* ~ **for sth/to do sth** prepararsi per qc/a fare qc; fare preparativi per qc **2** *vt* preparare LOC **to be prepared to do sth** essere pronto a fare qc

preposterous /prɪˈpɒstərəs/ *agg* assurdo

prerequisite /ˌpriːˈrekwəzɪt/ (*anche* **pre-condition**) *s* (*form*) ~ **(for/of sth)** prerequisito (di qc)

prerogative /prɪˈrɒgətɪv/ *s* prerogativa

prescribe /prɪˈskraɪb/ *vt* **1** (*medicina*) prescrivere **2** (*fig*) consigliare

prescription /prɪˈskrɪpʃn/ *s* **1** ricetta medica **2** (*azione*) prescrizione **3** (*fig*) chiave, ricetta

presence /ˈprezns/ *s* presenza

present /ˈpreznt/ ◆ *agg* **1** ~ **(at/in sth)** presente (a/in qc) **2** (*tempo*) attuale **3** (*mese, anno*) corrente LOC **to the present day** fino ad oggi ◆ *s* **1 the present** (*tempo*) il presente **2** regalo: *to give sb a present* regalare qualcosa a qn LOC **at present** al momento *Vedi anche* MOMENT ◆ /prɪˈzent/ *vt* **1** presentare: *to present yourself* presentarsi **2** ~ **sb with sth**; ~ **sth (to sb)** consegnare qc (a qn): *to present sb with a problem* presentare un problema per qn **3** (*argomento*) presentare **4** ~ **itself (to sb)** (*opportunità*) presentarsi a qn **5** (*Teat*) presentare, rappresentare **presentable** /prɪˈzentəbl/ *agg* presentabile

presentation /ˌpreznˈteɪʃn; *USA* ˌpriːzen-/ *s* **1** presentazione **2** (*per lavoro*) relazione **3** (*Teat*) rappresentazione **4** (*premio*) consegna

present-day /ˌpreznt ˈdeɪ/ *agg* attuale

presenter /prɪˈzentə(r)/ *s* presentatore, -trice

presently /ˈprezntli/ *avv* **1** (*GB*) [*generalmente alla fine della frase*] tra poco: *I'll follow on presently.* Vengo tra un attimo. **2** (*GB*) [*passato: generalmente al principio della frase*] poco dopo: *Presently he got up to go.* Poco dopo si alzò e se ne andò. **3** (*spec USA*) al momento

preservation /ˌprezəˈveɪʃn/ *s* conservazione

preservative /prɪˈzɜːvətɪv/ *agg, s* conservante

preserve /prɪˈzɜːv/ ◆ *vt* **1** conservare (*cibo*) **2** ~ **sth** (**for sth**) conservare, mantenere qc (per qc) **3** ~ **sb** (**from sb/sth**) proteggere qn (da qn/qc) ◆ *s* **1** [*gen pl*] marmellata **2** [*gen pl*] frutta sciroppata **3** (*caccia*) (*lett e fig*) riserva: *Dishwashers are no longer the preserve of the wealthy.* Ormai non solo i più abbienti hanno la lavastoviglie.

preside /prɪˈzaɪd/ *vi* ~ (**over/at sth**) presiedere (qc)

presidency /ˈprezɪdənsi/ *s* (*pl* **-ies**) presidenza

president /ˈprezɪdənt/ *s* presidente **presidential** /ˌprezɪˈdenʃl/ *agg* presidenziale

press /pres/ ◆ *s* **1** (*anche* **the Press**) [*v sing o pl*] la stampa: *press conference* conferenza stampa ◊ *press cutting* ritaglio di giornale ◊ *press release* comunicato stampa **2** stirata: *Can you give my shirt a press?* Mi stireresti la camicia? **3** torchio **4** (*anche* **printing-press**) torchio da stampa ◆ **1** *vt, vi* premere **2** *vt* stringere **3** *vi* ~ (**up**) **against sb** premersi contro qn **4** *vt* (*uva*) pigiare **5** *vt* (*fiori*) pressare **6** *vt* stirare **7** *vt* ~ **sb** (**for sth/to do sth**) fare pressioni su qn (per qc/perché faccia qc) LOC **to be pressed for time** avere poco tempo *Vedi anche* CHARGE PHR V **to press ahead/on** (**with sth**) andare avanti (con qc) **to press for sth** fare pressioni per avere qc

pressing /ˈpresɪŋ/ *agg* urgente, pressante

press-up /ˈpres ʌp/ (*spec USA* **push-up**) *s* flessione sulle braccia

pressure /ˈpreʃə(r)/ ◆ *s* **1** ~ (**of sth**) pressione (di qc) **2** ~ (**to do sth**) pressioni (per fare qc): *pressure gauge* manometro ◊ *pressure group* gruppo di pressione LOC **to put pressure on sb** (**to do sth**) far pressione su qn (perché faccia qc) ◆ *vt Vedi* PRESSURIZE

pressure cooker *s* pentola a pressione ☛ *Vedi illustrazione a* SAUCEPAN

pressurize, -ise /ˈpreʃəraɪz/ (*anche* **pressure**) *vt* **1** ~ **sb into (doing) sth** fare pressione su qn perché faccia qc **2** (*Fis*) pressurizzare

prestige /preˈstiːʒ/ *s* prestigio **prestigious** *agg* prestigioso

presumably /prɪˈzjuːməbli/ *avv* presumibilmente

presume /prɪˈzjuːm; *USA* -ˈzuːm/ *vt* supporre: *I presume so.* Credo di sì.

presumption /prɪˈzʌmpʃn/ *s* **1** supposizione **2** presunzione

presumptuous /prɪˈzʌmptʃuəs/ *agg* presuntuoso

presuppose /ˌpriːsəˈpəʊz/ *vt* presupporre

pretence (*USA* **pretense**) /prɪˈtens/ *s* **1** [*non numerabile*] finzione: *They abandoned all pretence of objectivity.* Hanno smesso di fingersi obiettivi. **2** (*form*) pretesa

pretend /prɪˈtend/ ◆ *vt, vi* **1** fingere **2** pretendere **3** ~ **to be sth** fingersi qc: *They're pretending to be explorers.* Giocano agli esploratori. ◆ (*inform*) *agg* finto

pretentious /prɪˈtenʃəs/ *agg* pretenzioso

pretext /ˈpriːtekst/ *s* pretesto

pretty /ˈprɪti/ ◆ *agg* (**-ier**, **-iest**) carino LOC **not to be a pretty sight** non essere un bello spettacolo ◆ *avv* piuttosto, molto *Vedi anche* QUITE senso 1 ☛ *Vedi nota a* FAIRLY, RATHER LOC **pretty much/well** più o meno, quasi

prevail /prɪˈveɪl/ *vi* **1** (*condizioni*) essere diffuso **2** prevalere PHR V **to prevail (up)on sb to do sth** (*form*) convincere qn a fare qc **prevailing** (*form*) *agg* **1** predominante **2** (*condizioni*) attuale **3** (*vento*) dominante

prevalent /ˈprevələnt/ *agg* (*form*) **1** diffuso **2** predominante **prevalence** *s* **1** diffusione **2** predominanza

prevent /prɪˈvent/ *vt* **1** ~ **sb from doing sth** impedire a qn di fare qc **2** ~ **sth** evitare, prevenire qc

prevention /prɪˈvenʃn/ *s* prevenzione

preventive /prɪˈventɪv/ *agg* preventivo

preview /ˈpriːvjuː/ *s* anteprima

previous /ˈpriːviəs/ *agg* precedente LOC **previous to doing sth** prima di fare qc **previously** *avv* in precedenza, prima

pre-war /ˌpriː ˈwɔː(r)/ *agg* anteguerra

prey /preɪ/ ◆ *s* [*non numerabile*] (*lett e fig*) preda ◆ *vi* LOC **to prey on sb's mind** ossessionare qn PHR V **to prey on sth** far preda di qc **to prey on sb** sfruttare qn

price /praɪs/ ◆ *s* prezzo: *to go up/down in price* salire/calare di prezzo LOC **at any price** ad ogni costo **not at any price** per niente al mondo *Vedi anche* CHEAP ◆ *vt* **1** fissare il prezzo di **2** valutare **3** mettere il prezzo su **priceless** *agg* inestimabile

prick /prɪk/ ◆ *s* puntura ◆ *vt* **1** pungere **2** (*coscienza*) rimordere LOC **to prick up your ears** drizzare le orecchie

prickly /ˈprɪkli/ *agg* (**-ier**, **-iest**) **1** spinoso **2** che dà prurito **3** (*inform*) permaloso

pride /praɪd/ ◆ *s* **1** ~ (**in sth**) orgoglio (per qc) **2** (*dispreg*) orgoglio, superbia LOC (**to be**) **sb's pride and joy** (essere) il vanto di qn **to take pride in sth** mettere impegno in qc ◆ *vt* LOC **to pride yourself on sth** vantarsi di qc

priest /priːst/ *s* prete, sacerdote **priesthood** *s* **1** sacerdozio **2** clero

In inglese la parola **priest** si usa normalmente per riferirsi ai sacerdoti cattolici. I parroci anglicani si chiamano **clergyman** o **vicar** e quelli di altre confessioni protestanti **minister**.

prig /prɪg/ *s* (*dispreg*) moralista **priggish** *agg* moralista

prim /prɪm/ *agg* (*dispreg*) (**primmer**, **primmest**) **1** (*persona*) perbenista **2** (*aspetto*) per benino

primarily /ˈpraɪmərəli; *USA* praɪˈmerəli/ *avv* principalmente

primary /ˈpraɪməri; *USA* -meri/ ◆ *agg* **1** primario: *primary school* scuola elementare **2** (*importanza*) fondamentale **3** (*fonte, scopo*) principale ◆ *s* (*pl* **-ies**) (*USA*) (*anche* **primary election**) elezioni primarie

prime /praɪm/ ◆ *agg* **1** principale **2** di prima scelta: *a prime example* un classico esempio ◆ *s* LOC **in your prime/in the prime of life** nel fiore degli anni ◆ *vt* **1** ~ **sb** (**for sth**) preparare qn (per qc) **2** ~ **sb** (**with sth**) mettere al corrente qn (di qc)

Prime Minister *s* primo ministro ☛ *Vedi pag. 381.*

primeval (*anche* **primaeval**) /praɪˈmiːvl/ *agg* primordiale

primitive /ˈprɪmətɪv/ *agg* primitivo

primrose /ˈprɪmrəʊz/ ◆ *s* primula ◆ *agg*, *s* giallo canarino

prince /prɪns/ *s* principe

princess /ˌprɪnˈses/ *s* principessa

principal /ˈprɪnsəpl/ ◆ *agg* principale ◆ *s* preside

principle /ˈprɪnsəpl/ *s* principio: *a woman of principle* una donna di saldi principi LOC **in principle** in linea di principio **on principle** per principio

print /prɪnt/ ◆ *vt* **1** stampare **2** scrivere in stampatello PHR V **to print** (**sth**) **out** stampare (qc) (*Informatica*) ◆ *s* **1** (*Tipografia*) [*non numerabile*] caratteri **2** impronta **3** (*Arte*) stampa **4** (*Foto*) copia **5** tessuto stampato LOC **to be in print 1** (*libro*) essere stampato **2** essere pubblicato **out of print** esaurito *Vedi anche* SMALL **printer** *s* **1** (*persona*) tipografo, -a **2** (*macchina*) stampante ☛ *Vedi illustrazione a* COMPUTER **3 the printers** [*pl*] tipografia **printing** *s* **1** stampa (*tecnica*): *a printing error* un errore di stampa **2** (*numero di copie*) tiratura **printout** *s* stampato (*Informatica*)

prior /ˈpraɪə(r)/ ◆ *agg* precedente ◆ **prior to** *prep* prima di **priority** *s* (*pl* **-ies**) **1** cosa più importante: *It's not a priority for me.* Non è la cosa più importante per me. **2** ~ (**over sb/sth**) precedenza (su qn/qc) LOC **to get your priorities right** decidere quali sono le cose più importanti

prise (*USA anche* **prize**) /praɪz/ PHR V **to prise sth apart, off, open, etc** (**with sth**) separare, togliere, aprire, ecc qc (con qc)

prison /ˈprɪzn/ *s* carcere: *prison camp* campo di prigionia **prisoner** *s* **1** prigioniero, -a **2** detenuto, -a LOC *Vedi* CAPTIVE

private /ˈpraɪvət/ ◆ *agg* **1** privato: *private enterprise* iniziativa privata ◇ *private eye* detective privato **2** (*di un individuo*) personale **3** (*persona*) riservato **4** (*posto*) tranquillo ◆ *s* **1** (*Mil*) soldato semplice **2 privates** [*pl*] (*inform*) parti intime LOC **in private** in privato **privately** *avv* privatamente **privatize, -ise** *vt* privatizzare

privilege /ˈprɪvəlɪdʒ/ *s* **1** privilegio **2** (*Dir*) prerogativa **privileged** *agg* **1** privilegiato **2** (*informazione*) confidenziale

rivy /ˈprɪvi/ *agg* LOC **to be privy to sth** (*form*) essere al corrente di qc

rize¹ /praɪz/ ◆ *s* premio ◆ *agg* **1** premiato **2** eccellente **3** (*iron*) perfetto: *a prize idiot* un perfetto cretino **prize** *vt* stimare

rize² (*USA*) *Vedi* PRISE

ro /prəʊ/ ◆ *s* LOC **the pros and (the) cons** i pro e i contro ◆ *agg, s* (*inform*) professionista

robable /ˈprɒbəbl/ *agg* probabile: *It seems probable that he'll arrive tomorrow.* È probabile che arrivi domani. **probability** /ˌprɒbəˈbɪləti/ *s* (*pl* **-ies**) probabilità LOC **in all probability** con ogni probabilità **probably** *avv* probabilmente

In inglese si usa l'avverbio in casi in cui in italiano si userebbe *è probabile che*: *They will probably go.* È probabile che vadano.

robation /prəˈbeɪʃn; *USA* prəʊ-/ *s* **1** libertà vigilata **2** (*impiegato*) prova: *a three-month probation period* un periodo di prova di tre mesi

robe /prəʊb/ ◆ *s* sonda ◆ **1** *vt, vi* esplorare **2** *vt* ~ **sb about/on sth** interrogare qn su qc **3** *vi* ~ (**into sth**) indagare (su qc) **probing** *agg* (*domanda*) pressante

roblem /ˈprɒbləm/ *s* problema LOC *Vedi* TEETHE **problematic(al)** *agg* **1** problematico **2** (*discutibile*) dubbio

rocedure /prəˈsiːdʒə(r)/ *s* **1** prassi **2** procedura

roceed /prəˈsiːd, prəʊ-/ *vi* **1** procedere **2** ~ (**to sth/to do sth**) passare (a qc/a fare qc) **3** (*form*) procedere **4** ~ (**with sth**) (*continuare*) andare avanti (con qc) **proceedings** *s* [*pl*] **1** attività **2** (*Dir*) azione legale **3** (*resoconto*) atti

roceeds /ˈprəʊsiːdz/ *s* [*pl*] ~ (**of/from sth**) proventi (di qc)

rocess /ˈprəʊses; *USA* ˈprɒses/ ◆ *s* **1** procedimento **2** (*Dir*) processo LOC **in the process** nel farlo **to be in the process of (doing) sth** star facendo qc ◆ *vt* **1** (*materia prima*) trattare: *processed cheese* formaggio fuso **2** (*domanda, pratica*) sbrigare **3** (*Foto*) sviluppare e stampare *Vedi anche* DEVELOP **4** (*Informatica*) elaborare **processing** *s* **1** trattamento **2** (*Foto*) sviluppo e stampa **3** (*Informatica*) elaborazione

procession /prəˈseʃn/ *s* corteo, processione

processor /ˈprəʊsesə(r)/ *s* *Vedi* MICROPROCESSOR, FOOD PROCESSOR, WORD PROCESSOR

proclaim /prəˈkleɪm/ *vt* proclamare **proclamation** *s* **1** proclama **2** proclamazione

prod /prɒd/ ◆ *vt, vi* (**-dd-**) ~ (**at**) **sb/sth** pungolare qn/qc ◆ *s* **1** colpetto **2** (*lett e fig*) pungolo

prodigious /prəˈdɪdʒəs/ *agg* prodigioso

prodigy /ˈprɒdədʒi/ *s* (*pl* **-ies**) prodigio

produce /prəˈdjuːs; *USA* -ˈduːs/ ◆ *vt* **1** produrre ☛ *Confronta* MANUFACTURE **2** (*reazione*) causare **3** (*cuccioli*) dare alla luce **4** ~ **sth** (**from/out of sth**) estrarre qc (da qc) **5** (*Teat*) mettere in scena **6** (*Cine, TV*) produrre ◆ /ˈprɒdjuːs; *USA* -duːs/ *s* [*non numerabile*] prodotti: *produce of France* prodotto in Francia ☛ *Vedi nota a* PRODUCT **producer** *s* **1** (*gen, Cine, TV*) produttore, -trice ☛ *Confronta* DIRECTOR, CONSUMER *a* CONSUME **2** (*Teat*) regista

product /ˈprɒdʌkt/ *s* prodotto: *Coal was once a major industrial product.* Un tempo il carbone era uno dei prodotti industriali più importanti.

Product si usa per riferirsi ai prodotti industriali e **produce** a quelli agricoli.

production /prəˈdʌkʃn/ *s* produzione: *production line* catena di montaggio

productive /prəˈdʌktɪv/ *agg* produttivo **productivity** /ˌprɒdʌkˈtɪvəti/ *s* produttività

profess /prəˈfes/ *vt* (*form*) **1** ~ **to be sth** dichiarare di essere qc **2** ~ (**yourself**) **sth** dichiararsi qc **3** (*Relig*) professare **professed** *agg* **1** presunto **2** dichiarato

profession /prəˈfeʃn/ *s* professione ☛ *Vedi nota a* WORK¹ **professional** *agg* **1** professionale: *a professional man* un professionista **2** professionistico

professor /prəˈfesə(r)/ *s* (*abbrev* **Prof**) **1** (*GB*) docente titolare di una cattedra universitaria **2** (*USA*) docente universitario

proficiency /prəˈfɪʃnsi/ *s* ~ (**in sth/doing sth**) competenza, capacità (in qc/nel fare qc) **proficient** *agg* ~ (**in/at sth**) competente (in qc): *She's very proficient* *in/at swimming*. È una nuotatrice provetta.

profile /ˈprəʊfaɪl/ *s* profilo

profit /ˈprɒfɪt/ ◆ *s* **1** guadagno, utile: *to do sth for profit* fare qc a scopo di lucro ◊ *to make a profit of £20* ricavare 20 sterline ◊ *to sell at a profit* vendere ricavando un utile ◊ *profit-making* lucrativo **2** (*fig*) beneficio, profitto ◆ PHR V **to profit from sth** ricavare beneficio da qc **profitable** *agg* **1** redditizio **2** proficuo

profound /prəˈfaʊnd/ *agg* profondo **profoundly** *avv* profondamente, estremamente

profusely /prəˈfjuːsli/ *avv* abbondantemente

profusion /prəˈfjuːʒn/ *s* profusione, abbondanza LOC **in profusion** a profusione

programme (*USA* **program**) /ˈprəʊgræm; *USA* -grəm/ ◆ *s* programma ☛ Nel linguaggio informatico si scrive **program**. ◆ *vt, vi* (**-mm-**, *USA* **-m-**) programmare **programmer** (*anche* **computer programmer**) (*USA* **-m-**) *s* programmatore, -trice **programming** (*USA* **-m-**) *s* programmazione

progress /ˈprəʊgres; *USA* ˈprɒg-/ ◆ *s* [*non numerabile*] **1** progresso, progressi **2** (*movimento*): *to make progress* avanzare LOC **in progress** in corso ◆ /prəˈgres/ *vi* progredire

progressive /prəˈgresɪv/ *agg* **1** progressivo **2** (*Politica*) progressista

prohibit /prəˈhɪbɪt; *USA* prəʊ-/ *vt* (*form*) **1** ~ **sth**; ~ **sb (from doing sth)** vietare qc; vietare a qn (di fare qc) **2** ~ **sb/sth (from doing sth)** impedire a qn/qc (di fare qc) **prohibition** *s* proibizione

project /ˈprɒdʒekt/ ◆ *s* **1** progetto **2** (*Scuola*) ricerca ◆ /prəˈdʒekt/ **1** *vt* proiettare **2** *vt* progettare **3** *vi* sporgere **projection** *s* proiezione **projector** *s* proiettore (*del cinema*): *overhead projector* lavagna luminosa

prolific /prəˈlɪfɪk/ *agg* prolifico

prologue (*USA anche* **prolog**) /ˈprəʊlɒg; *USA* -lɔːg/ *s* ~ **(to sth)** (*lett e fig*) prologo (di qc)

prolong /prəˈlɒŋ; *USA* -ˈlɔːŋ/ *vt* prolungare

promenade /ˌprɒməˈnɑːd; *USA* -ˈneɪd/ (*GB, inform* **prom**) *s* lungomare

prominent /ˈprɒmɪnənt/ *agg* **1** prominente **2** sporgente

promiscuous /prəˈmɪskjuəs/ *agg* promiscuo

promise /ˈprɒmɪs/ ◆ *s* **1** promessa **2** *to show promise* essere promettente ◆ *vt, vi* promettere **promising** *agg* promettente

promote /prəˈməʊt/ *vt* **1** promuovere **2** (*Comm*) promozionare **promotion** *s* promozione

prompt /prɒmpt/ ◆ *agg* **1** immediato **2** (*persona*) puntuale ◆ *avv* in punto ◆ **1** *vt* ~ **sb to do sth** spingere qn a fare qc **2** *vt* (*reazione*) provocare **3** *vt, vi* (*Teatro*) suggerire (a) **promptly** *avv* **1** prontamente **2** puntualmente

prone /prəʊn/ *agg* ~ **to sth** soggetto a qc

pronoun /ˈprəʊnaʊn/ *s* pronome

pronounce /prəˈnaʊns/ *vt* **1** pronunciare **2** dichiarare **pronounced** *agg* **1** (*accento, miglioramento*) spiccato **2** (*effetto, cambiamento*) marcato **3** (*movimento*) pronunciato

pronunciation /prəˌnʌnsiˈeɪʃn/ *s* pronuncia

proof /pruːf/ *s* **1** [*non numerabile*] prova, prove **2** dimostrazione

prop /prɒp/ ◆ *s* **1** puntello **2** (*fig*) appoggio ◆ *vt* (**-pp-**) ~ **sth (up) against sth** appoggiare qc contro qc PHR V **to prop sth up 1** sostenere qc **2** (*dispreg, fig*) spalleggiare qc

propaganda /ˌprɒpəˈgændə/ *s* propaganda

propel /prəˈpel/ *vt* (**-ll-**) spingere **propellant** *agg, s* propellente

propeller /prəˈpelə(r)/ *s* elica

propensity /prəˈpensəti/ *s* (*form*) ~ **(for/to sth)** tendenza (a qc); propensione (per qc)

proper /ˈprɒpə(r)/ *agg* **1** (*utensile, momento, posto*) adatto, giusto **2** (*genuino*) vero **3** (*maniera, ordine*) giusto, corretto **4** (*comportamento, persona*) corretto **5** *the house proper* la casa vera e propria **properly** *avv* per bene

property /ˈprɒpəti/ *s* (*pl* **-ies**) **1** proprietà **2** [*non numerabile*] beni, averi: *personal property* beni mobili

prophecy /ˈprɒfəsi/ *s* (*pl* **-ies**) profezia

prophesy /ˈprɒfəsaɪ/ (*pass, pp* **-sied**)

vt predire, profetizzare **2** *vi* fare profezie

rophet /ˈprɒfɪt/ *s* profeta

roportion /prəˈpɔːʃn/ *s* **1** proporzione: *sense of proportion* senso della misura **2** parte, porzione LOC **out of (all) proportion 1** eccessivamente **2** sproporzionato *Vedi anche* THING **proportional** *agg* ~ (**to sth**) proporzionale (a qc); proporzionato (a qc)

roposal /prəˈpəʊzl/ *s* **1** proposta **2** (*anche* **proposal of marriage**) proposta di matrimonio

ropose /prəˈpəʊz/ **1** *vt* (*alternativa*) proporre **2** *vt* ~ **to do sth/doing sth** proporsi di fare qc **3** *vi* ~ (**to sb**) chiedere (a qn) di sposarci

roposition /ˌprɒpəˈzɪʃn/ *s* **1** proposta **2** (*Filos, Mat*) proposizione

roprietor /prəˈpraɪətə(r)/ *s* proprietario, -a

rose /prəʊz/ *s* prosa

rosecute /ˈprɒsɪkjuːt/ *vt* intentare azione giudiziaria contro **prosecution** *s* **1** azione giudiziaria **2** [*v sing o pl*] accusa (*avvocato*) **prosecutor** *s* accusa (*avvocato*)

rospect /ˈprɒspekt/ *s* **1** prospettiva **2** ~ (**of sth/doing sth**) probabilità, possibilità (di qc/di fare qc) **3** (*antiq*) vista **prospective** /prəˈspektɪv/ *agg* **1** futuro **2** probabile

rospectus /prəˈspektəs/ *s* programma (*di una scuola, impresa*)

rosper /ˈprɒspə(r)/ *vi* prosperare **prosperity** /prɒˈsperəti/ *s* prosperità **prosperous** *agg* prospero

rostitute /ˈprɒstɪtjuːt; *USA* -tuːt/ *s* **1** prostituta **2 male prostitute** prostituto **prostitution** *s* prostituzione

rostrate /ˈprɒstreɪt/ *agg* **1** prostrato, steso a terra **2** ~ (**with sth**) prostrato, sopraffatto (da qc)

rotagonist /prəˈtæɡənɪst/ *s* protagonista

rotect /prəˈtekt/ *vt* ~ **sb/sth** (**against/from sth**) proteggere qn/qc (da qc) **protection** *s* ~ (**against sth**) protezione (da qc)

rotective /prəˈtektɪv/ *agg* protettivo

rotein /ˈprəʊtiːn/ *s* proteina

rotest /ˈprəʊtest/ ◆ *s* protesta, proteste ◆ /prəˈtest/ **1** *vi* ~ (**about/at/against sth**) protestare (per/contro qc) **2** *vt* dichiarare **protester** *s* manifestante

Protestant /ˈprɒtɪstənt/ *agg, s* protestante

prototype /ˈprəʊtətaɪp/ *s* prototipo

protrude /prəˈtruːd; *USA* prəʊ-/ *vi* ~ (**from sth**) sporgere (da qc): *protruding teeth* denti in fuori

proud /praʊd/ *agg* (**-er**, **-est**) **1** (*approv*) ~ (**of sb/sth**) orgoglioso (di qn/qc) **2** (*approv*) ~ (**to do sth/that...**) orgoglioso (di fare qc/che...) **3** (*dispreg*) superbo **proudly** *avv* orgogliosamente

prove /pruːv/ *vt* (*pp* **proved**, *USA* **proven** /ˈpruːvn/) **1** ~ **sth** (**to sb**) provare, dimostrare qc (a qn) **2** *vt, vi* ~ (**yourself**) (**to be**) **sth** dimostrare (di essere) qc; rivelarsi qc: *The task proved (to be) very difficult.* Il compito si è rivelato molto difficile. LOC **to prove your point** dimostrare di aver ragione

proven /ˈpruːvn/ ◆ *agg* provato, comprovato ◆ (*USA*) *pp di* PROVE

proverb /ˈprɒvɜːb/ *s* proverbio **proverbial** *agg* proverbiale

provide /prəˈvaɪd/ *vt* **1** ~ **sb with sth** fornire qn di qc **2** ~ **sth** (**for sb**) fornire qc (a qn) PHR V **to provide for sb** provvedere a qn **to provide for sth 1** prendere provvedimenti per qc **2** (*Dir*) prevedere qc

provided /prəˈvaɪdɪd/ (*anche* **providing**) *cong* ~ (**that...**) a condizione che..., sempre che...

province /ˈprɒvɪns/ *s* **1** provincia, regione **2 the provinces** [*pl*] la provincia: *in the provinces* in provincia **3** competenza: *It's not my province.* Non è di mia competenza. **provincial** /prəˈvɪnʃl/ *agg* **1** provinciale, regionale **2** (*dispreg*) provinciale

provision /prəˈvɪʒn/ *s* **1** ~ **of sth** fornitura di qc **2** *to make provision for sb* provvedere a qn ◊ *to make provision against/for sth* premunirsi contro/per qc **3 provisions** [*pl*] viveri, provviste **4** (*Dir*) provvedimento, disposizione

provisional /prəˈvɪʒənl/ *agg* provvisorio

proviso /prəˈvaɪzəʊ/ *s* (*pl* ~**s**) clausola, condizione

provocation /ˌprɒvəˈkeɪʃn/ *s* provocazione **provocative** /prəˈvɒkətɪv/ *agg* **1** provocatorio **2** provocante

provoke /prəˈvəʊk/ *vt* **1** (*persona*)

provocare **2 ~ sb into doing sth/to do sth** spingere qn a fare qc **3 ~ sth** provocare, causare qc

prow /praʊ/ *s* prua

prowess /ˈpraʊəs/ *s* bravura, maestria

prowl /praʊl/ *vt, vi* ~ (**about/around**) aggirarsi (in/per)

proximity /prɒkˈsɪməti/ *s* vicinanza, prossimità

proxy /ˈprɒksi/ *s* **1** procuratore, -trice (*con procura*) **2** procura, delega: *by proxy* per procura

prude /pruːd/ *s* (*dispreg*) puritano, -a

prudent /ˈpruːdnt/ *agg* prudente

prune[1] /pruːn/ *s* prugna

prune[2] /pruːn/ *vt* **1** potare **2** (*fig*) tagliare **pruning** *s* potatura

pry /praɪ/ (*pass, pp* **pried** /praɪd/) **1** *vi* **to pry** (**into sth**) ficcare il naso, curiosare (in qc) **2** *vt* (*spec USA*) *Vedi* PRISE

PS /ˌpiːˈes/ *abbr* **postscript** poscritto (=P.S.)

psalm /sɑːm/ *s* salmo

pseudonym /ˈsjuːdənɪm; *USA* ˈsuːdənɪm/ *s* pseudonimo

psyche /ˈsaɪki/ *s* psiche

psychiatry /saɪˈkaɪətri; *USA* sɪ-/ *s* psichiatria **psychiatric** /ˌsaɪkiˈætrɪk/ *agg* psichiatrico **psychiatrist** /saɪˈkaɪətrɪst/ *s* psichiatra

psychic /ˈsaɪkɪk/ *agg* **1** (*anche* **psychical**) psichico **2** (*persona*): *to be psychic* avere poteri paranormali

psychoanalysis /ˌsaɪkəʊəˈnæləsɪs/ (*anche* **analysis**) *s* psicoanalisi

psychology /saɪˈkɒlədʒi/ *s* psicologia **psychological** /ˌsaɪkəˈlɒdʒɪkl/ *agg* psicologico **psychologist** /saɪˈkɒlədʒɪst/ *s* psicologo, -a

PTO /ˌpiːtiːˈəʊ/ *abbr* **please turn over** vedi retro

pub /pʌb/ *s* (*GB*) pub, bar ☛ *Vedi pag. 379.*

puberty /ˈpjuːbəti/ *s* pubertà

pubic /ˈpjuːbɪk/ *agg* pubico

public /ˈpʌblɪk/ ◆ *agg* pubblico: *public convenience* gabinetti pubblici ◊ *public house* pub, bar ◆ *s* **the public** [*v sing o pl*] il pubblico LOC **in public** in pubblico

publication /ˌpʌblɪˈkeɪʃn/ *s* pubblicazione

publicity /pʌbˈlɪsəti/ *s* [*non numerabile*] pubblicità: *publicity campaign* campagna pubblicitaria

publicize, -ise /ˈpʌblɪsaɪz/ *vt* **1** rendere pubblico **2** promuovere, fare pubblicità a

publicly /ˈpʌblɪkli/ *avv* pubblicamente

public school *s* **1** (*GB*) scuola superiore privata **2** (*USA*) scuola statale ☛ *Vedi nota a* SCUOLA

publish /ˈpʌblɪʃ/ *vt* **1** pubblicare **2** rendere pubblico **publisher** *s* editore, -trice **publishing** *s* editoria: *publishing house* casa editrice

pudding /ˈpʊdɪŋ/ *s* **1** (*GB*) dolce, dessert **2** budino ☛ *Vedi nota a* NATALE **3** *black pudding* sanguinaccio

puddle /ˈpʌdl/ *s* pozzanghera

puff /pʌf/ ◆ *s* **1** soffio **2** (*fumo, vapore*) sbuffo **3** (*inform*) (*sigaretta*) tiro **4** (*inform*): *I'm out of puff.* Ho il fiatone. ◆ **1** *vi* ansimare **2** *vi* ~ (**away**) **at/on sth** (*pipa, ecc*) fumare qc **3** *vt* (*fumo*) mandar fuori a sbuffi **4** *vt* (*sigaro, ecc*) fumare PHR V **to puff sb out** (*inform*) far venire il fiatone a qn **to puff sth out** gonfiare qc **to puff up** gonfiarsi **puffed** (*anche* **puffed out**) (*inform*) *agg*: *to be puffed out* avere il fiatone **puffy** *agg* (**-ier, -iest**) gonfio (*spec il viso*)

pull /pʊl/ ◆ *s* **1** ~ (**at/on sth**) tirata (a qc) **2 the ~ of sth** l'attrazione di qc **3** *It was a long pull up the hill.* È stata una bella faticata arrivare in cima alla collina. ◆ **1** *vt* tirare, trascinare **2** *vi* ~ (**at/on sth**) tirare (qc) **3** *vt*: *to pull a muscle* farsi uno strappo muscolare **4** *vt* (*grilletto*) premere **5** *vt* (*pistola*) tirar fuori **6** *vt* (*tappo, dente*) togliere LOC **to pull sb's leg** (*inform*) prendere in giro qn **to pull strings (for sb)** (*inform*) muovere qualche pedina (per qn) **to pull your socks up** (*GB, inform*) darsi da fare **to pull your weight** fare la propria parte *Vedi anche* FACE[1]

PHR V **to pull sth apart** smontare qc

to pull sth down 1 tirare giù qc **2** (*edificio*) buttar giù

to pull into sth; pull in (to sth) 1 (*treno*) arrivare (alla stazione) **2** (*auto*) accostarsi, fermarsi (in qc)

to pull sth off (*inform*) portare a termine qc

to pull out (of sth) 1 (*treno*) uscire (da qc), partire **2** ritirarsi (da qc) **to pull sth out** tirar fuori qc **to pull sb/sth out (of sth)** ritirare qn/qc (da qc)

to pull over accostare
to pull yourself together ricomporsi
to pull up fermarsi **to pull sth up 1** tirar su qc **2** (*pianta*) sradicare qc

ulley /ˈpʊli/ *s* (*pl* **-eys**) puleggia, carrucola

ullover /ˈpʊləʊvə(r)/ *s* maglione ☛ *Vedi nota a* SWEATER

ulp /pʌlp/ *s* **1** polpa **2** (*di legno*) pasta

ulpit /ˈpʊlpɪt/ *s* pulpito

ulsate /pʌlˈseɪt; *USA* ˈpʌlseɪt/ (*anche* **pulse**) *vi* pulsare

ulse /pʌls/ *s* **1** (*Med*) polso **2** ritmo **3** impulso (*di corrente, luce, ecc*) **4** [*gen pl*] legume

umice /ˈpʌmɪs/ (*anche* **pumice stone**) *s* pietra pomice

ummel /ˈpʌml/ (*anche* **pommel**) *vt* (-**ll**-, *USA anche* -**l**-) prendere a pugni

ump /pʌmp/ ◆ *s* **1** pompa: *petrol pump* distributore di benzina **2** ballerina (*scarpa*) ◆ **1** *vt, vi* pompare **2** *vi* (*cuore*) battere **3** ~ **sb for sth** (*inform*) strappare qc a qn (*informazioni*) PHR V **to pump sth up** gonfiare qc

umpkin /ˈpʌmpkɪn/ *s* zucca

un /pʌn/ *s* **pun** (**on sth**) gioco di parole (su qc)

unch /pʌntʃ/ ◆ *s* **1** punzone, perforatrice **2** (*bibita*) punch **3** pugno ◆ *vt* **1** perforare, forare: *to punch a hole in sth* fare un foro in qc **2** dare un pugno a

unch-up /ˈpʌntʃ ʌp/ *s* (*GB, inform*) scazzottata

unctual /ˈpʌŋktʃuəl/ *agg* puntuale ☛ *Vedi nota a* PUNTUALE **punctuality** /ˌpʌŋktʃuˈæləti/ *s* puntualità

unctuate /ˈpʌŋktʃueɪt/ *vt* **1** (*Gramm*) mettere la punteggiatura in **2** ~ **sth (with sth)** interrompere qc (con qc)

uncture /ˈpʌŋktʃə(r)/ ◆ *s* foratura: *I've had a puncture.* Ho forato. ◆ **1** *vt, vi* forare **2** *vt* (*Med*) perforare

undit /ˈpʌndɪt/ *s* esperto, -a

ungent /ˈpʌndʒənt/ *agg* **1** (*sapore*) aspro, piccante **2** (*odore*) acre **3** (*fig*) mordace

unish /ˈpʌnɪʃ/ *vt* punire **punishment** *s* punizione, pena

unitive /ˈpjuːnətɪv/ *agg* (*form*) **1** punitivo **2** duro, severo

unt /pʌnt/ *s* (*GB*) barchino

unter /ˈpʌntə(r)/ *s* (*GB*) **1** scommettitore, -trice **2** (*inform*) cliente

pup /pʌp/ *s* **1** *Vedi* PUPPY **2** cucciolo (*di foca, ecc*)

pupil /ˈpjuːpl/ *s* **1** alunno, -a **2** allievo, -a **3** pupilla (*di occhio*)

puppet /ˈpʌpɪt/ *s* **1** (*lett*) burattino, marionetta **2** (*fig*) burattino

puppy /ˈpʌpi/ (*pl* **-ies**) (*anche* **pup** /pʌp/) *s* cagnolino, cucciolo ☛ *Vedi nota a* CANE

purchase /ˈpɜːtʃəs/ ◆ *s* (*form*) acquisto LOC *Vedi* COMPULSORY ◆ *vt* (*form*) acquistare **purchaser** *s* (*form*) acquirente

pure /pjʊə(r)/ *agg* (**purer**, **purest**) puro **purely** *avv* puramente

purée /ˈpjʊəreɪ; *USA* pjʊəˈreɪ/ *s* purè

purge /pɜːdʒ/ ◆ *vt* **1** ~ **sb/sth** epurare qn/qc **2** ~ **sb/sth of/from sth** purificare qn/qc da qc ◆ *s* **1** purga, epurazione **2** (*Med*) purga

purify /ˈpjʊərɪfaɪ/ *vt* (*pass, pp* **-fied**) purificare

puritan /ˈpjʊərɪtən/ *agg, s* puritano, -a **puritanical** /ˌpjʊərɪˈtænɪkl/ *agg* (*dispreg*) puritano

purity /ˈpjʊərəti/ *s* purezza

purple /ˈpɜːpl/ *agg, s* viola

purport /pəˈpɔːt/ *vt* (*form*): *It purports to be…* Ha la pretesa di essere…

purpose /ˈpɜːpəs/ *s* **1** scopo, fine: *purpose-built* costruito appositamente **2** determinazione: *to have a/no sense of purpose* (non) avere una meta nella vita LOC **for the purpose of** ai fini di **for this purpose** a questo scopo **on purpose** apposta, di proposito *Vedi anche* INTENT **purposeful** *agg* determinato, deciso **purposely** *avv* intenzionalmente

purr /pɜː(r)/ *vi* fare le fusa ☛ *Vedi nota a* GATTO

purse /pɜːs/ ◆ *s* **1** borsellino ☛ *Confronta* WALLET **2** (*USA*) borsa ◆ *vt*: *to purse your lips* storcere il naso

pursue /pəˈsjuː; *USA* -ˈsuː/ *vt* (*form*) **1** inseguire ☛ La parola più comune è **chase**. **2** (*attività, studi*) proseguire, portare avanti **3** (*linea, pista*) seguire

pursuit /pəˈsjuːt; *USA* -ˈsuːt/ *s* (*form*) **1** ~ **of sth** ricerca di qc **2** [*gen pl*] attività, passatempi LOC **in pursuit of sb/sth 1** alla ricerca di qn/qc **2** all'inseguimento di qn/qc

push /pʊʃ/ ◆ *s* spinta LOC **to get the push** (*GB, inform*) avere il benservito

to give sb the push (*GB, inform*) dare il benservito a qn ◆ **1** *vt, vi* **to** ~ **(against) sb/sth** spingere qn/qc: *to push past sb* spingere qn per passare **2** *vt* (*pulsante*) premere, schiacciare **3** *vt* (*inform*) (*idea*) promuovere LOC **to be pushed for sth** (*inform*) essere a corto di qc PHR V **to push ahead/forward/on (with sth)** andare avanti (con qc) **to push sb around** (*inform*) fare il prepotente con qn **to push in** intrufolarsi **to push off** (*inform*) smammare

pushchair /ˈpʊʃtʃeə(r)/ *s* passeggino

push-up /ˈpʊʃ ʌp/ *s* (*spec USA*) *Vedi* PRESS-UP

pushy /ˈpʊʃi/ *agg* (**-ier**, **-iest**) (*inform, dispreg*) prepotente

puss /pʊs/ *s* micio **pussy** (*pl* **-ies**) (*anche* **pussy-cat**) *s* micino

put /pʊt/ *vt* (**-tt-**) (*pass, pp* **put**) **1** mettere: *Did you put sugar in my tea?* Hai messo lo zucchero nel tè? ◊ *to put sb out of work* far perdere il lavoro a qn **2** (*chiaramente, ecc*) esprimere **3** (*domanda*) porre **4** (*tempo, energia*) dedicare ☛ Per le espressioni con **put** vedi alla voce del sostantivo, dell'aggettivo, ecc, ad es. **to put sth right** a RIGHT.

PHR V **to put sth across/over** comunicare qc **to put yourself across/over** esprimersi

to put sth aside mettere qc da parte

to put sth away mettere via qc

to put sth back 1 rimettere a posto qc **2** (*orologio*) mettere indietro qc **3** (*posporre*) rinviare qc

to put sth by mettere da parte qc

to put sb down (*inform*) umiliare qn **to put sth down 1** mettere giù qc **2** scrivere, annotare qc **3** (*rivolta*) soffocare qc **4** (*animale*) abbattere qc **to put sth down to sth** attribuire qc a qc

to put sth forward 1 (*proposta*) presentare qc **2** (*orologio*) mettere avanti qc

to put sth into (doing) sth dedicare qc a qc/per fare qc

to put sb off 1 rimandare l'appuntamento con qn **2** distrarre qn **to put sb off (sth/doing sth)** far passare la voglia (di qc/di fare qc) a qn

to put sth on 1 (*abito, crema*) mettersi qc **2** (*luce, radio*) accendere qc **3** mettere su qc: *to put on weight* ingrassare ◊ *to put on two kilos* ingrassare di due chili **4** (*commedia*) mettere in scena qc **5** fingere qc

to put sb out [*gen al passivo*] offendere qn **to put sth out 1** metter fuori qc **2** (*luce, fuoco*) spegnere qc **3** (*mano*) tendere qc **to put yourself out (to do sth)** (*inform*) disturbarsi (a fare qc)

to put sth through (*programma*) portare a termine qc **to put sb through sth** sottoporre qn a qc **to put sb through** mettere in linea qn (*al telefono*): *I'll put you through to Mr Roberts.* Le passo il Sig. Roberts.

to put sth to sb suggerire, proporre qc a qn

to put sth together montare qc (*congegno*)

to put sb up ospitare qn **to put sth up 1** (*mano, prezzo*) alzare qc **2** (*edificio*) costruire, erigere qc **3** (*avviso, decorazioni*) mettere qc **to put up with sb/sth** sopportare qn/qc

putrid /ˈpjuːtrɪd/ *agg* **1** putrido, putrefatto **2** (*colore*) schifoso

putty /ˈpʌti/ *s* stucco (*per vetri*)

puzzle /ˈpʌzl/ ◆ *s* **1** rompicapo **2** mistero **3** (*anche* **jigsaw puzzle**) puzzle ◆ *vt* sconcertare PHR V **to puzzle sth out** risolvere qc **to puzzle over sth** cercare di risolvere qc

pygmy /ˈpɪgmi/ ◆ *s* pigmeo, -a ◆ *agg* **1** pigmeo **2** nano: *pygmy chimpanzee* scimpanzé nano

pyjamas /pəˈdʒɑːməz/ (*USA* **pajamas** /-ˈdʒæm-/) *s* [*pl*] pigiama: *a pair of pyjamas* un pigiama ☛ Davanti a un altro sostantivo si usa la forma singolare: *pyjama trousers* pantaloni del pigiama

pylon /ˈpaɪlən; *USA* ˈpaɪlɒn/ *s* pilone, traliccio

pyramid /ˈpɪrəmɪd/ *s* piramide

python /ˈpaɪθn; *USA* ˈpaɪθɒn/ *s* pitone

Q q

Q, q /kjuː/ *s* (*pl* **Q's, q's** /kjuːz/) Q, q: *Q for Queenie* Q come Quarto ☛ *Vedi esempi a* A, A

quack /kwæk/ ◆ *s* **1** qua qua **2** *s* (*inform, dispreg*) ciarlatano, -a ◆ *vi* fare qua qua

quadruple /ˈkwɒdrʊpl; *USA* kwɒˈdruːpl/ ◆ *agg* quadruplo ◆ *vt, vi* quadruplicare, quadruplicarsi

quagmire /ˈkwægmaɪə(r), kwɒg-/ *s* **1** pantano **2** pasticcio

quail /kweɪl/ ◆ *s* (*pl* **quail** *o* **~s**) quaglia ◆ *vi* ~ (**at sb/sth**) impaurirsi (davanti a qn/qc)

quaint /kweɪnt/ *agg* **1** (*idea, abitudine*) curioso **2** (*luogo, edificio*) pittoresco

quake /kweɪk/ ◆ *vi* tremare ◆ (*inform*) *s* terremoto

qualification /ˌkwɒlɪfɪˈkeɪʃn/ *s* **1** (*diploma, ecc*) titolo, qualifica **2** requisito **3** limitazione, modificazione: *without qualification* senza riserve **4** (*Sport*) qualificazione

qualified /ˈkwɒlɪfaɪd/ *agg* **1** qualificato, abilitato **2** (*approvazione*) con riserva

qualify /ˈkwɒlɪfaɪ/ (*pass, pp* **-fied**) **1** *vt* ~ **sb** (**for sth/to do sth**) qualificare qn (per qc/per fare qc); dare diritto a qn a qc/a fare qc **2** *vi* ~ **for sth/to do sth** aver diritto a qc/a fare qc **3** *vt* (*dichiarazione*) puntualizzare **4** *vi* ~ (**as sth**) ottenere la qualifica (di qc) **5** *vi* ~ (**as sth**) contare (qc) **6** *vi* ~ (**for sth**) avere i requisiti (per qc) **7** *vi* ~ (**for sth**) (*Sport*) qualificarsi (per qc) **qualifying** *agg* **1** (*partita*) eliminatorio **2** (*esame*) di ammissione

qualitative /ˈkwɒlɪtətɪv; *USA* -teɪt-/ *agg* qualitativo

quality /ˈkwɒləti/ *s* (*pl* **-ies**) qualità

qualm /kwɑːm/ *s* scrupolo

quandary /ˈkwɒndəri/ *s* LOC **to be in a quandary** avere un dilemma

quantify /ˈkwɒntɪfaɪ/ *vt* (*pass, pp* **-fied**) quantificare

quantitative /ˈkwɒntɪtətɪv; *USA* -teɪt-/ *agg* quantitativo

quantity /ˈkwɒntəti/ *s* (*pl* **-ies**) quantità

quarantine /ˈkwɒrəntiːn; *USA* ˈkwɔːr-/ *s* quarantena

quarrel /ˈkwɒrəl; *USA* ˈkwɔːrəl/ ◆ *s* **1** lite **2** motivo di lagnanza LOC *Vedi* PICK ◆ *vi* (**-ll-**, *USA* **-l-**) ~ (**with sb**) (**about/over sth**) litigare (con qn) (per qc) **quarrelsome** *agg* litigioso

quarry /ˈkwɒri; *USA* ˈkwɔːri/ *s* (*pl* **-ies**) **1** preda **2** cava

quart /kwɔːt/ *s* (*abbrev* **qt**) quarto di gallone (=1,14 litri)

quarter /ˈkwɔːtə(r)/ *s* **1** quarto: *It's* (*a*) *quarter to/past one.* È l'una meno/e un quarto. ◊ *a quarter full* pieno per un quarto **2** (*pagamento*) trimestre **3** quartiere **4** (*USA*) quarto di dollaro **5 quarters** [*pl*] (*spec Mil*) quartiere LOC **in/from all quarters** da tutte le parti

quarter-final /ˌkwɔːtə ˈfaɪnəl/ *s* quarti di finale

quarterly /ˈkwɔːtəli/ ◆ *agg* trimestrale ◆ *avv* trimestralmente ◆ *s* trimestrale (*rivista*)

quartet /kwɔːˈtet/ *s* quartetto

quartz /kwɔːts/ *s* quarzo

quash /kwɒʃ/ *vt* **1** (*sentenza*) annullare **2** (*rivolta*) soffocare **3** (*sospetto, chiacchiera*) mettere fine a

quay /kiː/ (*anche* **quayside**) /ˈkiːsaɪd/ *s* molo

queen /kwiːn/ *s* **1** regina **2** (*Carte*) donna, regina ☛ *Vedi nota a* CARTA

queer /kwɪə(r)/ ◆ *agg* strano LOC *Vedi* FISH ◆ *s* (*volgare, spesso offensivo*) frocio ☛ *Confronta* GAY

quell /kwel/ *vt* **1** (*rivolta, passione*) dominare **2** (*paura, dubbi*) vincere

quench /kwentʃ/ *vt* **1** (*sete*) togliere **2** (*fuoco, passione*) spegnere

query /ˈkwɪəri/ ◆ *s* (*pl* **-ies**) domanda, dubbio: *Have you got any queries?* Avete qualcosa da chiedere? ◆ *vt* (*pass, pp* **queried**) contestare, mettere in questione

quest /kwest/ *s* (*form*) ricerca

question /ˈkwestʃən/ ◆ *s* **1** domanda: *to ask a question* fare una domanda ◊ *to answer a question* rispondere a una domanda **2** ~ (**of sth**) questione (di qc)

LOC **to be out of the question** esser fuori questione **to bring/call sth into question** mettere in dubbio qc *Vedi anche* LOADED *a* LOAD ◆ *vt* **1** fare delle domande a, interrogare **2** ~ **sth** mettere in dubbio qc **questionable** *agg* discutibile

questioning /ˈkwestʃənɪŋ/ ◆ *s* interrogatorio ◆ *agg* interrogativo, inquisitore

question mark *s* punto interrogativo ☛ *Vedi pagg. 376–77.*

questionnaire /ˌkwestʃəˈneə(r)/ *s* questionario

queue /kjuː/ ◆ *s* fila, coda LOC *Vedi* JUMP ◆ *vi* ~ (**up**) fare la fila

quick /kwɪk/ ◆ *agg* (**-er**, **-est**) **1** rapido, svelto: *Be quick!* Fai presto! ☛ *Vedi nota a* FAST[1] **2** (*persona, mente*) sveglio LOC **a quick temper** un temperamento irascibile **quick march!** passo di corsa! **to be quick to do sth** fare qc prontamente *Vedi anche* BUCK[3] ◆ *avv* (**-er**, **-est**) rapidamente, in fretta

quicken /ˈkwɪkən/ **1** *vt, vi* accelerare **2** *vi* (*interesse*) destarsi

quickly /ˈkwɪkli/ *avv* rapidamente, in fretta

quid /kwɪd/ *s* (*pl* **quid**) (*inform, GB*) sterlina: *five quid each* cinque sterline a testa

quiet /ˈkwaɪət/ ◆ *agg* (**-er**, **-est**) **1** (*luogo, vita*) tranquillo **2** *Be quiet!* Stai zitto! **3** silenzioso ◆ *s* **1** silenzio **2** tranquillità LOC **on the quiet** di nascosto *Vedi anche* PEACE **quieten** (*spec USA* **quiet**) *vt* ~ **sb/sth** (**down**) (*spec GB*) calmare qn/qc PHR V **to quieten down** calmarsi, tranquillizzarsi

quietly /ˈkwaɪətli/ *avv* **1** silenziosamente **2** tranquillamente **3** a voce bassa

quietness /ˈkwaɪətnəs/ *s* tranquillità

quilt /kwɪlt/ *s* trapunta

quintet /kwɪnˈtet/ *s* quintetto

quirk /kwɜːk/ *s* **1** stranezza (*abitudine*) **2** capriccio (*del destino*) **quirky** *agg* capriccioso

quit /kwɪt/ (**-tt-**) (*pass, pp* **quit** *o* **quitted**) **1** *vt* (*lavoro, scuola*) lasciare **2** *vi* smettere, andarsene **3** *vt* (*inform*) ~ **doing sth** smettere di fare qc

quite /kwaɪt/ *avv* **1** abbastanza: *He played quite well.* Ha giocato piuttosto bene. **2** completamente: *quite empty* completamente vuoto ◊ *quite sure* assolutamente certo ◊ *She played quite brilliantly.* Ha giocato proprio bene ☛ *Vedi nota a* FAIRLY LOC **quite a quite some** (*approv, spec USA*): *It's been quite a day!* Che giornata! ◊ *It gave me quite a shock.* Mi son preso un bello spavento. **quite a few** parecchi

quiver /ˈkwɪvə(r)/ ◆ *vi* tremare ◆ *s* tremito

quiz /kwɪz/ ◆ *s* (*pl* **quizzes**) quiz ◆ *vt* (**-zz-**) ~ **sb** (**about sb/sth**) interrogare qn (su qn/qc) **quizzical** *agg* interrogativo

quorum /ˈkwɔːrəm/ *s* [*gen sing*] quorum

quota /ˈkwəʊtə/ *s* quota

quotation /kwəʊˈteɪʃn/ *s* **1** (*anche* **quote**) (*da un libro, ecc*) citazione **2** (*Fin*) quotazione **3** preventivo

quotation marks (*anche* **quotes**) *s* [*pl*] virgolette ☛ *Vedi pagg. 376–77.*

quote /kwəʊt/ ◆ **1** *vt, vi* citare **2** *vt* fare un preventivo di **3** *vt* quotare ◆ *s* **1** *Vedi* QUOTATION senso 1 **2** *Vedi* QUOTATION senso 3 **3 quotes** [*pl*] *Vedi* QUOTATION MARKS

Rr

R, r /ɑː(r)/ *s* (*pl* **R's, r's** /ɑːz/) R, r: *R for Robert* R come Roma ☛ *Vedi esempi a* A, A

rabbit /ˈræbɪt/ *s* coniglio ☛ *Vedi nota a* CONIGLIO

rabid /ˈræbɪd/ *agg* idrofobo

rabies /ˈreɪbiːz/ *s* [*non numerabile*] rabbia (*malattia*)

race¹ /reɪs/ *s* razza: *race relations* rapporti interrazziali

race² /reɪs/ ◆ *s* corsa, gara LOC *Vedi* RAT ◆ **1** *vi* correre, gareggiare **2** *vi* correre: *She raced across the road.* Ha attraversato la strada di corsa. **3** *vi* competere **4** *vi* (*cuore*) battere forte **5** *vt* ~ **sb** correre contro qn: *I'll race you to school.* Facciamo a chi arriva prima a scuola. **6** *vt* (*cavallo*) far correre

racecourse /ˈreɪskɔːs/ (*USA* **race-track**) *s* ippodromo

racehorse /ˈreɪshɔːs/ *s* cavallo da corsa

racetrack /ˈreɪstræk/ *s* **1** pista (*automobilistica*) **2** (*USA*) *Vedi* RACECOURSE

racial /ˈreɪʃl/ *agg* razziale

racing /ˈreɪsɪŋ/ *s* corse: *horse racing* corse dei cavalli ◊ *racing car/bike* auto/bicicletta da corsa

racism /ˈreɪsɪzəm/ *s* razzismo **racist** *agg, s* razzista

rack /ræk/ ◆ *s* **1** (*per bici, piatti, ecc*) rastrelliera **2** (*per bagagli*) rete *Vedi* ROOF-RACK **3** (*per bottiglie*) portabottiglie **4 the rack** il cavalletto (*strumento di tortura*) ◆ *vt* LOC **to rack your brain(s)** scervellarsi

racket /ˈrækɪt/ *s* **1** (*anche* **racquet**) racchetta **2** fracasso **3** racket

racquet *Vedi* RACKET senso 1

racy /ˈreɪsi/ *agg* (**racier**, **raciest**) **1** (*stile*) vivace **2** (*barzelletta*) un po' spinto

radar /ˈreɪdɑː(r)/ *s* [*non numerabile*] radar

radiant /ˈreɪdiənt/ *agg* **1** ~ (**with sth**) raggiante (di qc): *radiant with joy* raggiante di felicità **2** (*Fis*) radiante **radiance** *s* splendore

radiate /ˈreɪdieɪt/ **1** *vt, vi* (*luce, felicità*) irradiare, irradiarsi **2** *vi* (*da un punto centrale*) irradiarsi

radiation /ˌreɪdiˈeɪʃn/ *s* **1** radiazione: *radiation sickness* sindrome da radiazioni **2** irradiazione

radiator /ˈreɪdieɪtə(r)/ *s* radiatore

radical /ˈrædɪkl/ *agg, s* radicale

radio /ˈreɪdiəʊ/ *s* (*pl* ~**s**) radio: *radio station* stazione radio

radioactive /ˌreɪdiəʊˈæktɪv/ *agg* radioattivo **radioactivity** /ˌreɪdiəʊæk ˈtɪvəti/ *s* radioattività

radish /ˈrædɪʃ/ *s* ravanello

radius /ˈreɪdiəs/ *s* (*pl* **radii** /ˈreɪdiaɪ/) **1** (*Geom*) raggio **2** (*Anat*) radio

raffle /ˈræfl/ *s* lotteria

raft /rɑːft; *USA* ræft/ *s* zattera: *life raft* canotto di salvataggio

rafter /ˈrɑːftə(r); *USA* ˈræf-/ *s* trave (*del tetto*)

rag /ræg/ *s* **1** straccio **2 rags** [*pl*] stracci (*abiti*) **3** (*inform, dispreg*) giornalaccio

rage /reɪdʒ/ ◆ *s* collera (*ira*): *to fly into a rage* andare su tutte le furie LOC **to be all the rage** fare furore ◆ *vi* **1** infuriarsi **2** (*tormenta, battaglia*) infuriare

ragged /ˈrægɪd/ *agg* **1** (*abito*) stracciato **2** (*persona*) cencioso

raging /ˈreɪdʒɪŋ/ *agg* **1** (*dolore, sete*) atroce **2** (*mare*) in tempesta

raid /reɪd/ ◆ *s* **1** ~ (**on sth**) attacco (contro qc) **2** ~ (**on sth**) rapina (a qc) **3** (*polizia*) irruzione ◆ *vt* **1** (*polizia*) fare incursione in **2** (*fig*) fare razzia in **raider** *s* rapinatore, -trice

rail /reɪl/ *s* **1** corrimano **2** parapetto **3** (*tende*) bastone **4** rotaia **5** (*Ferrovia*): *rail strike* sciopero dei treni ◊ *by rail* in treno

railing /ˈreɪlɪŋ/ (*anche* **railings**) *s* cancellata

railroad /ˈreɪlrəʊd/ *s* (*USA*) ferrovia

railway /ˈreɪlweɪ/ *s* **1** ferrovia: *railway station* stazione ferroviaria **2** (*anche* **railway line/track**) linea ferroviaria

rain /reɪn/ ◆ *s* (*lett e fig*) pioggia: *It's pouring with rain.* Piove a dirotto. ◆ *vi* (*lett e fig*) piovere: *It's raining hard.* Piove a dirotto.

rainbow /ˈreɪnbəʊ/ *s* arcobaleno

raincoat /ˈreɪnkəʊt/ *s* impermeabile

rainfall /ˈreɪnfɔːl/ *s* [*non numerabile*] precipitazioni (*quantità*)

rainforest /ˈreɪnfɒrɪst/ *s* foresta pluviale

rainy /ˈreɪni/ *agg* (**-ier**, **-iest**) piovoso

raise /reɪz/ ◆ *vt* **1** alzare **2** (*stipendio, speranze*) aumentare **3** (*questione, problema*) sollevare **4** (*fondi*) raccogliere **5** (*bambini, animali*) allevare ☛ *Confronta* EDUCATE, TO BRING SB UP *a* BRING **6** (*prestito*) ottenere LOC **to raise the alarm** dare l'allarme **to raise your eyebrows** (**at sth**) storcere il naso (all'idea di/per qc) **to raise your glass** (**to sb**) brindare (a qn) ◆ *s* (*USA*) aumento (*di stipendio*)

raisin /ˈreɪzn/ *s* [*numerabile*] uvetta *Vedi anche* SULTANA

rake /reɪk/ ◆ *s* rastrello ◆ *vt, vi* rastrellare LOC **to rake it in** fare un sacco di soldi PHR V **to rake sth up** (*inform*) rivangare qc (*passato, ecc*)

rally /ˈræli/ (*pass, pp* **rallied**) ◆ **1** *vi* ~ (**round**) far fronte comune **2** *vt* ~ **sb** (**round sb**) radunare qn (intorno a qn) **3** *vi* riprendersi ◆ *s* (*pl* **-ies**) **1** raduno **2** (*tennis, ecc*) lungo scambio **3** (*auto*) rally

ram /ræm/ ◆ *s* montone ◆ (**-mm-**) **1** *vi* **to ram into sth** andare a sbattere contro qc **2** *vt* (*porta*) spingere con forza **3** *vt* **to ram sth in, into, etc sth** conficcare qc dentro qc

ramble /ˈræmbl/ ◆ *vi* ~ (**on**) (**about sb/sth**) blaterare (di qn/qc) ◆ *s* camminata **rambler** *s* escursionista **rambling** *agg* **1** (*città, strada*) ramificato **2** (*Bot*) rampicante **3** (*discorso*) sconnesso

ramp /ræmp/ *s* rampa

rampage /ræmˈpeɪdʒ/ ◆ *vi* infuriare ◆ /ˈræmpeɪdʒ/ *s* LOC **to be/go on the rampage** scatenarsi

rampant /ˈræmpənt/ *agg* **1** dilagante **2** (*pianta*) troppo rigoglioso

ramshackle /ˈræmʃækl/ *agg* **1** (*casa*) cadente **2** (*veicolo*) sgangherato

ran *pass di* RUN

ranch /rɑːntʃ; *USA* ræntʃ/ *s* ranch

rancid /ˈrænsɪd/ *agg* rancido

random /ˈrændəm/ ◆ *agg* casuale ◆ *s* LOC **at random** a caso

rang *pass di* RING²

range /reɪndʒ/ ◆ *s* **1** (*montagne*) caten **2** gamma **3** scala **4** (*suono, vista*) raggi **5** (*armi*) portata ◆ **1** *vi* ~ **from sth t sth** andare, variare da qc a qc **2** *vi* ~ **between sth and sth** essere tra qc e q **3** *vt* allineare, disporre **4** *vi* ~ (**ove through sth**) vagare (per qc)

rank /ræŋk/ ◆ *s* grado LOC **the ran and file** la base (*di partito, ecc*) ◆ **1** *vt* ~ **sb/sth** (**as sth**) considerare qn/q (come qc) **2** *vi* essere: *He ranks secon in the world.* È il secondo nella gradua toria mondiale. ◊ *high-ranking* di alt grado

ransack /ˈrænsæk/ *vt* **1** ~ **sth** (**for sth** mettere a soqquadro qc (in cerca di qc **2** saccheggiare

ransom /ˈrænsəm/ *s* riscatto LOC *Ved* HOLD

rap /ræp/ ◆ *s* **1** colpo secco **2** (*Mus*) ra ◆ *vt, vi* (**-pp-**) colpire

rape /reɪp/ ◆ *vt* violentare ◆ *s* **1** stupr **2** (*Bot*) colza **rapist** *s* stupratore

rapid /ˈræpɪd/ *agg* rapido **rapidity** /rəˈpɪdəti/ *s* (*form*) rapidità **rapidly** *av* rapidamente

rapport /ræˈpɔː(r); *USA* -ˈpɔːrt/ *s* intes (*relazione*)

rapt /ræpt/ *agg* ~ (**in sth**) assorto (i qc)

rapture /ˈræptʃə(r)/ *s* estasi **rapturous** *agg* estasiato

rare¹ /reə(r)/ *agg* (**rarer**, **rarest**) rar **rarely** *avv* raramente ☛ *Vedi nota* ALWAYS **rarity** *s* (*pl* **-ies**) rarità

rare² /reə(r)/ *agg* al sangue (*carne*)

rash¹ /ræʃ/ *s* sfogo (*sulla pelle*)

rash² /ræʃ/ *agg* (**rasher**, **rashest** avventato: *In a rash moment I promise her...* Nell'impeto del momento le h promesso...

raspberry /ˈrɑːzbəri; *USA* ˈræzberi/ (*pl* **-ies**) lampone

rat /ræt/ *s* ratto LOC **the rat rac** (*inform, dispreg*) la corsa al successo

rate¹ /reɪt/ *s* **1** tasso, ritmo: *at a rate o 50 a/per week* a un ritmo di 50 all settimana ◊ *the exchange rate/the rat of exchange* il tasso di cambio ◊ *interes rate* tasso d'interesse **2** tariffa: *a hourly rate of pay* una tariffa salarial oraria LOC **at any rate** in ogni modo **a this/that rate** (*inform*) di questo passo

rate² /reɪt/ **1** *vt* stimare, valutare

highly rated molto stimato **2** *vi* essere considerato

ather /ˈrɑːðə(r); *USA* ˈræð-/ *avv* piuttosto, abbastanza: *I rather suspect…* Ho il vago sospetto…

Rather con una parola che indica una qualità positiva implica sorpresa da parte di chi parla: *It was a rather nice present.* Era proprio un bel regalo. Si usa anche per esprimere una critica: *This room looks rather untidy.* In questa stanza c'è davvero un gran disordine.

☛ *Vedi nota a* FAIRLY LOC **I'd, you'd, etc rather…(than)**: *I'd rather walk than wait for the bus.* Preferisco andare a piedi piuttosto che aspettare l'autobus. ◊ *I'd rather you didn't smoke.* Preferirei che tu non fumassi. **or rather** o meglio **rather than** *prep* anziché, piuttosto che/di

ating /ˈreɪtɪŋ/ *s* **1** valutazione: *a high/low popularity rating* grande/scarsa popolarità **2 the ratings** *[pl]* *(TV)* l'indice di ascolto

atio /ˈreɪʃiəʊ/ *s* (*pl* ~**s**) proporzione, rapporto: *The ratio of boys to girls in this class is three to one.* La proporzione tra ragazzi e ragazze in questa classe è di tre a uno.

ation /ˈræʃn/ ◆ *s* razione ◆ *vt* ~ **sb/sth to sth** razionare qc a qn/qc **rationing** *s* razionamento

ational /ˈræʃnəl/ *agg* razionale, ragionevole **rationality** /ræʃəˈnæləti/ *s* razionalità **rationalization, -isation** *s* razionalizzazione **rationalize, -ise** *vt* **1** *(fatto)* spiegare razionalmente **2** *(azienda)* razionalizzare

attle /ˈrætl/ ◆ **1** *vt* scuotere **2** *vi* fare rumore, tintinnare PHR V **rattle along, off, past, etc** sferragliare **to rattle sth off** snocciolare qc *(dire)* ◆ *s* **1** rumore, sferragliare **2** sonaglio *(per bambini)*

avage /ˈrævɪdʒ/ *vt* devastare

ave /reɪv/ *vi* **1** ~ **(at sb about sth)** fare una sfuriata (a qn per qc) **2** ~ **(on) about sb/sth** *(inform)* entusiasmarsi per qn/qc

aven /ˈreɪvn/ *s* corvo

aw /rɔː/ *agg* **1** crudo **2** non raffinato: *raw silk* seta grezza ◊ *raw material* materia prima **3** *(ferita)* aperto

ay /reɪ/ *s* raggio: *X-rays* raggi X

razor /ˈreɪzə(r)/ *s* rasoio

razor blade *s* lametta da barba

reach /riːtʃ/ ◆ **1** *vi* ~ **for sth** allungare la mano per prendere qc **2** *vi* ~ **out (to sb/sth)** allungare la mano (verso qn/qc) **3** *vt* *(posto)* arrivare a **4** *vt* contattare **5** *vt* arrivare a, raggiungere: *to reach an agreement* giungere a un accordo ◆ *s* LOC **beyond/out of (your) reach** fuori portata **within (your) reach** alla portata **within (easy) reach of sth** vicino a qc, a portata di mano

react /riˈækt/ *vi* **1** ~ **(to sb/sth)** reagire (verso qn/a qc) **2** ~ **(against sb/sth)** reagire (contro qn/qc); opporsi (a qn/qc) **reaction** *s* ~ **(to sb/sth)** reazione (verso qn/a qc) **reactionary** *agg* reazionario

reactor /riˈæktə(r)/ *s* **1** (*anche* **nuclear reactor**) reattore nucleare **2** *(Chim)* reagente

read /riːd/ (*pass, pp* **read** /red/) **1** *vt, vi* ~ **(sth) (about sb/sth)** leggere (qc) (su qn/qc) **2** *vt* ~ **sth (as sth)** leggere, interpretare qc (come qc) **3** *vi* *(telegramma, ecc)* dire **4** *vi* *(contatore)* indicare PHR V **to read on** continuare a leggere **to read sth into sth** vedere qc in qc **to read sth out** leggere qc ad alta voce **readable** *agg* **1** *(calligrafia)* leggibile **2** *(libro)* di piacevole lettura **reading** *s* lettura: *reading glasses* occhiali per leggere

reader /ˈriːdə(r)/ *s* lettore, -trice **readership** *s* *[non numerabile]* (numero di) lettori

ready /ˈredi/ *agg* (**-ier**, **-iest**) **1** ~ **(for sth/to do sth)** pronto (a qc/a fare qc): *to get ready* prepararsi **2** ~ **to do sth** sul punto di fare qc LOC **ready to hand** sottomano **readily** *avv* **1** prontamente **2** volentieri **3** facilmente **readiness** *s* **1** preparazione: *(to do sth) in readiness for sth* (fare qc) per prepararsi a qc **2** disponibilità: *her readiness to help* la sua disponibilità ad aiutare

ready-made /ˈredi meɪd/ *agg* confezionato

real /riːəl/ *agg* **1** reale, vero: *real life* realtà ◊ *That's not his real name.* Questo non è il suo nome vero. **2** vero: *The meal was a real disaster.* Il pranzo è stato un vero disastro.

realism /ˈriːəlɪzəm/ *s* realismo **realist** *s* realista **realistic** /ˌriːəˈlɪstɪk/ *agg* realistico

u	ɒ	ɔː	ɜː	ə	j	w	eɪ	əʊ
situation	got	saw	fur	ago	yes	woman	pay	home

reality /ri'æləti/ *s* (*pl* **-ies**) **1** realtà **2** realismo LOC **in reality** in realtà

realize, -ise /'ri:əlaɪz/ *vt* **1** ~ **sth** rendersi conto di qc: *Not realizing that...* Senza accorgersi che ... **2** (*piano*) attuare **3** (*sogno, speranza*) realizzare **realization, -isation** *s* **1** realizzazione **2** presa di coscienza

really /'ri:əli/ *avv* davvero, veramente: *I really mean that.* Dico sul serio. ◊ *Is it really true?* Ma è proprio vero?

realm /relm/ *s* (*fig*) sfera, ambito: *within/beyond the realms of possibility* nell'ambito/fuori dell'ambito del possibile

reap /ri:p/ *vt* mietere

reappear /ˌri:ə'pɪə(r)/ *vi* riapparire, ricomparire **reappearance** *s* ricomparsa

rear[1] /rɪə(r)/ **the rear** *s* [*sing*] (*form*) il dietro, la parte posteriore: *a rear window* un finestrino posteriore LOC *Vedi* BRING

rear[2] /rɪə(r)/ **1** *vt* allevare (*figli, ecc*) **2** *vi* ~ **(up)** (*cavallo*) impennarsi **3** *vt* alzare

rearrange /ˌri:ə'reɪndʒ/ *vt* **1** ridisporre **2** (*programmi*) rifare

reason /'ri:zn/ ◆ *s* **1** ~ **(for sth/doing sth)** motivo, ragione (di qc/per fare qc): *What are your reasons for leaving the job?* Per quali motivi si è dimesso? **2** ~ **(why.../that...)** motivo, ragione (per cui.../che...): *The reason why we are not going is...* Non ci andiamo perché... **3** (*facoltà*) ragione LOC **by reason of sth** (*form*) a causa di qc **in/within reason** entro certi limiti **to make sb see reason** far ragionare qn *Vedi anche* STAND ◆ *vi* ragionare **reasonable** *agg* **1** ragionevole **2** (*tempo, cibo*) decente **reasonably** *avv* **1** abbastanza **2** ragionevolmente **reasoning** *s* ragionamento

reassure /ˌri:ə'ʃʊə(r)/ *vt* rassicurare **reassurance** *s* rassicurazione **reassuring** *agg* rassicurante

rebate /'ri:beɪt/ *s* rimborso

rebel /'rebl/ ◆ *s* ribelle ◆ /rɪ'bel/ *vi* (**-ll-**) ribellarsi **rebellion** /rɪ'beljən/ *s* ribellione **rebellious** /rɪ'beljəs/ *agg* ribelle

rebirth /ˌri:'bɜ:θ/ *s* rinascita

rebound /rɪ'baʊnd/ ◆ *vi* **1** ~ **(from/off sth)** rimbalzare (su qc) **2** ~ **(on sb)** ripercuotersi (su qn) ◆ /'ri:baʊnd/ rimbalzo LOC **on the rebound** d rimbalzo

rebuff /rɪ'bʌf/ ◆ *s* rifiuto secco ◆ *v* rifiutare, respingere

rebuild /ˌri:'bɪld/ *vt* (*pass, pp* **rebuil** /ˌri:'bɪlt/) ricostruire

rebuke /rɪ'bju:k/ ◆ *vt* riprender rimproverare ◆ *s* rimprovero

recall /rɪ'kɔ:l/ *vt* **1** richiamare (*fa tornare*) **2** (*biblioteca*) chiedere di rest tuire **3** (*parlamento*) convocare **4** rico dare *Vedi anche* REMEMBER

recapture /ˌri:'kæptʃə(r)/ *vt* **1** (*prigi niero, preda*) catturare nuovament riprendere **2** (*territorio*) riconquistar **3** (*atmosfera*) ricreare **4** (*felicità*) ritr vare

recede /rɪ'si:d/ *vi* **1** retrocedere: *rece ing chin* mento sfuggente ◊ *to have receding hairline* essere stempiato (*marea*) abbassarsi **3** (*speranza, mina cia*) allontanarsi

receipt /rɪ'si:t/ *s* **1** ricevuta: *to a knowledge receipt of sth* accusare ric vuta di qc **2** scontrino **3** **receipts** [*p* incassi, entrate

receive /rɪ'si:v/ *vt* **1** ricevere **2** (*cons glio, film*) accogliere **3** (*ferita*) riportar

receiver /rɪ'si:və(r)/ *s* **1** (*radio, T* apparecchio radioricevente **2** (*telefon* ricevitore: *to lift/pick up the receiv* alzare la cornetta **3** (*lettera*) destinat rio, -a

recent /'ri:snt/ *agg* recente: *in rece years* negli ultimi anni **recently** *av* recentemente: *until recently* fino a poc tempo fa ◊ *a recently-appointed direct* un direttore nominato di recente

reception /rɪ'sepʃn/ *s* **1** riceviment cerimonia **2** *reception desk* (banc della) reception **3** accoglienza **recep tionist** *s* **1** receptionist **2** (*dentist parrucchiere*) addetto, -a alla ricezion

receptive /rɪ'septɪv/ *agg* ~ **(to st** ricettivo (a qc)

recess /rɪ'ses; *USA* 'ri:ses/ *s* **1** (*parl mento*) periodo di ferie **2** cavità **3** (*US* (*scuola*) intervallo **4** (*muro*) nicchi rientranza **5** [*gen pl*] recessi

recession /rɪ'seʃn/ *s* recessione

recharge /ˌri:'tʃɑ:dʒ/ *vt* ricaricare

recipe /'resəpi/ *s* **1** ~ **(for sth)** (*Cucin* ricetta (di qc) **2** ~ **for sth** (*fig*): *What* *your recipe for success?* Qual è il segreto del tuo successo?

recipient /rɪˈsɪpiənt/ *s* **1** destinatario, -a **2** (*soldi*) beneficiario, -a

reciprocal /rɪˈsɪprəkl/ *agg* reciproco

reciprocate /rɪˈsɪprəkeɪt/ *vt* (*form*) *vi* ricambiare

recital /rɪˈsaɪtl/ *s* recital

recite /rɪˈsaɪt/ *vt* **1** recitare (*poesia, ecc*) **2** enumerare

reckless /ˈrekləs/ *agg* **1** (*guida, guidatore*) spericolato **2** (*decisione, spesa*) sconsiderato

reckon /ˈrekən/ *vt* **1** considerare **2** pensare **3** calcolare PHR V **to reckon on sb/sth** contare su qn/qc **to reckon with sb/sth** tenere conto di qn/qc: *There is still your father to reckon with.* C'è ancora da vedersela con tuo padre. **reckoning** *s* [*sing*] **1** calcoli, conti: *by my reckoning* secondo i miei calcoli **2** (*fig*) resa dei conti

reclaim /rɪˈkleɪm/ *vt* **1** (*terreno*) bonificare **2** (*materiale*) riciclare **3** reclamare **reclamation** *s* **1** (*terre*) bonifica **2** (*materiale*) recupero

recline /rɪˈklaɪn/ **1** *vi, vt* (*persona*) sdraiarsi, sdraiare **2** *vt* reclinare **reclining** *agg* reclinabile

recognition /ˌrekəgˈnɪʃn/ *s* riconoscimento: *in recognition of sth* come riconoscimento di qc ◊ *to have changed beyond recognition* essere irriconoscibile

recognize, -ise /ˈrekəgnaɪz/ *vt* riconoscere **recognizable, -isable** *agg* riconoscibile

recoil /rɪˈkɔɪl/ *vi* **1** ~ **(at/from sb/sth)** provare orrore (all'idea di qn/qc) **2** indietreggiare

recollect /ˌrekəˈlekt/ *vt* ricordare **recollection** *s* ricordo

recommend /ˌrekəˈmend/ *vt* raccomandare, consigliare

recompense /ˈrekəmpens/ ◆ *vt* (*form*) ~ **sb (for sth) 1** ricompensare qn (per qc) **2** risarcire qn (per/di qc) ◆ *s* (*form*) [*sing*] **1** ricompensa **2** risarcimento

reconcile /ˈrekənsaɪl/ *vt* **1** riconciliare **2** ~ **sth (with sth)** conciliare qc (con qc) **3** *to reconcile yourself to sth* rassegnarsi a qc **reconciliation** *s* [*sing*] **1** conciliazione **2** riconciliazione

reconnaissance /rɪˈkɒnɪsns/ *s* ricognizione

reconsider /ˌriːkənˈsɪdə(r)/ **1** *vt* riconsiderare **2** *vi* ripensarci

reconstruct /ˌriːkənˈstrʌkt/ *vt* ~ **sth (from sth)** ricostruire qc (da qc)

record /ˈrekɔːd; *USA* ˈrekərd/ ◆ *s* **1** nota, documento: *to make/keep a record of sth* annotare/tener nota di qc **2** archivio, dossier: *a criminal record* precedenti penali **3** disco: *a record company* una casa discografica **4** record: *to beat/break a record* battere un record LOC **to put/set the record straight** mettere le cose in chiaro ◆ /rɪˈkɔːd/ *vt* **1** annotare, registrare **2** ~ **(sth) (from sth)** registrare (qc) (da qc) **3** (*termometro*) segnare

record-breaking /ˈrekɔːd breɪkɪŋ/ *agg* senza precedenti, da record

recorder /rɪˈkɔːdə(r)/ *s* **1** flauto dolce **2** *Vedi* TAPE RECORDER, VIDEO

recording /rɪˈkɔːdɪŋ/ *s* registrazione (*di programma, canzone*)

record player *s* giradischi

recount /rɪˈkaʊnt/ *vt* ~ **sth (to sb)** raccontare qc (a qn)

recourse /rɪˈkɔːs/ *s* LOC **to have recourse to sb/sth** (*form*) ricorrere a qn/qc

recover /rɪˈkʌvə(r)/ **1** *vt* recuperare: *to recover consciousness* riprendere conoscienza **2** *vi* ~ **(from sth)** rimettersi, ristabilirsi (da qc) ☛ *Vedi nota a* RICOVERARE

recovery /rɪˈkʌvəri/ *s* **1** (*pl* **-ies**) recupero **2** [*sing*] ~ **(from sth)** guarigione (da qc)

recreation /ˌrekriˈeɪʃn/ *s* **1** passatempo **2** ricreazione: *recreation ground* parco giochi

recruit /rɪˈkruːt/ ◆ *s* **1** recluta **2** nuovo assunto, nuova assunta ◆ *vt* ~ **sb (as/to sth)** reclutare qn (come/per qc) **recruitment** *s* reclutamento

rectangle /ˈrektæŋgl/ *s* rettangolo

rector /ˈrektə(r)/ *s* parroco (*anglicano*) *Vedi anche* VICAR **rectory** *s* casa del parroco (*anglicano*)

recuperate /rɪˈkuːpəreɪt/ **1** (*form*) *vi* ~ **(from sth)** riprendersi, rimettersi (da qc) **2** *vt* recuperare

recur /rɪˈkɜː(r)/ *vi* (**-rr-**) ripetersi, accadere di nuovo

recycle /ˌriːˈsaɪkl/ *vt* riciclare **recyclable** *agg* riciclabile **recycling** *s* riciclaggio

red /red/ ◆ *agg* (**redder**, **reddest**) rosso: *a red dress* un vestito rosso LOC **a red herring** una falsa pista ◆ *s* rosso: *The traffic lights are on red.* Il semaforo è rosso. **reddish** *agg* rossastro

redeem /rɪˈdiːm/ *vt* **1** redimere: *to redeem yourself* redimersi **2** compensare **3** ~ **sth** (**from sb/sth**) riscattare qc (da qn/qc)

redemption /rɪˈdempʃn/ *s* (*form*) **1** redenzione **2** (*debito*) estinzione

redevelopment /ˌriːdɪˈveləpmənt/ *s* risanamento edilizio

redo /ˌriːˈduː/ *vt* (*pass* **redid** /-ˈdɪd/ *pp* **redone** /-ˈdʌn/) rifare

red tape *s* lungaggini burocratiche

reduce /rɪˈdjuːs; *USA* -ˈduːs/ **1** *vt* ~ **sth** (**from sth to sth**) ridurre, diminuire qc (da qc a qc) **2** *vt* ~ **sth** (**by sth**) ridurre qc (di qc) **3** *vi* ridursi **4** *vt* ~ **sb/sth** (**from sth**) **to sth** ridurre qn/qc (da qc) a qc: *The house was reduced to ashes.* La casa è stata ridotta in cenere. ◊ *to reduce sb to tears* far piangere qn **reduced** *agg* scontato

reduction /rɪˈdʌkʃn/ *s* **1** ~ (**in sth**) riduzione (in qc) **2** ~ (**of sth**) riduzione, sconto (di qc): *a reduction of 5%* uno sconto del 5%

redundancy /rɪˈdʌndənsi/ *s* (*pl* **-ies**) licenziamento (*per esubero di personale*): *redundancy pay* indennità di licenziamento

redundant /rɪˈdʌndənt/ *agg* **1** *to be made redundant* essere licenziato (*per esubero di personale*) **2** superfluo

reed /riːd/ *s* canna (*pianta*)

reef /riːf/ *s* banco di scogli

reek /riːk/ *vi* (*dispreg*) ~ (**of sth**) (*lett e fig*) puzzare (di qc)

reel /riːl/ ◆ *s* **1** spoletta **2** (*film*) bobina **3** (*foto*) rullino **4** (*lenza*) mulinello ◆ *vi* **1** barcollare **2** (*testa*) girare PHR V **to reel sth off** snocciolare qc (*dire*)

re-enter /ˌriː ˈentə(r)/ *vt* ~ **sth** rientrare in qc **re-entry** *s* rientro

refer /rɪˈfɜː(r)/ (**-rr-**) **1** *vi* ~ **to sb/sth** riferirsi a qn/qc **2** *vi* ~ **to sb/sth** consultare qn/qc **3** *vt* mandare

referee /ˌrefəˈriː/ ◆ *s* **1** (*Sport*) arbitro **2** (*GB*) (*lavoro*) referenza (*persona*) ◆ *vt, vi* arbitrare

reference /ˈrefərəns/ *s* **1** riferimento: *reference book* opera di consultazione **2** (*lavoro*) referenze **3** rimando **4** (*lettera*) numero di protocollo LOC **in/with reference to sb/sth** (*Comm*) in/con riferimento a qn/qc

referendum /ˌrefəˈrendəm/ *s* (*pl* ~**s**) referendum

refill /ˌriːˈfɪl/ ◆ *vt* **1** riempire di nuovo **2** (*penna, accendino*) ricaricare ◆ /ˈriːfɪl/ *s* ricambio (*per penne, ecc*)

refine /rɪˈfaɪn/ *vt* **1** raffinare **2** (*tecnica, apparecchio*) perfezionare **refinement** *s* **1** raffinatezza **2** (*Mecc*) miglioramento **3** (*significato*) sottigliezza **refinery** *s* (*pl* **-ies**) raffineria

reflect /rɪˈflekt/ **1** *vt* riflettere, rispecchiare **2** *vt* (*luce*) riflettere **3** *vi* ~ (**on/upon sth**) riflettere (su qc) LOC **to reflect on sb/sth**: *to reflect well/badly on sb/sth* riflettersi favorevolmente/negativamente su qn/qc **reflection** (*GB anche* **reflexion**) *s* **1** riflesso (*immagine*) **2** (*azione, pensiero*) riflessione LOC **on reflection** pensandoci bene **to be a reflection on sb/sth** ripercuotersi negativamente su qn/qc

reflex /ˈriːfleks/ (*anche* **reflex action**) *s* riflesso (*azione*)

reform /rɪˈfɔːm/ ◆ **1** *vt* riformare **2** *vi* ravvedersi ◆ *s* riforma **reformation** *s* **1** riforma (*azione*) **2 the Reformation** la Riforma

refrain[1] /rɪˈfreɪn/ *s* ritornello

refrain[2] /rɪˈfreɪn/ *vi* (*form*) ~ (**from sth**) astenersi, trattenersi (dal fare qc): *Please refrain from smoking in the hospital.* Si prega di non fumare all'interno dell'ospedale.

refresh /rɪˈfreʃ/ *vt* **1** ristorare **2** rinfrescare LOC **to refresh sb's memory (about sb/sth)** rinfrescare la memoria di qn (su qn/qc) **refreshing** *agg* **1** ristoratore **2** rinfrescante **3** (*fig*) piacevole

refreshments /rɪˈfreʃmənts/ *s* [*pl*] rinfreschi: *The restaurant offers delicious meals and refreshments.* Il ristorante serve pranzi e rinfreschi ottimi.

> **Refreshment** è al singolare quando precede un altro sostantivo: *There will be a refreshment stop.* È prevista una fermata per il ristoro.

efrigerate /rɪˈfrɪdʒəreɪt/ *vt* tenere in luogo refrigerato **refrigeration** *s* refrigerazione

efrigerator /rɪˈfrɪdʒəreɪtə(r)/ (*inform* **fridge** /frɪdʒ/) *s* frigorifero *Vedi anche* FREEZER

efuge /ˈrefjuːdʒ/ *s* **1** ~ (**from sb/sth**) rifugio (da qn/qc): *to take refuge* rifugiarsi **2** ~ (**from sth**) riparo (da qn/qc): *to take refuge* ripararsi

efugee /ˌrefjuˈdʒiː; *USA* ˈrefjʊdʒɪː/ *s* rifugiato, -a, profugo, -a

efund /riˈfʌnd/ ◆ *vt* rimborsare ◆ /ˈriːfʌnd/ *s* rimborso

efusal /rɪˈfjuːzl/ *s* ~ (**to do sth**) rifiuto (a/di fare qc)

efuse[1] /rɪˈfjuːz/ **1** *vt* rifiutare: *to refuse (sb) entry/entry (to sb)* rifiutare l'ingresso (a qn) **2** *vi* ~ (**to do sth**) rifiutarsi (di fare qc)

efuse[2] /ˈrefjuːs/ *s* [*non numerabile*] rifiuti

egain /rɪˈgeɪn/ *vt* recuperare, riguadagnare: *to regain consciousness* riprendere conoscenza

egal /ˈriːgl/ *agg* regale

egard /rɪˈgɑːd/ ◆ *vt* **1** ~ **sb/sth as sth** considerare qn/qc qc **2** (*form*) ~ **sb/sth with sth** pensare a qn/qc con qc LOC **as regards sb/sth** per quanto riguarda qn/qc ◆ *s* **1** ~ **to/for sb/sth** stima di qn/qc: *with no regard for/to speed limits* senza rispettare i limiti di velocità **2 regards** [*pl*] (*nelle lettere*) cordiali saluti LOC **in this regard** a questo riguardo **in/with regard to sb/sth** per quanto riguarda qn/qc **regarding** *prep* riguardo a **regardless** *avv* (*inform*) *She had to carry on regardless.* Ha dovuto continuare lo stesso. **regardless of** *prep* senza far caso a, senza preoccuparsi di

egiment /ˈredʒɪmənt/ *s* [*v sing o pl*] reggimento **regimented** *agg* irreggimentato

egion /ˈriːdʒən/ *s* regione LOC **in the region of sth** intorno a qc: *in the region of 100 000 lire* intorno alle centomila lire

egister /ˈredʒɪstə(r)/ ◆ *s* **1** elenco **2** registro: *to call the register* fare l'appello ◆ **1** *vt* ~ **sth** (**in sth**) registrare qc (in/su qc) **2** *vi* ~ (**at/for/with sth**) iscriversi (a qc) **3** *vi* ~ (**with sb**) (*medico*): *I'm registered with Doctor Davis.* Il mio medico è il dottor Davis. **4** *vt* (*sorpresa*) mostrare **5** *vt* (*lettera*) assicurare

registered post *s* posta assicurata: *to send sth by registered post* spedire qc assicurato

registrar /ˌredʒɪˈstrɑː(r), ˈredʒɪstrɑː(r)/ *s* **1** ufficiale di stato civile **2** responsabile di segreteria (*all'università*)

registration /ˌredʒɪˈstreɪʃn/ *s* **1** (*veicolo*) immatricolazione **2** iscrizione

registration number *s* numero di targa

registry office /ˈredʒɪstri ɒfɪs/ (*anche* **register office**) *s* anagrafe

regret /rɪˈgret/ ◆ *s* **1** ~ (**at/about sth**) dispiacere, rammarico (per qc) **2** ~ (**for sth**) rimpianto (per qc) ◆ *vt* (**-tt-**) **1** essere dispiaciuto per **2** pentirsi di **regretfully** *avv* con rammarico **regrettable** *agg* increscioso, deplorevole

regular /ˈregjələ(r)/ ◆ *agg* regolare: *to take regular exercise* fare ginnastica regolarmente ◊ *He's a regular visitor.* Viene regolarmente. LOC **on a regular basis** regolarmente ◆ *s* cliente abituale **regularity** /ˌregju ˈlærəti/ *s* regolarità **regularly** *avv* regolarmente

regulate /ˈregjuleɪt/ *vt* regolare, regolamentare **regulation** *s* **1** regolamentazione **2** [*gen pl*] norma, regolamento: *safety regulations* norme di sicurezza

rehabilitate /ˌriːəˈbɪlɪteɪt/ *vt* riabilitare **rehabilitation** *s* riabilitazione

rehearse /rɪˈhɜːs/ **1** *vt* provare (*commedia, concerto*) **2** *vi* ~ (**for sth**) fare le prove (per/di qc) **3** *vt* ~ **sb** (**for sth**) far fare le prove a qn (per qc) **rehearsal** *s* prova: *a dress rehearsal* una prova generale

reign /reɪn/ ◆ *s* regno (*periodo*) ◆ *vi* ~ (**over sb/sth**) regnare (su qn/qc)

reimburse /ˌriːɪmˈbɜːs/ *vt* **1** ~ **sth** (**to sb**) rimborsare qc (a qn) **2** ~ **sb** (**for sth**) rimborsare qn (per qc)

rein /reɪn/ *s* redine

reindeer /ˈreɪndɪə(r)/ *s* (*pl* **reindeer**) renna

reinforce /ˌriːɪnˈfɔːs/ *vt* rinforzare **reinforcement** *s* **1** rinforzo, rafforzamento **2 reinforcements** [*pl*] (*Mil*) rinforzi

reinstate /ˌriːɪnˈsteɪt/ *vt* (*form*) **1** ~ **sb** (**in/as sth**) reintegrare qn (in/nella carica di qc) **2** (*legge, tradizione*) ripristinare

reject /rɪˈdʒekt/ ◆ *vt* **1** rifiutare **2** (*candidato*) respingere **3** (*possibilità, ipotesi*) scartare ◆ /ˈriːdʒekt/ *s* scarto **rejection** *s* rifiuto

rejoice /rɪˈdʒɔɪs/ *vi* (*form*) ~ (**at/in/over sth**) rallegrarsi (di qc)

rejoin /ˌriːˈdʒɔɪn/ *vt* **1** (*circolo*) iscriversi di nuovo a **2** (*persone*) raggiungere

relapse /rɪˈlæps/ ◆ *vi* avere una ricaduta ◆ *s* ricaduta

relate /rɪˈleɪt/ **1** *vt* ~ **sth** (**to sb**) (*form*) riferire, raccontare qc (a qn) **2** *vt* ~ **sth to/with sth** collegare qc a/con qc **3** *vi* ~ **to sb/sth** riferirsi a qn/qc **4** *vi* ~ (**to sb/sth**) identificarsi, stabilire un rapporto (con qn/qc) **related** *agg* **1** collegato **2** ~ (**to sb**) imparentato (con qn): *to be related by marriage* essere parente per parte di moglie/marito

relation /rɪˈleɪʃn/ *s* **1** ~ (**to sth/between…**) relazione, nesso (con qc/tra…) **2** parente **3** parentela: *What relation are you to him?* Che tipo di parentela c'è tra voi? ◊ *Is he any relation (to you)?* È un suo parente? LOC **in/with relation to** (*form*) con riferimento a *Vedi anche* BEAR[2] **relationship** *s* **1** ~ (**between A and B**); ~ (**of A to/with B**) rapporto (tra A e B) **2** legame di parentela **3** relazione (*sentimentale*)

relative /ˈrelətɪv/ ◆ *s* parente ◆ *agg* relativo

relax /rɪˈlæks/ **1** *vt, vi* rilassare, rilassarsi **2** *vt* (*regolamento, disciplina*) rendere meno rigido **relaxation** *s* **1** rilassamento **2** relax **3** svago, passatempo **relaxing** *agg* rilassante

relay /ˈriːleɪ/ ◆ *s* **1** ricambio (*di lavoratori, cavalli*) **2** (*anche* **relay race**) corsa a staffetta ◆ /ˈriːleɪ, rɪˈleɪ/ *vt* (*pass, pp* **relayed**) **1** (*messaggio*) trasmettere **2** (*GB, TV, Radio*) ripetere

release /rɪˈliːs/ ◆ *vt* **1** liberare, rilasciare **2** lasciare andare, mollare: *to release sb's arm* lasciare il braccio di qn ◊ *to release your grip on sb/sth* lasciare andare qn/qc **3** (*gas*) emettere **4** (*notizia*) rilasciare, rendere pubblico **5** (*disco, libro*) far uscire **6** (*film*) distribuire ◆ *s* **1** liberazione, rilascio **2** (*film, disco, libro*) uscita: *The film is on general release.* Il film è uscito in tutti i cinema.

relegate /ˈrelɪgeɪt/ *vt* **1** relegare **2** (*spec GB, Sport*) retrocedere **relegation** *s* 1 relegazione **2** (*Sport*) retrocessione

relent /rɪˈlent/ *vi* cedere **relentless** *agg* implacabile

relevant /ˈreləvənt/ *agg* pertinent **relevance** (*anche* **relevancy**) *s* pertinenza

reliable /rɪˈlaɪəbl/ *agg* **1** affidabile 2 (*fonte, testimone*) attendibile **3** (*metodo, apparecchio*) sicuro **reliability** /rɪˌlaɪəˈbɪləti/ *s* **1** affidabilità **2** attendibilità

reliance /rɪˈlaɪəns/ *s* ~ **on sb/sth** dipendenza da qn/qc

relic /ˈrelɪk/ *s* **1** reliquia **2** (*fig*) retaggio

relief /rɪˈliːf/ *s* **1** sollievo: *much to my relief* con mio grande sollievo **2** aiuti, soccorsi **3** (*persona*) cambio **4** (*Arte, Geog*) rilievo

relieve /rɪˈliːv/ **1** *vt* alleviare **2** *v rifl* ~ **yourself** (*euf*) fare i propri bisogni **3** *vt* dare il cambio a PHR V **to relieve sb of sth 1** (*carico*) alleggerire qn di qc 2 (*dovere, comando*) esonerare qn da qc

religion /rɪˈlɪdʒən/ *s* religione **religious** *agg* religioso

relinquish /rɪˈlɪŋkwɪʃ/ *vt* (*form*) **1** ~ **sth** (**to sb**) rinunciare a qc (in favore di qn) **2** abbandonare ☛ L'espressione più comune è **give sth up**.

relish /ˈrelɪʃ/ ◆ *s* ~ (**for sth**) gusto (per qc) ◆ *vt* ~ **sth** gradire qc

reluctant /rɪˈlʌktənt/ *agg* ~ (**to do sth**) riluttante, restio (a fare qc) **reluctance** *s* riluttanza **reluctantly** *avv* di mala voglia, a malincuore

rely /rɪˈlaɪ/ *v* (*pass, pp* **relied**) PHR V **to rely on/upon sb/sth** (**to do sth**) contare su qn/qc (per fare qc), dipendere da qn/qc (per fare qc)

remain /rɪˈmeɪn/ (*form*) *vi* rimanere, restare ☛ La parola più comune è **stay**. **remainder** *s* [*sing*] resto (*anche Mat*) **remains** *s* [*pl*] resti

remand /rɪˈmɑːnd; *USA* -ˈmænd/ ◆ *vt* rinviare a giudizio: *to remand sb in custody* ordinare la custodia cautelare di qn ◊ *to remand sb on bail* concedere la libertà su cauzione a qn ◆ *s* LOC **on remand** in custodia cautelare

remark /rɪˈmɑːk/ ◆ *vt, vi* osservare, notare PHR V **to remark on/upon sb/sth** fare un'osservazione su qn/qc ◆ *s* osservazione, commento **remarkable** *agg* ~ (**for sth**) straordinario (per qc)

He is remarkable for his maturity. È un ragazzo di maturità non comune.

remedial /rɪˈmiːdiəl/ *agg* **1** (*azione, misura*) che pone rimedio, riparatore **2** (*corso*) per persone con difficoltà di apprendimento

remedy /ˈremədi/ ◆ *s* (*pl* **-ies**) rimedio ◆ *vt* (*pass, pp* **-died**) porre rimedio a

remember /rɪˈmembə(r)/ *vt, vi* ricordare, ricordarsi (di): *as far as I remember* per quanto ricordo ◊ *Remember that we have visitors tonight.* Ricordati che abbiamo ospiti stasera. ◊ *Remember to phone your mother.* Ricordati di telefonare a tua madre.

Remember cambia significato a seconda che sia seguito dall'infinito o dalla forma in **-ing**. Quando è seguito dall'infinito si riferisce ad un'azione che non è ancora avvenuta: *Remember to post that letter.* Ricordati d'imbucare la lettera. Quando è seguito dalla forma in **-ing** si riferisce ad un'azione che è già avvenuta: *I remember posting that letter.* Mi ricordo di avere imbucato la lettera.

☛ *Confronta* REMIND PHR V **to remember sb to sb**: *Remember me to Anna.* Saluta Anna da parte mia. **remembrance** *s* ricordo, commemorazione

remind /rɪˈmaɪnd/ *vt* ~ **sb (to do sth)** ricordare a qn (di fare qc): *Remind me to phone my mother.* Ricordami di telefonare a mia madre. ☛ *Confronta "Remember to phone your mother" a* REMEMBER PHR V **to remind sb of sb/sth** ricordare qn/qc a qn: *Your brother reminds me of John.* Tuo fratello mi ricorda John. ◊ *That song reminds me of my first girlfriend.* Quella canzone mi ricorda la mia prima ragazza. **reminder** *s* **1** ricordo **2** (*bollette*) lettera di sollecito

reminisce /ˌremɪˈnɪs/ *vi* ~ **(about sth)** abbandonarsi ai ricordi (di qc)

reminiscent /ˌremɪˈnɪsnt/ *agg*: *to be reminiscent of sb/sth* ricordare qn/qc **reminiscence** *s* ricordo, rievocazione

remnant /ˈremnənt/ *s* **1** resto, residuo **2** (*fig*) traccia **3** scampolo

remorse /rɪˈmɔːs/ *s* [*non numerabile*] ~ **(for sth)** rimorso (per qc) **remorseless** *agg* **1** spietato **2** implacabile

remote /rɪˈməʊt/ *agg* (**-er**, **-est**) **1** (*lett e fig*) remoto, lontano: *remote control* telecomando **2** (*persona*) distante **3** (*possibilità*) vago **remotely** *avv* lontanamente: *I'm not remotely interested.* Non m'interessa minimamente.

remove /rɪˈmuːv/ *vt* **1** ~ **sth (from sb/sth)** togliere qc (a qn/da qc): *to remove your coat* togliersi il cappotto ☛ La parola più comune è **take off** o **take out**. **2** (*fig*) eliminare **3** ~ **sb (from sth)** rimuovere, destituire qn (da qc) **removable** *agg* rimovibile, staccabile **removal** *s* **1** eliminazione **2** trasloco

the Renaissance /rɪˈneɪsns; *USA* ˈrenəsɑːns/ *s* il Rinascimento

render /ˈrendə(r)/ *vt* (*form*) **1** (*servizio*) rendere, prestare **2** rendere: *She was rendered speechless.* Rimase senza parole. **3** (*brano, ruolo*) interpretare **4** (*Arte*) riprodurre

rendezvous /ˈrɒndɪvuː/ *s* (*pl* **rendezvous** /-z/) **1** appuntamento *Vedi anche* APPOINTMENT *a* APPOINT **2** luogo di ritrovo

renegade /ˈrenɪgeɪd/ *s* (*form, dispreg*) rinnegato, -a, traditore, -trice

renew /rɪˈnjuː; *USA* -ˈnuː/ *vt* **1** rinnovare **2** (*amicizia, contatti*) riannodare, ritrovare **renewable** *agg* rinnovabile **renewal** *s* rinnovo

renounce /rɪˈnaʊns/ *vt* (*form*) **1** (*diritto*) rinunciare a **2** (*fede*) abiurare

renovate /ˈrenəveɪt/ *vt* restaurare

renowned /rɪˈnaʊnd/ *agg* ~ **(as/for sth)** famoso, rinomato (come/per qc)

rent /rent/ ◆ *s* affitto LOC **for rent** (*spec USA*) affittasi ◆ *vt* **1** ~ **sth (from sb)** affittare, prendere in affitto qc (da qn): *I rent a garage from a neighbour.* Ho preso il garage in affitto da un vicino. **2** ~ **sth (out) (to sb)** affittare, dare in affitto qc (a qn): *We rented out the house to some students.* Abbiamo affittato la casa a degli studenti. **3** ~ **sth (from sb)** (*auto, TV*) noleggiare, prendere a noleggio qc (da qn) **4** ~ **sth (out) (to sb)** (*auto, TV*) noleggiare, dare a noleggio qc (a qn) **rental** *s* noleggio

reorganize, -ise /ˌriˈɔːgənaɪz/ *vt, vi* riorganizzare, riorganizzarsi

rep /rep/ *s* (*inform*) *Vedi* REPRESENTATIVE

repaid *pass, pp di* REPAY

repair /rɪˈpeə(r)/ ◆ *vt* **1** riparare *Vedi anche* FIX, MEND **2** rimediare a ◆ *s* riparazione: *It's beyond repair.* È irrimediabilmente rovinato. LOC **in a good state of/in good repair** in buono stato

repay /rɪˈpeɪ/ *vt* (*pass, pp* **repaid**) **1** (*soldi*) restituire **2** (*persona*) restituire i soldi a, rimborsare **3** (*debito*) ripagare **4** (*favore*) ricambiare **repayment** *s* **1** pagamento **2** rimborso

repeat /rɪˈpiːt/ ◆ **1** *vt, vi* ripetere, ripetersi **2** *vt* (*pettegolezzo*) raccontare ◆ *s* **1** ripetizione **2** (*TV, Radio*) replica **repeated** *agg* ripetuto **repeatedly** *avv* ripetutamente

repel /rɪˈpel/ *vt* (**-ll-**) **1** respingere **2** ripugnare a

repellent /rɪˈpelənt/ ◆ *agg* ~ (**to sb**) repellente, ripugnante (per qn) ◆ *s*: *insect repellent* insettifugo

repent /rɪˈpent/ *vt, vi* ~ (**of**) **sth** pentirsi di qc **repentance** *s* pentimento

repercussion /ˌriːpəˈkʌʃn/ *s* [*gen pl*] ripercussione

repertoire /ˈrepətwɑː(r)/ *s* repertorio

repertory /ˈrepətri; *USA* -tɔːri/ (*anche* **repertory company/theatre** *o inform* (*anche* **rep**)) *s* compagnia/teatro di repertorio

repetition /ˌrepəˈtɪʃn/ *s* ripetizione **repetitive** /rɪˈpetətɪv/ *agg* ripetitivo

replace /rɪˈpleɪs/ *vt* **1** rimettere a posto **2** (*ricevitore*) riagganciare **3** sostituire, prendere il posto di **4** (*qualcosa di rotto*) cambiare: *to replace a broken window* cambiare un vetro rotto **replacement** *s* **1** sostituzione **2** (*persona*) sostituto **3** (*oggetto*) pezzo di ricambio

replay /ˈriːpleɪ/ *s* **1** partita ripetuta **2** (*TV*) replay

reply /rɪˈplaɪ/ ◆ *vi* (*pass, pp* **replied**) rispondere, replicare *Vedi anche* ANSWER ◆ *s* (*pl* **-ies**) risposta

report /rɪˈpɔːt/ ◆ **1** *vt* ~ **sth** riferire, rendere noto qc **2** *vt* (*crimine, colpevole*) denunciare **3** *vi* ~ (**on sth**) fare un rapporto (su qc) **4** *vi* ~ **to/for sth** (*lavoro, ecc*) presentarsi per qc: *to report sick* darsi malato **5** ~ **to sb** rendere conto a qn ◆ *s* **1** rapporto, relazione **2** (*Giornalismo*) servizio **3** pagella, scheda **4** (*pistola*) sparo **reportedly** *avv* a quanto si dice **reporter** *s* giornalista, reporter

represent /ˌreprɪˈzent/ *vt* **1** rappresentare **2** descrivere **representation** *s* rappresentazione

representative /ˌreprɪˈzentətɪv/ ◆ *agg* rappresentativo ◆ *s* **1** rappresentante **2** (*USA, Politica*) deputato

repress /rɪˈpres/ *vt* reprimere **repression** *s* repressione

reprieve /rɪˈpriːv/ *s* **1** commutazione, sospensione della pena capitale **2** (*fig*) proroga

reprimand /ˈreprɪmɑːnd; *USA* -mænd/ ◆ *vt* riprendere, rimproverare ◆ *s* rimprovero

reprisal /rɪˈpraɪzl/ *s* rappresaglia

reproach /rɪˈprəʊtʃ/ ◆ *vt* ~ **sb** (**for/with sth**) rimproverare (qc a) qn ◆ *s* rimprovero LOC **above/beyond reproach** irreprensibile

reproduce /ˌriːprəˈdjuːs; *USA* -ˈduːs/ *vt, vi* riprodurre, riprodursi **reproduction** *s* riproduzione **reproductive** *agg* riproduttivo

reptile /ˈreptaɪl; *USA* -tl/ *s* rettile

republic /rɪˈpʌblɪk/ *s* repubblica **republican** *agg* repubblicano

repugnant /rɪˈpʌgnənt/ *agg* ripugnante

repulsive /rɪˈpʌlsɪv/ *agg* ripulsivo, ripugnante

reputable /ˈrepjətəbl/ *agg* **1** (*persona*) degno di fiducia, rispettabile **2** (*ditta*) accreditato

reputation /ˌrepjuˈteɪʃn/ *s* reputazione, fama: *He's got a reputation for strictness.* Ha la fama di essere severo.

repute /rɪˈpjuːt/ *s* (*form*) reputazione, fama **reputed** *agg* **1** presunto **2** *He is reputed to be…* Ha la fama di essere… **reputedly** *avv* a quel che si dice

request /rɪˈkwest/ ◆ *s* ~ (**for sth**) richiesta, domanda (di qc): *to make a request for sth* richiedere qc ◆ *vt* ~ **sth** (**from/of sb**) richiedere qc (a qn) ☛ La parola più comune è **ask**.

require /rɪˈkwaɪə(r)/ *vt* **1** necessitare di, richiedere **2** (*form*) aver bisogno di ☛ La parola più comune è **need**. (*form*) ~ **sb to do sth** esigere che qn faccia qc **requirement** *s* **1** esigenza **2** requisito

rescue /ˈreskjuː/ ◆ *vt* salvare ◆ *s* salvataggio LOC **to come/go to sb's rescue** venire/andare in aiuto di qn **rescuer** *s* soccorritore, -trice

research /rɪˈsɜːtʃ, ˈriːsɜːtʃ/ ◆ *s* [*non numerabile*] ~ (**into/on sth**) ricerca (su qc) ◆ *vt, vi* ~ (**into/on**) **sth** fare ricerca su qc **researcher** *s* ricercatore, -trice

resemble /rɪˈzembl/ *vt* assomigliare a **resemblance** *s* somiglianza LOC *Vedi* BEAR[2]

resent /rɪˈzent/ *vt* risentirsi per **resentful** *agg* **1** (*occhiata, persona*) risentito **2** (*carattere*) permaloso **resentment** *s* risentimento

reservation /ˌrezəˈveɪʃn/ *s* **1** prenotazione **2** (*dubbio*) riserva

reserve /rɪˈzɜːv/ ◆ *vt* **1** prenotare, riservare **2** (*diritto*) riservarsi ◆ *s* **1** riserva, scorta **2 reserves** [*pl*] (*Mil*) riserve LOC **in reserve** di riserva **reserved** *agg* riservato

reservoir /ˈrezəvwɑː(r)/ *s* **1** (*lett*) bacino idrico **2** (*fig*) pozzo (*di informazioni, ecc*)

reshuffle /ˌriːˈʃʌfl/ *s* rimpasto: *a cabinet reshuffle* un rimpasto di governo

reside /rɪˈzaɪd/ *vi* (*form*) risiedere

residence /ˈrezɪdəns/ *s* (*form*) **1** residenza: *hall of residence* ≃ casa dello studente **2** (*retorico*) abitazione

resident /ˈrezɪdənt/ ◆ *s* **1** residente **2** (*hotel*) cliente ◆ *agg* residente **residential** /ˌrezɪˈdenʃl/ *agg* **1** residenziale **2** (*corso*) con pernottamento

residue /ˈrezɪdjuː; *USA* -duː/ *s* residuo

resign /rɪˈzaɪn/ **1** *vi* dimettersi **2** *vt* (*carica, impiego*) lasciare PHR V **to resign yourself to sth** rassegnarsi a qc **resignation** *s* **1** dimissioni **2** rassegnazione

resilient /rɪˈzɪliənt/ *agg* **1** (*materiale*) elastico **2** (*persona*) che ha capacità di ripresa **resilience** *s* **1** elasticità **2** capacità di ripresa

resist /rɪˈzɪst/ **1** *vt, vi* resistere (a): *I can't resist chocolate.* Non so resistere alla cioccolata. **2** *vt* (*pressione, cambiamento*) opporsi a

resistance /rɪˈzɪstəns/ *s* ~ (**to sb/sth**) resistenza (a qn/qc): *He didn't put up/offer much resistance.* Non ha opposto resistenza. ◊ *the body's resistance to diseases* la resistenza dell'organismo alle malattie

resolute /ˈrezəluːt/ *agg* risoluto, determinato ☛ La parola più comune è **determined**. **resolutely** *avv* **1** risolutamente **2** con fermezza

resolution /ˌrezəˈluːʃn/ *s* **1** risolutezza, determinazione **2** proposito: *New Year resolutions* propositi dell'anno nuovo

resolve /rɪˈzɒlv/ *vt* (*form*) **1** ~ **to do sth** risolversi a fare qc; decidere di fare qc **2** deliberare: *The senate resolved that...* Il Senato ha deliberato che... **3** (*disputa*) risolvere

resort[1] /rɪˈzɔːt/ ◆ *vi* ~ **to sth** ricorrere a qc: *to resort to violence* ricorrere alla violenza ◆ *s* LOC *Vedi* LAST

resort[2] /rɪˈzɔːt/ *s*: *a seaside resort* una località balneare ◊ *a ski resort* una stazione sciistica

resounding /rɪˈzaʊndɪŋ/ *agg* fragoroso: *a resounding success* un clamoroso successo

resource /rɪˈsɔːs/ *s* risorsa **resourceful** *agg* pieno di risorse: *She is very resourceful.* È molto intraprendente.

respect /rɪˈspekt/ ◆ *s* **1** ~ (**for sb/sth**) rispetto (per qn/qc) **2** *in this respect* sotto questo aspetto LOC **with respect to sth** (*form*) per quanto riguarda qc ◆ *vt* ~ **sb** (**as/for sth**) rispettare qn (come/per qc): *I respect them for their honesty.* Li rispetto per la loro onestà. ◊ *He respected her as a detective.* La stimava come detective. **respectful** *agg* rispettoso

respectable /rɪˈspektəbl/ *agg* **1** rispettabile, per bene **2** considerevole

respective /rɪˈspektɪv/ *agg* rispettivo: *They all got on with their respective jobs.* Ognuno riprese il proprio lavoro.

respite /ˈrespaɪt/ *s* **1** tregua **2** proroga

respond /rɪˈspɒnd/ *vi* **1** ~ (**to sth**) reagire, rispondere (a qc): *The patient is responding to treatment.* Il paziente sta reagendo bene alla cura. **2** rispondere: *I wrote to them last week but they haven't responded.* Ho scritto loro la settimana scorsa, ma non hanno risposto. ☛ Per dire 'rispondere' le parole più comuni sono **answer** e **reply**.

response /rɪˈspɒns/ *s* ~ (**to sb/sth**) **1** risposta (a qn/qc): *In response to your inquiry...* In risposta alla sua domanda... **2** reazione (a qn/qc)

responsibility /rɪˌspɒnsəˈbɪləti/ *s* (*pl* **-ies**) ~ (**for/to sb/sth**) responsabilità (di/verso qn/qc): *to take full responsibility for sb/sth* assumersi piena responsabilità di qn/qc

responsible /rɪˈspɒnsəbl/ *agg* **1** ~ **(for sth/doing sth)** responsabile (di qc/di fare qc): *to be responsible for doing sth* essere incaricato di fare qc ◊ *to act in a responsible way* comportarsi in maniera responsabile **2** ~ **to sb/sth**: *to be responsible to sb/sth* rispondere a qn/qc

responsive /rɪˈspɒnsɪv/ *agg* **1** attento: *a responsive audience* un pubblico caloroso **2** che risponde bene (*a cura, comando*): *to be responsive (to sth)* essere sensibile (a qc)

rest¹ /rest/ ◆ **1** *vt, vi* riposare, riposarsi **2** *vt, vi* ~ **(sth) on/against sth** appoggiare qc, essere appoggiato su/a qc **3** (*form*) *vi*: *The matter cannot rest there.* La faccenda non può finire lì. ◊ *to let the matter rest* lasciar cadere l'argomento ◆ *s* riposo, pausa: *to have a rest* riposarsi ◊ *to get some rest* riposarsi LOC **at rest** fermo **to come to rest** arrestarsi *Vedi anche* MIND **restful** *agg* riposante

rest² /rest/ *s* **the** ~ **(of sth)** **1** [*non numerabile*] il resto (di qc) **2** [*pl*] gli altri, le altre…: *the rest of the players* gli altri giocatori

restaurant /ˈrestrɒnt; *USA* -tərənt/ *s* ristorante ☛ *Vedi pag. 379.*

restless /ˈrestləs/ *agg* **1** irrequieto **2** inquieto: *to become/grow restless* spazientirsi **3** *to have a restless night* passare una notte agitata

restoration /ˌrestəˈreɪʃn/ *s* **1** restituzione **2** restauro **3** ripristino

restore /rɪˈstɔː(r)/ *vt* **1** ~ **sth (to sb/sth)** (*form*) (*fiducia, salute, beni*) restituire qc (a qn/qc) **2** (*ordine, pace*) ristabilire **3** (*palazzo*) restaurare

restrain /rɪˈstreɪn/ **1** *vt* ~ **sb** contenere qn **2** *v rifl* ~ **yourself** contenersi, dominarsi **3** *vt* (*lacrime, entusiasmo*) contenere, frenare **restrained** *agg* moderato, contenuto

restraint /rɪˈstreɪnt/ *s* (*form*) **1** controllo: *to act with restraint* agire con moderazione **2** restrizione, limitazione

restrict /rɪˈstrɪkt/ *vt* limitare **restricted** ~ **(to sth)** limitato (a qc) **restriction** *s* limitazione, restrizione **restrictive** *agg* restrittivo

result /rɪˈzʌlt/ ◆ *s* risultato: *As a result of…* In conseguenza a… ◆ *vi* ~ **(from sth)** essere il risultato (di qc) PHR V **to result in sth** avere come conseguenza qc

resume /rɪˈzjuːm; *USA* -ˈzuːm/ (*form*) *vt, vi* riprendere **resumption** *s* [*sing*] (*form*) ripresa (*di contatti, lavori*)

resurgence /rɪˈsɜːdʒəns/ *s* (*form*) rinascita

resurrect /ˌrezəˈrekt/ *vt* risuscitare: *to resurrect old traditions* far rivivere antiche tradizioni **resurrection** *s* risurrezione

resuscitate /rɪˈsʌsɪteɪt/ *vt* rianimare **resuscitation** *s* rianimazione

retail /ˈriːteɪl/ ◆ *s* vendita al dettaglio: *retail price* prezzo di vendita al pubblico ◆ **1** *vt* vendere al dettaglio **2** *vi* essere in vendita al dettaglio **retailer** *s* commerciante al dettaglio

retain /rɪˈteɪn/ *vt* (*form*) **1** conservare, mantenere **2** (*acqua, informazioni*) ritenere

retaliate /rɪˈtælieɪt/ *vi* ~ **(against sb/sth)** fare rappresaglia (contro qn/qc) **retaliation** *s* ~ **(against sb/sth)** rappresaglia (contro qn/qc)

retarded /rɪˈtɑːdɪd/ *agg* ritardato

retch /retʃ/ *vi* avere conati di vomito

retention /rɪˈtenʃn/ *s* (*form*) conservazione, mantenimento

rethink /ˌriːˈθɪŋk/ *vt* (*pass, pp* **rethought** /ˌriː ˈθɔːt/) riconsiderare

reticent /ˈretɪsnt/ *agg* riservato **reticence** *s* riserbo

retire /rɪˈtaɪə(r)/ **1** *vi* andare in pensione **2** *vt* mandare in pensione **3** *vi* (*form, Mil, scherz*) ritirarsi **retired** *agg* in pensione **retiring** *agg* **1** riservato **2** uscente

retirement /rɪˈtaɪəmənt/ *s* pensionamento, pensione

retort /rɪˈtɔːt/ ◆ *s* risposta (*per le rime*) ◆ *vt* ribattere

retrace /rɪˈtreɪs/ *vt* ripercorrere: *to retrace your steps* tornare sui propri passi

retract /rɪˈtrækt/ (*form*) **1** *vt* (*dichiarazione*) ritrattare **2** *vt, vi* (*artiglio*) ritrarre, ritrarsi **3** *vt, vi* ripiegare, ripiegarsi

retreat /rɪˈtriːt/ ◆ *vi* ritirarsi ◆ *s* **1** ritirata **2** ritiro **3** rifugio

retrial /ˌriːˈtraɪəl/ *s* nuovo processo

retribution /ˌretrɪˈbjuːʃn/ *s* (*form*) castigo

retrieval /rɪˈtriːvl/ *s* **1** (*form*) recupero **2** (*Informatica*) richiamo

retrieve /rɪˈtriːv/ *vt* **1** (*form*) recuperare **2** (*Informatica*) richiamare **3** (*cane da caccia*) riportare (*la preda*) **retriever** *s* cane da riporto

retrograde /ˈretrəgreɪd/ *agg* (*form*) all'indietro: *a retrograde step* un passo indietro

retrospect /ˈretrəspekt/ *s* LOC **in retrospect** in retrospettiva

retrospective /ˌretrəˈspektɪv/ ◆ *agg* **1** retrospettivo **2** retroattivo ◆ *s* retrospettiva

return /rɪˈtɜːn/ ◆ **1** *vi* ritornare, tornare **2** *vt* restituire, riportare **3** *vt* (*Politica*) eleggere **4** *vi* (*sintomo*) ricomparire ◆ *s* **1** ~ (**to sth**) ritorno (a qc): *on my return* al mio ritorno **2** ricomparsa **3** restituzione, rinvio **4** dichiarazione: (*income-*)*tax return* dichiarazione dei redditi **5** ~ (**on sth**) profitto (su qc) **6** (*anche* **return ticket**) biglietto di andata e ritorno ☛ *Confronta* SINGLE **7** [*davanti a sostantivo*] di ritorno: *return journey* viaggio di ritorno LOC **in return** (**for sth**) in cambio (di qc)

returnable /rɪˈtɜːnəbl/ *agg* **1** (*soldi, deposito*) rimborsabile **2** (*bottiglia*) a rendere

reunion /riːˈjuːniən/ *s* riunione, raduno

reunite /ˌriːjuːˈnaɪt/ *vt, vi* **1** riunire, riunirsi **2** riconciliare, riconciliarsi

rev /rev/ ◆ *s* [*gen pl*] (*inform*) giro (*di motore*) ◆ *v* (**-vv-**) PHR V **to rev** (**sth**) **up**: *to rev up* (*the engine*) imballare il motore

revalue /ˌriːˈvæljuː/ *vt* rivalutare **revaluation** *s* rivalutazione

revamp /ˌriːˈvæmp/ *vt* (*inform*) rimodernare

reveal /rɪˈviːl/ *vt* **1** (*segreti, informazioni*) rivelare **2** mostrare **revealing** *agg* **1** rivelatore **2** (*abito*) scollato

revel /ˈrevl/ *vi* (**-ll-**, *USA* **-l-**) PHR V **to revel in sth/doing sth** godere di qc/a fare qc

revelation /ˌrevəˈleɪʃn/ *s* rivelazione

revenge /rɪˈvendʒ/ ◆ *s* vendetta LOC **to take** (**your**) **revenge** (**on sb**) vendicarsi (di qn) ◆ *vt* vendicare LOC **to revenge yourself/be revenged** (**on sb**) vendicarsi (di qn)

revenue /ˈrevənjuː; *USA* -ənuː/ *s* entrate, reddito: *a source of government revenue* una fonte di reddito per il governo

reverberate /rɪˈvɜːbəreɪt/ *vi* **1** risuonare **2** (*fig*) ripercuotersi **reverberation** *s* **1** rimbombo **2 reverberations** [*pl*] (*fig*) ripercussioni

revere /rɪˈvɪə(r)/ *vt* (*form*) venerare

reverence /ˈrevərəns/ *s* venerazione, profondo rispetto

reverend /ˈrevərənd/ (*anche* **the Reverend**) *agg* (*abbrev* **Rev**, **Revd**) reverendo

reverent /ˈrevərənt/ *agg* riverente

reversal /rɪˈvɜːsl/ *s* **1** (*tendenza, ruoli*) inversione **2** (*situazione*) capovolgimento **3** (*Dir*) revoca

reverse /rɪˈvɜːs/ ◆ *s* **1 the** ~ (**of sth**) il contrario, l'opposto (di qc): *Quite the reverse!* Al contrario! **2** rovescio **3** (*anche* **reverse gear**) retromarcia ◆ **1** *vt* invertire **2** *vt, vi*: *to reverse* (*the car*) fare marcia indietro **3** *vt* (*decisione*) revocare LOC **to reverse** (**the**) **charges** (*USA* **to call collect**) fare una telefonata a carico del destinatario

revert /rɪˈvɜːt/ *vi* **1** ~ **to sth** tornare a qc (*stato precedente*) **2** ~ (**to sb/sth**) (*proprietà, diritto*) spettare (a qn/qc) per reversione

review /rɪˈvjuː/ ◆ *s* **1** revisione **2** esame retrospettivo **3** recensione **4** rivista ◆ *vt* **1** riesaminare **2** recensire **3** (*Mil*) passare in rivista **reviewer** *s* critico, recensore

revise /rɪˈvaɪz/ **1** *vt* (*testo, opinione*) rivedere **2** *vt, vi* (*GB*) ripassare (*per un esame*)

revision /rɪˈvɪʒn/ *s* **1** revisione **2** (*GB*) ripasso: *to do some revision* ripassare

revival /rɪˈvaɪvl/ *s* **1** ripresa **2** (*moda*) revival **3** (*Teat*) nuova produzione

revive /rɪˈvaɪv/ **1** *vt, vi* (*persona*) (far) rinvenire **2** *vt* (*ricordi*) far rivivere **3** *vt, vi* (*economia*) risollevare, risollevarsi **4** *vt* (*Teat*) riproporre

revoke /rɪˈvəʊk/ *vt* (*form*) revocare

revolt /rɪˈvəʊlt/ ◆ **1** *vi* ~ (**against sb/sth**) ribellarsi (contro qn/qc) **2** *vt* disgustare ◆ *s* rivolta

revolting /rɪˈvəʊltɪŋ/ *agg* (*inform*) disgustoso, rivoltante

revolution /ˌrevəˈluːʃn/ *s* **1** rivoluzione **2** giro **revolutionary** *s* (*pl* **-ies**) *agg* rivoluzionario, -a

revolve /rɪˈvɒlv/ *vt, vi* (far) girare, (far) ruotare PHR V **to revolve around sb/sth** imperniarsi su qn/qc: *Her life revolves around her job/child.* Il lavoro/Suo figlio è il centro della sua vita.

revolver /rɪˈvɒlvə(r)/ *s* rivoltella

revulsion /rɪˈvʌlʃn/ *s* disgusto

reward /rɪˈwɔːd/ ◆ *s* ricompensa, premio ◆ *vt* ricompensare, premiare **rewarding** *agg* gratificante

rewrite /ˌriːˈraɪt/ *vt* (*pass* **rewrote** /-rəʊt/ *pp* **rewritten** /-ˈrɪtn/) riscrivere

rhetoric /ˈretərɪk/ *s* retorica

rhinoceros /raɪˈnɒsərəs/ *s* (*pl* **rhinoceros** *o* **~es**) rinoceronte

rhubarb /ˈruːbɑːb/ *s* rabarbaro

rhyme /raɪm/ ◆ *s* **1** rima **2** poesia *Vedi* NURSERY ◆ *vt, vi* (far) rimare

rhythm /ˈrɪðəm/ *s* ritmo

rib /rɪb/ *s* costola: *ribcage* cassa toracica

ribbon /ˈrɪbən/ *s* nastro LOC **to tear, cut, etc sth to ribbons** ridurre qc a brandelli

rice /raɪs/ *s* riso: *rice field* risaia ◊ *brown rice* riso integrale ◊ *rice pudding* budino di riso

rich /rɪtʃ/ *agg* (**-er**, **-est**) **1** ricco: *to become/get rich* arricchirsi ◊ *to be rich in sth* essere ricco di qc **2** (*lussuoso*) sontuoso **3** (*terra*) fertile **4** (*dispreg*) (*cibo*) con molti grassi **the rich** [*pl*] *s* i ricchi **riches** *s* ricchezze **richly** *avv* LOC **to richly deserve sth** meritare pienamente qc

rickety /ˈrɪkəti/ *agg* (*inform*) traballante

rid /rɪd/ *vt* (**-dd-**) (*pass, pp* **rid**) **to rid sb/sth of sb/sth** liberare qn/qc da qn/qc LOC **to be/get rid of sb/sth** sbarazzarsi di qn/qc

ridden /ˈrɪdn/ ◆ *pp di* RIDE ◆ *agg* ~ **with/by sth 1** (*pulci*) infestato di qc **2** (*senso di colpa*) oppresso da qc

riddle[1] /ˈrɪdl/ *s* **1** indovinello **2** mistero

riddle[2] /ˈrɪdl/ *vt* **1** (*proiettili*) crivellare **2** (*dispreg, fig*): *to be riddled with sth* essere pieno di qc

ride /raɪd/ (*pass* **rode** /rəʊd/ *pp* **ridden** /ˈrɪdn/) ◆ **1** *vt* (*cavallo*) montare: *to ride a horse* andare a cavallo **2** *vt*: *to ride a bike* andare in bicicletta **3** *vi* andare a cavallo **4** *vi* (*in treno, auto, ecc*) viaggiare ◆ *s* **1** cavalcata **2** (*in bicicletta, auto, ecc*) giro: *to go for a ride* andare a fare un giro LOC **to take sb for a ride** (*inform*) prendere in giro qn **rider** *s* **1** cavallerizzo, -a **2** ciclista **3** motociclista

ridge /rɪdʒ/ *s* **1** (*montagna*) cresta **2** (*tetto*) colmo

ridicule /ˈrɪdɪkjuːl/ ◆ *s* ridicolo ◆ *vt* mettere in ridicolo **ridiculous** /rɪˈdɪkjələs/ *agg* ridicolo

riding /ˈraɪdɪŋ/ *s* equitazione: *I like riding.* Mi piace andare a cavallo.

rife /raɪf/ *agg* (*form*): *Speculation is rife.* Si fanno molte congetture. ◊ *to be rife* (*with sth*) abbondare (di qc)

rifle /ˈraɪfl/ *s* fucile, carabina

rift /rɪft/ *s* **1** (*Geog*) crepa **2** (*fig*) incrinatura, spaccatura

rig /rɪg/ ◆ *vt* (**-gg-**) manipolare, truccare PHR V **to rig sth up** improvvisare qc (*riparo, ecc*) ◆ *s* **1** (*anche* **rigging**) sartiame **2** attrezzatura

right /raɪt/ ◆ *agg* **1** giusto: *He was right to do that.* Ha fatto bene a fare così. ◊ *Have you got the right time?* Ha l'ora esatta? ◊ *Is this the right colour for the curtains?* È un colore adatto per le tende? ◊ *to be on the right road* essere sulla buona strada **2** *to be right* aver ragione **3** (*piede, mano*) destro **4** (*GB, inform*) vero: *a right fool* un vero idiota *Vedi anche* ALL RIGHT LOC **to get sth right** fare bene qc: *I got it right first time.* L'ho fatto bene alla prima. **to get sth right/straight** chiarire qc **to put/set sb right** correggere qn **to put/set sth right 1** (*errore*) correggere qc **2** (*torto*) rimediare a qc *Vedi anche* CUE, SIDE ◆ *avv* **1** bene: *Have I spelt your name right?* Ho scritto giusto il tuo nome? **2** proprio: *right beside you* proprio accanto a te **3** completamente: *right to the end* fino in fondo **4** a destra: *to turn right* girare a destra **5** subito: *I'll be right back.* Torno subito. LOC **right now 1** proprio adesso **2** subito **right/straight away/off** subito *Vedi anche* SERVE ◆ *s* **1** *right and wrong* il bene e il male **2** ~ (**to sth/to do sth**) diritto (a qc/a fare qc): *human rights* i diritti dell'uomo **3** (*anche Politica*) destra: *on the right* a destra LOC **by rights 1** di diritto **2** in teoria **in your own right** di per sé **to be in the right** aver ragione ◆ *vt* **1** raddrizzare **2** correggere, risolvere

right angle *s* angolo retto

righteous /ˈraɪtʃəs/ *agg* **1** (*form*) (*persona*) retto **2** (*indignazione*) giustificato

rightful /ˈraɪtfl/ *agg* [*solo davanti a sostantivo*] legittimo: *the rightful heir* il legittimo erede

right-hand /ˈraɪt hænd/ *agg* destro: *on the right-hand side* a destra LOC **right-hand man** braccio destro **right-handed** *agg* che usa la mano destra

rightly /ˈraɪtli/ *avv* giustamente: *rightly or wrongly* a torto o a ragione

right wing ◆ *s* destra (*politica*) ◆ *agg* di destra

rigid /ˈrɪdʒɪd/ *agg* **1** rigido **2** (*atteggiamento*) inflessibile

rigour (*USA* **rigor**) /ˈrɪgə(r)/ *s* (*form*) rigore **rigorous** *agg* rigoroso

rim /rɪm/ *s* **1** orlo ☛ *Vedi illustrazione a* MUG **2** [*gen pl*] (*occhiali*) montatura **3** cerchione

rind /raɪnd/ *s* **1** (*limone*) scorza **2** (*formaggio*) crosta **3** (*pancetta*) cotenna ☛ *Vedi nota a* PEEL

ring[1] /rɪŋ/ ◆ *s* **1** anello: *ring road* circonvallazione **2** cerchio **3** (*anche* **circus ring**) pista (*di circo*) **4** (*anche* **boxing ring**) ring ◆ *vt* (*pass, pp* **-ed**) **1** ~ **sb/sth** (**with sth**) circondare qn/qc (con qc) **2** (*uccello*) fare l'anellamento a

ring[2] /rɪŋ/ (*pass* **rang** /ræŋ/ *pp* **rung** /rʌŋ/) ◆ **1** *vt, vi* (*campana, campanello*) suonare **2** *vi* ~ (**for sb/sth**) suonare il campanello (per qn/qc) **3** *vi* (*orecchie*) fischiare **4** *vt, vi* (*GB*) ~ (**sb/sth**) (**up**) telefonare (a qn/qc) PHR V **to ring** (**sb**) **back** richiamare (qn) **to ring off** (*GB*) riattaccare ◆ *s* **1** (*campanello*) squillo **2** [*sing*] (*passi, metallo*) suono **3** (*GB, inform*): *to give sb a ring* dare un colpo di telefono a qn

ringleader /ˈrɪŋˌliːdə(r)/ *s* (*dispreg*) capobanda

rink /rɪŋk/ *s* pista di pattinaggio *Vedi* ICE RINK

rinse /rɪns/ ◆ *vt* ~ **sth** (**out**) sciacquare, risciacquare qc ◆ *s* **1** sciacquata **2** cachet (*capelli*)

riot /ˈraɪət/ ◆ *s* sommossa LOC *Vedi* RUN ◆ *vi* causare disordini **rioting** *s* disordini **riotous** *agg* **1** scatenato (*festa*) **2** (*form, Dir*) turbolento

rip /rɪp/ ◆ *vt, vi* (**-pp-**) strappare, strapparsi: *to rip sth open* aprire qualcosa strappandolo PHR V **rip sb off** (*inform*) fregare qn **rip sth off/out** strappare via qc **to rip sth up** stracciare qc ◆ *s* strappo

ripe /raɪp/ *agg* **1** (*frutto*) maturo **2** (*formaggio*) stagionato **3** ~ (**for sth**) pronto (per qc): *The time is ripe.* I tempi sono maturi. **ripen** *vt, vi* maturare

rip-off /ˈrɪp ɒf/ *s* (*inform*) fregatura

ripple /ˈrɪpl/ ◆ *s* **1** (*acqua*) increspatura **2** fremito (*di risate, interesse*) ◆ *vt, vi* increspare, incresparsi

rise /raɪz/ ◆ *vi* (*pass* **rose** /rəʊz/ *pp* **risen** /ˈrɪzn/) **1** aumentare **2** *Her voice rose in anger.* Alzò la voce per la rabbia. **3** (*form*) (*persona, vento*) alzarsi **4** ~ (**up**) (**against sb/sth**) (*form*) insorgere (contro qn/qc) **5** (*sole, luna*) sorgere **6** salire di rango **7** (*fiume*) nascere **8** (*livello di un fiume*) crescere ◆ *s* **1** ascesa **2** (*quantità*) aumento **3** altura **4** (*USA* **raise**) aumento (*di stipendio*) LOC **to give rise to sth** (*form*) dare adito a qc, dare origine a qc

rising /ˈraɪzɪŋ/ ◆ *s* **1** (*Politica*) sommossa **2** (*sole, luna*) il sorgere ◆ *agg* **1** crescente **2** (*sole*) nascente

risk /rɪsk/ ◆ *s* ~ (**of sth/that...**) rischio (di qc/che...) LOC **at risk** a rischio **to take a risk/risks** rischiare *Vedi anche* RUN ◆ *vt* **1** rischiare **2** ~ **doing sth** rischiare di fare qc LOC **to risk your neck** rischiare la pelle **risky** *agg* (**-ier, -iest**) rischioso

rite /raɪt/ *s* rito

ritual /ˈrɪtʃuəl/ ◆ *s* rituale, rito ◆ *agg* rituale

rival /ˈraɪvl/ ◆ *s* ~ (**for/in sth**) rivale (per/in qc) ◆ *agg* rivale ◆ *vt* (**-ll-**, *USA anche* **-l-**) ~ **sb/sth** (**for/in sth**) competere con qn/qc (per/in qc) **rivalry** *s* (*pl* **-ies**) rivalità

river /ˈrɪvə(r)/ *s* fiume: *river bank* argine del fiume ☛ *Vedi nota a* FIUME **riverside** *s* sponda del fiume

rivet /ˈrɪvɪt/ *vt* **1** (*Mecc*) rivettare **2** (*sguardo*) fissare **3** affascinare **riveting** *agg* avvincente

road /rəʊd/ *s* **1** strada: *the road to London* la strada per Londra ◊ *road sign* segnale stradale ◊ *road safety* sicurezza stradale ◊ *across/over the road* dall'altra parte della strada ◊ *road accident* incidente stradale **2 Road** (*abbrev* **Rd**) (*nei nomi di strade*) via: *Banbury Road* via Banbury LOC **by road** su strada **on the road to sth** sulla via di qc **roadside** *s* ciglio della strada: *a roadside café* un bar sulla strada **roadway** *s* carreggiata

roadblock /ˈrəʊdblɒk/ *s* posto di blocco

roadworks /ˈrəʊdwɜːks/ *s* [*pl*] lavori stradali

roam /rəʊm/ *vt, vi* vagare (per)

roar /rɔː(r)/ ◆ *s* **1** (*leone*) ruggito **2** fragore: *roars of laughter* risate fragorose ◆ **1** *vi, vt* gridare: *to roar with laughter* ridere fragorosamente **2** *vi* (*leone*) ruggire **roaring** *agg* LOC **to do a roaring trade (in sth)** fare affari d'oro (in qc)

roast /rəʊst/ ◆ **1** *vt, vi* (*carne*) arrostire **2** *vt* (*caffè*) tostare **3** *vi* (*persona*) rosolarsi ◆ *agg, s* arrosto

rob /rɒb/ *vt* (**-bb-**) **1 to rob sb (of sth)** derubare qn (di qc) **2** (*banca*) rapinare **3 to rob sb/sth (of sth)** privare qn/qc (di qc)

Confronta i verbi **rob**, **steal** e **burgle**. **Rob** ha come complemento oggetto la persona o il luogo a cui viene sottratto qualcosa: *He robbed me (of all my money).* Mi ha derubato (di tutti i miei soldi). **Steal** ha come complemento oggetto le cose sottratte (ad una persona o ad un luogo): *He stole all my money.* Mi ha rubato tutti i soldi. **Burgle** si riferisce a furti in abitazioni o negozi, specialmente quando i proprietari sono assenti: *The house has been burgled.* Hanno svaligiato la casa.

robber *s* **1** ladro, -a **2** (*anche* **bank robber**) rapinatore, -trice **robbery** *s* (*pl* **-ies**) **1** furto **2** (*con violenza*) rapina

robe /rəʊb/ *s* **1** tunica **2** toga

robin /ˈrɒbɪn/ *s* pettirosso

robot /ˈrəʊbɒt/ *s* robot

robust /rəʊˈbʌst/ *agg* robusto

rock[1] /rɒk/ *s* **1** roccia: *rock climbing* arrampicata su roccia **2** *a stick of rock* un bastoncino di zucchero d'orzo **3** (*USA*) pietra LOC **at rock bottom** a terra **on the rocks 1** (*inform*) in crisi **2** (*inform*) (*bibita*) con ghiaccio

rock[2] /rɒk/ **1** *vt, vi* (far) dondolare, dondolarsi: *rocking chair* sedia a dondolo **2** *vt* (*bambino*) cullare **3** *vt* (*lett e fig*) scuotere **4** *vi* oscillare

rock[3] /rɒk/ (*anche* **rock music**) *s* rock

rocket /ˈrɒkɪt/ ◆ *s* razzo ◆ *vi* salire alle stelle: *He rocketed to stardom overnight.* È diventato famoso da un giorno all'altro.

rocky /ˈrɒki/ *agg* (**-ier**, **-iest**) **1** roccioso **2** (*fig*) instabile

rod /rɒd/ *s* **1** sbarra **2** bacchetta **3** (*anche* **fishing rod**) canna da pesca

rode *pass di* RIDE

rodent /ˈrəʊdnt/ *s* roditore

rogue /rəʊg/ *s* **1** (*antiq*) mascalzone **2** (*scherz*) canaglia

role (*anche* **rôle**) /rəʊl/ *s* ruolo: *role model* modello da imitare

roll /rəʊl/ ◆ *s* **1** rotolo **2** (*pellicola*) rullino **3** panino ☛ *Vedi illustrazione a* PANE **4** rollio **5** lista: *roll-call* appello **6** (*USA, inform*) (*GB* **bankroll**) mazzetta ◆ **1** *vt, vi* (far) rotolare **2** *vt, vi* roteare **3** *vt* ~ **sth (up)** arrotolare qc **4** *vi* ~ **(up)**: *The hedgehog rolled up into a ball.* Il porcospino si appallottolò. **5** *vt, vi* ~ **(up)** avvolgere, avvolgersi **6** *vt* (*sigaretta*) rollare **7** *vt* (*pasta, terreno*) spianare **8** *vt, vi* (far) oscillare LOC **to be rolling in it** (*inform*) essere ricco sfondato *Vedi anche* BALL PHR V **to roll in** (*inform*) arrivare in gran numero **to roll on** (*tempo*) passare **to roll sth out** stendere qc **to roll over** rigirarsi **to roll up** (*inform*) presentarsi **rolling** *agg* ondeggiante

roller /ˈrəʊlə(r)/ *s* **1** rullo **2** bigodino

roller-coaster /ˈrəʊlə kəʊstə(r)/ *s* montagne russe

roller skate *s* pattino a rotelle

rolling pin *s* matterello

romance /rəʊˈmæns/ *s* **1** romanticismo: *the romance of foreign lands* il fascino delle terre lontane **2** storia d'amore: *a holiday romance* un'avventura estiva **3** romanzo rosa

romantic /rəʊˈmæntɪk/ *agg* romantico

romp /rɒmp/ ◆ *vi* ~ **(about/around)** scorrazzare ◆ *s* **1** scorrazzata **2** (*inform, Cine, Teat*) opera divertente e senza pretese

roof /ruːf/ *s* (*pl* ~**s**) tetto **roofing** *s* materiale per copertura

roof-rack /ˈruːf ræk/ *s* portabagagli

rooftop /ˈruːftɒp/ *s* tetto: *the rooftops of Rome* i tetti di Roma

room /ruːm, rʊm/ *s* **1** stanza, camera *Vedi* DINING ROOM, LIVING ROOM **2** posto, spazio: *Is there room for me?* C'è posto per me? **3** *There's no room for doubt.* Non c'è dubbio. ◊ *There's room for improvement.* Si potrebbe migliorare. **roomy** *agg* (**-ier**, **-iest**) spazioso

room service *s* servizio in camera

room temperature *s* temperatura ambiente

roost /ruːst/ ◆ *s* posatoio ◆ *vi* appollaiarsi

root /ruːt/ ◆ *s* radice: *square root* radice quadrata LOC **the root cause (of sth)** la causa fondamentale (di qc) **to put down (new) roots** mettere radici ◆ PHR V **to root sth out 1** eradicare, estirpare qc **2** (*inform*) scovare qc **to root about/around (for sth)** rovistare (in cerca di qc) **to root for sb/sth** (*inform*) fare il tifo per qn/qc

rope /rəʊp/ ◆ *s* corda LOC **to show sb/know/learn the ropes** insegnare a qn/conoscere/imparare i segreti del mestiere ◆ PHR V **to rope sb in (to do sth)** (*inform*) tirar dentro qn (per fare qc) **to rope sth off** transennare qc

rope ladder *s* scala di corda

rosary /ˈrəʊzəri/ *s* (*pl* **-ies**) rosario

rose[1] *pass di* RISE

rose[2] /rəʊz/ *s* rosa

rosé /ˈrəʊzeɪ; *USA* rəʊˈzeɪ/ *s* rosé

rosemary /ˈrəʊzməri/ *s* rosmarino

rosette /rəʊˈzet/ *s* coccarda

rosy /ˈrəʊzi/ *agg* (**rosier**, **rosiest**) (*lett e fig*) roseo

rot /rɒt/ *vt, vi* (**-tt-** /ˈrɒtn/) (far) marcire

rota /ˈrəʊtə/ *s* (*pl* **~s**) (*GB*) tabella (*dei turni*): *on a rota basis* a turno

rotate /rəʊˈteɪt; *USA* ˈrəʊteɪt/ **1** *vt, vi* girare **2** *vt, vi* alternare, alternarsi **rotation** *s* rotazione LOC **in rotation** a turno

rotten /ˈrɒtn/ *agg* **1** marcio **2** corrotto

rough /rʌf/ ◆ *agg* (**-er**, **-est**) **1** (*superficie*) ruvido: *rough terrain* terreno accidentato **2** (*mare*) agitato **3** (*comportamento*) violento **4** (*quartiere, zona*) poco raccomandabile **5** (*calcolo*) approssimativo **6** (*inform*) indisposto: *I feel a bit rough.* Non mi sento bene. LOC **to be rough (on sb)** (*inform*) esser dura (per qn) ◆ *avv* (**-er**, **-est**) pesante: *He plays rough.* Gioca pesante. ◆ *s* LOC **in rough** approssimativamente ◆ *vt* LOC **to rough it** (*inform*) fare vita dura **roughly** *avv* **1** bruscamente **2** violentemente: *to treat sb roughly* maltrattare qn **3** pressappoco: *roughly speaking* grosso modo

round[1] /raʊnd/ *agg* **1** rotondo **2** *in round figures* in cifra tonda

round[2] /raʊnd/ *avv* **1** *Vedi* AROUND[2] **2** *all year round* tutto l'anno ◊ *a shorter way round* una via più breve ◊ *round the clock* 24 ore su 24 ◊ *round at Maria's* da Maria LOC **round about** intorno: *the houses round about* le case intorno

round[3] (*anche* **around**) /raʊnd/ *prep* **1** *to show sb round the house* far vedere la casa a qn **2** intorno a: *She wrapped the towel round her waist.* Si avvolse un asciugamano intorno alla vita. **3** *just round the corner* dietro l'angolo

round[4] /raʊnd/ *s* **1** giro (*di postino, medico*) **2** (*di bevute*): *It's my round.* Questo giro lo offro io. **3** *a round of talks* una serie di colloqui **4** (*Sport*): *a round of golf* una partita di golf ◊ *a boxing match of ten rounds* un incontro di pugilato in dieci riprese **5** *a round of applause* un applauso **6** colpo (*in canna*)

round[5] /raʊnd/ *vt* (*angolo*) girare PHR V **to round sth off** completare qc **to round sb/sth up** radunare qn/qc **to round sth up/down** arrotondare qc per eccesso/per difetto

roundabout /ˈraʊndəbaʊt/ ◆ *agg* indiretto: *in a roundabout way* indirettamente ◆ *s* **1** (*anche* **carousel**, **merry-go-round**) giostra **2** rotatoria

rouse /raʊz/ *vt* **1** ~ **sb (from/out of sth)** (*form*) destare qn (da qc) **2** scuotere **rousing** *agg* **1** (*discorso*) trascinante **2** (*applauso*) caloroso

rout /raʊt/ ◆ *s* disfatta ◆ *vt* sbaragliare

route /ruːt; *USA* raʊt/ *s* itinerario, rotta

routine /ruːˈtiːn/ ◆ *s* routine ◆ *agg* abituale, regolare **routinely** *avv* abitualmente

row[1] /rəʊ/ *s* fila LOC **in a row** in fila: *the third week in a row* la terza settimana di fila

row[2] /rəʊ/ ◆ *vt, vi* remare: *She rowed the boat to the bank.* Remò fino alla riva. ◊ *Will you row me across the river?* Mi porti dall'altra parte del fiume in barca? ◊ *to row across the lake* attraversare il lago su una barca a remi ◆ *s*: *to go for a row* fare una remata

row[3] /raʊ/ ◆ *s* (*inform*) **1** lite: *to have a row* litigare ☛ Si può anche dire **argument**. **2** baccano ◆ *vi* litigare

rowdy /ˈraʊdi/ *agg* (**-ier**, **-iest**) (*dispreg*) **1** (*persona*) turbolento **2** (*riunione*) burrascoso

royal /ˈrɔɪəl/ *agg* reale: *the royal family* la famiglia reale

Royal Highness *s*: *your/his/her Royal Highness* Vostra/Sua Altezza Reale

royalty /ˈrɔɪəlti/ *s* **1** [*sing*] la famiglia reale **2** (*pl* **-ties**) diritti d'autore

rub /rʌb/ (**-bb-**) ◆ **1** *vt* strofinare, fregare: *to rub your hands together* fregarsi le mani **2** *vt* **to rub sth into/onto sth** frizionare qc con qc **3** *vi* **to rub (on/against sth)** strofinarsi (contro qc) PHR V **to rub off (on/onto sb)** (*qualità*) comunicarsi (a qn) **to rub sth out** cancellare qc ◆ *s* strofinata: *to give sth a rub* strofinare qc

rubber /ˈrʌbə(r)/ *s* **1** gomma, caucciù: *a rubber/elastic band* un elastico ◊ *rubber stamp* timbro di gomma **2** (*anche spec USA* **eraser**) gomma (*da cancellare*)

rubbish /ˈrʌbɪʃ/ *s* [*non numerabile*] **1** immondizia: *rubbish dump/tip* discarica delle immondizie **2** (*dispreg, fig*) sciocchezze

rubble /ˈrʌbl/ *s* [*non numerabile*] macerie

ruby /ˈruːbi/ *s* (*pl* **-ies**) rubino

rucksack /ˈrʌksæk/ (*USA anche* **backpack**) *s* zaino ☛ *Vedi illustrazione a* BAGAGLIO

rudder /ˈrʌdə(r)/ *s* timone

rude /ruːd/ *agg* (**ruder**, **rudest**) **1** maleducato: *to be rude to do sth* essere da maleducati fare qc **2** (*barzelletta*) spinto

rudimentary /ˌruːdɪˈmentri/ *agg* rudimentale

ruffle /ˈrʌfl/ *vt* **1** (*superficie*) increspare **2** (*capelli*) scompigliare **3** (*piume*) arruffare **4** (*persona*) turbare

rug /rʌg/ *s* **1** tappeto **2** coperta da viaggio

rugby /ˈrʌgbi/ *s* rugby

rugged /ˈrʌgɪd/ *agg* **1** (*terreno*) acci dentato **2** (*costa*) frastagliato **3** (*linea menti*) marcato

ruin /ˈruːɪn/ ◆ *s* (*lett e fig*) rovina ◆ *v* rovinare

rule /ruːl/ ◆ *s* **1** regola: *rules and regu lations* norme e regolamenti ◊ *H makes it a rule never to borrow an money.* È sua regola non prendere ma soldi in prestito. **2** dominio **3** regol LOC **as a (general) rule** di regola ◆ **1** *vt vi* ~ **(over sb/sth)** governare (qn/qc) **2** *vt* (*persona, passioni*) dominare **3** *vt, v* (*Dir*) sentenziare **4** *vt* rigare PHR V **to rule sb/sth out (as sth)** scartare qn/q (per qc)

ruler /ˈruːlə(r)/ *s* **1** *s* sovrano **2** righell

ruling /ˈruːlɪŋ/ ◆ *agg* **1** dominante **2** (*Politica*) al potere ◆ *s* sentenza

rum /rʌm/ *s* rum

rumble /ˈrʌmbl/ ◆ *vi* **1** rimbombare **2** (*stomaco*) brontolare ◆ *s* rombo

rummage /ˈrʌmɪdʒ/ *vi* **1** ~ **about around** rovistare, frugare **2** ~ **among in/through sth (for sth)** frugare in q (alla ricerca di qc)

rumour (*USA* **rumor**) /ˈruːmə(r)/ *s* voce: *Rumour has it that…* Corre voce che…

rump /rʌmp/ *s* **1** groppa **2** (*anche* **rump steak**) bistecca di girello

run /rʌn/ (**-nn-**) (*pass* **ran** /ræn/ *pp* **run**) ◆ **1** *vt, vi* correre: *I had to run to catch the bus.* Ho dovuto fare una corsa pe prendere l'autobus. ◊ *I ran nearly ten kilometres.* Ho corso quasi dieci chilo metri. **2** *vi* scorrere: *The tears ran down her cheeks.* Le lacrime le scorre vano sulle guance. ◊ *A shiver ran down her spine.* Un brivido le corse giù per la schiena. **3** *vt* passare: *to run your fingers through sb's hair* passare le dita tra i capelli di qn ◊ *to run your eyes over sth* dare una scorsa a qc ◊ *She ran her eye around the room.* Si guardò intorno nella stanza. **4** *vt, vi* (*macchinario, sistema*) (far) funzionare: *Everything is running smoothly.* Va tutto benissimo ◊ *Run the engine for a few minutes before you start.* Lascia il motore acceso per qualche minuto prima di partire. **5** *vi* estendersi: *The cable runs the length of the wall.* Il cavo corre lungo tutta la parete. ◊ *A fence runs round the field* Una staccionata circonda il prato. **6** *v* (*autobus, treno*): *The buses run every hour.* C'è un autobus ogni ora. ◊ *The train is running an hour late.* Il treno ha un'ora di ritardo. **7** *vt* accompagnare (*in auto*): *Can I run you to the station?* Ti porto alla stazione? **8 to run (for...)** (*Teat*) tenere cartellone (per...) **9** *vt*: *to run a bath* preparare un bagno **10** *vi*: *to leave the tap running* lasciare il rubinetto aperto **11** *vi* (*naso*) colare **12** *vi* (*colore*) stingere **13** *vt* (*impresa, ecc*) gestire, dirigere **14** *vt* (*servizio, corso*) organizzare **15** *vt* (*Informatica*) eseguire **16** *vt* (*veicolo*) mantenere: *I can't afford to run a car.* Non mi posso permettere una macchina. **17** *vi* **to run (for sth)** (*Politica*) presentarsi come candidato (per qc) **18** *vt* (*Giornalismo*) pubblicare LOC **to run dry** prosciugarsi **to run for it** scappare **to run in the family** essere un tratto di famiglia **to run out of steam** (*inform*) perdere vigore **to run riot** scatenarsi **to run the risk (of doing sth)** correre il rischio (di fare qc) *Vedi anche* DEEP, TEMPERATURE, WASTE

PHR V **to run about/around** correre qua e là

to run across sb/sth imbattersi in qn/qc

to run after sb rincorrere qn

to run at sth: *Inflation is running at 25%.* L'inflazione ha raggiunto il 25%.

to run away (from sb/sth) scappare (da qn/qc)

to run into sb/sth 1 imbattersi in qn/qc **2** scontrarsi con qn/qc **to run sth into sth**: *He ran the car into a tree.* Andò a sbattere contro un albero.

to run off (with sth) fuggire (con qc)

to run out 1 scadere **2** finire, esaurire

to run out of sth rimanere senza qc

to run sb over investire qn

◆ *s* **1** corsa: *to go for a run* andare a correre ◊ *to break into a run* mettersi a correre **2** giro (*in macchina, ecc*) **3** periodo: *a run of bad luck* un periodo sfortunato **4** (*Teat*): *The play had a run of six months.* La commedia ha tenuto cartellone per sei mesi. LOC **to be on the run** essere in fuga *Vedi anche* BOLT[2], LONG[1]

runaway /ˈrʌnəweɪ/ ◆ *agg* **1** (*ragazzo*) scappato di casa **2** (*treno, camion, cavallo*) fuori controllo **3** (*vittoria*) facile ◆ *s* fuggiasco, -a

run-down /ˌrʌn ˈdaʊn/ *agg* **1** (*edificio*) in stato di abbandono **2** (*persona*) debilitato

rung[1] *pp di* RING[2]

rung[2] /rʌŋ/ *s* piolo ☛ *Vedi illustrazione a* SCALA

runner /ˈrʌnə(r)/ *s* velocista

runner-up /ˌrʌnər ˈʌp/ *s* (*pl* **-s-up** /ˌrʌnəz ˈʌp/) secondo classificato, seconda classificata

running /ˈrʌnɪŋ/ ◆ *s* **1** corsa (*attività*) **2** gestione **3** funzionamento LOC **to be in/out of the running (for sth)** (*inform*) avere/non avere possibilità (di ottenere qc) ◆ *agg* **1** continuo **2** consecutivo: *four days running* quattro giorni di seguito **3** (*acqua*) corrente LOC *Vedi* ORDER

runny /ˈrʌni/ *agg* (**-ier**, **-iest**) (*inform*) **1** troppo liquido **2** *to have a runny nose* avere il naso che cola

run-up /ˈrʌn ʌp/ *s* ~ **(to sth)** periodo che precede (qc)

runway /ˈrʌnweɪ/ *s* pista (*di atterraggio*)

rupture /ˈrʌptʃə(r)/ ◆ *s* (*form*) rottura ◆ *vt, vi* lacerare, lacerarsi

rush /rʌʃ/ ◆ **1** *vi* precipitarsi: *They rushed out of school.* Si precipitarono fuori dalla scuola. ◊ *They rushed to help her.* Accorsero ad aiutarla. **2** *vi* fare in fretta **3** *vt* mettere fretta a: *Don't rush me!* Non mettermi fretta! **4** *vt* portare con urgenza: *He was rushed to hospital.* L'hanno portato d'urgenza all'ospedale. ◆ *s* **1** [*sing*]: *There was a rush to the exit.* Tutti si precipitarono verso l'uscita. **2** (*inform*) fretta: *I'm in a terrible rush.* Vado molto di fretta. ◊ *There's no rush.* Non c'è fretta. ◊ *the rush hour* l'ora di punta

rust /rʌst/ ◆ *s* ruggine ◆ *vt, vi* far arrugginire, arrugginirsi

rustic /ˈrʌstɪk/ *agg* rustico

rustle /ˈrʌsl/ ◆ *vt, vi* (far) frusciare PHR V **to rustle sth up** (*inform*) preparare qc: *I'll rustle up some eggs and bacon for you.* Ti preparo in un attimo uova e pancetta. ◆ *s* fruscio

rusty /ˈrʌsti/ *agg* (**-ier**, **-iest**) (*lett e fig*) arrugginito

rut /rʌt/ *s* solco LOC **to be (stuck) in a rut** essersi fossilizzato

ruthless /ˈruːθləs/ *agg* spietato **ruthlessness** spietatezza

rye /raɪ/ *s* segale

Ss

S, s /es/ *s* (*pl* **S's, s's** /ˈesɪz/) S, s: *S for sugar* S come Savona ☛ *Vedi esempi a* A, A

the Sabbath /ˈsæbəθ/ *s* **1** (*dei cristiani*) domenica **2** (*degli ebrei*) sabato

sabotage /ˈsæbətɑːʒ/ ◆ *s* sabotaggio ◆ *vt* sabotare

saccharin /ˈsækərɪn/ *s* saccarina

sachet /ˈsæʃeɪ; *USA* sæˈʃeɪ/ *s* bustina

sack[1] /sæk/ *s* sacco

sack[2] /sæk/ *vt* (*inform, spec GB*) licenziare **the sack** *s*: *to give sb the sack* licenziare qn ◊ *to get the sack* essere licenziato

sacred /ˈseɪkrɪd/ *agg* sacro

sacrifice /ˈsækrɪfaɪs/ ◆ *s* sacrificio: *to make sacrifices* fare sacrifici ◆ *vt* ~ **sth (to/for sb/sth)** sacrificare qc (a/per qn/qc)

sacrilege /ˈsækrəlɪdʒ/ *s* sacrilegio

sad /sæd/ *agg* (**sadder**, **saddest**) **1** triste **2** (*situazione*) deplorevole **sadden** *vt* rattristare

saddle /ˈsædl/ ◆ *s* **1** (*cavallo*) sella **2** (*bici, moto*) sellino ◆ *vt* **1** ~ **sth** sellare qc **2** ~ **sb with sth** (*compito*) incaricare qn di qc

sadism /ˈseɪdɪzəm/ *s* sadismo

sadly /ˈsædli/ *avv* **1** tristemente **2** sfortunatamente

sadness /ˈsædnəs/ *s* tristezza

safari /səˈfɑːri/ *s* (*pl* ~**s**) safari

safe[1] /seɪf/ *agg* (**safer**, **safest**) **1** ~ **(from sb/sth)** al sicuro (da qn/qc) **2** (*scala, macchina, metodo*) sicuro: *Your secret is safe with me.* Saprò custodire il tuo segreto. **3** salvo, illeso **4** (*autista*) prudente LOC **safe and sound** sano e salvo **to be on the safe side** per maggior sicurezza: *It's best to be on the safe side.* È meglio non correre rischi. *Vedi anche* BETTER **safely** *avv* **1** *to arrive safely* arrivare sano e salvo **2** tranquillamente, senza rischi **3** in modo sicuro: *safely locked away* sotto chiave in un posto sicuro

safe[2] /seɪf/ *s* cassaforte

safeguard /ˈseɪfgɑːd/ ◆ *s* ~ **(against sth)** salvaguardia (contro qc) ◆ *vt* ~ **sb/sth (against sb/sth)** salvaguardare qn/qc (contro qn/qc)

safety /ˈseɪfti/ *s* sicurezza

safety belt *s* cintura di sicurezza

safety net *s* **1** rete di sicurezza **2** (*fig*) rete di protezione

safety pin /ˈseɪfti pɪn/ *s* spilla da balia

safety valve *s* valvola di sicurezza

sag /sæg/ *vi* (**-gg-**) **1** (*letto, divano*) incurvarsi **2** (*tenda, pelle*) afflosciarsi

sage /seɪdʒ/ *s* salvia

Sagittarius /ˌsædʒɪˈteəriəs/ *s* Sagittario ☛ *Vedi esempi a* AQUARIUS

said *pass, pp di* SAY

sail /seɪl/ ◆ *s* vela LOC *Vedi* SET[2] ◆ **1** *vi* navigare: *to sail around the world* fare il giro del mondo in barca **2** *vt* (*barca*) condurre **3** *vi* ~ **(from ...) (for/to ...)** salpare (da ...) (per ...): *The ship sails at noon.* La nave salpa a mezzogiorno. **4** *vi* (*oggetto*) volare PHR V **to sail through (sth)** superare qc/farcela senza difficoltà: *She sailed through her exams.* Ha superato brillantemente gli esami.

sailing /ˈseɪlɪŋ/ *s* **1** vela (*sport*): *to go sailing* fare vela **2** *There are three sailings a day.* Ci sono tre partenze al giorno.

sailing boat *s* barca a vela

sailor /ˈseɪlə(r)/ *s* marinaio

saint /seɪnt, snt/ *s* (*abbrev* **St**) santo, -a: *Saint Francis/Catherine* San Francesco/Santa Caterina

sake /seɪk/ *s* LOC **for God's, goodness', Heaven's, etc sake** per amor di Dio/del cielo **for sb's/sth's sake; for the sake of sb/sth** per qn/qc, per amor di qn/qc

salad /ˈsæləd/ *s* insalata

salary /ˈsæləri/ *s* (*pl* **-ies**) stipendio ☛ *Confronta* WAGE

sale /seɪl/ *s* **1** vendita: *sales department* servizio vendite **2** saldi: *to hold/have a sale* fare i saldi **3** asta (*di vendita*) LOC **for sale** in vendita: *For sale.* Vendesi. **on sale** in vendita

salesman /ˈseɪlzmən/ *s* (*pl* **-men** /-mən/) venditore, commesso

salesperson /ˈseɪlzpɜːsn/ *s* (*pl* **-people**) venditore, -trice, commesso, -a

saleswoman /ˈseɪlzwʊmən/ *s* (*pl* **-women**) venditrice, commessa

saliva /səˈlaɪvə/ *s* saliva

salmon /ˈsæmən/ *s* (*pl* **salmon**) salmone

salon /ˈsælɒn; *USA* səˈlɒn/ *s* salone (*di bellezza*)

saloon /səˈluːn/ *s* **1** salone (*di hotel, nave*) **2** (*USA*) saloon **3** (*anche* **saloon car**) (*GB*) berlina

salt /sɔːlt/ *s* sale **salted** *agg* salato **salty** (**-ier**, **-iest**) (*anche* **salt**) *agg* salato

salt-water /ˈsɔːlt wɔːtə(r)/ *agg* (*pesce*) di mare

salutary /ˈsæljətri; *USA* -teri/ *agg* salutare

salute /səˈluːt/ ◆ *vt, vi* (*form*) salutare (*militare, alta carica*) ☛ *Confronta* GREET ◆ *s* **1** saluto (*militare*) **2** salva

salvage /ˈsælvɪdʒ/ ◆ *s* salvataggio ◆ *vt* ricuperare

salvation /sælˈveɪʃn/ *s* salvezza

same /seɪm/ ◆ *agg* stesso, medesimo: *the same thing* la stessa cosa ◊ *I left that same day.* Sono partito il giorno stesso. ☛ **Same** si usa a volte per dare enfasi alla frase: *the very same man* proprio lo stesso uomo. **LOC at the same time** allo stesso tempo **to be in the same boat** essere nella stessa barca ◆ **the same** *avv* allo stesso modo: *to treat everyone the same* trattare tutti allo stesso modo ◆ *pron* **the same** (**as sb/sth**) la stessa cosa, lo stesso (che qn/qc): *I think the same as you.* La penso come te. **LOC all/just the same 1** *Thanks all the same.* Grazie lo stesso. **2** *It's all the same to me.* Per me fa lo stesso. **same here** (*inform*) anch'io (**the**) **same to you** altrettanto a te

sample /ˈsɑːmpl; *USA* ˈsæmpl/ ◆ *s* campione (*di stoffa, profumo, popolazione*) ◆ *vt* (*nuovo prodotto, cibo*) provare

sanatorium /ˌsænəˈtɔːrɪəm/ (*USA anche* **sanitarium** /ˌsænəˈteərɪəm/) *s* (*pl* **~s** *o* **-ria** /-rɪə/) sanatorio

sanction /ˈsæŋkʃn/ ◆ *s* sanzione ◆ *vt* sanzionare

sanctuary /ˈsæŋktʃuəri; *USA* -ueri/ *s* (*pl* **-ies**) **1** santuario **2** rifugio, asilo: *The rebels took sanctuary in the church.* I ribelli cercarono asilo nella chiesa.

sand /sænd/ *s* **1** sabbia **2 the sands** [*pl*] la spiaggia

sandal /ˈsændl/ *s* sandalo ☛ *Vedi illustrazione a* SCARPA

sandcastle /ˈsændkɑːsl; *USA* -kæsl/ *s* castello di sabbia

sand dune (*anche* **dune**) *s* duna

sandpaper /ˈsændpeɪpə(r)/ *s* carta vetrata

sandwich /ˈsænwɪdʒ; *USA* -wɪtʃ/ ◆ *s* tramezzino ◆ *vt* infilare (*tra due persone o cose*)

sandy /ˈsændi/ *agg* (**-ier**, **-iest**) sabbioso

sane /seɪn/ *agg* (**saner**, **sanest**) **1** sano di mente **2** sensato

sang *pass di* SING

sanitarium (*USA*) *Vedi* SANATORIUM

sanitary /ˈsænətri; *USA* -teri/ *agg* igienico

sanitary towel *s* assorbente igienico

sanitation /ˌsænɪˈteɪʃn/ *s* impianti sanitari

sanity /ˈsænəti/ *s* **1** sanità mentale **2** sensatezza

sank *pass di* SINK

sap /sæp/ ◆ *s* linfa (*di albero*) ◆ *vt* (**-pp-**) indebolire, minare

sapphire /ˈsæfaɪə(r)/ *agg, s* (color) zaffiro

sarcasm /ˈsɑːkæzəm/ *s* sarcasmo **sarcastic** /sɑːˈkæstɪk/ *agg* sarcastico

sardine /ˌsɑːˈdiːn/ *s* sardina

sash /sæʃ/ *s* fascia (*su abito, uniforme*)

sat *pass, pp di* SIT

satchel /ˈsætʃəl/ *s* cartella (*di scuola*)

satellite /ˈsætəlaɪt/ *s* satellite

satire /ˈsætaɪə(r)/ *s* satira **satirical** /səˈtɪrɪkl/ *agg* satirico

satisfaction /ˌsætɪsˈfækʃn/ *s* soddisfazione

satisfactory /ˌsætɪsˈfæktəri/ *agg* soddisfacente

satisfy /ˈsætɪsfaɪ/ *vt* (*pass, pp* **-fied**) **1** soddisfare **2 ~ sb** (**as to sth**) convincere qn (di qc) **satisfied** *agg* ~ (**with sth**) soddisfatto (di qc) **satisfying** *agg* soddisfacente: *a satisfying meal* un pasto che sazia

satsuma /sætˈsuːmə/ *s* specie di mandarino

saturate /ˈsætʃəreɪt/ *vt* ~ **sth** (**with sth**) inzuppare qc (di qc): *The market is* *saturated.* Il mercato è saturo. **saturation** *s* saturazione

Saturday /ˈsætədeɪ, ˈsætədi/ *s* (*abbrev* **Sat**) sabato ☛ *Vedi esempi a* MONDAY

Saturn /ˈsætən/ *s* Saturno

sauce /sɔːs/ *s* salsa

saucepan /ˈsɔːspən; *USA* -pæn/ *s* casseruola

saucer /ˈsɔːsə(r)/ *s* piattino (*di tazzina*) ☛ *Vedi illustrazione a* MUG

sauna /ˈsɔːnə, ˈsaʊnə/ *s* sauna

saunter /ˈsɔːntə(r)/ *vi* passeggiare: *He sauntered over to the bar.* Andò verso il bar con passo tranquillo.

sausage /ˈsɒsɪdʒ; *USA* ˈsɔːs-/ *s* salsiccia

sausage roll *s* cannolo di pasta sfoglia ripieno di salsiccia

savage /ˈsævɪdʒ/ ◆ *agg* **1** selvaggio **2** (*cane*) feroce **3** (*attacco, critica, temperamento*) violento: *savage cuts in the budget* tagli spietati al budget ◆ *s* selvaggio, -a ◆ *vt* **1** sbranare **2** (*fig*) stroncare **savagery** *s* ferocia

save /seɪv/ ◆ **1** *vt* ~ **sb** (**from sth**) salvare qn (da qc) **2** *vt, vi* ~ (**sth**) (**up**) (**for sth**) (*soldi*) risparmiare (qc) (per qc) **3** *vt* (*Informatica*) salvare **4** *vt* ~ (**sb**) **sth** evitare qc (a qn): *That will save us a lot of trouble.* Ci eviterà un sacco di problemi. **5** *vt* (*Sport*) parare LOC **to save face** salvare la faccia ◆ *s* parata (*di pallone*)

saving /ˈseɪvɪŋ/ *s* **1** risparmio: *a saving of £5* un risparmio di 5 sterline **2** **savings** [*pl*] risparmi

saviour (*USA* **savior**) /ˈseɪvjə(r)/ *s* salvatore, -trice

savoury (*USA* **savory**) /ˈseɪvəri/ *agg* **1** (*GB*) salato (*non dolce*) **2** saporito

saw¹ *pass di* SEE

saw² /sɔː/ ◆ *s* sega ◆ *vt* (*pass* **sawed** *pp* **sawn** /sɔːn/ (*USA* **sawed**)) segare *Vedi anche* CUT PHR V **to saw sth down** abbattere qc con la sega **to saw sth off (sth)** segare via qc (da qc): *a sawn-off shotgun* un fucile a canne mozze **to saw sth up** segare qc **sawdust** *s* segatura

saxophone /ˈsæksəfəʊn/ (*inform* **sax**) *s* sassofono

say /seɪ/ ◆ *vt* (*3a persona sing* **says** /sez/ *pass, pp* **said** /sed/) **1 to say sth (to sb)** dire qc (a qn): *to say yes* dire di sì

Say si usa quando si introduce un discorso diretto o un discorso indiretto preceduto da **that**: *'I'll leave at nine', he said.* "Parto alle nove" disse. ◊ *He said that he would leave at nine.* Disse che sarebbe partito alle nove. **Tell** si usa per introdurre un discorso indiretto e dev'essere sempre seguito da un sostantivo, da un pronome o da un nome proprio che indichi la persona a cui si dice qualcosa: *He told me that he would leave at nine.* Mi disse che sarebbe partito alle nove. Per dare ordini o consigli si usa **tell**: *I told him to hurry up.* Gli ho detto di sbrigarsi. ◊ *She's always telling me what I ought to do.* Sta sempre a dirmi quello che dovrei fare.

2 *Let's take any writer, say Dickens...* Prendiamo uno scrittore a caso, diciamo Dickens... ◊ *Say there are 30 in a class...* Mettiamo che ce ne siano 30 in una classe... **3** *What time does it say on that clock?* Che ora fa quell'orologio? ◊ *The map says the hotel is on the right.* Secondo la cartina l'albergo sta sulla destra. LOC **it goes without saying that...** va da sé che... **that is to say** vale a dire *Vedi anche* DARE¹, FAREWELL, LET¹, NEEDLESS, SORRY, WORD ◆ *s* LOC **to have a/some say (in sth)** avere voce in capitolo (su qc) **to have your say** esprimere la propria opinione

saying /ˈseɪɪŋ/ *s* detto, modo di dire *Vedi anche* PROVERB

scab /skæb/ *s* crosta (*di ferita*)

scaffold /ˈskæfəʊld/ *s* patibolo

scaffolding /ˈskæfəldɪŋ/ *s* [*non numerabile*] impalcatura

scald /skɔːld/ ◆ *vt* scottare (*con liquido*) ◆ *s* scottatura **scalding** *agg* bollente

scale[1] /skeɪl/ *s* **1** (*gen*, *Mus*) scala: *a small-scale map* una carta in ridotta scala ◊ *on a large scale* su larga scala ◊ *a scale model* un modello in scala **2** proporzioni, portata: *the scale of the problem* la portata del problema LOC **to scale** su scala

scale[2] /skeɪl/ *s* squama

scale[3] /skeɪl/ *vt* scalare

scales /skeɪlz/ *s* [*pl*] bilancia

scalp /skælp/ *s* cuoio capelluto

scalpel /ˈskælpəl/ *s* bisturi

scamper /ˈskæmpə(r)/ *vi* scorrazzare

scan /skæn/ ◆ *vt* (**-nn-**) **1** scrutare, esaminare **2** fare un'ecografia di **3** dare un'occhiata a ◆ *s* ecografia

scandal /ˈskændl/ *s* **1** scandalo **2** pettegolezzi **scandalize, -ise** *vt* scandalizzare **scandalous** *agg* scandaloso

scant /skænt/ *agg* (*form*) scarso **scanty** *agg* (**-ier**, **-iest**) scarso: *a scanty bikini* un bikini ridottissimo **scantily** *avv*: *scantily dressed* vestito succintamente

scapegoat /ˈskeɪpgəʊt/ *s* capro espiatorio

scar /skɑː(r)/ ◆ *s* cicatrice ◆ *vt* (**-rr-**) lasciare una cicatrice su

scarce /skeəs/ *agg* (**scarcer**, **scarcest**) scarso: *Food was scarce.* I viveri scarseggiavano.

scarcely /ˈskeəsli/ *avv* **1** appena: *There were scarcely a hundred people present.* C'era appena un centinaio di persone. **2** *You can scarcely expect me to believe that.* E pretendi che ci creda? *Vedi anche* HARDLY

scarcity /ˈskeəsəti/ *s* (*pl* **-ies**) scarsità

scare /skeə(r)/ ◆ *vt* spaventare PHR V **to scare sb away/off** far scappare qn ◆ *s* spavento: *I got a scare.* Ho preso uno spavento. ◊ *a bomb scare* un allarme per la sospetta presenza di una bomba **scared** *agg*: *to be scared* aver paura ◊ *She's scared of the dark.* Ha paura del buio. LOC **to be scared stiff** (*inform*) avere una paura tremenda *Vedi anche* WIT

scarecrow /ˈskeəkrəʊ/ *s* spaventapasseri

scarf /skɑːf/ *s* (*pl* **scarfs** *o* **scarves** /skɑːvz/) **1** sciarpa **2** foulard

scarlet /ˈskɑːlət/ *agg*, *s* scarlatto, rosso vivo

scary /ˈskeəri/ *agg* (**-ier**, **-iest**) (*inform*) terrificante

scathing /ˈskeɪðɪŋ/ *agg* **1** (*critica, rimprovero*) severo **2** ~ (**about sb/sth**) critico (riguardo a qn/qc)

scatter /ˈskætə(r)/ **1** *vt*, *vi* disperdere, disperdersi **2** *vt* spargere **scattered** *agg* sparso: *scattered showers* piogge sparse

scavenge /ˈskævɪndʒ/ *vi* **1** (*animale, rapace*) cibarsi di carogne **2** (*persona*) frugare (*nei rifiuti*) **scavenger** *s* **1** animale necrofago **2** persona che fruga nei rifiuti

scenario /səˈnɑːriəʊ; *USA* -ˈnær-/ *s* (*pl* **~s**) **1** (*Teat*) soggetto **2** (*fig*) scenario

scene /siːn/ *s* **1** (*gen*, *Teat*) scena: *to need a change of scene* aver bisogno di cambiare aria **2** luogo: *the scene of the crime* il luogo del delitto **3** scenata: *to make a scene* fare una scenata **4 the scene** [*sing*] (*inform*) il mondo: *the music scene* il mondo della musica LOC *Vedi* SET[2]

scenery /ˈsiːnəri/ *s* [*non numerabile*] **1** paesaggio

> La parola **scenery** ha una forte connotazione positiva, viene spesso usata con aggettivi come *beautiful, spectacular, stunning*, ecc e si usa per descrivere paesaggi naturali. Il termine **landscape** viene invece usato per descrivere paesaggi creati dall'uomo: *an urban/industrial landscape* un paesaggio urbano/industriale ◊ *Trees and hedges are typical features of the English landscape.* Alberi e siepi sono tratti caratteristici del paesaggio inglese.

2 (*Teat*) scenario

scenic /ˈsiːnɪk/ *agg* pittoresco, panoramico

scent /sent/ *s* **1** profumo **2** odore (*lasciato da animali*): *to lose the scent* perdere le tracce **scented** *agg* profumato

sceptic (*USA* **skeptic**) /ˈskeptɪk/ *s* scettico, -a **sceptical** (*USA* **skep-**) *agg* ~ (**of/about sth**) scettico (circa qc) **scepticism** (*USA* **skep-**) *s* scetticismo

schedule /ˈʃedjuːl; *USA* ˈskedʒʊl/ ◆ *s* **1** programma: *to be two months ahead of/behind schedule* essere in anticipo/ritardo di due mesi sul previsto ◊ *to arrive on schedule* arrivare all'ora prevista **2** (*USA*) orario ◆ *vt* programmare: *scheduled flight* volo di linea

scheme /skiːm/ ◆ *s* **1** piano, progetto: *training scheme* programma di formazione ◇ *savings scheme* piano di risparmio ◇ *pension scheme* sistema pensionistico **2** piano (*disonesto*) **3** *colour scheme* combinazione di colori ◆ *vi* tramare

schizophrenia /ˌskɪtsəˈfriːniə/ *s* schizofrenia **schizophrenic** /ˌskɪtsəˈfrenɪk/ *agg, s* schizofrenico, -a

scholar /ˈskɒlə(r)/ *s* **1** studioso, -a **2** borsista (*studente*) **scholarship** *s* **1** borsa di studio **2** erudizione

school /skuːl/ *s* **1** scuola: *school age* età scolare ◇ *school uniform* divisa scolastica *Vedi anche* COMPREHENSIVE SCHOOL

Le parole **school**, **church** e **hospital** si usano senza articolo quando ci riferiamo alle istituzioni: *She's gone into hospital.* L'hanno ricoverata in ospedale. ◇ *I enjoyed being at school.* Mi piaceva andare a scuola. ◇ *We go to church every Sunday.* Andiamo in chiesa ogni domenica. Quando vogliamo riferirci a luoghi concreti usiamo l'articolo: *I have to go to the school to talk to John's teacher.* Devo andare a scuola a parlare con il professore di John. ◇ *She works at the hospital.* Lavora all'ospedale.

2 (*USA*) università **3** lezioni: *School begins at nine o'clock.* Le lezioni cominciano alle nove. **4** facoltà: *law school* facoltà di legge LOC **school of thought** scuola di pensiero

school bag *s* cartella

schoolboy /ˈskuːlbɔɪ/ *s* scolaro

schoolchild /ˈskuːltʃaɪld/ *s* scolaro, -a

schoolgirl /ˈskuːlgɜːl/ *s* scolara

schooling /ˈskuːlɪŋ/ *s* istruzione, studi

school leaver *s* neodiplomato, -a

schoolmaster /ˈskuːlmɑːstə(r)/ *s* maestro

schoolmistress /ˈskuːlmɪstrəs/ *s* maestra

schoolteacher /ˈskuːltiːtʃə(r)/ *s* insegnante

science /ˈsaɪəns/ *s* scienza: *I study science.* Studio scienze. ◇ *science fiction* fantascienza **scientific** *agg* scientifico **scientifically** *avv* scientificamente **scientist** *s* scienziato, -a

sci-fi /ˈsaɪfaɪ/ *s* (*inform*) **science fiction** fantascienza

scissors /ˈsɪzəz/ *s* forbici

scoff /skɒf; *USA* skɔːf/ *vi* ~ (**at sb/sth**) farsi beffe (di qn/qc)

scold /skəʊld/ *vt* ~ **sb** (**for sth**) rimproverare qn (per qc)

scoop /skuːp/ ◆ *s* **1** paletta: *ice cream scoop* cucchiaio dosatore per il gelato **2** palettata: *a scoop of ice-cream* una pallina di gelato **3** (*Giornalismo*) scoop ◆ *vt* scavare (*con paletta*) PHR V **to scoop sth out** svuotare qc (*con paletta, cucchiaio, ecc*)

scooter /ˈskuːtə(r)/ *s* **1** scooter **2** monopattino

scope /skəʊp/ *s* **1** ~ (**for sth/to do sth**) possibilità (di qc/di fare qc) **2** ambito: *within/beyond the scope of this report* entro/oltre i limiti di questa relazione

scorch /skɔːtʃ/ *vt, vi* bruciacchiare, bruciacchiarsi **scorching** *agg* rovente

score /skɔː(r)/ ◆ *s* **1** punteggio: *to keep the score* tenere il punteggio ◇ *The final score was 4–3.* Il risultato finale è stato di 4 a 3. **2** ventina **3 scores** [*pl*] moltissimi **4** (*Mus*) spartito LOC **on that score** a questo riguardo ◆ **1** *vt, vi* (*gioco, sport*) segnare **2** *vt* (*esame*) prendere **scoreboard** *s* cartellone segnapunti

scorn /skɔːn/ ◆ *s* ~ (**for sb/sth**) disprezzo (per qn/qc) ◆ **1** *vt* disprezzare **2** (*offerta, consiglio*) rifiutare sdegnosamente **scornful** *agg* pieno di disprezzo

Scorpio /ˈskɔːpiəʊ/ *s* (*pl* ~**s**) Scorpione (*segno zodiacale*) ☛ *Vedi esempi a* AQUARIUS

scorpion /ˈskɔːpiən/ *s* scorpione

Scotch /skɒtʃ/ *s* whisky scozzese

scour /ˈskaʊə(r)/ *vt* **1** sfregare **2** ~ **sth** (**for sb/sth**) setacciare, perlustrare qc (alla ricerca di qn/qc)

scourge /skɜːdʒ/ *s* flagello

scout /skaʊt/ *s* **1** (*Mil*) ricognitore **2** (*anche* **Boy Scout**, **Scout**) boy-scout

scowl /skaʊl/ ◆ *s* sguardo accigliato ◆ *vi* accigliarsi

scrabble /ˈskræbl/ PHR V **to scrabble about** (**for sth**) cercare a tentoni (qc)

scramble /ˈskræmbl/ ◆ *vi* **1** inerpicarsi **2** ~ (**for sth**) competere (per qc) ◆ *s* [*sing*] ~ (**for sth**) ressa (per qc)

scrambled eggs *s* uova strapazzate

scrap /skræp/ ◆ *s* **1** pezzo: *a scrap of paper* un pezzo di carta ◊ *scraps (of food)* avanzi **2** [*non numerabile*] rottame: *a scrap dealer* un rottamaio ◊ *scrap paper* fogli di carta per appunti **3** [*sing*] (*fig*) briciolo: *without a scrap of evidence* senza un briciolo di prove **4** zuffa ◆ (**-pp-**) **1** *vt* scartare **2** *vi* azzuffarsi

scrapbook /ˈskræpbʊk/ *s* album per ritagli

scrape /skreɪp/ ◆ **1** *vt* raschiare: *I scraped my knee.* Mi sono sbucciato un ginocchio. **2** *vt* ~ **sth away/off** raschiare via qc **3** *vt* ~ **sth off sth** raschiare via qc da qc **4** *vi* ~ (**against sth**) strusciare (contro qc) PHR V **to scrape in/into sth** riuscire ad entrare (a/in/tra qc) per il rotto della cuffia: *She just scraped into university.* È entrata all'università per il rotto della cuffia. **to scrape sth together/up** mettere insieme qc a fatica **to scrape through (sth)** passare (qc) per il rotto della cuffia ◆ *s* graffio

scratch /skrætʃ/ ◆ **1** *vt* graffiare **2** *vt, vi* grattarsi **3** *vt* incidere PHR V **to scratch sth away, off, etc** raschiare via qc ◆ *s* **1** graffio **2** [*sing*]: *The dog gave itself a good scratch.* Il cane si diede una bella grattata. LOC (**to be/come**) **up to scratch** (essere) all'altezza (**to start sth**) **from scratch** (cominciare qc) da zero

scrawl /skrɔːl/ ◆ *vt, vi* scarabocchiare ◆ *s* [*sing*] scarabocchio

scream /skriːm/ ◆ *vt, vi* strillare: *to scream with excitement* strillare per l'eccitazione ◆ *s* **1** strillo: *a scream of pain* uno strillo di dolore **2** [*sing*] (*inform*) spasso

screech /skriːtʃ/ ◆ *vi* stridere ◆ *s* [*sing*] strido

screen /skriːn/ *s* **1** schermo ☛ *Vedi illustrazione a* COMPUTER **2** paravento

screw /skruː/ ◆ *s* vite ◆ *vt* **1** fissare con viti **2** avvitare PHR V **to screw sth up 1** (*carta*) appallottolare qc **2** (*faccia*) torcere qc **3** (*inform*) (*piani, situazione, ecc*) mandare all'aria qc

screwdriver /ˈskruːdraɪvə(r)/ *s* cacciavite

scribble /ˈskrɪbl/ ◆ *vt, vi* scarabocchiare ◆ *s* scarabocchio

script /skrɪpt/ ◆ *s* **1** sceneggiatura **2** scrittura **3** caratteri ◆ *vt* fare la sceneggiatura di

scripture /ˈskrɪptʃə(r)/ (*anche* **Scripture/the Scriptures**) *s* le Sacre Scritture

scroll /skrəʊl/ *s* rotolo di pergamena

scrounge /ˈskraʊndʒ/ **1** *vt, vi* scroccare: *Can I scrounge a cigarette off you?* Posso scroccarti una sigaretta? **2** *vi* ~ **off sb** vivere alle spalle di qn

scrub¹ /skrʌb/ *s* [*non numerabile*] boscaglia

scrub² /skrʌb/ ◆ *vt* (**-bb-**) sfregare ◆ *s* sfregata: *Give your nails a good scrub.* Pulisciti bene le unghie con lo spazzolino.

scruff /skrʌf/ *s* LOC **by the scruff of the neck** per la collottola

scruffy /ˈskrʌfi/ *agg* (**-ier**, **-iest**) (*inform*) trasandato

scrum /skrʌm/ *s* mischia

scruples /ˈskruːplz/ *s* scrupoli

scrupulous /ˈskruːpjələs/ *agg* scrupoloso **scrupulously** *avv* scrupolosamente: *scrupulously clean* impeccabile

scrutinize, -ise /ˈskruːtənaɪz/ *vt* esaminare, scrutare

scrutiny /ˈskruːtəni/ *s* esame accurato

scuba-diving /ˈskuːbə daɪvɪŋ/ *s* immersione con autorespiratore

scuff /skʌf/ *vt* scorticare

scuffle /ˈskʌfl/ *s* tafferuglio

sculptor /ˈskʌlptə(r)/ *s* scultore, -trice

sculpture /ˈskʌlptʃə(r)/ *s* scultura

scum /skʌm/ *s* **1** schiuma **2** feccia

scurry /ˈskʌri/ *vi* (*pass, pp* **scurried**) correre (*a passetti*) PHR V **to scurry about/around** correre di qua e di là

scuttle /ˈskʌtl/ *vi*: *She scuttled back to her car.* Si affrettò a tornare in macchina. ◊ *to scuttle away/off* svignarsela

scythe /saɪð/ *s* falce

sea /siː/ *s* **1** mare: *the sea air* l'aria di mare ◊ *the sea breeze* la brezza marina ◊ *sea port* porto marittimo ☛ *Vedi nota a* MARE **2 seas** [*pl*] mare: *heavy/rough seas* mare grosso **3** marea: *a sea of people* una marea di gente LOC **at sea** in mare **to be all at sea** essere disorientato

seabed /ˈsiːbed/ *s* fondale marino

seafood /ˈsi:fu:d/ *s* [*non numerabile*] frutti di mare

seagull /ˈsi:gʌl/ *s* gabbiano

seal¹ /si:l/ *s* foca

seal² /si:l/ ◆ *s* sigillo ◆ *vt* **1** sigillare **2** (*busta*) incollare PHR V **to seal sth off** bloccare l'accesso a qc

sea level *s* livello del mare

seam /si:m/ *s* **1** cucitura **2** (*carbone*) filone

search /sɜ:tʃ/ ◆ **1** *vi* ~ **for sth** cercare qc **2** *vt* ~ **sb/sth (for sth)** perquisire qn/ qc (alla ricerca di qc): *They searched the house for drugs.* Hanno perquisito la casa alla ricerca di droga. ◆ *s* **1** ~ **(for sb/sth)** ricerca (di qn/qc) **2** (*polizia*) perquisizione **searching** *agg* penetrante

searchlight /ˈsɜ:tʃlaɪt/ *s* proiettore (*lampada*)

seashell /ˈsi:ʃel/ *s* conchiglia

seasick /ˈsi:sɪk/ *agg*: *to be seasick* avere il mal di mare

seaside /ˈsi:saɪd/ *s*: *at the seaside* al mare ◊ *We're going to the seaside tomorrow.* Andiamo al mare domani.

season¹ /ˈsi:zn/ *s* stagione: *season ticket* abbonamento LOC **in season 1** (*frutta*) di stagione **2** (*vacanza*) in alta stagione **3** (*animale*) in calore *Vedi anche* MATING **seasonal** *agg* stagionale

season² /ˈsi:zn/ *vt* condire **seasoned** *agg* **1** condito **2** (*persona*) con molta esperienza **seasoning** *s* condimento

seat /si:t/ ◆ *s* **1** (*auto*) sedile **2** (*aereo, treno, teatro*) posto **3** *Take a seat!* Si accomodi! **4** (*Politica*) seggio **5** (*Politica*) circoscrizione elettorale LOC *Vedi* DRIVER ◆ *vt* contenere: *The stadium can seat 5000 people.* Lo stadio può contenere 5.000 persone.

seat belt (*anche* **safety belt**) *s* cintura di sicurezza

seating /ˈsi:tɪŋ/ *s* [*non numerabile*] posti a sedere

seaweed /ˈsi:wi:d/ *s* [*non numerabile*] alghe ☛ *Vedi nota a* ALGA

secluded /sɪˈklu:dɪd/ *agg* **1** (*luogo*) appartato **2** (*vita*) ritirato **seclusion** *s* **1** isolamento **2** solitudine

second (*abbrev* **2nd**) /ˈsekənd/ ◆ *agg, pron, avv* secondo LOC **second thoughts**: *We had second thoughts.* Ci abbiamo ripensato. ◊ *On second thoughts...* Pensandoci meglio... ◆ *s* **1** **the second** il due: *the second of May* il due maggio **2** (*anche* **second gear**) seconda (*marcia*) **3** (*tempo*) secondo: *the second hand* la lancetta dei secondi ☛ *Vedi esempi a* FIFTH ◆ *vt* (*proposta, candidato*) appoggiare

secondary /ˈsekəndri/ *agg* secondario

second-best /ˌsekənd ˈbest/ *agg* secondo (*per qualità*)

second-class /ˌsekənd ˈklɑ:s/ *agg* **1** di seconda classe: *a second-class ticket* un biglietto di seconda classe **2** (*posta*) ☛ *Vedi nota a* FIRST CLASS

second-hand /ˌsekənd ˈhænd/ *agg, avv* di seconda mano

secondly /ˈsekəndli/ *avv* in secondo luogo

second-rate /ˌsekənd ˈreɪt/ *agg* di second'ordine

secret /ˈsi:krət/ *agg, s* segreto **secrecy** *s* segretezza

secretarial /ˌsekrəˈteəriəl/ *agg* **1** (*scuola, corso*) per segretarie **2** (*lavoro, personale*) di segreteria

secretary /ˈsekrətri; *USA* -rəteri/ *s* (*pl* **-ies**) segretario, -a

Secretary of State *s* **1** (*GB*) ministro ☛ *Vedi nota a* MINISTRO **2** (*USA*) segretario di Stato

secrete /sɪˈkri:t/ *vt* (*form*) **1** secernere **2** occultare **secretion** *s* secrezione

secretive /ˈsi:krətɪv/ *agg* riservato

secretly /ˈsi:krətli/ *avv* segretamente

sect /sekt/ *s* setta

sectarian /sekˈteəriən/ *agg* settario

section /ˈsekʃn/ *s* **1** sezione, parte **2** (*strada*) tratto **3** (*società*) settore **4** (*legge, codice*) articolo

sector /ˈsektə(r)/ *s* **1** settore **2** settore circolare

secular /ˈsekjələ(r)/ *agg* **1** (*stato*) laico **2** (*musica*) profano **3** (*potere*) temporale

secure /sɪˈkjʊə(r)/ ◆ *agg* **1** sicuro, saldo **2** (*carcere*) di massima sicurezza ◆ *vt* **1** (*porta, finestra*) chiudere bene **2** (*fune, scala*) assicurare **3** (*lavoro, contratto*) assicurarsi **securely** *avv* saldamente **security** *s* (*pl* **-ies**) **1** sicurezza **2** (*prestito*) garanzia

security guard *s* guardia giurata

sedate /sɪˈdeɪt/ ◆ *agg* pacato ◆ *vt* somministrare sedativi a **sedation** *s* sedazione LOC **to be under sedation**

essere sotto l'effetto dei sedativi **sedative** /ˈsedətɪv/ *agg, s* sedativo

sedentary /ˈsedntri; *USA* -teri/ *agg* sedentario

sediment /ˈsedɪmənt/ *s* sedimento

sedition /sɪˈdɪʃn/ *s* sedizione

seduce /sɪˈdjuːs; *USA* -ˈduːs/ *vt* sedurre **seduction** *s* seduzione **seductive** *agg* seducente

see /siː/ *vt, vi* (*pass* **saw** /sɔː/ *pp* **seen** /siːn/) **1** vedere: *to go and see a film* andare a vedere un film ◊ *She'll never see again.* Non potrà mai più vedere. ◊ *See page 158.* Vedi a pagina 158. ◊ *Go and see if the postman's been.* Vai a vedere se è arrivata posta. ◊ *Let's see.* Vediamo. ◊ *I'm seeing Sue tonight.* Stasera vedo Sue. **2** accompagnare: *He saw her to the door.* L'accompagnò alla porta. ☛ *Vedi nota a* SENTIRE **3** assicurarsi: *I'll see that it's done.* Mi assicuro io che sia fatto. **4** capire: *I see.* Ho capito. LOC **see you (around)**; **(I'll) be seeing you** (*inform*) ci vediamo **seeing that...** visto che... ☛ Per altre espressioni con **see** vedi alla voce del sostantivo, dell'aggettivo, ecc, ad es. **to make sb see reason** a REASON. PHR V **to see about sth/doing sth** occuparsi di qc/di fare qc **to see sb off 1** salutare qn alla partenza **2** scacciare qn **to see through sb/sth** non lasciarsi ingannare da qn/qc **to see to sth** occuparsi di qc: *I'll see to it.* Ci penso io.

seed /siːd/ *s* seme ☛ *Vedi illustrazione a* FRUTTA

seedy /ˈsiːdi/ *agg* (**-ier**, **-iest**) squallido

seek /siːk/ *vt, vi* (*pass, pp* **sought** /sɔːt/) (*form*) **1** ~ (**after/for sth**) cercare (qc) **2** ~ **to do sth** cercare di fare qc PHR V **to seek sb/sth out** cercare qn/qc

seem /siːm/ *vi* sembrare: *It seems that...* Sembra che... ☛ Non si usa nei tempi progressivi. *Vedi anche* APPEAR senso 2 **seemingly** *avv* apparentemente

seen *pp di* SEE

seep /siːp/ *vi* filtrare

seething /ˈsiːðɪŋ/ *agg* ~ (**with sth**) **1** (*rabbia*) fremente (di qc) **2** (*gente*) traboccante (di qc)

see-through /ˈsiː θruː/ *agg* trasparente

segment /ˈsegmənt/ *s* **1** (*Geom*) segmento circolare **2** (*di arancia, ecc*) spicchio

segregate /ˈsegrɪgeɪt/ *vt* ~ **sb/sth (from sb/sth)** separare qn/qc (da qn/qc)

seize /siːz/ *vt* **1** prendere: *to seize hold of sth* afferrare qc ◊ *We were seized by panic.* Siamo stati presi dal panico. **2** (*armi, droga, ecc*) sequestrare **3** (*persone*) catturare **4** (*edificio*) occupare **5** (*opportunità, ecc*) cogliere: *to seize the initiative* prendere l'iniziativa PHR V **to seize on/upon sth** approfittare di qc **to seize up** (*motore*) grippare **seizure** /ˈsiːʒə(r)/ *s* **1** (*di armi, droga, ecc*) sequestro, confisca **2** (*Med*) attacco

seldom /ˈseldəm/ *avv* raramente: *We seldom go out.* Usciamo raramente. ☛ *Vedi nota a* ALWAYS

select /sɪˈlekt/ ◆ *vt* ~ **sb/sth (as sth)** scegliere qn/qc (come qc) ◆ *agg* scelto **selection** *s* selezione **selective** *agg* ~ (**about sb/sth**) selettivo (quanto a qn/qc)

self /self/ *s* (*pl* **selves** /selvz/): *his true self* la sua vera natura ◊ *She's her old self again.* È tornata ad essere quella di sempre.

self-centred (*USA* **-centered**) /ˌself ˈsentəd/ *agg* egocentrico

self-confident /ˌself ˈkɒnfɪdənt/ *agg* sicuro di sé

self-conscious /ˌself ˈkɒnʃəs/ *agg* insicuro, impacciato

self-contained /ˌself kənˈteɪnd/ *agg* (*appartamento*) indipendente

self-control /ˌself kənˈtrəʊl/ *s* autocontrollo

self-defence /ˌself dɪˈfens/ *s* **1** legittima difesa **2** autodifesa, difesa personale

self-determination /ˌself dɪˌtɜːmɪˈneɪʃn/ *s* autodeterminazione

self-employed /ˌself ɪmˈplɔɪd/ *agg* (*lavoratore*) autonomo

self-interest /ˌself ˈɪntrəst/ *s* interesse personale

selfish /ˈselfɪʃ/ *agg* egoista

self-pity /ˌself ˈpɪti/ *s* autocommiserazione

self-portrait /ˌself ˈpɔːtreɪt, -trɪt/ *s* autoritratto

self-respect /ˌself rɪˈspekt/ *s* dignità

self-satisfied /ˌself ˈsætɪsfaɪd/ *agg* compiaciuto

sell /sel/ (*pp, pass* **sold** /səʊld/) **1** *vt* ~ **sth (at/for sth)** vendere qc (a/per qc) **2** *vi* ~ **(at/for sth)** essere in vendita (a/per qc): *The badges sell at 50p each.* Le spille sono in vendita a 50 penny l'una. LOC **to be sold out (of sth)** avere esaurito (qc) PHR V **to sell sth off** svendere qc **to sell out** (*biglietti*) andare esaurito

sell-by date /ˈsel baɪ deɪt/ *s* data di scadenza

seller /ˈselə(r)/ *s* venditore, -trice

selling /ˈselɪŋ/ *s* vendita

Sellotape® /ˈseləteɪp/ ◆ *s* (*GB*) (*anche* **sticky tape**) nastro adesivo ◆ *vt* attaccare con nastro adesivo

selves *plurale di* SELF

semi /ˈsemi/ *s* (*pl* **semis** /ˈsemiz/) (*GB, inform*) casa bifamiliare ☛ *Vedi pag. 380.*

semicircle /ˈsemisɜːkl/ *s* semicerchio

semicolon /ˌsemiˈkəʊlən; *USA* ˈsemik-/ *s* punto e virgola ☛ *Vedi pag. 376–77.*

semi-detached /ˌsemi dɪˈtætʃt/ *agg* bifamiliare: *a semi-detached house* una casa bifamiliare ☛ *Vedi pag. 380.*

seminar /ˈsemɪnɑː(r)/ *s* seminario (*universitario*)

senate (*anche* **Senate**) /ˈsenət/ *s* [*v sing o pl*] **1** (*Politica*) senato **2** (*Univ*) senato accademico **senator** (*anche* **Senator**) /ˈsenətə(r)/ *s* (*abbrev* **Sen**) senatore, -trice

send /send/ *vt* (*pass, pp* **sent** /sent/) **1** mandare: *She was sent to bed without any supper.* L'hanno mandata a letto senza cena. **2** *to send sb to sleep* far addormentare qn ◊ *The story sent shivers down my spine.* Il racconto mi ha fatto venire i brividi. ◊ *to send sb mad* far impazzire qn LOC *Vedi* LOVE

PHR V **to send for sb** chiamare qn, far venire qn **to send (off) for sth** richiedere/ordinare qc

to send sb in inviare qn (*esercito, polizia*) **to send sth in** spedire: *I sent my application in last week.* Ho spedito la domanda la settimana scorsa.

to send sth off spedire qc

to send sth out 1 (*raggi, ecc*) emettere qc **2** (*inviti, ecc*) mandare qc

to send sb/sth up (*GB, inform*) fare la parodia di qn/qc **sender** *s* mittente

senile /ˈsiːnaɪl/ *agg* rimbambito: *to go senile* rimbambire **senility** /səˈnɪləti/ *s* rimbambimento

senior /ˈsiːnɪə(r)/ ◆ *agg* **1** più anziano (*in gerarchia*): *senior partner in a law firm* socio dirigente in uno studio legale **2** senior: *John Brown, Senior* John Brown senior ◆ *s*: *She is two years my senior.* Ha due anni più di me. **seniority** /ˌsiːniˈɒrəti; *USA* -ˈɔːr-/ *s* anzianità (*di grado, età*)

senior citizen *s* anziano, -a

sensation /senˈseɪʃn/ *s* sensazione **sensational** *agg* **1** sensazionale **2** (*dispreg*) sensazionalistico

sense /sens/ ◆ *s* **1** senso: *sense of smell/touch/taste* olfatto/tatto/gusto ◊ *a sense of humour* senso dell'umorismo ◊ *It gives him a sense of security.* Lo fa sentire sicuro. **2** buonsenso: *to come to your senses* rinsavire ◊ *to make sb see sense* far intendere ragione a qn LOC **in a sense** in un certo senso **to make sense** avere senso **to make sense of sth** comprendere qc **to see sense** cominciare a ragionare ◆ *vt* **1** sentire accorgersi di **2** (*strumento, macchina*) rilevare

senseless /ˈsensləs/ *agg* **1** insensato **2** privo di sensi (*svenuto*)

sensibility /ˌsensəˈbɪləti/ *s* sensibilità

sensible /ˈsensəbl/ *agg* **1** sensato **2** (*scarpe*) pratico ☛ *Confronta* SENSITIVE **sensibly** *avv* **1** (*comportarsi*) ragionevolmente **2** (*vestirsi*) adeguatamente

sensitive /ˈsensətɪv/ *agg* **1** sensibile: *She's very sensitive to criticism.* È molto sensibile alle critiche. **2** (*argomento, pelle*) delicato: *sensitive documents* documenti confidenziali ☛ *Confronta* SENSIBLE **sensitivity** /ˌsensəˈtɪvəti/ *s* **1** sensibilità **2** suscettibilità **3** (*argomento, pelle*) delicatezza

sensual /ˈsenʃuəl/ *agg* sensuale **sensuality** /ˌsenʃuˈæləti/ *s* sensualità

sensuous /ˈsenʃuəs/ *agg* sensuale

sent *pass, pp di* SEND

sentence /ˈsentəns/ ◆ *s* **1** (*Gramm*) frase **2** condanna: *a life sentence* una condanna all'ergastolo ◆ *vt* condannare

sentiment /ˈsentɪmənt/ *s* **1** sentimentalismo **2** sentimento **sentimental** /ˌsentɪˈmentl/ *agg* sentimentale **sentimentality** /ˌsentɪmenˈtæləti/ *s* sentimentalismo

sentry /ˈsentri/ *s* (*pl* **-ies**) sentinella

separate /ˈseprət/ ◆ *agg* **1** separato **2** diverso: *It happened on three separate occasions.* È successo in tre diverse occasioni. ◆ /ˈsepəreɪt/ **1** *vt, vi* separare, separarsi **2** *vt* dividere: *We separated the children into three groups.* Abbiamo diviso i bambini in tre gruppi. **separately** *avv* separatamente **separation** *s* separazione

September /sepˈtembə(r)/ *s* (*abbrev* **Sept**) settembre ☛ *Vedi nota e esempi a* JANUARY

sequel /ˈsiːkwəl/ *s* **1** (*film, libro*) seguito **2** conseguenza

sequence /ˈsiːkwəns/ *s* **1** serie **2** ordine **3** (*film*) sequenza

serene /səˈriːn/ *agg* sereno

sergeant /ˈsɑːdʒənt/ *s* sergente

serial /ˈsɪəriəl/ *s* serial: *a radio serial* un serial radiofonico

series /ˈsɪəriːz/ *s* (*pl* **series**) serie

serious /ˈsɪəriəs/ *agg* **1** serio: *Is he serious (about it)?* Lo dice sul serio? ◊ *to be serious about sb* fare sul serio con qn **2** (*malattia, errore, situazione*) grave **seriously** *avv* **1** seriamente **2** gravemente **seriousness** *s* **1** serietà **2** gravità

sermon /ˈsɜːmən/ *s* sermone

servant /ˈsɜːvənt/ *s* **1** domestico, -a **2** *Vedi* CIVIL

serve /sɜːv/ ◆ **1** *vt* ~ **sth (up) (to sb)** servire qc (a qn) **2** *vi* ~ **(with sth)** prestare servizio (in qc): *He served with the eighth squadron.* Ha prestato servizio nell'ottavo squadrone. **3** *vt* (*cliente*) servire **4** *vt* (*condanna*) scontare **5** *vt, vi* ~ **(sth) (to sb)** (*tennis, ecc*) servire (qc) (a qn) **LOC to serve sb right**: *It serves you right!* Ben ti sta! *Vedi anche* FIRST **PHR V to serve sth out** servire qc ◆ *s* (*tennis*) servizio: *Whose serve is it?* Chi è al servizio?

service /ˈsɜːvɪs/ ◆ *s* **1** servizio: *on active service* in servizio effettivo ◊ *10% extra for service* un 10% in più per il servizio **2** (*di auto*) revisione **3** funzione (*religiosa*): *the morning service* la funzione del mattino ◆ *vt* revisionare

serviceman /ˈsɜːvɪsmən/ *s* (*pl* **-men** /-mən/) militare *m*

service station *s* stazione di servizio

servicewoman /ˈsɜːvɪswʊmən/ *s* (*pl* **-women**) militare *f*

session /ˈseʃn/ *s* sessione

set¹ /set/ *s* **1** serie, set: *a set of saucepans* una batteria da cucina ◊ *a set of cutlery* un servizio di posate **2** (*di persone*) circolo **3** *a TV/radio set* un televisore/una radio **4** (*tennis, Cine*) set **5** (*Teat*) scenografia: *set designer* scenografo **6** messa in piega: *a shampoo and set* shampoo e messa in piega

set² /set/ (**-tt-**) (*pass, pp* **set**) **1** *vt* (*situare*): *The film is set in Australia.* Il film è ambientato in Australia. **2** *vt* (*preparare*) mettere: *He set the alarm clock for seven.* Ha messo la sveglia alle sette. ◊ *I've set the video to record the match.* Ho programmato il videoregistratore per registrare la partita. **3** *vt* stabilire, fissare: *She's set a new world record.* Ha stabilito un nuovo record mondiale. ◊ *They haven't set a date for their wedding yet.* Non hanno ancora fissato la data delle nozze. ◊ *Can we set a limit to the cost of the trip?* Possiamo fissare un limite massimo al costo del viaggio? **4** *vt* (*cambio di stato*): *They set the prisoners free.* Hanno messo in libertà i prigionieri. ◊ *It set me thinking.* Mi ha fatto pensare. **5** *vt* (*assegnare*) dare: *We've been set a lot of homework today.* Oggi ci hanno dato un sacco di compiti a casa. **6** *vi* (*sole*) tramontare **7** *vi* (*gelatina, cemento*) solidificare: *Put the jelly in the fridge to set.* Metti in frigo la gelatina perché solidifichi. **8** *vt* (*form*) mettere, collocare: *He set a bowl of soup in front of me.* Mi ha messo davanti un piatto di minestra. **9** *vt* (*osso fratturato*) ingessare **10** *vt* (*capelli*) mettere in piega **11** *vt* (*pietra preziosa*) montare **12** *vt* (*tavola*) apparecchiare **LOC to set a good/bad example (to sb)** dare il buon/cattivo esempio (a qn) **to set a/the trend** lanciare una moda **to set fire to sth/to set sth on fire** dare fuoco a qc **to set light to sth** dare fuoco a qc **to set sail (to/for...)** salpare (per...) **to set sth alight** dare fuoco a qc **to set the scene (for sth) 1** montare la scena (per qc) **2** preparare il terreno (per qc) **to set your heart on (having/doing) sth** tenere molto a (avere/fare) qc *Vedi anche* BALL; MIND, MOTION, RECORD, RIGHT, WORK¹

PHR V **to set about (doing) sth** mettersi a fare qc
to set off partire: *to set off on a journey* mettersi in viaggio **to set sth off 1** far scoppiare qc **2** causare qc
to set out partire: *to set out from London* partire da Londra ◊ *They set out for Australia.* Partirono per l'Australia. **to set out to do sth** proporsi di fare qc
to set sth up 1 (*monumento, ecc*) erigere qc **2** (*fondo, inchiesta*) disporre qc

set[3] /set/ *agg* **1** situato **2** fisso: *set meal* menu fisso ◊ *a set phrase* una frase fatta LOC **to be all set (for sth/to do sth)** essere pronto (per qc/per fare qc) *Vedi anche* MARK[2]

settee /se'tiː/ *s* divano

setting /'setɪŋ/ *s* **1** ambientazione **2** montatura **3** [*sing*] (*sole*) tramonto

settle /'setl/ **1** *vi* stabilirsi **2** *vi* ~ **(on sth)** posarsi (su qc) **3** *vt* (*nervi, mal di stomaco*) calmare **4** *vt* ~ **sth (with sb)** (*disputa*) risolvere qc (con qn) **5** *vt* (*conto*) pagare **6** *vi* (*sedimento*) depositarsi PHR V **to settle down** adattarsi: *to marry and settle down* sposarsi e mettere la testa a posto **to settle for sth** accettare qc **to settle in/into sth** ambientarsi (in qc) **to settle on sth** scegliere qc **to settle up (with sb)** saldare i conti (con qn) **settled** *agg* stabile

settlement /'setlmənt/ *s* **1** accordo **2** insediamento, colonia

settler /'setlə(r)/ *s* colonizzatore, -trice

seven /'sevn/ *agg, pron, s* sette ☛ *Vedi esempi a* FIVE **seventh** *agg, pron, avv, s* settimo ☛ *Vedi esempi a* FIFTH

seventeen /ˌsevn'tiːn/ *agg, pron, s* diciassette ☛ *Vedi esempi a* FIVE **seventeenth** *agg, pron, avv, s* diciassettesimo ☛ *Vedi esempi a* FIFTH

seventy /'sevnti/ *agg, pron, s* settanta ☛ *Vedi esempi a* FIFTY, FIVE **seventieth** *agg, pron, avv, s* settantesimo ☛ *Vedi esempi a* FIFTH

sever /'sevə(r)/ *vt* (*form*) **1** ~ **sth (from sth)** recidere qc (da qc) **2** (*relazioni*) troncare

several /'sevrəl/ *agg, pron* parecchi, parecchie

severe /sɪ'vɪə(r)/ *agg* (**-er**, **-est**) **1** (*sguardo, castigo*) severo **2** (*tempesta, gelata, dolore*) forte **3** (*ferita, problema*) grave

sew /səʊ/ *vt, vi* (*pass* **sewed** *pp* **sewn** /səʊn/ *o* **sewed**) cucire PHR V **to sew sth up** rammendare qc

sewage /'suːɪdʒ, 'sjuː-/ *s* [*non numerabile*] acque di scolo

sewer /'suːə(r), 'sjuː-/ *s* fogna

sewing /'səʊɪŋ/ *s* cucito

sewn *pp di* SEW

sex /seks/ *s* sesso: *to have sex* (*with sb*) avere rapporti sessuali (con qn)

sexism /'seksɪzəm/ *s* sessismo **sexist** *s, agg* sessista

sexual /'sekʃuəl/ *agg* sessuale: *sexual intercourse* rapporti sessuali **sexuality** /ˌsekʃu'æləti/ *s* sessualità

shabby /'ʃæbi/ *agg* (**-ier**, **-iest**) **1** (*abito, persona*) trasandato **2** (*cosa*) malandato **3** (*comportamento*) meschino

shack /ʃæk/ *s* capanno

shade /ʃeɪd/ ◆ *s* **1** ombra (*posto ombreggiato*) ☛ *Vedi illustrazione a* OMBRA **2** paralume **3** tapparella **4** (*colore*) tonalità **5** (*significato*) sfumatura ◆ *vt* fare ombra a **shady** *agg* (**-ier**, **-iest**) ombreggiato

shadow /'ʃædəʊ/ ◆ *s* **1** ombra (*di persona, cosa*) ☛ *Vedi illustrazione a* OMBRA **2 shadows** [*pl*] oscurità ◆ *vt* pedinare ◆ *agg* (*Politica*) ombra: *the Shadow Cabinet* il governo ombra ◊ *the Shadow Foreign Secretary* il ministro degli Esteri del governo ombra **shadowy** *agg* **1** (*luogo*) buio, ombreggiato **2** (*fig*) indistinto

shaft /ʃɑːft; *USA* ʃæft/ *s* **1** asta **2** manico **3** fusto (*di colonna*) **4** (*Mecc*) albero **5** pozzo (*di miniera, ascensore*): *the ventilation shaft* il condotto di ventilazione **6** ~ **(of sth)** raggio (di qc)

shaggy /'ʃægi/ *agg* (**-ier**, **-iest**) peloso: *shaggy eyebrows* sopracciglia folte ◊ *shaggy hair* capelli arruffati

shake /ʃeɪk/ (*pass* **shook** /ʃʊk/ *pp* **shaken** /'ʃeɪkən/) ◆ **1** *vt* ~ **sb/sth (about/around)** scuotere qn/qc **2** *vi* tremare **3** *vt* ~ **sb (up)** sconvolgere qn LOC **to shake sb's hand/shake hands (with sb)/shake sb by the hand** stringere la mano a qn, stringersi la mano **to shake your head** scuotere la testa PHR V **to shake sb off** liberarsi di qn **to shake sb up** scuotere qn **to shake sth**

up agitare qc ◆ *s* [*gen sing*] scossa: *a shake of the head* una scrollata di capo **shaky** *agg* (**-ier**, **-iest**) **1** tremante **2** poco saldo

shall /ʃəl, ʃæl/ (*contrazione* **'ll** *neg* **shall not** *o* **shan't** /ʃɑːnt/) ◆ *v aus* (*spec GB*) per formare il futuro: *As we shall see…* Come vedremo… ◊ *I shall tell her tomorrow.* Glielo dirò domani.

Shall e **will** si usano in inglese per formare il futuro. **Shall** si usa con la prima persona singolare e plurale, **I** e **we**, e **will** con le altre persone. Tuttavia, nell'inglese parlato si tende a usare **will** (o **'ll**) con tutti i pronomi.

◆ *v aus modale*

Shall è un verbo modale seguito dall'infinito senza il TO, e le frasi interrogative e negative si costruiscono senza l'ausiliare *do*.

1 (*form*) (*volontà, determinazione*): *He shall be given a fair trial.* Sarà giudicato in modo imparziale. ◊ *I shan't go.* Non ci andrò. ☛ L'uso di **shall** con questo senso è più formale di **will**, specialmente insieme a pronomi diversi da *I* e *we*. **2** (*offerta, suggerimento*): *Shall we pick you up?* Veniamo a prenderti? ◊ *Shall we dance?* Balliamo?

shallow /ˈʃæləʊ/ *agg* (**-er**, **-est**) **1** (*acqua*) poco profondo **2** (*dispreg*) (*persona*) superficiale

shambles /ˈʃæmblz/ *s* (*inform*) disastro: *to be* (*in*) *a shambles* essere nel caos

shame /ʃeɪm/ ◆ *s* **1** vergogna **2 a shame** (*inform*) un peccato: *What a shame!* Che peccato! LOC **to put sb/sth to shame** far sfigurare qn/qc *Vedi anche* CRY ◆ *vt* **1** far vergognare **2** disonorare

shameful /ˈʃeɪmfl/ *agg* vergognoso

shameless /ˈʃeɪmləs/ *agg* svergognato

shampoo /ʃæmˈpuː/ ◆ *s* (*pl* **-oos**) shampoo ◆ *vt* (*pass, pp* **-ooed** *pt pres* **-ooing**) lavare (*capelli, ecc*)

shan't /ʃɑːnt/ = SHALL NOT *Vedi* SHALL

shanty town /ˈʃænti taʊn/ *s* bidonville

shape /ʃeɪp/ ◆ *s* **1** forma **2** figura LOC **in any shape** (**or form**) (*inform*) di qualunque tipo **in shape** in forma **out of shape 1** sformato **2** fuori forma **to give shape to sth** (*fig*) esprimere qc **to take shape** prendere forma ◆ *vt* **1** ~ **sth** (**into sth**) dare forma (di qc) a qc **2** formare **shapeless** *agg* informe

share /ʃeə(r)/ ◆ *s* **1** ~ (**in/of sth**) parte (in/di qc) **2** (*Fin*) azione LOC *Vedi* FAIR ◆ **1** *vt* ~ **sth** (**out**) (**among/between sb**) dividere qc (tra qn) **2** *vt, vi* ~ (**sth**) (**with sb**) dividere (qc) (con qn)

shareholder /ˈʃeəhəʊldə(r)/ *s* azionista

shark /ʃɑːk/ *s* squalo

sharp /ʃɑːp/ ◆ *agg* (**-er**, **-est**) **1** (*coltello*) affilato **2** (*matita*) appuntito **3** (*curva*) stretto **4** (*aumento, calo*) brusco **5** nitido **6** (*suono, dolore*) acuto **7** (*sapore*) aspro **8** (*odore, vento*) pungente **9** scaltro **10** (*Mus*): *in the key of C sharp minor* in chiave di Do diesis minore ◆ *s* diesis ☛ *Confronta* FLAT ◆ *avv* (*inform*) in punto: *at seven o'clock sharp* alle sette in punto **sharpen 1** *vt* (*coltello*) affilare: *to sharpen a pencil* temperare una matita **2** *vt, vi* acuire, acuirsi

shatter /ˈʃætə(r)/ **1** *vt, vi* frantumare, frantumarsi **2** *vt* distruggere **shattering** *agg* scioccante

shave /ʃeɪv/ *vt, vi* radere, radersi LOC *Vedi* CLOSE[1]

she /ʃiː/ ◆ *pron pers* lei (*si usa anche riferendosi ad automobili, navi o nazioni*): *She didn't come.* Non è venuta. ☛ In inglese il *pronome personale soggetto* non si può omettere. *Confronta* HER senso 3 ◆ *s* [*sing*] femmina: *Is it a he or a she?* È un maschio o una femmina?

shear /ʃɪə(r)/ *vt* (*pass* **sheared** *pp* **shorn** /ʃɔːn/ *o* **sheared**) tosare **shears** /ʃɪəz/ *s* [*pl*] cesoie

sheath /ʃiːθ/ *s* (*pl* **~s** /ʃiːðz/) guaina (*fodero*)

shed[1] /ʃed/ *s* capanno

shed[2] /ʃed/ *vt* (**-dd-**) (*pass, pp* **shed**) **1** (*foglie*) perdere **2** (*pelle*) mutare **3** (*form*) (*sangue, lacrime*) spargere **4** ~ **sth** (**on sb/sth**) (*luce*) diffondere qc (su qn/qc)

she'd /ʃiːd/ **1** = SHE HAD *Vedi* HAVE **2** = SHE WOULD *Vedi* WOULD

sheep /ʃiːp/ *s* (*pl* **sheep**) pecora *Vedi anche* EWE, RAM ☛ *Vedi nota a* CARNE **sheepish** *agg* imbarazzato

sheer /ʃɪə(r)/ *agg* **1** (*assoluto*) puro **2** (*tela*) velato **3** (*ripido*) a picco

sheet /ʃiːt/ *s* **1** (*letto*) lenzuolo ☛ *Vedi*

illustrazione a LETTO **2** (*carta*) foglio **3** (*vetro, metallo*) lastra

sheikh /ʃeɪk/ *s* sceicco

shelf /ʃelf/ *s* (*pl* **shelves** /ʃelvz/) scaffale, mensola

shell[1] /ʃel/ *s* **1** (*mollusco*) conchiglia **2** (*uovo, noce*) guscio **3** (*tartaruga, crostaceo*) corazza **4** (*nave*) scheletro **5** (*palazzo*) armatura

shell[2] /ʃel/ ◆ *s* granata (*esplosivo*) ◆ *vt* bombardare

she'll /ʃiːl/ = SHE WILL *Vedi* WILL

shellfish /ˈʃelfɪʃ/ *s* (*pl* **shellfish**) **1** (*Zool*) crostaceo **2** [*pl*] (*alimento*) frutti di mare

shelter /ˈʃeltə(r)/ ◆ *s* **1** ~ (**from sth**) (*protezione*) riparo (da qc): *to take shelter* ripararsi **2** (*luogo*) rifugio ◆ **1** *vt* ~ **sb/sth** (**from sb/sth**) proteggere, riparare qn/qc (da qn/qc) **2** *vi* ~ (**from sth**) ripararsi (da qc) **sheltered** *agg* **1** (*luogo*) riparato **2** (*vita*) protetto

shelve /ʃelv/ *vt* accantonare

shelves *plurale di* SHELF

shelving /ˈʃelvɪŋ/ *s* scaffalatura

shepherd /ˈʃepəd/ *s* pastore

she's /ʃiːz/ **1** = SHE IS *Vedi* BE **2** = SHE HAS *Vedi* HAVE

shield /ʃiːld/ ◆ *s* scudo ◆ *vt* ~ **sb/sth** (**from sb/sth**) proteggere qn/qc (da qn/qc)

shift /ʃɪft/ ◆ *vt, vi* muovere, muoversi, spostare, spostarsi: *She shifted uneasily in her seat.* Si muoveva nervosamente sulla sedia. ◊ *Help me shift the sofa.* Aiutami a spostare il divano. ◆ *s* **1** cambiamento: *a shift in public opinion* un cambiamento nell'opinione pubblica **2** (*lavoro*) turno

shifty /ˈʃɪfti/ *agg* (**-ier**, **-iest**) losco

shilling /ˈʃɪlɪŋ/ *s* scellino

shimmer /ˈʃɪmə(r)/ *vi* luccicare

shin /ʃɪn/ *s* **1** stinco **2** (*anche* **shinbone**) tibia

shine /ʃaɪn/ (*pass, pp* **shone** /ʃɒn; *USA* ʃəʊn/) ◆ **1** *vi* brillare, splendere: *His face shone with excitement.* Gli brillavano gli occhi per l'eccitazione. **2** *vt* (*torcia, riflettore*) puntare **3** *vi* ~ **at/in sth** brillare in qc: *She's always shone at languages.* È sempre stata brava in lingue. ◆ *s* lucentezza

shingle /ˈʃɪŋgl/ *s* [*non numerabile*] ciottoli

shiny /ˈʃaɪni/ *agg* (**-ier**, **-iest**) lucido

ship /ʃɪp/ ◆ *s* nave: *The captain went on board ship.* Il capitano salì a bordo. ◊ *a merchant ship* un mercantile ☛ *Vedi nota a* BOAT ◆ *vt* (**-pp-**) spedire via mare

shipbuilding /ˈʃɪpbɪldɪŋ/ *s* costruzione navale

shipment /ˈʃɪpmənt/ *s* carico

shipping /ˈʃɪpɪŋ/ *s* [*non numerabile*] navigazione, navi: *shipping lane/route* rotta di navigazione

shipwreck /ˈʃɪprek/ ◆ *s* naufragio ◆ *vt*: *to be shipwrecked* naufragare

shirt /ʃɜːt/ *s* camicia

shiver /ˈʃɪvə(r)/ ◆ *vi* **1** ~ (**with sth**) tremare (di qc) **2** rabbrividire ◆ *s* brivido

shoal /ʃəʊl/ *s* banco (*di pesci*)

shock /ʃɒk/ ◆ *s* **1** colpo, urto **2** (*anche* **electric shock**) scossa elettrica **3** (*Med*) shock ◆ **1** *vt* scioccare **2** *vt* scandalizzare **shocking** *agg* **1** (*comportamento*) scandaloso **2** (*notizia, delitto*) agghiacciante **3** (*inform*) atroce, terribile

shod *pass, pp di* SHOE

shoddy /ˈʃɒdi/ *agg* (**-ier**, **-iest**) scadente

shoe /ʃuː/ ◆ *s* **1** scarpa: *shoe shop* negozio di calzature ◊ *shoe polish* lucido per scarpe ◊ *What shoe size do you take?* Che numero di scarpe porti? ☛ *Vedi illustrazione a* SCARPA **2** *Vedi* HORSESHOE ◆ *vt* (*pass, pp* **shod** /ʃɒd/) ferrare

shoelace /ˈʃuːleɪs/ *s* laccio di scarpa

shoestring /ˈʃuːstrɪŋ/ *s* (*USA*) *Vedi* SHOELACE **LOC on a shoestring** con pochi soldi

shone *pass, pp di* SHINE

shook *pass di* SHAKE

shoot /ʃuːt/ (*pass, pp* **shot** /ʃɒt/) ◆ **1** *vt* sparare a: *to shoot rabbits* cacciare conigli ◊ *She was shot in the leg.* È stata colpita alla gamba. ◊ *to shoot sb dead* uccidere qn a colpi d'arma da fuoco **2** *vi* ~ (**at sb/sth**) sparare (a qn/qc) **3** *vt* fucilare **4** *vt* (*sguardo*) lanciare **5** *vt* (*film*) girare **6** *vi* ~ **along, past, out, etc** andare, passare, uscire, ecc come un fulmine **7** *vi* (*Sport*) tirare **PHR V to shoot sb down** uccidere qn sparandogli **to shoot sth down** (*aereo*) abbattere qc **to shoot up 1** (*prezzi*) salire alle stelle **2** (*pianta, bambino*) crescere in fretta ◆ *s* germoglio

shop /ʃɒp/ ◆ *s* **1** (*USA* **store**) negozio: *a clothes shop* un negozio d'abbigliamento ◊ *I'm going to the shops.* Vado a fare la spesa. **2** *Vedi* WORKSHOP **LOC** *Vedi* TALK ◆ *vi* (**-pp-**) fare compere, fare la spesa: *to shop for sth* andare per negozi cercando qc **PHR V to shop around** (*inform*) confrontare i prezzi

shop assistant *s* commesso, -a

shopkeeper /ˈʃɒpkiːpə(r)/ (*USA* **storekeeper**) *s* negoziante

shoplifting /ˈʃɒplɪftɪŋ/ *s* taccheggio

shoplifter *s* taccheggiatore, -trice

shopper /ˈʃɒpə(r)/ *s* acquirente

shopping /ˈʃɒpɪŋ/ *s* spesa, compere: *to do the shopping* fare la spesa ◊ *She's gone shopping.* È andata a fare compere. ◊ *shopping bag/trolley* borsa/carrello per la spesa

shopping centre (*anche* **shopping mall**) *s* centro commerciale

shore /ʃɔː(r)/ *s* **1** costa: *to go on shore* sbarcare **2** riva: *on the shore(s) of Loch Ness* sulle rive del Loch Ness ☛ *Confronta* BANK[1]

shorn *pp di* SHEAR

short[1] /ʃɔːt/ *agg* (**-er**, **-est**) **1** (*capelli, vestito*) corto **2** (*pausa, vacanza*) breve: *I was only there for a short while.* Ci sono stato poco tempo. ◊ *a short time ago* poco tempo fa **3** (*persona*) basso ☛ *Vedi nota a* ALTO **4** ~ (**of sth**) a corto (di qc): *Water is short.* L'acqua scarseggia. ◊ *I'm a bit short of time just now.* In questo momento non ho molto tempo. ◊ *I'm £5 short.* Mi mancano 5 sterline. **5** ~ **for sth**: *Ben is short for Benjamin.* Ben è l'accorciativo di Benjamin. **LOC for short** per abbreviare: *He's called Ben for short.* Lo chiamano Ben per abbreviare. **in short** in breve **to get/receive short shrift** essere trattato in modo sbrigativo **to have a short temper** essere irascibile *Vedi anche* BREATH, TERM

short[2] /ʃɔːt/ ◆ *avv Vedi* CUT, FALL, STOP ◆ *s* **1** *Vedi* SHORT-CIRCUIT **2** (*Cine*) cortometraggio

shortage /ˈʃɔːtɪdʒ/ *s* scarsità

short-circuit /ˌʃɔːt ˈsɜːkɪt/ ◆ **1** *vi* andare in cortocircuito **2** *vt* mettere in cortocircuito ◆ *s* (*anche inform* **short**) cortocircuito

shortcoming /ˈʃɔːtkʌmɪŋ/ *s* difetto: *severe shortcomings in police tactics* gravi manchevolezze nella condotta della polizia

short cut *s* scorciatoia

shorten /ˈʃɔːtn/ *vt, vi* accorciare, accorciarsi

shorthand /ˈʃɔːthænd/ *s* stenografia

short list *s* rosa dei candidati

short-lived /ˌʃɔːt ˈlɪvd; *USA* ˈlaɪvd/ *agg* di breve durata

shortly /ˈʃɔːtli/ *avv* **1** tra breve **2** poco: *shortly afterwards* poco dopo

shorts /ʃɔːts/ *s* [*pl*] **1** calzoncini **2** (*USA*) mutande da uomo

short-sighted /ˌʃɔːt ˈsaɪtɪd/ *agg* (*lett e fig*) miope

short-term /ˈʃɔːt tɜːm/ *agg* a breve termine: *short-term plans* piani a breve termine

shot[1] /ʃɒt/ *s* **1** sparo **2** prova: *to have a shot at* (*doing*) *sth* provare (a fare) qc **3** (*Sport*) tiro **4 the shot** [*sing*] (*Sport*): *to put the shot* lanciare il peso **5** (*Foto*) foto **6** (*inform*) puntura **LOC** *Vedi* BIG

shot[2] *pass, pp di* SHOOT

shotgun /ˈʃɒtgʌn/ *s* fucile da caccia

should /ʃəd, ʃʊd/ *v aus modale* (*neg* **should not** *o* **shouldn't** /ˈʃʊdnt/)

> **Should** è un verbo modale seguito dall'infinito senza TO. Le frasi interrogative e negative si formano senza l'ausiliare *do.*

1 (*suggerimenti e consigli*): *You shouldn't drink and drive.* Non si dovrebbe guidare quando si è bevuto. ☛ *Confronta* MUST **2** (*probabilità*): *They should be there by now.* Dovrebbero essere arrivati. **3** *How should I know?* E io che ne so?

shoulder /ˈʃəʊldə(r)/ ◆ *s* spalla **LOC** *Vedi* CHIP ◆ *vt* (*responsabilità, colpa*) addossarsi

shoulder blade *s* scapola

shout /ʃaʊt/ ◆ *s* grido ◆ **1** *vt, vi* ~ (**sth**) (**out**) (**to sb**) gridare (qc) (a qn): *She shouted the number out to me from the car.* Mi ha gridato il numero dalla macchina. **2** *vi* ~ (**at sb**) alzare la voce (con qn): *Don't shout at him, he's only little.* Non alzare la voce con lui, è solo un bambino. **PHR V to shout sb down** zittire qn gridando

shove /ʃʌv/ ◆ **1** *vt, vi* spingere **2** *vt* (*inform*) ficcare ◆ *s* [*gen sing*] spintone

shovel /ˈʃʌvl/ ◆ *s* pala ◆ *vt* (**-ll-**, *USA* **-l-**) spalare

show /ʃəʊ/ ◆ *s* **1** spettacolo **2** esposizione, mostra: *a fashion show* una sfilata di moda ◊ *the Geneva motor show* il salone dell'automobile di Ginevra **3** dimostrazione: *a show of force* una dimostrazione di forza ◊ *to make a show of sth* far mostra di qc LOC **for show** per fare mostra **on show** esposto ◆ (*pass* **showed** *pp* **shown** /ʃəʊn/ *o* **showed**) **1** *vt* mostrare, indicare **2** *vi* (*macchia, ecc*) vedersi, notarsi **3** *vt* (*fatto*) dimostrare: *Tests have shown that our new toothpaste is more effective.* I test hanno dimostrato che il nostro nuovo dentifricio è più efficace. **4** *vt* (*film*) dare **5** *vt* (*Arte*) esporre LOC *Vedi* ROPE PHR V **to show off (to sb)** (*inform, dispreg*) mettersi in mostra (davanti a qn) **to show sb/sth off 1** (*approv*) mettere in risalto qn/qc **2** (*dispreg*) ostentare qn/qc **to show up** (*inform*) farsi vivo **to show sb up** (*inform*) far fare una brutta figura a qn

show business *s* il mondo dello spettacolo

showdown /ˈʃəʊdaʊn/ *s* regolamento di conti

shower /ˈʃaʊə(r)/ ◆ *s* **1** doccia: *to take/have a shower* fare una doccia **2** ~ **(of sth)** valanga (di qc) **3** acquazzone, rovescio ◆ *vt* ~ **sb with sth** (*attenzioni, regali*) coprire qn di qc

showing /ˈʃəʊɪŋ/ *s* **1** (*Cine*) spettacolo, proiezione **2** risultati: *On this showing, you'll never pass your driving test.* Se guidi così, non passerai mai l'esame.

shown *pp di* SHOW

showroom /ˈʃəʊruːm/ *s* salone d'esposizione

shrank *pass di* SHRINK

shrapnel /ˈʃræpnəl/ *s* shrapnel

shred /ʃred/ ◆ *s* **1** strisciolina, brandello **2** ~ **of sth** (*fig*) briciolo di qc ◆ *vt* (**-dd-**) tagliare a striscioline

shrewd /ʃruːd/ *agg* (**-er**, **-est**) astuto, scaltro

shriek /ʃriːk/ ◆ *vt, vi* ~ **(with sth)** strillare (per qc): *to shriek with laughter* sbellicarsi dalle risate ◆ *s* strillo

shrift /ʃrɪft/ *s Vedi* SHORT[1]

shrill /ʃrɪl/ *agg* (**-er**, **-est**) **1** acuto, stridulo **2** (*protesta, ecc*) petulante

shrimp /ʃrɪmp/ *s* gamberetto

shrine /ʃraɪn/ *s* **1** santuario **2** reliquiario

shrink /ʃrɪŋk/ *vt, vi* (*pass* **shrank** /ʃræŋk/ *o* **shrunk** /ʃrʌŋk/ *pp* **shrunk**) **1** restringere, restringersi **2** ridurre, ridursi PHR V **to shrink from sth/doing sth** esitare davanti a qc/a fare qc

shrivel /ˈʃrɪvl/ *vt, vi* (**-ll-**, *USA* **-l-**) ~ **(sth) (up) 1** rinsecchire (qc) **2** raggrinzire (qc)

shroud /ʃraʊd/ ◆ *s* **1** sudario **2** ~ **(of sth)** (*fig*) velo (di qc) ◆ *vt* ~ **sth in sth** avvolgere qc in qc: *shrouded in mystery* avvolto nel mistero

shrub /ʃrʌb/ *s* arbusto ☛ *Confronta* BUSH

shrug /ʃrʌg/ ◆ *vt, vi* (**-gg-**) ~ **(your shoulders)** fare spallucce PHR V **to shrug sth off** non dare importanza a qc ◆ *s* alzata di spalle

shrunk *pass, pp di* SHRINK

shudder /ˈʃʌdə(r)/ ◆ *vi* **1** ~ **(with sth)** rabbrividire (per qc) **2** (*terra, edificio*) tremare ◆ *s* **1** brivido **2** tremito

shuffle /ˈʃʌfl/ **1** *vt, vi* (*Carte*) mescolare ☛ *Vedi nota a* CARTA **2** *vt* ~ **your feet** strascicare i piedi **3** *vi* ~ **(along)** camminare con passo strascicato

shun /ʃʌn/ *vt* (**-nn-**) evitare

shut /ʃʌt/ ◆ *vt, vi* (**-tt-**) (*pass, pp* **shut**) chiudere, chiudersi LOC *Vedi* CLICK PHR V **to shut sb/sth away** rinchiudere qn/qc

to shut (sth) down chiudere (qc)

to shut sth in sth chiudere qc in qc

to shut sth off (*gas, acqua*) chiudere qc

to shut sb/sth off (from sth) isolare qn/qc (da qc)

to shut sb/sth out (of sth) escludere qn/qc (da qc): *to feel shut out* sentirsi escluso ◊ *The trees shut out the view.* Gli alberi impedivano la vista.

to shut up (*inform*) star zitto **to shut sb up** (*inform*) far star zitto qn **to shut sth up** chiudere qc **to shut sb/sth up (in sth)** rinchiudere qn/qc (in qc)

◆ *agg* [*si usa sempre dopo il verbo*] chiuso: *The door was shut.* La porta era chiusa. ☛ *Confronta* CLOSED *a* CLOSE[2]

shutter /ˈʃʌtə(r)/ *s* **1** imposta (*persiana*) **2** (*Foto*) otturatore

shuttle /ˈʃʌtl/ *s* **1** spoletta **2** navetta:

shuttle service servizio navetta **3** (*anche* **space shuttle**) navetta spaziale

shy /ʃaɪ/ ◆ *agg* (**shyer**, **shyest**) timido: *to be shy of sb/sth* avere paura di qn/qc ◆ *vi* (*pass, pp* **shied** /ʃaɪd/) **to shy (at sth)** (*cavallo*) fare uno scarto (davanti a qc) PHR V **to shy away from sth/doing sth** evitare qc/di fare qc **shyness** *s* timidezza

sick /sɪk/ ◆ *agg* (**-er**, **-est**) **1** malato: *to be off sick* essere assente per malattia ☛ *Vedi nota a* MALATO **2** *to feel sick* avere la nausea **3** ~ **of sb/sth/doing sth** (*inform*) stufo di qn/qc/di fare qc **4** (*inform*) di cattivo gusto LOC **to be sick** vomitare **to be sick to death of/sick and tired of sb/sth** (*inform*) averne fin sopra i capelli di qn/qc **to make sb sick** fare schifo a qn ◆ *s* (*inform*) vomito **sicken** *vt* disgustare **sickening** *agg* disgustoso

sickly /ˈsɪkli/ *agg* (**-ier**, **-iest**) **1** malaticcio **2** (*sapore, odore*) stomachevole

sickness /ˈsɪknəs/ *s* **1** malattia **2** nausea

side /saɪd/ ◆ *s* **1** (*pagina, disco*) facciata: *on the other side* sull'altra facciata **2** lato, parte: *on the other side of the Atlantic* dall'altra parte dell'Atlantico ◊ *from side to side* da un lato all'altro ◊ *a side door* una porta laterale **3** (*lago*) riva **4** (*persona, montagna*) fianco: *to sit at/by sb's side* sedere accanto a qn **5** parte: *to change sides* passare dall'altra parte ◊ *to be on our side* essere dalla nostra parte ◊ *Whose side are you on?* Da che parte stai? **6** (*GB, Sport*) squadra **7** aspetto: *the different sides of a question* i diversi aspetti di un problema LOC **on/from all sides; on/from every side** da tutti i lati, da tutte le parti **side by side** fianco a fianco **to get on the right/wrong side of sb** prendere qn per il verso giusto/sbagliato **to put sth on/to one side** mettere qc da parte **to take sides (with sb)** parteggiare (per qn) *Vedi anche* LOOK[1], SAFE[1] ◆ PHR V **to side with/against sb** schierarsi con/contro qn

sideboard /ˈsaɪdbɔːd/ *s* credenza

side effect *s* effetto collaterale

side street *s* traversa (*strada*)

sidetrack /ˈsaɪdtræk/ *vt* sviare

sidewalk /ˈsaɪdwɔːk/ *s* (*USA*) *Vedi* PAVEMENT

sideways /ˈsaɪdweɪz/ *avv, agg* **1** di lato **2** (*occhiata*) di traverso

siege /siːdʒ/ *s* assedio

sieve /sɪv/ ◆ *s* setaccio ◆ *vt* setacciare

sift /sɪft/ *vt* **1** setacciare **2** ~ **(through) sth** (*fig*) esaminare minuziosamente qc

sigh /saɪ/ ◆ *vi* sospirare ◆ *s* sospiro

sight /saɪt/ *s* **1** vista: *to have poor sight* avere la vista debole **2** **the sights** [*pl*] i luoghi da visitare **3** spettacolo: *What a sad sight!* Che spettacolo penoso! LOC **at/on sight** a vista **in sight** in vista **out of sight, out of mind** occhio non vede cuore non duole *Vedi anche* CATCH, LOSE, PRETTY

sightseeing /ˈsaɪtsiːɪŋ/ *s*: *to go sightseeing* fare un giro turistico

sign[1] /saɪn/ *s* **1** segno: *the signs of the Zodiac* i segni zodiacali **2** segnale, cartello **3** segno, gesto: *to make a sign at sb* fare un segno a qn **4** ~ **(of sth)** segno, indizio (di qc): *a good/bad sign* un buon/cattivo segno

sign[2] /saɪn/ *vt, vi* firmare PHR V **to sign sb up 1** fare un contratto a qn **2** (*Sport*) ingaggiare qn **to sign up (for sth) 1** iscriversi (a qc) **2** diventare socio (di qc)

signal /ˈsɪgnəl/ ◆ *s* segnale ◆ *vt, vi* (**-ll-**, *USA* **-l-**) segnalare, indicare: *to signal (to) sb to do sth* fare segno a qn di fare qc ◊ *to signal your discontent* manifestare il proprio malcontento

signature /ˈsɪgnətʃə(r)/ *s* firma

significant /sɪgˈnɪfɪkənt/ *agg* **1** (*contributo, effetto*) significativo **2** (*quantità, aumento*) notevole **significance** *s* **1** significato **2** importanza

signify /ˈsɪgnɪfaɪ/ *vt* (*pass, pp* **-fied**) **1** significare **2** indicare

sign language *s* linguaggio dei muti

signpost /ˈsaɪnpəʊst/ *s* cartello indicatore

silence /ˈsaɪləns/ ◆ *s, escl* silenzio ◆ *vt* far tacere

silent /ˈsaɪlənt/ *agg* **1** silenzioso **2** zitto **3** (*lettera, film*) muto

silhouette /ˌsɪluˈet/ ◆ *s* sagoma ◆ *vt* LOC **to be silhouetted (against sth)** stagliarsi (contro qc)

silk /sɪlk/ *s* seta **silky** *agg* (**-ier**, **-iest**) setoso

sill /sɪl/ *s* davanzale

silly /ˈsɪli/ *agg* (**-ier**, **-iest**) **1** sciocco:

That was a very silly thing to say. Hai detto proprio una sciocchezza. **2** ridicolo: *to feel/look silly* sentirsi ridicolo/ fare una figura ridicola

silver /ˈsɪlvə(r)/ ◆ *s* **1** argento: *silver paper* carta argentata ◊ *silver-plated* placcato in argento **2** monete (*da 5, 10, 20 e 50 pence*) **3** argenteria **LOC** *Vedi* WEDDING ◆ *agg* **1** d'argento **2** (*colore*) argentato **silvery** *agg* argentato

similar /ˈsɪmɪlə(r)/ *agg* ~ (**to sb/sth**) simile (a qn/qc) **similarity** /ˌsɪməˈlærəti/ *s* (*pl* **-ies**) somiglianza **similarly** *avv* allo stesso modo

simile /ˈsɪməli/ *s* similitudine

simmer /ˈsɪmə(r)/ *vt, vi* cuocere a fuoco lento

simple /ˈsɪmpl/ *agg* (**-er**, **-est**) **1** semplice **2** (*persona*) tonto, ritardato

simplicity /sɪmˈplɪsəti/ *s* semplicità

simplify /ˈsɪmplɪfaɪ/ *vt* (*pass, pp* **-fied**) semplificare

simplistic /sɪmˈplɪstɪk/ *agg* semplicistico

simply /ˈsɪmpli/ *avv* semplicemente

simulate /ˈsɪmjuleɪt/ *vt* simulare

simultaneous /ˌsɪmlˈteɪniəs; *USA* ˌsaɪm-/ *agg* ~ (**with sth**) simultaneo (a qc) **simultaneously** *avv* simultaneamente

sin /sɪn/ ◆ *s* peccato ◆ *vi* (**-nn-**) **to sin** (**against sth**) peccare (contro qc)

since /sɪns/ ◆ *cong* **1** da quando: *I've known him since we were at school.* Lo conosco dai tempi della scuola. ◊ *How long is it since we visited your mother?* Quant'è passato da quando abbiamo fatto visita a tua madre? **2** dato che, siccome ◆ *prep* da: *Since then I've lived on my own.* Da allora abito da solo. ◊ *It was the first time they'd won since 1974.* Era la prima volta che vincevano dal 1974.

Sia **since** che **from** si traducono con "da" e si usano per specificare il punto di partenza dell'azione del verbo. **Since** si usa quando l'azione si estende nel tempo fino al momento attuale: *She has been here since three.* È qui dalle tre. **From** si usa quando l'azione è già terminata o non è ancora cominciata: *I was there from three until four.* Ero lì dalle tre alle quattro. ◊ *I'll be there from three.* Sarò lì dalle tre.

☛ *Vedi nota a* FOR senso 2 ◆ *avv* da allora: *We haven't heard from him since.* Non abbiamo sue notizie da allora.

sincere /sɪnˈsɪə(r)/ *agg* sincero **sincerely** *avv* sinceramente **LOC** *Vedi* YOURS **sincerity** /sɪnˈserəti/ *s* sincerità

sinful /ˈsɪnfl/ *agg* **1** peccaminoso **2** (*inform*) vergognoso

sing /sɪŋ/ *vt, vi* (*pass* **sang** /sæŋ/ *pp* **sung** /sʌŋ/) cantare **singer** *s* cantante **singing** *s* canto

single /ˈsɪŋgl/ ◆ *agg* **1** solo, unico: *every single day* ogni giorno **2** (*letto*) a una piazza **3** (*camera*) singolo **4** (*USA* **one-way**) (*biglietto*) di sola andata ☛ *Confronta* RETURN **5** single: *single parent* madre/padre single **LOC in single file** in fila indiana *Vedi anche* BLOW ◆ *s* **1** biglietto di sola andata **2** (*disco*) singolo ☛ *Confronta* ALBUM **3 singles** [*pl*] (*Sport*) singolare ◆ **PHR V to single sb/sth out (for sth)** scegliere qn/qc (per qc)

single-handedly /ˌsɪŋgl ˈhændɪdli/ (*anche* **single-handed**) *avv* da solo, senza aiuto

single-minded /ˌsɪŋgl ˈmaɪndɪd/ *agg* deciso, risoluto

singular /ˈsɪŋgjələ(r)/ ◆ *agg* **1** (*Gramm*) singolare **2** straordinario, singolare ◆ *s*: *in the singular* al singolare

sinister /ˈsɪnɪstə(r)/ *agg* sinistro, minaccioso

sink /sɪŋk/ (*pass* **sank** /sæŋk/ *pp* **sunk** /sʌŋk/) ◆ **1** *vt, vi* affondare **2** *vi* crollare **3** *vi* (*sole*) calare **4** *vt* (*inform*) (*piani*) rovinare **LOC to be sunk in sth** essere in preda a qc *Vedi anche* HEART **PHR V to sink in 1** (*liquido*) penetrare **2** *It hasn't sunk in yet that...* Non mi rendo ancora conto che... **to sink into sth 1** (*liquido*) penetrare in qc **2** (*fig*) sprofondare in qc **to sink sth into sth** conficcare qc in qc (*denti, coltello*) ◆ *s* **1** lavello **2** (*USA*) lavandino ☛ *Confronta* WASHBASIN

sinus /ˈsaɪnəs/ *s* seno (*del naso*)

sip /sɪp/ ◆ *vt, vi* (**-pp-**) sorseggiare ◆ *s* sorso

sir /sɜː(r)/ *s* **1** *Yes, sir* Sì signore **2 Sir** *Dear Sir* Egregio signore **3 Sir** /sə(r)/ *Sir Michael Tippett*

siren /ˈsaɪrən/ *s* sirena (*di polizia, ambulanza*)

sister /ˈsɪstə(r)/ *s* **1** sorella **2** (*GB, Med*) infermiera caposala **3** **Sister** (*Relig*) Suora **4** *sister ship* nave gemella ◊ *sister organization* organizzazione consorella

sister-in-law /ˈsɪstər ɪn lɔː/ *s* (*pl* **-ers-in-law**) cognata

sit /sɪt/ (**-tt-**) (*pass, pp* **sat** /sæt/) **1** *vi* sedere, essere seduto **2** *vt* **to sit sb (down)** far sedere qn **3** *vi* **to sit (for sb)** (*Arte*) posare (per qn) **4** *vi* (*parlamento*) essere in seduta **5** *vi* (*comitato*) riunirsi **6** *vi* (*oggetto*) stare **7** *vt* (*esame*) dare, sostenere

PHR V **to sit around** restar seduto: *to sit around doing nothing* restar seduto senza far nulla

to sit back mettersi comodo

to sit (yourself) down sedersi, accomodarsi

to sit up 1 mettersi a sedere (*da sdraiato*) **2** restare alzato

site /saɪt/ *s* **1** ubicazione: *building site* cantiere edile **2** (*di avvenimento*) luogo

sitting /ˈsɪtɪŋ/ *s* **1** sessione **2** (*per mangiare*) turno

sitting room (*spec GB*) *Vedi* LIVING ROOM

situated /ˈsɪtʃueɪtɪd/ *agg* situato

situation /ˌsɪtʃuˈeɪʃn/ *s* **1** situazione **2** (*form*): *situations vacant* offerte di lavoro

six /sɪks/ *agg, pron, s* sei ☛ *Vedi esempi a* FIVE **sixth** *agg, pron, avv, s* sesto ☛ *Vedi esempi a* FIFTH

sixteen /ˌsɪksˈtiːn/ *agg, pron, s* sedici ☛ *Vedi esempi a* FIVE **sixteenth** *agg, pron, avv, s* sedicesimo ☛ *Vedi esempi a* FIFTH

sixth form *s* (*GB*) gli ultimi due anni di scuola superiore

sixty /ˈsɪksti/ *agg, pron, s* sessanta ☛ *Vedi esempi a* FIFTY, FIVE **sixtieth** *agg, pron, avv, s* sessantesimo ☛ *Vedi esempi a* FIFTH

size /saɪz/ ◆ *s* **1** misura, dimensioni **2** (*abiti*) taglia **3** (*scarpe*) numero: *I take size seven.* Porto il 41. ◆ PHR V **to size sb/sth up** (*inform*) valutare qn/qc: *She sized him up immediately.* L'ha inquadrato subito. **sizeable** (*anche* **sizable**) *agg* considerevole

skate /skeɪt/ ◆ *s* **1** pattino **2** *Vedi* ROLLER SKATE ◆ *vi* pattinare **skater** *s* pattinatore, -trice **skating** *s* pattinaggio

skateboard /ˈskeɪtbɔːd/ *s* skate-board

skeleton /ˈskelɪtn/ ◆ *s* scheletro ◆ *agg* ridotto: *skeleton staff/service* personale/servizio ridotto

skeptic (*USA*) *Vedi* SCEPTIC

sketch /sketʃ/ ◆ *s* **1** schizzo **2** (*Teat*) sketch ◆ *vt, vi* schizzare, disegnare **sketchy** *agg* (**-ier**, **-iest**) (*spesso dispreg*) approssimativo, vago

ski /skiː/ ◆ *vi* (*pass, pp* **skied** *p pres* **skiing**) sciare ◆ *s* sci (*attrezzo*) **skiing** *s* sci (*sport*): *to go skiing* andare a sciare

skid /skɪd/ ◆ *vi* (**-dd-**) **1** (*auto*) slittare **2** (*persona*) scivolare ◆ *s* slittamento

skies *plurale di* SKY

skill /skɪl/ *s* **1** ~ **(at/in sth/doing sth)** abilità (in qc/nel fare qc) **2** tecnica **skilful** (*USA* **skillful**) *agg* ~ **(at/in sth/doing sth)** abile (in qc/nel fare qc) **skilled** *agg* ~ **(at/in sth/doing sth)** esperto (in qc/nel fare qc): *skilled work/worker* lavoro/operaio specializzato

skim /skɪm/ *vt* (**-mm-**) **1** scremare, schiumare **2** sfiorare **3** ~ **(through/over) sth** (*lista, pagina*) scorrere qc

skin /skɪn/ ◆ *s* **1** (*persona*) pelle **2** (*frutta*) buccia ☛ *Vedi nota a* PEEL **3** (*latte*) pellicola LOC **by the skin of your teeth** (*inform*) per un pelo ◆ *vt* (**-nn-**) spellare

skinny /ˈskɪni/ *agg* (**-ier**, **-iest**) (*inform, dispreg*) magro ☛ *Vedi nota a* MAGRO

skip /skɪp/ (**-pp-**) ◆ **1** *vi* saltellare **2** *vi* saltare con la corda: *a skipping rope* una corda per saltare **3** *vt* saltare: *to skip a line* saltare una riga ◆ *s* **1** salto **2** benna

skipper /ˈskɪpə(r)/ *s* (*inform*) capitano

skirmish /ˈskɜːmɪʃ/ *s* scaramuccia

skirt /skɜːt/ ◆ *s* gonna ◆ *vt* costeggiare: *skirting board* battiscopa PHR V **to skirt (a)round sth** (*problema, argomento*) girare intorno a qc

skull /skʌl/ *s* **1** cranio **2** teschio

sky /skaɪ/ *s* (*pl* **skies**) cielo: *sky-high* alle stelle

skylight /ˈskaɪlaɪt/ *s* lucernario

skyline /ˈskaɪlaɪn/ *s*: *the New York skyline* il profilo di New York

skyscraper /ˈskaɪskreɪpə(r)/ *s* grattacielo

slab /slæb/ *s* **1** (*marmo*) blocco **2** (*cemento*) lastra **3** (*cioccolato*) tavoletta

slack /slæk/ *agg* (**-er**, **-est**) **1** allentato **2** (*persona*) negligente

slacken /ˈslækən/ *vt, vi* **1** allentare, allentarsi **2** ~ **(sth)** **(off/up)** rallentare (qc)

slain *pp di* SLAY

slam /slæm/ (**-mm-**) **1** *vt, vi* ~ **(sth)** **(to/shut)** chiudere qc di colpo, chiudersi di colpo **2** *vt* sbattere: *to slam your brakes on* frenare di colpo **3** (*inform*) *vt* (*criticare*) stroncare

slander /ˈslɑːndə(r); *USA* ˈslæn-/ ◆ *s* calunnia ◆ *vt* calunniare

slang /slæŋ/ *s* [*non numerabile*] gergo

slant /slɑːnt; *USA* slænt/ ◆ **1** *vi, vt* (far) pendere **2** *vt* (*spesso dispreg*) presentare in modo non obiettivo ◆ *s* **1** inclinazione **2** (*fig*) angolazione, ottica: *to get a new slant on the political situation* considerare la situazione politica secondo una diversa ottica

slap /slæp/ ◆ *vt* (**-pp-**) **1** (*faccia*) schiaffeggiare **2** (*spalla*) dare una pacca su **3** sbattere, tirare ◆ *s* **1** (*faccia*) schiaffo **2** (*spalla*) pacca ◆ *avv* (*inform*) in pieno: *slap in the middle* proprio nel mezzo

slash /slæʃ/ ◆ *vt* **1** tagliare **2** (*vandalismo*) squarciare **3** (*prezzi, ecc*) ridurre drasticamente ◆ *s* **1** coltellata **2** taglio

slate /sleɪt/ *s* **1** ardesia **2** tegola di ardesia

slaughter /ˈslɔːtə(r)/ ◆ *s* **1** (*animali*) macellazione **2** (*persone*) massacro, strage ◆ *vt* **1** (*animali*) macellare **2** (*persone*) massacrare **3** (*inform, Sport*) stracciare

slave /sleɪv/ ◆ *s* ~ **(of/to sb/sth)** schiavo, -a (di qn/qc) ◆ *vi* ~ **(away)** **(at sth)** sgobbare (su qc)

slavery /ˈsleɪvəri/ *s* schiavitù

slay /sleɪ/ *vt* (*pass* **slew** /sluː/ *pp* **slain** /sleɪn/) (*form o USA*) trucidare

sleazy /ˈsliːzi/ *agg* (**-ier**, **-iest**) (*inform*) sordido, squallido

sledge /sledʒ/ (*anche* **sled**) *s* slitta ☛ *Confronta* SLEIGH

sleek /sliːk/ *agg* (**-er**, **-est**) lucente (*capelli, pelo di animali*)

sleep /sliːp/ ◆ *s* [*sing*] sonno LOC **to go to sleep** addormentarsi ◆ (*pass, pp* **slept** /slept/) **1** *vi* dormire: *sleeping bag* sacco a pelo ◊ *sleeping pills* sonniferi **2** *vt* alloggiare, avere posti letto per PHR V **to sleep in** (*USA*) *Vedi* TO LIE IN *a* LIE[2] **to sleep on it** dormirci sopra **to sleep sth off** farsi passare qc dormendo: *to sleep it off* smaltire la sbornia **to sleep through sth** (*rumore, temporale*) non essere svegliato da qc **to sleep with sb** andare a letto con qn

sleeper /ˈsliːpə(r)/ *s* **1** *to be a heavy/light sleeper* avere il sonno pesante/leggero **2** (*rotaie*) traversina **3** (*letto*) cuccetta **4** (*carrozza*) vagone letto

sleepless /ˈsliːpləs/ *agg* insonne

sleepwalker /ˈsliːpwɔːkə(r)/ *s* sonnambulo, -a

sleepy /ˈsliːpi/ *agg* (**-ier**, **-iest**) **1** assonnato **2** (*luogo*) addormentato LOC **to be sleepy** avere sonno

sleet /sliːt/ *s* nevischio

sleeve /sliːv/ *s* **1** manica **2** (*anche* **album sleeve**) copertina (*di disco*) LOC **(to have sth) up your sleeve** (avere qc) in serbo **sleeveless** *agg* senza maniche

sleigh /sleɪ/ *s* slitta (*tirata da cavalli*) ☛ *Confronta* SLEDGE

slender /ˈslendə(r)/ *agg* (**-er**, **-est**) **1** sottile **2** (*persona*) snello *Vedi anche* THIN **3** scarso: *a slender majority* un'esigua maggioranza

slept *pass, pp di* SLEEP

slew *pass di* SLAY

slice /slaɪs/ ◆ *s* fetta: *a slice of the profits* una fetta dei profitti ☛ *Vedi illustrazione a* PANE ◆ *vt* **1** affettare **2** ~ **through/into sth** tagliare di netto qc PHR V **to slice sth up** affettare qc

slick /slɪk/ ◆ *agg* (**-er**, **-est**) **1** (*rappresentazione, produzione*) brillante **2** (*venditore*) scaltro **3** (*parlantina*) sciolto ◆ *s Vedi* OIL SLICK

slide /slaɪd/ ◆ *s* **1** scivolo **2** diapositiva: *a slide projector* un proiettore per diapositive **3** (*microscopio*) vetrino portaoggetti **4** (*fig*) caduta (*di prezzi, ecc*) ◆ (*pass, pp* **slid** /slɪd/) **1** *vt, vi* (far) scivolare **2** *vi* (*prezzi, ecc*) scendere

sliding door *s* porta scorrevole

slight /slaɪt/ *agg* (**-er**, **-est**) **1** leggero, piccolo: *without the slightest difficulty* senza la minima difficoltà **2** (*persona*) minuto, gracile LOC **not in the slightest** per nulla **slightly** *avv* leggermente: *He's slightly better.* Sta un po' meglio.

slim /slɪm/ ◆ *agg* (**slimmer**, **slimmest**) **1** (*approv*) (*persona*) magro ☛ *Vedi* *nota a* MAGRO **2** (*prospettive, speranze*) scarso ◆ *vi* (**-mm-**) ~ (**down**) dimagrire

slime /slaɪm/ *s* **1** melma **2** (*chiocciola*) bava **slimy** viscido

sling[1] /slɪŋ/ *s* fascia a tracolla: *to have your arm in a sling* avere un braccio al collo

sling[2] *vt* (*pass, pp* **slung** /slʌŋ/) **1** (*inform*) lanciare (*con forza*) **2** (*amaca*) appendere

slink /slɪŋk/ *vi* (*pass, pp* **slunk** /slʌŋk/): *to slink away* svignarsela

slip /slɪp/ ◆ *s* **1** scivolone **2** errore, sbaglio **3** sottoveste **4** (*carta*) foglietto LOC **to give sb the slip** (*inform*) seminare qn ◆ (**-pp-**) **1** *vt, vi* (far) scivolare **2** *vi* ~ **from/out of/through sth** sfuggire da/tra qc **3** *vt* ~ **sth** (**in/into sth**) infilare qc (in qc) LOC **to slip your mind**: *It slipped my mind.* Mi è sfuggito di mente. *Vedi anche* LET[1] PHR V **to slip away** svignarsela **to slip sth off** togliersi qc **to slip sth on** mettersi qc **to slip out 1** uscire un attimo **2** svignarsela **3** *It slipped out that…* È venuto fuori che… **to slip up** (**on sth**) (*inform*) sbagliarsi (su qc)

slipper /ˈslɪpə(r)/ *s* pantofola ☛ *Vedi illustrazione a* SCARPA

slippery /ˈslɪpəri/ *agg* **1** (*pavimento*) scivoloso **2** (*persona*) viscido

slit /slɪt/ ◆ *s* **1** fessura **2** (*gonna*) spacco **3** taglio ◆ *vt* (**-tt-**) (*pass, pp* **slit**) tagliare: *to slit sb's throat* tagliare la gola a qn LOC **to slit sth open** aprire qc con un coltello

slither /ˈslɪðə(r)/ *vi* **1** scivolare **2** (*serpente*) strisciare

sliver /ˈslɪvə(r)/ *s* **1** scheggia **2** fettina

slob /slɒb/ *s* (*inform, GB*) pelandrone, -a

slog /slɒg/ *vi* (**-gg-**) avanzare a fatica PHR V **to slog (away) at sth** (*inform*) sgobbare su qc

slop /slɒp/ (**-pp-**) *vt, vi* versare, versarsi

slope /sləʊp/ ◆ *s* **1** pendenza **2** pendio **3** (*sci*) pista ◆ *vi* essere in pendenza

sloppy /ˈslɒpi/ *agg* (**-ier, -iest**) **1** trascurato, trasandato **2** (*inform*) sdolcinato

slot /slɒt/ ◆ *s* **1** fessura **2** *a ten-minute slot on TV* uno spazio di dieci minuti in TV ◆ *v* (**-tt-**) PHR V **to slot in** infilarsi **to slot sth in** inserire qc

slow /sləʊ/ ◆ *agg* (**-er, -est**) **1** lento: *We're making slow progress.* Stiamo progredendo lentamente. **2** *He's a bit slow.* È poco sveglio. **3** *Business is rather slow today.* Gli affari vanno a rilento oggi. **4** (*orologio*): *to be slow* andare indietro ◊ *That clock is five minutes slow.* Quell'orologio è indietro di cinque minuti. LOC **in slow motion** al rallentatore **to be slow to do sth/in doing sth** tardare a fare qc ◆ *avv* (**-er, -est**) lentamente ◆ *vt, vi* **1** ~ (**sth**) (**up/down**) rallentare (qc): *to slow up the development of research* rallentare il progresso della ricerca **slowly** *avv* **1** lentamente **2** poco a poco

sludge /slʌdʒ/ *s* melma

slug /slʌg/ *s* lumaca **sluggish** *agg* **1** lento **2** fiacco

slum /slʌm/ *s* **1** (*anche* **slum area**) quartiere povero **2** tugurio

slump /slʌmp/ ◆ *vi* **1** (*anche* **to slump down**) accasciarsi **2** (*Econ*) crollare ◆ *s* (*Econ*) recessione

slung *pass, pp di* SLING[2]

slunk *pass, pp di* SLINK

slur[1] /slɜː(r)/ *vt* (**-rr-**) articolare male

slur[2] /slɜː(r)/ *s* calunnia

slush /slʌʃ/ *s* fanghiglia

sly /slaɪ/ *agg* (**slyer, slyest**) **1** scaltro **2** (*sguardo, sorriso*) malizioso

smack /smæk/ ◆ *s* sculacciata ◆ *vt* sculacciare PHR V **to smack of sth** puzzare di qc (*fig*)

small /smɔːl/ *agg* (**-er, -est**) **1** piccolo: *a small number of people* poca gente ◊ *small change* spiccioli ◊ *in the small hours* alle ore piccole ◊ *small ads* annunci economici ◊ *to make small talk* parlare del più e del meno ☛ *Vedi nota a* ALTO **2** (*lettera*) minuscolo LOC **a small fortune** un patrimonio **it's a small world** (*modo di dire*) com'è piccolo il mondo **the small print** la parte scritta in piccolo (*in un contratto*)

Small si usa come contrario di **big** o **large** e può essere modificato da avverbi: *Our house is smaller than yours.* Casa nostra è più piccola della vostra. ◊ *I have a fairly small income.* Ho un reddito abbastanza modesto. **Little** di solito non è accompagnato da avverbi e spesso segue un altro aggettivo: *He's a horrid little man.* È un uomo odioso. ◊ *What a lovely little house!* Che casetta incantevole!

smallpox /ˈsmɔːlpɒks/ *s* vaiolo

small-scale /ˈsmɔːl skeɪl/ *agg* in scala ridotta

smart /smɑːt/ ◆ *agg* (**-er**, **-est**) **1** elegante **2** intelligente ◆ *vi* (*pizzicare*) bruciare **smarten** PHR V **to smarten (yourself) up** darsi una riordinata **to smarten sth up** riordinare qc

smash /smæʃ/ ◆ **1** *vt* frantumare **2** *vi* andare in frantumi PHR V **to smash against, into, etc sth** schiantarsi contro qc **to smash sth against, into, etc sth** spaccare qc contro qc **to smash sth up** distruggere qc ◆ *s* **1** fracasso **2** (*anche* **smash-up**) scontro **3** (*anche* **smash hit**) (*inform*) successone

smashing /ˈsmæʃɪŋ/ *agg* (*GB*) fantastico

smear /smɪə(r)/ *vt* **1** ~ **sth on/over sth** spalmare qc su qc **2** ~ **sth with sth** spalmarsi qc di qc **3** ~ **sth with sth** sporcare qc di qc

smell /smel/ ◆ *s* **1** odore: *a smell of gas* un odore di gas ☛ *Vedi nota a* ODOUR, SENTIRE **2** (*anche* **sense of smell**) olfatto, odorato ◆ (*pass, pp* **smelt** /smelt/ *o* **smelled**) **1** *vi* ~ (**of sth**) avere odore (di qc): *It smells of fish.* Ha odore di pesce. ◊ *What does it smell like?* Che odore ha? **2** *vt* sentire odore di: *Smell this rose!* Senti che profumo ha questa rosa! ☛ *Vedi nota a* SENTIRE **3** *vt, vi* annusare **4** *vi* (*sgradevolmente*) puzzare ☛ *Vedi nota a* DREAM **smelly** *agg* (**-ier**, **-iest**) (*inform*) puzzolente: *It's smelly in here.* C'è puzza qui dentro.

smile /smaɪl/ ◆ *s* sorriso: *to give sb a smile* fare un sorriso a qn LOC *Vedi* BRING ◆ *vi* sorridere

smirk /smɜːk/ ◆ *s* sorriso compiaciuto ◆ *vi* sorridere in modo compiaciuto

smock /smɒk/ *s* blusa, camiciotto

smoke /sməʊk/ ◆ **1** *vt, vi* fumare: *to smoke a pipe* fumare la pipa **2** *vi* fare fumo **3** *vt* (*carne, pesce*) affumicare ◆ *s* **1** fumo **2** (*inform*) *to have a smoke* farsi una fumatina **smoker** *s* fumatore, -trice **smoking** *s* fumo (*abitudine*): *'No Smoking'* "Vietato fumare" **smoky** (*anche* **smokey**) *agg* (**-ier**, **-iest**) **1** fumoso **2** (*sapore, colore*) affumicato

smooth /smuːð/ ◆ *agg* (**-er**, **-est**) **1** (*capelli, tessuto*) liscio **2** (*gusto*) amabile **3** (*strada*) piano, uniforme **4** (*viaggio, periodo*) senza problemi **5** (*salsa, impasto*) senza grumi **6** (*dispreg*) (*persona*) mellifluo ◆ *vt* lisciare PHR V **to smooth sth over** (*problemi, difficoltà*) appianare qc **smoothly** *avv*: *to go smoothly* andare liscio

smother /ˈsmʌðə(r)/ *vt* **1** soffocare **2** ~ **sb/sth with/in sth** ricoprire qn/qc di qc

smoulder (*USA* **smolder**) /ˈsməʊldə(r)/ *vi* consumarsi, ardere (*senza fiamme*)

smudge /smʌdʒ/ ◆ *s* sbavatura, macchia ◆ **1** *vt* macchiare, sporcare **2** *vi* spandersi, sbavare

smug /smʌg/ *agg* (**smugger**, **smuggest**) (*spesso dispreg*) compiaciuto

smuggle /ˈsmʌgl/ *vt* contrabbandare PHR V **to smuggle sb/sth in/out** far entrare/uscire qn/qc di nascosto **smuggler** *s* contrabbandiere, -a: *drug smugglers* trafficanti di droga **smuggling** *s* contrabbando: *drug smuggling* traffico di droga

snack /snæk/ ◆ *s* spuntino: *to have a snack* fare uno spuntino ◆ *vi* (*inform*) fare uno spuntino

snag /snæg/ *s* difficoltà, imprevisto

snail /sneɪl/ *s* chiocciola

snake /sneɪk/ ◆ *s* serpente ◆ *vi* (*strada, fiume*) snodarsi

snap /snæp/ (**-pp-**) ◆ **1** *vt, vi* spezzare, spezzarsi **2** *vt, vi* schioccare PHR V **to snap at sb** parlare a qn in tono brusco ◆ *s* **1** colpo secco **2** (*anche* **snapshot**) foto ◆ *agg* (*inform*) fulmineo

snapshot /ˈsnæpʃɒt/ *s* foto

snare /sneə(r)/ ◆ *s* trappola ◆ *vt* prendere in trappola

snarl /snɑːl/ ◆ *s* ringhio ◆ *vi* ringhiare

snatch /snætʃ/ ◆ *vt* **1** afferrare **2** (*inform*) scippare **3** rapire **4** (*opportunità*) cogliere PHR V **to snatch at sth 1** (*oggetto*) cercare di afferrare qc **2** (*opportunità*) prendere al volo qc ◆ *s* **1** (*conversazione*) frammento **2** rapimento **3** (*inform*) scippo

sneak /sniːk/ ◆ *vt*: *to sneak a look at sb/sth* dare una sbirciata a qn/qc PHR V **to sneak sth in/out** portare/portar via qc di nascosto **to sneak in, out, away, etc** entrare, uscire, allontanarsi, ecc furtivamente **to sneak into, out of, past, etc sth** entrare in, uscire da passare davanti a, ecc qc furtivamente ◆ *s* (*inform*) spione, -a

sneakers /ˈsniːkəz/ *s* [*pl*] (*USA*) scarpe da ginnastica

sneer /snɪə(r)/ ◆ *s* **1** sogghigno **2** commento beffardo ◆ *vi* **1** sogghignare **2** ~ **at sb/sth** beffarsi di qn/qc

sneeze /sniːz/ ◆ *s* starnuto ◆ *vi* starnutire

sniff /snɪf/ ◆ **1** *vi* tirare su col naso **2** *vi, vt* fiutare, annusare **3** *vt* (*droga*) sniffare ◆ *s* annusata

snigger /ˈsnɪgə(r)/ ◆ *s* risatina ◆ *vi* ~ (**at sb/sth**) ridacchiare (di qn/qc)

snip /snɪp/ *vt* (**-pp-**) tagliare con le forbici: *to snip sth off* tagliare via qc con le forbici

sniper /ˈsnaɪpə(r)/ *s* cecchino

snob /snɒb/ *s* snob **snobbery** *s* snobismo **snobbish** *agg* snob

snoop /snuːp/ ◆ *vi* (*inform*) (*anche* **to snoop about/around**) curiosare ◆ *s* LOC **to have a snoop about/around (sth)** curiosare (in qc)

snore /snɔː(r)/ *vi* russare

snorkel /ˈsnɔːkl/ *s* respiratore subacqueo

snort /snɔːt/ ◆ *vi* sbuffare ◆ *s* sbuffata

snout /snaʊt/ *s* grugno (*di maiale*)

snow /snəʊ/ ◆ *s* neve ◆ *vi* nevicare LOC **to be snowed in/up** essere isolato a causa della neve **to be snowed under (with sth)**: *I was snowed under with work.* Ero sommerso di lavoro.

snowball /ˈsnəʊbɔːl/ ◆ *s* palla di neve ◆ *vi* aumentare rapidamente

snowdrop /ˈsnəʊdrɒp/ *s* bucaneve

snowfall /ˈsnəʊfɔːl/ *s* **1** nevicata **2** nevosità

snowflake /ˈsnəʊfleɪk/ *s* fiocco di neve

snowman /ˈsnəʊmæn/ *s* (*pl* **-men** /-men/) pupazzo di neve

snowy /ˈsnəʊi/ *agg* (**-ier, -iest**) **1** coperto di neve **2** (*giornata, tempo*) nevoso

snub /snʌb/ *vt* (**-bb-**) snobbare

snug /snʌg/ *agg* (**snugger, snuggest**) **1** (*stanza, casa*) accogliente **2** (*abiti*) attillato

snuggle /ˈsnʌgl/ *vi* **1** ~ **down** rannicchiarsi **2** ~ **up to sb** stringersi vicino a qn

so /səʊ/ *avv, cong* **1** così: *Don't be so silly!* Non fare lo sciocco! ◊ *It's so cold!* Che freddo! ◊ *I'm so sorry!* Mi dispiace tanto! ◊ *So it seems.* Così sembra. ◊ *Hold out your hand,* (*like*) *so.* Allunga la mano, così. ◊ *The table is about so big.* Il tavolo è grande all'incirca così. ◊ *If so,...* Se è così,... **2** *I believe/think so.* Credo di sì. ◊ *I hope so.* Lo spero. **3** (*per esprimere accordo*): *'I'm hungry.' 'So am I.'* "Ho fame." "Anch'io." ☛ In questo caso il pronome o il sostantivo segue il verbo. **4** (*esprimendo sorpresa*): *'Philip's gone home.' 'So he has.'* "Philip se n'è andato a casa." "Già." **5** [*uso enfatico*]: *He's as clever as his brother, maybe more so.* È intelligente quanto suo fratello, forse anche di più. ◊ *She has complained, and rightly so.* Si è lamentata e a ragione. **6** così, perciò: *The shops were closed so I didn't get any milk.* I negozi erano chiusi e così non ho potuto comprare il latte. **7** allora: *So why did you do it?* E allora perché l'hai fatto? LOC **and so on (and so forth)** e così via **is that so?** davvero? **so as to do sth** per fare qc **so many** tanti **so much** tanto **so?**; **so what?** (*inform*) e allora? **so that** cosicché

soak /səʊk/ **1** *vt* mettere a mollo, inzuppare **2** *vi* stare a mollo LOC **to get soaked (through)** bagnarsi fino al midollo PHR V **to soak into sth** penetrare in qc **to soak through** penetrare **to soak sth up 1** (*liquido*) assorbire qc **2** (*fig*) assimilare qc **soaked** *agg* bagnato fradicio

soap /səʊp/ *s* [*non numerabile*] sapone

soap opera *s* telenovela

soapy /ˈsəʊpi/ *agg* (**-ier, -iest**) saponato

soar /sɔː(r)/ *vi* **1** (*aereo*) sollevarsi in aria **2** (*prezzi*) aumentare vertiginosamente **3** (*uccello*) librarsi

sob /sɒb/ ◆ *vi* (**-bb-**) singhiozzare ◆ *s* singhiozzo **sobbing** *s* singhiozzi

sober /ˈsəʊbə(r)/ *agg* sobrio

so-called /ˌsəʊ ˈkɔːld/ *agg* (*dispreg*) cosiddetto

soccer /ˈsɒkə(r)/ *s* (*inform*) calcio (*sport*) ☛ *Vedi nota a* CALCIO

sociable /ˈsəʊʃəbl/ *agg* (*approv*) socievole

social /ˈsəʊʃəl/ *agg* sociale

socialism /ˈsəʊʃəlɪzəm/ *s* socialismo **socialist** *s, agg* socialista

socialize, -ise /ˈsəʊʃəlaɪz/ *vi* ~ (**with sb**) socializzare (con qn): *He doesn't* *socialize much.* Non frequenta molta gente.

social security (*USA* **welfare**) *s* previdenza sociale

social services *s* [*pl*] servizi sociali

social work *s* assistenza sociale **social worker** *s* assistente sociale

society /sə'saɪəti/ *s* (*pl* **-ies**) **1** società: *polite society* società bene **2** (*form*) compagnia **3** associazione

sociological /ˌsəʊsiə'lɒdʒɪkl/ *agg* sociologico

sociologist /ˌsəʊsi'ɒlədʒɪst/ *s* sociologo, -a **sociology** *s* sociologia

sock /sɒk/ *s* calzino **LOC** *Vedi* PULL

socket /'sɒkɪt/ *s* **1** (*occhio*) orbita **2** presa di corrente ☛ *Vedi illustrazione a* SPINA **3** (*anche* **light socket**) portalampada

soda /'səʊdə/ *s* **1** soda **2** (*anche* **soda pop**) (*USA, inform*) gassosa

sodden /'sɒdn/ *agg* zuppo

sodium /'səʊdiəm/ *s* sodio

sofa /'səʊfə/ *s* divano

soft /sɒft; *USA* sɔːft/ *agg* (**-er**, **-est**) **1** morbido: *the soft option* la scelta più facile **2** (*colore, luce*) tenue **3** (*brezza*) leggero **4** (*voce*) sommesso **LOC to have a soft spot for sb/sth** (*inform*) avere un debole per qn/qc **softly** *avv* dolcemente, piano

soft drink *s* bibita analcolica

soften /'sɒfn; *USA* 'sɔːfn/ **1** *vt, vi* ammorbidire, ammorbidirsi **2** *vt, vi* (*luce*) attenuare, attenuarsi

soft-spoken /ˌsɒft 'spəʊkən/ *agg* dalla voce sommessa

software /'sɒftweə(r)/ *s* software

soggy /'sɒgi/ *agg* (**-ier**, **-iest**) **1** inzuppato **2** (*pane*) molle e pesante

soil /sɔɪl/ ◆ *s* terra (*per piante, coltivazioni*) ◆ (*form*) *vt* **1** insudiciare **2** (*reputazione*) infangare

solace /'sɒləs/ *s* (*form*) conforto, consolazione

solar /'səʊlə(r)/ *agg* solare: *solar energy* energia solare

sold *pass, pp di* SELL

soldier /'səʊldʒə(r)/ *s* soldato

sole[1] /səʊl/ *s* sogliola

sole[2] /səʊl/ *s* **1** (*piede*) pianta **2** suola ☛ *Vedi illustrazione a* SCARPA

sole[3] /səʊl/ *agg* **1** unico: *her sole interest* il suo unico interesse **2** esclusivo

solemn /'sɒləm/ *agg* **1** (*aspetto, faccia*) serio **2** (*promessa, processione*) solenne **solemnity** /sə'lemnəti/ *s* (*form*) solennità

solicitor /sə'lɪsɪtə(r)/ *s* (*GB*) avvocato, -essa ☛ *Vedi nota a* AVVOCATO

solid /'sɒlɪd/ ◆ *agg* **1** solido **2** (*partito, elettorato*) compatto **3** massiccio **4** *I slept for ten hours solid.* Ho dormito dieci ore filate. ◆ *s* **1 solids** [*pl*] alimenti solidi **2** (*Geom*) solido **solidly** *avv* **1** solidamente **2** di continuo **3** (*votare*) all'unanimità

solidarity /ˌsɒlɪ'dærəti/ *s* solidarietà

solidify /sə'lɪdɪfaɪ/ *vi* (*pass, pp* **-fied**) solidificarsi

solidity /sə'lɪdəti/ (*anche* **solidness**) *s* solidità

solitary /'sɒlətri; *USA* -teri/ *agg* **1** solitario: *to lead a solitary life* fare una vita solitaria **2** (*luogo*) isolato **3** solo, unico **LOC solitary confinement** (*anche inform* **solitary**) isolamento

solitude /'sɒlɪtjuːd; *USA* -tuːd/ *s* solitudine

solo /'səʊləʊ/ ◆ *s* (*pl* **~s**) assolo ◆ *agg, avv* in solitario **soloist** *s* solista

soluble /'sɒljəbl/ *agg* solubile

solution /sə'luːʃn/ *s* soluzione

solve /sɒlv/ *vt* risolvere

solvent /'sɒlvənt/ *s* solvente

sombre (*USA* **somber**) /'sɒmbə(r)/ *agg* **1** (*espressione, umore*) triste **2** (*colore*) scuro

some /səm/ *agg, pron* **1** un po' di: *There's some milk in the fridge.* C'è del latte in frigo. ◇ *Would you like some?* Ne vuoi un po'? **2** alcuni: *Some people stayed until the end and some left early.* Alcuni sono rimasti sino alla fine e altri sono andati via presto. ◇ *Do you want some crisps?* Vuoi delle patatine?

Some o **any**? Entrambi si usano con sostantivi non numerabili o al plurale e anche se spesso in italiano non si traducono, in inglese non si possono omettere. In genere **some** si usa nelle frasi affermative e **any** in quelle interrogative e negative: *I've got some money.* Ho dei soldi. ◇ *Have you got any children?* Hai figli? ◇ *I don't want any sweets.* Non voglio caramelle. Tuttavia

some si può usare in frasi interrogative quando ci si aspetta una risposta affermativa, ad esempio quando si offre o si richiede qualcosa: *Would you like some coffee?* Vuoi del caffè? ◊ *Can I have some bread, please?* Mi può portare del pane, per favore? Quando **any** si usa nelle frasi affermative significa "qualunque": *Any parent would have worried.* Qualunque genitore si sarebbe preoccupato. *Vedi anche esempi a* ANY.

somebody /ˈsʌmbədi/ (*anche* **someone** /ˈsʌmwʌn/) *pron* qualcuno: *somebody else* qualcun altro ☛ La differenza tra **somebody** e **anybody**, o tra **someone** e **anyone**, è la stessa che tra **some** e **any**. *Vedi nota a* SOME.

somehow /ˈsʌmhaʊ/ (*USA anche* **someway** /ˈsʌmweɪ/) *avv* **1** in qualche modo: *Somehow we had got completely lost.* Non so come, ci eravamo persi. **2** per qualche ragione: *I somehow get the feeling that I've been here before.* Non so perché, ma mi sembra di essere già stato qui.

someone /ˈsʌmwʌn/ *pron Vedi* SOMEBODY

somersault /ˈsʌməsɔːlt/ *s* **1** capriola, salto mortale: *to do a forward/backward somersault* fare una capriola in avanti/all'indietro **2** (*auto*) ribaltamento

something /ˈsʌmθɪŋ/ *pron* qualcosa: *something else* qualcos'altro ◊ *something to eat* qualcosa da mangiare ☛ La differenza tra **something** e **anything** è la stessa che tra **some** e **any**. *Vedi nota a* SOME.

sometime /ˈsʌmtaɪm/ *avv* **1** un giorno: *sometime or other* un giorno o l'altro **2** *Can I see you sometime today?* Posso vederti in giornata? ◊ *Phone me sometime next week.* Telefonami nel corso della prossima settimana.

sometimes /ˈsʌmtaɪmz/ *avv* a volte, qualche volta ☛ *Vedi nota a* ALWAYS

somewhat /ˈsʌmwɒt/ *avv* [*con agg o avv*] piuttosto, alquanto: *I have a somewhat different question.* Ho una domanda alquanto diversa. ◊ *We missed the bus, which was somewhat unfortunate.* Abbiamo perso l'autobus, cosa alquanto antipatica.

somewhere /ˈsʌmweə(r)/ (*USA anche* **someplace**) ♦ *avv* da qualche parte: *I've seen your glasses somewhere downstairs.* Ho visto i tuoi occhiali giù da qualche parte. ◊ *somewhere else* da qualche altra parte ♦ *pron*: *to have somewhere to go* avere un posto dove andare ☛ La differenza tra **somewhere** e **anywhere** è la stessa che tra **some** e **any**. *Vedi nota a* SOME.

son /sʌn/ *s* figlio **LOC** *Vedi* FATHER

song /sɒŋ; *USA* sɔːŋ/ *s* **1** canzone **2** (*uccello*) canto

son-in-law /ˈsʌn ɪn lɔː/ *s* (*pl* **sons-in-law**) genero

soon /suːn/ *avv* (**-er**, **-est**) presto, fra poco **LOC as soon as** appena: *as soon as possible* appena possibile **(just) as soon do sth (as do sth)**: *I'd (just) as soon stay at home as go out.* Preferisco stare a casa che uscire. **sooner or later** prima o poi **the sooner the better** prima è meglio è

soot /sʊt/ *s* fuliggine

soothe /suːð/ *vt* calmare

sophisticated /səˈfɪstɪkeɪtɪd/ *agg* **1** sofisticato **2** raffinato **sophistication** *s* raffinatezza

soppy /ˈsɒpi/ *agg* (*GB, inform*) sdolcinato

sordid /ˈsɔːdɪd/ *agg* sordido

sore /sɔː(r)/ ♦ *s* piaga ♦ *agg* dolorante: *to have a sore throat* avere mal di gola ◊ *I've got sore eyes.* Mi fanno male gli occhi. **LOC a sore point** un punto delicato **sorely** *avv* (*form*) *She will be sorely missed.* Ci mancherà molto. ◊ *I was sorely tempted to do it.* Ho avuto la forte tentazione di farlo.

sorrow /ˈsɒrəʊ/ *s* dolore: *to my great sorrow* con mio gran rammarico

sorry /ˈsɒri/ ♦ *escl* **1** scusi! ☛ *Vedi nota a* EXCUSE **2 sorry?** come, scusi? ♦ *agg* **1** *I'm sorry I'm late.* Scusa il ritardo. ◊ *I'm so sorry.* Mi dispiace tanto. **2** *He's very sorry for what he's done.* È pentito di quello che ha fatto. ◊ *You'll be sorry!* Te ne pentirai! **3** (**-ier**, **-iest**) (*condizione*) pietoso **LOC to say you are sorry** chiedere scusa *Vedi anche* BETTER, FEEL

sort /sɔːt/ ♦ *s* **1** tipo, genere: *They sell all sorts of gifts.* Vendono idee regalo di tutti i tipi. **2** (*antiq, inform*) persona: *He's not a bad sort really.* È una brava persona, in fondo. **LOC a sort of**: *It's a sort of autobiography.* È una specie di autobiografia. **sort of** (*inform*): *I feel sort of uneasy.* Mi sento come inquieto. *Vedi anche* NOTHING ◆ *vt* **1** classificare, ordinare **2** separare **PHR V to sort sth out** sistemare qc **to sort through sth** ordinare qc

so-so /ˌsəʊ ˈsəʊ, ˈsəʊ səʊ/ *agg, avv* (*inform*) così così

sought *pass, pp di* SEEK

sought-after /ˈsɔːt ɑːftə(r); *USA* -æf-/ *agg* ambito

soul /səʊl/ *s* anima: *There wasn't a soul to be seen.* Non c'era un'anima. ◊ *Poor soul!* Poverino! **LOC** *Vedi* BODY

sound[1] /saʊnd/ ◆ *s* **1** suono: *sound waves* onde sonore **2** rumore: *I could hear the sound of voices.* Sentivo delle voci. ◊ *She opened the door without a sound.* Ha aperto la porta senza far rumore. **3 the sound** il volume: *Can you turn the sound up/down?* Puoi aumentare/abbassare il volume? ◆ **1** *vi*: *Your voice sounds a bit odd.* La tua voce ha un suono strano. **2** *vi* sembrare: *She sounded very surprised.* Sembrava molto sorpresa. ◊ *He sounds a very nice person from his letter.* Dalla lettera sembra molto simpatico. **3** *vt* pronunciare: *You don't sound the 'h'.* Non si pronuncia la "h". **4** *vt* (*tromba, allarme*) suonare

sound[2] /saʊnd/ ◆ *agg* (**-er, -est**) **1** sano **2** (*struttura*) solido **3** (*argomento*) valido **LOC being of sound mind** in pieno possesso delle proprie facoltà mentali *Vedi anche* SAFE[1] ◆ *avv* **LOC to be sound asleep** dormire profondamente

sound[3] /saʊnd/ *vt* (*mare*) sondare **PHR V to sound sb out (about/on sth)** sondare l'opinione di qn (su qc)

soundproof /ˈsaʊndpruːf/ ◆ *agg* insonorizzato ◆ *vt* insonorizzare

soundtrack /ˈsaʊndtræk/ *s* colonna sonora

soup /suːp/ *s* zuppa, minestra in brodo: *soup spoon* cucchiaio da minestra ◊ *pea soup* crema di piselli

sour /ˈsaʊə(r)/ *agg* **1** (*sapore*) aspro **2** (*latte*) inacidito **LOC to go/turn sour** inacidirsi

source /sɔːs/ *s* **1** (*informazioni, energia, ecc*) fonte: *They didn't reveal their sources.* Non hanno rivelato le loro fonti. ◊ *a source of income* una fonte di reddito **2** (*fiume*) sorgente

south /saʊθ/ ◆ *s* (*anche* **the south**, **the South**) (*abbrev* **S**) (il) sud: *Brighton is in the South of England.* Brighton è nel sud dell'Inghilterra. ◊ *southbound* diretto a sud ◆ *agg* del sud, meridionale: *south winds* venti del sud ◆ *avv* a sud: *The house faces south.* La casa è esposta a sud. *Vedi anche* SOUTHWARD(s)

south-east /ˌsaʊθ ˈiːst/ ◆ *s* (*abbrev* **SE**) sudest ◆ *agg* di sudest, sudorientale ◆ *avv* a sudest **south-eastern** *agg* di sudest, sudorientale

southern (*anche* **Southern**) /ˈsʌðən/ *agg* del sud, meridionale: *southern Italy* l'Italia meridionale ◊ *the southern hemisphere* l'emisfero australe **southerner** *s* meridionale, abitante del sud

southward(s) /ˈsaʊθwədz/ *avv* verso sud *Vedi anche* SOUTH *avv*

south-west /ˌsaʊθ ˈwest/ ◆ *s* (*abbrev* **SW**) sudovest ◆ *agg* di sudovest, sudoccidentale ◆ *avv* a sudovest **south-western** *agg* di sudovest, sudoccidentale

sovereign /ˈsɒvrɪn/ *agg, s* sovrano, -a **sovereignty** *s* sovranità

sow[1] /saʊ/ *s* scrofa ☛ *Vedi nota a* MAIALE

sow[2] /səʊ/ *vt* (*pass* **sowed** *pp* **sown** /səʊn/ *o* **sowed**) seminare

soya /sɔɪə/ (*USA* **soy** /sɔɪ/) *s* soia: *soya beans* semi di soia

spa /spɑː/ *s* stazione termale

space /speɪs/ ◆ *s* **1** [*non numerabile*] posto, spazio: *Leave some space for the dogs.* Lascia un po' di spazio per i cani. ◊ *There's no space for my suitcase.* Non c'è posto per la mia valigia. **2** (*Aeron*) spazio: *a space flight* un volo spaziale ◊ *to stare into space* guardare nel vuoto **3** *in a short space of time* in un breve spazio di tempo ◊ *in the space of two hours* nell'arco di due ore ◆ *vt* ~ **sth (out)** spaziare qc

spacecraft /ˈspeɪskrɑːft; *USA* -kræft/ *s* (*pl* **spacecraft**) (*anche* **spaceship**) astronave

spacious /ˈspeɪʃəs/ *agg* spazioso

spade /speɪd/ *s* **1** vanga **2 spades** [*pl*] (*Carte*) picche ☛ *Vedi nota a* CARTA

spaghetti /spəˈgeti/ *s* [*non numerabile*] spaghetti

span /spæn/ ◆ *s* **1** (*di un ponte*) luce,

campata **2** (*di tempo*) durata: *time span/span of time* lasso di tempo ◊ *over a span of six years* nell'arco di sei anni ◆ *vt* (**-nn-**) **1** (*ponte*) attraversare **2** (*fig*) abbracciare

spank /spæŋk/ *vt* sculacciare, dare una sculacciata a

spanner /ˈspænə(r)/ (*spec USA* **wrench**) *s* chiave fissa

spare /speə(r)/ ◆ *agg* **1** in più, d'avanzo: *There are no spare seats.* Non ci sono più posti. ◊ *the spare room* la stanza degli ospiti **2** di scorta, di riserva: *a spare tyre/part* una gomma di scorta/un pezzo di ricambio **3** (*tempo*) libero ◆ *s* pezzo di ricambio ◆ *vt* **1** ~ **sth (for sb/sth)** (*tempo, soldi*) avere qc (per qn/qc) **2** (*persona, critiche*) risparmiare: *No expense was spared.* Non hanno badato a spese. ◊ *Spare me the gory details.* Risparmiami i particolari. LOC **to spare** d'avanzo: *with two minutes to spare* con due minuti di anticipo **sparing** *agg* ~ **with/of/in sth** parsimonioso con qc

spark /spɑːk/ ◆ *s* scintilla ◆ PHR V **to spark sth (off)** (*inform*) provocare, suscitare qc

sparkle /ˈspɑːkl/ ◆ *vi* scintillare, brillare ◆ *s* scintillio **sparkling** *agg* **1** (*anche* **sparkly**) scintillante **2** (*vino, acqua*) frizzante

sparrow /ˈspærəʊ/ *s* passero

sparse /spɑːs/ *agg* **1** (*capelli*) rado **2** (*popolazione*) scarso

spartan /ˈspɑːtn/ *agg* spartano

spasm /ˈspæzəm/ *s* spasmo

spat *pass, pp di* SPIT

spate /speɪt/ *s* ondata

spatial /ˈspeɪʃl/ *agg* (*form*) spaziale (*illusione, intelligenza*) ☛ *Confronta* SPACE

spatter /ˈspætə(r)/ *vt* ~ **sb with sth**; ~ **sth on sb** schizzare qn di qc

speak /spiːk/ (*pass* **spoke** /spəʊk/ *pp* **spoken** /spəʊkən/) **1** *vi* ~ **(to sb)** parlare (con qn): *Can I speak to you a minute, please?* Posso parlarti un attimo, per favore? ☛ *Vedi nota a* PARLARE **2** *vt* (*lingua*) parlare: *Do you speak French?* Parli francese? **3** *vt* dire: *to speak the truth* dire la verità ◊ *He spoke only two words the whole evening.* Ha detto solo due parole in tutta la sera. **4** *vi* ~ **(on/about sth)** parlare (di qc) **5** (*inform*) *vi* parlarsi: *They're not speaking (to each other).* Non si rivolgono la parola. LOC **generally, etc speaking** generalmente parlando, ecc **so to speak** per così dire **to speak for itself**: *The statistics speak for themselves.* Le statistiche parlano da sole. **to speak for sb** parlare a nome di qn **to speak up** parlare più forte **to speak your mind** dire quello che si pensa *Vedi anche* STRICTLY *a* STRICT

speaker /ˈspiːkə(r)/ *s* **1** *a native speaker of English* un madrelingua inglese **2** (*in pubblico*) oratore, -trice **3** altoparlante *Vedi* LOUDSPEAKER

spear /spɪə(r)/ *s* lancia

special /ˈspeʃl/ ◆ *agg* **1** speciale: *nothing special* niente di speciale **2** (*riunione, edizione*) straordinario ◆ *s* **1** (*programma, ecc*) speciale **2** (*inform*) offerta speciale **specialist** *s* specialista

speciality /ˌspeʃɪˈæləti/ (*spec USA* **specialty** /ˈspeʃəlti/) *s* (*pl* **-ies**) specialità

specialize, -ise /ˈspeʃəlaɪz/ *vi* ~ **(in sth)** specializzarsi (in qc) **specialization, -isation** *s* specializzazione **specialized, -ised** *agg* specializzato

specially /ˈspeʃli/ *avv* **1** specialmente, espressamente, appositamente

> Anche se **specially** e **especially** hanno significati simili, si usano in modi diversi. **Specially** si usa con participi e **especially** come connettore: *specially designed for schools* ideato espressamente per le scuole ◊ *He likes dogs, especially poodles.* Gli piacciono i cani, specialmente i barboncini.

2 (*anche* **especially**) particolarmente

species /ˈspiːʃiːz/ *s* (*pl* **species**) specie

specific /spəˈsɪfɪk/ *agg* specifico, preciso **specifically** *avv* specificamente, appositamente

specification /ˌspesɪfɪˈkeɪʃn/ *s* **1** specificazione **2** [*gen pl*] specifiche, dati caratteristici

specify /ˈspesɪfaɪ/ *vt* (*pass, pp* **-fied**) specificare, precisare

specimen /ˈspesɪmən/ *s* campione, esemplare

speck /spek/ *s* **1** (*sporco*) macchiolina **2** (*polvere*) granello **3** *a speck on the horizon* un puntino all'orizzonte **4** (*piccola quantità*) briciolo: *not a speck* *of initiative* neanche un briciolo d'iniziativa

spectacle /ˈspektəkl/ *s* spettacolo

spectacles /ˈspektəklz/ *s* (*abbrev* **specs**) [*pl*] (*form*) occhiali ☛ La parola più comune è **glasses**.

spectacular /spekˈtækjələ(r)/ *agg* spettacolare

spectator /spekˈteɪtə(r); *USA* ˈspekteɪtər/ *s* spettatore, -trice

spectre (*USA* **specter**) /ˈspektə(r)/ *s* (*form, lett e fig*) spettro: *the spectre of another war* lo spettro di un'altra guerra

spectrum /ˈspektrəm/ *s* (*pl* **-tra** /ˈspektrə/) **1** (*Fis*) spettro **2** gamma

speculate /ˈspekjuleɪt/ *vi* **1** ~ (**about sth**) fare congetture (su qc) **2** ~ (**in sth**) speculare (in qc) **speculation** *s* **1** ~ (**on/about sth**) congetture (su qc) **2** ~ (**in sth**) speculazione (in qc)

speculative /ˈspekjələtɪv; *USA* ˈspekjəleɪtɪv/ *agg* speculativo

speculator /ˈspekjuleɪtə(r)/ *s* speculatore, -trice

sped *pass, pp di* SPEED

speech /spiːtʃ/ *s* **1** parola: *freedom of speech* libertà di parola ◊ *to lose the power of speech* perdere l'uso della parola **2** discorso: *to make/deliver/give a speech* fare un discorso **3** linguaggio: *children's speech* il linguaggio dei bambini ◊ *speech therapy* cura dei problemi del linguaggio **4** (*Teat*) battute

speechless /ˈspiːtʃləs/ *agg* senza parole, ammutolito

speed /spiːd/ ◆ *s* velocità, rapidità LOC **at speed** a tutta velocità *Vedi anche* FULL, PICK ◆ *vt* (*pass, pp* **speeded**) affrettare PHR V **to speed (sth) up** accelerare (qc) ◆ *vi* (*pass, pp* **sped** /sped/) andare a tutta velocità: *I was fined for speeding.* Mi hanno multato per eccesso di velocità.

speedily /ˈspiːdɪli/ *avv* rapidamente

speedometer /spiːˈdɒmɪtə(r)/ *s* tachimetro

speedy /ˈspiːdi/ *agg* (**-ier, -iest**) (*spesso inform*) pronto, rapido: *a speedy recovery* una pronta guarigione

spell /spel/ ◆ *s* **1** incantesimo **2** periodo **3** ~ (**at/on sth**) turno (a qc) LOC *Vedi* CAST ◆ *vt, vi* (*pass, pp* **spelt** /spelt/ *o* **spelled**) ☛ *Vedi nota a* DREAM **1** compitare, scrivere correttamente: *How do you spell it?* Come si scrive? **2** significare PHR V **to spell sth out** spiegare qc a chiare lettere

spelling /ˈspelɪŋ/ *s* ortografia

spelt *pass, pp di* SPELL

spend /spend/ *vt* (*pass, pp* **spent** /spent/) **1** ~ **sth** (**on sth**) spendere qc (in qc) **2** (*tempo*) passare **3** ~ **sth on sth** (*tempo, energia*) dedicare qc a qc **spending** *s* spesa: *public spending* la spesa pubblica

sperm /spɜːm/ *s* (*pl* **sperm**) sperma

sphere /sfɪə(r)/ *s* sfera

sphinx /sfɪŋks/ (*anche* **the Sphinx**) *s* sfinge

spice /spaɪs/ ◆ *s* **1** (*lett*) spezia **2** (*fig*) vivacità: *to add spice to a situation* vivacizzare una situazione ◆ *vt* condire con spezie **spicy** *agg* (**-ier, -iest**) piccante *Vedi anche* HOT

spider /ˈspaɪdə(r)/ *s* ragno: *spider's web* ragnatela *Vedi anche* COBWEB

spied *pass, pp di* SPY

spike /spaɪk/ *s* **1** punta, spuntone **2** (*scarpe sportive*) chiodo, tacchetto **spiky** *agg* (**-ier, -iest**) appuntito, spinoso

spill /spɪl/ ◆ *vt, vi* (*pass, pp* **spilt** /spɪlt/ *o* **spilled**) ☛ *Vedi nota a* DREAM rovesciare, rovesciarsi, versare, versarsi ☛ *Vedi illustrazione a* VERSARE LOC *Vedi* CRY PHR V **to spill over** riversarsi ◆ (*anche* **spillage**) *s* **1** fuoriuscita **2** sostanza fuoriuscita

spin /spɪn/ (**-nn-**) (*pass, pp* **spun** /spʌn/) ◆ **1** *vi* ~ (**round**) ruotare, girare: *My head is spinning.* Mi gira la testa. **2** *vt* ~ **sth** (**round**) far girare qc; far ruotare qc **3** *vt, vi* (*lavatrice*) centrifugare **4** *vt* filare PHR V **to spin sth out** far durare qc ◆ *s* **1** movimento rotatorio, giro **2** (*inform*) giretto: *to go for a spin* fare un giretto

spinach /ˈspɪnɪdʒ; *USA* -ɪtʃ/ *s* [*non numerabile*] spinaci

spinal /ˈspaɪnl/ *agg* spinale: *spinal column* colonna vertebrale

spine /spaɪn/ *s* **1** (*Anat*) spina dorsale **2** (*Bot*) spina **3** (*Zool*) aculeo **4** (*libro*) dorso

spinster /ˈspɪnstə(r)/ *s* (*spesso offensivo*) zitella

piral /ˈspaɪrəl/ ◆ *s* spirale ◆ *agg* a spirale: *a spiral staircase* una scala a chiocciola

pire /ˈspaɪə(r)/ *s* guglia

pirit /ˈspɪrɪt/ *s* **1** spirito **2** stato d'animo **3 spirits** [*pl*] superalcolici **4 spirits** [*pl*] morale: *in high spirits* su di morale **spirited** *agg* vivace

piritual /ˈspɪrɪtʃuəl/ *agg* spirituale

pit /spɪt/ (**-tt-**) (*pass, pp* **spat** /spæt/ *anche spec USA* **spit**) ◆ **1** *vt, vi* sputare **2** *vi* (*fuoco, ecc*) scoppiettare PHR V **to spit sth out** sputare fuori qc ◆ *s* **1** sputo **2** lingua di terra **3** spiedo

pite /spaɪt/ ◆ *s* dispetto: *out of/from spite* per dispetto LOC **in spite of** nonostante ◆ *vt* far dispetto a **spiteful** *agg* dispettoso, maligno

plash /splæʃ/ ◆ *s* **1** tonfo **2** spruzzo **3** macchia (*di colore*) LOC **to make a splash** (*inform*) fare colpo ◆ **1** *vi* schizzare **2** *vt* ~ **sb/sth (with sth)** spruzzare qn/qc (con qc) PHR V **to splash out (on sth)** (*inform*) concedersi il lusso di comprare (qc)

platter /ˈsplætə(r)/ (*anche* **spatter**) *vt* schizzare

plendid /ˈsplendɪd/ *agg* splendido, magnifico

plendour (*USA* **splendor**) /ˈsplendə(r)/ *s* splendore

plint /splɪnt/ *s* stecca (*per osso fratturato*)

plinter /ˈsplɪntə(r)/ ◆ *s* scheggia ◆ *vt, vi* **1** scheggiare, scheggiarsi **2** scindere, scindersi

plit /splɪt/ (**-tt-**) (*pass, pp* **split**) ◆ **1** *vt, vi* spaccare, spaccarsi: *to split sth in two* spaccare in due qc **2** *vt, vi* (*gruppo*) dividere, dividersi **3** *vt* (*torta, ecc*) spartire PHR V **to split up (with sb)** lasciare qn, lasciarsi ◆ *s* **1** divisione, spaccatura **2** strappo **3 the splits** [*pl*]: *to do the splits* fare la spaccata ◆ *agg* spaccato, diviso

plutter /ˈsplʌtə(r)/ ◆ **1** *vt, vi* farfugliare **2** *vi* sputacchiare **3** *vi* (*anche* **sputter**) (*fuoco, ecc*) crepitare ◆ *s* crepitio

poil /spɔɪl/ (*pass, pp* **spoilt** /spɔɪlt/ *o* **spoiled**) ☛ *Vedi nota a* DREAM **1** *vt, vi* rovinare, rovinarsi, guastare, guastarsi **2** *vt* (*bambino*) viziare

poils /spɔɪlz/ *s* [*pl*] bottino

spoilt ◆ *pass, pp di* SPOIL ◆ *agg* viziato

spoke /spəʊk/ ◆ *pass di* SPEAK ◆ *s* raggio (*di ruota*)

spoken *pp di* SPEAK

spokesman /ˈspəʊksmən/ *s* (*pl* **-men** /-mən/) portavoce *m* ☛ Si preferisce usare la parola **spokesperson**, che si riferisce sia ad un uomo che ad una donna.

spokesperson /ˈspəʊkspɜːsn/ *s* portavoce ☛ Si riferisce sia ad un uomo che ad una donna. *Confronta* SPOKESMAN e SPOKESWOMAN.

spokeswoman /ˈspəʊkswʊmən/ *s* (*pl* **-women**) portavoce *f* ☛ Si preferisce usare la parola **spokesperson**, che si riferisce sia ad un uomo che ad una donna.

sponge /spʌndʒ/ ◆ *s* **1** spugna **2** (*anche* **sponge cake**) pan di Spagna ◆ PHR V **to sponge on/off sb** (*inform*) vivere alle spalle di qn

sponsor /ˈspɒnsə(r)/ ◆ *s* **1** promotore, -trice **2** sponsor ◆ *vt* **1** promuovere **2** sponsorizzare **sponsorship** *s* sponsorizzazione

spontaneous /spɒnˈteɪniəs/ *agg* spontaneo **spontaneity** /ˌspɒntə ˈneɪəti/ *s* spontaneità

spooky /ˈspuːki/ *agg* (*inform*) (**-ier**, **-iest**) sinistro (*pauroso*)

spoon /spuːn/ ◆ *s* **1** cucchiaio **2** (*anche* **spoonful**) cucchiaiata ◆ *vt*: *She spooned the mixture out of the bowl.* Con un cucchiaio ha tolto la miscela dalla ciotola.

sporadic /spəˈrædɪk/ *agg* sporadico

sport /spɔːt/ *s* **1** sport: *sports facilities* attrezzature sportive ◊ *sports field* campo sportivo **2** (*inform*) *to be a good/bad sport* avere/non avere spirito sportivo **sporting** *agg* sportivo

sports car *s* macchina sportiva

sportsman /ˈspɔːtsmən/ *s* (*pl* **-men** /-mən/) sportivo **sportsmanlike** *agg* sportivo (*leale*) **sportsmanship** *s* sportività

sportswoman /ˈspɔːtswʊmən/ *s* (*pl* **-women**) sportiva

spot¹ /spɒt/ *vt* (**-tt-**) scorgere: *He finally spotted a shirt he liked.* Alla fine ha trovato una camicia che gli piaceva. ◊ *Nobody spotted the mistake.* Nessuno notò l'errore.

spot² /spɒt/ *s* **1** (*disegno*) pallino: *a blue skirt with red spots on it* una gonna blu a pallini rossi **2** (*animali*) macchia **3** (*viso*) brufolo **4** posto: *a nice spot for a picnic* un bel posto per un picnic **5** ~ **of sth** (*inform, GB*): *Would you like a spot of lunch?* Vuoi mangiare qualcosa? ◊ *You seem to be having a spot of bother.* Mi sembri in difficoltà. **6** *Vedi* SPOTLIGHT **LOC** *Vedi* SOFT

spotless /ˈspɒtləs/ *agg* **1** (*casa*) immacolato **2** (*reputazione*) senza macchia

spotlight /ˈspɒtlaɪt/ *s* **1** (*anche* **spot**) riflettore **2** (*fig*): *to be in the spotlight* essere al centro dell'attenzione

spotted /ˈspɒtɪd/ *agg* **1** (*animale*) maculato **2** (*abito*) a pallini

spotty /ˈspɒti/ *agg* (**-ier**, **-iest**) **1** brufoloso **2** (*stoffa*) a pallini

spouse /spaʊz; *USA* spaʊs/ *s* (*Dir*) coniuge

spout /spaʊt/ ◆ *s* **1** (*teiera*) beccuccio **2** (*grondaia*) scarico ◆ **1** *vi* ~ (**out/up**) sgorgare **2** *vi* ~ (**out of/from sth**) sgorgare (da qc) **3** *vt* ~ **sth** (**out/up**) sprizzare qc **4** *vt, vi* (*inform, spesso dispreg*) declamare

sprain /spreɪn/ ◆ *vt*: *to sprain your ankle* slogarsi una caviglia ◆ *s* slogatura

sprang *pass di* SPRING

sprawl /sprɔːl/ *vi* **1** ~ (**out**) (**across/in/on sth**) spaparanzarsi (su qc) **2** (*città*) estendersi disordinatamente

spray /spreɪ/ ◆ *s* **1** spruzzi **2** (*bomboletta*) spray, vaporizzatore ◆ **1** *vt* ~ **sth on/over sb/sth**; ~ **sb/sth with sth** spruzzare qn/qc di qc **2** *vi* ~ (**out**) (**over, across, etc sb/sth**) schizzare (su qn/qc)

spread /spred/ (*pass, pp* **spread**) ◆ **1** *vt* ~ **sth** (**out**) (**on/over sth**) distendere, spiegare qc (su qc) **2** *vt* ~ **sth with sth** coprire qc con qc **3** *vt, vi* spalmare, spalmarsi **4** *vt, vi* (*fuoco*) estendere, estendersi **5** *vt, vi* (*notizia, malattia*) diffondere, diffondersi **6** *vt* (*pagamenti*) scaglionare ◆ *s* **1** estensione **2** (*ali*) apertura **3** diffusione **4** crema, formaggio, ecc da spalmare

spree /spriː/ *s*: *to go on a shopping/spending spree* darsi alle spese folli

spring /sprɪŋ/ ◆ *s* **1** primavera: *spring clean(ing)* pulizie di primavera **2** salto **3** sorgente **4** molla **5** elasticità ◆ (*pass* **sprang** /spræŋ/ *pp* **sprung** /sprʌŋ/) *v* **1** saltare: *to spring into action* entrar in azione *Vedi anche* JUMP **2** (*liquido* sgorgare **LOC** *Vedi* MIND **PHR V** t **spring back** scattare all'indietro t **spring from sth** provenire da qc t **spring sth on sb** (*inform*) prendere q alla sprovvista con qc

springboard /ˈsprɪŋbɔːd/ *s* (*lett e fig* trampolino

springtime /ˈsprɪŋtaɪm/ *s* primavera

sprinkle /ˈsprɪŋkl/ *vt* **1** ~ **sth** (**with st** cospargere, spruzzare qc (di qc) **2** ~ **st** (**on/onto/over sth**) spruzzare qc (su q **sprinkling** *s* ~ (**of sb/sth**): *a sprinklin of film stars* alcune stelle del cinema ◊ *sprinkling of thyme* un pizzico di tim

sprint /sprɪnt/ ◆ *vi* **1** fare una corsa (*Sport*) sprintare ◆ *s* **1** corsa: *th women's 100 metres sprint* i 100 metr piani femminili **2** sprint

sprout /spraʊt/ ◆ **1** *vi* ~ (**out/up**) (**fro sth**) spuntare, germogliare (da qc) **2** (*Bot*) mettere, produrre (*fiori, germogl* ◆ *s* **1** germoglio **2** *Vedi* BRUSSE SPROUT

sprung *pp di* SPRING

spun *pass, pp di* SPIN

spur /spɜː(r)/ ◆ *s* **1** sperone **2 a** ~ (**sth**) (*fig*) uno sprone (a qc) **LOC on th spur of the moment** d'impulso ◆ (**-rr-**) ~ **sb/sth** (**on**) spronare qn/qc

spurn /spɜːn/ *vt* (*form*) respinger rifiutare

spurt /spɜːt/ ◆ *vi* ~ (**out**) (**from st** sgorgare (da qc) ◆ *s* **1** getto **2** scatto

spy /spaɪ/ ◆ *s* (*pl* **spies**) spia: *spy thri ers* romanzi di spionaggio ◆ *vi* (*pass, p* **spied**) **to spy** (**on sb/sth**) spiare (q qc)

squabble /ˈskwɒbl/ ◆ *vi* ~ (**with s** (**about/over sth**) bisticciare (con q (per qc) ◆ *s* bisticcio

squad /skwɒd/ *s* [*v sing o pl*] squadr

squadron /ˈskwɒdrən/ *s* [*v sing o p* squadriglia

squalid /ˈskwɒlɪd/ *agg* squallido

squalor /ˈskwɒlə(r)/ *s* squallore

squander /ˈskwɒndə(r)/ *vt* ~ **sth** (**c sth**) **1** (*soldi*) sperperare qc (in qc) (*tempo, energia*) sprecare qc (in qc)

square /skweə(r)/ ◆ *agg* **1** quadrato *one square metre* un metro quadro **LO a square meal** un pasto sostanzioso

be (all) square (with sb) essere pari (con qn) *Vedi anche* FAIR ◆ *s* **1** (*Mat*) quadrato **2** quadro, riquadro **3** (*scacchiera*) casella **4** (*abbrev* **Sq**) piazza (=P.zza) ◆ PHR V **to square up (with sb)** regolare un conto (con qn)

squarely /ˈskweəli/ *avv* direttamente

square root *s* radice quadrata

squash /skwɒʃ/ ◆ *vt, vi* schiacciare, schiacciarsi: *It was squashed flat.* Era completamente schiacciato. ◆ *s* **1** *What a squash!* Che pigia pigia! **2** (*GB*) sciroppo di frutta **3** (*form* **squash rackets**) (*Sport*) squash

squat /skwɒt/ ◆ *vi* **(-tt-)** ~ **(down)** (*persona*) accovacciarsi ◆ *agg* **(-tter, -ttest)** tarchiato, tozzo

squawk /skwɔːk/ ◆ *vi* strillare ◆ *s* strillo

squeak /skwiːk/ ◆ *s* **1** (*topo*) squittio **2** (*cardine*) cigolio **3** (*scarpe*) scricchiolio ◆ *vi* **1** (*topo*) squittire **2** (*cardine*) cigolare **3** (*scarpe*) scricchiolare **squeaky** *agg* **(-ier, -iest) 1** (*voce*) stridulo **2** (*cardine*) cigolante **3** (*scarpe*) scricchiolante

squeal /skwiːl/ ◆ *s* strillo: *the squeal of brakes* lo stridore dei freni ◆ *vt, vi* strillare

squeamish /ˈskwiːmɪʃ/ *agg* facilmente impressionabile

squeeze /skwiːz/ ◆ **1** *vt* (*spugna*) strizzare **2** *vt* (*dentifricio, limone*) spremere **3** *vt, vi* ~ **(sb/sth) into, past, through, etc (sth)**: *to squeeze through a gap in the hedge* passare con difficoltà attraverso un varco nella siepe ◊ *Can you squeeze past/by?* Riesci a passare? ◊ *Can you squeeze anything else into that case?* Riesci a infilarci qualcos'altro in quella valigia? ◆ *s* **1** stretta: *credit squeeze* stretta creditizia **2** *a squeeze of lemon* una spruzzata di limone **3** ressa

squint /ˈskwɪnt/ ◆ *vi* **1** ~ **(at/through sth)** guardare a occhi socchiusi (qc/attraverso qc) **2** essere strabico ◆ *s* strabismo

squirm /skwɜːm/ *vi* **1** contorcersi **2** vergognarsi

squirrel /ˈskwɪrəl; *USA* ˈskwɜːrəl/ *s* scoiattolo

squirt /skwɜːt/ ◆ **1** *vt* spruzzare: *to squirt soda-water into a glass* spruzzare seltz in un bicchiere **2** *vt* ~ **sb/sth (with sth)** spruzzare qn/qc (di qc) **3** *vi* ~ **(out of/from sth)** schizzare fuori (da qc) ◆ *s* spruzzo

stab /stæb/ ◆ *vt* **(-bb-) 1** pugnalare, accoltellare **2** infilzare ◆ *s* pugnalata, coltellata LOC **to have a stab at (doing) sth** (*inform*) provare (a fare) qc **stabbing** *agg* lancinante **stabbing** *s* accoltellamento

stability /stəˈbɪləti/ *s* stabilità

stabilize, -ise /ˈsteɪbəlaɪz/ *vt, vi* stabilizzare, stabilizzarsi

stable¹ /ˈsteɪbl/ *agg* **1** stabile **2** (*persona*) equilibrato

stable² /ˈsteɪbl/ *s* **1** stalla **2** scuderia

stack /stæk/ ◆ *s* **1** pila (*di libri, piatti*) **2** ~ **of sth** [*gen pl*] (*inform*) mucchio di qc ◆ *vt* ~ **sth (up)** impilare qc

stadium /ˈsteɪdiəm/ *s* (*pl* ~**s** *o* **-dia** /-diə/) stadio (*sportivo*)

staff /stɑːf; *USA* stæf/ ◆ *s* [*v sing o pl*] personale, organico: *teaching staff* corpo insegnante ◊ *The staff are all working long hours.* Tutto il personale lavora fino a tardi. ◆ *vt*: *The centre is staffed by volunteers.* Il personale del centro è formato da volontari.

stag /stæg/ ◆ *s* cervo ☛ *Vedi nota a* CERVO ◆ *agg*: *a stag night/party* una festa di addio al celibato

stage /steɪdʒ/ ◆ *s* **1** palcoscenico **2 the stage** [*sing*] il teatro (*professione*) **3** fase, stadio: *at this stage* in questa fase LOC **in stages** a tappe **stage by stage** passo per passo **to be/go on the stage** essere/diventare attore ◆ *vt* **1** mettere in scena **2** (*sciopero*) organizzare

stagger /ˈstægə(r)/ ◆ **1** *vi* barcollare: *He staggered to his feet.* Si rimise in piedi barcollando. **2** *vt* sbalordire **3** *vt* (*viaggi, vacanze*) scaglionare ◆ *s* barcollamento **staggering** *agg* sbalorditivo

stagnant /ˈstægnənt/ *agg* stagnante

stagnate /stægˈneɪt; *USA* ˈstægneɪt/ *vi* stagnare **stagnation** *s* stagnazione

stain /steɪn/ ◆ *s* **1** macchia **2** colorante (*per il legno*) ☛ *Confronta* DYE ◆ **1** *vt, vi* macchiare, macchiarsi **2** *vt* tingere: *stained glass* vetro colorato **stainless** *agg*: *stainless steel* acciaio inossidabile

stair /steə(r)/ *s* **1 stairs** [*pl*] scala: *to go up/down the stairs* salire/scendere le scale **2** gradino

staircase /ˈsteəkeɪs/ (*anche* **stairway**) *s* scala (*parte di un edificio*) *Vedi anche* LADDER

stake /steɪk/ ◆ *s* **1** paletto **2 the stake** il rogo (*supplizio*) **3** [*gen pl*] posta (*scommessa*) **4** (*investimento*) partecipazione LOC **at stake** in gioco: *His reputation is at stake.* È in gioco la sua reputazione. ◆ *vt* **1** puntellare **2** ~ **sth (on sth)** scommettere qc (su qc) LOC **to stake (out) a/your claim to sth** rivendicare qc

stale /steɪl/ *agg* **1** (*pane*) stantio **2** (*aria*) viziato **3** (*idee, ecc*) vecchio **4** (*persona*): *I feel I'm getting stale in this job.* In questo lavoro mi sto fossilizzando.

stalemate /ˈsteɪlmeɪt/ *s* **1** (*scacchi*) stallo **2** (*fig*) punto morto

stalk /stɔːk/ ◆ *s* **1** gambo **2** (*frutta*) picciolo ☛ *Vedi illustrazione a* FRUTTA ◆ **1** *vt* (*animale, persona*) inseguire **2** *vi* ~ **(along)** camminare impettito

stall /stɔːl/ ◆ *s* **1** (*mercato*) bancarella **2** (*stalla*) box **3 stalls** [*pl*] (*GB, Teatro*) platea ◆ **1** *vt, vi* (*macchina, motore*) far spegnere, spegnersi **2** *vi* temporeggiare

stallion /ˈstæliən/ *s* stallone

stalwart /ˈstɔːlwət/ ◆ *s* sostenitore, -trice fedele ◆ *agg* **1** (*antiq, form*) robusto **2** leale

stamina /ˈstæmɪnə/ *s* resistenza (*capacità*)

stammer /ˈstæmə(r)/ (*anche* **stutter**) ◆ *vi, vt* balbettare ◆ *s* balbuzie

stamp /stæmp/ ◆ *s* **1** francobollo: *stamp collecting* filatelia

> In Gran Bretagna esistono due tipi di affrancatura: *first class* e *second class*. La prima è un po' più costosa ma consente il recapito il giorno dopo la spedizione.
> Per spedire lettere e cartoline in Italia si possono usare solo francobolli di **first class**.

2 (*su passaporto, ecc*) bollo, timbro **3** (*strumento*) timbro **4** *with a stamp* pestando i piedi ◆ **1** *vt, vi* pestare (i piedi) **2** *vi* camminare con passo pesante **3** *vt* (*lettera*) affrancare **4** *vt* timbrare **5** *vt* stampare, imprimere PHR V **to stamp sth out** (*fig*) eliminare qc, porre fine a qc

stampede /stæmˈpiːd/ ◆ *s* **1** (*animali*) fuga precipitosa **2** (*persone*) fuggi fuggi ◆ *vi* fuggire precipitosamente

stance /stɑːns; *USA* stæns/ *s* **1** posizione **2** ~ **(on sth)** presa di posizion (su qc)

stand /stænd/ ◆ *s* **1** ~ **(on sth)** (*fi* posizione (su qc) **2** (*spesso in composi* sostegno: *an umbrella stand* un port ombrelli ◊ *a music stand* un leggio banco, chiosco **4** (*Sport*) [*spesso p* tribuna **5** (*USA, Dir*) banco dei test moni LOC **to make a stand (against s sth)** opporre resistenza (a qn/qc) **take a stand (on sth)** prendere pos zione (su qc) ◆ (*pass, pp* **stood** /stʊd **1** *vi* stare in piedi, restare in pied *Stand still.* Stai fermo. **2** *vi* ~ **(u** alzarsi in piedi **3** *vt* mettere in piedi *vi*: *to stand three metres high* essere al tre metri **5** *vi*: *A house once stood her* Una volta qui c'era una casa. **6** (*offerta, ecc*) valere **7** *vi* restare, star *as things stand* così come stanno cose **8** *vt* sopportare: *I can't stand hi* Non lo sopporto. **9** *vi* ~ **(for sth)** (*Po tica*) candidarsi (a qc) LOC **it/th stands to reason** è evidente **to stand chance (of sth)** avere buone probab lità (di qc) **to stand fast** tener du *Vedi anche* BAIL, LEG, TRIAL PHR V **stand by sb** appoggiare qn **to stand f sth 1** indicare, rappresentare qc appoggiare qc **3** (*inform*) tollerare **to stand in (for sb)** sostituire (qn) **stand out (from sb/sth)** (*esse migliore*) distinguersi (da qn/qc) **stand sb up** (*inform*) dare buca a qn **stand up for sb/sth/yourself** difende qn/qc/difendersi **to stand up to s** tenere testa a qn

standard /ˈstændəd/ ◆ *s* standar livello LOC **to be up to/below standar** essere accettabile/essere al di sotto d livello accettabile ◆ *agg* **1** standard ufficiale: *standard practice* pras comune

standardize, -ise /ˈstændədaɪz/ standardizzare

standard of living *s* tenore di vita

standby /ˈstændbaɪ/ *s* (*pl* **-bys**) riserva **2** (*Aeron*): *standby list* lis d'attesa ◊ *standby ticket* bigliet standby LOC **to be on standby** tenersi pronto **2** essere in lista d'attes

stand-in /ˈstænd ɪn/ *s* controfigura

standing /ˈstændɪŋ/ ◆ *s* **1** prestigio *of long standing* di lunga data ◆ *ag* permanente

tanding order *s* ordine permanente li pagamento

tandpoint /ˈstændpɔɪnt/ *s* punto di ˈista

tandstill /ˈstændstɪl/ *s* fermo: *to be ıt/come to/bring sth to a standstill* ɜssere fermo/fermarsi/fermare qc **LOC** *Vedi* GRIND

tank *pass di* STINK

taple¹ /ˈsteɪpl/ *agg* principale: *staple liet* alimento base

taple² /ˈsteɪpl/ ◆ *s* punto metallico ◆ *t* cucire con punti metallici **stapler** *s* ːucitrice

tar /stɑː(r)/ ◆ *s* stella ◆ *vi* (**-rr-**) ~ (**in** ɜ**th**) essere protagonista (di qc)

tarboard /ˈstɑːbəd/ *s* tribordo

tarch /stɑːtʃ/ *s* amido **starched** *agg* namidato

tardom /ˈstɑːdəm/ *s* celebrità, notoˈietà

tare /steə(r)/ *vi* ~ (**at sb/sth**) fissare, ;uardare fisso (qn/qc)

tark /stɑːk/ *agg* (**-er**, **-est**) **1** (*paesag-ɡio, condizioni*) desolato **2** (*fatti*) nudo e ːrudo **3** (*contrasto*) evidente: *in stark ontrast to…* in netto contrasto con…

tarry /ˈstɑːri/ *agg* (**-ier**, **-iest**) stellato

tart /stɑːt/ ◆ *s* **1** inizio **2 the start** *sing*] la partenza **LOC for a start** tanto ɹer cominciare **to get off to a good, ɹad, etc start** cominciare bene/male ◆ ɪ *vt, vi* iniziare, cominciare: *It started o rain.* Iniziò a piovere. **2** *vi macchina, motore*) partire **3** *vt* (*voce, ɹettegolezzo*) mettere in giro **LOC to ɜtart with** per cominciare *Vedi anche* ɜALL, FALSE, SCRATCH **PHR V to start off** ɹartire **to start out (on sth/to do sth)** ominciare (qc/a fare qc) **to start (sth) ɹp 1** (*motore*) mettere in moto, mettersi n moto **2** (*impresa*) avviare, mettere su

tarter /ˈstɑːtə(r)/ *s* (*inform, spec GB*) ɪntipasto

tarting point *s* punto di partenza

tartle /ˈstɑːtl/ *vt* far trasalire **startling** *gg* sorprendente

tarve /stɑːv/ **1** *vi* soffrire la fame: *to tarve* (*to death*) morire di fame **2** *vt* far norire di fame **3** *vt* ~ **sb/sth of sth** (*fig*) ɹrivare qn/qc di qc **LOC to be starving** *inform*) morire di fame **starvation** *s* nedia, fame ☛ *Vedi nota a* FAME

tate¹ /steɪt/ ◆ *s* **1** stato: *to be in a fit state to drive* essere in condizioni di guidare ◊ *the State* lo Stato **2 the States** [*sing*] (*inform*) gli Stati Uniti **LOC state of affairs** circostanze **state of mind** stato d'animo *Vedi anche* REPAIR ◆ *agg* (*anche* **State**) statale: *state schools* scuole statali ◊ *a state visit* una visita ufficiale

state² /steɪt/ *vt* **1** dichiarare, affermare: *State your name.* Fornisca il suo nome. **2** stabilire: *within the stated limits* entro i limiti stabiliti

stately /ˈsteɪtli/ *agg* (**-ier**, **-iest**) maestoso: *stately home* residenza nobiliare

statement /ˈsteɪtmənt/ *s* **1** dichiarazione: *to issue a statement* rilasciare una dichiarazione **2** (*polizia*) deposizione

statesman /ˈsteɪtsmən/ *s* (*pl* **-men** /-mən/) statista

static¹ /ˈstætɪk/ *agg* statico

static² /ˈstætɪk/ *s* **1** (*Radio*) interferenze **2** (*anche* **static electricity**) elettricità statica

station¹ /ˈsteɪʃn/ *s* **1** stazione: *railway station* stazione ferroviaria **2** *nuclear power station* centrale nucleare ◊ *police station* commissariato ◊ *fire station* caserma dei pompieri **3** (*Radio*) stazione radiofonica

station² /ˈsteɪʃn/ *vt* mettere di stanza (*truppe*)

stationary /ˈsteɪʃənri; *USA* -neri/ *agg* fermo

stationer /ˈsteɪʃnə(r)/ *s* cartolaio, -a: *stationer's* (*shop*) cartoleria **stationery** /ˈsteɪʃənri; *USA* -neri/ *s* articoli di cancelleria

statistic /stəˈtɪstɪk/ *s* statistica: *unemployment statistics* statistiche sulla disoccupazione **statistics** *s* [*sing*] statistica (*disciplina*)

statue /ˈstætʃuː/ *s* statua

stature /ˈstætʃə(r)/ *s* **1** (*lett*) statura **2** (*fig*) importanza

status /ˈsteɪtəs/ *s* status: *social status* posizione sociale ◊ *marital status* stato civile

statute /ˈstætʃuːt/ *s* **1** legge: *statute book* codice **2** statuto **statutory** /ˈstætʃətri; *USA* -tɔːri/ *agg* stabilito dalla legge

staunch /stɔːntʃ/ *agg* (**-er**, **-est**) fedele, leale

stave /steɪv/ **PHR V to stave sth off 1** (*crisi*) scongiurare qc **2** (*attacco*) respingere qc

stay /steɪ/ ◆ *vi* rimanere: *to stay* (*at*) *home* rimanere a casa ◊ *What hotel are you staying at?* In quale albergo alloggi? ◊ *to stay sober* rimanere sobrio **LOC** *Vedi* CLEAR, COOL **PHR V to stay away (from sb/sth)** stare lontano (da qn/qc) **to stay behind** rimanere **to stay in** rimanere a casa **to stay on (at...)** rimanere (in...): *to stay on at school* continuare gli studi **to stay up** rimanere alzato: *to stay up late* rimanere alzato fino a tardi ◆ *s* permanenza, soggiorno

steady /ˈstedi/ ◆ *agg* (**-ier**, **-iest**) **1** fermo: *to hold sth steady* tenere fermo qc **2** costante: *a steady boyfriend* un ragazzo fisso ◊ *a steady job/income* un lavoro/reddito fisso ◆ (*pass, pp* **steadied**) **1** *vi* stabilizzarsi **2** *v rifl* ~ **yourself** tenersi in equilibrio

steak /steɪk/ *s* bistecca: *a salmon steak* una trancia di salmone

steal /stiːl/ (*pass* **stole** /stəʊl/ *pp* **stolen** /ˈstəʊlən/) **1** *vt, vi* ~ **(sth) (from sb/sth)** rubare (qc) (a qn/da qc) ☛ *Vedi nota a* ROB **2** *vi* ~ **in, out, away, etc** entrare, uscire, allontanarsi, ecc furtivamente: *to steal up on sb* avvicinarsi furtivamente a qn

stealth /stelθ/ *s*: *by stealth* furtivamente **stealthy** *agg* (**-ier**, **-iest**) furtivo

steam /stiːm/ ◆ *s* vapore: *a steam engine* una locomotiva a vapore **LOC** *Vedi* LET[1], RUN ◆ **1** *vi* fumare: *steaming hot coffee* caffè bollente **2** *vt* cuocere al vapore **LOC to get (all) steamed up (about/over sth)** (*inform*) scaldarsi (per qc) **PHR V to steam up** appannarsi

steamer /ˈstiːmə(r)/ *s* nave a vapore

steamroller /ˈstiːmˌrəʊlə(r)/ *s* rullo compressore

steel /stiːl/ ◆ *s* acciaio ◆ *v rifl* ~ **yourself (against sth)** farsi forza (per qc)

steep /stiːp/ *agg* (**-er**, **-est**) **1** ripido **2** (*inform*) (*prezzo*) eccessivo

steeply /ˈstiːpli/ *avv* ripidamente: *The plane was climbing steeply.* L'aereo saliva in verticale. ◊ *Share prices fell steeply.* Le azioni sono precipitate.

steer /stɪə(r)/ **1** *vt, vi* guidare **2** *vt* (*nave*) governare **3** *vi*: *to steer north* dirigersi verso nord ◊ *to steer by the stars* orientarsi con le stelle **4** *vt* (*fi*
portare: *He steered the discussion awa*
from the subject. Ha portato la conve
sazione su un altro argomento. **LO**
Vedi CLEAR **steering** *s* sterzo

steering wheel *s* volante

stem[1] /stem/ ◆ *s* gambo ◆ *v* (**-mm**
PHR V to stem from sth avere origin
da qc

stem[2] /stem/ *vt* (**-mm-**) (*emorragi*
perdita) arrestare

stench /stentʃ/ *s* puzzo

step /step/ ◆ *vi* (**-pp-**) fare un pass
andare: *to step on sth* pestare qc ◊
step over sth scavalcare qc **PHR V**
step down dimettersi **to step in** inte
venire **to step sth up** incrementare
◆ *s* **1** passo **2** gradino **3 steps** [*pl*] sca
LOC step by step poco a poco **to be i**
out of step (with sb/sth) (*lett e fi*
stare/non stare al passo (con qn/qc)
take steps to do sth prendere
misure necessarie per fare qc *Ve*
anche WATCH

stepbrother /ˈstepˌbrʌðə(r)/ *s* frate
lastro

stepchild /ˈsteptʃaɪld/ *s* (*pl* **-childre**
figliastro, -a

stepdaughter /ˈstepˌdɔːtə(r)/ *s* figli
stra

stepfather /ˈstepˌfɑːðə(r)/ *s* patrigno

stepladder /ˈstepˌlædə(r)/ *s* scala
libretto ☛ *Vedi illustrazione a* SCALA

stepmother /ˈstepˌmʌðə(r)/ *s* matr
gna

step-parent /ˈstep peərənt/ *s* patrign
matrigna

stepsister /ˈstepˌsɪstə(r)/ *s* sorellastr

stepson /ˈstepsʌn/ *s* figliastro

stereo /ˈsteriəʊ/ *s* (*pl* ~**s**) stereo

stereotype /ˈsteriətaɪp/ *s* stereotipo

sterile /ˈsteraɪl; *USA* ˈsterəl/ *agg* steri
sterility /stəˈrɪləti/ *s* sterilità **steriliz**
-ise /ˈsterəlaɪz/ *vt* sterilizzare

sterling /ˈstɜːlɪŋ/ ◆ *agg* **1** (*argento*)
titolo di 925/1000 **2** (*fig*) eccellente: *ste*
ling work un ottimo lavoro ◆ (*anc*
pound sterling) *s* lira sterlina

stern[1] /stɜːn/ *agg* (**-er**, **-est**) seve
duro

stern[2] /stɜːn/ *s* poppa (*di nave*)

stew /stjuː; *USA* stuː/ ◆ *vt, vi* cuoce
(*in umido*) ◆ *s* spezzatino, stufato

steward /stjuːəd; *USA* ˈstuːərd/

(*femm* **stewardess**) steward: (*air*) *stewardess* hostess

stick¹ /stɪk/ *s* **1** bastone **2** bastoncino, rametto **3** bacchetta: *a stick of celery* un gambo di sedano ◊ *a stick of dynamite* un candelotto di dinamite

stick² /stɪk/ (*pass, pp* **stuck** /stʌk/) **1** *vt* ficcare, piantare: *to stick a needle in your finger* ficcarsi un ago nel dito ◊ *to stick your fork into a potato* conficcare una forchetta in una patata **2** *vt, vi* appiccicare, appiccicarsi: *Jam sticks to your fingers.* La marmellata si appiccica alle dita. **3** *vt* (*inform*) mettere: *He stuck the pen behind his ear.* Si è messo la penna dietro l'orecchio. **4** *vi* bloccarsi **5** *vt* (*inform*) sopportare: *I can't stick it any longer.* Non ce la faccio più. **6** *vi* ~ **at sth** continuare a lavorare a qc; perseverare in qc **7** ~ **by sb** stare al fianco di qn **8** ~ **to sth** attenersi a qc LOC **to get stuck** bloccarsi: *The bus got stuck in the mud.* L'autobus si è impantanato. ◊ *The lift got stuck between floors six and seven.* L'ascensore si è bloccato tra il sesto e il settimo piano. PHR V **to stick around** (*inform*) restare nei paraggi

to stick out sporgere: *His ears stick out.* Ha le orecchie a sventola. **to stick it/sth out** (*inform*) tener duro/perseverare in qc **to stick sth out 1** (*lingua*) tirar fuori qc **2** (*testa*) sporgere qc

to stick together restare uniti

to stick up sporgere **to stick up for yourself/sb** difendersi/difendere qn

sticker /ˈstɪkə(r)/ *s* autoadesivo

sticky /ˈstɪki/ *agg* **1** appiccicoso **2** (*inform*) (*situazione*) difficile

stiff /stɪf/ ◆ *agg* (**-er**, **-est**) **1** rigido, duro **2** (*articolazione*) indolenzito: *to have a stiff neck* avere il torcicollo **3** (*sugo*) denso **4** (*prova*) difficile **5** (*condanna, lezione*) duro, severo **6** (*persona*) freddo, sostenuto **7** (*vento, bevanda alcolica*) forte ◆ *avv* (*inform*) molto: *bored/scared stiff* annoiato/spaventato a morte

stiffen /ˈstɪfn/ **1** *vi* irrigidirsi **2** *vt* (*colletto*) inamidare

stifle /ˈstaɪfl/ **1** *vt, vi* soffocare **2** *vt* (*ribellione, idee*) reprimere **stifling** *agg* soffocante

stigma /ˈstɪgmə/ *s* stigma

still¹ /stɪl/ *avv* **1** ancora

Still o **yet**? **Still** si usa in frasi affermative e interrogative e va sempre dopo i verbi ausiliari o modali e prima degli altri verbi: *He still talks about her.* Parla ancora di lei. ◊ *Are you still there?* Sei ancora lì? **Yet** si usa nelle frasi negative e va sempre alla fine della frase: *Aren't they here yet?* Non sono ancora arrivati? ◊ *He hasn't done it yet.* Non l'ha ancora fatto. Tuttavia **still** si può usare in frasi negative per dare enfasi. In questo caso va sempre prima del verbo anche se ausiliare o modale: *He still hasn't done it.* Non l'ha ancora fatto. ◊ *He still can't do it.* Ancora adesso non lo sa fare.

2 tuttavia, ciò nonostante: *Still, it didn't turn out badly.* Comunque, non è riuscito male.

still² /stɪl/ *agg* **1** fermo: *still life* natura morta ◊ *Stand still!* Non ti muovere! ☛ *Confronta* QUIET **2** (*aria, acqua*) calmo **3** (*bibita*) non gassato

stillness /ˈstɪlnəs/ *s* calma, quiete

stilt /stɪlt/ *s* **1** trampolo **2** palo

stilted /ˈstɪltɪd/ *agg* poco naturale

stimulant /ˈstɪmjələnt/ *s* stimolante

stimulate /ˈstɪmjuleɪt/ *vt* stimolare **stimulating** *agg* stimolante

stimulus /ˈstɪmjələs/ *s* (*pl* **-muli** /-laɪ/) stimolo, incentivo

sting /stɪŋ/ ◆ *s* **1** pungiglione **2** (*ferita*) puntura **3** (*dolore*) bruciore ◆ (*pass, pp* **stung** /stʌŋ/) **1** *vt, vi* pungere **2** *vi* bruciare, pizzicare **3** *vt* (*fig*) ferire

stink /stɪŋk/ ◆ *vi* (*pass* **stank** /stæŋk/ o **stunk** /stʌŋk/ *pp* **stunk**) (*inform*) ~ **(of sth)** (*anche fig*) puzzare (di qc) PHR V **to stink sth out** appestare qc ◆ *s* (*inform*) puzza **stinking** *agg* (*inform*) schifoso

stint /stɪnt/ *s* periodo: *a training stint in Salerno* un periodo di apprendistato a Salerno

stipulate /ˈstɪpjuleɪt/ *vt* (*form*) stipulare

stir /stɜː(r)/ (**-rr-**) ◆ **1** *vt* mescolare **2** *vt, vi* muovere, muoversi **3** *vt* (*immaginazione*) stimolare PHR V **to stir sth up** provocare qc ◆ *s* **1** *to give sth a stir* mescolare qc **2** trambusto **stirring** *agg* emozionante

stirrup /ˈstɪrəp/ *s* staffa

stitch /stɪtʃ/ ◆ *s* **1** (*Cucito, ecc*) punto **2**

fitta al fianco: *I've got a stitch.* Ho una fitta al fianco. LOC **in stitches** (*inform*) morto dalle risate ◆ *vt, vi* cucire **stitching** *s* cucitura

stock /stɒk/ ◆ *s* **1** stock **2** ~ (**of sth**) provvista, scorta (di qc) **3** (*anche* **livestock**) bestiame **4** (*Fin*) [*gen pl*] titoli **5** (*di impresa*) capitale sociale **6** (*Cucina*) brodo LOC **out of/in stock** esaurito/disponibile **to take stock** (**of sth**) fare l'inventario (di qc) **to take stock** (**of the situation**) fare il punto della situazione ◆ *agg* (*frase, scusa*) banale, trito ◆ *vt* avere (*in magazzino*) PHR V **to stock up** (**on/with sth**) fare provvista (di qc)

stockbroker /ˈstɒkˌbrəʊkə(r)/ (*anche* **broker**) *s* agente di cambio

stock exchange (*anche* **stock market**) *s* borsa valori

stocking /ˈstɒkɪŋ/ *s* calza (*da donna*)

stocktaking /ˈstɒkteɪkɪŋ/ *s* inventario (*attività*)

stocky /ˈstɒki/ *agg* (**-ier**, **-iest**) tarchiato

stodgy /ˈstɒdʒi/ *agg* (**-ier**, **-iest**) (*inform, dispreg*) pesante (*pasto, libro*)

stoke /stəʊk/ *vt* ~ **sth** (**up**) (**with sth**) alimentare qc (con qc)

stole *pass di* STEAL

stolen *pp di* STEAL

stolid /ˈstɒlɪd/ *agg* (*dispreg*) impassibile

stomach /ˈstʌmək/ ◆ *s* **1** stomaco: *stomach-ache* mal di stomaco **2** pancia **3** ~ **for sth** (*fig*) voglia di qc ◆ *vt* sopportare: *I can't stomach too much violence in films.* Non sopporto i film molto violenti.

stone /stəʊn/ ◆ *s* **1** pietra: *the Stone Age* l'età della pietra **2** (*spec USA* **pit**) (*frutta*) nocciolo ☛ *Vedi illustrazione a* FRUTTA **3** (*GB*) (*pl* **stone**) unità di peso equivalente a 14 libbre o 6,348 kg ◆ *vt* lapidare **stoned** *agg* (*inform*) **1** sbronzo **2** fatto (*di hascisc*)

stony /ˈstəʊni/ *agg* (**-ier**, **-iest**) **1** pietroso, sassoso **2** (*sguardo, silenzio*) freddo

stood *pass, pp di* STAND

stool /stuːl/ *s* sgabello

stoop /stuːp/ ◆ *vi* ~ (**down**) chinarsi, curvarsi LOC **to stoop so low** (**as to do sth**) scendere così in basso (da fare qc) ◆ *s*: *to walk with a stoop* camminare curvo

stop /stɒp/ (**-pp-**) ◆ **1** *vt, vi* fermare, fermarsi **2** *vt* (*processo, svolgimento*) interrompere **3** *vi* (*pioggia, rumore*) cessare **4** *vt* ~ **doing sth** smettere di fare qc: *Stop it!* Smettila! **5** *vt* ~ **sb/sth** (**from**) **doing sth** impedire a qn/qc di fare qc: *to stop yourself doing sth* trattenersi dal fare qc

> **To stop doing sth** significa *smettere di fare qc*. **To stop to do sth** significa *fermarsi a/per fare qc*.

6 *vt* (*buco, perdita*) tappare **7** *vt* (*paga*) sospendere **8** *vt* (*assegno*) bloccare **9** *vi* (*GB, inform*) rimanere LOC **to stop dead/short** fermarsi di colpo **to stop short of** (**doing**) **sth** non arrivare a (fare) qc *Vedi anche* BUCK[3] PHR V **to stop off** (**at/in ...**) fare sosta (a ...) ◆ *s* **1** fermata, sosta: *to come to a stop* fermarsi **2** (*autobus, treno*) fermata **3** (*Ortografia*) punto **stoppage** *s* **1** astensione dal lavoro **2** **stoppages** [*pl*] trattenute

stopgap /ˈstɒpgæp/ *s* tappabuchi

stopover /ˈstɒpəʊvə(r)/ *s* scalo (*in viaggio*)

stopper /ˈstɒpə(r)/ (*USA* **plug**) *s* tappo

stopwatch /ˈstɒpwɒtʃ/ *s* cronometro

storage /ˈstɔːrɪdʒ/ *s* **1** magazzinaggio: *storage space* spazio per riporre la roba **2** magazzino

store /stɔː(r)/ ◆ *s* **1** provvista, riserva **2** **stores** [*pl*] scorte, rifornimenti **3** (*spec USA*) negozio: *department store* grande magazzino LOC **to be in store for sb** attendere qn (*sorpresa, ecc*) **to have sth in store for sb** riservare qc a qn (*sorpresa, ecc*) ◆ *vt* ~ **sth** (**up/away**) **1** far provvista di qc **2** riporre qc

storeroom /ˈstɔːruːm/ *s* ripostiglio

storey /ˈstɔːri/ *s* (*pl* **storeys**) (*USA* **story**) piano (*di palazzo*)

stork /stɔːk/ *s* cicogna

storm /stɔːm/ ◆ *s* bufera, tempesta: *a storm of criticism* una valanga di critiche ◆ **1** *vi* ~ **in/off/out** entrare/andarsene/uscire furibondo **2** *vt* (*edificio*) prendere d'assalto **stormy** *agg* (**-ier**, **-iest**) (*anche fig*) burrascoso, tempestoso

story[1] /ˈstɔːri/ *s* (*pl* **-ies**) **1** storia

(*narrazione*) **2** racconto **3** (*Giornalismo*) servizio

story² (*USA*) *Vedi* STOREY

stout /staʊt/ *agg* **1** (*spesso euf*) robusto *Vedi anche* FAT **2** (*scarpe*) resistente

stove /stəʊv/ *s* **1** cucina (*apparecchio*) **2** stufa

stow /stəʊ/ *vt* ~ **sth** (**away**) mettere (via) qc

straddle /ˈstrædl/ *vt* stare a cavalcioni su

straggle /ˈstræɡl/ *vi* **1** (*persona*) rimanere indietro **2** (*pianta*) crescere disordinatamente **straggler** *s* chi rimane indietro **straggly** *agg* (**-ier**, **-iest**) disordinato, scarmigliato

straight /streɪt/ ◆ *agg* (**-er**, **-est**) **1** dritto **2** (*capelli*) liscio ☛ *Vedi illustrazione a* CAPELLO **3** (*portamento*) eretto LOC **to be straight** (**with sb**) essere franco (con qn) **to keep a straight face** non ridere **to put/get sth straight** mettere in ordine qc *Vedi anche* RECORD ◆ *avv* (**-er**, **-est**) **1** dritto: *Look straight ahead.* Guarda dritto davanti a te. **2** (*sedersi*) ben dritto **3** (*pensare*) con chiarezza **4** (*andare*) direttamente LOC **straight away** immediatamente **straight out** senza esitare

straighten /ˈstreɪtn/ **1** *vt, vi* raddrizzare, raddrizzarsi **2** *vt* (*cravatta, gonna*) aggiustare PHR V **to straighten sth out** risolvere qc **to straighten up** mettersi dritto

straightforward /ˌstreɪtˈfɔːwəd/ *agg* **1** (*persona*) schietto **2** (*stile*) semplice

strain /streɪn/ ◆ **1** *vi* sforzarsi **2** *vt* (*fune*) tendere **3** *vt* (*vista, voce*) sforzare **4** *vt*: *to strain a muscle* farsi uno strappo muscolare **5** *vt* ~ **sth** (**off**) filtrare qc ◆ *s* **1** tensione: *Their relationship is showing signs of strain.* La loro relazione dà segni di stanchezza. **2** strappo: *eye strain* vista affaticata **strained** *agg* **1** (*risata, tono di voce*) forzato **2** preoccupato

strainer /ˈstreɪnə(r)/ *s* colino

straitjacket /ˈstreɪtdʒækɪt/ *s* camicia di forza

straits /streɪts/ *s* **1** stretto: *the Straits of Gibraltar* lo stretto di Gibilterra **2** *in desperate/dire straits* in una situazione disperata

strand /strænd/ *s* **1** filo **2** ciocca

stranded /ˈstrændɪd/ *agg* bloccato: *to be left stranded* essere bloccato

strange /streɪndʒ/ *agg* (**-er**, **-est**) **1** sconosciuto **2** bizzarro, strano: *I find it strange that…* Mi sembra strano che… **stranger** *s* **1** sconosciuto, -a **2** forestiero, -a

strangle /ˈstræŋɡl/ *vt* strangolare

strap /stræp/ ◆ *s* **1** cinturino, cinghia ☛ *Vedi illustrazione a* OROLOGIO **2** (*vestito*) bretellina ◆ *vt* ~ **sth** (**up**) (*Med*) fasciare qc PHR V **to strap sb in** mettere la cintura di sicurezza a qn **to strap sth on** legare qc (*con cinghie*)

strategy /ˈstrætədʒi/ *s* (*pl* **-ies**) strategia **strategic** /strəˈtiːdʒɪk/ *agg* strategico

straw /strɔː/ *s* **1** paglia: *a straw hat* un cappello di paglia **2** cannuccia LOC **the last/final straw** la goccia che fa traboccare il vaso

strawberry /ˈstrɔːbəri; *USA* -beri/ *s* (*pl* **-ies**) fragola

stray /streɪ/ ◆ *vi* **1** allontanarsi **2** (*pensieri, mente*) vagare ◆ *agg* **1** randagio: *a stray dog* un cane randagio **2** isolato: *a stray bullet* un proiettile vagante

streak /striːk/ ◆ *s* **1** striscia **2** (*carattere*) vena: *a jealous streak* una vena di gelosia **3** (*fortuna*) periodo: *to be on a winning/losing streak* attraversare un periodo fortunato/sfortunato ◆ **1** *vt* ~ **sth** (**with sth**) striare, screziare qc (di qc) **2** *vi* passare come un fulmine

stream /striːm/ ◆ *s* **1** ruscello **2** (*liquido, parole*) torrente **3** (*gente*) marea **4** (*auto*) colonna ◆ *vi* **1** (*acqua, sangue*) grondare **2** (*lacrime*) colare **3** (*gente*) riversarsi

streamer /ˈstriːmə(r)/ *s* stella filante

streamline /ˈstriːmlaɪn/ *vt* **1** rendere aerodinamico **2** (*fig*) razionalizzare

street /striːt/ *s* (*abbrev* **St**) via, strada: *the High Street* la via principale ☛ Nota che quando **street** è preceduto dal nome, si scrive con la maiuscola. *Vedi* ROAD *e nota a* STRADA. LOC (**right**) **up your street**: *This job seems right up your street.* Questo lavoro sembra fatto apposta per te. **to be streets ahead** (**of sb/sth**) essere di gran lunga superiore (a qn/qc) *Vedi anche* MAN¹

streetcar /ˈstriːtkɑː(r)/ *s* (*USA*) *Vedi* TRAM

strength /streŋθ/ *s* **1** [*non numerabile*] forza **2** (*oggetto, tessuto*) resistenza **3** (*emozione*) intensità **4** punto forte LOC **on the strength of sth** in virtù di qc **strengthen** *vt, vi* rafforzare, rafforzarsi, rinforzare, rinforzarsi

strenuous /ˈstrenjuəs/ *agg* **1** faticoso **2** vigoroso

stress /stres/ ◆ *s* **1** stress **2** ~ (**on sth**) enfasi (su qc) **3** (*Ling, Mus*) accento **4** (*Mecc*) tensione ◆ *vt* **1** sottolineare, mettere in evidenza **2** (*sillaba*) accentare **stressful** *agg* stressante

stretch /stretʃ/ ◆ **1** *vt, vi* allargare, allargarsi **2** *vt* (*corda*) tendere **3** *vi* (*persona*) stiracchiarsi **4** *vi* (*terreno*) estendersi **5** *vt* (*persona*) (*fig*) impegnare al massimo LOC **to stretch your legs** sgranchirsi le gambe PHR V **to stretch (yourself) out** sdraiarsi ◆ *s* **1** *to have a stretch* stiracchiarsi **2** elasticità **3** ~ (**of sth**) (*terreno*) tratto (di qc) **4** ~ (**of sth**) (*tempo*) periodo (di qc) LOC **at a stretch** di seguito, di fila

stretcher /ˈstretʃə(r)/ *s* barella

strewn /struːn/ *agg* **1** ~ (**all**) **over sth** sparso su qc **2** ~ **with sth** cosparso di qc

stricken /ˈstrɪkən/ *agg* ~ **by/with sth** colpito da qc: *drought-stricken areas* zone colpite da siccità ◇ *poverty-stricken* poverissimo

strict /strɪkt/ *agg* (**-er**, **-est**) **1** severo, rigido **2** stretto, preciso LOC **in strictest confidence** con la massima riservatezza **strictly** *avv* **1** severamente **2** strettamente: *strictly prohibited* tassativamente vietato LOC **strictly speaking** a rigor di termini

stride /straɪd/ ◆ *vi* (*pass* **strode** /strəʊd/) **1** camminare a grandi passi **2** ~ **up to sb/sth** avvicinarsi con fare deciso a qn/qc ◆ *s* **1** passo **2** andatura LOC **to take sth in your stride** accettare qc senza farne un dramma

strident /ˈstraɪdnt/ *agg* stridulo

strife /straɪf/ *s* conflitto

strike /straɪk/ ◆ *s* **1** sciopero: *to go on strike* entrare in sciopero **2** (*Mil*) attacco ◆ (*pass, pp* **struck** /strʌk/) **1** *vt* colpire **2** *vt* sbattere contro **3** *vi* attaccare **4** *vt, vi* (*ora*) suonare **5** *vt* (*petrolio, oro*) trovare **6** *vt* (*fiammifero*) accendere **7** *vt*: *It strikes me that…* Mi viene in mente che… **8** *vt* colpire: *I was struck by the similarity between them.* Sono rimasto colpito dalla loro somiglianza **9** *vi* ~ (**for/against sth**) scioperare (per/contro qc) LOC *Vedi* HOME PHR V **to strike back** (**at sb/sth**) restituire il colpo (a qn/qc) **to strike** (**sth**) **up** cominciare a suonare (qc) **to strike up sth** (**with sb**) iniziare qc (con qn): *to strike up a conversation* attaccare discorso ◇ *to strike up a friendship with sb* fare amicizia con qn

striker /ˈstraɪkə(r)/ *s* **1** scioperante **2** (*Sport*) attaccante

striking /ˈstraɪkɪŋ/ *agg* che colpisce

string /strɪŋ/ ◆ *s* **1** spago: *I need some string to tie up this parcel.* Mi serve dello spago per legare questo pacco. **2** (*violino, chitarra*) corda **3 the strings** gli archi **4** (*perle*) filo **5** serie: *a string of wins* una serie di vittorie LOC (**with**) **no strings attached/without strings** (*inform*) senza obblighi *Vedi anche* PULL ◆ *vt* (*pass, pp* **strung** /strʌŋ/) ~ **sth** (**up**) appendere qc (*con spago, ecc*) PHR V **to string** (**sth**) **out** allineare qc, allinearsi **to string sth together** mettere insieme qc

stringent /ˈstrɪndʒənt/ *agg* rigoroso

strip[1] /strɪp/ (**-pp-**) **1** *vt* (*carta, vernice*) staccare **2** *vt* (*macchinario*) smontare **3** *vt* ~ **sth of sth** togliere qc a qc **4** *vt* ~ **sb of sth** portare via qc a qn **5** *vt, vi* ~ (**sb**) (**off**) spogliare qn, spogliarsi

strip[2] /strɪp/ *s* striscia

stripe /straɪp/ *s* riga, striscia **striped** *agg* a righe, a strisce

strive /straɪv/ *vi* (*pass* **strove** /strəʊv/ *pp* **striven** /ˈstrɪvn/) (*form*) ~ (**for/after sth**) impegnarsi (per raggiungere qc)

strode *pass di* STRIDE

stroke[1] /strəʊk/ *s* **1** colpo: *a stroke of luck* un colpo di fortuna **2** (*Nuoto*) bracciata **3** tratto (*di penna, ecc*) **4** rintocco **5** (*Med*) ictus LOC **at a stroke** d'un colpo **not to do a stroke** (**of work**) non muovere un dito

stroke[2] /strəʊk/ *vt* accarezzare

stroll /strəʊl/ ◆ *s* passeggiata: *to go for/take a stroll* andare a fare due passi ◆ *vi* passeggiare

strong /strɒŋ; *USA* strɔːŋ/ *agg* (**-er**, **-est**) forte LOC **to be going strong** (*inform*) andare forte **to be your/sb's strong point/suit** essere il proprio forte/il forte di qn

strong-minded /ˌstrɒŋ ˈmaɪndɪd/ *agg* risoluto

strove *pass di* STRIVE

struck *pass, pp di* STRIKE

structure /ˈstrʌktʃə(r)/ ♦ *s* **1** struttura **2** costruzione ♦ *vt* strutturare

struggle /ˈstrʌgl/ ♦ *vi* **1** ~ **(against/with sb/sth)** lottare (contro/con qn/qc) **2** fare fatica ♦ *s* **1** lotta **2** sforzo

strung *pass, pp di* STRING

strut /strʌt/ ♦ *s* puntone, supporto ♦ *vi* (**-tt-**) ~ **(about/along)** pavoneggiarsi

stub /stʌb/ *s* **1** (*sigaretta*) mozzicone **2** (*assegno*) matrice

stubble /ˈstʌbl/ *s* **1** stoppia **2** barba di qualche giorno

stubborn /ˈstʌbən/ *agg* **1** testardo **2** (*macchia, tosse*) ostinato

stuck /stʌk/ ♦ *pass, pp di* STICK[2] ♦ *agg* **1** bloccato: *to get stuck* bloccarsi **2** (*inform*): *to be/get stuck with sb/sth* doversi occupare di qn/qc

stuck-up /ˌstʌk ˈʌp/ *agg* (*inform*) arrogante

stud /stʌd/ *s* **1** borchia **2** (*scarpe sportive*) tacchetto **3** stallone **4** (*anche* **stud farm**) scuderia di allevamento

student /ˈstjuːdnt; *USA* ˈstuː-/ *s* studente, -essa

studied /ˈstʌdid/ *agg* calcolato

studio /ˈstjuːdiəʊ; *USA* ˈstuː-/ *s* (*pl* ~**s**) studio (*televisivo, fotografico*): *recording studio* sala di registrazione

studious /ˈstjuːdiəs; *USA* ˈstuː-/ *agg* **1** studioso **2** (*form*) voluto, calcolato

study /ˈstʌdi/ ♦ *s* (*pl* **-ies**) studio (*attività, stanza*) ♦ *vt, vi* (*pass, pp* **studied**) studiare

stuff /stʌf/ ♦ *s* **1** materia, sostanza **2** (*inform*) roba *Vedi* FOODSTUFFS ♦ **1** *vt* ~ **sth (up) (with sth)** imbottire qc (di qc) **2** *vt* ~ **sth in**; ~ **sth into sth** ficcare qc (in qc) **3** *vt* ~ **sth (with sth)** farcire qc (con qc) **4** *v rifl* ~ **yourself (with sth)** rimpinzarsi (di qc) **5** *vt* (*animale*) imbalsamare, impagliare LOC **get stuffed!** (*GB, inform*) va' a quel paese! **stuffing** *s* **1** ripieno **2** imbottitura

stuffy /ˈstʌfi/ *agg* (**-ier**, **-iest**) **1** mal ventilato **2** (*inform*) (*persona*) antiquato

stumble /ˈstʌmbl/ *vi* **1** ~ **(over sth)** inciampare (in qc): *stumbling block* ostacolo (*fig*) **2** ~ **(over sth)** (*parlando*) incespicare (in qc) PHR V **to stumble across/on sb/sth** imbattersi in qn/qc

stump /stʌmp/ *s* **1** troncone **2** moncone

stun /stʌn/ *vt* (**-nn-**) **1** (*lett*) stordire **2** (*fig*) sbalordire **stunning** *agg* (*inform, approv*) fantastico

stung *pass, pp di* STING

stunk *pass, pp di* STINK

stunt[1] /stʌnt/ *s* (*inform*) **1** trovata **2** acrobazia

stunt[2] /stʌnt/ *vt* frenare (la crescita di)

stupendous /stjuːˈpendəs; *USA* stuː-/ *agg* formidabile

stupid /ˈstjuːpɪd; *USA* ˈstuː-/ *agg* (**-er**, **-est**) stupido **stupidity** /stjuːˈpɪdəti; *USA* stuː-/ *s* stupidità

stupor /ˈstjuːpə(r); *USA* ˈstuː-/ *s* [*gen sing*] stordimento: *in a drunken stupor* in preda ai fumi dell'alcol

sturdy /ˈstɜːdi/ *agg* (**-ier**, **-iest**) robusto

stutter /ˈstʌtə(r)/ (*anche* **stammer**) ♦ *vi* balbettare ♦ *s* balbuzie

sty[1] /staɪ/ *s* (*pl* **sties**) porcile

sty[2] /staɪ/ *s* (*pl* **sties**) (*anche* **stye**) orzaiolo

style /staɪl/ *s* **1** stile **2** modo, maniera **3** classe, stile **4** modello: *the latest style* l'ultima moda **stylish** *agg* elegante

suave /swɑːv/ *agg* (*talvolta dispreg*) garbato, raffinato

subconscious /ˌsʌbˈkɒnʃəs/ *agg, s* subconscio

subdivide /ˌsʌbdɪˈvaɪd/ **1** *vt* ~ **sth (into sth)** suddividere qc (in qc) **2** *vi* ~ **(into sth)** suddividersi (in qc)

subdue /səbˈdjuː; *USA* -ˈduː/ *vt* sottomettere **subdued** *agg* **1** (*voce*) sommesso **2** (*luce, colore*) tenue **3** (*persona*) abbattuto

sub-heading /ˈsʌb hedɪŋ/ *s* sottotitolo

subject[1] /ˈsʌbdʒɪkt/ *s* **1** argomento, tema **2** materia (*scolastica*) **3** (*Gramm*) soggetto **4** suddito, -a

subject[2] /ˈsʌbdʒɪkt/ *agg* ~ **to sb/sth** soggetto a qn/qc

subject[3] /səbˈdʒekt/ *vt* ~ **sb/sth (to sth)** sottoporre qn/qc (a qc) **subjection** *s* sottomissione

subjective /səbˈdʒektɪv/ *agg* soggettivo

subject-matter /ˈsʌbdʒekt mætə(r)/ *s* argomento

subjunctive /səbˈdʒʌŋktɪv/ *s* congiuntivo

sublime /sə'blaɪm/ *agg* sublime
submarine /ˌsʌbmə'riːn; *USA* 'sʌbməriːn/ *agg, s* sottomarino
submerge /səb'mɜːdʒ/ **1** *vi* immergersi **2** *vt* sommergere
submission /səb'mɪʃn/ *s* ~ **(to sb/sth) 1** sottomissione (a qn/qc) **2** (*documento, petizione*) presentazione
submissive /səb'mɪsɪv/ *agg* sottomesso
submit /səb'mɪt/ (**-tt-**) **1** *vi* ~ **(to sb/sth)** sottomettersi, cedere (a qn/qc) **2** *vt* ~ **sth (to sb/sth)** presentare qc (a qn/qc): *Applications must be submitted by 31 March.* Le domande devono essere presentate entro il 31 marzo.
subordinate /sə'bɔːdɪnət; *USA* -dənət/ ◆ *agg, s* subalterno, -a ◆ /sə'bɔːdɪneɪt; *USA* -dəneɪt/ *vt* ~ **sth (to sth)** subordinare qc (a qc)
subscribe /səb'skraɪb/ *vi* ~ **(to sth)** abbonarsi (a qc) PHR V **to subscribe to sth** (*form*) (*opinione*) condividere qc **subscriber** *s* abbonato, -a **subscription** *s* **1** abbonamento **2** quota
subsequent /'sʌbsɪkwənt/ *agg* [*solo davanti a sostantivo*] successivo **subsequently** *avv* in seguito **subsequent to** *prep* (*form*) in seguito a
subside /səb'saɪd/ *vi* **1** franare, cedere **2** (*livello dell'acqua, vento*) calare **3** (*dolore, emozione*) calmarsi **subsidence** /səb'saɪdns, 'sʌbsɪdns/ *s* cedimento
subsidiary /səb'sɪdiəri; *USA* -dieri/ ◆ *agg* secondario ◆ *s* (*pl* **-ies**) consociata
subsidize, -ise /'sʌbsɪdaɪz/ *vt* sovvenzionare
subsidy /'sʌbsədi/ *s* (*pl* **-ies**) sovvenzione
subsist /səb'sɪst/ *vi* ~ **(on sth)** (*form*) vivere (di qc) **subsistence** *s* sussistenza
substance /'sʌbstəns/ *s* sostanza
substantial /səb'stænʃl/ *agg* **1** considerevole, notevole **2** (*costruzione*) solido **substantially** *avv* **1** considerevolmente **2** sostanzialmente
substitute /'sʌbstɪtjuːt; *USA* -tuːt/ ◆ *s* **1** ~ **(for sb)** sostituto, -a (di qn) **2** ~ **(for sth)** surrogato (di qc) **3** (*Sport*) riserva ◆ **1** *vt* ~ **A (for B)/B with A** usare A (invece di B); sostituire B con A: *Substitute honey for sugar/sugar with honey.* Sostituire lo zucchero con il miele. **2** *vi* ~ **for sb/sth** sostituire qn/qc
subtle /'sʌtl/ *agg* (**-er**, **-est**) **1** (*umorismo, distinzione*) sottile **2** (*sapore, colore*) delicato **3** (*persona*) acuto **subtlety** *s* (*pl* **-ies**) sottigliezza
subtract /səb'trækt/ *vt, vi* ~ **(sth) (from sth)** sottrarre (qc) (da qc) **subtraction** *s* sottrazione
suburb /'sʌbɜːb/ *s* sobborgo **suburban** *agg* /sə'bɜːbən/ dei sobborghi
subversive /səb'vɜːsɪv/ *agg* sovversivo
subway /'sʌbweɪ/ *s* **1** sottopassaggio **2** (*USA*) metropolitana *Vedi* TUBE
succeed /sək'siːd/ **1** *vi* avere successo, riuscire: *to succeed in doing sth* riuscire a fare qc **2** *vt, vi* ~ **(sb)** succedere (a qn) **3** *vi* ~ **(to sth)** ereditare (qc): *to succeed to the throne* salire al trono
success /sək'ses/ *s* successo: *to be a success* avere successo **successful** *agg* **1** di successo: *a successful writer* uno scrittore di successo ◊ *the successful candidate* il candidato prescelto ◊ *to be successful in doing sth* riuscire a fare qc **2** (*tentativo*) riuscito
succession /sək'seʃn/ *s* **1** successione **2** serie LOC **in succession**: *three times in quick succession* tre volte in rapida successione
successor /sək'sesə(r)/ *s* ~ **(to sb/sth)** successore (di qn/a qc)
succumb /sə'kʌm/ *vi* ~ **(to sth)** soccombere (a qc)
such /sʌtʃ/ *agg* **1** tale, del genere: *Whatever gave you such an idea?* Come ti è venuta in mente una cosa del genere? ◊ *I did no such thing!* Non ho fatto niente del genere! ◊ *There's no such thing as ghosts.* I fantasmi non esistono. **2** [*uso enfatico*] tale: *I'm in such a hurry.* Ho molta fretta. ◊ *We had such a wonderful time.* Ci siamo divertiti moltissimo. ☛ **Such** si usa con aggettivi che accompagnano un sostantivo e **so** con aggettivi da soli. Confronta i seguenti esempi: *The food was so good.* ◊ *We had such good food.* ◊ *You are so intelligent.* ◊ *You are such an intelligent person.* LOC **as such** di per sé: *It's not a promotion as such.* Non è esattamente una promozione. **in such a way that...** in modo tale che... **such as** per esempio

suck /sʌk/ *vt, vi* **1** succhiare **2** (*pompa*) aspirare **sucker** *s* **1** ventosa **2** (*inform*) babbeo, -a, gonzo, -a

sudden /ˈsʌdn/ *agg* improvviso LOC **all of a sudden** all'improvviso **suddenly** *avv* improvvisamente

suds /sʌdz/ *s* [*pl*] schiuma

sue /suː, sjuː/ *vt, vi* ~ (**sb**) (**for sth**) fare causa (a qn) (per qc)

suede /sweɪd/ *s* pelle scamosciata

suffer /ˈsʌfə(r)/ **1** *vi* ~ (**from sth**) soffrire (di qc): *He suffers terribly with his feet.* Ha forti dolori ai piedi. **2** *vt* (*dolore*) provare **3** *vt* (*sconfitta, perdita*) subire **4** *vi* risentirne **suffering** *s* sofferenza

sufficient /səˈfɪʃnt/ *agg* ~ (**for sb/sth**) sufficiente (per qn/qc)

suffix /ˈsʌfɪks/ *s* suffisso ☛ *Confronta* PREFIX

suffocate /ˈsʌfəkeɪt/ *vt, vi* soffocare, asfissiare **suffocating** *agg* soffocante **suffocation** *s* soffocamento, asfissia

sugar /ˈʃʊgə(r)/ *s* zucchero: *the sugar bowl* la zuccheriera ◊ *a sugar lump* una zolletta di zucchero

suggest /səˈdʒest; *USA* səgˈdʒ-/ *vt* **1** suggerire, proporre: *I suggest you go to the doctor.* Ti consiglio di andare dal medico. ◊ *I suggested putting the picture on the other wall.* Ho suggerito di appendere il quadro all'altra parete. **2** indicare: *This suggests that…* Questo indica che… **3** insinuare: *Are you trying to suggest that…* Vorresti insinuare che… **suggestion** *s* **1** suggerimento **2** indizio **3** insinuazione **suggestive** *agg* **1 to be ~ of sth** far pensare a qc **2** spinto

suicidal /ˌsuːɪˈsaɪdl/ *agg* **1** suicida **2** sull'orlo del suicidio

suicide /ˈsuːɪsaɪd/ *s* **1** suicidio: *to commit suicide* suicidarsi **2** (*persona*) suicida

suit /suːt/ ◆ *s* **1** (*da uomo*) completo **2** (*da donna*) tailleur **3** (*Carte*) seme ☛ *Vedi nota a* CARTA LOC *Vedi* STRONG ◆ *vt* **1** stare bene a: *Your new haircut suits you.* Questo nuovo taglio ti sta bene. ☛ *Vedi nota a* STARE **2** andare bene a: *Does three o'clock suit you?* Le va bene alle tre? **3** fare bene a: *The climate didn't suit me.* Non mi trovavo bene con il clima.

suitability /ˌsuːtəˈbɪləti/ (*anche* **suitableness**) *s* idoneità

suitable /ˈsuːtəbl/ *agg* ~ (**for sb/sth**) **1** adatto (per qn/qc) **2** *Would next Monday be suitable for you?* Lunedì prossimo le andrebbe bene? **suitably** *avv* adeguatamente

suitcase /ˈsuːtkeɪs/ *s* valigia ☛ *Vedi illustrazione a* BAGAGLIO

suite /swiːt/ *s* **1** *a three-piece suite* un divano e due poltrone **2** (*albergo*) suite

suited /ˈsuːtɪd/ *agg* ~ (**for/to sb/sth**) adatto (a qn/qc): *He and his wife are well suited (to each other).* Lui e sua moglie sono fatti l'uno per l'altra.

sulk /sʌlk/ *vi* (*dispreg*) tenere il muso **sulky** *agg* (**-ier**, **-iest**) imbronciato, immusonito

sullen /ˈsʌlən/ *agg* (*dispreg*) immusonito

sulphur (*USA* **sulfur**) /ˈsʌlfə(r)/ *s* zolfo

sultan /ˈsʌltən/ *s* sultano

sultana /sʌlˈtɑːnə; *USA* -ænə/ *s* [*numerabile*] uva sultanina

sultry /ˈsʌltri/ *agg* (**-ier**, **-iest**) **1** (*tempo*) afoso **2** (*donna*) sensuale

sum /sʌm/ ◆ *s* somma: *to be good at sums* essere bravo con i numeri ◊ *the sum of £200* la somma di 200 sterline ◆ *v* (**-mm-**) PHR V **to sum (sth) up** riassumere (qc): *to sum up…* per riassumere… **to sum sb/sth up** farsi un'idea di qn/qc

summarize, -ise /ˈsʌməraɪz/ *vt, vi* riassumere **summary** *s* (*pl* **-ies**) riassunto

summer /ˈsʌmə(r)/ *s* estate: *a summer's day* un giorno d'estate ◊ *summer weather* clima estivo **summery** *agg* estivo

summit /ˈsʌmɪt/ *s* **1** vetta **2** (*carriera*) vertice: *summit conference/meeting* conferenza al vertice **3** (*anche* **summit conference**) vertice

summon /ˈsʌmən/ *vt* **1** convocare **2** (*medico, pompieri*) chiamare: *to summon help* cercare aiuto **3** ~ **sth (up)** (*coraggio, ecc*) armarsi di qc; trovare qc: *I couldn't summon (up) the energy.* Non ne ho avuto la forza. PHR V **to summon sth up** rievocare qc

summons /ˈsʌmənz/ *s* (*pl* **-onses**) citazione (*in giudizio*)

sun /sʌn/ ◆ *s* sole: *The sun was*

shining. C'era il sole. ◆ *v rifl* (**-nn-**) **to sun yourself** godersi il sole
sunbathe /ˈsʌnbeɪð/ *vi* prendere il sole
sunbeam /ˈsʌnbi:m/ *s* raggio di sole
sunburn /ˈsʌnbɜ:n/ *s* [*non numerabile*] scottatura (*per il sole*): *to get sunburn* scottarsi (*al sole*) ☛ *Confronta* SUNTAN **sunburnt** *agg* bruciato dal sole
sundae /ˈsʌndeɪ; *USA* -di:/ *s* coppa di gelato
Sunday /ˈsʌndeɪ, ˈsʌndi/ *s* (*abbrev* **Sun**) domenica ☛ *Vedi esempi a* MONDAY
sundry /ˈsʌndri/ *agg* vari, diversi: *on sundry occasions* in varie occasioni LOC **all and sundry** (*inform*) tutti quanti
sunflower /ˈsʌnˌflaʊə(r)/ *s* girasole
sung *pp di* SING
sunglasses /ˈsʌnglɑ:sɪz/ *s* [*pl*] occhiali da sole
sunk *pp di* SINK
sunken /ˈsʌŋkən/ *agg* **1** (*nave*) affondato **2** (*guance*) infossato
sunlight /ˈsʌnlaɪt/ *s* luce del sole, sole
sunlit /ˈsʌnlɪt/ *agg* illuminato dal sole
sunny /ˈsʌni/ *agg* (**-ier**, **-iest**) **1** soleggiato: *It's sunny today*. Oggi c'è il sole. ◊ *a sunny day* una giornata di sole **2** (*personalità*) allegro
sunrise /ˈsʌnraɪz/ *s* il levar del sole
sunset /ˈsʌnset/ *s* tramonto
sunshine /ˈsʌnʃaɪn/ *s* sole: *Let's sit in the sunshine*. Sediamoci al sole.
sunstroke /ˈsʌnstrəʊk/ *s* insolazione: *to get sunstroke* prendere un'insolazione
suntan /ˈsʌntæn/ *s* abbronzatura: *to get a suntan* abbronzarsi ☛ *Confronta* SUNBURN **suntanned** *agg* abbronzato
super /ˈsu:pə(r)/ *agg* fantastico
superb /su:ˈpɜ:b/ *agg* magnifico **superbly** *avv* magnificamente: *a superbly situated house* una casa in una posizione magnifica
superficial /ˌsu:pəˈfɪʃl/ *agg* superficiale **superficiality** /ˌsu:pəˌfɪʃɪˈæləti/ *s* superficialità **superficially** *avv* superficialmente
superfluous /su:ˈpɜ:flʊəs/ *agg* superfluo: *to be superfluous* essere di troppo
superhuman /ˌsu:pəˈhju:mən/ *agg* sovrumano
superimpose /ˌsu:pərɪmˈpəʊz/ *vt* ~ **sth (on sth)** sovrapporre qc (a qc)
superintendent /ˌsu:pərɪnˈtendənt/ **1** commissario (*di polizia*) **2** soprintendente
superior /su:ˈpɪəriə(r)/ ◆ *agg* ~ (**to sb/sth**) superiore (a qn/qc) ◆ *s* superiore *Mother Superior* la Madre Superiora **superiority** /su:ˌpɪəriˈɒrəti/ *s* ~ (**in sth**) ~ (**over/to sb/sth**) superiorità (in qc) superiorità (rispetto a qn/qc)
superlative /su:ˈpɜ:lətɪv/ ◆ *agg* **1** superlativo **2** eccellente ◆ *s* superlativo
supermarket /ˈsu:pəmɑ:kɪt/ *s* supermercato
supernatural /ˌsu:pəˈnætʃrəl/ *agg* **1** soprannaturale **2 the supernatural** *s* il mondo soprannaturale
superpower /ˈsu:pəpaʊə(r)/ *s* superpotenza
supersede /ˌsu:pəˈsi:d/ *vt* sostituire
supersonic /ˌsu:pəˈsɒnɪk/ *agg* supersonico
superstition /ˌsu:pəˈstɪʃn/ *s* superstizione **superstitious** *agg* superstizioso
superstore /ˈsu:pəstɔ:(r)/ *s* ipermercato
supervise /ˈsu:pəvaɪz/ *vt* soprintendere a, controllare **supervision** /ˌsu:pəˈvɪʒn/ *s* supervisione **supervisor** *s* supervisore
supper /ˈsʌpə(r)/ *s* cena: *to have supper* cenare ☛ *Vedi pag. 379.*
supple /ˈsʌpl/ *agg* (**-er**, **-est**) **1** (*corpo, movimento*) agile **2** (*pelle*) morbido
supplement /ˈsʌplɪmənt/ ◆ *s* supplemento ◆ *vt* integrare: *supplemented by* integrato con
supplementary /ˌsʌplɪˈmentri; *USA* -teri/ *agg* supplementare
supplier /səˈplaɪə(r)/ *s* fornitore, -trice
supply /səˈplaɪ/ ◆ *vt* (*pass, pp* **supplied**) **1** ~ **sb (with sth)** rifornire qn; fornire qc a qn **2** ~ **sth (to sb)** fornire qc (a qn) ◆ *s* (*pl* **-ies**) **1** fornitura **2** [*pl*] **supplies** provviste **3** [*pl*] **supplies** (*Mil*) rifornimenti LOC **supply and demand** la domanda e l'offerta *Vedi anche* PLENTIFUL
support /səˈpɔ:t/ ◆ *vt* **1** (*peso*) sostenere, reggere **2** (*causa*) appoggiare: *a supporting role* un ruolo secondario **3** (*Sport*) tifare per: *Which team do you support?* Per che squadra sei? **4** (*persona, famiglia*) mantenere ◆ *s* **1** appoggio **2** sostegno, supporto **support-**

er *s* **1** sostenitore, -trice **2** (*Sport*) tifoso, -a **supportive** *agg* di grande aiuto: *to be supportive* appoggiare

suppose /sə'pəʊz/ *vt* **1** supporre: *I suppose so.* Credo di sì. **2** (*suggerimento*): *Suppose we change the subject?* E se parlassimo di qualcos'altro? LOC **to be supposed to do sth** dover fare qc: *You're supposed to write in pen, not pencil.* Si deve scrivere a penna, non a matita. ◊ *What's this painting supposed to be of?* Cosa vorrebbe rappresentare questo quadro? ◊ *That wasn't supposed to happen.* Quello non era previsto. **supposed** *agg* presunto **supposedly** *avv* a quanto pare **supposing** (*anche* **supposing that**) *cong* se, nel caso che

suppress /sə'pres/ *vt* **1** (*rivolta, sentimento*) reprimere **2** (*notizia*) tacere **3** (*sbadiglio*) trattenere

supremacy /su:'preməsi, sju:-/ *s* ~ (**over sb/sth**) supremazia (su qn/qc)

supreme /su:'pri:m, sju:-/ *agg* supremo

surcharge /'sɜ:tʃɑ:dʒ/ *s* ~ (**on sth**) supplemento (su qc)

sure /ʃʊə(r)/ ◆ *agg* (**surer**, **surest**) **1** sicuro, certo: *One thing is sure...* Una cosa è certa... ◊ *He's sure to be elected.* Sarà eletto sicuramente. **2** deciso, fermo: *a sure hand* mano ferma LOC **to be sure of sth** essere sicuro di qc **to be sure to do sth**; **to be sure and do sth** badare di fare qc **for sure** (*inform*) di sicuro **to make sure (of sth/that...)** assicurarsi (di qc/che...): *Make sure you are home by nine.* Fai in modo di essere a casa per le nove. **sure!** (*inform, spec USA*) certo! ◆ *avv* LOC **sure enough** infatti

surely /'ʃɔ:li; *USA* 'ʃʊərli/ *avv* (*sorpresa*): *Surely you can't agree?* Non sarai mica d'accordo? ◊ *Surely there's been a mistake.* Ci deve essere stato senz'altro un errore.

surf /sɜ:f/ ◆ *s* **1** cavalloni **2** spuma (*delle onde*) ◆ *vi* fare surf

surface /'sɜ:fɪs/ ◆ *s* **1** superficie: *by surface mail* per posta ordinaria ◊ *the earth's surface* la crosta terrestre ◊ *a surface wound* una ferita superficiale **2** piano: *road/work surface* piano stradale/di lavoro **3** *On the surface everything seemed normal.* All'apparenza tutto sembrava normale. ◆ **1** *vt* ~ **sth (with sth)** ricoprire qc (di qc) **2** *vi* riemergere

surge /sɜ:dʒ/ ◆ *vi* riversarsi ◆ *s* ~ (**of sth**) ondata (di qc)

surgeon /'sɜ:dʒən/ *s* chirurgo **surgery** *s* (*pl* **-ies**) **1** chirurgia: *brain surgery* neurochirurgia ◊ *to undergo surgery* subire un intervento chirurgico **2** (*GB*) ambulatorio **surgical** *agg* chirurgico

surly /'sɜ:li/ *agg* (**-ier**, **-iest**) scontroso

surmount /sə'maʊnt/ *vt* superare, sormontare

surname /'sɜ:neɪm/ *s* cognome ☛ *Confronta* NAME

surpass /sə'pɑ:s; *USA* -'pæs/ (*form*) **1** *vt* superare **2** *v rifl* ~ **yourself** superare se stesso

surplus /'sɜ:pləs/ ◆ *s* **1** eccedenza **2** (*Fin*) surplus ◆ *agg* eccedente: *surplus to requirements* in sovrappiù

surprise /sə'praɪz/ ◆ *s* sorpresa LOC **to take sb/sth by surprise** cogliere qn/qc di sorpresa ◆ *vt* **1** sorprendere, stupire: *I wouldn't be surprised if she won.* Non mi stupirei se vincesse. **2** ~ **sb** cogliere qn di sorpresa **surprised** *agg* ~ (**at sb/sth**) sorpreso (di qn/qc): *I'm not surprised!* Non mi meraviglia! ◊ *with a surprised expression* con aria sorpresa

surrender /sə'rendə(r)/ ◆ **1** *vi* ~ (**to sb**) arrendersi (a qn) **2** *vt* ~ **sth (to sb)** (*form*) consegnare, cedere qc (a qn) ◆ *s* resa, capitolazione

surreptitious /ˌsʌrəp'tɪʃəs/ *agg* furtivo

surrogate /'sʌrəgət/ *s* (*form*) sostituto, -a: *surrogate mother* madre biologica

surround /sə'raʊnd/ *vt* circondare **surrounding** *agg* circostante **surroundings** *s* [*pl*] **1** dintorni **2** ambiente: *to watch animals in their natural surroundings* osservare gli animali nel loro ambiente naturale

surveillance /sɜ:'veɪləns/ *s* sorveglianza: *to keep sb under surveillance* sorvegliare qn

survey /sə'veɪ/ ◆ *vt* **1** guardare **2** (*Geog*) ~ **sth** fare il rilevamento topografico di qc **3** (*GB*) fare la perizia edilizia di **4** fare un sondaggio su ◆ /'sɜ:veɪ/ *s* **1** quadro generale **2** (*GB*) perizia (*edilizia*) **3** indagine, sondaggio **surveying** /sɜ:'veɪɪŋ/ *s* attività di geometra **surveyor** /sə'veɪə(r)/ *s* geometra

survive /sə'vaɪv/ **1** *vt, vi* ~ (**sb/sth**)

(*naufragio, incendio*) sopravvivere (a qn/qc) **2** *vi* ~ (**on sth**) vivere (con qc) **survival** *s* sopravvivenza **survivor** *s* sopravvissuto, -a, superstite

susceptible /sə'septəbl/ *agg* **1** ~ (**to sth**) sensibile (a qc): *He's very susceptible to flattery.* È molto sensibile alle lusinghe. **2** ~ **to sth** (*Med*) predisposto a qc

suspect /sə'spekt/ ◆ *vt* **1** ~ **sb** (**of sth**/ **of doing sth**) sospettare qn (di qc/di fare qc): *I suspect you may be right.* Ho l'impressione che tu abbia ragione. **2** (*motivi*) dubitare di ◆ /'sʌspekt/ *agg, s* sospetto, -a

suspend /sə'spend/ *vt* **1** ~ **sth** (**from sth**) appendere qc (a qc): *to suspend sth from the ceiling* appendere qc al soffitto ☛ La parola più comune è **hang**. **2** sospendere: *a suspended sentence* la sospensione condizionale della pena

suspender /sə'spendə(r)/ *s* **1** (*GB*) giarrettiera **2** **suspenders** [*pl*] (*USA*) *Vedi* BRACE senso 2

suspense /sə'spens/ *s* suspense, apprensione: *to keep sb in suspense* tenere qn sulle spine

suspension /sə'spenʃn/ *s* sospensione: *suspension bridge* ponte sospeso

suspicion /sə'spɪʃn/ *s* sospetto: *arrested on suspicion of murder* arrestato per sospetto omicidio

suspicious /sə'spɪʃəs/ *agg* **1** ~ (**about/ of sb/sth**) sospettoso (di qn/qc): *They're suspicious of foreigners.* Diffidano degli stranieri. **2** sospetto: *He died in suspicious circumstances.* È morto in circostanze poco chiare.

sustain /sə'steɪn/ *vt* **1** (*vita, interesse*) mantenere **2** sostenere: *It is difficult to sustain this argument.* È difficile sostenere questo ragionamento. ◊ *sustained economic growth* sviluppo economico regolare **3** (*form*) (*sconfitta, perdita, ferita*) soffrire, subire

swagger /'swægə(r)/ *vi* pavoneggiarsi

swallow[1] /'swɒləʊ/ *s* rondine

swallow[2] /'swɒləʊ/ ◆ **1** *vt, vi* (*lett e fig*) ingoiare, mandar giù **2** *vt* (*inform*) (*credere*) bere **3** *vt* ~ **sb/sth** (**up**) (*fig*) inghiottire qn/qc ◆ *s* boccone, sorso

swam *pass di* SWIM

swamp /swɒmp/ ◆ *s* palude ◆ *vt* **1** (*lett*) allagare **2** ~ **sb/sth** (**with sth**) (*fig*) sommergere qn/qc (di qc)

swan /swɒn/ *s* cigno

swap (*anche* **swop**) /swɒp/ (**-pp-**) (*inform*) **1** *vt* scambiare: *to swap sth round* cambiare posto a qc **2** *vi* fare uno scambio

swarm /swɔːm/ ◆ *s* **1** (*api*) sciame **2** (*gente*) frotta: *swarms of people* un mare di gente ◆ *v* PHR V **to swarm in/out** entrare/uscire a frotte **to swarm with sb/sth** brulicare di qn/qc

swat /swɒt/ *vt* (**-tt-**) schiacciare (*un insetto*)

sway /sweɪ/ ◆ **1** *vt, vi* (far) ondeggiare **2** *vi* barcollare, vacillare **3** *vt* (*persona, opinione*) influenzare ◆ *s* **1** ondeggiamento **2** (*fig*) dominio

swear /sweə(r)/ (*pass* **swore** /swɔː(r)/ *pp* **sworn** /swɔːn/) **1** *vi* dire parolacce, bestemmiare: *a swear word* una parolaccia ◊ *Your sister swears a lot.* Tua sorella dice molte parolacce. **2** *vt, vi* giurare: *to swear to tell the truth* giurare di dire la verità PHR V **to swear by sth** (*inform*): *I swear by my mobile phone.* Trovo che non ci sia niente di meglio del mio telefonino. **to swear sb in** far prestare giuramento a qn

sweat /swet/ ◆ *s* sudore ◆ *vi* sudare LOC **to sweat it out** (*inform*) armarsi di pazienza **sweaty** *agg* (**-ier**, **-iest**) **1** (*persona, maglietta*) sudato **2** (*puzza*) di sudore

sweater /'swetə(r)/ *s* maglione

Le parole **sweater**, **jumper**, **pullover** significano tutte "maglione". *Confronta* CARDIGAN

sweatshirt /'swetʃɜːt/ *s* felpa

swede /swiːd/ *s* rapa svedese

sweep /swiːp/ (*pass, pp* **swept** /swept/) ◆ **1** *vt, vi* spazzare **2** *vt* (*caminetto*) pulire **3** *vi* estendersi **4** *vi*: *She swept out of the room.* È uscita dalla stanza con passo maestoso. **5** *vt, vi* ~ (**through, over, across, etc**) **sth** percorrere qc LOC **to sweep sb off their feet** conquistare qn PHR V **to sweep sth away/up** spazzare via/raccogliere qc **to sweep up** spazzare ◆ *s* **1** spazzata **2** movimento, gesto ampio **3** distesa **4** (*polizia*) perlustrazione

sweeping /'swiːpɪŋ/ *agg* **1** (*cambiamento*) radicale **2** (*dispreg*) (*affermazione*) troppo generico

sweet /swiːt/ ◆ *agg* (**-er**, **-est**) **1** dolce

2 (*inform*) carino **LOC to have a sweet tooth** (*inform*) essere goloso di dolci ◆ *s* **1** (*USA* **candy**) caramella **2** (*GB*) *Vedi* DESSERT **sweetness** *s* dolcezza

sweetcorn /ˈswiːtkɔːn/ *s* mais, granturco ☛ *Confronta* MAIZE

sweeten /ˈswiːtn/ *vt* **1** addolcire, zuccherare **2** ~ **sb (up)** (*inform*) ingraziarsi qn **sweetener** *s* dolcificante

sweetheart /ˈswiːthɑːt/ *s* **1** (*antiq*) innamorato, -a **2** (*termine affettuoso*) tesoro

sweet pea *s* pisello odoroso

swell /swel/ *vt, vi* (*pass* **swelled** *pp* **swollen** /ˈswəʊlən/ *o* **swelled**) gonfiare, gonfiarsi **swelling** *s* gonfiore

swept *pass, pp di* SWEEP

swerve /swɜːv/ *vi* deviare bruscamente: *The car swerved to avoid the child.* L'auto ha sterzato bruscamente per schivare il bambino.

swift /swɪft/ *agg* (**-er**, **-est**) rapido, veloce: *a swift reaction* una reazione immediata

swill /swɪl/ *vt* ~ **sth (out/down)** (*spec GB*) risciacquare qc

swim /swɪm/ (**-mm-**) (*pass* **swam** /swæm/ *pp* **swum** /swʌm/) ◆ **1** *vi* nuotare: *to swim breast-stroke* nuotare a rana ◊ *to go swimming* andare a nuotare **2** *vt*: *to swim the Channel* attraversare la Manica a nuoto ◊ *to swim three lengths* fare tre vasche **3** *vi* (*testa*) girare ◆ *s* nuotata: *to go for a swim* andare a fare una nuotata **swimmer** *s* nuotatore, -trice **swimming** *s* nuoto

swimming costume *Vedi* SWIMSUIT

swimming pool *s* piscina

swimming trunks (*USA* **swimming shorts**) *s* [*pl*] costume da bagno (*da uomo*): *a pair of swimming trunks* un costume da bagno

swimsuit /ˈswɪmsuːt/ *s* costume da bagno (*da donna*)

swindle /ˈswɪndl/ ◆ *vt* (*inform*) truffare ◆ *s* truffa **swindler** *s* truffatore, -trice

swing /swɪŋ/ (*pass, pp* **swung** /swʌŋ/) ◆ **1** *vt, vi* (far) oscillare **2** *vt, vi* dondolare **3** *vi* [*seguito da avverbio*]: *The door swung open.* La porta si spalancò. ◊ *The door swung shut.* La porta si chiuse sbattendo. **PHR V to swing (a)round** voltarsi ◆ *s* **1** oscillazione **2** dondolio **3** cambiamento: *mood swings* sbalzi d'umore **LOC** *Vedi* FULL

swirl /swɜːl/ *vt, vi* (far) turbinare

switch /swɪtʃ/ ◆ *s* **1** interruttore **2** (*anche* **switch-over**) (*inform*) cambiamento: *a switch to Labour* una svolta a favore dei laburisti ◆ **1** *vi* ~ **(from sth) to sth** passare (da qc) a qc **2** *vt* ~ **sth (with sb/sth)** scambiare qc (con qn/qc) **PHR V to switch sth off** spegnere qc **to switch sth on** accendere qc

switchboard /ˈswɪtʃbɔːd/ *s* centralino (*apparecchio*)

swivel /ˈswɪvl/ *v* (**-ll-**, *USA* **-l-**) **PHR V to swivel round** girarsi

swollen *pp di* SWELL

swoop /swuːp/ ◆ *vi* ~ **(down) (on sb/sth)** scendere in picchiata (su qn/qc) ◆ *s* incursione: *Police made a dawn swoop.* La polizia ha fatto un'incursione all'alba.

swop *Vedi* SWAP

sword /sɔːd/ *s* spada

swore *pass di* SWEAR

sworn *pp di* SWEAR

swum *pp di* SWIM

swung *pass, pp di* SWING

syllable /ˈsɪləbl/ *s* sillaba

syllabus /ˈsɪləbəs/ *s* (*pl* **-buses**) programma (*scolastico*)

symbol /ˈsɪmbl/ *s* ~ **(of/for sth)** simbolo (di qc) **symbolic** /sɪmˈbɒlɪk/ *agg* simbolico: *to be ~ of sth* essere il simbolo di qc **symbolism** /ˈsɪmbəlɪzəm/ *s* simbolismo **symbolize, -ise** /ˈsɪmbəlaɪz/ *vt* simboleggiare

symmetry /ˈsɪmətri/ *s* simmetria **symmetrical** /sɪˈmetrɪkl/ (*anche* **symmetric**) *agg* simmetrico

sympathetic /ˌsɪmpəˈθetɪk/ *agg* **1** ~ **(to/towards/with sb)** comprensivo (con qn) ☛ Nota che "simpatico" si dice **nice** o **friendly**. **2** ~ **(to sb/sth)** ben disposto (verso qn/qc): *lawyers sympathetic to the peace movement* avvocati che appoggiano il movimento pacifista

sympathize, -ise /ˈsɪmpəθaɪz/ *vi* ~ **with sb/sth** **1** essere vicino a qn/qc; capire qn/qc **2** simpatizzare (per qn/qc) **sympathy** *s* (*pl* **-ies**) **1** ~ **(for/towards sb)** comprensione (per qn) **2** condoglianze

symphony /ˈsɪmfəni/ *s* (*pl* **-ies**) sinfonia

symptom /ˈsɪmptəm/ *s* sintomo: *The riots are a symptom of a deeper problem.* Le rivolte sono sintomo di un problema più profondo.

synagogue /ˈsɪnəgɒg/ *s* sinagoga

synchronize, -ise /ˈsɪŋkrənaɪz/ *vt, vi* ~ **(sth) (with sth)** sincronizzare qc (con qc); essere sincronizzato (con qc)

syndicate /ˈsɪndɪkət/ *s* consorzio

syndrome /ˈsɪndrəʊm/ *s* (*Med, fig*) sindrome

synonym /ˈsɪnənɪm/ *s* sinonimo **synonymous** /sɪˈnɒnɪməs/ *agg* ~ **(with sth)** sinonimo (di qc)

syntax /ˈsɪntæks/ *s* sintassi

synthetic /sɪnˈθetɪk/ *agg* **1** sintetico **2** (*inform, dispreg*) artificiale

syringe /sɪˈrɪndʒ/ *s* siringa

syrup /ˈsɪrəp/ *s* sciroppo

system /ˈsɪstəm/ *s* sistema: *the metric/solar system* il sistema metrico decimale/solare ◊ *different systems of government* sistemi di governo diversi LOC **to get it out of your system** (*inform*) sfogarsi **systematic** /ˌsɪstəˈmætɪk/ *agg* **1** sistematico **2** (*lavoratore*) metodico

Tt

T, t /tiː/ *s* (*pl* **T's, t's** /tiːz/) T, t: *T for Tommy* T come Taranto ☛ *Vedi esempi a* A, A

tab /tæb/ *s* **1** linguetta (*di lattina*) **2** etichetta **3** (*USA*) conto

table /ˈteɪbl/ *s* **1** tavolo: *bedside table* comodino ◊ *coffee table* tavolino **2** tavola: *table of contents* indice LOC **to lay/set the table** apparecchiare *Vedi anche* LAY[1], CLEAR

tablecloth /ˈteɪblklɒθ/ *s* tovaglia

tablespoon /ˈteɪblspuːn/ *s* **1** cucchiaio da portata **2** (*anche* **tablespoonful**) cucchiaiata

tablet /ˈtæblət/ *s* compressa, pastiglia

table tennis *s* ping-pong

tabloid /ˈtæblɔɪd/ *s* tabloid: *the tabloid press* la stampa scandalistica

taboo /təˈbuː; *USA* tæˈbuː/ *agg, s* (*pl* **~s**) tabù: *a taboo subject* un argomento tabù

tacit /ˈtæsɪt/ *agg* tacito

tack /tæk/ ◆ *vt* imbullettare PHR V **to tack sth on (to sth)** (*inform*) aggiungere qc (a qc) ◆ *s* bulletta

tackle /ˈtækl/ ◆ *s* **1** [*non numerabile*] attrezzatura: *fishing tackle* attrezzatura da pesca **2** (*Calcio*) contrasto **3** (*Rugby*) placcaggio ◆ *vt* **1** ~ **sth** affrontare qc: *to tackle a problem* affrontare un problema **2** ~ **sb about/on/over sth** affrontare qn riguardo a qc **3** (*Calcio*) contrastare **4** (*Rugby*) placcare

tacky /ˈtæki/ *agg* (**-ier, -iest**) **1** (*vernice, colla*) ancora fresco **2** (*inform*) pacchiano

tact /tækt/ *s* tatto (*delicatezza*) **tactful** *agg* discreto, diplomatico

tactic /ˈtæktɪk/ *s* tattica **tactical** *agg* **1** tattico **2** strategico: *a tactical decision* una decisione strategica

tactless /ˈtæktləs/ *agg* indiscreto, poco diplomatico: *It was tactless of you to ask him his age.* Non hai mostrato molto tatto chiedendogli l'età.

tadpole /ˈtædpəʊl/ *s* girino

tag /tæg/ ◆ *s* etichetta ◆ *vt* (**-gg-**) mettere l'etichetta a PHR V **to tag along**: *I'll tag along.* Vengo anch'io. **to tag along behind/with sb** andare/venire dietro/con qn

tail[1] /teɪl/ *s* **1** coda **2 tails** [*pl*] frac **3 tails** [*pl*]: *Heads or tails?* Testa o croce? LOC *Vedi* HEAD[1]

tail[2] /teɪl/ *vt* pedinare PHR V **to tail away/off 1** (*numero*) diminuire **2** (*voce*) affievolirsi

tailor /ˈteɪlə(r)/ ◆ *s* sarto (*per uomo*) ◆ *vt* (*fig*) ~ **sth for/to sb/sth** adattare qc per/a qn/qc

tailor-made /ˌteɪlə ˈmeɪd/ *agg* **1** fatto su misura **2** (*fig*) su misura

taint /teɪnt/ *vt* **1** contaminare **2** (*reputazione*) infangare

take

Bring the newspaper.

Fetch the newspaper.

Take the newspaper.

take /teɪk/ *vt* (*pass* **took** /tʊk/ *pp* **taken** /ˈteɪkən/) **1** prendere: *She took my handbag by mistake.* Ha preso la mia borsa per sbaglio. ◊ *to take sb's hand/ take sb by the hand* prendere qn per mano ◊ *I took the knife from the baby.* Ho tolto il coltello al bambino. ◊ *to take the bus* prendere l'autobus ◊ *She took it as a compliment.* Lo ha preso come un complimento. **2** ~ **sb/sth** (**with you**) portare qn/qc (con sé): *Don't forget to take your swimming costume.* Non ti dimenticare di portare il costume. ◊ *Take the dog with you.* Vai con il cane. **3** ~ **sth** (**to sb**) portare qc (a qn) **4** (*senza permesso*) prendersi: *Somebody's taken my bike.* Qualcuno si è preso la mia bici. **5** accettare: *Do you take cheques?* Accetta un assegno? **6** (*tollerare*) sopportare: *I can't take any more.* Non ce la faccio più. **7** (*tempo, qualità*) volerci: *It takes an hour to get there.* Ci vuole un'ora ad arrivarci. ◊ *It won't take long.* Non ci vorrà molto. ◊ *It takes courage to speak out.* Ci vuole coraggio per parlare apertamente. **8** (*tempo*) metterci: *How long did you take to read it?* Quanto ci hai messo a leggerlo? **9** (*taglia*) portare: *What size shoes do you take?* Che numero di scarpe porta? **10** (*persone, oggetti*) portare, contenere: *The school can take 1000 children.* La scuola ha posto per 1000 bambini. **11** (*foto*) fare LOC **to take it (that ...)** supporre (che ...) **to take some/a lot of doing** (*inform*) non essere facile ☛ Per altre espressioni con **take** vedi alla voce del sostantivo, dell'aggettivo, ecc, ad es. **to take place** a PLACE.

PHR V **to take sb aback** [*gen al passivo*] prendere qn alla sprovvista

to take after sb prendere da qn, assomigliare a qn

to take sth apart smontare qc

to take sb/sth away (**from sb/sth**) portare via qn/qc (a qn/da qc)

to take sth back 1 (*negozio*) riprendere qc **2** ritirare qc

to take sth down 1 tirare giù qc **2** smontare qc **3** annotare qc

to take sb in 1 far entrare qn **2** imbrogliare qn **to take sth in** capire qc

to take off decollare **to take sth off 1** (*indumento*) togliersi qc **2** *to take the day off* prendersi un giorno di ferie **3** (*etichetta, coperchio*) togliere qc

to take sb on assumere qn **to take sth on** (*compito, responsabilità*) assumersi qc

to take sb out invitare qn a uscire: *I'm taking him out tonight.* L'ho invitato fuori stasera. **to take sth out** togliere qc

to take sth out on sb sfogare qc su qn

to take it out on sb prendersela con qn

to take over from sb prendere le consegne da qn **to take sth over 1** (*azienda*) assumere il controllo di qc **2** (*compito*) incaricarsi di qc

to take to sb/sth: *I took to his parents immediately.* I suoi genitori mi sono piaciuti subito.

to take up sth 1 (*spazio*) prendere qc **2** (*tempo*) portare via qc **to take sb up on sth** (*inform*): *I'll take you up on your offer.* Accetto la tua offerta. **to take sth up** cominciare qc (*come hobby*) **to take sth up with sb** affrontare qc con qn (*argomento*)

takeaway /ˈteɪkəweɪ/ (*USA* **take-out**) *s* **1** ristorante o rosticceria che vende piatti da asporto ☛ *Vedi pag. 379.* **2**

cibo da asporto: *We ordered a takeaway.* Abbiamo ordinato qualcosa in rosticceria.

taken *pp di* TAKE

take-off /ˈteɪk ɒf/ *s* decollo

takeover /ˈteɪkəʊvə(r)/ *s* **1** (*azienda*) rilevamento: *a takeover bid* un'offerta pubblica di acquisto **2** (*Mil*) presa di potere

takings /ˈteɪkɪŋz/ *s* [*pl*] entrate

talc /tælk/ (*anche* **talcum powder** /ˈtælkəm paʊdə(r)/) *s* talco

tale /teɪl/ *s* **1** storia, racconto **2** fandonia

talent /ˈtælənt/ *s* ~ (**for sth**) talento (per qc) **talented** *agg* di talento, dotato

talk /tɔːk/ ◆ *s* **1** conversazione, chiacchierata: *to have a talk with sb* parlare con qn **2** conferenza: *to give a talk on sailing* parlare di vela **3 talks** [*pl*] colloqui ◆ **1** *vi* ~ (**to/with sb**) (**about/of sb/sth**) parlare (con qn) (di qn/qc) ☛ *Vedi nota a* PARLARE **2** *vt* parlare di: *to talk business* parlare d'affari ◊ *to talk sense* dire cose sensate **3** *vi* spettegolare LOC **to talk shop** (*dispreg*) parlare di lavoro **to talk your way out of (doing) sth** riuscire a evitare (di fare) qc con tante belle parole PHR V **to talk down to sb** parlare a qn con condiscendenza **to talk sb into/out of doing sth** convincere qn a fare qc/dissuadere qn dal fare qc **talkative** *agg* loquace

tall /tɔːl/ *agg* (**-er**, **-est**) alto: *How tall are you?* Quanto sei alto? ◊ *James is six feet tall.* James è alto 1 metro e 80. ◊ *a tall tree* un albero alto ◊ *a tall tower* una torre alta ☛ *Vedi nota a* ALTO

tambourine /ˌtæmbəˈriːn/ *s* tamburino

tame /teɪm/ ◆ *agg* (**tamer**, **tamest**) **1** (*animale*) addomesticato **2** (*persona*) docile **3** (*festa, libro*) noioso ◆ *vt* **1** (*scimmia, ecc*) addomesticare **2** (*leone, ecc*) domare

tamper /ˈtæmpə(r)/ PHR V **to tamper with sth** manomettere qc

tampon /ˈtæmpɒn/ *s* assorbente interno

tan /tæn/ ◆ *vt, vi* (**-nn-**) abbronzare, abbronzarsi ◆ *s* (*anche* **suntan**) abbronzatura: *to get a tan* abbronzarsi ◆ *agg* marroncino

tangent /ˈtændʒənt/ *s* tangente (*retta*) LOC **to go/fly off at a tangent** saltare di palo in frasca

tangerine /ˌtændʒəˈriːn; *USA* ˈtændʒəriːn/ ◆ *s* mandarino ◆ *agg, s* color mandarino

tangle /ˈtæŋgl/ ◆ *s* **1** groviglio **2** pasticcio: *to get into a tangle* confondersi ◆ *vt, vi* ~ (**sth**) (**up**) aggrovigliare qc, aggrovigliarsi **tangled** *agg* aggrovigliato

tank /tæŋk/ *s* **1** serbatoio: *petrol tank* serbatoio della benzina **2** acquario **3** (*Mil*) carro armato

tanker /ˈtæŋkə(r)/ *s* **1** petroliera **2** autocisterna

tantalize, -ise /ˈtæntəlaɪz/ *vt* tormentare **tantalizing, -ising** *agg* allettante

tantrum /ˈtæntrəm/ *s* capricci: *Peter threw/had a tantrum.* Peter ha fatto i capricci.

tap[1] /tæp/ ◆ *s* rubinetto: *to turn the tap on/off* aprire/chiudere il rubinetto ◆ (**-pp-**) **1** *vt, vi* ~ (**into**) **sth** sfruttare qc **2** *vt* (*telefono*) mettere sotto controllo **3** *vt* (*conversazione*) intercettare

tap[2] /tæp/ ◆ *s* colpetto ◆ *vt* (**-pp-**) **1 to tap sth** (**against/on sth**) picchiettare qc (su qc) **2** dar colpetti a: *to tap sb on the shoulder* dare un colpetto sulla spalla a qn

tape /teɪp/ ◆ *s* **1** nastro: *sticky tape* nastro adesivo ◊ *to have sth on tape* aver qc registrato su nastro **2** *Vedi* TAPE-MEASURE ◆ **1** *vt* ~ **sth** (**up**) legare qc con il nastro **2** *vt, vi* registrare

tape deck *s* piastra di registrazione

tape-measure /ˈteɪp meʒə(r)/ (*anche* **tape**, **measuring tape**) *s* metro a nastro

tape recorder *s* registratore (*a cassette*)

tapestry /ˈtæpəstri/ *s* (*pl* **-ies**) arazzo

tar /tɑː(r)/ *s* catrame

target /ˈtɑːgɪt/ ◆ *s* **1** bersaglio, obiettivo: *military targets* obiettivi militari **2** obiettivo, traguardo: *I'm not going to meet my weekly target.* Non riuscirò a raggiungere il mio obiettivo settimanale. ◆ *vt* **1** ~ **sb/sth** avere come obiettivo qn/qc: *We're targeting young drivers.* Il nostro target sono i giovani automobilisti. **2** ~ **sth at/on sb** (*pubblicità*) indirizzare qc a qn **3** ~ **sth at/on sth** (*missile*) puntare qc su qc

tariff /ˈtærɪf/ *s* **1** tariffa **2** dazio

Tarmac® /ˈtɑːmæk/ *s* **1** (*anche* **tarmacadam**) asfalto **2** **tarmac** pista (*di aeroporto*)

tarnish /ˈtɑːnɪʃ/ **1** *vt*, *vi* (far) annerire, ossidare, ossidarsi **2** *vt* (*fig*) infangare

tart /tɑːt/ *agg* crostata ☛ *Vedi nota a* PIE

tartan /ˈtɑːtn/ *s* tartan, tessuto scozzese

task /tɑːsk; *USA* tæsk/ *s* compito: *Your first task will be to type these letters.* La prima cosa che deve fare è battere a macchina queste lettere.

taste /teɪst/ ◆ *s* **1** ~ (**for sth**) gusto (di qc) **2** sapore, gusto **3** ~ (**of sth**) (*cibo, bevanda*) assaggio (di qc): *to have a taste of sth* assaggiare qc **4** ~ (**of sth**) esperienza (di qc): *her first taste of life in a big city* la sua prima esperienza di vita in una grande città ◆ **1** *vt* sentire il sapore di: *I can't taste anything.* Non riesco a sentire il sapore. **2** *vi* ~ (**of sth**) sapere (di qc) **3** *vt* assaggiare **4** *vt* (*fig*) assaporare

tasteful /ˈteɪstfl/ *agg* di buon gusto

tasteless /ˈteɪstləs/ *agg* **1** insipido **2** di cattivo gusto

tasty /ˈteɪsti/ *agg* (**-ier**, **-iest**) saporito

tattered /ˈtætəd/ *agg* sbrindellato

tatters /ˈtætəz/ *s* [*pl*] brandelli LOC **in tatters** a brandelli

tattoo /təˈtuː; *USA* tæˈtuː/ ◆ *s* (*pl* ~**s**) tatuaggio ◆ *vt* tatuare

tatty /ˈtæti/ *agg* (**-ier**, **-iest**) (*GB, inform*) malridotto

taught *pass, pp di* TEACH

taunt /tɔːnt/ ◆ *vt* schernire ◆ *s* scherno

Taurus /ˈtɔːrəs/ *s* Toro (*segno zodiacale*) ☛ *Vedi esempi a* AQUARIUS

taut /tɔːt/ *agg* teso

tavern /ˈtævən/ *s* (*antiq*) taverna

tax /tæks/ ◆ *s* imposta: *tax return* dichiarazione dei redditi ◆ *vt* **1** (*prodotto, persona*) tassare **2** (*risorse*) gravare su **3** (*pazienza*) mettere alla prova **taxable** *agg* imponibile **taxation** *s* **1** tassazione **2** imposte **taxing** *agg* gravoso

tax-free /ˌtæks ˈfriː/ *agg* esente da imposte

taxi /ˈtæksi/ ◆ *s* (*anche* **taxicab**, *spec USA* **cab**) taxi: *taxi driver* tassista ◆ *vi* rullare (*aereo*)

taxpayer /ˈtæksˌpeɪə(r)/ *s* contribuente

tea /tiː/ *s* **1** tè **2** merenda **3** cena ☛ *Vedi pag. 379.* LOC *Vedi* CUP

teach /tiːtʃ/ (*pass, pp* **taught** /tɔːt/) *vt* insegnare: *Jeremy is teaching us how to use the computer.* Jeremy ci insegna a usare il computer. *Vedi anche* COACH LOC **to teach sb a lesson** dare una lezione a qn

teacher /ˈtiːtʃə(r)/ *s* insegnante: *I'm an English teacher.* Sono professore d'inglese.

teaching /ˈtiːtʃɪŋ/ *s* insegnamento: *teaching materials* materiale didattico

team /tiːm/ ◆ *s* [*v sing o pl*] **1** squadra **2** pool, équipe ◆ *v* PHR V **to team up (with sb)** mettersi insieme (a qn) (*per lavoro, progetto*)

teamwork /ˈtiːmwɜːk/ *s* lavoro d'équipe

teapot /ˈtiːpɒt/ *s* teiera

tear¹ /tɪə(r)/ *s* lacrima: *He was in tears.* Piangeva. LOC *Vedi* BRING **tearful** *agg* in lacrime

tear² /teə(r)/ (*pass* **tore** /tɔː(r)/ *pp* **torn** /tɔːn/) ◆ **1** *vt*, *vi* strappare, strapparsi **2** *vt* ~ **sth out** staccare qc **3** *vi* ~ **along/past** correre all'impazzata PHR V **to be torn between A and B** essere combattuto tra A e B **to tear sth down 1** tirare giù qc **2** (*edificio*) buttare giù qc **to tear sth up** strappare qc ◆ *s* strappo LOC *Vedi* WEAR

tearoom /ˈtiːruːm, -rʊm/ (*anche* **tea shop**) *s* sala da tè ☛ *Vedi pag. 379.*

tease /tiːz/ *vt* stuzzicare, tormentare

teaspoon /ˈtiːspuːn/ *s* **1** cucchiaino **2** (*anche* **teaspoonful**) cucchiaino (*quantità*)

teatime /ˈtiːtaɪm/ *s* ora del tè

technical /ˈteknɪkl/ *agg* **1** tecnico: *a technical point* un vizio di forma **technicality** /ˌteknɪˈkæləti/ *s* (*pl* **-ies**) **1** dettaglio tecnico **2** formalità: *a mere technicality* una pura formalità **3** vizio di forma **technically** *avv* tecnicamente

technical college *s* (*GB*) ≃ istituto tecnico

technician /tekˈnɪʃn/ *s* tecnico

technique /tekˈniːk/ *s* tecnica

technology /tekˈnɒlədʒi/ *s* (*pl* **-ies**) tecnologia **technological** /ˌteknəˈlɒdʒɪkl/ *agg* tecnologico

teddy bear /ˈtedi beə(r)/ *s* orsacchiotto

tedious /ˈtiːdiəs/ *agg* noioso

tedium /ˈtiːdiəm/ *s* tedio

teem /tiːm/ *vi* ~ **with sth** essere pieno di qc

teenage /ˈtiːneɪdʒ/ *agg* (*problemi, moda*) giovanile **teenager** *s* adolescente

teens /tiːnz/ *s* [*pl*] età tra i 13 e i 19 anni: *When I was in my teens...* Da ragazzo...

tee shirt *Vedi* T-SHIRT

teeth *plurale di* TOOTH

teethe /tiːð/ *vi* mettere i denti LOC **teething problems/troubles** problemi/difficoltà iniziali

telecommunications /ˌtelɪkəˌmjuːnɪˈkeɪʃnz/ *s* [*pl*] telecomunicazioni

telegraph /ˈtelɪgrɑːf; *USA* -græf/ *s* telegrafo

telephone /ˈtelɪfəʊn/ ◆ *s* (*anche* **phone**) telefono: *a telephone call* una telefonata ◊ *the telephone book/directory* l'elenco telefonico LOC **on the telephone 1** *We're not on the telephone.* Non abbiamo il telefono. **2** *She's on the telephone.* È al telefono. ◆ *vt, vi* telefonare (a qn/qc)

telephone box (*anche* **phone box**, **telephone booth**, **phone booth**) *s* cabina telefonica

telescope /ˈtelɪskəʊp/ *s* cannocchiale, telescopio

televise /ˈtelɪvaɪz/ *vt* trasmettere (*in TV*)

television /ˈtelɪvɪʒn/ (*GB, inform* **telly**) *s* (*abbrev* **TV**) **1** televisione: *to watch television* guardare la televisione **2** (*anche* **television set**) televisore

In Gran Bretagna ci sono cinque canali televisivi nazionali: BBC1, BBC2, ITV, Channel 4 e Channel 5. Su ITV, Channel 4 e Channel 5 ci sono intervalli pubblicitari (sono **commercial channels**). Su BBC1 e BBC2 non c'è pubblicità e i due canali sono finanziati attraverso il pagamento di un canone di abbonamento (**TV licence**).

tell /tel/ (*pass, pp* **told** /təʊld/) **1** *vt* dire: *to tell the truth* dire la verità

Usato nella forma indiretta, **tell** è generalmente seguito dal complemento oggetto diretto: *Tell him to wait.* Digli di aspettare. ◊ *She told him to hurry up.* Gli ha detto di sbrigarsi. *Vedi nota a* SAY

2 *vt* raccontare: *Tell me all about it.* Raccontami tutto. ◊ *Promise you won't tell.* Prometti di non andarlo a raccontare. **3** *vt, vi* sapere: *You can tell she's French.* Si capisce subito che è francese. **4** *vt* ~ **A from B** distinguere A da B LOC **I told you (so)** (*inform*) te l'avevo detto **there's no telling** è impossibile saperlo **to tell the time** (*USA* **to tell time**) dire che ore sono **you never can tell** non si può mai dire **you're telling me!** (*inform*) lo dici a me! PHR V **to tell sb off (for sth/doing sth)** (*inform*) rimproverare qn (per qc/per aver fatto qc) **to tell on sb** (*inform*) denunciare qn

telling /ˈtelɪŋ/ *agg* significativo

telling-off /ˌtelɪŋ ˈɒf/ *s* ramanzina

telly /ˈteli/ *s* (*pl* **-ies**) (*GB, inform*) tele

temp /temp/ *s* (*inform*) impiegato temporaneo, impiegata temporanea

temper[1] /ˈtempə(r)/ *s* umore: *to get into a temper* arrabbiarsi LOC **in a (bad, foul, rotten, etc) temper** di pessimo umore **to keep/lose your temper** mantenere/perdere la calma *Vedi anche* QUICK, SHORT[1]

temper[2] /ˈtempə(r)/ *vt* ~ **sth (with sth)** mitigare qc (con qc)

temperament /ˈtemprəmənt/ *s* temperamento

temperamental /ˌtemprəˈmentl/ *agg* **1** capriccioso **2** innato

temperate /ˈtempərət/ *agg* **1** (*comportamento, carattere*) moderato **2** (*clima, regione*) temperato

temperature /ˈtemprətʃə(r); *USA* -tʃʊər/ *s* temperatura LOC **to have/run a temperature** avere la febbre

template /ˈtempleɪt/ *s* sagoma

temple /ˈtempl/ *s* **1** (*Relig*) tempio **2** (*Anat*) tempia

tempo /ˈtempəʊ/ *s* (*pl* **~s** *Mus* **tempi** /ˈtempiː/) **1** (*Mus*) tempo **2** (*fig*) ritmo

temporary /ˈtemprəri; *USA* -pəreri/ *agg* temporaneo, provvisorio **temporarily** *avv* temporaneamente

tempt /tempt/ *vt* tentare **temptation** *s* tentazione **tempting** *agg* **1** (*offerta*) allettante **2** (*cibo*) che fa venire l'acquolina

ten /ten/ *agg, pron, s* dieci ☛ *Vedi*

esempi a FIVE **tenth** *agg, pron, avv, s* decimo ☛ *Vedi esempi a* FIFTH

tenacious /təˈneɪʃəs/ *agg* tenace

tenacity /təˈnæsəti/ *s* tenacia

tenant /ˈtenənt/ *s* inquilino, -a **tenancy** *s (pl* **-ies**) locazione

tend /tend/ **1** *vt* prendersi cura di **2** *vi* ~ **to do sth** tendere, avere la tendenza a fare qc **tendency** *s (pl* **-ies**) tendenza

tender /ˈtendə(r)/ *agg* **1** (*carne, occhiata*) tenero **2** (*ferita*) dolorante **tenderly** *avv* teneramente, con tenerezza **tenderness** *s* tenerezza

tendon /ˈtendən/ *s* tendine

tenement /ˈtenəmənt/ *s*: *a tenement block/tenement house* un casamento

tenner /ˈtenə(r)/ *s* (*GB, inform*) dieci sterline

tennis /ˈtenɪs/ *s* tennis

tenor /ˈtenə(r)/ *s* tenore (*voce*)

tense[1] /tens/ *agg* (**-er**, **-est**) teso

tense[2] /tens/ *s* (*Gramm*) tempo: *in the past tense* al passato

tension /ˈtenʃn/ *s* tensione

tent /tent/ *s* **1** tenda (*da campeggio*) **2** (*circo*) tendone

tentacle /ˈtentəkl/ *s* tentacolo

tentative /ˈtentətɪv/ *agg* **1** provvisorio **2** titubante

tenth *Vedi* TEN

tenuous /ˈtenjuəs/ *agg* tenue

tenure /ˈtenjʊə(r); *USA* -jər/ *s* **1** (*carica*) incarico **2** (*terreno, proprietà*) possesso: *security of tenure* diritto di possesso

tepid /ˈtepɪd/ *agg* tiepido

term /tɜːm/ ◆ *s* **1** periodo: *term of office* mandato (*di governo*): *the long-term risks* i rischi a lungo termine **2** trimestre: *the autumn/spring/summer term* il primo/secondo/terzo trimestre **3** termine, parola *Vedi anche* TERMS LOC **in the long/short term** a lungo termine/a breve scadenza ◆ *vt* (*form*) definire

terminal /ˈtɜːmɪnl/ ◆ *agg* terminale ◆ *s* **1** (*autobus*) capolinea **2** (*aeroporto*) terminal **3** (*Informatica*) terminale

terminate /ˈtɜːmɪneɪt/ **1** *vt, vi* terminare: *This train will terminate at Charing Cross.* Il treno fa capolinea a Charing Cross. **2** *vt* (*contratto*) rescindere

terminology /ˌtɜːmɪˈnɒlədʒi/ *s (pl* **-ies**) terminologia

terminus /ˈtɜːmɪnəs/ *s (pl* **termini** /ˈtɜːmɪnaɪ/ o ~**es** /-nəsɪz/) capolinea, stazione terminale

terms /tɜːmz/ *s [pl]* **1** termini, condizioni **2** rapporti LOC **to be on good/bad terms (with sb)** avere/non avere buoni rapporti (con qn) **to come to terms with sb/sth** accettare qn/qc *Vedi anche* EQUAL

terrace /ˈterəs/ *s* **1** terrazza **2 the terraces** *[pl]* (*Sport*) le gradinate **3** fila di case a schiera **4** (*anche* **terraced house**) casa a schiera ☛ *Vedi pag. 380.*

terrain /təˈreɪn/ *s* terreno

terrible /ˈterəbl/ *agg* **1** terribile **2** (*tempo*) orribile **3** (*inform*) tremendo **terribly** *avv* **1** (*molto male*): *They sang terribly.* Hanno cantato malissimo. **2** (*moltissimo*) terribilmente: *I'm terribly sorry.* Mi dispiace infinitamente.

terrific /təˈrɪfɪk/ *agg* (*inform*) **1** tremendo: *a terrific storm* una tremenda tempesta **2** fantastico: *The food was terrific value.* Abbiamo speso pochissimo per mangiare.

terrify /ˈterɪfaɪ/ *vt* (*pass, pp* **-fied**) terrorizzare **terrified** *agg* terrorizzato: *She's terrified of flying.* Ha una paura folle dell'aereo. LOC *Vedi* WIT **terrifying** *agg* terrificante, spaventoso

territory /ˈterətri; *USA* -tɔːri/ *s (pl* **-ies**) territorio **territorial** *agg* territoriale

terror /ˈterə(r)/ *s* terrore: *to scream with terror* gridare per la paura

terrorism /ˈterərɪzəm/ *s* terrorismo **terrorist** *s* terrorista

terrorize, -ise /ˈterəraɪz/ *vt* terrorizzare

terse /tɜːs/ *agg* conciso

test /test/ ◆ *s* **1** (*sistema, prodotto*) controllo, prova **2** (*Med*) analisi: *blood test* analisi del sangue ◊ *pregnancy test* test di gravidanza **3** (*Scuola*) prova scritta **4** (*di intelligenza*) test ◆ *vt* **1** provare, controllare **2** ~ **sth for sth** controllare qc per trovare qc **3** ~ **sb (on sth)** (*Scuola*) far fare una prova (di qc) a qn

testament /ˈtestəmənt/ *s* (*form*) ~ **(to sth)** prova (di qc)

testicle /ˈtestɪkl/ *s* testicolo

testify /ˈtestɪfaɪ/ *vt, vi* (*pass, pp* **-fied**) testimoniare

testimony /ˈtestɪməni; *USA* -məʊni/ *s (pl* **-ies**) testimonianza

test tube *s* provetta: *test-tube baby* bambino in provetta

tether /ˈteðə(r)/ ◆ *vt* (*animale*) legare ◆ *s* LOC *Vedi* END

text /tekst/ *s* testo

textbook /ˈtekstbʊk/ *s* libro di testo

textile /ˈtekstaɪl/ *s* [*gen pl*] tessuto: *the textile industry* l'industria tessile

texture /ˈtekstʃə(r)/ *s* consistenza

than /ðən, ðæn/ *cong, prep* **1** [*dopo comparativo*]: *He's slightly taller than you.* È leggermente più alto di te. ◊ *faster than ever* più veloce che mai ◊ *better than he thought* migliore di quanto pensasse **2** (*con tempo e distanza*): *more than an hour/a kilometre* più di un'ora/un chilometro

thank /θæŋk/ *vt* ~ **sb** (**for sth/doing sth**) ringraziare qn (per qc/per aver fatto qc) LOC **thank you** grazie

thankful /θæŋkfl/ *agg* grato, riconoscente

thanks /θæŋks/ ◆ *escl* (*inform*) grazie!: *Thanks for coming!* Grazie di essere venuto! ◆ *s* LOC *Vedi* VOTE

thanksgiving /ˌθæŋksˈɡɪvɪŋ/ *s* ringraziamento: *Thanksgiving* (*Day*) Festa del Ringraziamento

that[1] /ðət, ðæt/ *cong* che: *the fact that smoking is harmful* il fatto che il fumo fa male ◊ *I told him that he should wait.* Gli ho detto di aspettare.

that[2] /ðət, ðæt/ *pron rel* **1** [*soggetto*] che: *The letter that came is from him.* La lettera che è arrivata è sua. **2** [*complemento*] che: *These are the books* (*that*) *I bought.* Questi sono i libri che ho comprato. ◊ *the job* (*that*) *I applied for* il lavoro per il quale ho fatto domanda **3** [*con espressioni di tempo*] in cui: *the year that he died* l'anno in cui è morto

that[3] /ðæt/ ◆ *agg* (*pl* **those** /ðəʊz/) quello ◆ *pron* (*pl* **those** /ðəʊz/) quello, -a, -i, -e ☛ *Confronta* THIS LOC **that is** (**to say**) cioè **that's right** esatto **that's it** ecco

that[4] /ðæt/ *avv* così: *It's that long.* È lungo così. ◊ *that much worse* ancora peggio

thatch /θætʃ/ *vt* coprire con la paglia (*tetto*) **thatched** *agg* con il tetto di paglia

thaw /θɔː/ ◆ **1** *vi* (*neve*) sciogliersi **2** *vt, vi* (*cibo*) scongelare, scongelarsi ◆ *s* disgelo

the /ðə/ ☛ Davanti a vocale si pronuncia /ði/e se si vuole dare enfasi alla parola che segue /ðiː/. *art det* il/la, i/le, ecc LOC **the more/less... the more/less...** più/meno...più/meno...: *The more I study, the less I understand.* Più studio, meno capisco.

L'articolo determinativo in inglese:

1 Non si usa con il plurale dei sostantivi numerabili quando si parla in generale: *Books are expensive.* I libri sono cari. ◊ *Children learn very fast.* I bambini imparano alla svelta.

2 Si omette con i sostantivi non numerabili quando si parla di una sostanza o di un'idea in generale: *I like cheese/classical music.* Mi piace il formaggio/la musica classica.

3 Di solito si omette con i nomi propri e con i sostantivi che indicano la parentela: *Mrs Smith* la Sig.ra Smith ◊ *Anna's mother* la mamma di Anna ◊ *Granny came yesterday.* La nonna è arrivata ieri.

4 Con le parti del corpo e gli oggetti personali si usa l'aggettivo possessivo invece che l'articolo determinativo: *Give me* **your hand**. Dammi la mano. ◊ *He put* **his tie** on. Si è messo la cravatta.

5 **Hospital**, **school** e **church** si possono usare con l'articolo e senza, ma il significato cambia. *Vedi nota a* SCHOOL

theatre (*USA* **theater**) /ˈθɪətə(r); *USA* ˈθiːətər/ *s* teatro LOC *Vedi* LECTURE

theatrical /θiˈætrɪkl/ *agg* teatrale, di teatro

theft /θeft/ *s* furto

their /ðeə(r)/ *agg poss* il loro, ecc: *What colour is their cat?* Di che colore è il loro gatto? ☛ *Vedi nota a* MY

theirs /ðeəz/ *pron poss* il loro, ecc: *a friend of theirs* un loro amico ◊ *Our flat is not as big as theirs.* Il nostro appartamento non è grande quanto il loro.

them /ðəm, ðem/ *pron pers* **1** [*come complemento oggetto*] li, le: *I saw them yesterday.* Li ho visti ieri. **2** [*come complemento indiretto*] loro: *Tell them to wait.* Di' che aspettino. **3** [*dopo preposizione*] loro: *Go with them.* Vai con loro. ◊ *They took it with them.* Lo hanno portato con sé. ☛ *Confronta* THEY

theme /θiːm/ *s* tema (*argomento, musica*)

themselves /ðəmˈselvz/ *pron* **1** [*uso riflessivo*] si: *They enjoyed themselves a lot.* Si sono divertiti tanto. **2** [*dopo prep*] sé, se stessi, -e: *They were talking about themselves.* Stavano parlando di sé. **3** [*uso enfatico*] loro stessi, -e **LOC by themselves 1** da sé: *They did it all by themselves.* L'hanno fatto tutto da sé. **2** soli/sole: *They were by themselves.* Erano soli.

then /ðen/ *avv* **1** allora: *Life was harder then.* La vita era più dura allora. ◊ *until then* fino ad allora ◊ *from then on* da allora in poi **2** allora, dunque: *You're not coming, then?* Allora, tu non vieni? **3** poi, dopo: *the soup and then the chicken* la minestra e poi il pollo

theology /θiˈɒlədʒi/ *s* teologia **theological** /ˌθiːəˈlɒdʒɪkl/ *agg* teologico

theoretical /ˌθɪəˈretɪkl/ *agg* teorico

theory /ˈθɪəri/ *s* (*pl* **-ies**) teoria: *in theory* in teoria

therapeutic /ˌθerəˈpjuːtɪk/ *agg* terapeutico

therapist /ˈθerəpɪst/ *s* terapeuta

therapy /ˈθerəpi/ *s* terapia

there /ðeə(r)/ ◆ *avv* lì, là: *My car is there, in front of the pub.* La mia macchina è lì, davanti al pub. **LOC there and then** lì per lì *Vedi anche* HERE ◆ *pron* **LOC there is/are** c'è/ci sono: *How many are there?* Quanti ce ne sono? ◊ *There'll be twelve guests at the party.* Ci saranno dodici invitati alla festa. ◊ *There was a terrible accident yesterday.* È successo un incidente tremendo ieri. ◊ *There has been very little rain recently.* È piovuto molto poco di recente. **there + v modale + be**: *There must be no mistakes.* Non ci devono essere errori. ◊ *There shouldn't be any problems.* Non ci dovrebbe essere alcun problema. ◊ *How can there be that many?* Come è possibile che ce ne siano così tanti?

There si usa anche con **seem** e **appear**: *There seem/appear to be too many problems.* Sembra che ci siano troppi problemi.

thereafter /ˌðeərˈɑːftə(r); *USA* -ˈæf-/ *avv* (*form*) dopo

thereby /ˌðeəˈbaɪ/ *avv* (*form*) in tal modo

therefore /ˈðeəfɔː(r)/ *avv* perciò, quindi

thermal /ˈθɜːml/ *agg* **1** termico **2** (*sorgente*) termale

thermometer /θəˈmɒmɪtə(r)/ *s* termometro

thermostat /ˈθɜːməstæt/ *s* termostato

these /ðiːz/ *agg, pron* [*pl*] questi, -e *Vedi anche* THIS

thesis /ˈθiːsɪs/ *s* (*pl* **theses** /ˈθiːsiːz/) tesi

they /ðeɪ/ *pron pers* **1** (*persone*) loro: *They're Scottish.* Sono scozzesi. ◊ *They didn't like it.* A loro non è piaciuto. **2** (*cose*) essi, -e ☛ In inglese il *pronome personale soggetto* non si può omettere. *Confronta* THEM

they'd /ðeɪd/ **1** = THEY HAD *Vedi* HAVE **2** = THEY WOULD *Vedi* WOULD

they'll /ðeɪl/ = THEY WILL *Vedi* WILL

they're /ðeə(r)/ = THEY ARE *Vedi* BE

they've /ðeɪv/ = THEY HAVE *Vedi* HAVE

thick /θɪk/ ◆ *agg* (**-er**, **-est**) **1** grosso, spesso: *The ice was fifteen centimetres thick.* Il ghiaccio era spesso quindici centimetri. **2** denso: *This sauce is too thick.* La salsa è troppo densa. **3** (*barba*) folto **4** (*accento*) marcato **5** (*nebbia*) fitto **6** (*inform*) (*persona*) duro (*a capire*) ◆ *avv* (**-er**, **-est**) (*anche* **thickly**): *Don't spread the butter too thick.* Non fare lo strato di burro troppo spesso. ◆ *s* **LOC in the thick of sth** nel mezzo di qc **through thick and thin** nella buona e nella cattiva sorte **thicken** *vt, vi* **1** ispessire, ispessirsi **2** (far) diventare più denso **thickly** *avv* **1** *thickly cut bread* pane tagliato a fette grosse **2** (*popolato*) densamente **thickness** *s* spessore

thief /θiːf/ *s* (*pl* **thieves** /θiːvz/) ladro, -a

thigh /θaɪ/ *s* coscia

thimble /ˈθɪmbl/ *s* ditale

thin /θɪn/ ◆ *agg* (**thinner**, **thinnest**) **1** (*persona*) magro ☛ *Vedi nota a* MAGRO **2** (*libro, velo*) fine, sottile **3** (*minestra*) liquido **LOC to be thin on the ground** scarseggiare **to vanish, etc into thin air** volatilizzarsi *Vedi anche* THICK ◆ *avv* (**thinner**, **thinnest**) (*anche* **thinly**) finemente ◆ *vt, vi* (**-nn-**) ~ (**sth**) (**out**) diluire, diluirsi

thing /θɪŋ/ *s* **1** cosa, coso: *What's that thing on the table?* Cos'è quel coso sul tavolo? ◊ *I can't see a thing.* Non vedo niente. ◊ *Forget the whole thing.* Lasciamo perdere. ◊ *to take things seriously* prendere le cose sul serio ◊ *The way things are going...* Vista la situazione... ◊ *You can put your things in that drawer.* Puoi mettere le tue cose nel cassetto. **2** *Poor* (*little*) *thing!* Poverino! **3 the thing**: *Just the thing for me.* Proprio quello che volevo! **LOC first/last thing** per prima cosa/come ultima cosa **for one thing** tanto per cominciare **a good thing (that)...** meno male che...: *It was a good thing that...* È stato un bene che... **to get/keep things in proportion** dare alle cose il giusto peso **the thing is...** il fatto è che...

think /θɪŋk/ (*pass, pp* **thought** /θɔːt/) **1** *vt, vi* pensare: *What are you thinking* (*about*)*?* A cosa stai pensando? ◊ *Just think!* Pensa un po'! ◊ *Who'd have thought it?* Chi l'avrebbe detto! ◊ *The job took longer than we thought.* Il lavoro ha richiesto più del previsto. **2** *vi, vt* pensare: *I think so./I don't think so.* Penso di sì/di no. ◊ *What do you think* (*of her*)*?* Cosa ne pensi (di lei)? ◊ *It would be nice, don't you think?* Sarebbe bello, non ti pare? ◊ *I think this is the house.* Mi pare che questa sia la casa. **LOC I should think so!** Ci mancherebbe altro! **to think the world of sb** stimare molto qn *Vedi anche* GREAT

PHR V to think about sb/sth pensare a qn/qc **to think about doing sth** considerare la possibilità di fare qc: *I'll think about it.* Ci penserò.

to think of sth pensare a qc

to think sth out: *a well-thought-out plan* un piano ben congegnato

to think sth over riflettere su qc

to think sth up (*inform*) escogitare qc

thinker /ˈθɪŋkə(r)/ *s* pensatore, -trice

thinking /ˈθɪŋkɪŋ/ ◆ *s* [*non numerabile*] pensiero: *What's your thinking on this?* Cosa ne pensi? ◊ *quick thinking* riflessi pronti **LOC** *Vedi* WISHFUL *a* WISH ◆ *agg* [*solo davanti a sostantivo*] razionale, intelligente: *thinking people* le persone dotate di raziocinio

third (*abbrev* **3rd**) /θɜːd/ ◆ *agg, pron, avv, s* terzo ◆ *s* **1 the third** il tre **2** (*anche* **third gear**) terza (*marcia*) ☛ *Vedi esempi a* FIFTH **thirdly** *avv* in terzo luogo

third party *s* terzo: *third party insurance* assicurazione di responsabilità civile

the Third World *s* il Terzo Mondo

thirst /θɜːst/ *s* ~ (**for sth**) sete (di qc) **thirsty** *agg* (**-ier**, **-iest**) assetato: *to be thirsty* avere sete

thirteen /ˌθɜːˈtiːn/ *agg, pron, s* tredici ☛ *Vedi esempi a* FIVE **thirteenth** *agg, pron, avv, s* tredicesimo ☛ *Vedi esempi a* FIFTH

thirty /ˈθɜːti/ *agg, pron, s* trenta ☛ *Vedi esempi a* FIFTY, FIVE **thirtieth** *agg, pron, avv, s* trentesimo ☛ *Vedi esempi a* FIFTH

this /ðɪs/ ◆ *agg* (*pl* **these** /ðiːz/) questo, -a, questi, -e: *I don't like this colour.* Non mi piace questo colore. ◊ *This one suits me.* Questo qui mi sta bene. ◊ *These shoes are more comfortable than those.* Queste scarpe qui sono più comode di quelle. ☛ *Confronta* THAT[3], TONIGHT ◆ *pron* (*pl* **these** /ðiːz/) **1** questo, -a, ecc: *This is John's father.* Questo è il padre di John. ◊ *I prefer these.* Preferisco queste. **2** *Listen to this...* Senti questa... **3** (*al telefono*): *This is Paola.* Sono Paola ◆ *avv*: *this high* alto così ◊ *this far* fino qui

thistle /ˈθɪsl/ *s* cardo

thorn /θɔːn/ *s* spina (*di rosa*) **thorny** *agg* (**-ier**, **-iest**) (*argomento*) spinoso

thorough /ˈθʌrə; *USA* ˈθʌrəʊ/ *agg* **1** (*conoscenza, esame*) approfondito **2** (*persona*) meticoloso **thoroughly** *avv* **1** accuratamente **2** totalmente

those /ðəʊz/ *agg, pron* [*pl*] quelli, -e *Vedi anche* THAT[3]

though /ðəʊ/ ◆ *cong* sebbene, benché ☛ *Vedi nota a* SEBBENE ◆ *avv* (*inform*) comunque

thought[1] *pass, pp di* THINK

thought[2] /θɔːt/ *s* **1** pensiero: *deep/lost in thought* assorto nei propri pensieri **2** ~ (**of doing sth**) idea (di fare qc) **LOC** *Vedi* FOOD, SCHOOL, SECOND, TRAIN[1] **thoughtful** *agg* **1** pensieroso **2** gentile, premuroso: *It was very thoughtful of you.* È stato molto gentile da parte tua. **thoughtless** *agg* sconsiderato

thousand /ˈθaʊznd/ *agg, pron, s* mille *thousands of people* migliaia di persone ☛ *Vedi esempi a* FIVE **thousandth** *agg* *pron, avv, s* millesimo ☛ *Vedi esempi a* FIFTH

hrash /θræʃ/ *vt* **1** picchiare **2** (*sconfiggere*) battere **thrashing** *s* **1** *to give sb a thrashing* picchiare qn **2** sconfitta

hread /θred/ ◆ *s* ~ filo: *a needle and thread* ago e filo ◆ *vt* **1** (*ago, perle*) infilare **2** (*nastro, cavo*) passare

hreat /θret/ *s* ~ (**to sb/sth**) (**of sth**) minaccia (per qn/qc) (di qc): *a threat to national security* una minaccia per la sicurezza nazionale **threaten** *vt* **1** ~ **sb/sth** (**with sth**) minacciare qn/qc (di qc) **2** ~ **to do sth** minacciare di fare qc **threatening** *agg* minaccioso

hree /θriː/ *agg, pron, s* tre ☛ *Vedi esempi a* FIVE

hree-dimensional /ˌθriː daɪˈmenʃənl/ (*anche* **3–D** /ˌθriː ˈdiː/) *agg* tridimensionale

hreshold /ˈθreʃhəʊld/ *s* soglia

hrew *pass di* THROW[1]

hrill /θrɪl/ *s* **1** fremito **2** esperienza emozionante: *What a thrill!* Che emozione! **thrilled** *agg* entusiasta **thriller** *s* thriller **thrilling** *agg* emozionante, entusiasmante

hrive /θraɪv/ *vi* prosperare: *He thrives on criticism.* Le critiche lo stimolano. ◊ *a thriving industry* un'industria fiorente

hroat /θrəʊt/ *s* gola: *a sore throat* il mal di gola

hrob /θrɒb/ ◆ *vi* (**-bb-**) **1** (*cuore, battito*) pulsare: *My toe was throbbing with pain.* Il mio dito era gonfio e dolorante. **2** (*motore*) vibrare ◆ *s* battito

hrone /θrəʊn/ *s* trono

hrough (*USA anche* **thru**) /θruː/ ◆ *prep* **1** attraverso: *She made her way through the traffic.* Si è fatta strada nel traffico. ◊ *to breathe through your nose* respirare col naso ◊ *through here* di qua **2** *I'm halfway through the book.* Sono a metà del libro. **3** per mezzo di: *through carelessness* per disattenzione **4** (*USA*) a: *Tuesday through Friday* da martedì a venerdì ◆ *part avv* **1** *Can you get through?* Riesci a passare? **2** dall'inizio alla fine: *I've read the poem through once.* Ho letto tutta la poesia una volta. ◊ *all night through* tutta la notte ☛ Per l'uso di **through** nei PHRASAL VERBS vedi alla voce del verbo, ad es. **break through** a BREAK. ◆ *agg* diretto: *a through train* un treno diretto ◊ *No through road* Strada senza uscita

throughout /θruːˈaʊt/ ◆ *prep* per tutto, durante tutto: *throughout Europe* in tutta l'Europa ◊ *Throughout his life he had had to make many sacrifices.* Nella sua vita aveva dovuto fare molti sacrifici. ◆ *avv* **1** dappertutto **2** tutto il tempo

throw[1] /θrəʊ/ *vt* (*pass* **threw** /θruː/ *pp* **thrown** /θrəʊn/) **1** ~ **sth** (**to sb**) tirare, lanciare qc (a qn) **2** *vt* ~ **sth** (**at sb/sth**) tirare, lanciare qc (addosso a qn/contro qc) ☛ **To throw at sb/sth** indica l'intenzione di danneggiare o ferire la cosa o la persona contro la quale si tira un oggetto: *Don't throw stones at the cat.* Non tirare sassi al gatto. **3** [+ *loc avv*]: *He threw back his head.* Ha buttato indietro la testa. ◊ *She threw up her hands in horror.* Ha alzato le braccia al cielo per l'orrore. **4** (*cavallo*) disarcionare **5** (*inform*) sconcertare **6** lasciare (*in una certa condizione*): *to be thrown out of work* ritrovarsi senza lavoro ◊ *We were thrown into confusion by the news.* La notizia ci ha lasciato molto confusi. **7** (*luce, ombra*) gettare LOC *Vedi* CAUTION, FIT[3] PHR V **to throw sth about/around** sparpagliare qc, gettare qc a destra e a sinistra **to throw sth away** buttare via qc **to throw sb out** buttare fuori qn **to throw sth out 1** (*proposta*) respingere qc **2** buttare via qc **to throw (sth) up** vomitare (qc)

throw[2] /θrəʊ/ *s* lancio: *It's your throw.* Tocca a te.

thrown *pp di* THROW[1]

thru (*USA*) *Vedi* THROUGH

thrust /θrʌst/ (*pass, pp* **thrust**) ◆ **1** *vt, vi* spingere **2** *vi* ~ **at sb** (**with sth**)/**sth at sb** avventarsi su qn (con qc) PHR V **to thrust sb/sth on/upon sb** imporre qn/qc a qn, costringere qn ad accettare qc ◆ *s* **1** spintone **2** (*spada*) stoccata **3** ~ (**of sth**) succo (di qc) (*di ragionamento*)

thud /θʌd/ ◆ *s* tonfo ◆ *vi* (**-dd-**) **1** fare un tonfo: *to thud against/into sth* colpire/sbattere contro qc con un tonfo **2** (*cuore*) battere forte

thug /θʌg/ *s* teppista, delinquente

thumb /θʌm/ ◆ *s* pollice LOC *Vedi* TWIDDLE ◆ *vi* ~ **through sth** sfogliare qc

LOC **to thumb a lift** fare l'autostop *Vedi anche* FINGER

thump /θʌmp/ ◆ **1** *vt* picchiare **2** *vi* (*cuore*) battere forte ◆ *s* **1** colpo, pugno **2** tonfo

thunder /ˈθʌndə(r)/ ◆ *s* [*non numerabile*]: *a clap of thunder* un tuono ◆ *vi* **1** tuonare **2** rombare

thunderstorm /ˈθʌndəstɔːm/ *s* temporale

Thursday /ˈθɜːzdi, -deɪ/ *s* (*abbrev* **Thur**, **Thurs**) giovedì ☛ *Vedi esempi a* MONDAY

thus /ðʌs/ *avv* (*form*) **1** così, in tal modo **2** (*per questa ragione*) perciò

thwart /θwɔːt/ *vt* ostacolare

thyme /taɪm/ *s* timo

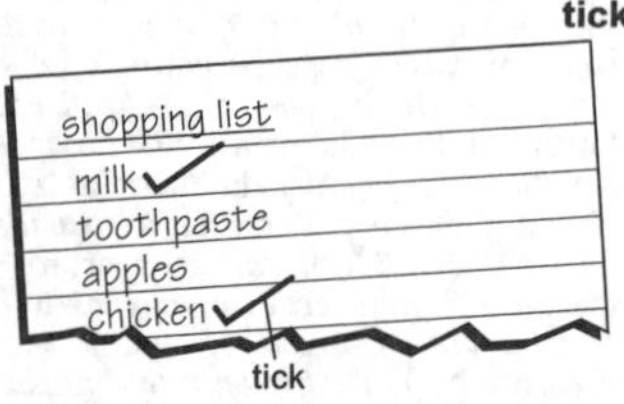

tick /tɪk/ ◆ *s* **1** (*orologio*) ticchettio **2** (*penna*) segno ◆ **1** *vi* (*orologio*) fare tic tac **2** *vt*: *to tick sth* (*off*) spuntare (*elenco, lista*) PHR V **to tick away/by** scorrere (*tempo*) **to tick over** andare al minimo (*motore*)

ticket /ˈtɪkɪt/ *s* **1** (*treno, cinema*) biglietto **2** (*biblioteca*) tessera **3** (*prezzo, misura*) cartellino **4** multa

tickle /ˈtɪkl/ ◆ *vt, vi* fare il solletico (a) ◆ *s* solletico

ticklish /ˈtɪklɪʃ/ *agg*: *to be ticklish* soffrire il solletico

tidal /ˈtaɪdl/ *agg* (*fiume, estuario*) soggetto alla marea

tidal wave *s* onda di maremoto

tide /taɪd/ *s* **1** marea: *The tide is coming in/going out.* La marea si sta alzando/abbassando. **2** (*fig*) corrente

tidy /ˈtaɪdi/ ◆ *agg* (**tidier**, **tidiest**) **1** ordinato **2** (*aspetto*) curato ◆ *vt* (*pass, pp* **tidied**) ~ (**sth**) (**up**) mettere in ordine qc PHR V **to tidy sth away** mettere qc a posto

tie /taɪ/ ◆ *s* **1** (*anche* **necktie**) cravatta **2** [*gen pl*] laccio: *family ties* legami familiari **3** (*Sport*) pareggio ◆ (*pass, pp* **tied** *p pres* **tying**) **1** *vt, vi* legare, legarsi **2** *vt* (*cravatta*) fare il nodo a **3** *vi* (*Sport*) pareggiare PHR V **to tie sb/yourself down** limitare la libertà di qn/la propria libertà **to tie sb/sth up** legare qn/qc

tier /tɪə(r)/ *s* **1** (*torta*) piano **2** (*amministrazione*) livello **3** (*stadio*) gradinata

tiger /ˈtaɪgə(r)/ *s* tigre **tigress** *s* tigre femmina

tight /taɪt/ ◆ *agg* (**-er**, **-est**) **1** stretto *These shoes are too tight.* Queste scarpe sono troppo strette. **2** teso **3** (*controllo*) severo ◆ *avv* (**-er**, **-est**) **1** (*tenere, abbracciare*) forte: *Hold tight!* Tieniti forte! **2** (*chiudere*) bene **tighten** *vt, vi* ~ (**sth**) (**up**) **1** stringere qc, stringersi **2** tendere qc, tendersi **3** (*controllo*) rendere più severo qc, diventare più severo **tightly** *avv* **1** (*tenere, abbracciare*) forte **2** (*chiudere*) bene

tightrope /ˈtaɪtrəʊp/ *s* corda da acrobata

tights /taɪts/ *s* [*pl*] **1** collant **2** (*ballerino*) calzamaglia

tile /taɪl/ ◆ *s* **1** tegola **2** piastrella mattonella ◆ *vt* **1** rivestire di tegole **2** rivestire di piastrelle

till[1] *Vedi* UNTIL

till[2] /tɪl/ *s* cassa (*di negozio*): *Please pay at the till.* Paghi alla cassa, per favore.

tilt /tɪlt/ ◆ *vt, vi* inclinare, inclinarsi (far) pendere ◆ *s* inclinazione pendenza

timber /ˈtɪmbə(r)/ *s* **1** legname **2** alberi da legname **3** trave

time /taɪm/ ◆ *s* **1** tempo: *You've been a long time!* Quanto ci hai messo! **2** *What time is it?/What's the time?* Che ore sono? ◊ *It's time we were going/time for us to go.* È ora di andare. ◊ *by the time we reached home* quando arrivammo a casa ◊ (*by*) *this time next year* l'anno prossimo di questi tempi ◊ *at the present time* attualmente **3** volta: *last time* l'ultima volta ◊ *every time* tutte le volte ◊ *for the first time* per la prima volta **4** tempo, epoca LOC **ahead of time** in anticipo **all the time** tutto il tempo sempre (**and**) **about time** (**too**)! (*inform*) era ora! **at all times** sempre, in qualsiasi momento **at a time** alla volta: *one at a time* uno alla volta **at one time** una volta, in passato **at the time** allora **at times** a volte **for a time** per un po' di tempo **for the time being** per il momento **from time to time** una volta ogni tanto **in good time** per tempo **in time** col tempo **in time (for sth/to do sth)** in tempo (per qc/per fare qc) **on time** in orario, puntuale ☛ *Vedi nota a* PUNTUALE **time after time; time and (time) again** mille volte **to have a good time** divertirsi **to have the time of your life** divertirsi da matti **to take your time (over sth/to do sth/doing sth)** prendersi tutto il tempo necessario (per qc/per fare qc) *Vedi anche* BIDE, BIG, HARD, KILL, MARK[2], NICK, ONCE, PRESS, SAME, TELL ◆ *vt* **1** programmare: *to time sth well/badly* scegliere il momento giusto/sbagliato per qc **2** cronometrare **timer** *s* contaminuti **timing** *s* **1** tempismo: *the timing of the election* la data scelta per le elezioni **2** cronometraggio

timely /ˈtaɪmli/ *agg* (**-ier**, **-iest**) opportuno

times /taɪmz/ *prep* moltiplicato per: *Three times four is twelve.* Tre per quattro fa dodici.

timetable /ˈtaɪmteɪbl/ (*spec USA* **schedule**) *s* orario

timid /ˈtɪmɪd/ *agg* **1** timido **2** pauroso

tin /tɪn/ *s* **1** stagno: *tin foil* carta stagnola **2** (*anche* **tin plate**) latta **3** (*anche spec USA* **can**) barattolo, scatola (*di latta*): *tin-opener* apriscatole ◊ *a tin of paint* un barattolo di vernice ☛ *Vedi illustrazione a* CONTAINER *e nota a* LATTINA

tinge /tɪndʒ/ ◆ *vt* **1** ~ **sth (with sth)** (*lett e fig*) tingere leggermente qc (di qc) **2 be tinged with sth** avere una punta di qc ◆ *s* sfumatura, punta

tingle /ˈtɪŋgl/ *vi* **1** pungere (*per il freddo*) **2** ~ **with sth** (*fig*) fremere per qc

tinker /ˈtɪŋkə(r)/ *vi* ~ (**with sth**) armeggiare (con qc)

tinned /tɪnd/ *agg* in barattolo, in scatola

tinsel /ˈtɪnsl/ *s* fili argentati (*per albero di Natale, ecc*)

tint /tɪnt/ *s* **1** sfumatura (*di colore*) **2** (*capelli*) shampoo colorante **tinted** *agg* **1** (*capelli*) tinto **2** (*vetri, occhiali*) colorato

tiny /ˈtaɪni/ *agg* (**tinier**, **tiniest**) piccolino, minuscolo

tip /tɪp/ ◆ *s* **1** punta **2** discarica *Vedi anche* DUMP **3** mancia **4** suggerimento, consiglio ◆ (**-pp-**) **1** *vt, vi* **to tip (sth) (up)** inclinare qc, inclinarsi **2** *vt* rovesciare **3** *vt, vi* dare la mancia (a) PHR V **to tip sb off** (*inform*) fare una soffiata a qn **to tip (sth) over** rovesciare qc, rovesciarsi

tiptoe /ˈtɪptəʊ/ ◆ *s* LOC **on tiptoe** in punta di piedi ◆ *vi*: *to tiptoe in/out* entrare/uscire in punta di piedi

tire[1] /ˈtaɪə(r)/ **1** *vt, vi* stancare, stancarsi **2** *vi* ~ **of sb/sth/of doing sth** stancarsi, stufarsi di qn/qc/di fare qc PHR V **to tire sb/yourself out** sfinire qn/sfinirsi **tired** *agg* stanco LOC **tired out** sfinito **to be (sick and) tired of sb/sth/doing sth** essere arcistufo di qn/qc/di fare qc

tire[2] /ˈtaɪə(r)/ *s* (*USA*) *Vedi* TYRE

tiring /ˈtaɪrɪŋ/ *agg* faticoso: *a long and tiring journey* un viaggio lungo e faticoso

tireless /ˈtaɪələs/ *agg* instancabile

tiresome /ˈtaɪsəm/ *agg* noioso

tissue /ˈtɪʃuː/ *s* **1** (*Biol*) tessuto **2** fazzolettino di carta **3** (*anche* **tissue-paper**) carta velina

tit /tɪt/ *s* **1** (*Ornitologia*) cincia **2** (*inform*) tetta LOC **tit for tat** pan per focaccia

title /ˈtaɪtl/ *s* **1** titolo: *title page* frontespizio ◊ *title role* ruolo principale **2** ~ **(to sth)** (*Dir*) diritto (a qc): *title deed* atto di proprietà

titter /ˈtɪtə(r)/ ◆ *s* risatina nervosa ◆ *vi* ridere nervosamente

to /tə, tuː/ *prep* **1** (*direzione*) a, in, verso: *to go to the beach* andare al mare ◊ *to go back to Brazil* tornare in Brasile ◊ *the road to Edinburgh* la strada per Edimburgo ◊ *Move to the left.* Spostati verso destra. **2** [*con complemento indiretto*] a: *He gave it to Bob.* Lo ha dato a Bob. ◊ *Explain it to me.* Spiegamelo. **3** fino a: *to count to a hundred* contare fino a cento ◊ *faithful to the end/last* leale fino alla fine/all'ultimo ◊ *It lasts two to three hours.* Dura dalle due alle tre ore. **4** (*ora*): *ten to one* dieci all'una **5** di: *the key to the door* la chiave della porta **6** (*paragoni*) a: *I prefer football to rugby.* Preferisco il calcio al rugby. **7** (*proporzioni*) a: *How many miles to the gallon?* Quanti chilometri con un litro? **8** (*scopo*) per: *The police came closer to* *get a better idea of the situation.* I poliziotti si sono avvicinati per controllare meglio. **9** (*reazione*): *to my surprise* con mia grande sorpresa **10** (*opinione*) a, per: *to my mind* secondo me ◊ *It looks red to me.* A me sembra rosso. LOC **to and fro** avanti e indietro

La particella **to** si utilizza per formare l'infinito e ha vari usi: *to go* andare ◊ *to eat* mangiare ◊ *I went to see her.* Sono andato a trovarla. ◊ *He didn't know what to do.* Non sapeva cosa fare. ◊ *There's too much to do.* C'è troppo da fare. ◊ *Try to calm down.* Cerca di calmarti. ◊ *It's for you to decide.* Sta a te decidere.

toad /təʊd/ *s* rospo

toadstool /ˈtəʊdstuːl/ *s* fungo velenoso ☛ *Vedi illustrazione a* FUNGO

toast /təʊst/ ◆ *s* [*non numerabile*] **1** pane tostato: *a slice/piece of toast* una fetta di pane tostato **2** brindisi ◆ *vt* **1** tostare: *a toasted sandwich* un toast **2** brindare a **toaster** *s* tostapane

tobacco /təˈbækəʊ/ *s* (*pl* **~s**) tabacco **tobacconist's** *s* tabaccaio ☛ *Vedi nota a* TABACCHERIA

today /təˈdeɪ/ *avv, s* oggi: *Today's computers are much smaller.* I computer di oggi sono molto più piccoli.

toddler /ˈtɒdlə(r)/ *s* bambino, -a (*che impara a camminare*) ☛ *Vedi nota a* BAMBINO

toe /təʊ/ ◆ *s* **1** dito del piede: *big toe* alluce ☛ *Confronta* FINGER **2** punta (*di scarpa, calzino*) LOC **on your toes** all'erta ◆ *vt* (*pass, pp* **toed** *p pres* **toeing**) LOC **to toe the line** conformarsi

toenail /ˈtəʊneɪl/ *s* unghia del piede

toffee /ˈtɒfi; *USA* ˈtɔːfi/ *s* caramella mou

together /təˈgeðə(r)/ *part avv* **1** insieme: *Shall we have lunch together?* Pranziamo insieme? **2** contemporaneamente: *Don't all talk together.* Non parlate tutti insieme. LOC **together with** insieme a *Vedi anche* ACT ☛ Per l'uso di **together** nei PHRASAL VERBS vedi alla voce del verbo, ad es. **pull yourself together** a **pull**. **togetherness** *s* intimità, armonia

toil /tɔɪl/ ◆ *vi* (*form*) lavorare duramente ◆ *s* (*form*) duro lavoro *Vedi anche* WORK[1]

toilet /ˈtɔɪlət/ *s* **1** gabinetto: *toilet paper* carta igienica **2** bagno

In inglese britannico si dice **toilet** o **loo** (*inform*) per riferirsi al gabinetto di una casa (**lavatory** e **WC** sono caduti in disuso). **The Gents**, **the Ladies**, **the toilets**, **the cloakroom** o **public conveniences** si usano per indicare le toilette di ristoranti, cinema, ecc e gabinetti pubblici.
In inglese americano si dice **lavatory**, **toilet** o **bathroom** se si parla del gabinetto di una casa e **washroom** o **restroom** di quello in luoghi pubblici.

toiletries *s* [*pl*] prodotti da toilette

token /ˈtəʊkən/ ◆ *s* **1** gettone **2** buono **3** segno ◆ *agg* simbolico (*cifra, gesto*)

told *pass, pp di* TELL

tolerate /ˈtɒləreɪt/ *vt* tollerare **tolerance** *s* tolleranza **tolerant** *agg* ~ (**of/towards sb/sth**) tollerante (verso qn/qc)

toll /təʊl/ *s* **1** pedaggio **2** numero delle vittime LOC **to take its toll (of sth)**: *The years are taking their toll.* Gli anni si fanno sentire.

tomato /təˈmɑːtəʊ; *USA* təˈmeɪtəʊ/ *s* (*pl* **-oes**) pomodoro: *tomato purée* concentrato di pomodoro

tomb /tuːm/ *s* tomba **tombstone** *s* pietra tombale

tom-cat /ˈtɒm kæt/ (*anche* **tom**) *s* gatto maschio ☛ *Vedi nota a* GATTO

tomorrow /təˈmɒrəʊ/ *s, avv* domani: *tomorrow morning* domattina ◊ *a week tomorrow* domani a otto ◊ *See you tomorrow.* A domani. LOC *Vedi* DAY

ton /tʌn/ *s* **1** tonnellata (*inglese*) 2.240 libbre o 1.016 kg ☛ *Confronta* TONNE **2 tons** [*pl*] **tons (of sth)** (*inform*) un mucchio (di qc)

tone /təʊn/ ◆ *s* **1** tono: *Don't speak to me in that tone of voice.* Non parlarmi con quel tono. **2** (*telefono*) segnale ◆ PHR V **to tone sth down** attenuare qc

tongs /tɒŋz/ *s* [*pl*] molle

tongue /tʌŋ/ *s* **1** lingua **2** (*form*) lingua ☛ La parola più comune è **language**. *Vedi anche* MOTHER TONGUE *a* MOTHER LOC **to put/stick your tongue out 1** (*dal medico*) tirare fuori la lingua **2** (*per spregio*) fare la linguaccia (**with**) **tongue in cheek** ironicamente

onic /ˈtɒnɪk/ *s* **1** ricostituente **2** (*anche* **tonic water**) acqua tonica

onight /təˈnaɪt/ *s, avv* stasera, stanotte: *What's on TV tonight?* Cosa c'è stasera in TV?

onne /tʌn/ *s* tonnellata (*metrica*) ☛ *Confronta* TON

onsil /ˈtɒnsl/ *s* tonsilla **tonsillitis** /ˌtɒnsəˈlaɪtɪs/ *s* [*non numerabile*] tonsillite

oo /tuː/ *avv* **1** anche: *I've been to Paris too.* Anch'io sono stato a Parigi. ☛ *Vedi nota a* ANCHE **2** troppo: *It's too cold outside.* Fa troppo freddo fuori. ◊ *too good to be true* troppo bello per essere vero **3** per di più: *Her purse was stolen. And on her birthday too.* Le hanno rubato il portafoglio e per di più il giorno del suo compleanno. **4** molto: *I'm not too sure.* Non sono molto sicuro.

ook *pass di* TAKE

ool /tuːl/ *s* arnese, attrezzo: *tool box/kit* scatola/kit degli attrezzi

ooth /tuːθ/ *s* (*pl* **teeth** /tiːθ/) dente: *to have a tooth out* farsi togliere un dente ◊ *false teeth* dentiera LOC *Vedi* FIGHT, GRIT, SKIN, SWEET

oothache /ˈtuːθeɪk/ *s* mal di denti

oothbrush /ˈtuːθbrʌʃ/ *s* spazzolino da denti ☛ *Vedi illustrazione a* BRUSH

oothpaste /ˈtuːθpeɪst/ *s* dentifricio

oothpick /ˈtuːθpɪk/ *s* stuzzicadenti

op[1] /tɒp/ ◆ *s* **1** cima: *at the top of the page* in cima alla pagina **2** (*fig*) vertice **3** (*classifica, lista*) testa **4** tappo **5** maglietta, camicia **6** (*pigiama*) il sopra LOC **at the top of your voice** a squarciagola **to be on top of sth** avere qc sotto controllo **off the top of your head** (*inform*) così su due piedi **on top** sopra **on top of sb/sth 1** sopra qn/qc **2** oltre a qn/qn: *And on top of all that…* E per di più… ◆ *agg* **1** più alto, superiore: *a top floor flat* un appartamento all'ultimo piano **2** migliore: *top quality* qualità migliore **3** più importante: *the top jobs* gli impieghi di maggior prestigio ◊ *a top Italian scientist* uno dei più prestigiosi scienziati italiani ◆ *vt* (**-pp-**) sovrastare: *ice cream topped with chocolate sauce* gelato ricoperto di cioccolata ◊ *and to top it all…* e come se non bastasse… PHR V **to top sth up** riempire di nuovo qc: *We topped up our glasses.* Ci siamo versati ancora da bere.

top[2] /tɒp/ *s* trottola

top hat (*anche* **topper**) *s* cilindro (*cappello*) ☛ *Vedi illustrazione a* CAPPELLO

topic /ˈtɒpɪk/ *s* argomento **topical** *agg* d'attualità

topple /ˈtɒpl/ ~ (**over**) *vt, vi* (far) cadere

top secret *agg* segretissimo

torch /tɔːtʃ/ *s* torcia

tore *pass di* TEAR[2]

torment /ˈtɔːment/ ◆ *s* tormento ◆ /tɔːˈment/ *vt* **1** tormentare **2** infastidire

torn *pp di* TEAR[2]

tortoise /ˈtɔːtəs/ *s* tartaruga (*di terra*) ☛ *Vedi illustrazione a* TARTARUGA ☛ *Confronta* TURTLE

torture /ˈtɔːtʃə(r)/ ◆ *s* (*lett e fig*) tortura ◆ *vt* (*lett e fig*) torturare **torturer** *s* torturatore, -trice

Tory /ˈtɔːri/ *s* (*pl* **-ies**) *agg* conservatore, -trice: *the Tory Party* il partito conservatore *Vedi anche* CONSERVATIVE ☛ *Confronta* LABOUR senso 4, LIBERAL senso 3

toss /tɒs; *USA* tɔːs/ ◆ **1** *vt* lanciare, tirare **2** *vt* (*testa*) rovesciare **3** *vi* agitarsi: *to toss and turn* rigirarsi nel letto **4** *vt*: *to toss a coin* fare testa o croce ◊ *to toss sb for sth* fare testa o croce con qn per qc **5** *vi*: *to toss* (*up*) *for sth* fare testa o croce per qc ◆ *s* **1** (*testa*) movimento brusco **2** (*moneta*) lancio LOC **to win/lose the toss** vincere/perdere al lancio della monetina

total /ˈtəʊtl/ ◆ *agg, s* totale ◆ *vt* (**-ll-**, *USA anche* **-l-**) **1** sommare **2** ammontare a **totally** *avv* completamente

totter /ˈtɒtə(r)/ *vi* **1** (*persona*) barcollare **2** (*oggetto, governo*) traballare

touch[1] /tʌtʃ/ **1** *vt, vi* toccare, toccarsi: *You've hardly touched your steak.* Non hai nemmeno toccato la bistecca. **2** *vt* eguagliare LOC **touch wood** tocchiamo ferro PHR V **to touch down** atterrare **to touch on/upon sth** accennare a qc

touch[2] /tʌtʃ/ *s* **1** tocco: *to put the finishing touches to sth* dare gli ultimi ritocchi a qc **2** (*anche* **sense of touch**) tatto: *soft to the touch* morbido al tatto **3 a** ~ (**of sth**) un pochino (di qc): *I've got a touch of flu.* Ho due linee di febbre. ◊ *a*

tʃ	dʒ	v	θ	ð	s	z	ʃ
chin	June	van	thin	then	so	zoo	she

touch more garlic un tantino in più d'aglio ◊ *It's a touch colder today.* Fa un tantino più freddo oggi. **4** abilità: *He hasn't lost his touch.* Non ha perso il suo tocco. LOC **at a touch** al minimo contatto **to be in/out of touch (with sb)** essere/non essere in contatto (con qn) **to be in/out of touch with sth** essere/non essere al corrente di qc **to get/keep in touch with sb** mettersi/tenersi in contatto con qn *Vedi anche* LOSE

touched /tʌtʃt/ *agg* commosso **touching** *agg* commovente

touchy /ˈtʌtʃi/ *agg* (**-ier**, **-iest**) **1** (*persona*) permaloso **2** (*situazione, argomento*) delicato

tough /tʌf/ *agg* (**-er**, **-est**) **1** (*materiale*) resistente, duro **2** (*persona*) tenace **3** (*teppista*) duro, violento **4** (*carne*) duro **5** (*decisione*) difficile: *to have a tough time* passare un periodo difficile **6** (*inform*): *Tough luck!* Peggio per te! LOC **(as) tough as old boots** (*inform*) duro come una suola di scarpe **to be/get tough (with sb)** usare le maniere forti (con qn) **toughen** ~ **(sth) (up)** **1** *vt, vi* (*persona*) rendere più forte qc/diventare più forte **2** *vt, vi* (*materiale*) rendere più resistente/diventare più resistente **3** (*regola*) *vt, vi* rendere più severo/diventare più severo **toughness** *s* **1** forza, resistenza **2** fermezza

tour /tʊə(r)/ ◆ *s* **1** viaggio, gita: *to go on a tour of Scotland* fare il giro della Scozia **2** visita: *guided tour* visita guidata **3** tournée: *to be on tour/go on tour in Italy* essere/andare in tournée in Italia ☛ *Vedi nota a* VIAGGIO ◆ **1** *vt* fare il giro di **2** *vi* viaggiare **3** *vt, vi* essere in tournée (in)

tourism /ˈtʊərɪzəm, ˈtɔːr-/ *s* turismo

tourist /ˈtʊerɪst, tɔːr-/ *s* turista: *tourist attraction* luogo d'interesse turistico

tournament /ˈtɔːnəmənt; *USA* ˈtɜːrn-/ *s* torneo

tow /təʊ/ ◆ *vt* rimorchiare, trainare PHR V **to tow sth away** portar via qc con il carro attrezzi ◆ *s* [*gen sing*] rimorchio (*azione*) LOC **in tow** (*inform*): *He had his family in tow.* Aveva la famiglia al seguito.

towards /təˈwɔːdz; *USA* tɔːrdz/ (*anche* **toward** /təˈwɔːd; *USA* tɔːrd/) *prep* **1** verso: *towards the end of the film* verso la fine del film ◊ *to be friendly towards sb* essere gentile con qn **2** (*proposito*) per: *to put money towards sth* mettere via dei soldi per qc

towel /ˈtaʊəl/ *s* asciugamano

tower /ˈtaʊə(r)/ ◆ *s* torre: *tower block* palazzone ◆ PHR V **to tower above/over sb/sth** sovrastare qn/qc

town /taʊn/ *s* **1** città **2** centro: *to go into town* andare in centro LOC **to go (out) on the town** uscire a far baldoria **to go to town (on sth)** (*inform*) fare le cose in grande (per qc)

town hall *s* comune (*edificio*)

toy /tɔɪ/ ◆ *s* giocattolo ◆ PHR V **to toy with sth** **1** giocherellare con qc **2** *to toy with the idea of doing sth* accarezzare l'idea di fare qc

trace /treɪs/ ◆ *s* traccia: *to disappear without trace* sparire senza lasciare traccia ◊ *She speaks without trace of an Irish accent.* Nella sua parlata non c'è traccia dell'accento irlandese. ◆ *vt* **1** seguire le tracce di **2** trovare **3** ~ **sb/sth (to sth)**: *The man was traced to an address in Rome.* Le tracce dell'uomo portano ad un indirizzo romano. **4** far risalire a: *It can be traced back to the Middle Ages.* Si può far risalire al medioevo. **5** ~ **sth (out)** delineare, tracciare i contorni di qc **6** ricalcare

track /træk/ ◆ *s* **1** [*gen pl*] impronta (*di animale, ruota*) **2** sentiero *Vedi anche* PATH **3** (*Sport*) pista **4** (*Ferrovia*) rotaie **5** pezzo, canzone *Vedi anche* SOUND TRACK LOC **off track** fuori strada **on the right/wrong track** sulla buona strada/fuori strada **to be on sb's track** essere sulle tracce di qn **to keep/lose track of sb/sth** seguire/perdere le tracce di qn/qc: *to lose track of time* perdere la cognizione del tempo **to make tracks (for...)** (*inform*) avviarsi (verso...) *Vedi anche* BEAT ◆ *vt* ~ **sb (to sth)** seguire le tracce di qn (fino a qc) PHR V **to track sb/sth down** trovare qn/qc

tracksuit /ˈtræksuːt/ *s* tuta da ginnastica

tractor /ˈtræktə(r)/ *s* trattore

trade /treɪd/ ◆ *s* **1** commercio **2** industria: *the tourist trade* l'industria turistica **3** mestiere: *He's a carpenter by trade.* Di mestiere fa il falegname ☛ *Vedi nota a* WORK[1] LOC *Vedi* ROARING *a* ROAR, TRICK ◆ **1** *vi* commerciare, fare affari **2** *vt* ~ **(sb) sth for sth** dare qc (a qn) in cambio di qc PHR V **to trade sth in (for sth)** dare qc in permuta (per qc)

trademark /ˈtreɪdmɑːk/ *s* marchio di fabbrica

trader /treɪdə(r)/ *s* commerciante

tradesman /ˈtreɪdzmən/ *s* (*pl* **-men** /-mən/) **1** fornitore: *tradesmen's entrance* entrata di servizio **2** commerciante

trade union *s* sindacato

trading /treɪdɪŋ/ *s* commercio

tradition /trəˈdɪʃn/ *s* tradizione **traditional** /trəˈdɪʃənl/ *agg* tradizionale

traffic /ˈtræfɪk/ ◆ *s* traffico: *a traffic jam* un ingorgo ◆ *vi* (*pass*, *pp* **trafficked** *p pres* **trafficking**) ~ **(in sth)** trafficare (qc) **trafficker** *s* trafficante

traffic light *s* semaforo

traffic warden *s* vigile urbano le cui mansioni sono limitate al controllo dei divieti di sosta

tragedy /ˈtrædʒədi/ *s* (*pl* **-ies**) tragedia

trail /treɪl/ ◆ *s* **1** scia (*di fumo*) **2** traccia (*di sangue*) **3** sentiero **4** pista, tracce: *to be on sb's trail* essere sulle tracce di qn ◆ **1** *vi* ~ **along behind sb/sth** trascinarsi dietro a qn/qc **2** *vi* perdere: *trailing by two goals to three* perdendo due a tre

trailer /ˈtreɪlə(r)/ *s* **1** rimorchio **2** (*USA*) *Vedi* CARAVAN **3** (*Cine*) trailer

train¹ /treɪn/ *s* **1** treno: *by train* in treno ◊ *train driver* macchinista **2** serie: *a train of events* una serie di avvenimenti LOC **train of thought** filo dei pensieri

train² /treɪn/ **1** *vi* studiare, fare tirocinio: *She trained to be a lawyer.* Ha studiato legge. ◊ *to train as a nurse* prendere il diploma di infermiere **2** *vt* (*animale*) addestrare **3** *vt* (*professionista*) fare un corso di addestramento professionale a **4** *vt*, *vi* (*Sport*) allenare, allenarsi **5** *vt* ~ **sth on sb/sth** (*videocamera*) puntare qc verso qn/qc: *to train a gun on sb/sth* puntare una pistola contro qn/su qc **trainee** /treɪˈniː/ *s* apprendista **trainer** *s* **1** *s* (*cani, ecc*) addestratore, -trice **2** (*leoni, ecc*) domatore, -trice **3** *s* (*Sport*) allenatore, -trice **4** [*gen pl*] scarpa da ginnastica ☛ *Vedi illustrazione a* SCARPA **training** *s* **1** (*Sport*) allenamento **2** formazione, preparazione

trait /treɪt/ *s* tratto (*di personalità*)

traitor /ˈtreɪtə(r)/ *s* traditore, -trice *Vedi anche* BETRAY

tram /træm/ (*anche* **tramcar** /ˈtræmkɑː(r)/ (*USA* **streetcar**, **trolley**) *s* tram

tramp /træmp/ ◆ **1** *vi* camminare con passo pesante **2** *vt* percorrere ◆ *s* barbone, -a

trample /ˈtræmpl/ *vt* (*anche fig*) ~ **sb/sth (down)**; ~ **on sb/sth** calpestare qn/qc

tranquillize, -ise /ˈtræŋkwəlaɪz/ *vt* calmare (*con un tranquillante*) **tranquillizer, -iser** *s* tranquillante: *She's on tranquillizers.* Prende tranquillanti.

transfer /trænsˈfɜː(r)/ (**-rr-**) ◆ **1** *vt*, *vi* trasferire, trasferirsi **2** *vt* (*Dir*) cedere **3** *vi* ~ **(from ...) (to ...)** cambiare (da ...) (a ...) (*mezzo*) ◆ /ˈtrænsfɜː(r)/ *s* **1** trasferimento, passaggio **2** (*Dir*) cessione **3** trasbordo **4** (*GB*) decalcomania

transform /trænsˈfɔːm/ *vt* trasformare **transformation** *s* trasformazione **transformer** /trænsˈfɔːmə(r)/ (*Elettr*) trasformatore

translate /trænsˈleɪt/ *vt*, *vi* tradurre, tradursi: *to translate sth from English (in)to Italian* tradurre qc dall'inglese all'italiano ◊ *It translates as 'fatherland'.* Si traduce "fatherland". ☛ *Confronta* INTERPRET **translation** *s* traduzione: *translation into/from Italian* traduzione in/dall'italiano ◊ *to do a translation* fare una traduzione LOC **in translation**: *Shakespeare in translation* Shakespeare tradotto **translator** *s* traduttore, -trice

transmit /trænsˈmɪt/ *vt* (**-tt-**) trasmettere **transmitter** *s* trasmettitore

transparent /trænsˈpærənt/ *agg* **1** (*lett*) trasparente **2** (*bugia*) evidente

transplant /trænsˈplɑːnt; *USA* -ˈplænt/ ◆ *vt* (*Bot*, *Med*) trapiantare ◆ /ˈtrænsplɑːnt/ *s* trapianto: *a heart transplant* un trapianto cardiaco

transport /trænˈspɔːt/ ◆ *vt* trasportare ◆ /ˈtrænspɔːt/ *s* (*USA* **transportation**) **1** trasporto **2** *Have you got transport?* Hai un mezzo?

transvestite /trænzˈvestaɪt/ *s* travestito, -a

trap /træp/ ◆ *s* trappola: *to lay/set a trap* tendere una trappola ◆ *vt* (**-pp-**) **1** (*lett e fig*) intrappolare: *trapped under the rubble* intrappolati tra le macerie **2**

to ~ sb into doing sth far fare qc a qn con l'inganno

trapdoor /ˈtræpdɔː(r)/ (*anche* **trap**) *s* botola

trapeze /trəˈpiːz; *USA* træ-/ *s* trapezio (*circo*)

trash /træʃ/ *s* (*USA*) **1** (*lett e fig*) spazzatura: *trash can* secchio della spazzatura ◊ *The film is trash.* Il film fa schifo.

In inglese britannico *spazzatura* si dice **rubbish** e *secchio della spazzatura* si dice **dustbin**. **Trash** è usato solo in senso figurato.

2 (*inform*, *dispreg*) gentaglia **trashy** *agg* scadente

travel /ˈtrævl/ ◆ *s* **1** [*non numerabile*] viaggi, il viaggiare: *travel bag* sacca da viaggio **2 travels** [*pl*]: *to be on your travels* essere in viaggio ◊ *Did you see John on your travels?* Hai incontrato John in giro? ☛ *Vedi nota a* VIAGGIO ◆ (**-ll-**, *USA* **-l-**) **1** *vi* viaggiare: *to travel by car, bus, etc* viaggiare in macchina, autobus, ecc **2** *vt* percorrere **traveller** /trævələ(r)/ *s* viaggiatore, -trice

travel agency *s* (*pl* **-ies**) agenzia di viaggi

travel agent *s* agente di viaggio

tray /treɪ/ *s* vassoio

treacherous /ˈtretʃərəs/ *agg* infido **treachery** *s* slealtà: *an act of treachery* un tradimento ☛ *Confronta* TREASON

tread /tred/ (*pass* **trod** /trɒd/ *pp* **trodden** /ˈtrɒdn/ o **trod**) ◆ **1** *vi* ~ **on/in sth** calpestare qc **2** *vt* ~ **sth in** schiacciare qc **3** *vt* ~ **sth out** (*sigaretta*) spegnere qc (*col piede*) **4** *vt* ~ **sth down** (*terra*) pressare qc **5** *vt* (*strada*) battere LOC **to tread carefully** andare con i piedi di piombo ◆ *s* [*sing*] passo

treason /ˈtriːzn/ *s* tradimento ☛ **Treason** indica un atto di tradimento contro il proprio paese. *Confronta* TREACHERY *a* TREACHEROUS

treasure /ˈtreʒə(r)/ ◆ *s* tesoro ◆ *vt* tenere in gran conto: *her most treasured possession* la sua cosa più cara

treasurer /ˈtreʒərə(r)/ *s* tesoriere, -a

the Treasury /ˈtreʒəri/ *s* [*v sing o pl*] il Ministero del Tesoro

treat /triːt/ ◆ **1** *vt* trattare: *to treat sth as a joke* prendere qc come uno scherzo **2** *vt* ~ **sb to sth** offrire qc a qn: *Let me treat you.* Offro io. **3** *v rifl* ~ **yourself to sth** concedersi il lusso di qc **4** *vt* (*paziente*) curare LOC **to treat sb like dirt/a dog** (*inform*) trattare qn come una pezza da piedi ◆ *s* **1** regalo, sorpresa: *as a special treat* come regalo ◊ *to give yourself a treat* regalarsi qualcosa di speciale **2** *This is my treat.* Offro io. LOC **a treat** (*inform*) (*funzionare*) a meraviglia

treatment /ˈtriːtmənt/ *s* **1** trattamento **2** cura

treaty /ˈtriːti/ *s* (*pl* **-ies**) trattato

treble[1] /ˈtrebl/ ◆ *agg*, *s* triplo ◆ *vt*, *vi* triplicare

treble[2] /ˈtrebl/ ◆ *s* (*Mus*) **1** voce bianca **2 the treble** [*non numerabile*] gli alti ◆ *agg*: *treble recorder* flauto dolce alto ◊ *treble clef* chiave di violino ☛ *Confronta* BASS

tree /triː/ *s* albero

trek /trek/ ◆ *s* camminata (*lunga e faticosa*) ◆ *vi* (**-kk-**) fare una camminata (*lunga e faticosa*)

tremble /ˈtrembl/ *vi* ~ **(with/at sth)** tremare (di/a qc)

trembling /ˈtremblɪŋ/ ◆ *agg* tremante ◆ *s* tremiti

tremendous /trəˈmendəs/ *agg* **1** enorme: *a tremendous number* un grandissimo numero **2** fantastico **tremendously** *avv* incredibilmente

tremor /ˈtremə(r)/ *s* **1** tremito **2** scossa (*sismica*)

trench /trentʃ/ *s* **1** (*Mil*) trincea **2** fosso

trend /trend/ *s* tendenza LOC *Vedi* SET[2] BUCK[2]

trendy /ˈtrendi/ *agg* (*inform*) alla moda

trespass /ˈtrespəs/ *vi* ~ **(on sth)** entrare abusivamente (in qc): *no trespassing* vietato l'accesso **trespasser** *s* intruso, -a: *Trespassers will be prosecuted.* I trasgressori saranno puniti a norma di legge.

trial /ˈtraɪəl/ *s* **1** processo **2** prova: *a trial period* un periodo di prova ◊ *to take sth on trial* prendere qc in prova **3** (*Sport*) prova di qualificazione LOC **to be/go on trial/stand trial (for sth)** essere processato (per qc) **trial and error**: *She learnt to type by trial and error.* Ha imparato a battere a macchina a forza di provare. **trials and tribulations** tribolazioni

triangle /ˈtraɪæŋgl/ *s* triangolo **triangular** /traɪˈæŋgjələ(r)/ *agg* triangolare

tribe /traɪb/ *s* tribù

tribulation /ˌtrɪbjuˈleɪʃn/ *s* LOC *Vedi* TRIAL

tribute /ˈtrɪbju:t/ *s* **1** omaggio **2 a ~ (to sth)**: *That is a tribute to his skill.* Questa è la riprova della sua bravura.

trick /trɪk/ ◆ *s* **1** scherzo, trucco: *to play a trick on sb* fare uno scherzo a qn ◊ *His memory played tricks on him.* La memoria gli giocava dei brutti scherzi. ◊ *a dirty trick* un tiro mancino ◊ *a trick question* una domanda trabocchetto **2** trucco: *The trick is to wait.* Il trucco è aspettare. ◊ *a trick of the light* un effetto ottico **3** (*magia*): *conjuring tricks* giochi di prestigio ◊ *card tricks* giochi di prestigio con le carte LOC **every/any trick in the book**: *I tried every trick in the book.* Le ho provate tutte. **the tricks of the trade** i trucchi del mestiere *Vedi anche* MISS ◆ *vt* fregare, ingannare: *to trick sb into (doing) sth* far fare qc a qn con l'inganno ◊ *to trick sb out of sth* fregare qc a qn con l'inganno **trickery** *s* inganno

trickle /ˈtrɪkl/ ◆ *vi* gocciolare ◆ *s* **1** rivolo: *a trickle of blood* un rivolo di sangue **2 ~ (of sth)** (*fig*) flusso (di qc)

tricky /ˈtrɪki/ *agg* (**-ier**, **-iest**) difficile, complicato

tried *pass, pp di* TRY

trifle /ˈtraɪfl/ ◆ *s* **1** zuppa inglese **2** sciocchezza, cosa da niente LOC **a trifle** un pochino: *a trifle short* leggermente corto ◆ *vi* ~ **with sb/sth** prendere alla leggera qn/qc

trigger /ˈtrɪgə(r)/ ◆ *s* grilletto ◆ *vt* ~ **sth (off) 1** (*fig*) scatenare, provocare qc **2** (*allarme*) far scattare qc

trillion /ˈtrɪljən/ *agg, s* trilione ☛ *Vedi nota a* BILLION

trim¹ /trɪm/ *agg* (**trimmer**, **trimmest**) (*approv*) **1** curato, ordinato **2** snello

trim² /trɪm/ ◆ *vt* (**-mm-**) **1** pareggiare (*tagliando*) **2 ~ sth off (sth)** tagliare via qc (da qc) **3 ~ sth (with sth)** (*abito*) ornare qc (con qc) ◆ *s* **1** spuntatina: *to have a trim* farsi spuntare i capelli **2** applicazioni, guarnizioni **trimming** *s* **1** decorazioni **2 trimmings** [*pl*] accessori **3 trimmings** [*pl*] (*pasto*) contorno

trip¹ /trɪp/ (**-pp-**) **1** *vi* ~ **(over/up)** inciampare: *She tripped on a stone.* È inciampata in un sasso. **2** *vt* ~ **sb (up)** fare lo sgambetto a qn PHR V **to trip (sb) up** confondere qn/confondersi

trip² /trɪp/ *s* viaggio, gita: *to go on a trip* fare un viaggio ◊ *a business trip* un viaggio di lavoro ◊ *a coach trip* una gita in pullman ☛ *Vedi nota a* VIAGGIO

triple /ˈtrɪpl/ ◆ *agg, s* triplo: *at triple the speed* tre volte più veloce ◆ *vt, vi* triplicare

triplet /ˈtrɪplət/ *s* bambino trigemino, bambina trigemina

triumph /ˈtraɪʌmf/ ◆ *s* trionfo: *one of the triumphs of modern science* una delle conquiste della scienza moderna ◊ *a shout of triumph* un grido di vittoria ◆ *vi* ~ **(over sb/sth)** trionfare (su qn/qc) **triumphal** /traɪˈʌmfl/ *agg* trionfale **triumphant** *agg* trionfante **triumphantly** *avv* trionfalmente

trivial /ˈtrɪviəl/ *agg* banale, futile **triviality** /ˌtrɪviˈæləti/ *s* (*pl* **-ies**) banalità

trod *pass di* TREAD

trodden *pp di* TREAD

trolley /ˈtrɒli/ *s* (*pl* **~s**) carrello: *shopping trolley* carrello per la spesa

troop /tru:p/ ◆ *s* **1** gruppo **2 troops** [*pl*] truppe ◆ PHR V **to troop in, out, etc** entrare, uscire, ecc in gruppo

trophy /ˈtrəʊfi/ *s* (*pl* **-ies**) trofeo

tropic /ˈtrɒpɪk/ *s* **1** tropico **2 the tropics** [*pl*] i tropici **tropical** *agg* tropicale

trot /trɒt/ ◆ *vi* (**-tt-**) trottare, andare al trotto ◆ *s* trotto LOC **on the trot** (*inform*) di fila

trouble /ˈtrʌbl/ ◆ *s* **1** [*non numerabile*] problemi, guai: *The trouble is (that)…* Il problema è che … ◊ *What's the trouble?* Cosa succede? ◊ *money troubles* problemi economici **2** [*non numerabile*] disturbo, sforzo: *It's no trouble.* Non è un problema. ◊ *It's not worth the trouble.* Non ne vale la pena. **3** disordini, conflitti **4** (*Med*) disturbo: *heart trouble* disturbo cardiaco LOC **to be in trouble** essere nei guai: *If I don't get home by ten I'll be in trouble.* Se non arrivo a casa per le dieci sono nei guai. **to get into trouble** mettersi nei pasticci: *He got into trouble with the police.* Ha avuto delle noie con la polizia. **to go to a lot of trouble (to do sth)** darsi molto da fare (per fare qc) *Vedi anche* ASK, TEETHE ◆ **1** *vt* disturbare: *Don't trouble* *yourself.* Non si disturbi. **2** preoccupare: *What's troubling you?* Cosa ti preoccupa? **troubled** *agg* **1** (*persona, espressione*) preoccupato **2** (*periodo, vita*) travagliato **troublesome** *agg* **1** (*bambino*) difficile **2** (*tosse*) fastidioso

trouble-free /ˌtrʌbl ˈfriː/ *agg* senza problemi, tranquillo

troublemaker /ˈtrʌblˌmeɪkə(r)/ *s* piantagrane, attaccabrighe

trough /trɒf; *USA* trɔːf/ *s* **1** abbeveratoio **2** mangiatoia, trogolo **3** canale **4** (*Meteor*) zona di bassa pressione

trousers /ˈtraʊzəz/ *s* [*pl*] pantaloni: *a pair of trousers* un paio di pantaloni **trouser** *agg*: *trouser leg/pocket* gamba/tasca dei pantaloni

trout /traʊt/ *s* (*pl* **trout**) trota

truant /ˈtruːənt/ *s* (*Scuola*): *to play truant* marinare la scuola

truce /truːs/ *s* tregua

truck /trʌk/ *s* **1** (*spec USA*) camion **2** (*GB*) (*Ferrovia*) carro merci aperto

true /truː/ *agg* (**truer**, **truest**) **1** vero: *It's too good to be true.* È troppo bello per essere vero. **2** preciso, esatto **3** fedele, leale: *to be true to your word/principles* tener fede alle promesse fatte/ai propri valori LOC **to come true** avverarsi **true to life** verosimile

truly /ˈtruːli/ *avv* **1** veramente **2** sinceramente LOC *Vedi* WELL[2]

trump /trʌmp/ *s* atout: *Hearts are trumps.* L'atout è di cuori.

trumpet /ˈtrʌmpɪt/ *s* tromba

trundle /ˈtrʌndl/ **1** *vi* avanzare lentamente **2** *vt* trascinare **3** *vt* spingere

trunk /trʌŋk/ *s* **1** (*Anat, Bot*) tronco **2** (*bagagli*) baule ☛ *Vedi illustrazione a* BAGAGLIO **3** (*elefante*) proboscide **4** **trunks** [*pl*] calzoncini da bagno **5** (*USA, Auto*) bagagliaio

trust /trʌst/ ◆ *s* **1** ~ (**in sb/sth**) fiducia (in qn/qc) **2** responsabilità: *As a teacher you are in a position of trust.* Come insegnante hai un ruolo di grande responsabilità. **3** fondo fiduciario **4** fondazione (*ente*) LOC *Vedi* BREACH ◆ **1** *vt* fidarsi di, aver fiducia in **2** *vt* ~ **sb with sth** affidare qc a qn PHR V **to trust to sth** affidarsi a qc **trusted** *agg* fidato **trusting** *agg* fiducioso

trustee /trʌˈstiː/ *s* **1** amministratore, -trice **2** amministratore fiduciario, amministratrice fiduciaria

trustworthy /ˈtrʌstwɜːði/ *agg* degno di fiducia

truth /truːθ/ *s* (*pl* ~**s** /truːðz/) verità LOC *Vedi* ECONOMICAL, MOMENT **truthful** *agg* **1** sincero: *to be truthful* dire la verità **2** veritiero

try /traɪ/ (*pass, pp* **tried**) ◆ **1** *vi* provare, cercare ☛ *Vedi nota a* PROVARE ☛ Nel linguaggio informale **try to** + **infinito** può essere sostituito da **try and** + **infinito**: *I'll try to/and finish it.* Cercherò di finirlo. **2** *vt* provare: *Can I try the soup?* Posso assaggiare la minestra? **3** *vt* (*Dir*) (*caso*) giudicare **4** *vt* **to try sb** (**for sth**) (*Dir*) processare qn (per qc) LOC **to try and do sth** provare a fare qc, cercare di fare qc **to try sb's patience** mettere a dura prova la pazienza di qn *Vedi anche* BEST PHR V **to try sth on** provarsi qc ◆ *s* (*pl* **tries**) **1** *I'll give it a try.* Ci proverò. **2** (*Rugby*) meta **trying** *agg* difficile, pesante

T-shirt /ˈtiː ʃɜːt/ *s* maglietta

tub /tʌb/ *s* **1** tinozza **2** vaschetta ☛ *Vedi illustrazione a* CONTAINER **3** vasca da bagno

tube /tjuːb; *USA* tuːb/ *s* **1** tubo **2** ~ (**of sth**) tubetto (di qc) ☛ *Vedi illustrazione a* CONTAINER **3 the tube** (*inform*) (*anche* **the underground**) (*GB*) la metropolitana (*di Londra*): *by tube* in metropolitana

tuck /tʌk/ *vt* **1** ~ **sth into sth** infilare qc in qc **2** ~ **sth round sb/sth** avvolgere qn/qc in qc: *to tuck sth round yourself* avvolgersi in qc PHR V **to be tucked away** (*inform*) **1** (*soldi*): *He's got a fortune tucked away.* Ha un sacco di soldi da parte. **2** (*paese, casa*) essere nascosto **to tuck sth in** mettere dentro qc (*camicia*) **to tuck sb up** rimboccare le coperte a qn

Tuesday /ˈtjuːzdeɪ, ˈtjuːzdi; *USA* ˈtuː-/ *s* (*abbrev* **Tue**, **Tues**) martedì ☛ *Vedi esempi a* MONDAY

tuft /tʌft/ *s* ciuffo

tug /tʌg/ (**-gg-**) ◆ **1** *vi* **to tug** (**at sth**) tirare (qc): *He tugged at his mother's coat.* Tirò la mamma per il cappotto. **2** *vt* trascinare ◆ *s* **1 tug** (**at/on sth**) strattone (a qc) **2** (*anche* **tugboat**) rimorchiatore

tuition /tjuˈɪʃn; *USA* tu-/ *s* (*form*) insegnamento, lezioni: *private tuition* lezioni private ◊ *tuition fees* tasse scolastiche

tulip /ˈtjuːlɪp; *USA* ˈtuː-/ *s* tulipano

tumble /ˈtʌmbl/ ◆ *vi* cadere, ruzzolare PHR V **to tumble down** crollare ◆ *s* ruzzolone

tumble-drier (*anche* **tumble-dryer**) /ˌtʌmbl ˈdraɪə(r)/ *s* asciugabiancheria

tumbler /ˈtʌmblə(r)/ *s* bicchiere (*da whisky, ecc*)

tummy /ˈtʌmi/ *s* (*pl* **-ies**) (*inform*) pancia: *tummy ache* mal di pancia

tumour (*USA* **tumor**) /ˈtjuːmə(r); *USA* ˈtuː-/ *s* tumore

tuna /ˈtjuːnə; *USA* ˈtuːnə/ (*pl* **tuna** *o* **~s**) (*anche* **tuna-fish**) *s* tonno

tune /tjuːn; *USA* tuːn/ ◆ *s* melodia, motivo LOC **in/out of tune 1** (*persona*) intonato/stonato **2** (*strumento*) accordato/scordato **in/out of tune with sb/sth** in accordo/disaccordo con qn/qc *Vedi anche* CHANGE ◆ *vt* **1** (*chitarra*) accordare **2** (*motore*) mettere a punto PHR V **to tune in** (**to sth**) sintonizzarsi (su qc) **to tune up** accordare gli strumenti **tuneful** *agg* melodioso

tunic /ˈtjuːnɪk; *USA* ˈtuː-/ *s* **1** tunica **2** casacca

tunnel /ˈtʌnl/ ◆ *s* tunnel, galleria ◆ (**-ll-**, *USA* **-l-**) **1** *vi* ~ (**into/through/under sth**) scavare una galleria (in/attraverso/sotto qc) **2** *vt* scavare

turban /ˈtɜːbən/ *s* turbante

turbulence /ˈtɜːbjələns/ *s* turbolenza **turbulent** *agg* turbolento

turf /tɜːf/ ◆ *s* [*non numerabile*] tappeto erboso ◆ *vt* ricoprire di zolle erbose PHR V **to turf sb/sth out** (**of sth**) (*GB, inform*) sbattere fuori qn/qc (da qc)

turkey /ˈtɜːki/ *s* (*pl* **~s**) tacchino

turmoil /ˈtɜːmɔɪl/ *s* subbuglio

turn /tɜːn/ ◆ **1** *vi, vt* girare, girarsi, voltare, voltarsi: *to turn left* girare a sinistra ◊ *She turned her back and walked off.* Voltò le spalle e se ne andò. **2** *vi* diventare: *to turn white/red* impallidire/arrossire ☛ *Vedi nota a* BECOME **3** *vt, vi* ~ (**sb/sth**) (**from A**) **into B** trasformare qn/qc (da A) in B; trasformarsi (da A) in B **4** *vt*: *to turn 40* compiere quarant'anni LOC **to turn a blind eye** (**to sth**) chiudere un occhio (su qc) **to turn back the clock** tornare indietro nel tempo **to turn over a new leaf** voltare pagina **to turn your back on sb/sth** voltare le spalle a qn/qc *Vedi anche* MIND, PALE, SOUR PHR V **to turn around** girarsi

to turn away (**from sb/sth**) distogliere lo sguardo (da qn/qc) **to turn sb away** rifiutarsi di aiutare qn **to turn sb away from sth** negare l'ingresso a qn in qc

to turn back tornare indietro **to turn sb back** far tornare indietro qn

to turn sb/sth down respingere qn/qc **to turn sth down** abbassare qc (*radio, ecc*)

to turn off svoltare **to turn sb off** (*inform*) far passare la voglia a qn **to turn sth off 1** (*luce, TV*) spegnere qc **2** (*rubinetto*) chiudere qc

to turn sb on (*inform*) eccitare qn **to turn sth on 1** (*luce, TV*) accendere qc **2** (*rubinetto*) aprire qc

to turn out 1 assistere, presentarsi **2** risultare, rivelarsi **to turn sb out** (**of/from sth**) mandare via qn (da qc) **to turn sth out** spegnere qc (*luce*)

to turn over 1 girarsi **2** capovolgersi **to turn sth over** girare qc: *please turn over* segue

to turn (**sb/sth**) **round** (*anche* **to turn around**) girare (qn/qc)

to turn to sb ricorrere a qn

to turn up 1 capitare, presentarsi **2** saltar fuori **to turn sth up** aumentare qc (*volume*)

◆ *s* **1** giro **2** svolta: *to take a wrong turn* svoltare nella strada sbagliata **3** curva **4** cambiamento: *to take a turn for the better/worse* migliorare/peggiorare **5** turno: *It's your turn.* Tocca a te. **6** (*inform*) spavento **7** (*inform*) malessere LOC **a turn of phrase** un modo di esprimersi **in turn** a sua volta, a turno **to do sb a good/bad turn** fare un favore/un brutto tiro a qn **to take turns** (**at sth**) fare i turni (a qc)

turning /ˈtɜːnɪŋ/ *s* svolta

turning point *s* svolta decisiva

turnip /ˈtɜːnɪp/ *s* rapa

turnout /ˈtɜːnaʊt/ *s* affluenza

turnover /ˈtɜːnˌəʊvə(r)/ *s* **1** volume d'affari **2** (*merce, personale*) ricambio

turntable /ˈtɜːnteɪbl/ *s* (*giradischi*) piatto

turpentine /ˈtɜːpəntaɪn/ (*anche inform* **turps** /tɜːps/) *s* acquaragia

turquoise /ˈtɜːkwɔɪz/ *s, agg* turchese

turret /ˈtʌrət/ *s* torretta

turtle /ˈtɜːtl/ *s* tartaruga (*acquatica*)

☛ *Vedi illustrazione a* TARTARUGA ☛ *Confronta* TORTOISE

tusk /tʌsk/ *s* zanna

tutor /ˈtjuːtə(r); *USA* ˈtuː-/ *s* **1** insegnante privato **2** (*GB*) (*università*) docente

tutorial /tjuːˈtɔːriəl; *USA* tuː-/ *s* seminario (*lezione*)

twang /twæŋ/ *s* **1** (*Mus*) suono vibrante **2** (*voce*) tono nasale

twelve /twelv/ *agg, pron, s* dodici ☛ *Vedi esempi a* FIVE **twelfth** *agg, pron, avv, s* dodicesimo ☛ *Vedi esempi a* FIFTH

twenty /ˈtwenti/ *agg, pron, s* venti ☛ *Vedi esempi a* FIFTY, FIVE **twentieth** *agg, avv, pron, s* ventesimo ☛ *Vedi esempi a* FIFTH

twice /twaɪs/ *avv* due volte: *twice as much/many* il doppio LOC *Vedi* ONCE

twiddle /ˈtwɪdl/ *vt, vi* ~ **(with) sth** giocherellare con qc; rigirare qc LOC **to twiddle your thumbs** girarsi i pollici

twig /twɪg/ *s* rametto

twilight /ˈtwaɪlaɪt/ *s* **1** crepuscolo **2** alba

twin /twɪn/ *s* **1** gemello, -a **2** (*di un paio*) compagno: *twin(-bedded) room* camera con letti gemelli

twinge /twɪndʒ/ *s* fitta

twinkle /ˈtwɪŋkl/ *vi* **1** luccicare **2** ~ **(with sth)** (*occhi*) brillare (di qc)

twirl /twɜːl/ **1** *vt* far roteare **2** *vi* volteggiare **3** *vt* attorcigliare

twist /twɪst/ ◆ **1** *vt, vi* torcere, torcersi, contorcere, contorcersi **2** *vt, vi* arrotolare, arrotolarsi, attorcigliare, attorcigliarsi **3** *vi* (*strada, fiume*) procedere tortuosamente **4** *vt* (*parole*) travisare **5** *vt* (*caviglia, polso*) slogarsi ◆ *s* **1** torsione **2** (*strada, fiume*) tortuosità curva **3** (*cambiamento*) sviluppo imprevisto

twit /twɪt/ *s* (*GB, inform*) cretino, -a

twitch /twɪtʃ/ ◆ *s* **1** sussulto **2** tic **3** strattone ◆ *vt, vi* (far) sussultare

twitter /ˈtwɪtə(r)/ *vi* cinguettare

two /tuː/ *agg, pron, s* due ☛ *Vedi esempi a* FIVE LOC **to put two and two together** fare due più due

two-faced /ˌtuː ˈfeɪst/ *agg* falso (*persona*)

two-way /ˌtuː ˈweɪ/ *agg* **1** (*traffico, strada*) a doppio senso di circolazione **2** (*comunicazione, processo*) bilaterale

tycoon /taɪˈkuːn/ *s* magnate

tying *Vedi* TIE

type /taɪp/ ◆ *s* tipo: *all types of jobs* ogni genere di lavoro ◊ *He's not my type (of person).* Non è il mio tipo. ◊ *She's not the artistic type.* Non mi sembra un tipo artistico. ◆ *vt, vi* battere a macchina ☛ Si usa spesso con **out** o **up**: *to type sth up* battere a macchina qc

typescript /ˈtaɪpskrɪpt/ *s* dattiloscritto

typewriter /ˈtaɪpˌraɪtə(r)/ *s* macchina da scrivere

typhoid (fever) /ˈtaɪfɔɪd/ *s* tifo (*malattia*)

typical /ˈtɪpɪkl/ *agg* tipico **typically** *avv* **1** tipicamente **2** come al solito

typify /ˈtɪpɪfaɪ/ *vt* (*pass, pp* **-fied**) essere l'esempio tipico di

typing /ˈtaɪpɪŋ/ *s* dattilografia

typist /ˈtaɪpɪst/ *s* dattilografo, -a

tyranny /ˈtɪrəni/ *s* tirannia

tyrant /ˈtaɪrənt/ *s* tiranno, -a

tyre (*USA* **tire**) /ˈtaɪə(r)/ *s* gomma, pneumatico

U u

U, u /juː/ *s* (*pl* **U's**, **u's** /juːz/) U, u: *U for uncle* U come Udine ☛ *Vedi esempi a* A, A

ubiquitous /juːˈbɪkwɪtəs/ *agg* (*form*) onnipresente

UFO (*anche* **ufo**) /ˌjuː ef ˈəʊ, ˈjuːfəʊ/ *abbr* (*pl* **~s**) ufo

ugh! /ɜː, ʊx/ *escl* puah!

ugly /ˈʌgli/ *agg* (**uglier**, **ugliest**) **1** brutto **2** (*folla*) minaccioso

ulcer /ˈʌlsə(r)/ *s* **1** piaga **2** (*anche* **gastric/stomach ulcer**) ulcera

ultimate /ˈʌltɪmət/ *agg* **1** ultimo, finale **2** supremo **3** fondamentale, primo **ultimately** *avv* **1** alla fine **2** fondamentalmente

umbrella /ʌmˈbrelə/ *s* **1** ombrello **2** *under the umbrella of ...* sotto la protezione di... **3** *an umbrella organization* un ente di controllo

umpire /ˈʌmpaɪə(r)/ *s* arbitro (*tennis, cricket*)

unable /ʌnˈeɪbl/ *agg* (*spesso form*): *to be unable to do sth* non poter fare qc

unacceptable /ˌʌnəkˈseptəbl/ *agg* inaccettabile, inammissibile

unaccustomed /ˌʌnəˈkʌstəmd/ *agg* **1** *to be unaccustomed to* (*doing*) *sth* non essere abituato a (fare) qc **2** inconsueto, insolito

unambiguous /ˌʌnæmˈbɪgjuəs/ *agg* inequivocabile

unanimous /juˈnænɪməs/ *agg* ~ (**in sth**) unanime (in qc)

unarmed /ˌʌnˈɑːmd/ *agg* **1** disarmato, senza armi **2** (*indifeso*) inerme

unattractive /ˌʌnəˈtræktɪv/ *agg* poco attraente

unavailable /ˌʌnəˈveɪləbl/ *agg* non disponibile: *The director was unavailable.* Il direttore non c'era.

unavoidable /ˌʌnəˈvɔɪdəbl/ *agg* inevitabile

unaware /ˌʌnəˈweə(r)/ *agg* ignaro: *He was unaware that...* Ignorava che...

unbearable /ʌnˈbeərəbl/ *agg* insopportabile

unbeatable /ʌnˈbiːtəbl/ *agg* imbattibile

unbeaten /ʌnˈbiːtn/ *agg* (*Sport*) imbattuto

unbelievable /ˌʌnbɪˈliːvəbl/ *agg* incredibile *Vedi anche* INCREDIBLE

unbroken /ʌnˈbrəʊkən/ *agg* **1** intatto **2** ininterrotto **3** (*record*) imbattuto **4** (*spirito*) indomito

uncanny /ʌnˈkæni/ *agg* (**-ier**, **-iest**) **1** misterioso, strano **2** sconcertante

uncertain /ʌnˈsɜːtn/ *agg* **1** incerto, indeciso **2** *It is uncertain whether...* Non si sa se... **3** variabile **uncertainty** *s* (*pl* **-ies**) incertezza

unchanged /ʌnˈtʃeɪmʒd/ *agg* immutato, invariato

uncle /ˈʌŋkl/ *s* zio

unclear /ˌʌnˈklɪə(r)/ *agg* poco chiaro, non chiaro

uncomfortable /ʌnˈkʌmftəbl; *USA* -fərt-/ *agg* **1** (*poltrona*) scomodo **2** (*persona*) a disagio **uncomfortably** *avv* sgradevolmente: *The exams are getting uncomfortably close.* Gli esami si avvicinano in modo preoccupante.

uncommon /ʌnˈkɒmən/ *agg* non comune, insolito

uncompromising /ʌnˈkɒmprəmaɪzɪŋ/ *agg* inflessibile, fermo

unconcerned /ˌʌnkənˈsɜːnd/ *agg* **1** ~ (**about/by sth**) indifferente (a qc) **2** tranquillo

unconditional /ˌʌnkənˈdɪʃənl/ *agg* **1** (*resa, rifiuto*) incondizionato **2** (*amore, affetto*) senza riserve **3** (*offerta*) senza condizioni

unconscious /ʌnˈkɒnʃəs/ ◆ *agg* **1** svenuto, privo di sensi **2** inconscio **3** ignaro ◆ **the unconscious** *s* l'inconscio ☛ *Confronta* SUBCONSCIOUS

unconventional /ˌʌnkənˈvenʃənl/ *agg* poco convenzionale

unconvincing /ˌʌnkənˈvɪnsɪŋ/ *agg* poco convincente

uncouth /ʌnˈkuːθ/ *agg* rozzo

uncover /ʌnˈkʌvə(r)/ *vt* (*lett e fig*) scoprire

undecided /ˌʌndɪˈsaɪdɪd/ *agg* **1** irrisolto **2** ~ (**about sb/sth**) indeciso (su qn/qc)

undeniable /ˌʌndɪˈnaɪəbl/ *agg* innegabile **undeniably** *avv* innegabilmente

under /ˈʌndə(r)/ *prep* **1** sotto: *It was under the bed.* Era sotto il letto. ◊ *under the new government* sotto il nuovo governo **2** (*età*) al di sotto di **3** (*quantità*) meno di **4** (*Dir*) secondo (*una legge, ecc*) **5** *under construction* in costruzione

under- /ˈʌndə(r)/ *pref* **1** insufficientemente: *Women are under-represented in the group.* Le donne sono rappresentate in modo insufficiente nel gruppo. ◊ *under-used* poco sfruttato **2** (*età*): *the under-fives* i bambini al di sotto dei cinque anni ◊ *the under-21s* i minori di ventun'anni ◊ *the under-21 team* la squadra under ventuno ◊ *under-age drinking* il consumo di alcolici da parte dei minorenni

undercover /ˌʌndəˈkʌvə(r)/ *agg* **1** (*polizia*) segreto **2** (*operazione*) segreto, clandestino

underestimate /ˌʌndərˈestɪmeɪt/ *vt* sottovalutare

undergo /ˌʌndəˈɡəʊ/ *vt* (*pass* **underwent** /-ˈwent/ *pp* **undergone** /-ˈɡɒn; *USA* -ˈɡɔːn/) **1** subire, soffrire **2** (*esperienza*) passare **3** (*corso*) seguire **4** (*cura, intervento chirurgico*) sottoporsi a

undergraduate /ˌʌndəˈɡrædʒuət/ *s* studente universitario

underground /ˌʌndəˈɡraʊnd/ ◆ *avv* **1** sottoterra **2** (*fig*) in clandestinità ◆ *agg* **1** sotterraneo **2** (*fig*) clandestino ◆ *s* **1** (*GB inform* **the tube**, *USA* **subway**) metropolitana **2** movimento clandestino

undergrowth /ˈʌndəɡrəʊθ/ *s* sottobosco

underlie /ˌʌndəˈlaɪ/ *vt* (*pass* **underlay** /ˌʌndəˈleɪ/ *pp* **underlain** /-ˈleɪn/) (*fig*) essere alla base di

underline /ˌʌndəˈlaɪn/ (*anche* **underscore**) *vt* sottolineare

undermine /ˌʌndəˈmaɪn/ *vt* minare, pregiudicare

underneath /ˌʌndəˈniːθ/ ◆ *prep, avv* sotto ◆ **the underneath** *s* [*non numerabile*] la parte di sotto

underpants /ˈʌndəpænts/ (*anche inform* **pants**) *s* [*pl*] mutande da uomo

underprivileged /ˌʌndəˈprɪvəlɪdʒd/ *agg* diseredato, emarginato

underside /ˈʌndəsaɪd/ *s* parte di sotto

understand /ˌʌndəˈstænd/ (*pass, pp* **understood** /-ˈstʊd/) **1** *vt, vi* capire **2** *vt* rendersi conto di **3** *vt* (*spesso form*) credere: *I understand she is in Paris.* Mi risulta che sia a Parigi. **understandable** *agg* comprensibile **understandably** *avv* comprensibilmente

understanding /ˌʌndəˈstændɪŋ/ ◆ *agg* comprensivo ◆ *s* **1** comprensione **2** conoscenza **3** intesa **4** ~ (**of sth**) (*spesso form*) interpretazione (di qc)

understate /ˌʌndəˈsteɪt/ *vt* minimizzare

understatement /ˈʌndəsteɪtmənt/ *s*: *To say they were disappointed would be an understatement.* Dire che erano delusi è dir poco.

understood *pass, pp di* UNDERSTAND

undertake /ˌʌndəˈteɪk/ *vt* (*pass* **undertook** /-ˈtʊk/ *pp* **undertaken** /-ˈteɪkən/) (*form*) **1** intraprendere **2** ~ **to do sth** impegnarsi a fare qc **undertaking** *s* **1** (*form*) promessa **2** [*non numerabile*] impresa

undertaker /ˈʌndəteɪkə(r)/ *s* impresario, -a di pompe funebri **undertaker's** *s* impresa di pompe funebri

undertook *pass di* UNDERTAKE

underwater /ˌʌndəˈwɔːtə(r)/ ◆ *agg* subacqueo, sottomarino ◆ *avv* sott'acqua

underwear /ˈʌndəweə(r)/ *s* biancheria intima

underwent *pass di* UNDERGO

the underworld /ˈʌndəwɜːld/ *s* **1** gli inferi **2** la malavita

undesirable /ˌʌndɪˈzaɪərəbl/ ◆ *agg* indesiderato ◆ *s* persona indesiderabile

undid *pass di* UNDO

undisputed /ˌʌndɪˈspjuːtɪd/ *agg* indiscusso, incontrastato

undisturbed /ˌʌndɪˈstɜːbd/ *agg* **1** (*persona*) tranquillo **2** (*cosa*) non toccato

undo /ʌnˈduː/ *vt* (*pass* **undid** /ʌnˈdɪd/ *pp* **undone** /ʌnˈdʌn/) **1** sbottonare, slacciare **2** (*nodo*) disfare **3** (*pacco*) aprire **4** annullare: *to undo the damage* riparare al danno **undone** *agg* **1** sbottonato, slacciato: *to come undone* sbottonarsi/slacciarsi **2** incompiuto, non terminato

undoubtedly /ʌn'daʊtɪdli/ *avv* indubbiamente

undress /ʌn'dres/ *vt, vi* spogliare, spogliarsi ☛ È più comune dire **to get undressed**. **undressed** *agg* svestito, nudo

undue /ˌʌn'djuː; *USA* -'duː/ *agg* (*form*) [*solo davanti a sostantivo*] eccessivo **unduly** *avv* (*form*) eccessivamente

unearth /ʌn'ɜːθ/ *vt* dissotterrare, portare alla luce

unease /ʌn'iːz/ *s* disagio

uneasy /ʌn'iːzi/ *agg* (**-ier**, **-iest**) **1** ~ (**about/at sth**) preoccupato (per qc) **2** (*silenzio*) imbarazzato

uneducated /ʌn'edʒukeɪtɪd/ *agg* non istruito

unemployed /ˌʌnɪm'plɔɪd/ *agg* disoccupato **the unemployed** *s* [*pl*] i disoccupati

unemployment /ˌʌnɪm'plɔɪmənt/ *s* disoccupazione

unequal /ʌn'iːkwəl/ *agg* **1** disuguale **2** (*form*): *to feel unequal to sth* non sentirsi all'altezza di qc

uneven /ʌn'iːvn/ *agg* **1** disuguale **2** (*polso*) irregolare

uneventful /ˌʌnɪ'ventfl/ *agg* non movimentato, tranquillo

unexpected /ˌʌnɪk'spektɪd/ *agg* inaspettato, imprevisto

unfair /ˌʌn'feə(r)/ *agg* **1** ~ (**to/on sb**) ingiusto (verso qn) **2** (*concorrenza*) sleale **3** (*licenziamento*) senza giusta causa

unfaithful /ʌn'feɪθfl/ *agg* **1** infedele **2** (*antiq*) sleale

unfamiliar /ˌʌnfə'mɪliə(r)/ *agg* **1** poco familiare **2** (*persona, viso*) sconosciuto **3** ~ **with sth** poco pratico di qc

unfashionable /ʌn'fæʃnəbl/ *agg* fuori moda

unfasten /ʌn'fɑːsn/ *vt* **1** sbottonare, slacciare **2** (*porta*) aprire **3** (*nodo*) sciogliere

unfavourable /ʌn'feɪvərəbl/ *agg* avverso, sfavorevole

unfinished /ʌn'fɪnɪʃt/ *agg* non finito, incompiuto: *unfinished business* affari in sospeso

unfit /ʌn'fɪt/ *agg* **1** ~ (**for sth/to do sth**) inadatto, non adatto (a qc/a fare qc); non in grado (di fare qc) **2** fuori forma

unfold /ʌn'fəʊld/ **1** *vt* (*cartina, ali*) aprire, spiegare **2** *vt, vi* (*fig*) rivelare, rivelarsi

unforeseen /ˌʌnfɔː'siːn/ *agg* imprevisto

unforgettable /ˌʌnfə'getəbl/ *agg* indimenticabile

unforgivable (*anche* **unforgiveable**) /ˌʌnfə'gɪvəbl/ *agg* imperdonabile

unfortunate /ʌn'fɔːtʃənət/ *agg* **1** sfortunato: *It is unfortunate (that)*... È un peccato che... **2** (*incidente*) increscioso **3** (*commento*) fuori luogo **unfortunately** *avv* sfortunatamente, purtroppo

unfriendly /ʌn'frendli/ *agg* (**-ier**, **-iest**) ~ (**to/towards sb**) antipatico (con qn)

ungrateful /ʌn'greɪtfl/ *agg* ~ (**to sb**) ingrato, irriconoscente (verso qn)

unhappy /ʌn'hæpi/ *agg* (**-ier**, **-iest**) **1** infelice **2** ~ (**about/at sth**) insoddisfatto, scontento (di qc) **unhappiness** *s* infelicità

unharmed /ʌn'hɑːmd/ *agg* **1** illeso **2** intatto

unhealthy /ʌn'helθi/ *agg* (**-ier**, **-iest**) **1** malaticcio **2** insalubre, malsano **3** (*interesse*) morboso

unhelpful /ʌn'helpfl/ *agg* di scarso aiuto

uniform /'juːnɪfɔːm/ ◆ *agg* uniforme ◆ *s* divisa, uniforme LOC **in uniform** in divisa

unify /'juːnɪfaɪ/ *vt* (*pass, pp* **-fied**) unificare

unimportant /ˌʌnɪm'pɔːt(ə)nt/ *agg* senza importanza, insignificante

uninhabited /ˌʌnɪn'hæbɪtɪd/ *agg* disabitato, deserto

unintentionally /ˌʌnɪn'tenʃənəli/ *avv* involontariamente

uninterested /ʌn'ɪntrəstɪd/ *agg* ~ (**in sb/sth**) indifferente (a qn/qc)

union /'juːniən/ *s* **1** unione: *the Union Jack* la bandiera britannica **2** *Vedi* TRADE UNION

unique /ju'niːk/ *agg* **1** unico **2** ~ **to sb/sth** proprio, esclusivo di qn/qc

unison /'juːnɪsn, 'juːnɪzn/ *s* LOC **in unison** (**with sb/sth**) all'unisono (con qn/qc)

unit /'juːnɪt/ *s* **1** unità **2** *kitchen unit* elemento componibile di cucina

unite /ju'naɪt/ **1** *vt, vi* unire, unirsi **2** *vi* ~ (**in sth/in doing sth/to do sth**) unirsi (per qc/per fare qc)

unity /ˈjuːnəti/ *s* **1** unità **2** (*concordia*) unione, armonia
universal /ˌjuːnɪˈvɜːsl/ *agg* universale, generale **universally** *avv* universalmente
universe /ˈjuːnɪvɜːs/ *s* (*lett e fig*) universo
university /ˌjuːnɪˈvɜːsəti/ *s* (*pl* **-ies**) università: *to go to university* andare all'università ☛ *Vedi nota a* SCHOOL
unjust /ˌʌnˈdʒʌst/ *agg* ingiusto
unkempt /ˌʌnˈkempt/ *agg* **1** disordinato, trasandato **2** (*capelli*) spettinato
unkind /ˌʌnˈkaɪnd/ *agg* **1** (*persona*) poco gentile, scortese **2** (*commento*) crudele
unknown /ˌʌnˈnəʊn/ *agg* ~ (**to sb**) sconosciuto (a qn)
unlawful /ʌnˈlɔːfl/ *agg* illegale, illecito
unleash /ʌnˈliːʃ/ *vt* ~ **sth** (**against/on sb/sth**) **1** (*animale*) sguinzagliare qc (contro qn/qc) **2** (*fig*) scatenare qc (contro qn/qc)
unless /ənˈles/ *cong* a meno che, se non: *unless Tim has changed his mind* a meno che Tim non abbia cambiato idea
unlike /ˌʌnˈlaɪk/ ◆ *agg* **1** diverso **2** (*atipico*): *It's unlike him to be late.* Non è da lui essere in ritardo. ◆ *prep* a differenza di
unlikely /ʌnˈlaɪkli/ *agg* (**-ier**, **-iest**) **1** poco probabile, improbabile **2** (*scusa, storia*) inverosimile
unlimited /ʌnˈlɪmɪtɪd/ *agg* illimitato
unload /ˌʌnˈləʊd/ *vt, vi* scaricare
unlock /ˌʌnˈlɒk/ *vt, vi* aprire, aprirsi (*con chiave*)
unlucky /ʌnˈlʌki/ *agg* **1** sfortunato **2** che porta sfortuna
unmarried /ˌʌnˈmærid/ *agg* non sposato: *an unmarried mother* una ragazza madre
unmistakable /ˌʌnmɪˈsteɪkəbl/ *agg* inconfondibile
unmoved /ˌʌnˈmuːvd/ *agg* indifferente
unnatural /ʌnˈnætʃrəl/ *agg* **1** non normale **2** anormale **3** affettato, poco naturale
unnecessary /ʌnˈnesəsri; *USA* -seri/ *agg* **1** non necessario **2** (*commento*) gratuito
unnoticed /ˌʌnˈnəʊtɪst/ *agg* inosservato: *to go unnoticed* passare inosservato
unobtrusive /ˌʌnəbˈtruːsɪv/ *agg* discreto
unofficial /ˌʌnəˈfɪʃl/ *agg* **1** non ufficiale **2** (*fonte, notizia*) ufficioso **3** (*sciopero*) selvaggio
unorthodox /ʌnˈɔːθədɒks/ *agg* poco ortodosso
unpack /ˌʌnˈpæk/ **1** *vt* disimballare **2** *vi* disfare le valigie **3** *vt* (*valigia*) disfare
unpaid /ˌʌnˈpeɪd/ *agg* **1** non pagato **2** (*persona, lavoro*) non retribuito
unpleasant /ʌnˈpleznt/ *agg* **1** sgradevole **2** (*persona*) antipatico
unplug /ˌʌnˈplʌg/ *vt* staccare (*TV, ecc*)
unpopular /ˌʌnˈpɒpjələ(r)/ *agg* impopolare
unprecedented /ʌnˈpresɪdentɪd/ *agg* senza precedenti
unpredictable /ˌʌnprɪˈdɪktəbl/ *agg* imprevedibile
unqualified /ʌnˈkwɒlɪfaɪd/ *agg* non qualificato
unravel /ʌnˈrævl/ *vt, vi* (**-ll-**, *USA* **-l-**) (*lett e fig*) districare, districarsi, sbrogliare, sbrogliarsi
unreal /ˌʌnˈrɪəl/ *agg* irreale
unrealistic /ˌʌnrɪəˈlɪstɪk/ *agg* **1** poco realistico **2** poco realista
unreasonable /ʌnˈriːznəbl/ *agg* **1** irragionevole **2** eccessivo
unreliable /ˌʌnrɪˈlaɪəbl/ *agg* poco affidabile
unrest /ʌnˈrest/ *s* agitazione
unruly /ʌnˈruːli/ *agg* indisciplinato
unsafe /ʌnˈseɪf/ *agg* pericoloso, poco sicuro
unsatisfactory /ˌʌnˌsætɪsˈfæktəri/ *agg* poco soddisfacente
unsavoury (*USA* **unsavory**) /ʌnˈseɪvəri/ *agg* **1** sgradevole **2** poco raccomandabile
unscathed /ʌnˈskeɪðd/ *agg* **1** illeso **2** (*fig*) indenne
unscrew /ˌʌnˈskruː/ *vt, vi* svitare, svitarsi
unscrupulous /ʌnˈskruːpjələs/ *agg* senza scrupoli
unseen /ˌʌnˈsiːn/ *agg* inosservato, non visto
unsettle /ˌʌnˈsetl/ *vt* scombussolare
unsettled *agg* **1** (*persona*) irrequieto **2** (*situazione, tempo*) instabile **3** (*que-*

stione) non risolto **unsettling** *agg* inquietante

unshaven /ˌʌnˈʃeɪvn/ *agg* non rasato

unsightly /ʌnˈsaɪtli/ *agg* antiestetico

unskilled /ˌʌnˈskɪld/ *agg* non specializzato

unspoilt /ˌʌnˈspɒɪlt/ (*anche* **unspoiled**) *agg* non deturpato, non rovinato

unspoken /ˌʌnˈspəʊkən/ *agg* tacito, non espresso apertamente

unstable /ʌnˈsteɪbl/ *agg* **1** instabile **2** squilibrato

unsteady /ʌnˈstedi/ *agg* (**-ier**, **-iest**) **1** instabile, insicuro **2** (*mano, voce*) tremante

unstuck /ˌʌnˈstʌk/ *agg* staccato **LOC to come unstuck 1** staccarsi **2** (*inform, fig*) andare a monte

unsuccessful /ˌʌnsəkˈsesfl/ *agg* non riuscito, fallito: *to be unsuccessful in doing sth* non riuscire a fare qc **unsuccessfully** *avv* senza successo

unsuitable /ˌʌnˈsuːtəbl/ *agg* non adatto

unsure /ˌʌnˈʃɔː(r); *USA* -ˈʃʊər/ *agg* **1** ~ (**of yourself**) poco sicuro (di se stesso) **2 to be** ~ (**about/of sth**) non essere sicuro (di qc)

unsuspecting /ˌʌnsəˈspektɪŋ/ *agg* ignaro

unsympathetic /ˌʌnˌsɪmpəˈθetɪk/ *agg* **1** poco comprensivo **2** (*sgradevole*) antipatico

unthinkable /ʌnˈθɪŋkəbl/ *agg* impensabile, inconcepibile

untidy /ʌnˈtaɪdi/ *agg* (**-ier**, **-iest**) disordinato

untie /ʌnˈtaɪ/ *vt* (*pass, pp* **untied** *p pres* **untying**) slegare, sciogliere

until /ənˈtɪl/ (*anche* **till**) ◆ *cong* fino a che: *until this point is cleared up* finché questo punto non viene chiarito ◆ *prep* fino a: *until recently* fino a poco tempo fa ◊ *until now* finora ☛ *Vedi nota a* FINO

untouched /ʌnˈtʌtʃt/ *agg* **1** intatto **2** (*cibo*) senza assaggiare **3** ~ (**by sth**) insensibile (a qc) **4** ~ (**by sth**) non coinvolto (da qc) **5** indenne

untrue /ʌnˈtruː/ *agg* **1** falso **2** ~ (**to sb/sth**) infedele (a qn/qc)

unused *agg* **1** /ˌʌnˈjuːzd/ mai usato **2** /ˌʌnˈjuːst/ ~ **to sb/sth** non abituato a qn/qc

unusual /ʌnˈjuːʒuəl/ *agg* **1** insolito, non comune **2** singolare, fuori dell'ordinario **unusually** *avv* eccezionalmente, straordinariamente: *Unusually for him, he wore a tie.* Portava la cravatta, cosa insolita per lui.

unveil /ˌʌnˈveɪl/ *vt* **1** ~ **sb/sth** togliere il velo a qn/qc **2** (*monumento, ecc*) scoprire (*all'inaugurazione*) **3** (*fig*) rivelare

unwanted /ˌʌnˈwɒntɪd/ *agg* **1** non desiderato: *to feel unwanted* sentirsi respinto ◊ *an unwanted pregnancy* una gravidanza non desiderata **2** superfluo

unwarranted /ʌnˈwɒrəntɪd; *USA* -ˈwɔːr-/ *agg* ingiustificato

unwelcome /ʌnˈwelkəm/ *agg* non gradito, sgradito: *to make sb feel unwelcome* far sentire qn poco gradito

unwell /ʌnˈwel/ *agg* indisposto

unwilling /ʌnˈwɪlɪŋ/ *agg* riluttante **unwillingness** *s* riluttanza

unwind /ˌʌnˈwaɪnd/ (*pass, pp* **unwound** /-ˈwaʊnd/) **1** *vt, vi* srotolare, srotolarsi **2** (*inform*) *vi* rilassarsi

unwise /ˌʌnˈwaɪz/ *agg* imprudente

unwittingly /ʌnˈwɪtɪŋli/ *avv* involontariamente

unwound *pass, pp di* UNWIND

up /ʌp/ ◆ *part avv* **1** alzato, in piedi: *Is he up yet?* È già alzato? **2** su, in alto: *Pull your socks up.* Tirati su i calzini. **3** ~ (**to sb/sth**): *He came up (to me).* Si avvicinò (a me). **4** a pezzi: *to tear sth up* fare a pezzi qc **5** *to lock sth up* chiudere qc a chiave **6** (*terminato*): *Your time is up.* Il tempo è scaduto. **LOC not to be up to much** non valere molto **to be up to sb** dipendere da qn: *It's up to you.* Decidi tu. **to be up** (**with sb**): *What's up with you?* Che hai? **up and down 1** su e giù **2** *to jump up and down* saltellare **up to sth 1** (*anche* **up until sth**) fino a qc: *up to now* fino ad ora **2** all'altezza di qc: *I don't feel up to it.* Non me la sento. **3** (*inform*): *What are you up to?* Cosa stai combinando? ◊ *He's up to no good.* Ne sta combinando una delle sue. ☛ Per l'uso di **up** nei PHRASAL VERBS vedi alla voce del verbo, ad es. **to go up** a GO[1]. ◆ *prep* più su: *up the road* più su lungo la strada **LOC up and down sth** su e giù per qc ◆ *s* **LOC ups and downs** alti e bassi

upbringing /ˈʌpbrɪŋɪŋ/ *s* educazione

update /ˌʌpˈdeɪt/ ◆ *vt* **1** aggiornare **2** ~ **sb (on sth)** mettere al corrente qn (su qc) ◆ *s* (*anche* **updating**) aggiornamento

upgrade /ˌʌpˈɡreɪd/ *vt* **1** (*Informatica*) aumentare la potenza di **2** (*persona*) promuovere (*di grado*)

upheaval /ʌpˈhiːvl/ *s* agitazione

upheld *pass, pp di* UPHOLD

uphill /ˌʌpˈhɪl/ *agg, avv* in salita: *an uphill struggle* una dura lotta

uphold /ʌpˈhəʊld/ *vt* (*pass, pp* **upheld** /-ˈheld/) **1** (*decisione*) difendere **2** (*tradizione*) mantenere

upholstered /ˌʌpˈhəʊlstəd/ *agg* tappezzato **upholstery** *s* [*non numerabile*] tappezzeria

upkeep /ˈʌpkiːp/ *s* manutenzione

uplifting /ʌpˈlɪftɪŋ/ *agg* edificante

upon /əˈpɒn/ *prep* (*form*) *Vedi* ON, ONCE

upper /ˈʌpə(r)/ *agg* **1** superiore, di sopra: *upper case* maiuscola ◊ *upper limit* limite massimo **2** alto: *the upper class* l'alta borghesia ☛ *Vedi esempi a* LOW LOC **to gain, get, etc the upper hand** prendere il sopravvento

uppermost /ˈʌpəməʊst/ *agg* più alto (*posizione*) LOC **to be uppermost in sb's mind** essere il primo dei pensieri di qn

upright /ˈʌpraɪt/ ◆ *agg* **1** (*posizione*) eretto, verticale **2** (*persona*) retto, onesto ◆ *avv* dritto, in posizione verticale

uprising /ˈʌpraɪzɪŋ/ *s* rivolta

uproar /ˈʌprɔː(r)/ *s* [*non numerabile*] tumulto, trambusto

uproot /ˌʌpˈruːt/ *vt* **1** sradicare **2** ~ **sb/yourself (from sth)** (*fig*) allontanare qn/allontanarsi (da qc)

upset /ˌʌpˈset/ ◆ *vt* (*pass, pp* **upset**) **1** turbare: *Don't upset yourself.* Non te la prendere. **2** (*programma*) scombussolare **3** (*recipiente*) rovesciare ◆ *agg* ☛ Davanti ad un sostantivo si pronuncia /ˈʌpset/. **1** turbato **2** (*stomaco*) scombussolato ◆ /ˈʌpset/ *s* **1** turbamento **2** (*Med*) disturbo

upshot /ˈʌpʃɒt/ *s* **the** ~ **(of sth)** l'esito (di qc)

upside down /ˌʌpsaɪd ˈdaʊn/ *agg, avv* **1** alla rovescia, a testa in giù ☛ *Vedi illustrazione a* ROVESCIO **2** (*inform, fig*) sottosopra

upstairs /ˌʌpˈsteəz/ ◆ *avv* al piano di sopra ◆ *agg* del piano di sopra ◆ *s* (*inform*) il piano di sopra

upstream /ˌʌpˈstriːm/ *avv* controcorrente

upsurge /ˈʌpsɜːdʒ/ *s* **1** ~ **(in sth)** aumento (di qc) **2** ~ **(of sth)** ondata (di qc) (*rabbia, violenza, ecc*)

up-to-date /ˌʌp tə ˈdeɪt/ *agg* **1** alla moda **2** aggiornato

upturn /ˈʌptɜːn/ *s* ~ **(in sth)** miglioramento (in qc)

upturned /ˌʌpˈtɜːnd/ *agg* **1** (*scatola, ecc*) capovolto **2** (*naso*) all'insù

upward /ˈʌpwəd/ ◆ *agg* ascendente: *an upward trend* una tendenza al rialzo ◆ *avv* (*anche* **upwards**) verso l'alto **upwards of** *prep* più di (*un certo numero*)

uranium /juˈreɪniəm/ *s* uranio

Uranus /ˈjʊərənəs, jʊˈreɪnəs/ *s* Urano

urban /ˈɜːbən/ *agg* urbano

urge /ɜːdʒ/ ◆ *vt* ~ **sb (to do sth)** esortare qn (a fare qc) PHR V **to urge sb on** spronare qn ◆ *s* desiderio, impulso

urgency /-dʒənsi/ *s* urgenza

urgent /ˈɜːdʒənt/ *agg* **1** urgente: *to be in urgent need of sth* avere urgente bisogno di qc **2** (*tono*) insistente

urine /ˈjʊərɪn/ *s* orina

us /əs, ʌs/ *pron pers* **1** [*come complemento*] ci, noi, a noi: *She gave us the job.* Ci ha dato il lavoro. ◊ *He ignored us.* Ci ha ignorato. ☛ *Vedi nota a* LET[1] **2** [*dopo prep o il verbo* **to be**] noi: *behind us* dietro di noi ◊ *both of us* noi due ◊ *It's us.* Siamo noi. ☛ *Confronta* WE

usage /ˈjuːsɪdʒ, ˈjuːzɪdʒ/ *s* uso

use[1] /juːz/ *vt* (*pass, pp* **used** /juːzd/) **1** usare, utilizzare **2** (*spec persona*) usare, sfruttare **3** consumare PHR V **to use sth up** esaurire qc, finire qc

use[2] /juːs/ *s* **1** uso: *for your own use* per uso personale ◊ *a tool with many uses* un attrezzo multiuso ◊ *to find a use for sth* trovare il modo di utilizzare qc **2** *What's the use of crying?* A che serve piangere? LOC **in use** in uso **to be of use** servire, essere utile **to be no use** non servire a nulla **to have the use of sth** poter usare qc **to make use of sth** approfittare di qc

used[1] /ju:zd/ *agg* usato, di seconda mano

used[2] /ju:st/ *agg* abituato: *to get used to sth/doing sth* abituarsi a qc/a fare qc ◊ *I am used to being alone.* Sono abituato a stare da solo.

Used to do o **used to doing**? Quando **used to** è preceduto dal verbo **to be** o **to get** ed è seguito da un nome, un pronome o la forma **-ing** di un verbo, significa *essere abituato a* o *abituarsi a*: *You'll soon get used to driving on the right.* Ti abituerai presto a guidare sulla destra. ◊ *You must be used to it by now.* Ormai ci sarai abituato. Quando **used to** è seguito da un verbo all'infinito, esprime azioni o cose che avvenivano in passato ma non avvengono più. *Vedi nota a* USED TO.

used to /ˈju:st tə, ˈju:st tu/ *v aus modale*

Used to + infinito si usa per parlare di abitudini e situazioni del passato. In italiano si rende con l'imperfetto, accompagnato talvolta da un'espressione di tempo o di frequenza: *My father used to take me fishing.* Mio padre (di solito) mi portava a pescare. ◊ *Venice used to be a republic.* (Una volta) Venezia era una repubblica. ◊ *I used to be a teacher but now I work for the Council.* Prima facevo l'insegnante, ma adesso lavoro per il Comune. Le frasi negative e interrogative si formano generalmente con **did**: *He didn't use to be fat.* Prima non era grasso. ◊ *You used to smoke, didn't you?* Una volta fumavi, no? *Vedi nota a* USED[2]

useful /ˈju:sfl/ *agg* utile *Vedi anche* HANDY **usefulness** *s* utilità

useless /ˈju:sləs/ *agg* **1** inutile **2** (*inform*) ~ **at sth** negato per qc: *I'm useless at maths.* Sono una frana in matematica.

user /ˈju:zə(r)/ *s* utente: *user-friendly* di facile uso

usual /ˈju:ʒuəl/ *agg* solito: *more than usual* più del solito ◊ *later than usual* più tardi del solito ◊ *the usual* il solito LOC **as usual** come al solito

usually /ˈju:ʒuəli/ *avv* di solito ☛ *Vedi nota a* ALWAYS

utensil /ju:ˈtensl/ *s* [*gen pl*] utensile

utility /ju:ˈtɪləti/ *s* (*pl* **-ies**) **1** utilità **2** [*gen pl*] servizio pubblico

utmost /ˈʌtməʊst/ ◆ *agg* massimo: *with the utmost care* con la massima attenzione ◆ *s* LOC **to do your utmost (to do sth)** fare tutto il possibile (per fare qc)

utter[1] /ˈʌtə(r)/ *vt* **1** (*sospiro, grido*) emettere **2** (*parola, minaccia*) proferire

utter[2] /ˈʌtə(r)/ *agg* totale, completo **utterly** *avv* completamente

Vv

V, v /vi:/ *s* (*pl* **V's, v's** /vi:z/) **1** V, v: *V for Victor* V come Venezia ☛ *Vedi esempi a* A, A **2** *V-neck* scollo a V ◊ *v-shaped* a forma di V

vacant /ˈveɪkənt/ *agg* **1** (*camera, bagno*) libero *Vedi anche* SITUATION **2** (*sguardo*) assente **vacancy** *s* (*pl* **-ies**) **1** posto vacante: *We have vacancies for typists.* Cerchiamo dattilografe. **2** camera libera: *'No vacancies'* "Completo" **vacantly** *avv* con aria assente

vacate /vəˈkeɪt; *USA* ˈveɪkeɪt/ *vt* (*form*) **1** (*casa, stanza*) lasciar libero **2** (*posto di lavoro*) dimettersi da

vacation /vəˈkeɪʃn; *USA* veɪ-/ (*GB anche* **recess**) *s* vacanze

In Gran Bretagna **vacation** si usa soprattutto per le vacanze universitarie e dei tribunali. In tutti gli altri casi la parola più comune è **holiday**. Negli Stati Uniti **vacation** ha un uso più generale.

vaccination /ˌvæksɪˈneɪʃn/ *s* vaccinazione: *polio vaccinations* vaccinazione antipolio

vaccine /ˈvæksiːn; *USA* vækˈsiːn/ *s* vaccino

vacuum /ˈvækjuəm/ *s* (*pl* **~s**) **1** (*Fis*) vuoto: *vacuum-packed* confezionato sottovuoto **2 vacuum cleaner** aspirapolvere LOC **in a vacuum** in isolamento completo

vagina /vəˈdʒaɪnə/ *s* (*pl* **~s**) vagina

vague /veɪg/ *agg* (**-er**, **-est**) **1** vago: *She was a bit vague about the dates.* Riguardo alle date è stata un po' vaga. **2** (*persona*) incerto **3** (*gesto, espressione*) distratto **vaguely** *avv* **1** vagamente **2** distrattamente

vain /veɪn/ *agg* (**-er**, **-est**) **1** vanitoso **2** (*inutile*) vano LOC **in vain** invano

valiant /ˈvæliənt/ *agg* valoroso

valid /ˈvælɪd/ *agg* valido **validity** /vəˈlɪdəti/ *s* validità

valley /ˈvæli/ *s* (*pl* **-eys**) valle

valuable /ˈvæljuəbl/ *agg* di valore, prezioso ☛ *Confronta* INVALUABLE **valuables** *s* [*pl*] oggetti di valore

valuation /ˌvæljuˈeɪʃn/ *s* valutazione

value /ˈvæljuː/ ◆ *s* **1** valore **2 values** [*pl*] (*morali*) valori LOC **to be good value** avere un buon prezzo ◆ *vt* **1** ~ **sth (at sth)** valutare qc (qc) **2** ~ **sb/sth (as sth)** stimare, apprezzare qn/qc (come qc)

valve /vælv/ *s* valvola

vampire /ˈvæmpaɪə(r)/ *s* vampiro

van /væn/ *s* furgoncino

vandal /ˈvændl/ *s* vandalo, -a **vandalism** *s* vandalismo **vandalize, -ise** *vt* vandalizzare

the vanguard /ˈvæŋgɑːd/ *s* l'avanguardia

vanilla /vəˈnɪlə/ *s* vaniglia

vanish /ˈvænɪʃ/ *vi* svanire

vanity /ˈvænəti/ *s* vanità

vantage point /ˈvɑːntɪdʒ pɔɪnt/ *s* posizione strategica

vapour (*USA* **vapor**) /ˈveɪpə(r)/ *s* vapore

variable /ˈveəriəbl/ *agg, s* variabile

variance /ˈveəriəns/ *s* discrepanza LOC **to be at variance (with sb/sth)** (*form*) essere in disaccordo (con qn/qc) **to be at variance with sth** (*form*) essere in contraddizione con qc

variant /ˈveəriənt/ *s* variante

variation /ˌveəriˈeɪʃn/ *s* ~ **(in sth)** variazione (in qc)

varied /ˈveərid/ *agg* vario, diversificato

variety /vəˈraɪəti/ *s* (*pl* **-ies**) varietà: *a variety of subjects* vari temi ◊ *a variety show* uno spettacolo di varietà

various /ˈveəriəs/ *agg* vari, diversi

varnish /ˈvɑːnɪʃ/ ◆ *s* vernice trasparente ◆ *vt* verniciare

vary /ˈveəri/ *vt, vi* (*pass, pp* **varied**) variare **varying** *agg* variabile: *in varying amounts* in quantità variabili

vase /vɑːz; *USA* veɪs,veɪz/ *s* vaso (*da fiori*)

vast /vɑːst; *USA* væst/ *agg* **1** vasto: *the vast majority* la stragrande maggioranza **2** (*inform*) (*cifra, quantità*) enorme **vastly** *avv* enormemente

VAT /ˌviː eɪ ˈtiː/ *abbr* **value added tax** IVA

vat /væt/ *s* tino

vault /vɔːlt/ ◆ *s* **1** volta **2** cripta **3** (*anche* **bank vault**) camera blindata **4** salto, volteggio ◆ *vt, vi* ~ **(over) sth** saltare qc (*appoggiandosi con le mani o con l'asta*)

veal /viːl/ *s* vitello (*carne*) ☛ *Vedi nota a* CARNE

veer /vɪə(r)/ *vi* **1** virare, deviare: *to veer off course* deviare dalla rotta **2** (*vento*) cambiare direzione

vegetable /ˈvedʒtəbl/ *s* **1** [*numerabile*] verdura, ortaggio: *fruit and vegetables* frutta e verdura **2** (*persona*) vegetale

vegetarian /ˌvedʒəˈteəriən/ *agg, s* vegetariano, -a

vegetation /ˌvedʒəˈteɪʃn/ *s* vegetazione

vehement /ˈviːəmənt/ *agg* veemente, vigoroso

vehicle /ˈviːəkl; *USA* ˈviːhɪkl/ *s* **1** veicolo **2** ~ **(for sth)** (*fig*) veicolo, mezzo (di qc)

veil /veɪl/ ◆ *s* (*lett e fig*) velo ◆ *vt* (*fig*) velare, nascondere: *veiled in secrecy* avvolto dal mistero **veiled** *agg* (*minaccia*) velato

vein /veɪn/ *s* **1** (*Anat, Geol*) vena **2** (*Bot*) venatura **3** ~ **(of sth)** (*fig*) vena, traccia (di qc) **4** tono: *If he carries on in that vein…* Se continua così…

velocity /vəˈlɒsəti/ *s* velocità

> **Velocity** si usa soprattutto in contesti scientifici e formali, mentre **speed** ha un uso più generale.

velvet /ˈvelvɪt/ *s* velluto

vending machine /ˈvendɪŋ məʃiːn/ *s* distributore automatico

vendor /ˈvendə(r)/ *s* (*form*) venditore, -trice

veneer /vəˈnɪə(r)/ *s* **1** (*legno*) impiallacciatura **2** ~ (**of sth**) (*spesso dispreg, fig*) vernice (di qc)

vengeance /ˈvendʒəns/ *s* vendetta: *to take vengeance on sb* vendicarsi di qn LOC **with a vengeance** a più non posso

venison /ˈvenɪzn, ˈvenɪsn/ *s* carne di cervo

venom /ˈvenəm/ *s* **1** (*Biol*) veleno **2** (*fig*) veleno, astio **venomous** *agg* (*lett e fig*) velenoso

vent /vent/ ◆ *s* **1** sfiatatoio: *air vent* presa d'aria **2** (*giacca, ecc*) spacco LOC **to give** (**full**) **vent to sth** dare sfogo a qc ◆ *vt* ~ **sth** (**on sb/sth**) sfogare qc (su qn/qc)

ventilator /ˈventɪleɪtə(r)/ *s* ventilatore

venture /ˈventʃə(r)/ ◆ *s* operazione commerciale *Vedi anche* ENTERPRISE ◆ **1** *vi* azzardarsi, avventurarsi: *They rarely ventured into the city.* Si avventuravano raramente in città. **2** *vt* azzardare

venue /ˈvenjuː/ *s* luogo designato per un concerto, una partita, ecc

Venus /ˈviːnəs/ *s* Venere

verb /vɜːb/ *s* verbo

verbal /ˈvɜːbl/ *agg* verbale, orale

verdict /ˈvɜːdɪkt/ *s* verdetto

verge /vɜːdʒ/ ◆ *s* margine erboso LOC **on the verge of doing sth** sul punto di fare qc **on the verge of sth** sull'orlo di qc ◆ PHR V **to verge on sth** rasentare qc

verification /ˌverɪfɪˈkeɪʃn/ *s* **1** verifica **2** riprova

verify /ˈverɪfaɪ/ *vt* (*pass, pp* **-fied**) **1** verificare **2** (*timore, sospetto*) confermare

veritable /ˈverɪtəbl/ *agg* (*form, scherz*) vero e proprio

versatile /ˈvɜːsətaɪl; *USA* -tl/ *agg* versatile

verse /vɜːs/ *s* **1** versi **2** strofa **3** versetto LOC *Vedi* CHAPTER

versed /vɜːst/ *agg* ~ **in sth** versato in qc

version /ˈvɜːʃn; *USA* -ʒn/ *s* versione

vertebra /ˈvɜːtɪbrə/ *s* (*pl* **-brae** /-riː/) vertebra

vertical /ˈvɜːtɪkl/ *agg, s* verticale

verve /vɜːv/ *s* verve, brio

very /ˈveri/ ◆ *avv* **1** molto, tanto: *I'm very sorry.* Mi dispiace tanto. ◊ *not very much* non molto **2** *the very best* il migliore in assoluto ◊ *at the very latest* al più tardi ◊ *your very own room* una camera tutta per te **3** esattamente: *the very next day* proprio il giorno dopo ◆ *agg* **1** *at that very moment* in quel preciso momento ◊ *You're the very man I need.* Sei proprio la persona di cui ho bisogno. **2** *at the very end/beginning* proprio alla fine/all'inizio **3** *the very idea/thought of...* il solo pensiero di... LOC *Vedi* EYE, FIRST

vessel /ˈvesl/ *s* **1** (*form*) natante, nave **2** (*form*) recipiente **3** (*sanguigno, linfatico*) vaso

vest[1] /vest/ *s* **1** maglietta intima **2** canottiera **3** *bullet-proof vest* giubbotto antiproiettile **4** (*USA*) *Vedi* WAISTCOAT

vest[2] /vest/ *vt* LOC **to have a vested interest in sth** avere un tornaconto in qc

vestige /ˈvestɪdʒ/ *s* vestigio

vet[1] /vet/ *vt* (**-tt-**) (*GB*) passare al vaglio

vet[2] *Vedi* VETERINARY SURGEON

veteran /ˈvetərən/ ◆ *agg, s* veterano, -a ◆ *s* (*USA, inform* **vet**) reduce

veterinary surgeon *s* veterinario, -a

veto /ˈviːtəʊ/ ◆ *s* (*pl* ~**es**) veto ◆ *vt* (*p pres* ~**ing**) mettere il veto a

via /ˈvaɪə/ *prep* **1** passando per, via: *via Paris* passando per Parigi **2** per mezzo di, tramite

viable /ˈvaɪəbl/ *agg* attuabile, fattibile: *commercially viable* proficuo

vibrate /vaɪˈbreɪt; *USA* ˈvaɪbreɪt/ *vt, vi* (far) vibrare **vibration** *s* vibrazione

vicar /ˈvɪkə(r)/ *s* parroco anglicano ☛ *Vedi nota a* PRIEST **vicarage** *s* casa del parroco

vice[1] /vaɪs/ *s* vizio

vice[2] (*USA* **vise**) /vaɪs/ *s* morsa (*attrezzo*)

vice- /vaɪs/ *pref* vice-

vice versa /ˌvaɪs ˈvɜːsə/ *avv* viceversa

vicinity /vəˈsɪnəti/ *s* LOC **in the vicinity** (**of sth**) (*form*) nelle vicinanze (di qc)

vicious /ˈvɪʃəs/ *agg* **1** cattivo, crudele

2 (*aggressione*) brutale **3** (*cane*) feroce LOC **a vicious circle** un circolo vizioso

victim /ˈvɪktɪm/ *s* vittima LOC *Vedi* FALL **victimize, -ise** *vt* perseguitare

victor /ˈvɪktə(r)/ *s* (*form*) vincitore, -trice **victorious** /vɪkˈtɔːriəs/ *agg* **1** ~ (**in sth**) vittorioso (in qc) **2** (*squadra*) vincitore **3 to be** ~ (**over sb/sth**) trionfare (su qn/qc)

victory /ˈvɪktəri/ *s* (*pl* **-ies**) vittoria

video /ˈvɪdiəʊ/ *s* (*pl* ~**s**) **1** video **2** (*anche* **video** (**cassette**) **recorder**) videoregistratore **videotape** *s* videocassetta

view /vjuː/ ◆ *s* **1** vista, veduta **2** **viewing**: *We had a private viewing of the film.* Abbiamo assistito ad un'anteprima del film. **3** [*gen pl*] ~ (**about/on sth**) opinione, parere (su qc) **4** punto di vista, concezione LOC **in my, etc view** (*form*) a mio, ecc avviso **in view of sth** considerato qc **with a view to doing sth** (*form*) con lo scopo di fare qc *Vedi anche* POINT ◆ *vt* **1** guardare, vedere **2** ~ **sth** (**as sth**) considerare qc (qc) **viewer** *s* **1** telespettatore, -trice **2** osservatore, -trice **3** (*diapositive*) visore **viewpoint** *s* punto di vista

vigil /ˈvɪdʒɪl/ *s* veglia

vigilant /ˈvɪdʒɪlənt/ *agg* vigile: *to be vigilant* stare all'erta

vigorous /ˈvɪgərəs/ *agg* vigoroso, energico

vile /vaɪl/ *agg* (**viler**, **vilest**) disgustoso, ripugnante

village /ˈvɪlɪdʒ/ *s* paese, villaggio **villager** *s* abitante (*di paese*)

villain /ˈvɪlən/ *s* **1** (*spec Teat*) cattivo, -a **2** (*GB*, *inform*) delinquente

vindicate /ˈvɪndɪkeɪt/ *vt* **1** (*accusato*) scagionare **2** (*fatto*) confermare **3** (*persona*) dare ragione a

vine /vaɪn/ *s* **1** vite (*pianta*) **2** rampicante

vinegar /ˈvɪnɪgə(r)/ *s* aceto

vineyard /ˈvɪnjəd/ *s* vigna, vigneto

vintage /ˈvɪntɪdʒ/ ◆ *s* **1** annata (*di produzione*) **2** vendemmia ◆ *agg* **1** (*vino*) d'annata **2** (*fig*) classico **3** (*GB*) (*auto*) d'epoca (*fabbricato tra il 1917 e il 1930*)

vinyl /ˈvaɪnl/ *s* vinile

violate /ˈvaɪəleɪt/ *vt* violare

Nel significato sessuale non si usa quasi mai **violate** ma **rape**.

violence /ˈvaɪələns/ *s* **1** violenza **2** (*sentimenti*) intensità

violent /ˈvaɪələnt/ *agg* **1** violento **2** (*sentimenti*) intenso

violet /ˈvaɪələt/ *s, agg* viola (*fiore, colore*)

violin /ˌvaɪəˈlɪn/ *s* violino

virgin /ˈvɜːdʒɪn/ *agg*, *s* vergine

Virgo /ˈvɜːgəʊ/ Vergine (*segno zodiacale*) ☛ *Vedi esempi a* AQUARIUS

virile /ˈvɪraɪl; *USA* ˈvɪrəl/ *agg* virile

virtual /ˈvɜːtʃuəl/ *agg* **1** *the virtual extinction of the tiger* la quasi estinzione della tigre ◊ *They are virtual prisoners.* Sono praticamente prigionieri. **2** (*Informatica*) virtuale: *virtual reality* realtà virtuale **virtually** *avv* di fatto, praticamente

virtue /ˈvɜːtʃuː/ *s* **1** virtù **2** merito, pregio LOC **by virtue of sth** (*form*) in virtù di qc **virtuous** *agg* virtuoso

virus /ˈvaɪrəs/ *s* (*pl* **viruses**) virus

visa /ˈviːzə/ *s* visto (*sul passaporto*)

vis-à-vis /ˌviːz ɑː ˈviː/ *prep* (*Fr*) **1** relativamente a **2** rispetto a

vise *s* (*USA*) *Vedi* VICE[2]

visible /ˈvɪzəbl/ *agg* **1** visibile **2** (*fig*) palese **visibly** *avv* visibilmente

vision /ˈvɪʒn/ *s* **1** vista **2** (*previsione, sogno*) visione

visit /ˈvɪzɪt/ ◆ **1** *vt* (*persona*) andare a trovare **2** *vt* (*museo, paese*) visitare **3** *vi* essere in visita **4** *vt* (*scuola, ristorante*) ispezionare ◆ *s* visita LOC *Vedi* PAY **visiting** *agg* (*squadra*) ospite: *visiting hours* orario delle visite **visitor** *s* **1** visitatore, -trice **2** visita (*persona*) **3** turista

vista /ˈvɪstə/ *s* (*form*) **1** vista (*panoramica*) **2** (*fig*) prospettiva

visual /ˈvɪʒuəl/ *agg* visivo: *visual display unit* videoterminale **visualize, -ise** *vt* **1** ~ (**yourself**) immaginarsi/immaginare **2** prevedere

vital /ˈvaɪtl/ *agg* **1** ~ (**for/to sb/sth**) vitale, essenziale (per qn/qc): *vital statistics* misure femminili (*seno, vita e fianchi*) **2** (*persona*) pieno di vitalità **vitally** *avv*: *vitally important* di vitale importanza

vitamin /ˈvɪtəmɪn; *USA* ˈvaɪt-/ *s* vitamina

vivacious /vɪˈveɪʃəs/ *agg* vivace

vivid /ˈvɪvɪd/ *agg* vivido **vividly** *avv* in modo vivido

vocabulary /vəˈkæbjələri; *USA* -leri/ *s* (*pl* **-ies**) (*anche inform* **vocab** /ˈvəʊkæb/) vocabolario (*lessico*)

vocal /ˈvəʊkl/ ◆ *agg* **1** vocale: *vocal chords* corde vocali **2** *a vocal minority* una minoranza che si fa sentire ◆ *s* [*gen pl*]: *to do the/be on vocals* essere il cantante/cantare

vocation /vəʊˈkeɪʃn/ *s* ~ (**for/to sth**) vocazione (per qc) **vocational** *agg* professionale: *vocational training* formazione professionale

vociferous /vəˈsɪfərəs; *USA* vəʊ-/ *agg* rumoroso (*che si fa sentire*)

vogue /vəʊg/ *s* ~ (**for sth**) moda (di qc) LOC **in vogue** in voga

voice /vɔɪs/ ◆ *s* voce: *to raise/lower your voice* alzare/abbassare la voce ◊ *to have no voice in the matter* non avere voce in capitolo LOC **to make your voice heard** esprimere la propria opinone *Vedi anche* TOP[1] ◆ *vt* esprimere (*opinione*)

void /vɔɪd/ ◆ *s* (*form*) vuoto ◆ *agg* (*form*) nullo: *to make sth void* annullare qc *Vedi* NULL

volatile /ˈvɒlətaɪl; *USA* -tl/ *agg* **1** (*spesso dispreg*) (*persona*) volubile **2** (*situazione*) instabile

volcano /vɒlˈkeɪnəʊ/ *s* (*pl* **-oes**) vulcano

volition /vəˈlɪʃn; *USA* vəʊ-/ *s* (*form*) LOC **of your own volition** di propria volontà

volley /ˈvɒli/ *s* (*pl* **-eys**) **1** (*Sport*) volée **2** (*proiettili, insulti*) raffica

volleyball /ˈvɒlibɔːl/ *s* pallavolo

volt /vəʊlt/ *s* volt **voltage** *s* voltaggio: *high voltage* alta tensione

volume /ˈvɒljuːm; *USA* -jəm/ *s* volume

voluminous /vəˈluːmɪnəs/ *agg* (*form*) voluminoso

voluntary /ˈvɒləntri; *USA* -teri/ *agg* **1** volontario **2** facoltativo

volunteer /ˌvɒlənˈtɪə(r)/ ◆ *s* volontario, -a ◆ **1** *vi* ~ (**for sth/to do sth**) offrirsi come volontario (per qc); offrirsi (di fare qc) **2** *vt* dare (*informazioni, consigli*)

vomit /ˈvɒmɪt/ ◆ *vt, vi* vomitare ☛ È più comune dire **to be sick**. ◆ *s* vomito **vomiting** *s* vomito

voracious /vəˈreɪʃəs/ *agg* insaziabile, avido

vote /vəʊt/ ◆ *s* **1** voto: *to take a vote on sth/put sth to the vote* mettere ai voti qc **2 the vote** il diritto di voto LOC **vote of no confidence** voto di sfiducia **vote of thanks** ringraziamento: *to propose a vote of thanks to sb* ringraziare qn ◆ **1** *vt, vi* votare: *to vote for/against sb/sth* votare per/contro qn/qc **2** *vt* (*fondi*) assegnare (*con votazione*) **3** *vt* ~ (**that...**) (*inform*) proporre che... **voter** *s* votante **voting** *s* votazione

vouch /vaʊtʃ/ *vi* ~ **for sb/sth** garantire per qn; garantire qc

voucher /ˈvaʊtʃə(r)/ *s* (*GB*) buono, coupon

vow /vaʊ/ ◆ *s* voto (*religioso, di matrimonio*) ◆ *vt* **to vow (that)... /to do sth** giurare che... /di fare qc

vowel /ˈvaʊəl/ *s* vocale

voyage /ˈvɔɪɪdʒ/ *s* viaggio

> **Voyage** si usa generalmente per i viaggi via mare e quelli nello spazio, e nel senso figurato. *Vedi nota a* VIAGGIO.

vulgar /ˈvʌlgə(r)/ *agg* volgare

vulnerable /ˈvʌlnərəbl/ *agg* vulnerabile

vulture /ˈvʌltʃə(r)/ *s* avvoltoio

W, w /ˈdʌbljuː/ *s* (*pl* **W's**, **w's** /ˈdʌbljuːz/) W, w: *W for William* W come Washington ☛ *Vedi esempi a* A, A

wade /weɪd/ **1** *vi* camminare con difficoltà (*nell'acqua, nel fango, ecc*) **2** *vt, vi* (*ruscello*) guadare

wafer /ˈweɪfə(r)/ *s* cialda

wag /wæg/ *vt, vi* (**-gg-**) **1** (*dito, testa*) scuotere **2** *The dog wagged its tail.* Il cane scodinzolò.

wage /weɪdʒ/ ◆ *s* [*gen pl*] paga (*settimanale*) ☛ *Confronta* SALARY ◆ *vt* LOC **to wage (a) war/a battle (against/on sb/sth)** fare la guerra (a qn/qc)

wagon (*GB anche* **waggon**) /ˈwægən/ *s* **1** carro (*a quattro ruote e a trazione animale*) **2** (*Ferrovia*) carro merci

wail /weɪl/ ◆ *vi* **1** gemere **2** (*sirena*) ululare ◆ *s* **1** gemito **2** ululato

waist /weɪst/ *s* vita (*di persona, abito*): *waistband* cintura ◊ *waistline* punto vita

waistcoat /ˈweɪskəʊt; *USA* ˈweskət/ (*USA anche* **vest**) *s* panciotto, gilè

wait /weɪt/ ◆ *vi* ~ (**for sb/sth**) aspettare (qn/qc): *Wait for me!* Aspettami! ◊ *Wait a minute!* Un momento! ◊ *I can't wait to…* Non vedo l'ora di… LOC **to keep sb waiting** far aspettare qn PHR V **to wait on sb** servire qn **to wait up (for sb)** aspettare alzato (qn) ◆ *s* attesa: *We had a three-hour wait for the bus.* Abbiamo aspettato l'autobus per tre ore. ☛ *Confronta* AWAIT **waiter** *s* cameriere **waitress** *s* cameriera

waive /weɪv/ *vt* (*form*) **1** (*diritto*) rinunciare a **2** (*norma*) passare sopra a

wake /weɪk/ ◆ *vt, vi* (*pass* **woke** /wəʊk/ *pp* **woken** /ˈwəʊkən/) ~ (**sb**) (**up**) svegliare qn; svegliarsi ☛ Vedi nota a AWAKE e confronta AWAKEN PHR V **to wake (sb) up** aprire gli occhi (a qn) **to wake up to sth** rendersi conto di qc ◆ *s* **1** veglia funebre **2** (*Naut*) scia LOC **in the wake of sth** a seguito di qc

walk /wɔːk/ ◆ **1** *vi* camminare, andare a piedi **2** *vt*: *I'll walk you home.* Ti accompagno a casa. ◊ *He's out walking the dog.* È andato a portare a spasso il cane. **3** *vt* percorrere a piedi PHR V **to walk away/off** andarsene **to walk into sb/sth** sbattere contro qn/qc **to walk out** (*inform*) scendere in sciopero **to walk out of sth** abbandonare qc per protesta ◆ *s* **1** passeggiata, camminata: *to go for a walk* andare a fare due passi ◊ *It's a ten-minute walk.* Ci vogliono dieci minuti a piedi. **2** andatura, camminata LOC **walk of life**: *people of all walks of life* persone di ogni ceto e mestiere **walker** *s* escursionista **walking** *s* escursionismo: *walking shoes* pedule ◊ *walking stick* bastone da passeggio **walkout** *s* sciopero

Walkman® /wɔːkmən/ *s* (*pl* **-mans**) walkman®

wall /wɔːl/ *s* **1** (*anche fig*) muro **2** parete LOC *Vedi* BACK[1] **walled** *agg* **1** cinto da mura **2** murato

wallet /ˈwɒlɪt/ *s* portafoglio ☛ *Confronta* PURSE

wallpaper /ˈwɔːlˌpeɪpə(r)/ *s* carta da parati

walnut /ˈwɔːlnʌt/ *s* noce

waltz /wɔːls; *USA* wɔːlts/ ◆ *s* valzer ◆ *vi* ballare il valzer

wand /wɒnd/ *s* bacchetta: *magic wand* bacchetta magica

wander /ˈwɒndə(r)/ **1** *vi* gironzolare

Spesso **wander** è seguito da **around**, **about** o altre preposizioni o avverbi e ha il significato di "a caso, senza meta": *to wander in* fare una capatina ◊ *He wandered through the corridors.* Gironzolò per i corridoi.

2 *vi* (*pensieri, sguardo*) vagare **3** *vt* (*strade, ecc*) vagare per PHR V **to wander away/off** allontanarsi (*dal gruppo*)

wane /weɪn/ (*anche* **to be on the wane**) *vi* diminuire, calare (*potere, entusiasmo*)

want /wɒnt; *USA* wɔːnt/ ◆ **1** *vt, vi* volere: *I want some cheese.* Vorrei del formaggio. ◊ *Do you want to go?* Vuoi andare? ◊ *You're wanted upstairs/on the phone.* Ti vogliono di sopra/al telefono.

Nota che anche **like** significa "volere" ma si usa solo per offrire qualcosa o invitare qualcuno: *Would you like to come to dinner?* Vuoi venire a cena? ◊ *Would you like something to eat?* Vuoi mangiare qualcosa?

2 *vt* avere bisogno di: *It wants fixing.* Bisogna aggiustarlo. **3** *vt*: *He's wanted by the police.* È ricercato dalla polizia. ◆ *s* **1** [*gen pl*] esigenza **2** ~ **of sth** mancanza di qc: *for want of* per mancanza di ◊ *not for want of trying* non per non aver provato **3** miseria **wanting** *agg* ~ (**in sth**) (*form*) privo (di qc)

war /wɔː(r)/ *s* **1** guerra **2** ~ (**against sb/sth**) lotta (contro qn/qc) LOC **at war** in guerra **to make/wage war on sb/sth** fare la guerra a qn/qc *Vedi anche* WAGE

ward /wɔːd/ ◆ *s* corsia, reparto (*di ospedale*) ◆ PHR V **to ward sth off 1** (*attacco, colpo*) parare qc **2** (*malattia, pericolo*) scongiurare qc

warden /ˈwɔːdn/ *s* guardiano, -a *Vedi anche* TRAFFIC

wardrobe /ˈwɔːdrəʊb/ *s* **1** armadio (*per vestiti*) **2** guardaroba

warehouse /ˈweəhaʊs/ *s* magazzino

wares /weəz/ *s* [*pl*] (*antiq*) mercanzie

warfare /ˈwɔːfeə(r)/ *s* guerra: *chemical/psychological warfare* guerra chimica/psicologica

warlike /ˈwɔːlaɪk/ *agg* bellicoso

warm /wɔːm/ ◆ *agg* (**-er**, **-est**) **1** caldo ☛ *Vedi nota a* FREDDO **2** (*tempo*): *to be warm* fare caldo **3** (*persona*): *to be/get warm* aver caldo/scaldarsi **4** (*fig*) caloroso, cordiale ◆ *vt, vi* ~ (**sth/yourself**) (**up**) scaldare qc; scaldarsi PHR V **to warm up 1** (*Sport*) fare riscaldamento **2** (*motore*) scaldarsi **to warm sth up** riscaldare qc **warming** *s*: *global warming* il riscaldamento dell'atmosfera terrestre **warmly** *avv* **1** calorosamente **2** *warmly dressed* vestito con indumenti caldi **3** (*raccomandare*) caldamente **warmth** *s* (*anche fig*) calore

warn /wɔːn/ *vt* **1** ~ **sb** (**about/of sth**) avvertire, avvisare qn (di qc): *They warned us about/of the strike.* Ci avvertirono dello sciopero. ◊ *They warned us about the neighbours.* Ci hanno messo in guardia sui vicini. **2** ~ **sb that...** avvertire qn che...: *I warned them that it would be expensive.* Li ho avvertiti che sarebbe stato caro. **3** ~ **sb against doing sth** sconsigliare a qn di fare qc: *They warned us against going into the forest.* Ci sconsigliarono di andare nel bosco. **4** ~ **sb** (**not**) **to do sth** raccomandare a qn di (non) fare qc **warning** *s* **1** ammonimento, avvertimento **2** avviso, avvertenza

warp /wɔːp/ *vt, vi* deformare, deformarsi **warped** *agg* contorto

warrant /ˈwɒrənt; *USA* ˈwɔːr-/ ◆ *s* (*Dir*) mandato: *search-warrant* mandato di perquisizione ◆ *vt* (*form*) giustificare

warranty /ˈwɒrənti; *USA* ˈwɔːr-/ *s* (*pl* **-ies**) garanzia *Vedi anche* GUARANTEE

warren /ˈwɒrən; *USA* ˈwɔːrən/ *s* **1** tane di coniglio **2** labirinto

warrior /ˈwɒrɪə(r); *USA* ˈwɔːr-/ *s* guerriero, -a

warship /ˈwɔːʃɪp/ *s* nave da guerra

wart /wɔːt/ *s* verruca

wartime /ˈwɔːtaɪm/ *s*: *in wartime* in tempo di guerra

wary /ˈweəri/ *agg* (**warier**, **wariest**) cauto: *to be wary of sb/sth* diffidare di qn/qc

was /wəz, wɒz; *USA* wʌz/ *pass di* BE

wash /wɒʃ/ ◆ *s* **1** lavata: *to give sth a wash* lavare qc ◊ *to have a wash* lavarsi **2 the wash** [*sing*]: *All my shirts are in the wash.* Tutte le mie camicie sono a lavare. **3** [*sing*] (*Naut*) scia ◆ **1** *vt, vi* lavare: *to wash yourself* lavarsi **2** *vi* ~ **over sth** infrangersi su qc **3** *vi* ~ **over sb** (*fig, critiche*) non toccare qn **4** *vt* spazzare via (*onde, acqua*): *to be washed overboard* essere trascinato in mare dalle onde PHR V **to wash sb/sth away** trascinare via qn/qc **to wash off** andare via col lavaggio **to wash sth off** togliere qc lavando **to wash sth out** lavare qc **to wash up 1** (*GB*) lavare i piatti **2** (*USA*) lavarsi **to wash sth up 1** (*GB*) (*piatti*) lavare qc **2** (*mare*) portare a riva qc **washable** *agg* lavabile

washbasin /ˈwɒʃ beɪsn/ (*USA* **washbowl**) *s* lavandino

washing /ˈwɒʃɪŋ; *USA* ˈwɔː-/ *s* **1** lavaggio: *washing powder* detersivo in polvere per bucato **2** roba da lavare **3** bucato

washing machine *s* lavatrice

washing-up /ˌwɒʃɪŋ ˈʌp/ *s* piatti da lavare: *to do the washing-up* lavare i piatti ◊ *washing-up liquid* detersivo liquido per i piatti

washroom /ˈwɒʃruːm/ *s* (*USA*, *euf*) toilette ☛ *Vedi nota a* TOILET

wasn't /ˈwɒz(ə)nt/ = WAS NOT *Vedi* BE

wasp /wɒsp/ *s* vespa

waste /weɪst/ ◆ *agg* **1** *waste material* rifiuti ◊ *waste products* scorie **2** (*terreno*) desolato ◆ *vt* **1** sprecare **2** (*tempo, occasione*) perdere LOC **to waste your breath** sprecare fiato PHR V **to waste away** deperire ◆ *s* **1** spreco: *a waste of energy* uno spreco di energie **2** perdita: *It's a waste of time.* È una perdita di tempo. **3** [*non numerabile*] rifiuti: *waste disposal* smaltimento dei rifiuti ◊ *nuclear waste* scorie radioattive LOC **to go/run to waste** andare sprecato **wasted** *agg* inutile (*viaggio, sforzo*) **wasteful** *agg* **1** (*persona*) sprecone **2** (*metodo*) dispendioso

wasteland /ˈweɪstlænd/ *s* terreno desolato

waste-paper basket *s* cestino per la carta straccia

watch /wɒtʃ/ ◆ *s* **1** orologio (*da polso*) ☛ *Vedi illustrazione a* OROLOGIO **2** turno di guardia **3** (*persone*) personale di guardia LOC **to keep watch (over sb/sth)** sorvegliare qn/qc *Vedi anche* CLOSE[1] ◆ **1** *vt, vi* guardare: *to watch TV/the match* guardare la tele/la partita **2** *vt, vi* ~ **(over) sb/sth** sorvegliare, tenere d'occhio qn/qc **3** *vi* ~ **for sth** fare attenzione a qc; aspettare qc **4** *vt* fare attenzione a: *Watch your language!* Bada a come parli! LOC **to watch your step** stare attento PHR V **to watch out** stare attento: *Watch out!* Attento! **to watch out for sb/sth** fare attenzione a qn/qc: *Watch out for that hole.* Attenti a quella buca. **watchful** *agg* attento

watchdog /ˈwɒtʃdɒg/ *s* organismo di controllo per i diritti dei consumatori

water /ˈwɔːtə(r)/ ◆ *s* acqua LOC **under water 1** (*nuotare*) sott'acqua **2** (*campo, strada*) allagato *Vedi anche* FISH ◆ **1** *vt* (*pianta*) annaffiare **2** *vi* (*occhi*) lacrimare **3** *vi* (*bocca*): *My mouth is watering.* Ho l'acquolina in bocca. PHR V **to water sth down 1** diluire qc con acqua **2** (*fig*) edulcorare

watercolour (*USA* **-color**) /ˈwɔːtəkʌlə(r)/ *s* acquarello

watercress /ˈwɔːtəkres/ *s* crescione

waterfall /ˈwɔːtəfɔːl/ *s* cascata

watermelon /ˈwɔːtəmelən/ *s* cocomero

waterproof /ˈwɔːtəpruːf/ *agg, s* impermeabile

watershed /ˈwɔːtəʃed/ *s* momento decisivo

water-skiing /ˈwɔːtə skiːɪŋ/ *s* sci d'acqua

watertight /ˈwɔːtətaɪt/ *agg* **1** stagno **2** (*scusa, alibi*) inattaccabile

waterway /ˈwɔːtəweɪ/ *s* canale navigabile

watery /ˈwɔːtəri/ *agg* **1** (*dispreg*) acquoso **2** (*colore*) pallido **3** (*occhi*) umido

watt /wɒt/ *s* watt

wave /weɪv/ ◆ **1** *vt* agitare **2** *vt, vi* (*bandiera*) sventolare **3** *vi* ~ **(at/to sb)** fare cenno con la mano (a qn) **4** *vt* (*capelli*) ondulare PHR V **to wave sth aside** respingere qc (*protesta*) ◆ *s* **1** onda **2** (*fig*) ondata **3** cenno (*della mano*) **wavelength** *s* lunghezza d'onda

waver /ˈweɪvə(r)/ *vi* **1** vacillare **2** (*voce*) tremare

wavy /ˈweɪvi/ *agg* (**wavier**, **waviest**) ondulato ☛ *Vedi illustrazione a* CAPELLO

wax /wæks/ *s* cera

way /weɪ/ ◆ *s* **1 way (from ... to ...)** strada, percorso (da ... a ...): *to ask/tell sb the way* chiedere la strada/dare indicazioni a qn ◊ *across/over the way* dall'altro lato della strada ◊ *a long way (away)* molto lontano ◊ *way out* uscita **2 Way** (*in nomi*) via **3** passo, passaggio: *Get out of my way!* Togliti di mezzo! **4** direzione, parte: *'Which way?' 'That way.'* "Da che parte?" "Di là." **5** modo, maniera: *Do it your own way!* Fai come ti pare! **6** [*gen pl*] costumi LOC **by the way** a proposito **in a/one way**; **in some ways** in un certo senso **no way** (*inform*) neanche per sogno! **one way or another** in un modo o nell'altro **on the way** per strada **to be on your way**: *I must be on my way.* Devo proprio andare. **the other way (a)round 1** all'inverso **2** dall'altra parte **to divide, split etc sth two, three, etc ways** dividere qc in due, tre, ecc **to get/have your own way** averla vinta **to give way (to sb/sth) 1** cedere (a qn/qc) **2** dare la precedenza (a qn/qc) **to give way to sth** abbandonarsi a qc **to go out of your**

way (to do sth) farsi in quattro (per fare qc) **to make way (for sb/sth)** far strada (a qn/qc) **to make your way (to/towards sth)** dirigersi (a/verso qc) **under way** in corso **way of life** stile di vita **ways and means** modi *Vedi anche* BAR, FEEL, FIGHT, FIND, HARD, HARM, LEAD[2], LOSE, MEND, PAVE ◆ *avv* (*inform*) molto: *way ahead* molto avanti LOC **way back** molto tempo fa: *way back in the fifties* nei lontani anni cinquanta

we /wiː/ *pron pers* noi: *Why don't we go?* Perché non andiamo? ☛ In inglese il *pronome personale soggetto* non si può omettere. *Confronta* US

weak /wiːk/ *agg* (**-er**, **-est**) **1** debole **2** (*Med*): *He has a weak heart.* Soffre di cuore. **3** (*bevanda*) leggero **4** ~ (**at/in/on sth**) scarso (in qc) **weaken 1** *vt, vi* indebolire, indebolirsi **2** *vi* vacillare **weakness** *s* **1** debolezza **2** punto debole

wealth /welθ/ *s* **1** [*non numerabile*] ricchezza **2** ~ **of sth** abbondanza di qc **wealthy** *agg* (**-ier**, **-iest**) ricco

weapon /ˈwepən/ *s* arma

wear /weə(r)/ (*pass* **wore** /wɔː(r)/ *pp* **worn** /wɔːn/) ◆ **1** *vt* (*abito, occhiali*) portare **2** *vt* (*espressione*) avere **3** *vt, vi* consumare, consumarsi **4** *vt* (*buco*) fare (*con l'uso*) **5** *vi* durare PHR V **to wear (sth) away** consumare, consumarsi **to wear sb/sth down** esaurire qn/qc **to wear (sth) down/out** consumare qc, consumarsi **to wear off** sparire, passare **to wear sb out** stancare qn

> **Wear** o **carry**? **Wear** si usa per abiti, scarpe e anche occhiali o profumo: *Do you have to wear a suit at work?* Devi indossare giacca e pantaloni al lavoro? ◊ *What perfume are you wearing?* Che profumo ti sei messa? ◊ *He doesn't wear glasses.* Non porta gli occhiali. Si usa **carry** quando parliamo di oggetti che si portano con sé, in particolare in mano o sul braccio: *She wasn't wearing her raincoat, she was carrying it over her arm.* Non indossava l'impermeabile, lo teneva sul braccio.

◆ *s* **1** logorio, usura **2** uso **3** abbigliamento: *ladies' wear* abbigliamento da donna LOC **wear and tear** usura, logorio

weary /ˈwɪəri/ *agg* (**-ier**, **-iest**) **1** esausto **2** ~ **of sth** stanco di qc

weather /ˈweðə(r)/ ◆ *s* tempo (*atmosferico*): *the weather forecast* le previsioni meteorologiche LOC **to feel under the weather** (*inform*) sentirsi poco bene ◆ *vt* superare (*crisi*)

weave /wiːv/ (*pass* **wove** /wəʊv/ *pp* **woven** /ˈwəʊvn/) **1** *vt* tessere **2** *vt* ~ **sth into sth** (*fig*) intrecciare qc in qc **3** *vi* (*pass, pp* **weaved**) procedere a zigzag

web /web/ *s* **1** ragnatela **2** (*fig*) rete

we'd /wiːd/ **1** = WE HAD *Vedi* HAVE **2** = WE WOULD *Vedi* WOULD

wedding /ˈwedɪŋ/ *s* matrimonio, nozze: *wedding cake* torta nuziale ◊ *wedding ring* fede LOC **golden/silver wedding** nozze d'oro/d'argento ☛ *Vedi nota a* MATRIMONIO

wedge /wedʒ/ ◆ *s* **1** zeppa **2** cuneo **3** (*torta, formaggio*) fetta ◆ *vt* **1** *to wedge sth open/shut* tenere aperto/chiudere con una zeppa **2** *be/get wedged* essere incastrato/incastrarsi

Wednesday /ˈwenzdeɪ, ˈwenzdi/ *s* (*abbrev* **Wed**) mercoledì ☛ *Vedi esempi a* MONDAY

wee /wiː/ *agg* (*Scozia*) piccolo: *a wee bit* un pochino

weed /wiːd/ ◆ *s* **1** erbaccia: *weedkiller* diserbante **2** [*non numerabile*] (*sott'acqua*) alghe **3** (*inform, dispreg*) tipo allampanato **4** (*inform, dispreg*) rammollito, -a ◆ *vt, vi* togliere le erbacce (da) PHR V **to weed sb/sth out** eliminare qn/qc

week /wiːk/ *s* settimana: *35-hour week* settimana lavorativa di 35 ore LOC **a week on Monday/Monday week** lunedì a otto **a week today/tomorrow** oggi/domani a otto **weekday** *s* giorno lavorativo **weekend** /ˌwiːkˈend/ *s* fine settimana

weekly /ˈwiːkli/ ◆ *agg* settimanale ◆ *avv* settimanalmente ◆ *s* (*pl* **-ies**) settimanale

weep /wiːp/ *vi* (*pass, pp* **wept** /wept/) (*form*) ~ (**for/over sb/sth**) piangere (per qn/qc): *weeping willow* salice piangente **weeping** *s* pianto

weigh /weɪ/ **1** *vt, vi* pesare: *How much does it weigh?* Quanto pesa? **2** *vt* ~ **sth (up)** soppesare, valutare qc **3** *vi* ~ **against sb/sth** giocare a sfavore di qn/qc LOC **to weigh anchor** levare l'ancora PHR V **to weigh sb down** opprimere qn **to weigh sb/sth down**: *weighed down with luggage* stracarico di bagagli

weight /weɪt/ ◆ *s* (*lett e fig*) peso: *by weight* a peso LOC **to lose/put on weight** (*persona*) dimagrire/ingrassare *Vedi anche* CARRY, PULL ◆ *vt* **1** metter dei pesi su **2** ~ **sth (down) (with sth)** appesantire qc (con qc) **weighting** *s* **1** (*GB*): *London weighting* indennità per chi lavora a Londra **2** importanza **weightless** *agg* senza peso **weighty** *agg* (**-ier**, **-iest**) **1** pesante **2** (*fig*) importante

weir /wɪə(r)/ *s* sbarramento

weird /wɪəd/ *agg* (**-er**, **-est**) strambo

welcome /ˈwelkəm/ ◆ *agg* **1** benvenuto **2** gradito LOC **to be welcome to sth/to do sth**: *You're welcome to use my car/to stay.* Puoi usare la mia macchina se vuoi./Puoi restare se vuoi. **you're welcome** di niente ◆ *s* accoglienza, benvenuto ◆ *vt* **1** ricevere, dare il benvenuto a **2** gradire **welcoming** *agg* accogliente

weld /weld/ *vt, vi* saldare, saldarsi

welfare /ˈwelfeə(r)/ *s* **1** benessere **2** assistenza sociale: *the Welfare State* lo Stato assistenziale **3** (*USA*) *Vedi* SOCIAL SECURITY

well[1] /wel/ ◆ *s* pozzo ◆ *vi* ~ **(out/up)** sgorgare

well[2] /wel/ ◆ *agg* (*comp* **better** /ˈbetə(r)/ *superl* **best** /best/): *to be well* stare bene ◊ *to get well* rimettersi ◆ *avv* (*comp* **better** /ˈbetə(r)/ *superl* **best** /best/) **1** bene: *I'm very well.* Sto benissimo. **2** [*dopo* **can, could, may, might**]: *I can well believe it.* Ci credo! ◊ *I can't very well leave.* Non posso andarmene così. LOC **as well** anche ☛ *Vedi nota a* ANCHE **as well as** oltre a **may/might (just) as well do sth**: *We may/might as well go home.* Possiamo anche tornarcene a casa. ◊ *You might as well use it.* Tanto vale usarlo. **to do well 1** andare bene **2** [*solo in forme progressive*] (*paziente*) rimettersi **well and truly** (*inform*) completamente *Vedi anche* DISPOSED, JUST, MEAN[1], PRETTY

well[3] /wel/ *escl* **1** (*sorpresa*): *Well, look who's here!* Ma guarda un po' chi si vede! **2** (*rassegnazione, dubbio*) beh: *Oh well, that's that then.* Beh, la faccenda è chiusa. ◊ *Well, I don't know…* Beh, non so… **3** (*interrogativo*) allora?

we'll /wiːl/ **1** = WE SHALL *Vedi* SHALL **2** = WE WILL *Vedi* WILL

well behaved *agg* beneducato: *to be well behaved* comportarsi bene

well-being /ˈwelbiːɪŋ/ *s* benessere

well-earned /ˈwel ɜːnd/ *agg* meritato

wellington /ˈwelɪŋtən/ (*anche* **wellington boot**) *s* [*gen pl*] (*spec GB*) stivale di gomma ☛ *Vedi illustrazione a* SCARPA

well-kept /ˈwel kept/ *agg* **1** curato, ben tenuto **2** (*segreto*) ben custodito

well known *agg* noto, famoso: *It's a well known fact that…* È risaputo che…

well meaning *agg* benintenzionato

well off *agg* ricco, benestante

well-to-do /ˌwel tə ˈduː/ *agg* benestante

went *pass di* GO[1]

wept *pass, pp di* WEEP

were /wə(r), wɜː(r)/ *pass di* BE

we're /wɪə(r)/ = WE ARE *Vedi* BE

weren't /wɜːnt/ = WERE NOT *Vedi* BE

west /west/ ◆ *s* **1** (*anche* **the west, the West**) (*abbrev* **W**) (l')ovest: *I live in the west of Scotland.* Abito nella Scozia occidentale. ◊ *westbound* diretto a ovest **2 the West** l'Occidente ◆ *agg* dell'ovest, occidentale: *west winds* venti da ovest ◆ *avv* a ovest: *to go west* andare a ovest *Vedi anche* WESTWARD(S)

western /ˈwestən/ ◆ *agg* (*anche* **Western**) dell'ovest, occidentale ◆ western **westerner** *s* occidentale, abitante dell'ovest

westward(s) /ˈwestwəd(z)/ *avv* verso ovest *Vedi anche* WEST *avv*

wet /wet/ ◆ *agg* (**wetter**, **wettest**) **1** bagnato: *to get wet* bagnarsi **2** umido: *in wet places* in luoghi umidi **3** (*tempo*) piovoso **4** (*vernice*) fresco **5** (*GB inform, dispreg*) (*persona*) rammollito ◆ *s* **1 the wet** la pioggia: *Come in out of the wet.* Vieni dentro al riparo dalla pioggia. **2** umidità ◆ (*pass, pp* **wet** o **wetted**) **1** *vt* bagnare, inumidire: *to wet the/your bed* fare la pipì a letto **2** *v rifl* **to wet yourself** farsi la pipì addosso

we've /wiːv/ = WE HAVE *Vedi* HAVE

whack /wæk/ ◆ *vt* (*inform*) colpire ◆ colpo

whale /weɪl/ *s* balena

wharf /wɔːf/ *s* (*pl* ~**s** *o* **-ves** /wɔːvz/) banchina

what /wɒt/ ◆ *agg interr* **1** che: *What time is it?* Che ore sono? ◊ *What colou* *is it?* Di che colore è? **2** quale: *What's your favourite subject?* Qual è la tua materia preferita? ◆ *pron interr* che cosa: *What did you say?* Cosa hai detto? ◊ *What's her phone number?* Qual è il suo numero di telefono? ◊ *What's your name?* Come ti chiami? LOC **what about…? 1** che ne direste di…? **2** *What about me?* E io?

Which o **what**? **Which** si riferisce a uno o più elementi di un gruppo limitato: *Which is your car, this one or that one?* Qual è la tua macchina, questa o quella? **What** si usa quando si parla più in generale: *What are your favourite books?* Quali libri preferisci?

what if…? e se…?: *What if it breaks?* E se si rompe? ◆ *agg rel*: *what money I have* tutti i soldi che ho ◆ *pron rel* ciò che, quello che: *I've said what I think.* Ho detto ciò che penso. ◆ *agg* (*in esclamazioni*) che: *What a pity!* Che peccato! ◆ *escl* **1 what!** (*incredulità*) come?, cosa? **2 what?** (*quando non si è capito*) come?, cosa?

whatever /wɒtˈevə(r)/ ◆ *pron* **1** quello che: *Give whatever you can.* Dai quello che puoi. **2** *whatever happens* qualsiasi cosa succeda LOC **or whatever** (*inform*) o qualcosa del genere: *…basketball, swimming or whatever.* …pallacanestro, nuoto o quel che è. ◆ *agg*: *I'll be in whatever time you come.* Io ci sono, a qualunque ora tu venga. ◆ *pron interr* cosa mai: *Whatever can it be?* Cosa può mai essere? ◆ *avv* (*anche* **whatsoever**): *nothing whatsoever* proprio niente

wheat /wiːt/ *s* grano, frumento

wheel /wiːl/ ◆ *s* **1** ruota **2** volante ◆ **1** *vt* (*bicicletta*) spingere **2** *vt* (*persona*) trasportare **3** *vi* (*uccello*) volteggiare **4** *vi* ~ **(a)round** voltarsi

wheelbarrow /ˈwiːlbærəʊ/ (*anche* **barrow**) *s* carriola

wheelchair /ˈwiːlʃeə(r)/ *s* sedia a rotelle

wheeze /wiːz/ *vi* ansimare

when /wen/ ◆ *avv interr* quando: *When did he die?* Quando è morto? ◊ *I don't know when she arrived.* Non so quando sia arrivata. ◆ *avv rel* in cui: *There are times when…* Ci sono delle volte in cui… ◆ *cong* quando: *It was snowing when I arrived.* Nevicava quando sono arrivato. ◊ *I'll call you when I'm ready.* Ti chiamo quando sono pronto.

whenever /wenˈevə(r)/ *cong* **1** quando, in qualsiasi momento: *Come whenever you like.* Vieni quando vuoi. **2** (*ogni volta che*) quando, tutte le volte che: *You can borrow my car whenever you want.* Puoi prendere la mia macchina quando vuoi.

where /weə(r)/ ◆ *avv interr* dove: *Where are you going?* Dove vai? ◊ *I don't know where it is.* Non so dove sia. ◆ *avv rel* dove: *the town where I was born* la città in cui sono nata ◆ *cong* dove: *Stay where you are.* Resta dove sei.

whereabouts /ˈweərəˈbaʊts/ ◆ *avv interr* dove ◆ *s* [*v sing o pl*]: *His whereabouts is/are unknown.* Nessuno sa dove si trovi.

whereas /ˌweərˈæz/ *cong* (*form*) mentre

whereby /weəˈbaɪ/ *avv rel* (*form*) per cui

whereupon /ˌweərəˈpɒn/ *cong* dopo di che

wherever /ˌweərˈevə(r)/ ◆ *cong* dovunque: *wherever you like* dove vuoi ◆ *avv interr* dove mai

whet /wet/ *vt* (**-tt-**) LOC **to whet sb's appetite** stuzzicare l'appetito di qn

whether /ˈweðə(r)/ *cong* se: *I'm not sure whether to resign or stay on.* Non so se dimettermi o restare. ◊ *It depends on whether the letter arrives on time.* Dipende se la lettera arriva in tempo. LOC **whether or not**: *whether or not it works/whether it works or not* se funziona o meno

which /wɪtʃ/ ◆ *agg interr* quale, che: *Which book did you take?* Che libro hai preso? ◊ *Do you know which one is yours?* Sai qual è il tuo? ☛ *Vedi nota a* WHAT ◆ *pron interr* quale, -i: *Which is your favourite?* Qual è il tuo preferito? ☛ *Vedi nota a* WHAT ◆ *agg rel, pron rel* **1** [*soggetto*] che: *the book which is on the table* il libro che è sul tavolo **2** [*complemento diretto*] che: *the article (which) I read yesterday* l'articolo che ho letto ieri **3** (*form*) [*dopo prep*] il/la quale, cui: *her work, about which I know nothing…* il suo lavoro, di cui non so niente … ◊ *in which case* nel qual caso ◊ *the situation in which he* *found himself* la situazione in cui si è trovato ☛ Quest'uso è molto formale. Comunemente la preposizione è alla fine: *the situation which he found himself in* e spesso **which** è omesso: *the situation he found himself in*

whichever /wɪtʃˈevə(r)/ **1** *pron* quello che, quella che: *whichever you buy* qualunque tu compri **2** *agg* qualunque: *It's the same, whichever route you take.* È lo stesso, qualunque strada tu faccia.

whiff /wɪf/ *s* ~ (**of sth**): *He caught a whiff of her perfume.* Per un attimo sentì il suo profumo.

while /waɪl/ ◆ *s* [*sing*]: *a while* un po' (*di tempo*): *for a while* per un po' LOC Vedi ONCE, WORTH ◆ *cong* (*anche* **whilst** /waɪlst/) **1** (*temporale, avversativa*) mentre: *I drink coffee while she prefers tea.* Io prendo il caffè, mentre lei preferisce il tè. **2** (*form*) sebbene: *While I admit that…* Sebbene ammetta che… LOC **while you're at it** già che ci sei ◆ PHR V **to while sth away** far passare qc (*tempo*): *to while the morning away* far passare la mattinata

whim /wɪm/ *s* capriccio

whimper /ˈwɪmpə(r)/ ◆ *vi* mugolare ◆ *s* mugolio

whip /wɪp/ ◆ *s* **1** frusta **2** (*Politica*) capogruppo ◆ *vt* **1** frustare **2** ~ **sth** (**up**) (**into sth**) (*Cucina*) sbattere qc (fino ad ottenere qc): *whipped cream* panna montata PHR V **to whip sth up 1** (*cena, ecc*) improvvisare qc **2** (*emozioni*) suscitare qc

whirl /wɜːl/ ◆ **1** *vt, vi* (far) girare **2** *vi* (*testa*) girare ◆ *s* [*sing*] **1** giro **2** turbine: *a whirl of dust* un turbine di polvere **3** (*fig*) vortice: *My head is in a whirl.* Mi gira la testa.

whirlpool /ˈwɜːlpuːl/ *s* mulinello

whirlwind /ˈwɜːlwɪnd/ ◆ *s* tromba d'aria ◆ *agg* (*fig*) travolgente

whirr (*spec USA* **whir**) /wɜː(r)/ ◆ *s* ronzio ◆ *vi* ronzare

whisk /wɪsk/ ◆ *s* frusta, frullino ◆ *vt* (*Cucina*) sbattere PHR V **to whisk sb/sth away/off** portar via qn/qc

whiskers /ˈwɪskəz/ *s* [*pl*] **1** (*animale*) baffi **2** (*uomo*) barba e basette

whisky /ˈwɪski/ *s* (*pl* **-ies**) (*USA o Irl* **whiskey**) whisky

whisper /ˈwɪspə(r)/ ◆ **1** *vi, vt* sussurrare, bisbigliare **2** *vi* frusciare ◆ *s* **1** sussurro, bisbiglio **2** fruscio

whistle /ˈwɪsl/ ◆ *s* **1** fischio **2** fischietto ◆ *vt, vi* fischiare

white /waɪt/ ◆ *agg* (**-er**, **-est**) **1** bianco: *white coffee* caffè con latte **2** ~ (**with sth**) pallido (per qc) ◆ *s* **1** bianco **2** chiara d'uovo ☛ *Confronta* YOLK

white-collar /ˌwaɪt ˈkɒlə(r)/ *agg* impiegatizio: *white-collar workers* impiegati

whiteness /ˈwaɪtnəs/ *s* biancore

White Paper *s* (*GB*) libro bianco

whitewash /ˈwaɪtwɒʃ/ ◆ *s* calce ◆ *vt* **1** imbiancare **2** (*fig*) occultare

who /huː/ ◆ *pron interr* chi: *Who are they?* Chi sono? ◊ *Who did you meet?* Chi hai visto? ◊ *Who is it?* Chi è? ◊ *They wanted to know who had rung.* Volevano sapere chi aveva chiamato. ◆ *pron rel* **1** [*soggetto e complemento diretto*] che: *people who eat garlic* la gente che mangia l'aglio ◊ *the man who wanted to see you* l'uomo che voleva vederti ◊ *all those who want to go* tutti quelli che vogliono andare ◊ *I bumped into a woman (who) I knew.* Mi sono imbattuto in una signora che conoscevo. **2** [*complemento indiretto*] cui: *the man (who) I had spoken to* l'uomo con cui avevo parlato ☛ *Vedi nota a* WHOM

whoever /huːˈevə(r)/ *pron* **1** chi: *Whoever gets the job…* Chi ottiene il posto… **2** chiunque

whole /həʊl/ ◆ *agg* intero: *a whole bottle* una bottiglia intera ◊ *the whole town* tutta la città ◊ *to forget the whole thing* dimenticare l'intera faccenda ◆ *s* tutto: *the whole of August* tutto agosto LOC **on the whole** nel complesso

wholehearted /ˌhəʊlˈhɑːtɪd/ *agg* incondizionato **wholeheartedly** incondizionatamente

wholemeal /ˈhəʊlmiːl/ *agg* integrale: *wholemeal bread* pane integrale

wholesale /ˈhəʊlseɪl/ *agg, avv* **1** all'ingrosso **2** su vasta scala: *wholesale destruction* distruzione massiccia

wholesome /ˈhəʊlsəm/ *agg* sano: *a wholesome climate* un clima salubre

wholly /ˈhəʊlli/ *avv* del tutto

whom /huːm/ ◆ *pron interr* (*form*) [*complemento diretto, dopo preposizione*] chi: *Whom did you meet there?* Chi hai visto lì? ◊ *To whom did you give* *the money?* A chi hai dato i soldi? ☛ Quest'uso è molto formale. Comunemente si dice: *Who did you meet there?* ◊ *Who did you give the money to?* ◆ *pron rel (form)*: *the students, some of whom are Italian* gli studenti, alcuni dei quali sono italiani ◊ *the person to whom this letter was addressed* la persona alla quale questa lettera era indirizzata ☛ Quest'uso è molto formale. Comunemente si dice: *the person this letter was addressed to*

whose /huːz/ ◆ *pron interr, agg interr* di chi: *Whose house is that?* Di chi è quella casa? ◊ *I wonder whose it is.* Mi chiedo di chi sia questo. ◆ *agg rel* il/la cui: *the people whose house we stayed in* le persone presso le quali siamo stati ospiti

why /waɪ/ **1** *avv interr* perché: *Why was she crying?* Perché piangeva? **2** *avv rel*: *Can you tell me the reason why you are so unhappy?* Mi vuoi dire il motivo per cui sei così infelice? LOC **why not** perché no: *Why not go to the cinema?* Perché non andiamo al cinema?

wicked /ˈwɪkɪd/ *agg* (**-er**, **-est**) **1** cattivo **2** malizioso **wickedness** *s* cattiveria

wicker /ˈwɪkə(r)/ *s* vimini

wicket /ˈwɪkɪt/ *s* **1** porta (*nel cricket*) **2** terreno tra le due porte

wide /waɪd/ ◆ *agg* (**wider**, **widest**) **1** (*fig*) ampio: *a wide range of possibilities* una vasta gamma di possibilità **2** largo: *How wide is it?* Quanto è largo? ◊ *It's two metres wide.* È largo due metri. ☛ *Vedi nota a* BROAD **3** esteso ◆ *avv* molto: *wide awake* completamente sveglio LOC **wide open 1** (*porta*) spalancato: *The door was wide open.* La porta era spalancata. **2** (*gara*) aperto *Vedi anche* FAR **widely** *avv* molto, ampiamente: *widely used* molto diffuso **widen 1** *vt, vi* allargare, allargarsi **2** *vt* conoscenza, ampliare

wide-ranging /ˌwaɪd ˈreɪndʒɪŋ/ *agg* **1** (*inchiesta*) su larga scala **2** (*influenze, ecc*) svariato

widespread /ˈwaɪdspred/ *agg* molto diffuso

widow /ˈwɪdəʊ/ *s* vedova **widowed** *agg* vedovo **widower** *s* vedovo

width /wɪdθ, wɪtθ/ *s* larghezza, ampiezza

wield /wiːld/ *vt* **1** (*arma*) impugnare **2** (*potere*) esercitare

wife /waɪf/ *s* (*pl* **wives** /waɪvz/) moglie

wig /wɪg/ *s* parrucca

wiggle /ˈwɪgl/ *vt, vi* (*inform*) dimenare, dimenarsi

wild /waɪld/ ◆ *agg* (**-er**, **-est**) **1** selvaggio **2** (*pianta, gatto*) selvatico **3** (*tempo, mare*) burrascoso **4** sfrenato **5** (*arrabbiato*) furioso **6** (*inform*) ~ **about sb/sth** pazzo per qn/qc ◆ *s* **1 the wild** [*pl*] la natura: *in the wild* allo stato selvaggio **2 the wilds** le zone remote

wilderness /ˈwɪldənəs/ *s* **1** terra incolta, deserto **2** (*fig*) giungla

wildlife /ˈwaɪldlaɪf/ *s* fauna

wildly /ˈwaɪldli/ *avv* **1** in modo sfrenato, come un pazzo **2** violentemente, furiosamente

wilful (*USA anche* **willful**) /ˈwɪlfl/ *agg* (*dispreg*) **1** (*azione*) intenzionale **2** (*delitto*) premeditato **3** (*persona*) testardo **wilfully** *avv* deliberatamente

will /wɪl/ (*contrazione* **'ll** *neg* **will not** o **won't** /wəʊnt/) ◆ *v aus* per formare il futuro: *He'll come, won't he?* Verrà, no? ◊ *I hope it won't be too late.* Spero che non sia troppo tardi. ◊ *That'll be the postman.* Questo dev'essere il postino. ◊ *You'll do as you're told.* Farai cosa ti viene detto di fare. ☛ *Vedi nota a* SHALL ◆ *v aus modale*

> **Will** è un verbo modale seguito dall'infinito senza il TO. Le frasi interrogative e negative si costruiscono senza l'ausiliare *do*.

1 (*volontà*): *She won't go.* Non ci vuole andare. ◊ *The car won't start.* La macchina non parte. ☛ *Vedi nota a* SHALL **2** (*offerta, richiesta*): *Will you help me?* Mi aiuti? ◊ *Will you stay for dinner?* Rimani per cena? ◊ *Won't you sit down?* Non ti vuoi sedere? **3** (*constatazioni generali*): *Oil will float on water.* L'olio galleggia sull'acqua. ◆ *s* **1** volontà **2** desiderio **3** testamento LOC **at will** liberamente *Vedi anche* FREE

willing /ˈwɪlɪŋ/ *agg* **1** volenteroso **2** ~ (**to do sth**) disposto (a fare qc) **3** (*appoggio*) spontaneo **willingly** *avv* volentieri **willingness** *s* **1** buona volontà **2** ~ (**to do sth**) volontà (di fare qc)

willow /ˈwɪləʊ/ (*anche* **willow tree**) *s* salice

will-power /ˈwɪl paʊə(r)/ *s* forza di volontà

wilt /wɪlt/ *vi* **1** appassire **2** (*fig*) spegnersi

win /wɪn/ (-nn-) (*pass, pp* **won** /wʌn/) ◆ **1** *vi, vt* vincere **2** *vt* (*vittoria*) aggiudicarsi **3** *vt* (*appoggio, amici*) conquistare LOC *Vedi* TOSS PHR V **to win sb/sth back** riconquistare qn/qc **to win sb over/round (to sth)** convincere qn (di qc) ◆ *s* vittoria

wince /wɪns/ *vi* fare una smorfia (*di dolore, imbarazzo, ecc*)

wind¹ /wɪnd/ *s* **1** vento **2** fiato **3** [*non numerabile*] aria (*nello stomaco*) LOC **to get wind of sth** venire a sapere qc *Vedi anche* CAUTION

wind² /waɪnd/ (*pass, pp* **wound** /waʊnd/) **1** *vi* serpeggiare **2** *vt* ~ **sth round/onto sth** arrotolare, avvolgere qc intorno a/su qc **3** *vt* ~ **sth (up)** caricare qc (*sveglia*) PHR V **to wind down 1** (*persona*) rilassarsi **2** (*attività*) diminuire **to wind sb up** (*inform*) **1** innervosire qn **2** prendere in giro qn **to wind (sth) up** (*discorso*) concludere qc, concludersi **to wind sth up** (*affare*) concludere **winding** *agg* **1** tortuoso **2** (*scala*) a chiocciola

windfall /ˈwɪndfɔːl/ *s* **1** frutto caduto dall'albero **2** (*fig*) colpo di fortuna

windmill /ˈwɪndmɪl/ *s* mulino a vento

window /ˈwɪndəʊ/ *s* **1** finestra: *windowsill/window ledge* davanzale della finestra **2** (*macchina*) finestrino **3** (*anche* **window-pane**) vetro (*di finestra*) **4** vetrina: *to go window-shopping* andare a guardare le vetrine

windscreen /ˈwɪndskriːn/ (*USA* **windshield**) *s* parabrezza: (*windscreen*) *wiper* tergicristallo

windsurfing /ˈwɪndsɜːfɪŋ/ *s* windsurf (*sport*)

windy /ˈwɪndi/ *agg* (**-ier**, **-iest**) ventoso

wine /waɪn/ *s* vino: *wine glasses* bicchieri da vino

wing /wɪŋ/ *s* **1** (*gen, Archit, Politica*) ala: *the right/left wing of the party* la destra/sinistra del partito **2** (*auto*) fiancata **3 the wings** [*pl*] le quinte

wink /wɪŋk/ ◆ **1** *vi* ~ **(at sb)** fare l'occhiolino (a qn) **2** *vi* (*luce*) baluginare **3** *vt* (*occhio*) strizzare ◆ *s* occhiolino

winner /ˈwɪnə(r)/ *s* vincitore, -trice

winning /ˈwɪnɪŋ/ *agg* **1** vincente, vincitore **2** (*sorriso, modi*) accattivante affascinante **winnings** *s* [*pl*] vincita

winter /ˈwɪntə(r)/ ◆ *s* inverno: *winter sports/clothes* sport/abiti invernali ◆ *vi* passare l'inverno

wipe /waɪp/ *vt* **1** ~ **sth (on/with sth)** pulire qc (con qc) **2** ~ **sth (from/off sth)** (*macchia, sporco*) togliere qc (da qc) **3** ~ **sth (from/off sth)** (*eliminare*) cancellare qc (da qc) **4** ~ **sth across, onto, over etc sth** passare qc su qc PHR V **to wipe sth away/off/up** togliere, asciugare qc **to wipe sth out 1** distruggere qc **2** (*malattia, crimine*) eliminare qc

wire /ˈwaɪə(r)/ ◆ *s* **1** fil di ferro **2** (*Elettr*) filo **3** (*USA*) telegramma ◆ *vt* **1** ~ **sth** installare l'impianto elettrico di qc **2** ~ **sth (up) to sth** collegare qc a qc **3** (*USA*) telegrafare a **wiring** *s* [*non numerabile*] impianto elettrico

wireless /ˈwaɪələs/ *s* (*antiq*) radio

wisdom /ˈwɪzdəm/ *s* **1** saggezza: *wisdom tooth* dente del giudizio **2** buon senso LOC *Vedi* CONVENTIONAL

wise /waɪz/ *agg* (**wiser**, **wisest**) **1** saggio **2** sensato, prudente LOC **to be no wiser/none the wiser; not to be any the wiser** saperne quanto prima

wish /wɪʃ/ ◆ **1** *vi* ~ **for sth** desiderare qc **2** *vt* ~ **sb sth** augurare qc a qn **3** *vt* (*form*) desiderare, volere **4** *vt* (*che non si può realizzare*): *I wish he'd go away.* Magari se ne andasse! ◊ *She wished she had gone.* Si pentì di non essere andata. ◊ *I wish I knew.* Magari lo sapessi. ☛ L'uso di **were** al posto di **was** con **I, he** o **she** dopo **wish** è considerato più corretto: *I wish I were rich!* Se fossi ricco! **5** *vi* esprimere un desiderio ◆ *s* **1** ~ **(for sth/to do sth)** desiderio (di qc/di fare qc): *against my wishes* contro la mia volontà ◊ *to make a wish* esprimere un desiderio **2 wishes** [*pl*]: *best wishes* tanti auguri ◊ (*with*) *best wishes, Mary* cordiali saluti, Mary LOC *Vedi* BEST **wishful** *agg* LOC **wishful thinking**: *It's wishful thinking on my part.* Mi sto facendo delle illusioni.

wistful /ˈwɪstfl/ *agg* triste, malinconico

wit /wɪt/ *s* **1** arguzia, ingegno **2** persona di spirito **3 wits** [*pl*] intelligenza, buon senso LOC **to be at your wits' end** non sapere più che fare **to be frightened/**

terrified/scared out of your wits essere spaventato a morte

witch /wɪtʃ/ *s* strega

witchcraft /ˈwɪtʃkrɑːft; *USA* -kræft/ *s* [*non numerabile*] stregoneria

witch-hunt /ˈwɪtʃ hʌnt/ *s* (*lett e fig*) caccia alle streghe

with /wɪð, wɪθ/ *prep* **1** con: *the man with the scar* l'uomo con la cicatrice ◊ *a house with a garden* una casa con giardino ◊ *I'll be with you in a minute.* Un minuto e sono da lei. ◊ *He's with ICI.* Lavora per l'ICI. **2** (*a casa di*) da: *I'll be staying with a friend.* Starò da un amico. **3** (*accordo e appoggio*) (d'accordo) con **4** (*a causa di*) di: *to tremble with fear* tremare di paura LOC **to be with sb** (*inform*) seguire il ragionamento di qn: *I'm not with you.* Non ti seguo. **with it** (*inform*) **1** à la page **2** *He's not with it today.* Oggi non c'è con la testa. ☛ Per l'uso di **with** nei PHRASAL VERBS vedi alla voce del verbo, ad es. **bear with** a **bear**.

withdraw /wɪðˈdrɔː, wɪθˈd-/ (*pass* **withdrew** /-ˈdruː/ *pp* **withdrawn** /-ˈdrɔːn/) **1** *vt, vi* ritirare, ritirarsi **2** *vt* (*soldi*) prelevare **withdrawal** /-ˈdrɔːəl/ *s* **1** ritiro **2** (*Med*): *withdrawal symptoms* crisi di astinenza **3** (*soldi*) prelievo **withdrawn** *agg* introverso

wither /ˈwɪðə(r)/ *vt, vi* ~ (**sth**) (**away/ up**) **1** (*fiore*) (far) appassire (qc) **2** (*arto*) (far) atrofizzare (qc)

withhold /wɪðˈhəʊld, wɪθˈh-/ *vt* (*pass, pp* **withheld** /-ˈheld/) (*form*) **1** trattenere **2** (*informazioni*) nascondere **3** (*consenso*) negare

within /wɪˈðɪn/ ◆ *prep* **1** (*tempo*) nel giro di, entro: *within two days* entro due giorni ◊ *within a month of having left* meno di un mese dopo la partenza **2** (*distanza*) a meno di: *within 10 km* a meno di 10 km ◊ *It's within walking distance.* Ci si può arrivare a piedi. **3** (*form*) dentro: *within herself* dentro di sé ◆ *avv* (*form*) dentro

without /wɪˈðaʊt/ *prep* senza: *without saying goodbye* senza salutare ◊ *I did that without him/his knowing.* L'ho fatto senza che lui lo sapesse.

withstand /wɪðˈstænd, wɪθˈstænd/ *vt* (*pass, pp* **withstood** /-ˈstʊd/) (*form*) resistere a

witness /ˈwɪtnəs/ ◆ *s* ~ (**to sth**) testimone (di qc) ◆ *vt* essere testimone di

witness box (*USA* **witness-stand**) *s* banco dei testimoni

witty /ˈwɪti/ *agg* (**-ier**, **-iest**) arguto, spiritoso

wives *plurale di* WIFE

wizard /ˈwɪzəd/ *s* mago, stregone

wobble /ˈwɒbl/ **1** *vi* (*sedia, persona*) traballare **2** *vi* (*gelatina*) tremare **3** *vt* muovere **wobbly** *agg* (*inform*) **1** traballante **2** tremante

woe /wəʊ/ *s* dolore LOC **woe betide sb** guai a qn: *Woe betide me if I forget!* Guai a me se lo dimentico!

wok /wɒk/ *s* wok, padella cinese ☛ *Vedi illustrazione a* SAUCEPAN

woke *pass di* WAKE

woken *pp di* WAKE

wolf /wʊlf/ *s* (*pl* **wolves** /wʊlvz/) lupo *Vedi anche* PACK

woman /ˈwʊmən/ *s* (*pl* **women** /ˈwɪmɪn/) donna

womb /wuːm/ *s* utero

won *pass, pp di* WIN

wonder /ˈwʌndə(r)/ **1** (*form*) ◆ *vi* ~ (**at sth**) meravigliarsi, stupirsi (di qc) **2** *vt, vi* domandarsi: *It makes you wonder.* Ti dà da pensare. ◊ *I wonder if/whether he's coming.* Mi domando se verrà. ◆ *s* **1** meraviglia, stupore **2** miracolo LOC **it's a wonder (that)...** è un miracolo (che)... **no wonder (that...)** non c'è da stupirsi (che...) *Vedi anche* MIRACLE

wonderful /ˈwʌndəfl/ *agg* meraviglioso, stupendo

won't /wəʊnt/ = WILL NOT *Vedi* WILL

wood /wʊd/ *s* **1** legno **2** legname **3** [*spesso pl*] bosco: *We went to the woods.* Siamo andati nel bosco. LOC *Vedi* TOUCH[1] **wooded** *agg* boscoso **wooden** *agg* di legno

woodland /ˈwʊdlənd/ *s* [*non numerabile*] bosco

woodwind /ˈwʊdwɪnd/ *s* [*v sing o pl*] legni (*strumenti a fiato*)

woodwork /ˈwʊdwɜːk/ *s* **1** parti in legno (*di casa, edificio*) **2** falegnameria

wool /wʊl/ *s* lana **woollen** (*anche* **woolly**) *agg* di lana

word /wɜːd/ ◆ *s* parola LOC **in other words** in altre parole **to give sb your word (that...)** dare a qn la propria parola (che...) **to have a word (with**

sb) (**about sth**) parlare (con qn) (di qc) **to keep/break your word** essere/ mancare di parola **to put in/say a (good) word for sb** mettere una buona parola per qn **to take sb's word for it (that...)** credere qn sulla parola (che...) **without a word** senza una parola **words to that effect**: *He told me to get out, or words to that effect.* Mi disse di uscire, o qualcosa di simile. *Vedi anche* BREATHE, EAT, LAST, MARK², MINCE, PLAY ◆ *vt* formulare **wording** *s* termini, formulazione

word processor *s* sistema di videoscrittura **word processing** videoscrittura

wore *pass di* WEAR

work¹ /wɜːk/ *s* **1** [*non numerabile*] lavoro: *to leave work* smettere di lavorare ◊ *work experience* esperienza di lavoro **2** lavoro, opera: *Is this your own work?* È opera tua? ◊ *a good piece of work* un buon lavoro **3** opera: *the complete works of Shakespeare* l'opera completa di Shakespeare **4 works** [*pl*] lavori ☛ La parola più comune è **roadworks**. LOC **at work** al lavoro **to get (down)/go/set to work (on sth/to do sth)** mettersi al lavoro (su qc/per fare qc) *Vedi anche* STROKE¹

> La differenza tra le parole **work** e **job** è che **work** non è numerabile mentre **job** è numerabile: *I've found work/a new job at the hospital.* Ho trovato lavoro/ un altro impiego all'ospedale. **Employment** è più formale di **work** e **job** e si usa per riferirsi alla condizione dei lavoratori: *Many women are in part-time employment.* Molte donne lavorano part-time. **Occupation** è il termine che si usa nei documenti ufficiali: *Occupation: student.* Professione: studente. **Profession** si utilizza per riferirsi agli impieghi che richiedono studi universitari: *the medical profession* la professione di medico. **Trade** significa mestiere: *He's a carpenter by trade.* Fa il falegname di mestiere.

work² /wɜːk/ (*pass, pp* **worked**) **1** *vi* ~ (**away**) (**at/on sth**) lavorare (a/su qc): *to work as a lawyer* fare l'avvocato ◊ *to work on the assumption that...* basarsi sul presupposto che... **2** *vi* ~ **for sth** fare molto per qc **3** *vi* funzionare: *It will never work.* Non può funzionare. **4** *vt* (*apparecchio*) usare, azionare **5** *v* (*persona*) far lavorare **6** *vt* (*miniera*) sfruttare **7** *vt* (*terra*) coltivare LOC **to work free/loose** sciogliersi/allentarsi **to work like a charm** (*inform*) funzionare a meraviglia **to work your fingers to the bone** ammazzarsi di lavoro *Vedi anche* MIRACLE PHR V **to work out 1** risultare **2** risolversi **3** fare esercizio **to work sth out 1** calcolare qc **2** risolvere qc **3** mettere a punto qc, elaborare qc **to work sth up 1** sviluppare qc **2** *I've worked up an appetite.* Mi è venuto un certo appetito. **to work sb up (into sth)** *to work sb up into a temper* far arrabbiare qn ◊ *to get worked up* agitarsi **workable** *agg* realizzabile, fattibile

worker /ˈwɜːkə(r)/ *s* **1** lavoratore, -trice **2** operaio, -a

workforce /ˈwɜːkfɔːs/ *s* [*v sing o pl*] manodopera

working /ˈwɜːkɪŋ/ ◆ *agg* **1** attivo **2** di/da lavoro: *working conditions* condizioni di lavoro **3** lavorativo: *five working days* cinque giorni lavorativi **4** (*apparato*) funzionante **5** (*conoscenza*) pratica LOC *Vedi* ORDER ◆ *s* **workings** [*pl*] ~ (**of sth**) funzionamento (di qc)

working class ◆ *s* (*anche* **working classes**) classe operaia ◆ *agg* (*anche* **working-class**) della classe operaia

workload /ˈwɜːkləʊd/ *s* carico di lavoro

workman /ˈwɜːkmən/ *s* (*pl* **-men** /-mən/) operaio **workmanship** *s* **1** (*di persona*) abilità professionale **2** (*di prodotto*) fattura

workmate /ˈwɜːkmeɪt/ *s* collega

workplace /ˈwɜːkpleɪs/ *s* posto di lavoro (*luogo*)

workshop /ˈwɜːkʃɒp/ *s* **1** officina **2** laboratorio **3** seminario

worktop /ˈwɜːktɒp/ *s* piano di lavoro (*in cucina*)

world /wɜːld/ *s* **1** mondo: *all over the world/the world over* in tutto il mondo ◊ *world-famous* famoso in tutto il mondo ◊ *the world population* la popolazione mondiale LOC *Vedi* SMALL, THINK **worldly** *agg* (**-ier**, **-iest**) **1** terreno, materiale: *worldly power* potere temporale **2** di mondo

worldwide /ˈwɜːldwaɪd/ ◆ *agg* mondiale ◆ *avv* in tutto il mondo

worm /wɜːm/ *s* **1** verme, baco **2** (*anche* **earthworm**) lombrico **LOC** *Vedi* EARLY

worn *pp di* WEAR

worn out *agg* **1** logoro **2** (*persona*) sfinito

worry /ˈwʌri/ (*pass, pp* **worried**) ◆ **1** *vi* ~ (**yourself**) (**about sb/sth**) preoccuparsi (di qn/per qc) **2** *vt* preoccupare: *to be worried by sth* essere preoccupato per qc ◆ *s* (*pl* **-ies**) **1** [*non numerabile*] preoccupazione **2** problema: *financial worries* problemi economici· **worried** *agg* **1** ~ (**about sb/sth**) preoccupato (per qn/qc) **2 to be ~ that...** aver paura che...: *I'm worried that he might get lost.* Ho paura che si perda. **worrying** *agg* preoccupante

worse /wɜːs/ ◆ *agg* (*comp di* **bad**) ~ (**than sth/than doing sth**) peggiore (di qc); peggio (di qc/che fare qc): *to get worse* peggiorare *Vedi anche* BAD, WORST **LOC to make matters/things worse** peggiorare le cose ◆ *avv* (*comp di* **badly**) peggio: *She speaks German worse than I do.* Parla tedesco peggio di me. ◆ *s* il peggio: *to take a turn for the worse* peggiorare **worsen** *vt, vi* peggiorare

worship /ˈwɜːʃɪp/ ◆ *s* **1** ~ (**of sb/sth**) venerazione (per qn/qc) **2** ~ (**of sb/sth**) (*Relig*) culto (di qn/qc) ◆ (**-pp-**, *USA* **-p-**) **1** *vt* adorare, venerare **2** *vi* assistere alle funzioni religiose **worshipper** *s* fedele, devoto, -a

worst /wɜːst/ ◆ *agg* (*superl di* **bad**) peggiore: *My worst fears were confirmed.* È accaduto quello che più temevo. *Vedi anche* BAD, WORSE ◆ *avv* (*superl di* **badly**) peggio: *the worst hit areas* le zone più colpite ◆ **the worst** *s* il peggio **LOC at (the) worst; if the worst comes to the worst** nella peggiore delle ipotesi

worth /wɜːθ/ ◆ *agg* **1** *to be worth £5* valere 5 sterline **2** *It's worth reading.* Vale la pena di leggerlo. **LOC to be worth it** valerne la pena **to be worth sb's while**: *It's not worth your while to work so hard.* Non vale la pena che tu lavori così tanto. ◆ *s* **1** valore **2** (*di soldi, tempo*): *£10 worth of petrol* 10 sterline di benzina ◊ *two weeks' worth of supplies* due settimane di provviste **LOC** *Vedi* MONEY **worthless** *agg* **1** di nessun valore **2** (*persona*) spregevole **3** (*azione, tentativo*) inutile

worthwhile /ˌwɜːθˈwaɪl/ *agg* che vale la pena, valido: *it's worthwhile doing/to do sth* vale la pena fare qc

worthy /ˈwɜːði/ *agg* (**-ier**, **-iest**) **1** *to be worthy of sth* essere degno di qc **2** (*causa*) nobile **3** (*persona*) rispettabile

would /wəd, wʊd/ (*contrazione* **'d** *neg* **would not** *o* **wouldn't** /ˈwʊdnt/) ◆ *v aus* (*condizionale*): *Would you do it if I paid you?* Lo faresti se ti pagassi? ◊ *He said he would come at five.* Ha detto che sarebbe venuto alle cinque. ◆ *v aus modale*

> **Would** è un verbo modale seguito dall'infinito senza il TO. Le frasi interrogative e negative si costruiscono senza l'ausiliare *do*. Nota che nel discorso indiretto in inglese si dice **would go, help, take, ecc**, non **would have gone, helped, taken, ecc**: *He said he would help me but he didn't.* Ha detto che mi avrebbe aiutato ma non l'ha fatto.

1 (*offerta, richiesta*): *Would you like a drink?* Vuoi da bere? ◊ *Would you come this way?* Venga qua per favore. **2** (*scopo*): *I left a note so (that) they'd call us.* Ho lasciato un biglietto affinché ci chiamino. **3** (*volontà*): *He wouldn't shake my hand.* Non ha voluto stringermi la mano.

wouldn't = WOULD NOT *Vedi* WOULD

wound[1] /wuːnd/ ◆ *s* ferita ◆ *vt* ferire: *He was wounded in the back during the war.* Fu ferito alla schiena durante la guerra. **the wounded** *s* [*pl*] i feriti ☛ *Vedi nota a* FERITA

wound[2] *pass, pp di* WIND[2]

wove *pass di* WEAVE

woven *pp di* WEAVE

wow! /waʊ/ *escl* (*inform*) uau!

wrangle /ˈræŋgl/ ◆ *s* ~ (**about/over sth**) alterco (per qc) ◆ *vi* litigare

wrap /ræp/ ◆ *vt* (**-pp-**) **1** ~ **sb/sth (up)** avvolgere qn/qc: *to wrap up a gift* incartare un regalo **2** ~ **sth (a)round sb/sth** avvolgere qc intorno a qn/qc **LOC to be wrapped up in sb/sth** essere completamente preso da qn/qc **PHR V to wrap (sb/yourself) up** coprire bene qn/coprirsi bene (*con indumenti*) **to wrap sth up** (*inform*) concludere qc ◆ *s* scialle **wrapper** *s* involucro **wrapping** *s* involucro: *wrapping paper* carta da regalo

wrath /rɒθ; *USA* ræθ/ *s* (*form*) ira

u	ɒ	ɔː	ɜː	ə	j	w	eɪ	əʊ
situation	got	saw	fur	ago	yes	woman	pay	home

wreath /riːθ/ *s* (*pl* ~**s** /riːðz/) corona (*di fiori*)

wreck /rek/ ◆ *s* **1** relitto **2** naufragio **3** (*inform, fig*): *to be a wreck* essere a pezzi **4** rottame (*auto*) ◆ *vt* distruggere, rovinare **wreckage** *s* rottami

wrench /rentʃ/ ◆ *vt* **1** ~ **sth off (sth)** staccare qc (da qc) (*con violenza*) **2** ~ **sth from sb/out of sth**: *He wrenched it from me/out of my hand.* Me lo strappò di mano. ◆ *s* **1** strattone **2** (*fig*) colpo **3** (*spec USA*) chiave inglese

wrestle /ˈresl/ *vi* (*Sport, fig*) lottare **wrestler** *s* lottatore, -trice **wrestling** *s* lotta libera

wretch /retʃ/ *s* disgraziato, -a

wretched /ˈretʃɪd/ *agg* **1** (*infelice*) misero, disgraziato **2** (*inform*) maledetto

wriggle /ˈrɪgl/ **1** *vt* agitare, muovere **2** *vi* ~ **(about)** contorcersi, dimenarsi: *to wriggle free* liberarsi contorcendosi

wring /rɪŋ/ *vt* (*pass, pp* **wrung** /rʌŋ/) **1** ~ **sth (out)** strizzare qc **2** ~ **sth out of/from sb** estorcere qc a qn LOC **to wring sb's neck** (*inform*) torcere il collo a qn

wrinkle /ˈrɪŋkl/ ◆ *s* **1** (*pelle*) ruga **2** (*stoffa*) grinza ◆ **1** *vt, vi* stropicciare, stropicciarsi **2** *vt* (*fronte*) corrugare **3** *vt* (*naso*) arricciare

wrist /rɪst/ *s* polso

write /raɪt/ *vt, vi* (*pass* **wrote** /rəʊt/ *pp* **written** /ˈrɪtn/) scrivere

PHR V **to write back (to sb)** rispondere (a qn) (*per iscritto*)

to write sth down scrivere qc, segnare qc

to write off/away (to sb/sth) for sth richiedere qc (a qn/qc) (*per iscritto*) **to write sb/sth off 1** *The first episode of the series wasn't very good, but don't write it off yet.* La prima puntata della serie non era un granché ma è ancora presto. **2** (*debito*) estinguere qc **3** (*auto*) distruggere qc completamente **to write sth out 1** scrivere qc **2** (*assegno, lista*) fare qc **3** ricopiare qc

to write sth up redigere qc, mettere qc per iscritto

write-off /ˈraɪt ɒf/ *s* rottame: *The car was a write-off.* La macchina era ridotta a un rottame.

writer /ˈraɪtə(r)/ *s* scrittore, -trice

writhe /raɪð/ *vi* contorcersi: *to writhe in agony* contorcersi dal dolore

writing /ˈraɪtɪŋ/ *s* **1** scrivere: *I want to take up writing.* Voglio fare lo scrittore **2** scritta **3** stile (*di articolo, romanzo*) **4** scrittura **5 writings** [*pl*] opere LOC **in writing** per iscritto

written /ˈrɪtn/ ◆ *pp di* WRITE ◆ *agg* scritto

wrong /rɒŋ; *USA* rɔːŋ/ ◆ *agg* **1** *It is wrong to...* Non si deve... ◊ *He was wrong to say that.* Ha fatto male a dire così. **2** sbagliato: *the wrong way up/round* all'incontrario **3** *to be wrong* aver torto ◊ *I got it wrong.* Mi sono sbagliato. **4** *What's wrong?* Cosa c'è che non va? ◊ *What's wrong with you?* Che cos'hai? LOC *Vedi* SIDE ◆ *avv* in modo sbagliato, erroneamente *Vedi anche* WRONGLY LOC **to get sb wrong** (*inform*) fraintendere qn **to get sth wrong** sbagliare qc **to go wrong 1** sbagliarsi **2** (*apparecchio*) guastarsi **3** (*vacanza, ecc*) andar male ◆ *s* **1** male **2** (*form*) torto LOC **to be in the wrong** aver torto **wrongful** *agg* ingiusto, illegale **wrongly** *avv* **1** (*scrivere, tradurre*) male, erratamente **2** (*accusare*) ingiustamente **3** (*pensare*) a torto

wrote *pass di* WRITE

wrought iron /ˌrɔːt ˈaɪən/ *s* ferro battuto

wrung *pass, pp di* WRING

Xx

X, x /eks/ *s* (*pl* **X's**, **x's** /ˈeksɪz/) X, x: *X for Xmas* X come Xeres ☛ *Vedi esempi a* A, A

Xmas /ˈeksməs, ˈkrɪsməs/ *s* (*inform*) Natale

X-ray /ˈeks reɪ/ *s* radiografia: *X-rays* raggi X

xylophone /ˈzaɪləfəʊn/ *s* xilofono

Yy

Y, y /waɪ/ *s* (*pl* **Y's**, **y's** /waɪz/) Y, y: *Y for Yellow* Y come yacht ☛ *Vedi esempi a* A, A

yacht /jɒt/ *s* yacht **yachting** *s* navigazione da diporto

yank /jæŋk/ *vt, vi* (*inform*) dare uno strattone (a) PHR V **to yank sth off/out** staccare/strappare qc

Yankee /ˈjæŋki/ (*anche* **Yank**) *s* (*inform*) yankee

yard /jɑːd/ *s* **1** cortile **2** (*USA*) giardino **3** (*abbrev* **yd**) iarda (*0,9144 m*)

yardstick /ˈjɑːdstɪk/ *s* metro, criterio

yarn /jɑːn/ *s* **1** filato **2** racconto

yawn /jɔːn/ ◆ *vi* sbadigliare ◆ *s* sbadiglio **yawning** *agg* grande

yeah! /jeə/ *escl* (*inform*) sì!

year /jɪə(r), jɜː(r)/ *s* **1** anno: *for years* per/da anni **2** (*Scuola*) classe **3** *a two-year-old* (*child*) un bambino di due anni ◊ *I am ten* (*years old*). Ho dieci anni. ☛ Nota che quando si dice l'età si può omettere **years old**. *Vedi nota a* OLD

yearly /ˈjɪəli/ ◆ *agg* annuale ◆ *avv* annualmente

yearn /jɜːn/ *vi* **1** ~ (**for sb/sth**) desiderare ardentemente (qn/qc) **2** ~ **to do sth** anelare a fare qc **yearning** *s* **1** ~ (**for sb/sth**) desiderio struggente (di qn/qc) **2** ~ (**to do sth**) desiderio struggente (di fare qc)

yeast /jiːst/ *s* lievito

yell /jel/ ◆ *vi* ~ (**out**) (**at sb/sth**) urlare (a qn/qc) ◆ *s* urlo

yellow /ˈjeləʊ/ *agg, s* giallo

yelp /jelp/ *vi* **1** (*animale*) guaire **2** (*persona*) gridare

yes /jes/ ◆ *escl* sì! ◆ *s* (*pl* **yeses** /ˈjesɪz/) sì

yesterday /ˈjestədi, -deɪ/ *avv, s* ieri: *yesterday morning* ieri mattina *Vedi anche* DAY

yet /jet/ ◆ *avv* **1** [*nelle frasi negative*] ancora: *not yet* non ancora ◊ *They haven't phoned yet.* Non hanno ancora telefonato ☛ *Vedi nota a* STILL[1] **2** [*nelle frasi interrogative*] già

> **Yet** o **already**? **Yet** è usato solo nelle frasi interrogative e va alla fine della frase: *Have you finished it yet?* Lo hai finito? **Already** è usato nelle frasi affermative e interrogative e di solito segue gli ausiliari e modali e precede gli altri verbi: *Have you finished already?* Hai già finito? ◊ *He already knew her.* La conosceva già. Quando **already** indica sorpresa per un'azione compiuta prima del previsto, può essere alla fine della frase: *He has found a job already!* Ha già trovato lavoro! ◊ *Is it there already?* È già arrivato? *Vedi esempi a* ALREADY

3 [*dopo superl*]: *her best novel yet* il suo migliore romanzo fino ad ora **4** [*davanti a comparativo*] ancora: *yet more work* ancora più lavoro LOC **yet again** ancora una volta ◆ *cong* ma, però: *It's incredible yet true.* Incredibile ma vero.

yew /juː/ (*anche* **yew tree**) *s* tasso (*albero*)

yield /jiːld/ ◆ **1** *vt* produrre, dare **2** *vt* (*Fin*) rendere **3** *vi* ~ (**to sb/sth**) (*form*) cedere, arrendersi (a qn/qc) ☛ La parola più comune è **give in** ◆ *s* **1** produzione **2** (*Agr*) raccolto **3** (*Fin*) profitto **yielding** *agg* **1** flessibile **2** arrendevole

yoghurt (*anche* **yogurt**, **yoghourt**) /ˈjɒgət; *USA* ˈjəʊgərt/ *s* yogurt

yoke /jəʊk/ *s* giogo

yolk /jəʊk/ *s* tuorlo ☛ *Confronta* WHITE senso 2

you /juː/ *pron pers* **1** [*come soggetto*] tu, lei (*formale*), voi: *You said that...* Hai detto/Ha detto/Avete detto che... ☛ In inglese il *pronome personale soggetto* non si può omettere. **2** [*nelle frasi impersonali*]: *You can't smoke in here.* Qui non si può fumare. ☛ Nelle frasi impersonali si può usare anche **one** che ha lo stesso significato di **you** ma è molto più formale. **3** [*come complemento oggetto*] ti, la (*formale*), vi: *I can't hear you.* Non ti/la/vi sento. **4** [*come complemento indiretto*] ti, le (*formale*), vi: *I told you to wait.* Ti/Le/Vi ho detto di aspettare. **5** [*dopo prep*] te, lei (*formale*), voi

you'd /juːd/ **1** = YOU HAD *Vedi* HAVE **2** = YOU WOULD *Vedi* WOULD

you'll /juːl/ = YOU WILL *Vedi* WILL

young /jʌŋ/ ◆ *agg* (**younger** /ʌŋgə(r)/ **youngest** /ʌŋgɪst/) giovane: *young people* i giovani ◇ *He's two years younger than me.* Ha due anni meno di me. ◆ *s* [*pl*] **1** (*di animali*) piccoli **2 the young** i giovani

youngster /ˈjʌŋstə(r)/ *s* giovane

your /jɔː(r); *USA* jʊər/ *agg poss* **1** il tuo, ecc, il suo, ecc (*formale*), il vostro, ecc **2** [*uso impersonale*] il proprio, ecc: *to break your arm* rompersi un braccio ☛ *Vedi nota a* MY

you're /jʊə(r), jɔː(r)/ = YOU ARE *Vedi* BE

yours /jɔːz; *USA* jʊərz/ *pron poss* il tuo, ecc, il suo, ecc (*formale*), il vostro, ecc: *Is she a friend of yours?* È una tua/sua/vostra amica? ◇ *Where is yours?* Dov'è il tuo/suo/vostro? LOC **Yours faithfully/sincerely** Distinti saluti ☛ *Vedi pagg. 370–71.*

yourself /jɔːˈself; *USA* jʊərˈself/ *pron* (*pl* **-selves** /-ˈselvz/) **1** [*uso riflessivo*] ti, si (*formale*), vi: *Did you hurt yourself?* Ti sei fatto male? ◇ *Enjoy yourselves!* Buon divertimento! **2** [*dopo prep*] te, lei (*formale*), voi **3** [*uso enfatico*] tu stesso, -a, lei stesso, -a, voi stessi, -e **4** [*uso impersonale*]: *to look at yourself in the mirror* guardarsi allo specchio LOC **by yourself/yourselves 1** da te/sé/voi: *You did it all by yourself.* L'hai fatto tutto da te. **2** solo: *You were all by yourself.* Eri sola. **to be yourself/yourselves** essere se stesso/se stessi

youth /juːθ/ *s* **1** giovinezza: *In my youth...* Quando ero giovane... ◇ *youth hostel* ostello della gioventù **2** (*pl* ~s /juːðz/) (*spesso dispreg*) giovani: *the youth of today* i giovani d'oggi **youthful** *agg* **1** (*aspetto*) giovanile **2** (*errore*) di gioventù

you've /juːv/ = YOU HAVE *Vedi* HAVE

Zz

Z, z /zed; *USA* ziː/ *s* (*pl* **Z's**, **z's** /zedz; *USA* ziːz/) Z, z: *Z for zebra* Z come Zara ☛ *Vedi esempi a* A, A

zeal /ziːl/ *s* zelo: *religious zeal* fervore religioso **zealous** /ˈzeləs/ *agg* zelante

zebra /ˈzebrə, ˈziːbrə/ *s* (*pl* **zebra** *o* ~**s**) zebra

zebra crossing *s* (*GB*) strisce pedonali

zenith /ˈzenɪθ/ *s* zenit

zero /ˈzɪərəʊ/ *s* (*pl* ~**s**) *agg, pron* zero

zest /zest/ *s* ~ (**for sth**) entusiasmo, passione (per qc)

zigzag /ˈzɪgzæg/ ◆ *agg* a zigzag ◆ *s* zigzag

zinc /zɪŋk/ *s* zinco

zip /zɪp/ ◆ *s* (*USA* **zipper**) cerniera ◆ (**-pp-**) **1** *vt* **to zip sth** (**up**) chiudere la cerniera di qc **2** *vi* **to zip** (**up**) (*pantaloni*) avere la cerniera

zodiac /ˈzəʊdiæk/ *s* zodiaco

zone /zəʊn/ *s* zona

zoo /zuː/ (*pl* **zoos**) (*form* **zoological gardens**) *s* zoo

zoology /zuːˈɒlədʒi/ *s* zoologia **zoologist** /zuːˈɒlədʒɪst/ *s* zoologo, -a

zoom /zuːm/ *vi* sfrecciare: *to zoom past* passare sfrecciando PHR V **to zoom in** (**on sb/sth**) zumare (su qn/qc)

zoom lens *s* zoom

Schede di lavoro

Ecco l'elenco dei capitoli che abbiamo elaborato per aiutarti ad usare l'inglese:

Preposizioni di stato in luogo

The lamp is **above/ over** the table.

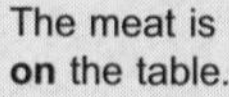

The meat is **on** the table.

The cat is **under** the table.

The truck is **in front of** the car.

The car is **behind** the truck.

Sam is **between** Kim and Tom.

Kim is **next to/beside** Sam.

The bird is **in/ inside** the cage.

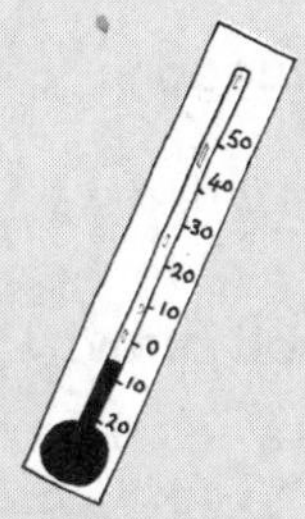

The temperature is **below** zero.

The girl is leaning **against** the wall.

Tom is **opposite/ across from** Kim.

The house is **among** the trees.

Preposizioni di moto

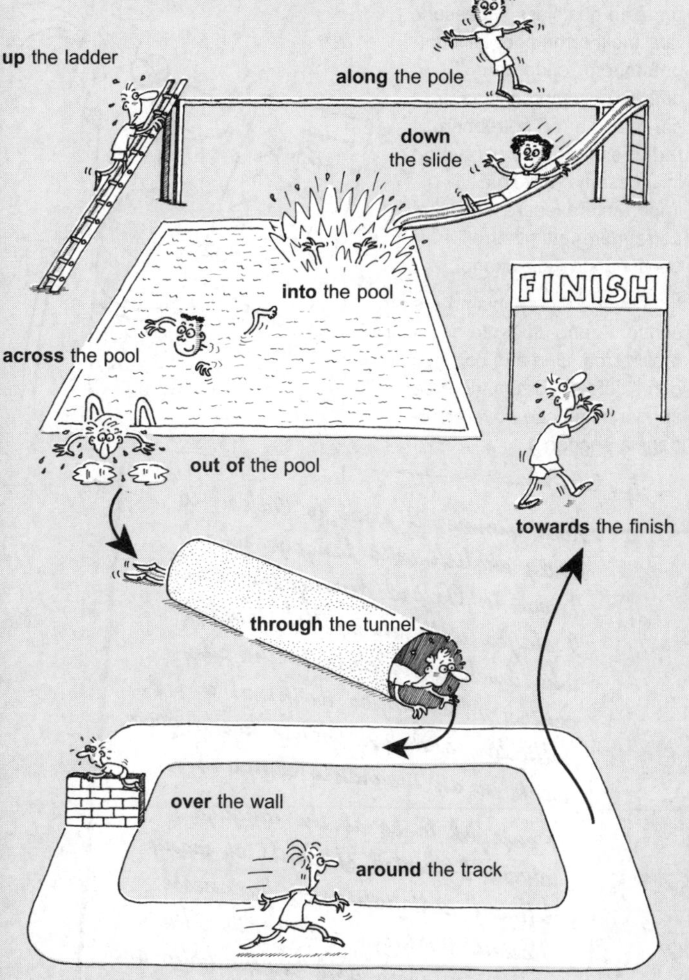

Come correggere i testi

Scrivendo una lettera, un tema o un testo qualsiasi, si possono fare molti errori che, talvolta, potrebbero renderne difficile la comprensione. In più questi errori potrebbero farti prendere un brutto voto in un esame. Perciò è importante rivedere il testo e correggere tutti gli errori consultando il dizionario.

Il testo che ti proponiamo è stato scritto da uno studente e contiene molti errori. Cerca di correggerlo con l'aiuto del dizionario e dei suggerimenti che troverai alla pagina seguente.

Last summer I went to Oxford to study english in a langage school. I was in Oxford during two months. I stayed with an english family, who dwell quite close to the city centre. Mrs Taylor works as a sollicitor, and her spouse has a good work in an insuranse company.

I enjoyed to be at the langage school. I meeted students of many diferent nationalitys — Japanesse, Italien, Portugal and spain. The professors were very sympathetic and teached me a lot, but I didn't like making so many homeworks!

Alcuni suggerimenti su come correggere i testi

☐ **1 Hai usato la parola giusta?**

In questo dizionario abbiamo incluso delle note per quelle parole che possono creare delle confusioni. Cerca alcune voci, come ***sympathetic***, ***work*** o altre che ti fanno sorgere dei dubbi.

☐ **2 Hai scelto lo stile giusto?**

Può darsi che alcune delle parole che hai usato siano troppo formali o colloquiali per il testo che stai scrivendo. Controlla le voci corrispondenti nel nostro dizionario.

☐ **3 Hai abbinato correttamente le parole?**

Si dice to ***make*** your ***homework*** o to ***do*** your ***homework***? Se non sei sicuro, consulta le voci dei verbi dove troverai degli esempi che ti chiariranno le idee.

☐ **4 Che preposizione devo usare?**

Si dirà ***close to*** o ***close from***? Le preposizioni in inglese sono un bel rompicapo! Infatti sostantivi, aggettivi o verbi possono reggere delle preposizioni diverse. Questo dizionario ti aiuterà a fare la scelta giusta.

☐ **5 Hai controllato la sintassi?**

Enjoy to do sth o ***enjoy doing sth***? La voce ***enjoy*** ti aiuterà a chiarire i tuoi dubbi. Controlla queste strutture nel tuo testo.

☐ **6 Hai fatto degli errori di ortografia?**

Alcune parole sono molto simili a quelle italiane, ma in inglese si scrivono in modo diverso. Fai attenzione anche ai termini geografici e di nazionalità (troverai una lista nell'appendice 3). Controlla le finali delle parole al plurale, le forme in *-ing*, le consonanti doppie, ecc.

☐ **7 Ci sono errori di grammatica nel testo??**

Hai controllato se i sostantivi sono numerabili o no? Hai usato correttamente il passato e il participio passato dei verbi? Consulta l'elenco dei verbi irregolari sui risvolti di copertina.

Adesso puoi capovolgere la pagina e controllare le risposte.

Risposte

Last summer I went to Oxford to study **E**nglish in a lang**u**age school. I was in Oxford **for** two months. I stayed with an **E**nglish family, who **live** quite close to the city centre. Mrs Taylor works as a so**l**icitor, and her **husband** has a good **job** in an insuran**ce** company.

I enjoyed **being** at the lang**u**age school. I **met** students of many di**ff**erent **nationalities** – Japane**se**, Italian, Portug**ue**se and **Spanish**. The **teachers** were very **nice** and **taught** me a lot, but I didn't like **doing** so **much** homework!

Come archiviare i vocaboli nuovi

Quando si imparano dei vocaboli nuovi, è importante ordinare e archiviare tutte le parole nuove. Eccoti alcuni suggerimenti su come farlo.

Vocabolarietto

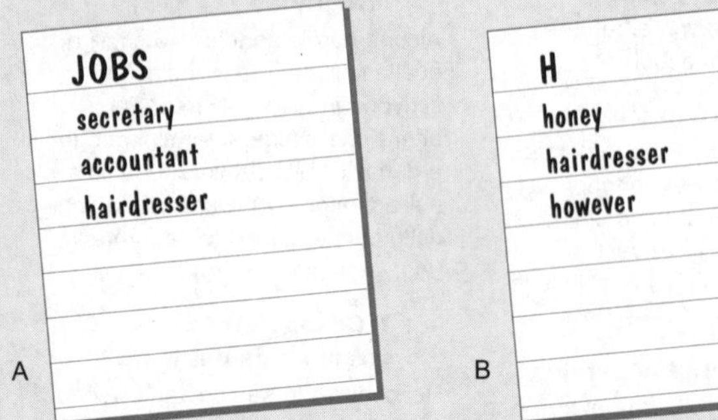

A molti studenti piace tenere un quadernetto speciale per annotare le parole. Ci sono due modi per farlo: per *temi* (come nell'esempio A) o in *ordine alfabetico* (come nell'esempio B). Scrivi una parola qualsiasi all'inizio della pagina e annota tutte le altre, man mano che le impari.

Schede di vocabolario

su un lato della scheda

divertentissimo

EXAMPLE

That film is hilarious.

sull'altro lato della scheda

Un altro modo per organizzare un vocabolarietto è quello di trascrivere ogni parola nuova su una scheda e di raccoglierle in uno schedario. Scrivi la parola su un lato della scheda e la traduzione, con qualche esempio, sull'altro. Ti sarà molto utile quando dovrai ripassare ciò che hai imparato: guarda la parola e cerca di ricordare come si traduce in italiano o, se preferisci, guarda la traduzione e cerca di indovinare di che parola si tratta.

Come annotare altre informazioni relative ad una parola

Potrebbe essere utile annotare alcuni dettagli di una parola. Cerca sul dizionario le informazioni che ti interessano e trascrivile sulle tue schede o sul vocabolarietto. Cerca sempre di aggiungere un esempio, perché ti aiuterà a ricordare come si usa la parola in inglese.

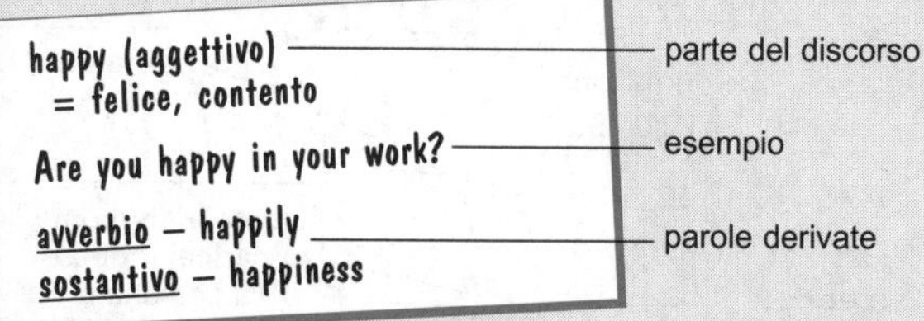

Esercizio 1

Con l'aiuto del dizionario, scegli e annota le informazioni più interessanti circa le seguenti parole.

bleed **deaf** **on the ball** **fluent** **swap**

Quadri sinottici e diagrammi

Talvolta risulterà più chiaro raggruppare le parole in famiglie. Osserva questi due esempi:

a) Quadri sinottici

Sport	Giocatori	Luoghi
football	footballer	pitch
athletics	athlete	track
golf	golfer	course
tennis	tennis player	court

b) Diagrammi

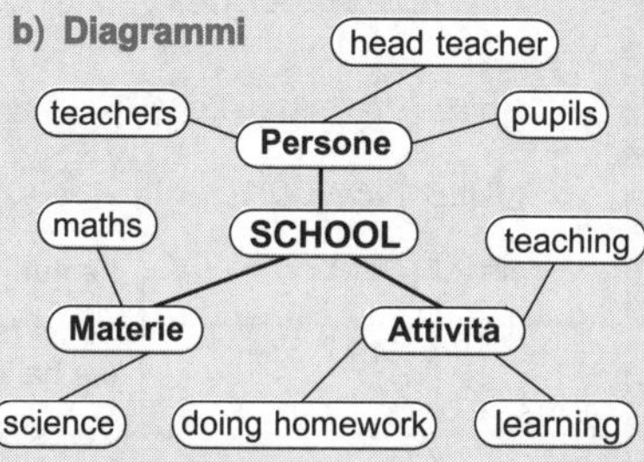

Esercizio 2

a) *Prepara un quadro sinottico usando le parole che si riferiscono ai lavori, ai luoghi e agli attrezzi che la gente usa per svolgere il proprio lavoro.*

b) *Prepara un diagramma che illustri le parole relative alle vacanze. Puoi raggrupparle riferendoti ai posti dove si sta quando si va in vacanza, ai mezzi di trasporto o alle attività.*

Come scrivere una lettera

Lettere formali

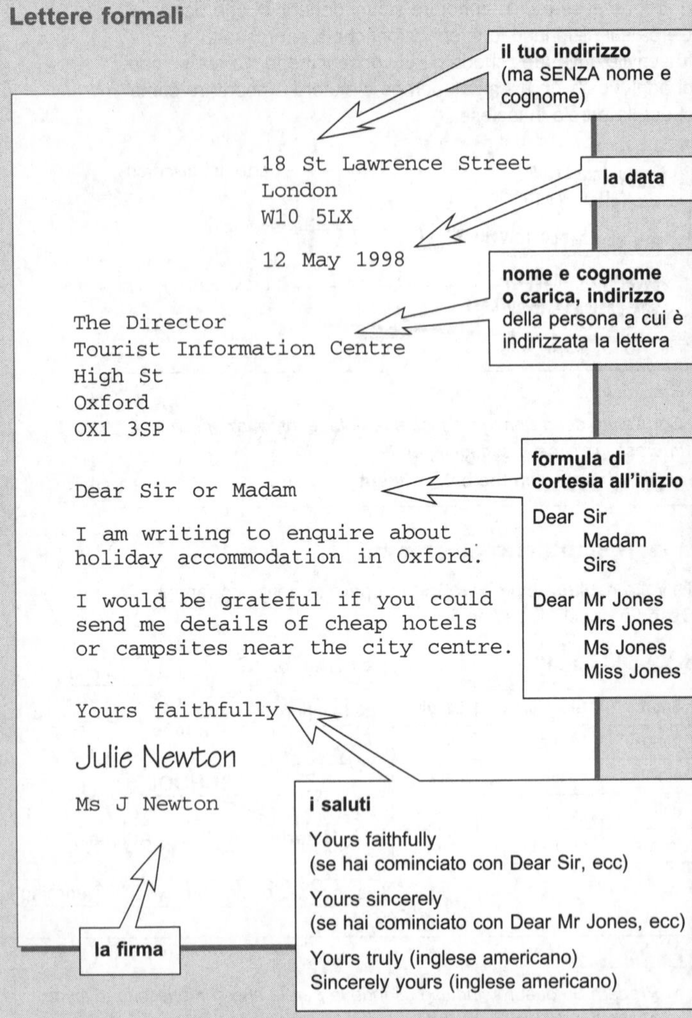
18 St Lawrence Street
London
W10 5LX

12 May 1998

The Director
Tourist Information Centre
High St
Oxford
OX1 3SP

Dear Sir or Madam

I am writing to enquire about holiday accommodation in Oxford.

I would be grateful if you could send me details of cheap hotels or campsites near the city centre.

Yours faithfully

Julie Newton

Ms J Newton

Ricorda che questo tipo di lettera si deve scrivere usando lo stile formale e quindi si devono evitare le forme contratte del verbo, come *I'm*, *I'd*, ecc.

Lettere agli amici

2 Weymouth Street
London
W1N 4AX

Wednesday 20th June

la data

il tuo indirizzo
(ma SENZA nome e cognome)

Dear James
This is just a quick note to thank you for dinner in Oxford last Saturday. It was great to see you, and I'm glad that you're enjoying your course.

Nick and I went to a museum in Oxford on Sunday morning and then had a picnic by the river. We had a wonderful time and we didn't want to come home!

Hope to see you soon.

Love

Julie

altre formule di chiusura

Love from
Lots of love
Best wishes
Yours

stamp

Mr J Carter
14 North Road
Oxford

OX9 2LJ

address

postcode

envelope

Ricorda che questo tipo di lettera si può scrivere con uno stile colloquiale e che si possono usare le forme contratte del verbo, come *I'm*, *you're*, *didn't*, ecc.

Come si fa una telefonata?

Come si dicono i numeri di telefono?

36920 three six nine two o (si pronuncia /əʊ/)
25844 two five eight double four

Per fare una *telefonata* (a **telephone call**) si deve *sollevare la cornetta* (**pick up** the **receiver**) e *comporre il numero di telefono* (**dial** a telephone number). Quando *il telefono squilla* (the telephone **rings**) la persona che abbiamo chiamato *risponderà* (**answers** it).

Se la persona che abbiamo chiamato sta già telefonando, si sentirà il suono di *occupato* (**engaged**).

L'alfabeto telefonico

	Italiano	Inglese
A	Ancona	Andrew
B	Bologna	Benjamin
C	Como	Charlie
D	Domodossola	David
E	Empoli	Edward
F	Firenze	Frederick
G	Genova	George
H	Hotel	Harry
I	Imola	Isaac
J	Jersey	Jack
K	Kursaal	King
L	Livorno	Lucy
M	Milano	Mary
N	Napoli	Nellie
O	Otranto	Oliver
P	Padova	Peter
Q	Quarto	Queenie
R	Roma	Robert
S	Savona	Sugar
T	Torino	Tommy
U	Udine	Uncle
V	Venezia	Victor
W	Washington	William
X	Xeres	Xmas
Y	York	Yellow
Z	Zara	Zebra

Combinazioni di parole

Oltre a spiegare il significato delle parole l'***Oxford Study*** indica come usarle correttamente in un'espressione o in una frase.

Gli esempi Si dice '***weak** cheese*' o '***mild** cheese*'? '*To **say***' o '*to **tell** a joke*?' (Si dice '***mild** cheese*' e '*to **tell** a joke*'.) Quando cerchi una parola sul dizionario gli esempi ti dicono con quali parole essa viene comunemente usata:

'*To **take***' e '*to **have***' sono i verbi associati a '***shower***'.

shower /ˈʃaʊə(r)/ ◆ *s* **1** doccia: *tc take/have a shower* fare una doccia **2** ~ (**of sth**) valanga (di qc) **3** acquazzone rovescio ◆ vt ~ **sb with sth** (*attenzioni regali*) coprire qn di qc

'***Curly***' e '***straight***' sono gli aggettivi usati con la parola '***hair***'.

capello *sm* hair [*non numerabile*] *capelli ricci/lisci* curly/straight hai ☛ *Vedi nota a* INFORMAZIONE **LO** **averne fin sopra i capelli** (**di**) to be fed up (with *sb/sth/doing sth*)

Esercizio 1

Abbina ciascuna parola del gruppo **A** ad una parola del gruppo **B**. Cerca le parole del gruppo B sul dizionario e guarda gli esempi.

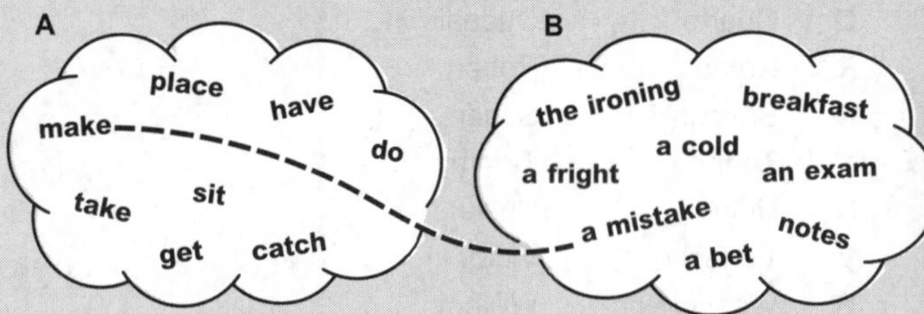

Esercizio 2

Cerca le parole italiane sul dizionario e guarda gli esempi. Qual è il contrario di …

1 high tide (**marea**)? ....

2 dark skin (**pelle**)? ....

3 an even number (**numero**)? ....

4 a good reputation (**fama**)? ....

5 my elder brother (**fratello**)? ....

6 good marks (**voto**)? ....

7 bad weather (**tempo**)? ....

8 fresh water (**acqua**)? ....

Preposizioni e verbi

Il dizionario indica quali preposizioni si usano dopo un determinato sostantivo, verbo o aggettivo e quale costruzione usare dopo un verbo.

Qui è indicato che ***married*** è seguito dalla preposizione ***to***.

married /ˈmærid/ *agg* ~ (**to sb**) sposato (con qn): *to get married* sposarsi

Si può dire *to hate* ***somebody*** o ***something*** oppure *to hate* ***doing something***.

odiare *vt* to hate *sb/sth/doing sth*: *Odio cucinare.* I hate cooking.

Esercizio 3

Con l'aiuto del dizionario completa le frasi seguenti inserendo la preposizione giusta.

1 You can **wait** .... me in the hall.
2 My boss is **paying** .... the meal.
3 I'm not **interested** .... old buildings.
4 He **crashed** .... the car in front.
5 I **dreamt** .... you last night.
6 My sister is very **good** .... English.
7 The island is **rich** .... minerals.
8 Everybody was very **nice** .... me when I was in hospital.

Esercizio 4

Completa le frasi seguenti inserendo la forma giusta del verbo tra parentesi.

1 Please **stop** .... (*annoy*) me!
2 My mother won't **let** me .... (*swim*) after lunch.
3 Would you **mind** .... (*give*) me a hand?
4 I **need** .... (*speak*) to you urgently.
5 **Try** .... (*explain*) what happened.
6 I **suggested** .... (*get*) a taxi.
7 I don't want to **risk** .... (*lose*) my place in the queue.
8 The pilot **told** us all .... (*stay*) calm.

Risposte

Esercizio 1
make a mistake; place a bet; take notes; have breakfast; sit an exam; do the ironing; get a fright; catch a cold

Esercizio 2
1 *low tide* **2** *fair skin* **3** *an odd number* **4** *a bad reputation* **5** *my younger brother* **6** *bad marks* **7** *good weather* **8** *salt water*

Esercizio 3
1 for **2** for **3** in **4** *into* **5** about **6** at **7** *in* **8** *to*

Esercizio 4
1 annoying **2** swim **3** giving **4** to speak **5** to explain **6** getting **7** losing **8** to stay

La punteggiatura inglese

Il punto o **full stop** (.) si usa alla fine di ogni frase, a meno che non sia una frase interrogativa o esclamativa:

We're leaving now.
That's all.
Thank you.

Si usa anche per le abbreviazioni:

Acacia Ave.
Walton St.

Il punto interrogativo o **question mark** (**?**) si usa alla fine delle frasi interrogative dirette:

'Who's that man?' Jenny asked.

ma non alla fine delle frasi interrogative indirette:

Jenny asked who the man was.

Il punto esclamativo o **exclamation mark** (**!**) si usa alla fine di una frase che contiene espressioni di sorpresa, entusiasmo, meraviglia, ecc.

What an amazing story!
How well you look!
Oh no! The cat's been run over!

Si usa anche dopo le interiezioni o le parole onomatopeiche.

Bye!
Ow!
Crash!

La virgola o **comma** (**,**) indica una pausa breve in una frase:

I ran all the way to the station, but I still missed the train.
However, he may be wrong.

La virgola si usa anche quando si cita la persona che parla nel discorso diretto o per introdurre un dialogo:

Fiona said, 'I'll help you.'
'I'll help you', said Fiona, 'but you'll have to wait till Monday.'

La virgola può separare parti di un elenco o di una lista, ma non è obbligatoria davanti a "and".

It was a cold, rainy day.
This shop sells records, tapes, and compact discs.

I due punti o **colon** (**:**) si usano prima di una citazione o di un elenco:

There is a choice of main course: roast beef, turkey or omelette.

Il punto e virgola o **semicolon** (**;**) si usa per separare due parti ben distinte all'interno di una frase:

John wanted to go; I did not.

Si può anche usare per separare le parole in un elenco in cui si è già utilizzata la virgola:

The school uniform consists of navy skirt or trousers; grey, white or pale blue shirt; navy jumper or cardigan.

L'*apostrofo* o **apostrophe** (') si usa in due casi:

a) quando si omette una lettera, come nel caso delle forme contratte del verbo

hasn't, don't, I'm e *he's*

b) con la forma possessiva

Peter's scarf
Jane's mother
my friend's car

Quando il sostantivo finisce con una *s*, non sempre è necessario aggiungere una seconda *s*, per esempio in

Jesus' family

Bisogna stare attenti alla posizione dell'apostrofo che è diversa a seconda che il sostantivo sia singolare o plurale:

the girl's keys
(= le chiavi della ragazza)
the girls' keys
(= le chiavi delle ragazze)

Le *virgolette*, **quotation marks** (' ') o **inverted commas** (" "), si usano per introdurre un dialogo:

'Come and see,' said Martin.
Angela shouted, 'Over here!'
'Will they get here on time?' she wondered.

Le virgolette si usano anche quando si cita il titolo di un libro o di un film, ecc:

'Pinocchio' is the first film I ever saw.
'Have you read "Emma"?' he asked.

Il *trattino* o **hyphen** (-) si usa per le parole composte da due elementi:

ice-skate
a ten-ton truck

Si usa anche per unire un prefisso ad una parola:

non-violent
anti-British

e per i numeri come:

thirty-four
seventy-nine

Viene usato anche alla fine della riga, per andare a capo quando si divide una parola in sillabe.

Il *tratto* o **dash** (–) si usa per separare una frase o una spiegazione all'interno di una frase molto più lunga. Lo si può anche incontrare alla fine, per riassumerne il contenuto:

A few people – not more than ten – had already arrived.
The burglars had taken the furniture, the TV and stereo, the paintings – absolutely everything.

Le *parentesi* o **brackets ( )** si usano per inserire informazioni aggiuntive all'interno di una frase:

Two of the runners (Johns and Smith) finished the race in under an hour.

Si inseriscono anche dopo i numeri o le lettere che precedono gli elementi di un elenco:

The camera has three main advantages:
1) *its compact size*
2) *its low price and*
3) *the quality of the photographs.*

What would you do if you won a lot of money?
a) *save it*
b) *travel round the world*
c) *buy a new house*

L'ora

* Normalmente non si usano i numeri da 0 a 24 per esprimere l'ora, eccetto che per l'orario dei treni e degli autobus.

60 seconds	= 1 minute
60 minutes	= 1 hour
24 hours	= 1 day

Se si vuole specificare che si tratta delle 06:00 e non delle 18:00 si può dire *six o'clock* ***in the morning***. Se si tratta delle 15:30 si dirà *half past three* ***in the afternoon*** e per le 22:00 avremo *ten o'clock* ***in the evening***.

Nel linguaggio ufficiale si usa *am/pm* per distinguere il mattino dal pomeriggio.

Esempi

The train leaves at 06:56.
Something woke me at two o'clock in the mornin
Office hours are 9 am to 4:30 pm.

Dove si mangia?

Al caffè? Al pub?

In Gran Bretagna, i **cafés** di solito aprono nel pomeriggio e non servono bevande alcoliche che invece si possono trovare nei **pub**, dove vengono anche serviti pranzi veloci e spuntini.

Cafeteria o **canteen** sono le mense per gli studenti o per i dipendenti delle ditte. In un **tea shop** (o **coffee shop**, nei grandi magazzini) si serve caffè o tè con dolci e paste.

Al ristorante?

Il **restaurant** è un posto più caro e più raffinato del **café** dove si possono consumare pasti completi. In un **café** si servono solo spuntini e pranzi leggeri. In un **takeaway** si possono ordinare dei piatti da asporto, scegliendoli da un menu.

A che ora si mangia?

La colazione

La tradizionale colazione inglese o **cooked breakfast** (uova, pancetta, salsicce, ecc) di solito si fa solo durante il week-end. Durante la settimana normalmente si prende un caffè con delle fette di pane tostato, panini dolci, cereali, ecc.

Il pranzo, la merenda e la cena

Dinner, lunch, tea e **supper** hanno significati diversi a seconda delle persone e delle zone.

Dinner è il pranzo principale e si prepara di solito nel tardo pomeriggio.

A mezzogiorno si consuma il **lunch** che è quasi sempre uno spuntino leggero, come un'insalata o un panino.

Tea può essere sia la merenda-cena che si dà ai bambini quando tornano da scuola che il tè con pasticcini per gli adulti.

Alcuni chiamano **supper** la cena leggera che si consuma prima di andare a dormire.

Gran Bretagna	Italia
breakfast	colazione
lunch	pranzo
tea	merenda
dinner/supper	cena

Il pranzo della domenica

Di domenica spesso si mangia il **Sunday lunch**, di solito **roast meat** (*arrosto*) con contorno di verdure.

Le case in Gran Bretagna

Una **detached house** è una villa unifamiliare.

Una **semi-detached house** è una villetta addossata su un lato ad un'altra.

Una **terraced house** fa parte di una schiera di case addossate le une alle altre.

Un **bungalow** è una casa ad un piano, di solito di costruzione recente.

Un **cottage** sorge normalmente in campagna o in un paesino ed è spesso una vecchia casetta in stile rustico.

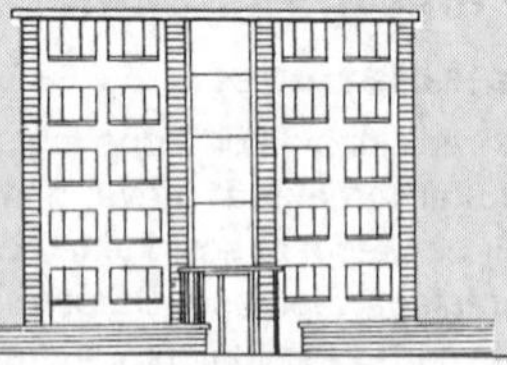

Un **block of flats** è un edificio moderno, con parecchi appartamenti e molto più alto delle case tradizionali.

In Gran Bretagna la maggior parte della gente vive in villette, eccetto che per le grandi città, dove quasi tutti vivono in un appartamento.

Quando qualcuno vuole comprare una casa si mette in contatto con un **estate agent** (un'agenzia immobiliare) e di solito paga un **mortgage** (mutuo) ad una **building society** (una specie di banca). Chi vive in una casa in affitto paga l'affitto (the **rent**) al proprietario o alla proprietaria (il **landlord** o la **landlady**).

Il sistema di governo

Il parlamento

Il parlamento britannico (the **British Parliament**) è diviso in due camere, la Camera dei Comuni (the **House of Commons**) e la Camera dei Lords (the **House of Lords**).

La Camera dei Comuni è composta da 659 parlamentari (**Members of Parliament** o **MPs**) eletti in modo diretto dai cittadini. La Camera dei Lords è formata da oltre 1000 membri, i Lords, che fanno parte dell'aristocrazia, o del clero, come i vescovi. Possono inoltre venire nominati Lords anche semplici cittadini che si sono distinti per il loro contributo alla società inglese.

Il Governo

Il primo ministro (the **Prime Minister**) sceglie 20 ministri (**ministers**) per formare il Consiglio dei Ministri (**Cabinet**). Quasi tutti i ministri dirigono un ministero, per esempio il **Chancellor of the Exchequer** è a capo del Ministero del Tesoro (the **Treasury**) e il Foreign Secretary dirige il Ministero degli Esteri (the **Foreign Office**).

Le elezioni

Ogni cinque anni viene indetta un'elezione generale (una **general election**) e gli abitanti di ciascun collegio elettorale (**constituency**) votano per eleggere il loro rappresentante in Parlamento.

Si tengono inoltre elezioni amministrative (**local elections**) in cui si votano i rappresentanti locali per i consigli comunali, di quartiere o di distretto. Hanno diritto al voto tutti i cittadini che abbiano compiuto il diciottesimo anno di età.

Aa

a (*anche* **ad**) *prep*

• **moto a luogo** to: *Vanno a Milano.* They're going to Milan. ◊ *Si è avvicinata a me.* She came up to me. ◊ *Vai a casa?* Are you going home?

• **stato in luogo 1** (*gen*) at: *Erano seduti a tavola.* They were sitting at the table. ◊ *Sonia è a casa/scuola.* Sonia is at home/school. **2** (*città*) in: *Abito a Lucca.* I live in Lucca.

• **distanza**: *a dieci chilometri da qui* ten kilometres from here

• **tempo** at: *alle undici* at eleven o'clock ◊ *a Natale* at Christmas ◊ *a sessant'anni* at (the age of) sixty

• **modo o maniera**: *andare a piedi* to go on foot ◊ *Fallo a modo tuo.* Do it your way. ◊ *alla thailandese* Thai-style

• **complemento indiretto 1** (*gen*) to: *Dallo a tuo fratello.* Give it to your brother. **2** (*per*) for: *Ho comprato una bicicletta a mio figlio.* I bought a bicycle for my son. **3** (*da*): *Hanno rubato la macchina a Giovanni.* Somebody stole Giovanni's car.

• **seguito da infinito** to: *È venuto a parlarmi.* He came over to speak to me. ◊ *Comincio ad avere una certa età.* I'm starting to get old. ◊ *Mi sono chinato a raccoglierlo.* I bent down to pick it up. ◊ *Siamo stati i primi ad arrivare.* We were the first to arrive.

• **altre costruzioni 1** (*distribuzione*): *cinquanta sterline a testa* fifty pounds each ◊ *Ne toccano tre a ciascuno.* It works out at three each. **2** (*tariffa, prezzo, misurazione*) a: *Vengono 60.000 lire al chilo.* They're 60000 lire a kilo. ◊ *cinque sterline al mese* five pounds a month ◊ *60 chilometri all'ora* 60 kilometres an hour **3** (*punteggio*): *Hanno vinto tre a zero.* They won three nil. ◊ *Hanno pareggiato due a due.* They drew two all.

abbagliante ◆ *agg* dazzling: *una luce ~* a dazzling light ◆ **abbaglianti** *sm* full beam [*sing*]

abbagliare *vt* to dazzle

abbaiare *vi* to bark (**at sb/sth**): *Il cane non la smetteva di ~.* The dog wouldn't stop barking. LOC *Vedi* CANE

abbandonare *vt* **1** (*gen*) to abandon: *~ un bambino/un animale* to abandon a child/an animal ◊ *~ un progetto* to abandon a project **2** (*fig*) to desert: *Gli amici non mi abbandonerebbero mai.* My friends would never desert me.

abbandonato, -a *pp, agg* **1** (*bambino*) abandoned **2** (*casa*) deserted **3** (*giardino*) neglected *Vedi anche* ABBANDONARE

abbassare ◆ *vt* **1** (*gen*) to lower: *~ la testa/voce* to lower your head/voice **2** (*spostare più in basso*) to bring *sth* down: *Il quadro è troppo alto, abbassalo un po'.* The picture's too high — bring it down a bit. **3** (*volume*) to turn *sth* down: *Abbassa la televisione.* Turn the television down. **4** (*prezzo*) to bring *sth* down, to lower (*più formale*) ◆ **abbassarsi** *v rifl* **1** (*chinarsi*) to bend down **2** (*temperatura, prezzo*) to fall: *La temperatura si è abbassata.* The temperature has fallen. **3** (*deteriorare*) to go down: *Gli standard di vita si sono abbassati.* The standard of living has gone down. **4** (*umiliarsi*) to lower yourself (**by doing sth**): *Non mi abbasserei ad accettare soldi da te.* I wouldn't lower myself by accepting your money. LOC **far abbassare la cresta a** to take *sb* down a peg or two

abbasso *escl* down with *sb/sth*

abbastanza *avv* **1** (*sufficiente*) enough: *Non abbiamo ~ soldi.* We haven't got enough money. ◊ *No, grazie, ne ho mangiato ~.* No thank you, I've had enough. **2** (*parecchio*) quite a lot (of): *~ cose da fare* quite a lot of things to do ◊ *C'era ~ traffico sull'autostrada.* There was quite a lot of traffic on the motorway. ◊ *Ho imparato ~ in tre mesi.* I learnt quite a lot in three months. **3 + agg/avv** (*sufficientemente*) enough: *Non è ~ alta per arrivare all'interruttore.* She's not tall enough to reach the switch. **4 + agg/avv** (*piuttosto*) quite: *È ~ intelligente.* He's quite intelligent. ◊ *Leggono ~ bene per la loro età.* They read quite well for their age. ☛ *Vedi nota a* FAIRLY

abbattere ◆ *vt* **1** (*edificio*) to knock *sth* down **2** (*aereo, uccello*) to bring *sth* down **3** (*albero*) to fell **4** (*animale ferito o vecchio*) to put *sth* down **5** (*porta*) to batter *sth* down ◆ **abbattersi** *v rifl* **1**

(*demoralizzarsi*) to get demoralized **2** (*aereo*) to come down

abbattuto, -a *pp, agg* downcast *Vedi anche* ABBATTERE

abbazia *sf* abbey [*pl* abbeys]

abbigliamento *sm* clothing [*non numerabile*]: ~ *per bambini* children's clothing LOC **abbigliamento da uomo/donna** menswear/ladies' wear **abbigliamento sportivo** sportswear

abbinare *vt* to match *sth* (***with sth***): ~ *le domande con le risposte* to match the questions with the answers

abbindolare *vt* to take *sb* in

abboccare *vi* **1** (*pesce*) to bite: *Ha abboccato!* I've got a bite! **2** (*cadere in inganno*) to fall for it: *Gli ho detto una bugia e lui ha abboccato.* I told him a lie and he fell for it.

abbonamento *sm* **1** (*rivista, spettacolo*) subscription **2** (*trasporto*) season ticket: *fare l'abbonamento* to take out a season ticket

abbonare ◆ *vt* (*debito*) to let *sb* off *sth*: *Mi ha abbonato le venti sterline che gli dovevo.* He let me off the twenty pounds I owed him. ◆ **abbonarsi** *v rifl* **abbonarsi a** (*rivista, spettacolo*) to subscribe **to *sth***

abbonato, -a *sm-sf* (*TV*) licence holder

abbordare *vt* **1** (*nave*) to board **2** (*argomento, problema*) to approach **3** (*ragazza*) to chat *sb* up: *Gli piace ~ le ragazze.* He likes chatting girls up.

abbottonare *vt* to button *sth* (up): *Gli ho abbottonato la camicia.* I buttoned (up) his shirt.

abbozzo *sm* **1** (*disegno*) sketch **2** (*idea generale*) outline

abbracciare ◆ *vt* to hug, to embrace (*più formale*): *Abbracciò i bambini.* She hugged her children. ◆ **abbracciarsi** *v rifl* to hug, to embrace (*più formale*): *Si abbracciarono.* They embraced.

abbraccio *sm* hug, embrace (*più formale*) LOC **un (forte) abbraccio** love/lots of love: *Un ~ ai tuoi genitori.* Give my love to your parents. ◊ *Vi mando un forte ~.* Lots of love.

abbreviare *vt* **1** (*gen*) to shorten **2** (*parola*) to abbreviate LOC **abbreviare le cose** to cut it short

abbreviazione *sf* abbreviation (***for/of sth***)

abbronzante *sm* suntan lotion

abbronzarsi *v rifl* to get a suntan

abbronzato, -a *pp, agg* brown *Vedi anche* ABBRONZARSI

abbronzatura *sf* (sun)tan

abbuffarsi *v rifl* ~ (**di**) to stuff yourself (**with *sth***)

abdicare *vi* ~ (**in favore di**) to abdicate (**in favour of *sb***): *Edoardo VIII abdicò in favore del fratello.* Edward the Eighth abdicated in favour of his brother.

abete *sm* fir (tree)

abile *agg* **1** (*gen*) skilful: *un giocatore molto ~* a very skilful player **2** (*astuto*) clever: *un'abile mossa* a clever move **3** (*nei lavori manuali*) handy

abilità *sf* skill

abisso *sm* **1** (*gen*) abyss **2** ~ **tra...**: *Fra le due squadre c'è un ~.* There's a huge gap between the two teams.

abitante *smf* inhabitant: *una città di 100.000 abitanti* a city with a population of 100 000

abitare *vi* to live: *Dove abiti?* Where do you live? ◊ *Abitano al secondo piano.* They live on the second floor.

abito *sm* **1** (*da uomo*) suit **2** (*da donna*) dress LOC **abito da sera** evening dress *Vedi anche* SPOSO

abituale *agg* **1** (*cliente, frequentatore*) regular **2** (*comportamento*) usual **3** (*delinquente*) habitual

abituarsi *v rifl* ~ **a** to get used **to *sb/sth/doing sth***: ~ *al caldo* to get used to the heat ◊ *Dovrai abituarti ad alzarti presto.* You'll have to get used to getting up early.

abituato, -a *pp, agg* LOC **essere abituato a** to be used to *sb/sth/doing sth*: *È ~ ad alzarsi presto.* He's used to getting up early. ☛ *Vedi nota a* USED² *Vedi anche* ABITUARSI

abitudine *sf* habit: *per ~* out of habit LOC **d'abitudine** normally: *D'abitudine non faccio colazione.* I don't normally have breakfast. **prendere/perdere l'abitudine** to get into/out of the habit (*of doing sth*)

abolire *vt* to abolish

abolizione *sf* abolition

aborigeno, -a *sm-sf* aborigine

aborrire *vt* to detest *sth/doing sth*

abortire *vi* **1** (*spontaneamente*) to have a miscarriage **2** (*volontariamente*) to have an abortion

aborto *sm* **1** (*spontaneo*) miscarriage: *avere un ~* to have a miscarriage **2** (*provocato*) abortion

abrasivo, -a *agg, sm* abrasive
abside *sf* apse
abusare *vi* ~ **di** to abuse *sb/sth* [*vt*]: *Non ~ della sua fiducia.* Don't abuse his trust.
abusivo, -a *agg* unauthorized: *un venditore/uno scarico* ~ an unauthorized trader/tip
abuso *sm* ~ (**di**) abuse (**of** *sth*): ~ *di potere* abuse of power LOC **abuso di alcol, fumo, ecc** excessive drinking, smoking, etc **è un abuso!** that's going too far!
accademia *sf* academy [*pl* academies]: ~ *militare* military academy
accademico, -a *agg* academic: *l'anno* ~ the academic year
accadere *vi* to happen, to occur (*più formale*): *È accaduto che…* What happened was that… ◊ *Non voglio che accada di nuovo.* I don't want it to happen again.
accalcarsi *v rifl* to crowd (together)
accampamento *sm* camp
accamparsi *v rifl* to camp
accanto *avv* nearby LOC **accanto a** next to: *La banca è proprio ~ alle poste.* The bank is right next to the post office. *Vedi anche* QUI
accantonare *vt* to shelve
accappatoio *sm* bathrobe
accarezzare *vt* **1** (*persona*) to caress **2** (*animale*) to stroke
accartocciare *vt* to crumple *sth* (up)
accatastare *vt* to stack
accavallare ◆ *vt* to cross: *con le gambe accavallate* with her legs crossed ◆ **accavallarsi** *v rifl* to overlap
accecare *vt* to blind: *Le luci mi hanno accecato.* I was blinded by the lights.
accelerare *vt, vi* to accelerate: *Accelera, se no il motore si spegne.* Accelerate or you'll stall. LOC **accelerare il passo** to quicken your pace
accelerata *sf* LOC **dare un'accelerata** to put your foot down
accelerato, -a *pp, agg* **1** (*gen*) rapid **1** (*corso*) intensive *Vedi anche* ACCELERARE
acceleratore *sm* accelerator
accelerazione *sf* acceleration
accendere ◆ *vt* **1** (*con fiamma*) to light: *Abbiamo acceso un fuoco per riscaldarci.* We lit a bonfire to keep warm. **2** (*apparecchio, luce*) to turn *sth* on: *Accendi la TV.* Turn the television on. ◆ **accendersi** *v rifl* **1** (*fuoco*) to light: *Se la legna è umida il fuoco non si accende.* The fire won't light if the wood's wet. **2** (*apparecchio, luce*) to come on: *Si è accesa una luce rossa.* A red light has come on. LOC **avere da accendere**: *Hai da ~?* Have you got a light?
accendino *sm* lighter
accennare ◆ *vt*: ~ *un sorriso* to half smile ◆ *vi* ~ **a** to mention *sth* [*vt*]
accensione *sf* LOC *Vedi* CHIAVE
accentare *vt* to accent
accento *sm* **1** (*pronuncia, segno grafico*) accent: *parlare con un ~ straniero* to speak with a foreign accent ◊ *prendere un accento* to pick up an accent **2** (*Fonetica*) stress: *con l'accento sull'ultima sillaba* with the stress on the last syllable
accentuare *vt* to accentuate
accerchiare *vt* to surround *sb/sth* (***with sb/sth***): *Abbiamo accerchiato il nemico.* We surrounded the enemy.
accertare ◆ *vt* to check, to verify (*più formale*) ◆ **accertarsi** *v rifl* to make sure **of** ***sth***: *Mi accerterò dell'orario.* I'll make sure of the times.
acceso, -a *pp, agg* **1** (*con fiamma*) **(a)** (*con il verbo essere*) lit **(b)** (*dopo un sostantivo*) lighted: *una sigaretta accesa* a lighted cigarette **2** (*apparecchio, luce*) on: *Avevano la radio accesa.* The radio was on. **3** (*colore*) bright *Vedi anche* ACCENDERE
accessibile *agg* **1** (*gen*) accessible (***to sb***) **2** (*prezzo*) affordable
accesso *sm* ~ **(a) 1** (*gen, Informatica*) access (**to** ***sb/sth***): *la porta che dà ~ alla cucina* the door into the kitchen ◊ ~ *alla camera blindata* access to the strongroom **2** ~ **di** fit **of** ***sth***: *Ha degli accessi di tosse.* He has coughing fits. LOC *Vedi* DIVIETO, VIA
accessorio *sm* accessory [*pl* accessories]
accettabile *agg* acceptable (***to sb***)
accettare *vt* **1** (*gen*) to accept: *La prego di ~ questo piccolo regalo.* Please accept this small gift. ◊ *Intendi ~ la loro offerta?* Are you going to accept their offer? **2** (*acconsentire a*) to agree ***to do sth***: *Accettò di andarsene.* He agreed to leave.
acchiappare *vt* to catch: *Se acchiappo quel moccioso lo ammazzo.* If I catch the little brat I'll kill him.
acciacco *sm*: *essere pieno di acciacchi* to be full of aches and pains

acciaieria *sf* steelworks [*pl*]

acciaio *sm* steel LOC **acciaio inossidabile** stainless steel *Vedi anche* POLMONE

accidentale *agg* accidental: *morte ~* accidental death

accidentato, -a *agg* **1** (*terreno*) rough **2** (*strada*) bumpy

accidenti! *escl* **1** (*maledizione!*) damn!: *~ a te!* damn you! **2** (*caspita!*) wow!

accigliato, -a *agg* frowning

acciuffare *vt* to catch

acciuga *sf* anchovy [*pl* anchovies]

acclamare *vt* to acclaim

accogliente *agg* cosy

accoglienza *sf* welcome

accogliere *vt* **1** (*ospite, idea, notizia*) to welcome: *Mi ha accolto con un sorriso.* He welcomed me with a smile. ◊ *Hanno accolto la proposta con entusiasmo.* They welcomed the proposal. **2** (*profugo, orfano*) to take *sb* in

accoltellare *vt* to stab

accomodare ◆ *vt* to fix ◆ **accomodarsi** *v rifl* to sit down: *Si accomodi!* Take a seat!

accompagnare *vt* **1** (*gen*) to go with *sb/sth*, to accompany (*più formale*): *la cassetta che accompagna il libro* the tape which accompanies the book ◊ *Vado a fare una passeggiata. Mi accompagni?* I'm going for a walk. Are you coming (with me)? **2** (*Mus*) to accompany *sb* (***on sth***): *Sua sorella lo accompagnava al piano.* His sister accompanied him on the piano.

acconsentire *vi* ~ (**a**) to agree (***to sth/to do sth***)

accontentare ◆ *vt* to please *sb*: *Cerca di ~ tutti.* He tries to please everyone. ◆ **accontentarsi** *v rifl* to be happy (***with sth/doing sth***): *Mi accontento di prendere la sufficienza.* I'll be happy with a pass. ◊ *Si accontentano di poco.* They're easily pleased.

acconto *sm* deposit: *Ho lasciato un ~.* I left a deposit.

accoppiare ◆ *vt* **1** (*persone*) to pair *sb* off (***with sb***) **2** (*cose*) to match *sth* (***with sth***) ◆ **accoppiarsi** *v rifl* to mate

accorciare ◆ *vt* to shorten ◆ **accorciarsi** *v rifl* to get shorter

accordare *vt* **1** ~ **qc a qn** (*concedere*) to grant **sb sth** **2** (*strumento musicale*) to tune

accordo *sm* **1** agreement: *raggiungere un ~* to reach an agreement **2** (*Mus*) chord LOC **andare d'accordo** to get on (well) *with sb* **d'accordo!** all right **essere d'accordo** to agree (*with sb*): *Sono d'accordo con lui.* I agree with him. **mettersi/rimanere d'accordo** to agree *to do sth*: *Ci siamo messi d'accordo per fargli un regalo.* We agreed to buy him a present. ◊ *Siamo rimasti d'accordo per incontrarci al cinema.* We've agreed to meet at the cinema.

accorgersi *v rifl* ~ **di 1** (*rendersi conto*) to realize *sth*: *Mi sono accorto di non avere soldi.* I realized I had no money. **2** (*notare*) to notice *sb/sth*: *Non si è accorto di me.* He didn't notice me.

accorrere *vi* to go (***to sb/sth***): *~ in aiuto di qn* to go to sb's aid

accostare ◆ *vt* **1** (*gen*) to put *sth* ***against sth***: *Ha accostato il letto alla finestra.* He put his bed against the window. **2** (*auto*): *~ la macchina* to pull in **3** (*porta*) to pull *sth* to ◆ **accostarsi** *v rifl* to pull over

accovacciarsi *v rifl* to crouch (down)

accumulare ◆ *vt* **1** (*gen*) to accumulate **2** (*ricchezze*) to amass ◆ **accumularsi** *v rifl* to pile up

accuratezza *sf* thoroughness

accurato, -a *agg* **1** (*preciso*) careful **2** (*diligente*) thorough

accusa *sf* **1** (*gen*) accusation **2** (*Dir*) charge

accusare *vt* **1** (*gen*) to accuse *sb* (***of sth/doing sth***) **2** (*Dir*) to charge *sb* (***with sth/doing sth***): *~ qn di omicidio* to charge sb with murder **3** (*mostrare*) to show signs of *sth*: *~ la stanchezza* to show signs of tiredness

aceto *sm* vinegar

acidità *sf* acidity LOC **acidità di stomaco** heartburn

acido, -a ◆ *agg* (*lett e fig*) sour ◆ *sm* acid LOC *Vedi* PIOGGIA

acne *sf* acne

acqua *sf* water LOC **acqua corrente** running water **acqua del rubinetto** tap water **acqua dolce/salata** fresh/salt water **acqua minerale gassata/naturale** fizzy/still mineral water **acqua ossigenata** hydrogen peroxide **acqua piovana** rainwater **acqua potabile** drinking water **acqua tonica** tonic water **avere l'acqua alla gola** to be in deep water **è acqua passata** that's history **fare acqua da tutte le parti** to be shaky **tirare acqua al proprio mulino** to feather your own nest *Vedi anche* AFFOGARE, BORSA, BUCO, GETTARE, GOCCIA, MULINO, NAVIGARE, PESCE

acquaio *sm* sink

acquaragia *sf* white spirit

acquarello *sm* watercolour

acquario *sm* **1** aquarium [*pl* aquariums/aquaria] **2 Acquario** (*Astrologia*) Aquarius ☛ *Vedi esempi a* AQUARIUS

acquatico, -a *agg* **1** (*animale, pianta*) aquatic **2** (*Sport*) water [*s attrib*]: *sport acquatici* water sports LOC *Vedi* SCI

acquavite *sf* eau-de-vie

acquazzone *sm* downpour

acquedotto *sm* aqueduct

acqueo, -a *agg* LOC *Vedi* VAPORE

acquirente *smf* buyer

acquisire *vt* to acquire: ~ *un diritto/la cittadinanza* to acquire a right/ citizenship

acquistare *vt* **1** (*gen*) to acquire **2** (*comprare*) to buy LOC **acquistare fama, importanza, ecc** to become famous, important, etc

acquisto *sm* purchase: *fare un* ~ to make a purchase LOC **un buon acquisto** a good buy

acquoso, -a *agg* watery

acrobata *smf* acrobat

acrobazia *sf* acrobatics: *Le sue acrobazie ricevettero grandi applausi.* Her acrobatics were greeted with loud applause. ◊ *fare acrobazie* to perform acrobatics

acustica *sf* acoustics [*pl*]: *L'acustica di questa sala non è molto buona.* The acoustics in this hall aren't very good.

acuto, -a ◆ *agg* **1** (*punta, mente*) sharp **2** (*angolo, dolore, accento*) acute **3** (*suono, voce*) high-pitched **4** (*osservazione*) witty ◆ *sm* (*Mus*) high note

adattare ◆ *vt* to adapt: ~ *un romanzo per il teatro* to adapt a novel for the stage ◆ **adattarsi** *v rifl* **1** (*abituarsi*) to adapt (***to sth***): *adattarsi ai cambiamenti* to adapt to change **2** (*conformarsi*) to fit in (***with sb/sth***): *Cercheremo di adattarci al vostro orario.* We'll try to fit in with your timetable.

adattatore *sm* (*Elettr*) adaptor

adatto, -a *agg* **1** (*gen*) suitable (***for sth/to do sth***): *Non sono adatti per questo lavoro.* They're not suitable for this job. ◊ *un vestito* ~ *all'occasione* a suitable dress for the occasion **2** (*giusto*): *Non è il momento* ~. This isn't the right time. ◊ *Non trovano la persona adatta per il lavoro.* They can't find the right person for the job. **3** (*comodo*) convenient: *un posto* ~ a convenient place ◊ *un'ora adatta* a convenient time

addentare *vt* to sink your teeth into *sth*: *Ha addentato la mela.* He sank his teeth into the apple.

addestramento *sm* training

addestrare *vt* to train *sb/sth* (***as/in sth***)

addetto, -a *sm-sf*: ~ *alle pulizie* cleaner ◊ ~ *stampa* press officer

addio *escl, sm* goodbye, farewell (*più formale*): *cena di* ~ farewell dinner ◊ *festa/regalo di* ~ leaving party/present LOC **addio al celibato** stag night

addirittura ◆ *avv* even: *Puoi venire* ~ *a piedi.* You can even walk. ◆ *escl* really!

addizionale *agg* additional

addizione *sf* **1** (*gen*) addition **2** (*calcolo*) sum: *fare un'addizione* to do a sum

addolcire *vt* to sweeten

addome *sm* abdomen

addomesticare *vt* to domesticate

addominale ◆ *agg* abdominal ◆ **addominali** *sm* abdominals

addormentare ◆ *vt* to get *sb* off to sleep ◆ **addormentarsi** *v rifl* **1** (*prendere sonno*) to fall asleep **2** (*parte del corpo*) to go to sleep: *Mi si è addormentata la gamba.* My leg's gone to sleep.

addormentato, -a *pp, agg* **1** (*che dorme*) asleep **2** (*rimbambito*) dopey LOC *Vedi* BELLO; *Vedi anche* ADDORMENTARE

addosso *avv* on: *Mettiti* ~ *qualcosa di leggero.* Put on something light. LOC **addosso a** on: *mettere una coperta* ~ *a qn* to put a blanket on sb **farsela addosso** to wet yourself **stare addosso a** to breathe down *sb's* neck **uno addosso all'altro**: *Finirono uno* ~ *all'altro.* They all finished together.

addurre *vt* **1** (*prove*) to produce **2** (*motivi*) to cite: *Addusse motivi personali.* He cited personal reasons.

adeguato, -a *agg* ~ (**a**) suitable (**for *sth***)

adempiere *vt* **1** (*promessa, obbligo*) to fulfil **2** (*dovere*) to carry *sth* out

adenoidi *sf* adenoids

aderente *agg* tight: *un vestito molto* ~ a tight-fitting dress

adesivo, -a ◆ *agg* adhesive ◆ *sm* (*etichetta*) sticker LOC *Vedi* NASTRO

adesso *avv* now: *Che cosa faccio ~?* What am I going to do now? ◊ *~ vengo.* I'm just coming.

adocchiare *vt* **1** (*vedere*) to catch sight of *sth* **2** (*desiderare*): *Ho adocchiato un bel fusto.* I've got my eye on a gorgeous hunk.

adolescente ◆ *agg* adolescent ◆ *smf* teenager, adolescent (*più formale*)

adolescenza *sf* adolescence

adorabile *agg* lovely

adorare *vt* to adore

adottare *vt* to adopt

adottivo, -a *agg* **1** (*gen*) adopted: *figlio/paese ~* adopted child/country **2** (*genitori*) adoptive: *madre adottiva* adoptive mother

Adriatico *sm* **l'Adriatico** the Adriatic

adulare *vt* to flatter

adulterio *sm* adultery

adultero, -a ◆ *agg* adulterous ◆ *sm-sf* adulterer [*fem* adulteress]

adulto, -a *agg*, *sm-sf* adult LOC **diventare adulto** to grow up

aerare *vt* to air

aereo, -a *agg* **1** (*gen*) air [*s attrib*]: *traffico ~* air traffic **2** (*veduta, fotografia*) aerial LOC *Vedi* COMPAGNIA, FORZA, INCIDENTE, PONTE, POSTA, VIA

aereo *sm* aeroplane, plane (*più informale*) LOC **andare/viaggiare in aereo** to fly

aerobica *sf* aerobics [*sing*]

aeromobile *sm* aircraft [*pl* aircraft]

aeronautica *sf* aeronautics [*sing*] LOC **aeronautica militare** air force

aeroplano *sm Vedi* AEREO

aeroporto *sm* airport: *Andiamo a prenderli all'aeroporto.* We're going to meet them at the airport.

aerosol *sm* aerosol

afa *sf*: *Uffa! Che ~!* Phew! It's so close!

affaccendato, -a *agg* busy

affacciarsi *v rifl* **1** (*persona*): *Mi sono affacciato alla finestra per vederlo meglio.* I put my head out of the window to get a better look. ◊ *Affacciati al balcone.* Come out onto the balcony. **2** (*dare su*) to overlook *sth*: *L'appartamento si affaccia sulla piazza.* The flat overlooks the square.

affamato, -a *agg* **1** (*gen*) hungry **2** (*che muore di fame*) starving

affare *sm* **1 affari** (*gen*) business: *fare affari con qn* to do business with sb ◊ *Sono qui per affari.* I'm here on business. ◊ *Gli affari vanno bene.* Business is booming. **2** (*transazione*) deal: *fare/concludere un ~* to make/close a deal **3** (*occasione*) bargain LOC **affare fatto!** it's a deal! **non è affar mio, tuo, ecc** it's none of my, your, etc business **uomo/donna d'affari** businessman/woman [*pl* businessmen/women]

affascinante *agg* **1** (*persona*) charming **2** (*libro*) fascinating

affaticare *vt* to wear *sb* out

affatto *avv* (not) at all: *Non è ~ chiaro.* It's not at all clear. ◊ *"Ti dispiace?" "Niente ~."* 'Do you mind?' 'Not at all.'

affermare ◆ *vt* to state, to say (*più informale*) ◆ **affermarsi** *v rifl* to make your mark

affermativo, -a *agg* affirmative

affermazione *sf* statement

afferrare ◆ *vt* **1** to grab: *Mi ha afferrato per un braccio.* He grabbed me by the arm. **2** (*capire*) to catch: *Non ho afferrato il nome.* I didn't catch your name. ◆ **afferrarsi** *v rifl* **afferrarsi a** to cling **to *sb*/*sth***: *afferrarsi a una corda* to cling on to a rope ◊ *afferrarsi a qualunque pretesto* to cling to any pretext LOC *Vedi* VOLO

affettare *vt* to slice

affettato *sm* cold meat

affettato, -a *agg* affected

affetto *sm* ~ (**per**) affection (**for *sb***) LOC **con affetto** (*nelle lettere*) with love

affettuoso, -a *agg* **1** (*abbraccio, saluti*) warm **2** ~ (**con**) affectionate (**towards *sb*/*sth***)

affezionarsi *v rifl* to become attached **to *sb*/*sth***: *Ci siamo molto affezionati al nostro cane.* We've become very attached to our dog.

affezionato, -a *pp*, *agg* LOC **essere affezionato a** to be fond of *sb*/*sth Vedi anche* AFFEZIONARSI

affidabile *agg* reliable

affidamento *sm*: *Non ci si può fare ~, è sempre in ritardo.* He's very unreliable — he's always late.

affidare *vt* ~ **qc a qn** to entrust **sb with sth**

affilare *vt* to sharpen

affilato, -a *pp*, *agg* sharp *Vedi anche* AFFILARE

affinare *vt* to refine

affinché *cong* so that

affissione *sf* billposting **LOC** *Vedi* DIVIETO

affittare *vt* **1** (*prendere in affitto*) to rent: *Ho affittato un appartamento a Viareggio.* I rented an apartment in Viareggio. **2** (*dare in affitto*) to rent *sth* out: *Hanno affittato la loro casa al mare l'estate scorsa.* They rented out their seaside home last summer. **LOC affittasi** to let

affitto *sm* rent: *Hai pagato l'affitto?* Have you paid the rent? **LOC dare in affitto** to rent *sth* out **prendere in affitto** to rent *sth*

affluente *sm* tributary [*pl* tributaries]

affogare *vt, vi* to drown **LOC affogare in un bicchier d'acqua** to get worked up over nothing

affollare ◆ *vt* to fill *sth* to overflowing: *Il pubblico affollava la sala.* The audience filled the hall to overflowing. ◆ **affollarsi** *v rifl* **1** (*gente*) to crowd **2** (*fig*): *I ricordi si affollavano nella mia mente.* Memories came flooding back.

affollato, -a *pp, agg* ~ **(di)** crowded **(with** ***sth*****)** *Vedi anche* AFFOLLARE

affondare *vt, vi* to sink: *La nave è affondata.* The ship sank. ◊ ~ *i piedi nella sabbia* to sink your feet into the sand

affrancare *vt* (*lettera, pacco*) to pay postage **on** ***sth***

affrettare ◆ *vt* to speed *sth* up: ~ *il passo* to quicken your pace ◆ **affrettarsi** *v rifl* ~ **a** to hasten ***to do sth***: *Mi sono affrettato a ringraziarli.* I hastened to thank them.

affrettato, -a *pp, agg* hasty: *una decisione affrettata* a hasty decision *Vedi anche* AFFRETTARE

affrontare *vt* **1** (*pericolo*) to face: *Il paese sta affrontando una profonda crisi.* The country is facing a serious crisis. **2** (*situazione*) to face up to *sth*: ~ *la realtà* to face up to reality **3** (*questione, argomento*) to deal with *sth* **4** (*Sport*) to take *sb* on: *L'Italia affronterà la Spagna nei campionati europei.* Italy is taking on Spain in the European Championship.

affumicare *vt* **1** (*alimenti*) to smoke **2** (*stanza*) to fill *sth* with smoke

affumicato, -a *pp, agg* smoked **LOC** *Vedi* ARINGA; *Vedi anche* AFFUMICARE

affusolato, -a *agg* slender: *dita affusolate* slender fingers

Afghanistan *sm* Afghanistan

afghano, -a *agg, sm-sf, sm* Afghan: *gli afghani* the Afghans

afoso, -a *agg* close: *una giornata afosa* a stiflingly hot day

Africa *sf* Africa

africano, -a *agg, sm-sf* African

agenda *sf* **1** (*calendario*) diary [*pl* diaries] **2** (*per indirizzi*) address book

> Nota che la parola inglese **agenda** non significa *agenda* ma *ordine del giorno.*

agente *smf* **1** (*rappresentante*) agent: *Può trattare con il mio* ~. See my agent about that. **2** (*polizia*) policeman/woman [*pl* policemen/women]

agenzia *sf* agency [*pl* agencies] **LOC agenzia di viaggi** travel agency [*pl* travel agencies] **agenzia immobiliare** estate agent's **agenzia matrimoniale** dating agency [*pl* dating agencies]

agganciare ◆ *vt* **1** (*gen*) to hook **2** (*collegare*) to hitch: ~ *un rimorchio al trattore* to hitch a trailer to the tractor ◆ *vi* to hang up

aggettivo *sm* adjective

agghiacciante *agg* spine-chilling

aggiornamento *sm* updating **LOC** *Vedi* CORSO

aggiornare *vt* to bring *sb/sth* up to date

aggiornato, -a *pp, agg* up-to-date *Vedi anche* AGGIORNARE

aggirare *vt* to get round *sth*: ~ *un ostacolo* to get round an obstacle

aggiudicare *vt* **1** (*assegnare*) to award *sth* ***to sb*** **2 aggiudicarsi qc** to win sth

aggiungere *vt* to add

aggiunto, -a *pp, agg* **LOC** *Vedi* IMPOSTA; *Vedi anche* AGGIUNGERE

aggiustare ◆ *vt* **1** (*riparare*) to mend: *Vengono ad* ~ *la lavatrice.* They're coming to mend the washing machine. **2** (*sistemare*) to adjust: *Aggiustati la cravatta.* Adjust your tie. ◆ **aggiustarsi** *v rifl* **1** (*venire a un accordo*) to come to an arrangement **2** (*risolversi*) to work out: *Alla fine tutto si è aggiustato.* It all worked out in the end.

aggrapparsi *v rifl* ~ **(a)** to hold on **(to** ***sb/sth*****)**: *Aggrappati a me.* Hold on to me.

aggravare ◆ *vt* to make *sth* worse ◆ **aggravarsi** *v rifl* to get worse

aggraziato, -a *agg* graceful

aggredire *vt* **1** (*gen*) to attack **2** (*derubare*) to mug: *Siamo stati aggrediti da* *un uomo mascherato.* We were mugged by a masked man.

aggregare ◆ *vt* to add *sth* (***to sth***) ◆ **aggregarsi** *v rifl* **aggregarsi a** to join *sb/sth*

aggressione *sf* **1** (*Mil*) aggression: *un patto di non ~* a non-aggression pact **2** (*su una persona*) assault LOC **aggressione a mano armata** armed assault

aggressivo, -a *agg* aggressive

aggressore *sm* attacker

aggrottare *vt* LOC **aggrottare la fronte** to frown

agguato *sm* ambush: *tendere un ~ a qn/qc* to set an ambush for sb/sth LOC **stare in agguato** to lie in wait: *Il nemico stava in ~ nel buio.* The enemy lay in wait in the darkness.

agiato, -a *agg* wealthy: *una famiglia agiata* a wealthy family

agile *agg* agile

agilità *sf* agility

agio *sm* LOC **mettere qn a proprio agio** to put sb at their ease **sentirsi a proprio agio** to feel comfortable

agire *vi* to act: *Bisogna agire subito.* We must act at once.

agitare ◆ *vt* **1** (*bottiglia*) to shake: *~ prima dell'uso.* Shake (well) before use. **2** (*fazzoletto, braccia*) to wave ◆ **agitarsi** *v rifl* to get worked up

agitato, -a *pp, agg* **1** (*preoccupato*) worried: *Il figlio non era rientrato e lei era molto agitata.* Her son hadn't come home and she was very worried. **2** (*irrequieto*) restless **3** (*mare*) rough *Vedi anche* AGITARE

agitazione *sf* agitation

aglio *sm* garlic LOC *Vedi* SPICCHIO, TESTA

agnello *sm* lamb: *arrosto d'agnello* roast lamb ☛ *Vedi nota a* CARNE

ago *sm* needle: *infilare un ~* to thread a needle ◊ *aghi di pino* pine needles LOC *Vedi* CERCARE

agonia *sf* agony [*pl* agonies]

agonizzare *vi* to be dying

agopuntura *sf* acupuncture

agosto *sm* August (*abbrev* Aug) ☛ *Vedi esempi a* GENNAIO

agrario, -a *agg* agricultural LOC *Vedi* PERITO

agricolo, -a *agg* agricultural LOC *Vedi* PRODOTTO

agricoltore *sm* farmer

agricoltura *sf* agriculture, farming (*più informale*)

agrifoglio *sm* holly

agro, -a *agg* sour

agrodolce *agg* sweet and sour

agronomo, -a *sm-sf* agronomist

agrumi *sm* citrus fruits

ahi! *escl* ouch!

aia *sf* farmyard LOC *Vedi* MENARE

Aids *sm* AIDS/Aids

aiuola *sf* flower bed

aiutante *smf* assistant

aiutare *vt, vi* to help (*sb*) (***to do sth***): *Ti aiuto?* Can I help you?

aiuto *sm* **1** help: *Grazie del tuo ~.* Thanks for your help. ◊ *Ho bisogno di ~.* I need some help. ◊ *Aiuto!* Help! **2** **aiuti** aid

al, alla *Vedi* A

ala *sf* **1** (*gen*) wing: *le ali di un aereo* the wings of a plane ◊ *l'ala conservatrice del partito* the conservative wing of the party **2** (*Sport*) winger: *ala destra/sinistra* right/left winger

alano *sm* Great Dane

alare *agg* LOC *Vedi* APERTURA

alba *sf* **1** (*mattino presto*) dawn: *Ci siamo alzati all'alba.* We got up at dawn. **2** (*sorgere del sole*) sunrise: *contemplare l'alba* to watch the sunrise

albanese *agg, smf, sm* Albanian: *gli albanesi* the Albanians ◊ *parlare ~* to speak Albanian

Albania *sf* Albania

alberghiero, -a *agg* hotel [*s attrib*] LOC *Vedi* SCUOLA

albergo *sm* hotel

albero *sm* **1** (*gen*) tree: *~ da frutto* fruit tree **2** (*nave*) mast LOC **albero genealogico** family tree

albicocca *sf* apricot

albicocco *sm* apricot tree

album *sm* album

alcol *sm* alcohol LOC *Vedi* ABUSO

alcolico, -a ◆ *agg* alcoholic ◆ *sm* **alcolici** alcohol [*non numerabile*]: *Non bevo alcolici.* I don't drink alcohol.

alcolismo *sm* alcoholism

alcolizzato, -a *agg, sm-sf* alcoholic

alcuno, -a ◆ *agg* **1** (*singolare, in frasi negative*) any, no: *Non c'è alcuna possibilità di riuscire.* There's no chance of succeeding. ◊ *senza alcun dubbio* without a doubt **2** (*plurale, in frasi affermative*) some, any: *C'erano ancora alcuni problemi da risolvere.* There were still some problems to be solved. ◊ *Abbiamo discusso alcune questioni importanti.* We discussed some important points. ◆ *pron* some: *Alcuni di voi sono molto pigri.* Some of you are very lazy. ◊ *Alcuni pensano che...* Some people think that... ◊ *I suoi quadri sono tutti all'estero, alcuni a Londra, altri a Parigi.* All of his paintings are abroad, some in London, others in Paris.

aldilà *sm* **l'aldilà** the afterlife

alfabetico, -a *agg* alphabetical

alfabeto *sm* alphabet LOC **alfabeto morse** Morse Code

alfiere *sm* bishop

alga *sf* **1** (*acqua dolce*) weed [*non numerabile*]: *Lo stagno è pieno di alghe.* The pond is full of weed. **2** (*mare*) seaweed [*non numerabile*]

Esiste anche la parola **algae**, ma è scientifica.

algebra *sf* algebra

Algeria *sf* Algeria

algerino, -a *agg, sm-sf* Algerian: *gli algerini* the Algerians

alibi *sm* alibi [*pl* alibis]: *avere un buon ~* to have a good alibi

alimentare[1] ◆ *vt* **1** (*caldaia, fuoco*) to stoke **2** (*motore*) to feed **3** (*odio*) to nurture ◆ **alimentarsi** *v rifl* **alimentarsi di** to live **on sth**

alimentare[2] *agg* food [*s attrib*]: *generi alimentari* foodstuffs

alimentari *sm* grocer's

alimentazione *sf* **1** (*azione*) feeding **2** (*dieta*) diet: *un'alimentazione equilibrata* a balanced diet

alimento *sm* **1** (*gen*) food: *un ~ ricco di vitamine* a food rich in vitamins **2** **alimenti** (*Dir*) alimony

alito *sm* breath: *avere l'alito cattivo* to have bad breath ◊ *Non c'era un ~ di vento.* There wasn't a breath of wind.

allacciare *vt* **1** (*scarpe*) to tie: *Non riesco a allacciarmi le scarpe.* I can't tie my shoelaces. **2** (*cintura*) to fasten: *Allacciate le cinture di sicurezza.* Fasten your safety belts. **3** (*gas, ecc*) to connect

allagamento *sm* flood

allagare ◆ *vt* to flood ◆ **allagarsi** *v rifl* to flood: *I campi si sono allagati.* The fields flooded.

allargare ◆ *vt* to widen ◆ **allargarsi** *v rifl* **1** (*estendersi*) to widen **2** (*materiale*) to stretch: *Queste scarpe si sono allargate.* These shoes have stretched.

allarmante *agg* alarming

allarmarsi *v rifl* ~ (**per**) to be alarmed (**at** ***sth***)

allarme *sm* alarm: *dare l'allarme* to raise the alarm ◊ *È suonato l'allarme.* The alarm went off. LOC **allarme antincendio** fire alarm

allattare *vt* **1** (*bambino*) to breastfeed **2** (*animale*) to suckle

alleanza *sf* alliance: *un'alleanza tra cinque partiti* an alliance between five parties

allearsi *v rifl* ~ (**con/contro**) to form an alliance (**with/against** ***sb/sth***)

alleato, -a ◆ *pp, agg* allied ◆ *sm-sf* ally [*pl* allies] *Vedi anche* ALLEARSI

allegare *vt* to enclose LOC **allegare i denti** to set *sb's* teeth on edge

alleggerire *vt* to make *sth* lighter

allegria *sf* cheerfulness

allegro, -a *agg* **1** (*felice*) happy **2** (*di buon umore*) cheerful: *Ha un carattere ~.* She's a cheerful person. **3** (*musica, spettacolo*) lively **4** (*colore, stanza*) bright

alleluia! *escl* alleluia!

allenamento *sm* training: *fuori ~* out of training

allenare ◆ *vt* to train ◆ **allenarsi** *v rifl* to train

allenatore, -trice *sm-sf* coach LOC **allenatore personale** personal trainer

allentare ◆ *vt* to loosen: *Gli ho allentato la cravatta.* I loosened his tie. ◊ *Mi sono allentato la cintura.* I loosened my belt. ◆ **allentarsi** *v rifl* (*vite, nodo*) to come loose: *Il nodo si è allentato.* The knot has come loose.

allentato, -a *pp, agg* **1** (*gen*) loose: *una vite allentata* a loose screw **2** (*corda*) slack *Vedi anche* ALLENTARE

allergia *sf* ~ (**a**) allergy [*pl* allergies] (**to** ***sth***)

allergico, -a *agg* ~ (**a**) allergic (**to** ***sth***)

all'erta *avv, escl* alert: *stare ~* to be on the alert

allettante *agg* tempting

allevamento *sm* **1** (*attività*) **(a)** (*cani, cavalli*) breeding **(b)** (*maiali, pecore*) farming **2** (*luogo*) **(a)** (*gen*) farm **(b)** (*cani*) kennels [*pl*] **(c)** (*cavalli*) stud farm

allevare *vt* **1** (*bambini*) to bring *sb* up **2** (*bestiame*) to breed

allevatore, -trice *sm-sf* breeder

alleviare *vt* to relieve: *~ il dolore* to relieve pain

allievo, -a *sm-sf* **1** (*gen*) pupil: *uno dei miei allievi* one of my pupils **2** (*ufficiale*) cadet

alligatore *sm* alligator

allineamento *sm* alignment

allineare ◆ *vt* to line *sb/sth* up ◆ **allinearsi** *v rifl* to line up

alloggiare ◆ *vt* to put *sb* up: *Dopo l'incendio ci hanno alloggiati in una scuola.* After the fire they put us up in a school. ◆ *vi* to stay: *Abbiamo alloggiato in un albergo del centro.* We stayed in a hotel in the centre.

alloggio *sm* LOC *Vedi* VITTO

allontanare ◆ *vt* **1** (*portare via*) to move *sb/sth* away (**from *sb/sth***): *Devi allontanarlo dalla finestra.* You should move it away from the window. **2** (*alienare*) to distance *sb/sth* (**from *sb/sth***) ◆ **allontanarsi** *v rifl* **allontanarsi (da)** (*distanziarsi*) to move away (**from *sb/sth***): *allontanarsi da un obiettivo* to move away from a goal ◊ *Non allontanarti troppo.* Don't go too far away.

allora *avv* **1** (*a quel tempo*) then: *~ non c'era la televisione.* There was no television then. **2** (*dunque*) well: *~, come stavamo dicendo...* Well, as we were saying... **3** (*in tal caso*) so: *Non hai voglia di uscire? E ~ non uscire!* You don't feel like going out? So don't!

alloro *sm* **1** (*albero*) bay tree **2** (*Cucina*) bay leaf [*pl* bay leaves]: *una foglia d'alloro* a bay leaf

alluce *sm* big toe

allucinante *agg* **1** (*tremendo*) awful **2** (*incredibile*) amazing

allucinato, -a *agg*: *lo sguardo ~* staring eyes

allucinazione *sf* hallucination: *avere le allucinazioni* to hallucinate

alluminio *sm* aluminium

allungare ◆ *vt* **1** (*vestito*) to lengthen **2** (*mano*) to stretch *sth* out ◆ **allungarsi** *v rifl* to get longer: *Le giornate si stanno allungando.* The days are getting longer.

allungato, -a *pp, agg* long *Vedi anche* ALLUNGARE

allusione *sf* hint: *fare un'allusione velata* to drop a hint LOC *Vedi* COGLIERE

alluvione *sf* flood

almeno *avv* at least: *~ cinque anni* at least five years ◊ *Dammi ~ un'idea.* At least give me an idea.

Alpi *sf* **le Alpi** the Alps

alpinismo *sm* mountaineering: *fare dell'alpinismo* to go mountaineering

alpinista *smf* mountaineer

alpino, -a *agg* Alpine

alt! *escl* stop!

altalena *sf* swing: *andare in ~* to go on the swings

altare *sm* altar

alterare *vt* to alter

alternare ◆ *vt* to alternate ◆ **alternarsi** *v rifl* to alternate

alternativa *sf* ~ (**a**) alternative (**to *sth***)

alternativo, -a *agg* alternative: *medicina alternativa* alternative medicine

alterno, -a *agg* alternate: *a giorni alterni* on alternate days

altezza *sf* **1** (*gen*) height: *cadere da tre metri di ~* to fall from a height of three metres ◊ *a 4.000 metri di ~* 4000 metres up **2** (*acqua*) depth **3** (*stoffa*) width **4** (*titolo*) highness: *Sua Altezza* Your Highness LOC **all'altezza di...**: *una cicatrice all'altezza del gomito* a scar near the elbow **altezza massima** maximum headroom (**non**) **essere all'altezza** (not) to be up *to doing sth*

altisonante *agg* pompous

altitudine *sf* height, altitude (*più formale*): *a 3.000 metri di ~* at an altitude of 3000 metres

alto, -a ◆ *agg* **1** (*gen*) tall, high

> **Tall** si usa in riferimento a persone, alberi ed edifici: *l'edificio più alto del mondo* the tallest building in the world ◊ *una ragazza molto alta* a very tall girl. **High** si usa molto con sostantivi astratti: *livelli di inquinamento molto alti* high levels of pollution ◊ *tassi di interesse alti* high interest rates, e per riferirsi all'altitudine, cioè all'altezza sul livello del mare: *La Paz è la capitale più alta del mondo.* La Paz is the highest capital in the world. I contrari di **tall** sono **short** e **small**, e il contrario di **high** è **low**.

2 (*comando, funzionario*) high-ranking **3** (*classe sociale, fiume*) upper: *l'alto Po* the upper Po **4** (*acqua*) deep **5** (*volume, voce*) loud: *Non mettere la musica così alta.* Don't play the music so loud. ◆ *avv* (*volare*) high LOC **ad alta voce 1** (*leggere*) aloud **2** (*forte*) loud **alta fedeltà** hi-fi **alto mare 1** (*lett*) the high sea(s): *La nave si trovava in ~ mare.* The ship was on the high sea. **2** (*fig*) a long way off: *Siamo ancora in ~ mare.* We're still a long way off. **dall'alto in**

basso up and down: *Mi ha guardato dall'alto in basso.* He looked me up and down. **gli alti** (*Mus*) the treble [*non numerabile*] **in alto 1** (*direzione*) upwards **2** (*posizione*) high up: *Questo quadro è troppo in ~.* That picture is too high up. *Vedi anche* FUOCO, MANO, SALTO

altoparlante *sm* loudspeaker: *L'hanno annunciato all'altoparlante.* They announced it over the loudspeaker.

altopiano *sf* plateau [*pl* plateaus/ plateaux]

altrettanto ♦ *avv* equally ♦ *pron* as much again: *Mi ha pagato 500.000 lire e me ne deve altrettante.* He's paid me 500000 lire and still owes me as much again. ♦ **~!** *escl* the same to you!

altrimenti *avv* **1** (*se no*) otherwise: *Vado, ~ faccio tardi.* I'm going, otherwise I'll be late. **2** (*diversamente*): *Non ho potuto fare ~.* There was nothing else I could do.

altro, -a ♦ *agg* **1** other **2 un altro...** another...

Another si usa con sostantivi al singolare e **other** con sostantivi al plurale: *Non c'è un altro treno fino alle cinque.* There isn't another train until five. ◊ *in un'altra occasione* on another occasion ◊ *Avete altri colori?* Have you got any other colours? **Other** si usa anche in espressioni come: *l'altra notte* the other night ◊ *l'altro mio fratello* my other brother.
Quando **another** è seguito da un numero e da un sostantivo plurale significa "in più". **Other** non si usa mai davanti ai numeri: *altre sei persone* six more people/another six people ◊ *altre due ore* two more hours/another two hours ◊ *Mi restano altri tre esami.* I've got another three exams to do./I've got three more exams.

♦ *pron* another (one) [*pl* others]: *un giorno o l'altro* one day or another ◊ *Ne hai un ~?* Have you got another (one)? ◊ *Non mi piacciono, ne ha altre?* I don't like these ones. Have you got any others? ☛ **L'altro**, **l'altra** si traducono "the other one": *Dov'è l'altra?* Where's the other one? **LOC altro?** anything else? **d'altra parte/d'altro canto** on the other hand **da un'altra parte** somewhere else **qualcun/qualcos'altro** somebody/something else: *C'era qualcos'altro che volevo dirti.* There was something else I wanted to tell you. **un'altra volta 1** (*più tardi*) later: *Lo faremo un'altra volta.* We'll do it later. **2** (*di nuovo*) again: *Ripetilo un'altra volta.* Say it again. *Vedi anche* CANTO, COSA, DOMANI, IERI, UNO, VOLTARE

altrui *agg* other people's: *ficcare il naso negli affari ~* to interfere in other people's business ◊ *in casa ~* in other people's houses

alunno, -a *sm-sf* pupil: *uno dei miei alunni* one of my pupils

alveare *sm* beehive

alveo *sm* river bed

alzare ♦ *vt* **1** (*gen*) to raise: *Alza il braccio sinistro.* Raise your left arm. ◊ *~ la voce* to raise your voice **2** (*volume*) to turn *sth* up **3** (*prezzi*) to put *sth* up, to raise (*più formale*) **4** (*telefono*) to pick *sth* up: *~ il ricevitore* to pick up the phone ♦ **alzarsi** *v rifl* **1** (*mettersi in piedi*) to stand up **2** (*dal letto*) to get up: *Di solito mi alzo presto.* I usually get up early. **LOC alzarsi col piede sbagliato** to get out of bed on the wrong side

alzato, -a *pp, agg* **1** (*braccio*) raised **2** (*sveglio*) up: *rimanere alzato* to stay up *Vedi anche* ALZARE

amaca *sf* hammock

amante ♦ *smf* lover: *un ~ della lirica* an opera lover ♦ *agg*: *~ della musica* music-loving

amare *vt* to love: *Ti amo.* I love you.

amareggiare ♦ *vt* to make *sb* bitter ♦ **amareggiarsi** *v rifl* to get upset: *Non amareggiarti per quello.* Don't get upset over something like that.

amareggiato, -a *pp, agg* bitter: *essere ~ per qc* to be bitter about sth *Vedi anche* AMAREGGIARE

amarena *sf* morello cherry [*pl* morello cherries]

amaro, -a ♦ *agg* bitter ♦ *sm* liqueur

amato, -a *pp, agg* beloved *Vedi anche* AMARE

Amazzoni *sf* **il Rio delle Amazzoni** the Amazon

amazzonico, -a *agg* Amazonian

ambasciata *sf* embassy [*pl* embassies]

ambasciatore, -trice *sm-sf* ambassador

ambedue *agg, pron* both: *Vado d'accordo con ~.* I get on well with both of them.

ambientale *agg* environmental

ambientalismo *sm* environmentalism

ambientalista ♦ *agg* environmental:

gruppi ambientalisti environmental groups ◆ *smf* environmentalist

ambientare ◆ *vt* to set *sth* **in...** ◆ **ambientarsi** *v rifl* to settle down: *Non riesce ad ambientarsi nella nuova scuola.* He isn't managing to settle down at his new school.

ambientazione *sf* setting

ambiente *sm* environment: *L'ambiente familiare ha una grande influenza su di noi.* Our family environment is an important influence on us. LOC *Vedi* TEMPERATURA

ambiguo, -a *agg* ambiguous

ambire *vi* ~ **a** to aspire **to *sth***

ambizione *sf* ambition

ambizioso, -a *agg* ambitious

ambra *sf* amber

ambulante *agg* travelling LOC *Vedi* VENDITORE

ambulanza *sf* ambulance

ambulatorio *sm* surgery

Amburgo *sf* Hamburg

amen *sm, escl* amen

America *sf* America

americano, -a *agg, sm-sf* American LOC *Vedi* NOCCIOLINA

amichevole *agg* friendly: *una partita ~* a friendly LOC **poco amichevole** unfriendly

amicizia *sf* **1** (*relazione*) friendship: *rompere un'amicizia* to end a friendship **2 amicizie** friends: *Ha delle amicizie influenti.* He's got friends in high places. LOC **fare amicizia** to become friends

amico, -a ◆ *agg* (*voce, parole*) friendly ◆ *sm-sf* friend: *il mio miglior ~* my best friend ◊ *È un mio ~ intimo.* He's a very close friend of mine. LOC **essere molto amici** to be good friends (*with sb*): *Siamo molto amici.* We're good friends.

ammaccare ◆ *vt* to dent: *Mi hai ammaccato la macchina.* You've dented my car. ◆ **ammaccarsi** *v rifl* (*frutta*) to bruise

ammaccatura *sf* **1** (*segno*) dent: *La macchina ha parecchie ammaccature.* There are quite a few dents in my car. **2** (*frutta*) bruise

ammaestrare *vt* to train

ammainare *vt* to lower: *~ la bandiera* to lower the flag

ammalarsi *v rifl* ~ **(di)** to fall ill **(with *sth*)**

ammalato, -a *pp, agg* ill *Vedi anche* AMMALARSI

ammassare *vt* to amass

ammattire *vi* to go mad

ammattito, -a *pp, agg* mad: *essere ~* to be mad *Vedi anche* AMMATTIRE

ammazzare ◆ *vt* to kill: *~ il tempo* to kill time ◊ *T'ammazzo!* I'm going to kill you! ◆ **ammazzarsi** *v rifl* to kill yourself LOC **ammazzarsi di lavoro** to work like mad

ammettere *vt* **1** (*colpa, errore*) to admit: *Ammetto che è stata colpa mia.* I admit (that) it was my fault. **2** (*supporre*) to say: *Ammettiamo che non venga.* Let's say he doesn't come. **3** (*club, esame*) to admit *sb/sth* (***to sth***): *essere ammessi in un club* to be admitted to a club **4** (*permettere*) allow: *Non ammetto discussioni.* I won't allow any discussion. ◊ *È ammesso toccare il pallone con le mani.* You're allowed to touch the ball with your hands.

amministrare *vt* **1** (*dirigere*) to run, to manage (*più formale*): *~ un'azienda* to run a business **2** (*giustizia, sacramenti*) to administer *sth* (***to sb***)

amministrativo, -a *agg* administrative LOC *Vedi* ELEZIONE

amministratore, -trice *sm-sf* administrator LOC **amministratore delegato** managing director

amministrazione *sf* administration LOC **amministrazione pubblica** civil service *Vedi anche* CONSIGLIO

ammiraglio *sm* admiral

ammirare *vt* to admire: *~ il paesaggio* to admire the scenery

ammiratore, -trice *sm-sf* admirer

ammirazione *sf* admiration

ammirevole *agg* admirable

ammissibile *agg* acceptable

ammissione *sf* admission LOC *Vedi* ESAME

ammobiliare *vt* to furnish LOC **non ammobiliato** unfurnished

ammoniaca *sf* ammonia

ammonire *vt* **1** (*Sport*) to book **1** (*Dir*) to caution

ammontare ◆ *vi* to amount ***to sth*** ◆ *sm* amount: *l'ammontare del debito* the amount of the debt

ammorbidente *sm* (fabric) softener

ammorbidire ◆ *vt* **1** (*gen*) to soften **2** (*pelle*) to moisturize: *una crema per ~ la pelle* a cream to moisturize the skin ◆ **ammorbidirsi** *v rifl* to soften

ammortizzatore *sm* shock absorber

ammucchiare ◆ *vt* **1** (*in un mucchio*)

to pile *sth* up **2** (*in gran quantità*) to amass: ~ *ciarpame* to amass junk ◆ **ammucchiarsi** *v rifl* **1** (*gen*) to pile up **2** (*stiparsi*) to cram (**into...**): *Si sono ammucchiati in macchina.* They crammed into the car.

ammuffire *vi* to go mouldy

ammuffito, -a *pp, agg* mouldy *Vedi anche* AMMUFFIRE

ammutinamento *sm* mutiny [*pl* mutinies]

ammutinarsi *v rifl* to mutiny

ammutolire *vi* ~ (**da/per**) to be speechless (**with *sth***): ~ *dallo stupore* to be speechless with surprise

ammutolito, -a *pp, agg* speechless *Vedi anche* AMMUTOLIRE

amnesia *sf* amnesia

amnistia *sf* amnesty [*pl* amnesties]

amo *sm* hook ☛ *Vedi illustrazione a* GANCIO

amore *sm* **1** (*gen*) love: *una canzone/storia d'amore* a love-song/love-story ◊ *l'amore della mia vita* the love of my life **2** (*persona*) darling LOC **amor proprio** pride **con amore** lovingly **fare l'amore (con)** to make love (to/with *sb*) **per l'amor di Dio!** for God's sake!

amoroso, -a *agg* **1** (*d'amore*) love [*s attrib*]: *vita amorosa* love life ◊ *una relazione amorosa* a love affair **2** (*affettuoso*) loving LOC *Vedi* DELUSIONE

ampere *sm* amp

ampio, -a *agg* **1** (*gamma, strada*) wide: *un'ampia scelta di prodotti* a wide choice of goods **2** (*luogo*) spacious: *un appartamento* ~ a spacious flat **3** (*vestiti*) loose

ampliamento *sm* expansion: *l'ampliamento dell'aeroporto* the expansion of the airport

ampliare *vt* **1** (*gen*) to extend: ~ *i locali* to extend the premises **2** (*giro d'affari, potere*) to expand

amplificatore *sm* amplifier

amputare *vt* to amputate

amuleto *sm* amulet

anabbaglianti *sm* dipped headlights

anagrafe *sf* registry [*pl* registries]

analcolico, -a *agg*: *bibite analcoliche* soft drinks

analfabeta *agg, smf* illiterate [*agg*]: *essere un* ~ to be illiterate

analgesico *sm* painkiller

analisi *sf* analysis [*pl* analyses] LOC **analisi del sangue** blood test

analizzare *vt* to analyse

ananas *sm* pineapple ☛ *Vedi illustrazione a* FRUTTA

anarchia *sf* **1** (*caos*) anarchy **2** (*dottrina*) anarchism

anarchico, -a *agg, sm-sf* anarchist

anatomia *sf* anatomy [*pl* anatomies]

anatra *sf* duck

> **Duck** è il termine generico. Per riferirsi solo al maschio si dice **drake**. Gli anatroccoli si chiamano **ducklings**.

anca *sf* hip

anche *cong* **1** (*pure*) also, too, as well

> **Too** e **as well** vanno alla fine della frase: *Voglio andarci anch'io.* I want to go too/as well. ◊ *Sono arrivato in ritardo anch'io.* I was late too/as well. **Also** è il termine più formale e si trova prima del verbo principale o dopo se si tratta di un ausiliare: *Vendono anche scarpe.* They also sell shoes. ◊ *Ho conosciuto Jane e anche i suoi genitori.* I've met Jane and I've also met her parents.

2 (*addirittura*) even **3** (*concessivo*): *Si può ~ fare.* We can do that. ◊ *Puoi venire ~ domani.* You can come tomorrow. ◊ *Mi posso ~ sbagliare.* I may be wrong. LOC **anche se**: ~ *se tu non vieni, io vado.* I'm going even if you're not coming. ◊ ~ *se potesse, non lo farebbe.* Even if he could, he wouldn't. ◊ ~ *se non era proprio quello che volevo, l'ho comprato.* I bought it even though it wasn't exactly what I wanted.

> **Even if** si usa solo per parlare di una situazione ipotetica: *Anche se lo scopre, non dirà mai niente.* Even if she finds out, she'll never say anything. Quando la situazione è reale, si usa **although** o **even though**: *Anche se non l'avevo mai incontrata prima, mi sono trovato molto bene con lei.* Even though I'd never met her before, I got on very well with her.

anch'io me too: *"Prendo un panino." "Anch'io."* 'I'll have a roll.' 'Me too.'

ancóra *avv* **1** (*in frasi affermative e interrogative*) still: *Mancano ~ due ore.* There are still two hours to go. ◊ *Sei ~ qui?* Are you still here? ◊ *È ~ presto per dirlo.* It's still too early to say. **2** (*in frasi negative e interrogative-negative*) yet: *Queste pesche non sono ~ mature.* These peaches are not ripe yet. ◊ *"Non ti hanno ~ risposto?" "No, non ~."* 'Haven't they written back yet?' 'No, not yet.' ☛ *Vedi nota a* STILL[1] **3** (*in frasi* *comparative*) even: *Sarebbe ~ meglio.* That would be even better. ◊ *~ prima* even before that ◊ *Questo mi piace ~ di più.* I like this one even better. **4** (*di nuovo*) again: *Leggilo ~ una volta.* Read it once again. **5** (*più*) more: *Ne vuoi ~?* Would you like some more? ◊ *Vorrei ~ un po' di vino.* I'd like a little more wine.

àncora *sf* anchor *Vedi anche* GETTARE, SALPARE

andare ◆ *vi* **1** (*gen*) to go: *Vanno a Roma.* They're going to Rome. ◊ *~ in macchina/treno/aereo* to go by car/train/plane ◊ *~ a piedi* to walk ◊ *Come vanno le cose?* How are things going? **2** (*con infinito*): *~ a mangiare fuori* to eat out ◊ *~ a sciare* to go skiing ◊ *~ a vedere qn/qc* to go and see sb/sth **3** (*funzionare a*) ~ **a** to run **on *sth***: *Questa macchina va a gasolio.* This car runs on diesel. ◊ *~ a pile* to be battery-operated **4** (*funzionare*) to work: *La fotocopiatrice non va.* The photocopier's not working. **5** (*volere, piacere*): *Lo faccio perché mi va.* I'm doing it because I want to. ◊ *Mi andrebbe di mangiare qualcosa.* I feel like having something to eat. **6** (*con participio passato*): *Va fatto subito.* It needs to be done at once. ◊ *Va mangiato caldo.* You have to eat it hot. ◆ **andarsene** *v rifl* **andarsene (di)** to leave: *andarsene di casa* to leave home ◊ *Te ne vai già?* Are you leaving already? **LOC andare a prendere** to go and get *sb/sth*: *Devo ~ a prendere il pane.* I've got to go and get some bread. **andare con** (*stare bene*) to go with *sth*: *Quei pantaloni non vanno con questa giacca.* Those trousers don't go with this jacket. **ma vai!** come off it! ☛ Per altre espressioni con **andare** vedi alla voce del sostantivo, dell'aggettivo, ecc, ad es. **andar bene** a BENE.

andata *sf* outward journey: *all'andata* on the way there **LOC andata e ritorno** there and back (*inform*): *Sono tre ore ~ e ritorno.* It's three hours there and back. *Vedi anche* BIGLIETTO

andatura *sf* walk: *Lo riconobbi dall'andatura.* I recognized him by his walk.

Andorra *sf* Andorra

andorrano, -a *agg, sm-sf* Andorran: *gli andorrani* the Andorrans

aneddoto *sm* anecdote: *raccontare un ~* to tell an anecdote

anello *sm* **1** (*gioiello*) ring **2** (*catena*) link **LOC anello di fidanzamento** engagement ring

anemia *sf* anaemia

anemico, -a *agg* anaemic

anestesia *sf* anaesthetic: *Mi hanno fatto l'anestesia totale/locale.* They gave me a general/local anaesthetic. ◊ *È ancora sotto ~.* She's still under anaesthetic.

anestesista *smf* anaesthetist

anestetizzare *vt* to anaesthetize

anfetamina *sf* amphetamine

anfibio, -a ◆ *agg* amphibious ◆ *sm* **1** (*Zool*) amphibian **2 anfibi** (*scarpe*) combat boots

anfiteatro *sm* amphitheatre

angelo *sm* angel: *~ custode* guardian angel

anglicano, -a *agg, sm-sf* Anglican

anglosassone *agg, smf* Anglo-Saxon

angolo *sm* **1** (*gen*) corner: *la casa all'angolo* the house on the corner ◊ *in un tranquillo ~ del Chianti* in a quiet corner of Chianti **2** (*Geom*) angle: *~ retto/acuto/ottuso* right/acute/obtuse angle **LOC dietro l'angolo** (just) round the corner *Vedi anche* CALCIO

angoscia *sf* anguish: *avere l'angoscia degli esami* to be in a state about the exams

angosciare *vt* to distress

angosciato, -a *pp, agg* anguished *Vedi anche* ANGOSCIARE

anguilla *sf* eel

anguria *sf* watermelon

anice *sm* **1** (*seme*) aniseed **2** (*liquore*) anisette

anidride *sf* **LOC anidride carbonica** carbon dioxide

anima *sf* soul: *Non c'era ~ viva.* There wasn't a soul. **LOC anima gemella** soul mate **dare l'anima**: *Darebbe l'anima per i nipotini.* She would do anything for her grandchildren.

animale *agg, sm* animal [*s*]: *~ domestico/selvatico* domestic/wild animal **LOC** *Vedi* REGNO

animalista *smf* animal rights activist

animare ◆ *vt* (*conversazione, festa*) to liven *sth* up ◆ **animarsi** *v rifl* **1** (*festa*) to liven up **2** (*persona*) to become animated

animato, -a *pp, agg* **1** (*gen*) lively: *Era una festa molto animata.* It was a very lively party. **2** (*conversazione*) animated **LOC** *Vedi* CARTONE; *Vedi anche* ANIMARE

animatore, -trice *sm-sf* organizer

animo *sm* spirits [*pl*] LOC **farsi animo** to cheer up *Vedi anche* PERDERE, STATO

annacquare *vt* to water *sth* down

annaffiare *vt* to water

annaffiatoio *sm* watering can

annata *sf* vintage: *L'85 è stata una buona ~.* 1985 was a good vintage.

annebbiarsi *v rifl* (*vista*) to become blurred

annegare *vt, vi* to drown

annerire ◆ *vt* to blacken ◆ **annerirsi** *v rifl* to go black

annientare *vt* to annihilate: *~ l'avversario* to annihilate the enemy

anniversario *sm* anniversary [*pl* anniversaries]: *l'anniversario del nostro matrimonio* our wedding anniversary

anno *sm* year: *tutto l'anno* all year (round) ◊ *tutti gli anni* every year ◊ *~ accademico/scolastico* academic/school year LOC **anno bisestile** leap year **anno luce** light year **avere due, ecc anni** to be two, etc (years old): *Quanti anni hai?* How old are you? ◊ *Ho quindici anni.* I'm fifteen (years old). **buon anno!** happy New Year! **di due, ecc anni**: *una donna di trent'anni* a woman of thirty/ a thirty-year-old woman **gli anni 50, 60, ecc** the 50s, 60s, etc ☛ *Vedi nota a* OLD *Vedi anche* MINORE, QUANTO[1], QUI, ULTIMO

annodare ◆ *vt* to tie *sth* together ◆ **annodarsi** *v rifl* **1** (*abito*) to tie **2** (*fili*) to get tangled

annoiare ◆ *vt* to bore: *Ti sto annoiando?* Am I boring you? ◆ **annoiarsi** *v rifl* to get bored LOC **annoiarsi a morte** to be bored stiff

annoiato, -a *pp, agg* bored ☛ *Vedi nota a* NOIOSO *Vedi anche* ANNOIARE

annotare *vt* **1** (*scrivere*) to note *sth* down: *Ho annotato l'indirizzo.* I noted down the address. **2** (*libro*) to annotate

annuale *agg* annual

annuire *vi* to nod: *Ha annuito.* He nodded his head.

annullamento *sm* **1** (*gen*) cancellation: *l'annullamento della partita* the cancellation of the match **2** (*matrimonio*) annulment

annullare *vt* **1** (*gen*) to cancel: *Il volo è stato annullato.* The flight was cancelled. **2** (*matrimonio*) to annul **3** (*gol*) to disallow **4** (*votazione*) to declare *sth* invalid

annunciare *vt* to announce: *Hanno annunciato il risultato all'altoparlante.* They announced the result over the loudspeakers. ◊ *Alla radio hanno annunciato che…* It was announced on the radio that…

annuncio *sm* **1** (*stampa, televisione*) advertisement, advert (*più informale*), ad (*inform*): *mettere un ~ sul giornale* to put an ad in the paper **2** (*dichiarazione*) announcement (***about sth***) LOC **annuncio economico** classified ad

annuo, -a *agg* annual

annusare *vt* to sniff

annuvolarsi *v rifl* to cloud over

ano *sm* anus [*pl* anuses]

anonimo, -a ◆ *agg* anonymous: *una lettera anonima* an anonymous letter ◆ *sm-sf* anonymous painter/writer, ecc

anoressia *sf* anorexia

anoressico, -a *agg, sm-sf* anorexic

anormale *agg* abnormal: *un comportamento ~* abnormal behaviour

ansia *sf* anxiety [*pl* anxieties] LOC **stare in ansia** to be worried: *Ci hai fatto stare in ~ tutta la notte.* We were worried about you all night.

ansimare *vi* to pant

ansioso, -a *agg* anxious

antartico, -a ◆ *agg* Antarctic ◆ **Antartico** *sm* Antarctic Ocean LOC *Vedi* CIRCOLO

antenato, -a *sm-sf* ancestor

antenna *sf* **1** (*Radio, TV*) aerial **2** (*Zool*) antenna [*pl* antennae] LOC **antenna parabolica** satellite dish

anteprima *sf* preview: *vedere qc in ~* to have a preview of sth

anteriore *agg* **1** (*davanti*) front **2** (*precedente*) previous LOC *Vedi* ZAMPA

antiaereo, -a *agg* anti-aircraft

antibiotico *sm* antibiotic

antichità *sf* **1** (*epoca*) ancient times: *nell'antichità* in ancient times **2** (*qualità*) age: *l'antichità dei monumenti* the age of the monuments

anticipare *vt* **1** (*avvenimento, data*) to bring *sth* forward: *Abbiamo anticipato il matrimonio.* We brought the wedding forward. ◊ *Vogliamo ~ l'esame di una settimana.* We want to bring the exam forward a week. **2** (*soldi*) to advance *sth* (***to sb***): *Mi ha anticipato centomila lire.* He advanced me a hundred thousand lire. **3** (*affitto*) to pay *sth* in advance: *Ho anticipato due mesi d'affitto.* I paid two months' rent in advance.

anticipatamente *avv* in advance

anticipato, -a *pp, agg* in advance:

pagamento ~ payment in advance *Vedi anche* ANTICIPARE

anticipo *sm* advance: *Ho chiesto un ~ sullo stipendio.* I've asked for an advance on my salary. ◊ *con due anni di ~* two years in advance LOC **in anticipo** **1** (*prima*) in advance: *prenotare i biglietti in ~* to book the tickets in advance **2** (*presto*) early: *essere/arrivare in ~* to be/arrive early

antico, -a *agg* **1** (*Storia*) ancient: *l'antica Grecia* ancient Greece **2** (*mobile*) antique

anticoncezionale *agg, sm* contraceptive: *i metodi anticoncezionali* contraceptive methods

anticonformista *smf* nonconformist

anticorpo *sm* antibody [*pl* antibodies]

antidiluviano, -a *agg* ancient

antidoping LOC **controllo/esame antidoping** drug test: *È risultato positivo all'esame ~.* He tested positive.

antidoto *sm* ~ (**a/contro**) antidote (**to** ***sth***)

antidroga *agg* anti-drug: *organizzare una campagna ~* to organize an anti-drug campaign

antifurto *agg, sm* anti-theft: *sistema ~* anti-theft device

antigelo *agg, sm* antifreeze

antilope *sf* antelope

antimafia *agg* anti-Mafia

antincendio *agg* LOC *Vedi* ALLARME, SCALA

antiorario, -a *agg* LOC *Vedi* SENSO

antipasto *sm* starter

antipatico, -a *agg* unpleasant LOC **essere antipatico a qn**: *Mi è ~.* I can't stand him.

antiproiettile *agg* bulletproof LOC *Vedi* GIUBBOTTO

antiquariato *sm* antiques [*pl*]: *un oggetto di ~* an antique ◊ *un negozio di ~* an antique shop

antiquario, -a *sm-sf* antique dealer

antiquato, -a *agg* old-fashioned

antiriflesso *agg* antiglare

antisommossa *agg* LOC *Vedi* TRUPPA

antitetanica *sf* tetanus jab

antologia *sf* anthology [*pl* anthologies]

anulare *sm* ring finger LOC *Vedi* RACCORDO

Anversa *sf* Antwerp

anzi *cong* **1** (*o piuttosto*) no: *Dammene uno, ~ due.* Give me one, no two. **2** (*al contrario*) on the contrary: *Non mi dispiace, ~ sono proprio contenta.* I'm not sorry. On the contrary, I'm really pleased.

anzianità *sf* seniority

anziano, -a ◆ *agg* elderly: *una persona anziana* an elderly person ◆ *sm*: *gli anziani* the elderly LOC *Vedi* CASA

anziché *cong* rather than: *La prossima volta vengo in macchina ~ prendere il treno.* Next time I'll drive rather than take the train. ◊ *È meglio andare di persona ~ scrivere.* It's better to go in person rather than write.

anzitutto *avv* first of all

apatico, -a *agg* apathetic

ape *sf* bee LOC **ape operaia** worker (bee) **ape regina** queen bee

aperitivo *sm* aperitif [*pl* aperitifs]

aperto, -a *pp, agg* **1** ~ (**a**) open (**to** ***sb/sth***): *Lascia la porta aperta.* Leave the door open. ◊ *~ al pubblico* open to the public ◊ *Il caso è ancora ~.* The case is still open. **2** (*rubinetto*) running **3** (*cerniera*) undone: *Hai la cerniera aperta.* Your flies are undone. **4** (*persona*) extrovert LOC **all'aperto** open-air: *una piscina all'aperto* an open-air swimming pool ◊ *un concerto all'aperto* an open-air concert *Vedi anche* ARIA, BOCCA, MENTALITÀ, SOGNARE; *Vedi anche* APRIRE

apertura *sf* **1** (*gen*) opening: *la cerimonia di ~* the opening ceremony **2** (*Fot*) aperture LOC **apertura alare** wing span

apicoltura *sf* bee-keeping

apolitico, -a *agg* apolitical

apostolo *sm* apostle

apostrofo *sm* apostrophe

appannare ◆ *vt* to cloud ◆ **appannarsi** *v rifl* to steam up

apparato *sm* **1** (*attrezzatura*) equipment **2** (*Anat*) system: *l'apparato digerente* the digestive system

apparecchiare *vt, vi* to lay (the table)

apparecchio *sm* **1** (*congegno*) machine: *Come funziona questo ~?* How does this machine work? **2** (*radio, TV*) set **3** (*per i denti*) brace: *Devo portare l'apparecchio.* I've got to wear a brace

apparente *agg* apparent

apparenza *sf* appearance: *salvare le apparenze* to keep up appearances

apparire *vi* to appear: *È apparsa in TV.* She has appeared on TV.

apparizione *sf* **1** (*gen*) appearance **2** (*Relig*) vision **3** (*fantasma*) apparition

appartamento *sm* flat: *un ~ al quinto piano* a fifth-floor flat

appartato, -a *agg* remote

appartenente *agg* ~ **a** belonging **to *sb/sth***: *i paesi appartenenti alla UE* the countries belonging to the EU

appartenenza *sf* membership

appartenere *vi* to belong ***to sb/sth***: *Questa collana apparteneva a mia nonna.* This necklace belonged to my grandmother.

appassionante *agg* exciting

appassionare ◆ *vt*: *Il jazz mi appassiona.* I love jazz. ◆ **appassionarsi** *v rifl* **appassionarsi a** to get keen **on *sth/doing sth***: *Si è appassionata al gioco degli scacchi.* She's got very keen on chess.

appassionato, -a ◆ *pp, agg* **1** (*gen*) passionate: *un bacio ~* a passionate kiss **2** ~ **di** (*entusiasta*) keen **on *sth***: *Sono ~ di ciclismo.* I'm very keen on cycling. ◆ *sm-sf* ~ **di** lover **of *sth***: *gli appassionati dell'opera* opera lovers *Vedi anche* APPASSIONARE

appassito, -a *agg* withered

appellarsi *v rifl* to appeal: *Si sono appellati contro la sentenza.* They appealed against the sentence.

appello *sm* appeal LOC **fare l'appello** to call the register

appena ◆ *avv* **1** (*poco fa*) just: *L'ho ~ visto.* I've just seen him. ◊ *un libro ~ uscito* a book that's just come out **2** (*a fatica*) scarcely: *~ un anno fa* scarcely a year ago ◊ *Si sente ~.* You can scarcely hear it. ◆ *cong* as soon as: *~ sono arrivati* as soon as they arrived ◊ *~ finito il liceo* as soon as I leave school ◊ *~ possibile* as soon as possible LOC **appena appena** only just: *L'ho toccato ~ ~.* I only just touched it. **appena in tempo** just in time: *Abbiamo fatto ~ in tempo.* We made it just in time.

appendere *vt* **1** (*gen*) to hang *sth* ***from/on sth*** **2** (*indumento*) to hang *sth* up

appendice *sf* **1** (*Anat*) appendix [*pl* appendixes] **2** (*libro, documento*) appendix [*pl* appendices]

appendicite *sf* appendicitis

Appennini *sm* **gli Appennini** the Apennines

appeso, -a *pp, agg* ~ **a** hanging **on/from *sth*** *Vedi anche* APPENDERE

appestare *vt* to make *sth* stink

appetito *sm* appetite: *La passeggiata ti farà venire l'appetito.* The walk will give you an appetite. ◊ *avere un ottimo ~* to have a good appetite LOC **buon appetito! (a)** (*detto da cameriere*) enjoy your meal! **(b)** (*detto da commensale*) bon appetit!

In Gran Bretagna tra commensali non sempre ci si augura buon appetito.

appezzamento *sm* plot: *un ~ di terreno* a plot of land

appiattire ◆ *vt* to flatten ◆ **appiattirsi** *v rifl* **1** (*cosa*) to get flattened **2** (*persona*): *appiattirsi contro il muro* to flatten yourself against the wall

appiccicare ◆ *vt* to stick *sth* ***on sth*** ◆ *vi* to stick: *Questa colla non appiccica.* This glue doesn't stick. ◆ **appiccicarsi** *v rifl* to stick ***to sth***

appiccicoso, -a *agg* **1** (*dita, superficie*) sticky **2** (*fig*) clingy

appioppare *vt* to give *sth* (***to sth***): *Mi ha appioppato un votaccio/un soprannome.* She gave me a bad mark/a nickname.

appisolarsi *v rifl* to nod off

applaudire *vt, vi* to applaud

applauso *sm* applause [*non numerabile*]: *grandi applausi* loud applause LOC **fare un applauso** to give *sb* a round of applause

applicare ◆ *vt* to apply *sth* (***to sth***): *~ una regola* to apply a rule ◊ *~ la pomata sulla parte dolente.* Apply the cream to the affected area. ◆ **applicarsi** *v rifl* **applicarsi (a)** to apply yourself (**to *sth***): *applicarsi allo studio* to apply yourself to your studies

applicato, -a *pp, agg* applied: *matematica applicata* applied mathematics *Vedi anche* APPLICARE

applicazione *sf* application

appoggiare ◆ *vt* **1** (*gen*) to lean *sth* **against *sth***: *Non appoggiarlo contro la parete.* Don't lean it against the wall. ☛ *Vedi illustrazione a* LEAN[2] **2** (*per riposare*) to rest *sth* **on/against *sth***: *Appoggia la testa sulla mia spalla.* Rest your head on my shoulder. **3** (*posare*) to put *sth* down: *L'ho appoggiato sul tavolo.* I put it down on the table. **4** (*difendere*) to support: *~ uno sciopero/un collega* to support a strike/colleague ◆ **appoggiarsi** *v rifl* to lean ***on/against sth***: *appoggiarsi a un bastone/contro il muro* to lean on a stick/against the wall ◊ *Appoggiati a me.* Lean on me.

appoggiato, -a *pp, agg* ~ **a/su/contro** **1** (*per riposare*) resting **on/against *sth***: *Tenevo la testa appoggiata su un* *cuscino.* I was resting my head on a pillow. **2** (*inclinato*) leaning **against *sth***: ~ *alla parete* leaning against the wall ☛ *Vedi illustrazione a* LEAN[2]; *Vedi anche* APPOGGIARE

appoggio *sm* **1** (*gen*) support **2** (*persona influente*) contact

appollaiarsi *v rifl* to perch ***on sth***

appollaiato, -a *pp, agg* perching ***on sth*** *Vedi anche* APPOLLAIARSI

apportare *vt* to bring about: ~ *un cambiamento/miglioramento* to bring about a change/improvement

apporto *sm* contribution

apposta *avv* on purpose: *Non l'ho fatto* ~. I didn't mean to do it.

appostarsi *v rifl* to lie in wait (**for *sb/sth***)

apprendere *vt* (*imparare*) to learn

apprendimento *sm* learning: *l'apprendimento di una lingua* learning a language

apprendista *smf* apprentice: ~ *parrucchiere* apprentice hairdresser

apprensivo, -a *agg* apprehensive

apprezzare *vt* to appreciate: *Ho apprezzato molto il tuo aiuto.* I really appreciated your help.

approfittare ◆ *vi* ~ **di** to take advantage **of *sb/sth***: *Ho approfittato del viaggio per far visita a mio fratello.* I took advantage of the journey to visit my brother. ◆ **approfittarsi** *v rifl* **approfittarsi (di)** to take advantage (**of *sb/sth***): *Se ne sono approfittati tutti.* They all took advantage of him.

approfondire ◆ *vt* (*argomento*) to go into *sth* ◆ *vi*: *Non approfondiamo.* Let's not go into that.

approfondito, -a *pp, agg* in-depth: *Dobbiamo fare uno studio* ~. We must do an in-depth study. *Vedi anche* APPROFONDIRE

appropriarsi *v rifl* ~ **di** to take *sth*: *Negano di essersi appropriati dei soldi.* They say they didn't take the money.

appropriato, -a *agg* appropriate

approssimativo, -a *agg* approximate LOC *Vedi* CALCOLO

approvare *vt* **1** (*proposta*) to approve **2** (*accettare*) to approve **of *sth***: *Non approvo il suo comportamento.* I don't approve of his behaviour.

approvazione *sf* approval LOC **dare la propria approvazione** to give your consent (*to sth*)

appuntamento *sm* **1** (*amici, fidanzato*) date **2** (*medico, avvocato*) appointment: *Ho un ~ dal dentista.* I've got a dental appointment. LOC **darsi appuntamento** to arrange to meet **prendere appuntamento** to make an appointment

appuntare *vt* **1** (*con spilli*) to pin *sth* (**to/on *sth***): *L'ho appuntato sulla manica.* I pinned it onto the sleeve. **2** (*prender nota*) to note *sth* down **3** (*matita*) to sharpen

appuntito, -a *agg* **1** (*a punta*) pointed **2** (*matita*) sharp

appunto[1] *sm* note: *prendere appunti* to take notes

appunto[2] *avv* exactly

apribottiglie *sm* bottle-opener

aprile *sm* April (*abbrev* Apr) ☛ *Vedi esempi a* GENNAIO ☛ *Vedi nota a* APRIL LOC *Vedi* PESCE, PRIMO

aprire ◆ *vt* **1** (*gen*) to open: *Non ~ la finestra.* Don't open the window. ◊ ~ *un'agenzia di viaggi* to open a travel agency ◊ ~ *il fuoco* to open fire **2** (*con chiave*) to unlock **3** (*rubinetto, gas*) to turn *sth* on **4** (*ali*) to spread ◆ *vi* **1** (*aprire la porta*) to open up: *Mi apri!* Open up! **2** (*negozio*) to open: *A che ora aprono i negozi?* What time do the shops open? ◆ **aprirsi** *v rifl* to open: *Improvvisamente la porta si aprì.* Suddenly the door opened. LOC **aprire gli occhi** (*lett e fig*) to open your eyes **non aprire bocca** not to say a word: *Non ha aperto bocca tutto il pomeriggio.* He didn't say a word all afternoon.

apriscatole *sm* tin-opener

aquila *sf* eagle

aquilone *sm* kite

Arabia Saudita *sf* Saudi Arabia

arabo, -a ◆ *agg* (*paesi, popoli*) Arab ◆ *sm-sf* (*persona*) Arab ◆ *sm* (*lingua*) Arabic LOC **per me è arabo** it's all Greek to me *Vedi anche* NUMERAZIONE, NUMERO

arachide *sf* peanut

aragosta *sf* lobster

arancia *sf* orange ☛ *Vedi illustrazione a* FRUTTA

aranciata *sf* orangeade

arancio *sm* orange tree

arancione *agg, sm* orange ☛ *Vedi esempi a* GIALLO

arare *vt* to plough

aratro *sm* plough

arazzo *sm* tapestry [*pl* tapestries]

arbitrare *vt* **1** (*Calcio, Pugilato*) to referee **2** (*Tennis*) to umpire

arbitrario, -a *agg* arbitrary

arbitro *sm* **1** (*Calcio, Pugilato*) referee **2** (*Tennis*) umpire **3** (*mediatore*) arbitrator

arbusto *sm* bush

arca *sf* ark: *l'arca di Noè* Noah's ark

archeologia *sf* archaeology

archeologo, -a *sm-sf* archaeologist

architetto *sm* architect

architettura *sf* architecture

archiviare *vt* **1** (*classificare*) to file: *~ una pratica* to file a case **2** (*faccenda*) to shelve

archivio *sm* **1** (*gen*) archive [*si usa spec al pl*]: *un ~ storico* historical archives **2** (*mobile*) filing cabinet **3** (*Informatica*) file

arcipelago *sm* archipelago [*pl* archipelagos/archipelagoes]

arcivescovo *sm* archbishop

arco *sm* **1** (*Archit*) arch **2** (*Mat*) arc: *un ~ di 36°* a 36° arc **3** (*Sport, Mus*) bow: *l'arco e le frecce* a bow and arrow **4 gli archi** (*Mus*) the strings LOC **ad arco** arched: *una finestra ad ~* an arched window *Vedi anche* TIRO

arcobaleno *sm* rainbow

ardente *agg* **1** (*sole, fuoco*) blazing: *sotto un sole ~* under a blazing sun **2** (*amore, desiderio*) ardent LOC *Vedi* CAMERA

ardesia *sf* slate: *tegole d'ardesia* slates

area *sf* area: *l'area di un rettangolo* the area of a rectangle LOC **area di servizio** service area

argano *sm* winch

argentato, -a *agg* **1** (*colore*) silver: *vernice argentata* silver paint **2** (*placcato*) silver-plated

Argentina *sf* Argentina

argentino, -a *agg, sm-sf* Argentinian: *gli argentini* the Argentinians

argento *sm* silver: *un anello d'argento* a silver ring LOC *Vedi* NOZZE, PIATTO

argilla *sf* clay

argine *sm* embankment

argomento *sm* **1** (*tema*) subject **2** (*ragione*) argument: *gli argomenti a favore e contro* the arguments for and against LOC **un argomento di conversazione** a topic of conversation *Vedi anche* CAMBIARE

arguto, -a *agg* witty

aria *sf* **1** (*gen*) air: *~ fresca* fresh air **2** (*aspetto*) look: *Ha un'aria che non mi piace.* I don't much like the look of him. ◊ *con ~ pensosa* with a thoughtful look on his face **3** (*flatulenza*) wind [*non numerabile, v sing*] **4** (*Auto*) choke: *tirare l'aria* to pull out the choke LOC **all'aria aperta** in the open air **aria condizionata** air-conditioning **darsi delle arie** to put on airs **fare aria a** to fan *sb* **mandare all'aria** to ruin *sth* *Vedi anche* BOCCATA, CAMERA, LINEA, PISTOLA, PRESA, SALTARE, VUOTO

arido, -a *agg* dry

arieggiare *vt* to air

ariete *sm* **1** (*animale*) ram **2 Ariete** (*Astrologia*) Aries ☛ *Vedi esempi a* AQUARIUS

aringa *sf* herring LOC **aringa affumicata** kipper

aristocratico, -a ◆ *agg* aristocratic ◆ *sm-sf* aristocrat

aristocrazia *sf* aristocracy [*v sing o pl*]

aritmetica *sf* arithmetic

arma *sf* **1** (*gen*) weapon: *armi nucleari* nuclear weapons **2 armi** arms: *un trafficante di ~* an arms dealer LOC **arma a doppio taglio** double-edged sword **arma da fuoco** firearm **arma del delitto** murder weapon *Vedi anche* PORTO, PRIMO, TRAFFICO

armadietto *sm* locker

armadio *sm* **1** (*gen*) cupboard **2** (*per abiti*) wardrobe ☛ *Vedi nota a* CUPBOARD LOC **armadio a muro** fitted wardrobe

armamento *sm* **armamenti** arms [*pl*]: *il controllo degli armamenti* arms control LOC *Vedi* CORSA

armare *vt* to arm *sb* (**with** *sth*) LOC **armarsi di coraggio** to pluck up courage **armarsi di pazienza** to be patient

armato, -a *pp, agg* armed LOC *Vedi* CARRO, CEMENTO, RAPINA; *Vedi anche* ARMARE

armatura *sf* armour [*non numerabile*]: *un'armatura* a suit of armour

Armenia *sf* Armenia

armeno, -a *agg, sm-sf, sm* Armenian: *gli armeni* the Armenians ◊ *parlare ~* to speak Armenian

armistizio *sm* armistice

armonia *sf* harmony [*pl* harmonies]

armonica *sf* harmonica LOC **armonica a bocca** mouth organ

arnese *sm* tool

Arno *sm* **l'Arno** the Arno

aroma *sm* aroma

aromatico, -a *agg* aromatic **LOC** *Vedi* ERBA

arpa *sf* harp

arpione *sm* harpoon

arrabbiarsi *v rifl* ~ **(con) (per)** to get angry **(with *sb*) (at/about *sth*)**: *Non ti arrabbiare con loro.* Don't get angry with them. ◊ *far arrabbiare qn* to make sb angry

arrabbiato, -a *pp, agg* ~ **(con) (per)** angry **(with *sb*) (at/about *sth*)**: *Sono arrabbiati con me.* They're angry with me. *Vedi anche* ARRABBIARSI

arrampicarsi *v rifl* to climb (up) *sth*: *~ su un albero* to climb (up) a tree

arrancare *vi* to struggle: *Arrancavano su per la salita.* They struggled uphill.

arrangiare ◆ *vt* **1** (*cena*) to put *sth* together **2** (*Mus*) to arrange ◆ **arrangiarsi** *v rifl* to make do: *Mi arrangerò.* I'll make do. ◊ *Per stanotte arrangiati sul divano.* You'll have to make do with the sofa tonight.

arredamento *sm* (*mobilia*) furniture [*non numerabile*]

arredare *vt* to furnish

arrendersi *v rifl* **1** (*gen*) to give up: *Non ti arrendere.* Don't give up. **2** (*Mil*) to surrender **(*to sb/sth*)**

arrestare ◆ *vt* **1** (*polizia*) to arrest **2** (*processo*) to stop ◆ **arrestarsi** *v rifl* to stop

arresto *sm* **1** (*detenzione*) arrest: *essere in ~* to be under arrest **2** (*il fermarsi*) stopping **LOC** *Vedi* RUBINETTO

arretrato, -a *agg* **1** (*giornale, stipendio*) back: *i numeri arretrati di una rivista* the back numbers of a magazine **2** (*pagamenti*) outstanding **3** (*paese, regione*) backward **LOC essere in arretrato con** to be behind with *sth*: *Sono molto in ~ con il lavoro/i pagamenti.* I'm very behind with my work/my repayments. *Vedi anche* LAVORO

arricchire ◆ *vt* **1** (*lett*) to make *sb/sth* rich **2** (*fig*) to enrich: *Ha arricchito il suo vocabolario con la lettura.* He enriched his vocabulary by reading. ◆ **arricchirsi** *v rifl* to get rich

arricciare ◆ *vt* to curl ◆ **arricciarsi** *v rifl* to go curly: *Con la pioggia mi si sono arricciati i capelli.* My hair's gone curly because of the rain. **LOC arricciare il naso** to turn up your nose *at sth*

arrivare *vi* **1** (*in un luogo*) to arrive **(at/in…)**: *Siamo arrivati all'aeroporto alle cinque.* We arrived at the airport at five o'clock. ◊ *Sono arrivato in Inghilterra un mese fa.* I arrived in England a month ago. ◊ *Eccoci arrivati!* Here we are! ☛ *Vedi nota a* ARRIVE **2** ~ **a** (*raggiungere*) to reach *sth*: *Ci arrivi?* Can you reach? ◊ *~ a una conclusione* to reach a conclusion **3** ~ **a** (*altezza, lunghezza*) to come up/down **to *sth***: *L'acqua mi arrivava al collo.* The water came up to my neck. ◊ *I capelli le arrivano alla vita.* Her hair comes down to her waist. **4** (*tempo*) to come: *quando arriva l'estate* when summer comes ◊ *È arrivato il momento di…* The time has come to… **5** (*riuscire*) to manage ***to do sth***: *Non sono mai arrivato a capirlo.* I never managed to understand him. **6** (*aver successo*) to be successful **7** (*giungere al punto di*) to stoop so low ***as to do sth***

arrivederci! *escl* goodbye!, bye! [*più informale*]

arrivo *sm* arrival: *arrivi internazionali* international arrivals **LOC essere in arrivo** to be arriving *Vedi anche* DIRITTURA, LINEA

arrogante *agg* arrogant

arrossare ◆ *vt* to redden ◆ **arrossarsi** *v rifl* to go red

arrossire *vi* ~ **(di/per)** to blush **(with *sth*)**: *Arrossì di vergogna.* He blushed with shame.

arrostire ◆ *vt* **1** (*carne*) to roast **2** (*patata intera*) to bake ◆ **arrostirsi** *v rifl* to roast

arrosto *agg, sm* roast: *agnello ~* roast lamb

arrotolare *vt* to roll *sth* up

arrotondare *vt* **1** (*per eccesso*) to round *sth* up **2** (*per difetto*) to round *sth* down **3** (*stipendio*) to supplement

arrovellarsi *vt* **LOC** *Vedi* CERVELLO

arrugginire ◆ *vt* to rust ◆ **arrugginirsi** *v rifl* to rust: *Le forbici si sono arrugginite.* The scissors have rusted.

arrugginito, -a *pp, agg* rusty: *Sono un po' arrugginita.* I'm a bit rusty. *Vedi anche* ARRUGGINIRE

arruolare ◆ *vt* to enlist ◆ **arruolarsi** *v rifl* ~ **(in)** to enlist **(in *sth*)**

arsenale *sm* **1** (*armi*) arsenal **2** (*navi*) shipyard

arsenico *sm* arsenic

arte *sf* **1** (*gen*) art: *un'opera d'arte* a work of art **2** (*mestiere*) craft: *l'arte del falegname* the carpenter's craft **LOC** *Vedi* BELLO

arteria *sf* artery [*pl* arteries]

artico, -a ◆ *agg* Arctic ◆ **Artico** *sm* (*mare*) Arctic Ocean LOC *Vedi* CIRCOLO

articolazione *sf* **1** (*Anat, Mecc*) joint **2** (*pronuncia*) articulation

articolo *sm* **1** (*gen*) article: *Spero che pubblichino il mio ~.* I hope my article gets published. **2 articoli** goods: *articoli di lusso* luxury articles LOC **articoli da regalo** gift items **articolo di fondo** leading article **l'articolo determinativo/indeterminativo** the definite/indefinite article

Artide *sf* Arctic

artificiale *agg* artificial LOC *Vedi* RESPIRAZIONE

artigianale *agg* handmade LOC *Vedi* LABORATORIO

artigianato *sm* **1** (*prodotti*) handicrafts [*pl*] **2** (*settore*) craft workers [*pl*] LOC **d'artigianato** handmade

artigiano, -a *sm-sf* craftsman/woman [*pl* craftsmen/women]

artiglieria *sf* artillery

artiglio *sm* talon

artista *smf* **1** (*gen*) artist **2** (*Teat*) artiste

artistico, -a *agg* artistic LOC *Vedi* LICEO, PATRIMONIO, PATTINAGGIO

ascella *sf* armpit

ascendente *sm* **1** (*influenza*) influence: *avere ~ su qn* to have influence over sb **2** (*Astrologia*) ascendant

ascensore *sm* lift

ascesa *sf* **1** (*montagna*) ascent **2** (*trono*) accession

ascesso *sm* abscess

ascia *sf* axe

asciugabiancheria *sf* tumble-dryer

asciugacapelli *sm* hairdryer

asciugamano *sm* towel

asciugare ◆ *vt, vi* to dry: *Si asciugò le lacrime.* He dried his tears. ◆ **asciugarsi** *v rifl* **1** (*gen*) to dry: *Si asciuga in fretta.* It dries in no time. **2** (*persona*) to dry yourself LOC **asciugare i piatti** to dry up

asciutto, -a *agg* **1** (*gen*) dry: *È ~ quell'asciugamano?* Is that towel dry? **2** (*magro*) thin

ascoltare *vt, vi* to listen (**to *sb/sth***): *Non mi stai mai ad ascoltare.* You never listen to me. ◊ *Ascolta! Lo senti?* Listen! Can you hear it?

ascoltatore, -trice *sm-sf* listener

ascolto *sm* LOC *Vedi* INDICE

asfaltare *vt* to tarmac: *Hanno asfaltato la strada.* They've tarmacked the road.

asfalto *sm* Tarmac®

asfissiare *vt, vi* to suffocate

Asia *sf* Asia

asiatico, -a *agg, sm-sf* Asian

asilo *sm* **1** (*per bambini*) nursery school **2** (*rifugio*) refuge: *trovare ~ presso qn* to take refuge with sb **3** (*Politica*) asylum: *chiedere ~ politico* to seek political asylum LOC **asilo nido** crèche

asino, -a *sm-sf* **1** (*animale*) donkey [*pl* donkeys] **2** (*persona*) ass: *Non fare l'asino!* Don't be such an ass!

asma *sf* asthma: *soffrire d'asma* to have asthma

asmatico, -a *agg, sm-sf* asthmatic

asola *sf* buttonhole

asparago *sm* asparagus [*non numerabile*]

aspettare *vt, vi* **1** (*gen*) to wait for ***sb/sth***: *Sto aspettando l'autobus.* I'm waiting for the bus. ◊ *Stiamo aspettando che tu finisca.* We're waiting for you to finish. ◊ *Aspettami, per favore.* Wait for me, please. ◊ *Sono stufa di ~.* I'm fed up of waiting. **2** (*prevedere*) to expect: *Aspettavo una sua lettera ieri, ma non è arrivata.* I was expecting a letter from him yesterday, but didn't receive one. ◊ *C'era più traffico di quanto mi aspettassi.* There was more traffic than I had expected. ◊ *Mi sarei aspettato che tu mi aiutassi.* I was expecting you to help me. LOC **aspettare un bambino** to be expecting

aspettativa *sf* expectation: *Ha superato ogni mia ~.* It exceeded all my expectations.

aspetto *sm* **1** (*apparenza*) look: *L'aspetto non è molto invitante.* It doesn't look very inviting. **2** (*lato*) aspect: *l'aspetto giuridico* the legal aspect LOC **sotto questo aspetto** from this angle

aspirante *smf* ~ (**a**) candidate (**for *sth***): *gli aspiranti al titolo* the candidates for the title

aspirapolvere *sm* vacuum cleaner: *passare l'aspirapolvere* to vacuum

aspirare ◆ *vt* **1** (*respirare*) to breathe *sth* in **2** (*apparecchio*) to suck *sth* up ◆ *vi* **1** (*sigaretta*) to inhale **2** ~ **a** to aspire **to *sth***: *~ ad avere uno stipendio decente* to aspire to a decent salary

aspirina *sf* aspirin

aspro, -a *agg* sour

assaggiare *vt* **1** (*per la prima volta*) to try: *Non ho mai assaggiato il caviale.* I've never tried caviar. **2** (*per controllare*) to taste: *Assaggia questo. Ci vuole del sale?* Taste this. Does it need salt?

assalire *vt* **1** (*gen*) to attack **2** (*derubare*) to mug: *Siamo stati assaliti da un uomo mascherato.* We were mugged by a masked man.

assalto *sm* ~ (**a**) raid (**on *sth***): *un ~ a una gioielleria* a raid on a jeweller's LOC **prendere d'assalto** to storm *sth*

assassinare *vt* to murder

Esiste anche il verbo **to assassinate** e i sostantivi **assassination** (*assassinio*) e **assassin** (*assassino*) ma si usano solo quando ci si riferisce a persone importanti: *Chi ha assassinato il ministro?* Who assassinated the minister?

assassinio *sm* murder: *commettere un ~* to commit (a) murder ☛ *Vedi nota a* ASSASSINARE

assassino, -a ◆ *sm-sf* murderer ☛ *Vedi nota a* ASSASSINARE ◆ *agg* (*sguardo*) murderous

asse ◆ *sm* **1** (*Geom, Geog, Politica*) axis [*pl* axes] **2** (*Auto*) axle ◆ *sf* board: *l'asse da stiro* the ironing board

assegnare *vt* **1** (*gen*) to assign **2** (*premio, borsa di studio*) to award: *Mi hanno assegnato una borsa di studio.* I was awarded a scholarship.

assegno *sm* cheque: *versare un ~* to pay a cheque in LOC **assegno circolare** banker's draft **assegno in bianco/a vuoto** blank/bad cheque *Vedi anche* LIBRETTO, PAGARE

assemblea *sf* **1** (*riunione*) meeting **2** (*parlamento*) assembly [*pl* assemblies]

assente ◆ *agg* absent (***from...***): *essere ~ da scuola* to be absent from school. ◊ *Era ~ alla riunione.* He was absent from the meeting. ◆ *smf* absentee

assenza *sf* absence: *Hai già fatto tre assenze questo mese.* That's three times you've been absent this month.

assessore *sm* councillor

assicurare ◆ *vt* **1** (*con una compagnia di assicurazioni*) to insure *sb/sth* (**against *sth***): *La macchina è assicurata contro il furto.* My car is insured against theft. **2** (*garantire*) to ensure **3** (*affermare*) to assure: *Ci ha assicurato di non averli visti.* She has assured us she didn't see them. ◆ **assicurarsi** *v rifl* **1** (*fare l'assicurazione*) to insure yourself (***against sth***) **2** (*accertarsi*) to make sure (***of sth/that...***): *Assicurati di aver chiuso le finestre.* Please make sure you've closed the windows. ◊ *assicurarsi che tutto funzioni* to make sure that everything works

assicurato, -a *pp, agg* insured *Vedi anche* ASSICURARE

assicurazione *sf* insurance [*non numerabile*]: *fare l'assicurazione sulla vita* to take out life insurance

assillare *vt* to nag at *sb*: *Smetti di assillarmi!* Stop nagging at me! ◊ *Ho un dubbio che mi assilla.* I've got a nagging doubt.

assimilare *vt* to assimilate

assistente *smf* assistant LOC **assistente di volo** flight attendant **assistente sociale** social worker

assistenza *sf* **1** (*agli ammalati*) care: *~ medica/sanitaria* medical/health care **2** (*aiuto*) assistance

assistere ◆ *vi* ~ (**a**) **1** (*lezione, conferenza*) to attend *sth*: *~ a una riunione* to attend a meeting **2** (*scena, incidente*) to witness *sth* ◆ *vt* **1** (*malato*) to look after *sb* **2** (*aiutare*) to assist

asso *sm* ace: *l'asso di cuori* the ace of hearts ◊ *gli assi del ciclismo* ace cyclists ☛ *Vedi nota a* CARTA LOC *Vedi* PIANTARE

associare ◆ *vt* to associate *sb/sth* (**with *sb/sth***): *~ il bel tempo all'idea delle vacanze* to associate good weather with the holidays ◆ **associarsi** *v rifl* to form a partnership (***to do sth***)

associazione *sf* association

assolo *sm* solo [*pl* solos]: *fare un ~* to play/sing a solo

assolutamente *avv* absolutely: *~ necessario* absolutely necessary ◊ *~ no!* Certainly not!

assoluto, -a *agg* absolute: *ottenere la maggioranza assoluta* to obtain an absolute majority ◊ *silenzio ~* absolute silence

assolvere *vt* (*Dir*) to acquit *sb* (**of *sth***): *L'imputato fu assolto.* The defendant was acquitted.

assomigliare ◆ *vi* ~ **a 1** (*persone*) **(a)** (*fisicamente*) to look like *sb*: *Assomigli molto a tua sorella.* You look very much like your sister. **(b)** (*nel carattere*) to be like *sb*: *In questo assomiglio molto a mio padre.* I'm like my father in that. **2** (*cose*) to be similar (**to *sth***): *Assomiglia molto al mio.* It's very similar to mine. ◆ **assomigliarsi** *v rifl* **1** (*persone*) **(a)** (*fisicamente*) to look alike:

Si assomigliano molto. They look very much alike. **(b)** (*nel carattere*) to be alike: *Non andiamo d'accordo perché ci assomigliamo troppo.* We don't get on because we are so alike. **2** (*cose*) to be similar: *I due temi si assomigliano un po' troppo.* The two essays are a bit too similar.

assonnato, -a *agg* sleepy

assorbente ◆ *agg* absorbent ◆ *sm* sanitary towel

assorbire *vt* to soak *sth* up, to absorb (*più formale*)

assordante *agg* deafening: *un rumore* ~ a deafening noise

assortimento *sm* selection: *Non c'è molto* ~. They've got a very poor selection.

assortito, -a *agg* assorted: *cioccolatini assortiti* assorted chocolates

assorto, -a *agg* ~ **in** wrapped up **in *sth***: *essere ~ nei propri pensieri* to be wrapped up in your thoughts

assuefatto, -a *agg* ~ (**a**) addicted (**to *sth***)

assumere *vt* to take *sb* on, to employ (*più formale*): *Lo hanno assunto in banca.* The bank has taken him on.

assurdità *sf* **1** (*qualità*) absurdity **2** (*discorso*) nonsense [*non numerabile*]: *Non dire ~!* Don't talk nonsense! **3** (*azione*) stupid thing

assurdo, -a *agg* absurd

asta *sf* **1** (*palo*) pole **2** (*bandiera*) flagpole **3** (*vendita*) auction: *mettere all'asta qc* to auction sth **LOC** *Vedi* MEZZO, SALTO

astenersi *v rifl* ~ (**da**) to abstain (**from *sth***): ~ *dal bere/dal fumo* to abstain from drinking/smoking ◊ *Il deputato si astenne.* The MP abstained.

asterisco *sm* asterisk

astinenza *sf* abstinence **LOC** *Vedi* CRISI

astratto, -a *agg* abstract

astro *sm* star

astrologia *sf* astrology

astrologo, -a *sm-sf* astrologer

astronauta *smf* astronaut

astronave *sf* spacecraft [*pl* spacecraft]

astronomia *sf* astronomy

astronomo, -a *sm-sf* astronomer

astuccio *sm* **1** (*gioiello*) box **2** (*trucco*) make-up bag **3** (*matite*) pencil case **4** (*strumento musicale*) case

astuto, -a *agg* **1** (*abile*) shrewd **2** (*senza scrupoli*) cunning: *Hanno escogitato un piano molto ~.* They devised a very cunning plan.

astuzia *sf* **1** (*abilità*) shrewdness: *avere molta ~* to be very shrewd **2** (*malizia*) cunning: *Ha usato tutta la sua ~ per avere la promozione.* He used all his cunning to get promotion. **3** (*trucco*) trick: *Hanno usato tutte le astuzie possibili per vincere.* They used all kinds of tricks to win.

Atene *sf* Athens

ateo, -a *agg, sm-sf* atheist [*s*]: *essere ~* to be an atheist

atlante *sm* atlas [*pl* atlases]

atlantico, -a ◆ *agg* Atlantic ◆ **l'Atlantico** *sm* the Atlantic (Ocean)

atleta *smf* athlete

atletica *sf* athletics [*sing*]

atletico, -a *agg* athletic

atmosfera *sf* atmosphere: *L'atmosfera era un po' tesa.* The atmosphere was rather tense.

atomico, -a *agg* atomic

atomo *sm* atom

atroce *agg* terrible: *un dolore ~* a terrible pain

atrocità *sf* atrocity [*pl* atrocities]

attaccabrighe *smf* troublemaker

attaccamento *sm* ~ (**a**) affection **for *sb/sth***

attaccapanni *sm* **1** (*mobile*) coat stand **2** (*da parete*) coat hook

attaccare ◆ *vt* **1** (*assalire*) to attack **2** (*far aderire*) to attach **3** (*incollare*) to stick *sth* on **4** (*appendere*) to hang *sth* up **5** (*cucire*) to sew on *sth*: *~ un bottone* to sew a button on **6** (*contagiare*) to give: *Mi hai attaccato l'influenza.* You've given me your flu. ◆ **attaccarsi** *v rifl* **1** (*sugo, etichetta*) to stick **2** ~ (**a**) (*appigliarsi*) to cling **to *sb/sth***: *attaccarsi a qualsiasi pretesto* to cling to any pretext **3** (*contagiarsi*) to be contagious **4** (*telefono*): *Appena l'ha saputo si è attaccato al telefono.* He got on the phone as soon as he heard. **LOC attaccare un bottone** (*fig*) to buttonhole *sb*

attaccato, -a *pp, agg* (*affezionato*) ~ (**a**) devoted (**to *sb/sth***) *Vedi anche* ATTACCARE

attacco *sm* **1** ~ (**a/contro**) attack (**on *sb/sth***) **2** (*risarella, tosse*) fit: *Ha avuto un ~ di tosse.* He had a coughing fit.

atteggiamento *sm* attitude (***to/towards sb/sth***)

attendere *vt* to await: *Attendiamo la*

sua decisione. We're awaiting his decision. LOC **attenda in linea!** please hold!

attendibile *agg* reliable

attenersi *v rifl* ~ **a** to abide **by *sth***: *Ci atterremo alle regole.* We'll abide by the rules.

attentare *vi* ~ **a**: *Hanno attentato alla vita del giudice.* They made an attempt on the judge's life.

attentato *sm* **1** (*persona*) attempt on *sb's* life: *Hanno fatto un ~ contro due giudici.* They made an attempt on the lives of two judges. **2** (*attacco*) attack (***on sth***): *un ~ all'ambasciata* an attack on the embassy

attento, -a ◆ *agg* **1** (*che presta attenzione*) attentive: *Ascoltavano attenti.* They listened attentively. **2** (*cauto, minuzioso*) careful ◆ **attento!** *escl* **1** (*gen*) look out!: *Attento! Arriva una macchina.* Look out! There's a car coming. **2** ~ **a**: *Attenti al cane!* Beware of the dog! ◊ *Attenti al gradino!* Mind the step! LOC **attenti!** attention! **mettersi sull'attenti** to stand to attention **stare attento a 1** (*prestare attenzione*) to mind *sth*: *Stai ~ al gradino.* Mind the step! **2** (*stare in guardia*) to watch out for *sb/sth* **3** (*badare a*) to look after *sb*

attenuare *vt* **1** (*dolore*) to relieve **2** (*rumore*) to reduce

attenzione ◆ *sf* **1** (*gen*) attention **2** (*cura*) care ◆ **attenzione!** *escl* look out! LOC **con attenzione** carefully **fare attenzione 1** (*concentrarsi*) to pay attention (*to sb/sth*): *Fai ~ a quello che ti dico.* Pay attention to what I'm telling you. **2** (*badare a*) to take care (*to do sth*): *Fai ~ a non bruciarti.* Take care not to burn yourself. *Vedi anche* RICHIAMARE

atterraggio *sm* landing LOC **atterraggio di fortuna** emergency landing *Vedi anche* CARRELLO

atterrare *vi* to land: *Atterriamo a Gatwick.* We shall be landing at Gatwick.

attesa *sf* wait: *Siamo in ~ di notizie.* We're waiting for some news. LOC *Vedi* INGANNARE, LISTA, SALA

attestato *sm* certificate: *~ di frequenza* certificate of attendance

attico *sm* penthouse

attillato, -a *agg* tight: *un vestito molto ~* a tight-fitting dress

attimo *sm* moment: *Aspetta un ~.* Just a moment. LOC **non dare un attimo di respiro a qn** not to give sb a minute's peace *Vedi anche* FERMARE

attirare *vt* **1** (*gen*) to attract: *~ i turisti* to attract tourists **2** (*idea*) to appeal **to *sb***

attitudinale *agg* LOC *Vedi* TEST

attitudine *sf* aptitude (***for sth/doing sth***)

attivare *vt* **1** (*dispositivo*) to activate **2** (*circolazione*) to stimulate

attività *sf* **1** (*gen*) activity [*pl* activities]: *~ ricreative* recreational activities **2** (*occupazione*) line of work: *Che ~ svolge?* What is your line of work? **3** (*azienda*) business LOC **essere in attività** to be active

attivo, -a *agg* active LOC **essere in attivo** to be in credit

attizzare *vt* (*fuoco*) to poke

atto *sm* act: *un ~ di violenza* an act of violence ◊ *una commedia in quattro atti* a four-act play

attonito, -a *agg* speechless

attorcigliare ◆ *vt* to twist ◆ **attorcigliarsi** *v rifl* to get twisted

attore, -trice *sm-sf* actor [*fem* actress] ☛ *Vedi nota a* ACTRESS

attraccare *vt, vi* to dock

attraente *agg* attractive

attrarre *vt* **1** (*gen*) to attract: *~ i turisti* to attract tourists ◊ *Mi attraggono gli uomini mediterranei.* I'm attracted to Mediterranean men. **2** (*idea*) to appeal **to *sb***

attrattiva *sf* **1** (*cosa che attrae*) attraction: *una delle attrattive della città* one of the city's attractions **2** (*fascino di cosa*) appeal [*non numerabile*] **3** (*fascino di persona*) charm

attraversare *vt, vi* **1** (*gen*) to cross: *~ la strada/un fiume* to cross the street/a river ◊ *~ la strada correndo* to run across the street ◊ *~ il fiume a nuoto* to swim across the river **2** (*periodo*) to go through *sth*: *Stanno attraversando una grave crisi.* They are going through a serious crisis. LOC *Vedi* PERIODO

attraverso *prep* **1** (*gen*) through: *Siamo passati ~ il bosco.* We went through the wood. ◊ *Ho trovato casa ~ un'agenzia.* I found my house through an agency. **2** (*da una parte all'altra*) across: *~ il fiume* across the river

attrazione *sf* attraction: *un'attrazione turistica* a tourist attraction ◊ *provare ~ per qn* to be attracted to sb

attrezzatura *sf* **1** (*attrezzi*) equipment

[*non numerabile*]: ~ *sportiva/di laboratorio* sports/laboratory equipment **2** (*impianto*) facilities [*pl*]

attrezzo *sm* **1** (*arnese*) tool **2 gli attrezzi** (*palestra*) the apparatus [*non numerabile*] LOC *Vedi* CARRO

attribuire *vt* to attribute sth ***to sb***

attributo *sm* attribute

attuale *agg* **1** (*del momento presente*) current: *l'attuale marito* her current husband ◊ *lo stato ~ dei lavori* the current state of the building work **2** (*di attualità*) topical: *un problema molto ~* a very topical problem

attualità *sf* **1** (*eventi*) current affairs **2** (*qualità*) topicality LOC **essere di attualità** to be topical: *È di grande ~.* It's very topical.

attualmente *avv* **1** (*al giorno d'oggi*) nowadays **2** (*al momento*) at the moment: *~ la legge lo vieta.* At the moment it's against the law.

La parola inglese **actually** non significa *attualmente* ma *in realtà* o *veramente*: *Veramente sono un po' in ritardo.* Actually, I'm a bit late. ◊ *Puoi dirmi che cosa ha detto esattamente?* Can you tell me what he actually said? ◊ *Sembra nero, ma in realtà è blu.* It looks black but it's actually blue.

attuare *vt* to put *sth* into operation

attuazione *sf* carrying out

attutire *vt* **1** (*colpo*) to soften **2** (*dolore*) to ease

audace *agg* daring

audioleso, -a *agg* hearing-impaired

auditorio *sm* auditorium

audizione *sf* (*prova*) audition

augurare *vt* **1** (*buon viaggio, ecc*) to wish ***sb sth***: *Ti auguro buona fortuna.* I wish you luck. **2** (*sperare*) **augurarsi che…** to trust (**that**)…: *Mi auguro che vada tutto bene.* I trust all is going well.

augurio *sm* **auguri** (*gen*) best wishes (**on…**): *Mi ha fatto gli auguri di Natale.* He wished me a happy Christmas. LOC **tanti auguri!** happy birthday!

aula *sf* **1** (*scuola*) classroom **2** (*università*) lecture room

aumentare ◆ *vt* to increase: *~ i prezzi/gli stipendi* to increase prices/wages ◆ *vi* **1** to increase: *La popolazione aumenta.* The population is increasing. **2** (*prezzo*) to go up (in price): *La benzina è aumentata.* Petrol has gone up in price. **3** (*volume*) to get louder

aumento *sm* rise, increase (*più formale*) (**in sth**): *un ~ della popolazione* an increase in population ◊ *un ~ di stipendio* a pay increase

ausiliare *agg, sm* (*verbo*) auxiliary

austero, -a *agg* austere

Australia *sf* Australia

australiano, -a *agg, sm-sf* Australian

Austria *sf* Austria

austriaco, -a *agg, sm-sf* Austrian: *gli austriaci* the Austrians

autenticato, -a *agg* **1** (*documento, firma*) authenticated **2** (*copia*) certified

autentico, -a *agg* genuine, authentic (*più formale*): *un Renoir ~* an authentic Renoir

autista *smf* **1** (*macchina privata*) chauffeur **2** (*camion, pullman*) driver

auto *sf* car LOC **auto da corsa** racing car

autoadesivo, -a ◆ *agg* self-adhesive ◆ *sm* sticker

autobiografia *sf* autobiography [*pl* autobiographies]

autobiografico, -a *agg* autobiographical

autoblinda *sf* armoured car

autobomba *sf* car bomb

autobus *sm* bus: *prendere/perdere l'autobus* to catch/miss the bus LOC *Vedi* FERMATA

autocisterna *sf* tanker

autodidatta *agg, smf* self-taught [*agg*]: *Era essenzialmente un ~.* He was basically self-taught.

autodifesa *sf* self-defence

autogol (*anche* **autorete**) *sm* own goal: *fare ~* to score an own goal

autografo *sm* autograph: *Mi ha fatto l'autografo.* She gave me her autograph.

autogrill *sm* motorway café

automatico, -a ◆ *agg* automatic: *un'auto col cambio ~* an automatic car ◆ *sm* (*Cucito*) press-stud LOC *Vedi* PILOTA

automobile *sf* car

automobilismo *sm* **1** (*gen*) motoring **2** (*Sport*) motor racing

automobilista *smf* motorist

autonoleggio *sm* car hire

autonomia *sf* **1** (*gen*) independence **2** (*Pol*) autonomy **3** (*auto, aereo*) range

autonomo, -a *agg* **1** (*gen*) independent **2** (*lavoratore*) self-employed **3** (*Pol*) autonomous: *le regioni autonome* the autonomous regions

autopompa *sf* fire engine
autopsia *sf* post-mortem
autore, -trice *sm-sf* **1** (*scrittore*) author **2** (*compositore*) composer **3** (*pittore*) painter **4** (*delitto*) perpetrator
autorità *sf* authority [*pl* authorities]
autoritratto *sm* self-portrait
autorizzare *vt* to authorize: *Non hanno autorizzato lo sciopero.* They haven't authorized the strike.
autorizzato, -a *pp, agg* authorized LOC **non autorizzato** unauthorized *Vedi anche* AUTORIZZARE
autorizzazione *sf* authorization
autoscatto *sm* self-timer
autoscontro *sm* dodgems
autoscuola *sf* driving school
autostop *sm* hitch-hiking LOC **fare l'autostop** to hitch-hike **in autostop**: *È venuto in ~.* He hitch-hiked.
autostoppista *smf* hitch-hiker
autostrada *sf* motorway [*pl* motorways]
autosufficiente *agg* self-sufficient
autunno *sm* autumn: *in ~* in (the) autumn
avambraccio *sm* forearm
avanguardia *sf* **1** (*Arte*) avant-garde: *teatro di ~* avant-garde theatre **2** (*fig, Mil*) vanguard: *essere all'avanguardia* to be in the vanguard
avanti ◆ *avv* **1** (*gen*) forward: *un passo ~* a step forward **2** (*precoce*) advanced: *Questo bambino è molto ~ per la sua età.* This child is very advanced for his age. **3** (*a buon punto*): *Sono molto ~ con la tesi.* I'm getting on very well with my thesis. **4** (*nei paragoni*) ahead: *Siamo molto più ~ dell'altra classe.* We're way ahead of the other class. **5** (*orologio*) fast: *Il tuo orologio è cinque minuti ~.* Your watch is five minutes fast. ◊ *Non dimenticare di mettere l'orologio ~ di un'ora.* Don't forget to put your watch forward an hour. ◆ **avanti!** *escl* **1** (*entra*) come in! **2** (*continua*) carry on! **3** (*forza*) come on!: *~ Milan!* Come on Milan! LOC **andare avanti 1** (*andare per primo*) to go ahead: *Vai ~, io ti raggiungo dopo.* You go ahead, I'll catch you up later. **2** (*proseguire*) to go on: *Andiamo ~ con la spiegazione di ieri.* Let's go on with yesterday's presentation. **3** (*orologio*) to gain: *Quell'orologio va ~.* That clock gains. **avanti e indietro** backwards and forwards **in avanti** forwards **più avanti 1** (*spazio*) further on **2** (*tempo*) later *Vedi anche* MANDARE, PASSO, TIRARE
avanzare ◆ *vi* **1** (*andare avanti*) to advance **2** (*essere d'avanzo, Mat*) to be left over: *È avanzato un po' di formaggio da ieri sera.* There's some cheese left (over) from last night. ◊ *Avanzano due sedie.* There are two chairs left over. ◊ *14 diviso 3 fa 4 e avanza 2.* 14 divided by 3 gives 4 with 2 left over. ◆ *vt* **1** (*proposta, richiesta*) to put sth forward **2** (*promuovere*): *~ qn di grado* to promote sb
avanzato, -a *pp, agg* advanced *Vedi anche* AVANZARE
avanzo *am* **1** (*gen*) remainder **2 avanzi** (*cibo*) leftovers LOC **essercene/averne d'avanzo** (*più del necessario*) to have too much/many...: *Di stoffa per la gonna ce n'è d'avanzo.* There's plenty of material for the skirt. ◊ *Di lavoro ne ho d'avanzo.* I've got too much work.
avaria *sf* breakdown
avariare *vi* to go bad
avariato, -a *pp, agg* (*cibo*) off *Vedi anche* AVIARE
avaro, -a ◆ *agg* miserly ◆ *sm-sf* miser
avena *sf* oats [*pl*]
avere ◆ *vt*
• **possesso** to have

Esistono due forme per esprimere *avere* al presente: *have got* e *to have*. **Have got** è molto usato e non richiede il verbo TO DO nelle frasi negative e interrogative: *Hai fratelli?* Have you got any brothers or sisters? ◊ *Non ha soldi.* He hasn't got any money. **To have** va sempre accompagnato dal verbo TO DO nelle interrogative e negative: Do you have any brothers or sisters? He doesn't have any money. Per gli altri tempi verbali si usa *to have*: *Quand'ero piccola avevo una bicicletta.* I had a bicycle when I was little.

• **stato, atteggiamento 1** (*età*) to be: *Ho quindici anni.* I'm fifteen (years old). ◊ *Ha la mia età.* He's the same age as me. **2** (*sensazione*) to be

Quando *avere* è seguito da un sostantivo che indica una sensazione e ha il significato di *sentire, provare* si traduce con il verbo **to be** più un aggettivo: *Ho fame/sonno.* I'm hungry/sleepy. ◊ *avere caldo/freddo/sete/pazienza/paura* to be hot/cold/thirsty/patient/frightened

• **in costruzioni con aggettivi**: *Ho i piedi freddi.* My feet are cold. ◊ *Hai le* *mani sporche.* Your hands are dirty. ◊ *Ha la madre malata.* His mother is ill.

• **indossare**: *Aveva un maglione rosso.* She was wearing a red jumper.

• **ottenere** to get: ~ *il permesso/la promozione* to get permission/promotion ◊ *Ho avuto il messaggio.* I got your message.

◆ *v aus* to have: *Hai mangiato?* Have you eaten?

LOC **avercela con qn** to have got it in for sb: *Il professore ce l'ha con me.* The teacher's got it in for me. **avere a che fare/vedere con** to have to do with *sb/sth* **avere da fare** to be busy **che/cos'hai?** what's wrong with you? **quanti ne abbiamo oggi?** what's the date today? ☛ Per altre espressioni con **avere** vedi alla voce del sostantivo, dell'aggettivo, ecc, ad es. **aver voglia** a VOGLIA.

aviazione *sf* aviation: ~ *civile* civil aviation LOC **aviazione militare** air force *Vedi anche* CAMPO

avido, -a *agg* greedy

Avignone *sf* Avignon

avocado *sm* avocado [*pl* avocados]

avorio *sm* ivory LOC *Vedi* TORRE

avvantaggiato, -a *agg*: *essere ~ rispetto a qn* to have an advantage over sb

avvelenare ◆ *vt* to poison ◆ **avvelenarsi** *v rifl* to poison yourself

avvenimento *sm* event: *gli avvenimenti degli ultimi giorni* the events of the past few days ◊ *È stato un ~.* It was quite an event.

avvenire ◆ *sm* future: *per l'avvenire* for the future ◆ *vi* to happen: *È avvenuto tutto così in fretta!* Everything happened so quickly.

avventare ◆ *vt* to set *sth* ***on sb***: *Mi ha avventato contro il cane.* He set his dog on me. ◆ **avventarsi** *v rifl* ~ **contro** to hurl yourself **at *sb/sth***

avventato, -a *agg* **1** (*persona*) scatty **2** (*giudizio, mossa*) rash: *una decisione avventata* a rash decision

avventura *sf* **1** (*gen*) adventure: *Abbiamo vissuto un'avventura affascinante.* We had a fascinating adventure. **2** (*amorosa*) fling

avventuroso, -a *agg* adventurous

avverarsi *v rifl* to come true: *I suoi sogni si sono avverati.* His dreams came true.

avverbio *sm* adverb

avversario, -a ◆ *agg* opposing ◆ *sm-sf* opponent LOC *Vedi* CAMPO

avvertenza *sf* **avvertenze** (*medicinale*) directions: *Leggi le avvertenze.* Read the directions.

avvertimento *sm* warning

avvertire *vt* **1** (*informare*) to tell, to notify (*più formale*): *Avvertimi quando hai finito.* Tell me when you've finished. ◊ *Abbiamo avvertito la scuola che avremmo fatto tardi.* We notified the school that we would be late. ◊ *Hai avvertito la polizia?* Have you told the police? **2** (*mettere in guardia*) to warn *sb* (***about/of sth***): *Li ho avvertiti del pericolo.* I warned them about the danger. **3** (*sentire*) to feel: ~ *un senso di stanchezza* to feel tired

avviamento *sm* LOC *Vedi* CODICE

avviare ◆ *vt* to start *sth* (up): ~ *il motore* to start up the engine ◊ ~ *un'attività* to start a business ◆ **avviarsi** *v rifl* (*incamminarsi*) to set off: *Avviati, ti raggiungo tra un attimo.* You set off and I'll catch up with you in a minute. ◊ *Ci avviammo su per la salita.* We set off up the hill.

avvicinare ◆ *vt* **1** (*gen*) to bring *sth* closer (***to sb/sth***): ~ *il banco alla lavagna* to bring the table closer to the blackboard **2** (*abbordare*) to approach: ~ *qn per la strada* to approach sb in the street ◆ **avvicinarsi** *v rifl* **1 avvicinarsi (a)** to get/go/come near ***sth***; to get/go/come closer: *Ci stiamo avvicinando all'aeroporto.* We're getting near the airport. ◊ *Non avvicinarti alla stufa.* Don't go near the heater. ◊ *Avvicinati.* Come closer. **2** (*tempo*) to get closer: *Si avvicina il mio compleanno.* My birthday is getting closer.

avvilito, -a *agg* downcast

avvincente *agg* captivating

avvisare *vt* **1** (*informare*) to let *sb* know (***about sth***): *Avvisami quando arrivano.* Let me know when they arrive. ◊ *Abbiamo già avvisato i genitori.* We've already let the parents know. **2** (*mettere in guardia*) to warn: *Ti avviso che se non mi paghi…* I'm warning you that if you don't pay…

avviso *sm* **1** (*gen*) notice: *Chiuso fino a nuovo ~.* Closed until further notice. **2** (*sul giornale*) advertisement LOC **a mio avviso** in my opinion

avvitare *vt* **1** (*tappo*) to screw *sth* on: *Avvita bene il tappo.* Screw the top on tightly. **2** (*con viti*) to screw: *Questo* *pezzo va avvitato all'altro.* You need to screw this piece onto the other one.

avvocato *sm* lawyer

Lawyer è un termine generico che comprende i vari tipi di avvocati in Gran Bretagna. **Solicitor** è l'avvocato che fornisce la consulenza legale e prepara documenti per i clienti. Può intervenire ai processi ma solo nei tribunali di grado inferiore. **Barrister** è l'avvocato che può esercitare in tutti i tribunali. Il **solicitor** lo aiuta a preparare la causa ma generalmente è il barrister che è presente al processo.

LOC **avvocato del diavolo** devil's advocate **avvocato difensore** defence counsel

avvolgere *vt* **1** ~ **qc in/con/intorno a** to wrap **sth in/round sth**: *Avvolgilo nella/con la carta velina.* Wrap it up in some tissue paper. ◊ ~ *una fascia intorno alla vita* to wrap a sash around your waist **2** (*bobina*) to wind *sth* up

avvoltoio *sm* vulture

Azerbaigian *sm* Azerbaijan

azero, -a *agg, sm-sf* Azerbaijani: *gli azeri* the Azerbaijanis

azienda *sf* company [*v sing o pl*] [*pl* companies] LOC **azienda privata** private company **azienda pubblica** state-owned company

aziendale *agg* **1** (*gen*) business [*s attrib*]: *gestione* ~ business management **2** (*proprio di una ditta*) company [*s attrib*]: *la mensa* ~ the company canteen

azionare *vt* to operate: ~ *una leva* to operate a lever

azione *sf* **1** (*gen*) action: *entrare in* ~ to go into action ◊ ~ *penale/legale* criminal/legal action **2** (*opera*) act: *una cattiva* ~ a wrongful act **3** (*Fin*) share LOC **una buona azione** a good deed *Vedi anche* SOCIETÀ

azionista *smf* shareholder

azoto *sm* nitrogen

azzardo *sm* LOC *Vedi* GIOCO

azzeccare *vt* to guess: ~ *la risposta* to guess the answer

azzeccato, -a *pp, agg* **1** (*risposta, colpo*) right **2** (*titolo, soprannome*) appropriate *Vedi anche* AZZECCARE

azzuffarsi *v rifl* to get into a fight

azzurro, -a *agg, sm* blue ☛ *Vedi esempi a* GIALLO LOC *Vedi* PRINCIPE

Bb

babbo *sm* dad: *Chiedilo al ~.* Ask your dad. LOC **Babbo Natale** Father Christmas ☛ *Vedi nota a* NATALE, PAPÀ

babysitter *smf* babysitter: *D'estate faccio la ~.* I babysit in the summer.

bacca *sf* berry [*pl* berries]

baccalà *sm* salt cod

baccano *sm* racket: *far* ~ to make a racket

bacchetta *sf* **1** (*gen*) stick **2 bacchette** (*per tamburo*) drumsticks **3 bacchette** (*per mangiare*) chopsticks **4** (*direttore d'orchestra*) baton LOC **bacchetta magica** magic wand

bacheca *sf* noticeboard

baciare ♦ *vt* to kiss: *Le baciò la mano.* He kissed her hand. ◊ *Mi ha baciato sulla fronte.* She kissed me on the forehead. ♦ **baciarsi** *v rifl* to kiss: *Si sono baciati.* They kissed.

bacinella *sf* bowl

bacino *sm* **1** (*Geog*) basin: *il ~ del Mediterraneo* the Mediterranean basin **2** (*Anat*) pelvis LOC **bacino carbonifero** coalfield **bacino di carenaggio** dry dock **bacino idrico** reservoir

bacio *sm* kiss: *Dai un ~ a tua cugina.* Give your cousin a kiss. ◊ *Ci siamo dati un ~.* We kissed. LOC **mandare un bacio** to blow (*sb*) a kiss

baco *sm* (*negli alimenti*) maggot LOC **baco da seta** silkworm

badare *vi* **1** ~ **a** (*guardare*) to look after *sb/sth*: *Puoi ~ ai bambini?* Can you look after the children? ◊ *Non è capace di ~ a se stessa.* She can't look after herself. **2** ~ (**a**) (*fare caso*) to pay attention (**to *sth***): *Non ~ a quello che dicono!* Pay no attention to what they say! **3** (*stare attento*) mind: *Bada a non cadere!* Mind you don't fall! LOC **non badare a**

spese: *Non hanno badato a spese.* No expense was spared.

baffi *sm* **1** (*uomo*) moustache [*sing*]: *un uomo con i ~* a man with a moustache **2** (*gatto*) whiskers [*pl*] **LOC** *Vedi* LECCARE

bagagliaio *sm* **1** (*auto*) boot **2** (*treno*) luggage rack **3** (*aereo*) luggage compartment

bagaglio *sm* luggage [*non numerabile*]: *Non ho molti bagagli.* I haven't got much luggage. ◊ *Quanti bagagli ha?* How many pieces of luggage have you got? ☛ *Vedi nota a* INFORMAZIONE **LOC bagaglio a mano** hand luggage **fare/disfare i bagagli** to pack/unpack *Vedi anche* DEPOSITO, RITIRO

bagliore *sm* **1** (*gen*) glare: *il ~ dei fari* the glare of the headlights **2** (*fuoco*) glow

bagnare ◆ *vt* **1** (*gen*) to get *sb/sth* wet: *Non ~ il pavimento.* Don't get the floor wet. ◊ *bagnarsi i piedi* to get your feet wet **2** (*mare*): *Il mar Ionio bagna la costa sud della Calabria.* The south coast of Calabria is on the Ionian Sea. ◆ **bagnarsi** *v rifl* to get wet: *Ti sei bagnato?* Did you get wet? **LOC bagnarsi fino all'osso** to get soaked to the skin

bagnato, -a *pp, agg* **1** (*gen*) wet **2** (*lacrime*): *~ di lacrime* bathed in tears **3** (*sudore*): *~ di sudore* dripping with sweat **LOC bagnato fradicio** soaking wet *Vedi anche* BAGNARE

bagnino, -a *sm-sf* lifeguard

bagno *sm* **1** (*nella vasca*) bath: *fare il ~* to have a bath ◊ *fare il ~ a un bambino* to bath a baby **2** (*in mare, piscina*) swim: *Andiamo a fare il ~?* Shall we go for a swim? **3** (*stanza*) bathroom **4** (*gabinetto*) loo (*inform*), toilet: *Dov'è il ~?* Where's the toilet? ◊ *Vado un attimo in ~.* I'm just going to the toilet. ☛ *Vedi nota a* TOILET **5 bagni** baths: *bagni pubblici* public baths **LOC lasciare/mettere a bagno** to leave *sth* to soak *Vedi anche* COSTUME, CUFFIA, SALE, VASCA

bagnomaria *sm*: *a ~* in a bain-marie

bagnoschiuma *sm* bubble bath

baia *sf* bay [*pl* bays]

balbettare *vt, vi* **1** (*adulto*) to stammer: *Balbettò qualche parola.* He stammered a few words. **2** (*bambino piccolo*) to babble

balbuziente ◆ *agg*: *essere ~* to have a stammer ◆ *smf* stammerer

balcone *sm* balcony [*pl* balconies]: *affacciarsi al ~* to go out onto the balcony

balena *sf* whale

balla *sf* (*bugia*) lie: *Mi ha raccontato una ~ tremenda.* He told me a whopper. **LOC balle!** rubbish!

ballare ◆ *vt, vi* to dance: *Balli?* Would you like to dance? ◊ *~ un tango* to dance a tango ◆ *vi* **1** (*essere mobile*) to be loose: *Mi balla un dente.* I've got a loose tooth. **2** (*essere largo*) to be too big (**for sb**): *Questa giacca mi balla addosso.* This jacket's too big for me. **LOC** *Vedi* GATTO

ballerino, -a *sm-sf* dancer: *~ classico* ballet dancer

balletto *sm* ballet

ballo *sm* **1** (*festa, danza*) dance **2** (*azione*) dancing: *Mi piace molto il ~.* I like dancing very much. **LOC ballo in maschera** fancy dress ball *Vedi anche* PISTA

balneare *agg* seaside [*s attrib*]

balsamo *sm* (*capelli*) conditioner

balza *sf* (*di stoffa*) frill

balzare *vi* to jump: *~ giù dal letto* to jump out of bed ◊ *Sono balzato in piedi quando ho sentito il campanello.* I jumped up from my chair when I heard the bell. ◊ *~ addosso a qn* to jump on sb **LOC balzare agli occhi** to be obvious

balzo *sm* **1** (*pallone*) bounce **2** (*animale*) hop **3** (*persona*) jump **LOC fare un balzo in avanti** to take a leap forward *Vedi anche* PALLA

bambinaia *sf* nanny [*pl* nannies]

bambino, -a *sm-sf* **1** (*figlio*) **(a)** (*gen*) child [*pl* children] **(b)** (*piccolo*) baby [*pl* babies]: *avere un ~* to have a baby

Fino a un anno d'età, i bambini si chiamano **babies**. Per i neonati si dice **newborn babies**. Quando fanno i primi passi, si chiamano **toddlers**.

2 (*maschio*) boy **3** (*femmina*) girl LOC **bambino prodigio** child prodigy [*pl* child prodigies] **fare il bambino** to be childish: *Non fare il ~!* Don't be so childish! *Vedi anche* ASPETTARE

bambola *sf* doll: *una ~ di pezza* a rag doll

bambù *sm* bamboo: *un tavolo di ~* a bamboo table

banale *agg* **1** (*commento*) banal **2** (*incidente*) trivial

banalità *sf* **1** (*qualità*) triviality [*pl* trivialities] **2** (*commento*) trite remark: *dire ~* to make trite remarks

banana *sf* banana ☛ *Vedi illustrazione a* FRUTTA

banca *sf* bank: *andare in ~* to go to the bank LOC **banca dati** data bank **banca del sangue** blood bank

bancarella *sf* stall

bancario, -a ◆ *agg* bank [*s attrib*] ◆ *sm-sf* bank clerk

bancarotta *sf* bankruptcy [*pl* bankruptcies] LOC **andare in bancarotta** to go bankrupt

banchetto *sm* banquet (*form*), dinner: *Hanno organizzato un ~ in suo onore.* They organized a dinner in his honour.

banchiere *sm* banker

banchina *sf* wharf [*pl* wharves]

banco *sm* **1** (*scuola*) desk **2** (*negozio*) counter **3** (*bar*) bar: *Prendevano un caffè al ~.* They were standing at the bar having a coffee. **4** (*chiesa*) pew **5** (*Dir*) dock: *essere nel ~ degli imputati* to be in the dock **6** (*pesci*) shoal LOC **banco di sabbia** sandbank **banco informazioni** information desk

Bancomat® *sm* cash machine

banconota *sf* (bank)note

banda *sf* **1** (*gruppo*) gang: *una ~ di teppisti* a gang of hooligans **2** (*suonatori*) band

banderuola *sf* weathervane

bandiera *sf* flag: *Ci sono le bandiere a mezz'asta.* The flags are flying at half-mast. LOC **bandiera bianca** white flag

bandire *vt* to banish

bandito *sm* bandit

bando *sm* (*annuncio*) notice LOC **bando alle chiacchiere!** enough talk! **bando di concorso**: *pubblicare il ~ di concorso* to announce a competitive examination

bar *sm* bar ☛ *Vedi pag. 379.*

bara *sf* coffin

baracca *sf* shack

barare *vi* to cheat

barattolo *sm* **1** (*di vetro*) jar **2** (*di latta*) tin ☛ *Vedi illustrazione a* CONTAINER

barba *sf* **1** (*gen*) beard: *farsi crescere la ~* to grow a beard ◊ *un uomo con la ~* a bearded man **2** (*noia*): *Che ~ questo film!* What a boring film! LOC **farsi la barba** to shave: *Ti sei fatto la ~ oggi?* Have you shaved today? *Vedi anche* CREMA, CRESCERE, PENNELLO, SCHIUMA

barbabietola *sf* beetroot LOC **barbabietola da zucchero** sugar beet

barbaro, -a ◆ *agg* **1** (*Storia*) barbarian **2** (*comportamento*) barbaric ◆ *sm-sf* barbarian

barbecue *sm* barbecue: *fare un ~* to have a barbecue

barbiere *sm* **1** (*persona*) barber **2** (*negozio*) barber's [*pl* barbers]

barboncino *sm* poodle

barbone, -a *sm-sf* tramp

barca *sf* boat: *andare in ~* to go sailing ☛ *Vedi nota a* BOAT LOC **barca a remi** rowing boat **barca a vela** sailing boat **una barca di gente/soldi** loads of people/money

Barcellona *sf* Barcelona

barella *sf* stretcher

barile *sm* barrel

barista *smf* bartender

baritono *sm* baritone

barlume *sm* glimmer: *un ~ di speranza* a glimmer of hope

barocco, -a *agg*, *sm* baroque

barometro *sm* barometer

barone, -essa *sm-sf* baron [*fem* baroness]

barra *sf* (*segno grafico*) stroke LOC *Vedi* CODICE

barricarsi *v rifl* to shut yourself up: *Si è barricato in camera sua.* He shut himself up in his room.

barricata *sf* barricade

barriera *sf* **1** (*gen*) barrier: *Hanno alzato la ~.* The barrier was up. ◊ *la ~ della lingua* the language barrier **2** (*Calcio*) wall

barzelletta *sf* joke: *raccontare una ~* to tell a joke ◊ *capire la ~* to get the joke

basare ◆ *vt* to base *sth* ***on sth***: *Hanno basato il film su un romanzo di Umberto Eco.* The film was based on a novel by Umberto Eco. ◆ **basarsi** *v rifl* **basarsi su 1** (*teoria, film*) to be based **on *sth*** **2** (*persona*): *Su che cosa ti basi* *per dire questo?* What are your grounds for saying that?

basco *sm* (*berretto*) beret ☛ *Vedi illustrazione a* CAPPELLO

base *sf* **1** (*gen*) base: *un vaso con una ~ piccola* a vase with a small base ◊ *~ militare* military base **2** (*fondamento*) basis [*pl* bases]: *La fiducia è la ~ dell'amicizia.* Trust is the basis of friendship. LOC **alla base di**: *Alla ~ del loro successo c'è...* The foundation of their success is... **base spaziale** space station **di base** basic: *lo stipendio di ~* the basic salary **in base a**: *In ~ alle informazioni ricevute decideremo il da farsi.* We'll decide what's to be done on the basis of the information we receive. *Vedi anche* MEDICO

basetta *sf* sideburn

basilare *agg* basic

Basilea *sf* Basle

basilico *sm* basil

basso, -a ◆ *agg* **1** (*gen*) low: *bassa marea* low tide ◊ *Il volume della TV è troppo ~.* The TV is too low. ◊ *prodotti a ~ prezzo* low-price products ☛ *Vedi nota a* ALTO **2** (*persona*) short ☛ *Vedi nota a* ALTO **3** (*scarpe*) flat **4** (*voce*) quiet: *parlare a voce bassa* to speak quietly/softly ◆ *avv* low: *Gli uccelli volavano ~.* The birds were flying low. ◆ *sm* (*Mus*) bass LOC **più in basso** lower down: *Sposta il quadro più in ~.* Put the picture lower down. **quello in basso** the bottom one *Vedi anche* ALTO, CETO, CHIAVE, COLPO, FUOCO, PAESE, QUARTIERE

bastare ◆ *vi* to be enough: *Basteranno 30.000 lire.* 30000 lire will be enough. ◆ *v impers*: *Basta schiacciare un tasto.* All you have to do is press a button. ◊ *Basta con le chiacchiere.* That's enough talk. ◊ *È bastato un niente per farlo piangere.* It didn't take much to make him cry. LOC **basta!** that's enough! **basta che...** as long as...: *Te lo presto, basta che non lo rompa.* I'll lend it to you as long as you don't break it. **basta così** that's enough

bastoncino *sm* LOC **bastoncino di pesce** fish finger

bastone *sm* stick LOC **bastone da passeggio** walking stick

batosta *sf* **1** (*Sport*) thrashing: *La Juve gli ha dato una bella ~.* Juventus gave them a good thrashing. **2** (*colpo*) blow: *Il licenziamento è stato una bella ~ per lui.* Getting sacked was a terrible blow for him.

battaglia *sf* battle LOC *Vedi* CAMPO

battaglione *sm* battalion

battello *sm* boat LOC **battello a vapore** steamship ☛ *Vedi nota a* BOAT

battente *sm* shutter

battere ◆ *vt* **1** (*gen*) to beat: *~ l'avversario* to beat your opponent ◊ *~ il tempo* to beat time **2** (*ginocchio, testa*) to bang: *Ho battuto la testa.* I banged my head. **3** (*record*) to break: *~ il record mondiale* to break the world record **4** (*denti*): *Battevo i denti.* My teeth were chattering. ◆ *vi* ~ **su** to beat (**against/on** ***sth***): *La grandine batteva sui vetri.* The hail was beating against the windows. LOC **battere i piedi** to stamp your feet **battere le mani** to clap: *Battevano le mani a tempo di musica.* They clapped in time to the music. **battere una testata** to bang your head *on sth* **in un batter d'occhio** in no time at all *Vedi anche* MACCHINA

batteria *sf* **1** (*Elettr, Mil*) battery [*pl* batteries]: *La ~ è scarica.* The battery is flat. **2** (*Mus*) drums [*pl*]: *Jeff Porcaro alla ~.* Jeff Porcaro on drums. LOC **batteria da cucina** set of saucepans ☛ *Vedi illustrazione a* SAUCEPAN

batterio *sm* bacterium [*pl* bacteria]

batterista *smf* drummer

battesimale *agg* LOC *Vedi* FONTE

battesimo *sm* **1** (*sacramento*) baptism **2** (*cerimonia*) christening LOC *Vedi* NOME

battezzare *vt* **1** (*persona*) to baptize, to christen **2** (*nave, invenzione*) to name

battistrada *sm* (*Auto*) tread

battito *sm* beat LOC **battito cardiaco** heartbeat

battuta *sf* **1** (*di spirito*) witty remark: *Le sue battute ci hanno divertito.* She made us laugh with her witty remarks. **2** (*Teat*) cue **3** (*macchina da scrivere*) keystroke **4** (*Tennis*) service **5** (*Mus*) bar: *le prime battute di una sinfonia* the first bars of a symphony LOC **aver la battuta pronta** to have a ready answer: *Ha sempre la ~ pronta.* She always has a ready answer. **battuta di caccia** hunt *Vedi anche* TERRA

baule *sm* **1** (*cassa*) trunk ☛ *Vedi illustrazione a* BAGAGLIO **2** (*auto*) boot

bava *sf* **1** (*persona*) dribble **2** (*animale*) foam

bavaglino *sm* bib

bavaglio *sm* gag

beato, -a *agg*: ~ *te!* Lucky you!

bebè *sm* baby [*pl* babies]

beccare *vt* **1** (*uccello*) to peck **2** (*prendere*) to get: *Si è beccato uno schiaffo.* He got a slap. **3** (*acciuffare*) to catch: *farsi ~* to get caught

beccata *sf* peck

becchino *sm* gravedigger

becco *sm* (*uccello*) beak LOC *Vedi* CHIUDERE

beccuccio *sm* spout

Befana *sf* (*festa*) Epiphany

> La festa della Befana in Gran Bretagna non si festeggia. *Vedi nota a* NATALE

beffarsi *v rifl* ~ **di** to make fun **of** *sb*

beige *agg*, *sm* beige

belare *vi* to bleat

belga *agg*, *smf* Belgian: *i belgi* the Belgians

Belgio *sm* Belgium

Belgrado *sf* Belgrade

bellezza *sf* beauty [*pl* beauties] LOC **che bellezza!** great! **chiudere/finire in bellezza** to finish on a high *Vedi anche* CONCORSO, ISTITUTO

bellico, -a *agg* (*armi*, *industria*) war [*s attrib*]

bello, -a *agg* **1** (*gen*) beautiful **2** (*uomo*) good-looking **3** (*donna*) pretty **4** (*tempo*) fine **5** (*film*, *idea*) good **6** (*considerevole*): *una bella fetta* a good slice ◊ *un bel po'* quite a bit **7** (*rafforzativo*): *È bell'e fatto.* It's done now. ◊ *nel bel mezzo* right in the middle ◊ *un bel niente* nothing at all ◊ ~ *caldo* nice and warm LOC **bella copia** fair copy **bella presenza** smart appearance **belle arti** fine art [*sing*] **il bello è che...** the good thing is... **la Bella Addormentata** Sleeping Beauty *Vedi anche* FIGURA, VITA

belva *sf* wild animal LOC **essere/diventare una belva** to be furious/to blow your top

bemolle *sm* (*Mus*) flat: *mi ~* E flat

benché *cong* although, though (*più informale*) ☛ *Vedi nota a* SEBBENE

benda *sf* bandage

bendare *vt* to bandage *sb/sth* (up): *Mi hanno bendato la caviglia.* They bandaged (up) my ankle. LOC **bendare gli occhi a** to blindfold *sb*

bendato, -a *pp*, *agg* LOC *Vedi* OCCHIO; *Vedi anche* BENDARE

bene[1] *avv* **1** (*gen*) well: *comportarsi ~* to behave well ◊ *Oggi non mi sento ~.* I don't feel well today. ◊ *"Come sta tuo padre?" "Molto ~, grazie."* 'How's your father?' 'Very well, thanks.' **2** (*correttamente*): *Ho risposto ~ alla domanda.* I got the right answer. ◊ *Parli ~ l'italiano.* Your Italian is very good. LOC **andar bene** to be OK: *A loro sembrava che andasse ~.* They thought it was OK. **benissimo!** (very) good! **ben ti sta!** it serves you right **di bene in meglio** better and better **fare bene** to be right (*to do sth*): *Ho fatto ~ ad andare?* Was I right to go? ◊ *Hai fatto ~.* You did the right thing. **va bene!** OK!: *"Me lo presti?" "Va ~, ma stai attento."* 'Can I borrow it?' 'OK, but be careful.'

bene[2] *agg* well-to-do: *Vengono da una famiglia ~.* They're from a well-to-do family.

bene[3] *sm* **1** (*il buono*) good: *il ~ e il male* good and evil ◊ *Il riposo ti farà ~.* The rest will do you good. **2 beni** possessions LOC **beni di consumo** consumer goods **fare bene a** to do *sb* good: *Bevi che ti fa ~.* Drink up — it'll do you good **per il bene di** for the good of *sb/sth* **per il tuo, suo, ecc bene** for your, his, her etc own good **voler bene a** to love *sb*: *Ti voglio ~.* I love you.

benedetto, -a *agg* **1** (*santo*) holy **2** (*maledetto*) blessed: *Dov'è finita quella benedetta agenda?* Where has that blessed diary got to?

benedire *vt* to bless

benedizione *sf* blessing LOC **dare la benedizione** to bless *sb/sth*

beneducato, -a *agg* well behaved: *un bambino ~* a very well-behaved child

beneficenza *sf* charity: *un'istituzione di ~* a charity ◊ *a scopo di ~* for charity

beneficio *sm* benefit: *trarre ~ da qc* to derive benefit from sth LOC **a beneficio di** to the advantage of *sb/sth*: *a tuo ~* to your advantage

benefico, -a *agg* beneficial

benessere *sm* well-being

benestante *agg* well-off

benigno, -a *agg* **1** (*sguardo*, *sorriso*) kindly **2** (*tumore*) benign

beninteso *avv* of course: *Sei invitato anche tu, ~.* You're invited too, of course.

bensì *cong* but: *Non bisogna agire, ~ aspettare.* We must not act, but wait.

bentornato! *escl* welcome back!

benvenuto *agg, escl, sm* welcome: *dare il ~ a qn* to welcome sb

benvestito, -a *agg* smart

benzina *sf* petrol LOC **benzina senza piombo** unleaded petrol **benzina super** four-star petrol *Vedi anche* DISTRIBUTORE, INDICATORE

benzinaio *sm* **1** (*persona*) petrol pump attendant **2** (*distributore*) petrol station

bere *vt, vi* **1** (*gen*) to drink: *Bevilo tutto.* Drink it up. ◊ *Si sono bevuti un'intera bottiglia di vino.* They drank a whole bottle of wine. **2** (*fig*) to swallow: *Si è bevuto la storia della promozione di Michele.* He's swallowed the story about Michele's promotion. LOC **bere alla salute di qn** to drink to sb's health **bere come una spugna** to drink like a fish **offrire/pagare da bere a qn** to stand sb a drink *Vedi anche* ROBA

Berlino *sf* Berlin

bermuda *sm* Bermuda shorts

Berna *sf* Berne

bernoccolo *sm* bump: *avere un ~ sulla fronte* to have a bump on your forehead

berretto *sm* cap: *un ~ di lana* a woolly hat ☛ *Vedi illustrazione a* CAPPELLO

bersaglio *sm* **1** (*gen*) target **2** (*fig*) butt: *È il ~ dei loro scherzi.* He's the butt of their jokes.

besciamella *sf* white sauce

bestemmia *sf* blasphemy [*non numerabile*]: *dire bestemmie* to blaspheme

bestemmiare *vi* to swear

bestia *sf* beast LOC **andare in bestia** to lose your rag **mandare in bestia** to infuriate *sb*

bestiale *agg* (*enorme*): *Ho una fame ~.* I'm famished. ◊ *Fa un freddo ~.* It's bitterly cold.

bestiame *sm* livestock

bestiolina *sf* (*insetto*) creepy-crawly [*pl* creepy-crawlies]

betulla *sf* birch (tree)

bevanda *sf* drink: *una ~ analcolica* a soft drink

bevitore, -trice *sm-sf* heavy drinker

Biancaneve *n pr* Snow White

biancheria *sf* (*per la casa*) linen: *~ da tavola/da letto* household/bed linen LOC **biancheria intima** underwear

bianco, -a ◆ *agg* white: *carne bianca* white meat ◊ *vino ~* white wine ☛ *Vedi esempi a* GIALLO ◆ *sm-sf* (*persona*) white man/woman [*pl* white men/women] ◆ *sm* **1** (*colore*) white **2** (*uovo*) egg white LOC **bianco come la neve** as white as snow **in bianco** blank: *un assegno/una pagina in ~* a blank cheque/page **in bianco e nero** black and white: *illustrazioni in ~ e nero* black and white illustrations *Vedi anche* ASSEGNO, BANDIERA, MONTE, NOTTE, ORSO, SETTIMANA

biasimare *vt* to condemn

Bibbia *sf* Bible

biberon *sm* bottle

bibita *sf* drink

biblico, -a *agg* biblical

bibliografia *sf* bibliography [*pl* bibliographies]

biblioteca *sf* **1** (*edificio, insieme di libri*) library [*pl* libraries] **2** (*scaffale*) bookcase LOC *Vedi* TOPO

bibliotecario, -a *sm-sf* librarian

bicarbonato *sm* bicarbonate

bicchiere *sm* glass: *un bicchier d'acqua* a glass of water ◊ *bicchieri da vino* wine glasses LOC **bicchiere di carta/plastica** paper/plastic cup *Vedi anche* AFFOGARE

bicicletta *sf* bicycle, bike (*più informale*): *Sai andare in ~?* Can you ride a bike? ◊ *fare un giro in ~* to go for a ride on your bicycle LOC **andare in bicicletta** to cycle: *Vado al lavoro in ~.* I cycle to work. **bicicletta da corsa** racing bike

bicipite *sm* biceps [*pl* biceps]

bidè *sm* bidet

bidello, -a *sm-sf* school caretaker

bidone *sm* drum LOC **bidone della spazzatura** dustbin **fare il bidone a** to stand *sb* up

bidonville *sf* shanty town

Bielorussia *sf* Belarus

bielorusso, -a *agg, sm-sf, sm* Belorussian: *i bielorussi* the Belorussians ◊ *parlare ~* to speak Belorussian

biennale *agg* two-yearly

biennio *sm* first two years of secondary school: *Ho fatto il ~ a Verona.* I did my first two years of secondary school in Verona.

bietola *sf* chard

bifamiliare *agg* LOC *Vedi* VILLETTA

biforcarsi *v rifl* to fork: *Dopo il ponte la strada si biforca.* The road forks after the bridge.

bigiotteria *sf* costume jewellery

bigliettaio, -a *sm-sf* (*autobus*) conductor

biglietteria *sf* **1** (*stazione, Sport*) ticket office **2** (*Cine, Teat*) box office

biglietto *sm* **1** (*trasporto, lotteria*) ticket: *un ~ aereo* an airline ticket ◊ *due* *biglietti gratis* two free tickets ◊ *fare il ~* to get a ticket **2** (*soldi*) (bank)note: *un ~ da 10.000 lire* a 10000 lira note **3** (*appunto*) note: *Ti ho lasciato un ~ in cucina.* I left you a note in the kitchen. **4** (*di auguri*) card: *~ di Natale* Christmas card LOC **biglietto di andata** single (ticket) **biglietto di andata e ritorno** return (ticket)

bignè *sm* eclair

bigodino *sm* roller

bikini *sm* bikini [*pl* bikinis]

bilancia *sf* **1** (*strumento*) scales [*pl*]: *~ pesapersone* bathroom scales ◊ *Questa ~ non è molto precisa.* These scales aren't very accurate. **2** (*Comm*) balance **3** **Bilancia** (*Astrologia*) Libra ☛ *Vedi esempi a* AQUARIUS LOC **bilancia dei pagamenti** balance of payments

bilanciare ◆ *vt* (*differenze*) to even *sth* out ◆ **bilanciarsi** *v rifl* (*differenze*) to even out

bilancio *sm* **1** (*gen*) balance: *~ positivo/negativo* a positive/negative balance **2** (*numero di vittime*) toll LOC **bilancio preventivo** budget

bile *sf* bile

bilia *sf* marble: *giocare a bilie* to play marbles

biliardino *sm* pinball

biliardo *sm* **1** (*gioco*) billiards [*sing*]: *giocare a ~* to play billiards **2** (*tavolo*) billiard table

bilico *sm* LOC **essere/stare in bilico** (*lett*) to be balanced

bilingue *agg* bilingual

bimbo, -a *sm-sf* child [*pl* children]

binario, -a ◆ *agg* binary ◆ *sm* **1** (*rotaia*) track **2** (*marciapiede*) platform: *Da quale ~ parte il treno per Brighton?* Which platform does the Brighton train leave from?

binocolo *sm* binoculars [*pl*]

biodegradabile *agg* biodegradable

biografia *sf* biography [*pl* biographies]

biologia *sf* biology

biologo, -a *sm-sf* biologist

biondo, -a *agg* fair, blond(e)

> **Fair** si usa solo se si tratta di un biondo naturale, mentre **blond** si usa sia per capelli naturali che tinti: *È biondo.* He's got fair/blond hair. *Vedi nota a* BLOND

birichinata *sf* prank

birichino, -a *agg, sm-sf* naughty [*agg*]: *Sei un ~.* You're very naughty.

birillo *sm* skittle: *giocare a birilli* to play skittles

biro® *sf* Biro® [*pl* Biros]

birra *sf* beer: *Due birre, per favore.* Two beers, please. LOC **birra alla spina** draught beer **birra chiara** lager **birra scura** stout

birreria *sf* **1** (*locale*) pub **2** (*fabbrica*) brewery [*pl* breweries]

bis *escl, sm* encore

bisbigliare *vt, vi* to whisper: *Mi ha bisbigliato qualcosa nell'orecchio.* He whispered something in my ear.

bisbiglio *sm* whisper

biscia *sf* grass snake

biscottato, -a *agg* LOC *Vedi* FETTA

biscotto *sm* biscuit

bisessuale *agg, smf* bisexual

bisestile *agg* LOC *Vedi* ANNO

bisnonno, -a *sm-sf* **1** great-grandfather [*fem* great-grandmother] **2** **bisnonni** great-grandparents

bisognare *v impers*: *Bisogna finire questo lavoro per le cinque.* This work has to be finished by five. ◊ *Bisogna che decidiate oggi.* You have to decide today. ☛ *Vedi nota a* MUST

bisogno *sm* need: *Non c'è ~ che tu venga.* There's no need for you to come. LOC **aver bisogno di fare qc** to need to do sth **aver bisogno di qn/qc** to need sb/sth *Vedi anche* CASO

bisognoso, -a ◆ *agg* needy ◆ *sm-sf*: *aiutare i bisognosi* to help the poor

bisonte *sm* bison [*pl* bison]

bistecca *sf* steak

bisticciare *vi* to quarrel

bisticcio *sm* quarrel LOC **bisticcio di parole** pun

bisturi *sm* scalpel

bit (*Informatica*) *sm* bit

bitter *sm* bitters [*pl*]

bivio *sm* junction

bizza *sf* tantrum: *fare le bizze* to throw a tantrum

bizzarro, -a *agg* odd

blindato, -a *agg* **1** (*veicolo*) armoured **2** (*porta*) reinforced

bloccare ◆ *vt* **1** (*ostruire*) to block *sth* (up): *~ il passo/una strada* to block access/a road ◊ *~ un giocatore* to block a player **2** (*Mil*) to blockade ◆ **bloccarsi** *v rifl* **1** (*gen*) to get stuck: *Mi blocco sempre su quella parola.* I always get stuck on that word. **2** (*meccanismo*) to jam **3** (*fermarsi*) to freeze

bloccaruote *agg* **LOC** *Vedi* CEPPO

bloccato, -a *pp, agg* **LOC rimanere bloccato** to get stuck: *Sono rimasto ~ nell'ascensore.* I got stuck in the lift. *Vedi anche* BLOCCARE

blocco *sm* **1** (*gen*) block: *un ~ di marmo* a block of marble **2** (*Politica*) bloc **3** (*Mil*) blockade **LOC** *Vedi* POSTO

bloc-notes *sm* pad

blu *agg, sm* blue ☛ *Vedi esempi a* GIALLO

bluffare *vi* to bluff

blusa *sf* **1** (*donna*) blouse **2** (*pittore*) smock

boa *sf* (*Naut*) buoy [*pl* buoys]

boato *sm* explosion

bobina *sf* **1** (*filo*) reel **2** (*Elettr*) coil

bocca *sf* mouth: *Non parlare con la ~ piena.* Don't talk with your mouth full. ◊ *Non sai tenere la ~ chiusa.* You and your big mouth! **LOC in bocca al lupo!** good luck! **rimanere a bocca aperta** to be dumbfounded *Vedi anche* APRIRE, ARMONICA, RESPIRAZIONE

boccaccia *sf* **LOC fare le boccacce** to make/pull faces (*at sb*)

boccale *sm* mug: *un ~ da birra* a beer mug

boccaporto *sm* hatch

boccata *sf* **LOC prendere una boccata d'aria** to get a breath of fresh air

boccetta *sf* (*colonia, medicina*) bottle

bocchino *sm* (*Mus*) mouthpiece

boccia *sf* bowl: *giocare a bocce* to play bowls ◊ *~ dei pesci rossi* goldfish bowl

bocciare *vt* **1** (*Scuola*) to fail *sb* (**in sth**): *Sono stato bocciato in matematica.* They've failed me in maths. **2** (*proposta*) to reject

bocciato, -a *pp, agg*: *essere ~ agli esami* to fail your exams *Vedi anche* BOCCIARE

bocciatura *sf* fail

bocciolo *sm* bud

boccone *sm* bite: *Se lo sono mangiati in un ~.* They ate it all in one bite.

bocconi *avv*: *cadere ~* to fall flat on your face

body *sm* **1** (*danza, ginnastica*) leotard **2** (*intimo*) body

boia *sm* executioner

boicottaggio *sm* boycott

boicottare *vt* to boycott

Bolivia *sf* Bolivia

boliviano, -a *agg, sm-sf* Bolivian: *i boliviani* the Bolivians

bolla *sf* bubble **LOC bolla di sapone** soap-bubble: *fare bolle di sapone* to blow soap-bubbles

bollare *vt* to stamp: *~ un passaporto* to stamp a passport

bollente *agg* boiling

bolletta *sf* bill: *la ~ del gas/della luce* the gas/electricity bill

bollettino *sm* **1** (*notiziario*) bulletin **2** (*resoconto*) report: *~ meteorologico* weather report

bollicina *sf* bubble **LOC fare le bollicine** to bubble

bollire *vt, vi* to boil: *Il latte bolle.* The milk is boiling. ◊ *far ~ l'acqua per la pasta* to boil the water for the pasta ◊ *Metti a ~ le patate.* Put the potatoes on to boil.

bollito, -a ◆ *pp, agg* boiled ◆ *sm* boiled meat *Vedi anche* BOLLIRE

bollo *sm* stamp **LOC** *Vedi* MARCA

bomba *sf* **1** (*Mil*) bomb: *~ atomica* atomic bomb ◊ *mettere una ~* to plant a bomb **2** (*notizia*) bombshell

bombardare *vt* to bombard: *Mi hanno bombardato di domande.* They bombarded me with questions.

bombetta *sf* bowler hat ☛ *Vedi illustrazione a* CAPPELLO

bombola *sf* cylinder: *~ del gas/di ossigeno* gas/oxygen cylinder

bombolone *sm* doughnut ☛ *Vedi illustrazione a* PANE

bonaccia *sf* **1** (*lett*) dead calm **2** (*fig*) lull

bonaccione, -a *agg* good-natured

bonifico *sm* credit transfer

bontà *sf* goodness

borbottare ◆ *vt, vi* (*parlare*) to mutter: *Ha borbottato qualcosa che non ho capito.* He muttered something I didn't understand. ◆ *vi* (*stomaco*) to rumble: *Mi borbottava lo stomaco.* My tummy was rumbling.

borchia *sf* stud

bordeaux *agg, sm* maroon ☛ *Vedi esempi a* GIALLO

bordo *sm* **1** (*orlo*) edge: *il ~ del tavolo* the edge of the table **2** (*guarnizione*) edging: *un ~ di pizzo* a lace edging **LOC a bordo** on board: *salire a ~* to go on board

borghese *agg* middle-class **LOC in borghese 1** (*militare*) in civilian dress **2** (*polizia*) in plain clothes *Vedi anche* CLASSE

borghesia *sf* middle class

borioso, -a *agg* conceited

borotalco *sm* talcum powder
borraccia *sf* water bottle
borsa *sf* **1** (*gen*) bag **2** (*borsetta*) handbag **3** (*Fin*) stock exchange: *la ~ valori di Londra* the London Stock Exchange LOC **borsa da viaggio** travel bag **borsa dell'acqua calda** hot-water bottle **borsa di studio 1** (*dallo Stato*) grant **2** (*da ente privato*) scholarship **la borsa o la vita!** your money or your life!
borsaiolo, -a *sm-sf* pickpocket
borsellino *sm* purse
borsetta *sf* handbag
boscaglia *sf* scrub [*non numerabile*]
boschetto *sm* grove
bosco *sm* wood ☛ *Vedi nota a* FOREST
bosniaco, -a *agg, sm-sf* Bosnian: *i bosniaci* the Bosnians
Bosnia-Erzegovina *sf* Bosnia-Herzegovina
botanica *sf* botany
botanico, -a *agg* LOC *Vedi* GIARDINO, ORTO
botola *sf* trapdoor
botta *sf* blow LOC **prendere a botte** to beat *sb* up *Vedi anche* RIEMPIRE
botte *sf* barrel
botteghino *sm* box office
bottiglia *sf* bottle LOC **di/in bottiglia** bottled *Vedi anche* VERDE
bottino *sm* loot
bottone *sm* **1** (*gen*) button: *Ti si è slacciato un ~.* One of your buttons is undone. **2** (*controllo*) knob: *Il ~ rosso è quello del volume.* The red knob is the volume control. LOC *Vedi* ATTACCARE
bovino, -a ◆ *agg* cattle [*s attrib*] ◆ *sm* **bovini** cattle
bowling *sm* **1** (*gioco*) bowling **2** (*luogo*) bowling alley [*pl* bowling alleys]
box *sm* **1** (*per bambini*) playpen **2** (*garage*) garage
boxe *sf* boxing
boxer *sm* boxer shorts: *un paio di ~* a pair of boxer shorts
bozzetto *sm* sketch
bozzolo *sm* cocoon
braccetto *sm* LOC **a braccetto** arm in arm
bracciale *sm* **1** (*bigiotteria*) bracelet **2** (*di stoffa*) armband
braccialetto *sm* bracelet
bracciante *smf* labourer
bracciata *sf* (*Nuoto*) stroke
braccio *sm* **1** (*gen*) arm: *Mi sono rotto il ~.* I've broken my arm. ◊ *con un ~ al collo* with your arm in a sling **2** (*lampada*) bracket LOC **braccio di ferro 1** (*Sport*) arm-wrestling **2** (*fig*) trial of strength **tenere in braccio** (*bambino*) to carry *sb*
bracciolo *sm* **1** (*salvagente*) armband **2** (*poltrona*) armrest
bracconiere *sm* poacher
brace *sf* embers [*pl*] LOC **alla brace** grilled: *costolette alla ~* grilled chops
braciola *sf* chop: *braciole di maiale* pork chops
branco *sm* **1** (*animali*) **(a)** (*gen*) herd: *un ~ di elefanti* a herd of elephants **(b)** (*lupi*) pack **(c)** (*leoni*) pride **2** (*gente*) bunch: *un ~ di cretini* a bunch of idiots
brandello *sm* shred LOC **fare a brandelli** to tear *sth* to shreds
brano *sm* **1** (*gen*) piece **2** (*di libro*) passage
Brasile *sm* Brazil
brasiliano, -a *agg, sm-sf* Brazilian
bravo, -a ◆ *agg* **1** (*buono*) good: *Fai i ~, finisci il latte.* Be a good boy and drink up your milk. **2** (*capace*) ~ **a** good **at** *sth/doing sth*: *essere ~ a tennis* to be good at tennis ◆ **bravo!** *escl* bravo! LOC *Vedi* PERSONA
bretella *sf* **1** (*abito*) shoulder strap **2** **bretelle** braces
breve *agg* short: *un ~ soggiorno* a short stay LOC **essere breve** to be brief: *Sarò ~.* I'll be brief. **in breve** in short **per farla breve** to cut a long story short *Vedi anche* SCADENZA
brevetto *sm* **1** (*invenzione*) patent **2** (*Aeron, Naut*) licence
brezza *sf* breeze
bricco *sm* jug
briciola *sf* crumb: *briciole di biscotti* biscuit crumbs
briciolo *sm*: *Non ha un ~ di buonsenso* He hasn't an ounce of common sense.
brigadiere *sm* sergeant
brigata *sf* (*Mil*) brigade
briglia *sf* bridle LOC **a briglia sciolta** full steam ahead
brillante ◆ *agg* **1** (*luce, colore*) bright **2** (*superficie*) shiny **3** (*fenomenale*) brilliant: *un'idea ~* a brilliant idea *una carriera ~* a brilliant career ◆ *sm* diamond
brillare *vi* to shine: *Le brillavano gli occhi di gioia.* Her eyes shone with joy ◊ *Guarda come brilla!* Look how shiny it is!
brillo, -a *agg* tipsy
brina *sf* frost
brindare *vi* ~ **(a)** to drink a toast **(to sb**

sth): *Brindiamo alla loro felicità.* Let's drink (a toast) to their happiness.

rindisi *sm* toast LOC **fare un brindisi** to drink a toast (*to sb/sth*)

ritannico, -a ◆ *agg* British ◆ *sm-sf* Briton: *i britannici* the British ☛ *Vedi nota a* INGHILTERRA LOC *Vedi* ISOLA

rivido *sm* shiver LOC **avere i brividi** to shiver **far venire i brividi** to send shivers down your spine

rocca *sf* jug

roccoli *sm* broccoli [*non numerabile*]

rodo *sm* stock: ~ *di pollo* chicken stock

ronchite *sf* bronchitis [*non numerabile*]

roncio *sm* LOC **fare/avere il broncio** to pout

rontolare *vi* to grumble (***about sth***): *Brontola sempre per come cucino io.* He's always grumbling about my cooking.

rontolone, -a *agg, sm-sf* grumpy [*agg*]: *È una brontolona.* She's really grumpy.

ronzo *sm* bronze LOC *Vedi* FACCIA

ruciacchiare *vt* to singe

ruciapelo LOC **a bruciapelo** point-blank: *Me l'ha chiesto a ~.* She asked me point-blank.

ruciare ◆ *vt* to burn: *Ha bruciato tutte le vecchie lettere.* She burnt all her old letters. ◊ *bruciarsi la lingua* to burn your tongue ◆ *vi* **1** (*gen*) to burn: *L'arrosto sta bruciando.* The roast is burning. **2** (*in fiamme*) to be on fire: *Il bosco bruciava.* The wood was on fire. **3** (*essere distrutto*) to burn down **4** (*fig*) to be boiling hot: *Sta' attento, la minestra brucia.* Be careful, the soup is boiling hot. **5** (*occhi*) to sting: *Mi bruciano gli occhi.* My eyes are stinging. **6** (*sole*) to beat down ◆ **bruciarsi** *v rifl* **1** (*persona*) to burn *yourself*: *Mi sono bruciato con l'olio bollente.* I burnt myself with the hot oil. **2** (*al sole*) to get sunburnt: *Mi brucio facilmente.* I get sunburnt very easily.

ruciato, -a *pp, agg* burnt: *Sa di ~.* It tastes burnt. *Vedi anche* BRUCIARE

ruciatura *sf* burn: *bruciature di secondo grado* second-degree burns

ruciore *sm* stinging LOC **bruciore di stomaco** heartburn

ruco *sm* (*di farfalla*) caterpillar

rufolo *sm* spot: *Mi sono riempita di brufoli.* I've come out in spots.

brughiera *sf* moor

bruno, -a *agg* dark

brusco, -a *agg* **1** (*improvviso*) sudden **2** (*persona*) abrupt

brusio *sm* hum

brutale *agg* brutal

bruto, -a *agg, sm* brute: *forza bruta* brute force

brutto, -a *agg* **1** (*aspetto*) ugly: *una persona/casa brutta* an ugly person/house **2** (*tempo, film, ecc*) bad: *Abbiamo avuto ~ tempo.* We had bad weather. ◊ *un ~ raffreddore* a bad cold **3** (*sgradevole*) nasty: *È una brutta abitudine.* That's a very nasty habit. ◊ *una brutta sorpresa* a nasty surprise LOC **brutta copia** rough copy **il brutto è che...** the trouble is (that)... **in brutta** in rough: *Fai il tema in brutta prima.* Write the essay in rough first. *Vedi anche* CARATTERE, FIGURA, PERIODO

Bruxelles *sf* Brussels

buca *sf* **1** (*gen*) hole: *scavare una ~* to dig a hole **2** (*strada*) pothole: *Queste strade sono piene di buche.* These roads are full of potholes. LOC **buca delle lettere** postbox

bucare ◆ *vt* **1** (*pungere*) to prick **2** (*pallone, pneumatico*) to puncture ◆ *vi* (*forare una gomma*) to have a puncture: *Ho bucato due volte in una settimana.* I've had two punctures in a week. ◆ **bucarsi** *v rifl* **1** (*pneumatico*): *Mi si è bucata una gomma.* I've got a puncture. **2 bucarsi** (**con**) (*pungersi*) to prick yourself (**on/with *sth***) **3** (*drogarsi*) to shoot up

bucato, -a ◆ *pp, agg*: *Ho le scarpe bucate.* My shoes are full of holes. ◆ *sm* (*vestiti*) wash: *fare il ~* to do the washing LOC *Vedi* MANO; *Vedi anche* BUCARE

buccia *sf* **1** (*frutta*) peel [*non numerabile*] **2** (*banana*) skin **3** (*verdura*) peeling: *bucce di patata* potato peelings ☛ *Vedi nota a* PEEL ☛ *Vedi illustrazione a* FRUTTA

buco *sm* hole: *fare un ~* to make a hole LOC **buco della serratura** keyhole **fare un buco nell'acqua** to draw a blank

buddismo *sm* Buddhism

buddista *agg, smf* Buddhist

budino *sm* pudding

bue *sm* ox [*pl* oxen]

bufalo *sm* buffalo [*pl* buffalo/buffaloes]

bufera *sf* storm: *C'è aria di ~.* There's a storm brewing. ◊ *Sta arrivando una ~.*

It looks like there's going to be a storm. LOC **bufera di neve** blizzard

buffet *sm* buffet

buffo, -a *agg* funny: *Era ~ sentirlo parlare in tedesco.* It was funny to hear him speaking German.

bugia *sf* lie: *raccontare/dire bugie* to tell lies ◊ *È una ~!* That isn't true! LOC **bugia pietosa** white lie

bugiardo, -a ◆ *agg* lying ◆ *sm-sf* liar

buio, -a ◆ *agg* dark: *una stanza buia* a dark room ◆ *sm* dark: *restare al ~* to be left in the dark ◊ *~ pesto* pitch darkness ◊ *Ho paura del ~.* I'm afraid of the dark. LOC **farsi buio** to get dark *Vedi anche* SALTO

bulbo *sm* bulb

Bulgaria *sf* Bulgaria

bulgaro, -a *agg, sm-sf, sm* Bulgarian: *i bulgari* the Bulgarians ◊ *parlare ~* to speak Bulgarian

bullone *sm* bolt

buonanotte *escl, sf* good night

buonasera *escl, sf* good evening

buongiorno *escl, sm* good morning LOC **dare il buongiorno** to say good morning *to sb*

buono, -a ◆ *agg* **1** (*gen*) good: *È una buona notizia.* That's good news. ◊ *È una buona scuola.* The school is good. ◊ *Che buon odore!* That smells really good! **2** (*gentile*) ~ (**con**) kind (**to *sb*/*sth***): *Sono stati molto buoni con me.* They were very nice to me. **3** (*cibo*) tasty **4** (*corretto*) right: *il momento ~* the right moment ◊ *essere sulla buona strada* to be on the right road ◆ *sm-sf* goody [*pl* goodies]: *Ha vinto il ~.* The good guy won. ◊ *i buoni e i cattivi* the goodies and the baddies ◆ *sm* (*coupon*) voucher LOC **alla buona**: *una cenetta alla buona* a simple meal **con le buone**: *cercare di convincere qn con le buone* to try to persuade sb gently **con le buone o con le cattive** whether you like it or not, whether he/she likes it or not, etc **un buono a nulla** a good-for-nothing ☛ Per altre espressioni con **buono** vedi alla voce del sostantivo, ad es **buon appetito** a APPETITO.

buonsenso *sm* common sense

burattinaio *sm* puppeteer

burattino *sm* puppet

burino, -a *agg, sm-sf* yokel [*s*]

burla *sf* **1** (*canzonatura*) mockery [*non numerabile*]: *un tono di ~* a mocking tone **2** (*scherzo*) joke

burlarsi *v rifl* **burlarsi di** to make fun of ***sb*/*sth***

burocrazia *sf* bureaucracy

burrasca *sf* squall

burrascoso, -a *agg* stormy

burro *sm* butter LOC **burro di cacao** lipsalve

burrone *sm* ravine

bussare *vi* knock: *Ho bussato per vedere se c'era qualcuno.* I knocked on the door to see if anybody was in. ◊ *Ho sentito ~ alla porta.* I heard a knock on the door.

bussola *sf* compass

busta *sf* **1** (*per lettera*) envelope **2** (*sacchetto*) bag LOC **busta paga** pay packet

bustarella *sf* bribe: *intascare una ~* to take a bribe

bustina *sf* **1** (*gen*) sachet: *una ~ di zucchero* a sachet of sugar **2** (*pacchetto*) packet: *una ~ di minestra liofilizzata* a packet of soup LOC **bustina di tè** teabag

busto *sm* **1** (*Anat, Arte*) bust **2** (*indumento*) corset

butano *sm* butane

buttafuori *sm* bouncer

buttare ◆ *vt* **1** (*lanciare*) to throw **2** (*gettare via*) to throw *sth* away: *Buttalo, è troppo vecchio.* Throw it away, it's really old now. **3** (*sprecare*) to waste: *~ soldi* to waste money ◆ **buttarsi** *v rifl* to jump: *buttarsi dalla finestra/in acqua* to jump out of the window/into the water LOC **buttare fuori** to kick *sb* out **buttar giù** (*edificio*) to knock *sth* down

byte *sm* (*Informatica*) byte

Cc

abina *sf* **1** (*nave, aereo*) cabin **2** (*spiaggia*) beach hut **3** (*di pilotaggio*) cockpit **4** (*camion*) cab LOC **cabina elettorale** polling booth **cabina telefonica** telephone box

acao *sm* cocoa LOC *Vedi* BURRO

acca *sf* poo: *fare la ~* to do a poo

accia *sf* **1** (*gen*) hunting: *Sono contro la ~.* I'm against hunting. **2** (*di lepri, uccelli*) shooting LOC **andare a caccia 1** (*gen*) to go hunting **2** (*di lepri, uccelli*) to go shooting **andare/essere alla caccia di** to be after *sb/sth* **caccia al tesoro** treasure-hunt **caccia alla volpe** fox-hunting **caccia grossa** big game hunting **dare la caccia a** to hunt *sb/sth*: *La polizia dà la ~ all'evaso.* Police are hunting the escaped convict. *Vedi anche* BATTUTA, FRODO, FUCILE, STAGIONE

acciagione *sf* game: *Non ho mai mangiato ~.* I've never tried game.

acciare ◆ *vt* **1** (*gen*) to hunt **2** (*col fucile*) to shoot **3** (*mandare via*) to throw *sb* out: *Li hanno cacciati dal bar.* They were thrown out of the bar. **4** (*mettere*) to put: *Dove hai cacciato le chiavi?* Where have you put the keys? ◆ *vi* **1** (*gen*) to hunt **2** (*col fucile*) to shoot ◆ **cacciarsi** *v rifl* (*mettersi*): *Dove si sono cacciati?* Where have they got to? ◊ *cacciarsi nei guai* to get into trouble

acciatore, -trice *sm-sf* hunter LOC **cacciatore di teste** headhunter *Vedi anche* FRODO

acciavite *sm* screwdriver

achi *sm* **1** (*frutto*) persimmon **2** (*colore*) khaki: *un paio di pantaloni ~* a pair of khaki trousers ☛ *Vedi esempi a* GIALLO

actus *sm* cactus [*pl* cacti/cactuses]

adavere *sm* corpse, body [*pl* bodies] (*più informale*)

adente *agg* (*edificio*) derelict LOC *Vedi* STELLA

adere *vi* **1** (*gen*) to fall: *Il vaso è caduto dal balcone.* The plant pot fell off the balcony. ◊ *~ in trappola* to fall into the trap ◊ *Quest'anno Natale cade di martedì.* This year Christmas Day falls on a Tuesday. ◊ *Fa' attenzione a non ~.* Careful you don't fall. **2** (*dente, capelli*) to fall out: *Gli cadono i capelli.* His hair is falling out. **3** (*lasciar cadere*): *Mi è caduto il gelato.* I dropped my ice cream. ◊ *Fa' attenzione che non ti cada.* Be careful you don't drop it. LOC **è caduta la linea** I, you, etc have been cut off **far cadere 1** (*oggetto*) to knock *sth* over **2** (*persona*) to knock *sb* down **3** (*governo*) to bring *sth* down *Vedi anche* NUVOLA

caduta *sf* **1** (*gen*) fall: *una ~ di tre metri* a three-metre fall ◊ *la ~ del governo* the fall of the government **2** (*capelli*) loss: *prevenire la ~ dei capelli* to prevent hair loss LOC **caduta libera** free fall

caduto *sm*: *i caduti* those who died in the war

caffè *sm* **1** (*gen*) coffee: *Vuoi un ~?* Would you like some/a coffee? ◊ *un ~ macchiato/ristretto* white/strong coffee **2** (*locale*) café ☛ *Vedi pag. 379.* LOC *Vedi* CHICCO

caffeina *sf* caffeine

caffellatte *sm* milky coffee

caffettiera *sf* **1** (*per preparare*) coffee-maker **2** (*per servire*) coffee pot

cafone, -a *agg, sm-sf* rude [*agg*]: *Sei un ~.* You're so rude.

cagliare *vi* to curdle

cagna *sf* bitch ☛ *Vedi nota a* CANE

cala *sf* cove

calamaro *sm* squid [*pl* squid]

calamita *sf* magnet

calamità *sf* disaster: *una ~ naturale* a natural disaster

calante *agg* LOC *Vedi* LUNA

calare *vi* **1** (*prezzi, temperatura*) to drop **2** (*vista*) to fail: *Mi è calata la vista.* My eyesight's failing. LOC **al calar della sera/notte** at dusk/nightfall

calcagno *sm* heel

calcare[1] *sm* **1** (*roccia*) limestone **2** (*incrostazione*) scale

calcare[2] *vt* (*parola*) to stress

calce *sf* lime

calcetto *sm* **1** (*calcio a cinque*) five-a-side football **2** (*calcio-balilla*) table football

calciare *vi, vt* to kick

calciatore *sm* footballer

calcio *sm* **1** (*pedata*) kick: *dare un ~ a qn/qc* to give sb/sth a kick ◊ *prendere a calci qn/qc* to kick sb/sth **2** (*sport*) football, soccer (*più informale*)

Negli Stati Uniti si dice solo **soccer**, per distinguerlo dal football americano.

3 (*fucile*) butt **4** (*Chim*) calcium LOC **calcio d'angolo** corner (kick) **calcio d'inizio** kick-off **calcio di punizione** free kick **calcio di rigore** penalty kick

calcolare *vt* to work *sth* out, to calculate (*più formale*): *Calcola di quanto abbiamo bisogno.* Work out how much we need.

calcolatrice *sf* calculator

calcolo *sm* **1** (*conteggio*) calculation: *Secondo i miei calcoli fa 105.* It's 105 according to my calculations. ◊ *Devo fare qualche ~ prima di decidere.* I have to make some calculations before deciding. **2** (*previsione*) estimate: *un ~ approssimativo* a rough estimate

caldaia *sf* boiler

caldo, -a ◆ *agg* **1** (*gen*) hot: *acqua calda* hot water ◊ *Era una giornata caldissima.* It was a very hot day. **2** (*non troppo*) warm: *vestiti caldi* warm clothes ◊ *La casa è calda.* The house is warm. **3** (*fig*) warm: *una calda accoglienza* a warm welcome ◆ *sm* heat: *Oggi si scoppia dal ~.* It's stiflingly hot today. LOC **aver caldo** to be/feel hot: *Ho ~.* I'm hot. ☛ *Vedi nota a* FREDDO **far caldo** to be hot: *Fa molto ~.* It's very hot. *Vedi anche* BORSA, MORIRE, PIANGERE

calendario *sm* calendar

calibro *sm* calibre: *una pistola ~ 38* a 38 calibre gun

calice *sm* stem glass

calligrafia *sf* handwriting

callo *sm* **1** (*dito del piede*) corn **2** (*mano, pianta del piede*) callus [*pl* calluses]

calma *sf* calm: *mantenere la ~* to keep calm LOC **prendersela con calma** to take it easy *Vedi anche* PERDERE

calmante *sm* **1** (*dolore*) painkiller **2** (*nervi*) tranquillizer

calmare ◆ *vt* **1** (*nervi*) to calm **2** (*dolore*) to relieve ◆ **calmarsi** *v rifl* **1** (*persona*) to calm down: *Calmati!* Calm down! **2** (*intensità, forza*) to ease off: *Il vento si è calmato.* The wind eased off.

calmo, -a *agg* calm

calo *sm* **1** (*temperatura*) drop ***in sth*** **2** (*prezzi*) fall ***in sth***: *Continua il ~ dei tassi d'interesse.* Interest rates continue to fall.

calore *sm* heat LOC **essere in calore** **1** (*femmina*) to be on heat **2** (*maschio*) t[o] be in rut

caloria *sf* calorie: *bruciare calorie* t[o] burn off calories

caloroso, -a *agg* **1** (*abbraccio, acc[o]glienza*) warm **2** (*applauso*) enthusias[]tic

calpestare *vt* **1** (*gen*) to step **in/on st[h]** **2** (*terreno*) to tread *sth* down **3** (*fig*) t[o] trample **on *sth***: *~ i diritti di qn* t[o] trample on sb's rights LOC *Ve[di]* VIETATO

calunnia *sf* slander

calvizie *sf* baldness

calvo, -a *agg* bald: *diventare ~* to g[o] bald ☛ *Vedi illustrazione a* CAPELLO

calza *sf* **1** (*gen*) stocking: *un paio d[i] calze* a pair of stockings **2** **calz[e]** (*collant*) tights

calzamaglia *sf* tights

calzatura *sf* footwear

calzettone *sm* knee-length sock

calzino *sm* sock

calzolaio *sm* cobbler

calzoncini *sm* shorts

calzoni *sm* trousers

camaleonte *sm* chameleon

cambiamento *sm* ~ (**di**) (*gen*) chang[e] (**in/of *sth***): *un ~ di temperatura* [a] change in temperature ◊ *C'è stato un [~] di piani.* There has been a change [of] plan.

cambiare ◆ *vt* **1** (*gen*) to change *st[h]* (***for sth***): *Il bambino va cambiato.* Th[e] baby needs changing. ◊ *cambiarsi [la] camicia* to change your shirt ◊ *Ho inte[n]zione di ~ la macchina con una p[iù] grande.* I'm going to change my car f[or] a bigger one. ◊ *~ lavoro/treno* to chang[e] jobs/trains ◊ *~ marcia* to change gear [**2**] (*valuta*) to change *sth* (***into sth***): *~ li[re] in sterline* to change lire into pounds [◊] *Ha da ~ 50.000 lire?* Have you g[ot] change for 50000 lire? **3** (*scambiare*) [to] exchange *sth* (***for sth***): *Può cambiar[lo] se non le va bene.* You can exchange it [if] it doesn't fit you. ◆ *vi* to change: *[La] situazione è cambiata.* The situatio[n] has changed. ◆ **cambiarsi** *v rifl* to g[et] changed: *Mi cambio perché devo uscir[e].* I'm going to get changed because I'[m] going out. LOC **cambiare argomento** [to] change the subject **cambiare casa** [to] move house **cambiare idea/opinione** [to] change your mind

cambio *sm* **1** (*Fin*) exchange rate [**2**] (*sostituto*) relief: *Il ~ non tarderà [a]* *arrivare.* The relief will be here soon. **3** (*auto, bicicletta*) gear **LOC** **cambio della guardia** changing of the Guard **in cambio (di)** in return (for *sth/doing sth*): *Non hanno avuto niente in ~.* They got nothing in return. ◊ *in ~ dell'aiuto che mi dai in matematica* in return for you helping me with my maths *Vedi anche* LEVA, SCATOLA

ambogia *sf* Cambodia

ambogiano, -a *agg, sm-sf, sm* Cambodian: *i cambogiani* the Cambodians

amera *sf* **1** (*gen*) room: *una ~ singola/doppia* a single/double room **2** (*da letto*) bedroom: *Questa è la tua ~.* This is your bedroom. **3** (*Politica*) chamber: *la ~ legislativa* the legislative chamber **LOC** **camera a gas** gas chamber **camera ardente** chapel of rest **camera d'aria** inner tube

ameriera *sf* **1** (*ristorante*) waitress **2** (*albergo*) chambermaid

ameriere *sm* waiter

amerino *sm* **1** (*Teat*) dressing room **2** (*in negozio*) fitting room ☛ Si dice anche **changing room**.

amice *sm* **1** (*laboratorio*) lab coat **2** (*ospedale*) white coat

amicetta *sf* blouse

amicia *sf* shirt **LOC** **camicia da notte** nightdress **camicia di forza** straitjacket

aminetto *sm* fireplace

amino *sm* **1** (*caminetto*) fireplace: *Accendi il ~.* Light the fire. ◊ *seduto vicino al ~* sitting by the fireplace **2** (*condotto per il fumo*) chimney [*pl* chimneys]

amion *sm* lorry [*pl* lorries] **LOC** **camion delle immondizie** dustcart

amionista *smf* lorry driver

ammello *sm* camel

amminare *vi* to walk: *~ in fretta* to walk hurriedly **LOC** *Vedi* CARPONI

amminata *sf* walk: *fare una ~* to go for a walk

ammino *sm* **1** (*percorso*) walk: *due ore di ~* two hours' walk **2** (*sentiero*) path **LOC** **mettersi in cammino** to set off

amomilla *sf* **1** (*tisana*) camomile tea **2** (*pianta*) camomile

amoscio *sm* **1** (*animale*) chamois **2** (*pelle*) suede: *scarpe di ~* suede shoes

ampagna *sf* **1** (*natura*) country: *vivere in ~* to live in the country **2** (*paesaggio*) countryside: *La ~ è molto bella in aprile.* The countryside looks lovely in April. **3** (*Comm, Politica, Mil*) campaign: *la ~ elettorale* the election campaign

campagnolo, -a ◆ *agg* country [*s attrib*] ◆ *sm-sf* countryman/woman [*pl* countrymen/women]

campana *sf* bell **LOC** *Vedi* SORDO

campanella *sf* bell

campanello *sm* bell: *suonare il ~* to ring the bell

campanile *sm* belfry [*pl* belfries]

campeggio *sm* **1** (*attività*) camping: *andare in ~* to go camping **2** (*luogo*) campsite

camper *sm* camper van

campestre *agg* **LOC** *Vedi* CORSA

campionario, -a *agg* **LOC** *Vedi* FIERA

campionato *sm* championship: *i Campionati Mondiali di Atletica* the World Athletics Championships

campione, -essa ◆ *sm-sf* champion: *il ~ del mondo/d'Europa* the world/European champion ◆ *sm* (*Statistica, merce*) sample

campo *sm* **1** (*terreno, ambito, Fis*) field: *campi di orzo* barley fields ◊ *il ~ della biologia* the field of biology ◊ *~ magnetico* magnetic field **2** (*Sport*) **(a)** (*calcio, rugby*) pitch **(b)** (*tennis*) court **(c)** (*golf*) course **3** (*prigione, accampamento*) camp: *~ di concentramento/profughi* concentration/refugee camp **LOC** **campo di battaglia** battlefield

camuffarsi *v rifl* to disguise yourself ***as sb/sth***

camuffato, -a *pp, agg* disguised ***as sb/sth*** *Vedi anche* CAMUFFARSI

Canada *sm* Canada

canadese ◆ *agg, smf* Canadian ◆ *sf* (*tenda*) ridge tent

canale *sm* **1** (*naturale, TV*) channel: *un ~ televisivo* a TV channel ◊ *il ~ della Manica* the Channel **2** (*artificiale*) canal: ◊ *il ~ di Suez* the Suez Canal *il Canal Grande* the Grand Canal

canapa *sf* hemp **LOC** **canapa indiana** cannabis

canarino *sm* canary [*pl* canaries]

cancellare *vt* **1** (*gen*) to cancel: *~ un volo/una riunione* to cancel a flight/meeting **2** (*con gomma*) to rub *sth* out: *~ una parola* to rub out a word **3** (*con penna*) to cross *sth* out: *Cancella tutti gli aggettivi.* Cross out all the adjectives. **4** (*lavagna*) to clean **5** (*Informatica*) to delete **LOC** *Vedi* GOMMA

cancellata *sf* railing(s) [*si usa spec al pl*]: *saltare una ~* to jump over some railings

cancellatura *sf* crossing out [*pl* crossings out]: *pieno di cancellature* full of crossings out

cancellino *sm* (*lavagna*) board duster

cancello *sm* gate: *Chiudi il ~, per favore.* Shut the gate, please.

cancro *sm* **1** cancer [*non numerabile*]: *~ dei polmoni* lung cancer **2 Cancro** (*Astrologia*) Cancer ☛ *Vedi esempi a* AQUARIUS

candeggina *sf* bleach

candela *sf* **1** (*cera*) candle: *accendere/spegnere una ~* to light/put out a candle **2** (*Auto*) spark plug

candeliere *sm* candlestick

candidare ◆ *vt* to nominate *sb* (**for sth**): *È stata candidata all'Oscar.* She was nominated for an Oscar. ◆ *v rifl* **candidarsi~ (a)** to stand (**for *sth***): *Si è candidato al senato.* He is standing for the senate.

candidato, -a *sm-sf* ~ **(a) 1** (*gen*) candidate (**for *sth***): *il ~ alla presidenza del club* the candidate for chair of the club **2** (*per un lavoro*) applicant (**for *sth***)

candidatura *sf* ~ **(a)** candidacy (**for *sth***): *annunciare la propria ~* to announce your candidacy

candito *sm* candied fruit [*non numerabile*]: *una scatola di canditi* a box of candied fruit

cane *sm* dog

La femmina si chiama **bitch** e i cuccioli **puppies**.

LOC **can che abbaia...** his/her bark is worse than his/her bite **cane da guardia** guard dog **cane da pastore** sheepdog **cane da salotto** lapdog **cane lupo** Alsatian **cane randagio** stray **da cani** lousy: *tempo da cani* lousy weather **non c'era un cane** there wasn't a soul *Vedi anche* MENARE, VITA

canestro *sm* basket: *fare ~* to score a basket

canguro *sm* kangaroo [*pl* kangaroos]

canile *sm* kennel

canino, -a *agg, sm* canine

canna *sf* **1** (*giunco*) reed **2** (*bambù, zucchero*) cane: *~ da zucchero* sugar cane **3** (*fucile*) barrel LOC **canna da pesca** fishing rod *Vedi anche* ZUCCHERO

cannella *sf* cinnamon

cannibale *smf* cannibal: *una tribù d[i] cannibali* a cannibal tribe

cannocchiale *sm* telescope

cannone *sm* cannon

cannuccia *sf* straw

canoa *sf* canoe

canottaggio *sm* rowing: *un circolo d[i] ~* a rowing club

canottiera *sf* vest

canotto *sm* dinghy

cantante *smf* singer

cantare ◆ *vt, vi* to sing ◆ *vi* **1** (*uccellino*) to chirp **2** (*gallo*) to crow **3** (*confessare*) to talk: *La polizia lo farà ~.* Th[e] police will make him talk. LOC **canta[re] vittoria** to celebrate

cantautore, -trice *sm-sf* singer-song[writer]

canticchiare *vt, vi* to hum

cantiere *sm* **1** (*navale*) shipyard [2] (*edile*) building site

cantina *sf* cellar

canto *sm* **1** (*arte*) singing: *studiare ~* t[o] study singing **2** (*canzone*) song LO[C] **canto di Natale** Christmas carol **d'altr[o] canto** on the other hand

cantonata *sf* corner LOC **prendere un[a] cantonata** to make a blunder

cantone *sm* (*Politica*) canton: *Canto[n] Ticino* Canton Ticino

canyon *sm* canyon

canzone *sf* song

caos *sm* chaos [*non numerabile*]: *L[a] notizia ha provocato il ~.* The new[s] caused chaos.

caotico, -a *agg* chaotic: *Il traffico er[a] ~.* The traffic was chaotic.

capace *agg* ~ **(di)** capable (**of st[h]/doing sth**): *Voglio gente ~ e che h[a] voglia di lavorare.* I want capable, har[d]-working people. ◊ *Sei ~ di mantenere u[n] segreto?* Are you capable of keeping [a] secret?

capacità *sf* **1** ~ **(di)** (*attitudine*) abili[ty] (***to do sth***): *Ha la ~ di farlo.* She ha[s] the ability to do it. **2** (*capienza*) cap[acity]: *La ~ della sala è di 2.000 person[e].* The hall has a seating capacity of 200[0].

capanna *sf* hut

capannone *sm* shed

caparra *sf* deposit

capelli

capello *sm* hair [*non numerabile*]: *capelli ricci/lisci* curly/straight hair ☛ *Vedi nota a* INFORMAZIONE **LOC averne fin sopra i capelli (di)** to be fed up (with *sb/sth/doing sth*) *Vedi anche* CRESCERE, RIZZARE, SCIOGLIERE, SPAZZOLA, TAGLIO

capezzolo *sm* **1** (*persona*) nipple **2** (*animale*) teat

capienza *sf*: *uno stadio con una ~ di 80.000 spettatori* a stadium that can hold 80000 people

capillare *agg, sm* capillary

capire ◆ *vt* to understand: *facile/difficile da ~* easy/difficult to understand ◊ *Non capisco.* I don't understand. ◊ *Non ho capito una parola di quello che ha detto.* I didn't understand a word he said. ◆ *v rifl* **capirsi** to get on (**with *sb***): *Ci capiamo a meraviglia.* We get on very well. **LOC capire male** to misunderstand **ho capito** I see **lasciar capire** to imply *Vedi anche* VOLO

capitale ◆ *sf* capital ◆ *sm* (*Fin*) capital

capitalismo *sm* capitalism

capitalista *agg, smf* capitalist

capitaneria *sf* **LOC capitaneria di porto** port authorities

capitano *sm* (*Mil, Sport*) captain: *il ~ della squadra* the team captain

capitare *vi* **1** (*accadere*) to happen: *Sono cose che capitano.* These things happen. ◊ *Se ti capita di vederlo fammelo sapere.* If you happen to see him, let me know. **2** (*arrivare*) to turn up

capitolo *sm* chapter: *A che ~ sei arrivato?* What chapter are you on?

capitombolo *sm* tumble

capo *sm* **1** (*Anat*) head **2** (*superiore*) boss: *essere il ~* to be the boss **3** (*di un dipartimento*) head **4** (*di una associazione*) leader: *il ~ del partito* the party leader **5** (*di una tribù*) chief **6** (*estremità*) end **7** (*Geog*) cape: *il ~ di Buona Speranza* the Cape of Good Hope **LOC a capo di** in charge of *sth*: *È a ~ della ditta.* He's in charge of the firm. **capo di stato** head of state **da capo** all over again: *Ho dovuto ricominciare da ~.* I had to start all over again. **non avere né capo né coda** to be senseless *Vedi anche* PUNTO

capobanda *smf* ringleader

capodanno *sm* New Year's Day **LOC** *Vedi* VEGLIONE

capofamiglia *smf* head of the household

capofitto LOC a capofitto headlong: *buttarsi a ~ nell'acqua* to dive headlong into the water

capogiro *sm* dizziness **LOC avere un ~** to feel dizzy

capolavoro *sm* masterpiece

caporale *sm* corporal

caposquadra *smf* foreman/woman [*pl* foremen/women]

capostazione *smf* station master

capotavola *sm*: *sedersi a ~* to sit at the head of the table

capovolgere ◆ *vt* to turn *sth* upside down ◆ **capovolgersi** *v rifl* (*barca*) to capsize

cappella *sf* chapel

cappelli

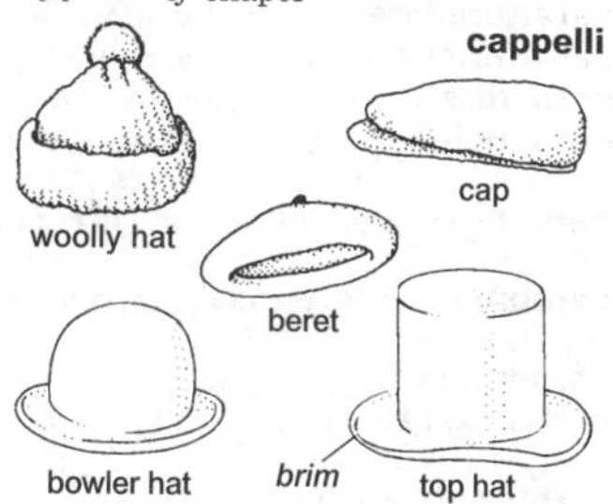

cappello *sm* hat: *un ~ da cuoco* a chef's hat

cappero *sm* caper

cappottare *vi* to overturn: *La macchina ha slittato e ha cappottato.* The car skidded and overturned.

cappotto *sm* coat

Cappuccetto *n pr* **LOC Cappuccetto Rosso** Little Red Riding Hood

cappuccino *sm* cappuccino

cappuccio *sm* **1** (*indumento*) hood **2** (*penna*) top

capra *sf* goat

capretto *sm* kid

capriccio *sm* whim: *È solo un ~.* It's only a passing whim. LOC **fare i capricci** to be naughty

capriccioso, -a *agg* (*bambino*) naughty

Capricorno *sm* Capricorn ☛ *Vedi esempi a* AQUARIUS

capriola *sf* somersault: *fare una ~* to do a somersault

capro *sm* LOC **capro espiatorio** scapegoat

capsula *sf* (*medicinale, spaziale*) capsule

carabiniere *sm* policeman [*pl* policemen]

caraffa *sf* jug

Caraibi *sm* **i Caraibi** the Caribbean

caraibico, -a *agg* Caribbean

caramella *sf* sweet

caramello *sm* caramel

carato *sm* carat: *oro a 18 carati* 18–carat gold

carattere *sm* **1** (*indole*) nature **2** (*lettera di alfabeto*) character: *caratteri greci* Greek characters LOC **avere un buon/brutto carattere** to be good-natured/bad-tempered **avere molto/poco carattere** to be strong-minded/weak-minded

caratteristica *sf* characteristic

caratteristico, -a *agg* characteristic

carboidrato *sm* carbohydrate

carboncino *sm* charcoal: *un disegno a ~* a charcoal sketch

carbone *sm* coal LOC **carbone di legna** charcoal

carbonio *sm* carbon LOC *Vedi* MONOSSIDO, OSSIDO

carbonizzare *vt* to burn

carbonizzato, -a *pp, agg* charred *Vedi anche* CARBONIZZARE

carburante *sm* fuel

carburatore *sm* carburettor

carcerato, -a *sm-sf* convict

carcere *sm* prison: *Lo hanno messo in ~.* They put him in prison.

carciofo *sm* artichoke

cardiaco, -a *agg* heart [*s attrib*] LOC *Vedi* BATTITO, COLLASSO

cardinale *sm, agg* cardinal LOC *Vedi* PUNTO

cardine *sm* hinge

cardo *sm* thistle

carenza *sf* lack: *C'è ~ di medicinali.* We lack medicines. ◊ *~ vitaminica* lack of vitamins

carestia *sf* famine

carezza *sf* caress

cariato, -a *agg* decayed

carica *sf* **1** (*mansione*) office: *la ~ di sindaco* the office of mayor **2** (*orologio*): *dare la ~ all'orologio* to wind up the clock **3** (*esplosivo, Elettr*) charge

caricabatteria *sm* charger

caricare ◆ *vt* **1** (*gen*) to load: *Hanno caricato il camion di scatoloni.* They loaded the lorry with boxes. ◊ *~ un'arma* to load a weapon **2** (*batteria*) to charge **3** (*Mil*) to charge **at sb** ◆ **caricarsi** *v rifl* **caricarsi di** (*portare*) to carry **sth** [*vt*]: *Mi tocca sempre caricarmi di borse e borsoni.* I always end up carrying too many bags.

caricatura *sf* caricature

carico, -a ◆ *agg* **1** ~ (**di**) loaded (**with** ***sth***): *Erano carichi di valige.* They were loaded down with suitcases. ◊ *un'arma carica* a loaded weapon **2** ~ **di** (*debiti, lavoro*) burdened down **with** ***sth*** **3** (*tè, caffè*) strong: *un caffè molto ~* a very strong coffee ◆ *sm* **1** (*azione*) loading: *Il ~ della nave è durato parecchi giorni.* Loading the ship took several days. ◊ *~ e scarico* loading and unloading **2** (*peso*) load: *~ massimo* maximum load **3** (*merce*) **(a)** (*aereo, nave*) cargo [*pl* cargoes] **(b)** (*camion*) load **4** (*fiscale, tributario*) burden LOC **carica!** charge *Vedi anche* TELEFONATA

carie *sf* tooth decay [*non numerabile*]: *per prevenire la ~* to prevent tooth decay

carino, -a *agg* **1** (*grazioso*) pretty **2** (*gentile*) nice: *Cerca di essere più ~ con lei.* Try to be nice to her.

carità *sf* charity: *vivere di ~* to live on charity LOC **per carità!** please!

carnagione *sf* complexion: *avere una ~ molto chiara* to have a very pale complexion

carnale *agg* LOC *Vedi* VIOLENZA

carne *sf* **1** (*gen*) flesh **2** (*alimento*) meat: *Mi piace la ~ ben cotta.* I like my meat well done.

In inglese si usano parole diverse per riferirsi all'animale e alla carne che se ne ottiene: dal *maiale* (**pig**) si ottiene **pork**, dalla *vacca* (**cow**) **beef**, dal *vitello* *lo* (**calf**) **veal**. **Mutton** è la carne della *pecora* (**sheep**), e dall'*agnello* si ottiene **lamb**.

LOC **carne tritata** mince **carne viva** raw flesh **essere di carne e ossa** to be only human **in carne e ossa** in the flesh

carneficina *sf* massacre

carnevale *sm* carnival ☛ *Vedi nota a* MARTEDÌ

carnivoro, -a *agg* carnivorous: *pianta carnivora* carnivorous plant

caro, -a ◆ *agg* **1** (*gen*) dear: *Caro David, ...* Dear David, ... ◊ *Cari saluti, Laura.* Lots of love, Laura. **2** (*costoso*) expensive, dear (*più informale*): *È troppo ~.* It's too expensive. ◆ *avv* **1** (*lett*): *pagare qc molto ~* to pay a lot for sth **2** (*fig*) dearly: *Pagheranno ~ il loro errore.* Their mistake will cost them dearly.

carogna *sf* **1** (*cadavere*) carrion **2** (*insulto*) swine

carota *sf* carrot

carovana *sf* caravan

carozziere *sm* panel beater

carpa *sf* carp [*pl* carp]

carponi *avv* LOC **andare/camminare carponi** to crawl

carrabile *agg* LOC *Vedi* PASSO

carreggiata *sf* carriageway

carrello *sm* **1** (*gen*) trolley [*pl* trolleys]: *~ del supermercato* shopping trolley **2** (*macchina da scrivere*) carriage LOC **carrello di atterraggio** undercarriage

carriera *sf* career: *Ci sono molte prospettive di ~.* It offers good career prospects.

carriola *sf* wheelbarrow

carro *sm* **1** (*gen*) cart **2** (*sfilata*) float LOC **carro armato** tank **carro attrezzi** breakdown truck **carro funebre** hearse

carrozza *sf* **1** (*Ferrovia*) coach **2** (*carro*) carriage

carrozzeria *sf* bodywork [*non numerabile*]

carrozzina *sf* pram

carrozzone *sm* caravan

carta *sm* **1** (*materiale*) paper [*non numerabile*]: *un foglio di ~* a sheet of paper ◊ *~ quadrettata/riciclata* squared/recycled paper **2** (*da gioco*) card: *giocare a carte* to play cards

I *semi* delle carte, **suits**, si dividono in: **hearts** (*cuori*), **diamonds** (*quadri*), **clubs** (*fiori*) e **spades** (*picche*). Ogni seme comprende **ace** (*asso*), **king** (*re*), **queen** (*regina*) e **jack** (*fante*). Prima di cominciare a giocare si *mescolano* (**shuffle**), si *tagliano* (**cut**) e si *distribuiscono* (**deal**) le carte.

3 (*geografica, stradale*) map LOC **carta da gioco** playing card **carta da parati** wallpaper **carta da regalo** wrapping paper **carta di alluminio** foil **carta di credito** credit card **carta d'identità** identity card ☛ In Gran Bretagna non esiste la carta d'identità. **carta d'imbarco** boarding card **carta igienica** toilet paper **carta intestata** headed paper **carta straccia** waste paper **carta vetrata** sandpaper **dare le carte** to deal (the cards) **fare le carte** to tell *sb's* fortune *Vedi anche* FAZZOLETTO, BICCHIERE

cartacarbone *sf* carbon paper

cartaccia *sf* waste paper

cartapesta *sf* papier mâché

cartavetrare *vt* to sandpaper

cartella *sf* **1** (*gen*) folder **2** (*valigetta*) briefcase **3** (*da scuola*) school bag LOC **cartella clinica** medical record

cartellino *sf* **1** (*gen*) tag: *il ~ del prezzo* price tag **2** (*Calcio*) card: *~ giallo/rosso* yellow/red card

cartello *sm* **1** (*gen*) sign **2** (*in corteo*) placard LOC **cartello stradale** road sign

cartellone *sm* (*pubblicitario*) hoarding LOC **tenere il cartellone** (*spettacolo*) to be on: *Tiene il ~ da un mese.* It's been on for a month.

cartina *sf* **1** (*per sigarette*) cigarette paper **2** (*geografica*) map

cartoleria *sf* stationer's [*pl* stationers]

cartolina *sf* postcard

cartone *sm* **1** (*materiale*) cardboard: *scatole di ~* cardboard boxes **2** (*latte*) carton ☛ *Vedi illustrazione a* CONTAINER LOC **cartone animato** cartoon

cartuccia *sf* (*proiettile, ricambio*) cartridge

casa *sf* **1** (*abitazione*) house ☛ *Vedi pag. 380.* **2** (*focolare domestico*) home: *~ dolce ~.* Home sweet home. ◊ *Non si sta mai bene come a ~ propria.* There's no place like home. **3** (*impresa*) company [*pl* companies]: *una ~ discografica* a record company LOC **a casa** at home: *Sono rimasto a ~.* I stayed at home. **a casa di** at *sb's* (house): *Sarò a ~ di mia sorella.* I'll be at my sister's house. ☛ Nel linguaggio informale si omette la parola "house": *Sarò a ~ di Francesca.* I'll be at Francesca's. **andare a**

casa to go home **andare a casa di** to go to *sb's* (house): *Andrò a ~ dei miei genitori.* I'll go to my parents' (house). **casa dello studente** hall (of residence) **casa di riposo per anziani** old people's home **casa editrice** publishing house **casa popolare** council flat **fatto in casa** home-made: *marmellata fatta in ~* home-made jam **in casa** in: *È in ~ tua madre?* Is your mother in? *Vedi anche* CAMBIARE, PADRONE

casaccio *sm* LOC **a casaccio** at random

casalinga *sf* housewife [*pl* housewives]

casalingo, -a *agg* **1** (*gen*) home [*s attrib*]: *cucina casalinga* home cooking **2** (*persona*) home-loving: *essere molto ~* to love being at home

cascare *vi* to fall: *Sono cascato per terra.* I fell down. LOC **cascarci** to fall for it: *...e lui ci è cascato!* ...and he fell for it! *Vedi anche* NUVOLA

cascata *sf* waterfall

cascina *sf* farmhouse

casco *sm* **1** (*gen*) helmet: *portare il ~* to wear a helmet **2** (*asciugacapelli*) hair-dryer **3** (*banane*) bunch

caseggiato *sm* block of flats ☛ *Vedi pag. 380.*

casella *sf* **1** (*Scacchi, Dama*) square **2** (*questionario*) box: *fare un segno nella ~* to put a tick in the box **3** (*lettere*) pigeon-hole LOC **casella postale** post-office box (*abbrev* PO box)

caserma *sf* barracks [*v sing o pl*]: *La ~ è qui vicino.* The barracks is/are very near here. LOC **caserma dei pompieri** fire station

casinò *sm* casino [*pl* casinos]

casino *sm* **1** (*rumore*) racket: *fare ~* to make a racket **2** (*confusione*) muddle: *C'era un ~ incredibile.* There was a terrible muddle. **3** (*disordine*) mess: *Che ~!* What a mess! **4** (*guaio*) trouble [*non numerabile*]: *L'hanno messo nei casini.* They got him into trouble. LOC *Vedi* PIANTARE

caso *sm* **1** (*gen*) case: *il caso Moro* the Moro case **2** (*coincidenza*) chance: *Ci siamo incontrati per puro ~.* We met by sheer chance. ◊ *Non avresti per ~ il suo numero di telefono?* You wouldn't have her number by any chance, would you? **3** (*destino*) fate LOC **a caso** at random: *Scegli un numero a ~.* Choose a number at random. **essere un caso a parte** to be something else **fare al caso di qn** to be just what sb needs **fare caso a** to take notice of *sb/sth* **in caso contrario** otherwise **in caso di** in the event of *sth*: *Rompere il vetro in ~ di incendio.* Break the glass in the event of fire. **in caso di bisogno/necessità** if necessary **in ogni caso** in any case **nel caso che...** if...: *Nel ~ che te lo chieda...* If he asks you... **nel migliore/peggiore dei casi** at best/worst **non è il caso di...** there's no need...: *Non è il ~ di prendersela* There's no need for you to get upset. **si dà il caso che...** it so happens that...

caspita! *escl* **1** (*sorpresa*) goodness me **2** (*sdegno*) for heaven's sake!

cassa *sf* **1** (*bottiglie*) **(a)** (*gen*) crate **(b)** (*vino*) case **2** (*supermercato*) checkout **3** (*altri negozi*) cash desk **4** (*banca*) cashier's desk **5** (*registratore di cassa*) till **6** (*stereo*) speaker LOC **cassa comune** kitty [*pl* kitties]: *far ~ comune* to have a kitty **cassa di risparmio** savings bank *Vedi anche* FONDO, REGISTRATORE

cassaforte *sf* safe [*pl* safes]

cassapanca *sf* large chest

casseruola *sf* saucepan ☛ *Vedi illustrazione a* SAUCEPAN

cassetta *sf* cassette

> Si può anche dire **tape**. **Rewind** significa "riavvolgere il nastro" e **fast forward** "far andare avanti veloce".

LOC *Vedi* PANE

cassettiera *sf* chest of drawers

cassetto *sm* drawer

cassiere, -a *sm-sf* cashier

cassonetto *sm* (*per rifiuti*) wheelie-bin

casta *sf* caste

castagna *sf* chestnut LOC Vedi LEVARE

castagno *sm* chestnut (tree)

castano, -a *agg* brown: *capelli/occhi castani* brown hair/eyes

castello *sm* castle LOC **castello di sabbia** sandcastle *Vedi anche* LETTO

castigo *sm* punishment: *mettere qn in ~* to punish sb

castità *sf* chastity

casto, -a *agg* chaste

castoro *sm* beaver

castrare *vt* to castrate

casuale *agg* chance [*s attrib*]: *un incontro ~* a chance meeting

catacomba *sf* catacomb

catalizzatore *sm* (*Auto*) catalytic converter

catalogo *sm* catalogue

cataratta *sf Vedi* CATERATTA

catarifrangente *sm* reflector

catarro *sm* catarrh [*non numerabile*]
catastrofe *sf* catastrophe
catechismo *sm* catechism
categoria *sf* **1** (*gen*) category [*pl* categories] **2** (*albergo*) class: *un albergo di seconda ~* a second class hotel LOC **di prima/seconda/terza categoria** first-rate/second-rate/third-rate
categorico, -a *agg* **1** (*gen*) categorical **2** (*rifiuto*) flat
catena *sf* chain LOC **catena di montaggio** assembly line
catenaccio *sm* bolt: *mettere il ~* to bolt the door
cateratta *sf* (*anche* **cataratta**) cataract
catino *sm* bowl
catrame *sm* tar
cattedra *sf* teacher's desk
cattedrale *sf* cathedral
cattiveria *sf* **1** (*qualità*) wickedness **2** (*azione*): *È stata una ~.* It was a nasty thing to do.
cattività *sf* captivity
cattivo, -a ◆ *agg* **1** (*gen*) bad: *un odore ~* a bad smell **2** (*inadeguato*) poor: *cattiva alimentazione* poor food ◊ *dovuto al ~ stato del terreno* due to the poor condition of the ground **3** (*bambino*) naughty ◆ *sm-sf* villain, baddy [*pl* baddies] (*inform*): *Il ~ muore nell'ultimo atto.* The villain dies in the last act. ◊ *Alla fine i buoni si scontrano con i cattivi.* At the end there's a fight between the goodies and the baddies. LOC *Vedi* EDUCAZIONE, MIRA, NAVIGARE, ODORE, STRADA, UMORE
cattolicesimo *sm* Catholicism
cattolico, -a *agg*, *sm-sf* Catholic: *essere ~* to be a Catholic
cattura *sf* capture
catturare *vt* to capture
causa *sf* **1** (*origine, ideale*) cause: *la ~ principale del problema* the main cause of the problem ◊ *Ha abbandonato tutto per la ~.* He left everything for the cause. **2** (*Dir*) lawsuit LOC **a/per causa di** because of *sb/sth* **fare causa** to take *sb/sth* to court
causare *vt* to cause
cautela *sf* caution
cauto, -a *agg* cautious
cauzione *sf* **1** (*Comm*) deposit **2** (*Dir*) bail [*non numerabile*]: *una ~ di trenta milioni di lire* bail of thirty million lire
cava *sf* quarry [*pl* quarries]
cavalcare *vt* to ride: *Mi piace ~.* I like riding.
cavalcata *sf* ride: *fare una ~* to go for a ride
cavalcavia *sm* flyover
cavalcioni *avv* LOC **a cavalcioni (di)** astride (*sth*)
cavaliere *sm* **1** (*gen*) rider **2** (*Storia*) knight
cavalla *sf* mare
cavalleria *sf* **1** (*Mil*) cavalry [*v sing o pl*] **2** (*cortesia*) chivalry
cavalletta *sf* grasshopper
cavalletto *sm* **1** (*gen*) trestle **2** (*Pittura*) easel **3** (*Fotografia*) tripod
cavallo *sm* **1** (*animale*) horse **2** (*Scacchi*) knight **3** (*Mecc*) horsepower (*abbrev* hp): *un motore da venti cavalli* a twenty-horsepower engine **4** (*attrezzo ginnico*) vaulting horse LOC **a cavallo tra...** halfway between... **cavallo a dondolo** rocking horse **cavallo da corsa** racehorse *Vedi anche* CODA, CORSA, FERRO
cavalluccio *sm* LOC **cavalluccio marino** seahorse
cavare *vt* to extract: *farsi ~ un dente* to have a tooth extracted LOC **cavarsela** to get on: *Come te la cavi?* How are you getting on? ◊ *Se la sta cavando bene al lavoro/a scuola.* He's getting on well at work/school. **cavarsela per un pelo** to escape by the skin of your teeth
cavatappi *sm* corkscrew
caverna *sf* cavern
cavia *sf* guinea pig
caviale *sm* caviar
caviglia *sf* ankle: *Mi sono slogato la ~.* I've sprained my ankle.
cavillare *vi* to split hairs: *Non stare a ~.* Don't split hairs.
cavo, -a ◆ *agg* hollow: *un albero ~* a hollow tree ◆ *sm* **1** (*gen*) cable **2** (*Naut*) rope
cavolfiore *sm* cauliflower
cavolino di Bruxelles *sm* Brussels sprout
cavolo *sm* cabbage
ce *Vedi* CI
cece *sm* chickpea
cecità *sf* blindness
ceco, -a *agg*, *sm-sf*, *sm* Czech: *i cechi* the Czechs ◊ *parlare ~* to speak Czech
cedere ◆ *vt* to hand *sth* over (***to sb***): *~ il potere* to hand over power ◊ *Hanno ceduto l'edificio al comune.* They handed over the building to the council. ◆ *vi* **1** (*rassegnarsi*) to give in (***to sb/sth***): *È importante saper ~.* It's important to know how to give in

gracefully. **2** (*rompersi*) to give way: *Il ripiano ha ceduto sotto il peso dei libri.* The shelf gave way under the weight of the books. LOC **cedere il passo** to give way *to sb* **cedere il posto** to give up your seat *for sb* **cedere la parola** to hand over *to sb*

cedro *sm* cedar

ceffone *sm* slap LOC *Vedi* MOLLARE

celebrare *vt* to celebrate

celebre *agg* famous

celeste *agg, sm* pale blue ☛ *Vedi esempi a* GIALLO

celibe *agg* single: *essere* ~ to be single

cella *sf* cell LOC **in cella d'isolamento** in solitary confinement

cellofan *sm* Cellophane®

cellula *sf* cell

cellulare ◆ *agg* cellular ◆ *sm* mobile phone

cellulite *sf* cellulite

cemento *sm* cement LOC **cemento armato** reinforced concrete

cena *sf* dinner, supper: *Cosa c'è per ~?* What's for dinner? ☛ *Vedi pag. 379.*

cenare *vi* to have dinner ☛ *Vedi pag. 379.*

cencio *sm* rag

cenere *sf* ash LOC *Vedi* MERCOLEDÌ

Cenerentola *n pr* Cinderella

cenno *sm* (*segno*) sign LOC **fare cenno** to signal: *Mi facevano ~ di fermarmi.* They were signalling to me to stop. **fare cenno di sì/di no** to nod (your head)/to shake your head

censimento *sm* census [*pl* censuses]

censore *sm* censor

censura *sf* censorship

censurare *vt* to censor

centenario, -a ◆ *agg* hundred-year-old: *un albero ~* a hundred-year-old tree ◆ *sm* centenary [*pl* centenaries]: *il ~ della sua fondazione* the centenary of its founding ◊ *il sesto ~ della sua nascita* the 600th anniversary of his birth

centesimo, -a ◆ *agg, pron, sm* hundredth: *un ~ di secondo* a hundredth of a second ☛ *Vedi esempi a* SESSANTESIMO ◆ *sm* (*moneta*) cent

centigrado, -a *agg* centigrade (*abbrev* C) LOC *Vedi* GRADO

centimetro *sm* centimetre (*abbrev* cm): *~ quadratro/cubico* square/cubic centimetre ☛ *Vedi Appendice 1.*

centinaio *sm* (a) hundred [*pl* hundred(s)]: *centinaia, decine e unità* hundreds, tens and units ◊ *varie centinaia* several hundred ◊ *un ~ di spettatori* a hundred or so spectators ☛ *Vedi Appendice 1.* LOC **centinaia di...** hundreds of...: *centinaia di sterline* hundreds of pounds

cento *sm, agg, pron* a hundred: *Oggi compie ~ anni.* She's a hundred today ☛ *Vedi Appendice 1.* LOC **(al) cento per cento** a hundred per cent **per cento** per cent: *il 50 per ~ della popolazione* 50 per cent of the population

centomila *sm, agg, pron* a hundred thousand: *~ lire* a hundred thousand lire ☛ *Vedi Appendice 1.*

centrale ◆ *agg* central: *riscaldamento ~* central heating ◊ *un appartamento ~* a flat in the centre of town ◆ *sf* LOC **centrale del latte** dairy [*pl* dairies] **centrale di polizia** police station **centrale elettrica** power station **centrale nucleare** nuclear power station **centrale telefonica** telephone exchange *Vedi anche* SEDE

centralinista *smf* (switchboard) operator

centralino *sm* (*ufficio, albergo*) switchboard

centrare *vt* **1** (*colpire nel centro*) to hit: *~ il bersaglio* to hit the target **2** (*mettere al centro*) to centre: *~ la fotografia in una pagina* to centre the photo on a page

centrato, -a *pp, agg* **1** (*nel centro*): *Il titolo non è ~* The heading isn't in the centre. **2** (*assestato*): *un colpo ben ~.* a well-aimed blow *Vedi anche* CENTRARE

centravanti *sm* centre forward: *Gioca come ~.* He plays centre forward.

centrifuga *sf* **1** (*per bucato*) spin-dryer **2** (*per frutta*) juice extractor

centro *sm* centre: *il ~ della città* the city centre ◊ *il ~ dell'attenzione* the centre of attention LOC **centro commerciale** shopping centre **centro culturale** arts centre **centro sociale** community centre **fare centro** to hit the target *Vedi anche* RIANIMAZIONE

centrocampista *sm* midfield player

centrocampo *sm* midfield

ceppo *sm* **1** (*gen*) stump **2** (*ciocco*) log LOC **ceppo bloccaruote** clamp

cera *sf* wax

ceramica *sf* pottery

cerbiatto *sm* fawn ☛ *Vedi nota a* CERVO

cerca *sf* LOC **in cerca di** in search of *sth*

cercapersone *sm* bleeper

cercare ◆ *vt* **1** (*gen*) to look for *sb/sth*: *Sto cercando lavoro/casa.* I'm looking for work/a flat. **2** (*controllare*) to look *sth* up: ~ *una parola sul dizionario* to look a word up in the dictionary ◆ *vi* ~ **di** to try ***to do sth***: *Cerca di essere puntuale.* Try to be there on time. LOC **cercare un ago in un pagliaio** to look for a needle in a haystack **cercasi** wanted: *Cercasi appartamento.* Flat wanted. **te le vai a cercare** you're asking for it

cerchia *sf* (*amici, parenti*) circle

cerchietto *sm* (*per capelli*) hairband

cerchio *sm* circle

cereale *sm* cereal

cerebrale *agg* (*Med*) brain [*s attrib*]: *un'emorragia* ~ a brain haemorrhage LOC *Vedi* COMMOZIONE, LESIONE

cerimonia *sf* ceremony [*pl* ceremonies]: *la* ~ *di apertura* the opening ceremony

cerniera *sf* **1** (*cerniera lampo*) zip **2** (*di finestra, porta*) hinge

cero *sm* candle

cerotto *sm* plaster

certamente ◆ *avv* certainly ◆ **certamente!** *escl* of course!

certezza *sf* certainty [*pl* certainties]: *avere la* ~ to be certain

certificare *vt* to certify

certificato *sm* certificate: ~ *di nascita/medico* birth/medical certificate

certo, -a ◆ *agg* **1** (*sicuro*) certain, sure (*più informale*): *Non ne sono* ~. I'm not certain. ◊ *È* ~. It's a sure thing. **2** (*indeterminato*) certain: *con una certa apprensione* with a certain anxiety ◊ *Ci sono solo a certe ore del giorno.* They're only there at certain times of the day. ◊ *un* ~ *Mr Cooper* a certain Mr Cooper **3** (*intensivo*): *Ha certi muscoli!* What muscles he's got! ◆ *avv* certainly ◆ **certi** *pron* some people: *Certi dicono che…* Some people say that… ◆ **certo!** *escl* of course: ~ *che no!* Of course not! LOC **di certo** for sure **fino a un certo punto** up to a point

cerume *sm* earwax

cervello *sm* **1** (*Anat*) brain **2** (*persona*) brains [*sing*]: *il* ~ *della banda* the brains behind the gang LOC **lambiccarsi/arrovellarsi il cervello** to rack your brains *Vedi anche* LAVAGGIO

cervo, -a *sm-sf* deer [*pl* deer]

La parola **deer** è il sostantivo generico, **stag** (o **buck**) si riferisce solo al cervo maschio e **doe** solo alla femmina. **Fawn** è il cerbiatto.

cesoie *sf* shears

cespuglio *sm* bush

cessare ◆ *vi* ~ (**di**) to stop (***doing sth***) ◆ *vt* to cease: ~ *il fuoco* to cease fire

cestino *sm* basket LOC **cestino dei rifiuti** litter bin **cestino della cartaccia** waste-paper basket **cestino del pranzo** lunchbox

cesto *sm* basket

ceto *sm* class: ~ *alto/basso/medio* upper/lower/middle class

cetriolino *sm* gherkin: *cetriolini sottaceto* pickled gherkins

cetriolo *sm* cucumber

charter *agg, sm*: *un* (*volo*) ~ a charter flight

che[1] *pron rel*

- **soggetto 1** (*persona*) who: *il signore* ~ *è venuto ieri* the man who came yesterday ◊ *È stato mio fratello* ~ *me l'ha detto.* It was my brother who told me. **2** (*cosa*) that: *la macchina* ~ *è parcheggiata nella piazza* the car that's parked in the square ☛ Quando **che** equivale a *il quale, la quale*, ecc, si traduce con **which**: *Questo palazzo,* ~ *prima era sede governativa, oggi è una biblioteca.* This building, which previously housed the Government, is now a library.
- **complemento** ☛ In inglese spesso non si traduce **che** quando ha funzione di complemento, anche se è corretto usare **that/who** per persone e **that/which** per cose: *il ragazzo* ~ *hai conosciuto a Roma* the boy (that/who) you met in Rome ◊ *la rivista* ~ *mi hai prestato ieri* the magazine (that/which) you lent me yesterday

che[2] *agg, pron*

- **interrogativo** what: ~ *te ne pare?* What do you think? ◊ *Non so* ~ *dire.* I don't know what to say. ◊ ~ *ore sono?* What time is it? ◊ *A* ~ *piano abiti?* What floor do you live on? ☛ Quando esiste un numero limitato di possibilità si usa **which**: ~ *macchina prendiamo, la tua o la mia?* Which car shall we take? Yours or mine?
- **esclamativo 1** (+ *sostantivi numerabili al plurale e non numerabili*) what: ~ *belle case!* What lovely houses! ◊ ~ *coraggio!* What courage! **2** (+ *sostantivi*

numerabili al singolare) what a: ~ *vita!* What a life! **3** (*quando si traduce con aggettivo*) how: ~ *rabbia/orrore!* How annoying/awful! LOC **che cosa** what: ~ *cosa ha detto?* What did he say?

che[3] *cong* **1** (*con proposizioni subordinate*) (that): *Ha detto ~ sarebbe venuto questa settimana.* He said (that) he would come this week. ◊ *Spero ~ venga.* I hope he comes. **2** (*nei paragoni*) than: *C'era più vodka ~ succo d'arancia.* There was more vodka in it than orange juice. **3** (*risultato*) (that): *Ero così stanca ~ mi sono addormentata.* I was so tired (that) I fell asleep. **4** (*altre costruzioni*): *Aumenta il volume della radio ~ non la sento.* Turn the radio up — I can't hear it. ◊ *Non c'è giorno ~ non piova.* There isn't a single day when it doesn't rain. ◊ *Sono anni ~ non ci vediamo.* I haven't see them in years.

check-in *sm* check-in

check-up *sm* check-up: *fare un ~* to have a check-up

chi ◆ *pron interr* who: ~ *è?* Who is it? ◊ ~ *hai visto?* Who did you see? ◊ ~ *viene?* Who's coming? ◊ *Per ~ è questo regalo?* Who is this present for? ◊ *Di ~ parli?* Who are you talking about? ◆ *pron rel* whoever: *Invita ~ vuoi.* Invite whoever you want. ◊ ~ *è a favore alzi la mano.* Those in favour, raise your hands. LOC **di chi...?** whose...?: *Di ~ è questo cappotto?* Whose is this coat?

chiacchierare *vi* to chat LOC *Vedi* PIÙ

chiacchierata *sf* chat: *fare una ~* to have a chat

chiacchiere *sf* **1** (*conversazione*) chatting **2** (*pettegolezzi*) gossip: *Sono solo ~.* It's just gossip. LOC **fare due/quattro chiacchiere** to chat *Vedi anche* BANDO

chiacchierone, -a ◆ *agg* talkative ◆ *sm-sf* **1** (*gen*) chatterbox **2** (*pettegolo*) gossip

chiamare ◆ *vt* to call: *Gli amici la chiamano Titti.* Her friends call her Titti. ◊ ~ *la polizia* to call the police ◊ *Chiamami quando arrivi.* Call me when you get there. ◆ **chiamarsi** *v rifl* to be called: *Come si chiama il tuo cane?* What's your dog called? ◊ *Come ti chiami?* What's your name? ◊ *Mi chiamo Anna.* My name's Anna.

chiamata *sf* phone call: *una ~ interurbana* a long-distance phone call

chiaramente *avv* **1** (*in modo chiaro*) clearly **2** (*ovviamente*) obviously

chiarezza *sf* clarity

chiarire *vt* to clarify: *Le dispiacerebbe ~ quel che ha detto?* Could you clarify what you said?

chiaro, -a ◆ *agg* **1** (*gen*) clear **2** (*colore*) light: *verde ~* light green **3** (*capelli pelle*) fair ◆ *avv* clearly: *parlare ~* to speak clearly ◊ *Vorrei vederci ~ in questa faccenda.* I'd like to get to the bottom of this business. LOC **essere chiaro come il sole** to be crystal clear **far chiaro** to get light: *Fa ~ presto d'estate.* It gets light early in summer **mettere in chiaro** to make *sth* clear *Vedi anche* BIRRA

chiasso *sm* racket: *Che ~!* What a racket!

chiassoso, -a *agg* noisy

chiave ◆ *sf* **1** ~ **(di)** (*gen*) key [*pl* keys] (**to *sth***): *la ~ dell'armadio* the key to the wardrobe ◊ *la ~ della porta* the door key ◊ *la ~ del loro successo* the key to their success **2** (*Mecc*) spanner **3** (*Mus*) clef: ~ *di basso/violino* bass/treble clef **4** (*codice*) code ◆ *agg* key [*s attrib*]: *fattore/persona ~* key factor/person LOC **chiave dell'accensione** ignition key **chiave di volta** keystone **sotto chiave** under lock and key *Vedi anche* GIRO

chiazza *sf* slick: *una ~ di petrolio* an oil slick

chicchirichì *escl, sm* cock-a-doodle-doo

chicco *sm* grain: *un ~ di riso/grano* a grain of rice/wheat LOC **chicco di caffè** coffee bean **chicco d'uva** grape

chiedere ◆ *vt* **1** ~ **qc (a)** (*gen*) to ask **for sth**; to request **sth** (*più formale*): ~ *del pane/il conto* to ask for some bread/the bill ◊ ~ *un colloquio* to request an interview **(b)** (*informazione*) to ask **sth**: *Ho chiesto il prezzo della giacca.* I asked the price of the jacket. **2** ~ **qc a qn (a)** (*gen*) to ask **sb for sth**: ~ *aiuto ai vicini* to ask the neighbours for help **(b)** (*permesso, favore*) to ask **sb sth**: *Volevo chiederti un favore.* I want to ask you a favour. **3** ~ **a qn di fare/che faccia qc** to ask **sb to do sth**: *Mi chiese di attendere.* He asked me to wait. ◆ *vi* ~ **di** (*cercando qn/qc*) to ask **for *sb*/*sth***: *C'era un signore che chiedeva di te.* A man was asking for you. **2** (*interessandosi di qn*) to ask **after *sb***: *Chiedile del piccolino.* Ask after her little boy. **3** (*interessandosi di qc*) to ask **about *sth***: *Le ho chiesto degli esami.* I asked her about the exam. ◆ **chiedersi** *v rifl* to wonder: *Mi chiedo chi può essere a quest'ora.* I wonder who it can be at this time

LOC **chiedere in prestito** to borrow: *Mi ha chiesto in prestito la macchina.* He borrowed my car. ☛ *Vedi illustrazione a* BORROW **chiedere l'elemosina** to beg **chiedere scusa** to apologize (*to sb*) (*for sth*)

chiesa *sf* church: *la Chiesa cattolica* the Catholic Church ☛ *Vedi nota a* SCHOOL LOC *Vedi* SPOSARE

chilo *sm* kilo [*pl* kilos] (*abbrev* kg) ☛ *Vedi Appendice 1.*

chilogrammo *sm* kilogram(me) (*abbrev* kg) ☛ *Vedi Appendice 1.*

chilometro *sm* kilometre (*abbrev* km) ☛ *Vedi Appendice 1.*

chilowatt *sm* kilowatt (*abbrev* kw)

chimica *sf* chemistry

chimico, -a ◆ *agg* chemical ◆ *sm* chemist LOC *Vedi* LIEVITO

china *sf* (Indian) ink: *un disegno a ~* an ink drawing

chinare ◆ *vt* to bend: *~ il capo* to bow your head ◆ **chinarsi** *v rifl* to bend down

chiocciola *sf* snail LOC *Vedi* SCALA

chiodo *sm* nail LOC **chiodo di garofano** clove **chiodo fisso** fixation *Vedi anche* MAGRO

chiosco *sm* kiosk

chiostro *sm* cloister

chip *sm* chip

chirurgia *sf* surgery: *~ estetica/plastica* cosmetic/plastic surgery

chirurgico, -a *agg* (*strumento*) surgical

chirurgo *sm* surgeon LOC *Vedi* INTERVENTO

chissà *avv* **1** (*gen*) who knows: *~ quando ci rivedremo.* Who knows when we'll meet again. **2** (*forse*) perhaps: *"Pensi che verrà?" "Chissà."* 'Do you think she'll come?' 'Perhaps.'

chitarra *sf* guitar

chitarrista *smf* guitarist

chiudere ◆ *vt* **1** (*gen*) to close, to shut (*più informale*): *Chiudi la porta.* Shut the door. ◊ *Ho chiuso gli occhi.* I closed my eyes. **2** (*a chiave*) to lock **3** (*gas, rubinetto*) to turn *sth* off **4** (*busta*) to seal **5** (*cappotto*) to fasten ◆ *vi* to close, to shut (*più informale*): *La porta non chiude bene.* The door doesn't close properly. ◊ *Non chiudiamo per pranzo.* We don't close for lunch. ◆ **chiudersi** *v rifl* to close, to shut (*più informale*): *Si è chiusa la porta.* The door closed. ◊ *Mi si chiudevano gli occhi.* My eyes were closing. LOC **chiudi il becco!** shut up! **non chiudere occhio** not to sleep a wink *Vedi anche* APRIRE

chiunque *pron rel* whoever: *~ sia il responsabile sarà punito.* Whoever is responsible will be punished. ◊ *Paolo, Giulio o ~ sia.* Paolo, Giulio or whoever.

chiusa *sf* lock

chiuso, -a *pp, agg* **1** (*gen*) closed, shut (*più informale*) ☛ *Vedi nota a* SHUT **2** (*a chiave*) locked **3** (*carattere*) reserved *Vedi anche* CHIUDERE

chiusura *sf* **1** (*atto del chiudere*) closure **2** (*abbottonatura*) fastener LOC **di chiusura** closing: *cerimonia/discorso di ~* closing ceremony/speech

ci ◆ *pron pers* **1** (*complemento*) us: *Ci hanno visto.* They've seen us. ◊ *Ci hanno mentito.* They lied to us. ◊ *Ci hanno preparato la cena.* They made supper for us. **2** (*parti del corpo, effetti personali*): *Ci siamo lavati le mani.* We've washed our hands. ◊ *Ci siamo tolti il cappotto.* We took our coats off. **3** (*riflessivo*) (ourselves): *Ci siamo divertiti moltissimo.* We enjoyed ourselves very much. ◊ *Ci siamo appena lavati.* We've just had a bath. **4** (*reciproco*) each other, one another: *Ci vogliamo molto bene.* We love each other very much. ☛ *Vedi nota a* EACH OTHER ◆ *pron dimostrativo* (*a ciò, di ciò, su ciò, ecc*): *Ci puoi scommettere.* You can bet on it. ◊ *Pensaci.* Think about it. ◆ *avv* **1** (*qui*) here: *Ci vieni spesso?* Do you come here often? **2** (*lì*) there: *La conosco bene, ci ho abitato due anni.* I know it very well. I lived there for two years. LOC **c'è/ci sono** there is/there are: *C'è una bella differenza di prezzo.* There's a big difference in price.

ciabatta *sf* slipper

cialda *sf* wafer

cianfrusaglia *sf* junk [*non numerabile*]: *Ha la casa piena di cianfrusaglie.* His house is full of junk.

ciao! *escl* **1** (*incontrando qn*) hi! (*inform*), hello! **2** (*lasciando qn*) (bye-) bye! (*inform*), goodbye!

ciascuno, -a ◆ *agg* each: *Hanno dato un regalo a ciascun bambino.* They gave each child a present. ☛ *Vedi nota a* EVERY ◆ *pron* each (one): *Costavano 5.000 lire ~.* Each one cost 5000 lire. ◊ *Ci hanno dato una borsa ~.* They gave each of us a bag./They gave us a bag each.

cibo *sm* food: *cibi in scatola* tinned food(s)

cicala *sf* cicada

cicatrice *sf* scar: *Mi è rimasta una ~.* I was left with a scar.

cicatrizzare ◆ *vi* to heal ◆ **cicatrizzarsi** *v rifl* to form a scar

cicca *sf* cigarette end

cicerone *sm* guide: *Vi farò da ~ a Firenze.* I'll be your guide in Florence.

ciclabile *agg* LOC *Vedi* PISTA

ciclismo *sm* cycling: *fare del ~* to cycle

ciclista *smf* cyclist

ciclo *sm* cycle: *un ~ di quattro anni* a four-year cycle

ciclone *sm* cyclone

cicogna *sf* stork

cicoria *sf* chicory [*non numerabile*]

cieco, -a ◆ *agg* blind: *diventare ~* to go blind ◆ *sm-sf* blind man/woman [*pl* blind men/women]: *i ciechi* the blind LOC **alla cieca**: *L'hanno comprato alla cieca.* They bought it without seeing it. **cieco come una talpa** blind as a bat *Vedi anche* MOSCA, VICOLO

cielo *sm* **1** sky [*pl* skies] **2** (*Relig*) heaven *Vedi anche* PIOVERE, SANTO, SETTIMO

cifra *sf* **1** (*gen*) figure: *un numero di tre cifre* a three-figure number **2** (*telefono*) digit: *un numero di telefono di sei cifre* a six-digit phone number **3** (*somma di denaro*): *L'ho pagato una bella ~.* I paid a fortune for it.

ciglio *sm* **1** (*occhio*) eyelash **2** (*strada, fossato*) edge LOC **senza batter ciglio** without batting an eyelid: *Ha ricevuto la notizia senza batter ~.* He heard the news without batting an eyelid.

cigno *sm* swan

cigolare *vi* **1** (*oggetti di metallo*) to squeak **2** (*oggetti di legno*) to creak

cigolio *sm* **1** (*metallo*) squeak **2** (*legno*) creak

Cile *sm* Chile

cileno, -a *agg, sm-sf* Chilean: *i cileni* the Chileans

ciliegia *sf* cherry [*pl* cherries] ☛ *Vedi illustrazione a* FRUTTA

ciliegio *sm* cherry tree

cilindrico, -a *agg* cylindrical

cilindro *sm* **1** (*gen*) cylinder **2** (*cappello*) top hat ☛ *Vedi illustrazione a* CAPPELLO

cima *sf* top: *arrivare in ~* to reach the top ◊ *in ~ alla collina/classifica* at the top of the hill/league LOC **da cima a fondo 1** (*da un capo all'altro*) from top to bottom: *cambiare qc da ~ a fondo* to change sth from top to bottom **2** (*interamente*) from beginning to end: *leggere qc da ~ a fondo* to read sth from beginning to end

cimice *sf* bedbug

ciminiera *sf* chimney [*pl* chimneys] *Da qui si vedono le ciminiere della fabbrica.* You can see the factory chimneys from here.

cimitero *sm* **1** (*gen*) cemetery [*pl* cemeteries] **2** (*di chiesa*) graveyard LOC **cimitero delle macchine** breaker's yard

Cina *sf* China

cincin! *escl* cheers!

cinema *sm* cinema: *andare al ~* to go to the cinema ◊ *il ~ italiano* Italian cinema

cinematografico, -a *agg* film [*attrib*]: *l'industria cinematografica* the film industry ◊ *un regista/critico ~* a film director/critic

cinepresa *sf* camera

cinese ◆ *agg, sm* Chinese: *parlare ~* to speak Chinese ◆ *sm-sf* Chinese man/woman [*pl* Chinese men/women]: *cinesi* the Chinese

cinghia *sf* belt LOC **cinghia del ventilatore** fan belt **stringere/tirare la cinghia** to tighten your belt

cinghiale *sm* wild boar [*pl* wild boar]

cinguettare *vi* to chirp

cinguettio *sm* tweet

cinico, -a ◆ *agg* cynical ◆ *sm-sf* cynic

ciniglia *sf* chenille: *un golfino di ~* a chenille jumper

cinismo *sm* cynicism

cinquanta *sm, agg, pron* fifty ☛ *Vedi esempi a* SESSANTA

cinquantenne *agg, smf* fifty-year-old ☛ *Vedi esempi a* UNDICENNE

cinquantesimo *agg, pron, sm* fiftieth ☛ *Vedi esempi a* SESSANTESIMO

cinquantina *sf* about fifty: *una ~ di casi al giorno* about fifty cases a day *Sarà sulla ~.* He must be about fifty.

cinque *sm, agg, pron* **1** (*gen*) five **2** (*data*) fifth ☛ *Vedi esempi a* SEI

cinquecento ◆ *sm, agg, pron* five hundred ☛ *Vedi esempi a* SEICENTO ◆ *sm* **il Cinquecento** the 16th century: *nel Cinquecento* in the 16th century

cintura *sf* **1** (*gen, Sport*) belt: *essere una ~ nera* to be a black belt **2** (*punto vita*) waist: *Questi pantaloni sono un po* *stretti di ~.* These trousers are a bit tight around the waist. LOC **cintura di sicurezza** seat belt **cintura industriale** industrial belt **cintura verde** (*parchi, giardini*) green belt

cinturino *sm* strap ☛ *Vedi illustrazione a* OROLOGIO

ciò *pron* **1** (*gen*) this, that: *Di ~ si discuterà in seguito.* We'll talk about that later. **2** (*con pronome relativo*): *Dagli ~ che vuole.* Give him what he wants.

ciocca *sf* lock

cioccolata *sf* **1** (*gen*) chocolate: *una tavoletta di ~* a bar of chocolate **2** (*bevanda*) hot chocolate

cioccolatino *sm* chocolate: *una scatola di cioccolatini* a box of chocolates

cioccolato *sm* chocolate: *~ al latte/fondente* milk/plain chocolate

cioè ◆ *avv* **1** (*gen*) that is **2 cioè?** (*nelle domande*) what do you mean?: *"È un tipo strano." "Cioè?"* 'He's a strange guy.' 'What do you mean?' ◆ *cong* **1** (*vale a dire*) that is **2** (*per correggersi*) I mean: *Ha chiamato Vicky, ~ Becky.* Vicky, I mean Becky, called.

ciondolo *sm* pendant

ciotola *sf* bowl

ciottolo *sm* pebble

cipolla *sf* onion

cipollina *sf* **1** (*fresca*) spring onion **2** (*sottaceto*) pickled onion

cipresso *sm* cypress

cipria *sf* (face) powder

cipriota *agg, smf* Cypriot

Cipro *sm* Cyprus

circa *avv* about: *~ un'ora* about an hour ◊ *Avrà ~ cinquant'anni.* She's about fifty.

circo *sm* circus [*pl* circuses]

circolare[1] *agg, sf* circular: *una sega ~* a circular saw ◊ *inviare una ~* to send out a circular LOC *Vedi* ASSEGNO

circolare[2] *vi* **1** to circulate: *Il sangue circola nelle vene.* Blood circulates through your veins. ◊ *far ~ una lettera* to circulate a letter **2** (*auto*) to drive: *Con questo traffico non si può ~.* It's impossible to drive in this traffic. **3** (*autobus*) to run: *Qui gli autobus non circolano dopo la mezzanotte.* Here buses don't run after midnight. **4** (*notizia, voce*) to go round LOC **circolare!** move along!

circolazione *sf* circulation: *una cattiva ~ del sangue* poor circulation

circolo *sm* **1** (*gen*) circle **2** (*associazione*) club LOC **circolo polare artico/antartico** Arctic/Antarctic Circle **circolo vizioso** vicious circle

circondare ◆ *vt* (*gen*) to surround *sb/sth* (**by/with sb/sth**): *Era circondata dai fotografi.* She was surrounded by photographers. ◊ *La polizia ha circondato l'edificio.* The police surrounded the building. ◆ **circondarsi** *v rifl* **circondarsi di** to surround yourself **with** *sb/sth*: *Ama circondarsi di cose belle.* He likes to surround himself with beautiful things.

circonferenza *sf* circumference

circonvallazione *sf* ring road

circoscrizione *sf* district LOC **circoscrizione elettorale** constituency [*pl* constituencies]

circostanza *sf* circumstance: *date le circostanze...* under the circumstances...

circuito *sm* **1** (*Elettr*) circuit: *un corto ~* short circuit ◊ *televisione a ~ chiuso* closed-circuit television **2** (*Sport*) track

cisterna *sf* **1** (*per trasporto liquidi*) tank **2** (*serbatoio d'acqua*) cistern LOC *Vedi* NAVE

cistifellea *sf* gall bladder

citare *vt* **1** (*fare riferimento*) to quote *sth* (**from** *sb/sth*) **2** (*fare causa*) to sue *sb* (**for** *sth*) **3** (*testimone*) to summons

citazione *sf* **1** (*Dir*) summons **2** (*frase*) quotation, quote (*inform*)

citofono *sm* entryphone

città *sf* **1** (*importante*) city [*pl* cities] **2** (*più piccola*) town LOC **Città del Capo** Cape town **Città del Messico** Mexico City **Città del Vaticano** Vatican City **città natale** home town

cittadinanza *sf* **1** (*gen*) citizenship: *avere la ~ italiana* to have Italian citizenship **2** (*cittadini*) citizens [*pl*]: *Il sindaco ha chiesto la collaborazione di tutta la ~.* The mayor asked everyone to work together.

cittadino, -a ◆ *agg* city [*s attrib*]: *le vie cittadine* city streets ◆ *sm-sf* citizen: *essere ~ dell'Unione Europea* to be a citizen of the European Union

ciuccio *sm* dummy [*pl* dummies]

ciuffo *sm* tuft

civetta *sf* barn owl

civico, -a *agg* **1** (*del cittadino*) public-spirited: *senso ~* public-spiritedness **2** (*della città*) town [*s attrib*]: *il museo ~* the town museum

civile ◆ *agg* **1** (*gen*) civil: *un matrimonio ~* a civil wedding ◊ *diritti civili* civil rights ◊ *una persona ~* a civil person **2** (*non militare*) civilian: *abiti civili* civilian clothes **3** (*civilizzato*) civilized: *un popolo ~* a civilized people ◆ *smf* civilian LOC *Vedi* CODICE, INGEGNERIA, STATO

civilizzato, -a *agg* civilized

civiltà *sf* civilization

civismo *sm* public spirit

clacson *sm* horn: *suonare il ~* to sound your horn

clamoroso, -a *agg* resounding: *un successo/fiasco ~* a resounding success/flop

clan *sm* clan

clandestino, -a ◆ *agg* clandestine ◆ *sm-sf* illegal immigrant

clarinetto *sm* clarinet

classe *sf* **1** (*gen*) class: *Siamo nella stessa ~.* We are in the same class. ◊ *Che ~ fai?* Which class are you in? ◊ *viaggiare in prima ~* to travel first class **2** (*aula*) classroom **3** (*stile*) style: *una persona di ~* a person with style LOC **classe borghese/operaia** middle/working class(es) [*si usa spec al pl*]

classico, -a ◆ *agg* **1** (*Arte, Storia, Mus*) classical **2** (*tipico*) classic: *il ~ commento* the classic remark ◆ *sm* classic LOC *Vedi* DANZA, LICEO

classifica *sf* **1** (*Sport*): *Il tennista tedesco è in testa alla ~ mondiale.* The German player is number one in the world rankings. ◊ *una partita per entrare in ~* a qualifying match ◊ *la ~ del campionato* the league table **2** (*dischi*) charts [*pl*]

classificare ◆ *vt* **1** to classify: *~ i libri per materia* to classify books according to subject. **2** (*studente, candidato*) to grade ◆ **classificarsi** *v rifl* **classificarsi (per)** to qualify **(for *sth*)**: *classificarsi per la finale* to qualify for the final LOC **classificarsi secondo, terzo, ecc** to come second, third, etc

classificazione *sf* classification: *la ~ delle piante* the classification of plants

clausola *sf* clause

claustrofobia *sf* claustrophobia: *soffrire di ~* to suffer from claustrophobia

claustrofobico, -a *agg* claustrophobic

clausura *sf*: *monache di ~* enclosed nuns

clavicola *sf* collarbone

clero *sm* clergy [*pl*]

cliché *sm* (*luogo comune*) cliché

cliente *smf* **1** (*negozio, ristorante*) customer: *uno dei miei migliori clienti* one of my best customers **2** (*ditta*) client **3** (*albergo*) guest

clientela *sf* clientele: *una ~ selezionata* a select clientele

clima *sm* **1** (*lett*) climate: *un ~ umido* a damp climate **2** (*fig*) atmosphere: *un ~ di tensione* a tense atmosphere

climatizzato, -a *agg* air-conditioned

clinica *sf* clinic

clinico, -a *agg* clinical LOC *Vedi* CARTELLA

clip *sf* **1** (*fogli*) paper clip **2** (*orecchino*): *orecchini a ~* clip-on earrings

cloro *sm* chlorine

clorofilla *sf* chlorophyll

club *sm* club

coagulare ◆ *vt* (*sangue*) to clot ◆ **coagularsi** *v rifl* (*sangue*) to clot

coalizione *sf* coalition

cobra *sm* cobra

Coca-Cola® *sf* Coke®

cocaina *sf* cocaine

coccinella *sf* ladybird

cocco *sm* coconut palm LOC *Vedi* NOCE

coccodè LOC **fare coccodè** (*gallina*) to cluck

coccodrillo *sm* crocodile LOC *Vedi* LACRIMA

coccolare *vt* to cuddle

cocktail *sm* **1** (*bevanda*) cocktail **2** (*festa*) cocktail party

cocomero *sm* watermelon

cocuzzolo *sm* (*testa*) crown

coda *sf* **1** (*animale*) tail **2** (*fila*) queue: *mettersi in ~* to join the queue ◊ *C'era molta ~ per entrare al cinema.* There was a long queue for the cinema. **3** (*traffico*) tailback LOC **coda di cavallo** ponytail **con la coda dell'occhio** out of the corner of your eye **con la coda fra le gambe** with your tail between your legs **fare la coda** to queue *Vedi anche* CAPO, PIANOFORTE

codardo, -a ◆ *agg* cowardly ◆ *sm-sf* coward

codice *sm* code LOC **codice a barre** bar code **codice civile/penale** civil/penal code **codice della strada** Highway Code **codice fiscale** national insurance number **codice (di avviamento) postale** postcode

codificare *vt* (*Informatica*) to encode
codino *sm* pigtail
coercizione *sf* coercion
coerente *agg* consistent
coetaneo, -a *agg*: *Siamo coetanei.* We're the same age.
cofano *sm* (*Auto*) bonnet
cogliere *vt* (*frutta, fiori*) to pick LOC **cogliere l'allusione** to take the hint **cogliere l'occasione** to take the opportunity *to do sth Vedi anche* FLAGRANTE, SPROVVISTO
cognac *sm* brandy [*pl* brandies]
cognato, -a *sm-sf* brother-in-law [*fem* sister-in-law] [*pl* brothers-in-law/ sisters-in-law]
cognome *sm* surname LOC *Vedi* NOME
coincidenza *sf* **1** (*gen*) coincidence **2** (*trasporti*) connection: *A Firenze c'è subito la ~ per Bologna.* At Florence there's a connection for Bologna straight away. ◊ *perdere la ~* to miss your connection
coincidere *vi* to coincide (***with sth***): *Spero che non coincida con gli esami.* I hope it doesn't coincide with my exams.
coinvolgere *vt* to involve: *Non voglio essere coinvolto in faccende di famiglia.* I don't want to get involved in family affairs.
colapasta *sm* colander
colare ◆ *vt* **1** (*liquido*) to strain **2** (*verdure, pasta*) to drain ◆ *vi* **1** (*liquido*) to drip: *Il sudore gli colava dal viso.* Sweat was dripping from his face. **2** (*naso*): *Mi cola il naso.* I have a runny nose. **3** (*sangue*): *Gli cola il sangue dal naso.* His nose is bleeding. LOC **colare a picco** to sink
colazione *sf* breakfast: *fare ~* to have breakfast ◊ *Ti preparo la ~?* Shall I get you some breakfast? ◊ *Cosa desidera per ~?* What would you like for breakfast? ☛ *Vedi pag. 379.*
colera *sm* cholera
colesterolo *sm* cholesterol
colica *sf* colic [*non numerabile*]
colino *sm* strainer
colla *sf* glue
collaborare *vi* ~ (**con**) (**a**) to collaborate (**with *sb***) (**on *sth***)
collaboratore, -trice *sm-sf* collaborator
collaborazione *sf* collaboration: *fare qc in ~ con qn* to do sth in collaboration with sb
collage *sm* collage: *fare un ~* to make a collage
collana *sf* **1** (*gioiello*) necklace: *una ~ di smeraldi* an emerald necklace **2** (*libri*) series
collant *sm* tights [*pl*]
collare *sm* collar
collasso *sm* collapse LOC **collasso cardiaco** heart failure [*non numerabile*]
collaudare *vt* to test
collega *smf* colleague: *un mio ~* a colleague of mine
collegamento *sm* **1** (*legame*) connection **2** (*TV*): *Siamo in ~ da Sansiro.* We're live from Sansiro.
collegare *vt* to connect *sth* (up) (***with/ to sth***): *~ la stampante al computer* to connect the printer to the computer
collegiale *smf* schoolboy/girl [*pl* schoolchildren]
collegio *sm* (*scuola*) boarding school ☛ *Vedi nota a* SCUOLA LOC **collegio elettorale** constituency
colletta *sf* collection LOC **fare una colletta** to have a whip-round
collettivo, -a *agg, sm* collective
colletto *sm* collar: *il ~ della camicia* the shirt collar
collezionare *vt* to collect
collezione *sf* collection LOC **fare la collezione di** to collect *sth*
collezionista *smf* collector
collina *sf* hill
collirio *sm* eye drops [*pl*]
collisione *sf* collision (***with sth***)
collo *sm* **1** (*gen*) neck: *Mi fa male il ~.* My neck hurts. ◊ *il ~ di una bottiglia* the neck of a bottle ◊ *Aveva una catenina al ~.* She had a chain round her neck. **2** (*indumenti*) collar **3** (*valigia*) piece of luggage: *solo un ~ a mano* just one piece of hand luggage LOC **collo alto** polo-neck **collo del piede** instep *Vedi anche* RISCHIARE
collocamento *sm* LOC *Vedi* UFFICIO
collocare *vt* **1** (*gen*) to place **2** (*bomba*) to plant
colloquiale *agg* colloquial
colloquio *sm* **1** (*gen*) discussion (***about sth***) **2** (*lavoro*) interview: *Farò un ~ per il posto di assistente.* I'm going to be interviewed for the job of assistant.
colmare *vt* to fill *sth **with sth***
colmo *sm*: *il ~ della sfacciataggine* the height of cheek ◊ *Questo è il ~!* That

beats everything. LOC **essere al colmo della felicità** to be in heaven

colomba *sf* dove

Colombia *sf* Colombia

colombiano, -a *agg*, *sm-sf* Colombian: *i colombiani* the Colombians

colon *sm* colon

colonia *sf* **1** (*gen*) colony [*pl* colonies] **2** (*bambini*) summer camp **3** (*profumo*) cologne [*non numerabile*]

Colonia *sf* Cologne

coloniale *agg* colonial

colonizzare *vt* to colonize

colonizzatore, -trice ◆ *agg* colonizing ◆ *sm-sf* settler

colonizzazione *sf* colonization

colonna *sf* **1** (*gen*) column **2** (*macchine*) queue LOC **colonna sonora** soundtrack **colonna vertebrale** spinal column

colonnello *sm* colonel

colorante *agg*, *sm* colouring LOC **senza coloranti** no artificial colourings

colorare *vt* to colour *sth* (in): *Il bambino ha colorato la casa azzurra.* The little boy coloured the house blue. ◊ *Ha disegnato una palla e poi l'ha colorata.* He drew a ball and then coloured it in.

colorato, -a *pp*, *agg* coloured: *matite colorate* coloured pencils LOC *Vedi* GESSETTO; *Vedi anche* COLORARE

colore *sm* **1** (*gen*) colour: *Di che ~ è?* What colour is it? **2** (*pittura*) paint LOC **a colori**: *una televisione a colori* a colour TV **di colore** black **dirne di tutti i colori** to hurl abuse *at sb* **farne di tutti i colori** to get up to all kinds of mischief

colorito *sm* colouring

colossale *agg* monumental

Colosseo *sm* **il** ~ the Colosseum

colpa *sf* fault: *Non è ~ mia.* It isn't my fault. LOC **avere colpa** to be to blame **dare la colpa a** to blame *sb* (*for sth*) **essere colpa di**: *Quello che è successo non è ~ di nessuno.* Nobody is to blame for what happened. **per colpa di** because of *sb/sth* **sentirsi in colpa** to feel guilty (*for sth*)

colpevole ◆ *agg* ~ (**di**) guilty (**of** ***sth***): *essere ~ di omicidio* to be guilty of murder ◆ *smf* culprit LOC *Vedi* DICHIARARE

colpevolezza *sf* guilt

colpire *vt* **1** (*gen*) to hit: *Il proiettile lo ha colpito alla testa.* The bullet hit him in the head. ◊ *La casa è stata colpita da una bomba.* The house was hit by a bomb. **2** (*impressionare*) to strike: *Quello che più mi ha colpito è la bellezza del paesaggio.* What struck me most was how beautiful the countryside was. **3** (*danneggiare*) to affect: *Il terremoto ha colpito una vasta zona.* The earthquake affected a huge area. LOC **colpire nel segno** to hit the target

colpo *sm* **1** (*gen*) blow: *un violento ~ sulla testa* a severe blow to the head ◊ *La sua morte è stata un brutto ~ per noi.* Her death came as a heavy blow. **2** (*alla porta*) knock **3** (*sparo*) shot **4** (*infarto*) stroke **5** (*spavento*) shock: *Mi hai fatto venire un ~!* You gave me a shock! **6** (*furto*) raid LOC **colpi di sole** highlights **colpo basso**: *È stato un ~ basso.* That was below the belt. **colpo di fortuna** stroke of luck **colpo di fulmine** love at first sight **colpo di scena** dramatic turnaround **colpo di sole** sunstroke **colpo di stato** coup **colpo di telefono** ring: *Dammi un ~ di telefono domani.* Give me a ring tomorrow. **colpo di testa 1** (*Sport*) header **2** (*follia*) impulse **fare colpo (su)** to make an impression (on *sb*) **in un colpo** in one go **sul colpo** on the spot: *È morto sul ~.* He died on the spot.

coltellata *sf* stab: *dare una ~ a qn* to stab sb

coltello *sm* knife [*pl* knives]

coltivare *vt* to grow

coltivazione *sf*: *la ~ dei pomodori* tomato growing

colto, -a *agg* (*persona*) cultured

coma *sm* coma: *essere in ~* to be in a coma

comandamento *sm* commandment

comandante *sm* **1** (*Aeron, Naut*) captain **2** (*Mil*) commander

comandare ◆ *vi* **1** (*essere al governo*) to be in power **2** (*essere il capo*) to be the boss (*inform*), to be in charge LOC **comandare a distanza** to operate *sth* by remote control

comando *sm* **1 (b)** (*guida*) leadership **(b)** (*Mil*) command: *cedere/assumere il ~* to hand over/take command **2 comandi** controls LOC *Vedi* QUADRO

combaciare *vi* to fit together: *Questo pezzo deve ~ con quell'altro.* These pieces have to fit together.

combattente *smf* combatant

combattere ◆ *vt* **1** (*gen*) to fight: *~ i pregiudizi* to fight prejudice **2** (*superstizione*) to combat ◆ *vi* ~ (**contro/per**) to fight (**against/for** ***sb/sth***): *~ contro il* *nemico* to fight (against) the enemy ◊ ~ *per un ideale* to fight for an ideal

combattimento *sm* combat [*non numerabile*]: *soldati uccisi in* ~ soldiers killed in combat ◊ *Ci furono dei combattimenti accaniti.* There was fierce fighting.

combattuto, -a *pp*, *agg* hard-fought: *È stata una partita molto combattuta.* It was a hard-fought match. *Vedi anche* COMBATTERE

combinare ◆ *vt* **1** (*mescolare*) to combine: ~ *due elementi chimici* to combine two chemical elements **2** (*organizzare*) to arrange: ~ *un incontro* to arrange a meeting ◊ *Abbiamo combinato di vederci alle 8.* We arranged to meet at eight. **3** (*fare*): *Oggi non ho combinato niente.* I haven't managed to do anything today. ◊ *Cosa stai combinando?* What are you up to? ◆ **combinarsi** *v rifl* to combine **LOC combinare un pasticcio/un guaio** to make a mess

combinazione *sf* **1** (*gen*) combination: *una bella* ~ *di colori* a nice combination of colours ◊ *la* ~ *di una cassaforte* the combination of a safe **2** (*caso*) chance: *per* ~ by chance

combustible ◆ *agg* combustible ◆ *sm* fuel

combustione *sf* combustion

come ◆ *avv* **1** (*interrogativo*) how: ~ *si traduce questa parola?* How do you translate this word? ◊ *Non sappiamo* ~ *sia successo.* We don't know how it happened. ◊ *Come facevo a saperlo?* How was I supposed to know! ◊ *Come mai?* How come? ◊ *Come stai?* How are you? ◊ *Come stanno i tuoi?* How are your parents? ◊ *Come va?* How are things? ◊ *Raccontami* ~ *vi siete conosciuti.* Tell me how you met. **2** (*quando non si è capito qualcosa*): *~? Puoi ripetere?* Sorry? Can you say that again? **3** (*esclamativo*): ~ *assomigli a tuo padre!* You're so like your father! ◊ *Com'è carino!* How cute! **4** (*nel modo che, in qualità di, secondo*) as: *Ho risposto* ~ *potevo.* I answered as best I could. ◊ *Lavora* ~ *segretaria.* She works as a secretary. ◊ *Me lo sono portato a casa* ~ *ricordo.* I took it home as a souvenir. ◊ ~ *ti dicevo…* As I was saying… **5** (*paragone, esempio*) like: *Ha una macchina* ~ *la nostra.* He's got a car like ours. ◊ *tisane* ~ *la camomilla e la menta* herbal teas like camomile and peppermint ◊ *liscio* ~ *la seta* smooth as silk ◆ *cong* **1** (*in che modo*) as: *Fate* ~ *vi pare.* Do as you like. **2** (*frase comparativa*) as: *Non è affatto* ~ *credevo.* It's not as I thought. ◊ ~ *sempre/al solito* as usual **3** (*quanto*) how: *Sai* ~ *è difficile.* You know how difficult it is. **4** (*appena*) as soon as: ~ *l'ho visto, mi sono reso conto dello sbaglio.* As soon as I saw him I realized my mistake. **5** (*frase incidentale*) as: ~ *vedi, sono ancora qui.* As you can see, I'm still here. ◆ **come?** *escl* (*sdegno, sorpresa*) what!: *~? Non sei ancora vestito?* What! Aren't you dressed yet? **LOC come no!** of course! **come sarebbe a dire?** what do you mean?: ~ *sarebbe a dire che non lo sapevi?* What do you mean, you didn't know? **come se** as if: *Mi tratta* ~ *se fossi sua figlia.* He treats me as if I were his daughter.

> Anche se in espressioni di questo tipo è più corretto dire "as if I/he/she/it **were**", nella lingua parlata si dice "as if I/he/she/it **was**".

com'è? (*descrizione*) what is he, she, it, etc like?: *Com'era il film?* What was the film like? **com'è che…?** how come?: *Com'è che non sei uscito?* How come you didn't go out? **come ti chiami?** what's your name? ☛ Per altre espressioni con **come** vedi alla voce del sostantivo, dell'aggettivo, ecc, ad es. **come un razzo** a RAZZO.

cometa *sf* comet

comico, -a ◆ *agg* **1** (*divertente*) funny **2** (*genere, attore*) comedy [*s attrib*] ◆ *sm-sf* comedian [*fem* comedienne] **LOC** *Vedi* FILM

comignolo *sm* chimney top

cominciare *vt*, *vi* ~ (**a**) to begin, to start (***sth/doing sth/to do sth***): *All'improvviso cominciò a piangere.* All of a sudden he started to cry. ◊ *una parola che comincia per L* a word starting with L **LOC a cominciare da** starting from **per cominciare** to start with

comitato *sm* committee [*v sing o pl*]

comitiva *sf* group: *Non ci sono riduzioni per comitive.* There are no reductions for groups.

comizio *sm* rally [*pl* rallies]

commando *sm* **1** (*Mil*) commando [*pl* commandos/commandoes] **2** (*terrorista*) cell

commedia *sf* **1** (*gen*) play **2** (*comico*) comedy [*pl* comedies] **LOC commedia musicale** musical **fare la commedia** to play-act

commentare *vt* **1** (*esprimere un giudizio su*) to comment **on** ***sth*** **2** (*osservare*) to remark

commentatore, -trice *sm-sf* commentator

commento *sm* comment, remark (*più informale*): *fare un* ~ to make a comment/remark LOC **fare commenti** to comment (*on sb/sth*)

commerciale *agg* commercial LOC *Vedi* CENTRO

commercialista *smf* accountant

commerciante *smf* **1** (*negoziante*) shopkeeper **2** (*mercante*) trader LOC **commerciante all'ingrosso** wholesaler

commerciare *vi* **1** ~ **in** (*prodotto*) to trade (**in** ***sth***): ~ *in tessuti* to trade in textiles **2** ~ **con** to do business (**with** ***sb/sth***)

commercio *sm* trade: ~ *estero* foreign trade LOC *Vedi* RAPPRESENTANTE

commesso, -a *sm-sf* shop assistant

commestibile ◆ *agg* edible ◆ **commestibili** *sm* foodstuffs LOC **non commestibile** inedible

commettere *vt* **1** (*delitto*) to commit **2** (*errore*) to make

commissariato *sm* police station

commissario *sm* superintendent

commissione *sf* **1** (*cosa da sbrigare*) errand: *fare delle commissioni* to run some errands **2** (*banca, venditore*) commission: *una* ~ *del 5%* a 5% commission **3** (*comitato*): ~ *d'esame* examining board LOC **su commissione**: *fatto su* ~ made to order

commovente *agg* moving: *Il finale era molto* ~. The ending was very moving.

commozione *sf* (*emozione*) emotion [*non numerabile*] LOC **commozione cerebrale** concussion

commuovere ◆ *vt* to move ◆ **commuoversi** *v rifl* to be moved

comò *sm* chest of drawers [*pl* chests of drawers]

comodino *sm* bedside table

comodità *sf* **1** (*comfort*) comfort **2** (*convenienza*) convenience: *la* ~ *di avere la metropolitana vicino* the convenience of having the underground nearby

comodo, -a *agg* **1** (*poltrona, persona*) comfortable: *Sul divano letto starò comodissimo.* I'll be very comfortable on the sofa bed. **2** (*conveniente*) convenient: *Fa* ~ *dimenticarsene.* It's very convenient to forget about it. **3** (*utile*) handy: *Questo armadio con i cassetti è proprio* ~. This wardrobe with drawers is really handy. LOC **fare con comodo** to take your time **fare il proprio comodo** to do as you please **fare/tornare comodo** to come in handy **stare comodo** (*non alzarsi*): *State comodi!* Don't bother to get up!

compact disc *sm* compact disc (*abbrev* CD) LOC *Vedi* LETTORE

compagnia *sf* **1** company [*pl* companies]: *fare* ~ *a qn* to keep sb company ◊ *Lavora in una* ~ *di assicurazioni.* He works for an insurance company. LOC **compagnia aerea** airline

compagno, -a *sm-sf* **1** (*amico*) mate: ~ *di camera/squadra* room-mate/team-mate ◊ ~ *di classe* classmate **2** (*gioco, ballo*) partner: *Non posso giocare perché non ho un* ~. I can't play because I haven't got a partner. ◊ *Anna è venuta col suo* ~. Anna came with her partner. **3** (*Politica*) comrade

comparativo, -a *agg, sm* comparative

comparire *vi* to appear

comparsa *sf* (*Cine, Teat*) extra

compassione *sf* pity, compassion (*più formale*): *avere* ~ *di qn* to take pity on sb

compasso *sm* compasses [*pl*]: *un* ~ a pair of compasses

compatibile *agg* compatible

compatire *vt* to feel sorry **for** ***sb***

compatto, -a *agg* compact

compensare *vt* **1** (*due cose*) to make up for *sth*: *per* ~ *la differenza di prezzo* to make up for the difference in price **2** (*risarcire*) to compensate *sb* (**for** ***sth***): *Non siamo stati compensati per i danni subiti.* We haven't been compensated for the damage done.

compenso *sm* **1** (*ricompensa*) reward **2** (*paga*) payment: *Ha ricevuto un* ~ *in denaro.* He received a cash payment. LOC **in compenso** (*d'altro canto*) on the other hand

compera *sf* LOC **fare compere** to go shopping

competente *agg* **1** (*esperto*) competent: *essere* ~ *in medicina del lavoro* to be competent in occupational medicine **2** (*responsabile*) appropriate: *rivolgersi alle autorità competenti* to contact the appropriate authorities

competenza *sf* **1** (*abilità*) competence: *avere* ~ *in qc* to have competence in sth **2** (*responsabilità*) responsability:

Questo non è di mia ~. This is not my responsibility.

competere *vi* (*gen*) **1** to compete: *~ per il titolo* to compete for the title ◊ *~ con società estere* to compete with foreign companies **2** ~ **a** (*spettare*): *Questo non mi compete.* This does not come under my responsibility.

competizione *sf* competition

compiacere ◆ *vt* to please ◆ **compiacersi** *v rifl* **1** ~ **di** (*essere soddisfatto*) to be pleased **about *sth*** **2** (*congratularsi*) to congratulate *sb* **on *sth***: *Si sono compiaciuti con me per il successo del libro.* They congratulated me on the success of my book.

compiere *vt* **1** (*anni*) to be: *In agosto compirà 18 anni.* She'll be 18 in August. ◊ *Quanti anni compi?* How old are you? **2** (*dovere*) to fulfil **3** (*azione, impresa*) to carry *sth* out

compilare *vt* **1** (*modulo, domanda*) to fill in **2** (*lista*) to make

compito *sm* **1** (*impresa*) task: *un ~ difficile* a difficult task **2** (*Scuola*) test: *Domani c'è il ~ di matematica.* We've got a maths test tomorrow. **3 compiti** (*Scuola*) homework [*non numerabile*]: *fare i compiti* to do your homework ◊ *Non abbiamo compiti per lunedì.* We haven't got any homework to do for Monday. ◊ *La professoressa ci dà un mucchio di compiti.* Our teacher gives us lots of homework.

compiuto, -a *pp, agg*: *Ho 15 anni appena compiuti.* I've just turned fifteen. ◊ *a 15 anni compiuti* at fifteen *Vedi anche* COMPIERE

compleanno *sm* birthday [*pl* birthdays]: *Buon ~!* Happy birthday! ☛ Si può anche dire "Many happy returns!". : *Il mio ~ è il 31 luglio.* My birthday is on 31st July.

complemento *sm* (*Gramm*) complement LOC **complemento oggetto/indiretto** direct/indirect object

complessivo, -a *agg* total

complesso, -a ◆ *agg* complex: *È un problema molto ~.* It's a very complex problem. ◆ *sm* **1** complex: *avere il ~ di essere grassi* to have a complex about being fat ◊ *avere un ~ di inferiorità* to have an inferiority complex ◊ *un ~ di uffici* an office complex **2** (*musicale*) group LOC **nel complesso** on the whole

completare *vt* to complete

completo, -a ◆ *agg* **1** (*gen*) complete: *l'elenco ~* the complete list ◊ *La festa è stata un ~ disastro.* The party was a complete disaster. **2** (*pieno*) full: *L'albergo era al ~.* The hotel was full. ◆ *sm* **1** (*da uomo*) suit: *Giulio aveva un ~ molto elegante.* Giulio wore a very smart suit. ◊ *un ~ da sci* a ski suit **2** (*accessori*) set LOC *Vedi* PENSIONE

complicare ◆ *vt* (*rendere difficile*) to complicate: *Hai complicato ancora di più le cose.* You've complicated things even more. ◊ *complicarsi la vita* to make life difficult for yourself ◆ **complicarsi** *v rifl* to become complicated

complicato, -a *pp, agg* **1** (*situazione, persona*) complicated **2** (*funzionamento*) awkward *Vedi anche* COMPLICARE

complice *smf* accomplice (***in*/*to sth***)

complimento *sm* **1** (*lode*) compliment: *fare un ~ a qn* to pay sb a compliment **2 complimenti** (*congratulazioni*): *Complimenti!* Congratulations! ◊ *fare i propri complimenti a qn* to congratulate sb **3 complimenti** (*cerimonie*): *Non fare complimenti.* Don't stand on ceremony.

complotto *sm* plot

componente ◆ *smf* (*persona*) member ◆ *sm* component

comporre *vt* **1** (*formare*) to make *sth* up: *i racconti che compongono il libro* the stories which make up the book ◊ *La squadra è composta di cinque giocatori.* The team is made up of five players. **2** (*Mus*) to compose **3** (*numero di telefono*) to dial

comportamento *sm* behaviour [*non numerabile*]: *Hanno tenuto un ~ esemplare.* Their behaviour was exemplary.

comportarsi *v rifl* to behave: *~ bene/male* to behave well/badly ◊ *Comportati bene.* Be good.

compositore, -trice *sm-sf* composer

composizione *sf* composition

composto, -a ◆ *pp, agg* **1** (*gen*) compound: *parole composte* compound words **2** ~ **di/da** consisting **of *sth*** ◆ *sm* compound *Vedi anche* COMPORRE

comprare *vt* to buy: *~ un regalo a qn* to buy sb a present. ◊ *Me lo compri?* Will you buy it for me? ◊ *Ho comprato la bici da un amico.* I bought the bike from a friend.

comprendere *vt* **1** (*capire*) to understand: *Dice che i suoi genitori non lo comprendono.* He says his parents don't understand him. **2** (*rendersi conto*) to realize: *Hanno compreso quanto sia* *importante.* They've realized how important it is. **3** (*includere*) to include: *Il servizio è compreso nel prezzo.* The price includes a service charge.

comprensibile *agg* understandable

comprensione *sf* understanding LOC **comprensione orale/scritta** oral/ written comprehension

comprensivo, -a *agg* understanding (***towards sb***)

compreso, -a *pp, agg*: *IVA compresa* including VAT ◊ *La colazione è compresa.* Breakfast is included. ◊ *fino a sabato* ~ up to and including Saturday ◊ *dal 3 al 7* ~ from the 3rd to the 7th inclusive LOC **tutto compreso** all-in: *Sono 100.000 lire tutto* ~. It's 100000 lire all-in. *Vedi anche* COMPRENDERE

compressa *sf* (*pastiglia*) tablet

compromesso *sm* compromise: *fare/ venire a un* ~ to reach a compromise

compromettente *agg* compromising

compromettere ◆ *vt* to compromise: ~ *la propria reputazione* to compromise your reputation ◆ **compromettersi** *v rifl* to compromise yourself

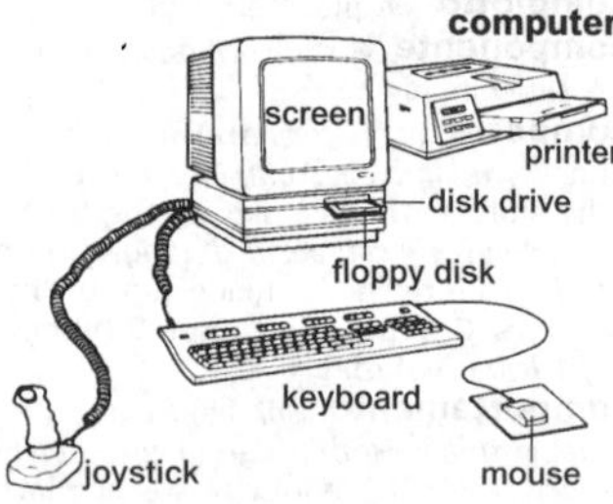

computer *sm* computer

comunale *agg* LOC *Vedi* CONSIGLIERE

comune ◆ *agg* common: *un problema molto* ~ a very common problem ◊ *interessi comuni* common interests ◆ *sm* **1** (*paese, città*) town **2** (*autorità*) council **3** (*sede*) town hall LOC **avere in comune 1** (*gusti*) to share *sth* **2** (*caratteristica*) to have *sth* in common *Vedi anche* CASSA, LUOGO, NOME

comunicare ◆ *vt* **1** (*far sapere*) to communicate *sth* (***to sb***): *Hanno comunicato i loro sospetti alla polizia.* They've communicated their suspicions to the police. **2** (*trasmettere*) to transmit *sth* (**to *sb***): *Hanno comunicato il loro entusiasmo agli altri.* They transmitted their enthusiasm to the others. ◆ *vi* ~ (**con**) (*gen*) to communicate (**with *sb/sth***): *Trovo difficile ~ con gente così diversa da me.* I find it difficult to communicate with people who are so different from me. ◊ *La mia camera comunica con la tua.* My room communicates with yours.

comunicato *sm* announcement LOC **comunicato stampa** press release

comunicazione *sf* **1** (*gen*) communication: *mancanza di* ~ lack of communication **2** (*telefonata*): *Si è interrotta la* ~. We were cut off. LOC *Vedi* MEZZO

comunione *sf* communion LOC **fare la comunione** to take Communion **fare la prima comunione** to take your first Communion

comunismo *sm* communism

comunista *agg, smf* communist

comunità *sf* community [*v sing o pl*] [*pl* communities]

comunque ◆ *avv* anyway ◆ *cong* however: ~ *vada* however it goes

con *prep* **1** (*gen*) with: *Vivo con i miei genitori.* I live with my parents. ◊ *Appendilo con una puntina da disegno.* Stick it up with a drawing pin. ◊ *Con che cosa si pulisce?* What do you clean it with? ☛ A volte si traduce con "to": *Con chi parlavi?* Who were you talking to? ◊ *È gentilissima con tutti.* She's very nice to everybody. Quando si parla di un mezzo di trasporto si traduce con "by": *Vado con la macchina/l'autobus.* I'll go by car/bus.

conato *sm* LOC **avere i conati di vomito** to retch

concavo, -a *agg* concave

concedere *vt* **1** (*gen*) to give: ~ *un prestito a qn* to give sb a loan ◊ ~ *un permesso* to give permission ◊ *concedersi una vacanza* to give yourself a holiday **2** (*permettere*) to allow *sb* (***to do sth***)

concentrare ◆ *vt* to concentrate: ~ *l'attenzione su qc* to concentrate (your attention) on sth ◆ **concentrarsi** *v rifl* **concentrarsi (su)** to concentrate (**on *sth***): *Concentrati su quello che stai facendo.* Concentrate on what you are doing.

concentrato, -a ◆ *pp, agg* **1** (*persona*): *Ero così ~ nella lettura che non ti ho sentito entrare.* I was so immersed in the book that I didn't hear you come in. **2** (*sostanza*) concentrated ◆ *sm* concentrate LOC **concentrato di pomodoro** tomato purée *Vedi anche* CONCENTRARE

concentrazione *sf* concentration: *mancanza di ~* lack of concentration

concepire *vt* **1** (*progetto, romanzo*) to conceive **2** (*capire*) to understand **3** (*bambino*) to conceive

concerto *sm* **1** (*spettacolo*) concert **2** (*composizione musicale*) concerto [*pl* concertos]

concessionaria *sf* (*ditta*) authorized dealer

concetto *sm* **1** (*idea*) concept: *il ~ di democrazia* the concept of democracy **2** (*opinione*) opinion: *No so che ~ tu abbia di me.* I don't know what you think of me.

conchiglia *sf* shell

conciare *vt* to tan

conciliare *vt* **1** (*combinare*) to combine: *Non è sempre facile ~ studio e sport.* It's not always possible to combine studying with sport. **2** (*sonno*) to induce

concimare *vt* to fertilize

concime *sm* **1** (*naturale*) manure **2** (*artificiale*) fertilizer

conciso, -a *agg* concise

concludere ◆ *vt* **1** (*gen*) to conclude: *~ un affare* to conclude a deal **2** *~* **che...** (*dedurre*) to conclude that... **3** (*combinare*) to achieve: *Non ho concluso un bel niente oggi.* I haven't achieved anything today. ◆ **concludersi** *v rifl* to end

conclusione *sf* conclusion: *trarre una ~* to draw a conclusion ◊ *giungere alla ~ che...* to reach the conclusion that...

concordare ◆ *vt* to agree **on** ***sth*****/*****to do sth***: *Hanno concordato il cessate il fuoco.* They agreed on a ceasefire. ◊ *Abbiamo concordato di tornare al lavoro.* We agreed to return to work. ◆ *vi ~* (**con**) to agree (**with** ***sth***): *La tua risposta non concorda con la sua.* Your answer doesn't agree with his.

concorrente *smf* contestant

concorrenza *sf* competition: *fare ~ a qn/qc* to compete with sb/sth

concorrere *vi* (*in una gara*) to take part (***in sth***)

concorso *sm* **1** (*gen*) competition **2** (*esame*) competitive examination LOC **concorso di bellezza** beauty contest *Vedi anche* BANDO

concreto, -a *agg* concrete: *vantaggi concreti* concrete advantages LOC **in concreto**: *In ~, cosa è stato fatto?* What has actually been done?

condanna *sf* sentence LOC **condanna a morte** death sentence

condannare *vt* **1** (*Dir*) **(a)** (*a una pena*) to sentence *sb* (***to sth***): *~ all'ergastolo qn* to sentence sb to life imprisonment **(b)** (*per un delitto*) to convict *sb* (***of sth***) **2** (*disapprovare*) to condemn

condensare ◆ *vt* to condense ◆ **condensarsi** *v rifl* to condense

condensato, -a *pp, agg* LOC *Vedi* LATTE; *Vedi anche* CONDENSARE

condimento *sm* **1** (*carne, ecc*) seasoning **2** (*insalata*) dressing

condire *vt* **1** (*gen*) to season *sth* (***with sth***) **2** (*insalata*) to dress *sth* (***with sth***)

condividere *vt* to share: *~ un appartamento* to share a flat

condizionale *agg, sm* conditional

condizionare *vt* to condition: *Si è condizionati dall'educazione ricevuta.* You are conditioned by your upbringing.

condizionato, -a *pp, agg* LOC *Vedi* ARIA; *Vedi anche* CONDIZIONARE

condizione *sf* condition: *La merce è arrivata in ottime condizioni.* The goods arrived in perfect condition. ◊ *a una ~* on one condition ◊ *Lo farò a ~ che tu mi aiuti.* I'll do it on condition that you help me. ◊ *Non è in condizioni di viaggiare.* She's in no condition to travel.

condoglianze *sf* condolences [*pl*]: *Le mie ~.* My deepest condolences. ◊ *fare le ~* to offer your condolences

condominio *sm* (*palazzo*) block of flats

condono *sm* amnesty

condotta *sf* behaviour [*non numerabile*]

conducente *sm* driver

> La parola inglese **conductor** significa *bigliettaio*.

condurre *vt* **1** (*portare*) to take **2** (*faccenda*) to conduct **3** (*dibattito, campagna*) to lead

conferenza *sf* **1** (*discorso*) lecture **2** (*congresso*) conference LOC **conferenza stampa** press conference

conferire *vt* to award *sth* ***to sb***

conferma *sf* confirmation

confermare *vt* to confirm: *Devo ~ il biglietto?* Do I have to confirm the booking?

confessare ◆ *vt, vi* **1** (*gen*) to confess (**to** ***sth*****/*****doing sth***): *Devo ~ che preferisco il tuo.* I must confess I prefer yours. ◊ *~ il delitto* to confess to the murder ◊

Hanno confessato di aver svaligiato la banca. They confessed to robbing the bank. **2** (*Relig*) to hear (*sb's*) confession ◆ **confessarsi** *v rifl* **1** to go to confession

confessionale *sm* confessional

confessione *sf* confession

confetto *sm* sugared almond

confezionare *vt* **1** (*abiti*) to make **2** (*incartare*) to wrap *sth* up **3** (*per vendita*) to package

confezione *sf* **1** (*gen*) making **2** (*imballaggio*) packaging LOC **confezione regalo**: *Può farmi una ~ regalo?* Can you gift-wrap it for me, please?

conficcare ◆ *vt* (*chiodo, paletto*) to drive *sth* ***into sth***: *Ha conficcato i picchetti nel terreno.* He drove the stakes into the ground. ◆ **conficcarsi** *v rifl*: *La pallottola si è conficcata nella parete.* The bullet embedded itself in the wall.

confidare ◆ *vt* to confide *sth* ***to sb***: *Mi ha confidato un segreto.* She confided a secret to me. ◆ **confidarsi** *v rifl* to confide *in sb*: *Si è confidato con me.* He confided in me.

confidenza *sf* **1** (*rivelazione*) confidence: *Ti devo fare una ~.* I've got to tell you something in confidence. **2** (*familiarità*): *Te lo posso dire perché siamo in ~.* I can tell you because we're friends. ◊ *Non gli dare troppa ~.* Don't get too cosy with him. LOC **in confidenza** in confidence: *Te lo dico in ~.* I'm telling you in confidence. **prendersi troppe confidenze** to take liberties *with sb*: *Si prende troppe confidenze con loro.* He takes too many liberties with them.

confinante *agg* neighbouring: *due paesi confinanti* two neighbouring countries

confinare *vi* ~ **con** to border **on**...: *L'Italia confina con la Svizzera.* Italy borders on Switzerland.

confine *sm* **1** (*Geog, Politica*) border: *il ~ tra l'Italia e la Francia* the border between France and Italy **2** (*limite*) boundary [*pl* boundaries]: *Una staccionata delimita i confini della proprietà.* A fence marks the boundaries of the propeprty. ☛ *Vedi nota a* BORDER

confiscare *vt* to confiscate

conflitto *sm* conflict: *un ~ tra due potenze* a conflict between two powers LOC **conflitto di interessi** clash of interests

confondere ◆ *vt* **1** (*mischiare*) to mix *sth* up: *Sono stati divisi in tre gruppi. Non confonderli.* They've been separated into three piles, so don't mix them up. **2** (*disorientare*) to confuse: *Non mi ~.* Don't confuse me. **3** (*scambiare*) to mistake *sb/sth* **for sb/sth**: *Credo che mi abbia confuso con qualcun altro.* I think he's mistaken me for somebody else. ◊ *~ il sale con lo zucchero* to mistake the salt for the sugar ◆ **confondersi** *v rifl* **confondersi** (**con**) to get confused (**about/over** ***sth***): *Si confonde con le date.* He gets confused over dates.

conforme *agg*: *~ alle regole* in keeping with the rules

conformista *smf* conformist

conforto *sm* consolation: *cercare/trovare ~ in qc* to seek/find consolation in sth

confrontare *vt* to compare *sb/sth* (***to/with sb/sth***): *Fate l'esercizio e alla fine confrontate le risposte.* Do the exercise and then compare your answers.

confronto *sm* comparison: *Non c'è ~ fra questa casa e quella di prima.* There's no comparison between this house and the old one. LOC **in confronto a** compared to/with *sb/sth* **nei miei, tuoi, ecc confronti** towards me, you, etc: *Nei miei confronti si è sempre comportato bene.* He has always behaved impeccably towards me.

confusione *sf* **1** (*rumore*) row: *Con tutta questa ~ non riesco a dormire.* I can't sleep with all this row. ◊ *fare ~* to make a row **2** (*disordine*) mess: *Che ~ nel tuo ufficio!* What a mess your office is! **3** (*sbaglio*) muddle: *Ho fatto ~ con i nomi.* I got into a real muddle with their names. ◊ *fare ~* to get muddled up **4** (*mentale*) confusion

confuso, -a *pp, agg* **1** (*poco chiaro*) confusing: *Le sue indicazioni erano molto confuse.* His directions were very confusing. **2** (*sconcertato*) confused *Vedi anche* CONFONDERE

congedo *sm* leave: *chiedere un ~ per motivi di salute* to take sick leave

congegno *sm* device

congelare ◆ *vt* to freeze ◆ **congelarsi** *v rifl* **1** (*avere freddo*) to be freezing: *Mi sto congelando.* I'm freezing. **2** (*Med*) to get frostbite

congelato, -a *pp, agg* **1** (*gen*) frozen **2**

(*infreddolito*) freezing: *Sono ~!* I'm freezing! *Vedi anche* CONGELARE

ongelatore *sm* freezer

ongenito, -a *agg* congenital

ongestionare *vt*: *I lavori stradali rischiavano di ~ il traffico.* The roadworks threatened to cause traffic congestion.

ongestione *sf* (*Med*) congestion

ongiuntivite *sf* conjunctivitis [*non numerabile*]

ongiuntivo *sm* subjunctive

ongiunzione *sf* conjunction

ongratularsi *v rifl* ~ **con** (**per**) to congratulate *sb* (**on *sth*/*doing sth***): *Mi sono congratulato con lui per la promozione.* I congratulated him on his promotion.

ongratulazioni *sf* ~ (**per**) congratulations (**on *sth*/*doing sth***): ~ *per gli esami!* Congratulations on passing your exams!

ongresso *sm* congress

onico, -a *agg* conical

oniglio *sm* rabbit

Rabbit è la parola generica, **buck** indica solo il maschio ed ha il plurale "buck" o "bucks". Per indicare la femmina del coniglio si usa **doe**.

oniugare *vt* to conjugate

ono *sm* cone

onoscente *smf* acquaintance

onoscenza *sf* knowledge [*non numerabile*]: *Hanno messo alla prova le loro conoscenze in materia.* They put their knowledge to the test. LOC **perdere/riprendere conoscenza** to lose/regain conciousness

onoscere *vt* **1** (*gen*) to know: *Li conosco da molto tempo.* I've known them for ages. ◊ *Conosco bene Parigi.* I know Paris very well. **2** (*una persona per la prima volta*) to meet: *Li ho conosciuti durante le vacanze.* I met them during the holidays.

Know si riferisce al fatto di conoscere qualcuno o qualcosa: *Conoscevo una persona che lavorava lì.* I used to know somebody who worked there. ◊ *Li conosciamo da anni.* We've known them for years. Il concetto di incontrare qualcuno per la prima volta si esprime con **meet**: *L'ho conosciuto a una festa.* I met him at a party.

3 (*sapere dell'esistenza*) to know **of *sb*/*sth***: *Conosce un buon albergo?* Do you know of a good hotel? LOC **conoscere di vista** to know *sb* by sight: *La conosco solo di vista.* I know her only by sight.

conosciuto, -a *pp, agg* (*famoso*) well known: *un attore ~* a well-known actor *Vedi anche* CONOSCERE

conquista *sf* conquest

conquistare *vt* **1** (*Mil*) to conquer **2** (*ottenere*) to achieve: *~ il successo* to achieve success **3** (*attrarre*) to win: *~ la simpatia del pubblico* to win the public over ◊ *~ il cuore di qn* to win sb's heart

consapevole *agg* aware ***of sth***

consegna *sf* **1** (*gen*) handing-over: *la ~ del denaro* the handing-over of the money **2** (*merce*) delivery LOC *Vedi* DOMICILIO, PAGAMENTO

consegnare *vt* **1** (*gen*) to hand *sb/sth* over (***to sb***): *~ i documenti/le chiavi* to hand over the documents/keys ◊ *~ qn alle autorità* to hand sb over to the authorities **2** (*premio*) to present *sth* (***to sb***) **3** (*merce*) to deliver

conseguenza *sf* consequence: *subire le conseguenze* to suffer the consequences LOC **di ~** as a result

conseguire *vt* **1** (*ottenere*) to obtain, to get (*più informale*): *~ un diploma/una laurea* to get a diploma/a degree **2** (*raggiungere*) to achieve: *~ la vittoria* to achieve victory ◊ *~ ottimi risultati* to achieve excellent results LOC **ne consegue che...** it follows that...

consenso *sm* consent

consentire *vt* to allow (*sb/sth*) (***to do sth***)

conserva *sf* conserve: *~ di pomodoro* tomato conserve

conservante *sm* preservative

conservare *vt* **1** (*cibo*) to preserve **2** (*cose*) to keep: *Conserva la ricevuta.* Keep your receipt. ◊ *Conservo ancora le sue lettere.* I've still got his letters.

conservatore, -trice *agg, sm-sf* conservative

conservatorio *sm* school of music

considerare *vt* **1** (*ritenere*) to regard *sb/sth* (***as sth***): *La considero la nostra migliore tennista.* I regard her as our best player. **2** (*valutare*) to weigh *sth* up, to consider (*più formale*): *~ i pro e i contro* to weigh up the pros and cons LOC **considerato che...** considering (that)... **tutto considerato** all things considered

considerazione *sf* **1** (*gen*): *prendere qc*

in ~ to take sth into consideration **2** (*osservazione*) comment: *fare qualche* ~ to make a few comments

considerevole *agg* substantial

consigliabile *agg* advisable

consigliare *vt* to advise *sb* (***to do sth***): *Ti consiglio di accettare quel lavoro.* I advise you to accept that job. ◊ *"Lo compro?" "Non te lo consiglio."* 'Shall I buy it?' 'I wouldn't advise you to.'

consiglio *sm* **1** (*gen*) advice [*non numerabile*]: *Voglio darti un* ~. I'm going to give you some advice. ◊ *Non seguire i loro consigli.* Don't follow their advice. ☛ *Vedi nota a* INFORMAZIONE **2** (*organo*) council LOC **consiglio di amministrazione** board of directors **il Consiglio dei Ministri** the Cabinet [*v sing o pl*] ☛ *Vedi pag. 381. Vedi anche* PRESIDENTE

consistenza *sf* texture

consistere *vi* ~ **di/in** to consist **of *sth/doing sth***: *Il mio lavoro consiste nel dare informazioni ai turisti.* My work consists of giving information to tourists.

consolare *vt* to console: *Se ti può* ~... If it's any consolation...

consolato *sm* consulate

consolazione *sf* consolation: *È una* ~ *sapere che non sono l'unico.* It is (of) some consolation to know that I am not the only one. ◊ *premio di* ~ consolation prize

console *smf* consul

consolle *sf* control panel

consonante *sf* consonant

consulente *smf* consultant

consultare *vt* to consult *sb/sth* (***about sth***): *Ci hanno consultato per questo problema.* They've consulted us about this matter. ◊ *Durante l'esame non si possono* ~ *dizionari.* You are not allowed to consult dictionaries during the exam.

consultazione *sf* consultation LOC **di consultazione** reference: *opere di* ~ reference books

consultorio *sm* clinic: ~ *familiare* family planning clinic

consumare ◆ *vt* **1** (*gen*) to consume: *un paese che consuma più di quanto produce* a country which consumes more than it produces **2** (*energia*) to use: *Questa macchina consuma molta benzina.* This car uses a lot of petrol. **3** (*abiti, scarpe*) to wear *sth* out: *Consuma tutti i maglioni ai gomiti.* He wears ou all his jumpers at the elbows. ◆ **consumarsi** *v rifl* (*abiti, scarpe*) to wear out: *tacchi si sono consumati in fretta.* Th heels wore out quickly. LOC **da consumarsi preferibilmente entro il...** bes before...

consumato, -a *pp, agg* worn out *Vec anche* CONSUMARE

consumatore, -trice *sm-sf* consume

consumazione *sf* **1** (*bibita*) drink: *u biglietto che dà diritto a una* ~ a ticke entitling you to a drink **2** (*spuntin* snack

consumo *sm* consumption LOC *Vec* BENE[3]

contabile *smf* accountant

contabilità *sf* **1** (*materia*) accountanc **2** (*conti*) accounts [*pl*]: *la* ~ *di una ditt* a firm's accounts ◊ *tenere la* ~ to do th accounts

contachilometri *sm* milometer

contadino, -a *sm-sf* farmworker

> Si può anche dire **peasant** che però più formale.

contagiare *vt* to infect *sb* (***with sth***), t give *sth* **to *sb*** (*informale*): *Mi ha conta giato il morbillo.* She gave me measle

contagioso, -a *agg* infectious

contagocce *sm* dropper

contaminare *vt* to contaminate

contaminato, -a *agg, pp* contaminated *Vedi anche* CONTAMINARE

contaminazione *sf* contamination

contante ◆ *agg*: *denaro* ~ cash **contanti** *sm* cash LOC **in contanti** i cash: *Ho solo centomila lire in contant* I've only got a hundred thousand lir in cash. ◊ *pagare qc in contanti* to pa for sth in cash

contare ◆ *vt* **1** (*enumerare, calcolare* to count: *Ha contato il numero di viag giatori.* He counted the number o passengers. **2** (*considerare*) to consider *senza* ~ *tutte le altre difficoltà* withou considering all the other problems (*avere intenzione*) to intend: *Io conto d andare in vacanza a fine mese.* I inten to go on holiday at the end of th month. ◆ *vi* **1** (*gen*) to count: *Conta fin a 50.* Count to 50. **2** (*fare affidamento*) **su** to count on *sb/sth*: *Conto su di lor* I'm counting on them.

contascatti *sm* telephone meter

contatore *sm* meter: *il* ~ *del gas/dell luce* the gas/electricity meter

contattare *vt* to contact: *Ho cercato d*

~ *la mia famiglia.* I tried to contact my family.

ontatto *sm* contact LOC **fare contatto con qc** to touch sth **mettere qn in contatto con qn** to put sb in touch with sb **tenersi/mettersi in contatto** to keep/ get in touch *with sb* **venire a contatto** to come into contact *with sth* *Vedi anche* LENTE

onte, -essa *sm-sf* count [*fem* countess]

ontea *sf* county [*pl* counties]

ontemplare *vt* to contemplate

ontemporaneamente *avv* at the same time: *Non puoi fare le due cose ~.* You can't do both things at the same time.

ontemporaneo, -a *agg, sm-sf* contemporary [*pl* contemporaries]

ontendere *vt* ~ **qc a qn** to compete **with sb for sth**: *Le due squadre si contendono il titolo.* The two teams are competing for the title.

ontenere *vt* to contain: *La confezione contiene tre barattoli.* The package contains three jars.

ontenitore *sm* container ☛ *Vedi illustrazione a* CONTAINER

ontentare ◆ *vt Vedi* ACCONTENTARE ◆ **contentarsi** *v rifl* ~ **di/con** to be satisfied **with *sth***: *Si contenta di poco.* He's easily pleased.

ontento, -a *agg* **1** happy **2** ~ **(di)** pleased (**with *sb/sth***): *Siamo contenti del nuovo professore.* We're pleased with the new teacher. **3** ~ **di/che...** pleased **to do sth/(that...)**: *Sono contenta che siate venuti.* I'm pleased (that) you've come.

ontenuto *sm* contents [*pl*]: *il ~ della bottiglia* the contents of the bottle

ontessa *sf Vedi* CONTE

ontestare *vt* (*criticare*) to question: ~ *una decisione* to question a decision

ontesto *sm* context

ontinentale *agg* continental

ontinente *sm* continent

ontinuamente *avv* **1** (*ininterrottamente*) continuously **2** (*ripetutamente*) continually ☛ *Vedi nota a* CONTINUAL

ontinuare ◆ *vi* **1** (*gen*) to go on (***with sth/doing sth***) to continue (***with sth/to do sth***) (*più formale*): *Continueremo ad appoggiarti.* We will go on supporting you. ◊ *Continua fino alla piazza.* Go on till you reach the square. **2** (*essere ancora*) to be still...: *Continua a fare molto caldo.* It's still very hot. ◆ *vt* to continue: ~ *il viaggio* to continue your journey

continuazione *sf* continuation LOC **in continuazione** constantly

continuo, -a *agg* **1** (*ininterrotto*) continuous **2** (*che si ripete*) continual

conto *sm* **1** (*ristorante*) bill: *Il ~ per favore.* Could I have the bill, please? **2** (*Comm, Fin*) account: *un ~ corrente* a current account LOC **conto alla rovescia** countdown **fare i conti con qn** to settle accounts with sb **fare il conto di** to calculate *sth*: *Fai il ~ di quanti te ne servono.* Calculate how many you need. **tener conto di** to bear *sth* in mind: *Terrò ~ dei tuoi consigli.* I'll bear your advice in mind. *Vedi anche* FINE[1], RENDERE

contorcersi *v rifl* to contort: ~ *dalle risa/dal dolore* to be contorted with laughter/pain

contorno *sm* **1** (*Cucina*) side dish: *pollo con ~ di patate arrosto* chicken with roast potatoes **2** (*profilo*) outline

contorto *pp, agg* **1** (*ramo, fil di ferro*) twisted **2** (*corpo, ragionamento*) contorted *Vedi anche* CONTORCERSI

contrabbandiere, -a *sm-sf* smuggler

contrabbando *sm* smuggling LOC **di contrabbando**: *merce di ~* contraband

contrabbasso *sm* double bass

contraccolpo *sm* **1** (*gen*) rebound **2** (*fucile*) recoil

contracettivo, -a *agg, sm* contraceptive

contraddire *vt* to contradict

contraddittorio, -a *agg* **1** (*affermazione*) contradictory **2** (*sentimenti*) conflicting **3** (*comportamento*) inconsistent

contraddizione *sf* contradiction

contraffazione *sf* forgery [*pl* forgeries]

contrappeso *sm* counterweight LOC **fare da contrappeso** to counterbalance *sb/sth*

contrarietà *sf* setback

contrario, -a ◆ *agg* **1** (*opinione, idea*) opposing **2** (*direzione*) opposite ◆ *sm* opposite LOC **al contrario** on the contrary **avere qualcosa in contrario** to have some objection: *Se hai qualcosa in ~ dimmelo subito.* If you have any objection, tell me. ◊ *Io non ho niente in ~.* I've no objection. **essere contrario a** to be against *sth* *Vedi anche* CASO

contrarre ◆ *vt* to contract: ~ *un muscolo* to contract a muscle ◊ ~ *debiti/la malaria* to contract debts/malaria ◆ **contrarsi** *v rifl* to contract

contrassegno *sm* mark LOC **spedire/mandare in contrassegno** to send *sth* COD

contrastare *vi* ~ (**con**) to contrast (**with** ***sth***): *Le sue idee contrastano con le nostre.* His ideas contrast with ours.

contrasto *sm* contrast

contrattaccare *vt, vi* to fight back

contrattacco *sm* counter-attack

contrattare *vt* to negotiate

contrattempo *sm* hitch: *Marco è in ritardo, ha avuto un ~.* Marco's late because he's had a hitch. ◊ *Sono sorti dei contrattempi.* There were a few hitches.

contratto, -a ◆ *pp, agg* (*viso*) contorted ◆ *sm* contract *Vedi anche* CONTRARRE

contribuente *smf* taxpayer

contribuire *vi* **1** ~ **a qc** (**con qc**) to contribute **(sth) to/towards sth**: *Hanno contribuito con cinquanta milioni alla costruzione dell'ospedale.* They contributed fifty million lire to the construction of the hospital. **2** ~ **a fare qc** to help **to do sth**: *Contribuirà a migliorare l'immagine della scuola.* It will help (to) improve the school's image.

contributo *sm* contribution

contro ◆ *prep* **1** (*gen*) against: *la lotta ~ la criminalità* the fight against crime ◊ *Mettiti ~ il muro.* Stand against the wall. ◊ ~ *la loro volontà* against their will **2** (*con verbi come lanciare, sparare, tirare*) at: *Hanno tirato sassi ~ le finestre.* They threw stones at the windows. **3** (*con verbi come urtare, sbattere*) into: *La mia macchina è andata a sbattere ~ un muro.* My car crashed into the wall. ◊ *Ha sbattuto ~ un albero.* He hit a tree. **4** (*per*) for: *pastiglie ~ il mal di testa* tablets for a headache **5** (*Sport*) versus (*abbrev* v, vs): *Il Milan ~ il Napoli* Milan v Napoli ◆ *avv*: *Sei a favore o ~?* Are you for or against? LOC *Vedi* PRO

controcorrente *avv* **1** (*fiume*) upstream **2** (*mare, fig*) against the tide

controfigura *sf* stand-in

controllare ◆ *vt* **1** (*biglietto, data*) to check: *Controlla se hai tutto.* Check that you've got everything. **2** (*dominare*) to control ◆ **controllarsi** *v rifl* to control yourself LOC *Vedi* VISTA

controllo *sm* **1** (*gen*) control: *il ~ dei bagagli/passaporti* luggage/passpo[rt] control ◊ *perdere il ~ della situazione* [to] lose control of the situation **2** (*Me[d]*) check-up: *farsi un ~* to have a check-u[p] LOC **essere sotto controllo** to be und[er] control *Vedi anche* TORRE, VISITA

controllore *sm* ticket inspector LO[C] **controllore di volo** air-traffic controlle[r]

controluce LOC **in controluce** again[st] the light: *guardare i negativi in ~* t[o] look at the negatives against the ligh[t]

contromano *avv* **1** (*senso unico*) th[e] wrong way up a one-way street [2] (*corsia sbagliata*) on the wrong side [of] the road

contropiede *sm* LOC **prendere i[n] contropiede** to catch *sb* off guard

convalescenza *sf* convalescenc[e]: *essere in ~* to be convalescing

convegno *sm* conference

conveniente *agg* (*poco costoso*) chea[p]

convenire ◆ *vi* ~ **a** (*essere vantaggios[o] per*): *Ci converrebbe ripassare l'ultim[a] parte.* We'd better go over the las[t] section again. ◊ *Non ti conviene lav[o]rare tanto.* You shouldn't work so har[d] ◆ *v impers* **1** (*essere consigliabile*) *Conviene ripensarci.* We'd better thin[k] again. **2** (*essere meno caro*) to b[e] cheaper: *Comprare al supermerca[to] conviene.* It's cheaper at the superma[r]ket.

convento *sm* **1** (*di suore*) convent **2** (*d[i] frati*) monastery [*pl* monasteries]

conversazione *sf* conversatio[n]: *Abbiamo avuto una ~ interessante.* W[e] had an interesting conversation. LO[C] *Vedi* ARGOMENTO

convertirsi *v rifl* ~ (**a**) to convert (**t[o]** ***sth***): *Si sono convertiti all'islamism[o]* They have converted to Islam.

convesso, -a *agg* convex

convincere ◆ *vt* to convince *sb* (***of st[h]*** ***to do sth/that...***): *Cerca di convincer[lo] a venire.* Try to convince him to com[e] ◊ *Ci hanno convinti che era la cos[a] migliore.* They convinced us that it wa[s] the best thing. ◊ *Questa storia non m[i] convince.* I'm not convinced by thi[s] story. ◆ **convincersi** *v rifl* **convincers[i] di** to get *sth* into your head: *De[vi] convincerti che è finita.* You must get i[t] into your head that it's over.

convinto, -a *pp, agg* sure: *Sono che...* I'm sure (that)... *Vedi anch[e]* CONVINCERE

convivere *vi* to live together, to live with *sb*: *Convivevano già prima d[i]* *sposarsi.* They lived together before they got married.

convocare *vt* **1** (*riunione*) to call **2** (*chiamare*) to summon: ~ *i genitori a una riunione* to summon the parents to a meeting

cooperativa *sf* cooperative

coordinare *vt* to coordinate

coordinata *sf* coordinate

coordinato, -a *pp, agg* coordinated *Vedi anche* COORDINARE

coperchio *sm* lid: *Metti il* ~. Put the lid on. ☛ *Vedi illustrazione a* SAUCEPAN

coperta *sf* **1** (*gen*) blanket: *Mettigli addosso una* ~. Put a blanket over him. ☛ *Vedi illustrazione a* LETTO **2** (*Naut*) deck: *salire in* ~ to go up on deck

copertina *sf* **1** (*libro, rivista*) cover **2** (*disco*) sleeve

coperto, -a ◆ *pp, agg* **1** ~ **(di/con)** covered **(in/with *sth*)**: ~ *di polvere* covered in dust ◊ *La sedia era coperta con un lenzuolo.* The chair was covered with a sheet. **2** (*cielo*) overcast **3** (*palestra*) indoor: *una piscina coperta* an indoor swimming pool **4** (*persona*): *ben* ~ well wrapped up ◊ *Sei fin troppo* ~. You've got too much on. ◆ *sm* **1** (*posto a tavola*) place setting: *Preparate sei coperti.* Prepare six place settings. **2** (*prezzo*) cover charge: *Il* ~ *non è compreso.* Cover charge not included. LOC **mettersi al coperto** to take cover *Vedi anche* COPRIRE

copertura *sf* cover

copia *sf* copy [*pl* copies]: *fare una* ~ to make a copy ◊ *una* ~ *omaggio* a complimentary copy ◊ *Tieni sempre una* ~ *su dischetto.* Always keep a back-up copy. LOC *Vedi* BELLO, BRUTTO, DUPLICE, TRIPLICE

copiare ◆ *vt, vi* to copy *sth* **(from *sb*/*sth*)**: *Hai copiato questo quadro dall'originale?* Did you copy this painting from the original? ◊ *L'ho copiato da Luigi.* I copied it from Luigi. ◆ *vt* (*scrivere*) to copy *sth* down: *Copiate sul quaderno le frasi scritte alla lavagna.* Copy down the sentences on the blackboard.

copilota *smf* co-pilot

copione, -a ◆ *sm-sf* copycat ◆ *sm* (*Cine*) script

coppa *sf* **1** (*gen*) cup: *la Coppa Europa* the European Cup **2** (*gelato, macedonia*) dessert bowl LOC **coppa dell'olio** oil sump

coppia *sf* **1** (*sposi, fidanzati*) couple: *fanno una bella* ~. They make a really nice couple. **2** (*animali, Sport*) pair: *la* ~ *vincitrice* the winning pair LOC **a coppie** two by two: *Entrarono a coppie.* They went in two by two.

coprifuoco *sm* curfew

copriletto *sm* bedspread ☛ *Vedi illustrazione a* LETTO

copripiumino *sm* duvet cover

coprire ◆ *vt* **1** to cover *sb/sth* **(with *sth*)**: *Hanno coperto i muri di manifesti.* They've covered the walls with posters. ◊ ~ *le spese di viaggio* to cover travelling expenses ◊ *Copriti la schiena, se no ti ustioni.* Cover your back or you'll burn. **2** (*imbacuccare*) to wrap *sb* up: *Copri bene la bambina.* Wrap the child up well. ◆ **coprirsi** *v rifl* to wrap up: *Copriti bene, fa molto freddo.* Wrap up well, it's very cold outside. LOC *Vedi* VISUALE

coque *sf* LOC *Vedi* UOVO

coraggio *sm* courage LOC *Vedi* ARMARE

coraggioso, -a *agg* brave

corallo *sm* coral

corda *sf* **1** (*gen*) rope: *una* ~ *per saltare* a skipping rope ◊ *Legalo con una* ~. Tie it with some rope. **2** (*Mus*) string: *strumenti a* ~ stringed instruments LOC **corde vocali** vocal chords **dar corda a** to encourage *sb* **tenere sulla corda** to keep *sb* on tenterhooks *Vedi anche* SALTARE, SALTO, TAGLIARE

cordiale *agg* warm LOC *Vedi* SALUTO

cordone *sm* cord LOC **cordone ombelicale** umbilical cord

Corea *sf* Korea LOC **Corea del Nord** North Korea **Corea del Sud** South Korea

coreano, -a *agg, sm-sf, sm* Korean: *i coreani* the Koreans ◊ *parlare* ~ to speak Korean

coriandoli *sm* confetti [*non numerabile*]

coricarsi *v rifl* **1** (*andare a letto*) to go to bed: *Dovresti coricarti presto stasera.* You should go to bed early tonight. **2** (*sdraiarsi*) to lie down ☛ *Vedi nota a* LIE[2]

cornamusa *sf* bagpipe(s) [*si usa spec al pl*]: *suonare la* ~ to play the bagpipes

cornea *sf* cornea

cornetta *sf* (*telefono*) receiver

cornetto *sm* **1** (*brioche*) croissant **2** (*gelato*) cone ☛ *Vedi illustrazione a* PANE

cornice *sf* frame

cornicione *sm* ledge

corno *sm* **1** (*toro*, *Mus*) horn **2** (*renna*, *cervo*) antler LOC **fare le corna 1** (*per scaramanzia*) to keep your fingers crossed **2** (*tradire*) to cheat on *sb*

Cornovaglia *sf* Cornwall

coro *sm* choir

corona *sf* **1** (*gen*) crown **2** (*di fiori*) wreath

corpo *sm* body [*pl* bodies] LOC **corpo a corpo** (*lottare*) hand to hand *Vedi anche* GUARDIA, VOCE

corporale *agg* LOC *Vedi* PUNIZIONE

corpulento, -a *agg* hefty

corredo *sm* trousseau [*pl* trousseaus/trousseaux]

correggere *vt* to correct: ~ *i compiti/gli errori* to correct homework/mistakes ◊ *Correggimi se sbaglio.* Correct me if I'm wrong.

corrente ◆ *agg* (*lingua*, *uso*) current ◆ *sf* **1** (*acqua*, *elettricità*) current: *Sono stati trascinati via dalla* ~. They were swept away by the current. **2** (*aria*) draught LOC **essere al corrente di** to know about *sth* **mettere qn al corrente** to put sb in the picture *about sth* **tenersi al corrente** to get up to date *Vedi anche* ACQUA

correre ◆ *vi* **1** (*gen*) to run: *Correvano nel cortile.* They were running round the playground. ◊ *Gli sono corso dietro.* I ran after him. ◊ *Si è messo a ~ quando mi ha visto.* He ran off when he saw me. **2** (*affrettarsi*) to hurry: *Non c'è bisogno di ~, hai ancora tempo.* There's no need to hurry, you've still got time. **3** (*veicolo*) to go fast: *Come corre questa moto!* This motorbike goes very fast. ◊ *Corre troppo in autostrada.* She goes too fast on the motorway. **4** (*intercorrere*): *Tra me e lui ci corrono tre anni.* There are three years between me and him. ◆ *vt* (*Sport*) to run: ~ *i cento metri piani* to run the 100 metres LOC **correre come il vento** to run like the wind **correre il pericolo di** to run the risk of *sth* **correre un rischio** to run a risk **corre voce che...**: *Corre voce che si sposino.* There's a rumour going round that they're getting married. *Vedi anche* TEMPO

corretto, -a *pp*, *agg* correct: *il risultato* ~ the correct result LOC *Vedi* GIOCO; *Vedi anche* CORREGGERE

correzione *sf* **1** (*atto*, *modifica*) correction: *fare delle correzioni a un testo* to make corrections to a text **2** (*compiti*) marking: *La ~ del compito si farà in classe.* We'll mark the test in class. LOC **correzione di bozze** proofreading

corridoio *sm* **1** (*gen*) corridor **2** (*aereo*, *teatro*) aisle: *Mi hanno dato un posto di* ~. I was given an aisle seat.

corridore *sm* **1** (*atleta*) runner **2** (*ciclista*) cyclist **3** (*automobilista*) driver

corrimano *sm* handrail

corrispondente ◆ *agg* ~ **(a)** (*gen*) corresponding **(to** ***sth*****)**: *Trovate le parole corrispondenti alle definizioni.* Find the words corresponding to the definitions. ◆ *smf* (*Giornalismo*) correspondent

corrispondenza *sf* **1** (*posta*) correspondence **2** (*rapporto*) relation LOC *Vedi* CORSO

corrispondere *vi* ~ **(a)** to correspond **to** ***sb/sth***

corrodere ◆ *vt* to corrode ◆ **corrodersi** *v rifl* to corrode

corrompere *vt* **1** (*gen*) to corrupt **2** (*con denaro*) to bribe

corroso, -a *pp*, *agg* corroded *Vedi anche* CORRODERE

corrotto, -a *pp*, *agg* corrupted *Vedi anche* CORROMPERE

corruzione *sf* **1** (*gen*) corruption **2** (*con denaro*) bribery: *tentativo di* ~ attempted bribery

corsa *sf* **1** (*gen*) run: *fare una ~ per prendere il treno* to run to catch the train ◊ *arrivare di* ~ to come running up **2** (*gara*) race: ~ *con i sacchi* sack race ◊ ~ *di cavalli* horse race ◊ *Va sempre alle corse.* She always goes to the races. **3** (*autobus*): *L'ultima ~ è alle dieci e mezzo.* The last bus is at half past ten. LOC **corsa agli armamenti** arms race **corsa campestre** cross-country race *Vedi anche* AUTO, BICICLETTA, CAVALLO, MACCHINA, USCIRE

corsia *sf* **1** (*strada*, *Sport*) lane: ~ *per gli autobus* bus lane ◊ *il corridore in seconda* ~ the athlete in lane two **2** (*ospedale*) ward LOC **corsia d'emergenza** hard shoulder

corso *sm* **1** (*gen*) course: *Faccio un ~ d'inglese.* I'm doing an English course. ◊ *nel ~ dell'anno/della discussione* in the course of the year/of the discussion **2** (*strada*) high street LOC **corso di aggiornamento** refresher course **corso per corrispondenza** correspondence course **corsi serali** evening classes *Vedi anche* LAVORO

corte *sf* court LOC **fare la corte a** to court *sb*

corteccia *sf* bark

cortesia *sf* favour: *fare una ~ a qn* to do sb a favour LOC **per cortesia** please: *Per ~, dammi una mano.* Give me a hand, please.

cortile *sm* **1** (*gen*) courtyard **2** (*scuola*) playground

corto, -a *agg* short: *Questi pantaloni sono troppo corti per te.* These trousers are too short for you. ◊ *una camicia a maniche corte* a short-sleeved shirt LOC **essere a corto di** to be short of *sth*

cortocircuito *sm* short-circuit

cortometraggio *sm* short

corvo *sm* crow

cosa ◆ *sf* **1** (*gen*) thing: *In questo momento le cose vanno bene.* Things are going well at the moment. ◊ *tutte le cose che ha comprato* everything he bought **2** (*qualcosa*) something: *Ti volevo chiedere una ~.* I wanted to ask you something. **3** (*niente*) nothing, anything: *Non c'è ~ più bella del mare.* There's nothing more beautiful than the sea. **4** (*faccenda*): *La ~ è poco chiara.* It's not very clear. ◊ *Non mi ha mai parlato della ~.* He's never talked to me about it. **5 cose** (*faccende*) affairs: *Prima devo sistemare le mie cose.* I want to sort out my own affairs first. ◊ *Non parla mai delle sue cose.* He never talks about his personal life. **6 cose** (*oggetti*) things: *Puoi mettere le tue cose in questo cassetto.* You can put your things in this drawer. ◊ *Ha preso le sue cose e se n'è andata.* She took her things and left. ◆ *pron interr* what: *~ hai detto?* What did you say? ◊ *~ è successo?* What happened? ◊ *Mi ha chiesto ~ facevo.* He asked me what I was doing. LOC **cose da pazzi!** would you believe it! **son cose che succedono!** that's life! **tra una cosa e l'altra** what with one thing and another **una cosa da niente** an unimportant matter **una cosa simile**: *Hai mai visto una ~ simile?* Did you ever see anything like it? *Vedi anche* OGNI, PRIMO, QUALCHE, QUALSIASI

coscia *sf* **1** (*persona*) thigh **2** (*Cucina*) leg

coscienza *sf* conscience: *avere la ~ a posto/sporca* to have a clear/bad conscience LOC *Vedi* OBIETTORE, RIMORDERE

così ◆ *avv* **1** (*in questo modo, come questo*) like this/that: *Tienilo ~.* Hold it like this. ◊ *È alto ~.* It's this high. ◊ *Fa piacere lavorare con gente ~.* It's nice working with people like that. ◊ *Io sono fatto ~.* That's the way I am. **2** (*davanti a aggettivo/avverbio*) so: *Non pensavo che fosse ~ ingenuo.* I didn't think he was so naive. ◊ *Non pensavo che saresti arrivato ~ tardi.* I didn't think you'd be this late. **3** (*dopo sostantivo*) such: *Non mi aspettavo un regalo ~ costoso.* I wasn't expecting such an expensive present. ◊ *Sono dei bambini ~ buoni che...* They're such good children that... ◆ *agg* like that: *Voglio una macchina ~.* I want a car like that. ◊ *Non vorrei mai una casa ~.* I'd never want a house like that. ◆ *cong*: *Non sono venuti, ~ me ne sono andato.* They didn't come so I left. LOC **così ... che** so ... (that): *Ero ~ arrabbiato che gli ho dato uno schiaffo.* I was so angry that I slapped him. **così ... come ...** as ... as ...: *Non è ~ facile come sembra.* It's not as easy as it looks. **così, così** so so **e così via** and so on (and so forth) *Vedi anche* PROPRIO

cosiddetto, -a *agg* so-called: *il ~ Terzo Mondo* the so-called Third World

cosmetico, -a ◆ *agg* cosmetic ◆ *sm* **cosmetici** make-up [*non numerabile*]: *Anna compra cosmetici carissimi.* Anna buys very expensive make-up.

cosmico, -a *agg* cosmic

cosmo *sm* cosmos

coso *sm* **1** (*oggetto*) thingummy [*pl* thingummies] **2** (*persona*) what's-his-name [*fem* what's-her-name]: *Ho visto ~.* I saw what's-his-name.

cospargere *vt* ~ **qc di** to sprinkle *sth* ***with sth***: *~ la torta di zucchero* sprinkle the cake with sugar

cospirazione *sf* conspiracy [*pl* conspiracies]

costa *sf* coast: *la ~ adriatica* the Adriatic coast LOC *Vedi* VELLUTO

costante *agg* **1** (*invariabile*) constant **2** (*perseverante*) steadfast

costanza *sf* perseverance

costare *vi* **1** (*gen*) to cost: *Il biglietto costa 30 sterline.* The ticket costs £30. ◊ *L'incidente è costato la vita a quattro persone.* The accident cost the lives of four people. **2** (*risultare difficile*) to find it hard (***to do sth***): *Mi costa tanto alzarmi presto.* I find it hard to get up early. LOC **costare molto/poco** (*soldi*) to be expensive/cheap **costare un occhio della testa** to cost an arm and a leg

costellazione *sf* constellation

costiero, -a *agg* coastal

costituire *vt* **1** (*rappresentare*) to be, to constitute (*form*): *Può ~ un rischio per la salute.* It may be a health hazard. **2** (*fondare*) to set up

costituzionale *agg* constitutional

costituzione *sf* **1** (*Politica, Med*) constitution **2** (*fondazione*) setting-up: *la ~ di una nuova società* the setting-up of a new company

costo *sm* cost: *il ~ della vita* the cost of living LOC **a tutti i costi** at all costs

costola *sf* rib

costoletta *sf* cutlet

costoso, -a *agg* expensive

costringere *vt* to force *sb* **to do sth**: *Mi hanno costretto a consegnare la valigetta.* They forced me to hand over the case. ◊ *Siamo costretti a cambiarlo.* We have to change it.

costruire *vt, vi* to build: *~ un futuro migliore* to build a better future

costruzione *sf* **1** (*gen*) building, construction (*più formale*): *in ~* under construction **2 le costruzioni** (*gioco*) building blocks

costume *sm* **1** (*vestito*) costume **2** (*usanza*) custom LOC **costume da bagno 1** (*da uomo*) swimming trunks [*pl*] ☛ Nota che *un costume da bagno* si dice **a pair of swimming trunks**. **2** (*da donna*) swimming costume

cotogna *sf* LOC *Vedi* MELA

cotoletta *sf* **1** (*maiale*) chop **2** (*vitello*) cutlet

cotone *sm* **1** (*pianta, fibra*) cotton **2** (*idrofilo*) cotton wool [*non numerabile*]: *Mi sono tappato le orecchie con il ~.* I put cotton wool in my ears.

cotta *sf* crush: *prendersi una ~ per qn* to have a crush on sb

cotto, -a *pp, agg* (*cibo*) done: *Il pollo non è ancora ~.* The chicken isn't done yet. ◊ *Mi piace la carne ben cotta.* I like my meat well done.

Carne al sangue si dice **rare** e cotta al punto giusto **medium rare**.

LOC *Vedi* PROSCIUTTO; *Vedi anche* CUOCERE

cottonfioc® *sm* cotton bud

cottura *sf* cooking: *tempo di ~* cooking time LOC *Vedi* PASSATO

coupon *sm* coupon

covare *vt, vi* (*uccello*) to sit (**on** ***sth***) LOC *Vedi* GATTO

covo *sm* hideout

coyote *sm* coyote

cozza *sf* mussel

Cracovia *sf* Krakow

crampo *sm* cramp: *Mi è venuto un ~ al piede.* I got cramp in my foot. ◊ *Ho i crampi allo stomaco.* I have stomach cramps.

cranio *sm* skull, cranium [*pl* crania] (*scientifico*)

cratere *sm* crater

cravatta *sf* tie: *Tutti portavano la ~.* They were all wearing ties.

crawl *sm* crawl

creare *vt* **1** (*gen*) to create: *~ problemi* to create problems **2** (*organizzazione*) to set *sth* up

creatività *sf* creativity

creativo, -a *agg* creative

creatore, -trice *sm-sf* creator

creazione *sf* creation

credente *smf* believer LOC **non credente** non-believer

credenza *sf* (*mobile*) sideboard

credere ◆ *vt, vi* **1** (*gen*) to believe (**in** ***sb/sth***): *~ nella giustizia* to believe in justice ◊ *Nessuno mi crederà.* Nobody will believe me. ◊ *Non ci credo.* I don't believe it. **2** (*pensare*) to think: *Credono di aver scoperto la verità.* They think they've uncovered the truth. ◊ *Credono che sia stato io.* They think it was me. ◊ *Credo di sì/no.* I think so/I don't think so. ◊ *La credevano morta.* They thought she was dead. ◆ **credersi** *v rifl* to think you are *sb/sth*: *Si crede molto furbo.* He thinks he's very clever. ◊ *Chi si credono di essere?* Who do they think they are?

credito *sm* (*Fin*) credit: *comprare qc a ~* to buy sth on credit ◊ *far ~ (a qn)* to give (sb) credit LOC *Vedi* CARTA

creditore, -trice *sm-sf* creditor

credo *sm* creed

credulone, -a *agg* gullible

crema *sf* **1** (*gen*) cream: *Mettiti un po' di ~ sulla schiena.* Put some cream on your back. ◊ *una sciarpa color ~* a cream (coloured) scarf **2** (*pasticceria*) custard LOC **crema idratante** moisturizer

cremare *vt* to cremate

crematorio *sm* crematorium [*pl* crematoria]

cremoso, -a *agg* creamy

crepa *sf* crack

crepapelle LOC **a crepapelle**: *ridere a ~* to split your sides

crepare ◆ *vt* (*muro*) to crack ◆ *vi* (*morire*) to kick the bucket ◆ **creparsi** *v rifl* to crack

crêpe *sf* pancake ☛ *Vedi nota a* MARTEDÌ

crepitare *vi* (*fuoco*) to crackle

crepuscolo *sm* twilight

crescente *agg* increasing LOC *Vedi* LUNA

crescere *vi* **1** (*gen*) to grow: *Come ti sono cresciuti i capelli!* Hasn't your hair grown! ◊ *Il numero dei senzatetto cresce ogni anno.* The number of homeless people grows every year. ◊ *È cresciuto di tre centimetri.* He's grown three centimetres. **2** (*diventare adulto*) to grow up: *Sono cresciuto in campagna.* I grew up in the country. LOC **farsi crescere i capelli, la barba, ecc** to grow your hair, a beard, etc

crescione *sm* watercress [*non numerabile*]

crescita *sf* growth

cresima *sf* confirmation

crespo, -a *agg* (*capelli*) frizzy

cresta *sf* **1** (*gen*) crest **2** (*gallo*) comb LOC **essere sulla cresta dell'onda** to be on the crest of a wave LOC *Vedi* ABBASSARE

creta *sf* clay

cretinata *sf* silly thing

cretino, -a *sm-sf* cretin

cric *sm* jack

criceto *sm* hamster

criminale *agg, smf* criminal

crimine *sm* crime: *commettere un ~* to commit a crime

criniera *sf* mane

crisi *sf* crisis [*pl* crises] LOC **avere una crisi isterica** to have hysterics **crisi di astinenza** withdrawal symptoms [*pl*] **essere in crisi** to be in a crisis

cristallo *sm* crystal: *una bottiglia di ~* a crystal decanter LOC *Vedi* SFERA

cristianesimo *sm* Christianity

cristiano, -a *agg, sm-sf* Christian

Cristo *n pr* Christ LOC **avanti/dopo Cristo** BC/AD

criterio *sm* **1** (*principio*) criterion [*pl* criteria] [*si usa spec al pl*] **2** (*buon senso*) judgement: *avere/non avere ~* to have/not to have sound judgement

critica *sf* **1** (*gen*) criticism: *Sono stufo delle tue critiche.* I'm fed up with your criticism. **2** (*insieme dei critici*) critics [*pl*]: *avere un grande successo di ~* to be well received by the critics **3** (*recensione*) review: *Le critiche non sono buone.* The reviews aren't good.

criticare *vt* to criticize

critico, -a ◆ *agg* critical ◆ *sm-sf* critic

crivellare *vt* to riddle: *~ qn di colpi* to riddle sb with bullets

croato, -a ◆ *agg* Croatian ◆ *sm-sf, sm* Croat: *i croati* the Croats ◊ *parlare ~* to speak Croat

Croazia *sf* Croatia

croccante ◆ *agg* crunchy ◆ *sm* nut crunch

crocchetta *sf* croquette

crocchia *sf* bun: *Porta sempre la ~.* She always wears her hair in a bun.

croce *sf* cross: *Segnate la risposta con una ~.* Put a cross next to the answer. LOC **Croce Rossa** Red Cross *Vedi anche* TESTA

crociato, -a *agg* LOC *Vedi* PAROLA

crociera *sf* (*viaggio*) cruise: *fare una ~* to go on a cruise

crocifiggere *vt* to crucify

crocifisso *sm* crucifix

crollare *vi* **1** (*edificio*) to collapse: *È crollato il ponte.* The bridge has collapsed. **2** (*tetto*) to cave in **3** (*fig, persona*) to break down

crollo *sm* **1** (*gen*) collapse **2** (*prezzi*) slump

croma *sf* (*Mus*) quaver

cromo *sm* chromium

cromosoma *sm* chromosome

cronaca *sf* **1** (*resoconto*) chronicle **2** (*attualità*) news **3** (*partita*) commentary

cronico, -a *agg* chronic

cronologico, -a *agg* chronological

cronometrare *vt* to time

cronometro *sm* (*Sport*) stopwatch

crosta *sf* **1** (*pane*) crust ☛ *Vedi illustrazione a* PANE **2** (*formaggio*) rind **3** (*ferita*) scab LOC **la crosta terrestre** the earth's crust

crostaceo *sm* shellfish

crostata *sf* tart: *una ~ di mele* an apple tart ☛ *Vedi nota a* PIE

crostino *sm* **1** (*tartina*) canapé **2** (*per minestra*) crouton

cruciverba *sm* crossword: *fare un ~* to do a crossword

crudele *agg* cruel

crudeltà *sf* cruelty [*pl* cruelties]

crudo, -a *agg* **1** (*non cotto*) raw **2** (*poco cotto*) underdone: *La carne è un po' cruda.* The meat is underdone. **LOC** *Vedi* NUDO, PROSCIUTTO

crumiro, -a *sm-sf* blackleg

cruna *sf* eye

crusca *sf* bran

cruscotto *sm* dashboard

cubetto *sm*: ~ *di ghiaccio* ice cube

cubico, -a *agg* cubic **LOC** *Vedi* RADICE

cubo ◆ *sm* cube ◆ *agg* cubic: *metro* ~ cubic metre

cuccetta *sf* **1** (*nave*) bunk **2** (*treno*) couchette

cucchiaiata *sf* spoonful: *due cucchiaiate di zucchero* two spoonfuls of sugar

cucchiaino *sm* **1** (*gen*) teaspoon **2** (*contenuto*) teaspoonful

cucchiaio *sm* **1** (*gen*) spoon **2** (*contenuto*) spoonful **LOC cucchiaio di legno** wooden spoon

cuccia *sf* **1** (*di legno, mattoni*) kennels **2** (*giaciglio*) basket **LOC a cuccia!** down!

cucciolata *sf* litter

cucciolo *sm* **1** (*cane*) puppy [*pl* puppies] **2** (*leone, tigre*) cub ☛ *Vedi nota a* CANE

cucina *sf* **1** (*stanza*) kitchen **2** (*elettrodomestico*) cooker **3** (*arte culinaria*) cookery: *un corso/libro di* ~ a cookery course/book **4** (*cibo e preparazione*) cooking: *la* ~ *cinese* Chinese cooking **LOC** *Vedi* BATTERIA, ROBOT, TELO

cucinare *vt, vi* to cook

cucire *vt, vi* to sew: ~ *un vestito* to sew a dress **LOC** *Vedi* MACCHINA

cucito *sm* sewing: *il cestino del* ~ the sewing basket

cucitrice *sf* (*cancelleria*) stapler

cucitura *sf* **1** (*gen*) stitching **1** (*costura*) seam

cuculo *sm* cuckoo [*pl* cuckoos]

cuffia *sf* **1** (*cappello*) cap **2** (*per musica*) headphones [*pl*] **LOC cuffia da bagno 1** (*per piscina*) swimming cap **2** (*per doccia*) shower cap

cugino, -a *sm-sf* cousin

cui *pron rel* **1** (*persona*) whom: *Il ragazzo con* ~ *l'ho vista ieri è suo cugino.* The boy with whom I saw her yesterday is her cousin. ◊ *l'attrice di* ~ *parlavo* the actress I was talking about ◊ *il ragazzo a* ~ *ho dato la cassetta* the boy I gave the tape to **2** (*cosa*) which: *il libro di* ~ *ti ho parlato* the book I told you about ◊ *la città in* ~ *sono nato* the city where I was born ◊ *una collina da* ~ *si vede il mare* a hill from which you can see the sea **3** (*possessivo*) whose: *È la ragazza di* ~ *mi hanno presentato il padre.* That's the girl whose father has just been introduced to me. **LOC per cui** (*perciò*) therefore

culinario, -a *agg* culinary

culla *sf* cradle

cullare *vt* to rock

culo *sm* arse

cultura *sf* culture **LOC cultura generale** general knowledge

culturale *agg* cultural **LOC** *Vedi* CENTRO, PATRIMONIO

culturismo *sm* body-building

cumulativo, -a *agg* group [*s attrib*]

cumulo *sm* pile

cuneo *sm* wedge

cunetta *sf* **1** (*canaletto*) ditch **2** (*strada*) dip **3** (*Sci*) mogul

cuocere *vt, vi* **1** (*gen*) to cook **2** (*pane*) to bake **LOC cuocere a fuoco lento** to simmer **cuocere al forno** to roast **cuocere a vapore** to steam **cuocere in padella** to fry **cuocere in umido** to stew

cuoco, -a *sm-sf* **1** (*gen*) cook: *essere un buon* ~ to be a good cook **2** (*ristorante*) chef

cuoio *sm* leather **LOC cuoio capelluto** scalp *Vedi anche* TIRARE

cuore *sm* **1** (*gen*) heart: *nel* ~ *della città* in the very heart of the city **2 cuori** (*Carte*) hearts ☛ *Vedi nota a* CARTA **LOC a cuore** (*forma*) heart-shaped **avere a cuore** to have *sth* at heart **di cuore** from the bottom of your heart: *ringraziare qn di* ~ to thank sb from the bottom of your heart *Vedi anche* PIANGERE, SOFFRIRE

cupola *sf* dome

cura *sf* **1** (*terapia*) treatment: *la* ~ *del morbillo* the treatment of measles **2** (*Med*) cure: *Non esiste una* ~. There's no cure. **3** (*attenzione*) care: *maneggiare con* ~ handle with care **4 cure** attention [*non numerabile*]: *Queste piante hanno bisogno di molte cure.* These plants need a lot of attention. **LOC con cura** (very) carefully: *fare qc con* ~ to do sth carefully **cura dimagrante** diet

curare *vt* **1** (*medico*) to treat **2** (*far guarire*) to cure (*sb*) (**of** ***sth***): *Queste pastiglie mi hanno curato il raffreddore.* Those pills have cured my cold.

curiosare *vi* to snoop around: *Un tizio*

stava curiosando qua intorno. A guy was snooping around here.

curiosità *sf* curiosity LOC **per curiosità** out of curiosity: *Sono entrato per pura ~.* I went in out of pure curiosity.

curioso, -a ◆ *agg* **1** (*gen*) curious: *Sono ~ di sapere che tipi sono.* I'm curious to find out what they're like. **2** (*impiccione*) nosey **3** (*strano*) odd: *un fatto ~* an odd thing ◆ *sm-sf* (*ficcanaso*) busybody [*pl* busybodies]

curiosone, -a *agg* nosey

curriculum (*anche* **curriculum vitae**) *sm* curriculum vitae (*abbrev* cv)

cursore *sm* cursor

curva *sf* **1** (*linea, grafico*) curve: *disegnare una ~* to draw a curve **2** (*strada, fiume*) bend: *una ~ pericolosa/stretta* a dangerous/sharp bend ◊ *Ha sorpassato in ~.* He overtook on a bend.

curvare *vi* **1** (*automobilista*) to turn: *Devi ~ a destra dopo il semaforo.* Turn right after the traffic lights. **2** (*strada*) to bend

curvo, -a *agg* **1** (*forma*) curved: *una linea curva* a curved line **2** (*piegato*) bent: *stare ~ sui libri* to be bent over your books

cuscino *sm* **1** (*gen*) cushion **2** (*guanciale*) pillow ☛ *Vedi illustrazione a* LETTO

custode *smf* **1** (*bidello*) janitor **2** (*museo*) keeper

custodia *sf* **1** (*gen*) custody **2** (*astuccio*) case: *una ~ per gli occhiali* a glasses case

custodire *vt* **1** (*conservare*) to keep: *~ i documenti in cassaforte* to keep the documents in a safe ◊ *~ un segreto* to keep a secret **2** (*fare la guardia a*) to guard

cute *sf* skin

cuticola *sf* cuticle

Dd

da *prep*

- **origine, provenienza** from: *Partiremo da Londra.* We'll leave from London. ◊ *Da dove vieni?* Where do you come from? ◊ *Dall'appartamento si vede la spiaggia.* You can see the beach from the flat. ◊ *da giù/dietro/là* from below/ behind/there
- **moto a luogo** to: *Vado dal medico.* I'm going to the doctor's. ◊ *Passi dalla farmacia?* Are you going past the chemist's? ◊ *Domani passo da te.* I'll drop in tomorrow.
- **stato in luogo** at: *Sono da Luca.* I'm at Luca's. ◊ *Abbiamo dormito dai miei genitori.* We slept at my parents' house.
- **moto per luogo** through: *I ladri sono passati dal giardino.* The burglars went through the garden.
- **nelle descrizioni**: *una ragazza dai capelli biondi* a girl with fair hair ◊ *la signora dal vestito verde* the lady in the green dress ◊ *una confezione da venti* a pack of twenty ◊ *un francobollo da 600 lire* a 600 lira stamp
- **agente** by: *Era seguito da tre uomini.* He was followed by three men. ◊ *dipinto da Tiziano* painted by Titian ◊ *La gita è organizzata dalla scuola.* The trip is organized by the school.
- **tempo (a)** (*a partire da*) since: *Abito in questa casa dal 1986.* I've been living in this house since 1986. ◊ *Da quando sono partiti...* Since they left... ◊ *Non ci vediamo da lunedì.* We haven't seen each other since Monday. **(b)** (*nel futuro*) from: *Sarò in Inghilterra da sabato prossimo.* I'll be in England from next Saturday. **(c)** (*periodo*) for: *Ci conosciamo da anni.* We've known each other for years. ◊ *È da tanto che abiti qui?* Have you been living here long?

For o **since**? For si usa per un periodo di tempo: *Lavoro qui da anni.* I've worked here for years. **Since** si usa per riferirsi al momento o periodo in cui qualcosa è cominciato: *Lavoro qui dal 1997/dalla primavera scorsa.* I've worked here since 1997/last spring. Nota che in inglese il tempo verbale è diverso. *Vedi nota a* FOR

- **modo o maniera**: *vestirsi da hippy* to dress like a hippie ◊ *comportarsi da vero amico* to act like a true friend
- **causa**: *piangere dalla gioia* to cry

with joy ◊ *tremare dal freddo* to shiver with cold

• **funzione, condizione**: *fare da guida* to be a guide ◊ *Da grande/bambino...* When I'm grown-up/When I was a child...

• **scopo**: *occhiali da sole* sunglasses ◊ *auto da corsa* racing car

• **separazione** from: *Togli i libri dal tavolo.* Take the books off the table. ◊ *Siamo a due chilometri da casa.* We're two kilometres from home. ◊ *Li abbiamo visti da lontano.* We saw them from a distance.

• **conseguenza**: *qualcosa da mangiare* something to eat ◊ *una casa da affittare* a house for rent ◊ *Sono stanco da morire.* I'm dead tired LOC **da...a...** from...to...: *da Londra a Torino* from London to Turin ◊ *dall'8 al 15* from the 8th to the 15th

dado *sm* **1** (*gen*) dice [*pl* dice]: *tirare i dadi* to roll the dice **2** (*Cucina*) stock cube [*pl* stock cubes] **3** (*Tec*) nut

dal, dalla, ecc *Vedi* DA

dalmata *agg, smf* (*persona, cane*) Dalmatian

Dalmazia *sf* Dalmatia

daltonico, -a *agg* colour-blind

dama *sf* **1** (*gioco*) draughts [*sing*]: *giocare a ~* to play draughts **2** (*nobildonna*) lady [*pl* ladies]

damigella *sf* LOC **damigella d'onore** bridesmaid ☛ *Vedi nota a* MATRIMONIO

danese ◆ *agg, sm* Danish: *parlare ~* to speak Danish ◆ *smf* Dane: *i danesi* the Danes

Danimarca *sf* Denmark

danneggiare *vt* to damage: *La siccità ha danneggiato i raccolti.* The drought damaged the crops. ◊ *Il colpo gli ha danneggiato l'udito.* The blow damaged his hearing.

danno *sm* damage (***to sth***) [*non numerabile*]: *La pioggia ha causato molti danni.* The rain has caused a lot of damage. LOC *Vedi* RISARCIMENTO

dannoso, -a *agg* harmful: *Il fumo è ~ alla salute.* Smoking is harmful.

Danubio *sm* **il Danubio** the Danube

danza *sf* dance LOC **danza classica** ballet *Vedi anche* SCARPETTA

Danzica *sf* Gdansk

dappertutto *avv* everywhere

dare ◆ *vt* **1** (*gen*) to give: *Mi ha dato la chiave.* He gave me the key. **2** (*film*) to show: *Danno un bel film stasera.* There's a very good film on tonight. ◊ *In quale cinema danno "Il Padrino"?* What cinema is 'The Godfather' on at? **3** (*età*): *Quanti anni le dai?* How old do you think she is? ◆ *vi* ~ **su** to overlook *sth* [*vt*]: *Il balcone dà su una piazza.* The balcony overlooks a square. ◆ **darsi** *v rifl* **darsi a** to take *sth* up: *Si è dato allo sport.* He's taken up sport. LOC **dare del tu/lei** to be on familiar/formal terms *with sb* **darsi da fare** to get busy ☛ Per altre espressioni con **dare** vedi alla voce del sostantivo, dell'aggettivo, ecc, ad es. **dare alla testa** a TESTA.

data *sf* date LOC **data di nascita** date of birth **data di scadenza 1** (*prodotto*) best-by date **2** (*concorso*) closing date

dato, -a ◆ *pp, agg* (*visto*) given: *data la situazione* given the situation ◊ *~ che...* given that... ◆ *sm* **1** (*informazione*) information [*non numerabile*]: *un ~ importante* an important piece of information **2 dati** (*Informatica*) data [*non numerabile*]: *elaborazione dei dati* data processing LOC **dati personali** personal details *Vedi anche* BANCA, BASE; *Vedi anche* DARE

datore, -trice *sm-sf* LOC **datore di lavoro** employer

dattero *sm* date

dattilografia *sf* typing

dattilografo, -a *sm-sf* typist

davanti

opposite — in front of

davanti ◆ *avv* **1** (*gen*) in front: *In macchina preferisco stare ~.* I prefer to sit in the front of the car. **2** (*nella parte anteriore*) at the front: *Siediti ~ se non riesci a vedere la lavagna.* Sit at the front if you can't see the board. **3** (*dirimpetto*) opposite: *~ c'è una farmacia.* There's a chemist's opposite. ◆ *agg* front: *i posti ~* the front seats LOC **davanti a 1** (*gen*) in front of: *C'è un giardino ~ alla casa.* There's a garden in front of the house. ◊ *Camminava ~ a* *tutti.* She was walking in front of everybody. ◊ *Me l'ha detto ~ agli altri.* She told me in front of the others. ◊ *~ al televisore* in front of the television **2** (*dirimpetto*) opposite: *Abitava ~ alla stazione.* He used to live opposite the station.

davanzale *sm* windowsill

davvero *avv* really: *L'ha fatto ~.* He really did it.

dea *sf* goddess

debito *sm* debt: *essere in ~* to be in debt

debole *agg* weak LOC **avere un debole per** to have a weakness for *sth* **essere debole in** to be weak at/in *sth*: *È un po' ~ in storia.* He's very weak in history. *Vedi anche* PUNTO

debolezza *sf* weakness

decaffeinato, -a *agg* decaffeinated

decapitare *vt* to behead

decappottabile *agg, sf* convertible

decennio *sm* decade

decente *agg* decent: *un voto ~* a decent mark

decidere ◆ *vt, vi ~* (**di**) to decide (***sth*/*to do sth***): *Hanno deciso di vendere la casa.* They've decided to sell the house. ◆ *vi* **decidere per** to decide **on *sb*/*sth***: *Abbiamo deciso per quello rosso.* We decided on the red one. ◆ **decidersi** *v rifl* **decidersi** (**a**) to make up your mind (***to do sth***): *Alla fine mi sono deciso a uscire.* In the end I made up my mind to go out. ◊ *Deciditi!* Make up your mind!

decifrare *vt* **1** (*messaggio*) to decode **2** (*scrittura*) to decipher

decimale *agg, sm* decimal LOC *Vedi* SISTEMA

decimo, -a *agg, pron, sm* tenth ☛ *Vedi esempi a* SESTO

decina *sf* **1** (*Mat*) ten **2** (*circa dieci*) about ten: *una ~ di persone/volte* about ten people/times

decisione *sf* **1** (*gen*) decision: *la ~ dell'arbitro* the referee's decision ◊ *prendere una ~* to make/take a decision **2** (*determinazione*) determination: *Ci vuole molta ~.* You need a lot of determination.

decisivo, -a *agg* decisive

deciso, -a *pp, agg* (*carattere*) determined *Vedi anche* DECIDERE

decollare *vi* to take off

decollo *sm* take-off

decomposizione *sf* decomposition LOC **in decomposizione** decomposing

decorare *vt* to decorate

decorazione *sf* decoration

decreto *sm* decree

dedica *sf* dedication

dedicare ◆ *vt* **1** (*canzone, poesia*) to dedicate *sth* (***to sb***): *Ho dedicato il libro a mio padre.* I dedicated the book to my father. **2** (*tempo, energia*) to devote *sth* ***to sb*/*sth***: *Dedica molto tempo allo sport.* She devotes a lot of time to sport. ◆ **dedicarsi** *v rifl* **dedicarsi a** to dedicate yourself **to *sth***: *dedicarsi alla famiglia/alla vita politica* to dedicate yourself to your family/to politics

dedurre *vt* (*concludere*) to deduce *sth* (***from sth***): *Ne ho dedotto che non era a casa.* I deduced that he wasn't at home.

deficiente *agg, smf* stupid [*agg*]

definire *vt* to define

definitivamente *avv* (*per sempre*) for good: *È tornato a casa ~.* He returned home for good.

definitivo, -a *agg* **1** (*gen*) final: *il risultato ~* the final result ◊ *Il numero delle vittime non è ~.* That is not the final death toll. **2** (*soluzione, risposta*) definitive LOC **in definitiva** in short

definito, -a *pp, agg* definite *Vedi anche* DEFINIRE

definizione *sf* definition

deformare ◆ *vt* **1** (*corpo*) to deform **2** (*oggetto*) to pull *sth* out of shape **3** (*immagine*) to distort ◆ **deformarsi** *v rifl* **1** (*corpo*) to become deformed **2** (*oggetto*) to lose its shape

deforme *agg* deformed

defunto, -a ◆ *agg* late: *il ~ presidente* the late president ◆ *sm-sf* deceased: *i familiari del ~* the family of the deceased

degenerare *vi* to degenerate

degenerato, -a *pp, agg, sm-sf* degenerate *Vedi anche* DEGENERARE

degli *Vedi* DI

degnarsi *v rifl* to deign ***to do sth***: *Non si è nemmeno degnata di salutarlo.* She didn't even deign to say hello.

degno, -a *agg ~* **di** worthy **of *sth***: *~ di attenzione* worthy of attention LOC **degno di fiducia** reliable

degradare ◆ *vt* to degrade ◆ **degradarsi** *v rifl* to degrade yourself

del, della, ecc *Vedi* DI

delega *sf* **1** (*di potere*) delegation **2** (*procura*) proxy

delegato, -a *sm-sf* delegate LOC *Vedi* AMMINISTRATORE

delegazione *sf* delegation: *una ~ per la pace* a peace delegation

delfino *sm* dolphin

delicatezza *sf* (*tatto*) tact: *Potevi dirlo con maggior ~.* You could have put it more tactfully. ◊ *È una mancanza di ~.* It's very tactless.

delicato, -a *agg* delicate

delinquente *smf* criminal

delinquenza *sf* crime LOC **delinquenza minorile** juvenile delinquency

delirare *vi* **1** (*Med*) to be delirious **2** (*dire assurdità*) to talk nonsense

delitto *sm* **1** (*crimine*) crime **2** (*omicidio*) murder LOC **delitto passionale** crime of passion *Vedi anche* ARMA

delizia *sf* delight

delizioso, -a *agg* delicious

delta *sm* delta

deltaplano 1 (*attrezzatura*) hang-glider **2** (*sport*) hang-gliding

deludente *agg* disappointing

deludere *vt* **1** (*gen*) to disappoint: *Il film mi ha deluso.* The film was disappointing. **2** (*amico*) to let *sb* down: *Mi hai deluso.* You've let me down.

delusione *sf* let-down, disappointment (*più formale*): *Che ~!* What a let-down! LOC **avere una delusione amorosa** to be disappointed in love

democratico, -a ◆ *agg* democratic ◆ *sm-sf* democrat

democrazia *sf* democracy [*pl* democracies]

demolire *vt* to demolish

demolizione *sf* demolition

demonio *sm* devil LOC **essere un demonio** to be a (little) devil

demoralizzare ◆ *vt* to demoralize ◆ **demoralizzarsi** *v rifl* to lose heart

demoralizzato, -a *pp, agg* disheartened *Vedi anche* DEMORALIZZARE

denaro *sm* money LOC **in denaro**: *un premio in ~* a cash prize

densità *sf* **1** (*gen*) density [*pl* densities] **2** (*nebbia*) thickness

denso, -a *agg* **1** (*gen*) dense **2** (*liquido*) thick: *La salsa è molto densa.* This sauce is very thick.

dente *sm* tooth [*pl* teeth] LOC **dente del giudizio** wisdom tooth [*pl* wisdom teeth] **dente di latte** milk tooth [*pl* milk teeth] *Vedi anche* ALLEGARE, LAVARE, MALE[2], SPAZZOLINO

dentiera *sf* false teeth [*pl*]

dentifricio *sm* toothpaste

dentista *smf* dentist: *andare dal ~* to go to the dentist's

dentro ◆ *avv* **1** (*gen*) in/inside: *Il gatto è ~.* The cat's inside. ◊ *qui/lì ~* in here/there **2** (*edificio*) indoors: *Preferisco stare ~.* I'd rather stay indoors. ◆ *prep* in/inside: *~ la busta* in/inside the envelope LOC **da dentro** from (the) inside **dentro di me, te, ecc** to myself, yourself, etc: *~ di sé rideva.* He laughed to himself. **in dentro** in: *Tira in ~ la pancia.* Pull your tummy in.

denuncia *sf* LOC *Vedi* SPORGERE

denunciare *vt* to report *sb/sth* (**to sb**): *Ha denunciato il furto della bicicletta.* He reported the theft of his bicycle. ◊ *Li abbiamo denunciati alla polizia.* We reported them to the police.

denutrito, -a *agg* undernourished

deodorante *sm* deodorant

depilare *vt* **1** (*gambe, ascelle*) **(a)** (*con ceretta*) to wax: *depilarsi le gambe* to have your legs waxed **(b)** (*con rasoio*) to shave **2** (*sopracciglia*) to pluck

dépliant *sm* leaflet: *Ho preso un ~ con l'orario.* I picked up a leaflet with the timetable in it.

deporre *vi* (*Dir*) to testify

depositare *vi* **1** (*soldi*) to deposit **2** (*consegnare, lasciare*) to leave

deposito *sm* **1** (*soldi*) deposit **2** (*magazzino*) warehouse **3** (*autobus*) garage LOC **deposito bagagli** left luggage office

deposizione *sf* statement: *fare/ritrattare una ~* to make/retract a statement

depressione *sf* depression

depresso, -a *pp, agg* depressed *Vedi anche* DEPRIMERE

deprimente *agg* depressing

deprimere ◆ *vt* to depress ◆ **deprimersi** *v rifl* to get depressed

deputato *sm* ≃ Member of Parliament (*abbrev* MP) (*GB*) ☛ *Vedi pag. 381.*

deragliamento *sm* derailment

deragliare *vi* to be derailed: *Il treno ha deragliato.* The train was derailed.

deriva *sf* LOC **alla deriva** adrift

derivare *vi* ~ **da 1** (*lingua, parola*) to derive **from** ***sth*** **2** (*essere causato*) to stem **from** ***sth***

dermatologo, -a *sm-sf* dermatologist

derubare *vt* to rob *sb* (**of** ***sth***): *Sono stato derubato.* I've been robbed.

descrivere *vt* to describe

descrizione *sf* description

deserto, -a ◆ *agg* deserted ◆ *sm* desert LOC *Vedi* ISOLA

desiderare *vt* **1** (*gen*) to wish for *sth*: *Cos'altro potrei ~?* What more could I wish for? **2** (*negozio*): *Desidera?* Can I help you?

desiderio *sm* wish: *Esprimi un ~.* Make a wish.

designare *vt* to designate *sb/sth* (**as** ***sth***): *~ Roma come sede delle Olimpiadi* to designate Rome as the venue for the Games

desinenza *sf* ending

desolato, -a *agg* desolate

despota *sm* tyrant

destinare *vt* **1** (*destino*): *Era destinato a vincere.* He was destined to win. **2** (*indirizzare*) to address *sth* **to** ***sb***: *La lettera era destinata a te.* The letter was addressed to you. **3** (*assegnare a una carica*) to post: *L'hanno destinata a Modena.* She's been posted to Modena.

destinatario, -a *sm-sf* addressee LOC *Vedi* TELEFONATA

destinazione *sf* destination LOC **con destinazione...** for...: *il traghetto con ~ Plymouth* the ferry for Plymouth

destino *sm* fate

destro, -a ◆ *agg* (*mano, piede*) right ◆ **destra** *sf* **1** (*gen*) right: *È la seconda porta a destra.* It's the second door on the right. ◊ *Al semaforo gira a destra.* Turn right at the traffic lights. ◊ *Spostati un po' sulla destra.* Move a bit to the right. **2** (*mano*) right hand: *scrivere con la destra* to be right-handed LOC **di destra** (*Politica*) right-wing **la destra** (*Politica*) the Right [*v sing o pl*]

detenuto, -a *sm-sf* prisoner

detergente *agg* (*latte, lozione*) cleansing

deteriorare *vi* to deteriorate: *La sua salute sta deteriorando giorno per giorno.* Her health is deteriorating by the day.

determinare *vt* **1** (*gen*) to determine **2** (*causare*) to bring *sth* about

determinativo, -a *agg* LOC *Vedi* ARTICOLO

determinato, -a *pp, agg* **1** (*deciso*) determined **2** (*dato*) certain: *in determinati casi* in certain cases *Vedi anche* DETERMINARE

determinazione *sf* determination

detersivo *sm* **1** (*per bucato*) washing powder **2** (*per piatti*) washing-up liquid

detestare *vt* to detest *sth/doing sth*, to hate *sth/doing sth* (*più informale*)

detrarre *vt* to deduct: *Devi ~ le spese di viaggio.* You have to deduct your travelling expenses.

dettagliatamente *avv* in detail

dettagliato, -a *agg* detailed

dettaglio *sm* detail

dettare *vt* to dictate

dettato *sm* dictation: *Faremo un ~.* We're going to do a dictation.

detto, -a ◆ *pp, agg* above-mentioned ◆ *sm* (*modo di dire*) saying LOC **detto fatto** no sooner said than done *Vedi anche* SCAPPARE; *Vedi anche* DIRE

devastare *vt* to devastate

deviare ◆ *vt* to divert: *~ il traffico* to divert traffic ◆ *vi* (*auto*) to turn off

deviazione *sf* **1** (*percorso alternativo*) detour: *fare una ~* to make a detour ◊ *Possiamo fare una ~ e passare per il bosco.* We can make a detour through the woods. **2** (*del traffico*) diversion

di ◆ *prep*

- **possesso 1** (*di qualcuno*): *il cappotto di Matteo* Matteo's coat ◊ *il cane dei miei amici* my friends' dog ◊ *È di mia nonna.* It's my grandmother's. **2** (*di qualcosa*): *una pagina del libro* a page of the book ◊ *le stanze della casa* the rooms in the house ◊ *la finestra del bagno* the bathroom window ◊ *il duomo di Pisa* Pisa cathedral
- **origine, provenienza** from: *Di dove sei?* Where are you from? ◊ *Sono di Firenze.* I'm from Florence. ◊ *C'è una lettera di Luca.* There's a letter from Luca.
- **nella descrizione delle persone** of: *una persona di grande onestà* a person of great honesty ◊ *una donna di 30 anni* a woman of 30
- **nella descrizione delle cose**: *un vestito di lino* a linen dress ◊ *un bicchiere di latte* a glass of milk ◊ *un libro di grande interesse* a book of great interest
- **materia, argomento**: *un libro/insegnante di fisica* a physics book/teacher ◊ *una lezione di storia* a history lesson ◊ *Non capisco niente di politica.* I don't understand anything about politics.
- **con numeri e espressioni di tempo**: *più/meno di dieci* more/less than ten ◊ *un quarto d'ora* a quarter of an hour ◊ *una lettera di quattro pagine*

a four-page letter ◊ *un film di tre ore* a three-hour film ◊ *di notte/giorno* at night/during the day ◊ *di mattina/pomeriggio* in the morning/afternoon ◊ *alle dieci di mattina* at ten in the morning ◊ *Cade di lunedì.* It falls on a Monday.

- **autore** by: *un libro di Primo Levi* a book by Primo Levi ◊ *una canzone dei Beatles* a song by the Beatles
- **causa**: *morire di fame* to die of hunger ◊ *Saltavamo di gioia.* We jumped for joy.
- **paragoni**: *Sono più basso di lui.* I'm shorter than him. ◊ *È il più caro di tutti.* That's the most expensive one of all. ◊ *l'attore più famoso del mondo* the most famous actor in the world
- **partitivo**: *alcuni di voi* some of you
- **con infinito**: *Non ha nessuna intenzione di dimettersi.* He has no intention of resigning. ◊ *Digli di smettere.* Tell him to stop. ◊ *Non credo di conoscerlo.* I don't think I know him.
- **altre costruzioni**: *bere tutto di un fiato* to drink it all in one gulp ◊ *Cosa c'è di dolce?* What's for pudding?

◆ **del, della, ecc** *art partitivo*: *Mi servono delle scarpe nuove.* I need some new shoes. ◊ *Già che vai, compra delle banane.* Get some bananas while you're there. ◊ *Hai degli occhi bellissimi.* You've got beautiful eyes.

diabete *sm* diabetes [*sing*]

diabetico, -a *agg, sm-sf* diabetic

diagnosi *sf* diagnosis [*pl* diagnoses]

diagonale *agg, sf* diagonal

diagramma *sm* diagram

dialetto *sm* dialect

dialisi *sf* dialysis

dialogo *sm* dialogue

diamante *sm* diamond

diametro *sm* diameter

diapositiva *sf* slide: *una ~ a colori* a colour slide

diario *sm* diary [*pl* diaries]

diarrea *sf* diarrhoea

diavolo *sm* devil LOC *Vedi* AVVOCATO

dibattersi *v rifl* to struggle

dibattito *sm* debate: *fare un ~* to have a debate

dicembre *sm* December (*abbrev* Dec) ☛ *Vedi esempi a* GENNAIO

dichiarare ◆ *vt, vi* **1** (*gen*) to declare: *Qualcosa da ~?* Anything to declare? **2** (*pubblicamente*) to state: *secondo quanto ha dichiarato il ministro* according to the minister's statement ◆ **dichiararsi** *v rifl* **1** (*gen*) to declare yourself: *dichiararsi soddisfatto* to declare yourself satisfied **2** (*pro o contro*) to come out: *dichiararsi a favore di/contro qc* to come out in favour of/against sth LOC **dichiararsi colpevole/innocente** to plead guilty/not guilty

dichiarazione *sf* **1** (*gen*) declaration: *una ~ d'amore* a declaration of love **2** (*pubblica*) statement: *Non ha voluto rilasciare alcuna ~.* He didn't want to make a statement. LOC **dichiarazione dei redditi** tax return

diciannove *sm, agg, pron* **1** (*gen*) nineteen **2** (*data*) nineteenth ☛ *Vedi esempi a* SEI

diciannovenne *agg, smf* nineteen-year-old ☛ *Vedi esempi a* UNDICENNE

diciannovesimo, -a *agg, pron, sm* nineteenth ☛ *Vedi esempi a* SESTO

diciassette *sm, agg, pron* **1** (*gen*) seventeen **2** (*data*) seventeenth ☛ *Vedi esempi a* SEI

diciassettenne *agg, smf* seventeen-year-old ☛ *Vedi esempi a* UNDICENNE

diciassettesimo, -a *agg, pron, sm* seventeenth ☛ *Vedi esempi a* SESTO

diciottenne *agg, smf* eighteen-year-old ☛ *Vedi esempi a* UNDICENNE

diciottesimo, -a *agg, pron, sm* eighteenth ☛ *Vedi esempi a* SESTO

diciotto *sm, agg, pron* **1** (*gen*) eighteen **2** (*data*) eighteenth ☛ *Vedi esempi a* SEI

didattico, -a *agg* didactic LOC *Vedi* MATERIALE

dieci *sm, agg, pron* **1** (*gen*) ten **2** (*data*) tenth ☛ *Vedi esempi a* SEI

diesel *sm* diesel

diesis *sm* (*Mus*) sharp: *fa ~* F sharp

dieta *sf* diet: *essere a ~* to be on a diet

dietro ◆ *avv* **1** (*gen*) behind: *qua/là ~* behind here/there **2** (*parte posteriore*) at/on the back: *Eravamo ~ e non vedevamo bene.* We were at the back and couldn't see well. ◊ *Il prezzo è ~.* The price is on the back. ◆ *prep* **1** *~* **(a/di)** (*spazio*) behind: *Abita ~ alla stazione.* He lives behind the station. ◊ *La porta si chiuse ~ di lei.* The door closed behind her. ◊ *Sono ~ di noi.* They are behind us. **2** (*tempo*) after: *Fuma una sigaretta ~ l'altra.* He smokes one cigarette after another. ◆ *sm* back LOC **da dietro** from behind **di dietro 1** (*zampe, porta*) back: *Le ruote di ~.* The back wheels. **2** (*passare, girare*): *Passiamo di* ~. Let's go behind. **stare dietro a 1** (*sorvegliare*) to look after *sb* **2** (*corteggiare*) to be after *sb*

ifendere ◆ *vt* to defend *sb/sth* (***against sb/sth***) ◆ **difendersi** *v rifl* **1** (*gen*) to defend yourself: *Ha sparato per difendersi.* He fired to defend himself. **2 difendersi da** to protect yourself **from** ***sth***: *difendersi dal freddo* to protect yourself from the cold **3** (*cavarsela*) to get by: *Beh, in inglese mi difendo.* I get by in English.

ifensivo, -a *agg* defensive LOC **stare/mettersi sulla difensiva** to be/go on the defensive

ifensore *agg* defender LOC *Vedi* AVVOCATO

ifesa *sf* **1** (*gen*) defence: *giocare in* ~ to play in defence **2** (*protezione*) protection: *la* ~ *dell'ambiente* the protection of the environment LOC *Vedi* LEGITTIMO

ifetto *sm* **1** (*gen*) defect: *un* ~ *di pronuncia* a speech defect **2** (*morale*) fault: *Ha il* ~ *di voler sempre avere l'ultima parola.* His fault is always wanting to have the last word. **3** (*di fabbricazione*) flaw ☛ *Vedi nota a* MISTAKE

ifettoso, -a *agg* defective, faulty (*più informale*)

iffamare *vt* to slander

ifferente *agg* ~ **(da)** different (**from** ***sb/sth***)

ifferenza *sf* **1** ~ **tra** difference **between *sth* and *sth***: *C'è un'ora di* ~ *tra Roma e Londra.* There's an hour's difference between Rome and London. ◊ *la* ~ *tra due tessuti* the difference between two fabrics **2** ~ **(di)** difference (**in/of *sth***): *Non c'è molta* ~ *di prezzo tra i due.* There's not much difference in price between the two. ◊ ~ *di opinioni* difference of opinion LOC **a differenza di** unlike **non fare differenza** to make no difference: *Per me non fa* ~. It makes no difference to me.

ifferenziare ◆ *vt* to differentiate *sth* (***from sth***); to differentiate **between *sth* and *sth*** ◆ **differenziarsi** *v rifl*: *In cosa si differenziano?* What's the difference?

ifficile *agg* **1** (*gen*) difficult **2** (*schizzinoso*) fussy **3** (*improbabile*) unlikely: *È* ~ *che ce la faccia a finire in tempo.* It's unlikely I'll manage to finish in time. **4** (*non comune*) unusual: *È* ~ *che mio fratello sia in ritardo.* It's unusual for my brother to be late.

ifficoltà *sf* difficulty [*pl* difficulties]: *un alpinista in* ~ a climber in difficulty ◊ *Pensi che avrò* ~ *a iscrivermi?* Do you think I'll have any difficulty registering?

diffidare *vi* ~ **di** not to trust *sb/sth* [*vt*]: *Diffida di tutti.* He doesn't trust anyone.

diffidente *agg* wary

diffondere ◆ *vt* (*notizia*) to spread ◆ **diffondersi** *v rifl* to spread: *L'epidemia si è diffusa in tutto il paese.* The epidemic spread through the whole country.

diffusione *sf* **1** (*idee*) dissemination **2** (*giornale, rivista*) circulation

diffuso, -a *pp, agg* (*idea, moda*) widespread: *Questa è un'opinione molto diffusa.* This opinion is very widespread. *Vedi anche* DIFFONDERE

diga *sf* dyke

digerente *agg* digestive: *l'apparato* ~ the digestive system

digerire *vt* to digest

digestione *sf* digestion

digestivo *sm* after-dinner liqueur

digitale *agg* (*Tec*) digital LOC *Vedi* IMPRONTA

digiunare *vi* to fast

digiuno *sm* fast: *40 giorni di* ~ 40 days of fasting LOC **a digiuno**: *Sono a* ~. I've had nothing to eat or drink.

dignità *sf* dignity

dilatare ◆ *vt* **1** (*ampliare*) to expand **2** (*pupille*) to dilate ◆ **dilatarsi** *v rifl* **1** (*ampliarsi*) to expand **2** (*pupille*) to dilate

dilemma *sm* dilemma

dilettante *agg, smf* amateur: *una compagnia di attori dilettanti* an amateur theatre company ◊ *Non cantano male per essere dei dilettanti.* They don't sing badly for amateurs.

diluire *vt* **1** (*polvere, pastiglia*) to dissolve **2** (*liquido*) to dilute **3** (*vernice*) to thin

dilungarsi *v rifl* to go on (***about sth***)

diluvio *sm* (*pioggia*) downpour

dimagrante *agg* LOC *Vedi* CURA

dimagrire *vi* to lose weight: ~ *di tre chili* to lose three kilos

dimensione *sm* dimension: *le dimensioni di una stanza* the dimensions of a room ◊ *Di che dimensioni è la cassa?* What are the dimensions of the box?

dimenticare ◆ *vt* **1** (*gen*) to forget: *Ho dimenticato di comprare il detersivo.* I forgot to buy the washing-powder. **2** (*lasciare*) to leave *sth* (behind): *Ho* *dimenticato l'ombrello sull'autobus.* I left my umbrella on the bus. ◆ **dimenticarsi** *v rifl* **dimenticarsi di** to forget *sth*: *Mi sono dimenticato del suo compleanno.* I forgot his birthday. ◊ *Non ti ~ di chiamarmi.* Don't forget to call me.

dimettere ◆ *vt* to discharge: *~ qn dall'ospedale* to discharge sb (from hospital) ◆ **dimettersi** *v rifl* to resign

diminuire *vt, vi* to decrease

diminutivo *sm* diminutive

diminuzione *sf* decrease

dimissioni *sf* resignation: *Ha dato le ~.* He handed in his resignation.

dimostrante *smf* demonstrator

dimostrare ◆ *vt* **1** (*provare*) to prove: *Ho dimostrato che sbagliava.* I proved him wrong. **2** (*mostrare*) to show: *Hanno dimostrato un grande interesse per lei.* They showed great interest in her. ◊ *~ coraggio* to show courage **3** (*età*) to look: *Dimostra 30 anni.* She looks about 30. ◊ *Non dimostra la sua età.* He doesn't look his age. ◆ **dimostrarsi** *v rifl* **1** (*ragionamento, previsione*) to turn out: *Il calcolo si è dimostrato sbagliato.* The calculation turned out to be wrong. **2** (*persona*) to show yourself: *Si sono dimostrati molto coraggiosi.* They showed themselves to be very brave.

dimostrazione *sf* **1** (*prova*) proof **2** (*manifestazione*) demonstration

dinamico, -a ◆ *agg* dynamic ◆ **dinamica** *sf* dynamics [*sing*]

dinamite *sf* dynamite

dinamo *sf* dynamo [*pl* dynamos]

dinastia *sf* dynasty [*pl* dynasties]

dinosauro *sm* dinosaur

dintorni *sm* outskirts: *Abitano nei ~ di Roma.* They live on the outskirts of Rome.

dio *sm* god LOC *Vedi* AMORE

dipartimento *sm* department

dipendente *smf* employee LOC *Vedi* LAVORATORE

dipendere *vi* **1 ~ da qc** to depend **on sth**: *Dipende dal tempo.* It depends on the weather. ◊ *Dipende da come reagirà.* It depends on how she reacts. ◊ *"Verrai?" "Dipende."* 'Will you be coming?' 'That depends.' **2 ~ da qn** to be up **to sb**: *Dipende da te.* It's up to you. **3 ~ da** (*economicamente*) to be dependent **on *sb/sth***

dipingere *vt, vi* to paint: *~ un muro di rosso* to paint a wall red ◊ *Mi piace ~.* I like painting. ◊ *~ a olio/ad acquarel[lo]* to paint in oils/watercolours ◊ *dipi[n]gersi le unghie* to paint your nails

dipinto, -a *pp, agg*: *I muri era[no] dipinti di azzurro.* The walls were pain[ted] blue. LOC *Vedi* OLIO; *Vedi anch[e]* DIPINGERE

diploma *sm* diploma

diplomarsi *v rifl* to pass your schoo[l] leaving exam: *Si è diplomato l'ann[o] scorso.* He passed his school-leavin[g] exam last year.

diplomatico, -a ◆ *agg* diplomatic *sm* diplomat

diplomato, -a *pp, agg, sm-sf* qualifie[d] [*agg*]: *un'infermiera diplomata* a qualified nurse *Vedi anche* DIPLOMARSI

diplomazia *sf* diplomacy

dire *vt* to say, to tell

> *Dire* si traduce generalmente **to sa[y]**: *"Sono le tre" disse Rosa.* 'It's thre[e] o'clock,' said Rosa. ◊ *Che cos'ha dett[o]* What did he say? ◊ *Ha detto di sì/no.* H[e] said yes/no. Quando si menziona l[a] persona con cui si parla, di solito si us[a] **to tell**: *Mi ha detto che sarebbe stato i[n] ritardo.* He told me he'd be late. ◊ *Chi [te] l'ha detto?* Who told you? ◊ *Te l'ave[vo] detto!* I told you so! **To tell** si usa anch[e] per dare degli ordini: *Mi ha detto [di] lavarmi le mani.* She told me to was[h] my hands. *Vedi nota a* SAY.

LOC **a dir tanto/poco** at most/least **dire il vero** to tell you the truth **come s[i] dice?** how do you say it?: *Come si di[ce] in inglese?* How do you say it i[n] English? **diciamo...** let's say... *Diciamo alle sei.* Let's say six o'cloc[k] **senza dir niente** without a word **si dic[e] che...** they say that...: *Si dice che ci si[a] stato un imbroglio.* They say there wa[s] fraud. ☛ Per altre espressioni co[n] **dire** vedi alla voce del sostantiv[o] dell'aggettivo, ecc, ad es. **dirne di tut[ti] i colori** a COLORE.

direttamente *avv* **1** (*gen*) straigh[t]: *Siamo andati ~ a Palermo.* We wen[t] straight to Palermo. **2** (*senza intermediari*) directly: *È meglio che tu ci par[li] ~.* You'd better speak to him directly.

diretto, -a *agg* direct: *un volo ~* direct flight LOC **in diretta** live

direttore, -trice *sm-sf* **1** (*gen*) directo[r]: *~ artistico* artistic director **2** (*scuol[a]*) head teacher **3** (*banca*) manager (*giornale*) editor LOC **direttor[e] d'orchestra** conductor

direzione *sf* **1** (*senso*) direction: *And[...]*

vano in ~ opposta. They were going in the opposite direction. **2** (*di impresa*) management LOC *Vedi* INDICATORE

dirigente ◆ *agg* (*Politica*) ruling ◆ *smf* **1** (*azienda*) manager **2** (*Politica*) leader

dirigere ◆ *vt* **1** (*film, traffico*) to direct **2** (*albergo, negozio*) to run **3** (*partito*) to lead ◆ **dirigersi** *v rifl* to head **for...**: *dirigersi verso la frontiera* to head for the border

diritto, -a ◆ *agg* **1** (*non storto*) straight: *Quel quadro non è ~.* That picture isn't straight. ◊ *Stai ~.* Sit up straight. **2** (*verticale*) upright ◆ *sm* **1** (*facoltà legale o morale*) right: *i diritti umani* human rights ◊ *il ~ di voto* the right to vote **2** (*studi*) law: *studiare ~* to study law **3** (*stoffa*) right side ◆ *avv* straight: *Vai ~ a casa.* Go straight home. LOC **sempre diritto** straight on: *Vai sempre ~ fino al semaforo.* Go straight on to the traffic lights.

dirittura *sf* LOC **dirittura d'arrivo 1** (*Sport*) home straight **2** (*fig*) closing stages [*pl*]: *La campagna è in ~ d'arrivo.* The campaign has reached its closing stages.

diroccato, -a *agg* in ruins

dirottamento *sm* (*illegale*) hijacking

dirottare *vt* (*illegalmente*) to hijack

dirottatore, -trice *sm-sf* hijacker

dirotto *agg* LOC *Vedi* PIOVERE

disabile *agg, smf* disabled [*agg*]: *essere un ~* to be disabled

disabitato, -a *agg* **1** (*città, zona*) deserted **2** (*casa*) uninhabited

disadattato, -a *agg* maladjusted

disarmare *vt* to disarm

disarmo *sm* disarmament: *il ~ nucleare* nuclear disarmament

disastro *sm* disaster

disastroso, -a *agg* disastrous

disattento, -a *agg*: *Ero ~.* I wasn't paying attention.

disattivare *vt* to defuse

disavventura *sf* misadventure

discapito *sm* LOC **andare a discapito di** to be detrimental to *sb/sth*

discarica *sf* tip

discendente *smf* descendant

discesa *sf* **1** (*azione*) descent: *durante la ~* during the descent **2** (*pendio*) slope: *La ~ è molto ripida.* The slope is very steep. LOC **discesa libera** downhill **in discesa** on a slope

dischetto *sm* floppy disk ☛ *Vedi illustrazione a* COMPUTER

disciplina *sf* **1** (*gen*) discipline: *mantenere la ~* to maintain discipline **2** (*materia*) subject

disco *sm* **1** (*Mus*) record: *incidere/mettere un ~* to make/play a record **2** (*Informatica*) disk: *il ~ rigido* the hard disk **3** (*Sport*) discus **4** (*oggetto circolare*) disc LOC **disco orario** parking disc *Vedi anche* LANCIO, VOLANTE

discografico, -a *agg* record [*s attrib*]: *una casa discografica* a record company

discorso *sm* **1** (*in pubblico*) speech: *fare un ~* to make a speech **2** (*sciocchezza*): *Che discorsi!* What a stupid thing to say!

discoteca *sf* disco [*pl* discos]

discreto, -a *agg* **1** (*riservato*) discreet **2** (*abbastanza buono*) not bad

discrezione *sf* discretion

discriminazione *sf* discrimination (***against sb***): *la ~ razziale* racial discrimination LOC **fare discriminazioni** to discriminate *against sb*

discussione *sf* **1** (*dibattito*) discussion **2** (*litigio*) argument

discusso, -a *pp, agg* (*commentato*) much talked-about: *le tanto discusse dimissioni del ministro* the much talked-about resignation of the minister *Vedi anche* DISCUTERE

discutere ◆ *vt* **1** (*parlare di*) to discuss **2** (*contestare*) to question: *~ una decisione* to question a decision ◆ *vi* **1** ~ **di/su** (*parlare*) to discuss *sth* [*vt*]: *~ di politica* to discuss politics **2** (*litigare*) to argue (***with sb***) (***about sth***)

disdire *vt* to cancel

disegnare *vt* **1** (*gen*) to draw **2** (*progettare*) to design

disegnatore, -trice *sm-sf* **1** (*Tec*) draughtsman/woman [*pl* draughtsmen/women] **2** (*umoristico*) cartoonist

disegno *sm* **1** (*Arte*) drawing: *studiare ~* to study drawing ◊ *un ~ di Modigliani* a drawing by Modigliani **2** (*motivo*) pattern **3** (*tecnico*) design LOC **disegno industriale** industrial design **fare un disegno** to draw a picture

disertore *sm* deserter

disfare ◆ *vt* **1** (*nodo*) to undo **2** (*letto*) to unmake **3** (*smontare*) to take *sth* to pieces: *~ un puzzle* to take a jigsaw to pieces ◆ **disfarsi** *v rifl* **1** (*nodo*) to come undone **2 disfarsi di** to get rid of *sb/sth*: *disfarsi di una macchina vecchia* to get rid of an old car LOC *Vedi* BAGAGLIO, VALIGIA

disgrazia *sf* misfortune: *Hanno avuto molte disgrazie.* They've had many misfortunes. LOC **per disgrazia** unfortunately

disgraziato, -a ◆ *agg* **1** (*sfortunato*) unlucky **2** (*infelice*) unhappy ◆ *sm-sf* **1** (*con pietà*) wretch **2** (*con disprezzo*) swine [*pl* swine]

disguido *sm* hitch

disgustoso, -a *agg* disgusting

disilluso, -a *agg* disenchanted

disinfestare *vt* to disinfest

disinfettante *sm* disinfectant

disinfettare *vt* to disinfect

disinibito, -a *agg* uninhibited

disinnescare *vt* to defuse

disinserire *vt* to disconnect

disintegrare ◆ *vt* to make *sth* disintegrate ◆ **disintegrarsi** *v rifl* to disintegrate

disintegrazione *sf* disintegration

disinteressato, -a *agg* disinterested

disinteresse *sm* (*indifferenza*) lack of interest

disintossicarsi *v rifl* (*droga*) to come off drugs

disinvolto, -a *agg* confident

disinvoltura *sf* **1** (*gen*) confidence **2** (*lingua straniera*) fluency: *Parla francese con grande ~.* She speaks fluent French.

dislessia *sf* dyslexia

dislessico, -a *agg, sm-sf* dyslexic

dislivello *sm*: *il ~ tra la casa e il giardino* the difference in level between the house and the garden

disobbediente *agg* disobedient

disobbedienza *sf* disobedience

disobbedire *vi* ~ **a** to disobey *sb/sth*: *~ agli ordini/ai genitori* to disobey orders/your parents

disoccupato, -a ◆ *agg* unemployed ◆ *sm-sf* unemployed person: *i disoccupati* the unemployed

disoccupazione *sf* unemployment

disonesto, -a *agg* dishonest

disordinato, -a *agg, sm-sf* untidy [*agg*]: *Sei un ~!* You're so untidy!

disordine *sm* **1** mess: *Scusa il ~.* Sorry about the mess. ◊ *La casa era in ~.* The house was (in) a mess. **2 disordini** (*sommossa*) rioting

disorganizzato, -a *agg* disorganized

disorganizzazione *sf* disorganization

disorientare *vt* to confuse: *Le sue indicazioni mi hanno disorientato.* I was confused by his directions.

disorientato, -a *pp, agg* disorientated *Vedi anche* DISORIENTARE

disossato, -a *agg* boned

dispari *agg* odd: *numero ~* odd number LOC *Vedi* PARI

disparte *avv* LOC **mettere in disparte** to put *sth* aside **starsene in disparte** to keep yourself to yourself

dispensa *sf* **1** (*stanza*) larder **2** (*fascicolo*) instalment

disperarsi *v rifl* to despair: *Non disperarti, troverai un lavoro.* Don't despair. You'll find a job.

disperato, -a *pp, agg* **1** (*gen*) desperate **2** (*situazione, caso*) hopeless *Vedi anche* DISPERARE

disperazione *sf* despair LOC **per disperazione** in desperation

disperdere ◆ *vt* to disperse ◆ **disperdersi** *v rifl* to disperse

disperso, -a *pp, agg, sm* missing [*agg*]: *tre morti e quattro dispersi* three dead and four people missing *Vedi anche* DISPERDERE

dispetto *sm*: *fare un ~ a qn* to play a nasty trick on sb LOC **per dispetto** out of spite

dispettoso, -a *agg* spiteful

dispiacere ◆ *vi* ~ **a 1** (*rammaricarsi*) to be sorry ***about sth***/(***that...***): *Mi dispiace di non poterti aiutare.* I'm sorry (that) I can't help you. **2** (*disturbare*): *Le dispiace se fumo?* Do you mind if I smoke? **3** (*non piacere*): *L'idea non mi dispiace.* I don't dislike the idea. **4** (*fare dispiacere a*) to upset *sb* [*vt*]: *Ai suoi è dispiaciuto che sia stato bocciato.* His parents were upset that he'd failed. ◆ *sm* sorrow: *La sua decisione è stata un gran ~ per loro.* His decision caused them great sorrow. ◊ *affogare i dispiaceri nell'alcol* to drown your sorrows LOC **dare un dispiacere a** to upset *sb*: *Dà molti dispiaceri ai suoi.* He's always upsetting his parents.

dispiaciuto, -a *pp, agg* upset *Vedi anche* DISPIACERE

disponibile *agg* **1** (*merce*) available **2** (*persona*) helpful

disponibilità *sf* **1** (*gen*) availability **2** (*gentilezza*) helpfulness

disporre ◆ *vt* (*sistemare*) to arrange: *~ i libri nello scaffale* to arrange the books on the shelves ◆ *vi* ~ **di** (*avere*) to have *sth* [*vt*]: *Non dispongono di una grossa cifra.* They don't have much money.

dispositivo *sm* device

disposizione *sf* **1** (*casa*) layout **2** (*mobili*) arrangement LOC **a disposizione** at my, your, etc disposal: *Hai tutta la casa a ~.* The whole house is at your disposal. ◊ *Siamo a tua ~.* We're at your disposal.

disposto, -a *pp, agg* **1** (*ordinato*) arranged: *disposti in ordine alfabetico* arranged in alphabetical order **2 ~ a** (*pronto*) prepared ***to do sth***: *Non sono ~ a cedere.* I'm not prepared to give in. *Vedi anche* DISPORRE

disprezzare *vt* to despise, to look down on *sb* (*più informale*)

disprezzo *sm* contempt (***for sb/sth***): *provare ~ per qn* to feel contempt for sb

disputare *vt* (*partita*) to play LOC *Vedi* SPAREGGIO

dissanguare *vt* to bleed LOC *Vedi* MORIRE

dissetante *agg* refreshing

dissotterrare *vt* to dig *sth* up

dissuadere *vt* to dissuade *sb* (***from sth/doing sth***)

distaccare ◆ *vt* (*Sport*) to leave *sb* behind ◆ **distaccarsi** *v rifl* **distaccarsi da** (*famiglia*) to grow away (**from *sth***)

distante *agg* **1** (*luogo*): *Quanto è ~?* How far is it? ◊ *~ 50 km* 50 km away **2** (*distaccato*) distant

distanza *sf* distance: *una ~ di 20 km* a distance of 20 km LOC **a poca distanza da...** not far from...: *a poca ~ da casa nostra* not far from our house *Vedi anche* COMANDO

distanziare *vt* **1** (*Sport*) to leave *sb* behind **2** (*disporre*) to space *sth* out

distare *vi*: *Quanto dista il prossimo distributore?* How far is it to the next petrol station?

disteso, -a *agg* **1** (*persona*) lying: *Era ~ sul divano.* He was lying on the sofa. **2** (*braccia*) outstretched

distinguere ◆ *vt* **1** (*gen*) to distinguish *sb/sth* (**from *sb/sth***): *~ i maschi dalle femmine* to distinguish the males from the females **2** (*riconoscere*) to tell *sb/sth* apart: *Non so ~ i due gemelli.* I can't tell the twins apart. **3** (*vedere*) to make *sth* out: *Si distinguono a malapena le case da qui.* You can hardly make out the houses from here. ◆ **distinguersi** *v rifl* **distinguersi (per) 1** (*essere riconoscibile*) to stand out (**because of *sth***): *La squadra si distingue per le magliette sgargianti.* The team stands out because of their colourful shirts. **2** (*emergere*) to be known **for *sth***: *Si distingue per la sua tenacità.* He's known for his tenacity.

distintivo *sm* badge

distinto, -a *pp, agg* **1** (*separato, chiaro*) distinct **2** (*elegante*) distinguished LOC *Vedi* SALUTO; *Vedi anche* DISTINGUERE

distinzione *sf* distinction: *non fare distinzioni* to make no distinctions LOC **senza distinzione di** regardless of: *senza ~ di razza, sesso, ecc* regardless of race, sex, etc

distogliere *vt* **1** (*attenzione*) to divert **2** (*persona*) to dissuade sb **from sth** LOC **distogliere lo sguardo** to avert your eyes

distorsione *sf* (*Med*) sprain

distrarre ◆ *vt* (*perdere la concentrazione*) to distract *sb* (***from sth***): *Non mi ~.* Don't distract me. ◆ **distrarsi** *v rifl* **1** (*svagarsi*) to take your mind off things **2** (*perdere la concentrazione*): *Mi sono distratto un attimo.* My attention wandered for a moment.

distratto, -a *pp, agg* **1** (*per natura*) absent-minded **2** (*momentaneamente*) miles away: *Ero ~ e non li ho visti.* I was miles away and didn't see them. *Vedi anche* DISTRARRE

distrazione *sf* (*disattenzione*) carelessness: *Ha fatto molti errori di ~.* She made a lot of careless mistakes.

distribuire *vt* **1** (*gen*) to distribute: *Distribuiranno provviste ai profughi.* They will distribute food to/among the refugees. **2** (*carte*) to deal ☛ *Vedi nota a* CARTA

distributore *sm* LOC **distributore automatico 1** (*dolciumi, sigarette*) vending machine **2** (*biglietti*) ticket machine **distributore di benzina** petrol station

distribuzione *sf* **1** (*gen*) distribution **2** (*ripartizione*) allocation

districare *vt* to disentangle

distruggere *vt* to destroy: *L'incendio ha distrutto parecchi edifici.* The fire destroyed several buildings.

distruttivo, -a *agg* destructive

distrutto, -a *pp, agg* (*stanco*) shattered *Vedi anche* DISTRUGGERE

distruzione *sf* destruction

disturbare ◆ *vt* **1** (*importunare*) to bother: *Scusi se la disturbo così tardi.*

I'm sorry to bother you so late. **2** (*interrompere*) to disturb: *Non vuole essere disturbata quando lavora.* She doesn't want to be disturbed while she's working. **3** (*lezione, riunione, spettacolo*) to disrupt ◆ *vi* to be a nuisance: *Non vorrei ~.* I don't want to be a nuisance.

disturbo **1** (*incomodo*) inconvenience: *Ci scusiamo per il ~.* We apologize for any inconvenience. **2** (*Med*) upset: *un ~ di stomaco* a stomach upset LOC **prendersi il disturbo di** to bother *to do sth*

disuguaglianza *sf* inequality [*pl* inequalities]

disuguale *agg* uneven

disumano, -a *agg* inhuman

ditale *sm* thimble

dito *sm* **1** (*della mano*) finger **2** (*del piede*) toe **3** (*misura*): *due dita di vino* just a little wine LOC **mettersi le dita nel naso** to pick your nose *Vedi anche* MUOVERE, SUCCHIARE

ditta *sf* firm: *la macchina della ~* the firm's car

dittatore *sm* dictator

dittatura *sf* dictatorship

divagare *vi* to wander off: *~ dal tema* to wander off the subject

divano *sm* sofa LOC **divano letto** sofa bed

diventare *vi* **1** (*gen*) to become: *È diventato molto tranquillo.* He became very calm. ◊ *~ famoso* to become famous **2** (*cieco, pallido, grigio, ecc*) to go: *~ calvo/matto* to go bald/mad ◊ *Antonio è diventato tutto rosso.* Antonio went red. ☛ Per le espressioni con **diventare** vedi alla voce del sostantivo, dell'aggettivo, ecc, ad es. **diventare adulto** a ADULTO.

diverso, -a *agg* **1** ~ (**da**) different (**from** ***sb/sth***): *I miei due fratelli sono completamente diversi.* My two brothers are totally different. ◊ *È molto ~ da sua sorella.* He's very different from his sister. **2** (*vario*) various: *i diversi aspetti del problema* the various aspects of the problem **3 diversi** (*parecchi*) several: *Ci saranno diverse persone.* Several people will be there.

divertente *agg* funny, amusing (*form*): *Non lo trovo affatto ~.* I don't find it very funny.

divertimento *sm* fun: *fare qc per ~* to do sth for fun LOC **buon divertimento!** have fun!

divertire ◆ *vt* **1** (*far ridere*) to amuse **2** (*intrattenere*) to entertain: *~ il pubblic* to entertain the audience ◆ **divertirs** *v rifl* **1** to enjoy yourself: *Divertitev* Enjoy yourselves! **2 divertirsi** (**a**) t enjoy ***doing sth***: *Si divertono a da fastidio alla gente.* They enjoy annoy ing people. LOC **divertirsi un mondo** t have a great time

dividere ◆ *vt* **1** (*gen*) to divide *sth* (up *~ il lavoro/la torta* to divide (up) th work/cake ◊ *~ qc in tre parti* to divid something into three parts ◊ *Hann diviso i soldi tra i figli.* They divide the money up between the children. (*spartirsi, condividere*) to share: *C siamo divisi i compiti/la pizza.* W shared the work/the pizza. ◊ *Abbiam diviso molte belle esperienze.* We share many wonderful experiences. **3** (*Mat* to divide *sth* **by** ***sth***: *~ otto per due* t divide eight by two ◊ *sei diviso tre* si divided by three **4** (*creare discordia*) t split: *Quella faccenda ha diviso la fam glia.* That affair has split the family. (*separare*) to separate: *Hanno dovut dividerli.* They had to be separated ◆ **dividersi** *v rifl* **1** (*separarsi*) to separ ate: *A Roma ci siamo divisi e io h proseguito per il Sud.* We separated a Rome and I carried on south. ◊ *Si son divisi dopo dieci anni di matrimonic* They separated after being married fo ten years. **2 dividersi** (**in**) to split (**int** ***sth***): *dividersi in due gruppi* to spli into two groups

divieto *sm* prohibition LOC **diviet d'accesso** no entry **divieto di affis sione** no fly-posting

divincolarsi *v rifl* to struggle

divino, -a *agg* divine: *la Divin Commedia* the Divine Comedy

divisa *sf* uniform LOC **in divisa**: *soldat in ~* uniformed soldiers

divisione *sf* division

divisorio, -a *agg* dividing

divo, -a *sm-sf* star: *un ~ del cinema* film star

divorare *vt* to devour

divorziare *vi* ~ (**da**) to get divorce (**from** ***sb***)

divorziato, -a ◆ *pp, agg* divorced ◆ *sm-sf* divorcee *Vedi anche* DIVORZIARE

divorzio *sm* divorce

divulgare *vt* (*notizia*) to spread

dizionario *sm* dictionary [*pl* diction aries]: *Cercalo sul ~.* Look it up in th dictionary. ◊ *un ~ bilingue* a bilingua dictionary

o *sm* C: *in do maggiore* in C major

occia *sf* shower: *farsi una* ~ to have a shower

occiaschiuma *sm* shower gel

ocumentario *sm* documentary [*pl* documentaries]

ocumentazione *sf* papers [*pl*]

ocumento *sm* document LOC **documenti** (*di riconoscimento*) (identity) papers: *Mi hanno chiesto i documenti.* They asked to see my (identity) papers.

odicenne *agg, smf* twelve-year-old ☛ *Vedi esempi a* UNDICENNE

odicesimo, -a *agg, pron, sm* twelfth ☛ *Vedi esempi a* SESTO

odici *sm, agg, pron* **1** (*gen*) twelve **2** (*data*) twelfth ☛ *Vedi esempi a* SEI

ogana *sf* **1** (*ufficio*) customs [*pl*]: *Abbiamo passato la ~.* We went through customs. **2** (*tassa*) customs duty [*pl* customs duties]: *pagare la* ~ to pay customs duty

oglie *sf* LOC **avere le doglie** to be in labour

olce ◆ *agg* **1** (*gen*) sweet: *un vino* ~ a sweet wine **2** (*musica, voce*) soft **3** (*carattere*) gentle ◆ *sm* dessert, pudding (*più informale*): *Cosa c'è come ~?* What's for pudding? ◊ *la lista dei dolci* the dessert menu LOC *Vedi* ACQUA

olcificante *sm* sweetener

olciumi *sm* sweets

olere *vi* to ache: *Mi duole un dente/la testa.* My tooth/head is aching.

ollaro *sm* dollar

olomiti *sf* **le Dolomiti** the Dolomites

olore *sm* **1** (*fisico*) pain: *qualcosa contro/per il* ~ something for the pain **2** (*tristezza*) sorrow LOC *Vedi* SMORFIA, TORCERE

oloroso, -a *agg* painful

oloso, -a *agg* LOC *Vedi* INCENDIO

omanda *sf* **1** (*gen*) question: *fare una ~ a qn* to ask sb a question ◊ *rispondere a una* ~ to answer a question **2** (*Comm*) demand: *la ~ e l'offerta* supply and demand **3** (*impiego, borsa di studio*) application (***for sth***) LOC **domanda di lavoro** job application **fare domanda per** to apply for *sth*: *fare ~ per un lavoro* to apply for a job

omandare ◆ *vt* to ask: *~ qc a qn* to ask sb sth ◆ **domandarsi** *v rifl* wonder: *Mi domando perché.* I wonder why.

omani *avv*: *~ è sabato, vero?* Tomorrow is Saturday, isn't it? ◊ *~ mattina/pomeriggio* tomorrow morning/afternoon ◊ *~ alle sette* at seven o'clock tomorrow ◊ *il giornale di* ~ tomorrow's paper LOC **a domani!** see you tomorrow! **domani l'altro** the day after tomorrow **sì, domani!** fat chance!

domare *vt* **1** (*gen*) to tame **2** (*cavallo*) to break *sth* in

domatore, -trice *sm-sf* tamer

domattina *avv* tomorrow morning: *Partiamo ~.* We're leaving tomorrow morning.

domenica *sf* Sunday [*pl* Sundays] (*abbrev* Sun) ☛ *Vedi esempi a* LUNEDÌ LOC **domenica delle Palme** Palm Sunday

domestico, -a ◆ *agg* **1** (*gen*) household [*s attrib*]: *faccende domestiche* household chores **2** (*animale*) domestic ◆ *sm-sf* servant LOC *Vedi* LAVORO

domicilio *sm* address: *cambio di* ~ change of address LOC **consegna/servizio a domicilio** delivery service

dominante *agg* dominant

dominare ◆ *vt* **1** (*gen*) to dominate: ~ *gli altri* to dominate other people **2** (*sentimento*) to control ◆ **dominarsi** *v rifl* to control yourself

dominio *sm* (*controllo*) control LOC **essere di dominio pubblico** to be common knowledge

domino *sm* dominoes [*sing*]: *giocare a* ~ to play dominoes

donare *vt* to donate

donatore, -trice *sm-sf* donor: *un ~ di sangue* a blood donor

donazione *sf* donation

dondolare ◆ *vt* **1** (*gen*) to swing **2** (*culla*) to rock ◆ *vi* to swing ◆ **dondolarsi** *v rifl* to swing: *dondolarsi su una sedia* to swing on a chair

dondolo *sm* canopy swing LOC *Vedi* CAVALLO, SEDIA

donna *sf* **1** (*gen*) woman [*pl* women]: *pantaloni da* ~ women's trousers **2** (*Carte*) queen LOC **donna delle pulizie** cleaning lady **donna di servizio** maid LOC *Vedi* AFFARE

donnaiolo *sm* womanizer

donnola *sf* weasel

dono *sm* gift

dopo ◆ *prep* after: *~ le due* after two o'clock ◊ *La farmacia è subito ~ la banca.* The chemist's is just after the bank. ◊ *~ pranzo/cena* after lunch/dinner ◊ *uno ~ l'altro* one after the other ◊ *Sono arrivati ~ di noi.* They arrived after us. ◆ *avv* **1** (*più tardi*) afterwards, later (*più informale*): *Sono usciti poco* ~. They came out shortly afterwards. ◊ *un'ora* ~ an hour later ◊ *Se ora studi,* ~ *puoi guardare la TV.* If you do your homework now, you can watch TV later. ◊ *L'ho saputo solo molto* ~. They didn't tell me until much later. **2** (*in seguito*) next: *E* ~ *cos'è successo?* And what happened next? ◆ *cong* after: ~ *mangiato lo chiamo.* I'll phone him after dinner. ◊ ~ *aver parlato con loro* after talking to them LOC **a dopo** see you later **dopo che** after: ~ *che è tornato* after he came back

dopobarba *sm* aftershave

dopodomani *avv* the day after tomorrow

dopopranzo *avv* after lunch

dopotutto *avv* after all

doppiare *vt* **1** (*film*) to dub: ~ *un film in italiano* to dub a film into Italian **2** (*Sport*) to lap **3** (*Naut*) to round

doppiato, -a *pp, agg* (*film*) dubbed *Vedi anche* DOPPIARE

doppio, -a ◆ *agg* double: *un* ~ *whisky* a double Scotch ◆ *sm* **1** twice as much/many: *Costa il* ~. It costs twice as much. ◊ *Guadagna il* ~ *di me.* She earns twice as much as me. ◊ *C'era il* ~ *di gente.* There were twice as many people. **2** (*Tennis*) doubles LOC **a doppio senso 1** (*frase*) with a double meaning **2** (*strada*) two-way **doppio gioco** double bluff **doppio misto** mixed doubles *Vedi anche* ARMA, PARCHEGGIARE

doppiopetto *sm* double-breasted jacket: *una giacca a* ~ a double-breasted jacket

dorato, -a *agg* **1** (*placcato*) gold-plated **2** (*color oro*) gold [*s attrib*]: *una borsa dorata* a gold bag

dormiglione, -a *sm-sf* sleepyhead

dormire *vi* **1** (*gen*) to sleep: *Non riesco a* ~. I can't sleep. ◊ *Il caffè non mi fa* ~. Coffee stops me from sleeping. **2** (*essere addormentato, essere rintontito*) to be asleep: *mentre mia madre dormiva* while my mother was asleep ☛ *Vedi nota a* ASLEEP **3** (*passare la notte*) to spend the night: *Abbiamo dormito a Sorrento.* We spent the night in Sorrento. LOC **a dormire!** time for bed! **dormire come un ghiro** to sleep like a log

dormita *sf* sleep: *Che bella* ~*!* What a nice sleep!

dormitorio *sm* dormitory

dorsale *agg* LOC *Vedi* SPINA

dorso *sm* **1** (*Anat*) back **2** (*Nuoto*) backstroke **3** (*libro*) spine LOC *Vedi* NUOTARI

dosare *vt* (*ingredienti*) to measure out

dose *sf* dose

dosso *sm* (*strada*) bump LOC **di dosso** *togliersi il cappotto di* ~ to take off you coat

dotato, -a *agg* **1** (*talento*) gifted: *u pianista* ~ a gifted pianist **2** ~ **di (a)** (*d una qualità*) endowed **with** *sth*: ~ *d intelligenza* endowed with intelligenc **(b)** (*equipaggiato*) equipped **with** *sth veicoli dotati di radiotrasmittente* vehicles equipped with a radio transmitter

dote *sf* **1** (*sposa*) dowry [*pl* dowries] (*qualità*) (good) quality: *Ha molte dot* He has many good qualities.

dottorato *sm* LOC **dottorato di ricerc** PhD

dottore, -essa *sm-sf* doctor (*abbre* Dr): *andare dal* ~ to go to the doctor'

dove *avv interr, avv rel* where: ~ *va* Where are you going? ◊ *Di* ~ *sei?* Wher are you from? ◊ *la città* ~ *abito* th town where I live LOC **dove ti par** wherever you like

dovere[1] ◆ *v servile* **1** (*obbligo*) mus *Devi studiare/osservare le regole.* Yo must study/obey the rules. ◊ *La legg dovrà essere abolita.* The law must b abolished. ☛ *Vedi nota a* MUST **2** (*nece sità*) to have **to do sth**: *È dovuto partir subito.* He had to leave straight away. *Devi mangiare.* You have to ea ☛ *Vedi nota a* MUST **3** (*offerta*) shal *Devo sbucciare le patate?* Shall I pe the potatoes? ◊ *Devo fare qualcosa?* Ca I do anything? **4** (*rimprovero*) shoul *Dovevi essere qui un'ora fa.* You shoul have been here an hour ago. ◊ *No dovresti uscire così.* You shouldn't g out like that. **5** (*suggeriment Dovrebbe farsi vedere dal medico.* Sh should get the doctor to have a look. (*convinzione*) must: *A quest'ora dev'e sere già a casa.* She must be home b now. ◊ *Devono essere le cinque passat* It must be after five. ◊ *Non dev'esse così facile.* It can't be easy. **7** (*inte zione*) to be supposed to: *Dove tornare ieri, ma...* She was supposed t come back yesterday, but... ◆ *vt* (*esse in debito di*) ~ **(a)** to owe *sth* (**to** *sb*): *devo 3.000 lire/una spiegazione.* I ow you 3000 lire/an explanation. ◊ *Quan ti devo?* How much do I owe you?

overe² *sm* duty [*pl* duties]: *fare il proprio* ~ to do your duty

ovunque *avv* **1** (*gen*) wherever: ~ *tu guardi* wherever you look **2** (*dappertutto*) everywhere: *Si trovano* ~. You can find them everywhere.

ovuto, -a *pp, agg* due **LOC essere dovuto a** to be due to *sb/sth*: *È ~ a mancanza di fondi.* This is due to lack of funds. *Vedi anche* DOVERE¹

ozzina *sf* dozen: *una ~ di persone* a dozen people **LOC a dozzine** by the dozen

rago *sm* dragon

ramma *sm* drama

rammatico, -a *agg* dramatic

rastico, -a *agg* drastic

resda *sf* Dresden

ribblare *vt, vi* to dribble

ribbling *sm* dribble

ritto, -a ◆ *agg* **1** (*non storto*) straight: *Quel quadro non è ~.* That picture isn't straight. ◊ *Stai ~.* Sit up straight. **2** (*verticale*) upright ◆ *avv* straight: *Vai ~ a casa.* Go straight home. **LOC sempre dritto** straight on: *Vai sempre ~ fino al semaforo.* Go straight on to the traffic lights.

roga *sf* **1** (*sostanza*) drug **2 la droga** (*tossicodipendenza*) drugs [*pl*]: *la lotta contro la ~* the fight against drugs **LOC** *Vedi* TRAFFICO

rogare ◆ *vt* to drug ◆ **drogarsi** *v rifl* to take drugs

rogato, -a *sm-sf* drug addict

rogheria *sf* grocer's

romedario *sm* dromedary [*pl* dromedaries]

ubbio, -a ◆ *agg* dubious: *di dubbia provenienza* of dubious origin ◆ *sm* **1** (*perplessità*) doubt: *senza (alcun) ~* without (a) doubt **2** (*incertezza*): *Potrebbe chiarirmi un ~?* Can you clear up a point for me? **LOC non c'è dubbio che…** there is no doubt that… *Vedi anche* OMBRA

ubbioso, -a *agg* doubtful

ubitare *vi* **1** ~ **(di/che…)** to doubt (*sth/that…*): *Ne dubito.* I doubt it. ◊ *Dubiti della mia parola?* Do you doubt my word? ◊ *Dubito che sia facile.* I doubt that it'll be easy. **2 ~ di** (*persona*) to mistrust *sb* [*vt*]: *Dubita di tutti.* She mistrusts everyone.

Dublino *sf* Dublin

duca, duchessa *sm-sf* duke [*fem* duchess]

due *sm, agg, pron* **1** (*gen*) two **2** (*data*) second ☛ *Vedi esempi a* SEI **LOC due punti** colon ☛ *Vedi pagg. 376–77. Vedi anche* CHIACCHIERE, GOCCIA, PICCIONE, PIEDE, VOLTA

duecento ◆ *sm, agg, pron* two hundred ☛ *Vedi esempi a* SEICENTO ◆ *sm* **il Duecento** the 13th century: *nel Duecento* in the 13th century

duello *sm* duel

duemila *sm, agg, pron* two thousand: *Nel ~ avrò diciotto anni.* I'll be eighteen in the year 2000.

duepezzi *sm* (*bikini*) two-piece swimsuit

duetto *sm* duet

duna *sf* dune

dunque ◆ *cong* **1** (*allora*) well: ~, *come stavamo dicendo…* Well, as we were saying… **2** (*perciò*) so ◆ *sm*: *Vieni al ~.* Get to the point.

duo *sm* duo [*pl* duos]

duomo *sm* cathedral

duplice *agg* double **LOC in duplice copia** in duplicate

durante *prep* **1** (*gen*) during: *Lo farò ~ le vacanze.* I'll do it during the holidays. **2** (*per tutta la durata di*) right through: *Ho dormito ~ tutto il concerto.* I slept right through the concert.

durare *vi* to last: *Il film è durato due ore.* The film lasted two hours. ◊ *~ a lungo* to last a long time ◊ *La loro storia è durata poco.* Their romance didn't last long. ◊ *Lo sciopero è durato tutto il giorno.* The strike lasted all day. **LOC durare fatica (a fare qc)** to have a hard job (doing sth)

durata *sf* **1** (*gen*) length: *la ~ di un film* the length of a film **2** (*pila*) life: *pile a lunga ~* long-life batteries **LOC durata media della vita** life expectancy

duro, -a *agg* **1** (*gen*) hard: *Il burro è ~.* The butter is hard. ◊ *una vita molto dura* a very hard life ◊ *essere ~ con qn* to be hard on sb **2** (*persona, carne*) tough **LOC duro d'orecchi** hard of hearing **essere duro di comprendonio** to be (as) thick as two short planks **tenere duro** to stand firm *Vedi anche* OSSO, PANE, TESTA

Ee

e (*anche* **ed**) *cong* **1** (*gen*) and: *ragazzi e ragazze* boys and girls **2** (*nelle domande*) and what about...?: *E tu?* And what about you? **3** (*nelle ore*) past: *Sono le due e dieci.* It's ten past two. LOC **e allora?** so what?

ebano *sm* ebony

ebbene *cong* well

ebollizione *sf* boiling LOC *Vedi* PUNTO

ebraico, -a ◆ *agg* **1** (*gen*) Jewish **2** (*lingua*) Hebrew ◆ *sm* (*lingua*) Hebrew: *parlare* ~ to speak Hebrew

ebraismo *sm* Judaism

ebreo, -a ◆ *agg* Jewish ◆ *sm-sf* Jew

eccellente *agg* excellent

eccellenza *sf* LOC **per eccellenza** par excellence

eccessivo, -a *agg* excessive

eccesso *sm* ~ (**di**) excess (**of *sth***) LOC **eccesso di velocità** speeding **in eccesso** excess: *bagaglio in* ~ excess baggage

eccetera *avv* et cetera (*abbrev* etc) LOC **eccetera eccetera** and so on (and so forth)

eccetto *prep* except (**for**) ***sb*/*sth***: *tutti* ~ *me* everybody except me ◊ *tutti* ~ *l'ultimo* all of them except (for) the last one

eccezionale *agg* exceptional

eccezione *sf* exception: *senza eccezioni* without exception LOC **a eccezione di** except (for) *sb/sth*

eccitante ◆ *agg* exciting ◆ *sm* stimulant

eccitare ◆ *vt* **1** (*gen*) to excite **2** (*agitare*) to make *sb* nervous ◆ **eccitarsi** *v rifl* to get excited (***about*/*over sth***)

eccitato, -a *pp, agg* in a state of excitement: *I bambini erano eccitati all'idea di andare in vacanza.* The children were excited at the thought of going on holiday. *Vedi anche* ECCITARE

ecclesiastico, -a *agg* ecclesiastical

ecco! *avv* **1** (*gen*) here!: ~ *a lei!* Here you are! ◊ *Eccolo qui/lì.* Here/There it is. ◊ *Eccone uno!* Here's one! ◊ ~ *fatto!* There we are! **2** (*enfatico*) so there!: *Be', adesso non ci vado, ~!* Well, now I'm not going, so there!

eccome *avv* and how

eclatante *agg* (*notizia*) striking

eclissi *sf* eclipse

eco *sf* echo [*pl* echoes]

ecografia *sf* ultrasound

ecologia *sf* ecology

ecologico, -a *agg* **1** (*gen*) ecological (*detersivo*) environmentally friendly

economia *sf* economy [*pl* economies *l'economia del nostro paese* our cou try's economy

economico, -a *agg* **1** (*Econ*) econom **2** (*non caro*) cheap **3** (*che consuma poc* economical

> **Cheap** si usa per cose che non costar molto: *un volo economico* a cheap fligh **Economical** si usa per una cosa la c manutenzione costa poco: *una ma china economica* an economical ca **Economic** si riferisce all'economia i senso sociopolitico: *sanzioni econom che* economic sanctions.

LOC *Vedi* ANNUNCIO

edera *sf* ivy

edicola *sf* news-stand

edificio *sm* building

Edimburgo *sf* Edinburgh

editore, -trice ◆ *sm-sf* (*impresari* publisher ◆ *agg* publishing: *cas società editrice* publishing house

editoriale ◆ *agg* publishing ◆ *sm* (*ar colo*) editorial

edizione *sf* edition: *la prima* ~ *del lib* the first edition of the book ◊ ~ *settim nale* weekly edition

educare *vt* (*figli*) to bring *sb* up: *Sor stati educati bene.* They've been we brought up.

educativo, -a *agg* educational

educato, -a *pp, agg* polite LOC **be educato** well-mannered *Vedi anch* EDUCARE

educazione *sf* **1** (*buone maniere*) goc manners **2** (*familiare*) upbringin *un'educazione severa* a strict upbrin ing LOC **buona/cattiva educazior** good/bad manners **educazione fisic** physical education (*abbrev* PE) **educa zione sessuale** sex education **educa zione stradale** road safety awarene *Vedi anche* MANCANZA

effervescente *agg* effervescent

effettivamente *avv* **1** (*rafforzativo*)

fact: *Sì, ~ ha ragione lui.* Yes, in fact he's right. **2** (*in realtà*) really: *Quel quadro è ~ brutto.* That picture is really horrible. ◊ *Dimmi come stanno ~ le cose.* Tell me how things really are.

ffettivo, -a *agg* real

ffetto *sm* **1** (*gen*) effect: *avere/non avere ~* to have an effect/no effect **2** (*palla*) spin LOC **effetti personali** belongings **effetto serra** greenhouse effect **fare effetto 1** (*turbare*) to disturb **2** (*agire*) to take effect **in effetti** indeed

ffettuare *vt* to carry *sth* out: *~ un esperimento* to carry out an experiment

fficace *agg* effective: *un rimedio ~* an effective remedy

fficiente *agg* efficient: *una collaboratrice molto ~* a very efficient assistant

gitto *sm* Egypt

giziano, -a *agg, sm-sf* Egyptian: *gli egiziani* the Egyptians

gli *pron pers* he

gocentrico, -a *agg, sm-sf* self-centred [*agg*]

goista *agg, smf* selfish [*agg*]: *Non essere così ~.* Don't be so selfish. ◊ *Sono degli egoisti.* They're really selfish.

gregio, -a *agg*: *~ Signor Paoli* Dear Mr Paoli ☛ *Vedi pagg. 370–71.*

hi! *escl* hey!

laborare *vt* **1** (*piano*) to prepare **2** (*idea*) to develop **3** (*dati*) to process

lastico, -a ◆ *agg* **1** (*gen*) elastic **2** (*fig*) flexible ◆ *sm* elastic band

lefante *sm* elephant

legante *agg* **1** (*gen*) smart **2** (*movimento*) elegant

leggere *vt* (*votare*) to elect: *Eleggeranno un nuovo presidente.* They are going to elect a new president.

ementare *agg* elementary LOC *Vedi* SCUOLA

emento *sm* element: *essere nel proprio ~* to be in your element

emosina *sf* LOC *Vedi* CHIEDERE

encare *vt* to list

enco *sm* list: *far l'elenco di qc* to list sth LOC **elenco telefonico** (tele)phone book: *Cercalo sull'elenco telefonico.* Look it up in the phone book.

ettorale *agg* electoral: *campagna ~* electoral campaign ◊ *lista ~* list of candidates LOC *Vedi* CABINA, COLLEGIO, LISTA, SCHEDA, SEGGIO

ettore, -trice *sm-sf* voter

ettricista *sm* electrician

elettricità *sf* electricity

elettrico, -a *agg* electric, electrical

> **Electric** si usa riferendosi ai singoli elettrodomestici o altri apparecchi che funzionano ad elettricità, ad esempio *electric razor/car/fence*, in frasi come *an electric shock* e nel senso figurato in espressioni come *The atmosphere was electric.* **Electrical** si riferisce all'elettricità con significato più generale, come ad es. *electrical engineering, electrical goods* o *electrical appliances.*

LOC *Vedi* CENTRALE, ENERGIA, IMPIANTO, STUFA

elettrodo *sm* electrode

elettrodomestico *sm* electrical appliance

elettronico, -a ◆ *agg* electronic ◆ **elettronica** *sf* electronics [*sing*] LOC *Vedi* POSTA

elevare *vt* to raise

elevato, -a *pp, agg* high: *temperature elevate* high temperatures *Vedi anche* ELEVARE

elezione *sf* election: *indire le elezioni* to call an election LOC **elezioni amministrative** local elections **elezioni politiche** general election [*sing*]

elica *sf* propeller

elicottero *sm* helicopter

eliminare *vt* to eliminate

eliminatoria *sf* heat

eliminazione *sf* elimination

elio *sm* helium

elmetto *sm* helmet

elmo *sm* helmet

elogiare *vt* to praise *sb/sth* (**for sth**)

elogio *sm* praise [*non numerabile*]

emanare *vt* to give *sth* off

emancipato, -a *agg* liberated

emarginare *vt* to marginalize

emarginato, -a ◆ *pp, agg* **1** (*persona*) left out: *sentirsi ~* to feel left out **2** (*zona*) deprived ◆ *sm-sf* outcast *Vedi anche* EMARGINARE

emblema *sm* emblem

embrione *sm* embryo [*pl* embryos]

emergenza *sf* emergency [*pl* emergencies]: *in caso di ~* in case of emergency LOC *Vedi* CORSIA

emettere *vt* **1** (*grido, suono*) to let *sth* out **2** (*luce*) to emit LOC **emettere una sentenza** to pass sentence

emicrania *sf* migraine

emigrante *smf* emigrant

emigrare *vi* **1** (*gen*) to emigrate **2**

(*all'interno dello stesso paese*) to migrate

emigrazione *sf* emigration

emisfero *sm* hemisphere: *l'emisfero boreale/australe* the northern/southern hemisphere

emittente *sf* station

emorragia *sf* bleeding [*non numerabile*], haemorrhage (*più formale*) LOC **emorragia interna** internal bleeding

emozionante *agg* **1** (*commovente*) moving **2** (*entusiasmante*) exciting

emozionare ◆ *vt* **1** (*commuovere*) to move **2** (*appassionare*) to thrill ◆ **emozionarsi** *v rifl* **1** (*commuoversi*) to be moved (***by sth***) **2** (*appassionarsi*) to get excited (***about sth***)

emozione *sf* **1** (*gen*) emotion **2** (*entusiasmo*) excitement

enciclopedia *sf* encyclopedia [*pl* encyclopedias]

energia *sf* energy [*gen non numerabile*]: *pieno di energie* full of energy ◊ ~ *nucleare* nuclear energy LOC **energia elettrica** electric power

enfasi *sf* emphasis [*pl* emphases]

enigma *sm* enigma

ennesimo, -a *agg* (*Mat*) nth LOC **per l'ennesima volta** for the umpteenth time

enorme *agg* enormous

ente *sm* body: *un ~ pubblico/privato* a public/private body LOC **enti locali** local authority

entrambi, -e *pron, agg* both: *entrambe le mani* both hands ◊ *Ci siamo andati ~.* Both of us went./We both went.

entrare *vi* **1 (a)** (*gen*) to go in/inside: *Non ho osato ~.* I didn't dare to go in. ◊ *Il chiodo non è entrato bene.* The nail hasn't gone in properly. **(b)** (*venire dentro*) to come in/inside: *Digli di ~.* Ask him to come in. **2 ~ in (a)** (*gen*) to go into…, to enter (*più formale*): *Non ~ nel mio ufficio quando io non ci sono.* Don't go into my office when I'm not there. ◊ *~ nei dettagli* to go into detail **(b)** (*venire in*) to come into…, to enter (*più formale*): *Non ~ in camera mia senza bussare.* Knock before you come into my room. **(c)** (*doccia, macchina*) to get into *sth* **(d)** (*partito*) to join *sth* [*vt*] **3** (*stare*) ~ (**in**) to fit (**in/into *sth***): *Non credo che entri nel bagagliaio.* I don't think it'll fit in the boot. **4** (*abiti*): *Questi pantaloni non mi entrano più.* These trousers don't fit me any more. **5** (*marcia*) to engage: *La prima non entra mai per bene.* First never seems to engage properly. LOC **che c'entra** what's that got to do with it? **far entrare** to let *sb* in: *Mi ha fatto ~ il portiere.* The porter let me in. ◊ *Non far ~ nessuno.* Don't let anybody in.

entrata *sf* **1** (*porta*) entrance (***to sth***): *Ti aspetto all'entrata.* I'll wait for you at the entrance. **2** ~ (**in**) (*azione*) **(a)** (*gen*) entry (**into *sth***) **(b)** (*club*) admission (**to *sth***) **3 entrate (a)** (*persona*) income [*sing*] **(b)** (*stato, comune*) revenue [*sing*]

entro *prep* **1** (*gen*) in: ~ *una settimana* in a week ◊ ~ *breve tempo* in a little while ◊ ~ *tre mesi* in three months' time **2** (*per*) by: ~ *il 15 luglio* by 15 July ◊ *Devi finire ~ domani.* You have to finish by tomorrow. LOC *Vedi* CONSUMARE

entusiasmare ◆ *vt* to thrill ◆ **entusiasmarsi** *v rifl* **entusiasmarsi** (**per**) to get excited (**about/over *sth***)

entusiasmo *sm* ~ (**per**) enthusiasm (**for *sth***) LOC **con entusiasmo** enthusiastically

entusiasta *agg* enthusiastic: *Ero molto ~ quand'ho iniziato.* I was very enthusiastic when I started.

epatite *sf* hepatitis [*non numerabile*]

epicentro *sm* epicentre

epidemia *sf* epidemic: *una ~ di colera* cholera epidemic

Epifania *sf* Epiphany

epilessia *sf* epilepsy

episodio *sm* episode: *una serie di cinque episodi* a serial in five episodes

epoca *sf* time: *a quell'epoca* at that time LOC **d'epoca** period: *costumi/auto d'epoca* period dress/cars

eppure *cong* yet

equatore *sm* equator

equatoriale *agg* equatorial

equazione *sf* equation

equilatero *agg* LOC *Vedi* TRIANGOLO

equilibrio *sm* **1** (*gen*) balance: *tenere/perdere l'equilibrio* to keep/lose your balance **2** (*Fis*) equilibrium

equilibrista *smf* **1** (*gen*) acrobat **2** (*sulla corda*) tightrope walker

equipaggiamento *sm* (*attrezzatura*) equipment

equipaggiare *vt* **1** (*nave, soldati*) to equip *sb/sth* (***with sth***) **2** (*per gita, sport*) to fit *sb/sth* out (***with sth***): ~ *bambini per la settimana bianca* to fit the children out for their skiing holiday

equipaggio *sm* crew [*v sing o pl*]

equitazione *sf* riding

equivalente ◆ *agg* equivalent ***to sth*** ◆ *sm* equivalent ***of sth***

equivalere ◆ *vi* ~ **a** (*valore*) to be equivalent **to *sth***: *Equivale a mille lire.* That would be equivalent to one thousand lire. ◆ **equivalersi** *v rifl* to come to the same thing: *I due sistemi si equivalgono.* The two methods come to the same thing.

equivoco *sm* (*malinteso*) misunderstanding

equo, -a *agg* fair

era *sf* **1** (*gen*) era **2** (*Geol*) age LOC **era glaciale** Ice Age

erba *sf* **1** (*gen*) grass: *sdraiarsi sull'erba* to lie down on the grass ◊ *Non calpestare l'erba.* Keep off the grass. **2** (*Med, Cucina*) herb **3** (*marijuana*) pot LOC **erbe aromatiche** herbs *Vedi anche* VIETATO

erbaccia *sf* weed

erbivoro, -a *agg* herbivorous

erboristeria *sf* health food shop

erede *smf* ~ (**di**) heir (**to *sth***): *l'erede al trono* the heir to the throne

eredità *sf* inheritance

ereditare *vt* to inherit *sth* (***from sb***)

ereditario, -a *agg* hereditary

ereditiera *sf* heiress

erezione *sf* erection

ergastolo *sm* life imprisonment

Eritrea *sf* Eritrea

eritreo, -a *agg, sm-sf* Eritrean: *gli eritrei* the Eritreans

ermetico, -a *agg* airtight

ernia *sf* hernia

erodere *vt* to wear (*sth*) away, to erode (*più formale*)

eroe *sm* hero [*pl* heroes]

erogazione *sm* (*distribuzione*) supply: *regolare l'erogazione dell'acqua* to regulate the water supply

eroina *sf* **1** (*droga*) heroin **2** (*personaggio*) heroine

erosione *sf* erosion

erotico, -a *agg* erotic

errato, -a *agg* **1** (*risposta*) incorrect **2** (*concezione*) mistaken LOC **se non vado errato** unless I'm much mistaken

errore *sm* mistake: *commettere un* ~ to make a mistake ☛ *Vedi nota a* MISTAKE

eruzione *sf* **1** (*gen*) eruption **2** (*Med*) rash

esagerare *vt, vi* **1** (*gen*) to exaggerate: ~ *l'importanza di qc* to exaggerate the importance of sth ◊ *Non* ~. Don't exaggerate. **2** ~ **con** to go over the top **with *sth***: *Non* ~ *con il sale.* Don't go over the top with the salt.

esagerato, -a ◆ *pp, agg* **1** (*notizia*) exaggerated **2** (*severità, quantità*) excessive ◆ *sm-sf*: *Sei il solito* ~. You're exaggerating again. *Vedi anche* ESAGERARE

esagerazione *sf* **1** (*gen*) exaggeration **2** (*prezzo eccessivo*): *L'ho pagato un'esagerazione.* It cost a fortune.

esagono *sm* hexagon

esalazioni *sf* fumes

esaltare ◆ *vt* (*lodare*) to praise ◆ **esaltarsi** *v rifl* **esaltarsi** (**per**) to get excited (**about *sth***)

esaltato, -a *sm-sf* hothead: *un gruppo di esaltati* a group of hotheads

esame *sm* examination, exam (*più informale*): *Oggi pomeriggio ho l'esame di francese.* I've got a French exam this afternoon. ◊ *Andrò in vacanza dopo gli esami.* I'm going on holiday after the exams. LOC **dare un esame** to take an exam **esame di ammissione** entrance exam **esame di guida** driving test

esaminare *vt* to examine

esaminatore, -trice *sm-sf* examiner

esasperante *agg* maddening

esasperare *vt* to exasperate

esattezza *sf* **1** (*gen*) exactness **2** (*descrizione, orologio*) accuracy LOC **con esattezza** exactly: *Non saprei dire con* ~. I couldn't say exactly.

esatto, -a ◆ *agg* **1** (*quantità, misura*) exact: *Mi servono le misure esatte.* I need the exact measurements. ◊ *Due chili esatti.* Exactly two kilos. **2** (*descrizione, orologio*) accurate: *Il testimone ha fornito una descrizione esatta.* The witness gave a very accurate description. **3** (*copia*) identical ◆ **esatto!** *escl* exactly!

esauriente *agg* thorough, exhaustive (*form*)

esaurimento *sm* exhaustion LOC **esaurimento nervoso** nervous breakdown

esaurire *vt* **1** (*gen*) to exhaust: ~ *un argomento* to exhaust a subject **2** (*fondi, provviste*) to use *sth* up: *Abbiamo esaurito le provviste.* We've used up all our supplies. **3** (*stancare*) to wear *sb* out: *Il lavoro lo ha esaurito.* The work has worn him out.

esaurito, -a *pp, agg* **1** (*merce*) sold out: *tutto ~* sold out **2** (*libro*) out of print **3** (*posti*) booked up **4** (*persona*) run-down *Vedi anche* ESAURIRE

esausto, -a *agg* (*stanco*) worn out, exhausted (*più formale*)

esca *sf* bait: *fare da ~* to be used as bait

eschimese *smf* Eskimo [*pl* Eskimo/ Eskimos]

esclamare *vi* to exclaim

esclamativo, -a *agg* LOC *Vedi* PUNTO

esclamazione *sf* exclamation

escludere *vt* **1** (*corsa*) to exclude **2** (*persona*) to leave *sb* out (**of *sth***): *Lo escludono da tutto.* They leave him out of everything.

esclusivo, -a ◆ *agg* exclusive ◆ **esclusiva** *sf* (*giornalismo*) exclusive

escluso, -a *pp, agg* exclusive: *fino al 24 gennaio ~* till 24 January exclusive ◊ *35 sterline, servizio ~* £35, exclusive of service charge *Vedi anche* ESCLUDERE

escogitare *vt* to think *sth* up

escursione *sf* excursion: *fare un'escursione* to go on an excursion

escursionismo *sm* rambling: *fare dell'escursionismo* to go rambling

escursionista *smf* rambler

esecutivo, -a *agg* executive: *comitato ~* executive committee LOC *Vedi* POTERE[2]

eseguire *vt* **1** (*ordine, lavoro*) to carry *sth* out **2** (*pezzo musicale, danza*) to perform

esempio *sm* example: *Spero che ti serva d'esempio.* Let this be an example to you. LOC **dare l'esempio** to set an example **per/ad esempio** for example (*abbrev* eg)

esemplare ◆ *agg* exemplary ◆ *sm* specimen: *un bell'esemplare* a fine specimen

esente *agg ~* (**da**) exempt (**from *sth***)

esercitare ◆ *vt* **1** (*professione*) to practise **2** (*potere, diritti*) to exercise ◆ *vi* to practise: *Quel medico non esercita più.* That doctor no longer practises. ◆ **esercitarsi** *v rifl* **esercitarsi** (**a**) to practise *sth*: *Devi esercitarti tutti i giorni.* You have to practise every day. ◊ *Mi esercitavo al/a suonare il pianoforte.* I was practising the piano.

esercitazione *sf* (*compito in classe*) test LOC **fare le esercitazioni** (*Mil*) to be on manoeuvres

esercito *sm* army [*v sing o pl*] [*pl* armies]: *arruolarsi nell'esercito* to join the army

esercizio *sm* **1** (*gen*) exercise: *fare un ~ di matematica* to do a maths exercise ◊ *~ fisico* physical exercise **2** (*della professione*) practice LOC **essere fuori esercizio** to be out of practice

esibizionista *smf* **1** (*gen*) exhibitionist **2** (*maniaco*) flasher (*inform*)

esigente *agg* demanding

esigenza *sf* need

esigere *vt* **1** (*pretendere*) to demand *sth* (***from sb***): *Esigo una spiegazione.* I demand an explanation. **2** (*richiedere*) to require: *Esige una speciale preparazione.* It requires special training.

esiliare *vt* to exile *sb* (**from...**)

esiliato, -a ◆ *pp, agg* exiled ◆ *sm-sf* exile *Vedi anche* ESILIARE

esilio *sm* exile: *andare in ~* to go into exile

esistenza *sf* existence

esistere *vi* to exist: *Questa parola non esiste.* That word doesn't exist.

esitare *vi ~* (**a**) to hesitate (***to do sth***): *Non ~ a chiamare.* Don't hesitate to call.

esito *sm* result: *Il test ha avuto ~ negativo.* The result of the test was negative.

esofago *sm* oesophagus [*pl* oesophagi/ oesophaguses]

esonero *sm* exemption

esorcismo *sm* exorcism

esotico, -a *agg* exotic

espandersi *v rifl* **1** (*gen*) to expand **2** (*diffondersi*) to spread

espansione *sf* expansion LOC **in espansione** expanding: *un settore in continua ~* an expanding sector

espansivo, -a *agg* communicative

espediente *sm* expedient

espellere *vt* **1** (*gen*) to expel *sb* (**from...**): *L'hanno espulso da scuola.* He was expelled (from school). **2** (*Sport*) to send *sb* off: *È stato espulso nel primo tempo.* He was sent off in the first half.

esperienza *sf* experience: *anni di ~ professionale* years of work experience ◊ *È stata una bella ~.* It was a great experience. LOC **avere molta esperienza** to be very experienced

esperimento *sm* experiment: *fare un ~* to carry out an experiment

esperto, -a ◆ *agg* expert ◆ *sm-sf ~* (**in**) expert (**at/in *sth/doing sth***) LOC **essere esperto** (**di**) to know (about *sth*)

espirare *vi* to breathe out, to exhale (*form*)

esplicito, -a *agg* explicit

esplodere *vi* to explode

esplorare *vt* to explore

esploratore, -trice *sm-sf* explorer

esplosione *sf* explosion: *una ~ nucleare* a nuclear explosion ◊ *l'esplosione demografica* the population explosion

esplosivo, -a *agg*, *sm* explosive

esporre ◆ *vt* **1** (*quadro*) to exhibit **2** (*merce*) to set *sth* out **3** (*idea*) to present ◆ **esporsi** *v rifl* **1 esporsi a** (*luce*) to expose yourself **to *sth***: *Non ti ~ troppo al sole.* Don't stay out in the sun too long. **2 esporsi a** (*critiche*) to lay yourself open **to *sth*** **3** (*compromettersi*) to stick your neck out

esportare *vt* to export

esportatore, -trice ◆ *agg* exporting: *i paesi esportatori di petrolio* the oil-exporting countries ◆ *sm-sf* exporter

esportazione *sf* export: *l'esportazione del grano* the export of wheat ◊ *aumentare le esportazioni* to increase exports LOC **d'esportazione**: *merce d'esportazione* exports

esposizione *sf* **1** (*d'arte*) exhibition: *una ~ di mobili antichi* an exhibition of antique furniture **2** (*merce*) display **3** (*tema*) presentation

espressione *sf* expression

espressivo, -a *agg* **1** (*gen*) expressive **2** (*sguardo*) meaningful

espresso, -a ◆ *pp*, *agg* (*detto*) express ◆ *sm* **1** (*caffè*) espresso [*pl* espressos] **2** (*lettera*) express *Vedi anche* ESPRIMERE

esprimere *vt* to express

espulsione *sf* **1** (*gen*) expulsion **2** (*Sport*) sending-off [*pl* sendings-off]

essenza *sf* essence

essenziale ◆ *agg* ~ (**per**) essential (**to/for *sth***) ◆ *sm* **1** (*cosa importante*) main thing: *L'essenziale è che ci siamo tutti.* The main thing is we're all here. **2** (*minimo*) what's essential: *Portati solo l'essenziale.* Only take what's essential.

essere[1] *sm* being LOC **un essere umano/vivente** a human/living being

essere[2] ◆ *vi* **1** (*gen*) to be: *Dov'è la biblioteca?* Where's the library? ◊ *~ malato/stanco* to be ill/tired ◊ *È alta/giovane.* She's tall/young. ◊ *Sono di Napoli.* I'm from Naples. ◊ *Sono le sette.* It's seven o'clock. ◊ *"Quant'è?" "2.500 lire."* 'How much is it?' '(It's) 2500 lire.' ◊ *"Chi è?" "Sono Lucia."* 'Who's that?' 'It's Lucia.' ◊ *Nella mia famiglia siamo in sei.* There are six of us in my family.

> In inglese davanti al sostantivo che indica la professione si usa l'articolo indeterminativo: *Sono medico.* I'm a doctor.

2 ~ di (*materiale*) to be made **of *sth***: *È di alluminio.* It's made of aluminium. ◆ *v aus* **1** (*forma passiva*) to be: *È stato investito.* He was run over. ◊ *Sarà promosso.* He's going to be promoted. **2** (*tempi composti*): *Sono già partiti.* They've already left. ◊ *Sarà arrivata?* Do you think she's arrived? ◊ *Sono tornato giovedì.* I got home on Thursday. ◊ *Si saranno persi?* Perhaps they've got lost. ◆ *v impers* to be: *È il tre maggio.* It's the third of May. ◊ *È vero/presto.* It's true/early. ◊ *Oggi è lunedì/freddo.* It's Monday/cold today. ◊ *Sarebbe meglio…* It would be better to… LOC **c'è/ci sono** there is/there are **esserci 1** (*in casa, ufficio*) to be in: *C'è Roberto?* Is Roberto in? **2** (*capire*) to get it: *Ora ci sono!* I've got it now! **se fossi in te** if I were you: *Se fossi in te non ci andrei.* If I were you I wouldn't go. ☛ Per altre espressioni con **essere** vedi alla voce del sostantivo, dell'aggettivo, ecc, ad es. **essere d'accordo** a ACCORDO.

esso, essa *pron pers* it

est *sm* **1** (*punto cardinale, zona*) east (*abbrev* E): *Vivono nell'est della Francia.* They live in the east of France. ◊ *a ~* in the east ◊ *È a ~ di Londra.* It's east of London. ◊ *più a ~* further east ◊ *la costa ~* the east coast **2** (*direzione*) easterly: *in direzione ~* in an easterly direction

estasi *sf* ecstasy [*pl* ecstasies]

estate *sf* summer: *D'estate fa molto caldo.* It's very hot in (the) summer.

estendere ◆ *vt* to extend ◆ **estendersi** *v rifl* **1** (*terreno, città*) to stretch: *Il giardino si estende fino al lago.* The garden stretches down to the lake. **2** (*fuoco, epidemia*) to spread

estenuante *agg* exhausting

esterno, -a ◆ *agg* outer: *lo strato ~* the outer layer ◆ *sm* outside: *l'esterno della casa* the outside of the house ◊ *Dall'esterno non si vede.* You can't see it from the outside. LOC *Vedi* USO

estero, -a ◆ *agg* foreign: *politica ~* foreign policy ◆ *sm*: *commercio con l'estero* foreign trade LOC **all'estero** abroad: *abitare/andare all'estero* to live/go abroad *Vedi anche* MINISTERO, MINISTRO

esteso, -a *pp, agg* **1** (*gen*) extensive **2** (*territorio*) vast *Vedi anche* ESTENDERE

estetico, -a *agg* aesthetic

estetista *smf* beautician

estinguere ◆ *vt* (*fuoco*) to put *sth* out ◆ **estinguersi** *v rifl* (*specie*) to become extinct

estinto, -a *pp, agg* extinct *Vedi anche* ESTINGUERE

estintore *sm* fire extinguisher

estinzione *sf* extinction: *La tigre è in ~.* The tiger is in danger of extinction.

estivo, -a *agg* summer [*s attrib*]: *un vestito ~* a summer dress ◊ *le vacanze estive* the summer holidays

estone *agg, smf, sm* Estonian: *gli estoni* the Estonians ◊ *parlare ~* to speak Estonian

Estonia *sf* Estonia

estraneo, -a *sm-sf* stranger

estrarre *vt* **1** (*gen*) to extract *sth* (**from sb/sth**): *~ informazioni da qn* to extract information from sb ◊ *~ un dente* to extract a tooth **2** (*sorteggiare*): *~ a sorte* to draw lots

estratto *sm* extract LOC **estratto conto** bank statement **estratto di pomodoro** tomato purée

estremamente *avv* extremely: *È ~ importante che ci parli.* It's extremely important that I talk to him.

estremità *sf* **1** (*parte*) end: *Prendi le ~ della tovaglia.* Take hold of the ends of the tablecloth. **2 le estremità** (*corpo*) extremities

estremo, -a ◆ *agg* **1** (*gen*) extreme: *un caso ~* an extreme case ◊ *fare qc con estrema precauzione* to do sth with extreme care **2** (*ultimo*) last: *un ~ tentativo* one last try ◆ *sm* **1** (*limite*) extreme: *andare da un ~ all'altro* to go from one extreme to another **2 estremi** (*dati*) details LOC *Vedi* ORIENTE

estroverso, -a *agg* extrovert [*s*]: *È molto ~.* He's a real extrovert.

estuario *sm* estuary [*pl* estuaries]

età *sf* age: *Che ~ hanno?* How old are they? ◊ *alla tua ~* at your age ◊ *bambini di tutte le ~* children of all ages LOC **della mia, tua, ecc età** my, your, etc age: *Non c'era nessuno della mia ~.* There wasn't anybody my age. **non avere ancora/più l'età** to be too young/too old (*for sth/to do sth*) *Vedi anche* FASCIA, MEZZO, TERZO

eternità *sf* eternity LOC **un'eternità** ages: *Ci avete messo un'eternità.* You've been ages.

eterno, -a *agg* eternal

eterosessuale *agg, smf* heterosexual

etichetta *sf* label: *l'etichetta di una scatola/bottiglia* the label on a box/bottle LOC **mettere l'etichetta su** to label *sth*

etico, -a ◆ *agg* ethical ◆ **etica** *sf* ethics [*sing*]

etimologia *sf* etymology [*pl* etymologies]

etiope *agg, smf* Ethiopian: *gli etiopi* the Ethiopians

Etiopia *sf* Ethiopia

etnico, -a *agg* ethnic: *gruppo ~* ethnic group

ettaro *sm* hectare (*abbrev* ha)

etto *sm* a hundred grams: *un ~ di parmigiano* a hundred grams of Parmesan

eucalipto *sm* eucalyptus [*pl* eucalyptuses/eucalypti]

Eucarestia *sf* Eucharist

euforia *sf* euphoria

euforico, -a *agg* euphoric

eurodeputato (*anche* **europarlamentare**) *sm* Euro MP

Europa *sf* Europe

europeo, -a *agg, sm-sf* European LOC *Vedi* UNIONE

eutanasia *sf* euthanasia

evacuare *vt* (*zona*) to evacuate

evacuazione *sf* (*zona*) evacuation

evadere ◆ *vi* (*dal carcere*) to escape (**from sth**) ◆ *vt* (*fisco*) to evade: *~ le tasse* to evade taxes

evaporare *vi* to evaporate

evaporazione *sf* evaporation

evasione *sf* (*fuga*) escape LOC **evasione fiscale** tax evasion

evasivo, -a *agg* evasive

evaso, -a *sm-sf* escapee

evento *sm* event: *gli eventi degli ultimi giorni* the events of the past few days

eventuale *agg* possible

eventualmente *avv* if necessary: *~ te lo presto io.* I'll lend it to you if necessary.

> Nota che la parola inglese **eventually** non significa *eventualmente* ma *alla fine.*

evidente *agg* obvious

evidentemente *avv* obviously: *~ non lo voleva.* She obviously didn't want it

evidenziatore *sm* highlighter

evitare *vt* **1** (*gen*) to avoid *sb/sth/doing sth*: *Fa di tutto per evitarmi.* He does everything he can to avoid me. **2** (*impedire*) to prevent: ~ *una catastrofe* to prevent a disaster

evoluzione *sf* **1** (*Biol*) evolution **2** (*sviluppo*) development

evolversi *v rifl* **1** (*Biol*) to evolve **2** (*svilupparsi*) to develop

evviva! *escl* hooray!: ~, *sono stato promosso!* Hooray! I've passed!

ex former (*form*), old: *l'ex Unione Sovietica* the former Soviet Union ◊ *il mio ex capo* my old boss

extra *agg* extra: *spese* ~ extra costs

extracomunitario, -a ◆ *agg* non-EU ◆ *sm-sf* non-EU citizen

extrascolastico, -a *agg*: *attività extrascolastiche* extracurricular activities

extraterrestre ◆ *agg* extraterrestrial ◆ *smf* alien

extravergine *agg* extra virgin: *olio* ~ *d'oliva* extra virgin olive oil

Ff

fa[1] *sm* F: *fa maggiore* F major

fa[2] *avv* ago: *Quanto tempo fa?* How long ago? ◊ *tre anni fa* three years ago

fabbrica *sf* factory [*pl* factories]: *una* ~ *di auto* a car factory LOC *Vedi* MARCHIO

fabbricante *sm* manufacturer

fabbricare *vt* to manufacture, to make (*più informale*): ~ *autovetture* to manufacture cars

fabbricazione *sf* manufacture, making (*più informale*) LOC **di fabbricazione spagnola, olandese, ecc** made in Spain, Holland, etc

faccenda *sf* **1** (*cosa da fare*) matter: *Ho una* ~ *da sistemare.* There's a matter I've got to sort out. **2** (*fatto*) business: *È una brutta* ~. It's a nasty business. **3 faccende** (*lavori domestici*) housework [*sing*]: *fare le faccende* to do the housework

faccia *sf* **1** (*viso*) face **2** (*moneta, luna, Geom*) side LOC **faccia a faccia** face to face **faccia di bronzo/tosta** cheek: *Che* ~ *tosta!* What a cheek! *Vedi anche* GUARDARE, SPACCARE

facciata *sf* **1** (*Archit*) façade (*form*), front: *la* ~ *dell'ospedale* the front of the hospital **2** (*pagina*) side: *Ho scritto un tema di sei facciate.* I wrote six sides.

facile *agg* **1** (*gen*) easy: *È più* ~ *di quanto sembri.* It's easier than it looks. ◊ *È* ~ *a dirsi.* That's easy to say. **2** (*probabile*): *È* ~ *che arrivi tardi.* He will probably be late.

facoltà *sf* faculty [*pl* faculties]: *in pieno possesso delle sue* ~ in full possession of his mental faculties ◊ ~ *di Lettere e Filosofia* Faculty of Arts

facoltativo, -a *agg* optional

faggio *sm* beech (tree)

fagiano *sm* pheasant

fagiolino *sm* green bean

fagiolo *sm* bean

fagotto *sm* (*Mus*) bassoon

fai da te *sm* do-it-yourself (*abbrev* DIY)

falce *sf* scythe

falcetto *sm* sickle

falciare *vt* **1** (*erba*) to mow **2** (*persona*) to mow *sb* down

falco *sm* falcon

falegname *sm* carpenter

falegnameria *sf* **1** (*attività*) carpentry **2** (*bottega*) carpenter's shop

falena *sf* moth ☛ *Vedi illustrazione a* FARFALLA

fallimento *sm* **1** (*gen*) failure **2** (*Fin*) bankruptcy [*pl* bankruptcies]

fallire *vi* **1** (*gen*) to fail **2** (*piano*) to fall through **3** (*azienda*) to go bust: *Molte aziende sono fallite.* Many firms have gone bust. **4** (*persona*) to go bankrupt

fallito, -a ◆ *pp, agg* unsuccessful ◆ *sm-sf* **1** (*gen*) failure **2** (*Fin*) bankrupt *Vedi anche* FALLIRE

fallo *sm* **1** (*calcio*) foul **2** (*tennis*) fault

falò *sm* bonfire: *fare un* ~ to make a bonfire ☛ *Vedi nota a* BONFIRE NIGHT

falsificare *vt* to forge

falso, -a ◆ *agg* **1** (*gen*) false: *un* ~ *allarme* a false alarm **2** (*gioielli*) fake **3**

(*banconota, firma*) forged ◆ *sm* (*oggetto*) forgery LOC *Vedi* GIURARE

fama *sf* **1** (*celebrità*) fame: *raggiungere la ~* to achieve fame **2** ~ (**di**) (*reputazione*) reputation (**for** ***sth/doing sth***): *avere una buona/cattiva ~* to have a good/bad reputation ◊ *Ha la ~ di essere severissimo.* He has a reputation for being very strict. LOC *Vedi* ACQUISTARE

fame *sf* hunger LOC **avere una fame da lupo** to be starving **aver fame** to be hungry *Vedi anche* MORIRE, MORTO, SOFFRIRE

famiglia *sf* family [*v sing o pl*] [*pl* families]: *una ~ numerosa* a large family ◊ *La mia ~ vive in Francia.* My family live in France. ◊ *La mia ~ è del nord.* My family is/are from the north.

In inglese ci sono due modi per indicare il cognome di una famiglia: con la parola **family** ("the Robertson family") e mettendo il cognome al plurale ("the Robertsons").

familiare ◆ *agg* **1** (*della famiglia*) family [*s attrib*]: *vincoli familiari* family ties **2** (*conosciuto*) familiar: *Mi sembra un viso ~.* She looks familiar. ◆ *smf* (*parente*) relative

famoso, -a *agg* ~ (**per**) **1** (*celebre*) famous (**for** ***sth***): *diventare ~* to become famous **2** (*cattiva fama*) notorious (**for** ***sth***): *È ~ per il suo caratteraccio.* He's notorious for his bad temper.

fan *smf* fan

fanale *sm* light LOC **fanale posteriore** rear light

fanatico, -a *agg, sm-sf* fanatic

fanfara *sf* brass band

fango *sm* **1** (*gen*) mud: *Non andate a sporcarvi nel ~!* Stay away from that mud! **2 fanghi** (*termali*) mud baths: *fare i fanghi* to take mud baths

fannullone, -a *sm-sf* lazybones [*pl* lazybones]: *È un ~.* He's a lazybones.

fantascienza *sf* science fiction

fantasia ◆ *sf* **1** (*immaginazione*) imagination **2** (*cosa immaginata*) fantasy [*pl* fantasies]: *È solo una sua ~.* That's just a fantasy of his. ◆ *agg* (*tessuto*) patterned

fantasma *sm* ghost: *un racconto di fantasmi* a ghost story

fantastico, -a *agg* fantastic

fante *sm* (*Carte*) jack ☛ *Vedi nota a* CARTA

fantino, -a *sm-sf* jockey [*pl* jockeys]

farcia *sf* stuffing

farcire *vt* to stuff *sth* (***with sth***)

fard *sm* blusher

fare ◆ *vt*

- si traduce con **to make** nei seguenti casi **1** (*fabbricare*): *~ una gonna/una torta* to make a skirt/a cake **2** (*soldi rumore, errore*): *Qui hai fatto un errore.* You've made a mistake here. **3** (*commento, promessa, progetti*): *Devi ~ uno sforzo.* You must make an effort ☛ *Vedi esempi a* MAKE[1]
- si traduce con **to do** nei seguenti casi **1** quando si parla di un'attività senza specificare di che cosa si tratta: *Cosa facciamo stasera?* What shall we do this evening? ◊ *Faccio quel che posso.* I do what I can. **2** quando si parla di lavoro studi, ecc: *~ la spesa* to do the shopping ◊ *~ i compiti/un corso* to do your homework/a course ◊ *~ i calcoli* to do sums **3** (*favore*): *Mi fai un favore?* Will you do me a favour? ☛ *Vedi esempi a* DO[2]
- si traduce con **to have** nei seguenti casi **1** (*mangiare, bere*): *~ colazione/merenda* to have breakfast/a snack **2** (*pausa, festa*): *Facciamo una pausa.* Let's have a break. **3** (*doccia, bagno*): *Ti sei fatto la doccia?* Have you had a shower? ☛ *Vedi esempi a* HAVE
- **con infinito 1** attivo **(a)** (*valore causativo*) to make: *far piangere qn* to make sb cry ◊ *Mia madre mi ha fatto lavare i piatti per punizione.* My mother made me wash up as a punishment. **(b)** (*lasciare*) to let: *Fammi assaggiare!* Let me try! **2** passivo: *Ci siamo fatti mettere il riscaldamento centralizzato.* We've just had central heating installed. ◊ *farsi ~ l'abito da sposa* to have a wedding dress made
- **altri usi: 1** (*scrivere*) to write: *~ una relazione* to write a report **2** (*dipingere, disegnare*) to paint, to draw: *~ un quadro/una riga* to paint a picture/to draw a line **3** (*nodo*) to tie: *~ un fiocco* to tie a bow **4** (*distanza*): *Faccio 50km ogni giorno.* I travel 50km every day. **5** (*domanda*) to ask: *Perché fai tante domande?* Why do you ask so many questions? **6** (*sport*): *~ judo/aerobica* to do judo/aerobics ◊ *~ del ciclismo/dell'alpinismo* to go cycling/climbing **7** (*professione*): *Che lavoro fa?* What do you do? ◊ *Fa l'ingegnere/il postino.* He's an engineer/a postman. **8** (*studi*): *~ l'università/il liceo artistico* to go to university/art school **9** (*fumo*) to give *sth* off: *Fa molto fumo.* It gives off a lo

of smoke. **10** (*assegno*) to make *sth* out: *Ho fatto un assegno da 200.000 lire.* I made out a cheque for 200000 lire. **11** (*biglietto*) to buy: *Aspetta, devo ~ il biglietto.* Wait for me, I have to buy my ticket.
◆ *vi* ~ **da**: ~ *da madre/padre a qn* to be like a mother/father to sb ◊ *Una scatola faceva da tavolino.* A cardboard box served as a table. ◆ *v impers* **1** (*tempo*): *Fa un anno che ci siamo conosciuti.* We met a year ago. **2** (*tempo meteorologico*): *Fa caldo/freddo.* It's hot/cold. ◊ *Ha fatto bel tempo.* It was nice weather. ◆ **farsi** *v rifl* **1** (*diventare*): *farsi grande* to grow up ◊ *Si sta facendo tardi.* It's getting late. **2** (*droga*) to do drugs
☛ Per le espressioni con **fare** vedi alla voce del sostantivo, dell'aggettivo, ecc, ad es. **far la spesa** a SPESA.

farfalla

farfalla *sf* **1** (*insetto*) butterfly [*pl* butterflies] **2** (*nuoto*) butterfly: *i 200 metri* ~ the 200 metres butterfly LOC *Vedi* NUOTARE
farina *sf* flour
farmacia *sf* **1** (*negozio*) chemist's [*pl* chemists]: *C'è una ~ qui vicino?* Is there a chemist's near here? ☛ *Vedi nota a* PHARMACY **2** (*facoltà*) pharmacy LOC **farmacia di turno** duty chemist
farmacista *smf* chemist
faro *sm* **1** (*torre*) lighthouse **2** (*auto, moto*) headlight **3** (*bicicletta*) light
fascetta *sf*: *una ~ da polso* a wristband
fascia *sf* **1** (*gen*) band: *una ~ per i capelli* a hair band **2** (*benda*) bandage: *una ~ elastica* an elastic bandage **3** (*uniforme*) sash LOC **fascia d'età** age group **fascia oraria** time band
fasciare *vt* to bandage
fascicolo *sm* **1** (*rivista*) instalment **2** (*dossier*) file
fascino *sm* charm: *Ha molto ~.* He's got a lot of charm.
fascio *sm* bundle: *un ~ di giornali* a bundle of newspapers
fascismo *sm* fascism
fascista *agg, smf* fascist
fase *sf* stage, phase (*più formale*)
fastidio *sm* **1** (*disturbo*) bother: *dar ~ a qn* to bother sb ◊ *Le dà ~ se fumo?* Does it bother you if I smoke? **2** (*dolore*) discomfort: *Sente ancora un certo ~ alla gamba.* He still has some discomfort in his leg.
fastidioso, -a *agg* annoying
fata *sf* fairy [*pl* fairies]
fatale *agg* fatal
fatica *sf* hard work: *È stata una bella ~!* It was hard work! LOC *Vedi* DURARE
faticoso, -a *agg* tiring
fatto, -a ◆ *pp, agg* **1** (*fabbricato*) made: *Di che cosa è ~?* What's it made of? ◊ *~ a mano/macchina* handmade/machine-made **2** (*drogato*) stoned ◆ *sm* **1** (*gen*) fact: *I fatti parlano chiaro.* The facts speak for themselves. **2** (*avvenimento*) event: *la sua versione dei fatti* his version of the events **3** (*faccenda*) business: *Non sono fatti tuoi!* It's none of your business! LOC **ben fatto!** well done! **di fatto** in fact **il fatto è che...** the fact is (that)...: *Il ~ è che non posso andare.* The fact is I can't go. **in fatto di...** when it comes to... *Vedi anche* AFFARE, CASA, DETTO, FRASE, MISURA; *Vedi anche* FARE
fattore *sm* **1** (*elemento*) factor: *un ~ chiave* a key factor **2** (*contadino*) farmer
fattoria *sf* farm
fattorino, -a *sm-sf* delivery man/woman [*pl* delivery men/women]
fattura *sf* (*Comm*) invoice
fauna *sf* fauna
fava *sf* broad bean LOC *Vedi* PICCIONE
favo *sm* honeycomb
favola *sf* fairy tale
favoloso, -a *agg* fabulous
favore *sm* favour: *Mi faresti un ~?* Can you do me a favour? ◊ *chiedere un ~ a qn* to ask sb a favour LOC **a favore di** in favour of *sb/sth/doing sth*: *Siamo a ~ del progetto.* We're in favour of the project. **per favore** please
favorevole *agg* **1** (*propizio*) favourable **2** ~ **a** in favour **of *sth*/*doing sth***
favorire *vt* to encourage: *nuove misure per ~ le esportazioni* new measures to encourage exports
favoritismo *sm* favouritism
favorito, -a *agg, sm-sf* favourite
fax *sm* fax: *mandare un ~* to send a fax
fazzoletto *sm* handkerchief [*pl* handkerchiefs/handkerchieves] LOC **fazzoletto di carta** tissue

febbraio *sm* February (*abbrev* Feb) ☛ *Vedi esempi a* GENNAIO

febbre *sf* **1** (*temperatura anormale*) temperature: *misurare la* ~ to take sb's temperature ◊ *avere la* ~ to have a temperature ◊ *Ha la* ~ *a 38°.* He's got a temperature of 38°. **2** (*malattia, fig*) fever: ~ *gialla* yellow fever

fecondare *vt* to fertilize

fecondazione *sf* fertilization

fede *sf* **1** (*gen*) faith (**in *sb/sth***) **2** (*anello*) wedding ring

fedele *agg* ~ (**a**) faithful (**to *sb/sth***)

fedeltà *sf* faithfulness LOC *Vedi* ALTO, GIURARE

federa *sf* pillowcase

federazione *sf* federation

fegato *sm* liver LOC **mangiarsi/rodersi il fegato** to be seething with rage *Vedi anche* LESIONE

felce *sf* fern

felice *agg* happy

felicità *sf* happiness LOC *Vedi* COLMO

felino, -a *agg, sm* feline

felpa *sf* sweatshirt

feltro *sm* felt

femmina *sf, agg* female: *un leopardo* ~ a female leopard ☛ *Vedi nota a* FEMALE

femminile *agg* **1** (*sesso*) female: *il sesso* ~ the female sex **2** (*Sport, moda*) women's: *la squadra* ~ the women's team **3** (*caratteristico delle donne, Gramm*) feminine: *Si veste in modo molto* ~. She wears very feminine clothes. ☛ *Vedi nota a* FEMALE

femminismo *sm* feminism

femminista *agg, smf* feminist

femore *sm* thigh bone

fendinebbia *sm* fog lamp

fenicottero *sm* flamingo [*pl* flamingos/flamingoes]

fenomenale *agg* fantastic

fenomeno *sm* **1** (*gen*) phenomenon [*pl* phenomena]: *fenomeni paranormali* paranormal phenomena **2** (*prodigio*) fantastic [*agg*]: *Quest'attore è un* ~. This actor is fantastic.

feriale *agg* LOC *Vedi* GIORNO

ferie *sf* holidays: *due settimane di* ~ two weeks' holiday

ferire *vt* **1** (*gen*) to injure **2** (*proiettile, coltello*) to wound ☛ *Vedi nota a* FERITA

ferita *sf* **1** (*gen*) injury [*pl* injuries] **2** (*proiettile, coltello*) wound

È difficile sapere quando usare **wounc** e quando **injury** o i verbi corrispon denti, **to wound** e **to injure**. **Wound** to **wound** si usano per riferirsi a ferit causate deliberatamente con un'arma (ad es. un coltello, una pistola): *ferit d'arma da fuoco* gunshot wounds ◊ *La ferita non tarderà a guarire.* The wound will soon heal. ◊ *È rimasto ferit in guerra.* He was wounded in the war Se la ferita è stata provocata acciden talmente si usa **injury** e **to injure** Talvolta *injury* corrisponde all'italian *lesione*: *Ha riportato solo ferite leggere* He suffered only minor injuries. ◊ *Numerose persone sono rimaste ferit dalle schegge di vetro.* Several peopl were injured by flying glass. ◊ *Il casc previene eventuali lesioni cerebrali* Wearing a helmet can prevent brair injuries.

ferito, -a ♦ *pp, agg* **1** (*gen*) injured **2** (*proiettile, coltello*) wounded ♦ *sm-sf* casualty [*pl* casualties] *Vedi anche* FERIRE

fermaglio *sm* **1** (*capelli*) hair clip **2** (*collana, borsa*) clasp

fermare ♦ *vt* **1** (*gen*) to stop: *Ferma la macchina.* Stop the car. **2** (*polizia*) to detain ♦ *vi* to stop: *Il treno ferma a tutte le stazioni.* This train stops at every station. ♦ **fermarsi** *v rifl* to stop: *Il treno non si è fermato.* The train didn't stop. ◊ *Mi sono fermato a parlare con un'amica.* I stopped to talk to a friend LOC **non fermarsi un attimo** to be always on the go

fermata *sf* stop: *Scendi alla prossima* ~. Get off at the next stop. LOC **fermata a richiesta** request stop **fermata d'autobus** bus stop

fermentare *vi* to ferment

fermo, -a *agg* **1** (*gen*) still: *stare/restare* ~ to keep still ◊ *Fermo!* Don't move! **2** (*veicolo*) stationary **3** (*orologio*): *È fermo.* It has stopped. LOC **tenere fermo** to hold *sb* down: *Due poliziotti lo tenevano* ~. Two policemen were holding him down. *Vedi anche* MANO

feroce *agg* fierce

ferragosto *sm* mid-August holiday

ferramenta *sf* **1** (*negozio*) ironmonger's [*pl* ironmongers] **2** (*arnesi*) hardware

ferro *sm* iron: *una sbarra di* ~ an iron bar LOC **ai ferri** grilled **ferro battuto** wrought iron **ferro da stiro** iron **ferro**

di cavallo horseshoe *Vedi anche* BRACCIO, CORTINA, FILO, SALUTE, TOCCARE

ferrovecchio *sm* (*commerciante*) scrap merchant

ferrovia *sf* railway

ferroviario, -a *agg* railway, train (*più informale*): *stazione ferroviaria* railway/train station LOC *Vedi* NODO

fertile *agg* fertile

fertilizzante *sm* fertilizer

fertilizzare *vt* to fertilize

fessura *sf* **1** (*crepa*) crack **2** (*scanalatura*) slot: *Devi introdurre la moneta nella ~.* You have to put the coin in the slot.

festa *sf* **1** (*ricevimento*) party [*pl* parties]: *dare una ~ per il compleanno* to have a birthday party **2** (*giorno festivo*) holiday [*pl* holidays]: *Domani è ~.* Tomorrow is a holiday. **3 feste**: *le feste di Natale* the Christmas festivities **4** (*sagra*) festival: *la ~ del paese* the village festival LOC **fare festa** to have a day off **festa della mamma/del papà** Mothers'/Fathers' Day **festa del lavoro** Labour Day **festa nazionale** public holiday

festeggiamento *sm* celebration: *I festeggiamenti sono continuati fino a notte inoltrata.* The celebrations continued till well into the night.

festeggiare *vt* to celebrate: *~ un compleanno* to celebrate a birthday

festival *sm* festival: *il Festival di Sanremo* the Sanremo Festival

festivo, -a *agg* LOC *Vedi* GIORNO

feto *sm* foetus [*pl* foetuses]

fetta *sf* slice: *due fette di pane* two slices of bread ◊ *tagliare qc a fette* to slice sth ☛ *Vedi illustrazione a* PANE LOC **fetta biscottata** French toast [*non numerabile*]

fiaba *sf* fairy tale

fiacco, -a *agg* listless

fiaccola *sf* torch: *la ~ olimpica* the Olympic torch

fiamma *sf* flame: *andare in fiamme* to go up in flames LOC **dare alle fiamme** to set *sth* on fire **essere in fiamme** to be ablaze *Vedi anche* RITORNO

fiammante *agg* LOC *Vedi* NUOVO

fiammifero *sm* match: *accendere un ~* to strike a match ◊ *una scatola di fiammiferi* a box of matches

fiancheggiare *vt* to border: *le siepi che fiancheggiano la strada* the hedges bordering the road

fianco *sm* **1** (*gen*) side: *il ~ di una montagna* the side of a mountain ◊ *~ a ~* side by side **2** (*anca*) hip

fiasco *sm* **1** (*vino*) bottle **2** (*fallimento*) fiasco [*pl* fiascos]

fiatare *vi* LOC **senza fiatare** without saying a word

fiato *sm* breath: *È ~ sprecato.* It's a waste of breath. LOC **avere il fiato grosso** to be out of breath **col fiato sospeso** with bated breath **essere senza fiato** to be out of breath **riprendere fiato** to get your breath back **(tutto) d'un fiato** in one go: *bere qc (tutto) d'un ~* to drink sth in one go

fibbia *sf* buckle

fibra *sf* fibre

ficcanaso *smf* Nosey Parker

ficcare ◆ *vt* to put: *ficcarsi le mani in tasca* to put your hands in your pockets ◆ **ficcarsi** *v rifl* to get to: *Dove ti eri ficcato?* Where did you get to? LOC **ficcare il naso** to poke/stick your nose *into sth*

fico *sm* **1** (*frutto*) fig **2** (*albero*) fig tree LOC **fico d'India** prickly pear

fidanzamento *sm* engagement LOC *Vedi* ANELLO

fidanzarsi *v rifl* to get engaged (*to sb*)

fidanzato, -a ◆ *pp, agg* engaged (*to sb*) ◆ *sm-sf* fiancé [*fem* fiancée] *Vedi anche* FIDANZARSI

fidarsi *v rifl* ~ **di** to trust *sb*: *Non mi fido di lei.* I don't trust her.

fidato, -a *pp, agg* trustworthy: *un collaboratore ~* a trustworthy worker *Vedi anche* FIDARSI

fiducia *sf* ~ (**in**) confidence (**in *sb/sth***): *Non hanno molta ~ in lui.* They don't have much confidence in him. LOC **di fiducia** trustworthy: *una persona di ~* a trustworthy person **fiducia in se stessi** self-confidence: *Non ho ~ in me stessa.* I lack self-confidence. *Vedi anche* DEGNO, VOTO

fienile *sm* barn

fieno *sm* hay LOC *Vedi* RAFFREDDORE

fiera *sf* fair: *~ del libro* book fair LOC **fiera campionaria** trade fair

fiero, -a *agg* proud: *andar ~ di qn/qc* to be proud of sb/sth

fifone, -a *agg, sm-sf* chicken [*agg*]: *Non essere ~.* Don't be chicken.

figliastro, -a *sm-sf* stepson [*fem* stepdaughter] [*pl* stepchildren]

figlio, -a *sm-sf* **1** (*senza distinzione di sesso*) child [*pl* children]: *È il primo ~?*

Is it their first child? ◊ *Non hanno figli.* They don't have any children. **2** (*maschio*) son **3** (*femmina*) daughter LOC **figlio/figlia di papà** daddy's boy/girl **figlio unico** only child: *Sono ~ unico.* I'm an only child. *Vedi anche* TALE

figlioccio, -a *sm-sf* **1** (*senza distinzione di sesso*) godchild [*pl* godchildren]: *Ho due figliocci: un maschio e una femmina.* I've got two godchildren: one boy and one girl. **2** (*maschio*) godson **3** (*femmina*) god-daughter

figura *sf* **1** (*gen*) figure **2** (*illustrazione*) picture LOC **fare una bella/brutta figura** to make a good/bad impression (*on sb*): *Ho fatto una brutta ~ con Luca.* I made a bad impression on Luca.

figurare ◆ *vi* (*risultare*) to be: *L'Italia figura tra i maggiori consumatori di whisky.* Italy is one of the biggest consumers of whisky. ◆ **figurarsi** *v rifl* **1** (*immaginare*) to imagine: *Me lo figuravo più alto.* I imagined he would be taller. **2** (*nelle risposte*): *"Grazie!" "Figurati!"* 'Thank you!' 'Don't mention it.' ◊ *"Disturbo?" "No, figurati!"* 'Am I disturbing you?' 'Not at all.'

fila *sf* **1** (*uno di fianco all'altro*) row: *Si sono seduti in prima/ultima ~.* They sat in the front/back row. **2** (*uno dietro l'altro*) line: *Formate una ~.* Get in line. **3** (*coda*) queue: *fare la ~* to queue LOC **di fila** in a row **in fila indiana** in single file *Vedi anche* PARCHEGGIARE

filare ◆ *vt* (*lana*) to spin ◆ *vi* **1** (*discorso, ragionamento*) to make sense **2** (*andarsene*) to clear off: *È filato via appena ha visto il poliziotto.* He cleared off as soon as he saw the policeman. **3** (*formaggio*) to go stringy

filetto *sm* fillet: *filetti di merluzzo* cod fillets

filiale *sf* branch

Filippine *sf* the Philippines

filippino, -a *agg, sm-sf* Filipino: *i filippini* the Filipinos

film *sm* film: *proiettare un ~* to show a film LOC **film comico** comedy [*pl* comedies] **film dell'orrore** horror film **film muto** silent film

filmare *vt* to film

filo *sm* **1** (*gen*) thread: *un rocchetto di ~* a reel of thread **2** (*metallo, telefono*) wire: *~ elettrico* electric wire **3** (*coltello, rasoio*) cutting edge LOC **fil di ferro** wire **filo interdentale** dental floss **filo spinato** barbed wire **per filo e per segno** word for word: *ripetere qc per ~ e per segno* to repeat sth word for word **sul filo del rasoio** on a knife edge *Vedi anche* PERDERE

filologia *sf* philology

filoncino *sm* baguette: *Mi dà tre filoncini?* Could I have three baguettes please? ☛ *Vedi illustrazione a* PANE

filosofia *sf* philosophy [*pl* philosophies]

filosofo, -a *sm-sf* philosopher

filtrare ◆ *vt* to filter ◆ *vi* **1** (*gen*) to filter (in/out) (***through sth***): *La luce filtrava dalle fessure.* Light was filtering in through the cracks. **2** (*liquido*) to leak (in/out) (***through sth***): *L'acqua è filtrata dal muro.* Water has leaked in through the wall.

filtro *sm* filter

finale ◆ *agg* final: *la decisione ~* the final decision ◆ *sm* **1** (*gen*) end **2** (*romanzo, film*) ending ◆ *sf* final: *la ~ di coppa* the Cup Final LOC *Vedi* QUARTO

finalista *agg, smf* finalist [*s*]: *i concorrenti finalisti* the finalists

finalmente *avv* at last: *Oh, ~!* At last!

finanza *sf* **1** (*gen*) finance **2 finanze** (*disponibilità economica*) finances: *Le mie finanze non me lo permettono.* My finances won't stretch that far. LOC *Vedi* GUARDIA

finché *cong* **1** (*per tutto il tempo che*) as long as: *Tieni duro ~ puoi.* Put up with it as long as you can. **2** (*fino a quando*) until: *Non toccarlo ~ non te lo dico io.* Don't touch it until I say so.

fine ◆ *sf* end: *alla ~ del mese* at the end of the month ◊ *Non è la ~ del mondo.* It's not the end of the world. ◊ *a due minuti dalla ~* two minutes from the end ◆ *sm* **1** (*scopo*) purpose **2** (*esito*) ending: *un film a lieto ~* a film with a happy ending ◆ *agg* **1** (*sottile*) fine: *sabbia ~* fine sand ◊ *una matita con la punta ~* a pencil with a fine point **2** (*udito, vista*) keen **3** (*elegante*) posh (*inform*) LOC **alla fine** in the end **in fin dei conti** after all *Vedi anche* INIZIO, SALE

fine settimana *sm* weekend

finestra *sf* window

finestrino *sm* window

fingere ◆ *vt, vi* to pretend: *Hanno finto di non averci visto.* They pretended they hadn't seen us. ◆ **fingersi** *v rifl* to pretend to be: *fingersi malato* to pretend to be ill

finimondo *sm* pandemonium

finire ◆ *vt* **1** (*gen*) to finish *sb/sth* (off): *Finirò la relazione questo fine settimana.* I'll finish (off) the report this weekend. **2** ~ **di fare qc** to finish **(doing) sth**: *Ho appena finito di leggere quel libro.* I've just finished (reading) that book. **3** (*esaurire*) to run out (**of sth**): *Abbiamo finito il caffè.* We've run out of coffee. **4** (*consumare completamente*) to use *sth* up: *Mi hai finito tutto il profumo.* You've used up all my perfume. ◆ *vi* **1** (*gen*) to finish: *Lo spettacolo finisce alle tre.* The show finishes at three. **2** (*avere un esito*) to end: *Come finisce la storia?* How does the story end? ◊ *Sono finiti in carcere.* They ended up in prison. ◊ *Dove sarà andato a ~?* Where can it have got to? **3** (*consumare*) to run out: *Lo zucchero è finito.* The sugar's run out. ◊ *È finito il pane.* We've run out of bread. **4** ~ **a** (*forma*) to end **in *sth***: *Finisce a punta.* It ends in a point. **5** ~ **(in)** to end (**in *sth***): *La manifestazione è finita in tragedia.* The demonstration ended in tragedy. **6** ~ **in** (*parola*) to end **with *sth***: *Finisce in "d" o in "z"?* What does it end with? A 'd' or a 'z'? **7** ~ **(per/con)** to end up (***doing sth***): *Quel bicchiere finirà per rompersi.* That glass will end up broken. ◊ *Ho finito col cedere.* I ended up giving in. LOC **finir male**: *Quel ragazzo finirà male.* That boy will come to no good.

finito, -a *pp, agg* **1** (*gen*) finished **2** (*relazione, festa*) over: *La festa è finita.* The party's over. LOC **farla finita** to put an end *to sth* *Vedi anche* FINIRE

finlandese ◆ *agg, sm* Finnish: *parlare ~* to speak Finnish ◆ *sm-sf* Finn: *i finlandesi* the Finns

Finlandia *sf* Finland

fino *prep*

• **tempo fino a** until, till (*più informale*)

> **Until** si usa sia nell'inglese formale che in quello informale. **Till** si usa soprattutto nell'inglese parlato e non si trova all'inizio della frase: *Aspetta fino a domani.* Wait until tomorrow. ◊ *Fino a quando rimani?* How long are you staying?

• **luogo 1 fino a** (*distanza*) as far as...: *Sono venuti con me ~ a Verona.* They came with me as far as Verona. **2 fino (a)** (*altezza, lunghezza, quantità*) up to...: *L'acqua è arrivata fin qui.* The water came up to here. **3 fino a** (*fin giù*) down to...: *La gonna mi arriva fino alla caviglia.* The skirt comes down to my ankles.

fino, -a *agg* fine LOC *Vedi* SALE

finocchio *sm* fennel

finora *avv* so far: *I risultati ottenuti ~ sono incoraggianti.* The results so far are encouraging.

finta *sf* LOC **far finta** to pretend: *Fai ~ di non sapere niente.* Pretend you don't know anything. ◊ *Eccoli! Fai ~ di non vederli.* There they are! Pretend you haven't seen them.

finto, -a *pp, agg* **1** (*barba, denti*) false **2** (*pelle, cuoio*) imitation [*s attrib*] LOC **fare il finto tonto** to pretend not to notice *Vedi anche* FINGERE

fiocco *sm* **1** (*guarnizione*) bow: *una camicetta con fiocchi rossi* a blouse with red bows **2** (*neve, cereali*) flake: *fiocchi di neve* snowflakes

fiocina *sf* harpoon

fionda *sf* catapult

fioraio, -a *sm-sf* florist: *dal ~* at the florist's

fiore *sm* **1** (*gen*) flower: *fiori secchi* dried flowers **2** (*albero da frutto*) blossom [*gen non numerabile*]: *i fiori del mandorlo* almond blossom **3 fiori** (*Carte*) clubs ☛ *Vedi nota a* CARTA LOC **il fior fiore** the crème de la crème **in fiore** in bloom *Vedi anche* NERVO

fiorentino, -a *agg, sm-sf* Florentine: *i fiorentini* the Florentines

fiorire *vi* **1** (*pianta*) to flower **2** (*albero da frutto*) to blossom **3** (*fig*) to flourish

fiotto *sm*: *sgorgare/uscire a fiotti* to gush out

Firenze *sf* Florence

firma *sf* **1** (*nome*) signature: *Hanno raccolto mille firme.* They've collected a thousand signatures. **2** (*atto*) signing: *la ~ del contratto* the signing of the contract

firmare *vt, vi* to sign: *Firmi sulla linea tratteggiata.* Sign on the dotted line.

firmato, -a *pp, agg* designer [*s attrib*]: *abiti firmati* designer clothes *Vedi anche* FIRMARE

fisarmonica *sf* accordion

fiscale *agg* tax [*s attrib*]: *anno ~* tax year LOC *Vedi* CODICE, EVASIONE, FRODE

fischiare ◆ *vt, vi* **1** (*canzone, motivo*) to whistle: *~ una canzone* to whistle a song **2** (*disapprovare*) to boo ◆ *vi* (*polizia, arbitro*) to blow your whistle (***at sb/sth***): *Il vigile ci ha fischiato.* The policeman blew his whistle at us.

fischietto *sm* whistle

fischio *sm* (*treno*, *arbitro*) whistle

fisica *sf* physics [*sing*]

fisico, -a ◆ *agg* physical ◆ *sm* **1** (*corpo*) physique: *Ha un ~ da atleta.* He's got an athlete's physique. **2** (*scienziato*) physicist **LOC** *Vedi* EDUCAZIONE

fisioterapia *sf* physiotherapy

fisioterapista *smf* physiotherapist

fissare ◆ *vt* **1** (*gen*) to fix: *~ un prezzo/una data* to fix a price/date **2** (*attenzione*) to focus **3** (*guardare*) to stare **at *sb/sth*** ◆ **fissarsi** *v rifl* to become obsessed (***with sb/sth/doing sth***)

fissato, -a *pp*, *agg* **1** (*legato*) fastened ***to sth***: *I bagagli erano ben fissati sul bagagliaio.* The luggage was securely fastened to the roof-rack. **2** (*ossessionato*) obsessed ***with sth***: *È ~ con le moto.* He's obsessed with motorbikes. *Vedi anche* FISSARE

fissazione *sf* obsession (***with sb/sth/doing sth***): *la ~ delle moto* an obsession with motorbikes

fisso, -a *agg* **1** (*gen*) fixed: *una mensola fissa al muro* a shelf fixed to the wall **2** (*permanente*) permanent: *un posto/contratto ~* a permanent post/contract **LOC senza fissa dimora** no fixed abode *Vedi anche* CHIODO, GUARDARE, MENU

fitta *sf* (*dolore*) sharp pain

fitto, -a *agg* **1** (*gen*) dense **2** (*tela*) tightly woven

fiume *sm* river

> In inglese **river** si scrive maiuscolo quando è nome proprio: *il Tamigi* the River Thames.

LOC *Vedi* RIVA

fiutare *vt* **1** (*gen*) to sniff **2** (*cane*) to scent

fiuto *sm* smell **LOC aver fiuto** to have a nose *for sth*: *Ha un ottimo ~ per l'antiquariato.* She has a nose for antiques.

flacone *sm* bottle

flagrante *agg* **LOC cogliere/prendere in flagrante** to catch *sb* in the act

flash *sm* flash

flautista *smf* flautist

flauto *sm* **1** (*traverso*) flute **2** (*dolce*) recorder

flessibile *agg* flexible

flessione *sf* **1** (*a terra*) sit-up **2** (*sulle braccia*) press-up

flipper *sm* pinball machine: *giocare a ~* to play pinball

flora *sf* flora

floscio, -a *agg* floppy

flotta *sf* fleet

fluido, -a *agg*, *sm* fluid

fluoro *sm* **1** (*gas*) fluorine **2** (*dentifricio*) fluoride: *dentifricio al ~* fluoride toothpaste

fluviale *agg* river [*s attrib*]: *trasporto ~* river transport

fobia *sf* phobia

foca *sf* seal

foce *sf* (*fiume*) mouth

fodera *sf* **1** (*interna*) lining **2** (*esterna*) cover

foderare *vt* **1** (*interno*) to line *sth* (***with sth***): *~ una scatola di velluto* to line a box with velvet **2** (*esterno*) to cover *sth* (***with sth***): *~ un libro con la carta* to cover a book with paper

foglia *sf* leaf [*pl* leaves]: *In autunno cadono le foglie.* Leaves fall off the trees in autumn. **LOC** *Vedi* TREMARE

fogliame *sm* foliage

foglio *sm* **1** (*di carta*) sheet (of paper): *Mi dai un ~ di carta?* Can I have some paper, please? ◊ *un ~ bianco* a clean sheet of paper **LOC foglio rosa** provisional driving licence

fogna *sf* sewer

fognatura *sf* sewage system

folclore *sm* folklore

folgorare *vt* (*scarica elettrica*) to electrocute

folla *sf* crowd

folle ◆ *agg* mad ◆ *smf* madman/woman [*pl* madmen/women] **LOC in folle** (*macchina*) in neutral

follia *sf* madness

folto, -a *agg* (*capelli*, *pelo*) thick

fon *sm* hairdryer

fondamentale *agg* fundamental

fondamento *sm* **1 fondamenta** (*palazzo*) foundations **2 fondamenti** (*principi*) basics

fondare *vt* to found

fondatore, -trice *sm-sf*, *agg* founder [*s*]: *i soci fondatori* the founder members

fondazione *sf* foundation

fondere ◆ *vt*, *vi* to melt: *far ~ il formaggio* to melt cheese ◆ **fondersi** *v rifl* (*società*, *partiti*) to merge

fondo *sm* **1** (*gen*) bottom: *il ~ del bicchiere* the bottom of the glass ◊ *andare fino in ~ a una faccenda* to get to the bottom of things **2** (*mare*, *fiume*) bed **3** (*strada*, *corridoio*) end: *È in ~ a* *corridoio, a destra.* It's at the end of the corridor on the right. **4 fondi** (*soldi*) funds: *raccogliere fondi* to raise funds **LOC a fondo** (*esaminare, conoscere*) thoroughly **di fondo** (*Sport*) **1** (*Atletica*) long-distance [*s attrib*]: *una gara di ~* a long-distance race **2** (*Sci*) cross-country [*s attrib*]: *uno sciatore di ~* a cross-country skier **fondo (di) cassa** petty cash **fondo stradale** road surface **in fondo 1** (*contrariamente alle apparenze*) deep down: *Dici di no, però in ~ te ne importa.* You say you don't mind, but deep down you do. **2** (*in realtà*) basically: *In ~ in ~ siamo d'accordo.* We are basically in agreement. **senza fondo** bottomless *Vedi anche* ARTICOLO, CIMA, PIATTO

ontana *sf* fountain

onte *sf* **1** (*sorgente*) spring **2** (*origine*) source: *fonti vicine al governo* sources close to the government **LOC fonte battesimale** font **sapere da fonte sicura** to have *sth* on good authority

ooting *sm* jogging: *fare ~* to go jogging

orare ◆ *vt* (*pallone, pneumatico*) to puncture ◆ **forarsi** *v rifl* (*pallone*) to burst

orbici *sf* scissors: *Mi passi le ~?* Can I have the scissors?

orca *sf* gallows [*pl* gallows]

orcella *sf* (*bicicletta*) fork

orchetta *sf* fork

orcina *sf* hairgrip

orcone *sm* pitchfork

oresta *sf* forest

orestale *agg* forest [*s attrib*]: *guardia ~* forest ranger

orfora *sf* dandruff

orma *sf* **1** (*contorno*) shape: *a ~ di croce* in the shape of a cross ◊ *La stanza è di ~ rettangolare.* The room is rectangular. ◊ *Mi è sembrato di vedere una ~ indistinta che si muoveva.* I thought I saw a shape moving. **2** (*condizioni psicofisiche*) form: *La squadra è in piena ~.* The team is in top form. ◊ *Oggi non sono in ~.* I'm not on form today. **LOC tenersi in forma** to keep fit *Vedi anche* PIENO

ormaggio *sm* cheese: *~ grattugiato* grated cheese ◊ *Non mi piace il ~.* I don't like cheese. ◊ *un panino al ~* a cheese sandwich

ormale *agg* formal

ormare ◆ *vt* to form: *~ un gruppo* to form a group ◆ **formarsi** *v rifl* (*prodursi*) to form

formato *sm* size: *confezione ~ famiglia* family-size pack

formazione *sf* **1** (*gen*) formation: *la ~ di un governo* the formation of a government **2** (*insegnamento*) training: *~ professionale* vocational training **3** (*Sport*) line-up

formica *sf* ant

formicaio *sm* **1** (*sotterraneo*) ants' nest **2** (*monticello*) anthill

formichiere *sm* anteater

formicolio *sm* pins and needles [*pl*]: *Ho un ~ al braccio.* I've got pins and needles in my arm.

formidabile *agg* tremendous: *Ha avuto un successo ~.* It was a tremendous success.

formula *sf* formula [*pl* formulas/ formulae]: *un pilota di ~ uno* a formula one driver

fornaio, -a *sm-sf* baker

fornello *sm* ring ☛ *Vedi illustrazione a* COOKER

fornire *vt* ~ **qc (a qn)** to supply **sb with sth**; to supply **sth**: *Mi ha fornito i dati.* He supplied me with the information. ◊ *La fattoria fornisce uova a tutto il paese.* The farm supplies the whole village with eggs.

forno *sm* **1** (*gen*) oven: *accendere il ~* to turn the oven on ◊ *Questa stanza è un ~.* It's like an oven in here. ☛ *Vedi illustrazione a* COOKER **2** (*industriale*) furnace **3** (*ceramica*) kiln **LOC al forno** roast: *pollo al ~* roast chicken **forno a microonde** microwave *Vedi anche* CUOCERE

forse *avv* **1** (*può darsi*) perhaps, maybe (*più informale*): *"Pensi che verrà?" "Forse."* 'Do you think she'll come?' 'Perhaps.' **2** (*nelle domande*): *Ho ~ detto questo?* Did I say that?

forte ◆ *agg* **1** (*gen*) strong: *un odore molto ~* a very strong smell **2** (*pioggia, nevicata*) heavy **3** (*dolore, calo*) severe **4** (*abbraccio, aumento*) big **5** (*colore*) bright ◆ *avv* **1** (*con forza*) hard: *tirare ~ una corda* to pull a rope hard **2** (*saldamente*) tight: *Tieniti ~!* Hold on tight! **3** (*suono*) loud: *Non parlare così ~.* Don't talk so loud. ◆ *sm* **1** (*fortezza*) fort **2** (*specialità*) strong point: *La matematica non è il mio ~.* Maths is not my strong point. **LOC** *Vedi* ABBRACCIO, PARLARE, PIATTO, TAGLIA

fortuna *sf* **1** (*sorte*) fortune, luck (*più

informale): *tentare la* ~ to try your luck **2** (*colpo di fortuna*) stroke of luck: *Che ~!* What a stroke of luck! **3** (*ricchezza*) fortune: *Ha ereditato una ingente* ~. She inherited a large fortune. LOC **buona fortuna!** good luck! **per fortuna** fortunately **portare fortuna** to bring *sb* good luck *Vedi anche* ATTERRAGGIO, COLPO, ROVESCIO

fortunato, -a *agg* lucky, fortunate (*più formale*)

forza ◆ *sf* **1** (*potenza*) force: *la ~ di gravità* the force of gravity ◊ *le forze armate* the armed forces **2** (*energia fisica*) strength [*non numerabile*]: *ricuperare le forze* to get your strength back ◆ **forza!** *escl* come on! LOC **a forza** by force: *Li hanno allontanati a viva ~*. They removed them by force. **forza di volontà** will-power **per forza**: *Devo farlo per ~*. I just have to do it. ◊ *"E gliel'hai dato?" "Per ~!"* 'And you gave it to him?' 'I had to!' **per forza d'inerzia** by force of habit *Vedi anche* CAMICIA

forzare *vt* **1** (*rompere*) to force: *~ una serratura* to force a lock **2** (*obbligare*) to make *sb* (**do sth**): *Mi hanno forzato.* They made me do it.

forzato, -a *pp, agg* forced: *un sorriso ~* a forced smile LOC *Vedi* LAVORO; *Vedi anche* FORZARE

foschia *sf* mist

fosforescente *agg* phosphorescent

fosforo *sm* phosphorus

fossa *sf* **1** (*buco*) hole: *scavare una ~* to dig a hole **2** (*tomba*) grave

fossetta *sf* dimple

fossile *agg, sm* fossil

fosso *sm* **1** (*gen*) ditch **2** (*castello*) moat

foto *sf* photo [*pl* photos]: *un album di ~* a photograph album ◊ *farsi fare una ~* to have your photo taken ◊ *Mi ha fatto una ~*. He took my photo. LOC **foto tessera** passport photo

fotocopia *sf* photocopy [*pl* photocopies]

fotocopiare *vt* to photocopy

fotocopiatrice *sf* photocopier

fotogenico, -a *agg* photogenic

fotografare *vt* to photograph

fotografia *sf* **1** (*attività*) photography **2** (*foto*) photograph

fotografico, -a *agg* photographic LOC *Vedi* MACCHINA

fotografo, -a *sm-sf* photographer

foulard *sm* scarf [*pl* scarves]

fra *Vedi* TRA

fracasso *sm* racket

fradicio, -a *agg* soaked through LOC *Vedi* BAGNATO, UBRIACO

fragile *agg* fragile

fragola *sf* strawberry [*pl* strawberries]

fragoroso, -a *agg* loud: *applausi fragorosi* loud applause

fraintendere *vt, vi* to misunderstand

frammento *sm* fragment

frana *sf* landslide LOC **essere una frana** to be hopeless: *Sono una ~ in matematica.* I'm hopeless at maths.

francamente *avv* frankly

francese ◆ *agg, sm* French: *parlare ~* to speak French ◆ *smf* Frenchman/woman [*pl* Frenchmen/women]: *i francesi* the French

Francia *sf* France

franco, -a ◆ *agg* frank ◆ *sm* (*moneta*) franc LOC **farla franca** to get away with it: *È riuscito a farla franca.* He got away with it.

francobollo *sm* stamp: *Due francobolli per l'Italia, per favore.* Two stamps for Italy, please. ☛ *Vedi nota a* STAMP

Francoforte *sf* Frankfurt

frangia *sf* fringe ☛ *Vedi illustrazione a* CAPELLO

frantumare *vt* to shatter

frantumi *sm* LOC **andare in frantumi** to shatter **mandare in frantumi** to shatter *sth*

frappé *sm* milk shake: *un ~ al cioccolato* a chocolate milk shake

frase *sf* (*Gramm*) (*gen*) sentence LOC **frase fatta** set phrase

frassino *sm* ash (tree)

frate *sm* monk

fratellastro *sm* **1** (*con un genitore in comune*) half-brother **2** (*figlio di patrigno o matrigna*) stepbrother

fratello *sm* brother: *Ho un ~ maggiore/minore.* I have an older/younger brother. ◊ *mio ~ maggiore/minore* my elder/younger brother ◊ *Sono due fratelli e tre sorelle.* There are two boys and three girls.

> A volte diciamo *fratelli* per riferirci a fratelli e sorelle, nel qual caso in inglese si dice **brothers and sisters**: *Hai fratelli?* Have you got any brothers or sisters? ◊ *Siamo quattro fratelli.* I've got three brothers and sisters.

LOC **fratelli siamesi** Siamese twins

raterno, -a *agg* brotherly, fraternal (*più formale*)

rattempo *sm* LOC **nel frattempo** in the meantime

rattura *sf* fracture

ratturare ◆ *vt* to fracture: *fratturarsi il polso* to fracture your wrist ◆**fratturarsi** *v rifl* to fracture

razione *sf* **1** (*Mat*) (*porzione*) fraction **2** (*borgata*) hamlet

reccetta *sf* dart: *giocare a freccette* to play darts

reccia *sf* **1** (*gen*) arrow **2** (*auto*) indicator

reddo, -a *agg, sm* cold: *Chiudi la porta che entra* ~. Shut the door, you're letting the cold in.

Non confondere le seguenti parole: **cold** e **cool**, **hot** e **warm**.
Cold indica una temperatura inferiore a **cool** e molto spesso spiacevole: *È stato un inverno molto freddo.* It's been a terribly cold winter. **Cool** significa *fresco* piuttosto che freddo: *Fuori fa caldo, ma qui c'è un bel freschetto.* It's hot outside but it's nice and cool in here.
Hot descrive una temperatura molto più alta di **warm**. **Warm** ha una connotazione positiva. Confronta i seguenti esempi: *Non riesco a berlo, è troppo caldo.* I can't drink it, it's too hot. ◊ *Che caldo c'è qui!* It's too hot here! ◊ *Siediti accanto al fuoco, ti riscalderai subito.* Sit by the fire, you'll soon warm up.

LOC **avere/sentire freddo** to be/feel cold: *Ho ~ alle mani.* My hands are cold. **far freddo** to be cold: *Fa molto ~ fuori.* It's very cold outside. **prender freddo** to catch cold *Vedi anche* MORIRE, MORTO, PATIRE, SANGUE

reddoloso, -a *agg*: *Sono molto ~.* I feel the cold a lot.

ree shop *sm* duty-free shop

regare *vt* **1** (*strofinare*) to rub: *fregarsi gli occhi* to rub your eyes **2** (*rubare*) to pinch: *Mi hanno fregato l'autoradio.* Somebody's pinched my radio. **3** (*imbrogliare*) to rip *sb* off: *Ti sei fatto ~!* You've been ripped off! LOC **fregarsene** not to give a damn: *Se ne frega altamente di lui.* She doesn't give a damn about him. ◊ *Chi se ne frega?* Who cares?

enare ◆ *vi* to brake: *Ha frenato per evitare un cane.* He braked to avoid a dog. ◊ *~ di colpo* to slam on the brakes ◆ **frenarsi** *v rifl* to stop yourself: *Non sono riuscito a frenarmi.* I couldn't stop myself. LOC *Vedi* SECCO

frenata *sf*: *Si è sentita una ~.* There was a screech of brakes. LOC **fare una frenata** to slam on the brakes

frenetico, -a *agg* (*giornata*) hectic

freno *sm* **1** (*veicolo*) brake: *I freni non hanno funzionato.* My brakes failed. **2** (*limite*) curb (**on sth**): *un ~ alle esportazioni* a curb on exports LOC **freno a mano** handbrake: *mettere/togliere il ~ a mano* to put on/release the handbrake

frequentare *vt* **1** (*luogo, scuola*) to go **to sth**: *Frequentano la stessa scuola.* They go to the same school. **2** (*amici*) to go around **with sb**: *Non frequento più quel gruppo di amici.* I don't go around with that group of friends any more.

frequente *agg* frequent: *Ho frequenti attacchi di asma.* I have frequent asthma attacks. LOC **di frequente** frequently

frequenza *sf* frequency [*pl* frequencies]

freschezza *sf* freshness

fresco, -a *agg* **1** (*temperatura, vestito*) cool ☛ *Vedi nota a* FREDDO **2** (*cibo*) fresh: *pesce ~* fresh fish **3** (*notizia*) latest: *notizie fresche* the latest news **4** (*pittura, vernice*) wet LOC **far fresco** (*sgradevole*) to be chilly: *Di sera fa ~.* It's chilly at night. **mettere/tenere in fresco** (*vino, birra*) to chill *sth* **stai fresco!** you're in for it! *Vedi anche* PITTURA

fretta *sf* hurry [*non numerabile*]: *avere ~* to be in a hurry ◊ *Non c'è ~.* There's no hurry. ◊ *Per la ~ mi sono dimenticato di staccarlo.* I was in such a hurry that I forgot to unplug it. LOC **far fretta a qn** to rush sb: *Non farmi ~.* Don't rush me. **in fretta** quickly

frettoloso, -a *agg* hurried

friggere *vt, vi* to fry LOC **mandare qn a farsi friggere** to tell sb to get lost

frigocongelatore *sm* fridge-freezer

frigorifero *sm* fridge, refrigerator (*più formale*)

frittata *sf* omelette

frittella *sf* fritter

fritto, -a ◆ *pp, agg* fried ◆ *sm* fried

food: *Non mi piace il* ~. I don't like fried food. LOC *Vedi* PATATA, UOVO; *Vedi anche* FRIGGERE

frizione *sf* **1** (*attrito*) friction **2** (*Auto*) clutch **3** (*massaggio*) massage

frizzante *agg* (*vino*) sparkling

frode *sf* fraud LOC **frode fiscale** tax evasion

frodo *sm* LOC **caccia/pesca di frodo** poaching **cacciatore/pescatore di frodo** poacher

frontale *agg* **1** (*attacco*) frontal **2** (*scontro*) head-on

fronte ◆ *sf* (*Anat*) forehead ◆ *sm* front: *un ~ freddo* a cold front ◊ *I soldati marciavano verso il ~.* The soldiers marched towards the front. LOC **di fronte (a)** opposite (*sth*): *Casa mia è di ~ allo stadio.* My house is opposite the stadium. ◊ *il signore che stava seduto di ~* the man sitting opposite ◊ *L'ospedale è qui di ~.* The hospital is across the road. ☛ *Vedi illustrazione a* DAVANTI **far fronte a 1** (*nemico, difficoltà*) to face *sb/sth* **2** (*spesa*) to meet *sth Vedi anche* AGGROTTARE

frontiera *sf* border, frontier (*più formale*): *passare la ~* to cross the border ◊ *alla ~ francese* on the French border ◊ *zona di ~* border area ☛ *Vedi nota a* BORDER

frottola *sf* fib: *raccontare frottole* to tell fibs

frugare ◆ *vi* ~ (**tra**) to rummage **in**/**through** ***sth***: *Non ~ tra le mie cose.* Don't rummage through my things. ◆ *vt* to search: *Gli hanno frugato le tasche.* They searched his pockets.

frullare *vt* (*uova*) to whisk

frullato *sm* milk shake: *un ~ di banana* a banana milk shake

frullatore *sm* blender

frullino *sm* whisk

frumento *sm* wheat

frusciare *vi* to rustle

fruscio *sm* rustle

frusta *sf* whip

frustata *sf* lash

frustino *sm* riding crop

frustrazione *sf* frustration

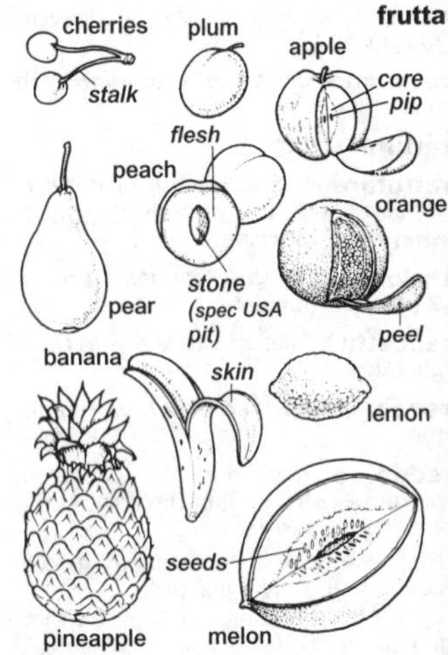

frutta *sf* fruit [*gen non numerabile*]: *Vuoi della ~?* Do you want some fruit? LOC **frutta secca** dried fruit and nuts [*non numerabile, v sing*]

frutteto *sm* orchard

fruttivendolo, -a *sm-sf* greengrocer *dal ~* at the greengrocer's

frutto *sm* piece of fruit: *un albero da ~* a fruit tree LOC **frutti di mare** seafood

fucile *sm* rifle LOC **fucile da caccia** shotgun

fuga *sf* **1** (*persona*) escape, flight (*più formale*): *darsi alla ~* to take flight **2** (*gas*) leak

fuggifuggi *sm* stampede

fuggire *vi* (*da un paese*) to flee [*vt*]: *Sono fuggiti dal paese.* They have fled the country.

fuggitivo *sm* fugitive

fuliggine *sf* soot

fulminare ◆ *vt*: *È stato fulminato.* He was struck by lightning. ◆ **fulminarsi** *v rifl* (*lampadina*) to go LOC **fulminare con lo sguardo** to give *sb* a withering look

fulmine *sm* lightning [*non numerabile*]: *I tuoni e i fulmini mi spaventano.* I'm scared of thunder and lightning. LOC *Vedi* COLPO

fumante *agg* steaming: *una tazza di caffè ~* steaming hot coffee

fumare *vt, vi* to smoke: *~ la pipa* t

smoke a pipe ◊ *smettere di* ~ to give up smoking LOC *Vedi* VIETATO

fumatore, -trice *sm-sf* smoker LOC **fumatori o non fumatori?** smoking or non-smoking?

fumetto *sm* **1** (*giornalino*) comic **2** (*nuvoletta*) speech bubble

fumo *sm* **1** (*gen*) smoke: ~ *di sigarette* cigarette smoke ◊ *Dalla porta usciva del* ~. There was smoke coming out of the door. **2** (*il fumare*) smoking: *Il* ~ *danneggia la salute.* Smoking seriously damages your health. ◊ ~ *passivo* passive smoking LOC *Vedi* ABUSARE, ABUSO

fune *sf* rope

funebre *agg* **1** (*per un funerale*) funeral [*s attrib*]: *la marcia* ~ the funeral march **2** (*triste*) mournful LOC *Vedi* CARRO, POMPA, VEGLIA

funerale *sm* funeral: *il* ~ *di un vicino* a neighbour's funeral

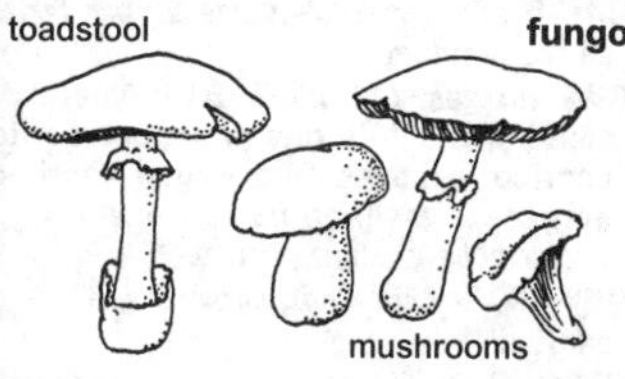

fungo *sm* **1** (*gen*) mushroom **2** (*velenoso*) toadstool **3** (*micosi*) fungus [*pl* fungi/funguses]

funzionare *vi* **1** (*gen*) to work: *La sveglia non funziona.* The alarm doesn't work. ◊ *Come funziona?* How does it work? **2** ~ **a** to run **on *sth***

funzionario, -a *sm-sf* **1** (*dirigente*) official **2** (*impiegato*) employee LOC **funzionario statale** civil servant

funzione *sf* function LOC **essere in funzione** to be working **mettere in funzione** to switch *sth* on

fuoco *sm* **1** (*gen*) fire: *accendere il* ~ to light the fire ◊ *Ci siamo seduti vicino al* ~. We sat down by the fire. **2** (*Cucina*): *mettere qc sul* ~ to put sth on the gas **3** (*Ottica*) focus [*pl* focuses/foci]: *a* ~/*fuori* ~ in focus/out of focus ◊ *mettere a* ~ to focus LOC **a fuoco basso/alto** over a low/high heat **dare fuoco** to set light *to sth*: *Una scintilla ha dato* ~ *alla moquette.* A spark set light to the carpet. **fuochi d'artificio** fireworks **prender fuoco** to catch fire: *Il serbatoio della benzina ha preso* ~. The petrol tank caught fire. *Vedi anche* ACQUA, ARMA, CASTAGNA, CUOCERE, VIGILE

fuorché *prep* except: *C'erano tutti* ~ *Carlo.* Everybody was there except Carlo.

fuori ◆ *avv* **1** ~ (**di**) outside: *Andiamo* ~. Let's go outside. ◊ *Si sentivano dei rumori* ~. You could hear noises outside. ◊ ~ *dell'Italia* outside Italy **2** (*non in casa*) out: *andare a mangiar* ~ to eat out ◊ *Sono* ~ *tutto il giorno.* They're out all day. **3** ~ **di** (*fig*) out **of *sth***: ~ *pericolo/dell'ordinario* out of danger/the ordinary ◊ *Tenere* ~ *dalla portata dei bambini.* Keep out of reach of children. ◆ **fuori!** *escl* get out! LOC **fuori di sé** beside himself, herself, etc **fuori gioco** offside **fuori luogo** inappropriate **fuori mano** out of the way: *È piuttosto* ~ *mano.* It's well out of our way. **fuori posto** out of place: *sentirsi* ~ *posto* to feel out of place *Vedi anche* BUTTARE, SERVIZIO

fuoristrada *sm* Landrover®

furbizia *sf* cunning

furbo, -a *agg* clever LOC **fare il furbo** to try to be clever: *Non fare il* ~ *con me.* Don't try and be clever with me.

furgone *sm* van

furia *sf* fury LOC **a furia di fare qc** by doing sth **andare su tutte le furie** to fly into a rage

furioso, -a *agg* furious

furtivo, -a *agg* furtive

furto *sm* **1** (*gen*) theft: ~ *di auto/bicicletta* car/bicycle theft **2** (*in una casa, ufficio*) burglary [*pl* burglaries]: *Domenica ci sono stati tre furti in questo palazzo.* There were three burglaries in this block on Sunday. **3** (*fig*) rip-off LOC **furto con scasso** burglary

fusa *sf* LOC **fare le fusa** to purr ☛ *Vedi nota a* GATTO

fusibile *sm* fuse: *Sono saltati i fusibili.* The fuses have blown.

fusione *sf* **1** (*Fis*) fusion: *la* ~ *nucleare* nuclear fusion **2** (*metalli*) melting **3** (*aziende, partiti politici*) merger LOC *Vedi* PUNTO

fuso, -a *pp, agg* melted LOC **fuso orario** time zone *Vedi anche* FONDERE

futuro, -a *agg, sm* future

Gg

gabbia *sf* cage
gabbiano *sm* seagull
gabinetto *sm* toilet ☛ *Vedi nota a* TOILET
gaffe *sf* blunder LOC **fare una gaffe** to put your foot in it
gala *sf* gala: *un pranzo/una serata di ~* a gala dinner/performance
galassia *sf* galaxy [*pl* galaxies]
galattico, -a *agg* galactic
galera *sf* prison
galla LOC **a galla** afloat: *rimanere a ~* to stay afloat **venire a galla** (*verità*) to come out
galleggiante ◆ *agg* floating ◆ *sm* float
galleggiare *vi* to float
galleria *sf* **1** (*gen*) gallery [*pl* galleries]: *una ~ d'arte* an art gallery **2** (*Cine*) balcony [*pl* balconies]
Galles *sm* Wales
gallese ◆ *agg*, *sm* Welsh: *parlare ~* to speak Welsh ◆ *smf* Welshman/woman [*pl* Welshmen/women]: *i gallesi* the Welsh
gallina *sf* hen LOC *Vedi* ZAMPA
gallo *sm* cock
galoppare *vi* to gallop
galoppo *sm* gallop: *andare al ~* to gallop
gamba *sf* leg: *rompersi una ~* to break your leg ◊ *accavallare/stendere le gambe* to cross/stretch your legs ◊ *con le gambe accavallate* cross-legged LOC **essere in gamba** to be smart
gamberetto *sm* shrimp
gambero *sm* **1** (*di mare*) prawn **2** (*di fiume*) crayfish [*pl* crayfish]
gambo *sm* stem
gamma *sf* range: *una vasta ~ di colori* a wide range of colours

gancio
hook
picture hook
fish-hook
coat hook

gancio *sm* hook
ganghero *sm* LOC **far uscire dai gangheri** to drive *sb* up the wall **fuori dai gangheri** hopping mad

gara *sf* **1** (*gen*) competition **2** (*di velocità*) race
garage *sm* garage
garantire *vt* **1** (*gen*) to guarantee: *Garantiamo la qualità del prodotto.* We guarantee the quality of the product. **2** (*assicurare*) to assure: *Verranno, te lo garantisco.* They'll come, I assure you
garantito, -a *pp*, *agg* guaranteed LOC *Vedi* MINIMO; *Vedi anche* GARANTIRE
garanzia *sf* guarantee
gareggiare *vi* **1** (*gen*) to compete **2** (*in velocità*) to race
gargarismo *sm* LOC **fare i gargarismi** to gargle
garofano *sm* carnation LOC *Vedi* CHIODO
garza *sf* **1** (*tessuto*) gauze **2** (*per ferite*) gauze bandage
gas *sm* gas: *C'è odore di ~.* There's a smell of gas. LOC **gas di scappamento/scarico** exhaust fumes **gas lacrimogeno** tear gas [*non numerabile, v sing*] *Vedi anche* CAMERA, STUFA
gasarsi *v rifl* (*entusiasmarsi*) to get excited
gasolio *sm* diesel
gassato, -a *agg* fizzy LOC **non gassato** still *Vedi anche* ACQUA
gatto, -a *sm-sf* cat

> **Tom-cat** o **tom** è il gatto maschio, **kittens** sono i gattini. Fare le fusa si dice **to purr** e miagolare **to miaow**.

LOC **due/quattro gatti**: *C'erano quattro gatti.* There were only a few people **gatta ci cova...** I smell a rat **gatto siamese** Siamese cat **quando il gatto non c'è i topi ballano** when the cat's away the mice will play
gay *agg*, *smf* gay
gazza *sf* magpie
gazzella *sf* gazelle
gazzosa *sf* lemonade
gel *sm* gel
gelare ◆ *vt*, *vi* to freeze ◆ *v imper.* *Stanotte è gelato.* There was a frost last night.
gelateria *sf* ice cream parlour
gelatina *sf* **1** (*sostanza*) gelatine **2** (*Cucina*) jelly [*pl* jellies]
gelato, -a ◆ *pp*, *agg* frozen ◆ *sm* ice cream: *~ al cioccolato* chocolate ice

cream LOC *Vedi* TORTA; *Vedi anche* GELARE

gelido, -a *agg* **1** (*vento*) icy **2** (*temperatura*) freezing

gelo *sm* frost

gelosia *sf* jealousy

geloso, -a *agg* jealous: *essere ~ di qn* to be jealous of sb

gelsomino *sm* jasmine

gemello, -a ◆ *sm-sf* twin: *sorelle gemelle* twin sisters ◆ *sm* **1 gemelli** (*camicia*) cuff links **2 Gemelli** (*Astrologia*) Gemini ☛ *Vedi esempi a* AQUARIUS LOC *Vedi* ANIMA

gemito *sm* groan

gemma *sf* **1** (*gen*) gem **2** (*Bot*) bud

gene *sm* gene

genealogico, -a *agg* genealogical LOC *Vedi* ALBERO

generale ◆ *agg* general ◆ *sm* (*Mil*) general LOC **in generale** generally *Vedi anche* CULTURA, PROVA, QUARTIERE

generalizzare *vt, vi* to generalize: *Non si può ~.* You can't generalize.

generare *vt* to generate: *~ energia* to generate energy

generazione *sf* generation

genere *sm* **1** (*tipo*) kind: *problemi del ~* problems of that kind ◊ *Non direi mai una cosa del ~.* I'd never say a thing like that. **2** (*Arte, Letteratura*) genre **3** (*Gramm*) gender **4 generi** (*merci*) goods LOC **genere umano** human race **generi alimentari** foodstuffs

generico, -a *agg* generic LOC *Vedi* MEDICO

genero *sm* son-in-law [*pl* sons-in-law]

generoso, -a *agg* generous: *È molto ~ con gli amici.* He is very generous to his friends.

genetico, -a ◆ *agg* genetic ◆ **genetica** *sf* genetics [*sing*]

gengiva *sf* gum

geniale *agg* brilliant: *un'idea/una trovata ~* a brilliant idea

genio *sm* **1** (*gen*) genius [*pl* geniuses]: *Sei un ~!* You're a genius! ◊ *un lampo di ~* a stroke of genius ◊ *un ~ della matematica* a mathematical genius **2** (*spirito*) genie: *il ~ della lampada* the genie of the lamp

genitale ◆ *agg* genital ◆ **genitali** *sm* genitals

genitore *sm* parent: *i miei genitori* my parents

gennaio *sm* January (*abbrev* Jan): *Gli esami sono a ~.* We've got exams in January. ◊ *Il mio compleanno è il 12 ~.* My birthday's (on) January 12. ☛ Si dice "January the twelfth" o "the twelfth of January".

Genova *sf* Genoa

genovese *agg, smf* Genoese: *i genovesi* the Genoese

gente *sf* people [*pl*]: *C'era un sacco di ~.* There were a lot of people. ◊ *La ~ dice che...* People say that...

> Nota che il sostantivo **people** è plurale, eccetto quando significa *popolo*: *La gente sta diventando impaziente.* People are starting to get impatient. ◊ *troppa gente* too many people **People** è il plurale di **person**: *Quante persone c'erano alla riunione?* How many people were at the meeting?

gentile *agg* **1** (*gen*) ~ (**con**) kind (**to** ***sb***): *Sono stati molto gentili ad aiutarmi.* It was very kind of them to help me. ◊ *Grazie, lei è molto ~.* Thank you, that's very kind of you. ◊ *Se volesse essere così ~ da chiudere la porta.* If you would be so kind as to close the door. **2** (*lettere*) dear ☛ *Vedi pagg. 370–71.*

gentilezza *sf* kindness LOC **per gentilezza** please

geografia *sf* geography

geografico, -a *agg* geographical

geologia *sf* geology

geologico, -a *agg* geological

geometra *smf* quantity surveyor

geometria *sf* geometry

geometrico, -a *agg* geometric(al)

geranio *sm* geranium [*pl* geraniums]

gerarchia *sf* hierarchy [*pl* hierarchies]

gergo *sm* **1** (*linguaggio colloquiale*) slang [*non numerabile*] **2** (*professionale*) jargon

Germania *sf* Germany

germe *sm* germ

germogliare *vi* (*piante*) to sprout

germoglio *sm* shoot

geroglifico, -a ◆ *agg* hieroglyphic ◆ *sm* **1** (*carattere*) hieroglyph **2 geroglifici** (*scrittura*) hieroglyphics

gerundio *sm* gerund

Gerusalemme *sf* Jerusalem

gessetto *sm* chalk [*gen non numerabile*]: *Dammi un ~.* Give me a piece of chalk. ◊ *Portami dei gessetti.* Bring me some chalk. LOC **gessetti colorati** coloured chalks

gesso *sm* **1** (*gen*) chalk **2** (*ingessatura*) plaster

gesticolare *vi* to gesticulate

gestione *sf* management

gestire *vt* **1** (*negozio, progetto*) to manage **2** (*albergo*) to run

gesto *sm* gesture: *un ~ simbolico* a symbolic gesture ◊ *comunicare/farsi capire a gesti* to communicate by gesture

gestore *sm* manager

Gesù *n pr* Jesus

gettare ◆ *vt* to throw ◆ **gettarsi** *v rifl* to throw yourself: *Mi sono gettato in acqua.* I threw myself into the water. LOC **gettare acqua sul fuoco** to pour oil on troubled waters **gettare l'ancora** to drop anchor **gettare la spugna** to throw in the towel

getto *sm* (*acqua*) jet

gettone *sm* **1** (*gen*) token: *un ~ del telefono* a telephone token **2** (*nei giochi*) counter

ghepardo *sm* cheetah

ghetto *sm* ghetto [*pl* ghettoes]

ghiacciaio *sm* glacier

ghiacciare ◆ *vt, vi* to freeze ◆ *v impers*: *Stanotte è ghiacciato.* There was a frost last night.

ghiacciato, -a *pp, agg* **1** (*lago, mani*) frozen **2** (*stanza*) freezing *Vedi anche* GHIACCIARE

ghiaccio *sm* ice [*non numerabile*]: *cubetti di ~* ice cubes LOC *Vedi* HOCKEY, PATTINAGGIO, PISTA, ROMPERE

ghiacciolo *sm* (*gelato*) ice lolly [*pl* ice lollies]

ghiaia *sf* gravel

ghianda *sf* acorn

ghiandola *sf* gland

ghiro *sm* dormouse [*pl* dormice] LOC *Vedi* DORMIRE

ghisa *sf* cast iron

già ◆ *avv* **1** (*riferito al presente o al passato*) already: *Sono ~ le tre.* It's already three o'clock. ◊ *L'hai ~ finito?* Have you finished it already? ◊ *Era malato, ma ora sta ~ meglio.* He was very ill but he's fine now. ☛ *Vedi nota a* YET **2** (*uso enfatico*): *Lo so ~* I know. ◆ **già!** *escl* **1** yes!: *~, capisco.* Yes, I understand. **2** of course!: *Ah ~, me n'ero dimenticato.* Of course, I forgot.

giacca *sf* jacket LOC **giacca a vento** windcheater

giaccone *sm* jacket: *un ~ di montone* a sheepskin jacket

giacimento *sm* deposit

giada *sf* jade: *un bracciale di ~* a jade bracelet

giaguaro *sm* jaguar

giallastro, -a *agg* yellowish

giallo, -a ◆ *agg* **1** (*colore*) yellow: *È ~* It's yellow. ◊ *il ragazzo con la camici[a] gialla* the boy in the yellow shirt **2** (*semaforo*) amber **3** (*romanzo, film*) detective [*s attrib*] ◆ *sm* yellow: *Non m[i] piace il ~.* I don't like yellow. ◊ *Er[o] vestita di ~.* I was wearing yellow. [◊] *dipingere qc di ~* to paint sth yello[w] LOC *Vedi* CARTELLINO, PAGINA

giallognolo, -a *agg* yellowish

Giamaica *sf* Jamaica

giamaicano, -a *agg, sm-sf* Jamaican: *giamaicani* the Jamaicans

Giappone *sm* Japan

giapponese ◆ *agg, sm* Japanese *parlare ~* to speak Japanese ◆ *sm*[*-sf*] Japanese man/woman [*pl* Japanes[e] men/women]: *i giapponesi* the Japanese

giardinaggio *sm* gardening

giardiniere *sm* gardener

giardino *sm* garden LOC **giardino botanico** botanical gardens [*pl*]

giarrettiera *sf* garter

giavellotto *sm* (*Sport*) javelin LOC *Ved[i]* LANCIO

Gibilterra *sf* Gibraltar

gigante, -essa ◆ *sm-sf* giant [*fem* giantess] ◆ *agg* giant: *un panda ~* [a] giant panda ◊ *una scatola di detersiv[o] formato ~* a giant-sized packet of detergent

gigantesco, -a *agg* enormous

giglio *sm* lily [*pl* lilies]

gilè *sm* waistcoat

gin *sm* gin

ginecologo, -a *sm-sf* gynaecologist

ginepro *sm* juniper

Ginevra *sf* Geneva

ginnastica *sf* **1** (*disciplina*) gymnastic[s] [*sing*]: *~ artistica* gymnastics **2** (*[a] scuola*) physical education (*abbrev* PE[)]: *un insegnante di ~* a PE teacher LO[C] **fare ginnastica** to exercise: *Fa ~ du[e] volte alla settimana.* He exercises twic[e] a week. *Vedi anche* SCARPA

ginocchiera *sf* **1** (*Sport*) kneepad [**2**] (*Med*) knee support

ginocchio *sm* knee LOC **in ginocchi[o]** *Erano tutti in ~.* Everyone was knee[l]ing down. **mettersi in ginocchio** t[o] kneel (down)

giocare ◆ *vi* **1** ~ (**a**) (*gen*) to play *sth*: [~] *a calcio* to play football **2** (*scommetter[e]*) to gamble ◆ *vt* **1** (*gen*) to play: *Il lavor[o]* *gioca una parte importante nella mia vita.* Work plays an important part in my life. **2** (*puntare*) to put *money* ***on sth***: *~ 300.000 lire su un cavallo* to put 300000 lire on a horse **3** (*rischiare*) to risk: *giocarsi la vita* to risk your life LOC *Vedi* NASCONDINO, SCHEDINA, SPAREGGIO

giocata *sf* bet

giocatore, -trice *sm-sf* **1** (*Sport*) player **2** (*scommettitore*) gambler

giocattolo *sm* toy [*pl* toys]

giocherellone, -a *agg* playful

gioco *sm* **1** (*gen*) game: *Facciamo un ~.* Let's play a game. **2** (*d'azzardo*) gambling LOC **essere in gioco** to be at stake **gioco corretto/scorretto** fair/foul play **gioco da ragazzi** child's play **gioco da tavolo** board game **gioco d'azzardo** game of chance **gioco dell'oca** snakes and ladders (*GB*) [*sing*] **gioco di parole** pun **Giochi Olimpici** Olympic Games **gioco sleale** foul play **mettere in gioco** to put *sth* at stake *Vedi anche* CARTA, DOPPIO, FUORI, SALA

gioia *sf* joy: *gridare di/saltare dalla ~* to shout/jump for joy

gioielleria *sf* jeweller's [*pl* jewellers]

gioielliere *sm* jeweller

gioiello *sm* **gioielli** jewellery [*non numerabile, v sing*]: *I gioielli erano nella cassaforte.* The jewellery was in the safe.

Giordania *sf* Jordan

giordano, -a *agg, sm-sf* Jordanian: *i giordani* the Jordanians

giornalaio, -a *sm-sf* newsagent ☛ *Vedi nota a* TABACCHERIA

giornale *sm* newspaper, paper (*più informale*): *L'ho letto sul ~.* I read it in the paper.

giornaliero, -a *agg* daily

giornalismo *sm* journalism

giornalista *smf* journalist

giornata *sf* day [*pl* days]: *Abbiamo trascorso la ~ a Verona.* We spent the day in Verona. ◊ *Oggi è una bella ~.* It's a nice day today. LOC **giornata lavorativa** working day *Vedi anche* VIVERE

giorno *sm* **1** (*gen*) day [*pl* days]: *"Che ~ è oggi?" "Martedì."* 'What day is it today?' 'Tuesday.' ◊ *il ~ seguente* the following day **2** (*nelle date*): *Sono arrivati il ~ 10.* They arrived on the 10th. LOC **al giorno** a day: *tre volte al ~* three times a day **al giorno d'oggi** nowadays **di/durante il giorno** in the daytime/during the day: *Di ~ dormono.* They sleep in the daytime. **giorno di riposo** day off [*pl* days off] **giorno feriale** weekday [*pl* weekdays] **giorno festivo** holiday [*pl* holidays] **giorno lavorativo** working day **giorno libero 1** (*non impegnato*) free day **2** (*senza andare al lavoro*) day off [*pl* days off]: *Domani è il mio ~ libero.* Tomorrow's my day off. **il giorno di Natale** Christmas Day ☛ *Vedi nota a* NATALE **tutti i giorni** every day: *abiti di tutti i giorni* everyday clothes ☛ *Vedi nota a* EVERYDAY **un giorno sì e uno no/a giorni alterni** every other day *Vedi anche* LUCE, QUINDICI

giostra *sf* merry-go-round

giovane ◆ *agg* young: *È ~ di spirito.* He's young at heart. ◆ *smf* **1** (*ragazzo*) young man **2** (*ragazza*) girl, young woman (*più formale*) **3 giovani** young people

giovanile *agg* youthful

Giove *sm* Jupiter

giovedì *sm* Thursday [*pl* Thursdays] (*abbrev* Thur(s)) ☛ *Vedi esempi a* LUNEDÌ

gioventù *sf* **1** (*età*) youth **2** (*persone*) the young [*v pl*]

giradischi *sm* record player

giraffa *sf* giraffe

girare ◆ *vt* **1** (*gen*) to turn: *Ho girato la testa.* I turned my head. ◊ *Mi ha girato le spalle.* He turned his back on me. **2** (*rigirare*) to turn *sth* over: *Gira la bistecca.* Turn the steak over. **3** (*mescolare*) **(a)** (*gen*) to stir: *Giralo bene.* Stir it well. **(b)** (*insalata*) to toss **4** (*passeggiare*) to walk around: *Abbiamo girato a piedi la città.* We walk around the whole city. **5** (*film*) to film, to shoot (*più informale*) ◆ *vi* **1** to turn: *~ a destra/sinistra* to turn right/left **2** ~ (**intorno a**) to revolve **around** ***sth***, to go round *sth* (*più informale*): *La luna gira intorno alla terra.* The moon goes round the earth. ◆ **girarsi** *v rifl* **girarsi** (**verso**) to turn (**to/towards** ***sb/sth***): *Si è girata e mi ha guardato.* She turned round and looked at me. ◊ *Si è girato verso Elena.* He turned towards Elena. LOC **girarsi dall'altra parte** to look the other way **mi, ti, ecc gira la testa** I, you, etc feel dizzy

girasole *sm* sunflower LOC *Vedi* SEME

girevole *agg* LOC *Vedi* PORTA

girino *sm* tadpole

giro *sm* **1** (*gen*) round **2** (*Sport*) lap: *Hanno fatto tre giri della pista.* They did three laps of the track. LOC **fare il**

giro dell'isolato/del mondo to go round the block/world **nel giro**: *Non c'erano case nel ~ di dieci chilometri.* There were no houses within ten kilometres. **prendere in giro** to pull *sb's* leg *Vedi anche* PRESA

girocollo *agg, sm* crew neck

girone *sm* (*Sport*) leg

girotondo *sm* ring-a-ring-a-roses

gita *sf* trip: *in ~ con la scuola* on a school trip

giù *avv* (*direzione*) down: *~ per la strada/le scale* down the street/stairs LOC **essere giù di morale** to be in low spirits **giù le mani!** hands off! **in giù** downwards **più in giù 1** (*più avanti*) further down: *in questa strada, ma più in ~* further down this street **2** (*in senso verticale*) lower down: *Sposta il quadro più in ~.* Put the picture lower down. *Vedi anche* BUTTARE, SU, TESTA

giubbotto *sm* jacket LOC **giubbotto antiproiettile** bulletproof vest **giubbotto di salvataggio** life jacket

giudicare *vt* to judge LOC **giudicare da** to go by *sth*: *Non si può ~ dalle apparenze.* You can't go by appearances. **giudicare male** to misjudge

giudice *sm* judge

giudizio *sm* **1** (*gen*) judgement **2** (*buon senso*) (common) sense: *Non ha un briciolo di ~.* He's totally lacking in common sense. **3** (*opinione*) opinion: *a mio ~* in my opinion **4** (*Dir*) trial LOC *Vedi* DENTE

giudizioso, -a *agg* sensible

giugno *sm* June (*abbrev* Jun) ☛ *Vedi esempi a* GENNAIO

giungla *sf* jungle

giunta *sf* LOC **per giunta** what's more

giuramento *sm* oath [*pl* oaths] LOC *Vedi* PRESTARE

giurare *vt, vi* to swear: *Ti giuro che non sono stato io.* I swear it wasn't me. LOC **giurare il falso** to commit perjury

giuria *sf* jury [*v sing o pl*] [*pl* juries]

giustamente *avv* with good reason: *Si è offesa, e ~.* She took offence, and with good reason.

giustificare ◆ *vt* to justify ◆ **giustificarsi** *v rifl* to justify yourself

giustificazione *sf* **1** (*gen*) justification **2** (*a scuola*) note

giustizia *sf* justice LOC **farsi giustizia da sé** to take the law into your own hands

giustiziare *vt* to execute

giusto, -a ◆ *agg* **1** (*equo*) fair: *una decisione giusta* a fair decision ◊ *Non è giusto!* It's not fair! **2** (*corretto, esatto*) right: *il numero ~* the right number (*sufficiente*) just enough: *Abbiamo piatti giusti giusti.* We have just enough plates. ◆ *avv* just (*form*): *Cercavo ~ te.* You're just the person I was looking for. LOC **essere giusto di sale, pepe ecc** to have the right amount of salt, pepper, etc: *Il pollo è ~ di sale.* The chicken has the right amount of salt. *Vedi anche* UMORE

glaciale *agg* icy LOC *Vedi* ERA

gli[1] *art det* the: *gli abitanti di Palermo* the inhabitants of Palermo ☛ *Vedi nota a* THE

gli[2] *pron pers* **1** (*persona*) him, to him: *~ ho mandato una cartolina.* I sent him a postcard. ◊ *~ ho parlato martedì scorso.* I spoke to him last Tuesday. **2** (*cosa*) it, to it: *Posso dargli un'occhiata?* Can I have a look at it?

globale *agg* comprehensive: *una riforma ~* comprehensive reform

gloria *sf* glory

gnu *sm* wildebeest [*pl* wildebeest]

gobba *sf* hump

gobbo, -a ◆ *agg* hunched: *Non stare ~.* Don't stand with your back hunched. ◆ *sm-sf* hunchback

goccia *sf* drop LOC **essere come due gocce d'acqua** to be as alike as two peas in a pod **la goccia che fa traboccare il vaso** the last straw

goccio *sm* drop: *Vuoi un ~ di vino?* Would you like a drop of wine?

gocciolare *vi* to drip: *Il rubinetto gocciola.* The tap's dripping.

godere *vi* ~ (**di**) to enjoy *sth*: *~ di buona salute* to enjoy good health

goffo, -a *agg* clumsy

go-kart *sm* go-kart

gol *sm* goal: *segnare un ~* to score a goal LOC **il gol del pareggio** the equalizer

gola *sf* throat: *Ho mal di ~.* I've got a sore throat. LOC *Vedi* ACQUA, MALE, NODO, RASCHIARE

golf *sm* **1** (*maglione*) sweater **2** (*sport*) golf: *giocare a ~* to play golf LOC *Vedi* CAMPO

golfo *sm* gulf: *il Golfo Persico* the Persian Gulf

goloso, -a ◆ *agg* greedy ◆ *sm-sf* glutton LOC **essere (un) goloso** to have a sweet tooth

gomitata *sf* **1** (*violenta*): *Mi sono fatto largo tra la folla a gomitate.* I elbowed my way through the crowd. **2** (*per richiamare l'attenzione*) nudge: *Mi ha dato una ~.* He gave me a nudge.

omito *sm* elbow

omitolo *sm* ball: *un ~ di lana* a ball of wool

omma *sf* **1** (*gen*) rubber **2** (*auto*) tyre LOC **avere una gomma a terra** to have a flat tyre **gomma da cancellare** rubber **gomma da masticare** chewing gum

ommapiuma *sf* foam rubber

ondola *sf* gondola

ondoliere *sm* gondolier

onfiare ◆ *vt* to blow *sth* up, to inflate (*più formale*): *~ un palloncino* to blow up a ball ◆ **gonfiarsi** *v rifl* to swell (up): *Mi si è gonfiata la caviglia.* My ankle has swollen up.

onfio, -a *agg* **1** (*gen*) swollen: *un braccio/piede ~* a swollen arm/foot **2** (*stomaco*) bloated LOC **a gonfie vele** splendidly: *È andato tutto a gonfie vele.* Everything went splendidly.

onfiore *sm* (*Med*) swelling: *Il ~ si è attenuato.* The swelling has gone down.

onna *sf* skirt: *una ~ scozzese* a tartan skirt LOC **gonna pantaloni** culottes [*pl*]

orilla *sm* **1** (*animale*) gorilla **2** (*guardia*) bodyguard

otico, -a *agg, sm* Gothic

overnare *vt, vi* (*paese*) to govern

overnatore, -trice *sm-sf* governor

overno *sm* government [*v sing o pl*]

racchiare *vi* to croak

radevole *agg* pleasant

radinata *sf* **1** (*gen*) flight of steps **2** (*stadio*) terraces [*pl*]

radino *sm* step

radire *vt*: *Gradisce un caffè?* Would you like a coffee?

rado *sm* degree: *Ci sono due gradi sotto zero.* It's two degrees below zero. ◊ *ustioni di terzo ~* third-degree burns LOC **grado centigrado** degree centigrade: *15 gradi centigradi* 15 degrees centigrade

raduale *agg* gradual

raffetta *sf* paper clip

raffiare ◆ *vt* to scratch: *Non mi ~ la macchina.* Don't scratch my car. ◆ **graffiarsi** *v rifl* to get scratched: *Mi sono graffiato raccogliendo more.* I got scratched picking blackberries.

raffio *sm* scratch

raffiti *sm* graffiti [*non numerabile*]: *Il muro era coperto di ~.* There was graffiti all over the wall. ◊ *C'erano ~ che dicevano…* There was graffiti saying…

grafica *sf* graphics

grafico, -a ◆ *agg* graphic ◆ *sm* **1** (*diagramma*) graph **2** (*persona*) graphic designer

grammatica *sf* grammar

grammo *sm* gram(me) (*abbrev* g) ☛ *Vedi Appendice 1.*

granaio *sm* barn

Gran Bretagna *sf* Great Britain (*abbrev* GB) ☛ *Vedi nota a* INGHILTERRA

grancassa *sf* bass drum

granché *pron*: *Il film non era un ~.* The film was nothing special. ◊ *Non ne so ~.* I don't know much about it.

granchio *sm* crab

grande ◆ *agg* **1** (*dimensione*) large, big (*più informale*): *una casa/città ~* a big house/city ◊ *~ o piccolo?* Large or small? ☛ *Vedi nota a* BIG **2** (*numero, quantità*) large: *una gran quantità di sabbia* a large amount of sand ◊ *un gran numero di persone* a large number of people **3** (*adulto*) grown-up: *I suoi figli sono già grandi.* Her children are already grown-up. **4** (*vecchio*) old: *Sono più ~ di mio fratello.* I'm older than my brother. **5** (*importante, notevole*) great: *un ~ musicista* a great musician ◆ *sm* (*adulto*) grown-up LOC **a grandi linee** in general terms **a grande richiesta** by popular demand **da grande** when I, you, etc grow up: *Da ~ voglio fare il dottore.* I want to be a doctor when I grow up. **di gran lunga** by far: *È di gran lunga il più importante.* It's by far the most important. **grandi magazzini** department store [*sing*] **gran parte di** most of **gran premio** grand prix: *il Gran Premio del Brasile* the Brazilian Grand Prix **la grande maggioranza di…** the great majority of…

grandezza *sf* (*dimensioni*) size: *a ~ naturale* life-size(d)

grandinare *v impers* to hail: *Stanotte è grandinato.* It hailed last night.

grandinata *sf* hailstorm

grandine *sf* hail

granello *sm* grain: *un ~ di sabbia* a grain of sand

granita *sf* drink with crushed ice

granito *sm* granite

grano *sm* (*frumento*) wheat LOC **grano di pepe** peppercorn

granturco *sm* (*pianta*) maize

grappolo *sm* bunch: *un ~ d'uva* a bunch of grapes
grasso, -a ◆ *agg* **1** (*persona, animale*) fat **2** (*pelle, capelli, cibo*) greasy: *uno shampoo per capelli grassi* a shampoo for greasy hair ◆ *sm* **1** (*gen*) fat: *grassi vegetali* vegetable fats **2** (*unto*) grease: *una macchia di ~* a grease stain LOC *Vedi* MARTEDÌ, PIANTA
grassoccio, -a *agg* plump
grassottello, -a *agg* chubby
grata *sf* grille
gratis *avv* free: *I pensionati viaggiano ~.* Pensioners travel free. ◊ *lavorare ~* to work for nothing
gratitudine *sf* gratitude
grato, -a *agg* grateful: *Ti sono molto ~.* I am very grateful to you.
grattacielo *sm* skyscraper
grattare *vt* **1** (*con le unghie*) to scratch: *grattarsi il capo* to scratch your head **2** (*togliere*) to scrape *sth* (**off sth**): *Gratta l'intonaco dalla parete.* Scrape the paint off the wall.
grattugia *sf* grater
grattugiare *vt* to grate
grattugiato, -a *pp, agg* grated: *scorza di limone grattugiata* grated lemon rind *Vedi anche* GRATTUGIARE
gratuito, -a *agg* free: *un biglietto ~* a free ticket
grave *agg* **1** (*gen*) serious: *una malattia ~* a serious illness ◊ *una ~ accusa* a serious accusation **2** (*suono, nota*) low
gravemente *avv* seriously: *~ ammalato* seriously ill
gravidanza *sf* pregnancy [*pl* pregnancies]
gravità *sf* **1** (*Fis*) gravity **2** (*importanza*) seriousness
grazia *sf* **1** (*perdono*) pardon: *Gli hanno concesso la ~.* He has been granted a pardon. **2** (*Relig, garbo*) grace
grazie! *escl* thanks! (*inform*), thank you!: *~ mille!* thank you very much! LOC **grazie a...** thanks to *sb/sth*
grazioso, -a *agg* charming: *un ~ paesino* a charming little village
Grecia *sf* Greece
greco, -a ◆ *agg, sm* Greek: *parlare ~* to speak Greek ◆ *sm-sf* Greek man/woman [*pl* Greek men/women]: *i greci* the Greeks
gregge *sm* flock
greggio *sm* crude oil
grembiule *sm* apron
grembo *sm* lap

gridare *vt, vi* to shout: *Smettila di* ... Stop shouting! ◊ *~ aiuto* to shout f... help ☛ *Vedi nota a* SHOUT
grido *sm* **1** (*gen*) shout: *Abbiamo senti... un ~.* We heard a shout. ◊ *cacciare un* ... to give a shout **2** (*aiuto, dolore, gioi*...) cry [*pl* cries]: *grida di gioia* cries of jo...
grigio ◆ *agg* **1** (*colore*) grey ☛ *Ve... esempi a* GIALLO **2** (*cielo, giornata*) dul... *È una giornata grigia.* It's a dull day. ... *sm* grey
griglia *sf* grill ☛ *Vedi illustrazione* COOKER LOC **alla griglia** grilled: *carn... pesce alla ~* grilled meat/fish
grilletto *sm* trigger: *premere il ~* to pu... the trigger
grillo *sm* cricket
grinza *sf* **1** (*pelle*) wrinkle **2** (*ind... mento*) crease
grondaia *sf* gutter
grondare *vi* to drip: *L'acqua grondav... giù dai tetti.* Water was dripping fro... the roofs. ◊ *~ di sudore* to be drippi... with sweat
grossista *smf* wholesaler
grosso, -a *agg* **1** (*gen*) big **2** (*grav*... serious: *un ~ errore/problema* a seriou... mistake/problem LOC *Vedi* CACCI... FIATO, PEZZO, SALE
grotta *sf* **1** (*naturale*) cave **2** (*artificial*...) grotto [*pl* grottoes/grottos]
groviglio *sm* tangle
gru *sf* (*macchina, uccello*) crane
gruccia *sf* **1** (*per abiti*) hanger **2** (*stan... pella*) crutch
grugnire *vi* to grunt
grugno *sm* snout
grumo *sm* **1** (*gen*) lump: *una sals... piena di grumi* a lumpy sauce ... (*sangue*) clot
gruppo *sm* group: *Ci siamo disposti i... gruppi di sei.* We got into groups of si... ◊ *Mi piace lavorare in ~.* I enjoy grou... work. LOC **gruppo sanguigno** bloo... group
guadagnare *vt* **1** (*gen*) to earn: *Ques... mese ho guadagnato poco.* I didn't ea... much this month. ◊ *guadagnarsi d... vivere* to earn your living ◊ *Si è guad... gnato il rispetto di tutti.* He has earne... everybody's respect. **2** (*ottenere*) to gai... *sth* (**from sth/doing sth**): *Cosa guadagno a dirtelo?* What do I gain b... telling you?
guadagno *sm* **1** (*gen*) earnings [*pl*]: ... *lordo/netto* gross/net earnings ... (*profitto*) profit
guaio ◆ *sm* **1** (*gen*) trouble [*non num*...

rabile]: *Non andare a cacciarti nei guai.* Don't get into trouble. **2** (*problema*) problem: *È un bel ~*. It's a problem. ◆ **guai!** *escl* watch out! LOC **essere nei guai** to be in a fix **il guaio è che…** the trouble is… *Vedi anche* COMBINARE

guaire *vi* to whine

guaito *sm* **1** (*gen*) whine **2 guaiti** whining: *i guaiti del cane* the whining of the dog

guancia *sf* cheek

guanciale *sm* pillow

guanto *sm* glove

guardare ◆ *vt* **1** (*gen*) to look at *sth*: *~ l'orologio* to look at the clock **2** (*osservare*) to watch: *Guardavano i bambini che giocavano.* They were watching the children play. ◇ *~ la TV* to watch TV **3** (*badare*) to look after: *Mi guardi la borsa un attimo?* Can you look after my bag for a minute? ◆ *vi* to look: *~ in su/in giù* to look up/down ◇ *~ fuori dalla finestra/da un buco* to look out of the window/through a hole ◆ **guardarsi** *v rifl* **1** (*gen*) to look at yourself: *guardarsi allo specchio* to look at yourself in the mirror **2** (*reciproco*) to look at each other: *Si guardarono e scoppiarono a ridere.* They looked at each other and burst out laughing. LOC **guardare di traverso** to give *sb* a nasty look **guardare fisso** to stare at *sb/sth*: *Mi guardò fisso.* He stared at me. **guardare in faccia la realtà** to face facts **guardare le vetrine** to go window-shopping

guardaroba *sm* **1** (*Cine, Teat, abiti*) wardrobe **2** (*in locale pubblico*) cloakroom

guardia *sf* guard LOC **di guardia** on call: *il medico di ~* the doctor on call ◇ *essere di ~* to be on call **fare la guardia** to guard *sth*: *Due soldati fanno la ~ all'entrata della caserma.* Two soldiers guard the entrance to the barracks. **guardia del corpo** bodyguard **Guardia di finanza** Customs and Excise **guardia giurata** security guard **guardia medica** emergency medical service **guardia notturna** nightwatchman [*pl* nightwatchmen] **mettere in guardia** to alert *sb* **stare in guardia** to be on your guard *Vedi anche* CAMBIO, CANE

guardiano, -a *sm-sf* **1** (*zoo*) warden **2** (*museo*) attendant **3** (*stabilimento*) caretaker

guardrail *sm* crash barrier

guarire ◆ *vt* **1** (*malato*) to cure **2** (*ferita*) to heal ◆ *vi* **1** (*malato*) ~ (**da**) to recover (**from** *sth*): *Il bambino è guarito dal morbillo.* The little boy recovered from the measles. **2** (*ferita*) to heal (over/up) LOC **guarisci presto!** get well soon!

guarnire *vt* (*Cucina*) to garnish: *~ con fettine di limone.* Garnish with slices of lemon.

guarnizione *sf* (*rondella*) washer

guastafeste *smf* spoilsport

guastare ◆ *vt* to spoil: *guastarsi l'appetito* to spoil your appetite ◆ **guastarsi** *v rifl* **1** (*rompersi*) to break down **2** (*cibo*) to go off

guasto, -a ◆ *agg* **1** (*rotto*) out of order **2** (*cibo*) off: *Questo latte è ~.* The milk is off. ◆ *sm* **1** (*rottura*) breakdown: *Il ~ alla macchina mi costerà un occhio della testa.* The breakdown's going to cost me an arm and a leg. **2** (*avaria*) fault: *un ~ all'impianto elettrico* a fault in the electrical system

guerra *sf* war: *essere in ~* to be at war ◇ *nella prima ~ mondiale* during the First World War ◇ *dichiarare ~ a qn* to declare war on sb LOC *Vedi* NAVE

guerriero, -a ◆ *agg* warlike ◆ *sm-sf* warrior

guerriglia *sf* guerrilla warfare

guerrigliero, -a *sm-sf* guerrilla

gufo *sm* owl

guida *sf* **1** (*persona, libro*) guide **2** (*modo di guidare*) driving: *~ pericolosa* dangerous driving LOC *Vedi* ESAME, PATENTE, SCUOLA

guidare ◆ *vt* **1** (*gen*) to drive **2** (*spedizione*) to lead ◆ *vi* to drive: *Sto imparando a ~.* I'm learning to drive.

guidatore, -trice *sm-sf* driver

guinzaglio *sm* lead

guscio *sm* shell: *un ~ di tartaruga* a tortoise shell ◇ *~ d'uovo* eggshell

gustare *vt* to savour: *Lasciami ~ questo caffè.* Let me savour my coffee.

gusto *sm* **1** (*gen*) taste: *Abbiamo gusti diversi.* Our tastes are completely different. ◇ *un commento/uno scherzo di cattivo ~* a remark/joke in bad taste ◇ *per tutti i gusti* to suit all tastes **2** (*sapore*) flavour: *dieci gusti diversi di gelato* ten different flavours of ice cream LOC **tutti i gusti sono gusti** there's no accounting for taste

Hh

habitat *sm* habitat

hall *sf* (*di albergo*) lounge

hamburger *sm* hamburger, burger (*più informale*)

handicappato, -a *agg, sm-sf* handicapped (person): *gli handicappati* the handicapped

hippy *agg, smf* hippie

hobby *sm* hobby [*pl* hobbies]: *Il suo ~ la fotografia.* Her hobby is phot graphy.

hockey *sm* hockey LOC **hockey s ghiaccio** ice hockey

hostess *sf* **1** (*volo*) stewardess (*congressi*) hostess

hotel *sm* hotel

Ii

i *art det* the: *i libri che ho comprato ieri* the books I bought yesterday ☛ *Vedi nota a* THE

iceberg *sm* iceberg

idea *sf* idea: *Ho un'idea.* I've got an idea. LOC **non ne ho idea!** I haven't a clue! *Vedi anche* CAMBIARE, MEZZO, RENDERE

ideale *agg, sm* ideal: *Sarebbe l'ideale.* That would be ideal/the ideal thing. ◊ *È uno senza ideali.* He's a man without ideals.

idealista *smf* idealist

idealistico, -a *agg* idealistic

idealizzare *vt* to idealize

ideare *vt* to think *sth* up, to devise (*più formale*): *~ un piano* to devise a plan

idem *pron* (*in una lista*) ditto ☛ *Vedi nota a* DITTO

identico, -a *agg* ~ (**a**) identical (**to** ***sb***/***sth***): *È ~ al mio.* It's identical to mine.

identificare ◆ *vt* to identify ◆ **identificarsi** *v rifl* **identificarsi con** to identify **with *sb*/*sth***: *Non riuscivo a identificarmi col protagonista.* I couldn't quite identify with the main character.

identikit *sm* identikit

identità *sf* identity [*pl* identities] LOC *Vedi* CARTA

ideologia *sf* ideology [*pl* ideologies]

idiota ◆ *agg* stupid ◆ *smf* idiot: *Che ~!* What an idiot!

idiozia *sf* **1** stupidity: *il colmo dell'idiozia* the height of stupidity **2** (*discorso*) nonsense [*non numerabile*]: *Non dire idiozie!* Don't talk nonsense! **3** (*azion* stupid thing

idolo *sm* idol

idrante *sm* hydrant

idratante *agg* moisturizing LOC *Ved* CREMA

idratare *vt* to moisturize

idraulico, -a ◆ *agg* hydraulic: *fre idraulici* hydraulic brakes ◆ *sm* plumb er

idroelettrico, -a *agg* hydroelectric

idrofilo, -a *agg*: *cotone ~* cotton wool

idrogeno *sm* hydrogen

idrovolante *sm* seaplane

iella *sf* jinx

iellato, -a *agg* jinxed

iena *sf* hyena

ieri *avv, sm* yesterday LOC **di ieri**: *giornale di ~* yesterday's paper **ie l'altro** the day before yesterday **ie sera** last night

igiene *sf* hygiene: *l'igiene orale/de corpo* oral/personal hygiene

igienico, -a *agg* hygienic LOC *Ved* CARTA

ignorante ◆ *agg* ignorant ◆ *smf* ignc ramus [*pl* ignoramuses]

ignoranza *sf* **1** (*gen*) ignorance (*mancanza di cultura*) lack of culture

ignorare *vt* **1** (*non sapere*) not to know *Ignorava di essere seguito.* He didn know that he was being followed. (*snobbare*) to ignore

ignoto, -a *agg, sm* unknown [*agg*]

il *art det* the: *il libro che ho comprato ier*

the book I bought yesterday ☛ *Vedi nota a* THE

illegale *agg* illegal

illeso, -a *agg* unharmed: *uscire ~ da un incidente* to escape from an accident unharmed

illimitato, -a *agg* unlimited: *chilometraggio ~* unlimited mileage

illogico, -a *agg* illogical

illudere ◆ *vt* to delude ◆ **illudersi** *v rifl* to delude yourself

illuminare ◆ *vt* **1** (*gen*) to light *sth* (up): *Un grande lampadario illumina la sala.* The room is lit by a huge chandelier. **2** (*con torcia*) to shine a light **on *sth***: *Illumina la scatola dei fusibili.* Shine a light on the fuse box. ◆ **illuminarsi** *v rifl* (*viso, occhi*) to light up: *Gli si è illuminato il viso.* His face lit up.

illuminato, -a *pp, agg* lit (up) (**with *sth***): *La cucina era illuminata da candele.* The kitchen was lit (up) with candles. *Vedi anche* ILLUMINARE

illuminazione *sf* lighting

Illuminismo *sm* **l'Illuminismo** the Enlightenment

illusione *sf* illusion LOC **farsi delle illusioni** to get your hopes up

illuso, -a ◆ *pp, agg* deluded ◆ *sm-sf*: *Povero ~!* You're kidding yourself! *Vedi anche* ILLUDERE

illustrare *vt* to illustrate

illustrazione *sf* illustration

illustre *agg* illustrious: *personaggi illustri* illustrious figures

imbalsamare *vt* to stuff

imbarazzante *agg* **1** (*gen*) embarrassing **2** (*situazione*) awkward: *Mi metti in una situazione ~.* You're putting me in an awkward position.

imbarazzare *vt* to embarrass: *La sua domanda mi ha imbarazzato.* Her question embarrassed me.

imbarazzato, -a *pp, agg* embarrassed *Vedi anche* IMBARAZZARE

imbarazzo *sm* embarrassment LOC **mettere in imbarazzo** to embarrass *sb*

imbarcare ◆ *vt* **1** (*passeggeri*) to embark **2** (*merci*) to load ◆ **imbarcarsi** *v rifl* (*passeggero*) to board

imbarcazione *sf* boat, craft [*pl* craft] (*più formale*) ☛ *Vedi nota a* BOAT

imbarco *sm* boarding: *L'aereo è pronto all'imbarco.* The plane is ready for boarding. LOC *Vedi* CARTA

imbattersi *v rifl* ~ **in** to bump into *sb/sth*

imbattibile *agg* unbeatable

imbavagliare *vt* to gag: *I ladri lo hanno imbavagliato.* The robbers gagged him.

imbecille ◆ *agg* stupid ◆ *smf* idiot

imbiancare *vt* **1** (*con calce*) to whitewash **2** (*con altra tinta*) to paint

imbianchino *sm* decorator

imboccatura *sf* **1** (*ingresso*) entrance: *l'imboccatura del tunnel* the entrance to the tunnel **2** (*Mus*) mouthpiece

imboscata *sf* ambush: *tendere un'imboscata a qn* to lay an ambush for sb

imbottito, a *agg* **1** (*panino*) filled **2** (*giacca, spallina*) padded

imbottitura *sf* stuffing

imbrogliare ◆ *vi* to cheat: *Stai imbrogliando!* You're cheating! ◆ *vt* to trick: *Ti hanno imbrogliato.* You've been tricked. ◆ **imbrogliarsi** *v rifl* (*nel parlare*) to stumble

imbroglio *sm* fiddle: *Che ~!* What a fiddle!

imbroglione, -a *sm-sf* cheat

imbronciato, -a *agg* sulky

imbrunire *sm* dusk: *all'imbrunire* at dusk

imbucare *vt* to post

imburrare *vt* to butter

imbuto *sm* funnel

imitare *vt* **1** (*copiare*) to imitate **2** (*parodiare*) to mimic: *È bravissimo a ~ il professore.* He's really good at mimicking the teacher.

imitazione *sf* imitation LOC **d'imitazione** fake

immaginare *vt* to imagine: *Immagino di sì.* I imagine so. ◊ *Immaginati come ci sono rimasta!* You can imagine how I felt!

immaginario, -a *agg* imaginary

immaginazione *sf* imagination

immagine *sf* **1** (*gen*) image: *Gli specchi deformavano la sua ~.* The mirrors distorted his image. **2** (*Cine, TV*) picture

immangiabile *agg* inedible

immaturo, -a *agg* immature

immediato, -a *agg* immediate: *un successo ~* an immediate success

immenso, -a *agg* immense: *un'immensa gioia/un ~ dolore* immense happiness/sorrow

immergere ◆ *vt*: *~ le mani nell'acqua* to put your hands in the water ◆ **immergersi** *v rifl* to dive

immersione *sf* diving: *fare immersioni* to go diving

immerso, -a *pp, agg* ~ **(in)** (*concentrato*) engrossed **in** ***sth***: *Era tutta immersa nella lettura.* She was deeply engrossed in her book. ◊ ~ *nei propri pensieri* lost in thought *Vedi anche* IMMERGERE

immigrante *smf* immigrant

immigrare *vi* to immigrate

immigrato, -a *sm-sf* immigrant

immigrazione *sf* immigration

immischiare ◆ *vt* to involve *sb* **(*in sth*)** ◆ **immischiarsi** *v rifl* **immischiarsi (in)** to meddle, to interfere (*più formale*) **(in *sth*)**: *Smettila d'immischiarti negli affari miei.* Stop meddling in my affairs.

immobile *agg* still: *restare* ~ to stand still

immobiliare *agg* LOC *Vedi* AGENZIA

immorale *agg* immoral

immortale *agg* immortal

immunità *sf* immunity

impacchettare *vt* to pack

impacciato, -a *agg* awkward

impalato, -a *agg*: *Non stare lì ~, aiutami!* Don't just stand there like an idiot, help me!

impalcatura *sf* scaffolding [*non numerabile*]

impallidire *vi* to go pale

impanare *vt* to cover *sth* in breadcrumbs

impanato, -a *pp, agg* in breadcrumbs *Vedi anche* IMPANARE

imparare *vt, vi* to learn: ~ *il francese* to learn French ◊ *Voglio ~ a guidare.* I want to learn to drive. ◊ ~ *qc a memoria* to learn sth by heart

imparziale *agg* unbiased

impastare *vt* (*pane*) to knead

impasto *sm* mixture

impatto *sm* impact: *l'impatto ambientale* the impact on the environment

impaurire ◆ *vt* to scare ◆ **impaurirsi** *v rifl* **impaurirsi (per)** to get scared **(of *sth*)**

impaziente *agg* impatient

impazzire *vi* **1** (*diventare matto*) to go mad **2** ~ **per** to be crazy **about *sb/sth***: *Tutte le ragazze impazziscono per lui.* All the girls are crazy about him.

impeccabile *agg* impeccable

impedimento *sm* hindrance

impedire *vt* **1** (*ingombrare*) to block *sth* (up): ~ *l'ingresso* to block the entranc (up) **2** (*rendere impossibile*) to prever *sb/sth* **(from doing *sth*)**; to stop *sb/st* **(*doing sth/from doing sth*)** (*più info male*): *La pioggia ha impedito lo svolg mento della partita.* The rain prevente the match from taking place. ◊ *Niente lo impedisce.* There's nothing stoppin you.

impegnare ◆ *vt* (*dare in pegno*) t pawn ◆ **impegnarsi** *v rifl* **1** (*applicars* to work hard **2** (*dare la propria parol* to promise **(*to do sth*)**: *Ormai mi son impegnato ad andarci.* I've promised t go now.

impegnato, -a *agg* **1** (*indaffarat* busy: *Stasera sono già ~.* I'm busy thi evening. **2** (*scrittore, regista*) engag *Vedi anche* IMPEGNARE

impegno *sm* **1** (*obbligo*) commitmen *Non posso prendermi un ~ del genere.* can't take on such a commitment. (*diligenza*) determination: *lavorare co* ~ to work with determination **3** (*sforz* effort: *Devi metterci più ~.* You mus put more effort into it. **4** (*faccenda* *avere degli impegni* to be busy LOC **senza impegno** without obligation

impenetrabile *agg* impenetrable

impensabile *agg* unthinkable

imperativo, -a *agg, sm* imperative

imperatore, -trice *sm-sf* emperor [*fe* empress]

imperfezione *sf* imperfection

imperialismo *sm* imperialism

impermeabile ◆ *agg* waterproof ◆ *sm* raincoat

impero *sm* empire

impersonale *agg* impersonal

impertinente *agg* impertinent

impianto *sm* LOC **impianto elettric** (electrical) wiring **impianto stereo** hi- system

impiccare ◆ *vt* to hang ◆ **impiccars** *v rifl* to hang yourself

In questo senso il verbo **to hang** è rego lare e perciò forma il passato aggiun gendo **-ed**.

impiccato *sm* (*gioco*) hangman: *giocar all'impiccato* to play hangman

impiccione, -a ◆ *agg* meddlesome ◆ *sm-sf* meddler

impiegare *vt* **1** (*utilizzare*) to use **2** (*tempo*) to take: *Ho impiegato circa du ore.* I took about two hours.

impiegato, -a *sm-sf* **1** (*gen*) office worker **2** (*banca*) clerk

mpiego *sm* **1** (*posto di lavoro*) job ☛ *Vedi nota a* WORK[1] **2** (*occupazione*) employment

mpigliarsi *v rifl* to get caught: *Mi si è impigliato il vestito in un chiodo.* My dress got caught on a nail.

mplicare *vt* **1** (*coinvolgere*) to implicate: *È stato implicato nell'omicidio.* He was implicated in the murder. **2** (*comportare*) to imply

mplicito, -a *agg* implicit

mplorare *vt* to beg: *L'ho implorato di non farlo.* I begged him not to do it. ◊ ~ *pietà* to beg for mercy

mporre ◆ *vt* to impose: ~ *condizioni/una tassa* to impose conditions/a tax ◆ **imporsi** *v rifl* to assert yourself

importante *agg* important: *È ~ seguire le lezioni.* It's important for you to attend lectures.

importanza *sf* importance LOC **non ha importanza** it doesn't matter **senza importanza** unimportant *Vedi anche* ACQUISTARE

importare ◆ *vi* **1** (*avere importanza*) to matter: *Ciò che importa è la salute.* Health is what matters most. ◊ *Non importa.* It doesn't matter. **2** (*preoccuparsi*) to care (**about sb/sth**): *Non m'importa di ciò che pensano.* I don't care what they think. ◊ *Sembra che non gli importi dei figli.* He doesn't seem to care about his children. ◊ *Non me ne importa nulla.* I couldn't care less. ◆ *vt* (*merci*) to import

importatore, -trice *sm-sf* importer

importazione *sf* import: *l'importazione del grano* the import of wheat ◊ *ridurre le importazioni* to reduce imports LOC **d'importazione** imported: *un'auto d'importazione* an imported car

impossibile *agg, sm* impossible: *Non pretendere l'impossibile.* Don't ask the impossible.

imposta *sf* **1** (*tassa*) tax: *esente da imposte* tax-free **2** (*finestra*) shutter LOC **Imposta sul Valore Aggiunto** value added tax (*abbrev* VAT)

impotente *agg* impotent

imprenditore, -trice *sm-sf* businessman/woman [*pl* businessmen/women]

impresa *sf* **1** (*attività commerciale*) business: *Molte imprese sono fallite.* A lot of businesses have gone bust. **2** (*progetto*) enterprise **3** (*azione difficile*) feat: *È stata una bella ~!* It was quite a feat! LOC **impresa di pompe funebri** undertaker's [*pl* undertakers]

impresario, -a *sm-sf* (*teatrale*) impresario [*pl* impresarios] LOC **impresario di pompe funebri** undertaker

impressionante *agg* shocking

impressionare *vt* **1** (*sgradevolmente*) to shock: *L'incidente mi ha impressionato.* I was shocked by the accident. **2** (*favorevolmente*) to impress: *La sua efficienza mi ha favorevolmente impressionato.* I was impressed by her efficiency.

impressione *sf* impression LOC **fare impressione**: *Il sangue mi fa ~.* I can't stand the sight of blood. **ho l'impressione che...** I get the feeling that...

imprevisto, -a ◆ *agg* unforeseen ◆ *sm*: *Sono sorti degli imprevisti.* Something unexpected has come up.

improbabile *agg* unlikely

impronta *sf* **1** (*orma*) print **2** (*macchia*) mark LOC **impronte digitali** fingerprints

improvvisare *vt* to improvise

improvviso *agg* sudden LOC **all'improvviso** suddenly

imprudente *agg* careless

imprudenza *sf* carelessness

impulsivo, -a *agg* impulsive

impulso *sm* **1** (*gen*) impulse: *agire d'impulso* to act on impulse **2** (*spinta*) boost: *dare ~ alla produzione* to boost production

impurità *sf* impurity [*pl* impurities]

imputato, -a *sm-sf* accused: *gli imputati* the accused

imputridire *vi* to rot

in *prep*

- **stato in luogo 1** (*gen*) in: *Le chiavi sono nel cassetto.* The keys are in the drawer. ◊ *Abitano in Belgio.* They live in Belgium. **2** (*settore d'attività*) in: *Lavora nella pubblicità.* She works in advertising. ◊ *È nell'esercito.* He's in the army.
- **moto a luogo 1** (*gen*) to: *Sono venuti in Italia.* They came to Italy. ◊ *Siamo andati in campagna.* We went to the country. **2** (*dentro*) into: *Entrò nella stanza.* He went into the room. ◊ *È salita in macchina.* She got into the car.
- **tempo 1** (*mese, anno, secolo*) in: *in estate/nel Quattrocento* in the summer/the 15th century **2** (*momento*) at: *in quel momento* at that moment
- **altri complementi 1** (*mezzo*) by: *in treno/aereo/macchina* by train/plane/

car **2** (*modo*) in: *in fretta* in a hurry ◊ *in inglese* in English **3** (*materia*) made of: *una statuetta in legno* a statue made of wood **4** (*numero*): *Eravamo in quindici.* There were fifteen of us. ◊ *Siamo in pochi.* There aren't very many of us.

inabissarsi *v rifl* to sink

inaccessibile *agg* inaccessible

inaccettabile *agg* unacceptable

inadeguato, -a *agg* inadequate

inaffidabile *agg* unreliable

inalare *vt* to inhale

inalatore *sm* inhaler

inaspettato, -a *agg* unexpected

inaugurale *agg* opening: *la cerimonia/il discorso* ~ the opening ceremony/speech

inaugurare *vt* to open, to inaugurate (*form*)

inaugurazione *sf* opening, inauguration (*form*)

incagliarsi *v rifl* **1** (*barca*) to run aground **2** (*fig*) to get bogged down

incalcolabile *agg* incalculable

incamminarsi *v rifl* ~ **verso** to head **for...**: *S'incamminarono verso casa.* They headed for home.

incanalare *vt* to channel

incantare ◆ *vt* to enchant: *un paesaggio che incanta* enchanting scenery ◆ **incantarsi** *v rifl* **1** (*persona*) to be lost in thought **2** (*meccanismo*) to jam

incantato, -a *pp, agg* enchanted: *un giardino* ~ an enchanted garden *Vedi anche* INCANTARE

incantesimo *sm* spell: *fare un* ~ *a qn* to cast a spell on sb ◊ *rompere l'incantesimo* to break a spell

incantevole *agg* lovely

incanto *sm* charm LOC **come per incanto** as if by magic **essere un incanto** to be lovely

incapace *agg* ~ **di** incapable **of** ***sth/doing sth***: *È* ~ *di mentire.* She's incapable of telling a lie.

incaricare *vt* to ask *sb* ***to do sth***: *Mi hanno incaricato di comprare i biglietti.* They asked me to get the tickets.

incaricato, -a *pp, agg* in charge (**of** ***sth/doing sth***): *la persona incaricata di raccogliere i soldi* the person in charge of collecting the money *Vedi anche* INCARICARE

incarico *sm* job

incartare *vt* to wrap *sth* (up) (**in** ***sth***): *Glielo incarto?* Would you like it wrapped?

incasinare *vt* to muddle *sth* up: *Non m*~ *i fogli!* Don't muddle up my papers!

incasinato, -a *agg, pp* in a mess *Vedi anche* INCASINARE

incassare *vt* **1** (*soldi, colpo, offesa*) to take **2** (*assegno*) to cash **3** (*inserire*) to fit *sth* (***into sth***)

incasso *sm* takings [*pl*]: *l'incasso della giornata* the day's takings

incastrare ◆ *vt* **1** (*inserire*) to fit *sth* in: *Sto cercando di* ~ *le ultime tessere del puzzle.* I'm trying to fit in the last pieces of the jigsaw. **2** (*persona*) to frame ◆ **incastrarsi** *v rifl* **incastrarsi (in)** to stick (**in** ***sth***): *La chiave s'è incastrata nella serratura.* The key stuck in the lock.

incatenare *vt* to chain *sb/sth* (***to sth***)

incavato, -a *agg* **1** (*gen*) hollow **2** (*occhi*) sunken

incavolarsi *v rifl* to lose your rag

incendiare ◆ *vt* to set fire **to** ***sth***: *Hanno incendiato la scuola.* They set fire to the school. ◆ **incendiarsi** *v rifl* to catch fire: *La stalla si è incendiata.* The stable caught fire.

incendio *sm* fire: *domare un* ~ to put out a fire LOC **incendio doloso** arson

incensurato, -a *agg*: *essere* ~ to have a clean record

incepparsi *v rifl* (*pistola*) to jam

incertezza *sf* uncertainty [*pl* uncertainties]

incerto, -a *agg* uncertain

inchiesta *sf* **1** (*gen*) inquiry [*pl* inquiries] **2** (*giornalistica, sociologica*) survey [*pl* surveys]: *effettuare un'inchiesta* to carry out a survey

inchino *sm* **1** (*uomo*) bow **2** (*donna*) curtsey LOC **fare un inchino 1** (*uomo*) to bow **2** (*donna*) to curtsey

inchiostro *sm* ink

inciampare *vi* ~ (**in**) to trip (**over** ***sth***)

incidente *sm* accident: *un* ~ *stradale* a road accident ◊ *avere un* ~ to have an accident LOC **incidente aereo/di macchina** plane/car crash

incidere *vt* **1** (*canzone*) to record: ~ *un album* to record an album **2** (*metallo, pietra*) to engrave

incinta *agg* pregnant: *È* ~ *di cinque mesi.* She is five months pregnant.

incirca LOC **all'incirca** roughly: *C'erano all'incirca 500 persone.* There were roughly 500 people there.

incisione *sf* **1** (*gen*) engraving **2** (*disco*) recording

ncisivo, -a ◆ *agg* (*stile*) incisive ◆ *sm* (*dente*) incisor

ncivile *agg* **1** (*non evoluto*) uncivilized **2** (*maleducato*) rude

nclinare *vt* to tilt

nclinazione *sf* (*propensione*) ~ (**per**) inclination (**to/for/towards *sth***)

ncludere *vt* **1** (*allegare*) to enclose *sth* (***in sth***) **2** (*comprendere*) to include *sb/sth* (***in sth***)

ncluso, -a *pp, agg* **1** (*accluso*) enclosed **2** (*compreso*): *IVA inclusa* including VAT ◊ *fino a sabato* ~ up to and including Saturday ◊ *dal 3 al 7* ~ from the 3rd to the 7th inclusive *Vedi anche* INCLUDERE

ncoerente *agg* **1** (*discorso*) incoherent **2** (*illogico*) inconsistent: *comportamento* ~ inconsistent behaviour

ncognito *agg* unknown LOC **in incognito** incognito: *viaggiare in* ~ to travel incognito

ncollare *vt* to stick: ~ *un'etichetta su un pacco* to stick a label on a parcel ◊ ~ *una tazza rotta* to stick a broken cup together

ncolore *agg* colourless

ncolume *agg* unhurt

ncompatibile *agg* incompatible

ncompetente *agg, smf* incompetent

ncompiuto, -a *agg* unfinished

ncompleto, -a *agg* incomplete

ncomprensibile *agg* incomprehensible

nconfondibile *agg* unmistakable

incontrare ◆ *vt* **1** (*gen*) to meet: *Lo ha incontrato all'albergo.* She met him in the hotel. **2** (*problemi*) to come up against *sth* ◆ **incontrarsi** *v rifl* **incontrarsi** (**con**) to meet (*sb*)

incontro ◆ *sm* **1** (*riunione*) meeting **2** (*Sport*) match: *un* ~ *di pugilato* a boxing match ◆ **incontro a** *prep* towards: *Il bambino mi è corso* ~. The child came running towards me. ◊ *Le siamo andati* ~ *alla stazione.* We went to meet her at the station.

inconveniente *sm* **1** (*difficoltà*) problem: *Sono sorti degli inconvenienti.* Some problems have arisen. **2** (*svantaggio*) drawback: *L'inconveniente più grosso di questa casa è il rumore.* The main drawback to living here is the noise.

incoraggiare *vt* to encourage

incorniciare *vt* to frame

incoronare *vt* to crown: *Fu incoronato re.* He was crowned king.

incoronazione *sf* coronation

incorporare *vt* **1** (*gen*) to incorporate **2** (*Cucina*) to fold *sth* in

incorporato, -a *pp, agg* (*Tec*) built-in: *con antenna incorporata* with a built-in aerial *Vedi anche* INCORPORARE

incosciente *agg* **1** (*irresponsabile*) irresponsible **2** (*svenuto*) unconscious

incravattato, -a *agg* wearing a tie

incredibile *agg* incredible

incrinare ◆ *vt* to crack: ~ *un vaso* to crack a vase ◆ **incrinarsi** *v rifl* to crack: *Si è incrinato lo specchio.* The mirror has cracked.

incrinatura *sf* crack

incrociare ◆ *vt* **1** (*gambe*) to cross: ~ *le gambe* to cross your legs **2** (*braccia*) to fold: ~ *le braccia* to fold your arms **3** (*incontrare*) to meet ◆ **incrociarsi** *v rifl* to meet: *Ci siamo incrociati per strada.* We met on the way.

incrociato, -a *pp, agg* **1** (*gambe*) crossed **2** (*braccia*) folded *Vedi anche* INCROCIARE

incrocio *sm* **1** (*di strade*) junction: *All'incrocio gira a destra.* Turn right when you reach the junction. **2** (*ibrido*) cross: *un* ~ *tra un boxer e un dobermann* a cross between a boxer and a Dobermann

incubatrice *sf* incubator

incubazione *sf* incubation: *La malattia ha un'incubazione di tre anni.* The illness has an incubation period of three years.

incubo *sm* nightmare: *Ieri notte ho avuto un* ~. I had a nightmare last night.

incurabile *agg* incurable

incuriosire *vt* to intrigue

incursione *sf* raid

incurvarsi *v rifl* (*persona*) to become stooped

incutere *vt* **1** (*timore*) to instil *sth* (***in/into sb***) **2** (*rispetto*) to inspire *sth* (***in sb***)

indaffarato, -a *agg* busy

indagare *vi* ~ **su** to investigate *sth*

indagine *sf* ~ (**di/su**) (*gen*) investigation (**into *sth***): *Sarà fatta un'indagine sull'incidente.* There'll be an investigation into the accident.

indebitarsi *v rifl* to get into debt

indebolire ◆ *vt* to weaken ◆ **indebolirsi** *v rifl* to get weaker

indecente *agg* **1** (*osceno*) indecent **2** (*vergognoso*) disgraceful

indeciso, -a *agg* **1** (*carattere, persona*) indecisive **2** (*non deciso*) undecided

indefinito, -a *agg* (*periodo*) indefinite

indegno, -a *agg* ~ **di** unworthy **of *sb*/*sth***: *un comportamento ~ di una persona come te* behaviour unworthy of someone like you

indeterminativo, -a *agg* LOC *Vedi* ARTICOLO

indeterminato, -a *agg* indeterminate

India *sf* India LOC *Vedi* FICO, PORCELLINO

indiano, -a *agg, sm-sf* **1** (*dell'India*) Indian: *gli indiani* the Indians ◊ *l'oceano Indiano* the Indian Ocean **2** (*d'America*) American Indian LOC *Vedi* CANAPA, FILA

indicare *vt* **1** (*gen*) to show, to indicate (*più formale*): ~ *la strada* to show the way **2** (*col dito*) to point **at *sb*/*sth***

indicativo, -a *agg* indicative

indicato, -a *pp, agg* **1** (*adatto*) suitable **2** (*specificato*) specified: *la data indicata sul documento* the date specified in the document **3** (*consigliabile*) advisable *Vedi anche* INDICARE

indicatore *sm* indicator LOC **indicatore della benzina/pressione** petrol/pressure gauge **indicatore di direzione** indicator

indicazione *sf* **1** (*segno*) indication **2 indicazioni (a)** (*prescrizioni*) instructions: *Seguire le indicazioni del foglietto illustrativo.* Follow the instructions in the leaflet. **(b)** (*strada*) directions: *chiedere indicazioni* to ask for directions

indice *sm* **1** (*gen*) index **2** (*dito*) index finger LOC **indice di ascolto** ratings

indietro *avv* **1** (*gen*) back: *Sediamoci più ~*. Let's sit further back. ◊ *fare un passo ~* to take a step back **2** (*orologio*) slow: *Il tuo orologio è ~*. Your watch is slow. ◊ *mettere l'orologio ~ di un'ora* to put the clock back an hour LOC **all'indietro** backwards: *camminare all'indietro* to walk backwards **essere/rimanere indietro** (*nel lavoro*) to fall behind *in*/*with sth*: *Ha cominciato a rimanere ~ nello studio.* He began to fall behind in his studies. *Vedi anche* AVANTI, PASSO

indifeso, -a *agg* (*vulnerabile*) helpless

indifferente *agg* indifferent (***to sb*/*sth***) not interested (***in sb*/*sth***) (*più informale*) LOC **è indifferente**: *Per me è ~*. I don't mind.

indifferenza *sf* indifference (***to sb*/*sth***)

indigeno, -a ◆ *agg* indigenous ◆ *sm-s* native

indigestione *sf* indigestion LOC **far indigestione di 1** (*cibo*) to overindulg in *sth*: *Ho fatto ~ di ciliegie.* I've overin dulged in cherries. **2** (*fig*) to have mor than enough of *sth*: *Ho fatto ~ d concerti di musica classica.* I've ha more than enough of classical musi concerts.

indimenticabile *agg* unforgettable

indipendente *agg* independent

indipendenza *sf* independence

indire *vt* to call: ~ *uno sciopero general* to call a general strike

indiretto, -a *agg* indirect LOC *Ved* COMPLEMENTO

indirizzare *vt* to address *sth* ***to sb*/*sth***: *La lettera era indirizzata a me.* Th letter was addressed to me.

indirizzo *sm* address: *nome e ~* nam and address

indiscreto, -a *agg* indelicate LOC **s non sono indiscreto** if you don't min my asking

indiscutibile *agg* indisputable

indispensabile *agg* essential

indisponente *agg* stroppy

indisposto, -a *agg* poorly

indistruttibile *agg* indestructible

indivia *sf* endive

individuale *agg* individual

individuare *vt* to identify

individuo *sm* individual

indizio *sm* clue: *Dammi qualche ~*. Giv me some clues.

indolenzito, -a *agg* stiff

indolore *agg* painless

indomani *sm* **l'indomani** the next day

Indonesia *sf* Indonesia

indonesiano, -a *agg, sm-sf* Indonesian: *gli indonesiani* the Indonesians

indossare *vt* to wear: *Indossava un abito da sera.* She was wearing ar evening dress.

indovinare *vt* to guess: *Indovina ch cos'ho in mano.* Guess what I've got. ◊ ~ *la risposta* to guess the answer

indovinello *sm* riddle

indovino, -a *sm-sf* fortune-teller

indù *agg, smf* Hindu

indubbio, -a *agg* undoubted

induismo *sm* Hinduism

indumento *sm* garment

indurire ◆ *vt, vi* to harden ◆ **indurirsi** *v rifl* to go hard

industria *sf* industry [*pl* industries]: ~ *alimentare/siderurgica* food/iron and steel industry

industriale ◆ *agg* industrial ◆ *smf* industrialist LOC *Vedi* CINTURA, DISEGNO

industrializzato, -a *agg* industrialized

industrializzazione *sf* industrialization

inedito, -a *agg* **1** (*autore, libro*) unpublished **2** (*notizia*) fresh

inefficace *agg* ineffective

inefficiente *agg* inefficient

inerente *agg* ~ (**a**) inherent (**in *sb/sth***): *problemi inerenti al lavoro* problems inherent in the job

inerzia *sf* inertia LOC *Vedi* FORZA

inesauribile *agg* inexhaustible

inesistente *agg* non-existent

inesperienza *sf* inexperience

inesperto, -a *agg* inexperienced

inestimabile *agg* inestimable LOC **di inestimabile valore** priceless

inevitabile *agg* inevitable: *Era ~ che lo venisse a sapere.* It was inevitable she would find out.

infallibile *agg* infallible: *Nessuno è ~.* No one is infallible

infangato, -a *agg* muddy

infantile *agg* **1** (*per bambini*) child [*s attrib*]: *psicologia ~* child psychology **2** (*da bambini*) childhood [*s attrib*]: *malattie infantili* childhood diseases **3** (*dispregiativo*) childish, infantile (*più formale*)

infanzia *sf* childhood

infarinare *vt* to dip *sth* in flour

infarinatura *sf* smattering: *avere un'infarinatura di spagnolo* to have a smattering of Spanish

infarto *sm* heart attack

infastidire *vt* to annoy

infatti ◆ *cong* indeed ◆ ~! *escl* exactly!

infedele *agg* unfaithful (**to *sb/sth***): *Le è stato ~.* He has been unfaithful to her.

infedeltà *sf* infidelity [*pl* infidelities]

infelice *agg* unhappy

inferiore *agg* **1** ~ (**a**) (*gen*) lower (**than *sth***): *un tasso di natalità ~ a quello dell'anno passato* a lower birth rate than last year ◊ *nella parte ~ dell'edificio* on the lower floors of the building **2** ~ (**a**) (*grado, qualità*) inferior (**to *sb/sth***)

infermeria *sf* **1** (*gen*) infirmary [*pl* infirmaries] **2** (*Scuola*) sickroom

infermiere, -a *sm-sf* nurse

inferno *sm* hell: *È stato un viaggio d'inferno.* The journey was hell.

inferriata *sf* bars [*pl*]

infettarsi *v rifl* to become infected: *La ferita si è infettata.* The wound has become infected.

infettivo, -a *agg* infectious

infezione *sf* infection

infiammabile *agg* inflammable

infiammazione *sf* swelling, inflammation (*form*)

infilare ◆ *vt* **1** (*gen*) to put *sth* ***in sth***: *S'infilò le mani in tasca.* She put her hands in her pockets. **2** (*vestiti*) to put *sth* on: *infilarsi le scarpe/il cappotto* to put on your shoes/coat **3** (*ago*) to thread ◆ **infilarsi** *v rifl* (*persona*) **(a)** (*gen*) to sneak in/on: *Ci siamo infilati sull'autobus senza pagare.* We sneaked onto the bus without paying. **(b)** (*in una coda*) to push in

infiltrazione *sf* leak: *un'infiltrazione d'acqua nel tetto* a leak in the roof

infine *avv* finally

infinità *sf* LOC **un'infinità di...** a great many...: *un'infinità di gente/cose* a great many people/things

infinito, -a ◆ *agg* infinite: *Le possibilità sono infinite.* The possibilities are infinite. ◊ *Ci vuole una pazienza infinita.* You need infinite patience. ◆ *sm* **1** (*Mat*) infinity **2** (*Gramm*) infinitive LOC **all'infinito** for ever

infissi *sm* fixtures

inflazione *sf* inflation

influenza *sf* **1** (*ascendente*) influence (**on/over *sb/sth***): *Ha grande ~ su di lui.* She has great influence over him. **2** (*malattia*) flu [*non numerabile*]: *Ho l'influenza.* I've got (the) flu.

influenzare *vt* to influence: *Non voglio ~ la tua decisione.* I don't want to influence your decision.

influire *vi* ~ **su** to affect *sb/sth*

infondato, -a *agg* unfounded

informale *agg* informal: *un incontro ~* an informal gathering

informare ◆ *vt* to inform *sb* (**of/about *sth***) ◆ **informarsi** *v rifl* **informarsi** (**di/su**) to find out (**about *sb/sth***)

informatica *sf* **1** (*gen*) information technology **2** (*materia*) computer science

informatore, -trice *sm-sf* (*della polizia*) grass

informazione *sf* information (**on/**

about sb/sth) [*non numerabile*]: *chiedere informazioni* to ask for information

Alcuni sostantivi che in italiano si usano spesso al plurale, in inglese non sono numerabili e quindi si possono usare solo al singolare. I più comuni sono **information**, **advice**, **furniture**, **luggage**, **hair** e **news**: *Hai tutte le informazioni?* Have you got all the information? ◊ *Mi ha dato dei buoni consigli.* She gave me some good advice. ◊ *Ha i capelli tinti.* Her hair is dyed. Alcune parole per il cibo si usano al plurale in italiano e al singolare in inglese, per esempio *spaghetti*, *broccoli*, *spinaci*, *asparagi*: *Gli spaghetti sono stracotti!* The spaghetti is overcooked! Per dire *un'informazione*, *un consiglio*, ecc si usa **a piece**: *È un'informazione utile.* That's a useful piece of information.

LOC *Vedi* BANCO, SERVIZIO, UFFICIO

infortunarsi *v rifl* to injure yourself ☛ *Vedi nota a* FERITA

infortunato, -a *pp, agg* injured *Vedi anche* INFORTUNARSI

infortunio *sm* accident: *un ~ sul lavoro* an accident at work

infossato, -a *agg* sunken

infradiciare ◆ *vt* to soak: *La pioggia ci ha infradiciato.* We got soaked in the rain. ◆ **infradiciarsi** *v rifl* to get soaked (through)

infrangere *vt* **1** (*legge*) to break **2** (*rompere*) to smash: *Hanno infranto la vetrina.* They smashed the shop window.

infrarosso, -a *agg* infra-red

infrazione *sf* offence: *un'infrazione al codice della strada* a traffic offence

infuori *avv* **all'infuori**: *La trave sporge all'infuori.* The beam sticks out. LOC **all'infuori di** except: *C'erano tutti all'infuori di lui.* Everybody was there except him.

infuriarsi *v rifl* to fly into a rage

ingaggiare *vt* **1** (*gen*) to hire **2** (*Sport*) to sign *sb* (up): *essere ingaggiato dal Milan* to sign for Milan

ingannare *vt* to deceive LOC **ingannare il tempo/l'attesa** to kill time

inganno *sm* deceit LOC *Vedi* TRARRE

ingarbugliare ◆ *vt* **1** (*fili, cavi*) to get *sth* tangled (up) **2** (*fig*) to get *sth* muddled (up) ◆ **ingarbugliarsi** *v rifl* **1** (*fili, cavi*) to get tangled (up) **2** (*fig*) to get muddled (up)

ingegnere *sm* engineer

ingegneria *sf* engineering LOC **ingegneria civile** civil engineering

ingegnoso, -a *agg* ingenious

ingelosire *vt* to make *sb* jealous

ingenuo, -a *agg, sm-sf* naive [*agg*]: *Sei un ~!* You're so naive!

ingessare *vt* to put *sth* in plaster: *Mi hanno ingessato una gamba.* They put my leg in plaster.

ingessato, -a *pp, agg* in plaster: *Ho un braccio ~.* My arm's in plaster. *Vedi anche* INGESSARE

ingessatura *sf* plaster

Inghilterra *sf* England

Talvolta usiamo **England** per riferirci alla Gran Bretagna, ma dobbiamo ricordare che l'Inghilterra è solo una parte del paese. Per riferirci alla Gran Bretagna si usa **Britain**.

inghiottire *vt, vi* to swallow: *Ho inghiottito un nocciolo d'oliva.* I swallowed an olive stone. ◊ *Quando inghiottisco mi fa male la gola.* My throat hurts when I swallow.

inginocchiarsi *v rifl* to kneel (down)

inginocchiato, -a *pp, agg* on your knees *Vedi anche* INGINOCCHIARSI

ingiù *avv* **all'ingiù** downwards

ingiustizia *sf* injustice: *Hanno commesso molte ingiustizie.* Many injustices were done. LOC **essere un'ingiustizia**: *È un'ingiustizia.* It's not fair.

ingiusto, -a *agg* ~ (**con/per**) unfair (**on/to *sb***): *È ~ per gli altri.* It's unfair on the others.

inglese ◆ *agg, sm* English: *parlare ~* to speak English ◆ *smf* Englishman/woman [*pl* Englishmen/women]: *gli inglesi* the English

Talvolta usiamo **the English** per riferirci in generale agli abitanti della Gran Bretagna: quest'uso può offendere gli scozzesi, i gallesi e gli irlandesi. Il termine da usare è **the British**.

ingollare *vt* to gobble *sth* (up/down)

ingombrante *agg* cumbersome

ingordo, -a *agg, sm-sf* greedy [*agg*]: *Non fare l'ingordo!* Don't be so greedy!

ingorgo *sm* (*traffico*) traffic jam

ingozzarsi *v rifl* ~ (**di**) to stuff yourself (**with *sth***)

ingrandimento *sm* (*foto*) enlargement LOC *Vedi* LENTE

ingrandire ◆ *vt* **1** (*Fot*) to enlarge **2** (*lente, microscopio*) to magnify ◆ **ingrandirsi** *v rifl* to grow: *La città si è* *ingrandita parecchio negli ultimi anni.* The town has grown a lot in recent years.

ingrassare ◆ *vt* **1** (*persona, animale*) to fatten *sb/sth* (up) **2** (*lubrificare*) **(a)** (*con grasso*) to grease **(b)** (*con olio*) to oil ◆ *vi* to put on weight: *Sono ingrassato parecchio.* I've put on a lot of weight. LOC **far ingrassare** to be fattening: *Le caramelle fanno ~.* Sweets are fattening.

ingrato, -a *agg* **1** (*persona*) ungrateful **2** (*lavoro, compito*) thankless

ingrediente *sm* ingredient

ingresso *sm* **1** ~ **(in)** (*azione*) **(a)** (*gen*) entry (**into *sth***): *Vietato l'ingresso.* No entry. **(b)** (*club, associazione*) admission (**to *sth***): *L'ingresso è gratuito per i soci.* Admission is free for members. **2** (*porta*) entrance (***to sth***): *Ti aspetto all'ingresso.* I'll wait for you at the entrance. LOC **ingresso libero** free admission *Vedi anche* VIETATO

ingrosso LOC **all'ingrosso** wholesale *Vedi anche* COMMERCIANTE

inguine *sm* groin

inibizione *sf* inhibition

iniezione *sf* injection: *fare un'iniezione a qn* to give sb an injection

iniziale ◆ *agg* **1** (*gen*) initial **2** (*stipendio*) starting ◆ *sf* initial: *firmare qc con le iniziali* to initial sth

iniziare *vt, vi* ~ **(a)** to start (***doing sth***)

iniziativa *sf* initiative LOC **di propria iniziativa** on your own initiative: *Non fa niente di sua ~.* He never does anything on his own initiative. **prendere l'iniziativa** to take the initiative *Vedi anche* SPIRITO

iniziazione *sf* ~ **(a)** initiation (**into *sth***)

inizio *sm* start, beginning (*più formale*): *all'inizio del film* at the beginning of the film ◊ *fin dall'inizio della carriera* right from the beginning of his career LOC **dall'inizio alla fine** from beginning to end **dare inizio a** to begin *sth* **essere agli inizi** to be in its early stages *Vedi anche* CALCIO

innamorarsi *v rifl* ~ **(di)** to fall in love (**with *sb/sth***)

innamorato, -a *pp, agg* in love: *essere ~ di qn* to be in love with sb *Vedi anche* INNAMORARSI

innanzitutto *avv* **1** (*soprattutto*) first and foremost **2** (*prima di tutto*) first of all

innato, -a *agg* innate

innegabile *agg* undeniable

innervosire ◆ *vt* to annoy: *Il suo continuo tirar su col naso m'innervosisce.* His constant sniffing annoys me. ◆ **innervosirsi** *v rifl* to get annoyed: *Si innervosisce per niente.* He gets annoyed very easily. ◊ *Non innervosirti!* Keep calm!

innestare *vt* (*spina*) to insert

inno *sm* hymn LOC **inno nazionale** national anthem

innocente ◆ *agg* **1** (*gen*) innocent **2** (*scherzo*) harmless ◆ *smf* innocent: *fare l'innocente* to play the innocent LOC *Vedi* DICHIARARE

innocenza *sf* innocence

innocuo, -a *agg* harmless

innumerevole *agg* countless

inoffensivo, -a *agg* harmless

inoltre *avv* besides: *E ~ non penso che verranno.* Besides, I don't think they'll come.

inondazione *sf* flood

inopportuno, -a *agg* **1** (*non conveniente*) inconvenient: *un momento ~* an inconvenient time **2** (*inadatto*) inappropriate: *un'osservazione inopportuna* an inappropriate comment

inosservato, -a *agg* unnoticed: *passare ~* to go unnoticed

inossidabile *agg* LOC *Vedi* ACCIAIO

inquilino, -a *sm-sf* tenant

inquinamento *sm* pollution: *~ atmosferico* atmospheric pollution

inquinare *vt* to pollute: *Gli scarichi della fabbrica stanno inquinando il fiume.* Waste from the factory is polluting the river.

inquinato, -a *pp, agg* polluted *Vedi anche* INQUINARE

insaccati *sm* sausages

insalata *sf* salad: *~ di riso* rice salad ◊ *~ mista* mixed salad

insalatiera *sf* salad bowl

insanguinato, -a *agg* bloodstained

insaponare *vt* to soap: *insaponarsi la schiena* to soap your back

insaputa *sf* LOC **all'insaputa di** without *sb* knowing: *Ci è andato a mia ~.* He went without me knowing.

insegna *sf* sign: *un'insegna al neon* a neon sign

insegnamento *sm* teaching

insegnante *smf* teacher: *Il mio ~ d'inglese è australiano.* My English teacher is from Australia.

insegnare *vt, vi* to teach *sth*, to teach *sb* **to do sth**: *Insegna matematica.* He teaches maths. ◊ *Chi ti ha insegnato a giocare?* Who taught you how to play?

inseguimento *sm* pursuit: *La polizia si lanciò all'inseguimento dei rapinatori.* The police went in pursuit of the robbers.

inseguire *vt* to pursue: ~ *un'auto* to pursue a car

insenatura *sf* inlet

insensibile *agg* ~ (**a**) insensitive (**to** ***sth***): ~ *al freddo/dolore* insensitive to cold/pain

inserire ◆ *vt* to insert ◆ **inserirsi** *v rifl* **inserirsi** (**in**) to settle down (**in/at** ***sth***): *Si è inserito bene nella nuova scuola.* He's settled down well at his new school.

inserzione *sf* (*annuncio*) advertisement, ad (*più informale*)

insetticida *sm* insecticide

insetto *sm* insect

insicurezza *sf* insecurity

insicuro, -a *agg* insecure

insieme ◆ *avv* together: *tutti* ~ all together ◊ *Studiamo sempre* ~. We always study together. ◆ *sm* (*totalità*) whole: *nell'insieme* on the whole ◊ *È un ~ di cose che mi dà fastidio.* It's a whole lot of things that annoy me. LOC **insieme a** together with: ~ *a noi* together with us **stare insieme** (*coppia*): *Stiamo ~ da due anni.* We've been going out together for two years.

insignificante *agg* insignificant

insinuare *vt* to insinuate: *Vuoi forse ~ che non sto dicendo la verità?* Are you insinuating that I'm lying?

insinuazione *sf* insinuation

insipido, -a *agg* **1** (*cibo*) tasteless: *La minestra è un po' insipida.* This soup needs a little salt. **2** (*fig*) dull

insistente *agg* **1** (*persona*) insistent **2** (*pioggia*) persistent

insistere *vi* **1** ~ (**su/a**) to insist (**on** ***sth/doing sth***): *Non ~, non ci vado.* I'm not going however much you insist. **2** ~ (**in**) to persist (**in** ***sth/doing sth***)

insoddisfatto, -a *agg* dissatisfied (***with sb/sth***)

insolazione *sf* sunstroke [*non numerabile*]: *prendersi un'insolazione* to get sunstroke

insolente *agg* cheeky

insolito, -a *agg* unusual

insomma ◆ *avv* well ◆ **~!** *escl* **1** (*impazienza*) for goodness' sake!: *Smettetela, ~!* Stop it, for goodness' sake! **2** (*così così*) so-so: *"Com'è andata?" "Insomma!"* 'How was it?' 'So-so.'

insonnia *sf* insomnia

insonorizzare *vt* to soundproof

insopportabile *agg* unbearable

insormontabile *agg* insuperable

insostituibile *agg* irreplaceable

instabile *agg* unstable

installare *vt* to install

installazione *sf* installation

instancabile *agg* tireless

insù *avv* **all'insù** upwards

insudiciare ◆ *vt* to get *sth* dirty: *Non ~ il pavimento.* Don't get the floor dirty. ◆ **insudiciarsi** *v rifl* to get dirty

insufficiente ◆ *agg* **1** (*quantità*) insufficient **2** (*qualità*) inadequate ◆ *sm* (*Scuola*) fail: *Ho preso ~.* I got a fail.

insufficienza *sf* **1** (*scarsità*) lack: ~ *di prove* lack of evidence **2** (*Scuola*) fail: *Ho preso un'insufficienza in matematica.* I got a fail in maths. **3** (*Med*) failure: ~ *cardiaca/renale* heart/kidney failure

insultare *vt* to insult

insulto *sm* insult

intagliare *vt* to carve

intaglio *sm* carving

intanto *avv* in the meantime: ~ *io compro il popcorn.* ◊ *In the meantime I'll get the popcorn.* LOC **intanto che** while: ~ *che finisci faccio una telefonata.* I'll make a phone call while you finish.

intasato, -a *agg* blocked

intascare *vt* to pocket: *Ha intascato una bella somma.* He pocketed a fortune.

intatto, -a *agg* intact

integrale *agg* **1** (*completo*) complete **2** (*pane*) wholemeal

integrare ◆ *vt* to integrate *sth* (**into** ***sth***) ◆ **integrarsi** *v rifl* ~ (**in**) to integrate (**into** ***sth***)

integrazione *sf* ~ (**in**) integration (**into** ***sth***)

integrità *sf* integrity

intellettuale *agg, smf* intellectual

intelligente *agg* intelligent

intelligenza *sf* intelligence LOC *Vedi* QUOZIENTE

intemperie *sf* **le intemperie** the elements

intendere ◆ *vt* **1** (*avere intenzione*) to intend **to do sth** **2** (*voler dire*) to mean **3** (*capire*) to understand ◆ **intendersi**

v rifl **1** (*capirsi*) to have a good understanding **2 intendersi di** to know **about sth**: *Non me ne intendo molto.* I don't know much about that. LOC **intendiamoci** let's make one thing clear

intenditore, -trice *sm-sf* ~ (**di**) expert (**at/in/on** ***sth***)

intensificare ◆ *vt* to intensify ◆ **intensificarsi** *v rifl* to intensify

intensità *sf* intensity

intensivo, -a *agg* intensive

intenso, -a *agg* **1** (*gen*) intense: *freddo/caldo ~* intense cold/heat **2** (*negoziati, studio*) intensive **3** (*luce, colore*) strong **4** (*traffico*) heavy **5** (*impegnato*) busy: *Abbiamo avuto un mese molto ~.* We've had a very busy month.

intenzionale *agg* deliberate

intenzione *sf* intention LOC **avere buone intenzioni**: *Aveva buone intenzioni.* He meant well. **avere intenzione di** to intend *to do sth*: *Abbiamo ~ di comprare un appartamento.* We intend to buy a flat.

interessante *agg* interesting ☛ *Vedi nota a* NOIOSO LOC *Vedi* STATO

interessare ◆ *vi* to interest: *Non mi interessa l'arte.* I'm not interested in art. ◊ *Ti interessa partecipare?* Are you interested in taking part? ◊ *Non m'interessa!* I'm not interested! ◆ *vt* to interest *sb* (**in** ***sth***) ◆ **interessarsi** *v rifl* **interessarsi di/a** to show (an) interest **in** ***sth***: *interessarsi di politica* to show an interest in politics ◊ *Fingeva di interessarsi alla conversazione.* He pretended to show interest in the conversation.

interessato, -a *pp, agg* **1** (*partecipe*) interested ☛ *Vedi nota a* NOIOSO **2** (*per tornaconto*) self-interested *Vedi anche* INTERESSARE

interesse *sm* **1** (*gen, Fin*) ~ (**per**) interest (**in** ***sb/sth***): *Il romanzo ha suscitato grande ~.* The novel has aroused a lot of interest. ◊ *Non ha nessun ~ per lo sport.* He shows no interest in sport. ◊ *con un ~ del 10%* at 10% interest **2** (*tornaconto*) self-interest: *Lo hanno fatto per puro ~.* They did it out of pure self-interest. LOC *Vedi* CONFLITTO, TASSO

interferenza *sf* interference [*non numerabile*]

interferire *vi* ~ (**in**) to meddle, to interfere (*più formale*) (**in** ***sth***)

interiezione *sf* interjection

interiora *sf* entrails

interiore *agg* inner

intermediario, -a *sm-sf* **1** (*messaggero*) go-between [*pl* go-betweens] **2** (*Comm*) middleman [*pl* middlemen]

intermedio, -a *agg* intermediate

intermezzo *sm* interval

interminabile *agg* endless

internazionale *agg* international

interno, -a ◆ *agg* **1** (*gen*) internal **2** (*tasca*) inside **3** (*nazionale*) domestic: *il mercato ~* the domestic market ◊ *politica interna* domestic politics ◆ *sm* **1** (*gen*) interior: *l'interno di un edificio/una macchina* the interior of a building/car **2** (*telefono*) extension LOC *Vedi* EMORRAGIA, MINISTERO, MINISTRO

intero, -a *agg* **1** (*completo*) whole, entire (*form*): *l'intero stipendio* my whole salary **2** (*prezzo*) full: *pagare il biglietto ~* to pay the full price **3** (*intatto*) intact LOC *Vedi* LATTE

interpretare *vt* **1** (*gen*) to interpret: *~ un sogno* to interpret a dream **2** (*Mus*) to perform **3** (*Teat, Cine*) to play: *Ha interpretato Otello.* He played Othello.

interpretazione *sf* interpretation

interprete *smf* **1** (*gen*) interpreter **2** (*Teat, Cine, Mus*) performer

interrazziale *agg*: *rapporti interrazziali* race relations

interrogare *vt* **1** (*gen*) to question **2** (*Scuola*) to test *sb* (**on** ***sth***): *Ripassa i verbi che poi ti interrogo.* Revise your verbs and then I'll test you (on them).

interrogativo, -a ◆ *agg* interrogative ◆ *sm* question LOC *Vedi* PUNTO

interrogatorio *sm* interrogation

interrogazione *sf* oral examination

interrompere *vt* to interrupt: *~ un programma* to interrupt a programme ◊ *Non mi ~.* Don't interrupt me.

interruttore *sm* switch

interruzione *sf* **1** (*gen*) interruption **2** (*di corrente*) cut: *un'interruzione della corrente* a power cut **3** (*trattative, traffico*) break

interurbana *sf* long-distance call

intervallo *sm* **1** (*gen, Teat*) interval: *a intervalli di mezz'ora* at half-hourly intervals **2** (*Sport*) half-time

intervenire *vi* **1** ~ (**in**) to intervene (**in** ***sth***): *È dovuta ~ la polizia.* The police had to intervene. **2** ~ (**a**) (*partecipare*) to take part (**in** ***sth***)

intervento *sm* **1** (*gen*) intervention **2** (*discorso*) speech LOC **intervento chirurgico** operation

intervista *sf* interview

intervistare *vt* to interview
intervistatore, -trice *sm-sf* interviewer
inteso, -a *pp, agg* understood: *Siamo intesi?* Is that understood? *Vedi anche* INTENDERE
intestare *vt* **1** (*casa, macchina*) to put *sth* **in *sb's* name 2** (*assegno*) to make *sth* out ***to sb***
intestato, -a *pp, agg* LOC *Vedi* CARTA; *Vedi anche* INTESTARE
intestazione *sf* heading
intestino *sm* intestine: ~ *tenue/crasso* small/large intestine
intimidire *vt* to intimidate
intimità *sf* **1** (*gen*) privacy **2** (*confidenza*) intimacy
intimo, -a *agg* **1** (*gen*) intimate: *una conversazione intima* an intimate conversation **2** (*amicizia, legame*) close: *Sono intimi amici.* They're very close friends. LOC *Vedi* BIANCHERIA
intingere *vt* to dip *sth* ***in sth***: ~ *patate fritte nel ketchup* to dip chips in ketchup
intitolare ◆ *vt* (*libro, film, quadro*) to call ◆ **intitolarsi** *v rifl* to be called: *Come s'intitola la poesia?* What's the poem called?
intollerabile *agg* intolerable
intollerante *agg* intolerant
intolleranza *sf* intolerance
intonaco *sm* plaster
intonare ◆ *vt* **1** (*cantare*) to sing **2** (*abiti*) to match *sth* (***with sth***) ◆ **intonarsi** *v rifl* **1** (*colori*) to go ***with sth***: *Il nero si intona con qualsiasi colore.* Black goes well with any colour. **2** (*abiti*) to match: *Queste scarpe non si intonano con la borsa.* Those shoes don't match the handbag.
intonato, -a *pp, agg* (*Mus*): *essere* ~ to sing in tune *Vedi anche* INTONARE
intonazione *sf* intonation
intorbidire ◆ *vt* to make *sth* cloudy ◆ **intorbidirsi** *v rifl* to become cloudy
intorno *avv* around: *Guardati* ~. Look around you. ◊ *Qui* ~ *non c'è nemmeno una biblioteca.* There's not even a library around here. LOC **intorno a** around: *le persone* ~ *a me* the people around me ◊ *Erano seduti* ~ *al tavolo* They were sitting around the table. ◊ *Arriveremo* ~ *alle dieci e mezzo.* We'll get there around half past ten.
intorpidito, -a *agg* numb
intossicazione *sf* poisoning: ~ *alimentare* food poisoning
intralciare *vt* **1** (*gen*) to hinder: *Il maltempo intralcia le operazioni di salvataggio.* Bad weather is hindering the rescue operations. **2** (*traffico*) to hold *sth* up
intralcio hitch LOC **essere d'intralcio** to be in the way: *Dimmelo se quelle scatole ti sono d'intralcio.* Tell me if those boxes are in your way.
intransitivo, -a *agg* intransitive
intraprendente *agg* enterprising
intraprendere *vt* **1** (*iniziare*) to begin **2** (*viaggio*) to set off **on *sth***: ~ *una spedizione* to set off on an expedition
intrattenere *vt* to keep *sb* amused
intravedere *vt* to catch a glimpse of *sb/sth*
introdurre *vt* **1** (*gen*) to introduce: *Vogliono* ~ *un nuovo sistema.* They want to introduce a new system. **2** (*inserire*) to put *sth* in, to put *sth* ***into sth***, to insert (*più formale*): ~ *la moneta nella fessura.* Insert the coin in the slot.
introduzione *sf* introduction
intromettersi *v rifl* ~ (**in**) to interfere (**in *sth***)
introverso, -a ◆ *agg* introverted ◆ *sm-sf* introvert
intruso, -a *sm-sf* intruder
intuire *vt* to feel: *Ho intuito subito che qualcosa non andava.* I immediately felt there was something wrong.
intuito *sm* intuition LOC **per intuito** intuitively
intuizione *sf* intuition
inumidire ◆ *vt* to dampen: ~ *la biancheria per stirarla* to dampen clothes before ironing them ◆ **inumidirsi** *v rifl* to get damp
inutile *agg* useless LOC **è inutile (che ...)**: *È* ~ *tentare di convincerlo.* It's pointless trying to convince him. ◊ *È* ~ *che tu gridi.* There's no point in shouting.
invadente *agg* intrusive
invadere *vt* to invade
invalido, -a ◆ *agg* (*Med*) disabled ◆ *sm-sf* disabled person
invano *avv* in vain
invasione *sf* invasion
invasore *sm* invader
invecchiare ◆ *vi* (*persona*) to get old: *È molto invecchiato.* He's got very old. ◆ *vt* (*persona, vino*) to age: *La malattia*

lo ha molto invecchiato. Illness has aged him.

invece *avv* but: *Pensavamo che avrebbe vinto e ~ ha perso.* We thought he would win, but he lost. LOC **invece di** instead of: *~ di uscire tanto faresti meglio a studiare.* Instead of going out so much, you'd be better off studying.

inventare *vt* **1** (*ideare*) to invent: *Marconi inventò la radio.* Marconi invented the radio. **2** (*scusa*) to make *sth* up: *~ una scusa* to make up an excuse ◊ *Te lo sei inventato.* You've made that up.

inventiva *sf* inventiveness

inventore, -trice *sm-sf* inventor

invenzione *sf* invention

invernale *agg* winter [*s attrib*]: *abiti invernali* winter clothes

inverno *sm* winter: *D'inverno non uso mai la bici.* I never ride my bike in the winter.

inversione *sf* inversion LOC **inversione a U** U-turn

inverso, -a *agg* **1** (*Mat*) inverse **2** (*ordine*) reverse **3** (*direzione*) opposite LOC **all'inverso** the other way round

invertebrato, -a *agg, sm* invertebrate

investigare *vt, vi* to investigate: *~ sul delitto* to investigate a murder

investigatore, -trice *sm-sf* investigator LOC **investigatore privato** private detective

investimento *sm* investment

investire *vt* **1** (*tempo, soldi*) to invest: *Hanno investito cinquanta milioni nell'azienda.* They've invested fifty million lire in the company. **2** (*veicolo*) to run *sb* over: *Sono stato investito da una macchina.* I was run over by a car.

inviare *vt* to send

inviato, -a *sm-sf* **1** (*rappresentante*) envoy [*pl* envoys] **2** (*Giornalismo*) correspondent: *~ speciale* special correspondent

invidia *sf* envy: *L'ha detto solo per ~.* He only said it out of envy. LOC **far invidia** to be the envy *of sb*: *Ha un giardino che fa ~.* Her garden is the envy of everybody. *Vedi anche* MORIRE

invidiare *vt* to envy: *Come t'invidio!* I really envy you! LOC **non aver niente da invidiare**: *I nostri vini non hanno niente da ~ a quelli francesi.* Our wines have nothing to fear in comparison with French wines. *Vedi anche* MORIRE, RODERE

invidioso, -a *agg* envious

invincibile *agg* invincible

invisibile *agg* invisible

invitare *vt* to invite *sb* (***to sth/to do sth***): *Mi ha invitato alla sua festa di compleanno.* She's invited me to her birthday party.

invitato, -a *sm-sf* guest: *Gli invitati arriveranno alle sette.* The guests will be arriving at seven.

invito *sm* invitation (***to sth/to do sth***)

involontario, -a *agg* unconscious: *un gesto ~* an unconscious gesture

inzuppare ◆ *vt* **1** (*bagnare*) to soak: *La pioggia mi ha inzuppato.* I got soaked in the rain. **2** (*biscotto*) to dunk: *~ i biscotti nel latte* to dunk your biscuits in the milk ◆ **inzupparsi** *v rifl* (*bagnarsi*) to get drenched

io *pron pers* I: *Ci andiamo io e mia sorella.* My sister and I are going. ◊ *Lo farò io stesso.* I'll do it myself. LOC **io?** me? **sono io! 1** (*alla porta*) it's me! **2** (*al telefono*) speaking!

iodio *sm* iodine

Ionio *sm* **lo Ionio** the Ionian Sea

ipermercato *sm* superstore

ipnosi *sf* hypnosis: *sotto ~* under hypnosis

ipnotico, -a *agg* hypnotic

ipnotizzare *vt* to hypnotize

ipocrisia *sf* hypocrisy

ipocrita ◆ *agg* hypocritical ◆ *smf* hypocrite

ipoteca *sf* mortgage

ipotesi *sf* hypothesis [*pl* hypotheses]

ippica *sf* horse-racing

ippico, -a *agg*: *concorso ~* show-jumping competition

ippodromo *sm* racecourse

ippopotamo *sm* hippo [*pl* hippos]

Hippopotamus è il nome scientifico.

iracheno, -a *agg, sm-sf* Iraqi: *gli iracheni* the Iraqis

Iran *sm* Iran

iraniano, -a *agg, sm-sf* Iranian: *gli iraniani* the Iranians

Iraq *sm* Iraq

irascibile *agg*: *essere ~* to have a temper ◊ *Come sei ~!* What a temper you've got!

iride *sf* iris

iris *sf* iris

Irlanda *sf* Ireland LOC **Irlanda del Nord** Northern Ireland

irlandese ◆ *agg, sm* Irish: *parlare ~* to

speak Irish ◆ *sm-sf* Irishman/woman [*pl* Irishmen/women]: *gli irlandesi* the Irish

ironia *sf* irony [*pl* ironies]: *l'ironia della sorte* one of life's little ironies

ironico, -a *agg* ironic

irrazionale *agg* irrational: *una paura* ~ an irrational fear

irreale *agg* unreal

irregolare *agg* irregular: *verbi irregolari* irregular verbs ◇ *battito cardiaco* ~ irregular heartbeat

irreparabile *agg* irreparable: *un danno* ~ irreparable damage

irreprensibile *agg* irreproachable

irrequieto, -a *agg* restless: *un bambino* ~ a restless child

irresistibile *agg* irresistible: *un'attrazione* ~ an irresistible attraction

irrespirabile *agg* unbreathable

irresponsabile *agg*, *smf* irresponsible [*agg*]: *Sei un ~!* You're so irresponsible!

irreversibile *agg* irreversible

irriconoscibile *agg* unrecognizable: *Così camuffato era ~.* He was unrecognizable in that disguise.

irrigazione *sf* irrigation

irrimediabile *agg* irremediable: *un errore* ~ an irremediable mistake

irritare ◆ *vt* to irritate: *Il fumo mi irrita gli occhi.* The smoke irritates my eyes. ◆ **irritarsi** *v rifl* **1 irritarsi (con) (per)** to get annoyed **(with *sb*) (about *sth*)**: *Si irrita per niente.* He gets annoyed very easily. **2** (*Med*) to get irritated

irruzione *sf* raid: *fare* ~ to carry out a raid

iscritto, -a *sm-sf* **1** (*socio*) member **2** (*concorrente*) competitor LOC **per iscritto** in writing: *mettere qc per* ~ to put sth in writing

iscrivere ◆ *vt* (*Scuola, corso*) to enrol *sb* ◆ **iscriversi** *v rifl* **iscriversi (a) 1** (*corso*) to enrol **(for/on *sth*) 2** (*associazione*) to join *sth*: *Ho deciso di iscrivermi al partito.* I decided to join the party. **3** (*gara, concorso*) to enter *sth*

iscrizione *sf* **1** (*corso, Scuola*) enrolment **2** (*scritta*) inscription

islamico, -a *agg* Islamic

Islanda *sf* Iceland

islandese ◆ *agg*, *sm* Icelandic: *parlare* ~ to speak Icelandic ◆ *smf* Icelander: *gli islandesi* the Icelanders

isola *sf* island LOC **le Isole Britanniche** the British Isles

isolante ◆ *agg* insulating ◆ *sm* insulator LOC *Vedi* NASTRO

isolare *vt* **1** (*gen*) to isolate *sb/sth* **(from *sb/sth*) 2** (*paese*) to cut *sb/sth* off **(from *sb/sth*)**: *Le inondazioni hanno isolato il paese.* The village was cut off by the floods. **3** (*con materiale isolante*) to insulate

isolato, -a ◆ *pp, agg* isolated: *casi isolati* isolated cases ◆ *sm* (*gruppo di palazzi*) block LOC *Vedi* GIRO; *Vedi anche* ISOLARE

isoscele *agg* LOC *Vedi* TRIANGOLO

ispettore, -trice *sm-sf* inspector

ispezionare *vt* to inspect

ispezione *sf* inspection

ispirare ◆ *vt* to inspire (*sb*) **(with *sth*)**: *Ha un viso che ispira fiducia.* Her face inspires me with confidence. ◆ **ispirarsi** *v rifl* **ispirarsi (a)** to get inspiration **(from *sb/sth*)**: *L'autore si è ispirato a un fatto realmente accaduto.* The author got his inspiration from a real life event.

ispirazione *sf* inspiration: *Ho avuto un'ispirazione.* I had a flash of inspiration.

Israele *sm* Israel

israeliano, -a *agg*, *sm-sf* Israeli: *gli israeliani* the Israelis

istantaneo, -a *agg* instantaneous

istante *sm* moment: *in questo* ~ at this very moment

isteria *sf* hysteria: ~ *collettiva* mass hysteria

isterico, -a *agg*, *sm-sf* hysterical [*agg*] LOC *Vedi* CRISI

istinto *sm* instinct

istituto *sm* institute LOC **istituto di bellezza** beauty salon **istituto tecnico** technical college (*GB*)

istituzione *sf* institution

istmo *sm* isthmus [*pl* isthmuses]

istruito, -a *agg* educated

istruttivo, -a *agg* educational

istruttore, -trice *sm-sf* instructor: *un* ~ *di ginnastica* a gym instructor

istruzione *sf* **1** (*scuola*) education: ~ *obbligatoria* compulsory education **2 istruzioni** instructions

Italia *sf* Italy

italiano, -a *agg*, *sm-sf*, *sm* Italian: *parlare* ~ to speak Italian ◇ *gli italiani* the Italians

itinerario *sm* itinerary [*pl* itineraries]; route (*più informale*)

IVA *sf* VAT

Jj

azz *sm* jazz

eans *sm* **1** (*pantaloni*) jeans **2** (*tela*) denim: *un giubbotto di ~* a denim jacket

olly *sm* joker

oystick *sm* joystick

judo *sm* judo

Jugoslavia *sf* Yugoslavia

Jugoslavo, -a *agg, sm-sf* Yugoslav: *gli jugoslavi* the Yugoslavs

junior *agg* junior

Kk

araoke *sm* karaoke

aratè *sm* karate: *fare ~* to do karate

Kazakistan *sm* Kazakhstan

eniano, -a *agg, sm-sf* Kenyan: *i keniani* the Kenyans

Kenya *sm* Kenya

etchup *sm* ketchup

iller *sm* hit man [*pl* hit men]

kiwi *sm* kiwi fruit [*pl* kiwi fruit]

kleenex® *sm* tissue

koala *sm* koala (bear)

krapfen *sm* doughnut

Kuwait *sm* Kuwait

kuwaitiano, -a *agg, sm-sf* Kuwaiti: *i kuwaitiani* the Kuwaitis

Ll

à *avv* (over) there: *Lascialo là.* Leave it (over) there. ◊ *Eccolo là.* There it is. LOC **al di là di** beyond: *al di là del fiume* beyond the river **di là** through there: *Ho lasciato gli occhiali di là.* I left my glasses through there. **là dentro/fuori** in/out there: *Là fuori fa un freddo che si gela.* It's freezing out there. **là sotto/sopra** down/up there **più in là 1** (*più lontano*) further on: *sei chilometri più in là* six kilometres further on **2** (*da una parte*) further over: *Spingi la tavola più in là.* Push the table further over.

a¹ *art det* the: *La casa è vecchia.* The house is old. ☛ *Vedi nota a* THE

a² *pron pers* **1** (*lei*) her: *La sorprese.* It surprised her. **2** (*formale*) you: *La conosco per caso?* Do I know you? **3** (*cosa*) it: *Vuoi che la legga?* Shall I read it?

a³ *sm* (*nota*) A: *la minore* A minor

labbro *sm* lip LOC *Vedi* LEGGERE

labirinto *sm* **1** (*gen*) labyrinth **2** (*giardino*) maze

laboratorio *sm* **1** (*Scienze*) laboratory [*pl* laboratories], lab (*più informale*) **2** (*officina*) workshop: *un ~ teatrale* a theatre workshop LOC **laboratorio artigianale** workshop **laboratorio linguistico** language lab

lacca *sf* **1** (*per capelli*) hairspray **2** (*per mobili*) lacquer

laccio *sm* (shoe)lace ☛ *Vedi illustrazione a* SCARPA

lacrima *sf* tear LOC **lacrime di coccodrillo** crocodile tears *Vedi anche* PIANGERE

lacrimare *vi* (*occhi*) to water: *Mi lacrimano gli occhi.* My eyes are watering.

lacrimogeno, -a *agg* LOC *Vedi* GAS

lacuna *sf* gap: *Ha delle lacune in inglese.* There are some gaps in his English.

ladro, -a *sm-sf* **1** (*gen*) thief [*pl* thieves] **2** (*in una casa*) burglar ☛ *Vedi nota a* THIEF

laggiù *avv* **1** (*in basso*) down there **2** (*lontano*) over there

lago *sm* lake

laguna *sf* lagoon

lama *sf* blade

lambiccarsi *v rifl* LOC *Vedi* CERVELLO

lamentarsi *v rifl* ~ (**di/per**) to complain, to moan (*più informale*) (**about** ***sb/sth***): *Adesso è inutile ~.* It's no use complaining now.

lamentela *sf* complaint

lamento *sm* moan

lametta *sf* razor blade

lamina *sf* sheet

lampada *sf* lamp: *una ~ da tavolo* a table lamp

lampadina *sf* light bulb

lampeggiare *vi* **1** (*gen*) to flash **2** (*in auto*) to flash your lights

lampione *sm* street light

lampo ◆ *sm* **1** (*fulmine*) lightning [*non numerabile*]: *un ~* a flash of lightning ◊ *tuoni e lampi* thunder and lightning **2** (*cerniera*) zip ◆ *agg* lightning [*s attrib*]: *una visita ~* a lightning visit

lampone *sm* raspberry [*pl* raspberries]

lana *sf* wool: *pura ~ vergine* pure new wool LOC **di lana** woollen: *un maglione di ~* a woollen jumper

lancetta *sf* (*di orologio*) hand

lancia *sf* **1** (*arma*) spear **2** (*barca*) launch LOC **lancia di salvataggio** lifeboat

lanciare ◆ *vt* **1** (*in un gioco o sport*) to throw *sth* **to sb**: *Lancia la palla al tuo compagno di squadra.* Throw the ball to your team-mate. **2** (*con l'intenzione di far male*) to throw *sth* **at sb** ☛ *Vedi nota a* THROW[1] **3** (*missile, prodotto*) to launch **4** (*bomba*) to drop **5** (*urlo*) to let *sth* out ◆ **lanciarsi** *v rifl* **1** (*gettarsi*) to throw yourself **2 lanciarsi su** to pounce **on** ***sb/sth***: *Si sono lanciati su di me.* They pounced on me.

lancio *sm* **1** (*missile, satellite, prodotto*) launch: *il ~ del loro nuovo album* the launch of their new album **2** (*bomba*) dropping **3** (*Sport*) throw LOC **lancio del disco** discus **lancio del giavellotto** javelin **lancio del peso** shot-put

languore *sm* LOC **avere un languore di stomaco** to feel peckish

lanterna *sf* lantern LOC *Vedi* LUCCIOLA

lapide *sf* gravestone

larghezza *sf* width: *Quanto misura in ~?* How wide is it?

largo, -a *agg* **1** (*gen*) wide: *È ~ due metri.* It's two metres wide. **2** (*vestiti*) loose: *È troppo ~ in vita.* The waist is too loose. **3** (*sorriso, spalle*) broad: *Ha le spalle larghe.* He's got broad shoulders. ☛ *Vedi nota a* BROAD LOC **al largo** out to sea: *essere portato al ~ dalla corrente* to be carried out to sea by the current **fare largo** to make way (*for sb/sth*): *Fate ~ all'ambulanza!* Make way for the ambulance! ◊ *farsi ~ tra la folla* to make your way through the crowd **stare/tenersi alla larga** to stay well clear *of sb/sth*: *Stai alla larga da que[l] tipo.* Stay well clear of that guy. *Vedi anche* LUNGO

lasagne *sf* lasagna [*non numerabile*]

lasciare ◆ *vt* **1** (*gen*) to leave: *Dove ha[i] lasciato le chiavi?* Where have you left the keys? ◊ *Hai lasciato la luce accesa.* You've left the light on. ◊ *Non si devono lasciare soli i bambini.* The children shouldn't be left alone. ◊ *Prendere o ~.* Take it or leave it. **2** (*mollare*) to let go of *sb/sth*: *Non lasciarmi la mano.* Don't let go of my hand. **3** (*abbandonare*) to give *sth* up: *~ l'impiego* to give up work **4** (*permettere*) to let *sb* (**do sth**): *I miei non mi lasciano uscire di sera.* My parents don't let me go out at night. ◊ *Lascia che ti spieghi...* Let me explain... **5** (*dare*): *Lasciami dei soldi prima di partire.* Let me have some money before you go. ◊ *Puoi lasciarmi la macchina oggi?* Can you let me have the car today? **6** (*locale*) to vacate: *Dovete ~ la camera per mezzogiorno.* The room must be vacated by midday. ◆ **lasciarsi** *v rifl* (*coppia*) to split up LOC **lasciare andare 1** (*mollare*) to let go of *sb/sth*: *Lasciami andare!* Let go of me! **2** (*liberare*) to set *sb/sth* free **lasciare stare**: *Lasciamo stare.* Forget it. **lasciare stare qn/qc** to leave sb/sth alone: *Lasciala stare./Lascia stare le mie cose.* Leave her alone./Leave my stuff alone. ☛ Per altre espressioni con **lasciare** vedi alla voce del sostantivo, dell'aggettivo, ecc, ad es. **lasciare in pace** a PACE.

laser *sm* laser LOC *Vedi* RAGGIO

lassativo, -a *agg, sm* laxative

lassù *avv* up there

lastra *sf* **1** (*pietra*) slab **2** (*radiografia*) X-ray

laterale *agg* side [*s attrib*]: *una porta/un'uscita ~* a side door/exit

atino, -a *agg, sm* Latin: *la grammatica latina* Latin grammar ◊ *il temperamento* ~ the Latin temperament

atitudine *sf* latitude

ato *sm* side: *Un triangolo ha tre lati.* A triangle has three sides. ◊ *vedere il ~ buono delle cose* to look on the bright side LOC **da un lato... dall'altro (lato)** on the one hand... on the other (hand)

atta *sf* (*lamiera*) tin

attaio *sm* milkman [*pl* milkmen]

atte *sm* milk: *Non c'è più ~.* We've run out of milk. ◊ *Compro il ~?* Shall I get some milk? LOC **latte in polvere** powdered milk **latte intero/condensato** full-cream/condensed milk **latte scremato** skimmed milk *Vedi anche* CAFFÈ, CENTRALE, DENTE

atteo, -a *agg* LOC *Vedi* VIA

atteria *sf* dairy

atticini *sm* dairy products

attina *sf* can: *una ~ di Coca-Cola* a can of Coke ☛ *Vedi illustrazione a* CONTAINER

attuga *sf* lettuce

aurea *sf* degree

aurearsi *v rifl* ~ (**in**) to graduate (**in** *sth*): *~ all'Università di Pisa* to graduate from Pisa University ◊ *Si è laureata in legge l'anno scorso.* She graduated in law last year.

aureato, -a *pp, agg, sm-sf* ~ (**in**) graduate [*s*] (**in** *sth*): *È laureata in biologia.* She's a biology graduate. ◊ *un ~ dell'Università di Londra* a graduate of London University *Vedi anche* LAUREARSI

ava *sf* lava

avaggio *sm* wash LOC **lavaggio a secco** dry-cleaning **lavaggio del cervello** brainwashing

avagna *sf* blackboard: *andare alla ~* to go out to the blackboard ◊ *Cosa c'è scritto sulla ~?* What does it say on the blackboard?

avanda *sf* (*pianta, profumo*) lavender

avanderia *sf* **1** (*servizio*) laundry **2** (*negozio*) launderette

avandino *sm* **1** (*bagno*) washbasin **2** (*cucina*) sink

avare ◆ *vt* to wash: *Devo ~ delle magliette.* I've got to wash some T-shirts. ◊ *lavarsi i capelli* to wash your hair ◆ **lavarsi** *v rifl*: *Mi sono lavato prima di andare a letto.* I had a wash before I went to bed. LOC **lavare a mano** to wash *sth* by hand **lavare a secco** to dry-clean **lavare i piatti** to do the washing-up **lavarsi i denti** to brush your teeth *Vedi anche* ROBA

lavasecco *sm* dry-cleaner's [*pl* dry-cleaners]

lavastoviglie *sf* dishwasher

lavativo, -a *sm-sf* skiver: *fare il ~* to skive

lavatrice *sf* washing machine

lavello *sm* sink

lavorare *vi, vt* to work: *Lavora per una società tedesca.* She works for a German company. ◊ *Non ho mai lavorato come insegnante.* I've never worked as a teacher. ◊ *~ la terra* to work the land LOC **lavorare a maglia** to knit: *un vestito lavorato a maglia* a knitted dress **lavorare in proprio** to be self-employed

lavorativo, -a *agg* LOC *Vedi* GIORNATA

lavorato, -a *pp, agg* **1** (*legno*) carved **2** (*oro*) worked *Vedi anche* LAVORARE

lavoratore, -trice *sm-sf* worker: *lavoratori specializzati* skilled workers LOC **lavoratore dipendente** employee

lavoro *sm* **1** (*gen*) work [*non numerabile*]: *Ho un sacco di ~.* I've got a lot of work to do. ◊ *Mi hanno dato la notizia al ~.* I heard the news at work. ◊ *avere del ~ arretrato* to be behind with your work ◊ *Che ~ fa tua sorella?* What does your sister do? **2** (*impiego, compito*) job: *dare ~ a qn* to give sb a job ◊ *un ~ ben pagato* a well-paid job ◊ *Hanno fatto un bel ~.* They did a good job. ☛ *Vedi nota a* WORK[1] LOC **buon lavoro!** work hard! **dar lavoro** (*società*) to employ: *L'azienda dà ~ a circa cento persone.* The firm employs about a hundred people. **lavori domestici** housework [*non numerabile, v sing*] **lavori forzati** hard labour [*sing*] **lavori in corso** (*segnale*) roadworks **lavori manuali** manual labour [*non numerabile*] **lavori stradali** roadworks **lavoro all'uncinetto** crocheting **lavoro a maglia** knitting **lavoro d'équipe** teamwork **per lavoro** on business: *Sono qui per ~.* I'm here on business. **senza lavoro** out of work *Vedi anche* AMMAZZARE, ARRETRATO, DATORE, DOMANDA, FESTA, OFFERTA

le[1] *art det* the: *le penne che ho comprato ieri* the pens I bought yesterday ☛ *Vedi nota a* THE

le[2] *pron pers* **1** (*complemento oggetto*) them: *Le ho incontrate ieri.* I met them yesterday. **2** (*a lei*) her, to her: *Le ho mandato una cartolina.* I sent her a postcard. ◊ *Le ho parlato martedì scorso.* I spoke to her last Tuesday. **3** (*cosa*) it: *Posso darle un'occhiata?* Can I have a look at it? **4** (*formale*) you, to you: *Le occorre altro?* Do you need anything else?

leader *smf* leader

leale *agg* loyal (***to sb/sth***)

lealtà *sf* loyalty (***to sb/sth***)

lebbra *sf* leprosy

lecca lecca *sm* lollipop

leccapiedi *smf* creep: *Non fare il ~.* Don't be such a creep.

leccare *vt* to lick LOC **leccare i piedi a** to suck up to *sb* **leccarsi i baffi** to lick your lips: *Era roba da leccarsi i baffi.* It was delicious.

lega *sf* **1** (*alleanza*) league **2** (*Chim*) alloy

legale *agg* legal

legalizzare *vt* to legalize

legame *sm* tie

legare ◆ *vt* **1** (*gen*) to tie *sb/sth* (up): *Ci legarono le mani.* They tied our hands. ◊ *Lega bene il pacco.* Tie the parcel tightly. ◊ *Lo legarono con una corda.* They tied him up with a rope. **2** (*sentimento*) to bind: *il sentimento che li lega* the feelings that bind them ◆ *vi* to get on: *Abbiamo legato subito.* We got on immediately. LOC *Vedi* PAZZO

legge *sf* law: *la ~ di gravità* the law of gravity ◊ *violare la ~* to break the law LOC *Vedi* PROGETTO

leggenda *sf* legend

leggendario, -a *agg* legendary

leggere *vt, vi* to read: *Leggimi la lista.* Read me the list. ◊ *Mi piace ~.* I like reading. LOC **leggere il pensiero** to read *sb's* mind **leggere le labbra** to lip-read

leggermente *avv* slightly: *~ più piccolo* slightly smaller

leggero, -a *agg* **1** (*gen*) light: *un pranzo ~* a light meal ◊ *avere il sonno ~* to sleep lightly **2** (*impercettibile*) slight: *un ~ accento scozzese* a slight Scottish accent ◊ *un ~ miglioramento/mal di testa* a slight improvement/headache **3** (*caffè, tè*) weak: *un caffè ~* a weak coffee LOC **fare qc alla leggera** to do sth hastily **prendere qc alla leggera** to take sth lightly

legislazione *sf* legislation

legittimo, -a *agg* legitimate LOC **pe[...] legittima difesa** in self-defence

legna *sf* firewood LOC *Vedi* CARBONE

legname *sm* timber

legno *sf* wood [*gen non numerabile*]: *u[...] ~ pregiato* a high quality wood ◊ *[...] proveniente dalla Norvegia* wood fro[m] Norway ◊ *fatto di ~* made of wood LO[C] **di legno** wooden: *una sedia/trave di ~* [...] wooden chair/beam *Vedi anche* CUC[...]CHIAIO

legumi *sm* (*secchi*) pulses

lei *pron pers* **1** (*soggetto*) she: *~ e Mari[a] sono cugine.* She and Maria ar[e] cousins. **2** (*complemento, nei paragon[i]*) her: *È per ~.* It's for her. ◊ *Sei più alt[o] di ~.* You're taller than her. **3** (*formal[e]*) you: *Bene, grazie. E ~?* Fine, thank[s]. And you?

lente *sf* lens [*pl* lenses] LOC **lent[e] d'ingrandimento** magnifying glass **len[ti] a contatto** contact lenses

lenticchia *sf* lentil

lentiggine *sf* freckle

lento, -a *agg* slow LOC *Vedi* CUOCERE

lenzuolo *sm* sheet ☛ *Vedi illustrazio[ne] a* LETTO

leone, -essa ◆ *sm-sf* lion [*fem* liones[s]] ◆ **Leone** *sm* (*Astrologia*) Leo [*pl* Leo[s]] ☛ *Vedi esempi a* AQUARIUS

leopardo *sm* leopard

lepre *sf* hare

lesbica *sf* lesbian

lesione *sf* injury [*pl* injuries]: *lesio[ni] interne* internal injuries LOC **lesion[e] cerebrale/del fegato** brain/liv[er] damage ☛ *Vedi nota a* FERITA

lessare *vt* to boil: *Prima bisogna ~ [le] patate.* First boil the potatoes.

lesso, -a *agg* boiled: *patate lesse* boil[ed] potatoes

letame *sm* manure

letargo *sm* hibernation: *andare in ~* [to] hibernate

lettera *sf* **1** (*gen*) letter: *imbucare una [~]* to post a letter ◊ *una parola di cinq[ue] lettere* a five-letter word **2** **lette[re]** (*Università*) arts: *una laurea in lette[re]* an arts degree LOC *Vedi* BUCA

letteratura *sf* literature

lettino *sm* **1** (*per bambini*) cot **2** (*d[al] medico*) couch LOC **lettino da spiagg[ia]** lounger

letto

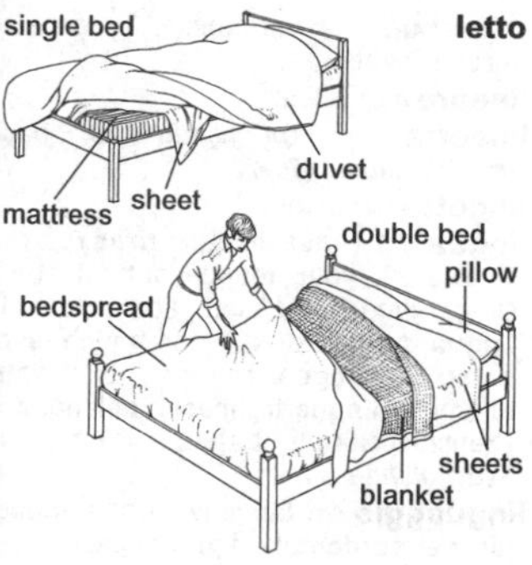

tto *sm* bed: *andare a* ~ to go to bed ◊ *Sei ancora a ~?* Are you still in bed? ◊ *alzarsi dal* ~ to get out of bed ◊ *rifare il* ~ to make the bed ◊ *Abbiamo dovuto metterlo a* ~. We had to put him to bed. ◊ *Ora di andare a* ~. Time for bed. LOC **letto a castello** bunk bed **letto a una piazza/matrimoniale** single/double bed *Vedi anche* DIVANO, RIFARE, VAGONE

ttone *agg, smf, sm* Latvian: *i lettoni* the Latvians ◊ *parlare* ~ to speak Latvian

ettonia *sf* Latvia

ttore, -trice *sm-sf* reader LOC **lettore di compact disc** CD player

ttura *sf* reading: *È una ~ piacevole.* It makes enjoyable reading.

ucemia *sf* leukaemia

va *sf* **1** (*asta*) lever: *In caso d'emergenza tirare la* ~. In an emergency, pull the lever. **2** (*servizio militare*) military service ☛ *Vedi nota a* MILITARE[1] LOC **leva del cambio** gear lever

vare ◆ *vt* **1** (*gen*) to take *sth* off/down/out: *Potresti ~ la tua roba dalla mia scrivania?* Could you take your things off my desk? ◊ *Levati le scarpe.* Take your shoes off. **2** (*macchia*) to remove, to get *sth* out (*più informale*) ◆ **evarsi** *v rifl* (*allontanarsi*): *Levati dai piedi/di mezzo!* Get out of my way! LOC **levare le castagne dal fuoco** to get *sb* out of a fix

vatoio *agg* LOC *Vedi* PONTE

vriero *sm* greyhound

zione *sf* lesson: *lezioni di guida* driving lessons ◊ ~ *privata* private lesson LOC **dare una lezione a** (*punire*) to teach *sb* a lesson **fare lezione** to teach **servire di lezione a** to learn your lesson: *Non ti è servito di ~?* Will you never learn?

li *pron pers* them: *Li ho incontrati ieri.* I met them yesterday.

lì *avv* there: *Ho un amico lì.* I have a friend there. ◊ *a 30 chilometri da lì* 30 kilometres from there ◊ *una ragazza che passava di lì* a girl who was passing by LOC **da lì in poi 1** (*luogo*) from there onwards **2** (*tempo*) from then on **di lì** that way: *Sono entrati di lì.* They got in that way. **fin lì 1** (*luogo*) as far as that: *Siamo arrivati fin lì.* We got as far as that. **2** (*tempo*) up till then: *Fin lì non c'erano stati problemi.* Up till then there had been no problems. **lì dentro/fuori** in/out there: *Lì fuori fa un freddo che si gela.* It's freezing out there. **lì per lì** there and then: *Lì per lì non ho capito.* I didn't understand there and then. **lì sotto/sopra** down/up there

libanese *agg, sm-sf* Lebanese: *i libanesi* the Lebanese

Libano *sm* Lebanon

libbra *sf* pound (*abbrev* lb) ☛ *Vedi Appendice 1.*

libellula *sf* dragonfly [*pl* dragonflies]

liberale *agg, smf* liberal

liberare ◆ *vt* **1** (*paese*) to liberate **2** (*prigioniero*) to free ◆ **liberarsi** *v rifl* **1** (*disimpegnarsi*) to get free: *Se riesco a liberarmi per le sette…* If I can get free by seven… **2** (*bagno, telefono*) to be free **3 liberarsi di** (*sbarazzarsi*) to get rid ***of sb/sth***

liberazione *sf* **1** (*paese*) liberation **2** (*prigionieri*) release **3** (*sollievo*) relief: *È stata una ~ per tutti.* It came as a relief to everybody.

libero, -a *agg* **1** (*gen*) free: *Sono ~ di fare quello che voglio.* I'm free to do what I want. ◊ *È ~ questo posto?* Is this seat free? **2** (*bagno*) vacant LOC **lasciare libero il passaggio!** keep clear! **libero professionista** self-employed [*agg*] *Vedi anche* CADUTA, GIORNO, INGRESSO, LOTTA, NUOTARE, TEMPO

libertà *sf* freedom LOC **libertà di parola** freedom of speech **libertà di stampa** freedom of the press **libertà provvisoria** bail: *essere in ~ provvisoria* to be released on bail **libertà vigilata** parole

Libia *sf* Libya

libico, -a *agg, sm-sf* Libyan: *i libici* the Libyans

libraio, -a *sm-sf* bookseller

libreria *sf* **1** (*negozio*) bookshop **2** (*mobile*) bookcase

La parola inglese **library** non significa *libreria* ma *biblioteca*.

libretto *sm* **1** (*gen*) booklet **2** (*Mus*) libretto [*pl* librettos/libretti] LOC **libretto degli assegni** cheque book **libretto di risparmio** savings book **libretto sanitario** medical card

libro *sm* book: *un ~ di cucina* a cookery book LOC **libro di testo** textbook

licenza *sf* **1** (*gen*) licence: *~ di pesca* fishing licence **2** (*Mil*) leave **3** (*Scuola*) school-leaving certificate

licenziamento *sm* dismissal

licenziare *vt* to dismiss, to give *sb* the sack (*più informale*)

liceo *sm* secondary school LOC **liceo artistico** art school **liceo classico** school specializing in Latin and Greek **liceo linguistico** language school **liceo scientifico** school specializing in scientific subjects

lievitare *vi* to rise

lievito *sm* yeast LOC **lievito chimico/in polvere** baking powder

light *agg* (*bibita*) diet [*s attrib*]: *Coca-Cola ~* Diet Coke ☛ *Vedi nota a* LOW-CALORIE

lilla *agg*, *sm* lilac: *una sciarpa ~* a lilac scarf

lillà *sm* lilac

lima *sf* file: *~ per le unghie* nail file

limare *vt* to file

limitare ◆ *vt* to limit ◆ **limitarsi** *v rifl* **1** **limitarsi in**: *limitarsi nel bere* to drink moderately **2** **limitarsi a**: *Si limiti a rispondere alla domanda.* Just answer the question.

limitato, -a *pp*, *agg* limited: *un numero ~ di posti* a limited number of places LOC *Vedi* SOCIETÀ; *Vedi anche* LIMITARE

limitazione *sf* limitation

limite *sm* limit: *il ~ di velocità* the speed limit

limonata *sf* lemonade

limone *sm* **1** (*frutto*) lemon ☛ *Vedi illustrazione a* FRUTTA **2** (*albero*) lemon tree

limpido, -a *agg* clear

lince *sf* lynx

linea *sf* **1** (*gen*) line: *una ~ retta* a straight line **2** (*fisico*) figure: *mantenere la ~* to keep your figure LOC **in linea d'aria** as the crow flies **in linea di massima** as a general rule **linea d'arrivo** finishing line *Vedi anche* ASPETTARE, ATTENDERE, CADERE, GRANDE, VOLO

lineare *agg* linear

lineetta *sf* (*punteggiatura*) dash ☛ *Vedi pagg. 376–77.*

lingotto *sm* ingot

lingua *sf* **1** (*Anat*) tongue: *tirar fuori la ~* to stick your tongue out (at sb) **2** (*linguaggio*) language LOC **avere la lingua lunga** to talk too much **aver perso la lingua** to have lost your tongue **di lingua francese, italiana, ecc** French-speaking, Italian-speaking, etc *Vedi anche* PELO

linguaggio *sm* language LOC **linguaggio dei sordomuti** sign language

linguetta *sf* **1** (*scarpa*) tongue **2** (*busta*) flap

linguistica *sf* linguistics [*sing*]

linguistico, -a *agg* linguistic LOC *Vedi* LABORATORIO, LICEO

lino *sm* **1** (*pianta*) flax **2** (*tela*) linen: *una gonna di ~* a linen skirt

Lione *sf* Lyons

Lipsia *sf* Leipzig

liquidare *vt* **1** (*merci*) to sell *sth* off **2** (*uccidere*) to bump *sb* off

liquidazione *sf* **1** (*svendita*) clearance sale **2** (*pagamento*) severance pay

liquido, -a *agg*, *sm* liquid: *Mi sono permessi solo alimenti liquidi.* I can only have liquids.

liquirizia *sf* liquorice

liquore *sm* liqueur: *un ~ all'arancia* an orange liqueur

lira *sf* lira [*pl* lire]: *ventimila lire* twenty thousand lire LOC **essere/restare senza una lira** to be broke

lirico, -a *agg* opera [*s attrib*]: *la stagione lirica* the opera season

Lisbona *sf* Lisbon

lisca *sf* fishbone

liscio, -a ◆ *agg* **1** (*gen*) smooth **2** (*capelli, whisky*) straight ☛ *Vedi illustrazione a* CAPELLO ◆ *sm* (*ballo*) ballroom dancing LOC **andare liscio** to go smoothly

lista *sf* list: *~ della spesa* shopping list LOC **lista d'attesa** waiting list **lista elettorale** electoral roll

listino *sm* (*dei prezzi*) price list

lite *sf* row

litigare *vi* ~ (**con**) (**per**) **1** (*discutere*) to argue (**with** *sb*) (**about/over** *sth*): *Non litigate per questo.* Don't argue over something like that. **2** (*rompere rapporti*) to fall out (**with** *sb*) (**about**

over sth): *Credo che abbia litigato con la sua ragazza.* I think he's fallen out with his girlfriend.

tigio *sm* quarrel

tro *sm* litre (*abbrev* l): *mezzo* ~ half a litre ☛ *Vedi Appendice 1.*

ituania *sf* Lithuania

tuano, -a *agg, sm-sf, sm* Lithuanian: *i lituani* the Lithuanians ◊ *parlare* ~ to speak Lithuanian

vello *sm* **1** (*gen*) level: ~ *dell'acqua/del mare* water/sea level **2** (*qualità, preparazione*) standard: *un eccellente* ~ *di gioco* an excellent standard of play **LOC** *Vedi* PASSAGGIO

vido, -a ◆ *agg* **1** (*di freddo*) blue **2** (*di lividi*) black and blue ◆ *sm* (*ecchimosi*) bruise

)¹ *art det* the: *Lo spago si è rotto.* The string broke. ☛ *Vedi nota a* THE

)² *pron pers* **1** (*lui*) him: *Lo amo.* I love him. **2** (*cosa*) it: *Vuoi che lo legga?* Shall I read it?

A volte **lo** non si traduce: *Lo so.* I know. ◊ *Non lo so.* I don't know. ◊ *Te lo dicevo io!* I told you!

cale ◆ *agg* local ◆ *sm* **1** (*vano*) premises [*pl*]: *Il* ~ *è abbastanza grande.* The premises are quite big. **2** (*di ritrovo*) club: *Andiamo in quel nuovo ~?* Shall we go to that new club? **LOC** **locale notturno** nightclub *Vedi anche* ENTE, MENTE, TRENO

calità *sf* resort: *una* ~ *turistica* a holiday resort

calizzare *vt* to locate: *Hanno localizzato il guasto all'impianto elettrico.* They've located the electrical fault.

candina *sf* poster

comotiva *sf* engine

dare *vt* to praise *sb/sth* (**for sth**)

de *sf* **1** (*elogio*) praise **2** (*Università*): *laurearsi con 110 e* ~ to graduate with first-class honours

ggione *sm* (*Teat*) the gods [*pl*] (*inform*), the gallery

gica *sf* logic

gico, -a *agg* **1** (*ovvio*): *È* ~ *che tu ti preoccupi.* It's only natural that you're worried. **2** (*Filosofia*) logical

goro, -a *agg* worn out

ombardia *sf* Lombardy

mbardo, -a *agg, sm-sf* Lombard: *i lombardi* the Lombards

mbata *sf* loin: ~ *di maiale* loin of pork

lombrico *sm* earthworm

londinese ◆ *agg* London [*attrib*] ◆ *smf* Londoner: *i londinesi* Londoners

Londra *sf* London

longitudine *sf* longitude

lontananza *sf* **LOC in lontananza** in the distance

lontano, -a ◆ *agg* distant: *un luogo/parente* ~ a distant place/relative ◆ *avv* ~ (**da**) far (away), a long way (away) (*più informale*) (**from sb/sth**): *Non è molto* ~ *da qui.* It isn't very far (away) from here. **LOC da lontano** from a distance

lontra *sf* otter

lordo, -a *agg* (*peso, stipendio*) gross **LOC** *Vedi* PESO

loro¹ *pron pers* **1** (*soggetto*) they: *No,* ~ *non vengono.* No, they're not coming. **2** (*complemento, nei paragoni*) them: *Dillo a ~.* Tell them. ◊ *Sei più alto di ~.* You're taller than them.

loro² ◆ *agg poss* their: *il* ~ *insegnante* their teacher ◊ *i* ~ *libri* their books ◆ *pron poss* theirs: *Non è il mio, è il ~.* It's not mine, it's theirs.

Nota che *un loro amico* si traduce **a friend of theirs**.

losco, -a *agg* dodgy: *un tipo* ~ a dodgy bloke

lotta *sf* ~ (**contro/per**) fight (**against/for sb/sth**): *la* ~ *contro l'inquinamento* the fight against pollution **LOC lotta libera** wrestling

lottare *vi* to fight (**for/against sb/sth**): ~ *per la libertà* to fight for freedom

lottatore, -trice *sm-sf* (*Sport*) wrestler

lotteria *sf* lottery [*pl* lotteries]

lotto *sm* **1** (*terreno*) plot **2** (*lotteria*) lottery **LOC** *Vedi* RICEVITORIA

lozione *sf* lotion

Lubiana *sf* Ljubjana

lubrificare *vt* to lubricate

lucchetto *sm* padlock: *chiuso con il* ~ padlocked

luccicare *vi* to shine **LOC** *Vedi* ORO

luccichio *sm* gleam

lucciola *sf* firefly **LOC prendere lucciole per lanterne** to get the wrong end of the stick

luce *sf* **1** (*gen*) light: *accendere/spegnere la* ~ to turn the light on/off **2** (*elettricità*) electricity: *Durante il temporale è andata via la ~.* The electricity went off during the storm. **LOC dare alla luce** to give birth to *sb*: *Ha dato alla* ~ *una* *bambina.* She gave birth to a baby girl. **far luce** to give off light: *Questa lampada non fa molta* ~. This lamp doesn't give off much light. **luce del giorno** daylight **luci di posizione** sidelights **portare alla luce** to bring *sth* (out) into the open **venire alla luce** (*segreto*) to come to light *Vedi anche* ANNO

lucernario *sm* skylight

lucertola *sf* lizard

lucidalabbra *sm* lip gloss

lucidare *vt* to polish

lucido, -a *agg* **1** (*lucente*) shining **2** (*razionale*) lucid **LOC lucido da scarpe** shoe polish **tirare a lucido** to make *sth* shine

luglio *sm* July (*abbrev* Jul) ☛ *Vedi esempi a* GENNAIO

lugubre *agg* gloomy

lui *pron pers* (*persona*) **1** (*soggetto*) he: ~ *e Armando sono cugini.* Armando and he are cousins. **2** (*complemento, nei paragoni*) him: *È per* ~. It's for him. ◊ *Sei più alta di* ~. You're taller than him.

lumaca *sf* slug **LOC** *Vedi* PASSO

luminarie *sf* **1** (*gen*) fairy lights **2** (*per Natale*) Christmas lights

luminoso, -a *agg* bright: *una stanza luminosa* a bright room

luna *sf* moon **LOC luna crescente/calante** waxing/waning moon **luna di miele** honeymoon **luna piena/nuova** full/new moon

luna park *sm* amusement park

lunare *agg* lunar

lunatico, -a *agg* moody

lunedì *sm* Monday [*pl* Mondays] (*abbrev* Mon): ~ *mattina/pomeriggio* on Monday morning/afternoon ◊ *Il* ~ *non lavoro.* I don't work on Mondays. ◊ *un* ~ *sì e uno no* every other Monday ◊ *È successo* ~ *scorso.* It happened last Monday. ◊ *Ci vediamo* ~ *prossimo.* I'll see you next Monday. ◊ *Il mio compleanno cade di* ~ *quest'anno.* My birthday falls on a Monday this year. ◊ *Si sposano* ~ *19 agosto.* They're getting married on Monday 19 August. ☛ Si legge: "Monday the nineteenth of August".

lunghezza *sf* length **LOC lunghezza d'onda** wavelength: *sulla stessa* ~ *d'onda* on the same wavelength

lungimirante *agg* far-sighted

lungo, -a ◆ *agg* **1** (*gen*) long: *Quant* ~*?* How long is it? ◊ *È* ~ *cinquant metri.* It's fifty metres long. **2** (*caff* weak ◆ *prep* **1** (*spazio*) along **2** (*temp* throughout: ~ *il corso della giornat* throughout the day **LOC andare per lunghe** to drag on **di gran lunga** by fa *È di gran lunga il più importante.* It by far the most important. **farla lung** to go on and on **in lungo e in largo** fa and wide: *L'hanno cercato in* ~ *e i largo.* They searched for him far an wide. **per lungo** lengthways *Vedi anch* LINGUA, PELO, SALTO, SCADENZA, VISTA

lungofiume *sm* embankment

lungomare *sm* prom (*inform*), promenade

lunotto *sm* rear window

luogo *sm* **1** (*gen*) place **2** (*delitto, inc dente*) scene: *il* ~ *del delitto* the scene the crime **LOC aver luogo** to take plac *L'incidente ha avuto* ~ *alle due di nott* The accident took place at two in th morning. **dar luogo a** to cause *sth* **d luogo** local: *le tradizioni del* ~ loc customs **fuori luogo** out of place **primo, secondo, ecc luogo** first of a secondly, etc **luogo comune** clich **luogo di nascita 1** (*gen*) birthplace (*nei moduli*) place of birth **luog pubblico** public place

lupo, -a *sm-sf* wolf [*pl* wolves]

> La femmina del lupo si chiama sh wolf.

LOC lupo mannaro werewolf [*pl* wer wolves] *Vedi anche* BOCCA, CANE, FAM

lusingare *vt* to flatter

lussare *vt* to dislocate: *lussarsi u spalla* to dislocate your shoulder

lussato, -a *pp, agg* (*spalla*) dislocat *Vedi anche* LUSSARE

lussemburghese ◆ *agg* Luxembou [*attrib*] ◆ *smf* Luxembourger: *i lusse burghesi* the Luxembourgers

Lussemburgo *sm* Luxembourg

lusso *sm* luxury [*pl* luxuries]: *N posso permettermi questi lussi.* I ca afford such luxuries. **LOC di lus** luxury: *un albergo di* ~ a luxury hot

lussuoso, -a *agg* luxurious

lutto *sm* mourning: *essere in/portare* ~ to be in mourning

Mm

ma ◆ *cong, sm* but: *difficile ma interessante* difficult but interesting ◊ *Devi farlo, non c'è ma che tenga!* No buts, you've got to do it.

macabro, -a *agg* macabre

macché! *escl* you must be joking!: *"Ha accettato?" "~!"* 'Did he accept?' 'You must be joking!'

maccheroni *sm* macaroni [*non numerabile, v sing*]

macchia *sf* **1** (*gen*) stain: *una ~ di grasso* a grease stain **2** (*chiazza*) patch: *macchie di umidità sulla parete* damp patches on the wall **3** (*leopardo*) spot **4** (*vegetazione*) scrub LOC **a macchie** (*animale, pelo*) spotted

macchiare ◆ *vt* to get *sth* dirty: *Non ~ la tovaglia.* Don't get the tablecloth dirty. ◆ **macchiarsi** *v rifl* ~ **con/di** to get covered **in** ***sth***: *Si sono macchiati di pittura.* They got covered in paint.

macchiato, -a *pp, agg* ~ (**di**) (*imbrattato*) stained (**with** ***sth***): *Hai la camicia macchiata di vino.* You've got a wine stain on your shirt. ◊ *una lettera macchiata di inchiostro* an ink-stained letter *Vedi anche* MACCHIARE

macchina *sf* **1** (*apparecchio*) machine **2** (*automobile*) car: *andare in ~* to go by car LOC **battere/scrivere a macchina** to type **macchina da corsa** racing car **macchina da cucire** sewing machine **macchina da presa** cine-camera **macchina da scrivere** typewriter **macchina fotografica** camera *Vedi anche* CIMITERO, INCIDENTE

macchinario *sm* machinery

macchinetta *sf* **1** (*caffettiera*) coffee machine **2** (*per tagliare i capelli*) hair clippers [*pl*] **3** (*per i denti*) brace LOC **macchinetta mangiasoldi** fruit machine

macchinista *smf* train driver

macedonia *sf* fruit salad

macellaio, -a *sm-sf* (*lett e fig*) butcher

macelleria *sf* butcher's [*pl* butchers]

macello *sm* **1** (*mattatoio*) abattoir **2** (*carneficina*) massacre

macerie *sf* rubble [*non numerabile, v sing*]: *ridotto a un cumulo di ~* reduced to a pile of rubble

macho *agg, sm* macho [*agg*]

macinare *vt* **1** (*caffè, grano*) to grind **2** (*carne*) to mince

macinato, -a ◆ *pp, agg* **1** (*caffè, grano*) ground **2** (*carne*) minced ◆ *sm* (*carne*) mince *Vedi anche* MACINARE

macinino *sm* mill

madre *sf* mother LOC **madre superiora** Mother Superior *Vedi anche* PARTE, ORFANO

madrelingua ◆ *sf* mother tongue: *insegnanti di ~* mother-tongue teachers ◆ *smf* native speaker: *un ~ inglese* a native speaker of English

madreperla *sf* mother-of-pearl

madrina *sf* godmother

maestà *sf* majesty [*pl* majesties]: *Sua Maestà* His/Her Majesty

maestro, -a *sm-sf* **1** (*insegnante*) teacher **2** (*persona abile*) master: *un ~ degli scacchi* a chess master **3** (*Mus*) maestro

mafia *sf* **la mafia** the Mafia

magari ◆ *escl* I wish!: *"Vai in vacanza?" "~!"* 'Are you going on holiday?' 'I wish!' ◆ *cong* if only: *~ potessi andarci!* If only I could go! ◆ *avv* maybe: *~ non lo sapeva.* Maybe he didn't know.

magazzino *sm* **1** (*edificio*) warehouse **2** (*locale*) storeroom LOC *Vedi* GRANDE

maggio *sm* May ☛ *Vedi esempi a* GENNAIO

maggioranza *sf* majority [*pl* majorities]: *ottenere la ~ assoluta* to get an absolute majority LOC **la maggioranza di...** most (of...): *La ~ degli inglesi preferisce vivere in campagna.* Most English people prefer to live in the country. ☛ *Vedi nota a* MOST; *Vedi anche* GRANDE

maggiordomo *sm* butler

maggiore ◆ *agg* **1** (*figlio, fratello*) **(a)** (*comparativo*) elder **(b)** (*superlativo*) eldest ☛ *Vedi nota a* ELDER **2** (*Mus*) major: *in do ~* in C major ◆ *smf* ~ (**di**) eldest (one) (**in**/**of**...): *Il ~ ha quindici anni.* The eldest (one) is fifteen. ◊ *la ~ delle tre sorelle* the eldest of the three sisters ☛ *Vedi nota a* ELDER ◆ *sm* (*Mil*) major LOC **a maggior ragione** all the more reason: *A maggior ragione dovresti chiedergli scusa.* All the more reason for you to say you're sorry. **la maggiore età** majority: *raggiungere la ~ età* to come of age **la maggior parte** (**di**) most (of *sb/sth*): *La maggior parte è cattolica.* Most of them are Catholics.

maggiorenne ◆ *agg* over eighteen: *Quando sarò ~ potrò votare.* I'll be able to vote when I'm eighteen. ◊ *Può prendere la patente perché è ~.* He can get his driving licence because he's over eighteen. ◆ *smf* person over eighteen: *i maggiorenni* the over-eighteens

magia *sf* **1** (*gen*) magic: *~ bianca/nera* white/black magic **2** (*incantesimo*) trick: *fare una ~* to do a trick LOC **come per magia** as if by magic

magico, -a *agg* magic: *poteri magici* magic powers LOC *Vedi* BACCHETTA

magio *sm* LOC *Vedi* RE

magistrali *sf* (*istituto*) teacher training: *Elena ha fatto le ~ a Pisa.* Elena trained as a teacher in Pisa.

magistrato *sm* magistrate

maglia *sf* **1** (*punto*) stitch **2** (*tessuto*) knitting: *fare la ~* to knit **3** (*indumento, Calcio*) shirt: *la ~ numero 11* the number 11 shirt **4** (*Ciclismo*) jersey [*pl* jerseys]: *la ~ gialla* the yellow jersey LOC *Vedi* LAVORARE, LAVORO

maglietta *sf* **1** (*gen*) T-shirt **2** (*intima*) vest

maglione *sm* jumper

magma *sm* magma

magnate *sm* tycoon, magnate (*più formale*)

magnetico, -a *agg* magnetic

magnetismo *sm* magnetism

magnifico, -a *agg, escl* wonderful: *Il tempo era ~.* The weather was wonderful. ◊ *una nuotatrice magnifica* a wonderful swimmer

mago, -a *sm-sf* **1** (*gen*) magician **2** (*nelle fiabe*) wizard [*fem* sorceress]

magro, -a *agg* thin, slim

> **Thin** è il termine generico per descrivere persone magre. **Slim** si usa per riferirsi a persone snelle ed ha una connotazione positiva. La parola **skinny** ha il significato di *mingherlino e gracile.*

LOC **magro come un chiodo** as thin as a rake

mai *avv* never, ever

> **Never** si usa quando il verbo in inglese è nella forma affermativa: *Non sono mai stato a Parigi.* I've never been to Paris. **Ever** si usa quando nella frase c'è una negazione: *Non succede ma nulla.* Nothing ever happens. ◊ *senz mai vedere il sole* without ever seein the sun. Viene usato anche nell domande: *Ci sei mai stato?* Have yo ever been there? *Vedi nota a* ALWAYS

LOC **come, perché, dove, chi, ecc ma** how, why, where, who, etc on eart *Perché ~ non me l'hai detto?* Why o earth didn't you tell me? **mai e poi ma** never ever **mai più** never again **più ch mai** more than ever: *Oggi fa più cald che ~.* It's hotter than ever today. *Ve anche* QUASI

maiale *sm* **1** (*animale*) pig

> **Pig** è il nome generico. **Boar** si rif risce solo al maschio e il plurale "boar" oppure "boars". La scrofa s chiama **sow** e il maialino **piglet**.

2 (*carne*) pork: *lombata di ~* loin o pork ☛ *Vedi nota a* CARNE

maionese *sf* mayonnaise [*non numer bile*]

mais *sm* **1** (*pianta*) maize **2** (*in scatol*) sweetcorn

maiuscolo ◆ *agg* capital, upper cas (*più formale*): *"M" maiuscola* a capit 'M' ◆ **maiuscola** *sf* capital letter, uppe case letter (*più formale*) LOC **in mai scolo** in capitals

malalingua *sf* gossip: *Le malelingu dicono che…* Gossip has it that…

malandato, -a *agg* shabby

malapena *sf* LOC **a malapena** hardly

malato, -a ◆ *agg* ill, sick

> **Ill** e **sick** significano entrambi *malat* ma non sono intercambiabili. **Ill** trova sempre dopo un verbo: *È grav mente malata.* She is seriously ill. **Sic** si trova generalmente prima di u sostantivo: *curare un animale malato* look after a sick animal e si usa spess per parlare di assenze da scuola o d lavoro: *Due miei colleghi sono mala* Two of my colleagues are off sick. No che **sick** può anche avere il significa di *avere la nausea*: *Ho la nausea.* I fe sick.

◆ *sm-sf* **1** (*gen*) sick person ☛ Quand ci si riferisce all'insieme dei malati dice **the sick**: *curare i malati* to loo after the sick. **2** (*paziente*) patient LO **essere malato di cuore, fegato, ecc** have heart, liver, etc trouble **malato mente** mentally ill

malattia *sf* **1** (*gen*) illness: *Si è appen ripreso da una grave ~.* He has ju

ʼecovered from a very serious illness. **2** *infettiva, contagiosa*) disease: ~ *eredita-ia* hereditary disease ☛ *Vedi nota a* ɪISEASE

ıalavita *sf* underworld

ıalavoglia *sf* LOC **di malavoglia** reluc-antly

alaysia *sf* Malaysia

ıalaysiano, -a *agg, sm-sf* Malaysian: *malaysiani* the Malaysians

ıalconcio, -a *agg* shabby

ıaldestro, -a *agg* clumsy

ıale[1] *avv* badly: *comportarsi/parlare* ~ o behave/speak badly ◊ *un lavoro ɪagato* ~ a badly paid job ◊ *La radio ùnziona* ~. The radio doesn't work ɪroperly. LOC **non essere male**: *Quella ;iacca non è* ~. That jacket's not bad. **estare/rimanere male 1** (*deluso*) to be lisappointed **2** (*offeso*) to be hurt **stare/ ;entirsi male** to be/feel ill

ıale[2] *sm* **1** (*malvagità*) evil **2** (*danno*) ıarm: *Che* ~ *c'è?* Where's the harm in hat? ◊ *Non c'è nulla di* ~. There's no ıarm in it. LOC **andare a male** to go off **ındato a male** off **fare male 1** (*dolore*) o hurt: *Vedrai, non ti farà* ~. This von't hurt (you) at all. ◊ *Mi fa* ~ *la ;amba/schiena.* My leg/back hurts. ◊ *Mi fa* ~ *la testa.* I've got a headache. **2** *agire in modo errato*) to be wrong (*to lo sth*): *Hai fatto* ~ *a dirglielo.* You vere wrong to tell him. **3** (*essere nocivo*) o be bad for you: *Fumare fa* ~. Smoking is bad for you. **fare del male a** :o hurt *sb*: *Un po' di lavoro non ha mai 'atto* ~ *a nessuno.* A little work never ıurt anybody. **mal d'aria** air-sickness **nal d'auto** car-sickness **mal di gola** ;ore throat **mal di mare** sea-sick-ıess **mal di pancia/stomaco** tummy/ ;tomach ache **mal di testa/denti/ ɪrecchi** headache/toothache/earache

ıaledetto, -a *pp, agg* damn: *Dov'è ɪuel* ~ *libro?* Where's that damn book? *Vedi anche* MALEDIRE

ıaledire *vt* to curse

ıaledizione *sf* curse

ıaleducato, -a *agg, sm-sf* rude [*agg*]: *Che bambini maleducati!* What rude :hildren!

ıaleducazione *sf* bad manners

ıalessere *sm* **1** (*indisposizione*): *Ho ıvuto un leggero* ~. I didn't feel very vell. **2** (*disagio*) unease

ıalfermo, -a *agg* unsteady

ıalgrado ◆ *prep* in spite of: *Siamo ındati* ~ *la pioggia.* We went in spite of the rain. ◆ *cong* although: ~ *fosse rischioso*... Although it was risky...

maligno, -a *agg* **1** (*persona*) malicious **2** (*Med*) malignant

malinconia *sf* melancholy

malinconico, -a *agg* sad

malincuore LOC **a malincuore** reluc-tantly

malinteso *sm* misunderstanding: *C'è stato un* ~. There's been a misunder-standing.

malizioso, -a *agg* malicious

malocchio *sm* evil eye

Malta *sf* Malta

maltempo *sm* bad weather

maltese *agg, smf, sm* Maltese: *i maltesi* the Maltese ◊ *parlare* ~ to speak Maltese

maltrattamento *sm* ill-treatment [*non numerabile*]: *Hanno subito maltratta-menti in carcere.* They were subjected to ill-treatment in prison.

maltrattare *vt* to ill-treat

malumore *sm* LOC **essere di malu-more** to be in a bad mood

malvagio, -a *agg* wicked

malvolentieri *avv* unwillingly: *fare qc* ~ to do sth unwillingly

mamma *sf* mum ☛ I bambini dicono spesso **mummy**. LOC **mamma mia!** good heavens! *Vedi anche* FESTA

mammifero *sm* mammal

manager *smf* manager

manata *sf* (*schiaffo*) slap

mancanza *sf* **1** ~ **di** (*assenza*) lack **of** ***sth***: *la sua completa* ~ *di ambizione/ iniziativa* his total lack of ambition/ initiative ◊ ~ *di fondi* lack of funds **2** (*difetto*) shortcoming LOC **in mancanza di meglio** for want of anything better **mancanza di educazione** rudeness: *Questa è* ~ *di educazione!* How rude! **sentire la mancanza di** to miss *sb/sth*: *Sento la* ~ *degli amici/del mare.* I miss my friends/the sea.

mancare ◆ *vi* **1** (*non esserci*) to be missing: *Manca qualcuno?* Is there anybody missing? **2** (*venir meno*): *Mi mancano le forze.* I've no strength. ◊ *È mancata la luce.* The electricity went off. **3** ~ **di** to lack *sth* [*vt*]: ~ *d'iniziativa* to lack initiative **4** ~ **a qn**: *Mi manchi.* I miss you. **5** ~ **a qc** to miss sth: ~ *a una lezione* to miss a class **6** (*tempo, spazio*): *Mancano dieci minuti* (*alla fine della lezione*). There are ten minutes to go (till the end of the lesson). ◊ *Quanto* *manca all'arrivo?* How long is it till we arrive? ◆ *vt* to miss: *~ il bersaglio* to miss the target LOC **ci è mancato poco che...** I, you, etc almost...: *Ci è mancato poco che cadesse.* He almost fell. **ci mancava anche questa!** that's all I/we need! **gli manca una rotella** he has a screw loose **mancare alla parola** to break your word **mancare di rispetto** to be disrespectful *to sb*

mancia *sf* tip: *Lasciamo la ~?* Shall we leave a tip? ◊ *Gli ho dato tre sterline di ~.* I gave him a three-pound tip.

manciata *sf* handful: *una ~ di riso* a handful of rice

mancino, -a *agg* left-handed: *Sono ~.* I'm left-handed.

mandarancio *sm* clementine

mandare *vt* **1** (*inviare*) to send: *Gli ho mandato una lettera.* I've sent him a letter. ◊ *Il ministero ha mandato un ispettore.* The ministry has sent an inspector. **2** (*portare*) to have *sth* done: *Lo manderò a lavare.* I'm going to have it cleaned. LOC **mandare avanti 1** (*famiglia*) to support **2** (*azienda*) to keep *sth* going **mandare via** to get rid of *sb/sth* ☛ Per altre espressioni con **mandare** vedi alla voce del sostantivo, dell'aggettivo, ecc, ad es. **mandare all'aria** a ARIA.

mandarino *sm* mandarin

mandata *sf* (*di chiave*) turn

mandato *sm* **1** (*incarico*) mandate **2** (*Dir*) warrant: *un ~ di perquisizione* a search warrant

mandibola *sf* jaw

mandorla *sf* almond

mandorlo *sm* almond tree

mandria *sf* herd

maneggiare *vt* to handle: *~ un'arma* to handle a weapon

maneggio *sm* (*scuola*) riding school

manesco, -a *agg*: *essere ~* to smack a lot

manette *sf* handcuffs: *mettere le ~ a qn* to handcuff sb

manganello *sm* truncheon

mangiare *vt* **1** (*gen*) to eat: *Dovresti ~ qualcosa prima di uscire.* You should have something to eat before you go. ◊ *Non ho voglia di ~.* I don't feel like eating. ◊ *mangiarsi un panino* to eat a sandwich ◊ *Le zanzare mi hanno mangiato vivo.* I've been eaten alive by the mosquitoes. **2** (*fare un pasto*) to have lunch/dinner: *A che ora mangiamo?* What time are we going t[o] have lunch/dinner? ◊ *Che cosa c'è da ~* What's for lunch/dinner? **3** (*Scacch Dama*) to take LOC **dar da mangiare** to feed *sb/sth* **fare da mangiare** to coo[k] **mangiarsi le unghie** to bite your nail *Vedi anche* FEGATO, ROBA

mangiasoldi *agg* LOC *Vedi* MACCHI NETTA

mangiata *sf*: *fare una ~ di dolci* to stu[ff] yourself with sweets

mangione, -a ◆ *agg* greedy ◆ *sm-s* big eater

mangiucchiare *vt* to nibble

mango *sm* mango [*pl* mangoes]

mania *sf* quirk: *Ognuno ha le su piccole manie.* Everybody's got thei own little quirks. ◊ *È proprio una ~* You're obsessed about it! LOC **avere l[a] mania di fare qc** to have the strang habit of doing sth

maniaco, -a *agg, sm-sf* maniac

manica *sf* sleeve: *una camicia [a] maniche lunghe/corte* a long-sleeved short-sleeved shirt LOC **senza manich[e]** sleeveless

manichino *sm* dummy [*pl* dummies]

manico *sm* handle ☛ *Vedi illustra zioni a* SAUCEPAN *e* TAZZA

manicomio *sm* psychiatric hospital

manicure *sf* **1** (*persona*) manicurist (*trattamento*) manicure

maniera *sf* **1** ~ (**di**) way [*pl* ways] (**o[f] *doing sth***): *la sua ~ di parlare/vestir* her way of speaking/dressing **maniere** manners: *buone maniere* goo[d] manners

manifestare ◆ *vt* **1** (*opinione, desid rio*) to express **2** (*interesse*) to show ◆ *v* ~ **contro/a favore di qc** to demonstrat **against/in favour of sth** ◆ **manife starsi** *v rifl* (*malattia*) to appear

manifestazione *sf* **1** (*protesta*) demonstration **2** (*di sentimento*) show *una ~ di affetto* a show of affection (*spettacolo*) event: *una ~ sportiva* sporting event

manifesto *sm* **1** (*poster*) poster **2** (*Poli tica, Letteratura*) manifesto [*p* manifestos/manifestoes]

maniglia *sf* handle

manipolare *vt* **1** (*disonestamente*) t manipulate: *~ i risultati delle elezioni* t manipulate the election results (*toccare*) to handle: *~ il cibo* to handl food

mannaro *agg* LOC *Vedi* LUPO

mano *sf* **1** (*gen*) hand: *Alza la ~.* Put your hand up. ◊ *essere in buone mani* to be in good hands **2** (*vernice*) coat **LOC a mani vuote** empty-handed **a mano** (*manualmente*) by hand: *Bisogna lavarlo a ~.* It has to be hand-washed. ◊ *fatto a ~* handmade **avere le mani bucate** to spend money like water **dare la mano a 1** (*tenere*) to hold *sb's* hand: *Dammi la ~.* Hold my hand. **2** (*per salutare*) to shake hands with *sb*: *Si sono dati la ~.* They shook hands. ◊ *Gli ha dato la ~.* He shook hands with him. **dare una mano a** to give *sb* a hand **farci/prenderci la mano** to get the hang of it **mani in alto!** hands up! **mano ferma** firm hand **mano nella mano** hand in hand (*with sb*): *Camminavano ~ nella ~.* They were walking along hand in hand. **prendere con le mani nel sacco** to catch *sb* red-handed **sotto mano** to hand **stare con le mani in mano**: *Non star lì con le mani in ~. Fa' qualcosa.* Don't just stand there! Do something. **tenersi per mano** to hold hands **venire alle mani** to come to blows (*with sb*) *Vedi anche* AGGRESSIONE, BAGAGLIO, BATTERE, FRENO, FUORI, GIÙ, LAVARE, PORTATA, RAPINA, SALUTARE[1], SCRIVERE, SECONDO, STRETTA, STRINGERE

manodopera *sf* labour

manopola *sf* **1** (*pomello*) knob **2** (*guanto*) mitten

manoscritto, -a *agg, sm* manuscript

manovale *sm* labourer

manovella *sf* handle, crank (*tec*)

manovra *sf* manoeuvre **LOC fare manovra** (*auto*) to manoeuvre

manovrare *vt* **1** (*auto*) to manoeuvre **2** (*macchinario*) to operate **3** (*persona*) to manipulate: *Non farti ~.* Don't let yourself be manipulated.

mansarda *sf* attic

mantella *sf* cape

mantello *sm* **1** (*indumento*) cloak **2** (*animale*) coat

mantenere ◆ *vt* **1** (*gen*) to keep: *~ un segreto* to keep a secret ◊ *~ la linea* to keep your figure ◊ *~ i contatti* to keep in touch **2** (*economicamente*) to support: *~ una famiglia di otto persone* to support a family of eight ◆ **mantenersi** *v rifl* **1** (*economicamente*) to support yourself **2** (*rimanere*) to stay: *mantenersi in forma* to stay fit

Mantova *sf* Mantua

mantovano, -a *agg, sm-sf* Mantuan: *i mantovani* the Mantuans

manuale *agg, sm* manual: *~ di istruzioni* instruction manual ◊ *una macchina col cambio ~* a manual car **LOC** *Vedi* LAVORO

manubrio *sm* (*bicicletta*) handlebars [*pl*]

manutenzione *sf* maintenance

manzo *sm* **1** (*animale*) bullock **2** (*carne*) beef

mappa *sf* map

mappamondo *sm* **1** (*globo*) globe **2** (*cartina*) map of the world

maratona *sf* marathon

marca *sf* **1** (*detersivo, abbigliamento, cibo*) brand: *una ~ di jeans* a brand of jeans **2** (*auto, elettrodomestico*) make: *Di che ~ è il tuo computer?* What make of computer have you got? **LOC di marca**: *prodotti di ~* brand name goods **marca da bollo** stamp

marcare *vt* to mark

marcato, -a *pp, agg* strong: *parlare con un ~ accento romano* to speak with a strong Roman accent *Vedi anche* MARCARE

Marche *sf* **le Marche** the Marches

marchese, -a *sm-sf* marquis [*fem* marchioness]

marchiare *vt* to brand

marchio *sm* **LOC marchio di fabbrica** trade mark **marchio registrato** registered trade mark

marcia *sf* **1** (*Mil, Mus*) march **2** (*Mecc*) gear: *cambiare ~* to change gear ◊ *un'auto a cinque marce* a car with a five-speed gearbox **LOC fare marcia indietro 1** (*lett*) to reverse **2** (*fig*) to do a U-turn

marciapiede *sm* pavement

marciare *vi* to march

marcio, -a *agg* rotten: *una mela marcia* a rotten apple

marcire *vi* to rot

marco *sm* (*moneta*) mark

mare *sm* **1** (*gen*) sea **2** (*località*): *Adoro il ~.* I love the seaside. ◊ *Quest'estate voglio andare al ~.* I want to go to the seaside this summer.

> In inglese **sea** si scrive maiuscolo quando è nome proprio: *il mar Nero* the Black Sea

LOC via mare by sea *Vedi anche* ALTO, FRUTTO, MALE[2], PROMETTERE, RICCIO, RIVA

marea *sf* **1** (*gen*) tide: *alta/bassa* ~ high/low tide ◊ *Si è alzata/abbassata la* ~. The tide has come in/gone out. **2** (*gran quantità*): *una* ~ *di gente* a mass of people

mareggiata *sf* swell: *una forte* ~ a heavy swell

maremoto *sm* tidal wave

margarina *sf* margarine

margherita *sf* daisy [*pl* daisies]

margine *sm* **1** (*gen*) margin: *note a* ~ notes written in the margin ◊ ~ *di guadagno* profit margin **2** (*di strada, bosco*) edge: *al* ~ *del bosco* at the edge of the forest

marina *sf* navy [*v sing o pl*] [*pl* navies]: *arruolarsi in* ~ to join the navy LOC **marina mercantile** merchant navy

marinaio *sm* sailor

marinare *vt* (*Cucina*) marinate LOC **marinare la scuola** to play truant

marino, -a *agg* **1** (*gen*) marine: *flora e fauna marine* marine life **2** (*uccello, sale*) sea [*s attrib*] LOC *Vedi* CAVALLUCCIO

marionetta *sf* puppet

marito *sm* husband

marketing *sm* marketing

marmellata *sf* **1** (*gen*) jam: ~ *di pesche* peach jam **2** (*di agrumi*) marmalade

marmitta *sf* (*auto, moto*) silencer

marmo *sm* marble LOC **di marmo** marble: *una statua di* ~ a marble statue

marocchino, -a *agg*, *sm-sf* Moroccan: *i marocchini* the Moroccans

Marocco *sm* Morocco

marrone *agg*, *sm* brown ☛ *Vedi esempi a* GIALLO

Marsiglia *sf* Marseilles

marsupio *sm* **1** (*canguro*) pouch **2** (*per neonati*) sling **3** (*borsello*) bumbag

Marte *sm* Mars

martedì *sm* Tuesday [*pl* Tuesdays] (*abbrev* Tue(s)) ☛ *Vedi esempi a* LUNEDÌ LOC **martedì grasso** Shrove Tuesday

> Il martedì grasso si chiama anche **Pancake Day** perché per tradizione in questo giorno si mangiano le crêpe con succo di limone e zucchero.

martello *sm* hammer

martire *smf* martyr

marzapane *sm* marzipan

marziale *agg* martial

marziano, -a *agg*, *sm-sf* Martian

marzo *sm* March (*abbrev* Mar) ☛ *Vedi esempi a* GENNAIO

mascara *sm* mascara: *darsi/mettersi* [illegible] ~ to apply mascara

mascella *sf* jaw

maschera *sf* **1** (*gen*) mask: ~ *antiga*[s] gas mask **2** (*costume*) fancy dress: *un*[a] *festa in* ~ a fancy dress party **3** (*Cine*) usher [*fem* usherette] LOC *Vedi* BALLO

mascherare ◆ *vt* to mask ◆ **mascherarsi** *v rifl* **mascherarsi (da)** (*per un*[a] *festa*) to dress up (**as** *sb/sth*): *Si mascherata da fatina.* She dressed u[p] as a fairy.

maschietto *sm* little boy: *Ci piacerebb*[e] *avere un* ~. We would like a boy.

maschile ◆ *agg* **1** (*caratteristica, pubblico*) male: *la popolazione* ~ th[e] male population **2** (*Sport, abbigliamento*) men's: *i 100 metri maschili* th[e] men's 100 metres **3** (*Gramm*) masculin[e] ◆ *sm* (*Gramm*) masculine ☛ *Vedi not*[a] *a* MALE

maschilismo *sm* sexism

maschilista *agg*, *smf* sexist

maschio *agg*, *sm* **1** (*gen*) male: *È un* ~ [o] *una femmina?* Is it male or female[?] ☛ *Vedi nota a* FEMALE **2** (*figlio*) boy

mascotte *sf* mascot

massa *sf* **1** (*gen*) mass: ~ *atomic*[a] atomic mass ◊ *una* ~ *di neve* a mass [of] snow **2** (*gruppo*) bunch: *una* ~ *di imbroglioni* a bunch of crooks LOC **di mass**[a] mass: *cultura/movimento di* ~ mas[s] culture/movement

massacro *sm* massacre

massaggio *sm* massage: *Mi faresti u*[n] ~ *alla schiena?* Can you massage m[y] back for me?

massiccio, -a ◆ *agg* **1** (*intenso*) hug[e] massive (*più formale*): *un'affluenz*[a] *massiccia di turisti* a huge influx [of] tourists **2** (*oggetto*) solid: *oro* ~ soli[d] gold ◆ *sm* (*Geog*) massif

massimo, -a ◆ *agg* **1** (*maggiore*) max[i]mum: *il carico* ~ the maximum load [2] (*notevole*) utmost: *della massima importanza* of the utmost importance ◆ *s*[m] maximum: *un* ~ *di dieci persone* a max[i]mum of ten people ◊ *il* ~ *della pena* th[e] maximum sentence ◆ **massima** *sf* [1] (*temperatura*) maximum temperatur[e] *La* ~ *è stata di 35°.* The maximu[m] temperature was 35°. **2** (*detto*) maxi[m] LOC **al massimo 1** (*livello più elevato*[)] *Dobbiamo sfruttare al* ~ *le risorse.* W[e] must make maximum use of ou[r] resources. **2** (*tutt'al più*): *Avrà al* [~] *quarant'anni.* She must be 40 at th[e] most. ◊ *Sarò di ritorno al* ~ *alle sett*[e]

I'll be back at seven at the latest. ◊ *Abbiamo al ~ dieci giorni per pagare.* We've got a maximum of ten days in which to pay. *Vedi anche* ALTEZZA, LINEA

masticare *vt* **1** (*gen*) to chew **2** (*avere un'infarinatura*): *~ un po' di spagnolo* to have a smattering of Spanish LOC *Vedi* GOMMA

masturbarsi *v rifl* to masturbate

matassa *sf* skein

matematica *sf* mathematics (*abbrev* maths) [*v sing o pl*]: *È bravo in ~.* He's good at maths.

matematico, -a ◆ *agg* mathematical ◆ *sm-sf* mathematician

materassino *sf* **1** (*palestra*) mat **2** (*campeggio, spiaggia*) air-bed

materasso *sm* mattress ☛ *Vedi illustrazione a* LETTO

materia *sf* **1** (*gen*) matter **2** (*disciplina, argomento*) subject: *Sono stato bocciato in due materie.* I've failed two subjects. ◊ *Non sono un esperto in ~.* I'm not an expert on the subject. LOC **materia prima** raw material

materiale ◆ *agg* material ◆ *sm* (*materia, dati*) material: *un ~ ignifugo* fire-resistant material LOC **materiale didattico** teaching materials [*pl*]

materialista ◆ *agg* materialistic ◆ *smf* materialist

maternità *sf* **1** (*condizione*) motherhood, maternity (*form*) **2** (*reparto*) maternity ward

materno *agg* **1** (*gen*) motherly, maternal (*più formale*): *amore ~* motherly love **2** (*parente*) maternal: *nonno ~* maternal grandfather LOC *Vedi* SCUOLA

matita *sf* pencil: *matite colorate* coloured pencils LOC **a matita** in pencil

matricola *sf* **1** (*università*) fresher **2** (*esercito*) new recruit

matricolato, -a *agg* out-and-out: *un bugiardo ~* an out-and-out liar

matrigna *sf* stepmother

matrimoniale *agg* LOC *Vedi* AGENZIA, LETTO

matrimonio *sm* **1** (*unione*) marriage **2** (*cerimonia*) wedding: *anniversario di ~* wedding anniversary ◊ *Domani andiamo a un ~.* We're going to a wedding tomorrow.

Wedding si riferisce alla cerimonia, **marriage** di solito si riferisce al matrimonio come istituzione. In Gran Bretagna le nozze si possono celebrare in *chiesa* (a **church wedding**) o in *municipio* (a **registry office wedding**). La *sposa* (**bride**) è seguita dalle *damigelle d'onore* (**bridesmaids**). Lo *sposo* (**groom**) è accompagnato dal *testimone* (**best man**, di solito il suo migliore amico). Normalmente la sposa entra al braccio del padre. Dopo la cerimonia si dà un *ricevimento* (a **reception**).

LOC *Vedi* PROPOSTA

mattatoio *sm* slaughterhouse

matterello *sm* rolling pin

mattina *sf* morning: *la ~ seguente* the following morning ◊ *L'esame è lunedì ~.* The exam is on Monday morning. ☛ *Vedi nota a* MORNING

mattino *sm* morning: *di buon ~* early in the morning ☛ *Vedi nota a* MORNING

matto, -a ◆ *agg* mad: *Vado ~ per la cioccolata.* I'm mad about chocolate. ◆ *sm-sf* madman/woman [*pl* madmen/ women] LOC *Vedi* SCACCO

mattone *sm* brick

mattonella *sf* tile

mattutino, -a *agg* morning [*s attrib*]

maturare *vi* **1** (*frutta*) to ripen **2** (*persona*) to mature

maturità *sf* **1** (*gen*) maturity **2** (*Scuola*) school-leaving examination

maturo, -a *agg* **1** (*frutta*) ripe **2** (*persona*) mature: *Gianni è molto ~ per la sua età.* Gianni is very mature for his age.

mazza *sf* **1** (*Golf*) club **2** (*Cricket, ecc*) bat: *~ da baseball* baseball bat

mazzo *sm* **1** (*chiavi, fiori*) bunch: *un ~ di rose* a bunch of roses **2** (*Carte*) pack

me *pron pers* me: *È per me?* Is it for me? ◊ *Li ha dati a me.* She gave them to me. ◊ *Non mi piace parlare di me.* I don't like talking about myself. ◊ *Per me puoi fare quello che ti pare.* You can do what you like as far as I'm concerned.

meccanica *sf* mechanics [*sing*]

meccanico, -a ◆ *agg* mechanical ◆ *sm* mechanic

meccanismo *sm* mechanism: *il ~ di un orologio* a watch mechanism

medaglia *sf* **1** (*distintivo*) medal: *~ d'oro* gold medal **2** (*atleta*) medallist: *È stato ~ d'oro alle olimpiadi.* He's an Olympic gold medallist. LOC *Vedi* ROVESCIO

media *sf* **1** (*gen*) average **2** (*Mat*) mean **3** (*Scuola*) **le medie** middle school LOC **di/in media** on average

mediatore, -trice *sm-sf* **1** (*intermediario*) mediator: *L'ONU ha fatto da ~ nel conflitto.* The UN acted as a mediator in the conflict. **2** (*Comm*) middleman [*pl* middlemen]

medicare *vt* **1** (*ferita*) to dress **2** (*ferito*) to treat

medicazione *sf* dressing: *cambiare la ~* to change a dressing

medicina *sf* medicine: *prescrivere una ~* to prescribe a medicine ◊ *studiare ~* to study medicine

medicinale ◆ *agg* medicinal ◆ *sm* medicine

medico, -a ◆ *agg* medical: *un controllo ~* a medical examination ◆ *sm* doctor: *andare dal ~* to go to the doctor's LOC **medico generico** general practitioner (*abbrev* GP) *Vedi anche* CARTELLA, GUARDIA, CERTIFICATO, VISITA

medievale *agg* medieval

medio, -a ◆ *agg* **1** (*gen*) medium: *di grandezza media* of medium size **2** (*regolare*) average: *di statura/d'intelligenza media* of average height/intelligence ◆ *sm* (*dito*) middle finger LOC **il Medio Evo** the Middle Ages [*pl*] *Vedi anche* CETO, DURATA, ORIENTE, SCUOLA

mediocre *agg* **1** (*gen*) mediocre: *un attore ~* a mediocre actor **2** (*livello*) poor: *Ha avuto dei voti mediocri.* His marks have been poor.

meditare *vi* to meditate

mediterraneo, -a ◆ *agg* Mediterranean ◆ *sm* **il Mediterraneo** the Mediterranean

medusa *sf* jellyfish [*pl* jellyfish]

meglio ◆ *avv* **1** (*gen*) better (***than sb/sth***): *Mi sento molto ~.* I feel much better. ◊ *Canti ~ di me.* You're a better singer than me. **2** (*uso superlativo*) best: *gli atleti ~ preparati* the best-prepared athletes ◆ *agg* better: *Il tuo è ~ di questo.* Yours is better than this. ◊ *Sarà ~ che tu vada.* You'd better go now. ◆ *sm* best: *Ho fatto del mio ~.* I did my best. ◊ *E non ti ho detto il ~!* I still haven't told you the best bit! LOC **meglio tardi che mai** better late than never *Vedi anche* SEMPRE

mela *sf* apple ☛ *Vedi illustrazione a* FRUTTA LOC **mela cotogna** quince

melanzana *sf* aubergine

melma *sf* slime

melo *sm* apple tree

melodia *sf* tune

melone *sm* melon ☛ *Vedi illustrazione a* FRUTTA

membro *sm* **1** (*gen*) member **2** (*Anat*) limb

memorabile *agg* memorable

memoria *sf* **1** (*gen*) memory: *Hai buona ~.* You've got a good memory. ◊ *perderla ~* to lose your memory **2 memorie** (*autobiografia*) memoirs LOC **a memoria** by heart: *imparare/sapere qc a ~* to learn/know something by heart **fare memoria** to try to remember **in memoria di** in memory of

memorizzare *vt* **1** (*gen*) to memorize **2** (*Informatica*) to store

menadito LOC **a menadito** by heart

menare *vt* LOC **menare il can per l'aia** to beat about the bush

mendicante *smf* beggar

mendicare *vt, vi* to beg (**for *sth***): *~ qualcosa da mangiare* to beg for food

meninge *sf* LOC *Vedi* SPREMERE

meno ◆ *avv* **1** (*gen*) less (***than sb/sth***) not so much/many (***as sb/sth***): *Leggo ~ di una volta.* I read less than I used to. *Dovresti lavorare ~.* You shouldn't work so much. ◊ *Dammene di ~.* Don't give me so much. ◊ *Mi ci è voluto ~ di quanto pensassi.* It took me less (time) than I thought. **2** (*uso superlativo*) least: *il ~ caro* the least expensive ◊ *il ~ possibile* as little as possible **3** (*Mat*) (*temperatura, tempo*) minus: *Il termometro segna ~ dieci.* It's minus ten. *Sette ~ tre fa quattro.* Seven minus three is four. ◊ *Sono le due ~ cinque.* It's five to two. ◆ *agg* less (***than sb/sth***): *Consuma ~ energia.* It uses less energy. ☛ Con sostantivi numerabili è più corretto usare **fewer**, nonstante si usa spesso **less**: *meno gente/macchine/errori* fewer people/cars/mistakes *Vedi nota a* LESS ◆ *prep* except: *Sono venuti tutti ~ Andrea.* Everybody came except Andrea. ◆ *sm* **1** (*gen*) the least: *È il ~ che possa fare.* It's the least I can do! **2** (*Mat*) minus (sign) LOC **a meno che** unless: *a ~ che smetta di piovere* unless it stops raining **di meno** less **fare a meno di** to do without *sth* **meno male** it's a good job! **per lo meno** at least *Vedi anche* PIÙ, QUARTO, SEMPRE

menopausa *sf* menopause

mensa *sf* canteen ☛ *Vedi pag. 379.*

mensile ◆ *agg* monthly ◆ *sm* **1** (*stipendio*) salary **2** (*rivista*) monthly magazine

mensilmente *avv* monthly: *Ci pagano ~.* We're paid monthly.

mensola *sf* **1** (*gen*) shelf [*pl* shelves] **2** (*caminetto*) mantelpiece

menta *sf* mint

mentale *agg* mental

mentalità *sf* mentality [*pl* mentalities] LOC **di mentalità aperta/ristretta** open-minded/narrow-minded

mente *sf* mind: *Hai in ~ qualcosa?* Do you have anything in mind? LOC **fare mente locale** to try to remember **passare di mente**: *Mi è completamente passato di ~.* I completely forgot about it. **scappare/sfuggire di mente** to slip your mind **venire in mente** to occur to *sb*: *Mi è appena venuto in ~ che…* It has just occurred to me that… ◇ *Ti viene in ~ qualcosa?* Can you think of anything? *Vedi anche* MALATO, SANO

mentina *sf* mint

mentire *vi* to lie ☛ *Vedi nota a* LIE[2]

mento *sm* chin

mentre *cong* while: *Canta ~ dipinge.* He sings while he paints. ◇ *A me piace il caffè ~ lei preferisce il tè.* I drink coffee while she prefers tea.

menu *sm* menu: *Non era sul ~.* It wasn't on the menu. LOC **menu fisso** set menu

meraviglia *sf* wonder LOC **andare a meraviglia** to go marvellously **che meraviglia!** how wonderful!

meravigliare ◆ *vt* to amaze ◆ **meravigliarsi** *v rifl* **meravigliarsi (a/di)** to be amazed (**at *sth*/to do *sth***): *Si meravigliò di vedermi.* She was amazed to see me. LOC **non c'è da meravigliarsi** it's no wonder

meraviglioso, -a *agg* wonderful

mercantile *agg* LOC *Vedi* MARINA

mercatino *sm* street market

mercato *sm* market: *L'ho comprato al ~.* I bought it at the market. LOC **a buon mercato 1** (*merce*) cheap: *Quello è più a buon ~.* That one's cheaper. **2** (*comprare*) cheaply: *comprare qc a buon ~* to buy sth cheaply **mercato delle pulci** flea market **mercato del pesce** fish market **mercato nero** black market

merce *sf* goods [*pl*]: *La ~ era danneggiata.* The goods were damaged. LOC *Vedi* TRENO, VAGONE

merceria *sf* **1** (*articoli*) haberdashery **2** (*negozio*) haberdasher's [*pl* haberdashers]

mercoledì *sm* Wednesday [*pl* Wednesdays] (*abbrev* Wed) ☛ *Vedi esempi a* LUNEDÌ LOC **mercoledì delle Ceneri** Ash Wednesday

mercurio *sm* **1** (*Chim*) mercury **2** **Mercurio** (*pianeta*) Mercury

merda *sf*, *escl* shit

merenda *sf* afternoon snack

meridiana *sf* sundial

meridiano *sm* meridian

meridionale ◆ *agg* southern ◆ *smf* southerner

meridione *sm* South: *nel ~* in the South

meringa *sf* meringue

meritare *vt* to deserve: *Ti meriti una punizione.* You deserve to be punished. ◇ *La squadra ha meritato di vincere.* The team deserved to win.

meritato, -a *pp*, *agg* well deserved: *una vittoria davvero meritata* a well-deserved victory *Vedi anche* MERITARE

merito *sm* merit LOC **in merito a** with regard to *sth* **per merito di** thanks to *sb*

merletto *sm* lace

merlo *sm* (*uccello*) blackbird

merluzzo *sm* cod [*pl* cod]

meschino, -a *agg* petty

mescolanza *sf* mixture

mescolare *vt* **1** (*gen*) to mix: *~ bene gli ingredienti.* Mix the ingredients well. **2** (*rimestare*) to stir: *Continua a ~ il sugo.* Keep stirring the sauce. **3** (*carte*) to shuffle ☛ *Vedi nota a* CARTA

mese *sm* month: *Le vacanze cominciano tra un ~.* The holidays start in a month. ◇ *il ~ scorso/prossimo* last/next month ◇ *ai primi del ~* at the beginning of the month ◇ *essere incinta di due mesi* to be two months pregnant LOC *Vedi* QUI

messa *sf* (*Relig*) mass LOC **messa a punto** (*motore*) tuning **messa a terra** earth: *La spina ha la ~ a terra.* The plug is earthed. **messa in piega** set

messaggero, -a *sm-sf* messenger

messaggio *sm* message

messicano, -a *agg*, *sm-sf* Mexican: *i messicani* the Mexicans

Messico *sm* Mexico LOC *Vedi* CITTÀ

mestiere *sm* trade: *Fa l'idraulico di ~.* He's a plumber by trade. ◇ *imparare un ~* to learn a trade LOC *Vedi* RISCHIO

mestolo *sm* ladle

mestruazioni *sf* period [*sing*]: *avere le ~* to have your period

meta *sf* **1** (*destinazione*) destination **2** (*scopo*) goal: *raggiungere una ~* to achieve a goal

metà *sf* **1** (*gen*) half [*pl* halves]: *La ~ dei*

deputati ha votato contro. Half the MPs voted against. ◊ *tagliare qc a ~* to cut sth in half **2** (*punto di mezzo*) middle: *a ~ mattina/pomeriggio* in the middle of the morning/afternoon ◊ *verso la ~ di giugno* around the middle of June LOC **a metà prezzo** half-price: *L'ho comprato a ~ prezzo.* I bought it half-price. **a metà strada** halfway: *Ci siamo fermati a ~ strada per riposarci.* We stopped to rest halfway.

metafora *sf* metaphor

metallico, -a *agg* **1** (*gen*) metal [*s attrib*] **2** (*colore, suono*) metallic LOC *Vedi* PUNTO

metallizzato, -a *agg* metallic

metallo *sm* metal

metano *sm* methane

meteora *sf* meteor

meteorologico, -a *agg* weather [*s attrib*], meteorological (*form*): *bollettino ~* weather bulletin

meteorologo *sm* weather man

metodico, -a *agg* methodical

metodo *sm* method

metrico, -a *agg* metric LOC *Vedi* SISTEMA

metro *sm* **1** (*misura*) metre (*abbrev* m): *i 200 metri rana* the 200 metres breaststroke ◊ *Lo vendono al ~.* It's sold by the metre. ☛ *Vedi Appendice 1.* **2** (*nastro*) tape-measure

metropoli *sf* metropolis

metropolitana *sf* underground: *Possiamo andarci con la ~.* We can go there on the underground.

> La metropolitana di Londra si chiama anche **tube**: *Abbiamo preso l'ultima ~.* We caught the last tube.

mettere ◆ *vt* **1** (*gen*) to put: *Metti i libri sul tavolo/in una scatola.* Put the books on the table/in a box. ◊ *Dove hai messo le mie chiavi?* Where have you put my keys? **2** (*indossare*) to put *sth* on: *mettersi le scarpe* to put your shoes on ◊ *Non ho niente da mettermi!* I've got nothing to wear. **3** (*disco*) to play **4** (*sveglia*) to set: *Metti la sveglia alle sei.* Set the alarm for six. **5** (*installare*) to put *sth* in: *Non ci hanno ancora messo il telefono.* They haven't put the phone in yet. ◆ **mettersi** *v rifl* **1** (*in una posizione*): *mettersi a sedere* to sit down ◊ *Mettiti lì.* Stand over there. **2** (*in una situazione*) to get ***into sth***: *mettersi nei guai/pasticci* to get into trouble **3** **mettersi a** to start ***doing sth/to do sth***: *Si è messo a nevicare.* It's started snowing. ◊ *Mettiti a studiare.* Get on with some work. LOC **mettercela tutta** to do your best **metterci** to take: *Quanto ci metti?* How long are you taking? ◊ *Ci abbiamo messo un'ora ad arrivare a casa.* We took an hour to get home. **mettere su** (*avviare*) to set *sth* up: *metter su un'attività commerciale* to set up a business ☛ Per altre espressioni con **mettere** vedi alla voce del sostantivo, dell'aggettivo, ecc, ad es. **mettere in chiaro** a CHIARO.

mezzanotte *sf* midnight: *Sono arrivati a ~.* They arrived at midnight.

mezzo, -a ◆ *agg* (*metà di*) half a, half an: *mezza bottiglia di vino* half a bottle of wine ◊ *mezz'ora* half an hour ◆ *avv* half: *Quando arrivò ero ~ addormentato.* I was half asleep when he arrived ◆ *sm* **1** (*centro*) middle: *una piazza con un'edicola nel ~* a square with a newsstand in the middle **2** (*Mat*) half [*pl* halves] **3** (*modo, veicolo*) means [*pl* means]: *tentare ogni ~* to try all possible means ◊ *~ di trasporto* means of transport **4** **mezzi** (*soldi*) means [*pl* means]: *Non hanno i mezzi per comprare la casa.* They haven't got the means to buy a house. LOC **a mezz'asta** at half-mast **a mezza strada** halfway **avere una mezza idea di fare qc** to have half a mind to do sth **di mezza età** middle-aged: *un uomo di mezza età* a middle-aged man **e mezzo** **1** (*gen*) and a half: *un chilo e ~ di pomodori* one and a half kilos of tomatoes ◊ *Ci sono volute due ore e mezza.* It took us two and a half hours. **2** (*ora*) half past: *Sono le tre e ~.* It's half past three. **esserci di mezzo** to be involved *in sth* **in mezzo a/nel mezzo di** in the middle of *sth* **levarsi/togliersi di mezzo** to get out of the way **mezzo di comunicazione** medium [*pl* media] **mezzo mondo** lots of people [*pl*] *Vedi anche* PENSIONE, SEI, TOGLIERE, VIA

mezzogiorno *sm* midday

mezz'ora *sf* half an hour: *~ fa* half an hour ago

mi[1] *pron pers* **1** (*complemento*) you: *Mi ha visto?* Did he see me? ◊ *Mi ha portato un libro.* She brought me a book. **2** (*parti del corpo, effetti personali*): *Mi sono lavato le mani.* I washed my hands. ◊ *Mi sono levato il cappotto.* I took my coat off. **3** (*riflessivo*) (myself): *Non mi sono fatto male.* I didn't hurt myself. ◊ *Mi sono vestito.* I got dressed.

mi² *sm* (*nota*) E: *mi maggiore* E major

miagolare *vi* to miaow ☛ *Vedi nota a* GATTO

miagolio *sm* miaow

mica *avv*: *Non gli crederai ~?* Surely you don't believe him!

miccia *sf* fuse

microbo *sm* microbe, germ (*più informale*)

microfono *sm* microphone, mike (*più informale*)

microonda *sf* microwave LOC *Vedi* FORNO

microscopio *sm* microscope

midollo *sm* marrow LOC **midollo osseo** bone marrow **midollo spinale** spinal cord

miele *sm* honey LOC *Vedi* LUNA

mietere *vt* **1** (*cereali*) to harvest **2** (*uccidere*) to claim: *L'epidemia ha mietuto migliaia di vittime.* The epidemic has claimed thousands of victims.

migliaio *sm* (*gen*) (a) thousand: *un ~ di persone* a thousand people ☛ *Vedi Appendice 1.* LOC **a migliaia** in their thousands **migliaia di...** thousands of...: *migliaia di lettere* thousands of letters

miglio *sm* **1** (*misura*) mile: *L'odore si sente lontano un ~.* You can smell it a mile off. **2** (*pianta*) millet

miglioramento *sm* improvement (***in sb/sth***): *il ~ del suo stato di salute* the improvement in his health

migliorare ◆ *vt* to improve ◆ *vi* to improve, to get better (*più informale*): *Se le cose non migliorano...* If things don't get better...

migliore ◆ *agg* (*comparativo*) better (***than sb/sth***) ◆ *agg*, *smf* (*superlativo*) ~ (**di**) best (**in/of/that...**): *il mio ~ amico* my best friend ◊ *la ~ squadra del girone* the best team in the league ◊ *È la ~ della classe.* She's the best in the class. LOC *Vedi* CASO

mignolo *sm* **1** (*della mano*) little finger **2** (*del piede*) little toe

migrare *vi* to migrate

migrazione *sf* migration

milanese *agg*, *smf* Milanese: *i milanesi* the Milanese

Milano *sf* Milan

miliardario, -a *sm-sf*, *agg* billionaire [*s*] ☛ *Vedi nota a* MILLIONAIRE

miliardo *sm* (a) billion

milione *sm* million [*pl* million]: *due milionitrecentoquindici* two million three hundred and fifteen ◊ *Ho un ~ di cose da fare.* I've got a million things to do. ☛ *Vedi Appendice 1.* LOC **milioni di...** millions of...: *milioni di particelle* millions of particles

milionesimo, -a *agg*, *pron*, *sm* millionth ☛ *Vedi esempi a* SESTO

militare¹ ◆ *agg* military: *uniforme ~* military uniform ◆ *sm* soldier LOC **fare il militare** to do your military service

> In Gran Bretagna il servizio militare non è obbligatorio.

Vedi anche AERONAUTICA, AVIAZIONE, SERVIZIO

militare² *vi* ~ **in 1** (*partito, organizzazione*) to be active **in *sth*** **2** (*squadra*) to play **for *sth***

mille *sm*, *agg*, *pron* **1** (*gen*) (a) thousand: *~ persone* a thousand people ◊ *un biglietto da cinquemila* a five-thousand lira note

> Mille si può anche tradurre *one thousand* quando è seguito da un altro numero: *milletrecentosessanta* one thousand three hundred and sixty, o quando gli si vuole dare enfasi: *Ho detto mille, non duemila.* I said one thousand, not two.
> Da 1.100 a 1.900 si usano spesso le forme **eleven hundred, twelve hundred, etc**: *millecinquecento alunni* fifteen hundred pupils

2 (*anni*): *1600* sixteen hundred ◊ *nel 1713* in seventeen thirteen ◊ *il 2000* the year two thousand ☛ *Vedi Appendice 1.*

millepiedi *sm* millipede

millesimo, -a *agg*, *pron*, *sm* thousandth: *un ~ di secondo* a thousandth of a second

millimetro *sm* millimetre (*abbrev* mm) ☛ *Vedi Appendice 1.*

milza *sf* spleen

mimare *vt* to mime

mimetizzare ◆ *vt* to camouflage ◆ **mimetizzarsi** *v rifl* to camouflage yourself

mimetizzazione *sf* camouflage

mimo *sm* mime artist

mimosa *sf* mimosa

mina *sf* **1** (*esplosivo*) mine **2** (*matita*) lead

minaccia *sf* threat

minacciare *vt* to threaten (***to do sth***): *Hanno minacciato di fargli causa.* They threatened to take him to court. ◊ *Lo* *hanno minacciato di morte.* They've threatened to kill him. ◊ *Minaccia di piovere.* It's threatening to rain.

minaccioso, -a *agg* threatening

minatore *sm* miner

minerale *agg, sm* mineral **LOC** *Vedi* ACQUA, REGNO

minerario, -a *agg* mining [*s attrib*]: *l'industria mineraria* the mining industry

minestra *sf* soup [*non numerabile*]

minestrone *sm* minestrone [*non numerabile*]

miniatura *sf* miniature **LOC in miniatura** in miniature

miniera *sf* mine: *una ~ di carbone* a coal mine ◊ *una ~ di notizie* a mine of information

minigonna *sf* miniskirt

minimizzare *vt* to play *sth* down: *Minimizza sempre i propri risultati.* She always plays down her achievements.

minimo, -a ◆ *agg* **1** (*minore*) minimum: *la tariffa minima* the minimum charge **2** (*insignificante*) minimal: *La differenza era minima.* The difference was minimal. ◆ *sm* **1** (*gen*) minimum: *ridurre al ~ l'inquinamento* to cut pollution to a minimum ◊ *il ~ della pena* the minimum sentence **2** (*Auto*) idling speed ◆ **minima** *sf* **1** (*temperatura*) minimum temperature: *La ~ è stata di 15°C.* The minimum temperature was 15°C. **2** (*Mus*) minim **LOC come minimo** at least **minimo garantito** minimum wage

ministero *sm* ministry [*pl* ministries] **LOC ministero degli esteri** Ministry of Foreign Affairs ≃ Foreign Office (*GB*) **ministero degli interni** Ministry of the Interior ≃ Home Office (*GB*) **ministero della pubblica istruzione** Ministry of Education **ministero del tesoro** Ministry of Finance ≃ Treasury (*GB*)

ministro *sm*

> Nota che in Gran Bretagna la persona a capo di un ministero non si chiama "minister" ma **Secretary of State** o semplicemente **Secretary**: *il ministro della pubblica istruzione* the Secretary of State for Education/Education Secretary.

ministro degli esteri ≃ Foreign Secretary (*GB*) **ministro degli interni** ≃ Home Secretary (*GB*) **ministro del tesoro** ≃ Chancellor of the Exchequer (*GB*) *Vedi anche* CONSIGLIO, PRIMO

minoranza *sf* minority [*v sing o pl*] [*p*… minorities] **LOC essere in minoranza** t… be in the minority

minore ◆ *agg* **1** (*figlio, fratello*) **(a)** (*comparativo*) younger **(b)** (*superlativo*) youngest **2** (*Mus*) minor: *in mi ~* in E minor ◆ *smf* ~ **(di)** youngest (one) **(in/of…)**: *La ~ ha cinque anni.* The youngest (one) is five. ◊ *il ~ dei tre fratell…* the youngest of the three brothers **LOC minore di 14, 16, 18, ecc anni**: *i minor… di 16 anni* the under-sixteens

minorenne ◆ *agg*: *essere ~* to be unde… 18 ◆ *smf* minor **LOC** *Vedi* TRIBUNALE

minuscolo, -a ◆ *agg* **1** (*piccolo*) tiny **2** (*lettera*) small, lower case (*più formale*) *"m" minuscola* a small 'm' ◆ **minuscola** *sf* small letter, lower case lette… (*più formale*) **LOC in minuscolo** i… small letters

minuto, -a ◆ *agg* (*piccolo*) tiny ◆ *sm* minute **LOC minuti di recupero** injur… time

mio, -a ◆ *agg poss* my: *i miei amici* my friends ◊ *~ padre* my father ◆ *pron pos…* mine: *Questi libri sono miei.* These books are mine.

> Nota che *un mio amico* si traduce … **friend of mine**.

LOC i miei (*genitori*) my parents

miope *agg* short-sighted

miopia *sf* short-sightedness

mira *sf* aim **LOC avere una buona… cattiva mira** to be a good/bad sho… **prendere di mira** to pick on *sb*

miracolo *sm* miracle **LOC fare miracol…** to work wonders: *Questo sciroppo f… miracoli.* This cough mixture work… wonders.

miraggio *sm* mirage

mirare *vi* ~ **a** to aim **at *sth*/to do *sth***

mirtillo *sm* bilberry [*pl* bilberries]

miscela *sf* **1** (*gen*) mixture **2** (*tabacc… alcol, caffè*) blend **3** (*carburante*) fuel

mischiare *vt* **1** (*gen*) to mix **2** (*Carte*) t… shuffle **3** (*confondere*) to get *sth* mixe… up: *Non ~ le foto.* Don't get the photo… mixed up.

miscuglio *sm* **1** (*gen*) mixture **2** (*razze…*) mix

miseria *sf* **1** (*povertà*) poverty **2** (*somma*) pittance: *Guadagna una ~.* H… earns a pittance.

misero, -a *agg* miserable: *uno stipen… dio ~* a miserable wage

missile *sm* missile

missionario, -a *sm-sf* missionary [*pl* missionaries]

missione *sf* mission

misterioso, -a *agg* mysterious

mistero *sm* mystery [*pl* mysteries]

misto, -a *agg* **1** (*gen*) mixed: *classi miste* mixed classes **2** (*scuola*) co-educational

misura *sf* **1** (*gen*) measurement: *Il sarto mi ha preso le misure.* The tailor took my measurements. **2** (*unità, provvedimento*) measure: *pesi e misure* weights and measures ◊ *misure di sicurezza* safety measures ◊ *mezze misure* half measures LOC **(fatto) su misura** (made) to measure **passare la misura** to go too far: *Questa volta hai passato la ~.* This time you've gone too far.

misurare ◆ *vt* **1** (*gen*) to measure: *~ la larghezza di una porta* to measure the width of a door **2** (*provare*) to try on: *misurarsi una giacca* to try on a jacket ◆ *vi*: *La tavola misura 1,50m per 1m.* The table is 1·50m by 1m. LOC *Vedi* VISTA

mite *agg* **1** (*persona*) gentle **2** (*clima*) mild

mito *sm* **1** (*leggenda*) myth **2** (*persona famosa*) legend: *È un ~ del calcio italiano.* He's an Italian football legend.

mitologia *sf* mythology

mitra *sm* sub-machine gun

mitragliatrice *sf* machine-gun

mittente *smf* sender LOC *Vedi* RISPEDIRE

mobile ◆ *agg* mobile ◆ *sm* **1** (*gen*) piece of furniture: *un ~ antico* a piece of antique furniture **2 mobili** (*mobilia*) furniture [*non numerabile, v sing*]: *Non abbiamo ancora comprato i mobili per la casa.* We haven't bought any furniture for the house yet. ☛ *Vedi nota a* INFORMAZIONE LOC *Vedi* SABBIA, SCALA

mocassino *sm* moccasin

moda *sf* fashion: *seguire la ~* to follow fashion LOC **alla moda** fashionable: *un bar alla ~* a fashionable bar **(essere/diventare) di moda** (to be/become) fashionable **passare di moda** to go out of fashion *Vedi anche* PASSATO, SFILATA

modalità *sf* LOC **modalità di pagamento** method of payment **modalità d'uso** instructions for use

modello ◆ *sm* **1** (*gen*) model: *un ~ in scala* a scale model **2** (*abito*) style: *Abbiamo vari modelli di giacca.* We've got several styles of jacket. ◆ **modello, -a** *sm-sf* (*persona*) model

moderare *vt* (*velocità*) to reduce LOC **moderare i termini** to mind your language

moderato, -a *pp, agg* moderate *Vedi anche* MODERARE

modernizzare ◆ *vt* to modernize ◆ **modernizzarsi** *v rifl* to modernize

moderno, -a *agg* modern

modestia *sf* modesty

modesto, -a *agg* modest

modificare *vt* to modify

modo *sm* **1** (*maniera*) way [*pl* ways] (***of doing sth***): *uno strano ~ di ridere* a strange way of laughing ◊ *Lo fa nello stesso ~ in cui lo faccio io.* He does it the same way as me. **2 modi** manners LOC **a modo 1** *una persona a ~* a decent person **2** properly: *fare le cose a ~* to do things properly **a modo mio, tuo, ecc** my, your, etc way: *Faglielo fare a ~ loro.* Let them do it their way. **che modo di ...!** what a way to ...!: *Ma che ~ di parlare!* What a way to speak! **in modo spontaneo, strano, ecc** spontaneously, strangely, etc **in ogni modo** anyway **modo di dire** expression **modo di fare** way of going about things **non esserci modo di** to be impossible *to do sth*: *Non c'è stato ~ di far partire la macchina.* It was impossible to start the car. **per modo di dire** so to speak *Vedi anche* QUALCHE

modulo *sm* form: *riempire un ~* to fill in a form

mogano *sm* mahogany

moglie *sf* wife [*pl* wives]

molare *sm* back tooth [*pl* back teeth]

Moldavia *sf* Moldova

moldavo, -a *agg, sm-sf* Moldovan: *i moldavi* the Moldovans

molecola *sf* molecule

molestare *vt* to harass

molla *sf* **1** (*gen*) spring **2 molle** tongs

mollare ◆ *vt* **1** (*lasciar andare*) to let go **2** (*abbandonare*) to dump: *Stefano l'ha mollata.* Stefano's dumped her. ◊ *Ha mollato tutto e se n'è andato.* He dumped everything and left. ◆ *vi* (*cedere*) to give in LOC **mollare un ceffone/uno schiaffo a** to slap *sb*

molle *agg* soft

molletta *sf* **1** (*per i panni*) clothes-peg **2** (*per capelli*) clip **3 mollette** (*per ghiaccio, zucchero*) tongs

mollica *sf* **1** (*parte interna del pane*) soft part **2 molliche** crumbs

moltiplicare ◆ *vt* to multiply: ~ *due per quattro* to multiply two by four ◆ **moltiplicarsi** *v rifl* to multiply

moltiplicazione *sf* multiplication

moltitudine *sf* **una ~ di** a lot **of *sth***: *una ~ di gente/libri* a lot of people/books

molto ◆ *agg, pron*

- **in frasi affermative** a lot (of *sth*): *Ho ~ lavoro.* I've got a lot of work. ◊ *C'erano molte macchine.* There were a lot of cars. ◊ *molti amici miei* a lot of my friends
- **in frasi negative e interrogative** **1** (*non numerabile*) much, a lot (of *sth*) (*più informale*): *Non ha molta fortuna.* He doesn't have much luck. ◊ *Bevi ~ caffè?* Do you drink a lot of coffee? ◊ *Non ne ho molta.* I haven't got much. **2** (*plurale*) many, a lot (of *sth*) (*più informale*): *Non c'erano molti inglesi.* There weren't many English people.
- **altre costruzioni**: *avere molta fame/sete* to be very hungry/thirsty ◊ ~ *tempo fa* a long time ago

◆ *avv* **1** (*con aggettivi, avverbi*) very: *Stanno ~ bene/Sono ~ stanchi.* They're very well/tired. ◊ ~ *lentamente/presto* very slowly/early ◊ *"Sei stanco?" "Non ~."* 'Are you tired?' 'Not very.' **2** (*con verbi*) a lot, very much: *Rassomiglia ~ al padre.* He's a lot like his father. ◊ *lavorare ~* to work hard

> Attenzione alla posizione di **a lot**, **very much**, ecc nella frase inglese. Non si mettono mai tra il verbo e il complemento oggetto: *Mi piacciono molto le tue scarpe nuove.* I like your new shoes very much.

3 (*con comparativi*) much: *È ~ più vecchio di lei.* He's much older than her. ◊ ~ *più interessante* much more interesting **4** (*molto tempo*) long: *È ~ che non lo vedo.* I haven't seen him for a long time. ◊ *Ci vorrà ~?* Will it take long? ◊ *Aspetti da ~?* Have you been waiting long? ◆ *pron* **1** (*in frasi affermative*) a lot **2** (*in frasi negative e interrogative*) much [*pl* many]: *Non ne ho molta.* I haven't got much. ☛ *Vedi nota a* MANY

momento *sm* **1** (*gen*) moment: *Aspetta un ~.* Hold on a moment. ◊ *in questo ~* at the moment **2** (*periodo*) time [*non numerabile*]: *nei momenti difficili* at difficult times LOC **al momento** for the moment: *Al ~ ho abbastanza lavoro.* I've got enough work for the moment. **dal momento che** since **per il momento** for the time being

monaco, -a *sm-sf* monk [*fem* nun]

Monaco di Baviera *sf* Munich

monarchia *sf* monarchy [*pl* monarchies]

monastero *sm* monastery [*pl* monasteries]

mondiale ◆ *agg* world [*s attrib*]: *il record ~* the world record ◆ *sm* **mondiali** world championship: *i mondiali di atletica* the World Athletics Championships ◊ *i mondiali di calcio* the World Cup

mondo *sm* world: *fare il giro del ~* to go round the world ◊ *Ma dai, non è mica la fine del ~!* Come on, it's not the end of the world! ◊ *Com'è piccolo il ~!* It's a small world! LOC **il mondo dello spettacolo** show business *Vedi anche* DIVERTIRE, GIRO, TUTTO

moneta *sf* **1** (*pezzo*) coin: *Hai una ~ da 500 lire?* Have you got a 500 lire coin? **2** (*unità monetaria*) currency [*pl* currencies]: ~ *estera* foreign currency

mongolfiera *sf* balloon

Mongolia *sf* Mongolia

mongolo, -a *agg, sm-sf, sm* Mongolian: *i mongoli* the Mongolians

monolocale *sm* studio flat

monologo *sm* monologue

monopattino *sm* scooter

monopolio *sm* monopoly [*pl* monopolies]

monossido *sm* monoxide LOC **monossido di carbonio** carbon monoxide

monotono, -a *agg* monotonous

montaggio *sm* assembly LOC *Vedi* CATENA

montagna *sf* **1** (*gen*) mountain: *in cima a una ~* at the top of a mountain **2** (*luogo montuoso*) mountains [*pl*]: *Preferisco la ~ al mare.* I prefer the mountains to the seaside. LOC **montagne russe** roller-coaster

montare ◆ *vt* **1** (*macchina*) to assemble **2** (*tenda*) to put *sth* up **3** (*panna, albume*) to whip **4** (*pietra preziosa*) to set ◆ *vi* ~ **a/in** to get on *sth* LOC **montare a neve 1** (*panna*) to whip **2** (*albume*) to whisk **montarsi la testa** to become big-headed

montatura *sf* **1** (*occhiali*) frame **2** (*gioiello*) setting **3** (*esagerazione*) hype [*non numerabile*]

monte *sm* (*gen*) mountain LOC **a monte**

upstream **andare a monte** to come to nothing **il Monte Bianco** Mont Blanc **mandare a monte** to put paid to *sth* **monte di pietà** pawnshop *Vedi anche* PROMETTERE

montepremi *sm* jackpot

montgomery *sm* duffel coat

montone *sm* **1** (*animale*) ram **2** (*carne*) mutton ☛ *Vedi nota a* CARNE **3** (*giaccone*) sheepskin

montuoso, -a *agg* mountainous **LOC** *Vedi* SISTEMA

monumento *sm* **1** (*opera*) monument **2 i monumenti** the sights: *visitare i monumenti* to see the sights

moquette *sf* carpet

mora *sf* **1** (*di rovo*) blackberry [*pl* blackberries] **2** (*di gelso*) mulberry [*pl* mulberries] **3** (*soldi*) charge for late payment

morale ◆ *agg* moral ◆ *sf* **1** (*principi*) morality **2** (*insegnamento*) moral ◆ *sm* (*stato d'animo*) morale: *Il ~ è basso.* Morale is low. **LOC** *Vedi* GIÙ

morbido, -a *agg* soft

morbillo *sm* measles [*sing*]

morbo *sm* disease: *~ di Parkinson* Parkinson's disease

mordere *vt, vi* to bite: *Il cane mi ha morso una gamba.* The dog bit my leg.

morfina *sf* morphine

moribondo, -a *agg* dying

morire *vi* **1** (*gen*) to die: *~ d'infarto* to die of a heart attack **2** (*in un incidente*) to be killed: *Tre persone sono morte nell'incidente.* Three people were killed in the accident. **LOC morire dal sonno** to be dead tired **morire dalla voglia di fare qc** to be dying to do sth **morire di caldo** to roast: *Moriremo di caldo sulla spiaggia.* We'll roast on the beach. **morire di freddo/fame** to be freezing/ starving **morire di noia** to be bored stiff **morire d'invidia** to be green with envy **morire di paura** to be scared to death **morire di sete** to be dying of thirst **morire dissanguato** to bleed to death

mormorare *vt, vi* to murmur

mormorio *sm* (*voci, vento, acqua*) murmur

morse *agg* **LOC** *Vedi* ALFABETO

morsicare *vt* to bite

morso *sm* bite: *dare un ~* to bite

mortadella *sf* mortadella

mortaio *sm* mortar

mortale ◆ *agg* **1** (*gen*) mortal **2** (*ferita, incidente*) fatal **3** (*veleno*) deadly **4** (*noia*) dreadful: *Il film è di una noia ~.* The film is dreadfully boring. ◆ *sm* mortal **LOC** *Vedi* SALTO

mortalità *sf* mortality

morte *sf* death **LOC** *Vedi* ANNOIARE, CONDANNA, PENA

morto, -a *pp, agg, sm-sf* dead [*agg*]: *L'avevano data per morta.* They had given her up for dead. ◊ *Questa città è morta durante l'inverno.* The town is dead in winter. ◊ *i morti in guerra* the war dead

Dead è un aggettivo e si usa con il verbo **to be**: *Entrambi i suoi genitori sono morti.* Both her parents are dead. **Died** è il passato e il participio passato del verbo **to die**: *Mi è morto il pesce rosso.* My goldfish has died. ◊ *Mio nonno è morto nel 1986.* My grandfather died in 1986.

LOC fare il morto (*galleggiare*) to float on your back **morto di paura/freddo** scared/frozen to death *Vedi anche* NATURA, PUNTO, STANCO, VIVO; *Vedi anche* MORIRE

mosaico *sm* mosaic

mosca *sf* fly [*pl* flies]: *Non farebbe male a una ~.* He wouldn't hurt a fly. **LOC mosca cieca** blind man's buff

Mosca *sf* Moscow

moscato, -a ◆ *agg* (*uva*) muscat ◆ *sm* (*vino*) muscatel **LOC** *Vedi* NOCE

moscerino *sm* fly [*pl* flies]

moschea *sf* mosque

mossa *sf* **1** (*gen*) movement **2** (*Scacchi, Dama, fig*) move **LOC darsi una mossa** to get a move on

mosso, -a *pp, agg* **1** (*mare*) rough **2** (*capelli*) wavy **3** (*foto*) blurred *Vedi anche* MUOVERE

mostra *sf* **1** (*d'arte*) exhibition **2** (*di cani, fiori*) show **LOC mettersi in mostra** to show off

mostrare ◆ *vt* to show ◆ **mostrarsi** *v rifl* to appear

mostro *sm* monster

motivare *vt* to motivate

motivazione *sf* motivation

motivo *sm* **1** (*gen*) reason (***for sth/ doing sth***): *Il ~ delle sue dimissioni è ovvio.* The reason for his resignation is obvious. ◊ *il ~ del viaggio* the reason for the trip ◊ *per motivi di salute* for health reasons ◊ *Si è arrabbiato con me senza ~.* He got angry with me for no reason. **2** (*melodia*) tune **3** (*disegno*) pattern

moto[1] *sm* **1** (*Fis*) motion: ~ *perpetuo* perpetual motion **2** (*ginnastica*) exercise: *fare del* ~ to take some exercise LOC **mettere in moto** to start *sth*: *Non sono riuscito a mettere in ~ la macchina* I couldn't start the car.

moto[2] (*anche* **motocicletta**) *sf* motor bike: *andare in* ~ to ride a motor bike

motociclismo *sm* motorcycling

motociclista *smf* motorcyclist

motocross *sm* motocross

motore, -trice ◆ *agg* motive: *forza motrice* motive power ◆ *sm* engine, motor ☛ *Vedi nota a* ENGINE

motorino *sm* (*ciclomotore*) moped

motoscafo *sm* motor boat

motto *sm* motto [*pl* mottoes]

movente *sm* motive

movimentato, -a *agg* (*viaggio, serata*) eventful

movimento *sm* **1** (*gen*) movement: *un leggero ~ della mano* a slight movement of the hand ◊ *il ~ operaio/romantico* the labour/Romantic movement **2** (*attività*) activity

mozzafiato *agg* breathtaking: *una bellezza* ~ breathtaking beauty

mozzarella *sf* mozzarella

mozzicone *sm* cigarette end

mucca *sf* cow ☛ *Vedi nota a* CARNE

mucchio *sm* (*cumulo*) pile: *un ~ di sabbia/libri* a pile of sand/books LOC **un mucchio di** (*molti*) a lot of: *un ~ di problemi* a lot of problems

muffa *sf* mould

muggire *vi* **1** (*mucca*) to moo **2** (*toro*) to bellow

muggito *sm* moo

mulinello *sm* **1** (*gen*) eddy [*pl* eddies] **2** (*in fiume*) whirlpool

mulino *sm* mill LOC **mulino ad acqua/a vento** watermill/windmill *Vedi anche* ACQUA

mulo, -a *sm-sf* mule LOC **essere ostinato/testardo come un mulo** to be as stubborn as a mule

multa *sf* fine: *fare la ~ a qn* to fine sb ◊ *Gli hanno fatto una ~ di 300.000 lire.* He was fined 300000 lire.

multinazionale *agg, sf* multinational

multiplo, -a *agg, sm* multiple LOC *Vedi* PRESA

multirazziale *agg* multiracial

mummia *sf* mummy [*pl* mummies]

mungere *vt* to milk

municipale *agg* municipal

municipio *sm* **1** (*edificio*) town hall **2** (*autorità*) town council LOC *Vedi* SPOSARE

munizioni *sf* ammunition [*non numerabile*]

muovere ◆ *vt, vi* to move: *Tocca a te ~.* It's your move. ◆ **muoversi** *v rifl* to move: *Non muoverti!* Don't move! LOC **muovere un dito** to lift a finger: *Non ha mosso un dito.* She didn't lift a finger. **muoviti!** (*sbrigarsi*) get a move on!

muratore *sm* bricklayer

muro ◆ *sm* wall ◆ **mura** *sf* wall(s): *le mura medievali* the medieval walls LOC **anche i muri hanno orecchie** walls have ears *Vedi anche* ARMADIO, PARLARE, SPALLA

muschio *sm* **1** (*Bot*) moss **2** (*profumo*) musk

muscolare *agg* muscle [*s attrib*] LOC *Vedi* STRAPPO

muscolo *sm* muscle

muscoloso, -a *agg* muscular

museo *sm* museum

museruola *sf* muzzle

musica *sf* music: *Non mi piace la ~ classica.* I don't like classical music. LOC **musica di sottofondo** background music *Vedi anche* VIVO

musical *sm* musical

musicale *agg* musical LOC *Vedi* COMMEDIA, RIGO, SIGLA

musicista *smf* musician

muso *sm* **1** (*persona*) face: *un pugno sul ~* a punch on the nose **2** (*cane*) muzzle **3** (*maiale*) snout **4** (*aereo, auto*) nose LOC **fare/tenere il muso** (*il broncio*) to sulk

musulmano, -a *agg, sm-sf* Muslim

muta *sf* (*da sub*) wet suit

mutande *sf* **1** (*uomo, bambino*) underpants **2** (*donna, bambina*) knickers

mutilare *vt* to mutilate

mutilato, -a *sm-sf* disabled person

muto, -a *agg* **1** (*Med*) dumb: *È ~ dalla nascita.* He was born dumb. **2** (*per emozione*) speechless: *~ per lo stupore* speechless with surprise **3** (*cinema, consonante*) silent LOC *Vedi* FILM

mutua *sf* National Health Service (*GB*)

mutuo *sm* **1** (*gen*) loan **2** (*per la casa*) mortgage

Nn

nafta *sf* diesel oil

naftalina *sf* mothballs [*pl*]

nano, -a ◆ *agg* dwarf [*s attrib*]: *un pino ~* a dwarf pine tree ◆ *sm-sf* dwarf [*pl* dwarfs/dwarves]

Napoli *sf* Naples

napoletano, -a *agg, sm-sf* Neapolitan: *i napoletani* the Neapolitans

narice *sf* nostril

narrativa *sf* fiction

narratore, -trice *sm-sf* narrator

nasale *agg* nasal LOC *Vedi* SETTO

nascente *agg* (*sole*) rising

nascere *vi* **1** (*persona, animale*) to be born: *Dove sei nata?* Where were you born? ◊ *Sono nato il 14 febbraio 1975.* I was born on 14 February 1975. **2** (*fiume, sole*) to rise

nascita *sf* birth: *il calo delle nascite* the fall in births LOC **dalla nascita**: *È cieca dalla ~.* She was born blind. **di nascita**: *essere italiano di ~* to be Italian by birth *Vedi anche* DATA, LUOGO

nascondere ◆ *vt* to hide *sb/sth* (**from *sb/sth***): *Lo avevano nascosto alla polizia.* They hid him from the police. ◊ *Non ho niente da ~.* I have nothing to hide. ◊ *Lo nascosero sotto il letto.* They hid it under the bed. ◊ *Nascondi il regalo.* Hide the present. ◆ **nascondersi** *v rifl* to hide (**from *sb/sth***): *Da chi ti nascondi?* Who are you hiding from? ◊ *il luogo in cui si nascondevano* the place where they were hiding

nascondiglio *sm* hiding place

nascondino *sm* hide-and-seek: *giocare a ~* to play hide-and-seek

nascosto, -a *pp, agg* **1** (*gen*) hidden **2** (*persona*) hiding **3** (*isolato*) secluded LOC **di nascosto** in secret *Vedi anche* NASCONDERE

nasello *sm* hake [*pl* hake]

naso *sm* nose: *Ce l'hai proprio sotto il ~!* It's right under your nose! LOC *Vedi* ARRICCIARE, DITO, FICCARE, SOFFIARE

nastro *sm* **1** (*capelli, macchina da scrivere*) ribbon: *Aveva un ~ nei capelli.* She had a ribbon in her hair. **2** (*musicassetta, videocassetta*) tape ☛ *Vedi nota a* CASSETTA LOC **nastro adesivo/isolante** sticky/insulating tape

natale ◆ *agg* native: *paese ~* native country ◆ **Natale** *sm* Christmas: *Buon ~!* Happy Christmas! ◊ *Passiamo sempre il ~ insieme.* We always get together at Christmas.

> In Gran Bretagna la vigilia di Natale non è molto celebrata. Il giorno di Natale, detto **Christmas Day**, è il giorno più importante. La mattina si aprono i regali che ha portato **Father Christmas** e alle tre del pomeriggio viene trasmesso il discorso della regina. Poi ci si siede a tavola per il **Christmas dinner**: si mangia il tacchino e il tradizionale **Christmas pudding**, un dolce a base di uvetta e frutta candita. Il 26 dicembre è detto **Boxing Day** ed è un giorno festivo.

LOC *Vedi* BABBO, CANTO, CITTÀ, GIORNO, VIGILIA

natalità *sf* birth rate LOC *Vedi* TASSO

natalizio, -a *agg* Christmas [*s attrib*]

nato, -a *pp, agg* born: *essere un attore/cantante ~* to be a born actor/singer ◊ *~ morto* stillborn *Vedi anche* NASCERE

natura *sf* nature: *rispettare la ~* to respect nature LOC **natura morta** still life [*pl* still lifes] **per natura** by nature

naturale *agg* **1** (*gen*) natural: *cause naturali* natural causes ◊ *È ~!* It's only natural! ◊ *come se fosse la cosa più ~ del mondo* as if it were the most natural thing in the world **2** (*spontaneo*) unaffected: *un gesto ~* an unaffected gesture LOC **al naturale 1** (*tonno*) in brine **2** (*frutta sciroppata*) in fruit juice *Vedi anche* ACQUA, RISERVA, SCIENZA

naturalezza *sf* LOC **con naturalezza** naturally

naturalizzarsi *v rifl*: *~ italiano, spagnolo, ecc* to become an Italian, a Spanish, etc citizen

naturalmente *avv* (*certamente*) of course

naufragare *vi* **1** (*nave*) to be wrecked **2** (*persona*) to be shipwrecked

naufragio *sm* shipwreck

naufrago, -a *sm-sf* castaway [*pl* castaways]

nausea *sf* nausea LOC **avere la nausea** to feel sick **dare la nausea a** to make *sb* feel sick **mi, ti, ecc viene la nausea**: *Mi* *viene la ~ se siedo di dietro.* I feel sick if I sit in the back seat.

nauseante *agg* sickening: *un odore ~* a sickening smell

nauseare *vt* to make *sb* feel sick: *Questo odore mi nausea.* That smell makes me feel sick.

navata *sf* LOC **navata centrale** nave **navata laterale** aisle

nave *sf* ship ☛ *Vedi nota a* BOAT LOC **nave cisterna** tanker **nave da guerra** warship

navicella *sf* LOC **navicella spaziale** spaceship

navigare *vi* to sail LOC **navigare in cattive acque** to be in deep water

navigazione *sf* navigation

nazionale ◆ *agg* **1** (*della nazione*) national **2** (*non internazionale*) domestic: *il mercato ~* the domestic market ◊ *voli/partenze nazionali* domestic flights/departures ◆ *sf* (*Sport*) national squad LOC *Vedi* FESTA, INNO, SERVIZIO

nazionalità *sf* nationality [*pl* nationalities]

nazionalizzare *vt* to nationalize

nazione *sf* nation LOC *Vedi* ORGANIZZAZIONE

ne ◆ *pron* **1** (*di lui, lei, loro, di ciò*): *Tutti ne parlano bene.* Everybody speaks highly of him. ◊ *Ne parla sempre.* He's always speaking about it. ◊ *Cosa ne pensi?* What do you think (of it)? **2** (*quantità, numero*): *Ne ho usato un po'.* I've used some (of it). ◊ *Io ne ho mangiati due, quello è per te.* I've eaten two, that one is for you. ◊ *Quanto ne vuoi?* How much do you want? ◆ *avv*: *Non è riuscito ad uscirne.* He couldn't get out of it. ◊ *Io me ne vado. Vieni anche tu?* I'm going. Are you coming?

né *cong* neither…nor…: *Né io né tu parliamo tedesco.* Neither you nor I speak German. ◊ *Non lo sa né gliene importa.* He neither knows nor cares. ◊ *Non ha risposto né sì né no.* He hasn't said either yes or no.

neanche *avv, cong* **1** (*gen*) neither, nor, either: *"Non l'ho visto quel film." "Neanch'io."* 'I haven't seen that film.' 'Neither have I/Me neither/Nor have I.' ◊ *"Non mi piace." "~ a me."* 'I don't like it.' 'Nor do I/Neither do I/I don't either.' ◊ *Non ci sono andato neanch'io.* I didn't go either. **2** (*rafforzativo, concessivo*) not even: *Non mi hai ~ chiamato.* You didn't even phone me. ◊ *~ un bambino si comporterebbe così.* Not even a child would behave like that. ◊ *senza ~ vestirsi* without even getting dressed ☛ *Vedi nota a* NEITHER LOC *Vedi* PARLARE, PENSARE, SOGNO

nebbia *sf* fog: *C'è molta ~ stasera.* It's very foggy tonight.

necessario, -a ◆ *agg* necessary: *Farò quello che è ~.* I'll do whatever's necessary. ◊ *Non è ~ che tu venga.* You don't need to come. ◆ *sm*: *il ~ per scrivere/cucire/disegnare* writing/sewing/drawing materials ◊ *Non prendere più del ~.* Only take what you need. LOC *Vedi* STRETTO

necessità *sf* **1** (*bisogno assoluto*) necessity [*pl* necessities]: *Il riscaldamento è una ~.* Heating is a necessity. **2** ~ (**di**) need (**for** *sth*/**to do** *sth*): *Non vedo la ~ di andare in macchina.* I don't see the need to go by car. LOC *Vedi* CASO, PRIMO

necrologio *sm* obituary [*pl* obituaries]

negare *vt* **1** (*fatto*) to deny ***sth*/*doing sth*/*that…***: *Ha negato di aver rubato il quadro.* He denied stealing the picture. **2** (*permesso*) to refuse: *Ci hanno negato l'ingresso al club.* We were refused admittance to the club.

negativo, -a *agg, sm* negative

negato, -a *pp, agg* useless at *sth*: *Sono ~ per la matematica.* I'm useless at maths. *Vedi anche* NEGARE

negli *Vedi* IN

negligente *agg* careless

negligenza *sf* carelessness

negoziante *smf* shopkeeper

negoziare *vt, vi* to negotiate

negozio *sm* shop: *~ di scarpe* shoe shop ◊ *I negozi sono chiusi domani.* The shops are closed tomorrow. LOC **andare per negozi** to go shopping

nel, nella, ecc *Vedi* IN

nemico, -a *agg, sm-sf* enemy [*s*] [*pl* enemies]: *le truppe nemiche* the enemy troops

nemmeno *avv, cong Vedi* NEANCHE ☛ *Vedi nota a* NEITHER LOC *Vedi* PENSARE, SOGNO

neo *sm* mole

neon *sm* neon: *luce al ~* neon light

neonato, -a *sm-sf* newborn baby

neozelandese ◆ *agg* New Zealand [*attrib*] ◆ *smf* New Zealander: *i neozelandesi* the New Zealanders

neppure *avv, cong Vedi* NEANCHE ☛ *Vedi nota a* NEITHER

nero, -a ◆ *agg, sm* black ☛ *Vedi esempi a* GIALLO ◆ *sm-sf* black man woman [*pl* black men/women] LOC *Vedi* BIANCO, CAFFÈ, MERCATO, PECORA, PUNTO, SCATOLA

nervo *sm* nerve LOC **avere i nervi** to be irritable **avere i nervi a fior di pelle** to be on edge **dare ai/sui nervi** to get on your nerves

nervosismo *sm* nervousness

nervoso, -a *agg* **1** (*persona*) **(a)** (*agitato*) on edge **(b)** (*irritabile*) irritable **2** (*sistema, esaurimento*) nervous **3** (*cellula, fibra, impulso*) nerve [*s attrib*]: *tessuto* ~ nerve tissue LOC **far venire il nervoso** to get on *sb's* nerves *Vedi anche* ESAURIMENTO

nesso *sm* connection

nessuno, -a ◆ *agg* no, any

Si usa **no** quando il verbo in inglese è nella forma affermativa: *Non è ancora arrivato nessun alunno.* No pupils have arrived yet. ◇ *Non ha mostrato nessun entusiasmo.* He showed no enthusiasm. **Any** si usa quando il verbo è nella forma negativa: *Non gli ha dato nessuna importanza.* He didn't pay any attention to it.

◆ *pron* **1** (*gen*) nobody: *Non lo sa* ~. Nobody knows that. ◇ *Non c'era nessun altro.* There was nobody else there.

Nota che quando il verbo inglese è nella forma negativa si usa **anybody**: *Non parla con nessuno.* He doesn't talk to anybody.

2 (*tra…*) none: *Ce n'erano tre, ma non ne è rimasto* ~. There were three, but there are none left. ◇ ~ *dei partecipanti ha risposto esattamente.* None of the participants got the right answer. LOC **da nessuna parte** nowhere, anywhere

Nowhere si usa quando il verbo in inglese è nella forma affermativa: *Alla fine non andremo da nessuna parte.* We'll go nowhere in the end. **Anywhere** si usa quando il verbo è nella forma negativa: *Non lo trovo da nessuna parte.* I can't find it anywhere.

nessuno (dei due) neither, either

Neither si usa quando il verbo in inglese è nella forma affermativa: *"Quale dei due preferisci?" "Nessuno (dei due)."* 'Which one do you prefer?' 'Neither (of them).' **Either** si usa quando è nella forma negativa: *Non ho litigato con nessuno dei due.* I didn't argue with either of them.

netto, -a *agg* **1** (*peso, stipendio*) net **2** (*immagine, contorno*) sharp **3** (*vittoria, rifiuto*) clear LOC *Vedi* PESO

netturbino *sm* dustman [*pl* dustmen]

neutrale *agg* neutral

neutro, -a *agg* **1** (*gen*) neutral **2** (*Biol, Gramm*) neuter

neve *sf* snow LOC *Vedi* BIANCO, BUFERA, MONTARE, PALLA, PUPAZZO

nevicare *v impers* to snow: *Credo che nevicherà.* I think it's going to snow.

nevicata *sf* snowfall

nevischio *sm* sleet

nevrotico, -a *agg, sm-sf* neurotic

nicotina *sf* nicotine

nido *sm* nest: *fare il* ~ to build a nest LOC *Vedi* ASILO

niente ◆ *pron, avv, sm* nothing, anything: ~ *di nuovo* nothing new ◇ ~ *da mangiare* nothing to eat

Nothing si usa quando il verbo inglese è nella forma affermativa e **anything** quando è nella forma negativa: *Non è rimasto niente.* There's nothing left. ◇ *Non ho niente da perdere.* I've nothing to lose. ◇ *Non voglio niente.* I don't want anything. ◇ *Non hanno niente in comune.* They haven't got anything in common. ◇ *Non vuoi niente?* Don't you want anything?

◆ *agg* no: *Niente sigarette!* No cigarettes! LOC **da niente** (*senza importanza*) little: *È un graffio da* ~. It's only a little scratch. **di niente!** you're welcome: *"Grazie!" "Di ~!"* 'Thank you!' 'You're welcome!'

Si può anche dire **don't mention it**.

nient'altro 1 (*è tutto*) that's all **2** (*solo*) only: *Non ho nient'altro che questo.* I only have this one. **niente affatto!** not at all! **niente da fare!** nothing doing! **non c'è niente da fare!** there's nothing for it! **non aver niente a che fare/vedere con qc/qn** to have nothing to do with sb/sth **per niente**: *Non è per* ~ *chiaro.* It's not at all clear. **quasi niente** hardly anything: *Non c'è rimasto quasi* ~. There's hardly anything left. *Vedi anche* SERVIRE, VALERE

Nigeria *sf* Nigeria

nigeriano, -a *agg, sm-sf* Nigerian: *i nigeriani* the Nigerians

Nilo *sm* **il Nilo** the Nile

ninnananna *sf* lullaby [*pl* lullabies]

nipote *smf* **1** (*di nonni*) **(a)** (*gen*) grandson [*fem* granddaughter] **(b)** (*senza distinzione di sesso*) grandchild [*pl* grandchildren] **2** (*di zii*) nephew [*fem* niece]

Per dire *i nipoti*, indicando maschi e femmine, si dice **nephews and nieces**: *Quanti nipoti ha?* How many nephews and nieces have you got?

nitido, -a *agg* (*immagine*) sharp

nitrire *vi* to neigh

Nizza *sf* Nice

no ◆ *avv* **1** (*risposta*) no: *No, grazie.* No, thank you. ◊ *Ho detto di no.* I said no. **2** (*negazione*) not: *Cominciamo ora o no?* Are we starting now or not? ◊ *Che io sappia, no.* Not as far as I know. ◊ *Certo che no.* Of course not. ◆ *sm* no [*pl* noes]: *un no categorico* a categorical no LOC **no?**: *Oggi è giovedì, no?* Today is Thursday, isn't it? ◊ *L'hai comprato, no?* You did buy it, didn't you?

nobile ◆ *agg* noble ◆ *smf* nobleman/woman [*pl* noblemen/women]

nobiltà *sf* nobility

nocca *sf* knuckle

nocciola ◆ *sf* hazelnut ◆ *sm* (*colore*) hazel: *occhi color ~* hazel eyes ☛ *Vedi esempi a* GIALLO

nocciolina *sf* LOC **nocciolina americana** peanut

nòcciolo *sm* **1** (*frutta*) stone ☛ *Vedi illustrazione a* FRUTTA **2** (*punto essenziale*) heart: *il ~ della questione* the heart of the matter

nocciòlo *sm* hazel

noce ◆ *sf* (*frutto*) walnut ◆ *sm* (*albero*) walnut tree LOC **noce di cocco** coconut **noce moscata** nutmeg

nocivo, -a *agg* ~ (**per**) harmful (**to** *sb/sth*)

nodo *sm* knot: *fare/sciogliere un ~* to tie/undo a knot LOC **avere un nodo in gola** to have a lump in your throat **nodo ferroviario** railway junction **nodo scorsoio** slip-knot

noi *pron pers* **1** (*soggetto*) we: *Tu non lo sai. ~ sì.* You don't know. We do. ◊ *Lo faremo ~.* We'll do it. **2** (*complemento, nei comparativi*) us: *Vieni con ~?* Are you coming with us? ◊ *Fa meno sport di ~.* He does less sport than us. LOC **detto tra noi** (*in confidenza*) between ourselves **siamo noi!** it's us!

noia *sf* **1** (*tedio*) boredom: *Che ~ questo film!* What a boring film! **2** (*guaio*) problem: *avere delle noie con la polizia* to have problems with the police LOC **dare noia a** to annoy *sb Vedi anche* MORIRE

noioso, -a ◆ *agg* **1** (*tedioso*) boring: *un discorso ~* a boring speech ◊ *Non essere così ~.* Don't be so boring.

Non confondere **bored** con **boring**. **Bored** si riferisce a come uno si sente: *Sono così annoiato!* I'm so bored. **Boring** si riferisce alla cosa o alla persona che provoca quella sensazione: *Che discorso noioso!* What a boring speech! **Interested** e **interesting**, **excited** e **exciting** sono simili.

2 (*fastidioso*) tiresome ◆ *sm-sf* bore: *Se un ~.* You're a bore.

noleggio *sm* hire

nolo *sm* hire charge LOC **prendere a nolo** to hire *sth*

nomade ◆ *agg* nomadic ◆ *smf* nomad

nome *sm* **1** **(a)** (*gen*) name **(b)** (*di battesimo*) first name ☛ *Vedi nota a* MIDDLE NAME **2** (*Gramm*) noun LOC **a nome di** on behalf of *sb*: *L'ha ringraziata a ~ del presidente.* He thanked her on behalf of the president. **nome di battesimo** Christian name **nome e cognome** full name **nome proprio/comune** proper/common noun

nomignolo *sm* nickname

nomina *sf* appointment

nominare *vt* **1** (*citare*) to mention *sb*'s name: *senza nominarlo* without mentioning his name **2** (*eleggere*) to appoint *sb* (**sth/to sth**): *È stato nominato presidente.* He has been appointed chairman.

non *avv* **1** (*con verbi, avverbi, aggettivi*) not: *~ lo so.* I don't know. ◊ *~ è un buon esempio.* It's not a good example. **2** (*doppia negazione*): *~ conosce nessuno.* He doesn't know anybody. ◊ *~ ne so niente.* I know nothing about it. **3** (*come prefisso*) non-: *~ fumatori* non-smoking ◊ *~ violenza* non-violence LOC **non che...**: *Non è che sia cambiato molto.* Not a lot has changed. ☛ Per altre espressioni con **non** vedi alla voce del sostantivo, dell'aggettivo, ecc, ad es **non se ne parla neanche** a PARLARE.

nonno, -a *sm-sf* **1** (*gen*) grandfather [*fem* grandmother] grandad [*fem* granny] (*inform*) **2 nonni** grandparents: *a casa dei miei nonni* at my grandparents'

nono, -a *agg, pron, sm* ninth ☛ *Vedi esempi a* SESTO

nonostante ◆ *prep* in spite of: *Siamo andati ~ la pioggia.* We went in spite of the rain. ◆ *cong* although: *~ foss* rischioso... Although it was risky... LOC **ciò nonostante** nevertheless

ord *sm* **1** (*punto cardinale, zona*) north (*abbrev* N): *Vivono nel ~ dell'Italia.* They live in the north of Italy. ◊ *a ~* in the nord ◊ *È a ~ di Inverness.* It's north of Inverness. ◊ *più a ~* further north ◊ *la costa ~* the north coast **2** (*direzione*) northerly: *in direzione ~* in a northerly direction LOC *Vedi* IRLANDA

ordest *sm* **1** (*punto cardinale, zona*) north-east (*abbrev* NE): *Vivono nel ~ della Francia.* They live in the north-east of France. **2** (*direzione*) north-easterly: *in direzione ~* in a north-easterly direction

ordovest *sm* **1** (*punto cardinale, zona*) north-west (*abbrev* NW): *Vivono nel ~ della Francia.* They live in the north-west of France. **2** (*direzione*) north-westerly: *in direzione ~* in a north-westerly direction

lorimberga *sf* Nuremberg

orma *sf* rule LOC **di norma** as a rule: *Di ~ non mangio fuori pasto.* I don't eat between meals as a rule. **norme di sicurezza** safety regulations **per tua norma e regola** for your information

ormale *agg* **1** (*gen*) normal: *il ~ corso degli eventi* the normal course of events ◊ *È ~.* That's quite normal. **2** (*standard*) standard: *la procedura ~* the standard procedure

ormalizzare ◆ *vt* to restore *sth* to normal ◆ **normalizzarsi** *v rifl* to return to normal

orvegese *agg, smf, sm* Norwegian: *parlare ~* to speak Norwegian ◊ *i norvegesi* the Norwegians

orvegia *sf* Norway

ostalgia *sf*: *avere ~ di casa* to be homesick

ostro, -a ◆ *agg poss* our: *la nostra famiglia* our family ◆ *pron poss* ours: *La vostra macchina è migliore della nostra.* Your car is better than ours.

Nota che *una nostra amica* si traduce a **friend of ours**.

ota *sf* note LOC **prendere nota** to take note (*of sth*)

otaio *sm* notary [*pl* notaries] ☛ *Vedi nota a* AVVOCATO

otare *vt* **1** (*gen*) to notice: *Non ho notato nessun cambiamento.* I haven't noticed any change. **2** (*considerare*) to note LOC **far notare** to point *sth* out: *Ha fatto ~ che si trattava di un errore.* He pointed out that it was a mistake. **farsi notare** to attract attention: *Si veste così per farsi ~.* He dresses like that to attract attention.

notevole *agg* **1** (*peso, quantità, distanza*) considerable: *un ~ numero di offerte* a considerable number of offers **2** (*importanza*) impressive: *un risultato ~* an impressive achievement

notizia *sf* **1** (*gen*) news [*non numerabile, v sing*]: *Ti devo dare una buona/cattiva ~.* I've got some good/bad news for you. ◊ *Le notizie sono preoccupanti.* The news is alarming. ☛ *Vedi nota a* INFORMAZIONE **2** (*Giornalismo*) news item LOC **aver notizie di** to hear from *sb*: *Hai notizie di Luigi?* Have you heard from Luigi?

notiziario *sm* the news [*sing*]: *Lo hanno detto al ~ delle tre.* It was on the three o'clock news.

noto, -a *agg* well known: *un ~ sociologo* a well-known sociologist

notte *sf* night: *lunedì ~* on Monday night ◊ *le dieci di ~* ten o'clock at night ◊ *le due di ~* two o'clock in the morning LOC **buona notte!** good night! **dare la buona notte** to say goodnight **di notte** at night: *studiare/lavorare di ~* to study/work at night **durante la notte** overnight **passare la notte in bianco** to have a sleepless night *Vedi anche* CALARE, CAMICIA

notturno, -a *agg* **1** (*gen*) night [*s attrib*]: *servizio ~ di autobus* night bus service **2** (*Zool*) nocturnal LOC *Vedi* GUARDIA, LOCALE, VITA

novanta *sm, agg, pron* ninety ☛ *Vedi esempi a* SESSANTA

novantenne *agg, smf* ninety-year-old ☛ *Vedi esempi a* UNDICENNE

novantesimo, -a *agg, pron, sm* ninetieth ☛ *Vedi esempi a* SESSANTESIMO

novantina *sf* about ninety: *una ~ di casi al giorno* about ninety cases a day

nove *sm, agg, pron* **1** (*gen*) nine **2** (*data*) ninth ☛ *Vedi esempi a* SEI

novecento ◆ *sm, agg, pron* nine hundred ☛ *Vedi esempi a* SEICENTO ◆ *sm* **il Novecento** the 20th century: *nel Novecento* in the 20th century

novembre *sm* November (*abbrev* Nov) ☛ *Vedi esempi a* GENNAIO

novità *sf* **1** (*qualità*) novelty [*pl* novelties]: *la ~ della situazione* the novelty of the situation **2** (*cosa nuova*): *le ultime ~ discografiche* the latest releases ◊

l'ultima ~ in fatto di stampanti laser the latest in laser printers **3** (*notizia*) news [*non numerabile, v sing*]: *~?* Any news?

nozione *sf* **1** (*gen*) notion **2** (*senso*) sense: *Ho perso completamente la ~ del tempo.* I lost all sense of time. **3 nozioni** basics: *nozioni di economia* the basics of economics

nozze *sf* wedding [*sing*] ☛ *Vedi nota a* MATRIMONIO LOC **nozze d'oro/d'argento** golden/silver wedding [*sing*] *Vedi anche* VIAGGIO

nubile *agg* single

nuca *sf* nape (of the neck)

nucleare *agg* nuclear LOC *Vedi* CENTRALE, REATTORE

nucleo *sm* nucleus [*pl* nuclei]

nudo, -a *agg* **1** (*persona*) naked: *mezzo ~* half-naked **2** (*braccia, parete*) bare ☛ *Vedi nota a* NAKED LOC **nudo come un verme** stark naked **nudo e crudo**: *la verità nuda e cruda* the plain truth *Vedi anche* OCCHIO

nulla *Vedi* NIENTE

nullità *sf* (*persona*) nobody: *È una ~.* He's a nobody.

nullo, -a *agg* **1** (*non valido*) invalid: *un contratto ~* an invalid agreement **2** (*inesistente*) non-existent: *Le possibilità sono practicamente nulle.* The chances are almost non-existent. LOC *Vedi* SCHEDA

numerabile *agg* countable LOC **non numerabile** uncountable

numerale *agg, sm* numeral

numerare *vt* to number

numerazione *sf* numbers [*pl*] LOC **numerazione araba/romana** Arabic/ Roman numerals [*pl*]

numero *sm* **1** (*gen*) number: *il mio ~ di telefono* my telephone number ◊ *Ha sbagliato ~.* You've got the wrong number. ◊ *~ pari/dispari* even/odd number **2** (*scarpe*) size: *Che ~ di scarpe porti?* What size shoe do you take? **3** (*rivista*) issue (*form*), number: *un ~ arretrato* a back issue **4** (*Teat*) act: *un ~ del circo* a circus act LOC **numeri arabi/ romani** Arabic/Roman numerals **numero di targa** registration number **numero primo** prime number

numeroso, -a *agg* **1** (*grande*) large: *una famiglia numerosa* a large family **2** (*molteplice*) numerous: *in numerose occasioni* on numerous occasions

nuocere *vi* ~ **a** to damage *sth*: *Il fumo nuoce alla salute.* Smoking damages your health.

nuora *sf* daughter-in-law [*pl* daughters in-law]

nuotare *vi* to swim: *Non so ~.* I can't swim. LOC **nuotare a dorso** to do backstroke **nuotare a rana/farfalla** to do (the) breaststroke/butterfly **nuotare a stile libero** to do the crawl

nuotatore, -trice *sm-sf* swimmer

nuoto *sm* swimming LOC **a nuoto**: *Hanno attraversato il fiume a ~.* They swam across the river.

Nuova Zelanda *sf* New Zealand

nuovo, -a *agg* **1** (*gen*) new: *Sono nuove quelle scarpe?* Are those new shoes? ◊ *Che c'è di ~?* What's new? **2** (*ulteriore*) further: *Sono sorti nuovi problemi.* Further problems have arisen. LOC **di nuovo** again **non essere nuovo**: *Il nome non mi è ~.* That name rings a bell. **nuovo di zecca** brand new **nuovo fiammante** brand new *Vedi anche* LUNA

nutriente *agg* nutritious

nutrimento *sm* nourishment

nutrire ◆ *vt* to feed ◆ **nutrirsi** *v rif* **nutrirsi di** to live **on** ***sth***

nuvola *sf* cloud LOC **cadere/cascare dalle nuvole** to be taken aback *Vedi anche* TESTA

nuvolosità *sf* cloudiness LOC **nuvolosità variabile** patchy cloud

nuvoloso, -a *agg* cloudy

nuziale *agg* wedding [*s attrib*]

Oo

cong or: *Tè o caffè?* Tea or coffee? LOC **o… o…** either… or…: *Andrò o in treno o in pullman.* I'll go either by train or by coach. ◊ *O mangi tutto o non vai fuori a giocare.* Either you eat it all up or you don't go out to play.

asi *sf* oasis [*pl* oases]

bbediente *agg Vedi* UBBIDIENTE

bbedire *vi Vedi* UBBIDIRE

bbligare *vt* to force *sb* ***to do sth***

bbligatorio, -a *agg* compulsory

bbligo *sm* obligation LOC **avere l'obbligo di** to be obliged *to do sth Vedi anche* SCUOLA

beso, -a *agg* obese

biettare *vt* to object

biettivo, -a ◆ *agg* objective ◆ *sm* **1** (*fine*) objective, aim (*più informale*): *obiettivi a lungo termine* long-term objectives **2** (*Mil*) target **3** (*Fot*) lens [*pl* lenses]: ~ *fotografico* camera lens

biettore *sm* LOC **obiettore di coscienza** conscientious objector

biezione *sf* objection

bitorio *sm* morgue

bliquo, -a *agg* oblique

bliterare *vt* (*biglietto*) to stamp

blò *sm* porthole

boe *sm* oboe

ca *sf* goose [*pl* geese]

Per specificare che si tratta del maschio si dice **gander**.

LOC *Vedi* GIOCO, PELLE

ccasione *sf* **1** (*volta*) occasion: *in numerose occasioni* on numerous occasions **2** (*opportunità*) opportunity [*pl* opportunities], chance (*più informale*) (***to do sth***): *un'occasione unica* a unique opportunity **3** (*affare*) bargain: *È un'occasione!* It's a real bargain! LOC **d'occasione 1** (*affare*): *prezzi d'occasione* bargain prices **2** (*non nuovo*): *auto d'occasione* second-hand cars *Vedi anche* COGLIERE

cchiaia *sf*: *avere le occhiaie* to have bags under your eyes

cchiali *sm* **1** (*gen*) glasses, spectacles (*più formale*) (*abbrev* specs): *un bambino biondo con gli* ~ a fair-haired boy with glasses ◊ *Non l'ho visto perché ero senza* ~. I couldn't see him because I didn't have my glasses on. ◊ *Devo mettermi gli* ~. I need to put my glasses on. **2** (*motociclista, sciatore*) goggles LOC **occhiali da sole** sunglasses

occhiata *sf* look: *Basta una rapida* ~. Just a quick look will do. LOC **dare un'occhiata a qc** to have a look at sth **dare un'occhiata a qn** to keep an eye on sb

occhiello *sm* buttonhole

occhio *sm* eye: *È bruna con gli occhi verdi.* She has dark hair and green eyes. ◊ *avere gli occhi sporgenti* to have bulging eyes ◊ *a occhi chiusi* with your eyes closed ◊ *guardare qn negli occhi* to look sb in the eye ◊ *guardarsi negli occhi* to look into each other's eyes LOC **a occhio** roughly: *L'ho calcolato a* ~. I worked it out roughly. **a occhio nudo** to the naked eye **con gli occhi bendati** blindfold **dare nell'occhio** to be conspicuous **occhio!** careful!: ~ *alla brocca!* Careful with that jug! **occhio non vede…** what the eye doesn't see, the heart doesn't grieve over **tenere d'occhio** to keep an eye on *sb/sth Vedi anche* APRIRE, BALZARE, BATTERE, CHIUDERE, CODA, COSTARE, SALTARE, SOGNARE, STRIZZARE, TOGLIERE

occhiolino *sm* LOC **fare l'occhiolino a** to wink at *sb*: *Mi ha fatto l'occhiolino.* He winked at me.

occidentale ◆ *agg* western: *il mondo* ~ the western world ◆ *smf* westerner

occidente *sm* west: *le differenze fra l'Oriente e l'Occidente* the differences between East and West

occorrente *sm* everything I, you, etc need: *Hai tutto l'occorrente?* Have you got everything you need?

occorrere ◆ *vi* to be needed: *Ci occorre ancora qualche sedia.* We need some more chairs. ◊ *Mi occorrono dei soldi.* I need some money. ◆ *v impers*: *Non occorre gridare!* You don't need to shout!

occupare ◆ *vt* **1** (*spazio, tempo*) to take up *sth*: *L'articolo occupa mezza pagina.* The article takes up half a page. ◊ *Occupa tutto il mio tempo libero.* It takes up all my spare time. **2** (*paese*) to occupy: *Per protesta abbiamo occupato la scuola.* We occupied the school as a protest. **3** (*incarico*) to hold ◆ **occuparsi** *v rifl* **occuparsi di 1** (*badare a*) to look after *sb/sth*: *Chi si occuperà del bambino?* Who will look after the baby? ◊ *Si occupa delle vendite.* She looks after sales. **2** (*interessarsi di*) to be into *sth*: *Si è sempre occupato di politica.* He's always been into politics.

occupato, -a *pp, agg* **1** ~ **(con/a)** (*persona*) busy (**with** ***sb/sth***); busy (***doing sth***): *Se chiamano di' che sono ~.* If anyone calls, say I'm busy. **2** (*telefono, bagno*) engaged: *È occupato.* It's engaged. **3** (*sedia, posto*) taken: *Scusi, questo posto è ~?* Is this seat taken? **4** (*paese*) occupied *Vedi anche* OCCUPARE

occupazione *sf* occupation

Oceania *sf* Oceania

oceano *sm* ocean

> In inglese **ocean** si scrive maiuscolo quando è nome proprio: *l'oceano Indiano* the Indian Ocean.

oculare *agg* LOC *Vedi* TESTIMONE

oculista *smf* eye specialist

odiare *vt* to hate *sb/sth/doing sth*: *Odio cucinare.* I hate cooking.

odio *sm* hatred (**for/of** ***sb/sth***)

odioso, -a *agg* horrible

odorare ◆ *vi* ~ **(di)** to smell (**of** ***sth***): *~ di vernice* to smell of paint ◊ *~ di bruciato* to smell of burning ☛ *Vedi nota a* SMELL ◆ *vt* to smell

odorato *sm* smell

odore *sm* smell (***of sth***): *C'era ~ di bruciato.* There was a smell of burning. LOC **avere un cattivo/buon odore** to smell nice/bad **sentire odore di** to smell *sth*

offendere ◆ *vt* to offend ◆ **offendersi** *v rifl* to take offence (***at sth***): *Si offende per un nonnulla.* He takes offence at the slightest thing.

offensivo, -a *agg* offensive

offerta *sf* **1** (*gen*) offer: *un'offerta speciale* a special offer **2** (*Econ, Fin*) supply: *La domanda supera l'offerta.* Demand outstrips supply. LOC **in offerta** on special offer **offerte di lavoro** (*annunci*) job vacancies

offesa *sf* offence

offeso, -a *pp, agg* **1** (*gen*) hurt: *È ~ per quello che hai detto.* He's hurt at what you said. **2** ~ **con** upset **with** ***sb***: *Siete ancora offesi con noi?* Are you still upset with us? *Vedi anche* OFFENDERE

officina *sf* **1** (*meccanico*) garage **2** (*laboratorio*) workshop

offrire ◆ *vt* **1** (*gen*) to offer: *Gli h offerto dei biscotti.* I offered him som biscuits. **2** (*pagare*): *Offro io.* I'll ge this one. ◊ *Offre la casa.* It's on th house. ◆ **offrirsi** *v rifl* to offer (***to d sth***): *Mi sono offerto di accompagnarli casa.* I offered to take them home. LO *Vedi* PIATTO

offuscare *vt* to blur

oggetto *sm* object LOC **oggetti smarri** lost property [*sing*]: *ufficio ogget smarriti* lost property office *Vedi anch* COMPLEMENTO

oggi *avv* today: *Dobbiamo finirlo ~* We've got to get it finished today. LO **di oggi**: *il giornale di ~* today's paper *Questo pane non è di ~.* This bread isn fresh. **oggi pomeriggio** this afternoo *Vedi anche* GIORNO, QUANTO[1]

oggigiorno *avv* nowadays

ogni *agg* **1** (*gen*) each: *Hanno dato u regalo a ~ bambino.* They gave eac child a present. ☛ *Vedi nota a* EVERY (*con espressioni di tempo, con espre sioni numeriche*) every: *~ settimana volta* every week/time ◊ *~ dieci giorr* every ten days ◊ *~ due giorni, sett mane, ecc* every other day, week, e LOC **ogni cosa a suo tempo** all in goc time **ogni quanto?** how often? **og tanto** every so often **ogni volta che**… whenever… *Vedi anche* CASO, MODO

Ognissanti *sm* All Saints' Day ☛ *Ve nota a* HALLOWE'EN

ognuno *pron* **1** (*ciascuno*) each (one): *di noi* each of us **2** (*tutti*) everybody: ~ *libero di scegliere.* Everybody is free choose.

Olanda *sf* Holland

olandese ◆ *agg, sm* Dutch: *parlare* to speak Dutch ◆ *smf* Dutchmar woman [*pl* Dutchmen/women]: *g olandesi* the Dutch

oleoso, -a *agg* oily

olfatto *sm* smell

Olimpiadi *sf* Olympics

olimpico, -a *agg* Olympic LOC *Ve* GIOCO, VILLAGGIO

olimpionico, -a *agg* Olympic: *primato ~* the Olympic record ◊ *ur piscina olimpionica* an Olympic swir ming pool

olio *sm* oil: *~ d'oliva/di semi di giraso* olive/sunflower oil LOC **quadro/dipin a olio** oil painting **sott'olio** in oil

oliva *sf* olive: *olive farcite/snocciola* stuffed/pitted olives

olivo *sm* olive tree

olmo *sm* elm (tree)

olocausto *sm* holocaust

ologramma *sm* hologram

oltre ◆ *prep* **1** (*di là da*) beyond: ~ *le montagne c'è il mare.* Beyond the mountains is the sea. **2** (*più di*) **(a)** (*numero*) over: *C'erano ~ cento persone.* There were over a hundred people there. ◊ *ragazzi di ~ quindici anni* young people over fifteen **(b)** (*tempo*) later than: *non ~ il 12 luglio* no later than 12 July ◆ *avv* **1** (*più in là*) further: *passare* ~ to go further **2** (*di più*) more: *Non voglio aspettare ~.* I don't want to wait any more. ◊ *un mese e ~* a month and more LOC **oltre a 1** (*in aggiunta a*) as well as: *~ ai libri mi ha regalato una videocassetta.* She gave me a video as well as the books. ◊ *~ ad essere comoda questa sedia è bella.* The chair is beautiful as well as comfortable. **2** (*eccetto*) apart from: *~ a noi non lo sa nessuno.* Nobody knows apart from us.

oltrepassare *vt* **1** (*varcare*) to cross **2** (*fig*) to exceed: *Ha oltrepassato ogni limite.* He has exceeded every limit.

omaggio *sm* homage [*non numerabile*]: *rendere ~ a qn* to pay homage to sb LOC **in omaggio**: *Con la rivista c'era un rossetto in ~.* I got a free lipstick with the magazine.

ombelicale *agg* LOC *Vedi* CORDONE

ombelico *sm* navel, belly-button (*inform*)

ombra *sf* **1** (*assenza di sole*) shade: *Ci siamo seduti all'ombra.* We sat in the shade. ◊ *L'albero faceva ~ alla macchina.* The car was shaded by the tree. **2** (*sagoma*) shadow: *proiettare un'ombra* to cast a shadow LOC **fare ombra a** to keep the sun off *sb*: *Mi fai ~.* You're keeping the sun off me. **senza ombra di dubbio** without a shadow of doubt

ombra

ombrello *sm* umbrella: *aprire/chiudere l'ombrello* to put up/take down the umbrella

ombrellone *sm* sunshade

ombretto *sm* eyeshadow

omeopatia *sf* homoeopathy

omettere *vt* to omit, to leave *sth* out (*più informale*)

omicida *smf* murderer [*fem* murderess]

omicidio *sm* homicide

omissione *sf* omission

omogeneo, -a *agg* homogeneous

omonimo, -a ◆ *agg* of the same name ◆ *sm-sf* (*persona*) namesake ◆ *sm* (*Gramm*) homonym

omosessuale *agg, smf* homosexual

onda *sf* wave: *onde corte/medie/lunghe* short/medium/long wave LOC **essere in onda** to be on the air *Vedi anche* CRESTA, LUNGHEZZA

ondulato, -a *agg* **1** (*capelli*) wavy ☛ *Vedi illustrazione a* CAPELLO **2** (*superficie*) undulating **3** (*cartone*) corrugated

onestà *sf* honesty: *Nessuno dubita della sua ~.* Nobody doubts his honesty.

onesto, -a *agg* honest: *una persona onesta* an honest person

onomastico *sm* saint's day: *Quando è il tuo ~?* When is your saint's day? ☛ In Gran Bretagna l'onomastico non si festeggia.

onore *sm* **1** (*gen*) honour: *l'ospite d'onore* the guest of honour ◊ *in ~ di qn/qc* in honour of sb/sth **2** (*reputazione*) good name: *Ne va dell'onore della banca.* The bank's good name is at stake. LOC **avere l'onore di** to have the honour of *doing sth* **fare onore**: *La tua generosità ti fa ~.* Your generosity does you credit. *Vedi anche* DAMIGELLA, PAROLA

ONU *sf* UN

opaco, -a *agg* **1** (*vetro*) opaque **2** (*carta*) matt

opera *sf* **1** (*gen*) work: *un'opera d'arte* a work of art ◊ *le opere complete di Moravia* the complete works of Moravia **2** (*azione*) deed **3** (*Mus*) opera *Vedi anche* MANO

operaio, -a ◆ *agg* **1** (*famiglia, quartiere*) working-class **2** (*movimento*) labour [*s attrib*] ◆ *sm-sf* worker LOC *Vedi* APE, CLASSE

operare ◆ *vt* (*Med*) to operate **on *sb***: *Forse dovranno operarlo.* They may have to operate on him. ◊ *Sono stato operato di appendicite.* I had my appendix out. ◆ *vi* to operate ◆**operarsi** *v rifl* to have an operation

operatore, -trice *sm-sf* **1** (*TV*) cameraman **2** (*Informatica*) operator

operazione *sf* **1** (*gen*) operation: *subire un'operazione al cuore* to have a heart operation ◊ *un'operazione di polizia* a police operation **2** (*Fin*) transaction

opinione *sf* opinion: *avere una buona/cattiva ~ di qn* to have a high/low opinion of sb/sth **LOC** *Vedi* CAMBIARE, SONDAGGIO

opporre ◆ *vt* to offer: *~ resistenza a qn/qc* to offer resistance to sb/sth ◆ **opporsi** *v rifl* **opporsi a** to oppose *sth*: *opporsi a un'idea* to oppose an idea

opportunità *sf* chance, opportunity [*pl* opportunities] (*più formale*): *Ho avuto l'opportunità di andare in Canada.* I had the chance to go to Canada.

opportuno, -a *agg* appropriate: *Il tuo commento è stato poco ~.* Your reply wasn't very appropriate.

opposizione *sf* opposition (***to sb/sth***)

opposto, -a ◆ *pp, agg* opposite: *Andavano in direzioni opposte.* They were going in opposite directions. ◆ *sm* opposite **LOC** *Vedi* POLO; *Vedi anche* OPPORRE

oppressivo, -a *agg* oppressive

opprimente *agg* **1** (*persona*) tiresome **2** (*caldo*) stifling

opprimere *vt* **1** (*gen*) to oppress **2** (*preoccupazioni, problemi*) to overwhelm

oppure *cong* or (else)

optare *vi* ~ **per** to opt **for *sth*/*to do sth***: *Hanno optato per il primo metodo.* They opted for the first method.

opuscolo *sm* **1** (*pubblicità*) brochure: *un ~ di viaggi* a holiday brochure **2** (*informazioni*) booklet

ora[1] *sf* **1** (*gen*) hour: *La lezione dura due ore.* The class lasts two hours. ◊ *120km all'ora* 120km an hour **2** (*momento, orario*) time: *Che ore sono?* What time is it? ◊ *A che ~ vengono?* What time are they coming? ◊ *all'ora di pranzo/cena* at lunchtime/dinnertime **LOC a tutte le ore** at all hours **era ora!** about time too! **essere ora**: *È ~ di andare a letto.* It's time to go to bed. ◊ *È ~ di andare.* It's time we were going. ◊ *Era ~ che lo riparassero.* It was about time they fixed it. **non vedere l'ora** to look forward *to doing sth*: *Non vedo l'ora di conoscere il tuo ragazzo.* I'm looking forward to meeting your boyfriend. ◊ *Non vedo l'ora di andare in vacanza.* I'm really looking forward to my holiday. **ora di punta** rush hour *Vedi anche* PRIMA

ora[2] *avv* now: *Che cosa faccio ~?* What am I going to do now? **LOC d'ora in poi** from now on

orale ◆ *agg* oral ◆ *sm* **gli orali** the orals **LOC** *Vedi* COMPRENSIONE

orario, -a ◆ *agg* **1** (*tariffa*) hourly **2** (*segnale*) time [*attr*] ◆ *sm* **1** (*tabella*) timetable **2** (*negozio, trasporti*) time: *~ di apertura/chiusura* opening/closing time ◊ *~ di arrivo/partenza* arrival/departure time **3** (*ufficio*) hours [*pl*]: *~ d'ambulatorio* surgery hours ◊ *~ delle visite* visiting hours **LOC** *Vedi* DISCO, FASCIA, FUSO, SENSO

orata *sf* gilthead [*pl* gilthead]

orbita *sf* orbit

orchestra *sf* **1** (*di musica classica*) orchestra **2** (*di musica leggera*) band: *un'orchestra da ballo* a dance band **LOC** *Vedi* DIRETTORE

orchidea *sf* orchid

ordigno *sm* device: *un ~ esplosivo* an explosive device

ordinare *vt* **1** (*ristorante*) to order: *Come primo abbiamo ordinato una minestra.* We ordered soup as a starter. **2** (*comandare*) to tell *sb* **to do *sth***: *Gli ordinò di fare silenzio.* He told him to be quiet.

ordinario, -a *agg* ordinary: *È un tipo ~.* He's an ordinary guy.

ordinato, -a *pp, agg* tidy: *una ragazza/camera molto ordinata* a very tidy girl/room *Vedi anche* ORDINARE

ordinazione *sf* order: *fare un'ordinazione* to place an order

ordine *sm* order: *in ~ alfabetico* in alphabetical order ◊ *in ~ d'importanza* in order of importance ◊ *fare/cancellare un ~* to place/cancel an order **LOC dare ordini** (*con prepotenza*) to boss people around **essere in ordine** **1** (*camera*) to be tidy **2** (*libri*) to be in order **mettere in ordine** **1** (*camera*) to tidy *sth* (up) **2** (*libri*) to put *sth* in order *Vedi anche* PAROLA, TURBARE

orecchiabile *agg* catchy

orecchino *sm* earring: *Ho perso un ~.* I've lost my earring.

orecchio *sm* ear **LOC in un orecchio**

Dimmelo in un ~. Whisper it in my ear. **a orecchio** by ear: *Suono a* ~. I play by ear. **avere orecchio** to have a good ear **fare orecchi da mercante** to turn a deaf ear (*to sth*) *Vedi anche* DURO, MALE, MURO, TIRATA

orecchioni *sm* mumps [*sing*]: *avere gli* ~ to have (the) mumps

orfano, -a *agg, sm-sf* orphan [*s*]: *orfani di guerra* war orphans ◊ *essere* ~ to be an orphan ◊ *rimanere* ~ to be orphaned LOC **orfano di madre/padre** motherless/fatherless **rimanere orfano di madre/padre** to lose your mother/father

orfanotrofio *sm* orphanage

organismo *sm* **1** (*Biol*) organism **2** (*Anat*) body **3** (*organizzazione*) organization

organizzare ◆ *vt* to organize ◆ **organizzarsi** *v rifl* (*persona*) to get yourself organized: *Dovrei organizzarmi meglio.* I should get myself better organized.

organizzato, -a *pp, agg* organized *Vedi anche* ORGANIZZARE

organizzatore, -trice ◆ *agg* organizing ◆ *sm-sf* organizer

organizzazione *sf* organization: *organizzazioni internazionali* international organizations LOC **Organizzazione delle Nazioni Unite** (*abbrev* **ONU**) the United Nations (*abbrev* UN)

organo *sm* organ

orgoglio *sm* pride: *ferire qn nell'orgoglio* to hurt sb's pride ◊ *mettere da parte l'orgoglio* to swallow your pride

orgoglioso, -a *agg* proud: *Sono* ~ *di te.* I'm proud of you. ◊ *È un tipo molto* ~. He's very proud.

orientale ◆ *agg* **1** (*regione*) eastern: *l'Europa* ~ Eastern Europe ◊ *sulla costa* ~ on the east coast **2** (*lingua, civiltà*) oriental ◆ *smf* Oriental

orientamento *sm* LOC **orientamento professionale** careers guidance *Vedi anche* PERDERE, SENSO

orientare ◆ *vt* to position: ~ *un'antenna* to position an aerial ◆ **orientarsi** *v rifl* to find your way around

orientato, -a *pp, agg* LOC **essere orientato a ...** (*casa, stanza*) to face ...: *Il balcone è* ~ *a sudest* The balcony faces south-east. *Vedi anche* ORIENTARE

oriente *sm* east LOC **il Medio/l'Estremo Oriente** the Middle/Far East

origano *sm* oregano

originale *agg, sm* original LOC *Vedi* VERSIONE

originario, -a *agg*: *essere* ~ *di Ferrara* to be a native of Ferrara

origine *sf* origin LOC **dare origine a** to give rise to *sth*

origliare *vi* to listen **at** ***sth***: *La sorpresero a* ~ *alla porta.* They caught her listening at the door.

orina *sf* urine

orizzontale ◆ *agg* horizontal ◆ *sf* (*cruciverba*) across: *11* ~ 11 across

orizzonte *sm* horizon: *all'orizzonte* on the horizon

orlo *sm* **1** (*gen*) edge: *l'orlo di un precipizio* the edge of a cliff **2** (*oggetto circolare*) rim: *l'orlo del bicchiere* the rim of the glass ☛ *Vedi illustrazione a* TAZZA **3** (*vestito*) hem LOC **sull'orlo di** (*fig*) on the verge of *sth*

orma *sf* footprint LOC *Vedi* SEGUIRE

ormai *avv* **1** (*gen*) now: ~ *sei grande.* You're a big boy now. ◊ ~ *è troppo tardi.* It's too late now. **2** (*a quest'ora*) by now: *L'aereo* ~ *dovrebbe avere atterrato.* The plane should have landed by now.

ormone *sm* hormone

oro *sm* gold: *una medaglia d'oro* a gold medal ◊ *avere un cuore d'oro* to have a heart of gold LOC **d'oro** (*fig*) golden: *un'occasione d'oro* a golden opportunity **non è tutto oro quello che luccica** all that glitters is not gold *Vedi anche* NOZZE

orologiaio *sm* watchmaker

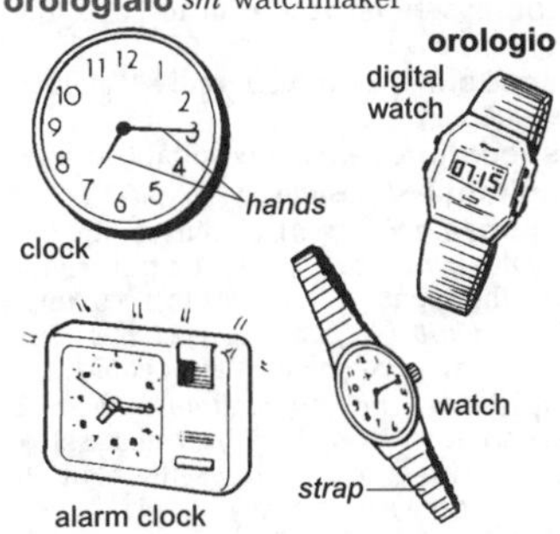

orologio *sm* **1** (*a muro, a pendolo*) clock: *un* ~ *a cucù* a cuckoo clock **2** (*da polso, da taschino*) watch: *Il mio* ~ *è indietro.* My watch is slow.

oroscopo *sm* horoscope

orrendo, -a *agg* **1** (*gen*) awful **2**

(*brutto*) hideous: *Ha un naso ~*. He's got a hideous nose.

orribile *agg* awful: *Il tempo è ~*. The weather is awful.

orrore *sm* horror: *gli orrori della guerra* the horrors of war LOC **che orrore!** how awful! *Vedi anche* FILM

orsacchiotto *sm* **1** (*cucciolo*) bear cub **2** (*giocattolo*) teddy bear

orso, -a *sm-sf* bear LOC **orso bianco** polar bear

ortaggio *sm* vegetable

ortica *sf* nettle

orticaria *sf* nettle rash

orto *sm* vegetable garden LOC **orto botanico** botanical gardens [*pl*]

ortografia *sf* spelling: *errori d'ortografia* spelling mistakes

orzaiolo *sm* sty(e) [*pl* sties/styes]

orzo *sm* barley

osare *vt* to dare (**do sth**): *Non oso chiedergli dei soldi*. I daren't ask him for money. ☛ *Vedi nota a* DARE[1]

osceno, -a *agg* obscene

oscillare *vi* **1** (*lampadario, pendolo*) to swing **2** ~ **tra** (*prezzi, temperature*) to vary **from *sth* to *sth***: *Il prezzo oscilla tra le cinquanta e le settanta sterline*. The price varies from fifty to seventy pounds.

oscurare ◆ *vt* to darken ◆ **oscurarsi** *v rifl* to get dark

oscurità *sf* darkness

oscuro, -a *agg* obscure: *per qualche oscura ragione* for some obscure reason LOC **essere all'oscuro di** to be in the dark about *sth*

ospedale *sm* hospital ☛ *Vedi nota a* SCHOOL

ospedaliero, -a *agg* hospital [*s attrib*]

ospitalità *sf* hospitality

ospitare *vt* **1** (*gen*) to put *sb* up: *Mi puoi ~ per stanotte?* Can you put me up for the night? **2** (*albergo*) to accommodate: *L'albergo può ~ 200 persone*. The hotel can accommodate 200 people.

ospite ◆ *smf* **1** (*invitato*) guest **2** (*padrone di casa*) host [*fem* hostess] ◆ *agg* visiting: *la squadra ~* the visiting team LOC *Vedi* STANZA

ospizio *sm* (*per anziani*) old people's home

osseo, -a *agg* LOC *Vedi* MIDOLLO

osservare *vt* **1** (*guardare, rispettare*) to observe, to watch (*più informale*): *Osservalo attentamente*. Watch him carefully. ◊ *~ un minuto di silenzio* to observe a minute's silence **2** (*notare*) to notice: *Hai osservato qualcosa di strano in lui?* Have you noticed anything odd about him? **3** (*far notare*) to point out: *Ha osservato che non era necessario*. She pointed out that it wasn't necessary.

osservatorio *sm* observatory [*pl* observatories]

osservazione *sf* observation: *fare un'osservazione* to make an observation LOC **essere in osservazione** to be under observation *Vedi anche* SPIRITO

ossessionare *vt* to obsess

ossessione *sf* obsession (***with sb/sth/doing sth***)

ossidarsi *v rifl* to oxidize

ossido *sm* LOC **ossido di carbonio** carbon monoxide

ossigenare *vt*: *ossigenarsi i capelli* to bleach your hair

ossigeno *sm* oxygen

osso *sm* bone LOC **farsi le ossa** to get experience **essere un osso duro** to be a tough nut to crack *Vedi anche* BAGNARE, CARNE, PELLE, RISCHIARE

ostacolare *vt* **1** (*gen*) to hinder **2** (*progresso, passaggio*) to obstruct: *~ il corso della giustizia* to obstruct justice

ostacolo *sm* **1** (*gen*) obstacle **2** (*Atletica*) hurdle: *i 500 metri a ostacoli* the 500 metres hurdles LOC **essere d'ostacolo a** to stand in *sb's* way

ostaggio *sm* hostage

ostello *sm* hostel: *un ~ della gioventù* a youth hostel

ostetrica *sf* midwife [*pl* midwives]

ostinarsi *v rifl* to be determined ***to do sth***: *Si ostina a voler fare a modo suo*. He's determined to do it the way he says.

ostinato, -a *pp, agg* stubborn *Vedi anche* OSTINARSI

ostrica *sf* oyster

ostruire ◆ *vt* to block ◆ **ostruirsi** *v rifl* to get blocked

ottanta *sm, agg, pron* eighty ☛ *Vedi esempi a* SESSANTA

ottantenne *agg, smf* eighty-year-old ☛ *Vedi esempi a* UNDICENNE

ottantesimo, -a *agg, pron, sm* eightieth ☛ *Vedi esempi a* SESSANTESIMO

ottantina *sf* about eighty: *una ~ di casi al giorno* about eighty cases a day

ottavo, -a *agg, pron, sm* eighth ☛ *Vedi esempi a* SESTO

ottenere *vt* **1** (*gen*) to obtain, to get (*più*

informale): ~ *un prestito* to get a loan ◊ ~ *che qn faccia qc* to get sb to do sth **2** (*raggiungere*) to achieve: *Che cosa otteniamo litigando?* What do we achieve by arguing?

ottico, -a ◆ *agg* optical ◆ *sm* **1** (*persona*) optician **2** (*negozio*) optician's [*pl* opticians]

ottimismo *sm* optimism

ottimista ◆ *agg* optimistic ◆ *smf* optimist

ottimistico, -a *agg* optimistic

ottimo, -a ◆ *agg* outstanding: *un'ottima prestazione* an outstanding performance ◆ *sm* (*Scuola*) ≈ A: *Ho preso ~ in storia.* I got an A for history.

otto *sm, agg, pron* **1** (*gen*) eight **2** (*data*) eighth ☛ *Vedi esempi a* SEI

ottobre *sm* October (*abbrev* Oct) ☛ *Vedi esempi a* GENNAIO

ottocento ◆ *sm, agg, pron* eight hundred ☛ *Vedi esempi a* SEICENTO ◆ *sm* **l'Ottocento** the 19th century: *nell'Ottocento* in the 19th century

ottone *sm* **1** (*metallo*) brass **2 gli ottoni** (*Mus*) the brass

otturare *vt* **1** (*lavandino*) to block **2** (*dente*) to fill: *Ho tre denti da ~.* I've got to have three teeth filled.

otturazione *sf* filling

ottuso, -a *agg* **1** (*Mat*) obtuse **2** (*fig*) slow

ovaia *sf* ovary [*pl* ovaries]

ovale *agg, sm* oval

overdose *sf* overdose

ovest *sm* **1** (*punto cardinale, zona*) west (*abbrev* W): *Vivono nell'ovest della Francia.* They live in the west of France. ◊ *a ~* in the west ◊ *È a ~ di Londra.* It's west of London. ◊ *più a ~* further west ◊ *la costa ~* the west coast **2** (*direzione*) westerly: *in direzione ~* in a westerly direction

ovino, -a *agg* sheep [*s attrib*]

ovunque *avv Vedi* DOVUNQUE

ovviamente *avv* obviously

ovvio, -a *agg* obvious: *Era ~ che avrebbe vinto.* It was obvious that she was going to win.

oziare *vi* to laze around

ozio *sm* (*inattività*) idleness

ozono *sm* ozone: *il buco nell'ozono* the hole in the ozone layer

ozonosfera *sf* ozone layer

Pp

pacca *sf* pat: *Mi ha dato una ~ sulla spalla.* He gave me a pat on the back.

pacchetto *sm* **1** (*pacco*) parcel **2** (*confezione*) packet: *un ~ di sigarette* a packet of cigarettes ☛ *Vedi illustrazione a* CONTAINER

pacchia *sf*: *Che ~!* What a cushy number!

pacchiano, -a *agg* tacky: *Si veste in modo così ~.* She wears really tacky clothes.

pacco *sm* parcel: *spedire un ~ per posta* to post a parcel ☛ *Vedi nota a* PARCEL

pace *sf* peace: *un trattato di ~* a peace treaty LOC **fare la pace** to make it up (*with sb*): *Hanno fatto la ~.* They've made it up. **lasciare in pace** to leave *sb/sth* alone: *Non mi lasciano in ~.* They won't leave me alone.

pachistano, -a *agg, sm-sf* Pakistani: *i pachistani* the Pakistanis

pacifico, -a ◆ *agg* peaceful ◆ *sm* **il Pacifico** the Pacific

pacifismo *sm* pacifism

pacifista *smf* pacifist

padella *sf* frying pan ☛ *Vedi illustrazione a* SAUCEPAN LOC *Vedi* CUOCERE

padiglione *sm* **1** (*tenda*) marquee **2** (*ospedale*) wing

Padova *sf* Padua

padovano, -a *agg, sm-sf* Paduan: *i padovani* the Paduans

padre *sm* father: *È ~ di due bambini.* He is the father of two children. LOC *Vedi* ORFANO, PARTE, TALE

Padrenostro *sm* Our Father

padrino *sm* godfather

padronanza *sf* **1** (*lingua*) command **2** (*tecnica*) mastery

padrone, -a *sm-sf* owner LOC **padrona di casa 1** (*proprietaria*) landlady **2** (*ospite*) hostess **padrone di casa** landlord

paesaggio *sm* **1** (*gen*) landscape **2**

(*naturale*) scenery ☛ *Vedi nota a* SCENERY

paese *sm* **1** (*nazione*) country [*pl* countries] **2** (*villaggio*) village LOC **i Paesi Bassi** the Netherlands **mandare a quel paese** to tell *sb* to get lost

paga *sf* pay LOC *Vedi* BUSTA

pagamento *sm* payment: *dietro ~ di 100 sterline* on payment of £100 ◊ *effettuare un ~* to make a payment LOC **pagamento alla consegna** cash on delivery (*abbrev* COD) *Vedi anche* BILANCIA, MODALITÀ

pagano, -a *agg*, *sm-sf* pagan

pagare ◆ *vt* **1** ~ **qn** to pay **sb**: *Non mi hanno ancora pagato.* I still haven't been paid. **2** ~ **qc** to pay **(for)** ***sth***: *Mio padre mi ha pagato il viaggio.* My father paid for my trip. ◊ *Quanto l'avete pagato?* How much did you pay for it? ◊ *~ i debiti/le tasse* to pay your debts/taxes ◆ *vi* to pay: *Pagano bene.* They pay well. ◊ *~ in contanti* to pay cash ◊ *~ con un assegno/la carta di credito* to pay by cheque/credit card LOC **me la pagherai!** you'll pay for this! *Vedi anche* CARO

pagella *sf* school report: *Giovedì mi danno la ~.* I'm getting my report on Thursday.

pagello *sm* sea bream [*pl* sea bream]

paggio *sm* page

paghetta *sf* pocket money

pagina *sf* page (*abbrev* p): *a ~ tre* on page three LOC **le pagine gialle** the yellow pages *Vedi anche* VOLTARE

paglia *sf* straw

pagliaccio *sm* clown LOC **fare il pagliaccio** to clown around

pagliaio *sm* hayloft LOC *Vedi* CERCARE

paglietta *sf* (*pentole*) scourer

pagnotta *sf* loaf [*pl* loaves] ☛ *Vedi illustrazione a* PANE

paio *sm* **1** (*due*) pair: *un ~ di calzini* a pair of socks ◊ *un ~ di scarpe* a pair of shoes **2** (*alcuni*) couple: *un ~ di mesi fa* a couple of months ago

Pakistan *sm* Pakistan

pala *sf* **1** (*gen*) shovel **2** (*mulino*) sail

palata *sf* LOC *Vedi* SOLDO

palato *sm* palate

palazzo *sm* **1** (*condominio*) block of flats **2** (*nobiliare*) palace LOC **palazzo dello sport** sports centre

palco *sm* **1** (*pedana*) stand **2** (*palcoscenico*) stage **3** (*posto per spettatori*) box

palcoscenico *sm* stage

Palestina *sf* Palestine

palestinese *agg*, *smf* Palestinian: *palestinesi* the Palestinians

palestra *sf* gymnasium, gym (*più informale*) LOC **andare in palestra** to work out

paletta *sf* **1** (*gen*) spade: *giocare con secchiello e ~* to play with your bucket and spade **2** (*della spazzatura*) dustpan

palio *sm* LOC **mettere in palio** to raffle *sth*

palla *sf* ball LOC **che palle!** what a pain **palla di neve** snowball **prendere la palla al balzo** to seize your opportunity

pallacanestro *sf* basketball: *giocare a ~* to play basketball

pallamano *sf* handball: *giocare a ~* to play handball

pallanuoto *sf* water polo: *giocare a ~* to play water polo

pallavolo *sf* volleyball: *giocare a ~* to play volleyball

pallido, -a *agg* pale: *rosa ~* pale pink

pallina *sf* ball: *una ~ da tennis* a tennis ball

pallino *sm* **1** (*pois*) dot: *bianco a pallini neri* white with black dots **2** (*proiettile*) pellet

palloncino *sm* balloon

pallone *sm* ball: *giocare a ~* to play football

pallottola *sf* bullet

palma *sf* palm (tree)

palmo *sm* (*mano*) palm LOC **palmo a palmo** inch by inch

palo *sm* **1** (*gen*) pole: *~ del telefono* telegraph pole **2** (*Sport*) (goal)post: *Il pallone ha colpito il ~.* The ball hit the post.

palombaro *sm* diver

palpebra *sf* eyelid

palude *sf* marsh

panca *sf* bench

pancetta *sf* (*di maiale*) bacon

panchina *sf* **1** (*parco*) bench **2** (*giardino*) garden seat **3** (*Sport*) substitutes' bench: *rimanere in ~* to stay on the substitutes' bench

pancia *sf* **1** (*gen*) stomach, tummy [*pl* tummies] (*più informale*): *Ho un po' di mal di ~.* I've got tummy ache. **2** (*ventre*) belly [*pl* bellies] **3** (*grasso*) paunch: *Stai mettendo su ~.* You're getting a paunch. LOC *Vedi* MALE[2]

panciotto *sm* waistcoat

pancreas *sm* pancreas

panda *sm* panda

pane

pane *sm* bread [*non numerabile*]: *Adoro il ~ appena sfornato.* I love freshly-baked bread. ◊ *Vuoi del ~?* Do you want some bread? ☛ *Vedi nota a* BREAD LOC **dire pane al pane e vino al vino** to call a spade a spade **pan di Spagna** sponge cake **pane a cassetta** sliced bread **pane duro** stale bread **pane tostato** toast [*non numerabile*]: *una fetta di ~ tostato* a slice of toast

panetteria *sf* baker's [*pl* bakers]

panettiere, -a *sm-sf* baker

pangrattato *sm* breadcrumbs [*pl*]

panico *sm* panic LOC **farsi prendere dal panico** to panic *Vedi anche* PREDA

panificio *sm* baker's [*pl* bakers]

panino *sm* roll: *un ~ al formaggio* a cheese roll

paninoteca *sf* sandwich bar

panna *sf* cream: *~ montata* whipped cream

pannello *sm* panel

panno *sm* **1** (*per pulire*) cloth **2 panni** (*biancheria*) clothes

pannolino *sm* nappy [*pl* nappies]: *cambiare il ~ a un bambino* to change a baby's nappy

panorama *sm* view: *ammirare il ~* to look at the view

panoramico, -a *agg* panoramic

pantaloni *sm* trousers: *Non trovo i ~ del pigiama.* I can't find my pyjama trousers. LOC *Vedi* GONNA

pantera *sf* panther

pantofola *sf* slipper ☛ *Vedi illustrazione a* SCARPA

papa *sm* pope: *Papa Giovanni Paolo II* Pope John Paul II

papà *sm* dad: *Chiedilo a ~.* Ask your dad. ☛ I bambini piccoli di solito dicono **daddy**. LOC *Vedi* FESTA, FIGLIO

paparazzo *sm* paparazzo

papavero *sm* poppy [*pl* poppies]

papera *sf* (*errore*) boob: *fare una ~* to make a boob

papillon *sm* bow-tie

pappa *sf* (*di bambino*) din-dins [*pl*] LOC **pappa reale** royal jelly

pappagallino *sm* budgerigar, budgie (*inform*)

pappagallo *sm* parrot

paprica *sf* paprika

parabola *sf* **1** (*Geom*) parabola **2** (*Bibbia*) parable

parabolico, -a *agg* LOC *Vedi* ANTENNA

parabrezza *sm* windscreen

paracadute *sm* parachute: *lanciarsi col ~* to parachute

paracadutista *smf* parachutist

paradiso *sm* paradise LOC **paradiso terrestre** heaven on earth

parafango *sm* mudguard

parafulmine *sm* lightning conductor

paraggi *sm*: *nei ~ della chiesa* in the vicinity of the church

paragonabile *agg* ~ **a/con** comparable **to/with *sb/sth***

paragonare *vt* to compare *sb/sth* (**to/ with *sb/sth***): *Non ~ la tua città alla mia!* Don't go comparing your town to mine!

paragone *sm* comparison: *Non c'è ~ fra questa casa e quella di prima.* There's no comparison between this house and the old one. LOC **a paragone di** compared to/with *sb/sth*

paragrafo *sm* paragraph

paralisi *sf* paralysis [*non numerabile*]

paralizzare *vt* to paralyse

paralizzato, -a *pp, agg* paralysed: *restare ~ dalla vita in giù* to be paralysed from the waist down *Vedi anche* PARALIZZARE

parallelo, -a ◆ *agg* ~ (**a**) parallel (**to *sth***): *rette parallele* parallel lines ◆ **parallele** *sf* parallel bars

paralume *sm* lampshade

parare *vt* **1** (*gol*) to save **2** (*scansare*) to parry **3** (*occhi*) to shield

parassita *sm* parasite

parata *sf* **1** (*Sport*) save: *Il portiere ha effettuato una ~ fantastica.* The goalkeeper made a spectacular save. **2** (*sfilata*) parade

parati *sm* LOC *Vedi* CARTA

paraurti *sm* bumper

parcheggiare *vt, vi* to park: *Dove hai parcheggiato?* Where did you park? LOC **parcheggiare in doppia fila** to double-park

parcheggio *sm* **1** (*azione*) parking **2** (*luogo*) car park: *un ~ sotterraneo* an underground car park **3** (*singolo posto*) parking space: *Non riesco a trovare un ~.* I can't find a parking space.

parchimetro *sm* parking meter

parco *sm* park

parecchio ◆ *agg, pron* **1** (*singolare*) quite a lot (of): *C'era ~ traffico.* There was quite a lot of traffic. **2** (*plurale*) several: *Ho parecchie cose da fare.* I've got several things to do. ◊ *parecchi di noi* several of us ◆ *avv* **1** (*con verbo*) quite a lot: *Ho dovuto lavorare/aspettare ~.* I had to work/to wait quite a lot. **2** (*con aggettivo*) rather

pareggiare ◆ *vt, vi* (*Sport*) to draw (*sth*) (**with** *sb*): *Hanno pareggiato (l'incontro) con il Manchester United.* They drew (the match) with Manchester United. ◊ *~ uno a uno* to draw one all ◆ *vi* (*segnare il gol del pareggio*) to equalize: *Hanno pareggiato nel secondo tempo.* They equalized in the second half. ◆ *vt* **1** (*terreno*) to level **2** (*orlo*) to straighten **3** (*conti*) to balance

pareggio *sm* (*Sport*) draw LOC *Vedi* GOL

parente *smf* relative: *~ prossimo/lontano* close/distant relative LOC **essere parente di** to be related to *sb*

parentela *sf* **1** (*insieme dei parenti*) relations [*pl*] **2** (*rapporto*) relationship

parentesi *sf* brackets [*pl*]: *aprire/chiudere ~* to open/close (the) brackets ☛ *Vedi pagg. 376–77.* LOC **fare una parentesi** to digress **tra parentesi** in brackets

parere ◆ *vi* **1** (*sembrare*) to seem: *Pare che le cose siano andate diversamente.* It seems that things went differently. ◊ *Mi pare ovvio.* It seems obvious. **2** (*pensare*): *Mi pare che...* I think (that)... ◊ *Non ti pare?* Don't you think so? ◆ *sm* opinion: *a mio ~* in my opinion LOC **quello che mi, ti, ecc pare**: *Fai quello che ti pare.* Do what you like. *Vedi anche* QUANTO

parete *sf* wall: *Ci sono vari poster alla ~.* There are several posters on the wall.

pari ◆ *agg* **1** (*gen*) even: *numeri ~* even numbers ◊ *Ora siamo ~.* We're even now. ◊ *La superficie è ~.* The surface i[s] even. **2** ~ **a** (*uguale*) equal **to *sb/sth*** ◆ *smf* peer LOC **alla pari** at the same leve[l] **mettersi in pari con** to catch up wit[h] *sth* **pari e dispari** (*gioco*) odds an[d] evens **pari pari** (*copiare*) word for wor[d] *Vedi anche* RAGAZZA

Parigi *sf* Paris

parigino, -a *agg, sm-sf* Parisian: *i pari[gini]* the Parisians

parità *sf* **1** (*votazione, partita*) tie: *finir[e] in ~* to tie **2** (*uguaglianza*) equality

parlamentare ◆ *agg* parliamentary ◆ *smf* Member of Parliament (*abbrev* MP) ☛ *Vedi pag. 381.*

parlamento *sm* parliament [*v sing* [o] *pl*] ☛ *Vedi pag. 000.*

parlantina *sf*: *avere una buona ~* t[o] have the gift of the gab

parlare ◆ *vt* (*lingua*) to speak: *Parl[i] russo?* Do you speak Russian? ◆ *vi* **1** ~ **(con)** **(di)** to speak, to talk **(to *sb*)** **(about *sb/sth*)**

> **To speak** e **to talk** hanno praticamente lo stesso significato, anche se **t[o] speak** è il termine più generale: *Parl[a] più lentamente.* Speak more slowly. ◊ *parlare in pubblico* to speak in public ◊ *Posso parlare con Enrico?* Can I speak to Enrico? **To talk** si usa quando ci s[i] riferisce a una conversazione o discussione: *parlare di politica* to talk politics ◊ *Stanno parlando di noi.* They're talking about us. ◊ *Abbiamo parlat[o] tutta la notte.* We talked all night.

2 (*libro*) to be about *sth*: *Questo libr[o] parla dell'amore.* This book is abou[t] love. LOC **chi parla?** (*al telefono*) who's calling? **è come parlare al muro** it's like talking to a brick wall **non parlars[i] con** not to be on speaking terms with *sb* **non se ne parla neanche!** no way **parla più forte/piano** speak up/lower your voice **per non parlare di...** not to mention... **sentir parlare di**: *Non ne h[o] mai sentito parlare.* I've never heard of it. *Vedi anche* PIÙ

parlata *sf* way of speaking: *la ~ toscana* the Tuscan way of speaking

parlato, -a *pp, agg* spoken: *l'inglese ~* spoken English *Vedi anche* PARLARE

parmigiano *sm* (*formaggio*) Parmesan

parola *sf* **1** (*gen*) word: *una ~ di tre lettere* a three-letter word ◊ *Ti dò la mia ~.* I give you my word. ◊ *Non ha detto una ~.* He didn't say a word. ◊ *in altre parole* in other words **2** (*facoltà*) speech LOC **in poche parole** in short **parola**

d'onore! honest! **parola d'ordine** password **parole crociate** crossword **prendere in parola** to take *sb* at their word **senza parole** speechless: *Sono rimasta senza parole.* It left me speechless. *Vedi anche* BISTICCIO, CEDERE, GIOCO, LIBERTÀ, RIMANGIARE, RIVOLGERE, ULTIMO

parolaccia *sf* swear word: *dire parolacce* to swear

parrocchia *sf* **1** (*chiesa*) parish church **2** (*comunità*) parish

parroco *sm* parish priest

parrucca *sf* wig

parrucchiere, -a *sm-sf* **1** (*persona*) hairdresser **2** (*negozio*) hairdresser's [*pl* hairdressers] LOC **andare dal parrucchiere** to have your hair done: *Devo andare dal ~.* I'm going to have my hair done.

parrucchino *sm* toupee

parsimonioso, -a *agg* thrifty

parte *sf* **1** (*gen*) part: *tre parti uguali* three equal parts **2** (*ruolo*) part, role (*più formale*): *fare la ~ di Otello* to play the part of Othello ◊ *Giocherà una ~ importante nella riforma.* It will play an important part in the reform. **3** (*persona*) party [*pl* parties]: *la ~ avversaria* the opposing party **4** (*lato*) side: *da una ~ all'altra* from one side to the other **5** (*luogo*): *Andiamo da qualche altra ~?* Shall we go somewhere else? LOC **a parte 1** (*differente*) different: *un mondo a ~* a different world **2** (*separato*) separate: *Mi faccia un conto a ~ per queste cose.* Give me a separate bill for these items. **3** (*separatamente*) separately: *Questo lo pago a ~.* I'll pay for this separately. **4** (*tranne*) apart from *sb/sth*: *A ~ ciò non è successo niente.* Apart from that nothing happened. **da che parte?** which way?: *Da che ~ sono andati?* Which way did they go? **da parte di** on behalf of *sb*: *da ~ di tutti noi* on behalf of us all **da parte mia, tua, ecc** as far as I am, you are, etc concerned: *Da ~ mia non c'è problema.* As far as I'm concerned there's no problem. **da tutte le parti** everywhere: *guardare da tutte le parti* to look everywhere **da un'altra parte** somewhere else **essere/stare dalla parte di** to be on/take *sb's* side: *Da che ~ stai?* Whose side are you on? **mettere da parte** to put *sth* aside: *Mettimi da ~ dei panini.* Put a few rolls aside for me. **parte principale/secondaria** (*Cine, Teat*) leading/supporting role **per parte di madre/padre** on my, your, etc mother's/father's side **prendere parte in** to take part in *sth* *Vedi anche* ACQUA, ALTRO, CASO, GIRARE, GRANDE, MAGGIORE, NESSUNO, QUALCHE, QUALSIASI, SCHERZO, VOLTARE

partecipante *smf* participant

partecipare *vi* ~ (**a**) to participate, to take part (*più informale*) (**in *sth***): *~ alle Olimpiadi* to participate in the Olympics

partecipazione *sf* **1** (*intervento*) participation: *la ~ del pubblico* audience participation **2** (*di nozze*) wedding invitation **3** (*Fin*) share

partenza *sf* departure: *partenze nazionali/internazionali* domestic/international departures ◊ *il tabellone delle partenze* the departures board

particella *sf* particle

particolare *agg* (*gen*) particular: *in questo caso ~* in this particular case LOC **in particolare 1** (*soprattutto*) especially: *Adoro gli animali, in ~ i cani.* I'm very fond of animals, especially dogs. ☛ *Vedi nota a* SPECIALLY **2** (*in modo specifico*) in particular: *Sospettano di uno di loro in ~.* They suspect one of them in particular.

particolareggiato, -a *agg* detailed

particolarmente *avv* **1** (*soprattutto*) especially: *Adoro gli animali, ~ i gatti.* I love animals, especially cats. **2** (*proprio, molto*) particularly: *Sono ~ preoccupata per il nonno.* I'm particularly concerned about grandad. ◊ *Non è un uomo ~ grasso.* He's not a particularly fat man. ☛ *Vedi nota a* SPECIALLY

partigiano, -a *sm-sf* (*Storia*) partisan

partire *vi* **1** (*gen*) to leave: *A che ora parte l'aereo?* What time does the plane leave? ◊ *Siamo partiti da casa alle due.* We left home at two. ◊ *Il treno parte dal quinto binario.* The train leaves from platform five. ◊ *Partono per Roma domani.* They're leaving for Rome tomorrow. **2** (*colpo d'arma da fuoco*) to go off: *È partito un colpo accidentalmente.* The gun went off by accident. LOC **a partire da** from…(onwards): *a ~ da domani* starting from tomorrow ◊ *a ~ da ora* from now on

partita *sf* **1** (*Sport*) match **2** (*Carte, Tennis*) game: *fare una ~ a scacchi* to have a game of chess **3** (*merce*) consignment LOC **partita di recupero** rematch

partito *sm* party [*pl* parties]: *~ politico*

political party LOC **essere un buon partito** to be a good catch

partitura *sf* score

parto *sm* birth

partorire *vt, vi* to give birth (**to *sb/sth***)

parziale *agg* **1** (*limitato*) partial **2** (*non obiettivo*) biased

pascolare *vi* to graze

pascolo *sm* pasture

Pasqua *sf* Easter: *Buona ~!* Happy Easter! LOC *Vedi* UOVO

Pasquetta *sf* Easter Monday

passabile *agg* passable

passaggio *sm* **1** (*gen*) passage **2** (*cambiamento*) change: *~ di proprietà* change of ownership **3** (*cammino*) way (through): *Il ~ è bloccato.* There's no way through. **4** (*in macchina*) lift: *Mi puoi dare un ~?* Can you give me a lift? LOC **essere di passaggio** to be passing: *Sono solo di ~.* I'm just passing through. **passaggio a livello/pedonale** level/pedestrian crossing *Vedi anche* LIBERO

passamontagna *sm* balaclava

passante *smf* passer-by [*pl* passers-by]

passaporto *sm* passport

passare ◆ *vi* **1** (*gen*) to pass: *Passarono tre ore.* Three hours passed. **2** ~ **da** (*apertura*) to go **through *sth***: *Il pianoforte non passava per la porta.* The piano wouldn't go through the door. **3** ~ **(davanti)** to go **past (*sth*)**: *L'autobus passa davanti al museo.* The bus goes past the museum. ◊ *La moto è passata a tutta velocità.* The motor bike went past at top speed. **4** (*andare*): *Devo ~ in banca domani.* I have to go to the bank tomorrow. **5** (*voglia*): *Mi è passata la voglia di andare al cinema.* I've gone off the idea of going to the cinema. ◆ *vt* **1** (*gen*) to pass: *Passami quel coltello.* Pass me that knife. ◊ *Lavora a maglia per ~ il tempo.* She knits to pass the time. ◊ *~ un esame* to pass an exam **2** (*trascorrere*): *Abbiamo passato il pomeriggio/due ore a chiacchierare.* We spent the afternoon/two hours chatting. **3** (*oltrepassare*) to go beyond *sth* **4** (*verdura*) to puree LOC **fare/lasciare passare** (*tollerare*) to let *sb* get away with *sth*: *Te ne lasciano ~ troppe.* They let you get away with too much. ☛ Per altre espressioni con **passare** vedi alla voce del sostantivo, dell'aggettivo, ecc, ad es. **passare di moda** a MODA.

passata *sf* (*pulita*) wipe: *Puoi dare una ~ al tavolo?* Can you give the table a wipe?

passatempo *sm* pastime: *Il suo ~ preferito è la lettura.* Reading is her favourite pastime.

passato, -a ◆ *pp, agg* **1** (*scorso*) last: *l'anno ~* last year **2** (*secoli*) past: *nei secoli passati* in past centuries ◆ *sm* **1** (*tempo*) past **2** (*pietanza*) soup [*non numerabile*]: *~ di lenticchie* lentil soup LOC **essere passato di cottura** to be overcooked **passato di moda** unfashionable *Vedi anche* ACQUA; *Vedi anche* PASSARE

passeggero, -a *sm-sf* passenger

passeggiare *vi* to stroll

passeggiata *sf* walk LOC **fare una passeggiata** to go for a walk

passeggino *sm* pushchair

passero *sm* sparrow

passi *sm* pass: *Non puoi entrare senza ~.* You can't get in without a pass.

passionale *agg* passionate: *un temperamento ~* a passionate temperament LOC *Vedi* DELITTO

passione *sf* passion: *avere la ~ dell'antiquariato* to have a passion for antiques

passivo, -a *agg, sm* passive

passo *sm* **1** (*gen*) step: *un ~ verso la pace* a step towards peace **2 passi** footsteps: *Mi è sembrato di sentire dei passi.* I thought I heard footsteps. LOC **a due passi**: *È a due passi da qui.* It's a stone's throw from here. **a passo di lumaca** at a snail's pace **a passo d'uomo** at walking pace **fare due passi** to go for a stroll **fare un passo avanti/indietro** to take a step forward/back **passo carrabile** driveway **passo per passo** step by step *Vedi anche* ACCELERARE, CEDERE

pasta *sf* **1** (*spaghetti, ecc*) pasta **2** (*impasto*) **(a)** (*pane*) dough **(b)** (*torta*) mixture **3** (*sfoglia, frolla, ecc*) pastry **4** (*pasticcino*) cake **5** (*sostanza pastosa*) paste: *Mescolare fino a ottenere una ~ densa.* Mix to a thick paste. LOC **pasta sfoglia** puff pastry

pastasciutta *sf* pasta

pastello *sm* pastel

pasticceria *sf* **1** (*negozio*) cake shop **2** (*attività*) confectionery

pasticciare *vi* to make a mess: *Non ~ con la roba da mangiare.* Don't make a mess with your food.

pasticcino *sm* cake

pasticcio *sm* **1** (*guaio*) trouble **2** (*cosa disordinata*) mess: *Quel disegno è un ~.* You've made a real mess of that drawing. **3** (*pietanza*) pie ☛ *Vedi nota a* PIE **LOC** *Vedi* COMBINARE

pasticcione, -a *agg*, *sm-sf* slapdash [*agg*]: *Quell'idraulico è un ~.* That plumber is really slapdash.

pastiglia *sf* tablet

pasto *sm* (*colazione, pranzo, cena*) meal: *un ~ leggero* a light meal **LOC** **fuori pasto** between meals: *Non mangio mai fuori ~.* I never eat between meals.

pastore, -a ◆ *sm-sf* shepherd [*fem* shepherdess] ◆ *sm* (*Relig*) minister **LOC** **pastore tedesco** Alsatian *Vedi anche* CANE

patata *sf* potato [*pl* potatoes] **LOC** **patate fritte** chips *Vedi anche* PURÈ

patatine

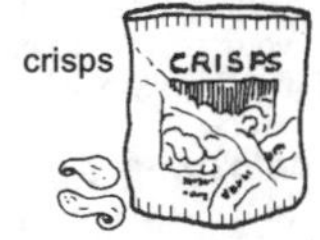

patatina *sf* **patatine** **1** (*confezionate*) crisps **2** (*fritte*) chips

pâté *sm* pâté

patente *sf* licence **LOC** **patente di guida** driving licence **prendere la patente** to pass your driving test

patentino *sm* motorbike licence

paternità *sf* fatherhood, paternity (*form*)

paterno, -a *agg* **1** (*affetto, consiglio*) fatherly **2** (*parente*) paternal: *nonno ~* paternal grandfather

patetico, -a *agg* pathetic

patire *vt, vi* to suffer (**from** ***sth***) **LOC** **patire il freddo** to feel the cold

patria *sf* (native) country

patrigno *sm* stepfather

patrimonio *sm* (*soldi*) fortune: *Costa un ~.* It costs a fortune. **LOC** **patrimonio artistico/culturale** heritage

patrono, -a *sm-sf* (*Relig*) patron saint

patta *sf* (*pantaloni*) flies [*pl*]

pattinaggio *sm* skating **LOC** **pattinaggio artistico** figure skating **pattinaggio su ghiaccio** ice-skating *Vedi anche* PISTA

pattinare *vi* to skate

pattinatore, -trice *sm-sf* skater

pattino *sm* **1** (*a rotelle*) roller skate **2** (*da ghiaccio*) ice-skate

patto *sm* agreement: *fare un ~* to make an agreement **LOC** **non stare ai patti** to break an agreement

pattuglia *sf* patrol

pattugliare *vt* to patrol

pattumiera *sf* bin

paura *sf* fear (**of** ***sb/sth/doing sth***): *~ di volare/dei cani* fear of flying/dogs **LOC** **avere paura** to be afraid (*of sb/sth/doing sth*): *Ha ~ dei cani.* He's afraid of dogs. ◊ *Hai avuto ~ di non farcela?* Were you afraid you'd fail? **che paura!** how scary! **fare paura a** to frighten *sb*: *Le sue minacce non mi fanno ~.* His threats don't frighten me. **ho paura di sì/no** I'm afraid so/not **per paura di** for fear of *sb/sth/doing sth*: *Non l'ho fatto per ~ di essere scoperto.* I didn't do it for fear of being found out. *Vedi anche* MORIRE

pauroso, -a *agg* **1** (*che ha paura*) fearful **2** (*che fa paura*) frightening

pausa *sf* **1** (*parlando*) pause **2** (*intervallo*) break: *fare una ~ per il caffè* to have a coffee break

pavimento *sm* floor

pavone *sm* peacock

pavoneggiarsi *v rifl* to show off: *Lo fa per ~.* He just does it to show off.

paziente *agg*, *smf* patient

pazienza *sf* patience: *Sto perdendo la ~.* My patience is wearing thin. **LOC** **avere pazienza** to be patient: *Bisogna avere ~.* You must be patient. ◊ *Hai una ~!* You're so patient! *Vedi anche* ARMARE

pazzesco, -a *agg* **1** (*assurdo*) crazy **2** (*incredibile*): *Fa un freddo ~.* It's incredibly cold.

pazzia *sf* **1** (*qualità*) madness **2** (*cosa*) crazy thing: *Ho fatto una ~.* I've done a crazy thing. ◊ *Andare da solo è una ~.* It's crazy to go alone.

pazzo, -a ◆ *agg* ~ (**di/per**) crazy (**about** ***sb/sth***): *È ~ di te.* He's crazy about you. ◆ *sm-sf* madman/woman [*pl* madmen/women] **LOC** **come un pazzo** like mad: *Corse come un ~.* He ran like mad. **essere pazzo da legare** to be round the bend *Vedi anche* COSA

peccare *vi* to sin

peccato *sm* **1** (*Relig*) sin **2** (*rammarico*) pity: *È un ~ che tu non possa venire!* What a pity you can't come! ◊ *Che ~!*

What a pity! ◊ *È un ~ buttarlo.* It's a pity to throw it away.

peccatore, -trice *sm-sf* sinner

Pechino *sf* Beijing

pecora *sf* sheep [*pl* sheep]: *un gregge di pecore* a flock of sheep ☛ *Vedi nota a* CARNE LOC **pecora nera** (*fig*) black sheep

pedaggio *sm* toll

pedagogia *sf* pedagogy

pedalare *vi* to pedal

pedale *sm* pedal

pedalò *sm* pedal boat

pedana *sf* **1** (*gen*) platform **2** (*ginnastica*) springboard

pedante ◆ *agg* pedantic ◆ *smf* pedant

pediatra *smf* paediatrician

pedina *sf* **1** (*nella dama*) draughtsman [*pl* draughtsmen] **2** (*fig*) pawn

pedonale *agg* pedestrian [*s attrib*]: *isola ~* pedestrian precinct LOC *Vedi* PASSAGGIO, STRISCIA

pedone *sm* **1** (*persona*) pedestrian **2** (*Scacchi*) pawn

peggio ◆ *avv* **1** (*comparativo*) worse (***than sb/sth***): *Oggi sto ~ di ieri.* I feel much worse today. ◊ *Era ~ di quanto pensassi.* It was worse than I had expected. ◊ *Cucina anche ~ di sua madre.* She's an even worse cook than her mother. **2** (*superlativo*) worst: *i ~ pagati* the worst paid ◆ *agg* worse (***than sb/sth***): *È ~ di suo padre.* He's worse than his father. ◆ *sm* worst: *Il ~ deve ancora venire.* The worst is still to come. LOC **avere la peggio** to come off worse **peggio per te!** too bad! LOC *Vedi* SEMPRE

peggioramento *sm* worsening

peggiorare ◆ *vt* to make *sth* worse ◆ *vi* to get worse: *La situazione è peggiorata.* The situation has got worse.

peggiore *agg, smf* ~ (**di**) worst (**in/of...**): *Sono il ~ corridore del mondo.* I'm the worst runner in the world. ◊ *la ~ di tutte* the worst of all LOC *Vedi* CASO

pegno *sm* **1** (*simbolo*) token: *un ~ d'amore* a token of love **2** (*in gioco*) forfeit

pelare *vt* to peel

pelata *sf* (*parte calva*) bald patch

pelato, -a ◆ *pp, agg* **1** (*calvo*) bald ☛ *Vedi illustrazione a* CAPELLO **2** (*sbucciato*) peeled ◆ *sm* **pelati** peeled tomatoes *Vedi anche* PELARE

pelle *sf* **1** (*Anat*) skin: *avere la ~ bianca/scura* to have fair/dark skin **2** (*animale*) hide **3** (*cuoio*) leather: *una giacca di ~* a leather jacket LOC **essere pelle e ossa** to be all skin and bone **pelle d'oca** goose-pimples: *Mi è venuta la ~ d'oca.* I got goose-pimples. *Vedi anche* NERVO

pellegrinaggio *sm* pilgrimage: *andare in ~* to go on a pilgrimage

pellegrino, -a *sm-sf* pilgrim

pellicano *sm* pelican

pellicceria *sf* furrier's [*pl* furriers]

pelliccia *sf* fur: *un cappello di ~* a fur hat

pellicola *sf* film LOC **pellicola trasparente** cling film

pelo *sm* **1** (*Anat*) hair: *avere peli sulle gambe* to have hair on your legs **2** (*animale*) coat: *Quel cane ha il ~ lucidissimo.* That dog has a silky coat. LOC **dal pelo lungo** (*cane*) long-haired **non avere peli sulla lingua** not to mince your words **per un pelo** by the skin of your teeth: *salvarsi per un ~* to escape by the skin of your teeth *Vedi anche* SACCO

peloso, -a *agg* hairy: *braccia pelose* hairy arms

peluche *sm* plush

peluria *sf* down

pena *sf* **1** (*sentimento*) pity **2** (*condanna*) sentence: *~ detentiva* custodial sentence LOC **fare pena** (*persona*): *Quei bambini mi fanno ~.* I feel sorry for those children. **pena di morte** death penalty *Vedi anche* VALERE

penale *agg* penal LOC *Vedi* CODICE, PRECEDENTE

penalizzare *vt* to penalize

pendente *agg* **1** (*appeso*) hanging **2** (*inclinato*) leaning **3** (*causa, lite*) pending

pendenza *sf* slope

pendere *vi* **1** (*essere appeso*) to hang (***from/on sth***) **2** (*essere inclinato*) **(a)** (*torre, palo*) to lean **(b)** (*strada*) to slope

pendio *sm* slope: *un ~ dolce/ripido* a gentle/steep slope

pene *sm* penis

penetrante *agg* **1** (*gen*) penetrating: *uno sguardo ~* a penetrating look **2** (*freddo*) bitter

penetrare ◆ *vi* ~ (**in**) to enter, to get into *sth* (*più informale*) ◆ *vt* to penetrate

penicillina *sf* penicillin

penisola *sf* peninsula

penitenza *sf* (*nei giochi*) forfeit

penna *sf* **1** (*per scrivere*) pen **2** (*uccello*) feather LOC **penna a sfera** ballpoint **penna stilografica** fountain pen

pennarello *sm* felt-tip pen

pennello *sm* paintbrush ☛ *Vedi illustrazione a* BRUSH LOC **andare a pennello** to fit like a glove **a pennello** to perfection **pennello da barba** shaving brush

penny *sm* penny [*pl* pence]: *Costa cinquanta ~.* It's fifty pence. ◊ *una moneta da cinque ~* a five-pence piece ☛ *Vedi Appendice 1.*

penombra *sf* half-light

pensare *vt, vi* **1** ~ (**a**) (*gen*) to think (**about/of *sb/sth***): *Pensa a un numero.* Think of a number. ◊ *A cosa/chi pensi?* What/Who are you thinking about? ◊ *Pensi che verranno?* Do you think they'll come? ◊ *Penso di sì/no.* I think so/I don't think so. **2** ~ **di** (*avere intenzione*) to intend ***to do sth***: *Pensiamo di venderlo.* We intend to sell it. **3** (*giudicare*) to think *sth* ***of sb/sth***: *Che ne pensi di Marco?* What do you think of Marco? ◊ *Non ~ male di loro.* Don't think badly of them. **4** ~ **a** (*occuparsi di*) to see to *sth*: *Ci penso io.* I'll see to it. LOC **neanche/nemmeno a pensarci!** no way! **pensaci su** think it over **pensandoci bene...** on second thoughts...

pensiero *sm* thought LOC **stare in pensiero** to be worried *Vedi anche* LEGGERE

pensieroso, -a *agg* thoughtful

pensionato, -a *sm-sf* pensioner

pensione *sf* **1** (*pensionamento*) retirement **2** (*sussidio*) pension **3** (*albergo*) guest house LOC **andare in pensione** to retire **pensione completa/mezza pensione** full/half board

pentagramma *sm* stave

pentimento *sm* **1** (*rimpianto*) regret **2** (*Relig*) repentance

pentirsi *v rifl* ~ (**di**) **1** (*rimpiangere*) to regret *sth*: *Mi pento di averglielo prestato.* I regret lending it to him. **2** (*peccato*) to repent (**of *sth***)

pentito, -a ◆ *pp, agg* repentant ◆ *sm-sf* (*criminale*) supergrass *Vedi anche* PENTIRSI

pentola *sf* pot LOC **pentola a pressione** pressure cooker ☛ *Vedi illustrazione a* SAUCEPAN

penultimo, -a ◆ *agg* penultimate, last *sb/sth* but one (*più informale*): *il ~ capitolo* the penultimate chapter ◊ *la penultima fermata* the last stop but one ◆ *sm-sf* last but one

pepe *sm* pepper LOC *Vedi* GRANO

peperonata *sf* stewed peppers

peperoncino *sm* chilli [*pl* chillies]

peperone *sm* pepper: *peperoni gialli/rossi* yellow/red peppers LOC *Vedi* ROSSO

pepita *sf* nugget: *pepite d'oro* gold nuggets

per *prep* for

- **a beneficio di**: *Per te farei qualunque cosa.* I'd do anything for you. ◊ *Votate per noi!* Vote for us!
- **luogo 1** (*moto a luogo*): *Domani parto per New York.* I'm leaving for New York tomorrow. **2** (*moto attraverso luogo*): *passare per il centro di Parigi* to go through the centre of Paris ◊ *viaggiare per l'Europa* to travel round Europe **3** (*con verbi come prendere, afferrare*) by: *L'ho preso per il braccio.* I grabbed him by the arm.
- **tempo 1** (*durata*) for: *solo per pochi giorni* only for a few days ☛ *Vedi nota a* FOR **2** (*futuro*) by: *Mi serve per lunedì.* I need it by Monday.
- **causa**: *È stata sospesa per il maltempo.* It's been cancelled because of bad weather. ◊ *fare qc per denaro* to do sth for money ◊ *È ricercato per omicidio.* He's wanted for murder. ◊ *È stato criticato per aver detto troppo.* He was criticized for giving too much away.
- **fine + inf** to do sth: *per vedere il telegiornale* to watch the news ◊ *per non perderlo* so as not to miss it ◊ *Sono venuti per aiutarci.* They've come to help us. ◊ *L'ho fatto per non disturbarti.* I did it so as not to bother you.
- **scopo**: *molto utile per la pioggia* very useful for the rain ◊ *Mi hai fatto venire solo per questo?* You got me here just for that?
- **verso** for: *provare affetto per qn* to feel affection for sb
- **con espressioni numeriche**: *4 per 3 fa 12.* 4 times 3 is 12. ◊ *Misura 7 metri per 2.* It measures 7 metres by 2.
- **prezzo**: *Lo ha comprato/venduto per tre milioni.* He bought it/sold it for three million.
- **altre costruzioni 1** (*mezzo, strumento*): *per posta/mare* by post/sea **2** (*limitazione*): *È troppo complicato per me.* It's too complicated for me. ◊ *È*

troppo basso per arrivare all'interruttore. He's too short to reach the switch. **3** (*successione*) by: *uno per uno* one by one ◇ *passo per passo* step by step **4 + agg/avv** however: *Per semplice che sia...* However simple it may be... ◇ *Per quanto lavori...* However much I work... LOC **per me, te, ecc** as far as I am, you are, etc concerned

pera *sf* pear ☛ *Vedi illustrazione a* FRUTTA

perbene ◆ *agg* decent: *una persona* ~ a decent person ◆ *avv* properly: *Chiudilo/Leggilo* ~. Close it/Read it properly.

percentuale *sf* percentage

percepire *vt* (*avvertire*) to detect

perché ◆ *avv* why: ~ *sei in ritardo?* Why are you late? ◇ *Non ha detto* ~ *non veniva.* He didn't say why he wasn't coming. ◇ ~ *no?* Why not? ◇ *Non capisco* ~ I don't understand why. ◆ *cong* **1** (*causale*) because: *Non viene* ~ *non vuole.* He's not coming because he doesn't want to. **2** (*finalità*) so (that): *Ha lavorato sodo* ~ *tutto fosse pronto per le sei.* She worked hard so (that) everything would be ready by 6 o'clock. ◆ *sm* reason (**for *sth***): *Ci sono tanti* ~. There are many reasons for it.

perciò *cong* therefore

percorrere *vt* to cover, to do (*più informale*): *Abbiamo percorso 150km.* We've covered 150km.

percorso *sm* route: *il* ~ *dell'autobus* the bus route

perdente ◆ *agg* losing: *la squadra* ~ the losing team ◆ *sm-sf* loser

perdere ◆ *vt* **1** (*gen*) to lose: *Ho perso l'orologio.* I've lost my watch. ◇ ~ *quota/peso* to lose height/weight **2** (*mezzo di trasporto, opportunità*) to miss: ~ *l'autobus/il treno* to miss the bus/train ◇ *È un film da non* ~. Don't miss that film. **3** (*sprecare*) to waste: ~ *tempo* to waste time ◇ *senza* ~ *un minuto* without wasting a minute ◆ *vi* **1** ~ (**a**) to lose (**at *sth***): *Abbiamo perso.* We've lost. ◇ ~ *a scacchi* to lose at chess **2** (*rimetterci*) to lose out: *Chi ci perde sei solo tu.* You're the only one to lose out. ◆ *vt, vi* (*liquido, gas*) to leak: *Il serbatoio perde* (*benzina*). The tank is leaking (petrol). ◆ **perdersi** *v rifl* to get lost: *Se non prendi la cartina ti perderai.* If you don't take a map you'll get lost. LOC **lasciare perdere**: *Lascia* ~*!* Forget it! **perdere di vista** to lose sight of *sb/sth* **perdere il filo** (*del discorso*) to lose the thread **perdere l'abitudine/il vizio** to kick the habit: *Non riesce a* ~ *il vizio.* He can't kick the habit. **perdere la calma/le staffe** to lose your temper **perdere la cognizione del tempo** to lose track of time **perdere l'orientamento** to lose your bearings **perdere la testa** to lose your mind **perdere le tracce** to lose track *of sb/sth* **perdersi d'animo** to lose heart **sapere/non sapere perdere** to be a good/bad loser *Vedi anche* CONOSCENZA

perdita *sf* **1** (*gen*) loss: *Le sue dimissioni rappresentano una grande* ~. His leaving was a great loss. **2** (*gas, liquido*) leak: *una* ~ *d'olio* an oil leak **3** (*spreco*) waste: *È una* ~ *di tempo.* It's a waste of time. **4** (*Mil*) **perdite** casualties

perdonare *vt* to forgive *sb* (**for *sth/doing sth***): *Mi perdoni?* Will you forgive me? ◇ *Non gliela perdonerò ma*[i] I'll never forgive him for what he did

perdono *sm* forgiveness LOC *Vedi* CHIEDERE

perenne *agg* perennial

perfetto, -a *agg* perfect

perfezionare *vt* to improve: *Vorrei* ~ *il mio tedesco.* I want to improve my German.

perfezione *sf* perfection LOC **alla perfezione** to perfection

perfino *avv* even: ~ *io l'ho fatto.* Even I've done it. ◇ *Mi hanno* ~ *dato dei soldi.* They even gave me money.

pericolo *sm* danger: *È in* ~. He's in danger. ◇ *fuori* ~ out of danger LOC *Vedi* CORRERE

pericoloso, -a *agg* dangerous: *sport pericolosi* dangerous sports

periferia *sf* outskirts: *abitare in* ~ to live in the outskirts of the city

perimetro *sm* perimeter

periodico, -a ◆ *agg* periodic ◆ *sm* (*rivista*) periodical

periodo *sm* **1** (*gen*) period **2** (*epoca*) time: *in quel* ~ at that time ◇ *il* ~ *più freddo dell'anno* the coldest time of the year LOC **passare/attraversare un brutto periodo** to be going through a bad patch

perito *sm* expert (***in sth***) LOC **perito agrario** agronomist

perla *sf* pearl

permaloso, -a *agg* touchy

permanente ◆ *agg* permanent ◆

perm LOC **farsi la permanente** to have your hair permed

permanenza *sf* stay

permesso *sm* **1** (*autorizzazione*) permission (***to do sth***): *chiedere/dare il ~* to ask for/give permission **2** (*documento*) permit: *~ di lavoro* work permit **3** (*congedo*) leave: *Sono in ~.* I'm on leave. ◊ *Ho chiesto una settimana di ~.* I've asked for a week off. LOC **avere il permesso di fare qc** to be allowed to do sth **permesso di soggiorno** residence permit

permettere *vt* **1** (*autorizzare*) to allow *sb* ***to do sth***: *Non ci è permesso usarlo.* We're not allowed to use it. **2** (*consentire*) to let *sb* (***do sth***): *Permetta che l'aiuti.* Let me help you. ◊ *Non me l'hanno permesso.* They wouldn't let me. ☛ *Vedi nota a* ALLOW LOC **è permesso?** (*per entrare*) may I come in? **permesso!** (*per passare*) excuse me! **potersi permettere** to be able to afford sth: *Non ce lo possiamo ~.* We can't afford it.

pernice *sf* partridge

pero *sm* pear tree

però *cong* but: *Va bene, ~ potresti fare meglio.* It's OK, but you could do better. ◊ *~ me lo potevi dire!* You could have told me!

perpendicolare ◆ *agg* perpendicular (***to sth***) ◆ *sf* perpendicular

perpetuo, -a *agg* perpetual

perplesso, -a *agg* puzzled: *Mi ha lasciato ~.* I was puzzled.

perquisire *vt* to frisk (*inform*), to search: *Hanno perquisito tutti i passeggeri.* All the passengers were searched.

perquisizione *sf* search

persecuzione *sf* persecution

perseguire *vt* to pursue: *~ uno scopo* to pursue an objective

perseguitare *vt* to persecute

persiana *sf* shutter: *aprire/chiudere le persiane* to open/close the shutters

persino *avv Vedi* PERFINO

persistente *agg* persistent

persistere *vi* to persist (***in sth***)

perso, -a *pp, agg* lost LOC *Vedi* LINGUA; *Vedi anche* PERDERE

persona *sf* person [*pl* people]: *una ~ perbene* a decent person ◊ *migliaia di persone* thousands of people LOC **a persona** a head: *100.000 lire a ~* 100000 lire a head **di persona** in person: *Daglielo di ~.* Give it to him in person. **essere una brava persona** to be nice: *Sono delle brave persone.* They're very nice. *Vedi anche* SCAMBIO

personaggio *sm* **1** (*libro, film*) character: *il ~ principale* the main character **2** (*persona importante*) personality [*pl* personalities]

personale ◆ *agg* personal ◆ *sm* staff [*v sing o pl*] ◆ *sf* one-man show/ one-woman show [*v sing o pl*] LOC *Vedi* ALLENATORE, DATO, EFFETTO, UFFICIO

personalità *sf* personality [*pl* personalities]

perspicace *agg* perceptive

perspicacia *sf* insight

persuadere ◆ *vt* to persuade *sb* (***to do sth***) ◆ **persuadersi** *v rifl* to become convinced (***of sth/that…***)

persuasivo, -a *agg* persuasive

pertinente *agg* relevant

Perù *sm* Peru

peruviano, -a *agg, sm-sf* Peruvian: *i peruviani* the Peruvians

pesante *agg* **1** (*gen*) heavy: *una valigia/un pasto ~* a heavy suitcase/ meal ◊ *un ritmo di lavoro ~* a heavy work schedule **2** (*noioso*) boring

pesare ◆ *vt* to weigh: *~ una valigia* to weigh a suitcase ◆ *vi* **1** (*gen*) to weigh: *Quanto pesi?* How much do you weigh? **2** (*essere pesante*) to be heavy: *Questo pacco pesa molto!* This parcel is very heavy. ◊ *Ti pesa?* Is it very heavy? ◊ *Come pesa!* It weighs a ton! ◊ *Non pesa affatto.* It hardly weighs a thing. **3** (*fig*): *Mi pesa moltissimo alzarmi presto ogni giorno.* I find it hard to get up early every day.

pésca *sf* fishing: *andare a ~* to go fishing LOC *Vedi* CANNA, FRODO

pèsca *sf* peach ☛ *Vedi illustrazione a* FRUTTA

pescare ◆ *vi* to fish ◆ *vt* to catch: *Ho pescato due trote.* I caught two trout.

pescatore, -trice *sm-sf* fisherman/ woman [*pl* fishermen/women] LOC *Vedi* FRODO

pesce *sm* **1** (*gen*) fish [*non numerabile*]: *Vado a comprare il ~.* I'm going to buy some fish. ◊ *È un tipo di ~.* It's a kind of fish. ◊ *~ d'acqua dolce* freshwater fish ◊ *Ci sono due pesci nella vaschetta.* There are two fish in the goldfish bowl. ☛ *Vedi nota a* FISH **2 Pesci** (*Astrologia*) Pisces ☛ *Vedi esempi a* AQUARIUS LOC **pesce d'aprile** April Fool ☛ *Vedi nota* *a* APRIL **pesce rosso** goldfish [*pl* goldfish] **pesce spada** swordfish [*pl* swordfish] **sentirsi come un pesce fuor d'acqua** to be like a fish out of water *Vedi anche* BASTONCINO, GRIGLIA, MERCATO

peschereccio *sm* fishing boat

pescheria *sf* fishmonger's [*pl* fishmongers]

pescivendolo, -a *sm-sf* fishmonger: *dal* ~ at the fishmonger's

pesco *sm* peach tree

peso *sm* (*gen*) weight: *metter su/perdere* ~ to put on/lose weight ◊ *vendere qc a* ~ to sell sth by weight LOC **di peso** (*influente*) influential **fare pesi** to do weight training **peso lordo/netto** gross/net weight **peso massimo/medio** (*Pugilato*) heavy/middle weight *Vedi anche* LANCIO, SOLLEVAMENTO, TOGLIERE

pessimista ◆ *agg* pessimistic ◆ *smf* pessimist

pessimo, -a *agg* dreadful: *essere di* ~ *umore* to be in a dreadful mood ◊ *una pessima idea* a dreadful idea

pestare *vt* **1** (*gen*) to step **on/in *sth***: ~ *un piede a qn* to step on sb's foot **2** (*picchiare*) to wallop **3** (*aglio*) to crush LOC **pestare i piedi** to stamp your feet

peste *sf* **1** (*malattia*) plague **2** (*bambino*) pest LOC **dire peste e corna di** to slag *sb/sth* off

petalo *sm* petal

petardo *sm* banger

petroliera *sf* oil tanker

petrolifero, -a *agg* LOC *Vedi* POZZO

petrolio *sm* oil: *un pozzo di* ~ an oil well

pettegolare *vi* to gossip

pettegolezzo *sm* gossip [*non numerabile*]: *fare pettegolezzi* to gossip

pettegolo, -a ◆ *agg* gossipy ◆ *sm-sf* gossip: *È un ~!* He's such a gossip!

pettinare ◆ *vt* to comb *sb's* hair: *Vieni che ti pettino.* Come here and let me comb your hair. ◆ **pettinarsi** *v rifl* to comb your hair: *Pettinati prima di uscire.* Comb your hair before you go out.

pettinatura *sf* hairstyle

pettine *sm* comb

pettirosso *sm* robin

petto *sm* **1** (*gen*) chest **2** (*donna*) bust **3** (*pollo, tacchino*) breast: ~ *di pollo* chicken breast

pezzo *sm* **1** (*gen*) piece, bit (*più informale*): *un* ~ *di torta* a piece of cake ◊ *cadere a pezzi* to fall to pieces ◊ *fare a pezzi qc* to smash sth to pieces ◊ *Taglia a pezzi la carne.* Cut the meat into pieces. **2** (*Mecc*) part **3** (*Mus*) piece LOC **essere a pezzi** (*persona*) to be shattered **pezzo di ricambio** spare part **pezzo grosso** big shot **pezzo per pezzo** bit by bit: *Stiamo riparando il tetto* ~ *per* ~. We're repairing the roof bit by bit. **un pezzo** (*tempo*) a while: *È un* ~ *che non lo vedo.* It's a while since I've seen him.

piacere ◆ *vi* **1** (*gen*) to like *sth/doing sth* [*vt*]: *Mi piace quel vestito.* I like that dress. ◊ *Non mi piace.* I don't like it. ◊ *A loro piace passeggiare.* They like walking.

> **Like to do** o **like doing**? Se si parla in senso generale, si usa **like doing**: *Ti piace dipingere?* Do you like painting? Per situazioni specifiche si usa **like to do**: *Mi piace fare una doccia prima di andare a letto* I like to have a shower before I go to bed.

2 (*desiderare*): *Mi piacerebbe una macchina nuova.* I'd like a new car. **3** (*attrarre*): *Secondo me gli piaci.* I think he fancies you. ◆ *sm* **1** (*divertimento*) pleasure: *un viaggio di* ~ a pleasure trip ◊ *Ho il* ~ *di presentarvi il signor Mattei.* It is my pleasure to introduce Mr Mattei. ◊ *con* ~ with pleasure **2** (*favore*) favour: *Mi fai un ~?* Could you do me a favour? LOC **far piacere**: *Mi ha fatto* ~ *rivedervi.* It was nice to see you again. **per piacere** please **piacere** pleased to meet you!

piacevole *agg* **1** (*gradito*) pleasant: *una* ~ *sorpresa* a pleasant surprise **2** (*divertente*) enjoyable: *una vacanza* ~ an enjoyable holiday

piaga *sf* sore

piagnucolone, -a *agg, sm-sf* cry-baby [*s*] [*pl* cry-babies]: *Non fare il ~.* Don't be such a cry-baby.

pialla *sf* plane

piallare *vt* to plane

pianeggiante *agg* flat

pianerottolo *sm* landing

pianeta *sm* planet

piangente *agg* LOC *Vedi* SALICE

piangere *vi* to cry: *Non ~.* Don't cry. ◊ *mettersi a* ~ to burst out crying ◊ ~ *di gioia/rabbia* to cry with joy/rage LOC **mi piange il cuore** my heart bleeds **piangere a calde lacrime** to cry your eyes out *Vedi anche* SCOPPIARE

pianificazione *sf* planning

pianista *smf* pianist

piano, -a ◆ *agg* flat: *una superficie piana* a flat surface ◆ *avv* **1** (*lentamente*) slowly: *Vai ~.* Drive slowly. **2** (*a voce bassa*) quietly ◆ *sm* **1** (*progetto*) plan: *Abbiamo già fatto dei piani.* We've already made plans. **2** (*di edificio*) floor: *Abito al terzo ~.* I live on the third floor. **3** (*livello*) level: *L'appartamento è disposto su più piani.* The flat is on two levels. ◊ *sul ~ personale* on a personal level **4** (*Mus*) *Vedi* PIANOFORTE LOC **a/di due, ecc piani** (*edificio*) two-storey, etc: *un palazzo a/di cinque piani* a five-storey block **piano di studi** study programme *Vedi anche* PRIMO, PARLARE

pianoforte *sm* piano [*pl* pianos]: *suonare il ~* to play the piano ◊ *eseguire un pezzo al ~* to play a piece of music on the piano LOC **pianoforte a coda** grand piano

pianta *sf* **1** (*Bot*) plant: *~ d'appartamento* house plant **2** (*carta*) **(a)** (*città, metropolitana*) map **(b)** (*casa*) plan LOC **pianta del piede** sole **pianta grassa** succulent

piantagione *sf* plantation

piantare *vt* **1** (*pianta*) to plant **2** (*chiodo, palo*) to hammer *sth* ***into sth***: *~ un chiodo nel muro* to hammer a nail into the wall **3** (*coltello, pugnale*) to stick *sth* ***into sb/sth***: *Piantò il coltello nel tavolo.* He stuck the knife into the table. **4** (*fidanzato*) to ditch LOC **piantala!** cut it out! **piantare in asso** to leave *sb* in the lurch **piantare un casino** to kick up a fuss

pianterreno *sm* ground floor: *Abito al ~.* I live on the ground floor.

pianto *sm* crying

pianura *sf* plain: *in ~* in the plain

piastrella *sf* tile

piattino *sm* (*per tazza*) saucer ☛ *Vedi illustrazione a* MUG

piatto, -a ◆ *agg* flat ◆ *sm* **1** (*utensile*) **(a)** (*gen*) plate: *Si è rotto un altro ~!* There goes another plate! **(b)** (*per tazza*) saucer ☛ *Vedi illustrazione a* MUG **2** (*cibo*) dish: *un ~ tipico del paese* a national dish **3** (*portata*) course: *Come primo ~ ho preso una minestra.* I had soup for my first course. **4 piatti** (*Mus*) cymbals LOC **piatto fondo** soup plate **piatto forte** main course **offrire qc a qn su un piatto d'argento** to hand sb sth on a plate *Vedi anche* ASCIUGARE, LAVARE

piazza *sf* square: *la ~ principale* the main square ◊ *la ~ del mercato* the market place LOC *Vedi* LETTO

piazzare ◆ *vt* to place ◆ **piazzarsi** *v rifl* (*classifica*) to be: *piazzarsi tra i primi cinque* to be among the top five

piccante *agg* hot: *una salsa ~* a hot sauce ◊ *È troppo ~.* It's too hot.

picche *sf* (*Carte*) spades ☛ *Vedi nota a* CARTA

picchetto *sm* **1** (*scioperanti*) picket **2** (*tenda*) peg

picchiare ◆ *vt* **1** (*colpire*) to hit: *Ho picchiato la testa.* I hit my head. **2** (*persona*) to beat ◆ *vi* **1** (*sbattere*) to bang ***into sth***: *Ho picchiato contro il tavolo.* I banged into the table. **2** (*alla porta*) to hammer ***at sth*** **3** (*sole*) to beat down ◆ **picchiarsi** *v rifl* to fight

picchiata *sf* LOC *Vedi* SCENDERE

picciolo *sm* stalk ☛ *Vedi illustrazione a* FRUTTA

piccione *sm* pigeon LOC **piccione viaggiatore** carrier pigeon **prendere due piccioni con una fava** to kill two birds with one stone

picco *sm* peak LOC **a picco** vertically *Vedi anche* COLARE

piccolo, -a ◆ *agg* **1** (*gen*) small: *un ~ problema/particolare* a small problem/detail ◊ *La stanza è troppo piccola.* The room is too small. ◊ *Tutte le gonne mi stanno piccole.* All my skirts are too small for me. ☛ *Vedi nota a* SMALL **2** (*età*) little: *quand'ero ~* when I was little ◊ *i bambini piccoli* little children **3** (*minore*) youngest: *suo figlio più ~* his youngest son **4** (*poco importante*) minor: *dei piccoli cambiamenti* a few minor changes ◆ *sm-sf* (*persona*) youngest (one): *Il ~ studia legge.* The youngest one is studying law. ◆ *sm* (*animale appena nato*) baby [*pl* babies] LOC **piccola pubblicità** classified ads

piccone *sm* pick

picnic *sm* picnic: *andare a fare un ~* to go for a picnic

pidocchio *sm* louse [*pl* lice]

piede *sm* foot [*pl* feet]: *il ~ destro/sinistro* your right/left foot LOC **andarci con i piedi di piombo** to tread carefully **andare a piedi** to go on foot **mettere il piede in qc** to step in sth: *mettere il ~ in una pozzanghera* to step in a puddle **mettere i piedi in testa a qn** to walk all over sb: *Non ti far mettere i piedi in testa da nessuno.* Don't let people walk all over you. **rimanere a**

piedi: *Siamo rimasti a piedi.* We had to walk. **rimettere in piedi** (*azienda*) to put *sth* back on its feet **stare/essere in piedi** to be standing (up) **su due piedi** on the spot *Vedi anche* BATTERE, COLLO, LECCARE, PESTARE, PIANTA, PUNTA, PUNTARE, REGGERE, TESTA, TOGLIERE

piega *sf* **1** (*gen*) fold: *La tela formava delle pieghe.* The material hung in folds. **2** (*gonna*) pleat **3** (*pantaloni, grinza*) crease LOC **mettere in piega** (*capelli*) to set *sth* *Vedi anche* MESSA

piegare ◆ *vt* **1** (*gen*) to fold: ~ *un foglio in quattro* to fold a piece of paper into four **2** (*torcere, flettere*) to bend: ~ *la gamba/una sbarra di ferro* to bend your knee/an iron bar ◆ **piegarsi** *v rifl* **1** (*curvarsi*) to bend **2** (*sedia*) to fold up

pieghevole *agg* folding: *una sedia* ~ a folding chair

Piemonte *sm* Piedmont

piemontese *agg, smf* Piedmontese: *i piemontesi* the Piedmontese

pieno, -a ◆ *agg* **1** ~ (**di**) full (**of *sb/sth***): *Questa stanza è piena di fumo.* This room is full of smoke. ◊ *Basta così, sono* ~. I don't want any more, I'm full. ◊ *Il teatro era* ~. The theatre was full. ◊ *pieni poteri* full powers **2** (*coperto*) covered ***in/with sth***: *Il soffitto era* ~ *di ragnatele.* The ceiling was covered in cobwebs. **3** (*affollato*) packed ◆ *sm* (*benzina*) full tank LOC **è pieno di...** there's loads of... **fare il pieno** (*benzina*) to fill up **in pieno...** (right) in the middle of...: *in* ~ *inverno* in the middle of winter ◊ *in* ~ *centro* right in the centre of the city **pieno di sé** full of yourself *Vedi anche* LUNA, TEMPO

pietà *sf* **1** (*compassione*) pity **2** (*misericordia*) mercy LOC **aver pietà di** to take pity on *sb* **fare pietà** (*essere pessimo*) to be awful: *Come cantante fa* ~. She's an awful singer. *Vedi anche* MONTE

pietoso, -a *agg* (*aspetto, condizioni*) pitiful LOC *Vedi* BUGIA

pietra *sf* stone: *un muro in* ~ a stone wall ◊ *una* ~ *preziosa* a precious stone

pigiama *sm* pyjamas [*pl*]: *Questo* ~ *ti sta piccolo.* Those pyjamas are too small for you. ☛ Nota che *un pigiama* si dice **a pair of pyjamas**: *Metti due pigiami in valigia.* Pack two pairs of pyjamas.

pigiare *vt* to press

pigna *sf* pine cone

pignolo, -a *agg* fussy

pigrizia *sf* laziness

pigro, -a ◆ *agg* lazy ◆ *sm-sf* lazybones [*pl* lazybones]

pila *sf* **1** (*cumulo*) pile: *una* ~ *di giornali* a pile of newspapers **2** (*Elettr*) battery [*pl* batteries]: *Si sono scaricate le pile.* The batteries have run out.

pilastro *sm* pillar

pillola *sf* pill: *Prendi la* ~*?* Are you on the pill?

pilota *smf* **1** (*aereo*) pilot **2** (*auto*) racing driver LOC **pilota automatico** automatic pilot: *Il* ~ *automatico era inserito.* The plane was on automatic pilot.

pilotare *vt* **1** (*barca*) to sail **2** (*aereo*) to fly

piluccare *vt* to nibble

pineta *sf* pinewood

ping-pong *sm* table tennis

pinguino *sm* penguin

pinna *sf* **1** (*pesce*) fin **2** (*nuotatore, foca*) flipper

pino *sm* pine (tree)

pinolo *sm* pine nut

pinza *sf* **1** (*granchio*) pincer **2 pinze (a)** (*attrezzo*) pliers: *Ho bisogno di un paio di pinze.* I need a pair of pliers. **(b)** (*zucchero, ghiaccio*) tongs **3** (*capelli*) curling tongs

pinzette *sf* tweezers

pioggerella *sf* drizzle

pioggia *sf* **1** (*gen*) rain: *La* ~ *mi ha impedito di dormire.* The rain kept me awake. ◊ *un giorno di* ~ a rainy day ◊ *Questi stivali sono ottimi per la* ~. These boots are good for wet weather. ◊ *sotto la* ~ in the rain **2** ~ **di** (**a**) (*regali, fiori*) shower **of *sth*** (**b**) (*colpi, insulti*) hail **of *sth*** LOC **pioggia acida** acid rain

piolo *sm* (*scala*) rung ☛ *Vedi illustrazione a* SCALA

piombo *sm* lead LOC *Vedi* BENZINA, PIEDE

pioniere, -a *sm-sf* pioneer (***in sth***): *un* ~ *della chirurgia estetica* a pioneer in cosmetic surgery

pioppo *sm* poplar

piovano, -a *agg* LOC *Vedi* ACQUA

piovere *v impers* **1** (*gen*) to rain: *È piovuto tutto il pomeriggio.* It rained all afternoon. ◊ *Piove?* Is it raining? **2** (*dal tetto*): *Ci piove in casa.* The roof is leaking. LOC **non ci piove** there's no doubt about it **piovere a dirotto** to pour: *Piove a dirotto.* It's pouring. **piovere dal cielo** to be a godsend

piovigginare *v impers* to drizzle: *Sta*

solo piovigginando. It was only drizzling.

piovoso, -a *agg* **1** (*clima*) wet **2** (*giornata, tempo*) rainy

pipa *sf* pipe: *fumare la~* to smoke a pipe

pipì *sf* pee: *fare la ~* to pee

pipistrello *sm* bat

piramide *sf* pyramid

pirata *agg, smf* pirate [*s*]: *una nave/radio/videocassetta ~* a pirate boat/radio station/videotape

piroetta *sf* pirouette

pirofila *sf* Pyrex® dish

piromane *smf* arsonist

pisano, -a *agg, sm-sf* Pisan: *i pisani* the Pisans

pisciare *vi* to piss

piscina *sf* swimming pool: *~ riscaldata/coperta* heated/indoor pool

pisello *sm* pea

pisolino *sm* nap: *fare un ~* to have a nap LOC *Vedi* SCHIACCIARE

pista *sf* **1** (*tracce*) track(s) [*si usa spec al pl*]: *seguire la ~ di un animale* to follow an animal's tracks ◊ *Siamo sulla ~ giusta.* We're on the right track. **2** (*circuito*) track: *una ~ all'aperto/coperta* an outdoor/indoor track **3** (*Aeron*) runway [*pl* runways] LOC **pista ciclabile** cycle path **pista da ballo** dance floor **pista di pattinaggio** skating-rink **pista di pattinaggio su ghiaccio** ice rink **pista di sci** ski slope

pistacchio *sm* pistachio [*pl* pistachios]

pistola *sf* gun, pistol (*tec*) LOC **pistola a spruzzo** spray gun

pitone *sm* python

pittore, -trice *sm-sf* painter

pittoresco, -a *agg* picturesque: *un paesaggio ~* a picturesque landscape

pittura *sf* painting: *La ~ è uno dei miei hobby.* Painting is one of my hobbies. LOC **pittura fresca** (*cartello*) wet paint

più ◆ *avv* **1** (*comparativo*) more (***than sb/sth***): *È ~ alta/intelligente di lui.* She's taller/more intelligent than him. ◊ *Hai viaggiato ~ di me.* You have travelled more than me/than I have. ◊ *~ di quattro settimane* more than four weeks ◊ *~ velocemente* faster ◊ *~ simpatico* nicer **2** (*superlativo*) most (***in/of...***): *l'edificio ~ antico della città* the oldest building in the town ◊ *il ~ carino di tutti* the nicest one of all ◊ *Chi ha mangiato di ~?* Who's eaten most? ◊ *il negozio che ha venduto ~ di tutti* the shop that has sold the most **3** (*quantità*) more: *Non ne voglio ~.* I don't want any more. ◊ *Non c'è ~ caffè.* There's no more coffee. **4** (*tempo*): *Non mi piace ~.* I don't like it any more. ◊ *Non lo faccio ~.* I'll never do that again! ◊ *Non abita ~ qui.* He no longer lives here. **5** (*Mat, temperatura*) plus: *Due ~ due fa quattro.* Two plus two is four. ◊ *Il termometro segna ~ sette.* The thermometer says seven degrees. ◆ *agg* **1** (*maggiore quantità*) more: *Mettici ~ zucchero.* Put more sugar in it. ◊ *C'è ~ gente del solito.* There are more people than usual. ◊ *Ha ~ libri di me.* She's got more books than me. **2** (*maggiore numero*) most: *Ha venduto ~ dischi di tutti.* He has sold the most records. **3** (*parecchi*) more than one: *Gliel'ho detto ~ volte.* I've told him on more than one occasion.

Quando il confronto è tra due cose o persone si usa **more** o **-er**. Confronta le frasi seguenti: *Quale letto è più comodo (dei due)?* Which bed is more comfortable? ◊ *Qual è il letto più comodo della casa?* Which is the most comfortable bed in the house?

◆ *prep* plus: *Saremo noi due, ~ mio cugino.* There'll be the two of us plus my cousin. ◊ *Guadagna due milioni ~ gli straordinari.* She earns two million plus overtime. ◆ *sm* **1** (*Mat*) plus sign **2** (*la parte maggiore*) most: *il ~ delle volte* most of the time ◊ *Il ~ è fatto.* Most of it is done. ◊ *Fai il ~ possibile.* Do as much as you can. LOC **a più non posso** as much as you can: *correre/urlare a ~ non posso* to run as fast as you can/to shout as loud as you can **di più** more: *Costa di ~.* It costs more. ◊ *Ne voglio di ~.* I want more. **chiacchierare/parlare del più e del meno** to talk about this and that **più o meno** more or less **più ... più ...** the more ... the more ...: *~ in alto sali e ~ difficile è respirare.* The higher you climb, the more difficult it is to breathe. ☛ Per altre espressioni con **più** vedi alla voce del sostantivo, dell'aggettivo, ecc, ad es. **più che mai** a MAI.

piuma *sf* feather: *un cuscino di piume* a feather pillow

piumino *sm* **1** (*giacca*) ski jacket **2** (*per spolverare*) feather duster

piumone® *sm* duvet ☛ *Vedi illustrazione a* LETTO

piuttosto *avv* rather: *Sono ~ stanco.* I'm rather tired. ◊ *È una stanza ~ grande.* It's rather a large room. ◊ ~

prenderei una birra. I'd rather have a beer.

pizza *sf* **1** (*Cucina*) pizza [*pl* pizzas] **2** (*fig*) bore: *Che ~.* What a bore!

pizzicare *vt* to pinch

pizzico *sm* **1** (*lett*) pinch: *un ~ di sale* a pinch of salt **2** (*fig*) touch: *un ~ d'ironia* a touch of irony

pizzicotto *sm* pinch: *dare un ~ a qn* to pinch sb

pizzo *sm* **1** (*merletto*) lace **2** (*barbetta*) goatee

placcare *vt* (*Rugby*) to tackle

placcato, -a *pp, agg* plated: *~ in oro/argento* gold-plated/silver-plated ◊ *un orologio ~ d'oro* a gold-plated watch *Vedi anche* PLACCARE

planare *vi* (*aereo, uccello*) to glide

plastica *sf* **1** (*materiale*) plastic [*gen non numerabile*]: *una scatola di ~* a plastic container **2** (*Med*) plastic surgery

plastico, -a ◆ *agg* plastic ◆ *sm* model LOC *Vedi* BICCHIERE

plastificato, -a *agg* laminated

plastilina *sf* plasticine®

platano *sm* plane tree

platea *sf* **1** (*posti a sedere*) stalls [*pl*] **2** (*pubblico*) audience

platino *sm* platinum

plausibile *agg* plausible

plettro *sm* (*chitarra*) plectrum [*pl* plectra]

plurale *agg, sm* plural

Plutone *sm* Pluto

plutonio *sm* plutonium

pneumatico *sm* tyre

Po *sm* **il Po** the Po

po' *avv, sm* **un po'** a bit, a little (*più formale*): *Aspetta un po'.* Wait a bit. ◊ *un po' meno/meglio* a little less/better ◊ *un po' di zucchero* a little sugar ◊ *un po' di più* a little more

poco, -a ◆ *agg, pron* **1** (*quantità*) not much, very little: *Ho pochi soldi.* I don't have much money. ◊ *C'è ~ tempo.* There's very little time. ◊ *C'è ~ da mangiare.* There's not much to eat. **2** (*numero*) not many, very few: *Ha pochi amici.* He hasn't got many friends. ◊ *in pochissime occasioni* on very few occasions ☛ *Vedi nota a* LESS ◆ *pron* **1** (*tempo*) a short time: *Sono partiti da ~.* They left a short time ago. **2 pochi** (*persone*) not many (people): *Pochi lo sanno.* Not many people know that. ◊ *pochi di noi* not many of us ◆ *avv* **1** (*con verbo*) not much: *Costa ~.* It doesn't cost much. **2** (*con aggettivo o avverbio*) not very: *Sono ~ furbi.* They're not very clever. ◊ *~ distante* not very far away ◊ *~ bene* not very well **3** (*tempo*) not long: *Dura ~.* It doesn't last long. ◆ *sm* little: *Il ~ che sa lo ha imparato da me.* What little he knows he learnt from me. LOC **fra poco** soon **per poco** nearly: *Per ~ non mi hanno investito.* I was nearly run over. **poco a poco** gradually **poco fa** a short time ago **poco prima/dopo** shortly before/after *~ dopo la tua partenza* shortly after you left **poco più di/poco meno di** just over/under: *~ meno di 5.000 persone* just under 5000 people **un poco** a little ☛ Per altre espressioni con **poco** vedi alla voce del sostantivo, dell'aggettivo ecc, ad es. **poco profondo** a PROFONDO ☛ *Vedi nota a* FEW

poema *sm* poem

poesia *sf* **1** (*gen*) poetry: *la ~ epica* epic poetry **2** (*componimento*) poem

poeta, -essa *sm-sf* poet

poetico, -a *agg* poetic

poggiatesta *sm* headrest

poi *avv* **1** (*gen*) then: *Sbattete le uova e aggiungete lo zucchero.* Beat the eggs and then stir in the sugar. ◊ *Prima c'è l'ospedale e ~ la farmacia.* First there's the hospital and then the chemist's. **2** (*più tardi*) later: *~ te lo dico.* I'll tell you later. **3** (*inoltre*) besides: *Non è necessario e ~ non ce ne sarebbe il tempo.* It's not necessary, and besides there's no time. LOC **in poi**: *d'ora/da oggi in ~* from now on/from today onwards *Vedi anche* PRIMA[1]

poiché *cong* as, since: *~ erano in pochi hanno rimandato la festa.* As there weren't very many people, they postponed the party.

pois *sm* polka dot: *una gonna a ~* polka-dot skirt

polacco, -a ◆ *agg, sm* Polish: *parlare ~* to speak Polish ◆ *sm-sf* Pole: *i polacchi* the Poles

polare *agg* polar LOC *Vedi* CIRCOLO

polemico, -a ◆ *agg* controversial **polemica** *sf* controversy [*pl* controversies]

poligono *sm* (*Geom*) polygon LOC **poligono di tiro** rifle range

poliomielite (*anche* **polio**) *sf* polio

polistirolo *sm* polystyrene

politecnico, -a *agg, sm* polytechnic

politica *sf* **1** (*gen*) politics [*sing*

entrare in ~ to get involved in politics **2** (*posizione, programma*) policy [*pl* policies]

olitico, -a ◆ *agg* political: *un partito* ~ a political party ◆ *sm* politician **LOC** *Vedi* ELEZIONE, SCIENZA

olizia *sf* police [*pl*]: *La ~ sta investigando.* The police are investigating. **LOC** **polizia stradale** traffic police *Vedi anche* CENTRALE, SCHEDA

oliziesco, -a *agg* police [*s attrib*] **LOC** *Vedi* ROMANZO

oliziotto, -a *sm-sf* policeman/policewoman [*pl* policemen/policewomen]

olizza *sf* policy [*pl* policies]: *fare una* ~ to take out a policy

ollaio *sm* hen house

ollame *sm* poultry

ollice *sm* **1** (*della mano*) thumb **2** (*misura*) inch: *una TV da 21 pollici* a 21-inch colour TV

ollicino *n pr* Tom Thumb

olline *sm* pollen

ollo *sm* chicken: ~ *arrosto* roast chicken

olmonare *agg* lung [*s attrib*]: *un'infezione* ~ a lung infection

olmone *sm* lung **LOC** **polmone d'acciaio** iron lung

olmonite *sf* pneumonia [*non numerabile*]: *prendere una* ~ to catch pneumonia

olo ◆ *sm* (*Geog, Fis*) pole: *il ~ Nord/Sud* the North/South Pole ◆ *sf* (*indumento*) polo shirt **LOC** **essere ai poli opposti** (*carattere*) to be like chalk and cheese

olonia *sf* Poland

olpa *sf* **1** (*frutta*) pulp ☛ *Vedi illustrazione a* FRUTTA **2** (*carne*) lean meat

olpaccio *sm* calf [*pl* calves]

olpastrello *sm* finger tip

olpetta *sf* meatball

olpettone *sm* meatloaf

olpo *sm* octopus [*pl* octopuses]

olsino *sm* cuff

olso *sm* **1** (*parte del corpo*) wrist **2** (*Med*) pulse: *Hai il ~ molto debole.* You have a very weak pulse. ◊ *Il medico mi ha sentito il ~.* The doctor took my pulse.

oltrona *sf* **1** (*gen*) armchair: *seduto in* ~ sitting in an armchair **2** (*Cine, Teat*) seat

poltrone, -a *sm-sf* lazybones [*pl* lazybones]

polvere *sf* **1** (*sporcizia*) dust: *C'è molta ~ sulla libreria.* There's a lot of dust on the bookshelf. ◊ *Sollevi la ~.* You're kicking up the dust. **2** (*Cucina, Chim*) powder **LOC** **polvere da sparo** gunpowder *Vedi anche* LATTE, LIEVITO

polveriera *sf* (*lett e fig*) powder-keg

polverizzare *vt* to pulverize

polverone *sm* cloud of dust: *sollevare un* ~ to raise a cloud of dust

polveroso, -a *agg* dusty

pomata *sf* ointment

pomello *sm* **1** (*porta*) doorknob **2** (*cassetto*) knob

pomeriggio *sm* afternoon: *Il concerto è di ~.* The concert is in the afternoon. ◊ *Sono arrivati domenica ~.* They arrived on Sunday afternoon. ◊ *Ci vediamo domani ~.* I'll see you tomorrow afternoon. ◊ *Cosa fai questo ~?* What are you doing this afternoon? ◊ *alle quattro del* ~ at four o'clock in the afternoon ☛ *Vedi nota a* MORNING **LOC** **buon pomeriggio!** good afternoon!

pomo *sm* **LOC** **pomo d'Adamo** Adam's apple

pomodoro *sm* tomato [*pl* tomatoes] **LOC** *Vedi* CONCENTRATO, ESTRATTO

pompa *sf* **1** (*attrezzo*) pump **2** (*solennità*) pomp **LOC** **pompe funebri** undertaker's *Vedi anche* IMPRESA, IMPRESARIO

pompelmo *sm* grapefruit [*pl* grapefruit/grapefruits]

pompiere *sm* fireman/woman [*pl* firemen/women] **LOC** **i pompieri** the fire brigade [*sing*] *Vedi anche* CASERMA

pomposo, -a *agg* pompous: *un linguaggio retorico e ~* rhetorical, pompous language

ponte *sm* bridge: *un ~ sospeso* a suspension bridge **LOC** **fare ponte** to have a long weekend **ponte aereo** airlift **ponte levatoio** drawbridge

pontile *sm* pier

pony *sm* pony [*pl* ponies]

pool *sm* team: *un ~ di esperti* a team of experts ◊ *il ~ antimafia* the anti-Mafia team

popcorn *sm* popcorn: *Vuoi del ~?* Would you like some popcorn?

popolare *agg* **1** (*famoso*) popular **2** (*quartiere*) working-class **LOC** *Vedi* CASA

popolazione *sf* population: *la ~ attiva* the working population

popolo *sm* people [*sing*]: *il ~ italiano* the Italian people

poppa *sf* (*Naut*) stern

poppare *vi* to feed: *Appena ha finito di ~ si addormenta.* He falls asleep as soon as he's finished feeding.

poppata *sf* feed

porcellana *sf* china: *un piatto di ~* a china plate

porcellino *sm* piglet LOC **porcellino d'India** guinea pig

porcheria *sf* **1** (*cibo*) junk (food) [*non numerabile, v sing*]: *Smettila di mangiare quelle porcherie.* Stop eating that junk. **2** (*cosa oscena*) dirt [*non numerabile*]

porcile *sm* pigsty [*pl* pigsties]

porcino *sm* (*fungo*) cep

porco *sm* (*animale*) pig ☛ *Vedi nota a* CARNE

pornografia *sf* pornography

pornografico, -a *agg* pornographic

poro *sm* pore

poroso, -a *agg* porous

porpora *agg, sf* (*colore*) crimson ☛ *Vedi esempi a* GIALLO

porre *vt* **1** (*gen*) to put **2** (*condizioni*) to set **3** (*domanda*) to ask **4** (*supporre*) to suppose

porro *sm* **1** (*verdura*) leek **2** (*Med*) wart

porta *sf* **1** (*gen*) door: *la ~ d'ingresso/di dietro* the front/back door ◊ *Suonano alla ~.* There's somebody at the door. **2** (*di città, fortezza*) gate **3** (*Sport*) goal: *Ha tirato in ~.* He shot at goal. LOC **la porta accanto** next door: *la signora della ~ accanto* the lady next door **porta a porta** (*vendere*) from door to door **porta scorrevole/girevole** sliding/revolving door

portabagagli *sm* **1** (*bagagliaio*) boot **2** (*sul tettuccio*) roof-rack

portacenere *sm* ashtray [*pl* ashtrays]

portachiavi *sm* keyring

portaerei *sf* aircraft carrier

portafinestra *sf* French window

portafoglio *sm* wallet

portafortuna *sm* lucky charm

portagioie *sm* jewellery box

portaoggetti *agg* LOC *Vedi* VANO

portaombrelli *sm* umbrella stand

portapacchi *sm* luggage rack

portare ◆ *vt* **1** (*gen*) to take: *Porta le sedie in cucina.* Take the chairs to the kitchen. ◊ *Ho portato il cane dal veterinario.* I took the dog to the vet. ◊ *Mi hanno portato a casa/alla stazione.* They took me home/to the station. ☛ *Vedi illustrazione a* TAKE **2** (*vicino a chi parla*) to bring: *Cosa vuoi che ti porti?* What shall I bring you? ◊ *Portati un cuscino.* Bring a pillow with you. ◊ *Chi ha portato i fiori?* Who brought the flowers? ◊ *Il nuovo sistema ha portato problemi.* The new system has brought problems. ☛ *Vedi illustrazione a* TAKE **3** (*in braccio, Mat*) to carry: *Si offrì di portarle la valigia.* He offered to carry her suitcase. ◊ *22 e porto due.* 22 and carry two. **4** (*abito, occhiali*) to wear: *Porta gli occhiali.* She wears glasses. **5** (*capelli, barba*) to have: *Porta sempre la coda.* She always has her hair in a ponytail. **6** (*condurre*) to lead *sb* (**to** *sth*): *Gli indizi ci hanno portato alla scoperta del ladro.* The clues led us to the thief. **7** (*taglia*) to take: *~ la quarantaquattro di pantaloni* to take size forty-four trousers ◆ *vi* **1** *~* **a** (*condurre*) to lead **to** *sth*: *Questo sentiero porta alla casa.* This path leads to the house LOC **da portar via** to take away: *una pizza da portar via* a take-away pizza **portare fuori** to take *sth* out: *~ fuori l'immondizia* to take the rubbish out ☛ Per altre espressioni con **portare** vedi alla voce del sostantivo, dell'aggettivo, ecc, ad es. **portare fortuna** a FORTUNA.

portasapone *sm* soap dish

portata *sf* **1** (*gen*) reach: *fuori della tua ~* out of your reach **2** (*arma, trasmittente, telescopio*) range **3** (*pasto*) course: *un pranzo di tre portate* a three-course meal **4** (*acqua*) flow: *la ~ del fiume* the flow of the river LOC **a portata di mano** within reach

portatile *agg* portable: *una TV ~* a portable TV

portato, -a *pp, agg* **1** *~* **a**: *È ~ a drammatizzare tutto.* He tends to dramatize everything. **2** *~* **per**: *essere ~ per qc* to have a disposition for sth ◊ *È portata per le lingue.* She has a disposition for languages. *Vedi anche* PORTARE

portatore, -trice *sm-sf* **1** (*assegno*) bearer **2** (*Med*) carrier

portatovagliolo *sm* napkin ring

portavoce *smf* spokesperson [*pl* spokespersons/spokespeople]

Esistono anche le forme **spokesman** e **spokeswoman**, ma si preferisce usare **spokesperson** perché si riferisce sia ad un uomo che a una donna: *i porta* *voce dell'opposizione* spokespersons for the opposition.

portico *sm* **portici** arcade [*sing*]: *i portici intorno alla piazza* the arcade round the square

portiere, -a *sm-sf* **1** (*condominio*) caretaker **2** (*albergo*) porter **3** (*Sport*) goalkeeper

portinaio, -a *sm-sf* **1** (*gen*) porter **2** (*condominio*) caretaker

portineria *sf* **1** (*gen*) porter's lodge **2** (*condominio*) caretaker's lodge

porto *sm* port: *un ~ mercantile* a commercial port **LOC** **porto d'armi** gun licence *Vedi anche* CAPITANERIA

Portogallo *sm* Portugal

portoghese ◆ *agg, sm* Portuguese: *parlare ~* to speak Portuguese. ◆ *smf* Portuguese man/woman [*pl* Portuguese men/women]: *i portoghesi* the Portuguese

portone *sm* entrance

porzione *sf* (*cibo*) portion, helping (*più informale*): *Mezza ~ di calamari, per favore.* A small portion of squid, please. ◊ *Ne hanno preso una ~ abbondante.* They took big helpings.

osa *sf* pose: *mettersi in ~* to pose

osare ◆ *vt* to put *sth* down: *Posa le valigie e apri la porta.* Put down your cases and open the door. ◆ *vi* (*per una foto*) to pose ◆ **posarsi** *v rifl* **1** (*uccello, insetto*) to land (***on sth***) **2** (*polvere, sedimento*) to settle (***on sth***)

osata *sf* **posate** cutlery [*non numerabile*]

ositivo, -a *agg* positive: *Il test è risultato ~.* The test was positive.

osizione *sf* position: *mettersi in ~* to get into position **LOC** *Vedi* LUCE

ossedere *vt* **1** (*cose*) to own **2** (*qualità*) to have

ossessivo, -a *agg* possessive

ossesso *sm* possession

ossibile *agg* **1** (*gen*) possible: *È ~ che siano già arrivati.* It's possible that they've already arrived. ◊ *il più ~* as much as possible **2** (*potenziale*) potential: *un ~ candidato* a potential candidate **LOC** **fare (tutto) il possibile per** to do your best *to do sth* **non è possibile!** it can't be true! *Vedi anche* PRIMA

ossibilità *sf* **1** (*gen*) possibility [*pl* possibilities] **2** (*occasione*) chance: *Voglio un lavoro che mi dia la ~ di viaggiare.* I'd like a job that gives me a chance to travel.

possibilmente *avv* if possible

posta *sf* **1** (*gen*) post: *È arrivato con la ~ di giovedì.* It came in Thursday's post. ◊ *per ~* by post ◊ *sciopero delle poste* postal strike ☛ *Vedi nota a* MAIL **2** (*ufficio postale*) post office: *Scusi, per andare alla ~?* Excuse me, where's the post office? **LOC** **posta aerea** airmail **posta elettronica** electronic mail **posta spazzatura** junk mail

postale *agg* postal **LOC** *Vedi* CASELLA, CODICE, TIMBRO, TRENO

posteggiare *vt, vi* to park

posteggio *sm* car park **LOC** **posteggio dei taxi** taxi rank

poster *sm* poster

posteriore *agg* back: *nella parte ~ dell'autobus* at the back of the bus **LOC** *Vedi* FANALE

posticcio, -a *agg* false: *barba posticcia* false beard

postino, -a *sm-sf* postman/woman [*pl* postmen/women]

posto *sm* **1** (*gen*) place: *Mi piace questo ~.* I like this place. ◊ *un ~ per dormire* a place to sleep ◊ *arrivare al terzo ~* to be third ◊ *Ognuno al proprio ~!* Places, everyone! **2** (*spazio*) room: *C'è ~?* Is there any room? ◊ *Credo non ci sia ~ per tutti.* I don't think there'll be enough room for everybody. **3** (*a sedere*) seat: *Non ci sono più posti.* There are no seats left. ◊ *Ci sono posti liberi sull'autobus?* Are there any seats left on the bus? **4** (*posteggio*) space: *un ~ per parcheggiare* a parking space **5** (*lavoro*) job: *Ci sono sei posti di lavoro.* There are six jobs. ◊ *Sua moglie ha un buon ~.* His wife's got a good job. ☛ *Vedi nota a* WORK[1] **LOC** **a posto 1** (*stanza*) tidy **2** (*faccenda*) OK: *È tutto a ~.* Everything's OK. **al posto di** instead of *sb/sth* **al primo, secondo, ecc posto** first, second, etc: *La squadra francese è all'ultimo ~ in classifica.* The French team is last. **al tuo posto** if I were you: *Io, al tuo ~, accetterei l'invito.* If I were you, I'd accept the invitation. **del posto**: *quelli del ~* the locals **fare posto** to make room (*for sb/sth*) **mettere a posto** to tidy (*sth*) up **posto di blocco** checkpoint *Vedi anche* CEDERE, CLASSIFICARE, FUORI, TESTA

postumo ◆ *agg* posthumous ◆ *sm* **postumi**: *avere i postumi di una sbornia* to have a hangover

potabile *agg* drinkable LOC *Vedi* ACQUA

potare *vt* to prune

potente *agg* powerful

potenza *sf* power: ~ *economica* economic power

potenziale *agg*, *sm* potential

potere[1] *v servile* **1** (*gen*) can **do sth**, to be able **to do sth**: *Posso scegliere tra Londra e Madrid.* I can choose London or Madrid. ◊ *Non ci potevo credere.* I couldn't believe it. ◊ *Da allora non ha più potuto camminare.* He hasn't been able to walk since then. ◊ *Vorrei venire ma non posso.* I'd like to come but I can't. ☛ *Vedi nota a* CAN[2] **2** (*permesso*) can, may (*più formale*): *Posso fare una telefonata?* Can I use the phone ☛ *Vedi nota a* MAY **3** (*possibilità*) may, could, might

> L'uso di **may**, **could**, **might** dipende dal grado di probabilità dell'azione. **Could** e **might** esprimono una minore probabilità di **may**: *Possono arrivare da un momento all'altro.* They may arrive at any minute. ◊ *Potrebbe essere pericoloso.* It could/might be dangerous.

LOC **non poterne più 1** (*essere stanco*) to be exhausted **2** (*essere stufo*) to have had it up to here: *Non ne posso più!* I've had it up to here! **posso ...?** may I ...?: *Posso usare il suo accendino?* May I use your lighter? **si può/non si può**: *Non si può fumare qui.* You can't smoke in here. ☛ Per altre espressioni con **potere** vedi alla voce del sostantivo, dell'aggettivo, ecc, ad es. **potersi permettere qc** a PERMETTERE.

potere[2] *sm* power: *prendere il* ~ to seize power LOC **il potere esecutivo/giudiziario/legislativo** the executive/judiciary/legislature

poverino, -a *sm-sf*: *~! Ha fame.* He's hungry, poor thing!

povero, -a ◆ *agg* poor: *Il pover'uomo era stanco.* The poor man was tired. ◆ *sm-sf* poor man/woman [*pl* poor men/women]: *i poveri* the poor

povertà *sf* poverty

pozza *sf* pool: *una ~ d'acqua/di sangue* a pool of water/blood

pozzanghera *sf* puddle: *mettere i piedi in una* ~ to step in a puddle

pozzo *sm* well LOC **pozzo petrolifero** oil well

Praga *sf* Prague

pranzare *vi* to have lunch

pranzo *sm* lunch LOC **pranzo al sacc**[o] packed lunch *Vedi anche* CESTINO, SAL[A]

prassi *sf* procedure [*non numerabile*] *Ha seguito la* ~. He followed the usua[l] procedure.

pratica *sf* **1** (*gen*) practice: *In teori[a] funziona, ma in* ~... It's all right i[n] theory, but in practice... ◊ *mettere in* ~ *qc* to put sth into practice **2** (*dossier*) file **3 pratiche** (*documenti*) paperwor[k] LOC **fare pratica** to get some experienc[e] **in pratica** (*praticamente*) practically: *I[l] ~ è finito.* It's practically finished.

praticamente *avv* practically

praticante ◆ *agg* practising ◆ *smf* trainee

praticare *vt* **1** (*gen*) to practise: ~ *l[a] professione medica* to practise medicin[e] **2** (*sport*) to play: *Pratichi qualche sport* Do you play any sports?

pratico, -a *agg* **1** (*gen*) practical **2** ~ [d]i good **with sth**: *Non sono molto ~ c[on i] computer.* I'm not very good with computers.

prato *sm* **1** (*gen*) meadow **2** (*giardin[o]*) lawn

preavviso *sm* notice: *Sono arriva[ti] senza* ~. They turned up withou[t] notice.

precario, -a *agg* **1** (*gen*) precarious (*lavoratore*) temporary

precauzione *sf* precaution: *prende[re] precauzioni contro gli incendi* to tak[e] precautions against fire ◊ *per* ~ as precaution

precedente *agg* previous: *esperienza* previous experience LOC **preceden[ti] penali** criminal record [*sing*]

precedenza *sf* **1** (*Auto*) right of way (*priorità*) priority LOC **dare la prec[e]denza** (*Auto*) to give way

precedere *vt* to precede, to go/com[e] before *sb/sth* (*più informale*): *L'agg[et]tivo precede il nome.* The adjective go[es] before the noun. ◊ *L'incendio fu prec[e]duto da una grossa esplosione.* A hu[ge] explosion preceded the fire.

precipitare ◆ *vi* **1** (*cadere*) to fall: ~ *d[al] tetto/in mare* to fall off the roof/into t[he] sea **2** (*aereo*) to crash **3** (*situazione*) get out of control: *La situazione è pre[ci]pitata.* The situation has got out control. ◆ **precipitarsi** *v rifl* to ru[sh] **towards sb/sth**: *Mi sono precipitato [a] casa.* I rushed home. ◊ *Il pubblico precipitò verso l'ingresso.* The crow[d] rushed towards the door.

precipitoso, -a *agg* hasty

precipizio *sm* precipice

precisare *vt* to specify

precisione *sf* accuracy LOC **con precisione** accurately

preciso, -a *agg* **1** (*gen*) precise: *in quel ~ istante* at that very moment **2 ~ a** (*identico*) just like: *Nel sorriso è ~ a sua madre.* That smile is just like his mother's. **3** (*in punto*) on the dot: *le sei e trenta precise* half past six on the dot

precoce *agg* (*bambino*) precocious

preda *sf* prey [*non numerabile*] LOC **essere in preda al panico** to panic

predica *sf* (*Relig*) sermon LOC **fare la predica a** to give *sb* a lecture

predicare *vt, vi* to preach

predire *vt* to foretell: *~ il futuro* to foretell the future

predominante *agg* predominant

predone *sm* raider

prefabbricato, -a *agg* prefabricated

prefazione *sf* preface

preferenza *sf* preference LOC **di preferenza** preferably

preferibile *agg* preferable LOC **essere preferibile**: *È ~ rimandare la riunione.* It would be better to put off the meeting till later.

preferire *vt* to prefer *sb/sth* (**to *sb/sth***): *Preferisco il tè al caffè.* I prefer tea to coffee. ◊ *Preferisco studiare di mattina.* I prefer to study in the morning.

Quando si chiede a qualcuno che cosa preferisce, si usa **would prefer** se si tratta di cose e **would rather** se si tratta di azioni, ad esempio: *Preferisci tè o caffè?* Would you prefer tea or coffee? ◊ *Preferisci andare al cinema o guardare la TV?* Would you rather go to the cinema or watch TV? Per rispondere a questo tipo di domande si usa **I would rather, he/she would rather**, ecc o **I'd rather, he/she'd rather**, ecc: *"Preferisci tè o caffè?" "Preferisco un tè."* 'Would you prefer tea or coffee?' 'I'd rather have tea, please.' ◊ *"Vuoi uscire?" "No, preferisco stare a casa, stasera."* 'Would you like to go out?' 'No, I'd rather stay at home tonight.' Nota che **would rather** va sempre seguito dall'infinito senza il TO.

preferito, -a *pp, agg, sm-sf* favourite *Vedi anche* PREFERIRE

prefisso *sm* **1** (*Ling*) prefix **2** (*telefono*) code: *Qual è il ~ per l'Italia?* What's the code for Italy?

pregare ◆ *vt* **1** (*supplicare*) to beg: *L'ho pregato di andarsene.* I begged him to go. **2** (*chiedere*): *Mi hanno pregato di uscire.* They asked me to go. ◊ *Calmati, ti prego.* Calm down, please. ◊ *Si prega di non fumare.* Please do not smoke. **3** (*Relig*) to pray ◆ *vi* (*Relig*) to pray LOC **farsi pregare** to play hard to get

preghiera *sf* (*Relig*) prayer: *dire una ~* to say a prayer

pregiato, -a *agg* fine

pregiudicare *vt* to jeopardize

pregiudicato, -a *sm-sf* previous offender

pregiudizio *sm* prejudice

prego! *escl* **1** (*risposta a grazie*) you're welcome! **2** (*si accomodi*) take a seat! **3** (*dopo di lei*) after you!

preistorico, -a *agg* prehistoric

prelevare *vt* (*soldi*) to withdraw

prelievo *sm* **1** (*sangue*) sample: *fare un ~* to take a blood sample **2** (*soldi*) withdrawal

prematuro, -a *agg* premature

premere ◆ *vt* **1** (*gen*) to press: *Premi il tasto due volte.* Press the key twice. **2** (*acceleratore, freno*) to put your foot **on *sth*** **3** (*grilletto*) to pull ◆ *vi* **1 ~ su** (*pigiare*) to press down **on *sth*** **2 ~ a** (*importare*): *Mi preme di finire per tempo.* I'm anxious to finish in time.

premiare *vt* to award *sb* a prize: *Il romanziere è stato premiato.* The novelist was awarded a prize. ◊ *È stato premiato con l'Oscar.* He was awarded an Oscar.

premiazione *sf* **1** (*azione*) award **2** (*cerimonia*) award ceremony

premio *sm* **1** (*gen*) prize: *Ho vinto il primo ~.* I won first prize. ◊ *~ di consolazione* consolation prize **2** (*ricompensa*) reward: *come ~ per le tue fatiche* as a reward for your efforts **3** (*assicurazione*) premium LOC *Vedi* GRANDE

premuroso, -a *agg* **1** caring: *un marito ~* a caring husband **2 ~ con** attentive **to sb/sth**: *Era molto ~ con gli ospiti.* He was very attentive to his guests.

prenatale *agg* antenatal

prendere ◆ *vt* **1** (*gen*) to take: *~ una decisione* to take a decision ◊ *~ appunti/precauzioni* to take notes/ precautions ◊ *Ho deciso di prendermi qualche giorno libero.* I've decided to take a few days off. ◊ *Per chi mi prendi?* Who do you take me for? ◊ *Prendi tutti i* *libri che vuoi.* Take as many books as you like. ◊ *Preferisco ~ l'autobus.* I'd rather take the bus. ◊ *L'ho preso a braccetto.* I took him by the arm. **2** (*ottenere*) to get: *Ho preso due biglietti.* I got two tickets. ◊ *Quanto hai preso in matematica?* What did you get in maths? ◊ *Non so dove abbia preso i soldi.* I don't know where she got the money from. ◊ *~ uno schiaffo* to get a smack **3** (*mangiare, bere*) to have: *Cosa prendi?* What are you going to have? **4** (*afferrare, malattia*) to catch: *~ una palla* to catch a ball ◊ *Hanno preso un ragazzo che rubava cassette.* They caught a boy stealing tapes. ◊ *~ un raffreddore* to catch a cold ◊ *~ la polmonite* to catch pneumonia **5** (*colpire*): *L'auto l'ha preso in pieno.* He was hit head-on by the car. **6** (*prezzo*): *Quanto ti hanno preso?* How much was it? ◆ *vi* **1** (*tieni*): *Prendi, è per te.* Here, it's for you. **2** ~ **da qn** (*somigliare*) to take after sb LOC **andare/passare a prendere** to pick *sb/sth* up: *andare a ~ i bambini a scuola* to pick the children up from school **prendersela** to take it to heart: *Era uno scherzo, non prendertela.* It was a joke; don't take it to heart. **prendersela con qn** to pick on sb ☛ Per altre espressioni con **prendere** vedi alla voce del sostantivo, dell'aggettivo, ecc, ad es. **prendere il sole** a SOLE.

prenotare *vt* to book: *Vorrei ~ un tavolo per tre.* I'd like to book a table for three.

prenotazione *sf* reservation: *fare una ~* to make a reservation

preoccupare ◆ *vt* to worry: *Mi preoccupa la salute di mio padre.* My father's health worries me. ◆ **preoccuparsi** *v rifl* **preoccuparsi (di/per)** to worry (**about** ***sb/sth***): *Non preoccuparti per me.* Don't worry about me.

preoccupato, -a *pp, agg* worried *Vedi anche* PREOCCUPARE

preoccupazione *sf* worry [*pl* worries]

preparare ◆ *vt* to prepare, to get *sb/sth* ready (*più informale*) (**for** ***sth***): *~ la cena* to get supper ready ◆ **prepararsi** *v rifl* to prepare ***for sth/to do sth***: *Si sta preparando per l'esame di guida.* He's preparing for his driving test. ◊ *Si preparava ad uscire quando arrivò sua suocera.* She was getting ready to leave when her mother-in-law arrived.

preparativi *sm* preparations

preparato, -a *pp, agg* **1** (*gen*) prepared **2** (*professionista*) qualified **3** (*student*[e]) well prepared *Vedi anche* PREPARARE

preparazione *sf* **1** (*gen*) preparation[:] *tempo di ~: 10 minuti* preparation time 10 minutes **2** (*allenamento*) training: [~] *professionale/fisica* professional/phys[-] ical training

preposizione *sf* preposition

prepotente *agg* bossy

presa *sf* **1** (*corrente elettrica*) socke[t] ☛ *Vedi illustrazione a* SPINA **2** (*stretta*) grip: *allentare la ~* to release your gri[p] **3** (*acqua, gas*) point **4** (*conquista*) taking: *la ~ della città* the taking of th[e] city LOC **essere alle prese con** to be u[p] against *sth* **far presa** (*colla*) to set **pres[a] d'aria** air intake **presa in giro 1** (*burla*) joke **2** (*truffa*) rip-off **presa multipl[a]** multiple socket *Vedi anche* MACCHINA

presagio *sm* omen

presbiopia *sf* long-sightedness

presbite *agg* long-sighted

prescolare *agg* pre-school: *bambini i[n] età ~* pre-school children

prescrivere *vt* to prescribe

presentare ◆ *vt* **1** (*gen*) to present (*s[b]*) (**with** ***sth***); to present (*sth*) (***to sb***): *~ u[n] programma* to present a programme [◊] *Ha presentato le prove davanti a[l] giudice.* He presented the judge wit[h] the evidence. **2** (*dimissioni*) to tende[r]: *Ha presentato le dimissioni.* She ter[-] dered her resignation. **3** (*domanda, reclamo*) to make: *~ una denuncia* t[o] make an official complaint **4** (*persona*) to introduce *sb* (***to sb***): *Quando ce l[a] presenti?* When are you going to intr[o-] duce her to us? ◊ *Ti presento mi[o] marito.* This is my husband.

In inglese le presentazioni posson[o] essere più o meno formali, a second[a] della situazione, per esempio "John[,] meet Mary." (*informale*); "Mrs Smith[,] this is my daughter Jane." (*informale*)[;] "May I introduce you. Sir Godfrey, thi[s] is Mr Jones. Mr Jones, Sir Godfrey.[" (]*formale*). Quando si viene presentati s[i] può rispondere "Hello" o "Nice to mee[t] you" se la situazione è informale, [o] "How do you do?" se la situazione [è] formale. A "How do you do?" s[i] risponde con "How do you do?"

◆ **presentarsi** *v rifl* **1** (*farsi conoscere*) to introduce yourself **2** (*andare*) t[o] present yourself **3** (*esame*) to take *st[h]*: *Non si è presentato agli esami.* He didn['t] take the exam. **4** (*elezione*) to stand (**fo[r]** ***sth***): *presentarsi alle elezioni* to stan[d] for parliament **5** (*occasione*) to arise **6** (*apparire*) to look: *La situazione si presenta poco favorevole.* Things don't look very favourable.

presentatore, -trice *sm-sf* presenter

presentazione *sf* **1** (*gen*) presentation: *La ~ è molto importante.* Presentation is very important. **2 presentazioni** introductions: *Non hai fatto le presentazioni.* You haven't introduced us.

presente ◆ *agg, smf* ~ (**a**) present [*agg*] (**at** ***sth***): *tra i presenti alla riunione* among those present at the meeting ◆ *sm* (*Gramm*) present LOC **essere presente** to attend: *Alla partita erano presenti oltre 10.000 spettatori.* More than 10000 spectators attended the match. **tener presente** to keep *sth* in mind

presentimento *sm* feeling: *Ho il ~ che...* I have a feeling that...

presenza *sf* **1** (*gen*) presence: *La sua ~ mi innervosisce.* I get nervous when he's around. **2** (*Scuola*): *Ha più assenze che presenze.* He's been absent more often than he's been present. LOC *Vedi* BELLO

presepio (*anche* **presepe**) *sm* crib: *Facciamo il ~.* Let's set up the crib.

preservativo *sm* condom

preside *smf* head

presidente, -essa *sm-sf* **1** (*gen*) president **2** (*club, azienda, partito*) chairman/woman [*pl* chairmen/ women]

> Si può usare la parola **chairperson** [*pl* chairpersons] per evitare un linguaggio sessista.

LOC **Presidente del Consiglio** Prime Minister

presidenza *sf* presidency

presidenziale *agg* presidential

presiedere *vt* to preside **at/over** ***sth***: *Il segretario presiederà l'assemblea.* The secretary will preside at/over the meeting.

preso, -a *pp, agg* **1** (*posto*) taken **2** (*occupato*) busy: *Oggi sono molto ~.* I'm very busy today. *Vedi anche* PRENDERE

pressare *vt* to press

pressione *sf* pressure: *la ~ atmosferica* atmospheric pressure ◊ *fare ~ su qn* to put pressure on sb LOC **pressione del sangue** blood pressure *Vedi anche* INDICATORE, PENTOLA

presso *prep* **1** (*vicino a*) near: *~ il mercato* near the market **2** (*in casa di*) with: *Abita ~ i nonni.* He lives with his grandparents. **3** (*sulle lettere*) care of LOC **nei pressi di** in the vicinity of *sth*

prestare *vt* to lend: *Le ho prestato dei libri.* I lent her some books. ◊ *Mi puoi ~ dieci sterline?* Can you lend me ten pounds, please? ◊ *Me lo presti?* Can I borrow it? ☛ *Vedi illustrazione a* BORROW LOC **prestare giuramento** to take an oath

prestigiatore *sm* conjurer

prestigio *sm* prestige

prestigioso, -a *agg* prestigious

prestito *sm* loan LOC **dare in prestito** to lend *sth to sb* **prendere in prestito** to borrow *sth from sb Vedi anche* CHIEDERE ☛ *Vedi illustrazione a* BORROW

presto *avv* **1** (*tra breve*) soon: *Torna ~.* Come back soon. ◊ *il più ~ possibile* as soon as possible **2** (*in fretta*) quickly: *~, dottore!* Please, doctor, come quickly. **3** (*di buon'ora, in anticipo*) early: *Mi sono alzato ~.* I got up early. ◊ *di mattina ~* early in the morning ◊ *È arrivato ~.* He arrived early. LOC **a presto!** see you soon! **fare presto** to be quick **presto o tardi** sooner or later **si fa presto** (*è facile*) it's easy: *Si fa ~ a criticare.* It's easy to criticize. *Vedi anche* GUARIRE

presumere *vt* to presume

presunto, -a *pp, agg* alleged: *il ~ assassino* the alleged murderer *Vedi anche* PRESUMERE

presuntuoso, -a *agg, sm-sf* conceited [*agg*]: *Sei un gran ~.* You're so conceited.

prete *sm* priest ☛ *Vedi nota a* PRIEST

pretendere *vt* **1** (*esigere*) to demand: *~ una spiegazione* to demand an explanation **2** (*aspettarsi*) to expect: *Non pretenderà di stare a casa nostra?* He's not expecting to stay at our house, is he? ◊ *Non pretenderai che ci creda, vero?* You don't expect me to believe that, do you?

pretenzioso, -a *agg* pretentious

pretesa *sf* **1** (*richiesta*) demand (***for sth/that...***) **2** (*presunzione*) pretention

pretesto *sm* excuse

prevedere ◆ *vt* to foresee ◆ *vi* ~ **di** to plan ***to do sth***

prevedibile *agg* predictable: *Era ~.* That was predictable.

prevenire *vt* **1** (*evitare*) to prevent: *~ un incidente* to prevent an accident **2** (*domanda*) to anticipate **3** (*avvertire*) to warn *sb* ***against sb***

preventivo *sm* estimate: *Ho chiesto un*

~ *per la stanza da bagno.* I've asked for an estimate for the bathroom. LOC *Vedi* BILANCIO

prevenuto, -a *pp, agg* prejudiced *Vedi anche* PREVENIRE

prevenzione *sf* prevention

previdente *agg* far-sighted

previsione *sf* **1** (*gen*) forecast: *le previsioni del tempo* the weather forecast **2** (*aspettativa*) expectation LOC **in previsione di** in anticipation of **secondo le previsioni 1** (*secondo i piani*) according to plan **2** (*come previsto*) as predicted

previsto, -a *pp, agg* expected: *È ~ un ritardo.* We expect a delay. ◊ *È ~ che la temperatura salirà.* The temperature is expected to rise. ◊ *prima del ~* earlier than expected *Vedi anche* PREVEDERE

prezioso, -a *agg* **1** (*gen*) precious: *una pietra preziosa* a precious stone **2** (*importante*) valuable: *Abbiamo molti contatti preziosi.* We have many valuable contacts. **3** (*fig*) invaluable: *il loro preziosissimo aiuto* their invaluable help

prezzemolo *sm* parsley

prezzo *sm* price: *prezzi di fabbrica* factory prices ◊ *Che ~ ha la camera singola?* How much is a single room? LOC **a buon prezzo** cheaply *Vedi anche* METÀ

prigione *sf* prison: *andare in ~* to go to prison ◊ *Lo hanno messo in ~.* They put him in prison.

prigioniero, -a *sm-sf* prisoner LOC **fare prigioniero** to take *sb* prisoner

prima[1] *avv* **1** (*precedentemente*) before: *Lo avevamo discusso ~.* We had discussed it before. ☛ *Vedi nota a* AGO **2** (*più presto*) earlier: *Il lunedì chiudiamo ~.* We close earlier on Mondays. **3** (*per prima cosa*) first: *~ rileggilo tutto, poi lo correggi.* First read it through again, then correct it. ◊ *C'è ~ la scuola o la stazione?* What's first, the school or the station? **4** (*una volta*) once LOC **prima che** before: *~ che mi dimentichi…* Before I forget… **prima di** before *sth/doing sth*: *~ di andare a letto* before going to bed ◊ *~ di Natale* before Christmas **prima di tutto** first of all **prima d'ora** before now **prima o poi** sooner or later **prima possibile** as soon as possible *Vedi anche* QUANTO

prima[2] *sf* **1** (*marcia*) first (gear): *mettere la ~* **2** (*trasporti*) first class: *viaggiare in ~* to travel first class **3** (*Teat*) opening night **4** (*Scuola*) first year *Faccio la ~* I'm in first year. LOC **alla prima** first time: *Ho indovinato alla ~.* I got it right first time.

primario, -a *agg* primary: *colore ~* primary colour

primavera *sf* spring: *in ~* in (the) spring

primitivo, -a *agg* primitive

primo, -a ◆ *agg* **1** (*gen*) first (=1st) *prima classe* first class ◊ *Mi è piaciuto sin dal ~ momento.* I liked him from the first moment. **2** (*principale*) main, principal (*più formale*): *il ~ paese produttore di caffè al mondo* the principal coffee producing country in the world **3** (*tempo*) early: *nel ~ pomeriggio* early in the afternoon ◊ *nel ~ Ottocento* in the early 19th century ◆ *pron, sm-sf* **1** (*gen*) first (one): *Siamo stati i primi ad andarcene.* We were the first (ones) to leave. ◊ *arrivare ~* to come first **2** (*migliore*) top: *Sei il ~ della classe* You're top of the class. ◆ *sm* (*portata*) starter: *Come ~ abbiamo preso una minestra.* We had soup as a starter. LOC **di prima necessità** absolutely essential **essere alle prime armi** to be a novice **primo aprile** ≃ April Fool's Day (*GB*) ☛ *Vedi nota a* APRIL **in prima visione** for the first time on TV **per prima cosa** first **primo ministro** prime minister ☛ *Vedi pag. 381.* **primo piano** (*Cine*) close-up *Vedi anche* CATEGORIA, COMUNIONE, LUOGO, MATERIA, NUMERO, POSTO, QUARTO, TENTATIVO, VISTA

principale *agg* main, principal (*più formale*): *il motivo ~* the main reason ◊ *proposizione ~* main clause LOC *Vedi* PARTE

principe *sm* prince LOC **principe azzurro** Prince Charming

principessa *sf* princess

principiante *agg, smf* beginner [*s*]

principio *sm* **1** (*inizio*) beginning: *al ~ del racconto* at the beginning of the novel ◊ *dal ~* from the beginning **2** (*concetto, morale*) principle LOC **al principio** at first

priorità *sf* priority [*pl* priorities]

privare ◆ *vt* to deprive *sb* ***of sth*** ◆ **privarsi** *v rifl* **privarsi di** to do without *sth*

privatizzazione *sf* privatization

privato, -a *pp, agg* private: *lezioni private* private tuition ◊ *in ~* in private LOC *Vedi* AZIENDA, INVESTIGATORE; *Vedi anche* PRIVARE

privilegiato, -a *agg* privileged: *le classi privilegiate* the privileged classes

privilegio *sm* privilege

privo, -a *agg* ~ **di** without *sth*

pro ◆ *prep* for: *Sei ~ o contro?* Are you for or against (it)? ◆ *sm*: *A che ~?* What for? LOC **i pro e i contro** the pros and cons

probabile *agg* likely, probable (*più formale*): *È ~ che non sia a casa.* He probably won't be in. ◊ *È ~ che piova.* It's likely to rain. LOC **poco probabile** unlikely

probabilità *sf* **1** (*gen*) probability **2** (*possibilità*) ~ (**di**) chance (**of** ***sth/doing sth***): *Penso di avere buone ~ di passare.* I think I've got a good chance of passing. ◊ *Ha poche ~.* He hasn't got much chance.

probabilmente *avv* probably

problema *sm* **1** (*gen*) problem: *Mi ha raccontato i suoi problemi.* He told me his problems. **2** (*questione*) issue

proboscide *sf* (*elefante*) trunk

procedere *vi* to proceed

procedimento *sm* procedure [*gen non numerabile*]

procedura *sf* procedure [*gen non numerabile*]

processare *vt* (*Dir*) to try *sb* (***for sth/ for doing sth***)

processione *sf* procession

processo *sm* **1** (*gen*) process: *un ~ chimico* a chemical process **2** (*Dir*) trial

prodigio *sm* **1** (*cosa*) miracle **2** (*persona*) prodigy [*pl* prodigies] LOC *Vedi* BAMBINO

prodotto *sm* **1** (*gen*) product: *prodotti di bellezza/per la pulizia* beauty/ cleaning products **2 prodotti** produce [*non numerabile*]: *prodotti agricoli* agricultural/farm produce ☛ *Vedi nota a* PRODUCT

produrre *vt* **1** (*gen*) to produce: *~ olio/ caffè* to produce oil/coffee **2** (*fabbricare*) to manufacture, to make (*più informale*) LOC **produrre in serie** to mass-produce *sth*

produttore, -trice ◆ *agg* producing: *un paese ~ di petrolio* an oil-producing country ◆ *sm-sf* producer

produzione *sf* **1** (*gen*) production: *la ~ dell'acciaio* steel production **2** (*agricola*) harvest **3** (*industriale, artistica*) output

professionale *agg* professional LOC *Vedi* ISTITUTO, ORIENTAMENTO

professione *sf* profession, occupation (*più formale*) ☛ *Vedi nota a* WORK[1]

professionista *smf* professional: *un ~ del calcio* a professional footballer LOC *Vedi* LIBERO

professore, -essa *sm-sf* **1** (*gen*) teacher: *un ~ di geografia* a geography teacher **2** (*università*) lecturer

profeta *sm* prophet

profilo *sm* **1** (*persona*) profile: *Di ~ è più bello.* He's better looking in profile. ◊ *un ritratto di ~* a profile portrait ◊ *Mettiti di ~.* Stand sideways. **2** (*edificio, montagna*) outline

profitto *sm* profit: *profitti e perdite* profit and loss

profondità *sf* depth: *a 400 metri di ~* at a depth of 400 metres

profondo, -a *agg* **1** (*gen*) deep: *È un pozzo molto ~.* It's a very deep well. ◊ *una voce profonda* a deep voice ◊ *sprofondare in un sonno ~* to fall into a deep sleep **2** (*sentimento*) profound LOC **poco profondo** shallow

profugo, -a *sm-sf* refugee: *un campo profughi* a refugee camp

profumare ◆ *vt* to perfume ◆ *vi* to smell good: *~ di rose* to smell of roses ◊ *~ di pulito* to smell clean ◆ **profumarsi** *v rifl* to put perfume on

profumato, -a *pp, agg* **1** (*sapone*) scented **2** (*fiore, pelle*) sweet-smelling *Vedi anche* PROFUMARE

profumeria *sf* perfumery [*pl* perfumeries]

profumo *sm* **1** (*cosmetico*) perfume **2** (*odore*) smell **3** (*caffè*) aroma

progettare *vt* to plan: *~ la fuga* to plan your escape

progetto *sm* plan: *Hai progetti per il futuro?* Have you got any plans for the future? LOC **progetto di legge** bill

prognosi *sf* (*Med*) prognosis [*pl* prognoses]

programma *sm* **1** (*gen*) programme: *un ~ televisivo* a TV programme **2** (*piano*) plan: *Hai programmi per sabato?* Have you got anything planned for Saturday? ◊ *Non ho niente in ~.* I've nothing planned. **3** (*Informatica*) program **4** (*scolastico*) syllabus [*pl* syllabuses]

programmare *vt* **1** (*pianificare*) to plan **2** (*apparecchio*) to set: *~ il videoregistratore* to set the video **3** (*Informatica*) to program

programmatore, -trice *sm-sf* programmer

progredire *vi* to make progress: *Ha progredito notevolmente.* He's made good progress.

progressista *agg, smf* progressive

progresso *sm* **1** (*gen*) progress [*non numerabile*]: *fare progressi* to make progress **2** (*conquista*) advance: *i progressi della medicina* advances in medicine

proibire *vt* **1** (*gen*) to forbid *sb* ***to do sth***: *Mio padre mi ha proibito di uscire la sera.* My father has forbidden me to go out at night. ◊ *Le hanno proibito i dolci.* She's been forbidden to eat sweets. **2** (*ufficialmente*) to ban *sb/sth* (***from doing sth***): *Hanno proibito la circolazione dei veicoli in centro.* Traffic has been banned from the town centre.

proiettare *vt* **1** (*immagine*) to project **2** (*ombra*) to cast **3** (*Cine*) to show: ~ *diapositive/un film* to show slides/a film

proiettile *sm* bullet LOC *Vedi* PROVA

proiettore *sm* projector

prologo *sm* prologue

prolunga *sf* extension

prolungare ◆ *vt* **1** (*gen*) to extend: ~ *una strada* to extend a road **2** (*durata*) to prolong (*form*), to make *sth* longer: ~ *la guerra* to prolong the war ◊ *Hanno prolungato la visita di una settimana.* They prolonged their visit by a week. ◆ **prolungarsi** *v rifl* to go on: *La riunione si è prolungata oltre il previsto.* The meeting went on longer than expected.

promessa *sf* **1** (*gen*) promise: *fare/mantenere una* ~ to make/keep a promise **2** (*persona*) hope: *È una* ~ *del ciclismo italiano.* He's the new hope of Italian cycling.

promettere *vt* to promise: *Ti prometto che tornerò.* I promise I'll come back. ◊ *Te lo prometto.* I promise. ◊ *Ho promesso di chiamarlo.* I promised to call him. LOC **promettere bene** to be promising **promettere mari e monti** to promise *sb* the earth

promozione *sf* promotion: *la* ~ *di un film* the promotion of a film LOC **avere la promozione** to go up a class

promuovere *vt* **1** (*impiegato, iniziativa*) to promote **2** (*Scuola*) to pass: *Sono stato promosso.* I've passed.

pronipote *smf* **1** great-grandson [*fem* great-granddaughter] **2 pronipoti** great-grandchildren

pronome *sm* pronoun

pronto, -a *agg* **1** (*gen*) ready (***for sth/to do sth***): *È tutto* ~ *per la festa.* Everything's ready for the party. ◊ *Siam pronti a partire.* We're ready to leave. ~ **a** (*deciso*) prepared ***to do sth***: *Siam pronti a scioperare.* We're prepared t go on strike. LOC **pronti, via!** read steady, go! **pronto?** (*telefono*) hellc **pronto soccorso 1** (*assistenza*) first ai [*non numerabile, v sing*] **2** (*ospedal* casualty (department) *Vedi anch* BATTUTA

pronuncia *sf* pronunciation: *Hai una molto buona.* Your pronunciation i very good.

pronunciare ◆ *vt* **1** (*parola*) t pronounce **2** (*discorso*) to give: ~ *u discorso* to give a speech ◆ **pronunciarsi** *v rifl* **pronunciarsi** (**su**) t comment (**on *sth***): *Non si è pronunciat sul caso.* He refused to comment on th case.

propaganda *sf* **1** (*pubblicitaria*) advertising **2** (*Politica*) propaganda: ~ *eletto rale* election propaganda

propagare ◆ *vt* to spread ◆ **propagarsi** *v rifl* to spread: *L'incendio s propagò rapidamente.* The fire sprea quickly. ◊ *L'epidemia si è propagata i tutto il paese.* The epidemic sprea through the whole country.

propenso, -a *agg* ~ **a** inclined **to *st to do sth***

proporre *vt* **1** (*gen*) to suggest (***doing sth***/(***that***...)): *Propongo di andare a cinema stasera.* I suggest going to th cinema this evening. **2** (*soluzione, brin disi*) to propose: *Ti propongo un affare* I've got a deal for you. **3** (*prefiggersi*) t set out ***to do sth***: *Mi sono proposto a finirlo in due anni.* I set out to finish i in two years.

proporzione *sf* proportion: *La lun ghezza dev'essere in* ~ *alla larghezza* The length must be in proportion to th width.

proposito *sm* **1** (*intenzione*) intention *buoni propositi* good intentions **2** (*scopo*) purpose: *Il* ~ *di questa riunion è*... The purpose of this meeting is.. LOC **a proposito** by the way **di proposito** on purpose

proposizione *sf* clause: *una* ~ *subordi nata* a subordinate clause

proposta *sf* proposal: *La* ~ *fu respinta* The proposal was turned down. LOC **proposta di matrimonio** proposal (o marriage): *fare una* ~ *di matrimonio qn* to propose to sb

proprietà *sf* property [*pl* properties]: ~ *privata* private property ◊ *le ~ medicinali delle piante* the medicinal properties of plants

proprietario, -a *sm-sf* **1** (*gen*) owner **2** (*bar, pensione, casa*) landlord [*fem* landlady] LOC **proprietario terriero** landowner

proprio, -a ◆ *agg* **1** (*possessivo*) my, your, etc own: *Lo fa a ~ vantaggio.* She does it for her own benefit. **2** ~ **di** (*tipico*) peculiar **to sb/sth** **3** (*senso*) proper ◆ *avv* **1** (*esattamente*) just, exactly (*form*): *~ davanti a casa mia* just in front of my house ◊ *L'ho trovato ~ dove mi avevi detto.* I found it just where you told me. **2** (*davvero*) really: *È ~ bello.* It's really nice. ◊ *Non lo so ~.* I really don't know. ◊ *Non mi piace ~.* I really don't like it. LOC **mettersi in proprio** to set up on your own **proprio così!** exactly! *Vedi anche* NOME

proroga *sf* extension

prorogare *vt* to defer

prosa *sf* prose

prosciugare ◆ *vt* to drain ◆ **prosciugarsi** *v rifl* to dry up

prosciutto *sm* ham LOC **prosciutto cotto** cooked ham **prosciutto crudo** cured ham

proseguire *vi* to carry on

prosperità *sf* prosperity

prospero, -a *agg* prosperous

prospettiva *sf* **1** (*Arte*) perspective: *In quel quadro la ~ è sbagliata.* The perspective's not quite right in that painting. **2** (*futuro*) prospect: *buone prospettive* good prospects ◊ *Che bella ~!* What a prospect!

prossimità *sf* nearness, proximity (*più formale*) LOC **in prossimità di 1** (*spazio*) close to **2** (*tempo*) in the run-up: *in ~ del Natale* in the run-up to Christmas

prossimo, -a ◆ *agg* **1** (*seguente*) next: *Scendo alla prossima fermata.* I'm getting off at the next stop. ◊ *il mese/martedì ~* next month/Tuesday **2** (*vicino*) near: *in un ~ futuro* in the near future ◆ *sm* **1** (*gli altri*) neighbour: *amare il ~* to love your neighbour **2** (*in fila*) next one: *Avanti il ~.* Next please!

prostituta *sf* prostitute

protagonista *smf* main character

proteggere *vt* to protect *sb* (**against/from sb/sth**): *Il cappello protegge dal sole.* Your hat protects you from the sun.

proteina *sf* protein

protesta *sf* protest: *Hanno ignorato le proteste degli studenti.* They ignored the pupils' protests. ◊ *una lettera di ~* a letter of protest

protestante *agg, smf* Protestant

protestantesimo *sm* Protestantism

protestare *vi* ~ (**contro**) to protest (**against/about** *sth*): *~ contro una legge* to protest against a law

protettivo, -a *agg* protective (***towards sb***)

protezione *sf* protection

prototipo *sm* **1** (*primo esemplare*) prototype: *il ~ del nuovo motore* the prototype for the new engine **2** (*modello*) epitome: *il ~ dell'imprenditrice moderna* the epitome of the modern businesswoman

prova *sf* **1** (*gen*) trial: *un periodo di ~* a trial period **2** (*dimostrazione, Mat*) proof **3** (*Dir*) evidence [*non numerabile*]: *Non ci sono prove contro di lei.* There's no evidence against her. **4** (*Scuola*) test **5** (*Mus, Teat*) rehearsal **6** (*Sport*) competition: *Ha vinto la ~ di salto in alto.* He won the high jump competition. LOC **a prova di proiettile** bulletproof **in prova** on trial **mettere alla prova** to test *sth* **prova a scelta multipla** multiple-choice exam **prova generale** dress rehearsal

provare ◆ *vt* **1** (*dimostrare*) to prove: *Questo prova che avevo ragione.* This proves I was right. **2** (*apparecchio*) to try *sth* out: *~ la lavatrice* to try out the washing machine **3** (*abito*) to try *sth* on: *provarsi una gonna* to try on a skirt **4** (*cibo, bevanda*) to try: *Non ho mai provato il caviale.* I've never tried caviar. **5** (*sentimento*) to feel **6** (*Mus, Teat*) to rehearse ◆ *vi* **1** (*gen*) ~ (**a**) to try (**doing sth/to do sth**): *Hai provato ad aprire la finestra?* Have you tried opening the window? ◊ *Ho provato di tutto ma senza risultato.* I've tried everything but with no success. ◊ *Provaci.* Just try.

> **Try to do** o **try doing**? Si usa **try to do** quando si riferisce allo scopo: *Ho provato a sollevarlo, ma era troppo pesante.* I tried to lift it but it was too heavy. Si usa **try doing** quando si parla di metodi per raggiungere lo scopo: *Se non funziona, prova a dargli un calcio.* If it doesn't work, try kicking it.

2 (*Mus, Teat*) to rehearse

proveniente *agg* ~ **da** from…: *il treno*

~ *da Viareggio* the train from Viareggio

provenienza *sf* origin

provenire *vi* ~ **da** to come **from...**: *Queste mele provengono dalla Francia.* These apples come from France.

proverbio *sm* proverb

provetta *sf* test tube: *bambino in* ~ test-tube baby

provincia *sf* province: *una città in* ~ *di Napoli* a town in the province of Naples

provinciale *agg* provincial

provino *sm* **1** (*gen*) audition **2** (*cinematografico*) screen test

provocante *agg* provocative

provocare *vt* **1** (*sfidare*) to provoke **2** (*causare*) to cause: ~ *un incidente* to cause an accident

provvedere *vi* **1** (*prendere un provvedimento*) to take steps **2** ~ **a** (*occuparsi*) to see to *sth*

provvedimento *sm* measure

provvisorio, -a *agg* provisional LOC *Vedi* LIBERTÀ

provvista *sf* supply LOC **fare provvista** to stock up (*on sth*)

prua *sf* bow(s) [*si usa spec al pl*]

prudente *agg* **1** (*assennato*) sensible: *un uomo/una decisione* ~ a sensible man/decision **2** (*cauto*) cautious

prudenza *sf* caution LOC **con prudenza** carefully: *guidare con* ~ to drive carefully

prudere *vi* to itch: *Mi prude la mano.* My hand is itching.

prugna *sf* prune

prurito *sm* itch

pseudonimo *sm* pseudonym

psichiatra *smf* psychiatrist

psichiatria *sf* psychiatry

psichiatrico, -a *agg* psychiatric

psicologia *sf* psychology

psicologico, -a *agg* psychological

psicologo, -a *sm-sf* psychologist

pubblicare *vt* to publish: ~ *un romanzo* to publish a novel

pubblicazione *sf* **1** (*gen*) publication **2 pubblicazioni** (*matrimoniali*) banns

pubblicità *sf* **1** (*gen*) publicity [*non numerabile*]: *Hanno dato troppa* ~ *al caso.* The case has had too much publicity. **2** (*attività*) advertising: *fare* ~ *in TV* to advertise on TV **3** (*annuncio*) advertisement, advert (*più informale*), ad (*inform*) LOC *Vedi* PICCOLO

pubblicitario, -a *agg* advertising: *una campagna pubblicitaria* an advertising campaign LOC *Vedi* SPOT

pubblicizzare *vt* to publicize

pubblico, -a ◆ *agg* **1** (*gen*) public: *l'opinione pubblica* public opinion ◊ *trasporti pubblici* public transport **2** (*statale*) state [*s attrib*]: *la scuola pubblica* state school ◊ *il settore* ~ the state sector ◆ *sm* **1** (*gen*) public [*v sing o pl*]: *aperto/chiuso al* ~ open/closed to the public ◊ *Il* ~ *non è ammesso in sala d'udienza.* The public is/are not allowed in the court room. ◊ *parlare in* ~ to speak in public **2** (*spettatori*) audience [*v sing o pl*]: *il programma con il* ~ *più numeroso* the programme with the largest audience LOC *Vedi* AMMINISTRAZIONE, LUOGO

pubertà *sf* puberty

pudore *sm* shame

pugilato *sm* boxing

pugile *sm* boxer LOC **fare il pugile** to box

Puglia *sf* Apulia

pugliese *agg, smf* Apulian

pugnalare *vt* to stab

pugnale *sm* dagger

pugno *sm* **1** (*mano chiusa*) fist **2** (*colpo*) punch: *Mi ha dato un* ~ *allo stomaco.* He punched me in the stomach. **3** (*quantità*) handful: *un* ~ *di riso* a handful of rice LOC **fare a pugni 1** (*picchiarsi*) to fight **2** (*colori*) to clash

pulce *sf* flea LOC *Vedi* MERCATO

pulcino *sm* chick

puledro, -a *sm-sf* foal

> **Foal** è il termine generico. Per riferirsi solo al maschio si dice **colt**. La femmina si chiama **filly**, plurale "fillies".

pulire *vt* **1** (*gen*) to clean: *Devo* ~ *i vetri* I've got to clean the windows. ◊ *pulirsi le scarpe* to clean your shoes **2** (*con straccio, fazzoletto*) to wipe: *pulirsi il naso/la bocca* to wipe your nose/mouth

pulita *sf* wipe: *Puoi dare una* ~ *al tavolo?* Can you give the table a wipe?

pulito, -a ◆ *pp, agg* clean: *L'albergo era abbastanza* ~. The hotel was quite clean. ◆ *avv* fair: *giocare* ~ to play fair *Vedi anche* PULIRE

pulizia *sf* **1** (*azione*) cleaning: *donna delle pulizie* cleaning lady **2** (*qualità*) cleanliness: *la* ~ *della casa* cleanliness in the home LOC **fare le pulizie** to do the cleaning

pullman *sm* coach: *viaggiare in ~* to travel by coach

pulpito *sm* pulpit

pulsazione *sf* **1** (*gen*) pulsation **2** (*cuore*) pulse rate: *Le pulsazioni aumentano con l'esercizio fisico.* Your pulse rate increases after exercise.

pum! *escl* bang!

puma *sm* puma

pungere *vt* **1** (*gen*) to prick: *~ qn con uno spillo* to prick sb with a pin **2** (*insetto*) **(a)** (*zanzara*) to bite **(b)** (*vespa*) to sting: *Non ti muovere se no ti punge.* Don't move or it'll sting you.

pungiglione *sm* sting

punire *vt* to punish

punizione *sf* **1** (*castigo*) punishment **2** (*Calcio*) free kick **LOC punizione corporale** corporal punishment *Vedi anche* CALCIO

punta *sf* **1** (*coltello, penna, spillo*) point **2** (*lingua, dito, iceberg*) tip: *Ce l'ho sulla ~ della lingua.* It's on the tip of my tongue. **3** (*capelli*) end: *doppie punte* split ends **LOC fare la punta a** (*affilare*) to sharpen *sth* **in punta di piedi** on tiptoe: *camminare in ~ di piedi* to walk on tiptoe ◊ *Sono entrato/uscito in ~ di piedi.* I tiptoed in/out. *Vedi anche* ORA

puntare *vt* **1** (*arma, dito*) to point *sth* ***at sb/sth*** **2** (*scommettere*) to bet *sth* ***on sb/sth*** **LOC puntare i piedi** to dig your heels in

puntata *sf* episode: *un serial in cinque puntate* a serial in five episodes

punteggiatura *sf* punctuation

punteggio *sm* **1** (*partita*) score **2** (*esame*) mark(s) [*si usa spec al pl*]: *Ha avuto il ~ più alto di tutti.* He got the highest mark of all.

puntiglioso, -a *agg* fussy

puntina *sf* **1** (*da disegno*) drawing-pin **2** (*giradischi*) stylus [*pl* styluses/styli]

puntino *sm* dot **LOC puntini puntini** dot dot dot

punto *sm* **1** (*gen*) point: *Passiamo al ~ successivo.* Let's go on to the next point. ◊ *Abbiamo perso per due punti.* We lost by two points. ◊ *a questo ~* at this point **2** (*punteggiatura*) full stop ☛ *Vedi pagg. 376–77.* **3** (*grado*) extent: *Fino a che ~ è vero?* To what extent is this true? **4** (*Cucito, Med*) stitch: *Mi hanno messo tre punti.* I had three stitches. **LOC a buon punto** quite far ahead **essere sul punto di fare qc** to be about to do sth: *Erano sul ~ di partire.* They were about to leave. **in punto** on the dot: *È partito alle due in ~.* It left at two on the dot. **punti cardinali** cardinal points **punto debole** weak point **punto di ebollizione/fusione** boiling point/melting point **punto di vista** point of view: *sotto tutti i punti di vista* from every point of view **punto e a capo** new paragraph **punto esclamativo/interrogativo** exclamation/question mark ☛ *Vedi pagg. 376–77.* **punto e virgola** semicolon ☛ *Vedi pagg. 376–77.* **punto metallico** staple **punto morto** (*negoziati*) deadlock: *Le trattative sono giunte a un ~ morto.* Talks have reached deadlock. **punto nero** blackhead **venire al punto** to get to the point *Vedi anche* CERTO, DUE, MESSA

puntuale *agg* punctual

> **Punctual** si usa per riferirsi alla qualità di una persona: *È importante essere puntuali.* It's important to be punctual. Quando ci riferiamo al fatto di *arrivare all'ora stabilita* si usa l'espressione **on time**: *Cerca di essere puntuale.* Try to get there on time. ◊ *Non è mai puntuale.* He's always late./ He's never on time.

puntualità *sf* punctuality

puntura *sf* **1** (*insetto*) **(a)** (*zanzara*) bite **(b)** (*ape, vespa*) sting **2** (*iniezione*) injection: *fare una ~ a qn* to give sb an injection

pupazzo *sm* **1** (*di peluche*) soft toy [*pl* soft toys] **2** (*burattino, fig*) puppet **LOC pupazzo di neve** snowman

pupilla *sf* pupil

purché *cong* as long as: *~ tu me lo dica* as long as you tell me

pure ◆ *avv* (*anche*) also, too, as well ☛ *Vedi nota a* ANCHE ◆ *cong* (*anche se*) even if: *~ volendolo non potrei aiutarvi.* I couldn't help you even if I wanted to. **LOC pur di**: *Farebbe di tutto pur di saperlo.* He would do anything to find out.

purè *sm* **LOC purè di patate** mashed potato [*non numerabile*]

purezza *sf* purity

purga *sf* laxative

purgatorio *sm* purgatory

purificare *vt* to purify

puritanesimo *sm* puritanism

puritano, -a ◆ *agg* **1** (*moralistico*) puritanical **2** (*Relig*) Puritan ◆ *sm-sf* Puritan

puro, -a *agg* **1** (*gen*) pure: *oro ~* pure gold ◊ *È stata una pura coincidenza.* It was pure coincidence. ◊ *per puro caso* purely by chance **2** (*enfatico*) simple: *la pura verità* the simple truth

purosangue *smf* thoroughbred

purtroppo *avv* unfortunately

pus *sm* pus

putiferio *sm* row

puttana *sf* whore

puzza *sf* stink: *Che ~!* What a stink!

puzzare *vi* ~ (**di**) to stink (**of** ***sth***)

puzzle *sm* jigsaw: *fare un ~* to do a jigsaw

puzzo *sm Vedi* PUZZA

puzzolente *agg* stinking

Qq

qua *avv* here: *Vieni ~.* Come here. LOC **di qua e di là** here and there **in qua**: *da tre anni in ~* for three years now **per di qua** this way

quaderno *sm* exercise book

quadrante *sm* (*orologio*) face

quadrare *vi* **1** ~ (**con**) to tally (**with** ***sth***): *Questo non quadra con quello che hai detto prima.* This doesn't tally with what you said before. **2** (*Comm*) to balance: *I conti non quadrano.* The books don't balance. ◊ *far ~ il bilancio* to balance the books

quadrato, -a *agg, sm* square LOC **al quadrato** squared: *tredici al ~* thirteen squared *Vedi anche* RADICE

quadretto *sm* (*dipinto*) picture LOC **a quadretti 1** (*tessuto*) checked **2** (*foglio*) squared

quadrifoglio *sm* four-leaf clover

quadro, -a ◆ *agg* square: *50 metri quadri* 50 square metres ◊ *parentesi quadre* square brackets ◆ *sm* **1** (*Arte*) painting **2** (*tabella*) table **3 quadri (a)** (*tessuto*) check [*sing*] **(b)** (*Carte*) diamonds ☛ *Vedi nota a* CARTA LOC **a quadri** checked: *tessuto a quadri* checked material **quadro di comando** control panel *Vedi anche* OLIO

quadruplo, -a *agg, sm* quadruple

quaggiù *avv* down here

quaglia *sf* quail [*pl* quail/quails]

qualche *agg* **1** (*gen*) a few: *Ti ho comprato ~ rivista per passare il tempo.* I've bought you a few magazines to pass the time. ◊ *C'è ~ problema?* Are there any problems? ☛ *Vedi nota a* SOME **2** (*con numeri*) several: *~ centinaio di persone* several hundred people **3** (*sporadico*) the occasional: *Ci sarà ~ leggero temporale.* There will be the occasional light shower. LOC **da qualche parte** somewhere, anywhere ☛ La differenza tra **somewhere** e **anywhere** è la stessa che tra **some** e **any**. *Vedi nota a* SOME **in qualche modo** somehow **qualche cosa** something, anything ☛ La differenza tra **something** e **anything** è la stessa che tra **some** e **any**. *Vedi nota a* SOME **qualche volta** sometimes

qualcosa *pron* something, anything: *C'è ~ di bello alla tele?* Is there anything good on TV? ◊ *C'è ~ che non va?* Is anything wrong? ◊ *o ~ del genere* or something like that ☛ La differenza tra **something** e **anything** è la stessa che tra **some** e **any**. *Vedi nota a* SOME LOC **in qualcosa** in any way: *Se ti posso essere utile in ~...* If I can help you in any way...

qualcuno *pron* **1** (*persona*) somebody, anybody: *Credi che verrà ~?* Do you think anybody will come? ☛ La differenza tra **somebody** e **anybody** è la stessa che tra **some** e **any**. *Vedi nota a* SOME

Nota che **somebody** e **anybody** richiedono il verbo al singolare, ma se sono seguiti da un pronome, questo è plurale (ad es. their): *Qualcuno ha dimenticato il cappotto.* Somebody's left their coat behind.

2 (*cosa*) a few: *Ne ho mangiato solo ~.* I only ate a few. **3** (*certi*) some people: *~ dice che se n'è andato perché era stufo.* Some people say he left because he'd had enough.

quale[1] ◆ *agg interr* **1** (*gen*) what: *Qual è il tuo numero di telefono/la capitale del Perù?* What's your telephone number/ the capital of Peru? **2** (*tra un certo numero*) which: *Per ~ squadra fai il tifo?* Which team do you support? ◊ *Con ~ treno sei arrivata?* Which train did you take to get here? ☛ *Vedi nota a*

WHAT ◆ *pron interr* which (one): *Non so ~ prendere.* I don't know which (one) to choose. ◊ *~ preferisci?* Which (one) do you prefer?

quale[2] *pron rel* **1** (*soggetto*) **(a)** (*persona*) who: *Suo zio, il ~ è professore...* Her uncle, who is a teacher... **(b)** (*cosa*) which, that **2** (*con preposizioni*) **(a)** (*persona*) whom: *Ha dieci studenti, due dei quali sono inglesi.* He has ten students, two of whom are English. ☛ *Vedi nota a* WHOM **(b)** (*cosa*) which, that: *il terreno sul ~ è stato costruito* the land on which it was built ◊ *la ditta per la ~ lavora* the firm he works for ☛ *Vedi nota a* WHICH LOC *Vedi* TALE

qualifica *sf* qualification

qualificato, -a *agg* qualified

qualità *sf* **1** (*gen*) quality [*pl* qualities]: *la ~ di vita nelle città* the quality of life in the cities ◊ *frutta di ~* quality fruit **2** (*tipo*) kind LOC **in qualità di** as: *in ~ di portavoce* as a spokesperson

qualsiasi *agg* **1** (*gen*) any: *Prendi ~ autobus che vada in centro.* Catch any bus that goes into town. ◊ *in ~ caso* in any case ◊ *in una ~ di queste città* in any one of those cities ☛ *Vedi nota a* SOME **2** (*di poco conto*) any old: *Prendi uno straccio ~.* Get any old cloth. LOC **da qualsiasi parte** anywhere **qualsiasi cosa 1** (*gen*) anything: *Farei ~ cosa per lei.* I'd do anything for her. **2** (*relativo*) whatever: *~ cosa voglia, gliela comprano.* They buy her whatever she wants.

qualunque *agg Vedi* QUALSIASI LOC *Vedi* UOMO

quando ◆ *avv interr* when: *~ hai l'esame?* When's your exam? ◊ *Chiedigli ~ arriverà.* Ask him when he'll be arriving. ◆ *cong* **1** (*gen*) when: *~ arriverà Marco, andremo allo zoo.* When Marco gets here, we'll go to the zoo. **2** (*in qualunque momento*) whenever: *Passa pure a trovarmi ~ vuoi.* Pop round to see me whenever you want. LOC **da quando?** how long...?: *Da ~ giochi a tennis?* How long have you been playing tennis?

Si può anche dire **since when?** che però ha un tono piuttosto ironico: *Ma da quando ti interessi di sport?* And since when have you been interested in sport?

di quando in quando from time to time

quantità *sf* **1** (*gen*) amount: *una piccola ~ di vernice/acqua* a small amount of paint/water **2** (*persone, oggetti*) number: *una ~ di gente* a great number of people LOC **in quantità** in huge amounts

quanto, -a *agg, pron*

- **interrogativo 1** (*quantità*) how much: *~ tempo hai?* How much time have you got? ◊ *Quant'è?/~ fa?/~ costa?* How much is it? **2** (*numero*) how many: *Quante persone c'erano?* How many people were there? ◊ *Quanti te ne hanno dato?* How many did they give you?
- **esclamativo**: *~ vino hanno bevuto!* What a lot of wine they've drunk! ◊ *Quanti ne ha aiutato!* He's helped so many people!
- **relativo**: *Lo farò tante volte quante sarà necessario.* I will do it as many times as I have to. ◊ *Gli abbiamo dato ~ avevamo.* We gave him everything we had.
- **tempo** how long: *Da quanti anni abiti a Londra?* How long have you been living in London? ◊ *~ ci hai messo a venire qui?* How long did it take you to get here? LOC **a quanto pare** as far as I can tell **in quanto a...** as for... **quanti anni hai?** how old are you? **quanti ne abbiamo oggi?** what's the date today? *Vedi anche* RIGUARDARE, TANTO, VOCE

quanto *avv*

- **interrogativo 1** (*gen*) how much: *~ pesa?* How much does it weigh? **2** (*con aggettivo*) how: *~ sei alto?* How tall are you?
- **esclamativo** how: *Quant'è bello il mare!* How beautiful the sea is! ◊ *~ mi piace!* I like him so much!
- **paragoni** as: *La nostra casa non è grande ~ la loro.* Our house isn't as big as theirs. ◊ *Piangi pure ~ vuoi.* Cry as much as you like. LOC **in quanto** as **quanto prima** as soon as possible **per quanto** however

quaranta *sm, agg, pron* forty ☛ *Vedi esempi a* SESSANTA

quarantena *sf* quarantine

quarantenne *agg, smf* forty-year-old ☛ *Vedi esempi a* UNDICENNE

quarantesimo, -a *agg, pron, sm* fortieth ☛ *Vedi esempi a* SESSANTESIMO

quarantina *sf* about forty: *una ~ di casi al giorno* about forty cases a day

quaresima *sf* Lent

quartetto *sm* quartet

quartiere *sm* neighbourhood: *Sono cresciuto in questo ~.* I grew up in this neighbourhood. LOC **del quartiere** local: *il macellaio del ~* the local butcher **quartier generale** headquarters [*v sing o pl*]

quarto, -a ◆ *agg, pron, sm* fourth (*abbrev* 4th) ☛ *Vedi esempi a* SESTO ◆ *sm* quarter: *un ~ d'ora* a quarter of an hour ◆ **quarta** *sf* **1** (*marcia*) fourth (gear) **2** (*Scuola*) fourth year: *Faccio la quarta.* I'm in fourth year. LOC **meno un quarto/e un quarto** a quarter to/a quarter past: *Sono arrivati alle dieci meno un ~.* They arrived at a quarter to ten. ◊ *È l'una e un ~.* It's a quarter past one. **primo/ultimo quarto** first/last quarter **quarti di finale** quarter-finals *Vedi anche* SEI

quarzo *sm* quartz

quasi *avv* **1** (*in frasi affermative*) almost, nearly: *Era ~ pieno.* It was almost/nearly full. ◊ *Direi ~ che…* I would almost say… ☛ *Vedi nota a* NEARLY **2** (*in frasi negative*) hardly: *Non la vedo ~ mai.* I hardly ever see her. ◊ *Non è venuto ~ nessuno.* Hardly anybody came. ◊ *Non è rimasto ~ niente.* There's hardly anything left. ◊ *Non c'era ~ coda.* There was hardly any queue. ◊ *Non li vediamo ~ più.* We hardly ever see them now. LOC **quasi mai** hardly ever: *Non ci vediamo ~ mai.* We hardly ever see each other. **quasi quasi**: *~ ~ glielo dico.* I've half a mind to tell him.

quassù *avv* up here

quattordicenne *agg, smf* fourteen-year-old ☛ *Vedi esempi a* UNDICENNE

quattordicesimo, -a *agg, pron, sm* fourteenth ☛ *Vedi esempi a* SESTO

quattordici *sm, agg, pron* **1** (*gen*) fourteen **2** (*data*) fourteenth ☛ *Vedi esempi a* SEI

quattro *sm, agg, pron* **1** (*gen*) four **2** (*data*) fourth ☛ *Vedi esempi a* SEI LOC **a quattro zampe** on all fours: *mettersi a ~ zampe* to get down on all fours

quattrocento ◆ *sm, agg, pron* four hundred ☛ *Vedi esempi a* SEICENTO ◆ *sm* **il Quattrocento** the 15th century: *nel Quattrocento* in the 15th century

quello, -a ◆ *agg* that [*pl* those]: *a partire da quel momento* from that moment on ◊ *quei libri* those books ◆ *pron* **1** (*gen*) that (one) [*pl* those (ones)]: *Non voglio ~.* I don't want that one. ◊ *Preferisco quelli.* I prefer those (ones). ◊ *~ è mio fratello.* That one is my brother. ◊ *~ là/lì* that one **2** (*con relativo*) **quello che (a)** (*persona*) the one (who/that) [*pl* those who]: *Non è lui ~ che ho visto.* He isn't the one I saw. **(b)** (*cosa*) the one (which/that) [*pl* those which]: *Quella che abbiamo comprato ieri era migliore.* The one (that) we bought yesterday was nicer. **(c)** (*ciò che*): *Faccio ~ che posso.* I'll do what I can.

quercia *sf* oak (tree)

questionario *sm* questionnaire: *riempire un ~* to fill in a questionnaire

questione *sf* matter: *È ~ di minuti.* It's a matter of minutes. ◊ *È una ~ di vita o di morte.* It's a matter of life or death. LOC **in questione** in question **la questione è che…** the thing is…

questo, -a ◆ *agg* this [*pl* these] ◆ *pron* this (one) [*pl* these (ones)]: *Preferisco ~.* I prefer this one. ◊ *Preferisci questi?* Do you prefer these ones? ◊ *~ qui/qua* this one ◊ *Chi è ~?* Who's this? LOC **e con questo?** so what? **questo è tutto** that's all

questura *sf* police headquarters

qui *avv* **1** (*luogo*) here: *Sono ~.* They're here. ◊ *È proprio ~.* It's right here. **2** (*tempo*) now: *da ~ in avanti* from now on ◊ *Fin ~ è andato tutto bene.* Up till now everything's been fine. LOC **di qui a un mese, anno, ecc** a month, a year, etc from now **qui accanto** just next door **qui vicino** near here

quindi ◆ *cong* so: *È tardi, e ~ dobbiamo sbrigarci.* It's late, so we have to hurry up. ◆ *avv* then: *Continua diritto fino alla chiesa, ~ gira a sinistra.* Carry on as far as the church, then turn left.

quindicenne *agg, smf* fifteen-year-old ☛ *Vedi esempi a* UNDICENNE

quindicesimo, -a *agg, pron, sm* fifteenth ☛ *Vedi esempi a* SESTO

quindici *sm, agg, pron* **1** (*gen*) fifteen **2** (*data*) fifteenth ☛ *Vedi esempi a* SEI LOC **quindici giorni** fortnight: *Andiamo solo per ~ giorni.* We're only going for a fortnight.

quindicina *sf* (*quindici giorni*) two weeks [*pl*]: *la seconda ~ di gennaio* the last two weeks of January

quintale *sm* 100 kilos

quintetto *sm* quintet

quinto, -a ◆ *agg, pron, sm* fifth ☛ *Vedi esempi a* SESTO ◆ **quinta** *sf* **1** (*Auto*) fifth (gear) **2** (*Scuola*) fifth year: *Faccio la quinta.* I'm in fifth year. **3** (*Teat*) **le quinte** the wings LOC **dietro le quinte** behind the scenes

quiz *sm* quiz

quota *sf* **1** (*somma*) fee: *la ~ d'iscrizione* the membership fee **2** (*altitudine*) altitude

quotidiano, -a ◆ *agg* daily ◆ *sm* daily newspaper

quoziente *sm* quotient LOC **quoziente d'intelligenza** intelligence quotient (*abbrev* IQ)

Rr

rabbia *sf* **1** (*ira*) anger **2** (*Med*) rabies [*sing*]: *Il cane aveva la ~*. The dog had rabies. LOC **fare rabbia**: *Mi fa ~ che…* I'm annoyed that…

rabbioso, -a *agg* **1** (*occhiata, sguardo*) angry **2** (*Med*) rabid: *un cane ~* a rabid dog

rabbonire *vt* to pacify

raccattapalle *smf* ballboy [*fem* ballgirl]

raccattare *vt* to pick *sth* up

racchetta *sf* **1** (*tennis*) racket **2** (*ping-pong*) bat

raccogliere *vt* **1** (*oggetto caduto*) to pick *sth* up: *Raccogli quel giornale, per favore.* Can you pick up the paper, please? **2** (*frutta, fiori*) to pick **3** (*riunire*) to collect: *~ firme* to collect signatures **4** (*soldi*) to raise

raccolta *sf* **1** (*gen*) collection: *fare (la) ~ di qc* to collect sth **2** (*Agr*) harvesting

raccolto, -a ◆ *pp, agg* **1** (*capelli*) up: *Stai meglio con i capelli raccolti.* You look better with your hair up. **2** (*ambiente*) quiet ◆ *sm* **1** (*gen*) harvest **2** **raccolti** crops *Vedi anche* RACCOGLIERE

raccomandare *vt* **1** (*albergo, ristorante*) to recommend **2** (*agevolare*) to pull strings **for *sb*** LOC **mi raccomando!**: *Non far tardi, mi raccomando!* Please don't be late!

raccomandato, -a ◆ *pp, agg* (*lettera*) registered ◆ **raccomandata** *sf* registered letter *Vedi anche* RACCOMANDARE

raccontare *vt* to tell

racconto *sm* story [*pl* stories]

raccordo *sm* LOC **raccordo anulare** ring road **raccordo stradale** road link

racimolare *vt* to scrape *sth* together

radar *sm* radar

raddoppiare *vt, vi* to double

raddrizzare ◆ *vt* to straighten ◆ **raddrizzarsi** *v rifl* to straighten (up)

radere ◆ *vt* to shave *sth* off ◆ **radersi** *v rifl* to shave LOC **radere al suolo** to raze *sth* to the ground

radiare *vt* (*espellere*) to strike *sb* off

radiatore *sm* radiator

radiazione *sf* radiation

radicale *agg, smf* radical

radicare ◆ *vi* to take root ◆ **radicarsi** *v rifl* to take root

radicato, -a *pp, agg* deep-rooted: *un'usanza profondamente radicata* a deep-rooted custom *Vedi anche* RADICARE

radice *sf* root LOC **mettere radici** **1** (*pianta*) to take root **2** (*persona*) to put down roots **radice quadrata/cubica** square/cube root: *La ~ quadrata di 49 è 7.* The square root of 49 is 7.

radio ◆ *sf* radio [*pl* radios]: *ascoltare la ~* to listen to the radio ◆ *sm* (*Chim*) radium LOC **alla radio** on the radio: *L'ho sentito alla ~*. I heard it on the radio.

radioamatore, -trice *sm-sf* radio ham

radioattivo, -a *agg* radioactive

radiocronaca *sf* radio commentary

radiografia *sf* X-ray [*pl* X-rays]: *fare una ~* to take an X-ray

radioregistratore *sm* radio cassette recorder

radiosveglia *sf* radio alarm

rado, -a *agg* **1** (*capelli*) sparse **2** (*visite*) infrequent LOC **di rado** rarely

radunare ◆ *vt* to gather ◆ **radunarsi** *v rifl* to gather

radura *sf* clearing

raffica *sf* **1** (*vento*) gust **2** (*spari*) burst: *una ~ di mitra* a burst of machine-gun fire **3** (*domande*) barrage: *una ~ di domande* a barrage of questions

raffinato, -a *agg* refined

raffineria *sf* refinery [*pl* refineries]

rafforzare *vt* to reinforce *sth* (***with sth***)

raffreddare ◆ *vt* to cool *sth* (down) ◆ **raffreddarsi** *v rifl* **1** (*gen*) to get cold: *La minestra si sta raffreddando.* Your soup's getting cold. **2** (*ammalarsi*) to catch a cold

raffreddore *sm* cold: *prendere il ~* to catch a cold LOC **raffreddore da fieno** hay fever

ragazza *sf* **1** (*gen*) girl: *le ragazze di seconda* the girls in second year **2** (*fidanzata*) girlfriend: *Hai la ~?* Have you got a girlfriend? **3** (*giovane donna*) young woman [*pl* young women] LOC **ragazza alla pari** au pair

ragazzo *sm* **1** (*gen*) boy, lad (*più informale*) **2** (*fidanzato*) boyfriend **3** **ragazzi** (*maschi e femmine*) **(a)** (*gen*) youngsters, kids (*più informale*) **(b)** (*adulti*) guys (*più informale*): *Dai, ragazzi!* Come on, guys! **LOC** *Vedi* GIOCO

raggiante *agg* (*persona, sorriso*) radiant: ~ *di gioia* radiant with happiness

raggio *sm* **1** (*gen*) ray [*pl* rays]: *un ~ di sole* a ray of sunshine ◊ *i raggi del sole* the sun's rays **2** (*Geom*) radius [*pl* radii] **3** (*ruota*) spoke **LOC raggio laser** laser beam **raggi X** X-rays

raggiungere *vt* **1** (*gen*) to reach: ~ *un accordo* to reach an agreement **2** (*conseguire*) to achieve: ~ *lo scopo* to achieve your aim **3** (*arrivare fino a*) to catch *sb* up: *Non sono riuscito a raggiungerli.* I couldn't catch them up. ◊ *Vai avanti, ti raggiungerò.* You go on—I'll catch you up.

raggomitolarsi *v rifl* to curl up

raggrinzire ◆ *vt* to crease *sth* up ◆ **raggrinzirsi** *v rifl* to wrinkle

raggruppare ◆ *vt* **1** (*in un solo gruppo*) to assemble **2** (*in più gruppi*) to put *sb/sth* in groups ◆ **raggrupparsi** *v rifl* to assemble

ragionamento *sm* **1** (*riflessione*) reasoning **2** (*discorso*) argument

ragionare *vi* to think: *Ragiona prima di agire.* Think before you act.

ragione *sf* reason (**for sth/doing sth**): *Le ragioni delle sue dimissioni sono ovvie.* The reasons for his resignation are obvious. **LOC avere ragione** to be right (*to do sth*): *Avevi ~ a non fidarti di lui.* You were right not to trust him. **dare ragione a** to side with *sb* *Vedi anche* MAGGIORE

ragioneria *sf* (*scienza*) accountancy

ragionevole *agg* reasonable

ragioniere, -a *sm-sf* accountant

ragliare *vi* to bray

ragnatela *sf* **1** (*gen*) (spider's) web **2** (*in casa*) cobweb

ragno *sm* spider

rallegrare ◆ *vt* **1** (*persona*) to cheer *sb* up **2** (*stanza*) to brighten *sth* up ◆ **rallegrarsi** *v rifl* **1** (*diventare allegro*) to cheer up **2 rallegrarsi con qn per qc** (*congratularsi*) to congratulate **sb on sth**: *Mi rallegro con te per la promozione.* Congratulations on your exam results.

rallentare *vt, vi* to slow (*sth*) down: *Rallenta!* Slow down!

rallentatore *sm* **LOC al rallentatore** in slow motion

rame *sm* copper

rammarico *sm* regret

rammendare *vt* **1** (*gen*) to mend **2** (*calzini*) to darn

ramo *sm* **1** (*albero, branca di studi*) branch: *un ~ della medicina* a branch of medicine **2** (*settore*) field: *Non è il mio ~.* That's not my field.

ramoscello *sm* twig

rampa *sf* **1** (*scale*) flight **2** (*piano inclinato*) ramp

rampicante *sm* creeper

rana *sf* **1** (*animale*) frog **2** (*Nuoto*) breast-stroke **LOC** *Vedi* UOMO

rancido, -a *agg* rancid

rancore *sm* resentment **LOC** *Vedi* SERBARE

randagio, -a *agg* stray **LOC** *Vedi* CANE

rango *sm* rank

rannicchiarsi *v rifl* **1** (*gen*) to crouch (down) **2** (*sotto le coperte*) to curl up

rapa *sf* turnip

rapace *sm* bird of prey

rapare *vt* (*capelli*) to crop

rapida *sf* (*fiume*) rapids [*pl*]

rapidità *sf* speed

rapido, -a *agg* quick: *un ~ calcolo* a quick calculation ☛ *Vedi nota a* FAST[1]

rapina *sf* **1** (*gen*) robbery [*pl* robberies]: *la ~ al supermercato* the supermarket robbery **2** (*per strada*) mugging **LOC rapina a mano armata** armed robbery

rapinare *vt* **1** (*banca, negozio*) to rob **2** (*per strada*) to mug

rapinatore, -trice *sm-sf* **1** (*in banca*) robber **2** (*per strada*) mugger ☛ *Vedi nota a* THIEF

rapire *vt* to kidnap

rapitore, -trice *sm-sf* kidnapper

rapporto *sm* **1** ~ (**con**) (*gen*) relationship (**with *sb/sth***): *avere un ~ con qn* to have a relationship with sb **2 rapporti** (*relazione*) relations: *Dobbiamo cercare di avere migliori rapporti di vicinato.* We should improve our relations with the neighbours. **3** ~ (**tra**) (*nesso*) connection (**between ...**) **4** (*Mat*) ratio: *I maschi e le femmine sono in ~ di uno a tre.* The ratio of boys to girls is one to three. **5** (*resoconto*) report **LOC in rapporto a** in/with relation to *sb/sth*

rappresaglia *sf* reprisal **LOC per rappresaglia** in reprisal

rappresentante *smf* representative: *il ~ del partito* the party representative **LOC rappresentante di commercio** sales rep

rappresentare *vt* **1** (*organizzazione, paese*) to represent: *Hanno rappresentato l'Italia alle Olimpiadi.* They represented Italy in the Olympics. **2** (*significare*) to mean: *Non rappresenta più niente per me.* He means nothing to me anymore. **3** (*quadro, statua*) to depict: *Il quadro rappresenta una battaglia.* The painting depicts a battle. **4** (*simboleggiare*) to symbolize: *Il verde rappresenta la speranza.* Green symbolizes hope. **5** (*commedia*) to perform

rappresentativo, -a *agg* representative

rappresentazione *sf* **1** (*gen*) representation **2** (*Teat*) performance

rarità *sf* rarity

raro, -a *agg* rare: *una pianta rara* a rare plant

rasare ◆ *vt* to shave *sth* off ◆ **rasarsi** *v rifl* to shave

raschiare *vt* to scrape *sth* (**off** ***sth***): *Abbiamo raschiato la vernice dal pavimento.* We scraped the paint off the floor. **LOC raschiarsi la gola** to clear your throat

rasentare *vt* **1** (*lett*) to keep close **to** ***sth*** **2** (*fig*) to border **on** ***sth***: *La sua ammirazione per lui rasentava la devozione.* Her admiration for him bordered on devotion.

raso, -a ◆ *agg* (*con misure*) level: *un cucchiaio ~ di zucchero* one level tablespoon of sugar ◆ *sm* satin

rasoio *sm* razor: *~ elettrico* electric razor **LOC** *Vedi* FILO

rassegna *sf* **1** (*ispezione*) review **2** (*cinema*) season

rassegnare ◆ *vt*: *~ le proprie dimissioni* to hand in your resignation ◆ **rassegnarsi** *v rifl* **rassegnarsi** (**a**) to resign yourself (**to** ***sth***)

rassegnato, -a *pp, agg* resigned *Vedi anche* RASSEGNARE

rassettare *vt* to tidy: *rassettarsi i capelli* to tidy your hair

rassicurare *vt* to reassure

rassodare *vt* to firm *sth* up

rastrellamento *sm* search

rastrellare *vt* (*quartiere*) to comb

rastrello *sm* rake

rata *sm* instalment: *pagare qc a rate* to pay for sth in instalments

ratto *sm* (*animale*) rat

rattoppare *vt* to patch

rattoppo *sm* patch

rattristare ◆ *vt* to sadden: *Mi rattrista pensare che non ti vedrò più.* It saddens me to think that I won't see you again. ◆ **rattristarsi** *v rifl* **rattristarsi** (**per**) to be upset (**about** ***sth***)

raucedine *sf*: *avere la ~* to be hoarse

rauco, -a *agg* hoarse

ravanello *sm* radish

ravioli *sm* ravioli [*non numerabile*]

ravvicinare *vt* to bring *sb/sth* closer together

razionale *agg* rational

razionamento *sm* rationing: *il ~ dell'acqua* water rationing

razza *sf* **1** (*umana*) race **2** (*animale*) breed: *Di che ~ è?* What breed is it? **LOC che razza di ... ?** what sort of ... ?: *Che ~ di discorso fai?* What are you talking about? ◊ *Che ~ di imbroglione!* What a crook! **di razza 1** (*cane*) pedigree **2** (*cavallo*) thoroughbred *Vedi anche* DISTINZIONE

razziale *agg* racial: *discriminazione ~* racial discrimination

razzismo *sm* racism

razzista *agg, smf* racist

razzo *sm* rocket **LOC come un razzo** like a shot

re *sm* **1** (*sovrano*) king ☛ *Vedi nota a* CARTA **2** (*nota*) D: *re maggiore* D major **LOC i Re Magi** the Three Wise Men

reagire *vi* ~ (**a**) to react (**to** ***sth***)

reale *agg* **1** (*non immaginario*) real **2** (*del re*) royal **LOC** *Vedi* PAPPA

realismo *sm* realism

realista *agg, smf* realist

realistico, -a *agg* realistic

realizzare ◆ *vt* **1** (*piano, progetto*) to carry *sth* out **2** (*sogno*) to fulfil **3** (*capire*) to realize **4** (*Sport*) to score ◆ **realizzarsi** *v rifl* **1** (*diventare realtà*) to come true: *I miei sogni si sono realizzati.* My dreams came true. **2** (*persona*) to fulfil yourself

realmente *avv* really

realtà *sf* reality [*pl* realities] **LOC diventare realtà** to come true **in realtà** actually **realtà virtuale** virtual reality *Vedi anche* GUARDARE

reato *sm* crime

reattore *sm* **1** (*motore*) jet engine **2** (*aereo*) jet **LOC reattore nucleare** nuclear reactor

reazione *sf* reaction

recapito *sm* **1** (*indirizzo*) forwarding address **2** (*telefonico*) contact number: *Ti lascio il mio ~.* I'll leave you a contact number.

recensione *sf* review, write-up (*più informale*): *La commedia ha avuto ottime recensioni.* The play got excellent reviews.

recente *agg* recent LOC **di recente** recently

recessione *sf* recession: ~ *economica* economic recession

recintare *vt* to fence

recinto *sm* **1** (*spazio*) enclosure **2** (*steccato*) fence

recipiente *sm* container

reciproco, -a *agg* (*interesse, affetto*) mutual

recita *sf* play

recitare ◆ *vt* **1** (*poesia*) to recite **2** (*parte*) to play ◆ *vi* to act

reclamare ◆ *vt* (*esigere*) to claim: ~ *la propria parte di eredità* to claim your share of an inheritance ◆ *vi* ~ (**contro**) (*protestare*) to complain (**about *sb/sth***): *Se non funziona dovresti ~.* If it doesn't work you should complain.

réclame *sf* advertisement

reclamo *sm* complaint: *fare/presentare un ~* to make/lodge a complaint

reclinabile *agg* reclining

reclusione *sf* imprisonment: *tre anni di ~* three years' imprisonment

recluta *sf* recruit

record *sm* record: *battere/detenere un ~* to break/hold a record

recuperare *vt* **1** (*gen*) to recover, to get *sth* back (*più informale*): ~ *le forze* to get your strength back ◊ *Hanno recuperato i soldi.* They were able to recover the money. **2** (*tempo*) to make *sth* up: *Devo ~ delle ore di lavoro.* I'll have to make up the time. **3** (*partita*) to replay

recupero *sm* LOC *Vedi* MINUTO, PARTITA

redattore, -trice *sm-sf* editor

redditizio, -a *agg* profitable: *poco ~* unprofitable

reddito *sm* income: *l'imposta sul ~* income tax LOC *Vedi* DICHIARAZIONE

redini *sf* reins LOC **tenere/prendere le redini** (*fig*) to be in charge/take charge (*of sth*)

referendum *sm* referendum [*pl* referendums/referenda]

referenza *sf* reference: *avere buone referenze* to have good references

referto *sm* report: ~ *medico* medical report

refettorio *sm* canteen ☛ *Vedi pag. 379.*

refrigerare *vt* to refrigerate

regalare *vt* **1** (*fare un regalo*) to give: *Mi ha regalato un mazzo di fiori.* She gave me a bunch of flowers. **2** (*vendere a basso prezzo*) to give *sth* away: *A quel prezzo è regalato!* At that price they're giving it away!

regalo *sm* present LOC *Vedi* ARTICOLO, CARTA, CONFEZIONE

reggere ◆ *vt* to hold: *Reggimi la borsa, per favore.* Could you hold my bag? ◊ *Sei sicuro che quel ramo ti regga?* Is that branch strong enough to hold you? ◊ ~ *l'alcol* to hold your drink ◆ *vi* **1** (*ponte*) to hold up **2** (*ragionamento*) to stand up LOC **reggersi in piedi** to stand

reggia *sf* palace

reggimento *sm* regiment

reggiseno *sm* bra

regia *sf* **1** (*Teat*) production **2** (*Cine*) direction: ~ *di Nanni Moretti* directed by Nanni Moretti

regime *sm* **1** (*Politica*) regime: *un ~ molto liberale* a very liberal regime **2** (*dieta*) diet: *essere a ~* to be on a diet

regina *sf* queen ☛ *Vedi nota a* CARTA LOC *Vedi* APE

regionale *agg* regional

regione *sf* region

regista *smf* director

registrare *vt* **1** (*programma, temperatura*) to record **2** (*nascita, fatto*) to register

registrato, -a *pp, agg* LOC *Vedi* MARCHIO; *Vedi anche* REGISTRARE

registratore *sm* tape recorder LOC **registratore di cassa** till

registrazione *sf* **1** (*annotazione*) registration **2** (*audio, video*) recording

regnare *vi* (*lett e fig*) to reign

regno *sm* **1** (*luogo*) kingdom **2** (*periodo*) reign **3** (*fig*) realm LOC **regno animale/vegetale/minerale** animal/plant/mineral kingdom **il Regno Unito** the United Kingdom (*abbrev* UK)

regola *sf* rule: *di ~* as a (general) rule LOC **in regola** in order *Vedi anche* NORMA, STRAPPO

regolabile *agg* adjustable

regolamentare *agg* regulation [*s attrib*]: *velocità ~* regulation speed

regolamento *sm* regulations [*pl*]: *È contro il ~ scolastico.* It's against school regulations.

regolare[1] ◆ *vt* **1** (*apparecchio*) to adjust: ~ *la televisione* to adjust the television **2** (*traffico*) to direct **3** (*orologio*) to set ◆ **regolarsi** *v rifl* **1** (*comportarsi*) to act **2** (*moderarsi*): *regolarsi nello spendere* to watch the pennies

regolare[2] *agg* **1** (*gen*) regular: *verbi regolari* regular verbs **2** (*medio*) medium: *di statura* ~ of medium height

regolarità *sf* regularity

regolarmente *avv* regularly

reincarnarsi *v rifl* ~ (**in**) to be reincarnated (**as *sb/sth***)

reincarnazione *sf* reincarnation

reinserimento *sm* (*di ex detenuti, drogati*) rehabilitation

reinserire *vt* (*ex detenuti, drogati*) to rehabilitate

relatività *sf* relativity

relativo, -a *agg* **1** (*gen*) relative: *un pronome* ~ a relative pronoun **2** ~ **a** relating **to *sth***

relax *sm*: *Hai bisogno di un po' di ~.* You need to relax. ◊ *un pomeriggio di tutto* ~ a relaxing afternoon

relazione *sf* **1** ~ (**con**) (*gen*) relationship (**with *sb/sth***) **2** (*extraconiugale*) affair **3** ~ (**tra**) (*nesso*) connection (**between…**) **4** (*resoconto*) report LOC **in relazione a** in/with relation to *sb/sth* **relazioni pubbliche** public relations (*abbrev* PR)

religione *sf* religion

religioso, -a *agg* religious

relitto *sm* wreck

remare *vi* to row

remissivo, -a *agg* submissive

remo *sm* oar LOC *Vedi* BARCA

remoto, -a *agg* remote

rendere ◆ *vt* **1** (*dare*) to give *sth* back ***to sb*** **2** (*far diventare*) to make: *L'ha reso felice.* It made him happy. **3** (*fruttare*) to yield ◆ *vi* **1** (*lavoro, attività*) to be profitable **2** (*impiegato, studente*) to perform LOC **rendere l'idea**: *Rendo l'idea?* Do you get my meaning? **rendersi conto di/che…** to realize *sth* / that…: *Mi sono reso conto che non mi ascoltavano.* I realized (that) they weren't listening. ◊ *Ma ti rendi conto di quello che fai?* Do you realize what you're doing? *Vedi anche* VUOTO

rendiconto *sm* report: *il ~ annuale della società* the company's annual report

rendimento *sm* (*di macchina, atleta*) performance: *il suo ~ scolastico* his academic performance

rene ◆ *sm* kidney [*pl* kidneys] ◆ **reni** *sf* (*zona lombare*) lower back [*sing*] LOC *Vedi* SOFFRIRE

renna *sf* **1** (*animale*) reindeer [*pl* reindeer] **2** (*pelle*) suede LOC **di renna** (*giacca, guanti*) suede [*s attrib*]

Reno *sm* **il Reno** the Rhine

reparto *sm* **1** (*negozio*) department: ~ *abbigliamento* clothing department **2** (*ospedale*) ward LOC *Vedi* RIANIMAZIONE

repertorio *sm* repertoire

replica *sf* **1** (*in TV*) repeat **2** (*risposta*) reply

replicare *vt* **1** (*in TV*) to repeat **2** (*rispondere*) to reply

reportage *sm* report: *un ~ sulle elezioni* a special report on the elections

reporter *sm* reporter

repressione *sf* repression

repressivo, -a *agg* repressive

represso, -a *pp, agg, sm-sf* repressed [*agg*]: *È un ~.* He's repressed. *Vedi anche* REPRIMERE

reprimere *vt* to repress

repubblica *sf* republic

repubblicano, -a *agg, sm-sf* republican

reputazione *sf* reputation: *avere una buona/cattiva ~* to have a good/bad reputation

requisire *vt* to requisition

requisito *sm* requirement (***for sth*/*to do sth***)

resa *sf* **1** (*l'arrendersi*) surrender **2** (*merci*) return

residente *agg, smf* resident

residenza *sf* residence

residenziale *agg* residential: *una zona ~* a residential area

residuo, -a ◆ *agg* remaining ◆ *sm* **residui** waste [*non numerabile, v sing*]: *residui tossici* toxic waste

resina *sf* resin

resistente *agg* **1** (*gen*) strong **2** (*colore*) fast

resistenza *sf* **1** (*gen*) resistance **2** (*di atleta*) stamina

resistere *vi* **1** ~ **a** (*reggere*) to withstand *sth*: *Le baracche non hanno resistito all'uragano.* The huts weren't able to withstand the hurricane. **2** ~ (**a**) (*tentazione*) to resist (*sth/doing sth*): *Non ho resistito (alla tentazione) e ho mangiato tutte le paste.* I couldn't resist eating all the cakes. **3** (*tener duro*) to hold on: *Resisti che ci siamo quasi.* Hold on, we're almost there.

resoconto *sm* **1** (*descrizione*) account:

fare il ~ dei fatti to give an account of events **2** (*documento*) report

respingere *vt* **1** (*gen*) to turn *sb/sth* down: *La nostra proposta è stata respinta.* Our proposal was turned down. **2** (*bocciare*) to fail

respirare *vt, vi* to breathe: *~ aria pura* to breathe fresh air

respiratorio, -a *agg* respiratory

respirazione *sf*: *esercizi di ~* breathing exercises LOC **respirazione artificiale** artificial respiration **respirazione bocca a bocca** mouth-to-mouth resuscitation: *Gli hanno fatto la ~ bocca a bocca.* They gave him mouth-to-mouth resuscitation.

respiro *sm* breath: *Fai un ~ profondo.* Take a deep breath. LOC *Vedi* ATTIMO

responsabile ◆ *agg* responsible (*for sth*) ◆ *smf* **1** (*incaricato*) person in charge: *il ~ dei lavori* the person in charge of the building work **2** (*colpevole*): *I responsabili si facciano avanti.* Those responsible should give themselves up.

responsabilità *sf* responsibility [*pl* responsibilities] LOC *Vedi* SOCIETÀ

restare *vi* **1** (*gen*) to remain, to stay (*più informale*): *~ silenzioso/seduto* to remain thoughtful/seated ◊ *Sono restati amici.* They stayed friends. ◊ *~ a letto/in casa* to stay in bed/at home **2** (*esserci*) to be left: *Ci restano tre giorni prima delle vacanze.* There are three days left before the holidays. **3** (*avanzare*) to have *sth* left: *Ci restano ancora due bottiglie.* We've still got two bottles left. ◊ *Non mi restano soldi per l'autobus.* I've got no money left for the bus.
☛ Per altre espressioni con **restare** vedi alla voce del sostantivo, dell'aggettivo, ecc, ad es. **restare male** a MALE.

restaurare *vt* to restore

restauratore, -trice *sm-sf* restorer

restauro *sm* restoration

restituire *vt* to return *sth* (*to sb/sth*): *Hai restituito i libri alla biblioteca?* Did you return the books to the library?

resto *sm* **1** (*gen*) rest: *Il ~ te lo racconto domani.* I'll tell you the rest tomorrow. **2** (*soldi*) change: *Tenga il ~.* Keep the change. **3** (*Mat*) remainder **4 resti** remains

restringere ◆ *vt* (*abito*) to take in ◆ *vi* (*tessuto*) to shrink: *Non restringe in acqua fredda.* It doesn't shrink in cold water.

rete *sf* **1** (*gen*) net **2** (*gol*) goal **3** (*maglia*) mesh **4** (*Informatica, comunicazioni*) network: *la ~ ferroviaria/stradale* the railway/road network

reticolato *sm* wire fence

retina *sf* (*Anat*) retina

retro *sm* back: *sul ~ del biglietto* on the back of the card ◊ *Il giardino è sul ~.* The garden is at the back.

retrocedere *vi* (*Sport*) to be relegated: *La squadra è retrocessa in serie C.* They've been relegated to the third division.

retrocessione *sf* (*Sport*) relegation

retromarcia *sf* reverse: *fare ~* to reverse

retrovisore *agg* LOC *Vedi* SPECCHIETTO

retta *sf* (*Geom*) straight line LOC **dare retta a** to listen to *sb*

rettangolare *agg* rectangular

rettangolo *sm* rectangle LOC *Vedi* TRIANGOLO

rettile *sm* reptile

retto, -a ◆ *agg* **1** (*linea*) straight **2** (*angolo*) right ◆ *sm* rectum [*pl* rectums/recta]

reumatismo *sm* rheumatism [*non numerabile*]

reversibile *agg* reversible

revisionare *vt* to service: *Ho fatto ~ la macchina.* I've had the car serviced.

revisione *sf* **1** (*gen*) revision **2** (*auto*) service

revival *sm* revival

revolver *sm* revolver

riacquistare *vt* (*salute, libertà*) to regain, to get *sth* back (*più informale*): *~ la memoria* to get your memory back

riallacciare *vt* to renew: *~ un'amicizia* to renew a friendship

rialzo *sm* rise

riammettere *vt* to readmit *sb* (*to ...*): *È stato riammesso alle lezioni.* He was readmitted to school.

rianimare ◆ *vt* **1** (*gen*) to revive **2** (*Med*) to resuscitate ◆ **rianimarsi** *v rifl* (*riaversi*) to regain consciousness

rianimazione *sf* resuscitation LOC **centro/reparto di rianimazione** intensive care unit

riaprire *vt, vi* to reopen

riassumere *vt* **1** (*gen*) to summarize: *~ un libro* to summarize a book **2** (*concludere*) to sum *sth* up: *Riassumendo, ...* To sum up, ... **3** (*impiegato*) to re-employ

riassunto *sm* summary [*pl* summaries]

riattaccare *vt, vi* (*telefono*) to hang up [*vi*]
riavvolgere *vt* to rewind
ribaltabile *agg* reclining: *sedili ribaltabili* reclining seats
ribaltare ◆ *vt* to overturn ◆ **ribaltarsi** *v rifl* to overturn: *La macchina si è ribaltata.* The car overturned.
ribasso *sm* fall (**in** *sth*): *un ~ dei prezzi* a fall in prices
ribattere *vi* (*replicare*) to retort
ribellarsi *v rifl* ~ (**contro**) to rebel (**against** *sb/sth*)
ribelle ◆ *agg* **1** (*gen*) rebel [*s attrib*]: *le forze ribelli* the rebel forces **2** (*spirito*) rebellious **3** (*bambino*) difficult ◆ *smf* rebel
ribellione *sf* rebellion
ribes *sm* **1** (*rosso*) redcurrant [*numerabile*] **2** (*nero*) blackcurrant [*numerabile*]
ribollire *vi* to boil: *Solo a pensarci mi ribolle il sangue.* Just thinking about it makes my blood boil.
ribrezzo *sm* disgust: *fare ~ a qn* to disgust sb
ricadere *vi* **1** ~ (**in**) to relapse (**into** *sth*/ *doing sth*) **2** ~ **su** (*responsabilità, sospetto*) to fall **on** *sb*: *I sospetti ricaddero su di lei.* Suspicion fell on her.
ricaduta *sf* relapse: *avere una ~* to have a relapse
ricalcare *vt* to trace
ricalco *sm* (*disegno*) tracing: *carta da ~* tracing paper
ricamare *vt* to embroider
ricamato, -a *pp, agg* embroidered: *~ a mano* hand-embroidered *Vedi anche* RICAMARE
ricambio *sm* **1** spare (part) **2** (*penna*) refill LOC **di ricambio** spare: *pantaloni di ~* spare trousers *Vedi anche* PEZZO
ricamo *sm* embroidery [*non numerabile*]: *un vestito con ricami sulle maniche* a dress with embroidery on the sleeves
ricapitolare *vt* to recapitulate, to recap (*più informale*)
ricaricare *vt* **1** (*pila, batteria*) to recharge **2** (*arma, macchina fotografica*) to reload **3** (*accendino*) to refill
ricattare *vt* to blackmail *sb* (**into doing sth**)
ricattatore, -trice *sm-sf* blackmailer
ricatto *sm* blackmail
ricavato *sm* proceeds [*pl*]: *Il ~ delle vendite andrà in beneficenza.* The proceeds will go to charity.
ricchezza *sf* **1** (*soldi*) wealth [*non numerabile*] **2** (*qualità*) richness: *la ~ del terreno* the richness of the land
riccio, -a ◆ *agg* curly: *Ho i capelli ricci.* I've got curly hair. ☛ *Vedi illustrazione a* CAPELLO ◆ *sm* **1** (*capelli*) curl **2** (*animale*) hedgehog LOC **riccio di mare** sea urchin
ricco, -a ◆ *agg* ~ (**di**) rich (**in** *sth*): *una famiglia ricca* a rich family ◊ *~ di minerali* rich in minerals ◆ *sm-sf* rich man/ woman [*pl* rich men/women]: *i ricchi* the rich LOC **essere ricco sfondato** to be rolling in it
ricerca *sf* **1** ~ (**di**) search (**for** *sb/sth*): *Hanno abbandonato le ricerche.* They abandoned the search. **2** (*scientifica*) research **3** (*Scuola*) project: *fare una ~ sull'ambiente* to do a project on the environment LOC **alla ricerca di** in search of *sb/sth* **fare delle ricerche (su qc)** to do research (into sth): *Stanno facendo delle ricerche sul virus dell'AIDS.* They're doing research into the Aids virus. *Vedi anche* DOTTORATO
ricercato, -a *agg* **1** (*criminale*) wanted **2** (*apprezzato*) sought-after **3** (*elegante*) refined
ricercatore, -trice *sm-sf* researcher
ricetta *sf* **1** (*Cucina*) recipe (**for** *sth*): *Devi darmi la ~ di questo piatto.* You must give me the recipe for this. **2** (*Med*) prescription: *Da vendersi solo dietro presentazione di ~ medica.* Only available on prescription.
ricevere *vt* **1** (*gen*) to receive, to get (*più informale*): *Ho ricevuto la tua lettera.* I received/got your letter. **2** (*accogliere*) to welcome: *È venuto fuori a riceverci.* He came out to welcome us.
ricevitore *sm* receiver
ricevitoria *sf* LOC **ricevitoria del lotto** lottery agency [*pl* lottery agencies]
ricevuta *sf* receipt: *Mi fa la ~?* Can I have a receipt, please?
richiamare *vt* **1** (*gen*) to call *sb* back **2** (*attirare*) to attract LOC **richiamare l'attenzione su** to draw attention to *sth*
richiamo *sm* **1** (*voce, gesto*) call **2** (*attrazione*) attraction **3** (*vaccino*) booster LOC **fare/servire da richiamo** to act as a decoy
richiedere *vt* **1** (*per sapere*) to ask *sth* again **2** (*per avere*) to ask for *sth* **3** (*passaporto, licenza*) to apply for *sth* **4** (*necessitare*) to require
richiesta *sf* **1** (*gen*) request (**for** *sth*): *una ~ di informazioni/aiuto* a request

for information/help **2** (*passaporto*) application (***for sth***) LOC **a richiesta** (*programma, fermata*) request [*s attrib*] *Vedi anche* FERMATA, GRANDE

riciclare *vt* **1** (*materiale*) to recycle **2** (*soldi*) to launder

ricominciare *vt, vi* to start again

ricompensa *sf* reward: *come ~ (per qc)* as a reward (for sth)

ricompensare *vt* to reward *sb* (***for sth***)

riconciliarsi *v rifl* to make (it) up (***with sb***): *Ora si sono riconciliati.* They've made (it) up now.

riconoscente *agg* grateful: *Ti sono ~.* I am very grateful to you.

riconoscere *vt* **1** (*gen*) to recognize: *Non l'avevo riconosciuta.* I didn't recognize her. **2** (*ammettere*) to admit: *~ un errore* to admit a mistake

riconoscimento *sm* recognition

ricopiare *vt* to copy *sth* out

ricordare ◆ *vt* **1** **~ qc a qn** to remind *sb* (**about sth/to do sth**): *Ricordami di comprare il pane.* Remind me to buy some bread. ◊ *Ricordamelo domani o me ne scorderò.* Remind me tomorrow or I'll forget. **2** (*per associazione*) to remind *sb* (***of sb/sth***): *Mi ricorda mio fratello.* He reminds me of my brother. ◊ *Sai che cosa/chi mi ricorda questa canzone?* Do you know what/who this song reminds me of? ☛ *Vedi nota a* REMIND **3** (*venire in mente*) to remember *sth/doing sth*: *Non ricordo come si chiama/il suo numero di telefono.* I can't remember his name/telephone number. ◊ *Non ricordo di avertelo detto.* I don't remember telling you. ◆ **ricordarsi** *v rifl* **ricordarsi di** to remember *sth*: *Ricordati di imbucare la lettera* Remember to post the letter. ◊ *Per quanto mi ricordi…* As far as I can remember… ◊ *ricordarsi di aver fatto qc* to remember doing sth ◊ *Mi ricordo di averlo visto.* I remember seeing it. ☛ *Vedi nota a* REMEMBER

ricordo *sm* memory [*pl* memories]: *Ho un bellissimo ~ delle vacanze.* I have happy memories of my holiday.

ricorrere *vi* **~ a** **1** (*servirsi*) to resort **to *sth*** **2** (*rivolgersi*) to turn **to *sb***: *Non so a chi ~.* I don't know who to turn to.

ricorso *sm* (*Dir*) appeal LOC **fare ricorso a** **1** (*persona*) to turn to *sb* **2** (*cosa*) to resort to *sth*

ricostruire *vt* **1** (*gen*) to rebuild **2** (*fatto, incidente*) to reconstruct

ricoverare ◆ *vt*: *È stato ricoverato in ospedale.* He was admitted to hospital.

> La parola inglese **to recover** non significa *ricoverare* ma *riprendersi* o *guarire*: *Non mi sono ancora ripresa dallo shock.* I still haven't recovered from the shock. ◊ *Ho avuto la varicella, ma adesso sono guarita.* I had chickenpox but I've recovered now.

◆ **ricoverarsi** *v rifl*: *Mi ricovero domani.* I'm going into hospital tomorrow.

ricovero *sm* (*ospedale*) admission (***to sth***)

ricreazione *sf* break: *Alle undici facciamo la ~.* Break is at eleven.

ridere *vi* ~ (**di**) (*gen*) to laugh (**at *sb/sth***): *Perché ridi?* Why are you laughing? ◊ *Ridono di lei.* They always laugh at her. ◊ *Ridono a tutte le sue battute.* They laugh at all his jokes. LOC **che ridere!** how funny! **far ridere** to make *sb* laugh *Vedi anche* SCAPPARE, SCOPPIARE

ridicolizzare *vt* to ridicule

ridicolo, -a *agg* ridiculous

ridire *vt* (*ripetere*) to repeat LOC **non avere nulla da ridire** to have no objection *to sth* *Vedi anche* TROVARE

ridotto, -a *pp, agg* **1** (*prezzo*) reduced **2** (*piccolo*) small: *un gruppo ~* a small group *Vedi anche* RIDURRE

ridurre ◆ *vt* to reduce: *~ la velocità* to reduce speed ◊ *L'incendio ha ridotto in cenere la stalla.* The fire reduced the stable to ashes. ◆ **ridursi** *v rifl* **ridursi** (**a**) to be reduced (**to *sth/doing sth***): *Come ti sei ridotto!* What a state you're in!

riduzione *sf* reduction

rieleggere *vt* to re-elect

riempire ◆ *vt* **1** (*gen*) to fill *sb/sth* (***with sth***): *Riempi d'acqua la brocca.* Fill the jug with water. **2** (*modulo*) to fill *sth* in: *Bisogna ~ un modulo.* You have to fill in a form. ◆ **riempirsi** *v rifl* to fill (up) (***with sth***): *La casa si riempì d'invitati.* The house filled (up) with guests. LOC **riempire di botte** to beat *sb* up

rientrare *vi* **1** (*entrare di nuovo*) to go/come back in **2** (*ritornare*) to return, to get back (*più informale*) **3** **~ in** (*far parte*) to be part **of *sth***: *Non rientra nei miei compiti.* It's not part of my duties.

rifare *vt* to redo: *È tutto da ~* It all needs redoing. LOC **rifare il letto** to make the bed **rifarsi una vita** to start a new life

riferimento *sm* reference (***to sb/sth***): *punto di ~* reference point ◊ *Con ~ alla Vostra lettera...* With reference to your letter... LOC **fare riferimento a** to refer to *sb/sth*

riferire ◆ *vt* to report (**on** ***sth***): *~ le decisioni prese durante la riunione* to report on what was decided at the meeting ◆ **riferirsi** *v rifl* **riferirsi a** to refer **to** ***sb/sth***: *A cosa ti riferisci?* What are you referring to?

rifiutare ◆ *vt* to refuse *sth/to do sth*: *Ho rifiutato il suo invito.* I refused his invitation. ◆ **rifiutarsi** *v rifl*: *Si sono rifiutati di venire.* They refused to come. ◊ *Mi sono rifiutato di pagare.* I refused to pay.

rifiuto *sm* **1** (*diniego*) refusal **2 rifiuti** (*spazzatura*) rubbish [*non numerabile*] LOC *Vedi* CESTINO

riflesso, -a ◆ *agg* reflected: *luce riflessa* reflected light ◆ *sm* **1** (*gen*) reflection: *il ~ della luce sullo specchio* the reflection of light on a mirror **2** (*reazione*) reflex: *avere i riflessi pronti* to have quick reflexes **3 riflessi** (*capelli*) streaks LOC **di riflesso** indirectly

riflettere ◆ *vi* ~ (**su**) to think (**about** ***sth***): *Ha riflettuto prima di rispondere.* He thought about his answer. ◆ *vt* (*luce, immagine*) to reflect

riflettore *sm* **1** (*gen*) spotlight **2** (*stadio*) floodlight

riforma *sf* reform

riformatorio *sm* young offenders' institution

rifornimento *sm* **1** (*azione*) supplying **2 rifornimenti** supplies LOC **fare rifornimento di 1** (*acqua, cibo*) to stock up with *sth* **2** (*benzina*) to fill up with *sth*

rifornire ◆ *vt* to supply *sb* ***with sth*** ◆ **rifornirsi** *v rifl* **1 rifornirsi di** to stock up **on/with** ***sth***: *rifornirsi di farina* to stock up on flour **2** (*carburante*) to refuel

rifugiarsi *v rifl* to take refuge: *~ in un granaio* to take refuge in a barn

rifugiato, -a *sm-sf* refugee: *un campo di rifugiati* a refugee camp

rifugio *sm* **1** (*protezione*) shelter **2** (*luogo*) refuge: *un ~ di montagna* a mountain refuge LOC **dare rifugio a** to shelter *sb/sth*

riga *sf* **1** (*gen*) line: *tracciare una ~* to draw a line **2** (*striscia*) stripe **3** (*capelli*) parting: *una pettinatura con la ~ in mezzo* a hairstyle with a centre parting **4** (*righello*) ruler LOC **a righe 1** (*tessuto*) striped **2** (*foglio*) lined **in riga!** fall in! **mandare/scrivere due righe a** to drop *sb* a line

rigetto *sm* rejection

rigido, -a *agg* **1** (*gen*) stiff **2** (*teso*) rigid **3** (*severo*) strict **4** (*clima*) harsh

rigo *sm* line LOC **rigo musicale** stave

rigore *sm* (*Sport*) penalty [*pl* penalties]: *segnare su ~* to score from a penalty ◊ *battere un ~* to take a penalty LOC *Vedi* CALCIO

rigoroso, -a *agg* **1** (*rigido*) strict **2** (*minuzioso*) thorough

riguardare *vt* to concern: *Sono cose che non ti riguardano.* It doesn't concern you. LOC **per quanto mi, ti, ecc riguarda** as far as I'm, you're, etc concerned

riguardo *sm* respect LOC **riguardo a** concerning

rilasciare *vt* **1** (*Amm*) to issue: *~ un passaporto* to issue a passport **2** (*liberare*) to release: *Gli ostaggi sono stati rilasciati stamattina.* The hostages were released this morning.

rilassamento *sm* relaxation: *tecniche di ~* relaxation techniques

rilassare ◆ *vt* to relax ◆ **rilassarsi** *v rifl* to relax: *Cerca di rilassarti.* Try to relax.

rilegare *vt* to bind

rilegatore, -trice *sm-sf* bookbinder

rilievo *sm* **1** (*Geog*): *una carta in ~* a relief map **2** (*importanza*) significance: *un fenomeno di grande ~* an event of great significance LOC **mettere in rilievo** to emphasize *sth*

rima *sf* rhyme: *fare ~* to rhyme

rimandare *vt* **1** (*mandare di nuovo*) to send *sth* again **2** (*mandare indietro*) to send *sth* back **3** (*bocciare*) to fail: *Mi hanno rimandato in inglese.* I've failed English. **4** (*rinviare*) to put *sth* off, to postpone (*più formale*)

rimando *sm* cross-reference

rimanere *vi* **1** (*gen*) to remain, to stay (*più informale*): *~ silenzioso/seduto* to remain thoughtful/seated ◊ *Sono rimasto sveglio tutta la notte.* I stayed awake all night. ◊ *~ a letto/in casa* to stay in bed/at home **2** (*esserci*) to be left: *È rimasto del caffè?* Is there any coffee left? ◊ *Non è rimasto nulla del paese originale.* Nothing is left of the original village. **3** (*avanzare*) to have *sth* left: *Ci rimangono ancora due bottiglie.* We've still got two bottles left. ◊ *Non mi è rimasta una lira.* I haven't got a penny left. **4** (*essere situato*) to be: *Dove rimane il tuo albergo?* Where's your hotel? **5** (*divenire*) to be: ~ *ferito* to be injured ◊ ~ *incinta* to get pregnant **6** (*accordarsi*) to leave it: *Come siete rimasti?* How did you leave it? ◊ *Siamo rimasti che...* We left it that... LOC **rimanere senza** to run out of *sth*: *Siamo rimasti senza latte.* We've run out of milk. ☛ Per altre espressioni con **rimanere** vedi alla voce del sostantivo, dell'aggettivo, ecc, ad es. **rimanere a piedi** a PIEDE.

rimangiare *vt* LOC **rimangiarsi la parola/la promessa** to go back on your word

rimarginarsi *v rifl* to heal

rimbalzare *vi* **1** (*gen*) to bounce (***off sth***): *La palla rimbalzò sul cerchio.* The ball bounced off the hoop. **2** (*proiettile*) to ricochet (***off sth***) LOC **far rimbalzare** to bounce *sth*

rimbalzo *sm* bounce LOC **di rimbalzo** on the rebound

rimbambire *vi* to go senile

rimbambito, -a *pp, agg* senile *Vedi anche* RIMBAMBIRE

rimboccare *vt* (*coperte*) to tuck *sth* in LOC **rimboccarsi le maniche** to roll up your sleeves

rimbombare *vi* to resound

rimborsabile *agg* returnable: *Il deposito non è ~.* The deposit is non-returnable.

rimborsare *vt* **1** (*cifra pagata*) to refund: *Le sarà rimborsato l'intero importo.* You will have your money refunded. **2** (*spese*) to reimburse

rimborso *sm* refund

rimediare *vi* ~ **a 1** (*situazione*) to remedy *sth* [*vt*] **2** (*danno*) to repair *sth* [*vt*]

rimedio *sm* ~ (**per/contro**) remedy [*pl* remedies] (**for *sth***)

rimessa *sf* **1** (*auto*) garage **2** (*autobus*) depot

rimettere ◆ *vt* **1** (*gen*) to put *sth* back **2** (*vomitare*) to bring *sth* up ◆ **rimettersi** *v rifl* to recover (***from sth***): *rimettersi da una malattia* to recover from an illness LOC **rimetterci** to lose out ☛ Per altre espressioni con **rimettere** vedi alla voce del sostantivo, dell'aggettivo, ecc, ad es. **rimettere in piedi** a PIEDE.

rimmel *sm* mascara: *darsi/mettersi il ~* to apply mascara

rimodernare *vt* to modernize

rimorchiare *vt* **1** (*auto*) to tow **2** (*ragazza, ragazzo*) to chat *sb* up: *Gli piace ~ le ragazze.* He likes chatting girls up.

rimorchio *sm* trailer

rimordere *vt* LOC **mi, ti, ecc rimorde la coscienza** I, you, etc have a guilty conscience

rimorso *sm* remorse [*non numerabile*] LOC **avere dei rimorsi** to feel guilty

rimpiangere *vt* to regret

rimpianto *sm* regret

rimpiazzare *vt* to replace *sb/sth* (***with sb/sth***)

rimpicciolire ◆ *vt* to make *sth* smaller ◆ **rimpicciolirsi** *v rifl* to become smaller

rimpinzarsi *v rifl* ~ (**di**) to stuff yourself (**with *sth***): *Ci siamo rimpinzati di cioccolatini.* We stuffed ourselves with chocolates.

rimproverare *vt* to tell *sb* off (***for sth/doing sth***): *Mi ha rimproverato di non averlo chiamato.* He told me off for not telephoning him.

rimuginare *vt* to turn *sth* over in your mind

Rinascimento *sm* **il Rinascimento** the Renaissance

rincasare *vi* to get back home

rinchiudere ◆ *vt* **1** (*gen*) to shut *sb/sth* up **2** (*a chiave, in prigione*) to lock *sb/sth* up ◆ **rinchiudersi** *v rifl* **1** (*gen*) to shut yourself in **2** (*a chiave*) to lock yourself in

rincorrere *vt* to run after *sb*

rinfacciare *vt* ~ **qc a qn** to throw **sth in sb's face**

rinforzare *vt* to reinforce *sth* (***with sth***)

rinforzo *sm* reinforcement

rinfrescante *agg* refreshing

rinfrescare ◆ *vt* **1** (*raffreddare*) to cool **2** (*memoria*) to refresh ◆ *v impers* to get cooler: *Di notte rinfresca.* It gets cooler at night. ◆ **rinfrescarsi** *v rifl* to freshen up

rinfresco *sm* **1** (*ricevimento*) reception **2 rinfreschi** (*cibi e bevande*) refreshments

rinfusa *sf* LOC **alla rinfusa** at random

ringhiare *vi* to growl

ringhiera *sf* **1** (*scala*) banister(s) [*si usa spec al pl*]: *scivolare giù per la ~* to slide down the banisters **2** (*balcone*) railing(s) [*si usa spec al pl*]

ringiovanire *vt* to make *sb* look younger: *Questo taglio di capelli ti ringiovanisce.* That haircut makes you look younger.

ringraziamento *sm* thanks [*pl*]: *qualche parola di ~* a few words of thanks

ringraziare *vt* to thank *sb* (**for sth/doing sth**): *senza neppure ~* without even saying thank you

rinnovare *vt* **1** (*gen*) to renew: *~ un contratto/il passaporto* to renew a contract/your passport **2** (*edificio*) to renovate

rinnovo *sm* **1** (*gen*) renewal: *il ~ di un contratto* the renewal of a contract **2** (*edificio*) renovation: *chiuso per ~ locali* closed for renovation

rinoceronte *sm* rhino [*pl* rhinos]

Rhinoceros è il nome scientifico.

rinomato, -a *agg* famous

rintocco *sm* stroke: *i rintocchi di mezzanotte* the stroke of midnight

rintracciare *vt* to get hold of *sb*: *Ho cercato di rintracciarti tutta la mattina.* I've been trying to get hold of you all morning.

rinunciare *vi ~* (**a**) to give (*sth*) up, to renounce *sth* (*più formale*): *~ a un'eredità/un diritto* to renounce an inheritance/a right ◊ *Ci rinuncio!* I give up!

rinviare *vt* **1** (*rispedire*) to return *sth* (**to sb/sth**) **2** (*differire*) to put *sth* off

rinvio *sm* **1** (*gen*) postponement **2** (*rimando*) cross-reference

riordinare *vt, vi* to tidy (*sth*) up: *Potresti ~ la tua camera?* Could you tidy your bedroom up? ◊ *Mi aiuti a ~?* Will you help me tidy up?

riparare ◆ *vt* **1** (*aggiustare*) to repair **2** (*proteggere*) to protect *sb/sth* (**against/from sth**) ◆ **ripararsi** *v rifl* **ripararsi** (**da**) to shelter (**from sth**): *ripararsi dalla pioggia/da un temporale* to shelter from the rain/from a storm

riparato, -a *pp, agg* (*luogo*) sheltered *Vedi anche* RIPARARE

riparazione *sf* repair

riparo *sm* shelter LOC **al riparo da** sheltered from *sth*: *al ~ dalla pioggia* sheltered from the rain

ripassare *vt* **1** (*gen*) to revise **2** (*nozioni*) to brush *sth* up: *Dovresti proprio ~ il tuo inglese!* You ought to brush up your English!

ripasso *sm* revision

ripensare *vi ~* **a 1** (*riflettere*) to think *sth* over **2** (*ricordare*) to remember *sth* LOC **ripensarci** to have second thoughts

ripercuotersi *v rifl ~* **su** to have repercussions **on sth**

ripercussione *sf* repercussion

ripetere ◆ *vt* to repeat: *Ha ripetuto la domanda.* He repeated the question. ◊ *Puoi ~?* Could you repeat that please? ◊ *~ l'anno* to repeat the year ◆ **ripetersi** *v rifl* **1** (*fatto*) to happen again: *Che non si ripeta mai più!* And don't let it happen again! **2** (*persona*) to repeat yourself

ripetizione *sf* **1** (*gen*) repetition **2** (*lezione*) private lesson

ripiano *sm* shelf [*pl* shelves]

ripido, -a *agg* steep

ripieno, -a ◆ *agg* (*pollo*) stuffed ◆ *sm* stuffing

riportare *vt* **1** (*gen*) to take *sth* back **2** (*Mat*) to carry

riposare ◆ *vt, vi* to rest (*sth*) (**on sth**): *Lasciami ~ un attimo.* Let me rest for a few minutes. ◊ *Devi ~.* You need to rest. ◊ *~ la vista* to rest your eyes ◆ **riposarsi** *v rifl* to have a rest

riposato, -a *pp, agg* rested *Vedi anche* RIPOSARE

riposo *sm* rest: *Il medico gli ha ordinato molto ~.* The doctor prescribed plenty of rest. LOC **buon riposo!** sleep well! *Vedi anche* CASA, GIORNO

ripostiglio *sm* boxroom

riprendere ◆ *vt* **1** (*gen*) to take *sth* back: *Riprenditi le tue foto.* Take your photos back. **2** (*riavere*) to get *sth* back: *~ fiato/forza* to get your breath/strength back **3** (*ricominciare*) to resume: *~ il lavoro* to resume work **4** (*filmare*) to shoot: *~ una scena* to shoot a sequence ◆ *vi* to resume: *~ a funzionare* to resume working ◊ *La trasmissione riprenderà appena possibile.* Normal service will be resumed as soon as possible. ◆ **riprendersi** *v rifl* (*rimettersi*) to recover (**from sth**): *riprendersi da una malattia* to recover from an illness ◊ *Gli ci sono volute diverse settimane per riprendersi.* He took several weeks to recover. ☛ Per altre espressioni con **riprendere** vedi alla voce del sostantivo, dell'aggettivo, ecc, ad es. **riprendere fiato** a FIATO.

ripresa *sf* **1** (*di attività*) resumption: *la*

~ *delle trattative* the resumption of the negotiations **2** (*di condizione*) recovery: ~ *economica* economic recovery **3** (*Cine*) **(a)** (*azione*) filming, shooting (*più informale*): *Sono cominciate le riprese di una serie televisiva.* The filming of a TV series has started. **(b)** (*inquadratura*) shot **4** (*Sport*) **(a)** (*Calcio*) second half **(b)** (*Pugilato*) round **5** (*Auto*) acceleration: *una buona* ~ good acceleration

riprodurre ◆ *vt* to reproduce ◆ **riprodursi** *v rifl* to reproduce

riproduzione *sf* reproduction

riprovare *vt, vi* to try (*sth/to do sth*) again: *Riproverò più tardi.* I'll try again later.

ripugnante *agg* revolting

ripulire *vt* to clean *sth* up

ripulita *sf* clean-up

riquadro *sm* (*casella*) box

risacca *sf* undertow

risaia *sf* ricefield

risalire ◆ *vt* (*pendio, fiume*) to go up *sth*: ~ *una strada* to go up a street ◆ *vi* ~ **a** (*tradizione*) to date back **to *sth***: *Risale al Medio Evo.* It dates back to the Middle Ages.

risaltare *vi* to stand out (***against sth***): *Il rosso risalta sul verde.* Red stands out against green.

risalto *sm* LOC **mettere in risalto 1** (*bellezza*) to bring *sth* out **2** (*particolare*) to highlight

risarcimento *sm* compensation LOC **risarcimento danni** damages

risarcire *vt* to pay *sb* compensation (***for sth***)

risarella *sf* giggles: *avere la* ~ to have the giggles

risata *sf* laugh: *una* ~ *nervosa/contagiosa* a nervous/contagious laugh ◊ *Che risate!* What a laugh!

riscaldamento *sm* **1** (*gen*) heating: ~ *centrale* central heating **2** (*ginnastica*) warm-up: *esercizi di* ~ warm-up exercises ◊ *Prima faremo un po' di* ~. We're going to warm up first.

riscaldare ◆ *vt* **1** (*stanza*) to heat **2** (*cibo*) to heat *sth* up: *Ti riscaldo la cena.* I'll heat up your dinner. ◆ **riscaldarsi** *v rifl* to warm up

riscatto *sm* ransom: *chiedere un* ~ *di un miliardo* to demand a billion-lire ransom

rischiararsi *v rifl* to brighten up

rischiare *vt* to risk LOC **rischiare l'osso del collo** to risk your neck

rischio *sm* risk LOC **correre il rischio di** to run the risk of *doing sth*: *Corrono il* ~ *di perdere dei soldi.* They run the risk of losing their money. **rischio del mestiere** occupational hazard

risciacquare *vt* to rinse

riscuotere *vt* **1** (*stipendio*) to draw **2** (*affitto*) to collect **3** (*assegno*) to cash

risentimento *sm* resentment

risentire ◆ *vt* to hear *sth* again ◆ *vi* ~ **di** to feel the effects **of *sth*** ◆ **risentirsi** *v rifl* (*offendersi*) to resent *sth* [*vt*]: *Si è risentita per le sue critiche.* She resented his criticism.

riserva *sf* **1** ~ **(di)** reserve(s) [*si usa spesso al pl*]: *riserve di carbone* coal reserves **2** (*Sport*) reserve **3** (*terreno*) preserve: ~ *di caccia* game preserve **4** (*dubbio*) reservation LOC **di riserva** spare **essere in riserva** to be low on petrol **fare riserva di** to stock up on *sth* **riserva naturale** wildlife reserve **tenere di riserva** to keep *sth* in reserve

riservare *vt* **1** (*tenere in serbo*) to put *sth* aside **2** (*prenotare*) to book: *Vorrei* ~ *un tavolo per tre.* I'd like to book a table for three.

riservato, -a *pp, agg* (*persona*) reserved *Vedi anche* RISERVARE

riso *sm* **1** (*pianta*) rice **2** (*risate*) laughter [*non numerabile*]: *Si sentivano le risa dei bambini.* You could hear the children's laughter.

risolvere ◆ *vt* to solve: *Hanno risolto il problema con una telefonata.* They solved the problem with a phone call. ◆ **risolversi** *v rifl* to turn out fine: *Tutto si è risolto per il meglio.* Everything turned out for the best in the end.

risorsa *sf* **1** (*mezzo*) resort: *come ultima* ~ as a last resort **2 risorse** resources: *risorse umane/economiche* human/economic resources

risparmiare ◆ *vt, vi* to save: ~ *tempo/soldi* to save time/money ◆ *vt* to spare: *Risparmiami i particolari!* Spare me the details.

risparmiatore, -trice *sm-sf* saver

risparmio *sm* saving: *i miei risparmi* my savings LOC *Vedi* CASSA, LIBRETTO

rispedire *vt* to send *sb/sth* back LOC **rispedire al mittente** return to sender

rispettabile *agg* respectable: *una persona* ~ a respectable person ◊ *una somma* ~ a respectable amount

rispettare *vt* **1** (*persona, idea*) to respect *sb/sth* (**for sth**): ~ *le opinioni altrui* to respect other people's opinions ◊ *Dobbiamo ~ la natura.* We have to respect nature. **2** (*legge, regole*) to obey **3** (*orario, promessa*) to keep

rispettivo, -a *agg* respective

rispetto *sm* **1** ~ (**per**) (*considerazione, stima*) respect (**for sb/sth**): ~ *per gli altri/la natura* respect for others/ nature **2** ~ (**di**) (*regole*) observance (**of sth**) LOC **rispetto a** compared to *sth*: ~ *all'anno scorso* compared to last year *Vedi anche* MANCARE

rispettoso, -a *agg* respectful

risplendere *vi* to shine

rispondere *vi* **1** ~ (**a**) (*gen*) to answer *sb/sth*, to reply **to sth** (*più formale*): *Non rispondono mai alle mie lettere.* They never answer my letters. ◊ *Devo ~ a queste lettere.* I have to reply to these letters. ◊ *Rispondi!* Answer me! ◊ ~ *a una domanda* to answer a question **2** ~ (**a**) (*reagire*) to respond (**to sth**): ~ *a una cura* to respond to treatment ◊ *I freni non rispondono!* The brakes aren't responding! **3** ~ (**a**) (*con impertinenza*) to answer *sb* back: *Non ~ così a tua madre!* Don't answer your mother back! **4** ~ **di** (*essere responsabile*) to answer **for sb/sth**: *Non rispondo di nessuno.* I won't answer for anybody's actions.

risposta *sf* **1** (*gen*) answer, reply [*pl* replies] (*più formale*): *Non abbiamo avuto ~.* We haven't had a reply. ◊ *una ~ chiara* a clear answer ◊ *Voglio una ~ alle mie domande.* I want an answer to my questions. **2** (*reazione*) response (**to sth**): *una ~ favorevole* a favourable response

rissa *sf* fight

ristabilire ◆ *vt* (*gen*) to restore: ~ *l'ordine* to restore order ◆ **ristabilirsi** *v rifl* (*rimettersi*) to recover (**from sth**): *Gli ci sono volute diverse settimane per ristabilirsi.* He took several weeks to recover.

ristorante *sm* restaurant ☛ *Vedi pag. 379.* LOC *Vedi* VAGONE

risultare *vi* **1** ~ (**che...**) to turn out (**that...**): *Al processo è risultato che si conoscevano.* During the trial it turned out (that) they knew each other. **2** ~ **a qn** (**che...**) (*essere noto*): *Mi risulta che...* I understand that... ◊ *Non mi risulta.* Not as far as I know.

risultato *sm* result: *i risultati finali* the final results

risuonare *vi* (*echeggiare*) to resound

risvolto *sm* **1** (*giacca*) lapel **2** (*pantaloni*) turn-up

ritagliare *vt* (*articolo, foto*) to cut *sth* out: *Ho ritagliato la foto da una vecchia rivista.* I cut the photograph out of an old magazine.

ritaglio *sm* **1** (*stoffa*) remnant **2** (*giornale*) cutting

ritardare *vi* **1** (*treno*) to be late **2** (*orologio*) to be slow

ritardato, -a *pp, agg* delayed LOC *Vedi* SCOPPIO; *Vedi anche* RITARDARE

ritardo *sm* delay [*pl* delays]: *Alcuni voli hanno subito un ~.* Some flights were subject to delays. ◊ *È cominciato con cinque minuti di ~.* It began five minutes late. ◊ *Scusa il ~.* Sorry I'm late. LOC **essere in ritardo** to be late: *Sono in ~ per la lezione di francese.* I'm late for my French class. ◊ *Il treno è in ~ di cinque ore.* The train is five hours late.

ritirare ◆ *vt* **1** (*pacco*) to pick *sth* up: *Devo andare in tintoria a ~ il cappotto.* I've got to pick up my coat from the cleaners. **2** (*stipendio*) to draw: *Ritiro venerdì.* I get paid on Friday. **3** (*come punizione*) to withdraw (*sth*) (**from sth**): *Mi hanno ritirato la patente.* I had my driving licence withdrawn. ◊ ~ *una rivista dalla circolazione* to withdraw a magazine from circulation ◆ **ritirarsi** *v rifl* **1 ritirarsi** (**da**) **(a)** (*gara*) to withdraw (**from sth**): *ritirarsi dall'incontro* to withdraw from the match **(b)** (*professione*) to retire (**from sth**): *Si è ritirato dalla politica.* He retired from politics. **2** (*tessuto*) to shrink **3** (*Mil*) to retreat

ritirata *sf* retreat

ritiro *sm* **1** (*gen*) withdrawal **2** (*da una professione*) retirement: *Ha annunciato il suo ~ dal tennis.* He announced his retirement from tennis. **3** (*isolamento*) retreat LOC **ritiro bagagli** baggage reclaim

ritmo *sm* **1** (*Mus*) rhythm, beat (*più informale*): *seguire il ~* to keep time ◊ *una canzone con un buon ~* a song with a good beat **2** (*velocità*) rate: *Producono auto a un ~ sfrenato.* They produce cars at a remarkable rate. LOC **ritmo di vita** pace of life *Vedi anche* SENSO

rito *sm* rite

ritoccare *vt* (*vernice, foto*) to retouch

ritocco *sm* finishing touch: *dare gli*

ultimi ritocchi to put the finishing touches

ritornare *vi* to go/come back (***to...***): *Non vogliono ~ al loro paese.* They don't want to go back to their own country. ◊ *Credo che ritorni domani.* I think she's coming back tomorrow.

ritornello *sm* refrain

ritorno *sm* return: *il ~ alla normalità* a return to normality ◊ *Ci vedremo al mio ~.* I'll see you when I get back. LOC **avere un ritorno di fiamma** (*motore*) to backfire **essere di ritorno** to be back *Vedi anche* ANDATA, BIGLIETTO

ritrarre *vt* **1** (*disegnare*) to paint *sb's* portrait: *L'artista la ritrasse nel 1897.* The artist painted her portrait in 1897. **2** (*descrivere*) to portray: *La commedia ritrae la vita dell'aristocrazia.* The play portrays aristocratic life.

ritratto *sm* **1** (*quadro*) portrait **2** (*foto*) photograph **3** (*descrizione*) portrayal LOC **essere il ritratto della salute** to be the picture of health

ritrovare ◆ *vt* to find *sth* (again) ◆ **ritrovarsi** *v rifl* **1** (*con amici*) to meet: *Ci ritroviamo stasera.* We're meeting this evening. **2** (*in una situazione*) to end up: *Mi sono ritrovato nei guai per colpa sua.* It was his fault I ended up in trouble.

ritrovo *sm* meeting place

ritto, -a *agg* standing

rituale *sm* ritual

riunificare *vt* to reunify

riunione *sf* meeting: *Domani abbiamo una ~ importante.* We've got an important meeting tomorrow. ◊ *tenere una ~* to hold a meeting

riunire ◆ *vt* to gather *sb/sth* together: *Ho riunito gli amici/la famiglia.* I gathered my friends/family together. ◆ **riunirsi** *v rifl* to meet

riuscire *vi* **1** (*aver successo*) to succeed: *~ nella vita* to succeed in life **2** (*essere capace*) to manage ***to do sth***: *Sono riuscito a convincerli.* I managed to persuade them. **3** (*concludersi*) to turn out: *È riuscita peggio di come mi aspettassi.* It turned out worse than I expected.

riuscita *sf* success: *fare una buona ~* to be a success

riuscito, -a *pp, agg* successful: *un tentativo ~* a successful attempt *Vedi anche* RIUSCIRE

riva *sf* **1** (*fiume*) bank **2** (*mare*) shore LOC **in riva al mare/fiume** on the seashore/riverside

rivale *agg, smf* rival

rivangare *vt* (*faccenda, passato*) to drag *sth* up

rivedere ◆ *vt* **1** (*gen*) to see *sb/sth* again: *Non mi dispiacerebbe rivederlo.* I wouldn't mind seeing it again. **2** (*verificare*) to check: *~ un testo* to check a text ◆ **rivedersi** *v rifl* to meet again: *Ci siamo rivisti dopo un anno.* We met again a year later.

rivelare *vt* to reveal: *Non ci ha mai rivelato il suo segreto.* He never revealed his secret to us.

rivendicare *vt* **1** (*diritto*) to claim **2** (*attentato*) to claim responsibility **for *sth***

rivendicazione *sf* claim

rivestimento *sm* covering

rivestire ◆ *vt* **1** (*coprire*) to cover **2** (*carica*) to hold ◆ **rivestirsi** *v rifl* to get dressed

rivincita *sf* revenge LOC **prendersi la rivincita** to get/take your revenge (*for sth*)

rivista *sf* **1** (*giornale*) magazine **2** (*Teat*) revue **3** (*Mil*): *passare in ~ le truppe* to review the troops

rivolgere ◆ *vt* **1** (*messaggio*) to address *sth* ***to sb/sth*** **2** (*arma*) to point *sth* ***at sb/sth*** ◆ **rivolgersi** *v rifl* **rivolgersi a** (*parlare*) to speak **to *sb*** LOC **rivolgere la parola** to speak *to sb*

rivolo *sm* trickle

rivolta *sf* revolt

rivoltare *vt* (*stomaco*) to turn

rivoluzionare *vt* **1** (*trasformare*) to revolutionize **2** (*scombussolare*) to turn *sth* upside down: *Ha rivoluzionato la mia vita.* It turned my life upside down.

rivoluzionario, -a *agg, sm-sf* revolutionary [*pl* revolutionaries]

rivoluzione *sf* revolution

rizzare ◆ *vt* ◆ **rizzarsi** *v rifl*: *Mi si rizzarono i capelli.* My hair stood on end. LOC **far rizzare i capelli a** to make *sb* 's hair stand on end

roba *sf* stuff: *Di chi è quella ~?* Who does that stuff belong to? LOC **roba da lavare/stirare** washing/ironing **roba da mangiare/bere** food/drink

robot *sm* robot LOC **robot di cucina** food processor

robusto, -a *agg* robust

rocchetto *sm* (*filo*) reel

roccia *sf* rock

roccioso, -a *agg* rocky

rodaggio *sm*: *La mia macchina è ancora in ~.* I'm still running my car in.

rodere *vt* **1** (*lett*) to gnaw **2** (*fig*) to eat *sth* (up): *Cosa ti rode?* What's eating you? ◊ *essere roso dall'invidia/dalla rabbia/dalla gelosia* to be eaten up with envy/anger/jealousy LOC *Vedi* FEGATO

roditore *sm* rodent

rognone *sm* kidney

Roma *sf* Rome

Romania *sf* Romania

romanico, -a *agg* (*Archit*) Romanesque

L'equivalente inglese di *romanico* è **Norman**: *a Norman church*

romano, -a *agg, sm-sf* Roman: *i romani* the Romans LOC **fare alla romana** to go Dutch: *Per la cena facciamo alla romana.* We'll go Dutch for this meal. *Vedi anche* NUMERO, NUMERAZIONE

romantico, -a *agg, sm-sf* romantic

romanziere, -a *sm-sf* novelist

romanzo *sm* novel: *un ~ di avventure* an adventure novel LOC **romanzo rosa/ poliziesco** romantic/detective novel

rombo *sm* **1** (*Geom*) rhombus [*pl* rhombuses] **2** (*motivo*) diamond **3** (*rumore*) roar **4** (*pesce*) turbot [*pl* turbot]

romeno, -a *agg, sm-sf, sm* Romanian: *i romeni* the Romanians ◊ *parlare ~* to speak Romanian

rompere ◆ *vt* **1** (*gen*) to break: *Ho rotto il vetro con la palla.* I broke the window with my ball. ◊ *~ una promessa* to break a promise ◊ *Mi sono rotto un braccio giocando a calcio.* I broke my arm playing football. **2** (*seccare*) to get on *sb's* nerves: *Non mi ~!* Don't go on at me! ◆ *vi* ~ **(con) 1** to fall out **(with *sb*)**: *~ con un amico* to fall out with a friend **2** (*fidanzato*) to split up **(with *sb*)** ◆ **rompersi** *v rifl* **1** (*gen*) to break: *Si è rotta la scala.* The ladder broke. **2** (*guastarsi*) to break down **3** (*corda*) to snap LOC **rompere il ghiaccio** to break the ice

rompicapo *sm* (*indovinello*) puzzle

rompiscatole *smf* pain in the neck: *Quel tizio è proprio un ~!* What a pain in the neck that bloke is!

ronda *sf* round LOC **fare la ronda 1** (*polizia*) to pound the beat **2** (*soldato, pattuglia*) to be on patrol

rondella *sf* washer

rondine *sf* swallow

ronzio *sm* **1** (*insetto*) buzzing [*non numerabile*]: *Si sentiva il ~ delle mosche.* You could hear the flies buzzing. ◊ *avere un ~ nelle orecchie* to have a buzzing in your ears **2** (*motore*) hum [*non numerabile*]

rosa ◆ *sf* rose ◆ *agg, sm* pink ☛ *Vedi esempi a* GIALLO LOC *Vedi* FOGLIO, ROMANZO

rosario *sm* rosary [*pl* rosaries]

rosato, -a *agg* rosy

roseto *sm* rose bush

rosicchiare *vt* to gnaw **(at) *sth***: *Il cane rosicchiava l'osso.* The dog was gnawing (at) its bone.

rosmarino *sm* rosemary

rosolia *sf* German measles [*non numerabile*]

rospo *sm* toad

rossetto *sm* lipstick

rossiccio, -a *agg* reddish

rosso, -a ◆ *agg, sm* **1** (*gen*) red: *vino ~* red wine ◊ *diventare ~* to go red ☛ *Vedi esempi a* GIALLO **2** (*capelli*) red, ginger (*più informale*) ◆ *sm-sf* (*persona*) redhead LOC **essere in rosso** to be in the red **essere rosso come un peperone** to be as red as a beetroot *Vedi anche* CAPPUCCETTO, CARTELLINO, CROCE, PESCE

rotaia *sf* rail

rotatoria *sf* roundabout

rotazione *sf* rotation LOC **fare a rotazione** to do *sth* in rotation

rotolare ◆ *vi* **1** (*gen*) to roll: *La pallina rotolava sul pavimento.* The ball rolled across the floor. ◊ *I massi sono rotolati sulla strada.* The rocks rolled onto the road. **2** (*cadere*) to fall: *È rotolato giù dalle scale.* He fell down the stairs ◆ **rotolarsi** *v rifl* to roll about: *Ci siamo rotolati sull'erba.* We rolled about on the lawn.

rotolo *sm* roll: *rotoli di carta igienica* toilet rolls

rotondo, -a *agg* round LOC *Vedi* TAVOLA

rotta *sf* (*aereo, nave*) course: *La nave faceva ~ verso Napoli.* The ship was bound for Naples.

rottame *sm* **1** (*metallo*) scrap [*non numerabile*]: *vendere una macchina come ~* to sell a car for scrap ◊ *Questo frigorifero è un ~.* This fridge is only fit for scrap. **2 rottami** wreckage: *alcuni* *rottami dell'aereo* some of the wreckage from the plane **3** (*fig*) wreck: *Oggi mi sento un ~!* I feel a wreck!

rotto, -a ◆ *pp*, *agg* broken ◆ **rotti** *sm*: *duecentomila lire e rotti* two hundred thousand odd lire *Vedi anche* ROMPERE

rottura *sf* **1** (*gen*) break **2** (*seccatura*) pain

rotula *sf* kneecap

roulette *sf* roulette

roulotte *sf* caravan

routine *sf* routine: *controlli di ~* routine inspections ◊ *È diventata una ~.* It's become a routine.

rovente *agg* red-hot

rovescia *Vedi* ROVESCIO

rovesciare ◆ *vt* **1** (*versare*) to spill: *Attento che rovesci il caffè.* Be careful or you'll spill the coffee. ◊ *Ho rovesciato del vino sulla moquette.* I've spilt some wine on the carpet. **2** (*far cadere*) to knock *sb/sth* over: *I bambini hanno rovesciato il bidone della spazzatura.* The children knocked the rubbish bin over. ◊ *Fai attenzione a non ~ quel vaso.* Careful you don't knock that vase over. ◆ **rovesciarsi** *v rifl* to spill

rovescio

upside down

back to front

inside out

rovescio *sm* **1** (*foglio*) back **2** (*moneta*) reverse **3** (*stoffa*) wrong side **4** (*pioggia*) shower: *variabile con schiarite e rovesci* changeable with sunny spells and showers **5** (*Sport*) backhand LOC **al rovescio 1** (*l'alto in basso*) upside down **2** (*con il dentro fuori*) inside out: *Ti sei messo il maglione al ~.* Your jumper's on inside out. **3** (*davanti di dietro*) back to front: *Ti sei messo il maglione al ~.* Your jumper's back to front. ◊ *Dillo al ~.* Say it back to front. **il rovescio della medaglia** the other side of the coin **rovescio di fortuna** setback: *avere un ~ di fortuna* to suffer a setback *Vedi anche* CONTO

rovina *sf* ruin: *le rovine di una città romana* the ruins of a Roman city ◊ *in ~* in ruins ◊ *~ economica* financial ruin

rovinare ◆ *vt* to ruin: *La tempesta ha rovinato i raccolti.* The storm has ruined the crops. ◊ *Hai rovinato i nostri progetti.* You've ruined our plans. ◆ **rovinarsi** *v rifl* **1** (*cosa*) to get ruined **2** (*persona*) to go bankrupt

rovo *sm* bramble bush: *Si è impigliato nei rovi.* It got caught in the brambles.

rozzo, -a *agg* coarse

ruba *sf* LOC **andare a ruba** to sell like hot cakes

rubare *vt*, *vi* to steal: *Mi hanno rubato la macchina.* My car has been stolen. ◊ *Lo hanno buttato fuori per aver rubato.* He was expelled for stealing. ◊ *~ un'idea a qn* to steal sb's idea ☛ *Vedi nota a* ROB

rubinetto *sm* tap: *aprire/chiudere il ~* to turn the tap on/off LOC **rubinetto d'arresto** stopcock *Vedi anche* ACQUA

rubino *sm* ruby [*pl* rubies]

rubrica *sf* **1** (*indirizzi*) address book **2** (*giornale*) pages [*pl*]: *la ~ sportiva* the sports pages

rucola *sf* rocket

rudere *sm* ruin

ruga *sf* wrinkle

rugby *sm* rugby: *una partita di ~* a rugby match

ruggine *sf* rust

ruggire *vi* to roar

ruggito *sm* roar

rugiada *sf* dew

rullare *vi* (*tamburo*) to roll

rullino *sm* (*Fot*) film: *un ~ da 24* a 24–exposure film

rullo *sm* **1** (*vernice*, *macchina da scrivere*) roller **2** (*tamburo*) roll LOC **rullo compressore** steamroller

rum *sm* rum

ruminante *agg*, *sm* ruminant

ruminare *vi* (*mucca*) to ruminate (*tec*), to chew the cud

rumore *sm* noise: *Non fate ~.* Don't make any noise. ◊ *Ho sentito degli strani rumori e mi sono spaventata.* I heard some strange noises and got frightened.

rumoroso, -a *agg* noisy

ruolo *sm* part

ruota *sf* **1** (*gen*) wheel: ~ *anteriore/posteriore* front/back wheel **2** (*pneumatico*) tyre **3** (*luna park*) big wheel LOC **fare la ruota** to do a cartwheel **ruota di scorta** spare tyre

ruotare *vi* to spin: *La Terra ruota sul proprio asse.* The earth spins on its axis.

rupe *sf* cliff

rurale *agg* rural

ruscello *sm* stream

ruspa *sf* excavator

russare *vi* to snore

Russia *sf* Russia

russo, -a *agg, sm-sf, sm* Russian: *i russi* the Russians ◊ *parlare* ~ to speak Russian LOC *Vedi* MONTAGNA

rustico, -a *agg* rustic

ruttare *vi* to burp (*inform*), to belch

rutto *sm* burp (*inform*), belch

ruvido, -a *agg* rough

ruzzolone *sm* tumble: *fare un* ~ to take a tumble

Ss

sabato *sm* Saturday [*pl* Saturdays] (*abbrev* Sat) ☛ *Vedi esempi a* LUNEDÌ

sabbia *sf* sand: *giocare nella* ~ to play in the sand LOC **sabbie mobili** quicksands *Vedi anche* BANCO, CASTELLO

sabotaggio *sm* sabotage

sabotare *vt* to sabotage

sacca *sf* bag: *una* ~ *sportiva* a sports bag

saccarina *sf* saccharin

saccheggiare *vt* **1** (*città*) to plunder **2** (*negozio*) to loot

saccheggio *sm* plunder

sacchetto *sm* **1** (*gen*) bag: *un* ~ *di plastica* a plastic bag **2** (*patatine*) packet ☛ *Vedi illustrazione a* CONTAINER

sacco *sm* **1** (*di carta, plastica*) bag **2** (*di tela*) sack **3** (*quantità*) loads (**of sth**): *un* ~ *di soldi* loads of money ◊ *Si imparano un* ~ *di cose.* You learn loads of things. ◊ *C'era un* ~ *di roba da mangiare.* There was loads of food. LOC **fare un sacco di soldi** to make a packet: *Hanno fatto un* ~ *di soldi vendendo gelati.* They've made a packet selling ice cream. **sacco a pelo** sleeping bag *Vedi anche* MANO, PRANZO

sacerdote *sm* priest

sacrificare ◆ *vt* to sacrifice: *Ha sacrificato la carriera per avere dei figli.* She sacrificed her career to have children. ◆ **sacrificarsi** *v rifl* to make sacrifices

sacrificio *sm* sacrifice: *fare un* ~ to make sacrifices

sacro, -a *agg* sacred

sadico, -a ◆ *agg* sadistic ◆ *sm-sf* sadist

safari *sm* safari

saggezza *sf* wisdom

saggio, -a ◆ *agg* wise ◆ *sm* **1** (*persona*) sage **2** (*libro*) essay [*pl* essays] **3** (*Mus*) performance **4** (*esemplare*) sample copy

saggistica *sf* non-fiction

Sagittario *sm* Sagittarius ☛ *Vedi esempi a* AQUARIUS

sagoma *sf* outline

sagra *sf* village festival

sala *sf* **1** (*gen*) room: ~ *delle riunioni* meeting room **2** (*casa*) sitting room **3** (*Cine*) screen: *La* ~ *numero 1 è la più grande.* Screen 1 is the largest. LOC **sala da pranzo** dining room **sala d'attesa** waiting room **sala giochi** amusement arcade **sala operatoria** operating theatre

salame *sm* salami [*gen non numerabile*]

salamoia *sf* brine LOC **in salamoia** in brine

salario *sm* wage [*gen pl*]

salato, -a *agg* **1** (*con sale*) salted **2** (*con troppo sale*) salty **3** (*non dolce*) savoury: *Vuoi una crêpe dolce o salata?* Would you like a savoury pancake or a sweet one? **4** (*costoso*) expensive LOC *Vedi* ACQUA

saldare *vt* **1** (*metallo*) to solder **2** (*debito*) to settle LOC **saldare un conto** to settle a score *with sb*

saldo, -a ◆ *agg* secure: *Il gancio non era* ~. The hook wasn't secure. ◆ *sm* **1** (*somma*) balance **2** **saldi** sales: *i saldi di fine anno* the January sales

sale *sm* salt LOC **sali da bagno** bath salts **sale fino/grosso** table/sea salt

salice *sm* willow LOC **salice piangente** weeping willow

saliera *sf* salt cellar

salire ◆ *vt* to climb ◆ *vi* **1** (*andare su*) to go/come up: *Siamo saliti al secondo piano.* We went up to the second floor. ◊ ~ *sul tetto* to go up onto the roof **2** (*temperatura*) to rise **3** ~ **(in/su) (a)** (*auto*) to get in, to get into *sth*: *Sono salito sul taxi.* I got into the taxi. **(b)** (*mezzo pubblico, bicicletta*) to get on (*sth*): *Sono saliti due passeggeri.* Two passengers got on. LOC **salire alle stelle** to shoot up: *I prezzi sono saliti alle stelle.* Prices have shot up. **salire le scale** to go up the stairs

Salisburgo *sf* Salzburg

salita *sf* **1** (*azione*) ascent **2** (*pendenza*) hill: *in cima a questa* ~ at the top of this hill LOC **in salita** uphill

saliva *sf* saliva

salmone ◆ *sm* salmon [*pl* salmon] ◆ *agg, sm* (*colore*) salmon ☛ *Vedi esempi a* GIALLO

salone *sm* **1** (*sala*) lounge **2** (*esposizione*) show

salopette *sf* dungarees [*pl*]

salotto *sm* (*stanza*) sitting room LOC *Vedi* CANE

salpare *vi* ~ **(per)** to set sail (**for...**): *La nave è salpata per Malta.* The boat set sail for Malta. LOC **salpare l'ancora** to weigh anchor

salsa *sf* **1** (*gen*) sauce: ~ *di pomodoro* tomato sauce **2** (*per arrosto*) gravy

salsiccia *sf* sausage

saltare ◆ *vt* **1** (*gen*) to jump: *Il cavallo ha saltato l'ostacolo.* The horse jumped the fence. **2** (*omettere*) to skip: ~ *un pasto* to skip a meal ◊ *Hai saltato una riga.* You've skipped a line. ◆ *vi* **1** (*gen*) to jump: *Sono saltati nell'acqua/giù dalla finestra.* They jumped into the water/out of the window. ◊ ~ *addosso a qn* to jump on sb ◊ ~ *di gioia* to jump for joy **2** (*fusible*) to blow: *Sono saltati i fusibili.* The fuses blew. LOC **far saltare** (*con esplosivo*) to blow *sth* up **saltare agli occhi** to be obvious **saltare con la corda** to skip **saltare in aria** to blow up

saltellare *vi* to hop ☛ *Vedi illustrazione a* SALTARE

saltello *sm* hop

salto *sm* **1** (*gen*) jump: *fare un* ~ to jump **2** (*grande, anche fig*) leap: *un* ~ *di qualità* a leap in quality LOC **fare un salto da** to pop round to see *sb* **salto con la corda** skipping **salto con l'asta** pole-vault **salto in alto/in lungo** high jump/long jump **salto mortale** somersault **un salto nel buio** a leap in the dark

salumeria *sf* (*negozio*) delicatessen

salumi *sm* cold meats

salutare[1] *vt* **1** (*incontrandosi*) to say hello (**to *sb***), to greet (*più formale*): *Mi ha visto ma non mi ha salutato.* He saw me but didn't say hello. ◊ *Salutalo da parte mia.* Say hello to him for me. **2** (*andando via*) to say goodbye (**to *sb*/*sth***): *Se n'è andato senza* ~. He left without even saying goodbye. **3** (*alla partenza*) to see *sb* off: *Siamo andati a salutarli alla stazione.* We went to see them off at the station. **4** (*Mil*) to salute LOC **salutare con la mano** to wave goodbye (to *sb/sth*)

salutare[2] *agg* healthy

salute *sf* health LOC **avere una salute di ferro** to have an iron constitution **salute! 1** (*quando si starnutisce*) bless you!

> In Gran Bretagna quando qualcuno starnutisce dice **excuse me!** Si può rispondere **bless you!**, cioè salute, oppure non dire niente.

2 (*brindando*) cheers! *Vedi anche* BERE, RITRATTO

saluto *sm* **1** (*gen*) greeting **2 saluti** best wishes, regards (*più formale*): *Dagli tanti saluti da parte mia.* Give him my regards. ◊ *Mia madre ti manda cari saluti.* My mother sends her regards. LOC **cordiali/distinti saluti 1** (*se il destinatario è sconosciuto*) Yours faithfully **2** (*se il destinatario è conosciuto*) Yours sincerely ☛ *Vedi pagg. 370–71.*

salva (*anche* **salve**) *sf* LOC **a salve** blank: *cartuccia a* ~ blank cartridge

salvadanaio *sm* money box

salvagente *sm* lifebelt

salvare ◆ *vt* to save: *Gli ha salvato la vita.* She saved his life. ◆ **salvarsi** *v rifl* to survive LOC **salvare le apparenze** to keep up appearances **si salvi chi può!** every man for himself!

salvataggio *sm* rescue: *squadra di ~* rescue team LOC *Vedi* GIUBBOTTO, LANCIA, SCIALUPPA

salvavita *sm* (*Elettr*) circuit-breaker

salve! *escl* hello!

salvezza *sf* salvation

salvia *sf* sage

salvietta *sf* (*tovagliolino*) napkin LOC **salviette umidificate** baby wipes

salvo, -a ◆ *agg* safe ◆ *prep* except: *Sono venuti tutti ~ lui.* Everybody came except him. LOC **mettersi in salvo** to reach safety *Vedi anche* SANO, TRARRE

sammarinese *agg, smf* San Marinese: *i sammarinesi* the San Marinese

sanatorio *sm* sanatorium

sanbernardo *sm* St Bernard

sandalo *sm* **1** (*scarpa*) sandal ☛ *Vedi illustrazione a* SCARPA **2** (*legno, profumo*) sandalwood

sangue *sm* blood: *Ha perso molto ~.* He lost a lot of blood. LOC **al sangue** (*bistecca*) rare **a sangue freddo** (*uccidere*) in cold blood **sangue freddo** calm *Vedi anche* ANALISI, BANCA, PRESSIONE, SPARGIMENTO

sanguigno, -a *agg* blood [*s attrib*] LOC *Vedi* GRUPPO

sanguinaccio *sm* black pudding

sanguinante *agg* bleeding

sanguinare *vi* to bleed: *Mi sanguina il naso.* I've got a nosebleed.

sanguinoso, -a *agg* bloody

sanità *sf* **1** (*salute*) health **2** (*sistema sanitario*) health service

sanitario, -a *agg* **1** (*gen*) health [*s attrib*]: *misure sanitarie* health measures **2** (*igienico*) sanitary LOC *Vedi* LIBRETTO, SERVIZIO

San Marino *sf* San Marino

sano, -a *agg* healthy LOC **sano di mente** sane **sano e salvo** safe and sound

San Paolo *sf* São Paulo

San Pietroburgo *sf* St Petersburg

santo, -a ◆ *agg* **1** (*Relig*) holy **2** (*enfatico*): *Siamo stati in casa tutto il ~ giorno.* We didn't go out of the house all day. ◊ *Lasciami finire in santa pace.* Let me finish in peace. ◆ *sm-sf* **1** (*gen*) saint: *Quella donna è una santa.* That woman is a saint. **2** (*titolo*) Saint (=St): *San Francesco* Saint Francis ◊ *Santa Chiara* Saint Clare LOC **santo cielo!** good heavens! **Santo Stefano** Boxing Day **San Valentino** St Valentine's Day ☛ *Vedi nota a* NATALE *Vedi anche* SETTIMANA, SPIRITO, TERRA, VENERDÌ

santuario *sm* shrine

sanzione *sf* sanction: *sanzioni economiche* economic sanctions

sapere ◆ *vt* **1** (*gen*) to know: *Non sapevo cosa dire.* I didn't know what to say. ◊ *Non so niente di meccanica.* I don't know anything about mechanics. ◊ *Sapevo che sarebbe tornato.* I knew he would be back. ◊ *Le sono molto affezionato, sai?* I'm very fond of her, you know. ◊ *Lo so!* I know! ◊ *Non si sa mai.* You never know. ◊ *E io che ne so!* How should I know? **2** ~ **fare qc**: *Sai nuotare?* Can you swim? ◊ *Non so battere a macchina.* I can't type. **3** (*scoprire*) to find out *sth*: *L'ho saputo ieri.* I found out yesterday. **4** (*sentire*) to hear (**about *sb/sth***): *Ho saputo che ti sposi.* I heard you're getting married. ◊ *Hai saputo di sua sorella?* Did you hear about his sister? **5** (*lingua*) to speak: *Sa bene l'inglese.* He speaks good English. ◆ *vi* ~ **di** (*gusto*) to taste **of *sth***: *Sa di menta.* It tastes of mint. LOC **non saper di niente** not to taste of anything ☛ Per altre espressioni con **sapere** vedi alla voce del sostantivo, dell'aggettivo, ecc, ad es. **sapere perdere** a PERDERE.

sapientone, -a *sm-sf* know-all

sapone *sm* soap [*non numerabile*] LOC *Vedi* BOLLA

saponetta *sf* bar of soap

sapore *sm* taste: *L'acqua non ha ~.* Water has no taste. ◊ *Ha un ~ molto strano.* It tastes very strange.

saporito, -a *agg* tasty

sarcastico, -a *agg* sarcastic

Sardegna *sf* Sardinia

sardina *sf* sardine

sardo, -a *agg, sm-sf* Sardinian: *i sardi* the Sardinians

sarta *sf* dressmaker

sarto *sm* tailor

sassata *sf* LOC **prendere a sassate** to throw stones at *sb*: *Lo presero a sassate.* They threw stones at him.

sasso *sm* stone LOC **rimanere di sasso** to be speechless

sassofono *sm* saxophone (*abbrev* sax)

satellite *sm* satellite LOC *Vedi* VIA

satirico, -a *agg* satirical
Saturno *sm* Saturn
saudita *agg, smf* Saudi: *i sauditi* the Saudis
sauna *sf* sauna
saziare ◆ *vt* to satisfy ◆ **saziarsi** *v rifl*: *Ho mangiato fino a saziarmi.* I ate till I was full (up).
sazio, -a *agg* full: *Sono sazia.* I'm full.
sbadigliare *vi* to yawn
sbadiglio *sm* yawn
sbagliare ◆ *vt* to get *sth* wrong: *Ha sbagliato numero.* You've got the wrong number. ◊ ~ *strada* to go the wrong way ◆ *vi* to make a mistake: *Tutti possiamo ~.* We all make mistakes. ◊ *È la seconda sulla destra, non puoi ~.* It's the second on the right, you can't miss it. ◆ *v rifl* **1** (*gen*) to be mistaken: *Se non mi sbaglio…* If I'm not mistaken… **2 sbagliarsi (su/in)** (*ingannarsi*) to be wrong (**about** ***sth***): *Su questo ti sbagli.* You're wrong about that.
sbagliato, -a *pp, agg* wrong: *Le informazioni erano sbagliate.* The information was wrong. LOC *Vedi* ALZARE; *Vedi anche* SBAGLIARE
sbaglio *sm* mistake: *per ~* by mistake ◊ *fare uno ~* to make a mistake
sbalordito, -a *agg* amazed (***at/by sth***): *Sono rimasto ~ davanti a tanta insolenza.* I was amazed at their insolence.
sbandare *vi* (*veicolo*) to skid
sbandato, -a *pp, agg, sm-sf* mixed-up [*agg*] *Vedi anche* SBANDARE
sbarazzare ◆ *vt* to clear ◆ **sbarazzarsi** *v rifl* **sbarazzarsi di** to get rid of *sb/sth*: *Mi voglio ~ di questa stufa.* I want to get rid of this heater.
sbarcare *vi* to disembark
sbarra *sf* **1** (*gen, Sport*) bar: *una ~ di ferro* an iron bar **2** (*passaggio a livello*) barrier **3** (*lineetta*) stroke
sbattere ◆ *vt* **1** (*gen*) to bang: *Ho sbattuto la testa.* I banged my head. **2** (*porta*) to slam **3** (*uova*) to beat ◆ *vi* **1** (*gen*) to bang: *La persiana sbatteva contro il muro.* The shutter was banging against the wall. **2 (andare a)** ~ **contro** to smash **into** ***sth***: (*andare a*) *~ contro un altro veicolo* to crash into another vehicle ◊ *Rallenta o andremo a ~.* Slow down or we'll crash.
sbavare *vi* **1** (*gen*) to dribble **2** (*colore*) to run **3** (*rossetto*) to smudge
sbellicarsi *v rifl*: *~ dalle risa* to split your sides (laughing)
sberla *sf* slap: *Mi ha dato una ~.* She slapped me (in the face).
sbiadire *vi* to fade: *La tua gonna è sbiadita.* Your skirt's faded.
sbilanciare ◆ *vt* to throw *sb/sth* off balance ◆ **sbilanciarsi** *v rifl* **1** (*perdere l'equilibrio*) to lose your balance **2** (*compromettersi*) to commit yourself
sbirciare *vt* to peep **at** ***sth***
sbloccare *vt* to unblock
sboccare *vi* ~ **in** (*strada*) to lead **to** ***sth***
sboccato, -a *agg* foul-mouthed LOC **essere sboccato** to use filthy language
sbocciare *vi* to bloom
sbocco *sm* **1** (*strada*) end **2** (*di carriera*) opportunity [*pl* opportunities] **3** (*fig*) outlet
sbocconcellare *vt* to nibble
sbornia *sf* LOC **prendere una sbornia** to get plastered
sborsare *vt* to fork out *sth*
sbottonare ◆ *vt* to undo ◆ **sbottonarsi** *v rifl* **1** (*indumento*) to come undone: *Mi si è sbottonata la gonna.* My skirt came undone. **2** (*confidarsi*) to open up: *Finalmente si è sbottonato.* At last he opened up.
sbracciato, -a *agg* **1** (*maniche corte*) short-sleeved **2** (*senza maniche*) sleeveless
sbriciolare ◆ *vt* to crumble *sth* (up) ◆ **sbriciolarsi** *v rifl* to crumble
sbrigare ◆ *vt* **1** (*gen*) to settle: *Abbiamo sbrigato la faccenda in mezz'ora.* We settled the matter in half an hour. **2** (*pratica*) to process ◆ **sbrigarsi** *v rifl* to hurry up
sbrinare *vt* to defrost
sbrogliare *vt* to disentangle
sbronza *sf* LOC **prendere una sbronza** to get plastered
sbronzo, -a *agg* plastered
sbucciare *vt* **1** (*gen*) to peel: *~ un'arancia* to peel an orange **2** (*piselli*) to shell **3** (*caramella*) to unwrap **4** (*graffiarsi*) to graze: *sbucciarsi un ginocchio* to graze your knee
sbuffare *vi* **1** (*per impazienza*) to snort **2** (*per fatica*) to puff and pant
scacchiera *sf* chessboard
scacciare *vt* to drive *sb/sth* away
scacco *sm* **1 scacchi** chess: *giocare a scacchi* to play chess **2** (*pezzo*) chess piece **3** (*riquadro*) square
scadente *agg* (*qualità*) poor: *mobili scadenti* poor-quality furniture
scadenza *sf* **1** (*di passaporto,*

contratto) expiry date **2** (*di alimento*) sell-by date **3** (*di medicinale*) use-by date **4** (*di iscrizione, consegna*) deadline LOC **a breve/lunga scadenza** in the short/long term *Vedi anche* DATA

scadere *vi* **1** (*passaporto, contratto*) to expire **2** (*alimento*) to go past its sell-by date **3** (*medicinale*) to pass its use-by date **4** (*pagamento*) to be due: *La rata del prestito scade oggi.* The loan repayment is due today.

scaduto, -a *pp, agg* **1** (*documento*) no longer valid: *Questo passaporto è ~.* This passport is no longer valid. **2** (*alimento*) past its sell-by date **3** (*medicinale*) past its use-by date *Vedi anche* SCADERE

scafandro *sm* diving suit

scaffale *sm* shelves [*pl*]

scafo *sm* hull

scagliare ◆ *vt* to hurl *sth* (**at *sb/sth***) ◆ **scagliarsi** *v rifl* **scagliarsi contro** to pounce **on *sb/sth***

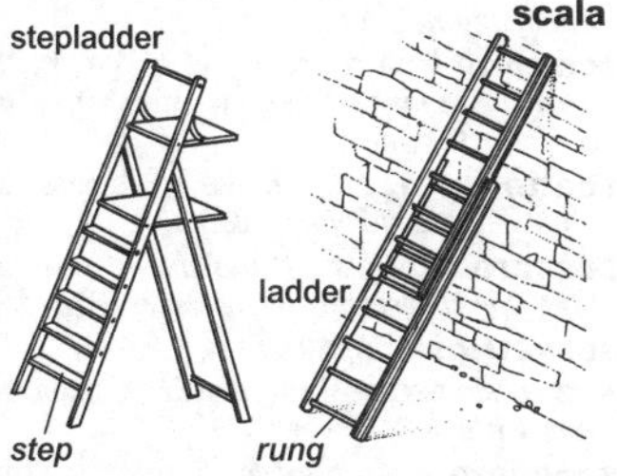

scala *sf* **1 scale** (*di un edificio*) stairs [*pl*], staircase [*sing*] (*più formale*): *Sono caduta giù per le scale.* I fell down the stairs. **2** (*a pioli*) ladder **3** (*a libretto*) stepladder **4** (*gradazione, Mus*) scale: *in una ~ da uno a dieci* on a scale of one to ten LOC **scala a chiocciola** spiral staircase **scala antincendio** fire escape **scala mobile** escalator

scalare *vt* **1** (*montagna*) to climb **2** (*somma*) to deduct **3** (*capelli*) to layer

scalata *sf* climb

scalatore, -trice *sm-sf* climber

scalciare *vi* to kick (your feet)

scaldabagno *sm* water heater

scaldare ◆ *vt* **1** (*cibo*) to heat *sth* up: *Ti scaldo la cena.* I'll heat up your dinner. **2** (*persona, motore*) to warm *sb/sth* up ◆ **scaldarsi** *v rifl* **1** (*persona*) to warm up: *scaldarsi accanto al fuoco* to warm up by the fire **2** (*stanza, ambiente*) to heat up **3** (*accalorarsi*) to get worked up: *Non scaldarti tanto per una simile sciocchezza.* Don't get worked up about something so trivial.

scaleno *agg* LOC *Vedi* TRIANGOLO

scalino *sm* step

scalo *sm* stopover LOC **fare scalo** to stop (over) (*in...*)

scalogna *sf*: *Che ~!* Hard luck!

scaloppina *sf* escalope

scalpello *sm* chisel

scalpore *sm* LOC **fare scalpore** to cause a sensation

scalzo, -a *agg* barefoot: *Mi piace camminare ~ sulla spiaggia.* I love walking barefoot on the beach.

scambiare *vt* **1** (*gen*) to exchange, to swap (*più informale*): *~ figurine* to swap stickers ◊ *scambiarsi dei regali/degli sguardi* to exchange presents/looks **2** (*confondere*) to mistake *sb/sth* ***for sb/sth*** LOC **scambiare due parole** to speak (*to sb*)

scambio *sm* exchange: *uno ~ di opinioni* an exchange of views LOC **scambio di persona** mistaken identity

scamosciato, -a *agg* suede: *pelle scamosciata* suede

scampare *vi* ~ **a** to survive *sth* LOC **scamparla** (**bella**) to have a lucky escape

scampo *sm* (*salvezza*) way out: *Non c'è* (*via di*) *~.* There's no way out.

scandalizzare ◆ *vt* to shock ◆ **scandalizzarsi** *v rifl* to be shocked

scandalo *sm* scandal

scansare ◆ *vt* to dodge ◆ **scansarsi** *v rifl* to move over: *Scansati!* Move over!

scantinato *sm* basement

scapolo *sm* bachelor: *È uno ~ impenitente.* He's a confirmed bachelor.

scappare *vi* **1** (*gen*) to escape (***from sb/sth***): *Il pappagallino è scappato dalla gabbia.* The budgie escaped from its cage. **2** (*di casa*) to run away (***from sth***) **3** (*correre*) to dash: *Devo ~, sono già in ritardo.* I must dash, I'm late. **4** (*sfuggire*): *Gli è scappata una bestemmia.* He swore. LOC **farsi/lasciarsi scappare 1** (*persona*) to let *sb* get away: *Non fartelo ~, voglio una foto.* Don't let him get away, I want a photo. **2** (*opportunità*) to let *sth* slip: *Ti sei lasciato ~ un'occasione d'oro.* You've let slip the chance of a lifetime. **scappar detto**: *Mi è scappato detto che era incinta.* I let (it) slip that she was expecting. **scappare da**

ridere: *Mi è scappato da ridere.* I couldn't help laughing. *Vedi anche* MENTE

scappatoia *sf* way out

scarabeo *sm* beetle

scarabocchiare *vt, vi* **1** (*disegnare*) to doodle **2** (*scrivere*) to scribble

scarabocchio *sm* **1** (*disegno*) doodle **2** (*parole*) scribble

scarafaggio *sm* cockroach

scaramanzia *sf*: *per* ~ for luck

scaraventare *vt* to hurl *sth* (***at sth***)

scarica *sf* **1** (*di pugni, insulti, proiettili*) hail **2** (*elettrica*) shock

scaricare ◆ *vt* **1** (*contenitore, arma*) to unload: ~ *un camion/un'arma* to unload a lorry/gun **2** (*contenuto*) to unload: ~ *sacchi di carbone* to unload sacks of coal **3** (*fidanzato*) to dump ◆ **scaricarsi** *v rifl* (*batteria*) to go flat

scarico, -a ◆ *agg* **1** (*batteria*) flat **2** (*arma*) unloaded ◆ *sm* **1** (*merci*) unloading **2** (*immondizie*) dumping: *Divieto di* ~. No dumping. *Vedi anche* GAS

scarlattina *sf* scarlet fever

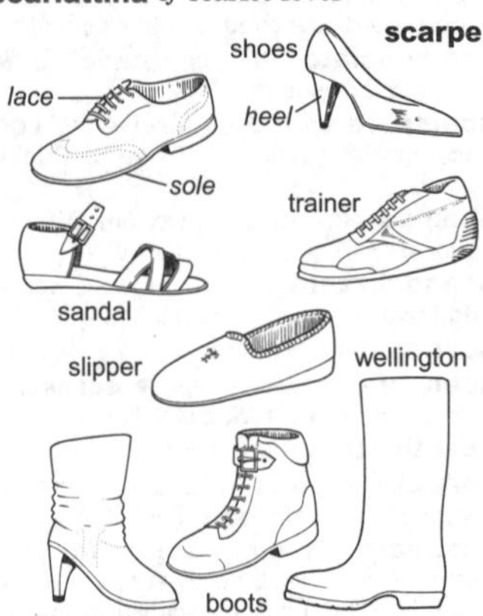

scarpa *sf* shoe: *scarpe col tacco alto/basso* high-heeled/flat shoes LOC **scarpe da calcio** football boots **scarpe da danza** dancing shoes **scarpe da ginnastica** trainers **scarpe da tennis** tennis shoes *Vedi anche* LUCIDO

scarpone *sm* boot: *un paio di scarponi* a pair of boots ☛ *Vedi illustrazione a* SCARPA

scarseggiare *vi* to be scarce

scarsità *sf* shortage

scarso, -a *agg* **1** (+ *sostantivo numerabile al plurale*) few: *Le risorse sono scarse.* There are few resources. **2** (+ *sostantivo non numerabile*) **(a)** (*poco*) little: ~ *interesse* little interest **(b)** (*cattivo*) poor: *scarsa visibilità* poor visibility **3** (*appena*) just under: *un chilo/metro* ~ just under a kilo/metre

scartare *vt* **1** (*pacco*) to unwrap **2** (*possibilità*) to rule *sb/sth* out **3** (*candidato*) to reject **4** (*Carte*) to discard

scassinare *vt* to force

scatenarsi *v rifl* **1** (*temporale*) to break **2** (*persona*) to go wild

scatola *sf* **1** (*gen*) box: *una* ~ *di cartone* a cardboard box ◊ *una* ~ *di cioccolatini/fiammiferi* a box of chocolates/matches ☛ *Vedi illustrazione a* CONTAINER **2** (*di latta*) tin: *una* ~ *di fagioli* a tin/can of beans ☛ *Vedi illustrazione a* CONTAINER LOC **in scatola** tinned: *pelati in* ~ tinned tomatoes **scatola del cambio** gearbox **scatola nera** black box

scatoletta *sf* (*di latta*) tin: *una* ~ *di acciughe* a tin of anchovies ☛ *Vedi illustrazione a* CONTAINER

scattare ◆ *vi* **1** (*allarme*) to go off **2** (*entrare in vigore*) to come into effect ◆ *vt* (*foto*) to take

scatto *sm* **1** (*di congegno*) release **2** (*foto*) shot **3** (*telefono*) unit

scavare *vt* to dig: ~ *una buca* to dig a hole ◊ ~ *il terreno* to dig the earth

scavatrice *sf* digger

scavo *sm* excavation: *fare degli scavi* to excavate

scegliere *vt* to choose: *Scegli tu.* You choose. ◊ ~ *tra due cose* to choose between two things

scellino *sm* **1** (*inglese*) shilling **2** (*austriaco*) schilling

scelta *sf* choice: *non avere* ~ to have no choice LOC *Vedi* PROVA

scelto, -a *pp, agg* choice LOC *Vedi* TIRATORE; *Vedi anche* SCEGLIERE

scemenza *sf* stupid thing: *fare/dire una* ~ to do/say a stupid thing

scemo, -a *agg* stupid

scena *sf* **1** (*gen*) scene: *atto primo,* ~ *seconda* act one, scene two ◊ *la* ~ *del delitto* the scene of the crime **2** (*palco*) stage: *entrare in* ~ to come on stage ◊ *uscire di* ~ to go off stage LOC **mettere in scena** to stage

scenata *sf* scene: *fare una* ~ to make a scene

scendere *vi* **1** (*andare/venire giù*) to go/to come down: *Può* ~ *alla reception,* *per favore?* Can you come down to reception, please? ◊ ~ *giù per la collina* to go down the hill **2** (*auto*) to get out (***of sth***): *Non ~ mai da una macchina in corsa.* Never get out of a moving car. **3** (*trasporto pubblico, bici*) to get off (*sth*): ~ *da un autobus* to get off a bus **4** (*temperatura, oscurità*) to fall **5** (*prezzi, nebbia*) to come down **6** (*marea*) to go out LOC **scendere in picchiata** to nose-dive **scendere le scale** to go down the stairs

scendiletto *sm* mat

sceneggiato *sm* TV drama

scettico, -a ◆ *agg* sceptical ◆ *sm-sf* sceptic

scheda *sf* (*di schedario*) (index) card LOC **scheda elettorale** ballot paper **scheda nulla** spoilt ballot paper **scheda telefonica** phone card

schedare *vt* **1** (*polizia*) to open a file **on *sb*** **2** (*libri*) to catalogue

schedario *sm* **1** (*mobile*) filing cabinet **2** (*schede*) card index

schedina *sf* (*totocalcio*) pools coupon LOC **fare/giocare la schedina** to do the pools

scheggia *sf* splinter

scheletro *sm* **1** (*Anat*) skeleton **2** (*struttura*) framework

schema *sm* **1** (*gen*) outline **2** (*abbozzo*) sketch

scherma *sf* fencing

schermo *sm* screen: *lo ~ del computer* the computer screen ☛ *Vedi illustrazione a* COMPUTER

scherzare *vi* to joke: *Stai scherzando?* You're joking!

scherzo *sm* joke: *Gli facevamo un sacco di scherzi.* We used to play a lot of jokes on him. LOC **essere uno scherzo** (*essere facile*) to be child's play **per scherzo** as a joke: *L'ho detto solo per ~.* I was only joking. **scherzi a parte** joking apart

schiaccianoci *sm* nutcrackers [*pl*]

schiacciante *agg* overwhelming: *vincere con una maggioranza ~* to win by an overwhelming majority

schiacciare ◆ *vt* **1** (*cosa vuota, persona*) to crush **2** (*cosa morbida, insetto*) to squash **3** (*noce*) to crack **4** (*patate*) to mash **5** (*pulsante*) to press **6** (*tennis, pallavolo*) to smash ◆ **schiacciarsi** *v rifl* to get squashed LOC **schiacciare un pisolino/sonnellino** to have a nap **schiacciarsi un dito nella porta** to shut your finger in the door

schiaffeggiare *vt* to slap

schiaffo *sm* slap: *Mi ha dato uno ~.* She slapped me. LOC *Vedi* MOLLARE

schiarire ◆ *vt* **1** (*colore*) to lighten **2** (*rendere nitido*): *schiarirsi la voce* to clear your throat ◆ *v impers* (*cielo*) to clear up: *È schiarito verso le cinque.* It cleared up at about five. ◆ **schiarirsi** *v rifl* to clear up: *Il cielo comincia a schiarirsi.* It's starting to clear up.

schiarita *sf* sunny spell

schiavitù *sf* slavery

schiavo, -a *agg, sm-sf* slave [*s*]: *Li trattano come schiavi.* They are treated like slaves. ◊ *essere ~ del denaro* to be a slave to money

schiena *sf* back: *Mi fa male la ~.* My back hurts.

schifezza *sf* rubbish [*non numerabile*]: *Il film è una ~.* The film is rubbish.

schifo *sm* LOC **che schifo!** yuck! **che schifo di...!**: *Che ~ di tempo!* What lousy weather! **far schifo** **1** (*cibo, insetto*) to be disgusting: *I ragni mi fanno ~.* I find spiders disgusting. **2** (*libro, spettacolo*) to be rubbish: *Il film faceva ~.* The film was rubbish.

schifoso, -a *agg* **1** (*ripugnante*) disgusting **2** (*pessimo*) awful

schioccare ◆ *vt* **1** (*lingua*) to click **2** (*frusta*) to crack **3** (*dita*) to snap ◆ *vi* (*frusta*) to crack

schiocco *sm* **1** (*frusta*) crack **2** (*lingua*) click **3** (*dita*) snap

schiuma *sf* **1** (*gen*) foam **2** (*sapone, shampoo*) lather **3** (*cappuccino*) froth **4** (*birra*) head LOC **schiuma da barba** shaving foam

schivare *vt* **1** (*colpo, ostacolo*) to dodge **2** (*persona*) to avoid

schizofrenico, -a *agg, sm-sf* schizophrenic

schizzare ◆ *vt* to splash *sb/sth* (***with sth***) ◆ *vi* to squirt

schizzinoso, -a *agg* fussy

schizzo *sm* **1** (*di liquido*) squirt **2** (*disegno*) sketch

sci *sm* **1** (*attrezzo*) ski [*pl* skis] **2** (*sport*) skiing LOC **sci acquatico** water-skiing: *fare ~ acquatico* to go water-skiing *Vedi anche* BASTONCINO, PISTA

scia *sf* **1** (*barca*) wake **2** (*aereo*) vapour trail **3** (*profumo*) trail

sciacallo *sm* jackal

sciacquare *vt* to rinse: *sciacquarsi la bocca* to rinse (out) your mouth

sciacquone *sm* flush: *tirare lo ~* to flush the toilet

scialle *sm* shawl: *uno ~ di seta* a silk shawl

scialuppa *sf* LOC **scialuppa di salvataggio** lifeboat

sciame *sm* swarm

sciare *vi* to ski: *Mi piace molto ~.* I love skiing. ◊ *Vanno a ~ tutti i fine settimana.* They go skiing every weekend.

sciarpa *sf* scarf [*pl* scarves]

sciatore, -trice *sm-sf* skier

scientifico, -a *agg* scientific LOC *Vedi* LICEO

scienza *sf* **1** (*gen*) science **2 scienze** (*Scuola*) science [*sing*]: *il mio professore di scienze* my science teacher ◊ *Ho studiato scienze.* I studied science. LOC **scienze naturali** natural science [*sing*] **scienze politiche** political science [*sing*]

scienziato, -a *sm-sf* scientist

scimmia *sf* monkey [*pl* monkeys]

scimpanzé *sm* chimpanzee, chimp (*più informale*)

scintilla *sf* spark

scintillare *vi* to sparkle

sciocchezza *sf* **1** (*azione, cosa detta*) silly thing: *Discutiamo sempre per delle sciocchezze.* We're always arguing over silly little things. **2** (*cosa di poco valore*) little something: *Ti ho comprato una ~.* I've bought a little something for you. **3** (*piccola somma*): *Costa una ~.* It costs next to nothing.

sciocco, -a ◆ *agg* silly ◆ *sm-sf* fool LOC **fare lo sciocco** to fool around

sciogliere ◆ *vt* **1** (*liquefare*) to melt **2** (*in un liquido*) to dissolve: *~ un'aspirina nell'acqua* to dissolve an aspirin in water **3** (*nodo*) to undo **4** (*cane*) to set *sth* loose **5** (*manifestazione*) to break *sth* up: *La polizia è intervenuta per ~ l'assemblea.* Police were called in to break up the meeting. ◆ **sciogliersi** *v rifl* **1** (*liquefarsi*) to melt **2** (*in un liquido*) to dissolve **3** (*nodo*) to come undone **4** (*cane*) to get loose **5** (*manifestazione*) to break up LOC **sciogliersi i capelli** to let your hair down

scioglilingua *sm* tongue-twister

sciolina *sf* wax

sciolto, -a *pp, agg* loose: *Porto sempre i capelli sciolti.* I always wear my hair loose. LOC *Vedi* BRIGLIA; *Vedi anche* SCIOGLIERE

scioperante *smf* striker

scioperare *vi* to strike

sciopero *sm* strike: *essere/entrare in ~* to be/go on strike ◊ *uno ~ generale/della fame* a general/hunger strike

scippare *vt* to snatch *sb's* bag

scippo *sm*: *essere vittima di uno ~* to have your bag snatched

sciroppo *sm* **1** (*Med*) mixture [*gen non numerabile*]: *uno ~ per la tosse* cough mixture **2** (*di frutta*) syrup

sciupare *vt* to spoil

sciupato, -a *pp, agg* (*persona*): *L'ho trovata un po' sciupata.* She wasn't looking too well. *Vedi anche* SCIUPARE

scivolare *vi* to slip: *~ sul ghiaccio* to slip on the ice ◊ *Sono scivolato su una chiazza d'olio.* I slipped on a patch of oil. ◊ *La saponetta gli è scivolata di mano.* The soap slipped out of his hands. ◊ *Fece ~ in tasca la lettera.* He slipped the letter into his pocket.

scivolo *sm* (*gioco*) slide

scivolone *sm* slip: *fare uno ~* to slip

scivoloso, -a *agg* slippery

scoccare *vt* **1** (*lanciare*) to shoot: *~ una freccia* to shoot an arrow **2** (*orologio*) to strike: *L'orologio scoccava le tre.* The clock struck three.

scocciare ◆ *vt* to pester: *Non scocciarmi!* Stop pestering me! ◆ **scocciarsi** *v rifl* to get annoyed

scocciatura *sf* nuisance: *Che ~!* What a nuisance!

scodella *sf* bowl

scodinzolare *vi*: *Il cane scodinzolò.* The dog wagged its tail.

scogliera *sf* **1** (*rupe*) cliff **2** (*nel mare*) rocks [*pl*]

scoglio *sm* **1** (*roccia*) rock **2** (*ostacolo*) obstacle

scoiattolo *sm* squirrel

scolapasta *sm* colander

scolapiatti *sm* plate rack

scolare *vt* (*piatti, pasta*) to drain: *Fai ~ i piatti.* Leave the dishes to drain.

scolaro, -a *sm-sf* schoolboy [*fem* schoolgirl] [*pl* schoolchildren]

scolastico, -a *agg* **1** (*gen*) school [*s attrib*]: *anno ~* school year ◊ *l'inizio delle vacanze scolastiche* the start of the school holidays **2** (*sistema*) education [*s attrib*]

scollato, -a *agg* (*abito*) low-cut: *È*

troppo ~. It's too low-cut. ◊ *un vestito ~ dietro* a dress with a low back

scollatura *sf* neckline

scollo *sm* neckline LOC **scollo a V** V-neck

scolo *sm* (*tubatura*) waste pipe

scolorire *vt, vi* to fade: *La tua gonna è scolorita.* Your skirt's faded.

scolpire *vt* (*marmo, pietra*) to sculpt

scombussolare *vt* to upset: *Lo sciopero mi ha scombussolato i piani.* The strike has upset all my plans.

scommessa *sf* bet: *fare una ~* to bet

scommettere *vt, vi ~* (**su**) to bet (*sth*) (**on** ***sb/sth***): *~ su un cavallo* to bet on a horse ◊ *Scommetto quello che vuoi che non verranno.* I bet you anything you like they won't come. ◊ *Quanto vuoi ~?* What do you bet?

scomodo, -a *agg* **1** (*letto*) uncomfortable **2** (*orario*) inconvenient

scompagnato, -a *agg* (*calzino, guanto*) odd

scomparire *vi* to disappear

scomparsa *sf* disappearance

scompartimento *sm* compartment

scomparto *sm* compartment

scompigliare *vt* to mess *sth* up: *Il vento mi ha scompigliato i capelli.* The wind messed up my hair.

scomporre *vt* to break *sth* down LOC **senza scomporsi** unperturbed

sconcertare *vt* to disconcert: *La sua reazione mi ha sconcertato.* I was disconcerted by his reaction.

sconcertato, -a *pp, agg* LOC **rimanere sconcertato** to be taken aback: *Sono rimasti sconcertati davanti al mio rifiuto.* They were taken aback by my refusal. *Vedi anche* SCONCERTARE

sconfiggere *vt* to defeat

sconfitta *sf* defeat

scongelare *vt* to defrost

sconnesso, -a *agg* (*confuso*) incoherent: *parole sconnesse* incoherent words

sconosciuto, -a ◆ *agg* unknown: *una squadra sconosciuta* an unknown team ◆ *sm-sf* stranger

sconsigliare *vt ~* **qc a qn** to advise **sb against sth**: *Te lo sconsiglio!* I advise you against it!

scontare *vt* **1** (*detrarre*) to discount **2** (*pena*) to serve

scontato, -a *pp, agg* **1** (*Comm*) discounted **2** (*prevedibile*) inevitable: *Era ~ che perdesse.* It was inevitable that he'd lose. LOC **dare per scontato** to take *sth* for granted *Vedi anche* SCONTARE

scontento, -a *agg ~* (**di**) dissatisfied (**with** ***sb/sth***)

sconto *sm* discount: *fare lo ~* to give a discount ◊ *C'era il 10% di ~ sui giocattoli.* They were giving 10% off all toys.

scontrarsi *v rifl* **1** (*entrare in collisione*) to crash: *La macchina si è scontrata con un camion.* The car crashed into a lorry. **2** *~* (**con**) to argue (**with** ***sb***): *Si è scontrato col padre.* He argued with his father.

scontrino *sm* **1** (*gen*) receipt: *Per cambiarlo devi avere lo ~.* You'll need the receipt if you want to exchange it. **2** (*di lavasecco, guardaroba*) ticket

scontro *sm* **1** (*collisione*) collision (***with sth***): *uno ~ frontale* a head-on collision **2** (*discussione*) clash: *Abbiamo avuto vari scontri.* I've clashed with him several times.

sconvolgente *agg* upsetting: *un'esperienza ~* an upsetting experience

sconvolgere *vt* to upset

sconvolto, -a *pp, agg* devastated (***at/by sth***): *~ dalla perdita del figlio* devastated by the loss of his son *Vedi anche* SCONVOLGERE

scopa *sf* **1** (*gen*) broom ☛ *Vedi illustrazione a* BRUSH **2** (*di strega*) broomstick

scoperchiare *vt* to take the lid **off** ***sth***: *~ una pentola* to take the lid off a saucepan

scoperta *sf* **1** (*scientifica, geografica*) discovery [*pl* discoveries]: *Gli studiosi hanno fatto una grande ~.* Scientists have made an important discovery. **2** (*persona, cosa*) find: *La nuova ballerina è stata una vera ~.* The new dancer is a real find.

scoperto, -a *pp, agg* uncovered *Vedi anche* SCOPRIRE

scopo *sm* **1** (*meta*) goal: *raggiungere lo ~* to achieve your goal **2** *~* **di** (*intento*) purpose **of** ***sth*** LOC **a che scopo?** what for?

scoppiare *vi* **1** (*bomba*) to explode **2** (*palloncino*) to burst: *Se ne mangio ancora scoppio!* If I eat any more I'll burst! **3** (*guerra, incendio, epidemia*) to break out **4** (*scandalo, temporale*) to break LOC **scoppiare a piangere** to burst into tears **scoppiare a ridere** to burst out laughing

scoppio *sm* **1** (*bomba*) explosion **2** (*guerra, epidemia*) outbreak: *lo ~ di* *un'epidemia di colera* an outbreak of cholera LOC **a scoppio ritardato** delayed-action

scoprire *vt* **1** (*gen*) to discover: ~ *un'isola/un vaccino* to discover an island/a vaccine **2** (*venire a sapere*) to find (out) *sth*: *Ho scoperto che mi ingannavano.* I found out that they were cheating me. **3** (*congiura*) to uncover

scopritore, -trice *sm-sf* discoverer

scoraggiante *agg* discouraging

scoraggiare ◆ *vt* to discourage ◆ **scoraggiarsi** *v rifl* to lose heart

scoraggiato, -a *pp, agg* discouraged *Vedi anche* SCORAGGIARE

scorciatoia *sf* short cut: *Possiamo prendere una ~ passando di qui.* We can take a short cut through here.

scordare ◆ *vt* to forget ◆ **scordarsi** *v rifl* **scordarsi (di)** to forget (*sth*)

scoreggia *sf* fart

scoreggiare *vi* to fart

scorgere *vt* to make out *sb/sth*

scorpacciata *sf* LOC **fare una scorpacciata** to stuff yourself

scorpione *sm* **1** (*animale*) scorpion **2** **Scorpione** (*Astrologia*) Scorpio [*pl* Scorpios] ☛ *Vedi esempi a* AQUARIUS

scorrere ◆ *vi* **1** (*liquido, traffico*) to flow: *L'acqua scorreva giù per la strada.* Water was flowing down the street. **2** (*tempo*) to pass ◆ *vt* (*giornale*) to glance **through *sth***

scorretto, -a *agg* **1** (*sbagliato*) incorrect **2** (*sleale*) unfair LOC *Vedi* GIOCO

scorrevole *agg* flowing LOC *Vedi* PORTA

scorsa *sf* LOC **dare una scorsa a** to glance at *sth*

scorso, -a *agg* last: *martedì ~* last Tuesday

scorsoio, -a *agg* LOC *Vedi* NODO

scorta *sf* **1** (*protezione, persone*) escort **2** (*provviste*) stock LOC **di scorta** spare *Vedi anche* RUOTA

scortare *vt* to escort

scortese *agg* rude

scorticare *vt* to graze: *Mi sono scorticato un ginocchio.* I've grazed my knee.

scorza *sf* **1** (*albero*) bark **2** (*agrumi*) peel ☛ *Vedi nota a* PEEL

scosceso, -a *agg* steep

scossa *sf* **1** (*movimento*) jerk **2** (*elettrica*) shock: *Ho preso la ~.* I got an electric shock. LOC **scossa sismica** earth tremor

scostante *agg* unfriendly

scotch® *sm* Sellotape®

scottare ◆ *vt* **1** (*gen*) to burn: *scottarsi la lingua* to burn your tongue **2** (*con liquido bollente*) to scald ◆ *vi* **1** (*gen*) to be very hot: *Sta' attento, la minestra scotta.* Be careful, the soup is very hot. **2** (*sole*) to beat down ◆ **scottarsi** *v rifl* **1** (*gen*) to burn yourself **2** (*con liquido bollente*) to scald yourself: *Mi sono scottato con l'olio bollente.* I scalded myself with the hot oil. **3** (*al sole*) to get sunburnt: *Mettiti una maglietta che ti scotti.* Put on a T-shirt or you'll get sunburnt.

scottatura *sf* **1** (*gen*) burn **2** (*con liquido bollente*) scald **3** (*da sole*) sunburn

Scozia *sf* Scotland

scozzese ◆ *agg* Scottish ◆ *smf* Scotsman/woman [*pl* Scotsmen/women]: *gli scozzesi* the Scots

screditare *vt* to discredit

scremato, -a *agg* LOC *Vedi* LATTE

screpolare ◆ *vt* **1** (*gen*) to crack **2** (*labbra*) to chap ◆ **screpolarsi** *v rifl* **1** (*gen*) to crack **2** (*labbra*) to get chapped

scribacchino, -a *sm-sf* pen-pusher

scricchiolare *vi* to creak

scricchiolio *sm* creaking

scritta *sf* **1** (*iscrizione*) writing [*non numerabile*]: *La ~ è troppo piccola.* The writing's too small. **2** (*graffiti*) graffiti: *un muro coperto di scritte* a graffiti-covered wall **3** (*insegna*) sign

scritto, -a ◆ *pp, agg* (*esame*) written ◆ *sm* **1** (*esame*) written exam: *lo ~ d'italiano* the written exam in Italian **2** (*opera*) work LOC *Vedi* COMPRENSIONE; *Vedi anche* SCRIVERE

scrittoio *sm* bureau [*pl* bureaux/bureaus]

scrittore, -trice *sm-sf* writer

scrittura *sf* writing: *Ha una bella/brutta ~.* He has good/bad writing.

scrivania *sf* desk

scrivere *vt, vi* **1** (*gen*) to write: ~ *un libro* to write a book ◊ *Questa penna non scrive.* This pen doesn't write. ◊ *Non mi scrivi mai.* You never write to me. ◊ *Non sa ancora ~.* He can't write yet. **2** (*ortografia*) to spell: *Come si scrive?* How do you spell it? LOC **scrivere a mano** to write *sth* in longhand *Vedi anche* MACCHINA, RIGA

scroccare *vt* to scrounge

scroccone, -a *sm-sf* scrounger: *Sei proprio uno ~!* You're a real scrounger!

scrofa *sf* sow ☛ *Vedi nota a* MAIALE

scrupolo *sm* scruple LOC **senza scrupoli** unscrupulous

scrupoloso, -a *agg* **1** (*onesto*) scrupulous **2** (*meticoloso*) meticulous

scucire ◆ *vt* to unpick ◆ **scucirsi** *v rifl* to come apart at the seams

scuderia *sf* stables [*v sing*]

scudetto *sm* shield

scudo *sm* shield

sculacciare *vt* to give *sb* a smack

sculaccione *sm* smack: *Se ti prendo ti dò uno ~.* I'll give you a smack if I catch you.

scultore, -trice *sm-sf* sculptor [*fem* sculptress]

scultura *sf* sculpture

scuola *sf* school: *Ci andremo dopo la ~.* We'll go after school. ◊ *Non c'è ~ lunedì.* There's no school on Monday. ◊ *Vado a ~ con l'autobus.* I go to school by bus. ◊ *~ di lingue* language school ☛ *Vedi nota a* SCHOOL LOC **scuola alberghiera** catering college **scuola dell'obbligo** compulsory education **scuola elementare** primary school **scuola guida** driving school **scuola materna** nursery school **scuola media** middle school **scuola serale** evening classes [*pl*] **scuola (media) superiore** secondary school *Vedi anche* COMPAGNO, MARINARE

In Gran Bretagna ci sono scuole statali, le **state schools** e scuole private, le **independent schools**. Ci sono poi le **public schools** che, nonostante il nome, sono dei collegi privati, molto tradizionali. Tra i più conosciuti, Eton e Harrow.

scuolabus *sm* school bus

scuotere *vt* to shake: *~ la testa* to shake your head ◊ *~ la tovaglia* to shake the tablecloth ◊ *~ la sabbia (dall'asciugamano)* to shake the sand off (the towel)

scure *sf* axe

scuro, -a *agg* dark: *blu ~* dark blue ◊ *una notte scura e senza stelle* a dark, starless night ◊ *Mia sorella ha i capelli più scuri di me.* My sister's much darker than me. LOC *Vedi* BIRRA

scusa *sf* **1** (*giustificazione*) excuse: *Non c'è ~ che tenga.* There's no excuse for this. ◊ *Trovi sempre una ~.* You're always making excuses. ◊ *Trova sempre una ~ per non venire.* He always finds an excuse not to come. **2** (*chiedendo perdono*) apology [*pl* apologies]: *accettare le scuse di qn* to accept sb's apologies LOC *Vedi* CHIEDERE

scusare ◆ *vt* to excuse: *Niente può ~ una tale maleducazione.* Nothing can excuse such rudeness. ◆ **scusarsi** *v rifl* to apologize (***to sb***) (***for sth***): *Mi sono scusato con lei per non aver scritto.* I apologized to her for not writing. LOC **scusa, scusi, ecc 1** (*per scusarsi*) sorry: *Scusa, ti ho pestato il piede?* Sorry, did I stand on your foot? ◊ *Scusate il ritardo.* Sorry I'm late. **2** (*per richiamare l'attenzione*) excuse me: *Scusi, che ore sono?* Excuse me, have you got the time, please? ☛ *Vedi nota a* EXCUSE

sdraia *sf* deckchair

sdraiarsi *v rifl* to lie down

sdraiato, -a *pp, agg* LOC **essere/stare sdraiato** to be lying down *Vedi anche* SDRAIARSI

sdraio *sm* LOC *Vedi* SEDIA

se[1] *cong* **1** (*gen*) if: *Se piove non andiamo.* If it rains, we won't go. ◊ *Se fossi in te…* If I were you… ◊ *Se avessi i soldi mi comprerei una moto.* If I had the money, I'd buy a motorbike. ☛ Anche se è più corretto dire "if I/he/she/it **were**", nella lingua parlata è comune dire "if I/he/she/it **was**". **2** (*dubbio*) whether: *Non so se andare o restare.* I don't know whether to go or stay. **3** (*desiderio*) if only: *Se lo avessi saputo prima!* If only I had known before! LOC **se no** otherwise

se[2] *pron pers Vedi* SI

sé *pron pers* **1** (*maschile*) himself **2** (*femminile*) herself: *Parla solo di sé.* She only talks about herself. **3** (*neutro*) itself: *Il problema si è risolto da sé.* The problem solved itself. **4** (*plurale*) themselves **5** (*impersonale, formale*) yourself: *tenere per sé qc* to keep sth for yourself ☛ *Vedi nota a* YOU LOC **è un caso a sé** it's a special case **di per sé** in itself *Vedi anche* TRA

sebbene *cong* although, though (*più informale*)

Although è più formale di **though**. Se si vuole dare maggiore enfasi si può usare **even though**: *Non sono voluti venire sebbene sapessero che tu c'eri.* They didn't want to come, although/though/even though they knew you'd be here.

seccare ◆ *vt* **1** (*inaridire*) to dry **2**

(*infastidire*) to annoy: *Quel che mi secca più di tutto è che…* What annoys me most of all is that… ◆ **seccarsi** *v rifl* **1** (*fiume*) to dry up **2** (*fiore*) to wither **3** (*persona*) to get annoyed

seccato, -a *pp, agg* annoyed *Vedi anche* SECCARE

seccatore, -trice *sm-sf* nuisance

seccatura *sf* nuisance: *Che ~!* What a nuisance!

secchiello *sm* bucket: *~ per il ghiaccio* ice bucket

secchio *sm* bucket

secchione, -a *sm-sf* swot

secco, -a *agg* **1** (*asciutto*) dry: *un clima molto ~* a very dry climate ◊ *vino bianco ~* dry white wine **2** (*foglia*) dead **3** (*frutta, fiori*) dried: *fichi secchi* dried figs **4** (*tono, colpo*) sharp **5** (*magro*) skinny ☛ *Vedi nota a* MAGRO LOC *Vedi* FRUTTA, LAVAGGIO, LAVARE

secolo *sm* **1** (*gen*) century [*pl* centuries]: *nel XX ~* in the 20th century ☛ Si legge "in the twentieth century". **2** (*fig*) ages: *Sono secoli che non ci vediamo!* I haven't seen you for ages!

secondario, -a *agg* secondary LOC *Vedi* PARTE, STRADA

secondo, -a ◆ *agg, pron, sm* second (=2nd) ☛ *Vedi esempi a* SESTO ◆ *sm* **1** (*tempo*) second **2** (*piatto*) main course: *Cosa prende come ~?* What would you like as a main course? ◆ *prep* according to *sb/sth*: *~ lei/i piani* according to her/the plans

> **According to** si usa per una fonte di informazione: *Secondo il dizionario non ha il plurale.* According to the dictionary it's got no plural. ◊ *Secondo Lucy la festa è la prossima settimana.* According to Lucy the party's next week. Per parlare di opinioni si usa **in my opinion** o **I think**: *Secondo te, che cosa dovremmo fare?* In your opinion, what should we do? ◊ *Secondo me, non vale la pena.* I don't think it's worth it.

◆ **seconda** *sf* **1** (*marcia*) second (gear) **2** (*Scuola*) second year: *Faccio la seconda.* I'm in second year. LOC **a seconda di** depending on *sth*: *a ~ della misura* depending on what size it is **di seconda mano** second-hand *Vedi anche* CATEGORIA, CLASSIFICARE, LUOGO, POSTO, TENTATIVO

sedano *sm* celery

sedativo *sm* sedative

sede *sf* **1** (*principale*) headquarters (*abbrev* HQ) [*v sing o pl*] **2** (*secondaria*) branch: *È stata trasferita alla ~ di Bari.* She's been transferred to the branch in Bari.

sedere ◆ *vi* to sit: *~ su una sedia* to sit on a chair ◆ **sedersi** *v rifl* to sit (down): *Si sieda.* Sit down, please. ◊ *Ci siamo seduti per terra.* We sat (down) on the floor. ◆ *sm* bottom LOC **mettere a/far sedere 1** (*bambino*) to sit *sb*: *Ha messo il bambino a ~ sull'erba.* He sat the baby on the grass. **2** (*adulto*) to seat *sb*

sedia *sf* chair: *seduto su una ~* sitting on a chair LOC **sedia a dondolo** rocking chair **sedia a rotelle** wheelchair **sedia a sdraio** deckchair

sedicenne *agg, smf* sixteen-year-old ☛ *Vedi esempi a* UNDICENNE

sedicesimo, -a *agg, pron, sm* sixteenth ☛ *Vedi esempi a* SESTO

sedici *sm, agg, pron* **1** (*gen*) sixteen **2** (*data*) sixteenth ☛ *Vedi esempi a* SEI

sedile *sm* seat

seducente *agg* seductive

sedurre *vt* to seduce

seduta *sf* session LOC **seduta spiritica** seance

seduto, -a *pp, agg* sitting, seated (*più formale*): *Erano seduti a tavola.* They were sitting at the table. ◊ *Rimasero seduti.* They remained seated. *Vedi anche* SEDERE

seduttore, -trice *sm-sf* seducer

seduzione *sf* seduction

sega *sf* saw

segale *sf* rye

segare *vt* to saw *sth* (up): *Ho segato l'asse.* I sawed up the plank.

segatura *sf* sawdust

seggio *sm* (*carica pubblica*) seat LOC **seggio elettorale** polling station

seggiolone *sm* high chair

seggiovia *sf* chairlift

segmento *sm* segment

segnalare *vt* **1** (*gen*) to signal **2** (*cartello*) to signpost

segnalazione *sf* report

segnale *sm* **1** (*gen*) signal **2** (*stradale*) sign **3** (*telefono*) tone: *~ di libero/occupato* the dialling/engaged tone

segnalibro *sm* bookmark

segnare ◆ *vt* **1** (*annotare*) to note *sth* down: *Mi sono segnato l'indirizzo.* I noted down the address. **2** (*contrassegnare*) to mark: *Segna gli errori con la matita rossa.* Mark the mistakes in red pencil. **3** (*indicare*) to say: *L'orologio segnava le cinque.* The clock said five o'clock. ◆ *vt, vi* (*Calcio*) to score: *Hanno segnato* (*tre gol*) *nel primo tempo.* They scored (three goals) in the first half.

segno *sm* **1** (*gesto, segnale*) sign: *È un buon/brutto ~.* It's a good/bad sign. ◊ *dare segni di stanchezza* to show signs of fatigue **2** (*simbolo*) token **3** (*dello zodiaco*) star sign: *Di che ~ sei?* What's your star sign? **4** (*traccia*) mark: *Aveva dei segni rossi sul collo.* He had some red marks on his neck. LOC **fare segno 1** (*gen*) to signal (*to sb*): *Mi facevano ~ di fermarmi.* They were signalling to me to stop. ◊ *Mi fece ~ di entrare.* He signalled to me to come in. **2** (*con la testa*) **(a)** (*per dire di sì*) to nod (*at sb*): *Fece ~ di sì.* He nodded (his head). **(b)** (*per dire di no*) to shake your head (*at sb*): *Fece ~ di no.* He shook his head. **segni caratteristici** distinguishing marks **segno di uguaglianza** equals sign **segno zodiacale** sign of the zodiac *Vedi anche* COLPIRE, FILO

segretario, -a *sm-sf* secretary [*pl* secretaries]: *Ha fatto un corso per segretaria d'azienda.* She has done a secretarial course.

segreteria *sf* **1** (*ufficio*) secretary's office **2** (*segretariato*) secretariat: *la ~ dell'ONU* the UN secretariat LOC **segreteria telefonica** answering machine

segreto, -a *agg, sm* secret: *Sai tenere un ~?* Can you keep a secret? ◊ *in ~* secretly

seguace *smf* disciple

seguente *agg* next, following: *il giorno ~* the next/following day

seguire ◆ *vt, vi* to follow: *Seguimi.* Follow me. ◊ *Non ti seguo.* I don't follow you. ◆ *vi* to continue: *L'articolo segue a pagina sette.* The article continues on page seven. LOC **seguire la moda** to follow fashion: *Non segue la moda.* She doesn't follow fashion. **seguire le orme di** to follow in *sb's* footsteps

seguito *sm* **1** (*persone*) entourage **2** (*proseguimento*) continuation LOC **di seguito 1** (*uno dopo l'altro*): *quattro volte di ~* four times in a row ◊ *Ci sono andati tre giorni di ~.* They went there three days running. **2** (*ininterrottamente*): *È piovuto per quattro giorni di ~.* It rained non-stop for four days. **in seguito** subsequently **in seguito a** (*in conseguenza*) following

sei *sm, agg, pron* **1** (*gen*) six: *il numero ~* number six ◊ *~ più tre fa nove.* Six and three are/make nine. ◊ *~ per tre* (*fa*) *diciotto.* Three sixes (are) eighteen. **2** (*data*) sixth: *Siamo andati il 6 maggio.* We went on 6 May ☛ Si legge "the sixth of May". LOC **alle sei** at six o'clock **le sei e cinque, dieci, ecc** five, ten, etc past six **le sei e mezzo** half past six **le sei e un quarto** a quarter past six **le sei meno cinque, dieci, ecc** five, ten, etc to six **le sei meno un quarto** a quarter to six **sei su dieci** six out of ten **sono le sei** it's six o'clock ☛ Per altre informazioni sull'uso dei numeri, delle date, ecc vedi Appendice 1.

seicento ◆ *sm, agg, pron* six hundred: *Eravamo ~ alla maratona.* There were six hundred of us on the marathon. ◊ *~ anni fa* six hundred years ago ☛ *Vedi Appendice 1.* ◆ *sm* **il Seicento** the 17th century: *nel Seicento* in the 17th century

selciato *sm* cobbles [*pl*]

selezionare *vt* to select

selezionato, -a *pp, agg* select: *un gruppo ~* a select group *Vedi anche* SELEZIONARE

selezione *sf* selection

sella *sf* saddle

sellare *vt* to saddle *sth* (up)

sellino *sm* saddle

selvaggina *sf* game: *Non ho mai mangiato ~.* I've never tried game.

selvaggio, -a *agg* **1** (*gen*) wild: *animali selvaggi* wild animals **2** (*popolazioni*) uncivilized

selvatico, -a *agg* wild

semaforo *sm* traffic lights [*pl*]: *Quando arrivi al ~ gira a sinistra.* Turn left when you get to the traffic lights. ◊ *Il ~ era rosso.* The lights were red.

sembrare *vi* **1** (*dare l'impressione*) to seem: *Sembrano sicuri.* They seem certain. ◊ *Sembra ieri.* It seems like only yesterday. **2** (*apparire*) to look: *Quei dolci sembrano proprio buoni.* Those cakes look very nice. ◊ *Sembra più giovane di quanto non sia.* She looks younger than she is. **3** (*assomigliare*) to look like *sb/sth*: *Sembra un'attrice.* She looks like an actress. ◊ *Con quei pantaloni sembri un pagliaccio.* You look like a clown in those trousers. **4** (*opinione*): *Mi sembra che abbia ragione lui.* I think he's right. ◊ *Come ti sono sembrati miei cugini?* What did you think of my cousins? LOC **sembra che ...** (*si dice*) apparently ...

seme *sm* **1** seed: *semi di girasole* sunflower seeds ☛ *Vedi illustrazione a* FRUTTA **2** (*Carte*) suit ☛ *Vedi nota a* CARTA

semiaperto, -a *agg* half-open

semibreve *sf* semibreve

semicerchio *sm* semicircle

semifinale *sf* semifinal

semifinalista *smf* semifinalist

seminare *vt* **1** (*gen*) to sow: ~ *il grano/un campo* to sow wheat/a field **2** (*far perdere le tracce*) to give *sb* the slip: *Ha seminato la polizia.* He gave the police the slip.

seminario *sm* **1** (*lezione*) seminar **2** (*Relig*) seminary [*pl* seminaries]

seminterrato *sm* basement

semmai *avv* if anything: ~ *è peggiorato.* If anything it's got worse.

semplice *agg* simple: *Non è così ~.* It's not as simple as it looks. ◊ *una cena ~* a simple meal

semplicione, -a *sm-sf* simple [*agg*]: *Quel poveretto è un ~.* The poor man's a bit simple.

semplicità *sf* simplicity

semplificare *vt* to simplify

sempre *avv* **1** (*gen*) always: *Dici ~ le stesse cose.* You always say the same thing. ◊ *Mi è ~ piaciuto ballare.* I've always loved dancing. ☛ *Vedi nota a* ALWAYS **2** (*ancora*) still: *Abiti ~ a Manchester?* Do you still live in Manchester? LOC **come sempre** as usual **da sempre** always: *Ci conosciamo da ~.* I've always known him. **di sempre** (*solito*) usual **per sempre 1** (*permanentemente*) for good: *Lascio l'Italia per ~.* I'm leaving Italy for good. **2** (*eternamente*) for ever: *Ti amerò per ~.* I will love you for ever. ◊ *Me ne ricorderò per ~.* I'll remember it for ever. **pur sempre** (*tuttavia*) still: *È pur ~ tuo fratello e dovresti aiutarlo.* He's still your brother and you should help him. **sempre che ...** (*purché*) as long as ...: *Partiamo domani, ~ che non piova.* We'll leave tomorrow, as long as it doesn't rain. **sempre meglio/peggio** better and better/worse and worse **sempre meno** less and less: *Ho ~ meno soldi.* I've got less and less money. ◊ *Ci vediamo ~ meno.* We see less and less of each other. **sempre più** more and more: *Ci sono ~ più problemi.* There are more and more problems. ◊ *Sei ~ più bella.* You're looking prettier and prettier. *Vedi anche* DIRITTO

senape *sf* mustard

senato *sm* senate

senatore, -trice *sm-sf* senator

Senegal *sm* Senegal

senegalese *agg, smf* Senegalese: *i senegalesi* the Senegalese

Senna *sf* **la Senna** the Seine

seno *sm* breast

sensato, -a *agg* sensible

sensazionale *agg* sensational

sensazione *sf* feeling: *Ho la ~ che mi nasconda qualcosa.* I've got a feeling she's hiding something from me.

sensibile *agg* **1** (*gen*) sensitive (***to sth***): *La mia pelle è molto ~ al sole.* My skin is very sensitive to the sun. ◊ *È una bambina molto ~.* She's a very sensitive child.

> La parola inglese **sensible** non significa *sensibile* ma *sensato*.

2 (*notevole*) noticeable: *un ~ miglioramento* a noticeable improvement

sensibilità *sf* sensitivity

sensibilizzare *vt*: ~ *l'opinione pubblica ai problemi dell'ambiente* to make people aware of environmental issues

senso *sm* **1** (*gen*) sense: *i cinque sensi* the five senses ◊ ~ *dell'umorismo* sense of humour ◊ *avere il ~ del ritmo* to have a good sense of rhythm ◊ *Non ha ~.* It doesn't make sense. ◊ *in un certo ~* in a sense **2** (*significato*) meaning **3** (*direzione*) direction: *Il camion veniva in ~ contrario.* The lorry was coming from the opposite direction. **4 sensi** (*conoscenza*) consciousness: *perdere/riacquistare i sensi* to lose/regain consciousness LOC **in senso orario/antiorario** clockwise/anticlockwise **senso d'orientamento** sense of direction **senso unico**: *una strada a ~ unico* a one-way street *Vedi anche* DOPPIO, SESTO

sensuale *agg* sensual

sentenza *sf* sentence LOC *Vedi* EMETTERE

sentiero *sm* path

sentimentale *agg* **1** (*gen*) sentimental: *valore ~* sentimental value **2** (*vita*) love [*s attrib*]: *vita ~* love life

sentimento *sm* feeling

sentinella *sf* (*Mil*) sentry [*pl* sentries]

sentire ◆ *vt* **1** (*sensazioni, sentimenti*)

to feel: ~ *caldo/freddo* to feel hot/cold ◊ *Per lei non sento niente.* I don't feel anything for her. **2** (*udire*) to hear: *Non avevano sentito l'allarme.* They didn't hear the alarm. ◊ *Lo senti?* Can you hear it? ◊ *Non ti ho sentito entrare.* I didn't hear you come in. ◊ *C'era un tale chiasso che non riuscivo a farmi ~.* It was so noisy I couldn't make myself heard. **3** (*profumo*) to smell **4** (*sapore*) to taste

In inglese si usa spesso **can** con verbi come **to see**, **to hear**, **to smell** e **to feel** quando esprimono percezione: *Mi senti?* Can you hear me? ◊ *Si sentiva ancora odore di pesce il giorno dopo.* You could still smell fish the next day. ◊ *Non vedo niente!* I can't see a thing!

5 (*ascoltare*) to listen (**to sb/sth**): *Non mi stai mai a ~.* You never listen to me. ◊ *Senti, non sei mica obbligato a farlo.* Listen, you don't have to do it. **6** (*informarsi*): *Senti che cosa ne pensa Giulia.* See what Giulia says. ◊ *Prima voglio ~ il mio avvocato.* I want to consult my lawyer first. ◆ **sentirsi** *v rifl* to feel: *Mi sento benissimo.* I feel very well. ◊ *Non mi sento bene.* I don't feel well. **LOC non me la sento** I don't feel up to it: *Oggi non me la sento di andare a lavorare.* I don't feel up to going to work today. ☛ Per altre espressioni con **sentire** vedi alla voce del sostantivo, dell'aggettivo, ecc, ad es. **sentirsi male** a MALE.

sentito, -a *pp, agg* heartfelt: *sentiti ringraziamenti* heartfelt thanks *Vedi anche* SENTIRE

senza *prep* without: ~ *zucchero* without sugar ◊ ~ *pensare* without thinking ◊ *È uscito ~ dire niente.* He went out without saying anything. ◊ *Se ne sono andati ~ che nessuno li vedesse.* They left without anybody seeing them. **LOC senz'altro** definitely: *Vengo senz'altro.* I'm definitely coming. **senza dubbio** undoubtedly

senzatetto *smf* homeless person: *i senzatetto* the homeless

separare ◆ *vt* (*gen*) to separate *sb/sth* (**from sb/sth**): *Separa le palline rosse da quelle verdi.* Separate the red balls from the green ones. ◆ **separarsi** *v rifl* to separate, to split up (*più informale*): *Si è separata dal marito.* She and her husband have separated. ◊ *Ci siamo separati a metà strada.* We split up halfway.

separatista *agg, smf* separatist

separato, -a *pp, agg* **1** (*matrimonio*) separated: *"Sposata o nubile?" "Separata."* 'Married or single?' 'Separated.' **2** (*distinto*) separate: *Dormiamo in camere separate.* We sleep in separate rooms. *Vedi anche* SEPARARE

separazione *sf* separation

seppellire *vt* (*lett* e *fig*) to bury

seppia *sf* cuttlefish [*pl* cuttlefish]

sequenza *sf* sequence

sequestrare *vt* **1** (*persona*) to kidnap **2** (*confiscare*) to seize: *La polizia ha sequestrato 10kg di cocaina.* The police seized 10kg of cocaine.

sequestro *sm* **1** (*persona*) kidnapping **2** (*armi, droga*) seizure

sera *sf* evening: *Il volo è di ~.* The flight is in the evening. ◊ *Sono arrivati domenica ~.* They arrived on Sunday evening. ◊ *Ci vediamo domani ~.* I'll see you tomorrow evening. ◊ *Cosa fai questa ~?* What are you doing this evening? ◊ *alle otto di ~* at eight o'clock in the evening ☛ *Vedi nota a* MORNING **LOC** *Vedi* ABITO, CALARE, IERI

serale *agg* evening [*s attrib*] **LOC** *Vedi* CORSO, SCUOLA

serata *sf* **1** (*ricevimento*) evening **2** (*Teat*) performance: *una ~ di gala* a gala performance

serbare *vt* to keep **LOC serbare rancore a** to bear *sb* a grudge: *Non gli serbo rancore.* I don't bear him any grudge.

serbatoio *sm* tank: *il ~ della benzina* the petrol tank

Serbia *sf* Serbia

serbo, -a ◆ *agg* Serbian ◆ *sm-sf, sm* Serb: *i serbi* the Serbs ◊ *parlare ~* to speak Serb

sereno, -a ◆ *agg* **1** (*persona*) calm **2** (*tempo*) fine ◆ *sm* (*bel tempo*) fine weather

sergente *sm* sergeant

serial *sm* serial

serie *sf* **1** (*gen*) series [*pl* series]: *una ~ di disgrazie* a series of disasters ◊ *una nuova ~ televisiva* a new TV series **2** (*Sport*) division: *una squadra di ~ A* a first-division team **LOC** *Vedi* PRODURRE

serio, -a *agg* **1** (*gen*) serious: *una faccenda seria* a serious matter ◊ *un'aria seria* a serious look **2** (*affidabile*) reliable: *È una persona seria.* He's a reliable person. **LOC sul serio** seriously: *prendere qc sul ~* to take sth seriously ◊ *Dici sul ~?* Are you serious?

serpente *sm* snake LOC **serpente a sonagli** rattlesnake

serra *sf* greenhouse LOC *Vedi* EFFETTO

serratura *sf* lock LOC *Vedi* BUCO

servire ◆ *vt* to serve: *Ci hanno servito subito.* They served us straight away. ◆ *vi* **1** (*gen, Tennis*) to serve **2** ~ **da/a/per**: *Questo bicchiere servirà da vaso per il momento.* This glass will do as a vase for the time being. ◊ *A cosa serve questo?* What's that for? ◊ *Serve per tagliare.* It's used for cutting. ◊ *È servito a chiarire le cose.* It served to clarify things. ◊ *La scatola mi è servita da tavolo.* I used the box as a table. **3** (*occorrere*) to need: *La macchina non mi serve più.* I don't need a car any more. ◊ *Ti servono le forbici?* Do you need the scissors? ◆ **servirsi** *v rifl* **1** (*cibo*) to help yourself (*to sth*): *Io mi sono servito.* I helped myself. ◊ *Servitevi da soli.* Help yourselves. **2 servirsi in/da** (*essere cliente*) to shop **at...**: *Mi servo sempre in quel negozio.* I always shop there. **3 servirsi di** (*usare*) to use *sth*: *Si è servito di un interprete.* He used an interpreter. LOC **non servire a niente** to be no use: *Arrabbiarsi non serve a niente.* It's no use getting annoyed. *Vedi anche* LEZIONE

servizio *sm* **1** (*gen, Tennis*) service **2** (*insieme di oggetti*) set: *un ~ di posate* a set of cutlery **3** (*Giornalismo*) report **4 servizi** (*abitazione*) kitchen and bathroom ☛ *Vedi nota a* TOILET LOC **essere in servizio/fuori servizio** to be on/off duty: *un poliziotto fuori ~* an off-duty policeman **fuori servizio** (*ascensore*) out of order **servizio da tavola** dinner service **servizio informazioni** (*telefono*) directory enquiries **servizio militare** military service ☛ *Vedi nota a* MILITARE[1] **Servizio sanitario nazionale** ≃ National Health Service (*GB*) *Vedi anche* AREA, DOMICILIO, DONNA, STAZIONE

servosterzo *sm* power steering

sessanta *sm, agg, pron* sixty: *Ha sessant'anni.* He's sixty. ☛ *Vedi Appendice 1.* **gli anni sessanta** the sixties **sessantuno, sessantadue, ecc** sixty-one, sixty-two, etc

sessantenne *agg, smf* sixty-year-old ☛ *Vedi esempi a* UNDICENNE

sessantesimo, -a *agg, pron, sm* sixtieth: *Sei il ~ della lista.* You're sixtieth on the list. ◊ *il ~ anniversario* their sixtieth anniversary ☛ *Vedi Appendice 1.*

sessantina *sf* about sixty: *una ~ di casi al giorno* about sixty cases a day

sessista *agg, smf* sexist

sesso *sm* sex LOC *Vedi* DISTINZIONE

sessuale *agg* **1** (*gen*) sexual: *molestie sessuali* sexual harassment **2** (*educazione, organi, vita*) sex [*s attrib*] LOC *Vedi* EDUCAZIONE

sessualità *sf* sexuality

sesto, -a *agg, pron, sm* **1** (*gen*) sixth: *la sesta volta* the sixth time ◊ *Abito al ~ piano.* I live on the sixth floor. ◊ *È il ~ della lista.* He's sixth on the list. ◊ *Sono stato il ~ a finire.* I was the sixth to finish. ◊ *Sono arrivato ~.* I came sixth. ◊ *cinque sesti* five sixths **2** (*nei titoli*): *Paolo VI* Paul VI ☛ Si legge "Paul the Sixth". ☛ *Vedi Appendice 1.* LOC **il sesto senso** a sixth sense

seta *sf* silk: *una camicia di ~* a silk shirt LOC *Vedi* BACO

setacciare *vt* **1** (*Cucina*) to sieve **2** (*zona*) to comb

setaccio *sm* sieve

sete *sf* thirst LOC **avere sete** to be thirsty: *Ho molta ~.* I'm very thirsty. *Vedi anche* MORIRE

setta *sf* sect

settanta *sm, agg, pron* seventy ☛ *Vedi esempi a* SESSANTA

settantenne *agg, smf* seventy-year-old ☛ *Vedi esempi a* UNDICENNE

settantesimo, -a *agg, pron, sm* seventieth ☛ *Vedi esempi a* SESSANTESIMO

settantina *sf* about seventy: *una ~ di casi al giorno* about seventy cases a day

sette *sm, agg, pron* **1** (*gen*) seven **2** (*data*) seventh ☛ *Vedi esempi a* SEI

settecento ◆ *sm, agg, pron* seven hundred ◆ *sm* **il Settecento** the 18th century: *nel Settecento* in the 18th century

settembre *sm* September (*abbrev* Sept) ☛ *Vedi esempi a* GENNAIO

settentrionale ◆ *agg* northern ◆ *smf* northerner

settentrione *sm* **il** ~ the North

settimana *sf* week: *la ~ scorsa/prossima* last/next week ◊ *due volte alla ~* twice a week LOC **settimana bianca** skiing holiday **settimana santa** Holy Week

settimanale ◆ *agg* **1** (*di ogni settimana*) weekly: *una rivista ~* a weekly magazine **2** (*alla settimana*): *due lezioni settimanali* two lessons a week **3** (*di una settimana*): *un corso* ~ a week-long course ◆ *sm* (*rivista*) weekly (publication)

settimo, -a *agg, pron, sm* seventh ☛ *Vedi esempi a* SESTO **LOC essere al settimo cielo** to be in heaven

setto *sm* **LOC setto nasale** nasal septum (*scientifico*): *una frattura del ~ nasale* a broken nose

settore *sm* sector: *il ~ privato/pubblico* the private/public sector

severo, -a *agg* **1** (*punizione, critica*) harsh **2** ~ (**con**) (*insegnante, genitori*) strict (**with *sb***): *Mio padre era molto ~ con noi.* My father was very strict with us.

sezionare *vt* to dissect

sezione *sf* section

sfacciataggine *sf* cheek: *avere la ~ di fare qc* to have the cheek to do sth

sfacciato, -a ◆ *agg* cheeky ◆ *sm-sf* cheeky so-and-so: *Sei uno ~!* You're a cheeky so-and-so!

sfasciare *vt* **1** (*gen*) to break: *Ha sfasciato la sedia.* He broke the chair. **2** (*auto*) to smash

sfavorevole *agg* unfavourable

sfera *sf* sphere **LOC sfera di cristallo** crystal ball *Vedi anche* PENNA

sferico, -a *agg* spherical

sfida *sf* challenge

sfidare *vt* **1** (*gioco*) to challenge *sb* (**to *sth***): *Mi ha sfidato a dama.* He challenged me to a game of draughts. **2** (*pericolo*) to brave

sfiducia *sf* distrust **LOC** *Vedi* VOTO

sfigurare ◆ *vt* (*viso*) to disfigure ◆ *vi* to make a poor impression

sfilare ◆ *vt* (*togliere*) to slip *sth* off: *sfilarsi le scarpe* to slip off your shoes ◆ *vi* **1** (*dimostranti*) to march **2** (*modella*) to parade ◆ **sfilarsi** *v rifl* (*smagliarsi*) to ladder

sfilata *sf* parade **LOC sfilata di moda** fashion show

sfilza *sf*: *una ~ di cretinate* a load of rubbish ◊ *una ~ di bugie* a pack of lies

sfinge *sf* sphinx

sfinito, -a *agg* exhausted

sfiorare *vt* **1** (*gen*) to brush (**against *sb*/*sth***) **2** (*rasentare*) to graze: *La palla mi ha sfiorato la testa.* The ball grazed my head.

sfocato, -a *agg* blurred: *Senza occhiali vedo tutto ~.* Everything is blurred without my glasses.

sfociare *vi* ~ **in** (*fiume*) to flow **into *sth***

sfogare ◆ *vt* **1** (*gen*) to let *sth* off **2** (*rabbia*) to vent ◆ **sfogarsi** *v rifl* **1** (*gen*) to let off steam **2 sfogarsi con** to confide **in *sb*** **3 sfogarsi su** to take it out **on *sb***

sfoggiare *vt* to show *sth* off

sfoggio *sm* **LOC fare sfoggio di** to show off about *sth*

sfoglia *sf* **LOC** *Vedi* PASTA

sfogliare *vt* (*giornale*) to flick through *sth*

sfogliatina *sf* pasty [*pl* pasties]

sfollare *vt* to evacuate

sfollato, -a *sm-sf* evacuee

sfondare ◆ *vt* **1** (*porta*) to break *sth* down **2** (*pavimento*) to go through *sth* **3** (*scatola*) to knock the bottom out of *sth* ◆ *vi* to be a hit: *Chissà se sfonderanno in America?* Will they be a hit in America?

sfondato, -a *pp, agg* broken **LOC** *Vedi* RICCO; *Vedi anche* SFONDARE

sfondo *sm* background

sfornare *vt* **1** (*Cucina*) to take *sth* out of the oven **2** (*libri, dischi*) to churn *sth* out

sfortuna *sf* bad luck

sfortunatamente *avv* unfortunately

sfortunato, -a *agg* unlucky

sforzare ◆ *vt* **1** (*gen*) to force **2** (*voce, vista*) to strain ◆ **sforzarsi** *v rifl* to try hard (***to do sth***): *Mi sforzai di non ridere.* I tried hard not to laugh.

sforzo *sm* effort: *Fai uno ~ e mangia qualcosa.* Make an effort to eat something. **LOC fare sforzi** to strain yourself: *Non fare sforzi, la gamba è ancora debole.* Don't strain yourself, your leg is still weak.

sfrattare *vt* to evict

sfregare *vt, vi* to rub: *Il parafango sfrega contro la ruota.* The mudguard rubs against the wheel.

sfruttamento *sm* exploitation

sfruttare *vt* **1** (*lavoratori*) to exploit **2** (*occasione*) to make the most **of *sth***

sfuggire *vi* ~ (**a**) **1** (*evitare*) to escape *sth* [*vt*]: *~ alla giustizia* to escape arrest **2** (*dettaglio, opportunità*) to miss: *Non ti sfugge niente.* You don't miss a thing. **3** (*dimenticare*): *Mi sfugge il nome.* The name escapes me. **LOC farsi/lasciarsi sfuggire 1** (*persona*) to let *sb* get away **2** (*opportunità*) to let *sth* slip: *Ti sei* *lasciato ~ un'occasione d'oro.* You've let slip the chance of a lifetime. **sfuggire di mano** to slip out of your hand *Vedi anche* MENTE

sfumatura *sf* shade: *sfumature di significato* shades of meaning

sfuso, -a *agg* loose: *cioccolatini sfusi* loose chocolates

sgabello *sm* stool

sgambetto *sm* LOC **fare lo sgambetto a** to trip *sb* up: *Mi ha fatto lo ~.* He tripped me up.

sganciare *vt* **1** (*gen*) to unhook **2** (*soldi*) to fork out *sth*

sgelare *vt, vi* to thaw

sgobbare *vi* **1** (*lavorare*) to slave away **2** (*studiare*) to swot: *Sto sgobbando per gli esami.* I'm swotting for my exams.

sgobbone, -a *sm-sf* swot

sgocciolare *vi* to drip

sgoccioli *sm* LOC **essere agli sgoccioli** to be nearly finished

sgolarsi *v rifl* to make yourself hoarse

sgombrare *vt* to clear: *~ la sala, per favore.* Please clear the hall.

sgomento, -a ◆ *agg* dismayed ◆ *sm* dismay

sgonfiare ◆ *vt* to let *sth* down ◆ **sgonfiarsi** *v rifl* to go down

sgorgare *vi* to gush (out) (***from sb/sth***)

sgradevole *agg* unpleasant

sgranocchiare *vt* to crunch

sgridare *vt* to tell *sb* off

sgridata *sf* telling-off [*pl* tellings-off]: *Mi son preso un'altra ~.* I've been told off again.

sgualcire ◆ *vt* to crease ◆ **sgualcirsi** *v rifl* to crease: *Questa gonna si sgualcisce facilmente.* This skirt creases very easily.

sguardo *sm* look: *Mi ha lanciato uno ~ d'intesa.* She gave me a knowing look. ◊ *avere uno ~ vacuo* to have a blank look (on your face) LOC **dare uno sguardo a** (*giornale*) to have a look at *sth Vedi anche* DISTOGLIERE, FULMINARE, TOGLIERE

sguazzare *vi* to splash about: *I bambini sguazzavano nell'acqua.* The children were splashing about in the water.

shampoo *sm* shampoo [*pl* shampoos]: *~ antiforfora* anti-dandruff shampoo

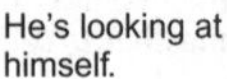

He's looking at himself. They're looking at **each other**.

si¹ *pron pers*
- **riflessivo 1** (*maschile*) himself: *Si è lavato.* He washed himself. **2** (*femminile*) herself: *Si è fatta male.* She hurt herself. **3** (*neutro*) itself: *Il gatto si lava.* The cat's washing itself. **4** (*impersonale*) yourself: *versarsi da bere* to pour yourself a drink **5** (*plurale*) themselves: *Si sono divertiti.* They enjoyed themselves. **6** (*parti del corpo, effetti personali*): *Si è lavato le mani.* He washed his hands. ◊ *Si è asciugata i capelli.* She dried her hair.
- **reciproco** each other, one another: *Si amano.* They love each other. ☛ *Vedi nota a* EACH OTHER
- **passivo**: *In questo negozio si parla inglese.* English spoken here. ◊ *Non si accettano carte di credito.* No credit cards.
- **impersonale**: *Qui si vive bene.* Life here is terrific. ◊ *Si vede subito che è falso.* You can tell it's fake. ◊ *Si dice che…* They say that…

si² *sm* (*Mus*) B: *si maggiore* B major

sì *avv, sm* **1** (*gen*) yes: *"Ne vuoi ancora?" "Sì."* 'Would you like a bit more?' 'Yes, please.' ◊ *Rispose timidamente di sì.* He shyly said yes. ◊ *Non ha ancora detto (di) sì.* He still hasn't said yes. **2** (*enfasi*): *Sì che mi piace.* I do like it. ◊ *Lei non ci va ma io sì.* She's not going but I am. LOC **un anno, mese, ecc sì e uno no** every other year, month, etc

sia *cong* LOC **sia … che …** both … and …: *~ Laura che Sara studiano filosofia.* Both Laura and Sara study philosophy **sia che … sia che …** whether … or …: *~ che piova ~ che non piova* whether it rains or not

siamese *agg* LOC *Vedi* FRATELLO, GATTO

sicché *cong* so: *Pioveva, ~ non siamo potuti andare.* It was raining, so we couldn't go.

siccità *sf* drought

siccome *cong* as: ~ *ero in anticipo, ho fatto un giretto per i negozi.* As I was early, I had a look round the shops.

Sicilia *sf* Sicily

siciliano, -a *agg, sm-sf* Sicilian: *i siciliani* the Sicilians

sicura *sf* **1** (*di arma*) safety catch **2** (*di portiera*) safety lock

sicuramente *avv* (*certamente*) certainly

sicurezza *sf* **1** (*da incidenti*) safety: *la ~ stradale* road safety **2** (*da rapina/assalto*) security: *controlli di ~* security checks **3** (*certezza*) certainty **4** (*fiducia in sé*) self-confidence **LOC** *Vedi* CINTURA, NORME, SPILLA

sicuro, -a *agg* **1** (*senza rischi*) safe: *un luogo ~* a safe place **2** (*certo*) sure: *Sono sicura che verranno.* I'm sure they'll come. **LOC al sicuro** in a safe place **andare sul sicuro** to play safe **di sicuro**: *Saranno in ritardo di ~.* They're bound to be late. **poco sicuro** unsafe *Vedi anche* FONTE

siderurgia *sf* iron and steel industry

siderurgico, -a *agg* iron and steel [*s attrib*]: *il settore ~* the iron and steel sector

sidro *sm* cider

siepe *sf* hedge

sieronegativo, -a *agg* HIV negative

sieropositivo, -a *agg* HIV positive

sigaretta *sf* cigarette

sigaro *sm* cigar

sigillare *vt* to seal: ~ *una busta* to seal an envelope

sigla *sf* (*abbreviazione*) acronym **LOC sigla musicale** signature tune

significare *vt* to mean (*sth*) (***to sb***): *Cosa significa questa parola?* What does this word mean?

significato *sm* meaning

signore, -a ◆ *sm-sf* **1** (*persona*) man [*fem* lady] [*pl* men/ladies]: *C'è un ~ che vuole parlare con te.* There's a man who wants to talk to you. ◊ *un parrucchiere per signora* a ladies' hairdresser **2** (*prima del cognome*) Mr [*fem* Mrs]: *C'è il ~ Rubini?* Is Mr Rubini in? ◊ *la signora Betti* Mrs Betti **3** (*per attirare l'attenzione*) excuse me!: *~! Le è caduto il biglietto.* Excuse me! You've dropped your ticket. **4** (*forma di cortesia*) sir [*fem* madam] [*pl* gentlemen/ladies]: *Buon giorno, signora.* Good morning, madam. ◊ *Signore e signori...* Ladies and gentlemen... ◆ *sm* **il Signore** the Lord

signorina *sf* **1** (*persona*) young lady: *C'è una ~ che vuole parlare con te.* There's a young lady here who'd like to speak to you. **2** (*prima del nome*) Miss, Ms

> **Miss** si usa con il cognome o il nome e cognome: "Miss Jones" o "Miss Mary Jones". **Ms** si usa quando non si conosce o non si vuole specificare lo stato civile di una donna.

3 (*per attirare l'attenzione*) excuse me: *~! Due caffè, per favore.* Excuse me! Two coffees, please.

silenzio *sm* silence: *In classe c'era un ~ assoluto.* There was total silence in the classroom. **LOC fare silenzio** to be quiet **silenzio!** be quiet!

silenziosamente *avv* very quietly

silenzioso, -a *agg* **1** (*gen*) silent: *un motore ~* a silent engine **2** (*persona*) quiet

sillaba *sf* syllable

siluro *sm* torpedo [*pl* torpedoes]

simbolico, -a *agg* symbolic

simbolizzare *vt* to symbolize

simbolo *sm* symbol

simile *agg* **1** ~ (**a**) (*somigliante*) similar (**to *sb*/*sth***): *un modello ~ a questo* a model similar to this one **2** (*tale*): *Come hai potuto fare una cosa ~?* How could you do a thing like that? **LOC** *Vedi* COSA

simmetrico, -a *agg* symmetrical

simpatia *sf* charm

simpatico, -a *agg* nice: *È una ragazza molto simpatica.* She's a very nice girl. ◊ *Mi è molto simpatica.* I like her very much.

> Nota che **sympathetic** non vuol dire simpatico ma *comprensivo*: *Sono stati tutti molto comprensivi.* Everyone was very sympathetic.

LOC stare simpatico a: *Sta simpatica a tutti.* Everybody likes her.

simpatizzante *smf* sympathizer

simpatizzare *vi*: *Simpatizziamo per i Verdi.* Our sympathies lie with the Green Party.

simultaneo, -a *agg* simultaneous **LOC** *Vedi* TRADUZIONE

sinagoga *sf* synagogue

sinceramente *avv* **1** (*in modo sincero*) sincerely **2** (*per essere sincero*) frankly

sincerità *sf* sincerity

sincero, -a *agg* sincere

sincronizzare *vt* to synchronize: *Sincronizziamo gli orologi.* Let's synchronize our watches.

sindacale *agg* union [*s attrib*]

sindacalista *smf* trade unionist

sindacato *sm* (trade) union: *il ~ degli insegnanti* the teachers' union

sindaco *sm* mayor

sindrome *sf* syndrome LOC **sindrome da immunodeficienza acquisita** (*abbrev* **AIDS**) Acquired Immune Deficiency Syndrome (*abbrev* AIDS)

sinfonia *sf* symphony [*pl* symphonies]

sinfonico, -a *agg* **1** (*musica*) symphonic **2** (*orchestra*) symphony [*s attrib*]

singhiozzo *sm* **1** (*gen*) hiccups [*pl*]: *Ho il ~.* I've got hiccups. **2** (*pianto*) sob

singolare ◆ *agg* **1** (*gen*) singular **2** (*originale*) unusual ◆ *sm* **1** (*Gramm*) singular **2** (*Tennis*) singles

singolo, -a ◆ *agg* single: *Ogni singola copia è andata bruciata.* Every single copy was burned. ◆ *sm* (*disco*) single: *l'ultimo ~ del gruppo* the group's latest single

sinistro, -a ◆ *agg* **1** (*gen*) left: *Mi sono rotto il braccio ~.* I've broken my left-hand arm. ◊ *sul lato ~ della strada* on the left side of the street **2** (*minaccioso*) sinister ◆ **sinistra** *sf* **1** left: *Gira a sinistra.* Turn left. ◊ *guidare a sinistra* to drive on the left ◊ *la casa a sinistra* the house on the left ◊ *La strada gira a sinistra.* The road bears left. **2 la sinistra** (*Politica*) the Left [*v sing o pl*]: *La sinistra ha vinto le elezioni.* The Left has/have won the election. LOC **di sinistra** left-wing: *gruppi di sinistra* left-wing groups

sino *prep Vedi* FINO

sinonimo *sm* synonym

sintetico, -a *agg* (*fibra, tessuto*) synthetic

sintomo *sm* symptom

sintonizzarsi *v rifl* to tune in (***to sth***): *~ sulla BBC* to tune in to the BBC

sipario *sm* curtain: *Si alzò il ~.* The curtain went up.

sirena *sf* **1** (*ambulanza, polizia*) siren **2** (*Mitologia*) mermaid

Siria *sf* Syria

siriano, -a *agg, sm-sf* Syrian: *i siriani* the Syrians

siringa *sf* syringe

sismico, -a *agg* **1** (*fenomeno*) seismic **2** (*zona*) earthquake [*s attrib*] LOC *Vedi* SCOSSA

sistema *sm* **1** (*gen*) system: *~ politico/scolastico* political/education system ◊ *il ~ solare* the solar system **2** (*metodo*) method: *i sistemi didattici di oggi* modern teaching methods LOC **il sistema metrico decimale** the metric system **sistema montuoso** mountain range **sistema solare** solar system

sistemare ◆ *vt* **1** (*mettere a posto*) to tidy *sth* up **2** (*faccenda*) to sort *sth* out: *Non ti preoccupare, sistemo io la cosa.* Don't worry, I'll sort it out. ◆ **sistemarsi** *v rifl* **1** (*faccenda*) to sort itself out: *Vedrai che tutto si sistemerà.* It'll all sort itself out, don't worry. **2** (*trovare lavoro, sposarsi*) to settle down: *I suoi figli si sono tutti sistemati.* Her children have all settled down now. **3** (*trovare casa*) to find a place to stay: *Ti scriverò appena mi sarò sistemato.* I'll write to you as soon as I've found a place to stay. LOC **sistemare qn (per le feste)** to sort sb out

sistemazione *sf* **1** (*gen*) arrangement **2** (*alloggio*) accommodation **3** (*lavoro*) employment

situato, -a *agg* situated

situazione *sf* situation: *una ~ difficile* a difficult situation

Siviglia *sf* Seville

skate-board *sm* skateboard

slacciare ◆ *vt* to undo ◆ **slacciarsi** *v rifl* to come undone: *Mi si è slacciata la scarpa.* One of my laces has come undone.

slalom *sm* slalom

slanciato, -a *agg* **1** (*snello*) slender **2** (*elegante*) graceful

sleale *agg* disloyal LOC *Vedi* GIOCO

slegare *vt* to untie

slitta *sf* **1** (*gen*) sledge **2** (*trainata*) sleigh

slittare *vi* **1** (*gen*) to slide **2** (*veicolo*) to skid **3** (*essere rimandato*) to be postponed

slittino *sm* sledge

slogan *sm* slogan

slogare *vt* (*caviglia, polso*) to sprain: *Si è slogato la caviglia.* He sprained his ankle.

slogato, -a *pp, agg* sprained *Vedi anche* SLOGARE

slogatura *sf* sprain

sloggiare *vi* to clear off: *Cosa ci fa*

qui? Sloggia! What are you doing here? Clear off!

slot-machine *sf* fruit machine

Slovacchia *sf* Slovakia

slovacco, -a *agg, sm-sf, sm* Slovak: *i slovacchi* the Slovaks ◊ *parlare* ~ to speak Slovak

Slovenia *sf* Slovenia

sloveno, -a ◆ *agg* Slovenian ◆ *sm-sf, sm* Slovene: *i sloveni* the Slovenes ◊ *parlare* ~ to speak Slovene

smacchiatore *sm* stain remover

smagliante *agg* dazzling: *un sorriso* ~ a dazzling smile

smagliarsi *v rifl* to ladder: *Mi si sono di nuovo smagliate le calze.* I've laddered my tights again.

smagliatura *sf* **1** (*calze*) ladder: *Hai una* ~ *nelle calze.* You've got a ladder in your tights. **2** (*pelle*) stretch mark

smaltare *vt* **1** (*metalli*) to enamel **2** (*ceramica*) to glaze **3** (*unghie*): *smaltarsi le unghie* to varnish your nails

smaltire *vt* **1** (*cibo*) to digest **2** (*rifiuti*) to dispose of *sth* **3** (*sbornia*) to get over *sth*

smalto *sm* **1** (*metalli*) enamel **2** (*ceramica*) glaze **LOC smalto per unghie** nail varnish

smammare *vi* to clear off

smania *sf* **1** (*agitazione*) restlessness **2** (*desiderio*) ~ **di** craving **for *sth***

smantellare *vt* to dismantle

smarrire ◆ *vt* to mislay ◆ **smarrirsi** *v rifl* **1** (*persona*) to get lost **2** (*animale*) to stray

smarrito, -a *pp, agg* lost: *È andata smarrita la mia valigia.* My suitcase has gone missing. **LOC** *Vedi* OGGETTO; *Vedi anche* SMARRIRE

smemorato, -a *agg* forgetful

smentire *vt* **1** (*gen*) to deny **2** (*testimonianza*) to refute

smentita *sf* denial

smeraldo *sm* emerald

smettere ◆ *vt* to stop: *Smettila!* Stop it! ◆ *vi* ~ **di 1** (*cessare*) to stop ***doing sth***: *Ha smesso di piovere.* It's stopped raining. **2** (*perdere un'abitudine*) to give up ***doing sth***: ~ *di fumare* to give up smoking

sminuzzare *vt* to break *sth* into small pieces

smistare *vt* to sort

smisurato, -a *agg* excessive

smog *sm* smog

smoking *sm* dinner jacket

smontare ◆ *vt* **1** (*gen*) to take *sth* apart: ~ *una bici* to take a bike apart **2** (*impalcatura, tenda da campeggio*) to take *sth* down ◆ *vi* ~ (**da**) **1** (*cavallo*) to dismount (*sth*) **2** (*lavoro*) to knock off

smorfia *sf* grimace **LOC fare una smorfia** to pull a face **fare una smorfia di dolore** to wince with pain

smorzare *vt* **1** (*colore, suono*) to soften **2** (*entusiasmo*) to dampen

smottamento *sm* landslide

smuovere *vt* **1** (*spostare*) to move **2** (*dissuadere*) to deter *sb* ***from doing sth***

snello, -a *agg* slim ☛ *Vedi nota a* MAGRO

snervante *agg* exhausting

sniffare *vt, vi* to sniff

snob ◆ *agg* snobbish ◆ *smf* snob

sobbalzare *vi* (*trasalire*) to jump

sobborgo *sm* suburb

sobrio, -a *agg* sober

socchiudere *vt* **1** (*occhi*) to half-close **2** (*porta*) to leave *sth* ajar

socchiuso, -a *pp, agg* **1** (*occhi*) half-closed **2** (*porta*) ajar [*mai davanti al sostantivo*] *Vedi anche* SOCCHIUDERE

soccorrere *vt* to help

soccorso *sm* help: *I soccorsi sono arrivati subito.* Help arrived immediately. **LOC soccorso stradale** breakdown service *Vedi anche* PRONTO

sociale *agg* social **LOC** *Vedi* ASSISTENTE, CENTRO

socialismo *sm* socialism

socialista *agg, smf* socialist

società *sf* **1** (*gen*) society [*pl* societies] **2** (*Comm*) company [*pl* companies] **LOC società a responsabilità limitata** limited company (*abbrev* Ltd) **società per azioni** public limited company (*abbrev* plc)

socievole *agg* sociable

socio, -a *sm-sf* **1** (*club*) member: *diventare* ~ *di un club* to become a member of a club/to join a club **2** (*Comm*) partner

sociologia *sf* sociology

sociologo, -a *sm-sf* sociologist

soddisfacente *agg* satisfactory

soddisfare *vt* **1** (*gen*) to satisfy: ~ *l'appetito/la curiosità* to satisfy your hunger/your curiosity ◊ *Niente lo soddisfa.* He's never satisfied. **2** (*ambizione*) to fulfil

soddisfatto, -a *pp, agg* satisfied (***with***

sb/sth): *un cliente* ~ a satisfied customer ◊ *Sono molto ~ del rendimento dei miei alunni.* I'm very satisfied with the way my pupils are working. *Vedi anche* SODDISFARE

soddisfazione *sf* satisfaction

sodo, -a ◆ *agg* firm ◆ *avv* hard: *lavorare* ~ to work hard LOC *Vedi* UOVO

sofà *sm* sofa

sofferenza *sf* suffering

soffiare *vt, vi* to blow (**on**) **sth**: ~ *sulla minestra* to blow on your soup LOC **soffiarsi il naso** to blow your nose

soffiata *sf* LOC **fare una soffiata a** to tip *sb* off

soffice *agg* **1** (*gen*) soft **2** (*pasta, pane*) light

soffio *sm* blow: *Ha spento tutte le candeline con un ~.* He blew out the candles in one go.

soffitta *sf* loft

soffitto *sm* ceiling

soffocante *agg* stifling: *C'era un caldo ~.* It was stiflingly hot.

soffocare ◆ *vt* **1** (*asfissiare*) to suffocate: *Il fumo mi soffocava.* The smoke was suffocating me. **2** (*con un cuscino, fiamme*) to smother **3** (*rivolta*) to put *sth* down ◆ *vi* **1** (*gen*) to choke: *Quasi soffocavo con una spina di pesce.* I almost choked on that bone. **2** (*per il fumo, dal caldo*) to suffocate: *Per poco soffocavano per il fumo dell'incendio.* They nearly suffocated in the smoke from the fire. ◊ *Quando ho un attacco di asma mi sento ~.* When I have an asthma attack, I can't breathe. ◊ *Nella metropolitana si soffocava.* You couldn't breathe on the underground.

soffriggere *vt* to fry *sth* lightly

soffrire ◆ *vi* ~ (**di**) to suffer (**from sth**): *Soffre di mal di testa.* He suffers from headaches. ◆ *vt* **1** (*patire*) to suffer **2** (*sopportare*) to stand: *Non la posso ~.* I can't stand her. LOC **soffrire di cuore, reni, ecc** to have heart, kidney, etc trouble **soffrire il solletico** to be ticklish **soffrire la fame** to go hungry

sofisticato, -a *agg* sophisticated

soggettivo, -a *agg* subjective

soggetto, -a ◆ *agg* ~ **a 1** (*esposto*) subject **to sth**: *Il programma è ~ a modifiche.* The plan is subject to modification. **2** (*incline*) prone **to sth/to do sth** ◆ *sm* **1** (*tipo*) character **2** (*Gramm*) subject

soggiorno *sm* **1** (*stanza*) living room **2** (*permanenza*) stay: *il suo ~ in ospedale* his stay in hospital **3** (*spese*) living expenses [*pl*]: *pagare il viaggio e il ~* to pay travel and living expenses LOC *Vedi* PERMESSO

soglia *sf* threshold: *alle soglie del nuovo secolo* on the threshold of the new century

sogliola *sf* sole [*pl* sole]

sognare *vt* **1** (*dormendo*) to dream **about sb/sth**: *Ieri notte ti ho sognato.* I dreamt about you last night. ◊ *Non so se l'ho sognato.* I don't know if I dreamt it. **2** (*desiderare*) to dream **of doing sth**: *Sogno di avere una moto.* I dream of having a motor bike. ◊ *Sognano di diventare famosi.* They dream of becoming famous. LOC **sognare a occhi aperti** to daydream

sognatore, -trice *sm-sf* dreamer

sogno *sm* dream LOC **da sogno** dream: *una casa da ~* a dream home **neanche/nemmeno per sogno** no chance

soia *sf* soya

sol *sm* G: ~ *bemolle* G flat

solamente *avv* only

solare *agg* solar: *energia ~* solar power LOC *Vedi* SISTEMA

solco *sm* **1** (*nel terreno, ruga*) furrow **2** (*nell'acqua*) wake **3** (*disco*) groove

soldato *sm* soldier

soldo *sm* **1** (*moneta*) penny: *Non ho un ~.* I haven't got a penny. **2 soldi** money [*non numerabile*]: *Hai soldi?* Have you got any money? ◊ *Mi servono dei soldi.* I need some money. LOC **fare soldi a palate** to make a fortune *Vedi anche* SACCO

sole *sm* sun: *Mi batteva il ~ sul viso.* The sun was shining on my face. ◊ *sedersi al ~* to sit in the sun ◊ *un pomeriggio di ~* a sunny afternoon LOC **c'è il sole** it's sunny **prendere il sole** to sunbathe *Vedi anche* CHIARO, COLPO, OCCHIALI

soleggiato, -a *agg* sunny

solenne *agg* solemn

soletta *sf* (*scarpa*) insole

solfeggio *sm* solfeggio

solidarietà *sf* solidarity

solidificare ◆ *vt* to solidify ◆ **solidificarsi** *v rifl* to solidify

solidità *sf* solidity

solido, -a *agg, sm* solid

solista *smf* soloist

solitario, -a ◆ *agg* **1** (*gen*) solitary: *È un tipo ~.* He's a loner. **2** (*luogo, vita*) lonely ◆ *sm* (*Carte*) patience [*non* *numerabile*]: *fare un* ~ to play a game of patience

solito, -a *agg, sm* usual: *Incontriamoci al ~ posto.* Let's meet in the usual place. ◊ *più tardi del* ~ later than usual ◊ *Il ~.* I'll have the same as usual. LOC **come al solito** as usual **di solito** usually ☛ *Vedi nota a* ALWAYS **la solita storia** the same old story: *È la solita storia.* It's the same old story.

solitudine *sf* loneliness

solletico *sm* LOC **fare il solletico a** to tickle *sb Vedi anche* SOFFRIRE

sollevamento *sm* lifting LOC **sollevamento pesi** weightlifting

sollevare *vt* **1** (*peso*) to lift *sth* (up): *Solleva quella cassa.* Lift that box. **2** (*suscitare*) to raise: ~ *dubbi/questioni* to raise doubts/issues **3** (*da un incarico*) to relieve *sb* ***of sth***: *È stato sollevato dall'incarico.* He has been relieved of his duties.

sollievo *sm* relief: *Che ~!* What a relief! ◊ *Il massaggio mi ha dato un po' di ~.* The massage made me feel a bit better. LOC *Vedi* SOSPIRO

solo, -a ◆ *agg* **1** (*gen*) alone: *Era sola in casa.* She was alone in the house. **2** (*solitario*) lonely ☛ *Vedi nota a* ALONE **3** (*unico*) only ◆ *avv* only: *Lavoro ~ il sabato.* I only work on Saturdays. ◊ *È ~ un bambino.* He's only a child. ◊ *Ti chiedo ~ una cosa.* I'm just asking you one thing. LOC **da solo** (*senza aiuto*) by myself, yourself, etc: *Ora riesce a mangiare da ~.* He can eat by himself now. **essere (da) solo** to be alone **non solo ... ma ...** not only ... but ... **sentirsi solo** to feel lonely

soltanto *avv* only: *Noi sappiamo ~ quello che hanno detto alla radio.* We only know what it said on the radio. ◊ *~ tu lo sai.* Only you know this.

solubile *agg* soluble

soluzione *sf* solution (***to sth***): *trovare la ~ del problema* to find a solution to the problem

solvente *agg, sm* solvent

Somalia *sf* Somalia

somalo, -a *agg, sm-sf* Somali: *i somali* the Somalis

somiglianza *sf* similarity [*pl* similarities]

somma *sf* sum: *fare la* ~ to do a sum ◊ *Sai fare le somme?* Can you add up?

sommare *vt* to add *sth* up: *Somma due e cinque.* Add up two and five. LOC **tutto sommato** all things considered

sommario *sm* **1** (*riassunto*) summary [*pl* summaries] **2** (*indice*) index

somministrare *vt* to administer *sth* (***to sb***): ~ *una medicina* to administer a medicine

sommozzatore, -trice *sm-sf* diver

sonaglio *sm* **1** (*campanella*) bell **2** (*per bambino*) rattle LOC *Vedi* SERPENTE

sonda *sf* probe

sondaggio *sm* survey LOC **sondaggio di opinione** opinion poll

sondare *vt* **1** (*fondale*) to sound **2** (*opinione, mercato*) to test

sonnambulo, -a *sm-sf* sleepwalker

sonnellino *sm* nap LOC *Vedi* SCHIACCIARE

sonnifero *sm* sleeping pill

sonno *sm* sleep LOC **aver sonno** to be sleepy **prendere sonno** to fall asleep *Vedi anche* MORIRE

sonnolenza *sf* drowsiness: *Queste pasticche danno ~.* These pills make you drowsy.

sonoro, -a *agg* **1** (*Tec*) sound [*s attrib*]: *effetti sonori* sound effects **2** (*voce, risata, schiaffo*) loud LOC *Vedi* COLONNA

sopportabile *agg* bearable

sopportare *vt* **1** (*gen*) to put up with *sb/sth*: *Dovrai ~ il dolore.* You'll have to put up with the pain. ☛ Quando la frase è negativa si usa molto spesso **to stand**: *Non la sopporto.* I can't stand her. ◊ *Non sopporto questo caldo.* I can't stand this heat. ◊ *Non sopporto di dover aspettare.* I can't stand waiting. **2** (*peso*) to take: *Il ponte non ha sopportato il peso del camion.* The bridge couldn't take the weight of the lorry.

sopprimere *vt* **1** (*gen*) to suppress **2** (*uccidere*) to eliminate

sopra ◆ *prep* **1** (*gen*) over: *mettere una coperta ~ il divano* to put a blanket over the sofa ◊ *Guadagna ~ i due milioni.* She earns over two million. **2** (*a contatto con*) on: *Lascialo ~ il tavolo.* Leave it on the table. **3** (*in cima*) on top of: *L'ho messo ~ gli altri CD.* I put it on top of the other CDs. **4** (*in altezza*) above: *L'acqua ci arrivava ~ il ginocchio.* The water came above our knees. ◊ *un grado ~ lo zero* one degree above zero ◆ *avv* **1** (*in cima*) on top: *Prendi quello che c'è ~.* Take the one on top. **2** (*prima*) above LOC **di sopra** upstairs: *Abitano di ~.* They live up-

sopra

a painting **above/ over** a bookcase

a house **above** a village

a cover **over** an armchair

jumping **over** a fence

stairs. ◊ *i nostri vicini del piano di* ~ our upstairs neighbours **al di sopra di** above

sopracciglio *sm* eyebrow

soprammobile *sm* ornament

soprannaturale *agg* supernatural

soprannome *sm* nickname

soprannominare *vt* to nickname: *Mi hanno soprannominato "Skinny".* They nicknamed me 'Skinny'.

soprano *sf* soprano [*pl* sopranos]

soprattutto *avv* **1** (*più di tutto*) above all **2** (*specialmente*) especially

sopravvalutare *vt* to overestimate

sopravvissuto, -a *sm-sf* survivor

sopravvivere *vi* ~ (**a**) to survive (*sb/sth*) [*vt*]

soqquadro *sm* LOC **mettere a soqquadro** to turn *sth* upside down

sorbetto *sm* sorbet

sordido, -a *agg* sordid

sordità *sf* deafness

sordo, -a *agg, sm-sf* deaf [*agg*]: *diventare* ~ to go deaf LOC **far diventar sordo** to deafen *sb* **sordo come una campana** as deaf as a post

sordomuto, -a ◆ *agg* deaf and dumb ◆ *sm-sf* deaf mute LOC *Vedi* LINGUAGGIO

sorella *sf* sister: *Ho due sorelle.* I've got two sisters.

sorellastra *sf* **1** (*con un genitore in comune*) half-sister **2** (*figlia di patrigno o matrigna*) stepsister

sorgente *sf* **1** (*d'acqua*) spring: *acqua di* ~ spring water **2** (*di fiume, calore*) source

sorgere *vi* **1** (*problema, dubbio*) to arise: *Spero che non sorgano dei problemi.* I hope that no problems arise. **2** (*sole*) to rise

sormontare *vt* to overcome

sorpassare *vt* **1** (*auto*) to overtake: *Il camion mi ha sorpassato in curva.* The lorry overtook me on the bend. **2** (*oltrepassare*) to go past *sb*

sorprendente *agg* surprising

sorprendere ◆ *vt* **1** (*stupire*) to surprise: *Mi sorprende che non sia ancora arrivato.* I'm surprised he hasn't arrived yet. **2** (*cogliere*) to catch *sb* (unawares): *Li sorprese a rubare.* He caught them stealing. ◆ **sorprendersi** *v rifl* to be surprised: *Si sorpresero di vederci.* They were surprised to see us.

sorpresa *sf* surprise: *cogliere qn di* ~ to take sb by surprise ◊ *Non gli dire che sono arrivata, voglio fargli una* ~. Don't tell him I've arrived. I want to surprise him.

sorpreso, -a *pp, agg* surprised *Vedi anche* SORPRENDERE

sorridente *agg* **1** (*viso*) smiling **2** (*persona*) cheerful

sorridere *vi* to smile (***at sb***): *Mi ha sorriso.* He smiled at me.

sorriso *sm* smile: *fare un* ~ to smile

sorseggiare *vt, vi* to sip

sorso *sm* **1** (*sorsata*) gulp: *in un* ~ *solo* in one gulp **2** (*quantità*) sip: *bere un* ~ *di caffè* to have a sip of coffee ◊ *bere qc a piccoli sorsi* to sip sth

sorte *sf* fate LOC **tirare a sorte** to draw lots

sorteggio *sm* draw

sorveglianza *sf* **1** (*supervisione*) supervision **2** (*polizia*) surveillance: *Devono aumentare la* ~. They're going to step up surveillance.

sorvegliare *vt* **1** (*badare a*) to keep an eye on *sb/sth* **2** (*soprintendere*) to supervise

SOS *sm* SOS: *lanciare un* ~ to send out an SOS

sosia *smf* double

sospendere *vt* to suspend: *L'arbitro ha sospeso la partita.* The referee suspended the game.

sospensione *sf* **1** (*gen*) suspension **2** (*interruzione*) halt: *La mancanza di materiali ha causato la* ~ *dei lavori.* A shortage of materials brought the building work to a halt.

sospeso, -a *pp, agg* **1** (*appeso*) hanging **2** (*interrotto*) suspended LOC **in sospeso** (*fattura, conto*) outstanding **lasciare in sospeso** to leave *sth* unfinished *Vedi anche* FIATO; *Vedi anche* SOSPENDERE

sospettare ◆ *vt* to suspect *sb/sth* **of**

sth: *Sospettano che abbia rubato la macchina.* They suspect he stole the car. ◊ *È sospettato di omicidio.* He's suspected of murder. ◆ *vi* ~ **di 1** (*avere sospetti su*) to suspect *sb/sth*: *Sospettano del marito.* They suspect her husband. **2** (*essere diffidente di*) to be suspicious **of sb/sth**: *Sospetta di tutti.* She's suspicious of everybody.

sospetto, -a ◆ *agg* suspicious ◆ *sm* **1** (*dubbio*) suspicion **2** (*persona*) suspect

sospettoso, -a *agg* suspicious: *Sei veramente ~.* You've got a really suspicious mind.

sospirare *vi* to sigh

sospiro *sm* sigh LOC **tirare un sospiro di sollievo** to heave a sigh of relief

sosta *sf* **1** (*in un luogo*) stop **2** (*interruzione*) break LOC **senza sosta** non-stop: *lavorare senza ~* to work non-stop

sostantivo *sm* noun

sostanza *sf* substance

sostanzioso, -a *agg* **1** (*pasto*) nourishing **2** (*fig*) substantial

sostegno *sm* support

sostenere *vt* **1** (*gen*) to support **2** (*affermare*) to maintain: *Sostengono che non c'è stata frode.* They maintain that there was no fraud involved. ◊ *~ la propria innocenza* to maintain your innocence

sostenitore, -trice *sm-sf* supporter

sostentamento *sm* sustenance

sostituire *vt* **1** (*gen*) to replace **2** ~ **A con B** to substitute **B for A 3** (*fare le veci*) to stand in **for sb**: *Mi sostituirà il mio aiutante.* My assistant will stand in for me. **4** (*subentrare*) to take over (**from sb**): *Ero di guardia finché un collega mi ha sostituito.* I was on duty until a colleague took over from me.

sostituto, -a *sm-sf* **1** (*permanente*) replacement: *Stanno cercando un ~ per il capo del personale.* They're looking for a replacement for the personnel manager. **2** (*temporaneo*) stand-in

sostituzione *sf* **1** (*permanente*) replacement **2** (*temporanea, Sport*) substitution

sottaceti *sm* pickles

sotterraneo, -a *agg* underground

sottile, -a *agg* **1** (*piccolo*) slender: *una vita ~* a slender waist **2** (*fig*) subtle

sotto ◆ *avv* **1** (*gen*) underneath: *~ ho una maglietta.* I'm wearing a T-shirt underneath. ◊ *Prendi quello di ~.* Take the bottom one. ◊ *dal di ~* from underneath **2** (*in un edificio*) downstairs: *il vicino del piano di ~* the man who lives downstairs ◊ *C'è un altro gabinetto ~.* There's another toilet downstairs. ◆ *prep* **1** (*gen*) under: *È ~ il tavolo.* It's under the table ◊ *Ci siamo riparati ~ i portici.* We sheltered under the arches. **2** (*più in basso di*) below: *~ zero* below zero ◊ *~ il livello del mare* below sea level **3** (*periodo*): *~ Natale* in the run-up to Christmas ◆ *sm* bottom: *il ~ della scatola* the bottom of the box LOC **al di sotto di** below *sth*: *al di ~ del ginocchio* below the knee

sottobicchiere *sm* coaster

sottobraccio *avv* **1** (*camminare*) arm in arm **2** (*prendere*) by the arm

sottofondo *sm* (*Mus*) background [*s attrib*] LOC *Vedi* MUSICA

sottoli *sm* pickles

sottolineare *vt* (*lett e fig*) to underline

sottomarino, -a ◆ *agg* underwater ◆ *sm* submarine

sottomettere ◆ *vt* to subdue ◆ **sottomettersi** *v rifl* (*arrendersi*) to surrender (***to sb***)

sottopassaggio *sm* **1** (*per pedoni*) subway [*pl* subways] **2** (*per auto*) underpass

sottoporre ◆ *vt* **1** (*costringere*) to subject *sb/sth* ***to sth*** **2** (*presentare*) to submit *sth* (***to sb/sth***): *Il progetto deve essere sottoposto all'approvazione del comune.* The project must be submitted to the council. ◆ **sottoporsi** *v rifl* **sottoporsi a** (*intervento*) to undergo *sth* [*vt*]

sottosopra *avv* **1** (*gen*) upside down **2** (*stomaco*) upset: *Ho lo stomaco ~.* I've got an upset stomach. LOC **mettere sottosopra** (*far disordine*) **(a)** (*gen*) to mess *sth* up: *Non mettere i cassetti ~.* Don't mess the drawers up. **(b)** (*ladri*) to turn *sth* upside down: *I ladri hanno messo l'appartamento ~.* The burglars turned the flat upside down.

sottosviluppato, -a *agg* underdeveloped

sottosviluppo *sm* underdevelopment

sottotitolo *sm* subtitle: *con sottotitoli* subtitled

sottovuoto *agg* vacuum-packed

sottrarre *vt* **1** (*Mat*) to subtract (*form*), to take *sth* away **2** (*togliere*) to deduct *sth* (**from sth**) **3** (*rubare*) to steal *sth* ***from sb***

sottrazione *sf* (*Mat*) subtraction

souvenir *sm* souvenir
sovraccaricare *vt* to overload
sovraccarico, -a *agg* overloaded
sovraffollato, -a *agg* overcrowded
sovrano, -a *sm-sf* sovereign
sovrappopolato, -a *agg* overpopulated
sovrapprezzo *sm* surcharge
sovvenzionare *vt* to subsidize
spaccare *vt* to split: *Se cadi ti spacchi la testa.* You'll split your head open if you fall. LOC **spaccare la faccia a qn** to smash sb's face in
spacciatore, -trice *sm-sf* dealer: *uno ~ di droga* a drug dealer
spada *sf* sword LOC *Vedi* PESCE
spaghetti *sm* spaghetti [*non numerabile, v sing*]: *Vado matto per gli ~.* I love spaghetti.
Spagna *sf* Spain LOC *Vedi* PANE
spagnolo, -a ◆ *agg, sm* Spanish: *parlare ~* to speak Spanish ◆ *sm-sf* Spaniard: *gli spagnoli* the Spanish
spago *sm* string
spalancare *vt* to open *sth* wide
spalancato, -a *pp, agg* wide open *Vedi anche* SPALANCARE
spalla *sf* shoulder: *Mi fa male una ~.* My shoulder hurts. LOC **di spalle** from behind: *vedere qn di spalle* to see sb from behind **fare qc alle spalle di qn** to do sth behind sb's back **mettere con le spalle al muro** (*fig*) to get *sb* with their back to the wall **portare a spalla** to carry *sb/sth* on your shoulders *Vedi anche* VIVERE, VOLTARE
spallina *sf* **1** (*abito*) shoulder strap **2** (*imbottita*) shoulder pad
spalmare *vt* to spread *sth* ***on sth***: *~ la marmellata sul pane tostato* to spread jam on toast
sparare ◆ *vt* to fire: *~ un colpo* to fire a shot ◆ *vi ~* (**a**) to shoot *sb*: *Non sparate!* Don't shoot! ◆ **spararsi** *v rifl* to shoot yourself
sparatoria *sf* shoot-out: *È morto nella ~.* He died in the shoot-out.
sparecchiare *vt, vi* to clear (the table)
spareggio *sm* play-off LOC **giocare/disputare lo spareggio** to play off
spargere *vt* **1** (*sparpagliare*) to scatter **2** (*sangue*) to shed LOC **spargere la voce** to spread the word
spargimento *sm* LOC **spargimento di sangue** bloodshed
sparire *vi* to disappear
sparizione *sf* disappearance
sparlare *vi ~* **di** to slag *sb* off
sparo *sm* shot: *Ho sentito uno ~.* I heard a shot. LOC *Vedi* POLVERE
sparpagliare *vt* to scatter
spartire *vt* to share *sth* (out)
spasso *sm* amusement: *fare qc per ~* to do sth for amusement LOC **portare a spasso**: *Porto il cane a ~.* I'm taking the dog for a walk.
spassoso, -a *agg* funny
spatola *sf* spatula
spauracchio *sm* fright
spaventapasseri *sm* scarecrow
spaventare ◆ *vt* **1** to scare, to frighten (*più formale*): *Il cane mi ha spaventato.* The dog frightened me. **2** (*far trasalire*) to startle: *Mi hai spaventato!* You startled me! ◆ **spaventarsi** *v rifl* to be scared, to be frightened (*più formale*): *Ti spaventi per un nonnulla.* You're frightened of everything.
spavento *sm* fright: *Mi hai fatto prendere uno ~!* What a fright you gave me! ◊ *Sono quasi morto per lo ~.* I nearly died of fright.
spaventoso, -a *agg* **1** (*che fa paura*) frightening: *un sogno ~* a frightening dream **2** (*orribile*) horrific: *un incendio ~* a horrific fire **3** (*incredibile*) terrific: *un fracasso ~* a terrific crash
spaziale *agg* space [*s attrib*]: *missione/era ~* space mission/age LOC *Vedi* BASE, NAVICELLA, TUTA
spazientirsi *v rifl* to get worked up (**about *sth***)
spazio *sm* **1** (*gen*) space: *C'è uno ~ di sette metri tra i due muri.* There's a space of seven metres between the two walls. ◊ *nello ~* in outer space **2** (*posto*) room: *Nella mia valigia c'è ~ per il tuo maglione.* There's room for your jumper in my suitcase.
spazzare ◆ *vt* to sweep: *Il vento ha spazzato via le nuvole.* The wind swept away the clouds. ◆ *vi* to sweep up: *Se tu spazzi, io lavo i piatti.* If you sweep up, I'll do the dishes.
spazzatura *sf* rubbish [*non numerabile*] ☛ *Vedi nota a* TRASH LOC *Vedi* BIDONE, POSTA
spazzino, -a *sm-sf* **1** (*pulizia strade*) road sweeper **2** (*raccolta immondizie*) dustman [*pl* dustmen]
spazzola *sf* brush ☛ *Vedi illustrazione*

a BRUSH LOC **spazzola per capelli** hairbrush

spazzolare *vt* to brush: *spazzolarsi la giacca/i capelli* to brush your jacket/hair

spazzolino *sm* ☛ *Vedi illustrazione a* BRUSH LOC **spazzolino da denti** toothbrush **spazzolino per le unghie** nail brush

spazzolone *sm* **1** (*per pavimenti*) mop **2** (*per il bagno*) toilet brush

specchietto *sm* mirror LOC **specchietto retrovisore** rear-view mirror

specchio *sm* mirror: *guardarsi allo ~* to look at yourself in the mirror

speciale *agg* special

specialista *smf* specialist

specialità *sf* speciality [*pl* specialities]

specializzarsi *v rifl ~* (**in**) to specialize (**in** ***sth***)

specialmente *avv* **1** (*soprattutto*) especially: *Adoro gli animali, ~ i gatti.* I love animals, especially cats. **2** (*appositamente*) specially: *~ progettato per i disabili* specially designed for handicapped people ☛ *Vedi nota a* SPECIALLY

specie *sf* (*Biol*) species [*pl* species] LOC **una specie di** (*sorta*) a kind of: *Era una ~ di vernice.* It was a kind of varnish.

specificare *vt* to specify

specifico, -a *agg* specific

spedire *vt* to send LOC *Vedi* CONTRASSEGNO

spedizione *sf* **1** (*azione*) sending **2** (*Comm*) consignment **3** (*viaggio*) expedition LOC *Vedi* SPESA

spegnere ◆ *vt* **1** (*fuoco, sigaretta*) to put *sth* out **2** (*candela*) to blow *sth* out **3** (*luce, TV*) to switch *sth* off **4** (*gas*) to turn *sth* off ◆ **spegnersi** *v rifl* to go out: *Mi si è spenta la sigaretta.* My cigarette went out.

spellare ◆ *vt* **1** (*coniglio*) to skin **2** (*cliente*) to fleece ◆ **spellarsi** *v rifl* to peel: *Ti si spellerà il naso.* Your nose will peel.

spendaccione, -a *agg, sm-sf* spendthrift

spendere *vt* to spend *sth* (**on** ***sb/sth***): *Quanto hai speso?* How much was it?

spento, -a *pp, agg* **1** (*colore*) dull **2** (*vulcano*) extinct LOC **essere spento 1** (*luce, TV, gas*) to be off **2** (*fuoco*) to be out *Vedi anche* SPEGNERE

speranza *sf* hope: *Non c'è ~.* There's no hope. ◊ *perdere la ~* to lose hope

sperare *vi, vt ~* (**in**) to hope (**for** ***sth***): *Spero che non nevichi.* I hope it doesn't snow. ◊ *Spero che arrivino in tempo.* I hope they arrive on time. ◊ *Spero di rivederli.* I hope to see them again. ◊ *~ nella vittoria* to hope for victory

spericolato, -a *agg* reckless

sperimentale *agg* experimental: *È ancora in fase ~.* It's still at an experimental stage.

sperimentare *vi* to experiment (***with sth***)

sperma *sm* sperm

sperone *sm* spur

sperperare *vt* to squander

spesa *sf* expense: *Quello che guadagno non basta per coprirmi le spese.* I don't earn enough to cover my expenses. ◊ *a spese nostre* at our expense LOC **andare a fare spese** to go shopping **fare la spesa** to do the shopping **spese di spedizione** postage and packing [*sing*] *Vedi anche* BADARE

spesso, -a ◆ *agg* thick: *uno strato di vernice molto ~* a very thick coat of paint ◆ *avv* often: *È ~ in ritardo.* He's often late. ◊ *~ ci aiutiamo.* We often help each other out. ☛ *Vedi nota a* ALWAYS

spessore *sm* thickness: *Ha uno ~ di due centimetri.* It's two centimetres thick.

spettacolare *agg* spectacular

spettacolo *sm* **1** (*Teat, Cine, TV*) show **2** (*veduta, scena*) sight: *uno ~ impressionante* an impressive sight LOC *Vedi* MONDO

spettare *vi ~* **a 1** (*essere dovuto a*) to be due **to** ***sb***: *Prendi quello che ti spetta.* Take what's due to you. **2** (*essere compito di*): *Spetta a te decidere.* It's up to you to choose.

spettatore, -trice *sm-sf* **1** (*programma, concerto*) member of the audience: *gli spettatori* the audience **2** (*Sport*) spectator

spettegolare *vi* to gossip

spettinare *vt* to mess *sb's hair up*: *Non mi ~.* Don't mess my hair up.

spettinato, -a *pp, agg* untidy: *Sei ~.* Your hair's untidy. *Vedi anche* SPETTINARE

spezia *sf* spice

spezzare *vt* to break *sth* (off): *Ha spezzato la tavoletta di cioccolata in due.* She broke the bar of chocolate in half. ◊ *~ il cuore a qn* to break sb's heart

spezzatino *sm* stew

spia *sf* **1** (*gen*) spy [*pl* spies] **2** (*della polizia*) grass **3** (*luce*) warning light LOC **fare la spia**: *Mi ha visto copiare e ha fatto la ~ al professore.* He saw me copying and told the teacher.

spiacente *agg*: *Siamo spiacenti di comunicarle che…* We regret to inform you that…

spiacevole *agg* unpleasant

spiaggia *sf* beach: *Abbiamo passato la giornata sulla ~.* We spent the day on the beach. LOC *Vedi* LETTINO

spianare *vt* **1** (*superficie, terreno*) to level **2** (*pasta*) to roll

spiare *vt, vi* to spy (**on *sb***)

spiazzo *sm* open area

spiccare ◆ *vi* (*risaltare*) to stand out: *Il rosso spicca sul verde.* Red stands out against green. ◆ *vt*: *~ un salto/balzo* to jump LOC **spiccare il volo** to fly off

spiccato, -a *pp, agg* **1** (*gen*) strong: *Ha uno ~ senso dell'umorismo.* She has a strong sense of humour. **2** (*accento*) broad: *Parla con ~ accento irlandese.* He has a broad Irish accent. *Vedi anche* SPICCARE

spicchio *sm* segment LOC **spicchio d'aglio** clove of garlic

spiccioli *sm* change [*non numerabile*]: *Hai degli ~?* Have you got any change?

spiedino *sm* **1** (*cibo*) kebab **2** (*bastoncino*) skewer

spiedo *sm* spit LOC **allo spiedo** spit-roasted

spiegamento *sm* deployment

spiegare ◆ *vt* **1** to explain *sth* (***to sb***): *Mi ha spiegato il problema.* He explained the problem to me. **2** (*cartina, tovagliolo*) to unfold **3** (*vela, bandiera*) to unfurl **4** (*truppe*) to deploy ◆ **spiegarsi** *v rifl* **1** (*farsi capire*) to explain yourself: *Spiegati meglio.* Explain yourself more clearly. **2** (*capire*) to understand: *Non riesco a spiegarmi come sia successo.* I just can't understand how it happened. LOC **non so se mi spiego** do you see what I mean?

spiegazione *sf* explanation

spietato, -a *agg* ruthless

spiffero *sm* draught

spiga *sf* ear

spigolo *sm* edge

spilla *sf* brooch LOC **spilla di sicurezza/da balia** safety pin

spillo *sm* pin LOC *Vedi* TACCO

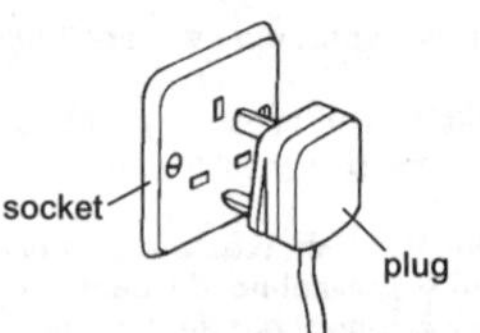

spina *sf* **1** (*Bot*) thorn **2** (*aculeo*) spine **3** (*pesce*) bone **4** (*Elettr*) plug LOC **spina dorsale** spine **stare sulle spine** to be on tenterhooks **tenere sulle spine** to keep *sb* in suspense *Vedi anche* BIRRA, UVA

spinaci *sm* spinach [*non numerabile*]: *Non mi piacciono gli ~.* I don't like spinach.

spinale *agg* spinal LOC *Vedi* MIDOLLO

spinato, -a *agg* LOC *Vedi* FILO

spinello *sm* joint

spingere *vt* **1** (*gen*) to push: *Non mi ~!* Don't push me! **2** (*carretto, bicicletta*) to wheel **3** (*stimolare*) to drive: *La curiosità mi ha spinto ad entrare.* I was driven to go in by curiosity. **4** (*costringere*) to push *sb* ***into doing sth***: *I suoi l'hanno spinta a studiare legge.* Her parents pushed her into studying law.

spinoso, -a *agg* (*anche fig*) thorny

spinta *sf* push

spintone *sm* shove: *dare uno ~ a qn* to give sb a shove

spionaggio *sm* spying: *È accusato di ~.* He's been accused of spying.

spioncino *sm* spyhole

spione, -a *sm-sf* tell-tale

spirale *sf* **1** (*Geom*) spiral **2** (*anticoncezionale*) coil

spiritico, -a *agg* LOC *Vedi* SEDUTA

spiritismo *sm* spiritualism

spirito *sm* **1** (*gen*) spirit: *~ di gruppo* team spirit **2** (*arguzia*) wit **3** (*anima*) soul LOC **avere spirito d'iniziativa** to show initiative **avere spirito d'osservazione** to be observant **Spirito Santo** Holy Spirit

spiritoso, -a *agg* witty LOC **fare lo spiritoso** to play the clown

spirituale *agg* spiritual

splendente *agg* shining

splendere *vi* to shine

splendido, -a *agg* splendid: *È stata una serata splendida.* It was a splendid evening.

spogliare ◆ *vt* to undress ◆ **spogliarsi** *v rifl* to get undressed

spogliarello *sm* striptease

spogliatoio *sm* changing room

spolverare ◆ *vt* **1** ~ **di** to sprinkle *sth* (**with** ***sth***): ~ *la torta di zucchero* sprinkle the cake with sugar **2** (*mangiare*) to polish *sth* off ◆ *vt, vi* to dust LOC *Vedi* STRACCIO

sponda *sf* **1** (*fiume*) bank **2** (*lago*) shore

sponsor *sm* sponsor

sponsorizzare *vt* to sponsor

spontaneo, -a *agg* **1** (*gen*) spontaneous **2** (*persona*) natural

spopolamento *sm* depopulation

sporadico, -a *agg* sporadic

sporcare ◆ *vt* **1** (*gen*) to get *sth* dirty **2** *Ti sei sporcata il vestito d'olio.* You've got oil on your dress. ◆ **sporcarsi** *v rifl* **1** (*gen*) to get dirty **2** ~ **con/di** to get covered **in** ***sth***: *Si sono sporcati di pittura.* They got covered in paint.

sporco, -a ◆ *agg* dirty: *Questa cucina è sporchissima.* This kitchen is really dirty. ◆ *sm* dirt

sporgente *agg* **1** (*occhi*) bulging **2** (*denti, mento*) prominent

sporgere ◆ *vi* to stick out, to protrude (*form*) ◆ **sporgersi** *v rifl* to lean out LOC **sporgere denuncia contro** to report *sb/sth* to the police

sport *sm* sport: *Fai qualche ~?* Do you play any sport?

sportello *sm* **1** (*Auto*) door **2** (*ufficio, banca*) counter

sportivo, -a ◆ *agg* **1** (*gara, rubrica*) sports [*s attrib*]: *auto sportiva* sports car **2** (*persona*) keen on sport: *È una ragazza molto sportiva.* She's very keen on sport. **3** (*comportamento*) sporting: *una condotta poco sportiva* unsporting behaviour **4** (*abbigliamento*) casual ◆ *sm-sf* sportsman/woman [*pl* sportsmen/women] LOC *Vedi* ABBIGLIAMENTO, TUTA

sposare ◆ *vt* to marry: *Non ti sposerò mai.* I'll never marry you. ◆ **sposarsi** *v rifl* **1** (*gen*) to get married: *Indovina chi si sposa?* Guess who's getting married? ◊ *sposarsi in chiesa/municipio* to get married in Church/a registry office **2** **sposarsi con** to marry *sb* ☛ *Vedi nota a* MATRIMONIO

sposato, -a *pp, agg* married: *essere ~ (con qn)* to be married (to sb) ◊ *un uomo ~/una donna sposata* a married man/woman *Vedi anche* SPOSARE

sposo, -a *sm-sf* **1** (bride)groom [*fem* bride] **2** **gli sposi** **(a)** (*alla cerimonia*) the bride and groom **(b)** (*novelli*) the newly-weds LOC **abito/vestito da sposa** wedding dress ☛ *Vedi nota a* MATRIMONIO

spossatezza *sf* exhaustion

spostare ◆ *vt* **1** (*muovere*) to move *sth* (over): *Sposta un po' la sedia.* Move the chair over a bit. ◊ *Sposta il tavolo dalla finestra.* Move the table away from the window. **2** (*cambiare*) to move: *Hanno spostato la data delle nozze.* They've moved the date of the wedding. ◊ *La riunione è stata spostata a venerdì.* The meeting has been moved to Friday. ◆ **spostarsi** *v rifl* **1** (*muoversi*) to move (over): *Spostati un po', così mi posso sedere.* Move over a bit so I can sit down. ◊ *Spostati dalla porta.* Move away from the door. **2** (*viaggiare*) to go: *Si spostano sempre in taxi.* They go everywhere by taxi.

spot *sm* (*faretto*) spotlight LOC **spot pubblicitario** advert

spranga *sf* iron bar

sprecare *vt* to waste: *Non ~ quest'occasione.* Don't waste this opportunity.

spreco *sm* waste

sprecone, -a ◆ *agg* wasteful ◆ *sm-sf* squanderer

spregevole *agg* despicable

spremere *vt* (*arancia*) to squeeze LOC **spremersi le meningi** to rack your brains

spremilimoni *sm* lemon-squeezer

spremuta *sf*: ~ *d'arancia* freshly-squeezed orange juice

sprezzante *agg* scornful: *in tono ~* in a scornful tone

sprigionare *vt* to give *sth* off: *Questa stufa sprigiona fumo.* This stove is giving off smoke.

sprizzare *vt* (*gioia, salute*) to be bursting **with** ***sth***: ~ *allegria* to be bursting with happiness

sprofondare *vi* **1** (*tetto, edificio*) to collapse **2** (*pavimento*) to give way **3** (*affondare*) to sink

sproporzionato, -a *agg* disproportionate (***to sth***)

sprovvisto, -a *agg* ~ **di** lacking **in** ***sth*** LOC **cogliere/prendere alla sprovvista** to catch *sb* unawares

spruzzare *vt* to spray *sth* (***with sth***)

spruzzata *sf* **1** (*acqua*) splash **2** (*profumo*) spray **3** (*un po'*) dash: *Aggiungere una ~ di limone.* Add a dash of lemon.

spruzzatore *sm* spray [*pl* sprays]

spugna *sf* sponge LOC *Vedi* BERE, GETTARE

spuma *sf* **1** (*schiuma*) foam **2** (*birra*) froth **3** (*bibita*) fizzy drink

spumante *sm* sparkling wine

spuntare ◆ *vt* **1** (*matita, coltello*) to break **2** (*capelli*) to trim: *Il parrucchiere mi ha solo spuntato i capelli.* The hairdresser just trimmed my hair. ◆ *vi* **1** (*pianta*) to sprout: *Stanno già spuntando le giunchiglie.* The daffodils are starting to sprout. **2** (*capelli*) to start to grow **3** (*alba, giorno*) to break **4** (*dente*): *Gli è spuntato un dente.* He's cut a tooth. ◆**spuntarsi** *v rifl* (*matita, coltello*) to break LOC **spuntarla** (*averla vinta*) to get your own way

spuntato, -a *pp, agg* blunt *Vedi anche* SPUNTARE

spuntino *sm* snack: *fare uno ~* to have a snack

sputare ◆ *vt* to spit *sth* (out) ◆ *vi* to spit: *~ a qn* to spit at sb

sputo *sm* spittle [*non numerabile*]

squadra *sf* **1** (*Sport*) team [*v sing o pl*]: *una ~ di calcio* a football team ◊ *Giocheremo in squadre diverse.* We'll be playing in different teams. ◊ *una ~ di soccorritori* a team of rescuers **2** (*polizia*) squad: *la ~ mobile* the flying squad **3** (*per disegnare*) set square LOC *Vedi* COMPAGNO

squadrone *sm* (*Mil*) squadron

squalifica *sf* disqualification

squalificare *vt* to disqualify

squallido, -a *agg* squalid

squalo *sm* shark

squama *sf* scale

squarciagola LOC **a squarciagola** at the top of your voice

squarciare *vt* (*tessuto*) to rip

squartare *vt* **1** (*macellaio*) to quarter **2** (*assassino*) to chop *sb/sth* into pieces

squash *sm* squash

squilibrato, -a *agg, sm-sf* unbalanced [*agg*]

squillare *vi* to ring

squillo *sm* (*campanello, telefono*) ring

squisito, -a *agg* **1** (*pranzo, bevanda*) delicious **2** (*gusto, eleganza*) exquisite

squittio *sm* squeak

squittire *vi* to squeak

sradicare *vt* to uproot

srotolare *vt* **1** (*tappeto*) to unroll **2** (*cavo, filo*) to unwind

sst! *escl* sh!

stabile ◆ *agg* **1** (*gen*) stable **2** (*impiego*) steady **3** (*tempo*) settled ◆ *sm* building

stabilimento *sm* (*impianto*) plant LOC **stabilimento balneare** bathing establishment

stabilire ◆ *vt* **1** (*determinare*) to establish: *~ l'identità di una persona* to establish the identity of a person **2** (*fissare*) to fix **3** *~* **di** to agree ***to do sth***: *Abbiamo stabilito di riunirci martedì.* We agreed to meet on Tuesday. **4** (*record*) to set ◆ **stabilirsi** *v rifl* to settle: *Alla fine si sono stabiliti a Torino.* In the end they settled in Turin.

stabilità *sf* stability

stabilizzare ◆ *vt* to stabilize ◆**stabilizzarsi** *v rifl* to stabilize: *Le condizioni del paziente si sono stabilizzate.* The patient's condition has stabilized.

staccare ◆ *vt* **1** (*gen*) to take *sth* off, to remove (*più formale*): *Stacca il cartellino del prezzo.* Take the price tag off. **2** (*luce, telefono*) to disconnect: *Ci hanno staccato il telefono.* Our phone's been disconnected. **3** (*spina elettrica*) to unplug **4** (*qualcosa appeso*) to take *sth* down: *Aiutami a ~ il quadro.* Help me take the picture down. ◆ **staccarsi** *v rifl* (*separarsi*) to come off: *Ti si è staccato un bottone.* One of your buttons has come off.

staccato, -a *pp, agg* (*ricevitore*) off the hook: *Devono aver lasciato il ricevitore ~.* They must have left the phone off the hook. *Vedi anche* STACCARE

stadio *sm* **1** (*Sport*) stadium [*pl* stadiums/stadia] **2** (*fase*) stage

staffa *sf* stirrup LOC *Vedi* PERDERE

staffetta *sf* relay: *una corsa a ~* a relay race

stagionale *agg* seasonal

stagionare *vt* to season

stagione *sf* season: *la ~ calcistica* the football season ◊ *alta/bassa ~* high/low season LOC **di stagione** seasonal **stagione della caccia** open season

stagnante *agg* stagnant

stagno *sm* **1** (*metallo*) tin **2** (*giardino, parco*) pond

stalagmite *sf* stalagmite

stalattite *sf* stalactite

stalla *sf* **1** (*mucche*) cowshed **2** (*cavalli*) stable

stamattina *avv* this morning: *Parte ~.* He's leaving this morning.

stampa *sf* **1 la stampa** the press [*v sing*

o pl]: *Era presente la ~ internazionale al completo.* All the international press was/were there. ◊ *la ~ scandalistica* the gutter press **2** (*tecnica*) printing: *pronto per andare in ~* ready for printing **3** (*riproduzione*) print **4 stampe** (*su lettera*) printed matter LOC *Vedi* COMUNICATO, CONFERENZA, LIBERTÀ, UFFICIO

stampante *sf* printer ☛ *Vedi illustrazione a* COMPUTER

stampare *vt* to print

stampatello *sm*: *scrivere in ~* to write in block capitals

stampella *sf* crutch: *camminare con le stampelle* to walk on crutches

stampo *sm* **1** (*Cucina*) tin **2** (*di gesso*) cast

stancante *agg* tiring: *È stato un viaggio ~.* It was a tiring journey.

stancare◆ *vt* **1** (*affaticare*) to tire *sb/sth* (out) **2** (*annoiare, stufare*): *Mi stanca dover ripetere le cose.* I get tired of having to repeat things. ◆ *vi* to be tiring: *Questo è un lavoro che stanca molto.* This work is very tiring. ◆ **stancarsi** *v rifl* **stancarsi (di)** to get tired **(of *sb/sth/doing sth*)**: *Si stanca facilmente.* He gets tired very easily.

stanchezza *sf* tiredness

stanco, -a *agg* **1** ~ **(per)** (*affaticato*) tired **(from *sth/doing sth*)**: *Sono stanchi perché hanno corso tanto.* They're tired from all that running. **2** ~ **di** (*stufo*) tired **of *sb/sth/doing sth***: *Sono ~ di te!* I'm tired of you! LOC **stanco morto** dead tired

standard *agg, sm* standard LOC **standard di vita** standard of living

stanghetta *sf* (*occhiali*) arm

stanotte *avv* **1** (*quella che verrà*) tonight **2** (*quella passata*) last night: *~ ho dormito malissimo.* Last night I slept really badly.

stantio, -a◆ *agg* stale ◆ *sm*: *odore di ~* musty smell

stanza *sf* room LOC **stanza degli ospiti** spare room

stanzino *sm* boxroom

stappare *vt* to uncork

stare *vi* **1** (*rimanere*) to stay: *~ a letto/in casa* to stay in bed/at home **2** to be: *~ zitto/fermo* to be quiet/still ◊ *Come stai?* How are you? ◊ *Oggi sto molto meglio.* I'm much better today. **3** (*colore, abito*) to suit: *Quel maglione ti sta molto bene.* That jumper really suits you. ◊ *Ti sta meglio quello rosso.* The red one suits you better. ◊ *Come mi sta?* How does it look? ◊ *Questo vestito non mi sta per niente bene.* This dress doesn't suit me at all. **4** (*taglia*) to fit: *Questa gonna non mi sta.* This skirt doesn't fit (me). ◊ *La giacca mi stava grande.* The jacket was too big for me.

Per dire che qualcosa è della misura giusta o sbagliata si usa **fit**: *Questi pantaloni mi stanno stretti.* These trousers don't fit me. Per parlare di un indumento dal punto di vista estetico si usa **suit**: *Quella giacca ti sta proprio bene!* That jacket really suits you!

5 ~ **(in)** to fit **(in/into *sth*)**: *I miei vestiti non ci stanno in valigia.* My clothes won't fit in the suitcase. ◊ *Ci sto?* Is there room for me? **6** (*aspetto*) to look: *Stai benissimo vestito così.* You look very nice in that outfit. **7** ~ **in** to lie **in *sth***: *Il problema sta nel…* The problem lies in… **8** ~ **a** (*spettare*) to be up **to *sb***: *Sta a te scegliere.* It's up to you to decide. **9** ~ **per fare** to be about **to do *sth***: *Stavo per chiamarti.* I was about to call you. **10** ~ **+ gerundio** to be **doing sth**: *Sta nevicando.* It's snowing. ◊ *Stavano giocando.* They were playing. LOC **sta' a sentire!** listen! **stammi bene!** look after yourself! ☛ Per altre espressioni con **stare** vedi alla voce del sostantivo, dell'aggettivo, ecc, ad es. **stare sulle spine** a SPINA.

starnutire *vi* to sneeze ☛ *Vedi nota a* SALUTE

stasera *avv* tonight

statale *agg* state [*s attrib*]: *scuola ~* state school LOC *Vedi* FUNZIONARIO, STRADA

statico, -a *agg* static

statistica *sf* **1** (*scienza*) statistics [*sing*] **2** (*cifra*) statistic

stato *sm* **1** (*gen*) state: *la sicurezza dello ~* state security ◊ *Ma in che ~ sei!* What a state you're in! ◊ *La strada è in cattivo ~.* The road is in a bad state of repair. ◊ *La macchina era ridotta in pessimo ~.* The car was in a terrible state. **2** (*condizione*) condition: *Nel suo ~ non può ancora viaggiare.* He can't travel in his condition. LOC **essere in stato interessante** to be expecting **gli Stati Uniti** the United States (*abbrev* US/USA) [*v sing o pl*] **stato civile** marital status **stato d'animo** state of mind *Vedi anche* CAPO, COLPO

statua *sf* statue

statura *sf* height: *di media ~* of average height

statuto *sm* statute

stavolta *avv* this time

stazione *sf* station: *Dov'è la ~?* Where's the station? LOC **stazione di servizio** petrol station **stazione sciistica** ski resort

stecca *sf* **1** (*asta*) stick **2** (*sigarette*) carton **3** (*stonatura*) wrong note: *fare una ~* to hit a wrong note **4** (*biliardo*) cue

steccare *vt* (*gamba*) to put *sth* in a splint

steccato *sm* fence

stecco *sm* stick LOC **essere uno stecco** to be as thin as a rake

stella *sf* star: *~ polare* pole star ◊ *un hotel a tre stelle* a three-star hotel ◊ *una ~ del cinema* a film star LOC **a stella** star-shaped **stella cadente** shooting star **stella filante** streamer **vedere le stelle** to see stars *Vedi anche* SALIRE

stellare *agg* stellar

stellato, -a *agg* starry

stelo *sm* stem

stemma *sm* emblem, coat of arms

stempiato, -a *agg*: *Sta diventando sempre più ~.* His hairline is receding fast.

stendardo *sm* banner

stendere ◆ *vt* **1** (*spiegare*) to spread *sth* (out): *~ una carta geografica sul tavolo* to spread a map out on the table **2** (*braccio, gamba*) to stretch *sth* out **3** (*bucato*) to hang *sth* out: *Devo ancora ~ il bucato.* I've still got to hang the washing out. ◆ **stendersi** *v rifl* to lie down ☛ *Vedi nota a* LIE[2]

stenditoio *sm* clothes horse

stenografia *sf* shorthand

sterco *sm* dung

stereo *agg, sm* stereo [*s*] [*pl* stereos] LOC *Vedi* IMPIANTO

sterile *agg* sterile

sterilizzare *vt* to sterilize

sterlina *sf* pound: *cinquanta sterline* (*£50*) fifty pounds ☛ *Vedi Appendice 1.*

sterminare *vt* to exterminate

sterno *sm* breastbone

sterzare *vi* to swerve: *Ha dovuto ~ a destra.* He had to swerve to the right.

stesso, -a ◆ *agg* **1** (*gen*) same: *Abitiamo nella stessa strada.* I live in the same street as him. ◊ *allo ~ tempo* at the same time **2** (*uso enfatico*): *Il pittore ~ ha inaugurato la mostra.* The painter himself opened the exhibition. ◊ *L'ho visto io ~.* I saw it myself. ◊ *L'ho visto con i miei stessi occhi.* I saw it with my own eyes. ◊ *essere in pace con se stessi* to be at peace with yourself ◊ *Ti prometto di farlo oggi ~.* I promise you I'll get it done today. ◆ *pron* same one: *È la stessa che è venuta ieri.* She's the same one who came yesterday. LOC **lo stesso** (*comunque*) anyway: *Ci vado lo ~.* I'm going anyway. **per me, te, ecc è lo stesso** I, you, etc don't mind: *"Caffè o tè?" "Per me è lo ~."* 'Coffee or tea?' 'I don't mind.'

stile *sm* **1** (*gen*) style: *Ha molto ~.* She's very stylish. **2** (*nuoto*) stroke LOC *Vedi* NUOTARE

stilista *smf* fashion designer

stilografico, -a *agg* LOC *Vedi* PENNA

stima *sf* (*rispetto*) regard (***for sb/sth***): *avere grande ~ di qn* to hold sb in high regard

stimare *vt* **1** (*rispettare*) to think highly **of *sb***: *Ti stimano molto.* They think very highly of you. **2** (*valutare*) to estimate

stimolante *agg* stimulating

stimolare *vt* to stimulate

stimolo *sm* stimulus [*pl* stimuli] (***to sth/to do sth***)

stinco *sm* shin

stingere *vi*: *Questa camicia rossa stinge.* The colour runs in that red shirt.

stipare *vt* to cram *sth* ***into sth***

stipato, -a *pp, agg* ~ (**di**) crammed (**with *sth***) *Vedi anche* STIPARE

stipendio *sm* **1** (*gen*) pay [*non numerabile*]: *chiedere un aumento di ~* to ask for a pay increase **2** (*mensile*) salary [*pl* salaries]

stiracchiarsi *v rifl* to stretch

stirare ◆ *vt* to iron: *~ una camicia* to iron a shirt ◆ *vi* to do the ironing: *Oggi devo ~.* I've got to do the ironing today. ◆ **stirarsi** *v rifl* (*sgranchirsi*) to stretch LOC *Vedi* ROBA

stitichezza *sf* constipation

stitico, -a *agg* constipated

stiva *sf* hold: *nella ~ della nave* in the ship's hold

stivale *sm* **1** (*gen*) boot ☛ *Vedi illustrazione a* SCARPA **2** (*di gomma*) wellington ☛ *Vedi illustrazione a* SCARPA

stivaletto *sm* ankle boot

Stoccarda *sf* Stuttgart

Stoccolma *sf* Stockholm

stock *sm* (*Comm*) stock [*sing*]

stoffa *sf* fabric: *Mi serve dell'altra ~ per le tende.* I need some more fabric for the curtains.

stomaco *sm* stomach **LOC** *Vedi* ACIDITÀ, BRUCIORE, LANGUORE, MALE

stonare *vi, vt* **1** (*cantando*) to sing out of tune **2** (*suonando*) to play out of tune

stonato, -a *pp, agg* (*persona, strumento*) out of tune *Vedi anche* STONARE

stop *sm* (*traffico*) stop sign

stoppino *sm* (*candela*) wick

stordire *vt* to stun

storia *sf* **1** (*materia*) history: *~ antica* ancient history ◊ *un libro di ~* a history book **2** (*racconto*) story [*pl* stories]: *Raccontaci una ~.* Tell us a story. **3 storie (a)** (*difficoltà*) fuss: *Ha fatto un sacco di storie nel negozio.* He kicked up a fuss in the shop. **(b)** (*bugie*) fibs: *Non raccontare storie.* Don't tell fibs. **LOC** *Vedi* SOLITO

storico, -a ◆ *agg* **1** (*gen*) historical: *un personaggio ~* a historical figure **2** (*importante*) historic: *un accordo ~* a historic agreement ◆ *sm* historian

stormo *sm* flock

storta *sf* (*Med*): *fare una ~* to twist your ankle

storto, -a *agg* **1** (*denti, naso*) crooked **2** (*quadro, cravatta*) not straight: *Non vedi che il quadro è ~?* Can't you see the picture isn't straight? **LOC andare storto** wrong: *Mi sta andando tutto ~!* Everything's going wrong for me!

stoviglie *sf* crockery [*non numerabile*]

strabico, -a *agg* cross-eyed

stracciare *vt* **1** (*carta, stoffa*) to tear **2** (*battere*) to thrash: *Li abbiamo stracciati cinque a zero.* We thrashed them five nil.

straccio *sm* **1** (*gen*) rag **2** (*per pulire*) cloth **LOC straccio per spolverare** duster *Vedi anche* CARTA

straccione, -a *sm-sf* scruff

strada *sf* **1** (*gen*) road **2** (*di città*) street **3** (*direzione*) way: *Non mi ricordo la ~.* I can't remember the way. ◊ *L'ho incontrata per la ~.* I met her on the way. ◊ *Che ~ facciamo?* Which way shall we go? **4 ~ (di)** (*sentiero*) path (**to *sth***): *La ~ del successo* the path to success **5** (*fig*): *Sono andati ognuno per la sua ~.* They all went their separate ways. **LOC essere sulla buona/cattiva strada** to be on the right/wrong track **farsi strada** (*nella vita*) to get on in life **strada secondaria** B-road **strada statale** A-road *Vedi anche* CARTELLO, METÀ, MEZZO, TAGLIARE, USCIRE

stradale *agg* road [*s attrib*] **LOC** *Vedi* EDUCAZIONE, FONDO, LAVORO, POLIZIA, RACCORDO, SOCCORSO

strage *sf* massacre: *fare una ~* to carry out a massacre

strangolare *vt* to strangle

straniero, -a ◆ *agg* foreign ◆ *sm-sf* foreigner

strano, -a *agg* strange: *un modo molto ~ di parlare* a very strange way of speaking ◊ *Ho sentito uno ~ rumore.* I heard a strange noise. ◊ *Che ~!* How strange!

straordinario, -a ◆ *agg* **1** (*gen*) extraordinary: *uno spettacolo ~* an extraordinary scene ◊ *una riunione straordinaria* an extraordinary meeting **2** (*edizione*) special ◆ *sm* overtime: *fare lo ~* to work overtime

strapazzare ◆ *vt* **1** (*maltrattare*) to ill-treat **2** (*affaticare*) to tire *sb* out ◆ **strapazzarsi** *v rifl* to overdo it

strapazzato, -a *pp, agg* **LOC** *Vedi* UOVO; *Vedi anche* STRAPAZZARE

strappare ◆ *vt* **1** (*carta, stoffa, muscolo*) to tear *sth* (up): *Strappò la lettera.* He tore up the letter. **2** (*pianta*) to pull *sth* up: *~ le erbacce* to pull the weeds up **3** (*pagina*) to tear *sth* out ◆ **strapparsi** *v rifl* to tear: *Questa stoffa si strappa facilmente.* This material tears easily.

strappo *sm* **1** (*gen*) tear **2** (*passaggio*) lift **LOC strappo muscolare** torn muscle **fare uno strappo alla regola** to make an exception to the rule

straripare *vi* to burst its banks

Strasburgo *sf* Strasburg

strategia *sf* strategy [*pl* strategies]

strategico, -a *agg* strategic

strato *sm* **1** (*gen*) layer **2** (*vernice*) coat **3** (*Geol, Sociologia*) stratum [*pl* strata]

stravedere *vi* **~ per** to dote **on *sb***: *Stravede per i suoi nipotini.* She dotes on her grandchildren.

strega *sf* witch

stregare *vt* to bewitch

stregato, -a *pp, agg* **1** (*persona*) bewitched **2** (*luogo*) haunted: *un castello ~* a haunted castle *Vedi anche* STREGARE

stregone *sm* witch doctor

stregoneria *sf* witchcraft

stremare *vt* to exhaust

stremato, -a *pp, agg* shattered *Vedi anche* STREMARE

strepito *sm* racket

stress *sm* stress LOC **essere sotto stress** to be suffering from stress

stressante *agg* stressful

stressare *vt* to put *sb* under stress

stressato, -a *pp, agg*: *essere* ~ to be suffering from stress *Vedi anche* STRESSARE

stretta *sf* grip LOC **stretta di mano** handshake

stretto, -a ◆ *agg* **1** (*gen*) narrow **2** (*abito, scarpe*) tight: *Queste scarpe mi stanno strette.* These shoes are too tight. **3** (*sorveglianza*) close **4** (*curva*) sharp **5** (*dialetto*) broad: *Parlano un dialetto* ~. They speak a very broad dialect. ◆ *sm* strait(s) [*si usa spec al pl*]: *lo* ~ *di Bering* the Bering Strait(s) LOC **lo stretto necessario** the bare essentials [*v pl*]

stridere *vi* **1** (*uccelli, freni*) to screech **2** (*maiale*) to squeal

stridore *sm* (*freni*) screech

strillare *vi* to scream

strillo *sm* shriek

stringa *sf* lace ☛ *Vedi illustrazione a* SCARPA

stringere ◆ *vt* **1** (*gen*) to squeeze **2** (*vite, nodo*) to tighten **3** (*abbracciare*) to hug ◆ *vi* (*scarpe*) to be too tight ◆ **stringersi** *v rifl* **stringersi (contro)** to squeeze up **(against** ***sth*****)** LOC **stringere la mano a** to shake *sb's* hand *Vedi anche* CINGHIA

striscia *sf* **1** (*carta, tela*) strip **2** (*riga*) stripe LOC **strisce pedonali** pedestrian crossing

strisciare *vi* **1** (*serpente*) to slither **2** (*persona*) to crawl

striscione *sm* banner

strizzare *vt* (*panno*) to wring *sth* (out) LOC **strizzare l'occhio a** to wink at *sb* *Mi ha strizzato l'occhio.* He winked at me.

strofa *sf* verse

strofinaccio *sm* cloth

strofinare ◆ *vt* **1** (*gen*) to rub: *Il bambino si strofinava gli occhi.* The little boy was rubbing his eyes. **2** (*raschiare*) to scrub ◆ **strofinarsi** *v rifl* **strofinarsi contro/a** to rub **against** ***sth***

strozzare ◆ *vt* to strangle ◆ **strozzarsi** *v rifl* ~ **(con)** to choke **(on** ***sth*****)**: *Per poco non mi strozzavo con una spina di pesce.* I almost choked on a bone.

struccante *sm* make-up remover

strumento *sm* instrument: *strumenti musicali* musical instruments

struttura *sf* structure

strutturale *agg* structural

strutturare *vt* to structure

struzzo *sm* ostrich

stuccare *vt* to plaster

stucchevole *agg* **1** (*alimento*) sickly sweet **2** (*persona*) smarmy

stucco *sm* plaster

studente, -essa *sm-sf* student: *un gruppo di studenti di medicina* a group of medical students LOC *Vedi* CASA

studiare *vt, vi* to study: *Vorrei* ~ *il francese.* I'd like to study French.

studio *sm* **1** (*gen*) study [*pl* studies]: *Hanno fatto degli studi sull'argomento.* They've done studies on the subject. ◊ *Tiene tutti i libri nello* ~. All her books are in the study. **2** (*dentista, avvocato*) practice **3** (*Fot, TV, di artista*) studio [*pl* studios] **4 studi** education [*sing*]: *studi universitari* university studies ◊ *continuare/lasciare gli studi* to carry on/stop studying LOC *Vedi* BORSA, PIANO, TITOLO, VIAGGIO

studioso, -a ◆ *agg* studious ◆ *sm-sf* scholar

stufa *sf* stove LOC **stufa elettrica/a gas** electric/gas heater

stufare ◆ *vt*: *Mi hai stufato con le tue lamentele.* I'm fed up with your complaints. ◆ **stufarsi** *v rifl* ~ **(di)** to get fed up **(with** ***sb/sth/doing sth*****)**

stufato *sm* stew

stufo, -a *agg* ~ **(di)** fed up **(with** ***sb/sth/doing sth*****)**: *Sono* ~ *di questo lavoro.* I'm fed up with this job.

stuoia *sf* mat

stupefacente *sm* drug

stupendo, -a *agg* fantastic

stupidaggine *sf*: *fare/dire stupidaggini* to do/say stupid things

stupido, -a ◆ *agg* stupid ◆ *sm-sf* fool LOC **fare lo stupido** to fool around

stupire ◆ *vt* to amaze ◆ **stupirsi** *v rifl* to be amazed: *Si stupirono di vederci.* They were amazed to see us. ◊ *Mi sono stupito del disordine.* I was amazed by the mess.

stupito, -a *pp, agg* amazed *Vedi anche* STUPIRE

stupore *sm* amazement: *guardare con* ~ to look in amazement

stuprare *vt* to rape

stupratore *sm* rapist

stupro *sm* rape

sturare *vt* (*lavandino, tubatura*) to unblock

stuzzicadenti *sm* toothpick

stuzzicare *vt* to tease

stuzzichino *sm* appetizer

su ◆ *prep* **1** (*sopra*) on: *È sul tavolo.* It's on the table. ◊ *sul treno* on the train ◊ *La farmacia è sulla destra.* The chemist's is on the right. **2** (*sopra, con movimento*) onto: *L'acqua stava gocciolando sul pavimento.* Water was dripping onto the floor. **3** (*sovrastante*) over: *Stiamo volando sull'Atlantico.* We're flying over the Atlantic. ◊ *un ponte sul fiume* a bridge over the river ◊ *Mettiti il golf sulle spalle.* Put your cardigan over your shoulders. **4** (*giornale*) in: *L'ho letto sul giornale.* I read it in the paper. **5** (*argomento*) on: *un libro su Venezia* a book on Venice **6** (*circa*) around: *Peserà sui cinque chili.* It must weigh around five kilos. ◊ *Sarà sulla cinquantina.* He must be around fifty. **7** (*proporzione*) out of: *tre volte su dieci* three times out of ten ◊ *Su dieci studenti, tre sono di Roma.* Out of ten students, three are from Rome. **8** (*modo*): *su appuntamento* by appointment ◊ *su ordinazione* on order ◊ *su misura* made-to-measure ◆ *avv* **1** (*in alto*) up **2** (*al piano di sopra*) upstairs **3** **su!** (*esortazione*) come on! LOC **in su** upwards: *dalla vita in su* from the waist upwards ◊ *dai tre anni in su* from three years upwards **su e giù** up and down

subacqueo, -a *agg* underwater [*attrib*]

subconscio, -a *agg, sm* subconscious

subire *vt* **1** (*gen*) to suffer: ~ *una sconfitta* to suffer a defeat **2** (*cambiamento, operazione*) to undergo

subito *avv* straight away: *Te lo dò* ~. I'll give it to you straight away.

sublime *agg* sublime

subnormale *agg* subnormal

subordinato, -a *agg* subordinate

succedere *vi* **1** (*accadere*) to happen (**to *sb*/*sth***): *È successo che…* What happened was that… ◊ *Che non succeda un'altra volta!* Don't let it happen again! ◊ *È successo anche a me.* It happened to me as well. **2** ~ **a** (*carica*) to succeed: *Il figlio le succederà al trono.* Her son will succeed to the throne LOC *Vedi* COSA

successione *sf* succession

successivamente *avv* subsequently

successo *sm* **1** (*gen*) success **2** (*disco, canzone*) hit: *il loro ultimo* ~ their latest hit LOC **avere successo** to succeed: *avere* ~ *nella vita* to succeed in life **di successo** successful

successore *sm* successor (**to *sb*/*sth***): *Non hanno ancora nominato il suo* ~. They've yet to name her successor.

succhiare *vt* to suck LOC **succhiarsi il dito** to suck your thumb

succo *sm* (fruit) juice: ~ *d'arancia* orange juice

succoso, -a *agg* juicy

succulento, -a *agg* succulent

succursale *sf* branch

sud *sm* **1** (*punto cardinale, zona*) south (*abbrev* S): *Vivono nel* ~ *della Francia.* They live in the south of France. ◊ *a* ~ in the south ◊ *È a* ~ *di Firenze.* It's south of Florence. ◊ *più a* ~ further south ◊ *la costa* ~ the south coast **2** (*direzione*) southerly: *in direzione* ~ in a southerly direction

Sudafrica *sm* South Africa

sudafricano, -a *agg, sm-sf* South African: *i sudafricani* the South Africans

sudare *vi* to sweat

sudato, -a *pp, agg* sweaty *Vedi anche* SUDARE

suddito, -a *sm-sf* subject

sudest *sm* **1** (*punto cardinale, zona*) south-east (*abbrev* SE): *Vivono nel* ~ *della Francia.* They live in the south-east of France. **2** (*direzione*) south-easterly: *in direzione* ~ in a south-easterly direction

sudicio, -a *agg* dirty: *Com'è sudicia la tua macchina!* Your car's really dirty!

sudiciume *sm* filth

sudore *sm* sweat

sudovest *sm* **1** (*punto cardinale, zona*) south-west (*abbrev* SW): *Vivono nel* ~ *della Francia.* They live in the south-west of France. **2** (*direzione*) south-westerly: *in direzione* ~ in a south-westerly direction

sufficiente ◆ *agg* enough: *Non ho riso* ~ *per tutti.* I haven't got enough rice for all these people. ◊ *Saranno sufficienti?* Will there be enough? ◆ *sm* (*voto*) pass

suggellare *vt* to seal: ~ *un'amicizia/un patto* to seal a friendship/a pact

suggerimento *sm* suggestion

suggerire *vt* **1** ~ (**di fare**) **qc** to suggest

(doing) sth: *Hai una soluzione da ~?* Can you suggest a solution? ◊ *Ha suggerito di comprarne uno nuovo.* He suggested buying a new one. **2 ~ a qn di fare qc** to suggest **that sb should do sth**: *Mi ha suggerito di provare all'altro numero.* She suggested that I try on the other number. **3** (*Teat*) to prompt

suggestionare *vt* to influence

suggestione *sf* suggestion

sughero *sm* **1** (*gen*) cork **2** (*pesca*) float

sugli *Vedi* SU

sugo *sm* **1** (*gen*) sauce **2** (*dell'arrosto*) gravy

suicidarsi *v rifl* to commit suicide

suicidio *sm* suicide

suino, -a *agg* pig [*s attrib*]

sul, sulla, ecc *Vedi* SU

suo, -a ◆ *agg poss* **1** (*di lui*) his: *È colpa sua.* It's his fault. **2** (*di lei*) her

In inglese gli aggettivi e i pronomi possessivi di terza persona singolare non si accordano con il genere della cosa posseduta, ma con il genere della persona che la possiede: *sua moglie* his wife ◊ *suo marito* her husband ◊ *Marco ha lasciato la sua camera in disordine.* Marco left his room in a mess. ◊ *Anna non era nel suo ufficio.* Anna wasn't in her office.

3 (*di cosa, animale*) its **4** (*formale*) your: *Il ~ giornale, signor Vialli.* Your paper, Mr Vialli. **5** (*impersonale*) their: *Ognuno ha le sue piccole manie.* Everyone has their own little quirks. ◆ *pron poss* **1** (*di lui*) his: *un ufficio vicino al ~* an office next to his **2** (*di lei*) hers

Nota che *un suo amico* si traduce **a friend of his/hers**.

3 (*formale*) yours: *Questo è ~, signora?* Is this yours, madam? LOC **i suoi** (*famiglia*) **1** (*di lui*) his family **2** (*di lei*) her family

suocero, -a *sm-sf* **1** (*gen*) father-in-law [*fem* mother-in-law] **2 suoceri** parents-in-law, in-laws (*più informale*): *i miei suoceri* my in-laws

suola *sf* sole: *scarpe con la ~ di gomma* rubber-soled shoes ☛ *Vedi illustrazione a* SCARPA

suolo *sm* **1** (*superficie della terra*) ground: *schiantarsi al ~* to crash to the ground **2** (*terreno*) soil LOC *Vedi* RADERE

suonare ◆ *vt* **1** (*Mus*) to play: *Suono il clarinetto.* I play the clarinet. **2** (*campana, campanello*) to ring **3** (*clacson, sirena*) to sound **4** (*ora*) to strike: *L'orologio ha suonato le sei.* The clock struck six. ◆ *vi* **1** (*sveglia, allarme*) to go off **2** (*telefono, campana*) to ring **3** (*musicista*) play LOC **suonare il clacson** to hoot *at sb*

suonato, -a *pp, agg*: *essere ~* to be bonkers *Vedi anche* SUONARE

suono *sm* sound

superare *vt* **1** (*difficoltà, problema*) to overcome, to get over *sth* (*più informale*) **2** (*quantità, limite, speranza*) to exceed: *Ha superato i 170km all'ora.* It exceeded 170km an hour. **3** (*record*) to beat **4** (*prova*) to pass **5** (*speranza*) to surpass: *~ le aspettative* to surpass expectations

superato, -a *pp, agg* out of date: *idee superate* out-of-date ideas *Vedi anche* SUPERARE

superficiale *agg* superficial

superficie *sf* **1** (*gen*) surface: *la ~ dell'acqua* the surface of the water **2** (*Mat, area*) area

superfluo, -a *agg* **1** (*gen*) superfluous: *particolari superflui* superfluous detail **2** (*spese*) unnecessary

superiora *sf* LOC *Vedi* MADRE

superiore ◆ *agg* **1** ~ (**a**) (*gen*) higher (**than *sb*/*sth***): *una cifra 20 volte ~ alla norma* a figure 20 times higher than normal ◊ *istruzione ~* higher education **2** ~ (**a**) (*qualità*) superior (**to *sb*/*sth***): *Si è dimostrato ~ al rivale.* He was superior to his rival. ◊ *Si sente ~ a tutti.* She's so superior. **3** (*posizione*) upper: *il labbro ~* your upper lip ◆ *sm* superior LOC *Vedi* SCUOLA

superiorità *sf* superiority

superlativo, -a *agg, sm* superlative

supermercato *sm* supermarket

superstite ◆ *agg* surviving ◆ *smf* survivor

superstizione *sf* superstition

superstizioso, -a *agg* superstitious

superstrada *sf* dual carriageway

supplementare *agg* extra LOC *Vedi* TEMPO

supplemento *sm* supplement: *il ~ della domenica* the Sunday supplement

supplente *smf* (*insegnante*) supply teacher

supplica *sf* plea

supplicare *vt* to beg (*sb*) (**for *sth***): *L'ho supplicato di non farlo.* I begged him not to do it.

supplizio *sm* **1** (*gen*) torture **2** (*strazio*) ordeal: *Quelle ore d'incertezza sono* *state un ~*. Those hours of uncertainty were an ordeal.

supporre *vt* to suppose: *Suppongo che vengano.* I suppose they'll come. ◊ *Suppongo di sì/no.* I suppose so/not. LOC **supponi/supponiamo che...** supposing...

supporto *sm* **1** (*sostegno*) support **2** (*mensola*) bracket

supposizione *sf* supposition

supposta *sf* suppository [*pl* suppositories]

supremazia *sf* supremacy (***over sb/sth***)

supremo, -a *agg* supreme LOC *Vedi* CORTE

surf *sm* surfing: *fare del ~* to go surfing

surriscaldare ◆ *vt* to overheat ◆ **surriscaldarsi** *v rifl* to overheat: *Il motore si è surriscaldato.* The engine overheated.

suscettibile *agg* touchy

suscitare *vt* (*interesse, sospetto*) to arouse

susina *sf* plum ☛ *Vedi illustrazione a* FRUTTA

susino *sm* plum tree

suspense *sf* suspense: *un film di grande ~* a film with lots of suspense

sussidio *sm* benefit: *~ di disoccupazione* unemployment benefit

sussurrare *vt* to whisper: *Mi ha sussurrato la risposta.* He whispered the answer to me.

sussurro *sm* whisper

svagarsi *v rifl* **1** (*divertirsi*) to have a good time **2** (*distrarsi*) to take your mind off things

svaligiare *vt* **1** (*banca*) to rob: *Hanno svaligiato la banca.* They robbed the bank. **2** (*casa*) to burgle

svalutare *vt* to devalue

svanire *vi* to vanish

svantaggiato, -a *agg* at a disadvantage

svantaggio *sm* disadvantage LOC **essere in svantaggio** to be at a disadvantage

svedese ◆ *agg, sm* Swedish: *parlare ~* to speak Swedish ◆ *smf* Swede: *gli svedesi* the Swedes

sveglia *sf* alarm (clock): *Ho messo la ~ alle sette.* I've set the alarm for seven. ☛ *Vedi illustrazione a* OROLOGIO

svegliare ◆ *vt* to wake *sb* up: *A che ora vuoi che ti svegli?* What time do you want me to wake you up? ☛ *Vedi nota a* AWAKE ◆ **svegliarsi** *v rifl* **1** (*dal sonno*) to wake up: *Mi sono svegliato alle otto.* I woke up at eight. **2** (*darsi una mossa*) to buck your ideas up: *Era ora che tu ti svegliassi!* It's about time you bucked your ideas up! LOC **non svegliarsi in tempo** to oversleep: *Non mi sono svegliato in tempo e ho fatto tardi a scuola.* I overslept and was late for school.

sveglio, -a *agg* **1** (*non addormentato*) awake: *Sei ~?* Are you awake? ◊ *Il caffè mi tiene ~*. Coffee keeps me awake. **2** (*intelligente*) bright

svelare *vt* to reveal

svelto, -a *agg* quick LOC **alla svelta** quickly

svenimento *sm* fainting fit

svenire *vi* to faint

sventare *vt* to foil

sventato, -a *agg* (*distratto*) scatty

sventolare ◆ *vt* to wave ◆ *vi* to flutter

svestire ◆ *vt* to undress ◆ **svestirsi** *v rifl* to get undressed

Svezia *sf* Sweden

svignarsela *v rifl* to slip off

sviluppare ◆ *vt* to develop ◆ **svilupparsi** *v rifl* to develop

sviluppato, -a *pp, agg* developed LOC **poco sviluppato** undeveloped *Vedi anche* SVILUPPARE

sviluppo *sm* **1** (*gen*) development **2** (*Fot*) developing LOC *Vedi* VIA

svitare ◆ *vt* to unscrew ◆ **svitarsi** *v rifl* to unscrew

Svizzera *sf* Switzerland

svizzero, -a ◆ *agg* Swiss ◆ *sm-sf* Swiss man/woman [*pl* Swiss men/women]: *gli svizzeri* the Swiss

svolazzare *vi* to fly about

svolta *sf* **1** (*gen*) turning: *la prima ~ a sinistra* the first turning on the left **2** (*fig*) turning point: *una ~ importante nella sulla carriera* an important turning point in her career

svoltare *vi* to turn: *~ a destra* to turn right

svuotare *vt* to empty *sth* (out) (***into sth***): *Svuotiamo quella cassa.* Let's empty (out) that box.

Tt

tabaccaio, -a *sm-sf* tobacconist

tabaccheria *sf* tobacconist's [*pl* tobacconists]

In Gran Bretagna non ci sono tabaccherie. I francobolli si vendono al **post office** (*ufficio postale*) e in alcuni **newsagents** (*giornalai*) che, oltre ai giornali e ai francobolli, vendono dolciumi e sigarette. Ci sono poi alcuni negozi specializzati che vendono articoli per fumatori.

tabacco *sm* tobacco: ~ *da pipa* pipe tobacco

tabellina *sf* multiplication table: *sapere le tabelline* to know your multiplication tables **LOC la tabellina del due, ecc** the two, etc times table

tabellone *sm* **1** (*gen*) board: *il ~ delle partenze* the departure board **2** (*Sport*) scoreboard

tabù *sm, agg* taboo [*pl* taboos]: *un argomento ~* a taboo subject

taccagno, -a ◆ *agg* mean, stingy (*più informale*) ◆ *sm-sf* skinflint

tacchino, -a *sm-sf* turkey [*pl* turkeys]

tacco *sm* heel: *Mi si è rotto un ~.* I've broken my heel. ◊ *tacchi alti* high heels ☛ *Vedi illustrazione a* SCARPA **LOC coi tacchi** high-heeled **tacco a spillo** stiletto heel

taccuino *sm* notebook

tacere *vi* to say nothing **LOC far tacere** to get *sb* to be quiet **mettere a tacere 1** (*persona*) to silence *sb* **2** (*faccenda*) to hush *sth* up

tachimetro *sm* speedometer

taciturno, -a *agg* quiet: *Tuo fratello è molto ~ oggi.* Your brother is very quiet today.

tafano *sm* horsefly [*pl* horseflies]

taglia *sf* size: *Che ~ porti?* What size do you take? ◊ *Non c'era la ~.* They didn't have the right size. ◊ *~ unica* one size **LOC taglie forti** outsize

tagliacarte *sm* paperknife [*pl* paperknives]

tagliaerba *sm Vedi* TOSAERBA

tagliare ◆ *vt* **1** (*gen*) to cut: *Taglialo in quattro pezzi.* Cut it into four pieces. ◊ *Mi sono tagliato la mano con un pezzo di vetro.* I cut my hand on a piece of glass. ◊ *tagliarsi i capelli* to have your hair cut **2** (*staccare*) to cut *sth* off: *La macchina gli ha tagliato un dito.* The machine cut off one of his fingers. ◊ *Hanno tagliato il telefono/gas.* The telephone/gas has been cut off. **3** (*ritagliare*) to cut *sth* out: *Ho tagliato i pantaloni seguendo il modello.* I cut out the trousers following the pattern. **4** (*erba*) to mow ◆ *vi* to cut: *Questo coltello non taglia.* This knife doesn't cut. ◆ **tagliarsi** *v rifl* (*ferirsi*) to cut yourself **LOC tagliare la corda** to run away **tagliare la strada a** to cut in front of *sb*

tagliaunghie *sm* nail clippers [*pl*]

tagliente *agg* sharp

tagliere *sm* chopping board

taglio *sm* cut **LOC taglio di capelli** haircut *Vedi anche* ARMA

tailleur *sm* suit

talco *sm* talc

tale ◆ *agg* **1** (*dimostrativo*) such: *in tali situazioni* in such situations ◊ *un fatto di importanza ~* a matter of such importance ◊ *Ho avuto una ~ paura!* I got such a fright! ◊ *C'è un ~ disordine!* It's such a mess! **2** (*indefinito*): *Ha chiamato un ~ Luigi Moretti.* A Luigi Moretti rang for you. ◆ *pron* **1** (*persona indefinita*) somebody (or other): *Un ~ mi ha dato questo volantino.* Somebody gave me this leaflet. **2** (*persona conosciuta*) that person **LOC tale quale**: *È ~ quale a mio fratello.* He's exactly like my brother. ◊ *~ quale me lo immaginavo* exactly as I imagined **in tal caso** in that case **tale padre tale figlio** like father like son

talea *sf* cutting

talento *sm* talent (***for sth/doing sth***): *Ha del ~ come comico.* He has a talent for comedy. ◊ *Ha ~ per la musica/pittura.* He has a talent for music/painting.

talk-show *sm* chat show

tallone *sm* heel

talmente *avv* so: *È ~ facile.* It's so easy.

talpa *sf* mole **LOC** *Vedi* CIECO

talvolta *avv* sometimes

tamburo *sm* drum

Tamigi *sm* **il Tamigi** the Thames

tamponamento *sm* collision

tampone *sm* **1** (*assorbente interno*) tampon **2** (*Med*) wad

tana *sf* **1** (*leone, lupo*) den **2** (*coniglio*) burrow

tangente *sf* **1** (*gen*) tangent **2** (*bustarella*) bribe

tanto, -a ◆ *agg, pron*

- **molto 1** (*in frasi affermative*) a lot (of *sth*): *C'è tanta roba.* There's a lot of stuff. ◊ *Ci sono tante cose da vedere.* There are a lot of things to see. ◊ *Ne ho visti tanti.* I saw a lot. **2** (*in frasi negative e interrogative*) **(a)** (*quantità*) much: *Non ho ~ da fare.* I haven't much to do. ◊ *Non abbiamo ~ tempo.* We haven't got much time. **(b)** (*numero*) many: *Non ha tanti amici.* He hasn't got many friends.
- **così ... 1** (*così tanto*) so much: *Non mi mettere ~ riso.* Don't give me so much rice. ◊ *Non ho mai avuto tanta fame.* I've never been so hungry. ◊ *Non darmene ~.* Don't give me so much. **2** (*così numerosi*) so many: *Aveva tanti problemi!* He had so many problems! ◊ *Perché ne hai comprato tanti?* Why did you buy so many? ◆ *avv* **1** (*molto*) **(a)** (+ *aggettivo*) very: *Sei ~ stanco?* Are you very tired? **(b)** (*con verbi*) a lot, very much: *Mi piace ~!* I like it very much. ☛ *Vedi nota a* MOLTO **2** (*così tanto*) so much: *Ho mangiato ~ che non riesco a muovermi!* I've eaten so much (that) I can't move! **3** (*tanto tempo*) so long: *È da ~ che non ci vediamo!* I haven't seen you for so long! ◆ *cong* anyway: *Chiamalo, ~ non viene.* Call him if you like. He won't come anyway. ◊ *Andiamo. ~ non ho più fame.* Let's go. I'm not hungry anyway. LOC **tanto ... quanto ... 1** (*nei paragoni*) **(a)** (+ *sostantivo non numerabile*) as much ... as ...: *Ho bevuto tanta birra quanto te.* I drank as much beer as you. **(b)** (+ *sostantivo numerabile*) as many ... as ...: *Non abbiamo tanti amici quanti ne avevamo prima.* We haven't got as many friends as we had before. **2** (*entrambi*) both ... and ...: *Lo sapevano ~ lui quanto sua sorella.* He and his sister both knew. **un tanto** so much: *Mi danno un ~ al mese.* They give me so much a month. *Vedi anche* AUGURIO, OGNI, VALERE, VOLTA

tappa *sf* **1** (*fermata*) stop: *Abbiamo fatto ~ a Roma e Milano.* We stopped in Rome and Milan. **2** (*tratto*) stage: *Abbiamo fatto il viaggio in due tappe.* We did the journey in two stages.

tappare ◆ *vt* **1** (*buco*) to stop *sth* (up) (***with sth***): *Ho tappato i buchi con lo stucco.* I stopped (up) the holes with plaster. **2** (*bottiglia*) to cork ◆ **tapparsi** *v rifl* to get blocked: *Mi si è tappato il naso.* My nose is blocked.

tappetino *sm* mat

tappeto *sm* **1** (*grande*) carpet **2** (*piccolo*) rug

tappezzare *vt* **1** (*divano*) to upholster **2** (*con carta da parati*) to (wall)paper

tappezzeria *sf* (*auto, poltrona*) upholstery [*non numerabile*]

tappo *sm* **1** (*gen*) top **2** (*di sughero*) cork **3** (*Tec, lavandino*) plug **4** (*per le orecchie*) (ear)plug: *mettersi i tappi nelle orecchie* to put plugs in your ears LOC **tappo a vite** screw top

tarantola *sf* tarantula

tarchiato, -a *agg* stocky

tardare *vi* to take a long time ***to do sth***: *Hanno tardato a rispondere.* It took them a long time to reply.

tardi *avv* **1** (*gen*) late: *Ci siamo alzati ~.* We got up late. ◊ *Vado via, si sta facendo ~.* I'm off—it's getting late. **2** (*troppo tardi*) too late: *È ~ per telefonarle.* It's too late to ring her. LOC **fare tardi** (*essere in ritardo*) to be late *Vedi anche* MEGLIO, PRESTO

tardo, -a *agg* late: *È venuta nel ~ pomeriggio.* She came late in the afternoon. ◊ *il ~ Ottocento* the late 19th century

targa *sf* **1** (*placca*) plate: *La ~ sulla porta dice "dentista".* The plate on the door says 'dentist'. **2** (*commemorativa*) plaque **3** (*Auto*) number plate LOC *Vedi* NUMERO

tariffa *sf* **1** (*gen*) rate **2** (*trasporti*) fare

tarma *sf* moth

tartaruga

tartaruga *sf* **1** (*terrestre*) tortoise **2** (*marina*) turtle **3** (*materiale*) tortoiseshell

tartina *sf* canapé

tartufo *sm* truffle

tasca *sf* pocket: *È nella ~ del mio cappotto.* It's in my coat pocket.

tascabile *agg* **1** (*gen*) pocket(-sized): *una guida ~* a pocket guide **2** (*edizione*) paperback

taschino *sm* breast pocket

tassa *sf* **1** (*imposta*) tax: *esente da tasse* tax-free **2** (*quota*) fee: *tasse scolastiche* tuition fees

tassametro *sm* taximeter

tassello *sm* (*a espansione*) wall plug

tassista *smf* taxi driver

tasso *sm* **1** (*indice*) rate **2** (*animale*) badger LOC **tasso di interesse** interest rate **tasso di natalità** birth rate

tastare *vt* to feel: *Si tastò le tasche.* He felt his pockets.

tastiera *sf* keyboard ☛ *Vedi illustrazione a* COMPUTER

tasto *sm* **1** (*computer, pianoforte*) key [*pl* keys]: *premere un ~* to press a key **2** (*televisore, radio*) button

tattica *sf* tactics [*pl*]

tatto *sm* **1** (*senso*) sense of touch: *riconoscere qc al ~* to recognize sth by touch **2** (*delicatezza*) tact LOC **avere tatto** to be tactful

tatuaggio *sm* tattoo [*pl* tattoos]

tavola *sf* **1** (*gen*) table: *Non mettere i piedi sulla ~.* Don't put your feet on the table. ◇ *~ pitagorica* multiplication table **2** (*asse*) plank: *un ponte di tavole* a bridge made from planks **3** (*illustrazione*) plate: *tavole a colori* colour plates LOC **tavola a vela** windsurfer **tavola rotonda** round table *Vedi anche* SERVIZIO

tavoletta *sf* (*cioccolato*) bar

tavolo *sm* table: *Ci sediamo al ~?* Shall we sit at the table? LOC *Vedi* GIOCO, TENNIS

tavolozza *sf* palette

taxi *sm* taxi LOC *Vedi* POSTEGGIO

tazza *sf* **1** (*gen*) cup: *una ~ di caffè* a cup of coffee **2** (*senza piattino*) mug ☛ *Vedi illustrazione a* MUG **3** (*gabinetto*) bowl

tazzina *sf* coffee cup

te *pron pers* you: *L'ho comprato per te.* I bought it for you. ◇ *Te lo passo subito.* I'll get him for you. ◇ *Marco è più alto di te.* Marco is taller than you. ◇ *Fallo da te.* Do it yourself.

tè *sm* tea: *Vuoi un tè?* Would you like a cup of tea? LOC *Vedi* BUSTINA

teatrale *agg* theatre [*s attrib*]

teatro *sm* theatre: *andare a ~* to go to the theatre ◇ *il ~ classico/moderno* classical/modern theatre

tecnica *sf* **1** (*metodo*) technique **2** (*tecnologia*) technology: *il progresso della ~* advances in technology

tecnico, -a ◆ *agg* technical ◆ *sm* **1** (*gen*) technician **2** (*per riparazioni tv, caldaia, ecc*) engineer LOC *Vedi* ISTITUTO

tecnologia *sf* technology [*pl* technologies]: *~ avanzata* state-of-the-art technology

tedesco, -a *agg, sm-sf, sm* German: *i tedeschi* the Germans ◇ *parlare ~* to speak German LOC *Vedi* PASTORE

teglia *sf* tin

tegola *sf* tile

teiera *sf* teapot

tela *sf* **1** (*gen*) cloth: *una borsa di ~* a cloth bag **2** (*quadro*) canvas LOC **tela cerata** oilcloth

telaio *sm* **1** (*bicicletta*) frame **2** (*Auto*) chassis [*pl* chassis] **3** (*per tessere*) loom

tele *sf Vedi* TELEVISIONE

telecamera *sf* TV camera

telecomando *sm* remote control

telecomunicazioni *sf* telecommunications [*pl*]

telecronaca *sf* TV commentary

teleferica *sf* cable car

telefilm *sm* TV movie

telefonare *vi* ~ (**a**) to telephone, to phone *sb* (*inform*): *Ha telefonato tua sorella.* Your sister phoned. ◇ *Ti telefono domani.* I'll phone you tomorrow.

telefonata *sf* phone call: *fare una ~* to make a phone call LOC **telefonata a carico del destinatario** reverse charge call

telefonico, -a *agg* telephone, phone (*inform*) [*s attrib*] LOC *Vedi* CABINA, CENTRALE, ELENCO, SCHEDA, SEGRETERIA

telefonino *sm* mobile phone

telefono *sm* telephone, phone (*inform*): *Anna, al ~!* Phone for you, Anna! ◇ *È al ~ con sua madre.* She's on the phone to her mother. ◇ *Puoi rispondere al ~?* Can you answer the phone? LOC *Vedi* COLPO

telegiornale *sm* news [*sing*]: *A che ora c'è il ~?* What time is the news on? ◇ *L'hanno detto al ~ delle otto.* It was on the eight o'clock news.

telegramma *sm* telegram: *mandare un ~* to send a telegram

telenovela *sf* soap (opera)

teleobiettivo *sm* telephoto lens

telepatia *sf* telepathy

telescopio *sm* telescope
telespettatore, -trice *sm-sf* viewer
televideo *sm* teletext
televisione *sf* television (*abbrev* TV), telly (*più informale*): *Accendi/Spegni la ~.* Turn the TV on/off. ◊ *Cosa danno alla ~ stasera?* What's on the telly tonight? ◊ *Stavamo guardando la ~.* We were watching television. ☛ *Vedi nota a* TELEVISION
televisore *sm* television (set) (*abbrev* TV)
telo *sm* cloth LOC **telo di cucina** tea towel
tema *sm* **1** (*gen*) subject: *il ~ di una conferenza* the subject of a talk **2** (*Mus*) theme **3** (*Scuola*) essay [*pl* essays]: *svolgere un ~ sulla propria città* to write an essay on your town
temere *vt, vi* to be afraid (**of *sb/sth***): *Alcuni la temono, altri l'ammirano.* Some are afraid of her, others admire her. ◊ *Temo di essermi sbagliato.* I'm afraid I've got it wrong. ◊ *Temo che non verranno.* I'm afraid they won't come. ◊ *Non ~, ce la faremo.* Don't be afraid, we'll make it.
temperamatite *sm* pencil sharpener
temperare *vt* to sharpen
temperato, -a *pp, agg* temperate *Vedi anche* TEMPERARE
temperatura *sf* temperature LOC **temperatura ambiente** room temperature
temperino *sm* penknife [*pl* penknives]
tempesta *sf* storm
tempestare *vt* to bombard *sb* ***with sth***: *Mi hanno tempestato di domande.* They bombarded me with questions. LOC **tempestare di colpi** to rain (down) blows on *sb*
tempestivo, -a *agg* timely: *un intervento ~* a timely intervention
tempia *sf* temple
tempio *sm* temple
tempo *sm* **1** (*gen*) time: *al ~ dei Romani* in Roman times ◊ *Abito qui da molto ~.* I've been living here for a long time. ◊ *Da quanto ~ studi inglese?* How long have you been studying English? ◊ *È passato molto ~.* A long time has passed. **2** (*meteorologico*) weather: *Ieri ha fatto bel/brutto ~.* The weather was good/bad yesterday. **3 tempi** (*periodo*) time [*sing*]: *l'anno scorso di questi tempi* this time last year **4** (*neonato*): *Quanto ~ ha?* How old is she? **5** (*Sport*) half [*pl* halves]: *il primo ~* the first half **6** (*Gramm*) tense LOC **a tempo pieno** full-time **col tempo** in time: *Col ~ capirai.* You'll understand in time. **come passa il tempo!** doesn't time fly! **con i tempi che corrono** in this day and age: *Con i tempi che corrono bisogna stare attenti.* You have to be careful in this day and age. **fare in tempo**: *Fai ancora in ~ a mandarlo.* You've still got time to send it. **per tempo** in good time: *Avvisami per ~.* Let me know in good time. **tempo libero** spare time: *Cosa fai nel ~ libero?* What do you do in your spare time? **tempo supplementare** (*Sport*) extra time *Vedi anche* APPENA, COSA, INGANNARE, OGNI, PERDERE, QUANTO, SVEGLIARE
temporale *sm* storm: *C'è aria di ~.* There's a storm brewing. ◊ *Sta arrivando un ~.* It looks like there's going to be a storm.
temporaneo, -a *agg* temporary
tenace *agg* tenacious
tenaglie *sf* pliers
tenda *sf* **1** (*finestra, doccia*) curtain: *tirare le tende* to draw the curtains **2** (*da campeggio*) tent: *montare/smontare una ~* to put up/take down a tent
tendenza *sf* **1** (*gen*) tendency [*pl* tendencies]: *Ha ~ a ingrassare.* He has a tendency to put on weight. **2** (*moda*) trend: *le ultime tendenze della moda* the latest fashion trends
tendere ◆ *vt* **1** (*gen*) to stretch: *~ una fune* to stretch a rope tight **2** (*stringere*) to tighten: *~ le corde della racchetta* to tighten the strings of the racket **3** (*mano*) to hold out: *Mi ha teso la mano.* He held out his hand to me. ◆ *vi* ~ **a**: *Tende a complicare le cose.* He tends to complicate things. ◊ *Il tempo tende a migliorare.* The weather is improving. ◊ *I suoi capelli tendono al biondo.* He's got blondish hair.
tendina *sf* net curtain
tendine *sm* tendon
tenebre *sf* darkness [*sing*]
tenente *sm* lieutenant
tenere ◆ *vt* **1** (*gen*) to keep: *~ il cibo in caldo* to keep food hot ◊ *Tenga il resto.* Keep the change. ◊ *Mi tieni il posto?* Could you please keep my place in the queue? ◊ *Tieni le chiavi in tasca.* Keep the keys in your pocket. ◊ *~ aperta la porta* to keep the door open ◊ *~ un segreto* to keep a secret ◊ *~ la destra/sinistra* to keep right/left **2** (*stringere*) to hold: *~ qc in mano* to hold sth (in your hand) ◊ *Tieni forte la corda.* Hold

the rope tight. ◊ ~ *qn per mano* to hold sb by the hand **3** (*quando si dà qc*): *Tieni!* Here you are! ◆ *vi* **1** (*reggere*) to hold: *Questo ripiano non tiene.* This shelf won't hold. **2** ~ **a**: *Tiene molto ad avere la casa in ordine.* He likes to keep the flat tidy. ◆ **tenersi** *v rifl* **tenersi (a)** (*aggrapparsi*) to hold on (**to** ***sth***): *Tieniti al mio braccio.* Hold on to my arm. ☛ Per le espressioni con **tenere** vedi alla voce del sostantivo, dell'aggettivo, ecc, ad es. **tenere duro** a DURO.

tenerezza *sf* tenderness: *parlare con ~ a qn* to speak to sb tenderly

tenero, -a *agg* tender: *una fettina tenera* a tender piece of meat ◊ *uno sguardo ~* a tender look

tennis *sm* tennis LOC **tennis da tavolo** table tennis *Vedi anche* CAMPO, SCARPA

tennista *smf* tennis player

tenore *sm* (*cantante*) tenor LOC **tenore di vita** lifestyle

tensione *sf* **1** (*gen*) tension: *la ~ delle corde* the tension of the strings ◊ *Durante la cena c'era molta ~.* There was a lot of tension during dinner. **2** (*elettrica*) voltage: *cavi dell'alta ~* high-voltage cables

tentacolo *sm* tentacle

tentare *vt* **1** (*provare*) to try (*sth/to do sth*) **2** (*allettare*) to tempt: *Non mi ~.* Don't tempt me. ◊ *Mi tenta l'idea di andare in vacanza.* I'm tempted to go on holiday.

tentativo *sm* attempt: *al primo, secondo, ecc ~* at the first, second, etc attempt

tentazione *sf* temptation: *Non ho saputo resistere alla ~ di mangiarlo.* I couldn't resist the temptation to eat it all. ◊ *cadere in ~* to fall into temptation

tenue *agg* **1** (*colore, voce*) soft **2** (*luce, suono*) faint

tenuta *sf* **1** (*casa in campagna*) country estate **2** (*abbigliamento*) clothes [*pl*]: *~ da lavoro* working clothes

tenuto, -a *pp, agg* ~ **a** obliged ***to do sth***: *Non sei ~ a farlo.* You're not obliged to do it. *Vedi anche* TENERE

teologia *sf* theology

teoria *sf* theory [*pl* theories]: *in ~* in theory

teorico, -a *agg* theoretical

teppismo *sm* hooliganism

teppista *smf* hooligan

terapia *sf* therapy [*pl* therapies]: *~ di gruppo* group therapy

tergicristallo *sm* windscreen wiper

terme *sf* baths: *le ~ romane* the Roman baths

termico, -a *agg* thermal

terminale *agg, sm* terminal: *malati terminali* terminally-ill patients

terminare ◆ *vt* to finish ◆ *vi* **1** (*gen*) to finish: *Il film termina a mezzanotte.* The film finishes at midnight. **2** ~ (**in**) to end (**in** ***sth***): *Termina in "a".* It ends in 'a'. ◊ *La manifestazione terminò in tragedia.* The demonstration ended in tragedy.

termine *sm* **1** (*parola*) term: *in termini generali* in general terms ◊ *un ~ tecnico* a technical term **2** (*fine*) end **3** (*scadenza*) deadline: *Il ~ per le iscrizioni è domani.* The deadline for enrolling is tomorrow. LOC **portare a termine** to carry *sth* out *Vedi anche* MODERARE

termometro *sm* thermometer

termos *sm* Thermos flask®

termosifone *sm* radiator

termostato *sm* thermostat

terra *sf* **1** (*in contrapposizione al mare*) land [*non numerabile*]: *viaggiare via ~* to travel overland ◊ *coltivare la ~* to work the land ◊ *Ha venduto le terre di famiglia.* He sold his family's land. **2** (*terriccio*) soil: *~ per i vasi* soil for the plants ◊ *una ~ fertile* fertile soil **3** (*suolo*) ground: *Cadde a ~.* He fell to the ground. ◊ *per ~* on the ground **4** (*patria*) native land: *i costumi della mia ~* the customs of my native land **5 la Terra** (*pianeta*) the earth **6** (*Elettr*) earth LOC **terra battuta** (*Tennis*) clay: *giocare su ~ battuta* to play on clay **Terra Santa** the Holy Land *Vedi anche* GOMMA, MESSA

terracotta *sf* earthenware: *vasi di ~* earthenware pots

terraferma *sf* dry land

terrazzo *sm* balcony [*pl* balconies]

terremoto *sm* earthquake

terreno *sm* land [*non numerabile*]: *un ~ molto fertile* very fertile land ◊ *Hanno comprato un ~.* They bought some land.

terrestre *agg* land [*s attrib*] LOC *Vedi* CROSTA, PARADISO

terribile *agg* terrible: *Hanno passato un anno ~.* They had a terrible year.

terrificante *agg* terrifying

territorio *sm* territory [*pl* territories]

terrore *sm* terror LOC **avere il terrore di** to be terrified of *sth* **del terrore** (*film,*

racconto) horror [*s attrib*]: *un film del* ~ a horror film
terrorismo *sm* terrorism
terrorista *agg*, *smf* terrorist
terrorizzare *vt* **1** (*fare paura*) to terrify: *Mi terrorizzava l'idea che potessero sfondare la porta.* I was terrified they might break the door down. **2** (*con la violenza*) to terrorize: *teppisti che terrorizzano il quartiere* thugs who terrorize the neighbourhood
terzo, -a ◆ *agg*, *pron*, *sm* third (*abbrev* 3rd) ☛ *Vedi esempi a* SESTO ◆ *sm* third party: *assicurazione contro terzi* third-party insurance ◆ **terza** *sf* **1** (*marcia*) third (gear) **2** (*Scuola*) third year: *Faccio la terza.* I'm in third year. LOC **terza età**: *attività per la terza età* activities for senior citizens *Vedi anche* CATEGORIA, CLASSIFICARE
tesa *sf* (*cappello*) brim: *un cappello a* ~ *larga* a wide-brimmed hat ☛ *Vedi illustrazione a* CAPPELLO
teschio *sm* skull
tesi *sf* thesis [*pl* theses]
teso, -a *pp*, *agg* **1** (*gen*) tight: *Assicurati che la corda sia ben tesa.* Make sure the rope is tight. **2** (*atmosfera*, *situazione*) tense *Vedi anche* TENDERE
tesoriere *sm* treasurer
tesoro *sm* **1** treasure: *trovare un* ~ *nascosto* to find buried treasure ◊ *Sei un* ~*!* You're a treasure! **2 il Tesoro** the Treasury **3** (*appellativo*) darling LOC *Vedi* CACCIA, MINISTERO, MINISTRO
tessera *sf* **1** (*club*) membership card **2** (*domino*) domino [*pl* dominoes] LOC *Vedi* FOTO
tessere *vt* **1** (*gen*) to weave **2** (*ragno*) to spin
tessile *agg* textile [*s attrib*]: *l'industria* ~ the textile industry
tessuto *sm* **1** (*tela*) material: *Certi tessuti restringono lavandoli.* Some materials shrink when you wash them. **2** (*Anat*) tissue
test *sm* test: *un* ~ *di gravidanza* a pregnancy test LOC **test attitudinale** aptitude test
testa *sf* **1** (*gen*) head **2** (*giudizio*) sense: *Ma dove hai la* ~*?* You've got no sense! LOC **a testa** each: *Ce ne toccano tre a* ~. There are three each. **a testa in giù** upside down **avere la testa dura** to be stubborn **avere la testa tra le nuvole** to have your head in the clouds **dalla testa ai piedi** from top to toe **dare alla testa** to go to your head **essere in testa** to be in the lead **mettersi in testa di fare qc** to take it into your head to do sth **testa d'aglio** head of garlic **testa o croce** heads or tails *Vedi anche* CACCIATORE, CENNO, COLPO, COSTARE, GIRARE, MALE, PERDERE, PIEDE
testamento *sm* **1** (*Dir*) will: *fare* ~ to make a will **2 Testamento** Testament: *l'Antico/il Nuovo Testamento* the Old/New Testament
testardo, -a *agg* stubborn LOC *Vedi* MULO
testata *sf* **1** (*colpo*) head-butt **2** (*di giornale*) heading **3** (*giornale*) paper **4** (*letto*) headboard LOC *Vedi* BATTERE
testicolo *sm* testicle
testimone ◆ *smf* witness ☛ *Vedi nota a* MATRIMONIO ◆ *sm* (*Sport*) baton: *passare il* ~ to pass the baton LOC **essere testimone di** to witness *sth* **testimone oculare** eyewitness
testimoniare *vi* (*in tribunale*) to give evidence
testina *sf* head
testo *sm* **1** (*gen*) text **2** (*canzone*) lyrics [*pl*]: *Il* ~ *di questa canzone è molto bello.* The lyrics of this song are very beautiful. LOC *Vedi* LIBRO, TRATTAMENTO
testualmente *avv* word for word
tetro, -a *agg* gloomy
tettarella *sf* teat
tetto *sm* roof [*pl* roofs]
tettoia *sf* canopy
Tevere *sm* **il Tevere** the Tiber
thailandese *agg*, *smf* Thai: *i thailandesi* the Thais
Thailandia *sf* Thailand
ti *pron pers* **1** (*complemento*) you: *Ti ha visto?* Did he see you? ◊ *Ti ho portato un libro.* I've brought you a book. ◊ *Cosa ti avevo detto?* What did I tell you? **2** (*parti del corpo*, *effetti personali*): *Ti sei lavato le mani?* Have you washed your hands? ◊ *Togliti il cappotto.* Take your coat off. **3** (*riflessivo*) (yourself): *Ti farai male.* You'll hurt yourself. ◊ *Vestiti.* Get dressed.
Tibet *sm* Tibet
tibetano, -a *agg*, *sm-sf*, *sm* Tibetan: *i tibetani* the Tibetans
ticket *sm* (*su medicinali*) prescription charge
tiepido, -a *agg* lukewarm
tifare *vi* ~ **per** to support *sb*/sth
tifone *sm* typhoon
tifoso, -a *sm-sf* supporter
tight *sm* morning suit

tigre *sf* tiger

timbrare ◆ *vt* **1** (*gen*) to stamp: *Mi hanno timbrato il passaporto.* They stamped my passport. **2** (*francobollo*) to postmark ◆ *vi* (*al lavoro*) **(a)** (*all'entrata*) to clock in **(b)** (*all'uscita*) to clock off

timbro *sm* **1** (*voce*) pitch: *Ha un ~ di voce molto alto.* He has a very high-pitched voice. **2** (*marchio, strumento*) stamp LOC **timbro postale** postmark

timido, -a *agg, sm-sf* shy [*agg*]: *È un ~.* He's shy.

timo *sm* thyme

timone *sm* rudder

timore *sm* fear: *Non l'ho detto per ~ di offenderlo.* I didn't say it for fear of offending him.

timpano *sm* **1** (*orecchio*) eardrum **2** **timpani** (*Mus*) timpani

tinello *sm* dining room

tingere *vt* to dye: *~ una camicia di rosso* to dye a shirt red ◊ *tingersi i capelli* to dye your hair

tinta *sf* **1** (*vernice*) dye **2** (*colore*) colour LOC **in tinta unita** plain

tintarella *sf* suntan

tintoria *sf* dry-cleaner's [*pl* dry-cleaners]

tipico, -a *agg* **1** (*caratteristico*) typical (***of sb/sth***): *È ~ di Vittorio!* That's just typical of Vittorio! **2** (*tradizionale*) traditional: *un ballo/costume ~* a traditional dance/costume

tipo, -a ◆ *sm* **1** (*gen*) kind (***of sth***): *Che ~ di macchina vuoi comprare?* What kind of car are you going to buy? ◊ *tutti i tipi di gente/animali* all kinds of people/animals **2** (*ideale*) type: *Non è il mio ~.* He's not my type. ◆ *sm-sf* guy [*pl* guys] [*fem* girl]: *quel ~ laggiù* that guy over there

tipografia *sf* **1** (*laboratorio*) printer's **2** (*Arte*) typography

tipografo, -a *sm-sf* printer

tip tap *sm* tap-dancing

tir *sm* heavy goods vehicle (*abbrev* **HGV**)

tiraggio *sm* (*caminetto*) draught

tirare ◆ *vt* **1** (*gen*) to pull: *Tira la maniglia.* Pull the handle. **2** (*lanciare*) to throw *sth* (***to sb***): *I bambini tiravano sassi.* The children were throwing stones. ◊ *Tira la palla al tuo compagno.* Throw the ball to your team-mate.

> Quando si tira qualcosa a qualcuno con l'intenzione di fare del male si usa **to throw sth at sb**: *Tiravano sassi al povero gatto.* They were throwin[g] stones at the poor cat.

3 (*Sport*) to shoot: *~ in porta* to shoot a[t] goal **4** (*tende*) to draw ◆ *vi* (*abito*) to b[e] tight: *La giacca tira un po' sul dietro* The jacket's a bit tight at the back. LO[C] **tirare avanti**: *"Come va tua madre?" "Tira avanti."* 'How's your mother?' 'She's managing.' ◊ *Si tira avanti* We're managing. **tirare fuori 1** (*pren-dere*) to take *sb/sth* out: *Ha tirato fuor[i] una cartellina dal cassetto.* He took [a] folder out of the drawer. **2** (*lingua*) t[o] stick *sth* out **3** (*soldi*) to cough *sth* u[p] **tirare su**: *Fatti una doccia, vedrai che t[i] tira su.* Have a shower and you'll soo[n] perk up. **tirarsi indietro** to back dow[n] ☛ Per altre espressioni con **tirar[e]** vedi alla voce del sostantivo, dell'agget[-]tivo, ecc, ad es. **tirare un sospiro d[i] sollievo** a SOSPIRO.

tirata *sf* **1** (*gen*) tug **2** (*sigaretta*) puff [3] (*senza soste*): *fare tutta una ~* to do it al[l] in one go LOC **tirata d'orecchi** (*fig*[)] telling-off

tiratore, -trice *sm-sf* shot: *È un buo[n] ~.* He's a good shot. LOC **tiratore scelt[o]** marksman

tiro *sm* **1** (*lancio*) throw **2** (*sparo, Sport*[)] shot: *un ~ in porta* a shot at goal [3] (*scherzo*) trick: *giocare un brutto ~ a q[ualcuno]* to play a dirty trick on sb LOC **tiro co[n] l'arco** archery *Vedi anche* POLIGONO

Tirreno *sm* **il Tirreno** the Tyrrhenia[n] Sea

tisana *sf* herbal tea

titolare ◆ *agg*: *un giocatore ~* a first team player ◆ *smf* **1** (*passaporto, cont[o] in banca*) holder **2** (*azienda*) owner

titolo *sm* **1** (*gen*) title: *Che ~ hai dato a[l] racconto?* What title have you give[n] your novel? ◊ *Domani si disputano il ~* They're fighting for the title tomorrow **2** (*giornale*) headline LOC **fare titolo** t[o] hit the headlines **titolo di studio** quali[-]fication

toast *sm* toasted sandwich

toccare ◆ *vt* **1** (*gen*) to touch: *No[n] toccarlo!* Don't touch it! **2** (*tastare*) t[o] feel: *Posso ~ la stoffa?* Can I feel th[e] fabric? **3** (*riguardare*) to concern: *u[n] problema che tocca tutti* an issue tha[t] concerns everybody ◆ *vi* **1** (*in mare*) *Qui non tocco.* I'm out of my depth. **2** (*turno*) to be *sb's* turn (***to do sth***): *Tocc[a] a te tirare.* It's your turn to throw. ◊ *Tocca a me?* Is it my turn yet? **3** (*obbligo*): *Tocca sempre a me lavare [i] piatti.* It's always me who has to wash up. ◊ *Mi tocca rifarlo.* I've got to do it again. LOC **tocca ferro!** touch wood!

toccato, -a *pp, agg* LOC **essere un po' toccato** to be soft in the head *Vedi anche* TOCCARE

tocco *sm* **1** (*colpetto*) tap **2** (*rifinitura*) touch: *dare il ~ finale a qc* to put the finishing touches to sth

togliere *vt* **1** (*gen*) to take *sth* off/down/out: *Togli le tue cose dalla mia scrivania.* Take your things off my desk. ◊ *Ha tolto il poster.* He took the poster down. ◊ *togliersi le scarpe/gli occhiali* to take your shoes/glasses off ◊ *~ un chiodo* to take a nail out ◊ *~ l'etichetta a una camicia* to take the label off a shirt ◊ *Togliti le mani dalle tasche!* Take your hands out of your pockets. **2** (*sottrarre*) to take *sth* away (**from** ***sb/sth***), to subtract (*più formale*): *Se togli le spese...* If you subtract the expenses... **3** (*dente*) to take *sth* out: *Il dentista gli ha tolto un dente.* The dentist took his tooth out. **4** (*macchia*) to remove, to get *sth* out (*più informale*) **5** (*sete*) to quench LOC **ciò non toglie che...** that doesn't alter the fact that... **non togliere gli occhi/lo sguardo di dosso** not to take your eyes off *sb/sth* **togliersi dai piedi** to get rid of *sb* **togliersi un peso**: *Mi sono tolto un gran peso.* That's a great weight off my mind. **togliti di mezzo/dai piedi!** get out of the way!

toilette *sf* toilet ☛ *Vedi nota a* TOILET

tollerare *vt* to bear, to tolerate (*più formale*): *Non tollero tipi come lui.* I can't bear people like him.

tomba *sf* **1** (*gen*) grave **2** (*mausoleo*) tomb: *la ~ di Marx* Marx's tomb

tombino *sm* manhole

tonaca *sf* cassock

tonalità *sf* **1** (*Mus*) key [*pl* keys] **2** (*colore*) tone

tondo, -a *agg* round: *per fare cifra tonda* to give a round figure

tonico, -a ◆ *agg* (*Ling*) stressed ◆ *sm* (*cosmetico*) skin tonic LOC *Vedi* ACQUA

tonnellata *sf* ton ☛ *Vedi Appendice 1.*

tonno *sm* tuna [*pl* tuna]: *~ in scatola* tinned tuna

tono *sm* **1** (*gen*) tone: *Non parlarmi con quel ~!* Don't speak to me in that tone of voice! **2** (*colore*) shade

tonsilla *sf* tonsil: *Mi hanno operato di tonsille.* I had my tonsils out.

tonsillite *sf* tonsillitis [*non numerabile*]

tonto, -a ◆ *agg* thick ◆ *sm-sf* dimwit LOC *Vedi* FINTO

topless *sm*: *prendere il sole in ~* to sunbathe topless

top model *sf* supermodel

topo *sm* mouse [*pl* mice] LOC **topo di biblioteca** bookworm *Vedi anche* GATTO, TRAPPOLA

toppa *sf* patch: *toppe ai ginocchi* knee patches

torace *sm* **1** (*gen*) chest **2** (*Anat*) thorax [*pl* thoraxes/thoraces]

torbido, -a *agg* **1** (*liquido*) cloudy **2** (*faccenda*) shady

torcere *vt* to twist: *~ un braccio a qn* to twist sb's arm LOC **torcersi dal dolore** to writhe in pain **torcersi dalle risa** to double up with laughter

torcia *sf* torch

torcicollo *sm* stiff neck: *Mi ha fatto venire il ~.* It's given me a stiff neck.

torinese *agg, smf* Turinese: *i torinesi* the Turinese

Torino *sf* Turin

tormentare *vt* to torment

tornado *sm* tornado [*pl* tornadoes]

tornare *vi* **1** (*ritornare*) to go/come back: *Sono tornato a casa.* I went back home. ◊ *Torna qui.* Come back here. ◊ *A che ora torni?* What time will you be back? ◊ *Abbiamo sbagliato strada, torniamo indietro.* We're going the wrong way, let's go back. **2** (*quadrare*) to add up: *I conti non tornano.* These figures don't add up. LOC **tornare utile** to come in handy: *Non buttarlo, potrebbe ~ utile.* Don't throw it away, it may come in handy.

torneo *sm* tournament

tornio *sm* (*da vasaio*) potter's wheel

toro *sm* **1** (*animale*) bull **2 Toro** (*Astrologia*) Taurus ☛ *Vedi esempi a* AQUARIUS LOC **prendere il toro per le corna** to take the bull by the horns

torre *sf* **1** (*gen*) tower: *la Torre di Pisa* the Leaning Tower of Pisa **2** (*Scacchi*) rook, castle (*più informale*) LOC **torre d'avorio** ivory tower **torre di controllo** control tower

torrente *sm* torrent

torrenziale *agg* torrential: *pioggia ~* torrential rain

torrone *sm* nougat [*non numerabile*]

torso *sm* torso [*pl* torsos]

torsolo *sm* core: *Sbucciare e togliere il ~.* Peel and remove the core. ☛ *Vedi illustrazione a* FRUTTA

torta *sf* **1** (*gen*) cake: *una ~ di compleanno* a birthday cake **2** (*di sfoglia, salata*) pie: *una ~ di mele* an apple pie ☛ *Vedi nota a* PIE LOC **torta gelato** ice cream cake **torta salata** quiche

tortura *sf* torture

torturare *vt* to torture

tosaerba *sm* lawnmower

tosare *vt* (*pecora*) to shear

Toscana *sf* Tuscany

toscano, -a *agg, sm-sf* Tuscan: *i toscani* the Tuscans

tosse *sf* cough: *Ho la ~.* I've got a cough.

tossico, -a *agg* toxic

tossicodipendente *smf* drug addict

tossicomane *smf* drug addict

tossire *vi* to cough

tostapane *sm* toaster

tostare *vt* **1** (*pane, mandorle*) to toast **2** (*caffè*) to roast LOC *Vedi* PANE

tosto, -a *agg* LOC *Vedi* FACCIA

tot *agg* so many LOC **un tot** so much

totale *agg, sm* total

totocalcio *sm* football pools

tournée *sf* tour LOC **essere/andare in tournée** to be/go on tour

tovaglia *sf* tablecloth

tovagliolo *sm* napkin: *tovaglioli di carta* paper napkins

tozzo *sm*: *un ~ di pane* a crust of bread

tra

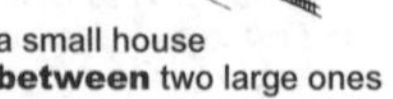

a small house **between** two large ones

a house **among** some trees

tra *prep* **1** (*due*) between: *tra il negozio e il cinema* between the shop and the cinema **2** (*più di due*) among: *Ci siamo seduti tra gli alberi.* We sat among the trees. **3** (*una via di mezzo*) somewhere between: *Ha gli occhi tra il grigio e l'azzurro.* Her eyes are somewhere between grey and blue. **4** (*tempo*) in: *Ci vediamo tra un'ora.* I'll see you in an hour. LOC **tra loro 1** (*due persone*) each other: *Parlavano tra loro.* They were talking to each other. **2** (*più persone*) among themselves: *I ragazzi parlavano tra loro.* The boys were discussing it among themselves. **tra l'altro** besides **tra sé e sé** to yourself: *parlare tra sé e sé* to talk to yourself **tra una cosa e l'altra** what with one thing and another

traboccante *agg* ~ (**di**) overflowing (**with** ***sth***): *~ di gioia* overflowing with joy

traboccare *vi* ~ (**di**) to overflow (**with** ***sth***) LOC *Vedi* GOCCIA

traccia *sf* **1** (*orme*) track(s) [*si usa spec al pl*]: *seguire le tracce di un animale* to follow an animal's tracks **2** (*pista*) trail: *I cani seguivano le tracce.* The dogs followed the trail. **3** (*segno*) trace: *Di lei non c'era ~.* There was no trace of her. LOC **essere sulle tracce di** to be on *sb's* trail **senza lasciare traccia** without trace *Vedi anche* PERDERE

tracciare *vt* **1** (*gen*) to mark *sth* out **2** (*riga, segno*) to draw

trachea *sf* windpipe, trachea [*pl* tracheas/tracheae] (*scientifico*)

tradimento *sm* **1** (*gen*) betrayal **2** (*contro lo Stato*) treason: *alto ~* high treason LOC **a tradimento**: *Gli hanno sparato a ~.* They shot him in the back.

tradire *vt* **1** (*gen*) to betray: *~ un amico/una causa* to betray a friend/cause **2** (*moglie*) to be unfaithful to *sb* **3** (*memoria*) to let *sb* down: *La memoria mi ha tradito.* My memory let me down.

traditore, -trice *sm-sf* traitor

tradizionale *agg* traditional

tradizione *sf* tradition

tradurre *vt, vi* to translate (***from sth***) (***into sth***): *~ un libro dal francese all'inglese* to translate a book from French into English

traduttore, -trice *sm-sf* translator

traduzione *sf* translation (***from sth***) (***into sth***): *fare una ~ dall'italiano al russo* to do a translation from Italian into Russian LOC **traduzione simultanea** simultaneous interpreting

trafficante *smf* dealer: *un ~ d'armi* an arms dealer

trafficare *vt, vi* ~ (**in**) to deal **in** ***sth***: *Trafficavano droga.* They dealt in drugs.

traffico *sm* traffic: *In centro c'è molto ~.* There's a lot of traffic in the town centre. ◊ *~ aereo* air traffic LOC **traffico d'armi** gun-running **traffico di droga** drug trafficking

tragedia *sf* tragedy [*pl* tragedies]

traghetto *sm* ferry [*pl* ferries]

tragico, -a *agg* tragic

tragitto *sm* journey [*pl* journeys] LOC **durante il tragitto** on the way

traguardo *sm* **1** (*Sport*) finish: *il primo a tagliare il ~* the first to finish **2** (*meta*) goal

traiettoria *sf* trajectory [*pl* trajectories]

trainare *vt* **1** (*auto*) to tow **2** (*carro*) to pull

tralasciare *vt* to leave *sth* out

traliccio *sm* pylon

tram *sm* tram

trama *sf* plot

tramare *vt* to plot: *Lo so che stanno tramando qualcosa.* I know they're up to something.

tramezzino *sm* sandwich

tramite *prep* **1** (*cosa*) by means of **2** (*persona*) through

tramonto *sm* sunset

trampolino *sm* diving board: *tuffarsi dal ~* to dive from the board

tranello *sm* **1** (*gen*) trap: *cadere in un ~* to fall into a trap ◊ *tendere un ~ a qn* to set a trap for sb **2** (*insidia*) catch: *Quell'offerta nasconde un ~.* There's a catch to that offer.

tranne *prep* except

tranquillante *sm* tranquillizer

tranquillità *sf* peace: *la ~ della campagna* the peace of the countryside

tranquillizzare *vt* to reassure: *La notizia l'ha tranquillizzato.* The news reassured him.

tranquillo, -a *agg* **1** (*gen*) calm: *È una persona molto tranquilla.* She's a very calm person. **2** (*pacifico*) quiet: *Abito in una zona tranquilla.* I live in a quiet area.

transatlantico *sm* liner

transenna *sf* barrier

transistor *sm* transistor

transitabile *agg* passable

transitivo, -a *agg* transitive

transizione *sf* transition

tran tran *sm* routine

trapanare *vt* **1** (*parete, legno*) to drill a hole **in *sth***: *Gli operai hanno trapanato il cemento.* The workmen drilled a hole in the cement. **2** (*dente*) to drill

trapano *sm* drill

trapassare *vt* to go **through *sth***: *Il proiettile gli trapassò il fegato.* The bullet went through his liver.

trapezio *sm* **1** (*circo*) trapeze **2** (*Geom*) trapezium [*pl* trapeziums]

trapezista *smf* trapeze artist

trapiantare *vt* to transplant

trapianto *sm* transplant

trappola *sf* trap: *cadere in una ~* to fall into a trap ◊ *tendere una ~ a qn* to set a trap for sb LOC **trappola per topi** mousetrap

trapunta *sf* quilt

trarre *vt* LOC **trarre in inganno** to deceive *sb* **trarre in salvo** to rescue *sb* **trarre vantaggio** to benefit *from sth*

trasandato, -a *agg* scruffy

trascinare ◆ *vt* **1** (*per terra*) to drag: *Non ~ i piedi.* Don't drag your feet. **2** (*entusiasmo*) to carry *sb* along: *un'eloquenza che trascinava la folla* eloquence that carried the crowd along ◆ **trascinarsi** *v rifl* **1** (*strisciare*) to crawl: *trascinarsi per terra* to crawl along the floor **2** (*problema*) to drag on: *una lite che si trascina da molti anni* a dispute that's been dragging on for many years

trascorrere ◆ *vt* to spend: *Abbiamo trascorso le vacanze in Scozia.* We spent the holidays in Scotland. ◆ *vi* to pass: *Sono trascorsi due giorni dalla sua partenza.* Two days have passed since he left.

trascrizione *sf* transcription: *una ~ fonetica* a phonetic transcription

trascurare ◆ *vt* **1** (*studio, famiglia*) to neglect **2** (*non notare*) to overlook ◆ **trascurarsi** *v rifl* to let yourself go

trascurato, -a *pp, agg* **1** (*gen*) neglected **2** (*persona*) shabby **3** (*lavoro*) careless *Vedi anche* TRASCURARE

trasferimento *sm* transfer: *Ho chiesto il ~.* I asked for a transfer.

trasferire ◆ *vt* to transfer *sb/sth* (**to *sth***): *Lo hanno trasferito all'ufficio contabilità.* He's been transferred to the accounts department. ◆ **trasferirsi** *v rifl* to move ***into sth***: *Ci siamo trasferiti al numero tre.* We moved to number three.

trasferta *sf* **1** (*viaggio*) transfer **2** (*spese*) travel expenses LOC **in trasferta** (*Sport*) away: *giocare in ~* to play away

trasformare ◆ *vt* **1** (*gen*) to transform *sb/sth* (**into *sth***): *~ un posto/una persona* to transform a place/person **2** (*casa, locale*) to convert: *Il granaio è stato trasformato in un ristorante.* The barn has been converted into a restaurant. ◆ **trasformarsi** *v rifl* **1** (*cambiare*) to change: *Da quando l'ho vista l'ultima* *volta Laura si è trasformata.* Laura's changed since I last saw her. **2 trasformarsi in** (*diventare*) to turn **into *sb/sth***: *La rana si trasformò in principe.* The frog turned into a prince.

trasformatore *sm* transformer

trasfusione *sf* transfusion: *Gli hanno fatto due trasfusioni (di sangue).* He was given two (blood) transfusions.

trasgressivo, -a *agg* outrageous

traslocare *vi* to move

trasloco *sm* move

trasmettere *vt* **1** (*programma*) to broadcast: ~ *una partita* to broadcast a match **2** (*Med*) to transmit: ~ *una malattia* to transmit a disease

trasmissione *sf* **1** (*gen*) transmission **2** (*programma*) programme: *una ~ in diretta/differita* a live/recorded programme

trasparente *agg* **1** (*gen*) transparent: *Il vetro è ~.* Glass is transparent. **2** (*abito*): *una camicetta ~* a see-through blouse ◊ *È molto ~.* You can see right through it.

trasportare *vt* to carry

trasporto *sm* transport: *trasporti pubblici* public transport

trasversale *agg* transverse

trattamento *sm* **1** (*gen*) treatment: *un ~ contro la cellulite* treatment for cellulite **2** (*Informatica*) processing LOC **trattamento testi** word processing

trattare ◆ *vt* **1** (*gen*) to treat: *Trattalo come se fosse tuo.* Treat it as if it were your own. **2** (*discutere*) to deal with *sth*: *Tratteremo queste faccende domani.* We will deal with these matters tomorrow. ◆ *vi* **1** ~ **di** (*gen*) to be **about *sth***: *Il film tratta del mondo dello spettacolo.* The film is about show business. **2** ~ **con** to deal **with *sb/sth***: *Nel mio lavoro tratto con pittori e scultori.* In my job I deal with painters and sculptors. ◆ **trattarsi** *v impers* **trattarsi di** to be **about *sb/sth/doing sth***: *Si tratta di tuo fratello.* It's about your brother. ◊ *Di cosa si tratta?* What's it about?

trattativa *sf* negotiation [*gen pl*]: *le trattative con i sindacati* negotiations with the unions

trattato *sm* (*Politica*) treaty [*pl* treaties]

trattenere ◆ *vt* **1** (*gen*) to keep: *Non ti tratterrò a lungo.* I won't keep you long. **2** (*detenere*) to hold: ~ *qn contro la sua volontà* to hold sb against their will **3** (*risata, lacrime*) to hold *sth* back **4** (*soldi*) to withhold ◆ **trattenersi** *v rifl* **1** (*rimanere*) to stay: *Quanto ti trattieni?* How long are you staying? **2** (*controllarsi*) to check yourself LOC **trattenere il respiro** to hold your breath

trattino *sm* hyphen ☛ *Vedi pagg. 376–77.*

tratto *sm* **1** (*gen*) feature: *i tratti distintivi della sua opera* the distinctive features of her work **2** (*personalità*) characteristic **3** (*strada*) stretch: *un ~ pericoloso* a dangerous stretch of road **4** (*di penna*) stroke LOC **ad un tratto** suddenly

trattore *sm* tractor

trauma *sm* trauma

traumatizzare *vt* to traumatize

travasare *vt* **1** (*gen*) to pour **2** (*vino*) to decant

trave *sf* beam

traversa *sf* **1** (*strada*) side street: *È in una ~ di Via dei Mille.* It's in a side street off Via dei Mille. **2** (*Sport*) crossbar

traverso *sm* LOC **andare di traverso** to go down the wrong way: *Gli è andato di ~ un nocciolo d'oliva.* An olive stone went down the wrong way. **di traverso** sideways *Vedi anche* GUARDARE

travestirsi *v rifl* ~ **(da) 1** (*in maschera*) to dress up **as *sth***: ~ *da clown/donna* to dress up as a clown/woman **2** (*camuffarsi*) to disguise yourself **as *sth***

travestito, -a ◆ *pp, agg* ~ **(da) 1** (*in maschera*) dressed **as *sth* 2** (*camuffato*) disguised **as *sth*** ◆ *sm-sf* transvestite *Vedi anche* TRAVESTIRSI

travisare *vt* to distort

travolgere *vt* **1** (*pedone*) to run *sb* over: *È stato travolto da un camion.* He was run over by a lorry. **2** (*vento, acqua*) to carry *sth* away: *Il ciclone ha travolto alberi e case.* The cyclone carried away trees and houses. **3** (*sopraffare*) to thrash

tre *sm, agg, pron* **1** (*gen*) three **2** (*data*) third ☛ *Vedi esempi a* SEI

trebbiare *vt* to thresh

treccia *sf* plait: *Fatti una ~.* Do your hair in a plait.

trecento ◆ *sm, agg, pron* three hundred ☛ *Vedi esempi a* SEICENTO ◆ *sm* **il Trecento** the 14th century: *nel Trecento* in the 14th century

tredicenne *agg, smf* thirteen-year-old ☛ *Vedi esempi a* UNDICENNE

tredicesimo, -a ◆ *agg, pron, sm* thirteenth ☛ *Vedi esempi a* SESTO ◆ **tredicesima** *sf* Christmas bonus

tredici *sm, agg, pron* **1** (*gen*) thirteen **2** (*data*) thirteenth ☛ *Vedi esempi a* SEI

tregua *sf* **1** (*Mil, Politica*) truce: *non rispettare una* ~ to break a truce **2** (*fig*) respite LOC **senza tregua** non-stop

tremante *agg* trembling

tremare *vi* **1** ~ (**di**) (*gen*) to tremble (**with** ***sth***): *Tremava di paura.* She was trembling with fear. ◊ *Gli tremava la voce.* His voice trembled. **2** (*di freddo*) to shiver **3** (*edificio, mobili*) to shake: *Il terremoto fece* ~ *l'intero paese.* The earthquake shook the whole village. LOC **tremare come una foglia** to be shaking like a leaf

tremendo, -a *agg* terrible: *un colpo/dolore* ~ a terrible blow/pain

La parola inglese **tremendous** ha un senso positivo e significa *fantastico*: *È stata un'esperienza fantastica.* It was a tremendous experience.

tremito *sm* tremor

treno *sm* train: *prendere/perdere il* ~ to catch/miss the train ◊ *Sono andato a Londra in* ~. I went to London by train. LOC **treno locale** local train **treno postale/merci** mail/goods train

trenta *sm, agg, pron* **1** (*gen*) thirty **2** (*data*) thirtieth ☛ *Vedi esempi a* SESSANTA

trentenne *agg, smf* thirty-year-old ☛ *Vedi esempi a* UNDICENNE

trentesimo, -a *agg, pron, sm* thirtieth ☛ *Vedi esempi a* SESSANTESIMO

trentina *sf*: *una* ~ *di persone* about thirty people ◊ *È sulla* ~. She's around thirty.

triangolare *agg* triangular

triangolo *sm* triangle LOC **triangolo equilatero/scaleno/isoscele** equilateral/scalene/isosceles triangle **triangolo rettangolo** right-angled triangle

tribù *sf* tribe

tribuna *sf* (*di stadio*) stand: *Abbiamo dei biglietti di* ~. We've got stand tickets. ◊ *Hanno montato una* ~. They've put up a stand.

tribunale *sm* court: *presentarsi in* ~ to appear in court LOC **tribunale dei minorenni** juvenile court

tricheco *sm* walrus [*pl* walruses]

triciclo *sm* tricycle, trike (*inform*)

tridimensionale *agg* three-dimensional

triennio *sm* (*Scuola*) last three years of secondary school: *Ho fatto il* ~ *a Brescia.* I did my last three years at Brescia.

trifoglio *sm* clover

triglia *sf* red mullet [*pl* red mullet]

trigonometria *sf* trigonometry

trillo *sm* trill

trimestrale *agg* **1** (*corso*) three-month **2** (*rivista, bolletta*) quarterly

trimestre *sm* **1** (*gen*) quarter **2** (*Scuola*) term

trincea *sf* trench

trinciare *vt* to shred

trio *sm* trio [*pl* trios]

trionfale *agg* **1** (*arco, ingresso*) triumphal **2** (*gesto, ritorno*) triumphant

trionfare *vi* **1** ~ (**su**) (*gen*) to triumph (**over** ***sb/sth***): *Trionfarono sui nemici.* They triumphed over their enemies. **2** (*prevalere*) to prevail (**over** ***sb/sth***): *La giustizia ha trionfato.* Justice prevailed.

trionfo *sm* **1** (*Politica, Mil*) victory [*pl* victories] **2** (*successo, prodezza*) triumph: *Il film è stato un* ~. The film was a triumph.

triplicare ◆ *vt* to treble ◆ **triplicarsi** *v rifl* to treble

triplice *agg* triple LOC **in triplice copia** in triplicate

triplo ◆ *agg* triple: *salto* ~ triple jump ◆ *sm* three times: *Nove è il* ~ *di tre.* Nine is three times three. ◊ *Questo è grande il* ~ *di quello.* This one's three times bigger than the other one. ◊ *Guadagna il* ~ *di quello che prendo io.* He earns three times as much as me.

trippa *sf* tripe

tris *sm* (*gioco*) noughts and crosses [*sing*]

trisavolo, -a *sm-sf* **1** (*gen*) great-great-grandfather [*fem* great-great-grandmother] **2 trisavoli** great-great-grandparents

triste *agg* **1** (*depresso*) sad: *essere/sentirsi* ~ to be/feel sad **2** (*deprimente*) gloomy: *un paesaggio/una stanza* ~ a gloomy landscape/room

tristezza *sf* **1** (*gen*) sadness **2** (*squallore*) dreariness

tritare *vt* **1** (*carne*) to mince **2** (*cipolla*) to chop *sth* (up) **3** (*ghiaccio, aglio*) to crush LOC *Vedi* CARNE

trofeo *sm* trophy [*pl* trophies]

tromba *sf* trumpet

trombone *sm* trombone

troncare *vt* to break *sth* off

tronco *sm* **1** (*albero, Anat*) trunk **2** (*ceppo*) log

trono *sm* throne: *salire al ~* to come to the throne ◊ *l'erede al ~* the heir to the throne

tropicale *agg* tropical

tropico *sm* tropic: *il ~ del Cancro/Capricorno* the tropic of Cancer/Capricorn

troppo, -a ◆ *agg, pron* **1** (+ *sostantivo non numerabile*) too much: *C'è troppa roba da mangiare.* There's too much food. **2** (+ *sostantivo plurale*) too many: *Porti troppe cose in una volta.* You're carrying too many things. ◆ *avv* **1** (*per modificare un verbo*) too much: *Fumi ~.* You smoke too much. **2** (*per modificare un aggettivo o avverbio*) too: *Vai ~ in fretta.* You're going too fast. ◊ *Sei ~ brusco.* You're too abrupt. **3** (*tempo*) too long: *Non metterci ~.* Don't be too long.

Quando è seguito da un aggettivo, *troppo* si traduce **too**: *troppo freddo* too cold. Quando è seguito da un sostantivo si traduce **too much** o **too many**: *troppo fumo* too much smoke ◊ *troppe macchine* too many cars

LOC **essere di troppo** to be in the way

trota *sf* trout [*pl* trout]

trotto *sm* trot: *andare al ~* to go at a trot

trottola *sf* (spinning) top: *far girare una ~* to spin a top

trovare ◆ *vt* **1** (*gen*) to find: *Non trovo l'orologio.* I can't find my watch. ◊ *L'ho trovato molto meglio, tuo padre.* Your father is looking a lot better. **2** (*incontrare*) to meet: *Ho trovato tua sorella al parco.* I met your sister in the park. **3** (*credere*) to think: *Non trovi?* Don't you think so? ◆ **trovarsi** *v rifl* **1** (*essere*) to be: *Non mi sono mai trovato in una situazione simile.* I've never been in a situation like that. **2** (*incontrarsi*) **(a)** (*appuntamento*) to meet: *Abbiamo deciso di trovarci in libreria.* We decided to meet at the bookshop. **(b)** (*per caso*) to run into *sb*: *Ci siamo trovate al supermercato.* I ran into her in the supermarket. LOC **trovar da ridire su tutto e su tutti** to find fault with everything **andare/venire a trovare** to go/come and see *sb* **trovarsi bene/male** to be happy/unhappy: *Non si trova bene nella nuova scuola.* She's not happy at her new school.

truccare ◆ *vt* **1** (*elezioni, partita*) to fix **2** (*con cosmetici*) to make *sb* up **3** (*motore*) to soup *sth* up ◆ **truccarsi** *v rifl* to put on your make-up: *Non ho avuto tempo di truccarmi.* I haven't had time to put on my make-up.

truccato, -a *pp, agg* **1** (*partita*) rigged **2** (*persona*) wearing make-up **3** (*motore*) souped-up *Vedi anche* TRUCCARE

trucco *sm* **1** (*espediente*) trick: *Il ~ sta nel tenere la corda così.* The trick is to hold the rope like this. ◊ *i trucchi del mestiere* the tricks of the trade **2** (*cosmetici*) make-up [*non numerabile*]

truffa *sf* swindle, rip-off (*più informale*): *Che ~!* What a rip-off!

truffare *vt* to swindle *sb/sth* (**out of sth**): *Gli hanno truffato 400 sterline.* They swindled him out of £400. ◊ *Ha truffato gli azionisti per milioni di sterline.* He has swindled investors out of millions of pounds.

truppa *sf* troop [*gen pl*] LOC **truppe antisommossa** riot police

tu *pron pers* you: *Sei tu?* Is that you?

tubatura *sf* pipe: *Si è rotta una ~.* A pipe has burst.

tubercolosi *sf* tuberculosis (*abbrev* TB)

tubetto *sm* tube: *un ~ di dentifricio* a tube of toothpaste ☛ *Vedi illustrazione a* CONTAINER

tubo *sm* **1** (*gen*) tube **2** (*conduttura*) pipe: *il ~ di scarico* the drainpipe **3** (*per annaffiare*) hose LOC **tubo di scappamento** exhaust

tuffare ◆ *vt* to dip ◆ **tuffarsi** *v rifl* to dive ***into sth***

tuffatore, -trice *sm-sf* diver

tuffo *sm* **1** (*gen*) dive **2** (*bagno*) dip: *Facciamo un ~.* Let's go for a dip.

tugurio *sm* hovel

tulipano *sm* tulip

tumore *sm* tumour: *un ~ benigno* a benign tumour

tumulto *sm* disturbance: *Il ~ provocò l'intervento della polizia.* The disturbance led the police to intervene.

Tunisia *sf* Tunisia

tunisino, -a *agg, sm-sf* Tunisian: *i tunisini* the Tunisians

tunnel *sm* tunnel: *passare attraverso un ~* to go through a tunnel

tuo, -a ◆ *agg poss* your: *i tuoi libri* your books ◊ *Non sono affari tuoi.* That's none of your business.

Nota che *un tuo amico* si traduce **a friend of yours**.

◆ *pron poss* yours: *Sono tue queste?* Are these yours?

tuonare *v impers* to thunder: *Sta tuonando.* It's thundering.

tuono *sm* thunder [*non numerabile*]: *Era un ~?* Wasn't that a clap of thunder? ◊ *tuoni e fulmini* thunder and lightning

tuorlo *sm* (egg) yolk

turbante *sm* turban

turbare *vt* to upset LOC **turbare l'ordine pubblico** to cause a breach of the peace

turbine *sm* whirlwind

turbolento, -a *agg* (*bambino*) boisterous

turchese *agg, sm* turquoise ☛ *Vedi esempi a* GIALLO

Turchia *sf* Turkey

turco, -a ◆ *agg, sm* Turkish: *parlare ~* to speak Turkish ◆ *sm-sf* Turk: *i turchi* the Turks

turismo *sm* tourism

turista *smf* tourist

turistico, -a *agg* tourist [*s attrib*] LOC *Vedi* UFFICIO, VILLAGGIO

turno *sm* **1** (*fila*) turn: *Aspetta il tuo ~.* Wait your turn. **2** (*lavoro*) shift: *~ di giorno/notte* day/night shift LOC **essere di turno** to be on duty **fare a turno** to take it in turns *to do sth Vedi anche* FARMACIA

tuta *sf* (*da lavoro*) overall LOC **tuta spaziale** spacesuit **tuta sportiva** tracksuit

tutore, -trice *sm-sf* (*Dir*) guardian

tuttavia *cong* however, nevertheless (*form*)

tutto, -a ◆ *agg* **1** (*gen*) all: *Ho fatto io ~ il lavoro.* I've done all the work. ◊ *Sono stato malato ~ il mese.* I've been ill all month. ◊ *tutti i palazzi* all the buildings

Con un sostantivo numerabile al singolare, in inglese si preferisce usare **the whole**: *tutto il palazzo* the whole building

2 (*ogni*) every: *Mi alzo tutti i giorni alle sette.* I get up at seven every day. ☛ *Vedi nota a* EVERY ◆ *pron* **1** (*gen*) all: *Per oggi è ~.* That's all for today. ◊ *prima di ~* above all **2** (*ogni cosa*) everything: *~ ciò che ti ho detto è vero.* Everything I told you is true. **3** (*qualunque cosa*) anything: *Il mio pappagallo mangia di ~.* My parrot eats anything. **4 tutti** everyone, everybody [*sing*]: *Dicono tutti la stessa cosa.* Everyone says the same thing.

Nota che **everyone** e **everybody** vogliono il verbo al singolare ma vengono seguiti da un pronome al plurale (ad es. "their"): *Avete tutti la matita?* Has everyone got their pencils?

◆ *sm* whole: *considerato come un ~* taken as a whole LOC **in tutta l'Italia, tutto il mondo, ecc** throughout Italy, the world, etc **in tutto** altogether: *Siamo dieci in ~.* There are ten of us altogether. ☛ Per altre espressioni con **tutto** vedi alla voce del sostantivo, dell'aggettivo, ecc, ad es. **tutto compreso** a COMPRESO.

Uu

ubbidiente *agg* obedient

ubbidire *vi ~* (**a**) to obey *sb*: *~ ai genitori* to obey your parents ◊ *Ubbidisci!* Do as you're told!

ubriacare ◆ *vt* to get *sb* drunk: *L'hanno ubriacato e poi derubato.* They got him drunk and then stole his money. ◊ *Una birra basta ad ubriacarmi.* One beer is enough to get me drunk. ◆ **ubriacarsi** *v rifl* **ubriacarsi** (**di**) to get drunk (**on *sth***)

ubriaco, -a ◆ *agg* drunk ◆ *sm-sf* drunk, drunkard (*più formale*) LOC **ubriaco fradicio** as drunk as a lord

uccello *sm* bird

uccidere ◆ *vt* to kill ◆ **uccidersi** *v rifl* to kill yourself

Ucraina *sf* Ukraine

ucraino, -a *agg, sm-sf, sm* Ukrainian: *gli ucraini* the Ukrainians ◊ *parlare ~* to speak Ukrainian

udito *sm* hearing: *perdere l'udito* to lose your hearing

ufficiale ◆ *agg* official ◆ *sm* (*Mil*) officer

ufficio *sm* office: *Sarò in ~.* I'll be at the office. LOC **ufficio del personale**

personnel department **ufficio di collocamento** jobcentre **ufficio informazioni turistiche** tourist information centre **ufficio postale** post office ☛ *Vedi nota a* TABACCHERIA **ufficio stampa** press office

ufficioso, -a *agg* unofficial

ufo *sm* UFO [*pl* UFOs]

uguaglianza *sf* equality LOC *Vedi* SEGNO

uguale *agg* **1** (*pari*) equal: *Tutti i cittadini sono uguali davanti alla legge.* All citizens are equal before the law. **2** ~ (**a**) (*identico*) the same (**as *sb/sth***): *Quella gonna è ~ alla tua.* That skirt is the same as yours. LOC **per me è uguale** it's all the same to me

ugualmente *avv* **1** (*in modo uguale*) equally **2** (*lo stesso*) all the same

ulcera *sf* ulcer

ulteriore *agg* further

ultimamente *avv* lately

ultimatum *sm* ultimatum [*pl* ultimatums]

ultimo, -a ◆ *agg* **1** (*gen*) last: *l'ultima puntata* the last episode ◊ *in questi ultimi giorni* over the last few days ◊ *Te lo dico per l'ultima volta.* I'm telling you for the last time. **2** (*più recente*) latest: *l'ultima moda* the latest fashion

Last è l'ultimo di una serie finita: *l'ultimo album di John Lennon* John Lennon's last album. **Latest** è l'ultimo di una serie che potrebbe continuare: *il mio ultimo album* my latest album.

3 (*più alto*) top: *all'ultimo piano* on the top floor **4** (*più basso*) bottom: *Sono all'ultimo posto in classifica.* They are bottom of the league. ◆ *sm-sf* **1** (*gen*) last (one): *Siamo stati gli ultimi ad arrivare.* We were the last (ones) to arrive. **2** (*citato per ultimo*) latter LOC **avere l'ultima parola** to have the last word (*on sth*) **l'ultimo dell'anno** New Year's Eve: *Cosa hai fatto per l'ultimo dell'anno?* What did you do on New Year's Eve?

In Inghilterra, l'ultimo giorno dell'anno si chiama **New Year's Eve**. In Scozia, dove viene festeggiato con molto più entusiasmo che in Inghilterra, si chiama **hogmanay**. C'è l'usanza di andare a trovare i vicini dopo mezzanotte (**first-footing**) e di portare dei piccoli regali. Il giorno successivo si chiama **New Year's Day** ed è un giorno festivo in tutto il Regno Unito. In Scozia anche il 2 gennaio è un giorno festivo.

Vedi anche QUARTO

ululare *vi* to howl

ululato *sm* howl

umanità *sf* humanity

umanitario, -a *agg* humanitarian: *aiuti umanitari* humanitarian aid

umano, -a *agg* **1** (*gen*) human: *il corpo ~* the human body **2** (*comprensivo*) humane: *un trattamento più ~* more humane treatment LOC *Vedi* ESSERE[1], GENERE

umbro, -a *agg, sm-sf* Umbrian: *gli umbri* the Umbrians

umidificato, -a *agg* LOC *Vedi* SALVIETTA

umidità *sf* **1** (*gen*) damp: *Su questa parete c'è ~.* This wall is damp. **2** (*atmosfera*) humidity ☛ *Vedi nota a* HUMID

umido, -a *agg* **1** (*gen*) damp: *Questi calzini sono umidi.* These socks are damp. **2** (*aria, caldo*) humid ☛ *Vedi nota a* MOIST LOC *Vedi* CUOCERE

umile *agg* humble

umiliante *agg* humiliating

umiliare *vt* to humiliate: *Mi ha umiliato davanti a tutti.* He humiliated me in front of everyone.

umiliazione *sf* humiliation

umiltà *sf* humility

umore *sm* mood LOC **essere di buon/cattivo umore** to be in a good/bad mood

umorismo *sm* humour: *avere il senso dell'umorismo* to have a sense of humour ◊ *~ nero* black humour

umorista *smf* humorist

umoristico, -a *agg* humorous

un *agg, art indet Vedi* UNO

una *agg, art indet Vedi* UNO

unanimità *sf* unanimity LOC **all'unanimità** unanimously

uncino *sm* hook ☛ *Vedi illustrazione a* GANCIO

undicenne *agg, smf* eleven-year-old: *una ragazza ~* an eleven-year-old girl ◊ *un gruppo di undicenni* a group of eleven-year-olds

undicesimo, -a *agg, pron, sm* eleventh ☛ *Vedi esempi a* SESTO

undici *sm, agg, pron* **1** (*gen*) eleven **2** (*data*) eleventh ☛ *Vedi esempi a* SEI

ungere ◆ *vt* to grease: *~ una teglia* to

grease a tin ◆ **ungersi** *v rifl* (*insudiciarsi*) to get greasy

ungherese, -a *agg, smf, sm* Hungarian: *gli ungheresi* the Hungarians ◊ *parlare* ~ to speak Hungarian

Ungheria *sf* Hungary

unghia *sf* **1** (*mano*) (finger)nail: *smaltarsi le unghie* to varnish your nails **2** (*piede*) toenail **3** (*animale*) claw LOC *Vedi* MANGIARE, SMALTO, SPAZZOLINO

unico, -a ◆ *agg* **1** (*solo*) only: *l'unica eccezione* the only exception **2** (*straordinario*) extraordinary: *una donna unica* an extraordinary woman **3** (*senza eguali*) unique: *un'opera d'arte unica* a unique work of art ◆ *sm-sf* only one: *È l'unica che sappia nuotare.* She's the only one who can swim. LOC *Vedi* FIGLIO, SENSO

unifamiliare *agg* LOC *Vedi* VILLETTA

unificare *vt* to unify

uniforme ◆ *agg* **1** (*gen*) uniform: *di misura* ~ of uniform size **2** (*superficie*) even ◆ *sf* uniform: *soldati in* ~ uniformed soldiers

unione *sf* **1** (*gen*) union: *l'unione monetaria* monetary union **2** (*armonia*) unity: *L'unione fa la forza.* Unity is our best weapon. LOC **Unione Europea (UE)** European Union (*abbrev* EU)

unire ◆ *vt* **1** (*interessi, persone*) to unite: *gli obiettivi che ci uniscono* the aims that unite us **2** (*pezzi, oggetti*) to join: *Ho unito i due pezzi.* I've joined the two pieces (together). **3** (*mettere accanto*) to put *sb/sth* together: *Uniamo i tavoli?* Shall we put the tables together? **4** (*strada, ferrovia*) to link ◆ **unirsi** *v rifl* **unirsi a** to join *sb/sth*: *Si unirono al gruppo.* They joined the group.

unità *sf* **1** (*gen*) unit: ~ *di misura* unit of measurement **2** (*unione*) unity: *mancanza di* ~ lack of unity

unito, -a *pp, agg* close: *una famiglia molto unita* a very close family ◊ *Sono molto uniti.* They're very close. LOC *Vedi* ORGANIZZAZIONE, REGNO, STATO, TINTA; *Vedi anche* UNIRE

universale *agg* universal: *disapprovazione* ~ universal condemnation

università *sf* university [*pl* universities]: *andare all'università* to go to university

universitario, -a ◆ *agg* university [*s attr*] ◆ *sm-sf* university student

universo *sm* universe

uno, -a ◆ *art indet* a, an ☛ La forma **an** si usa davanti a suoni vocalici: *un albero* a tree ◊ *un braccio* an arm ◊ *un'ora* an hour ◆ *pron* **1** (*gen*) one: *Non aveva la cravatta, quindi gliene ho prestato una.* He didn't have a tie, so I lent him one. **2** (*un tale*) someone: *C'è ~ che ti cerca.* Someone's looking for you. **3** (*uso impersonale*) you, one (*più formale*): *Se ~ vuole può farlo.* You can do it if you want. ◆ *sm* one: *~, due, tre* one, two, three ◆ *agg* **1** (*quantità*) one: *Ho detto un chilo, non due.* I said one kilo, not two. **2** (*data*) first: *il giorno ~ del mese di maggio* the first of May LOC **è l'una** it's one o'clock **l'un l'altro** each other, one another: *Si aiutavano l'un l'altro.* They helped each other. ☛ *Vedi nota a* EACH OTHER **l'uno e l'altro** both (of you/them/us) **l'uno o l'altro** either (of you/them/us) **né l'uno né l'altro** neither (of you/them/us) **uno a uno** one by one: *Mettili ~ a ~.* Put them in one by one. ☛ *Per maggiori informazioni sull'uso del numerale vedi esempi a* SEI.

unto, -a ◆ *pp, agg* greasy ◆ *sm* grease *Vedi anche* UNGERE

uomo *sm* **1** (*gen*) man [*pl* men]: *l'uomo moderno* modern man ◊ *parlare da ~ a ~* to have a man-to-man talk ◊ *l'uomo della strada* the man in the street **2** (*genere umano*) mankind: *l'evoluzione dell'uomo* the evolution of mankind ☛ *Vedi nota a* MAN[1] LOC **l'uomo qualunque** the man in the street **uomo rana** frogman [*pl* frogmen] *Vedi anche* ABBIGLIAMENTO, AFFARE, PASSO

uovo *sm* egg: *fare l'uovo* to lay an egg LOC **uovo alla coque** soft-boiled egg **uovo di Pasqua** Easter egg **uovo sodo/fritto** hard-boiled/fried egg **uova strapazzate** scrambled eggs

uragano *sm* hurricane

uranio *sm* uranium

Urano *sm* Uranus

urbanizzazione *sf* urbanization

urbano, -a *agg* urban LOC *Vedi* VIGILE

urgente *agg* **1** (*gen*) urgent: *un'ordinazione/un lavoro* ~ an urgent order/job **2** (*posta, pacco*) express

urgenza *sf* urgency LOC **d'urgenza** emergency [*s attrib*]: *È stato operato d'urgenza.* He's had emergency surgery.

urlare ◆ *vt* to shout (***at/to sb***) ◆ *vi* to scream: ~ *di dolore* to scream with pain ☛ *Vedi nota a* SHOUT

urlo *sm* **1** (*gen*) shout: *Abbiamo sentito un ~.* We heard a shout. ◊ *cacciare un ~*

to give a shout **2** (*aiuto, dolore, gioia*) cry [*pl* cries]: *urla di gioia* cries of joy

urna *sf* **1** (*Politica*) ballot box **2** (*cineraria*) urn

urrà ◆ *escl* hooray! ◆ *sm* cheer: *Tre ~ per il campione!* Three cheers for the champion!

urtare ◆ *vt* **1** (*gen*) to bump into *sb* **2** (*irritare*) to annoy ◆ *vi* ~ **contro** to crash into *sth*

urto *sm* **1** (*spinta*) bump **2** (*scontro*) crash

usanza *sf* custom: *È un'usanza italiana.* It's an Italian custom.

usare ◆ *vt* **1** (*utilizzare*) to use: *Uso parecchio il computer.* I use the computer a lot. **2** (*mettersi*) to wear: *Che profumo usi?* What perfume do you wear? ◆ *vi* **1** (*moda*) to be in fashion: *Quest'anno usa lo stile floreale.* Florals are in fashion this year. **2** (*usanza*): *Qui usa così.* It's the custom here.

usato, -a ◆ *pp, agg* second-hand: *roba usata* second-hand clothes ◆ *sm* second-hand goods [*pl*] *Vedi anche* USARE

usbeco, -a *agg, sm-sf* Uzbek: *gli usbechi* the Uzbeks

Usbekistan *sm* Uzbekistan

uscire *vi* **1** (*andare/venire fuori*) to go/come out: *Usciamo?* Shall we go out? ◊ *Non voleva ~ dal bagno.* He wouldn't come out of the bathroom. ◊ *Sono uscito per vedere cosa stava succedendo.* I went out to see what was going on. **2** (*a cena, con amici*) to go out: *Esce tutte le sere.* She goes out every night. ◊ *Sono uscito con sua cugina.* I have been out with his cousin. **3** (*prodotto, sole*) to come out: *Il disco/libro esce ad aprile.* The record/book is coming out in April. ◊ *Nel pomeriggio è uscito il sole.* The sun came out in the afternoon. **4** ~ **da** (*superare*): *Esce da una brutta storia.* He's come through a bad patch. ◊ ~ *dalla droga* to come off drugs **5** (*Informatica*) to quit LOC **uscire di corsa** to rush out **uscire di strada** to come off the road ☛ Per altre espressioni con **uscire** vedi alla voce del sostantivo, dell'aggettivo, ecc, ad es. **far uscire dai gangheri** a GANGHERO.

uscita *sf* **1** (*azione*) way out (**of** *sth*): *all'uscita dal cinema* on the way out of the cinema **2** (*porta*) exit: *l'uscita di sicurezza* the emergency exit **3** (*aeroporto*) gate: ~ *numero cinque* gate number five

usignolo *sm* nightingale

uso *sm* use: *istruzioni per l'uso* instructions for use LOC **per uso esterno** (*pomata*) for external application *Vedi anche* MODALITÀ

ustionare ◆ *vt* to burn: *ustionarsi una mano* to burn your hand ◆ **ustionarsi** *v rifl* to burn yourself

ustione *sf* burn: *ustioni di secondo grado* second-degree burns

usura *sf* (*logorio*) wear

utensile *sm* **1** (*ferramenta*) tool **2** (*Cucina*) utensil

utente *smf* user

utero *sm* womb

utile ◆ *agg* useful: *informazioni utili* useful information ◆ *sm* (*Comm, Fin*) profit: *realizzare un ~* to make a profit LOC **rendersi utile** to make yourself useful: *Se vuoi renderti ~ puoi preparare l'insalata.* If you want to make yourself useful you can make the salad. *Vedi anche* TORNARE

utilità *sf* usefulness: *di grande ~* very useful

utilizzare *vt* **1** (*usare*) to use: ~ *bene il proprio tempo* to use your time well **2** (*risorse naturali*) to exploit: ~ *l'energia solare* to exploit solar energy

utopia *sf* Utopia

uva *sf* grapes [*pl*]: *un grappolo d'uva* a bunch of grapes LOC **uva passa** sultanas [*pl*] **uva spina** goosberries [*pl*] *Vedi anche* CHICCO

uvetta *sf* sultanas [*pl*]

Vv

vacanza *sf* holiday [*pl* holidays]: *essere/andare in* ~ to be/go on holiday ☛ *Vedi nota a* VACATION

vacca *sf* cow ☛ *Vedi nota a* CARNE

vaccinare *vt* to vaccinate *sb/sth* (***against sth***): *Dobbiamo ~ il cane contro la rabbia.* We've got to have the dog vaccinated against rabies.

vaccino *sm* vaccine: *il ~ contro la polio* the polio vaccine

vagabondo, -a *sm-sf* tramp

vagare *vi* to wander: *Passammo la notte a ~ per le strade.* We spent all night wandering the city streets.

vagina *sf* vagina

vaglia *sm* LOC **vaglia postale** postal order

vago, -a *agg* vague: *una risposta vaga* a vague answer ◊ *una vaga rassomiglianza* a vague resemblance

vagone *sm* **1** (*passeggeri*) carriage **2** (*merci*) wagon LOC **vagone letto** sleeping car **vagone merci** freight wagon **vagone ristorante** dining car

vaiolo *sm* smallpox

valanga *sf* avalanche

valere ◆ *vi* **1** (*avere un valore*) to be worth: *Una sterlina vale circa 3.000 lire* One pound is worth about 3000 lire. **2** (*biglietto, documento*) to be valid: *La mia patente vale fino al 2030.* My licence is valid until 2030. **3** ~ **per** to apply **to *sb/sth***: *Lo stesso vale per i bambini.* The same applies to children. **4** (*persona*) to be good: *Vale più come chitarrista che come cantante.* He's better at playing guitar than at singing. ◆ **valersi** *v rifl* **valersi di** to use: *Si è valso di ogni mezzo per riuscire.* He used every means possible to get on. LOC **non vale!** (*non è giusto*) that's not fair! **non valere a niente** to be useless **tanto vale...**: *Tanto vale che dica la verità.* You might as well tell the truth. **valere la pena** to be worth *doing sth*: *Vale la pena leggerlo.* It's worth reading. ◊ *Non vale la pena.* It's not worth it. *Vedi anche* ZERO

valico *sm* pass

valido, -a *agg* valid

valigetta *sf* **1** (*gen*) briefcase ☛ *Vedi illustrazione a* BAGAGLIO **2** (*medico*) (doctor's) bag

valigia *sf* (suit)case ☛ *Vedi illustrazione a* BAGAGLIO LOC **fare/disfare le valigie** to pack/unpack

valle *sf* valley [*pl* valleys] LOC **a valle** downstream

valore *sm* **1** (*gen*) value: *Per me ha un grande ~ sentimentale.* It has great sentimental value for me. **2** (*coraggio*) bravery: *una medaglia al valor militare* a medal for bravery in battle LOC **senza valore** worthless *Vedi anche* IMPOSTA, INESTIMABILE

valorizzare *vt* to enhance

valuta *sf* currency [*gen non numerabile*]: *~ estera* foreign currency

valutare *vt* **1** (*gen*) to value *sth* (**at *sth***): *L'anello è stato valutato trenta milioni.* The ring was valued at thirty million lire. **2** (*considerare*) to assess: *È giunto il momento di ~ i risultati.* It's time to assess the results. **3** (*situazione*) to weigh *sth* up

valutazione *sf* **1** (*gen*) valuation **2** (*Scuola*) assessment

valvola *sf* **1** (*meccanica*) valve: *la ~ di sicurezza* the safety valve **2** (*elettrica*) fuse

valzer *sm* waltz

vampiro *sm* **1** (*gen*) vampire **2** (*pipistrello*) vampire bat

vandalismo *sm* vandalism

vaneggiare *vi* **1** (*delirare*) to be delirious **2** (*dire sciocchezze*) to talk nonsense

vanga *sf* spade

vangelo *sm* gospel

vaniglia *sf* vanilla

vanità *sf* vanity

vanitoso, -a *agg, sm-sf* vain [*agg*]: *Sei un ~.* You're so vain.

vano, -a ◆ *agg* vain: *un ~ tentativo* a vain attempt ◆ *sm* (*stanza*) room LOC **vano portaoggetti** glove compartment

vantaggio *sm* **1** (*beneficio, Tennis*) advantage: *Vivere in campagna offre molti vantaggi.* Living in the country has a lot of advantages. **2** (*Sport*) lead: *tre punti/due ore di ~* a three-point/two-hour lead LOC **essere/andare in vantaggio** to be in/take the lead *Vedi anche* TRARRE

vantarsi *v rifl* ~ **di** to boast (**about/of**

sth): *Quanto si vanta della macchina!* He's forever boasting about his car. LOC **e me ne vanto!** and proud of it!

vapore *sm* **1** (*gen*) steam: *una locomotiva a ~* a steam engine ◊ *un ferro a ~* a steam iron **2 vapori** (*Chim*) fumes: *vapori di benzina* petrol fumes LOC **a vapore** (*ferro, locomotiva*) steam [*s attrib*] **al vapore** steamed **vapore acqueo** water vapour *Vedi anche* BATTELLO, CUOCERE

vaporizzatore *sm* spray [*pl* sprays]

varare *vt* **1** (*nave*) to launch **2** (*legge*) to pass

variabile *agg* changeable: *tempo ~* changeable weather LOC *Vedi* NUVOLOSITÀ

variare *vt, vi* to vary: *I prezzi variano a seconda della stagione.* Prices vary depending on the season. ◊ *Bisogna ~ la propria alimentazione.* You should vary your diet. LOC **per variare** for a change

variazione *sf* variation: *leggere variazioni di pressione* slight variations in pressure

varice *sf* varicose vein

varicella *sf* chickenpox

varietà *sf* variety [*pl* varieties]

vario, -a ◆ *agg* **1** (*diversificato*) varied **2** (*differente*) various **3** (*numeroso*) several: *in varie occasioni* on several occasions ◊ *Ci sono varie possibilità.* There are several possibilities. ◆ *pron* several people: *Vari hanno detto che la colpa era sua.* Several people said it was his fault.

Varsavia *sf* Warsaw

vasca *sf* **1** (*gen*) tank **2** (*Nuoto*) length: *fare sei vasche* to swim six lengths LOC **vasca da bagno** bath

vascello *sm* vessel

vaschetta *sf* tub ☛ *Vedi illustrazione a* CONTAINER

vasetto *sm* (*marmellata*) jar

vasino *sm* potty [*pl* potties]

vaso *sm* **1** (*gen*) vase **2** (*per piante*) pot **3** (*Anat, Bot*) vessel: *vasi capillari/sanguigni* capillary/blood vessels LOC *Vedi* GOCCIA

vassoio *sm* tray [*pl* trays]

vasto, -a *agg* (*spazioso*) vast

vaticano, -a ◆ *agg* Vatican ◆ *sm* **il Vaticano** the Vatican LOC *Vedi* CITTÀ

ve *Vedi* VI

vecchiaia *sf* old age

vecchio, -a ◆ *agg* old: *diventare ~* to get old ◆ *sm-sf* old man/woman [*pl* old men/women]

vedere ◆ *vt, vi* **1** (*gen*) to see: *È da tanto che non la vedo.* I haven't seen her for a long time. ◊ *Hai visto? Sei caduto.* You see? You fell. ◊ *Non vedo perché.* I don't see why. ◊ *Aspetta, vado a ~.* Wait, I'll go and see. ☛ *Vedi nota a* SENTIRE **2** (*esaminare*) to look at *sth*: *Voglio vederlo con calma.* I need more time to look at it. ◆ **vedersi** *v rifl* **1** (*visualizzare*) to see yourself: *Non mi vedo come insegnante.* I don't see myself as a teacher. **2** (*incontrare*): *Ci vediamo domani.* I'll see you tomorrow. LOC **far vedere qc a qn** to show sth to sb, to show sb sth: *Fammi vedere la tua camera.* Show me your room. **si vede che...** you can tell (that)...: *Si vedeva che era agitata.* You could tell she was nervous. ☛ Per altre espressioni con **vedere** vedi alla voce del sostantivo, dell'aggettivo, ecc, ad es. **non vedere l'ora** a ORA.

vedovo, -a ◆ *agg* widowed ◆ *sm-sf* widower [*fem* widow] LOC **rimanere vedovo** to be widowed: *È rimasta vedova molto giovane.* She was widowed at an early age.

veduta *sf* view

vegetale ◆ *agg* vegetable [*s attrib*]: *grassi vegetali* vegetable fats ◆ *sm* vegetable LOC *Vedi* REGNO

vegetaliano, -a *agg, sm-sf* vegan: *essere ~* to be a vegan

vegetare *vi* (*persona*) to vegetate

vegetariano, -a *agg, sm-sf* vegetarian: *essere ~* to be a vegetarian

vegetazione *sf* vegetation

veglia *sf* watch LOC **fare la veglia** (*a un malato*) to keep watch (*over sb*) **veglia funebre** wake

vegliare *vt* **1** (*morto*) to keep vigil (**over *sb***) **2** (*malato*) to sit up **with *sb***

veglione *sm* party [*pl* parties] LOC **veglione di capodanno** New Year's Eve party

veicolo *sm* vehicle

vela *sf* **1** (*di barca*) sail **2** (*sport*) sailing: *praticare la ~* to go sailing LOC *Vedi* BARCA, GONFIO, TAVOLA, VOLO

velato, -a *agg* **1** (*lett e fig*) veiled **2** (*calze*) sheer

veleno *sm* poison

velenoso, -a *agg* poisonous LOC *Vedi* FUNGO

veliero *sm* sailing ship

velina *sf* tissue paper

vellutato, -a *agg* velvety

velluto *sm* velvet LOC **velluto a coste** corduroy: *pantaloni di ~ a coste* corduroy trousers

velo *sm* **1** (*gen*) veil **2** (*strato*) layer

veloce *agg* fast: *una macchina ~* a fast car ◊ *Non è ~ quanto me.* He isn't as fast as me. ☛ *Vedi nota a* FAST[1]

velocemente *avv* quickly ☛ *Vedi nota a* FAST[1]

velocista *smf* sprinter

velocità *sf* speed: *ridurre la ~* to reduce your speed ◊ *la ~ del suono* the speed of sound LOC **a tutta velocità** at top speed *Vedi anche* ECCESSO

velodromo *sm* velodrome, cycle track (*più informale*)

vena *sf* vein LOC **essere in vena** to be in the mood (*for sth/doing sth*): *Non sono in ~ di scherzare.* I'm not in the mood for jokes.

vendemmia *sf* grape harvest

vendemmiare *vt, vi* to pick (grapes)

vendere ◆ *vt* to sell: *L'ho venduto a mio cognato.* I sold it to my brother-in-law. ◆ **vendersi** *v rifl* to sell yourself LOC **vendesi** for sale

vendetta *sf* revenge

vendicarsi *v rifl* to take revenge (*on sb*) (*for sth*): *Si vendicò dell'offesa subita.* He took revenge for what they'd done to him. ◊ *Si sono vendicati su suo fratello.* They took revenge on his brother.

vendita *sf* sale: *un calo delle vendite* a drop in sales ◊ *l'ufficio vendite* the sales department LOC **essere in vendita 1** (*offerto all'acquisto*) to be for sale: *L'appartamento del piano di sopra è in ~.* The upstairs flat is for sale. **2** (*disponibile sul mercato*) to be on sale: *Il suo ultimo album è in ~ nei migliori negozi di dischi.* His latest record is on sale in the best shops. **mettere in vendita** to put *sth* on the market

venditore, -trice *sm-sf* **1** (*gen*) salesman/woman [*pl* salesmen/women] **2** (*commesso*) shop assistant LOC **venditore a mbulante** hawker

venerdì *sm* Friday [*pl* Fridays] (*abbrev* Fri) ☛ *Vedi esempi a* LUNEDÌ LOC **Venerdì Santo** Good Friday

Venere *sf* Venus

Venezia *sf* Venice

veneziano, -a ◆ *agg, sm-sf* Venetian: *i veneziani* the Venetians ◆ **veneziana** *sf* (*avvolgibile*) venetian blind

Venezuela *sm* Venezuela

venezuelano, -a *agg, sm-sf* Venezuelan: *i venezuelani* the Venezuelans

venire *vi* **1** (*gen*) ~ (**da...**) to come (**from...**): *Vieni qui!* Come here! ◊ *Non vieni mai a trovarmi.* You never come to see me. ◊ *Vengo subito.* I'm just coming. ◊ *Da dove vengono?* Where do they come from? ◊ *Come siete venuti?* How did you get here? **2** (*costare*): *Quanto vengono le banane?* How much are the bananas? ◊ *Viene 26.000 lire al metro.* It's 26000 lire a metre. **3** (*nei conti*): *A me viene 18.* I make it 18. **4** (*risultare*) to come out: *Com'è venuta la torta?* How did the cake come out? **5** (*saper fare*): *La verticale non mi viene ancora bene.* I still can't do handstands properly. **6** (*manifestarsi*): *Mi è venuta un'idea!* I've had an idea. ◊ *Mi è venuto il mal di testa.* I've got a headache. **7** (+ *participio passato*): *Verrà trasferito a Palermo.* He's going to be transferred to Palermo. ◊ *Il succo viene poi filtrato e...* The juice is then filtered and... LOC **che viene** next: *il mese che viene* next month **far venire** (*medico, tecnico*) to call **venire da piangere, ridere, ecc** to feel like crying, laughing, ecc: *Mi viene da vomitare.* I feel sick. **venire via 1** (*staccarsi*) to come off: *La maniglia è venuta via.* The handle came off. **2** (*macchia*) to come out: *La macchia è venuta via.* The stain has come out. ☛ Per altre espressioni con **venire** vedi alla voce del sostantivo, dell'aggettivo, ecc, ad es. **venire in mente** a MENTE.

ventaglio *sm* (*gen*) fan

ventenne *agg, smf* twenty-year-old ☛ *Vedi esempi a* UNDICENNE

ventesimo, -a *agg, pron, sm* twentieth: *il ~ secolo* the twentieth century ☛ *Vedi esempi a* SESSANTESIMO

venti *sm, agg, pron* **1** (*gen*) twenty **2** (*data*) twentieth ☛ *Vedi esempi a* SESSANTA

ventilare *vt* (*stanza*) to air

ventilatore *sm* fan LOC *Vedi* CINGHIA

ventilazione *sf* ventilation

ventina *sf* about twenty: *una ~ di casi al giorno* about twenty cases a day

vento *sm* wind LOC **c'è vento** it's windy: *C'era troppo ~.* It was too windy. *Vedi anche* CORRERE, GIACCA, MULINO

ventosa *sf* suction pad

ventre *sm* belly [*pl* bellies]

ventriloquo, -a *sm-sf* ventriloquist
venturo, -a *agg* next: *l'anno ~* next year
veramente *avv* **1** (*davvero*) really: *È ~ simpatico.* He's really nice. ◊ *Si sposa? ~?* She's getting married? Really? **2** (*in realtà*) actually: *"Grazie, Sandro." "~ mi chiamo Silvio."* 'Thanks, Sandro.' 'Actually, my name's Silvio.'
veranda *sf* veranda
verbale *sm* (*riunione*) minutes [*pl*]
verbo *sm* verb
verde ◆ *agg* **1** (*gen*) green ☛ *Vedi esempi a* GIALLO **2** (*frutta*) unripe: *Queste banane sono ancora verdi.* These bananas aren't ripe yet. ◆ *sm* **1** (*colore*) green **2** (*vegetazione*) greenery: *In città c'è poco ~.* There's not much greenery in the city. **3 i Verdi** (*Politica*) the Greens LOC **essere al verde** to be stony-broke **verde bottiglia** bottle-green *Vedi anche* CINTURA, ZONA
verdura *sf* vegetable(s) [*si usa spec al pl*]: *frutta e ~* fruit and vegetables ◊ *La ~ fa bene.* Vegetables are good for you. ◊ *minestra di ~* vegetable soup
vergine ◆ *agg* **1** (*gen*) virgin: *foreste vergini* virgin forests ◊ *essere ~* to be a virgin **2** (*cassetta*) blank ◆ *sf* **Vergine** (*Astrologia*) Virgo ☛ *Vedi esempi a* AQUARIUS
verginità *sf* virginity
vergogna *sf* **1** (*imbarazzo*) embarrassment: *Che ~!* How embarrassing! **2** (*timidezza*): *avere ~* to be shy ◊ *Ha un po' di ~ con chi non conosce.* She's a bit shy with strangers. **3** (*mortificazione*) shame: *Non hai nessuna ~?* Have you no shame? *~!* Shame on you!
vergognarsi *v rifl* **1** (*per timidezza*) to be embarrassed: *Mi vergogno a chiederglielo.* I'm too embarrassed to ask him. **2** (*per colpa*) to be ashamed (**of sth/doing sth**): *Dovresti vergognarti!* You should be ashamed of yourself! ◊ *Mi vergogno di quello che ho fatto.* I'm ashamed of what I did.
vergognoso, -a *agg* **1** (*timido*) shy **2** (*indegno*) disgraceful
verifica *sf* check
verificare *vt* to check
verità *sf* truth: *Di' la ~.* Tell the truth.
veritiero, -a *agg* true
verme *sm* worm LOC *Vedi* NUDO
vernice *sf* **1** (*tinta*) paint: *una mano di ~* a coat of paint **2** (*legno*) varnish LOC **di vernice** (*scarpe, borsa*) patent
verniciare *vt* **1** (*pitturare*) to varnish **2** (*legno*) to varnish
vero, -a ◆ *agg* **1** (*gen*) true: *la vera storia* the true story ◊ *Non può essere ~.* It can't be true. **2** (*autentico*) real: *Non è il suo ~ nome.* That's not his real name. ◊ *È stato un ~ disastro.* It was a real disaster. ◆ *sm* truth: *Ha detto il ~.* She told the truth. LOC **vero?**: *Questa macchina è più veloce, ~?* This car's faster, isn't it? ◊ *Non ti piace il latte, ~?* You don't like milk, do you?
verosimile *agg* likely
verruca *sf* wart
versamento *sm* deposit

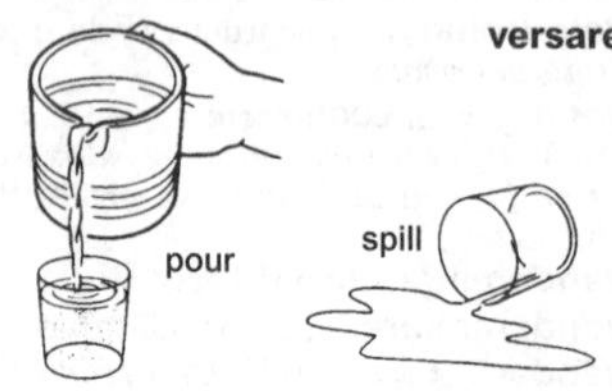

versare *vt* **1** (*in un recipiente*) to pour: *Versa il latte in un'altra tazza.* Pour the milk into another cup. ◊ *Mi versi un po' d'acqua?* Could you pour me some water, please? **2** (*rovesciare*) to spill: *Ho versato del vino sulla tovaglia.* I've spilt wine all over the tablecloth. **3** (*lacrime*) to shed **4** (*soldi*) to pay *sth* in: *~ dei soldi in banca* to pay money into a bank account
versione *sf* version LOC **in versione originale** (*film*) with subtitles
verso[1] *sm* **1** (*riga di un poema*) line **2 versi** (*poesia*) verse [*sing*] **3** (*animale*) call LOC **fare il verso a** to imitate *sb* **non c'è verso** there's no way: *Non c'è ~ di farla parlare.* There's no way of making her talk.
verso[2] *prep* **1** (*direzione*) towards: *andare ~ qn/qc* to go towards sb/sth **2** (*tempo*) at about: *Arriverò ~ le tre.* I'll be there at about three. ☛ *Vedi nota a* AROUND[1]
vertebra *sf* vertebra [*pl* vertebrae]
vertebrale *agg* LOC *Vedi* COLONNA
vertebrato, -a *agg, sm* vertebrate
verticale *agg* **1** (*gen*) vertical: *una linea ~* a vertical line **2** (*posizione*) upright: *in posizione ~* in an upright position ◊ *un pianoforte ~* an upright piano ◆ *sf* (*cruciverba*) down: *11 ~* 11 down LOC **fare la verticale** to do a handstand

vertice *sm* **1** (*Geom*) vertex [*pl* vertexes/vertices] **2** (*di carriera*) peak **3** (*Politica*) summit

vertigine *sf* vertigo [*non numerabile*]: *avere le vertigini* to get vertigo LOC **dare le vertigini** to make *sb* dizzy

vertiginoso, -a *agg* **1** (*velocità*) breakneck **2** (*altezza*) dizzy

verza *sf* Savoy cabbage

vescica *sf* **1** (*Anat*) bladder **2** (*Med*) blister

vescovo *sm* bishop

vespa *sf* wasp

vestaglia *sf* dressing gown

vestire ◆ *vt* **1** (*gen*) to dress: *Ho vestito i bambini.* I got the children dressed. **2** (*indossare*) to wear: *Vestiva un completo grigio.* He was wearing a grey suit. ◆ *vi* to dress (*in sth*): ~ *bene/di bianco* to dress well/in white ◆ **vestirsi** *v rifl* **1** (*gen*) to get dressed: *Vestiti o farai tardi.* Get dressed or you'll be late. **2** **vestirsi** (**di**) to dress (**in** *sth*): *vestirsi bene/di nero* to dress well/in black

vestito *sm* **1** (*da donna*) dress **2** (*da uomo*) suit **3** **vestiti** (*indumenti*) clothes LOC *Vedi* SPOSO

veterano, -a *agg, sm-sf* veteran

veterinaria *sf* veterinary science

veterinario, -a *sm-sf* vet

veto *sm* veto [*pl* vetoes]

vetraio, -a *sm-sf* glazier

vetrata *sf* (*chiesa*) stained-glass window LOC *Vedi* CARTA

vetrina *sf* **1** (*negozio*) window **2** (*museo*) glass cabinet LOC *Vedi* GUARDARE

vetro *sm* **1** (*gen*) glass [*non numerabile*]: *una bottiglia di* ~ a glass bottle ◊ *Mi sono tagliata con un pezzo di ~ rotto.* I cut myself on a piece of broken glass. ◊ *vetri rotti* broken glass **2** (*pannello*) pane: *il ~ della finestra* the window pane

vetta *sf* **1** (*gen*) top: *la ~ di una torre* the top of a tower **2** (*montagna*) peak: *le vette coperte di neve* the snow-covered peaks

vezzeggiativo *sm* term of endearment

vezzo *sm* habit

vi ◆ *pron pers* **1** (*complemento*): *Vi porto a cena fuori.* I'll take you out for a meal. ◊ *Ve l'ho dato ieri.* I gave it to you yesterday. **2** (*parti del corpo, effetti personali*): *Vi siete lavati le mani?* Have you washed your hands? ◊ *Levatevi i cappotti.* Take your coats off. **3** (*riflessivo*) (yourselves): *Vi siete divertiti?* Did you enjoy yourselves? ◊ *Vestitevi.* Get dressed. **4** (*reciproco*) each other, one another: *Vi vedete spesso?* Do you see each other very often? ☛ *Vedi nota a* EACH OTHER ◆ *avv* there: *Vi rimase tutta la vita.* She stayed there all her life.

via[1] *sf* **1** (*gen*) street (=St)

> Quando si menziona il numero civico si usa la preposizione **at**. *Vedi nota a* STREET

2 **vie** (*Med*) tract [*sing*]: *vie respiratorie* respiratory tract LOC **in via di sviluppo** developing: *paesi in ~ di sviluppo* developing countries **(per) via aerea** (*posta*) (by) airmail **via d'accesso** approach to *sth*: *Ci sono quattro vie d'accesso al palazzo.* There are four approaches to the palace. **via di mezzo** **1** (*compromesso*) compromise **2** (*incrocio*) halfway: *una ~ di mezzo tra un thriller e un film di fantascienza* halfway between a thriller and sci-fi film **via di scampo** way out: *Non c'è ~ di scampo.* There's no way out. **Via Lattea** Milky Way **via satellite** satellite: *un collegamento ~ satellite* a satellite link *Vedi anche* MARE

via[2] ◆ *avv* away: *È ~ per affari.* He's away on business. ◊ *andare ~* to go away ◊ *dare/mettere/buttare ~ qc* to give/put/throw sth away ◆ **via!** *escl* **1** (*incoraggiamento*) come on! **2** (*per scacciare*) go away! **3** (*in gioco, gara*) go! ◆ *sm* start LOC **dare il via** (*gara, gioco*) to give the starting signal **e via dicendo** and so on *Vedi anche* COSÌ, PRONTO

viabilità *sf La ~ è interrotta.* The road is closed to traffic.

viaggiare *vi* to travel: ~ *in aereo/macchina* to travel by plane/car

viaggiatore, -trice *sm-sf* **1** (*passeggero*) passenger **2** (*turista*) traveller: *un ~ instancabile* a tireless traveller LOC *Vedi* PICCIONE

viaggio *sm* journey [*pl* journeys], trip, travel

> Le parole **travel**, **journey** e **trip** non vanno confuse. Il sostantivo **travel** è non numerabile e si riferisce all'attività del viaggiare in generale: *I suoi hobby sono la lettura e i viaggi.* Her main interests are reading and travel. **Journey** e **trip** si riferiscono al viaggio vero e proprio. **Journey** indica solo il movimento da un luogo all'altro: *Il viaggio è stato faticoso.* The journey was exhausting. **Trip** comprende anche la distanza: *Com'è andato il viaggio a Parigi?* How did your trip to Paris go? ◊

un viaggio d'affari a business trip. Altre parole che si usano per riferirsi al viaggio sono **voyage** e **tour**. **Voyage** è un lungo viaggio per mare: *i viaggi di Cristoforo Colombo* the voyages of Columbus. **Tour** è un viaggio organizzato in cui si toccano diverse località: *Jane va a fare un viaggio in Terra Santa.* Jane is going on a tour around the Holy Land.

LOC **buon viaggio!** have a good trip! **essere in viaggio** to be away **mettersi in viaggio** to set off **viaggio di nozze** honeymoon **viaggio organizzato** package tour **viaggio di studio** study holiday *Vedi anche* AGENZIA, BORSA

viale *sm* avenue (*abbrev* Ave)

viavai *sm* (*attività*) hustle and bustle: *il ~ della capitale* the hustle and bustle of the capital

vibrare *vi* to vibrate

vice *smf* deputy [*pl* deputies]

vicenda *sf* **1** (*gen*) episode **2 vicende** events LOC **a vicenda** each other, one another: *Si aiutano a ~.* They help each other. ☛ *Vedi nota a* EACH OTHER

vicepresidente *smf* vice-president

viceversa *avv* vice versa

vicinanza *sf* closeness LOC **nelle vicinanze di...** in the vicinity of...

vicinato *sm* **1** (*quartiere*) neighbourhood: *la gente del ~* people in the neighbourhood **2** (*vicini*) neighbours [*pl*]: *Abbassa il volume o sveglierai tutto il ~.* Turn it down, or you'll wake the neighbours.

vicino, -a ◆ *agg* **1** ~ **a** (*distanza*) near *sb/sth*, close **to** ***sb/sth***: *un paese ~ ad Aberdeen* a village close to/near Aberdeen ◊ *~ al mare* near the sea **2** ~ **a** (*fig*) close **to** ***sth***: *fonti vicine alla famiglia* sources close to the family **3** (*confinanti*) neighbouring: *paesi vicini* neighbouring countries ◆ *avv* nearby: *Abitiamo molto ~.* We live nearby. ◆ *sm-sf* neighbour: *Come sono i tuoi vicini?* What are your neighbours like? LOC **da vicino**: *Lascia che lo veda da ~.* Let me see it close up. **qui vicino** near here ☛ *Vedi nota a* NEAR

vicolo *sm* alleyway [*pl* alleyways] LOC **vicolo cieco 1** (*lett*) cul-de-sac [*pl* cul-de-sacs] **2** (*fig*) blind alley

video *sm* **1** (*gen*) video [*pl* videos] **2** (*computer*) visual display unit (*abbrev* VDU)

videocamera *sf* video camera

videocassetta *sf* videotape

videocitofono *sm* video entryphone

videoclub *sm* video shop

videogioco *sm* video game

videoregistratore *sm* video recorder

videoteca *sf* video library [*pl* video libraries]

vietare *vt* **1** (*gen*) to forbid *sb* ***to do sth*** **2** (*ufficialmente*) to ban *sb/sth* (***from doing sth***): *È stata vietata la circolazione nel centro storico.* Traffic has been banned in the town centre.

vietato, -a *pp*, *agg* LOC **vietato calpestare l'erba** keep off the grass **vietato fumare** no smoking **vietato l'ingresso** no entry *Vedi anche* VIETARE

Vietnam *sm* Vietnam

vietnamita *agg*, *smf*, *sm* Vietnamese: *i vietnamiti* the Vietnamese: *parlare ~* to speak Vietnamese

vigente *agg* current

vigilante ◆ *agg* vigilant ◆ *smf* security guard

vigilanza *sf* surveillance: *Aumenteranno la ~.* They're going to step up surveillance.

vigilare ◆ *vt* (*sorvegliare*) to guard: *Tutte le entrate dell'edificio erano vigilate.* All of the entrances to the building were guarded. ◆ *vi* ~ **che...** to make sure **(that)...**: *Vigilavano che nessuno entrasse.* They made sure that no one got in.

vigilato, -a *pp*, *agg* LOC *Vedi* LIBERTÀ; *Vedi anche* VIGILARE

vigile *agg* alert (***to sth***) LOC **vigile urbano** municipal policeman **vigili del fuoco** the fire brigade [*sing*]

vigilia *sf* day before (*sth*): *Ho preparato tutto alla ~.* I got everything ready the day before. ◊ *la ~ dell'esame* the day before the exam

Esiste anche la parola **eve** che si usa per la vigilia di una festa religiosa o di una ricorrenza importante: *la vigilia di Natale* Christmas Eve ◊ *Sono arrivati alla vigilia delle elezioni.* They arrived on the eve of the elections.

LOC **alla vigilia di** (*fig*) just before *sth*: *alla ~ degli esami* just before the exams

vigliaccheria *sf* cowardice [*non numerabile*]: *È una ~.* It's an act of cowardice.

vigliacco, -a ◆ *agg* cowardly ◆ *sm-sf* coward

vigna *sf* vineyard

vignetta *sf* cartoon

vigore *sm* **1** (*Dir*) force: *entrare in ~* to come into force ◊ *L'accordo è in ~ dal 15* *scorso.* The agreement has been in force since the 15th. **2** (*energia*) vigour

villa *sf* **1** (*in città*) detached house **2** (*in campagna*) villa

villaggio *sm* village LOC **villaggio olimpico** Olympic village **villaggio turistico** holiday village

villeggiante *smf* holiday-maker

villeggiatura *sf* holiday [*pl* holidays]: *in* ~ on holiday

villetta *sf* **1** (*in città*) house: *una* ~ *alla periferia di Roma* a house on the outskirts of Rome **2** (*sulla costa*) villa **3** (*in campagna*) cottage LOC **villetta bifamiliare/unifamiliare** semi-detached/detached house ☛ *Vedi pag. 380.*

vimini *sm* wicker [*non numerabile*]: *un cesto di* ~ a wicker basket

vincente *agg* winning

vincere ◆ *vt* **1** (*premio, partita, guerra*) to win: ~ *la lotteria* to win the lottery ◊ *Chi ha vinto la partita?* Who won the match? **2** (*avversario*) to beat: *Mi ha vinto a squash.* He beat me at squash. **3** (*Mil*) to defeat **4** (*superare*) to overcome, to get over *sth* (*più informale*): *Ho vinto la paura dell'aereo.* I've got over my fear of flying. **5** (*sopraffare*) to overcome: *Fu vinto dal sonno.* He was overcome with sleep. ◆ *vi* to win: *La squadra ospite ha vinto.* The visiting team won.

vincita *sf* **1** (*vittoria*) win **2** (*premio*) winnings [*pl*]

vincitore, -trice ◆ *agg* **1** (*gen*) winning: *la squadra vincitrice* the winning team **2** (*paese, esercito*) victorious ◆ *sm-sf* **1** (*gen*) winner: *il* ~ *della gara* the winner of the competition **2** (*Mil*) victor

vincolo *sm* tie: *vincoli d'amicizia/di sangue* ties of friendship/blood

vinicolo, -a *agg* wine [*s attrib*]: *l'industria vinicola* the wine industry ◊ *regione vinicola* wine-growing region

vino *sm* wine: *Vuoi un bicchiere di* ~*?* Would you like a glass of wine? ◊ ~ *bianco/rosso/da tavola* white/red/table wine LOC *Vedi* PANE

vinto, -a ◆ *pp, agg* **1** (*persona*) beaten **2** (*cosa*) won ◆ *sm-sf* loser: *i vincitori e i vinti* winners and losers LOC **averla vinta** to get your own way **darsi per vinto** to give in *Vedi anche* VINCERE

viola ◆ *sf* **1** (*fiore*) violet **2** (*strumento*) viola ◆ *agg, sm* purple ☛ *Vedi esempi a* GIALLO

violare *vt* to violate

violazione *sf* violation

violentare *vt* to rape

violentatore *sm* rapist

violento, -a *agg* violent: *un film* ~ a violent film

violenza *sf* violence LOC **violenza carnale** rape

violetta *sf* violet

violetto, -a *agg, sm* violet ☛ *Vedi esempi a* GIALLO

violinista *smf* violinist

violino *sm* violin LOC *Vedi* CHIAVE

violista *smf* viola-player

violoncellista *smf* cellist

violoncello *sm* cello [*pl* cellos]

vipera *sf* viper

virgola *sf* **1** (*punteggiatura*) comma ☛ *Vedi pagg. 367–77.* **2** (*Mat*) point: *quaranta* ~ *cinque* (*40,5*) forty point five (40·5) ☛ *Vedi Appendice 1.* LOC *Vedi* PUNTO

virgolette *sf* inverted commas ☛ *Vedi pagg. 376–77.* LOC **tra virgolette** in inverted commas

virile *agg* manly, virile (*form*): *una voce* ~ a manly voice

virilità *sf* manliness

virtù *sf* virtue: *la tua più grande* ~ your greatest virtue

virtuale *agg* virtual LOC *Vedi* REALTÀ

virtuoso, -a ◆ *agg* virtuous ◆ *sm-sf* virtuoso

virus *sm* virus [*pl* viruses]

vischioso, -a *agg* viscous

viscido, -a *agg* slimy

visibile *agg* visible

visibilità *sf* visibility: *scarsa* ~ poor visibility

visiera *sf* **1** (*di berretto*) peak **2** (*di elmo, casco*) visor

visione *sf* **1** (*modo di vedere*) view: *una* ~ *personale/complessiva* a personal/overall view **2** (*allucinazione*) vision: *avere una* ~ to have a vision **3** (*proiezione*) screening LOC **avere le visioni** to hallucinate **in visione** on approval: *ricevere un libro in* ~ to have a book on approval **prendere visione** to have a look *at sth Vedi anche* PRIMO

visita *sf* **1** (*gen*) visit: *orario delle visite* visiting hours **2** (*persona*) visitor: *Mi sembra che abbiano visite.* I think they've got visitors/a visitor. LOC **fare una visita a** to pay *sb* a visit **visita di controllo** check-up: *sottoporsi a* ~ *di controllo* to have a check-up **visita**

medica medical: *Devi farti fare una ~ medica.* You have to have a medical.

visitare *vt* **1** (*persona, città, museo*) to visit **2** (*paziente*) to examine

visitatore, -trice *sm-sf* visitor: *i visitatori del palazzo* visitors to the palace

visivo, -a *agg* visual

viso *sm* face

visone *sm* mink

vista *sf* **1** (*facoltà*) (eye)sight: *avere la ~ buona/debole* to have good/poor (eye) sight **2** (*panorama*) view: *la ~ dalla mia camera* the view from my room ◊ *con ~ sul mare* overlooking the sea LOC **a prima vista** at first glance **avere la vista corta/lunga** to be short-sighted/long-sighted **farsi controllare/misurare la vista** to have your eyes tested **in vista 1** (*visibile*): *Lascialo bene in ~, se no me ne dimentico.* Leave it where I can see it or I'll forget. **2** (*noto*) prominent: *un uomo politico molto in ~* a prominent politician **in vista di** within sight of *sth* *Vedi anche* CONOSCERE, PERDERE, PUNTO

visto, -a ◆ *pp, agg*: *~ quello che è successo* in view of what has happened ◆ *sm* visa: *~ d'entrata* entry visa LOC **essere ben/mal visto** to be well thought of/frowned upon *Vedi anche* VEDERE

vistoso, -a *agg* **1** (*sgargiante*) loud **2** (*appariscente*) flashy: *una macchina vistosa* a flashy car

visuale ◆ *agg* visual ◆ *sf* view LOC **coprire/togliere la visuale a** to block *sb's* view

vita *sf* **1** (*gen*) life [*pl* lives]: *Come va la ~?* How's life? **2** (*sostentamento*) living: *guadagnarsi la ~* to make a living ◊ *il costo della ~* the cost of living **3** (*Anat*) waist LOC **da una vita**: *La conosco da una ~.* I've known her all my life. ◊ *amici da una ~* lifelong friends **fare la bella vita** to live the life of Riley **fare una vita da cani** to lead a dog's life **in vita** alive **in vita mia** never: *Non ho mai visto una cosa del genere in ~ mia.* I've never seen anything like it. **per tutta la vita** for life **vita notturna** nightlife: *la ~ notturna di Riccione* the nightlife in Riccione *Vedi anche* BORSA, DURATA, RIFARE, RITMO, TENORE, STANDARD

vitale *agg* vital

vitalità *sf* vitality

vitamina *sf* vitamin: *la ~ C* vitamin C

vite *sf* **1** (*metallica*) screw: *stringere una ~* to tighten a screw **2** (*pianta*) vine LOC *Vedi* TAPPO

vitello, -a *sm-sf* **1** (*gen*) calf [*pl* calves] **2** (*Cucina*) veal ☛ *Vedi nota a* CARNE

viticoltore, -trice *sm-sf* wine-grower

viticoltura *sf* wine-growing

vittima *sf* **1** (*gen*) victim: *essere ~ di un furto* to be the victim of a burglary **2** (*ferito*) casualty [*pl* casualties]

vitto *sm* LOC **vitto e alloggio** board and lodging

vittoria *sf* **1** (*gen*) victory [*pl* victories] **2** (*Sport*) win: *una ~ in trasferta* an away win LOC *Vedi* CANTARE

viva! *escl* hooray!: *~ la Juve!* Hooray for Juventus!

vivace *agg* **1** (*colore*) bright **2** (*persona*) full of life

vivaio *sm* **1** (*piante*) nursery [*pl* nurseries] **2** (*pesci*) fish farm

vivente *agg* living LOC *Vedi* ESSERE[1]

vivere ◆ *vi* **1** (*gen*) to live: *Ha vissuto quasi settant'anni.* He lived for almost seventy years. ◊ *Vivono in campagna.* They live in the country. **2 ~ di** (*mantenersi*) to live **on *sth***: *Non so di che cosa vivano.* I don't know what they live on. **3 ~ per** to live **for *sb/sth***: *Vivono per i figli.* They live for their children. ◆ *vt* to live (**through *sth***): *~ una brutta esperienza* to go through a bad patch LOC **non lasciar vivere** not to leave *sb* in peace: *I bambini non ci lasciano ~.* The kids won't leave us in peace. **vivere alla giornata** to live from hand to mouth **vivere alle spalle di** to live off *sb*

viveri *sm* food [*sing*]

vivo, -a *agg* **1** (*gen*) alive: *Il mio bisnonno è ancora ~.* My great-grandfather is still alive.

> **Live** o **alive**? Sia **live** che **alive** si possono tradurre *vivo*. **Live** si usa davanti a un sostantivo: *animali vivi* live animals. **Alive** si usa per lo più con il verbo **to be**: *Mio nonno è ancora vivo.* My grandfather's still alive.

2 (*in uso*) living: *lingua viva* living language **3** (*luce, colore*) bright **4** (*attivo*) lively: *una città viva* a lively city LOC **dal vivo** (*in diretta*) live **vivo o morto** dead or alive *Vedi anche* CARNE

viziare *vt* to spoil: *Non lo ~.* Don't spoil him.

viziato, -a *pp, agg* **1** (*bambino*) spoilt **2** (*aria*) stale *Vedi anche* VIZIARE

vizio *sm* **1** (*cattiva abitudine*) bad habit

2 (*morale*) vice **3** (*dipendenza*) addiction: *Il gioco d'azzardo divenne un ~.* Gambling became an addiction. LOC **avere il vizio del fumo/del bere** to be a heavy smoker/drinker *Vedi anche* PERDERE

vizioso, -a *agg* (*depravato*) depraved LOC *Vedi* CIRCOLO

vocabolario *sm* **1** (*dizionario*) dictionary [*pl* dictionaries] **2** (*lessico*) vocabulary [*pl* vocabularies]

vocale ◆ *agg* vocal ◆ *sf* (*lettera, suono*) vowel LOC *Vedi* CORDA

vocazione *sf* vocation

voce *sf* **1** (*gen*) voice: *dire qc ad alta/a bassa ~* to say sth in a loud/quiet voice **2** (*grido*) shout: *Dai una ~ a tuo fratello.* Give your brother a shout. **3** (*notizia*) rumour: *È solo una ~ infondata.* It's only a rumour. LOC **con quanta voce hai in corpo** at the top of your voice **voci di corridoio** rumours *Vedi anche* CORRERE, SPARGERE

vociare *vi* to shout

vodka *sf* vodka

vogatore, -trice ◆ *sm-sf* oarsman/woman [*pl* oarsmen/women] ◆ *sm* (*attrezzo*) rowing machine

voglia *sm* **1** (*desiderio*) desire **2** (*macchia sulla pelle*) birthmark LOC **avere le voglie** to have cravings: *Certe donne incinte hanno le voglie.* Some pregnant women have cravings. **aver voglia di qc/di fare qc** to feel like sth/doing sth: *Non ho ~ di far niente.* I don't feel like doing anything. **hai voglia!**: *"È rimasto del gelato?" "Hai ~!"* 'Is there any ice cream left?' 'There's plenty!' *Vedi anche* MORIRE

voi *pron pers* you: *~ non lo sapete. Noi sì.* You don't know. We do. ◊ *L'ho fatto per ~.* I did it for you. ◊ *~ stessi* you yourselves

volano *sm* shuttlecock

volante ◆ *agg* flying ◆ *sm* (*Auto*) steering wheel ◆ *sf* (*Polizia*) flying squad

volantino *sm* leaflet

volare *vi* **1** (*aereo, uccello*) to fly: *paura di ~* fear of flying ◊ *Il tempo vola.* Time flies. **2** (*con il vento*) to blow away: *Gli è volato via il cappello.* His hat blew away. **3** (*andare veloce*): *La macchina volava sull'autostrada.* We were bombing down the motorway.

volata *sf* LOC **di volata** in a rush: *Siamo andati alla stazione di ~.* We rushed off to the station. **fare una volata** to rush

volentieri *avv* **1** (*di buon grado*) willingly **2** (*come risposta*): *"Vieni a cena da noi?" "~!"* 'Will you come to dinner?' 'I'd love to!'

volere ◆ *vt, v servile* **1** to want: *Quale vuoi?* Which one do you want? ◊ *Voglio uscire.* I want to go out. ◊ *Vuole che andiamo a casa sua.* He wants us to go to his house. ◊ *Ti vogliono al telefono.* You're wanted on the phone. ☛ *Vedi nota a* WANT **2 volerci (a)** (*materiale, soldi, coraggio*) to need: *Quante uova ci vogliono?* How many eggs do you need? **(b)** (*tempo*) to take: *Ci vogliono due ore di macchina.* It takes two hours by car. ◊ *Mi ci sono voluti due mesi per riprendermi.* It took me two months to get better. ◆ *vi* to want to: *Non voglio.* I don't want to. LOC **come vuoi** as you like **l'hai voluto tu** you asked for it **senza volere**: *Scusa, l'ho fatto senza ~.* Sorry, it was an accident. **voglio dire…** I mean… **voler dire** to mean: *Cosa vuol dire questa parola?* What does this word mean? **vorrei…** I would like *sth/to do sth*: *Come primo vorrei una zuppa di pesce.* I'd like fish soup to start with. ◊ *Vorrei sapere perché sei sempre in ritardo.* I'd like to know why you're always late. ☛ Per altre espressioni con **volere** vedi alla voce del sostantivo, dell'aggettivo, ecc, ad es. **voler bene** a BENE.

volgare *agg* vulgar

volo *sm* flight: *il ~ Pisa-Olbia* the Pisa-Olbia flight ◊ *voli nazionali/internazionali* domestic/international flights ◊ *dopo tre ore di ~* after a three-hour flight LOC **afferrare/capire al volo** to understand *sth* immediately **fare un volo** (*cadere*) to go flying **prendere al volo** to catch *sth* **volo a vela** gliding **volo di linea** scheduled flight *Vedi anche* ASSISTENTE, CONTROLLORE, SPICCARE

volontà *sf* **1** (*gen*) will: *contro la mia ~* against my will **2** (*desiderio*) wishes [*pl*]: *Dobbiamo rispettare la sua ~.* We must respect his wishes. LOC **a volontà** as much as I, you, etc like **buona volontà** goodwill *Vedi anche* FORZA

volontariato *sm* voluntary work

volontario, -a ◆ *agg* voluntary ◆ *sm-sf* volunteer: *Lavoro come ~.* I work as a volunteer. ◊ *presentarsi/offrirsi ~* to volunteer

volpe *sf* **1** (*animale*) fox [*fem* vixen] **2** (*pelliccia*) fox fur: *una pelliccia di ~* a fox fur coat LOC *Vedi* CACCIA

volt *sm* volt

volta[1] *sf* time: *tre volte all'anno* three times a year ◊ *Te l'ho detto centomila volte.* I've told you hundreds of times. ◊ *Guadagno quattro volte tanto quello che guadagna lui.* I earn four times as much as he does. ◊ *È la prima ~ che mi capita.* It's the first time this has happened to me. LOC **a volte** sometimes **c'era una volta…** once upon a time there was… **due volte** twice **in una volta** in one go **tre volte** three times **una volta** once **una volta che…** once…: *Una ~ che l'hai usato non te lo cambiano.* Once you've used it they won't exchange it. **una volta ogni tanto** from time to time **una volta per tutte** once and for all *Vedi anche* CENTOMILA, CHIAVE, ENNESIMO, OGNI, QUALCHE

volta[2] *sf* vault LOC **(fatto) a volta** vaulted

voltafaccia *sm* about-turn

voltaggio *sm* voltage

voltare ◆ *vt, vi* to turn: *Ho voltato la testa.* I turned my head. ◊ *~ a destra/sinistra* to turn right/left ◆ **voltarsi** *v rifl* **voltarsi (verso)** to turn **(to/towards *sb/sth*)**: *Si è voltata e mi ha guardato.* She turned round and looked at me. ◊ *Si è voltato verso Elena.* He turned towards Elena. LOC **voltare le spalle** to turn your back *on sb/sth*: *Mi ha voltato le spalle.* He turned his back on me. **voltare pagina** to turn over a new leaf **voltarsi dall'altra parte** to look the other way

volubile *agg* changeable

volume *sm* volume: *Ho comprato il primo ~.* I bought the first volume. ◊ *abbassare/alzare il ~* to turn the volume down/up LOC **fare volume** to be bulky: *Questa scatola fa troppo ~.* This box is too bulky.

voluminoso, -a *agg* bulky

voluto, -a *pp, agg* intended: *l'effetto ~* the intended effect *Vedi anche* VOLERE

vomitare ◆ *vt* to bring *sth* up: *Ho vomitato tutto quello che avevo mangiato.* I brought up all my dinner. ◆ *vi* to be sick, to vomit (*più formale*): *Ho voglia di ~.* I think I'm going to be sick.

vomito *sm* vomit, sick (*più informale*) LOC *Vedi* CONATO

vongola *sf* clam

vostro, -a ◆ *agg poss* your: *la vostra casa* your house ◆ *pron poss* yours: *È il ~ questo?* Is this yours?

Nota che *un vostro amico* si traduce **a friend of yours**.

votare *vt, vi* to vote **(for *sb/sth*)**: *Ho votato socialista/per i Verdi* I voted socialist/for the Greens. ◊ *~ a favore/contro qc* to vote for/against sth

votazione *sf* **1** (*procedimento*) vote **2** (*Scuola*) marks [*pl*] LOC **fare una votazione** to vote

voto *sm* **1** (*Politica*) vote: *100 voti a favore e due contro* 100 votes in favour, two against **2** (*Scuola*) mark: *prendere buoni/brutti voti* to get good/bad marks **3** (*Relig*) vow LOC **mettere ai voti** to put *sth* to the vote **voto di fiducia/sfiducia** vote of confidence/no confidence

vulcano *sm* volcano [*pl* volcanoes]

vuotare *vt* to empty *sth* (out) (***into sth***): *Vuotiamo quella cassa.* Let's empty (out) that box.

vuoto, -a ◆ *agg* empty: *una scatola/casa vuota* an empty box/house ◆ *sm* **1** (*Fis*) vacuum **2** (*bottiglia*) empty bottle [*pl* empties]: *Devo restituire i vuoti.* I've got to take these empties back. LOC **vuoto a rendere** returnable bottle **vuoto d'aria** air pocket *Vedi anche* ASSEGNO

Ww

wafer *sm* wafer
walkie-talkie *sm* walkie-talkie
walkman® *sm* Walkman® [*pl* Walkmans]
water *sm* toilet
watt *sm* watt: *una lampadina da 60* ~ a 60–watt light bulb
western *agg*, *sm* western LOC **western all'italiana** spaghetti western
whisky *sm* whisky [*pl* whiskies]
windsurf *sm* **1** (*tavola*) windsurfer **2** (*sport*) windsurfing: *praticare il* ~ to go windsurfing
würstel *sm* frankfurter

Xx

xenofobo, -a *agg* xenophobic
xenophobia *sf* xenophobia
xilofono *sm* xylophone

Yy

yacht *sm* yacht
yankee *agg*, *smf* Yankee [*s*]
yoga *sm* yoga: *fare* ~ to practise yoga
yogurt *sm* yoghurt: ~ *magro* low-fat yoghurt

Zz

zafferano *sm* saffron
zaffiro *sm* sapphire
Zagabria *sf* Zagreb
zaino *sm* rucksack ☛ *Vedi illustrazione a* BAGAGLIO
zampa *sf* paw: *Il cane s'è fatto male alla* ~. The dog has hurt its paw. LOC **zampe di gallina** (*rughe*) crow's feet *Vedi anche* QUATTRO
zampillo *sm* jet of water
zampino *sm* LOC **mettere lo zampino in** have a hand in *sth*
zanna *sf* **1** (*elefante*) tusk **2** (*lupo*) fang
zanzara *sf* mosquito [*pl* mosquitoes]
zanzariera *sf* mosquito net
zappa *sf* hoe
zattera *sf* raft
zavorra *sf* ballast
zebra *sf* **1** zebra **2 le zebre** (*passaggio pedonale*) zebra crossing [*sing*]
zecca *sf* **1** (*parassita*) tick **2** (*di monete*) mint LOC *Vedi* NUOVO
zenit *sm* zenith
zenzero *sm* ginger
zeppo, -a *agg* crammed full ***of sth***
zerbino *sm* doormat
zero *sm* **1** (*gen*) nought: *un cinque e due zeri* a five and two noughts ◊ ~ *virgola cinque* nought point five **2** (*temperatura, gradi*) zero: *temperature sotto* ~ temperatures below zero ◊ *Ci sono dieci gradi sotto* ~. It's minus ten. **3** (*al telefono*) O ☛ Si pronuncia 'ou': *Il mio*

numero di telefono è ventinove, ~ due, quaranta. My telephone number is two nine O two four O. **4** (*Sport*) **(a)** (*gen*) nil: *uno a ~* one nil ◊ *Hanno pareggiato ~ a ~.* It was a scoreless draw. **(b)** (*Tennis*) love: *quindici a ~* fifteen love LOC **essere/valere uno zero** to be worthless **partire/ripartire da zero** to start from scratch (again) ☛ *Vedi Appendice 1.*

zigomo *sm* cheekbone

zigzag *sm* zigzag: *un sentiero a ~* a zigzag path LOC **andare a zigzag 1** (*gen*) to zigzag **2** (*persona*) to stagger

zinco *sm* zinc

zingaro, -a *sm-sf* gypsy [s] [*pl* gypsies]

zio, -a *sm-sf* **1** uncle [*fem* aunt, auntie (*più informale*)]: *lo ~ Daniele* Uncle Daniele **2 zii** uncle and aunt: *Vado dai miei zii.* I'm going to my uncle and aunt's.

zitella *sf* spinster

zitto, -a *agg* silent: *Rimase ~.* He remained silent. LOC **stare zitto** to be quiet **zitto!** shut up!

zoccolo *sm* **1** (*animale*) hoof [*pl* hoofs/ hooves] **2** (*calzatura*) clog

zodiaco *sm* zodiac: *i segni dello ~* the signs of the zodiac

zolfo *sm* sulphur

zolletta *sf* lump: *una ~ di zucchero* a sugar lump

zombie *sm* zombie: *andare in giro come uno ~* to go round like a zombie

zona *sf* **1** (*area*) area: *~ industriale/ residenziale* industrial/residential area **2** (*Geog, Mil*) zone: *~ di frontiera* border zone ◊ *~ neutrale* neutral zone LOC **zona nord, sud, ecc** north, south, etc: *la ~ sud della città* the south of the city

zoo *sm* zoo [*pl* zoos]

zoom *sm* zoom lens [*pl* zoom lenses]

zoppicare *vi* **1** ~ (**da**) (*essere zoppo*) to be lame (**in** ***sth***): *Zoppico dal piede destro.* I'm lame in my right foot. **2** (*per una ferita*) to limp: *Zoppico ancora un po', ma mi sento meglio.* I'm still limping, but I feel better. **3** (*mobile*) to be wobbly **4** (*materie scolastiche*) to be shaky: *Zoppico un po' in latino.* I'm a bit shaky in Latin.

zoppo, -a *agg* **1** (*persona*): *essere ~ (da un piede)* to have a limp ◊ *È rimasto ~ in seguito all'incidente.* The accident left him with a limp. **2** (*animale*) lame **3** (*mobile*) wobbly

zucca *sf* pumpkin

zuccherare *vt* to sweeten

zuccheriera *sf* sugar bowl

zuccherificio *sm* sugar refinery [*pl* refineries]

zuccherino *sm* sugar lump

zucchero *sm* sugar: *una zolletta di ~* a lump of sugar LOC **zucchero di canna** brown sugar **zucchero filato** candyfloss *Vedi anche* BARBABIETOLA

zucchina *sf* courgette

zuffa *sf* fight

zuppa *sf* soup LOC **zuppa inglese** trifle

zuppiera *sf* soup tureen

zuppo, -a *agg* soaked ***with sth***

Zurigo *sf* Zurich

Appendici

In questa sezione troverai le appendici citate nel testo del dizionario:

Appendice 1
Espressioni numeriche

Numeri

Cardinali		Ordinali	
1	one	**1st**	first
2	two	**2nd**	second
3	three	**3rd**	third
4	four	**4th**	fourth
5	five	**5th**	fifth
6	six	**6th**	sixth
7	seven	**7th**	seventh
8	eight	**8th**	eighth
9	nine	**9th**	ninth
10	ten	**10th**	tenth
11	eleven	**11th**	eleventh
12	twelve	**12th**	twelfth
13	thirteen	**13th**	thirteenth
14	fourteen	**14th**	fourteenth
15	fifteen	**15th**	fifteenth
16	sixteen	**16th**	sixteenth
17	seventeen	**17th**	seventeenth
18	eighteen	**18th**	eighteenth
19	nineteen	**19th**	nineteenth
20	twenty	**20th**	twentieth
21	twenty-one	**21st**	twenty-first
22	twenty-two	**22nd**	twenty-second
30	thirty	**30th**	thirtieth
40	forty	**40th**	fortieth
50	fifty	**50th**	fiftieth
60	sixty	**60th**	sixtieth
70	seventy	**70th**	seventieth
80	eighty	**80th**	eightieth
90	ninety	**90th**	ninetieth
100	a/one hundred	**100th**	hundredth
101	a/one hundred and one	**101st**	hundred and first
200	two hundred	**200th**	two hundredth
1 000	a/one thousand	**1 000th**	thousandth
10 000	ten thousand	**10 000th**	ten thousandth
100 000	a/one hundred thousand	**100 000th**	hundred thousandth
1 000 000	a/one million	**1 000 000th**	millionth

Esempi

528	*five hundred and twenty-eight*
2 976	*two thousand, nine hundred and seventy-six*
50 439	*fifty thousand, four hundred and thirty-nine*
2 250 321	*two million, two hundred and fifty thousand, three hundred and twenty-one*

☛ *Attenzione!* In inglese si usa la virgola o lo spazio (e NON il punto) per separare le migliaia, per esempio *25 000* o *25,000.*

Numeri quali 100, 1 000, 1 000 000, ecc si possono leggere in due modi, ***one hundred*** o ***a hundred***, ***one thousand*** o ***a thousand***.

0 (zero) si può leggere ***nought***, ***zero***, ***nothing***, ***o*** /əʊ/ a seconda del contesto.

Frazioni

½	a half
⅓	a/one third
¼	a quarter
⅖	two fifths
⅛	an/one eighth
$\frac{1}{10}$	a/one tenth
$\frac{1}{16}$	a/one sixteenth
1½	one and a half
2⅜	two and three eighths

In inglese ci sono due modi per esprimere le frazioni: normalmente si dice *one eighth of the cake, two thirds of the population*, ecc; però il tuo professore di matematica ti potrebbe chiedere di risolvere il problema seguente:

Multiply two over five by three over eight (⅖ × ⅜).

Espressioni matematiche

+	plus
−	minus
×	times *o* multiplied by
÷	divided by
=	equals
%	per cent
3^2	three squared
5^3	five cubed
6^{10}	six to the power of ten (to the tenth power *negli USA*)

Esempi

6 + 9 = 15 *Six* ***plus*** *nine equals/is fifteen.*

5 × 6 = 30 *Five* ***times*** *six equals thirty./Five* ***multiplied by*** *six is thirty.*

75% *Seventy-five* ***per cent*** *of the class passed the test.*

Decimali

0.1	(nought) point one	((zero) point one *negli USA*)
0.25	(nought) point two five	((zero) point two five *negli USA*)
1.75	one point seven five	

☛ *Attenzione!* In inglese si usa il punto (e NON la virgola) per separare i decimali.

Misure di peso

	Sistema anglosassone		Sistema metrico decimale	
	1 ounce	(oz)	= 28.35 grams	(g)
16 ounces	= **1 pound**	(lb)	= 0.454 kilogram	(kg)
14 pounds	= **1 stone**	(st)	= 6.356 kilograms	

Esempi

The baby weighed 7 lb 4 oz (seven pounds four ounces).
For this recipe you need 500g (five hundred grams) of flour.

Misure di lunghezza

	Sistema anglosassone		Sistema metrico decimale	
	1 inch	(in)	= 25.4 millimetres	(mm)
12 inches	= **1 foot**	(ft)	= 30.48 centimetres	(cm)
3 feet	= **1 yard**	(yd)	= 0.914 metre	(m)
1 760 yards	= **1 mile**		= 1.609 kilometres	(km)

Esempi

Height: 5 ft 9 in (five foot nine/five feet nine).
The hotel is 30 yds (thirty yards) from the beach.
The car was doing 50 mph (fifty miles per hour).
The room is 11′ × 9′6″ (eleven foot by nine foot six/eleven feet by nine feet six).

Misure di superficie

		Sistema anglosassone	Sistema metrico decimale
		1 square inch (sq in)	= 6.452 square centimetres
144 square inches	=	**1 square foot** (sq ft)	= 929.03 square centimetres
9 square feet	=	**1 square yard** (sq yd)	= 0.836 square metre
4 840 square yards	=	**1 acre**	= 0.405 hectare
640 acres	=	**1 square mile**	= 2.59 square kilometres/259 hectares

Esempi

They have a 200-acre farm.
The fire destroyed 40 square miles of woodland.

Misure di capacità

		Sistema anglosassone	Sistema metrico decimale
		1 pint (pt)	= 0.568 litre (ℓ)
8 pints	=	**1 gallon** (gall)	= 4.546 litres

Esempi

I asked the milkman to leave three pints of milk.
The petrol tank holds 40 litres.

Sistema monetario del Regno Unito

	Valore delle monete/banconote		Nome delle monete/banconote
1p	a penny	(one p*)	a penny
2p	two pence	(two p*)	a two-pence piece
5p	five pence	(five p*)	a five-pence piece
10p	ten pence	(ten p*)	a ten-pence piece
20p	twenty pence	(twenty p*)	a twenty-pence piece
50p	fifty pence	(fifty p*)	a fifty-pence piece
£1	a pound		a pound (coin)
£5	five pounds		a five-pound note
£10	ten pounds		a ten-pound note
£20	twenty pounds		a twenty-pound note
£50	fifty pounds		a fifty-pound note

* Le espressioni che appaiono fra parentesi sono più informali.
Nota che *one p*, *two p*, ecc si pronunciano /wʌn piː/, /tuː piː/, ecc.

Esempi

£5.75: five pounds seventy-five
25p: twenty-five pence (25p)
The apples are 65p a pound.
We pay £250 a month in rent.

Date

Come si scrivono	Come si leggono
15/4/98 (USA *4/15/98*)	*April the fifteenth, nineteen ninety-eight*
15 April 1998	*The fifteenth of April, nineteen ninety-eight* (USA *April fifteenth*)
April 15th, 1998 (è la forma più comune negli USA)	

Esempi

Her birthday is April 9th (April the ninth/the ninth of April/April ninth).
The restaurant will be closed May 3–June 1 (from May the third to June the first).

Appendice 2
Nomi di persona

Nomi femminili

Alice /ˈælɪs/
Alison /ˈælɪsn/
Amanda /əˈmændə/; Mandy /ˈmændi/
Angela /ˈændʒələ/
Ann, Anne /æn/
Barbara /ˈbɑːbrə/
Carol, Carole /ˈkærəl/
Caroline /ˈkærəlaɪn/
Catherine /ˈkæθrɪn/; Cathy /ˈkæθi/
Christine /ˈkrɪstiːn/; Chris /krɪs/
Clare, Claire /kleə(r)/
Deborah /ˈdebərə/; Debbie /ˈdebi/
Diana /daɪˈænə/
Elizabeth, Elisabeth /ɪˈlɪzəbəθ/; Liz /lɪz/
Emma /ˈemə/
Frances /ˈfrɑːnsɪs/; Fran /fræn/
Fiona /fiˈəʊnə/
Gillian /ˈdʒɪliən/; Gill /dʒɪl/
Helen /ˈhelən/
Jacqueline /ˈdʒækəlɪn/; Jackie /ˈdʒæki/
Jane /dʒeɪn/
Jennifer /ˈdʒenɪfə(r)/; Jenny /ˈdʒeni/
Joanna /dʒəʊˈænə/; Joanne /dʒəʊˈæn/; Jo /dʒəʊ/
Judith /ˈdʒuːdɪθ/
Julia /ˈdʒuːliə/; Julie /ˈdʒuːli/
Karen /ˈkærən/
Linda /ˈlɪndə/
Margaret /ˈmɑːgrət/; Maggie /ˈmægi/
Mary /ˈmeəri/
Michelle /mɪˈʃel/
Nicola /ˈnɪkələ/; Nicky /ˈnɪki/
Patricia /pəˈtrɪʃə/; Pat /pæt/
Penny /ˈpeni/
Rachel /ˈreɪtʃl/
Rebecca /rɪˈbekə/; Becky /ˈbeki/
Rose /rəʊz/; Rosie /ˈrəʊzi/
Sally /ˈsæli/
Sarah, Sara /ˈseərə/
Sharon /ˈʃærən/
Susan /ˈsuːzn/; Sue /suː/
Tracy, Tracey /ˈtreɪsi/
Victoria /vɪkˈtɔːriə/; Vicki /ˈvɪki/

Nomi maschili

Alan, Allan, Allen /ˈælən/
Andrew /ˈændruː/; Andy /ˈændi/
Anthony /ˈæntəni/; Tony /ˈtəʊni/
Benjamin /ˈbendʒəmɪn/; Ben /ben/
Brian /ˈbraɪən/
Charles /tʃɑːlz/
Christopher /ˈkrɪstəfə(r)/; Chris /krɪs/
David /ˈdeɪvɪd/; Dave /deɪv/
Edward /ˈedwəd/; Ted /ted/
Francis /ˈfrɑːnsɪs/; Frank /fræŋk/
Geoffrey, Jeffrey /ˈdʒefri/; Geoff, Jeff /dʒef/
George /dʒɔːdʒ/
Graham, Grahame, Graeme /ˈgreɪəm/
Henry /ˈhenri/; Harry /ˈhæri/
Ian /ˈiːən/
James /dʒeɪmz/; Jim /dʒɪm/
Jeremy /ˈdʒerəmi/
John /dʒɒn/; Jack /dʒæk/
Jonathan /ˈdʒɒnəθən/; Jon /dʒɒn/
Joseph /ˈdʒəʊzɪf/; Joe /dʒəʊ/
Keith /kiːθ/
Kevin /ˈkevɪn/
Malcolm /ˈmælkəm/
Mark /mɑːk/
Martin /ˈmɑːtɪn/
Matthew /ˈmæθjuː/; Matt /mæt/
Michael /ˈmaɪkl/; Mike /maɪk/
Neil, Neal /niːl/
Nicholas /ˈnɪkələs/; Nick /nɪk/
Nigel /ˈnaɪdʒəl/
Patrick /ˈpætrɪk/
Paul /pɔːl/
Peter /ˈpiːtə(r)/; Pete /piːt/
Philip /ˈfɪlɪp/; Phil /fɪl/
Richard /ˈrɪtʃəd/; Rick /rɪk/
Robert /ˈrɒbət/; Bob /bɒb/
Sean /ʃɔːn/
Simon /ˈsaɪmən/
Stephen, Steven /ˈstiːvn/; Steve /stiːv/
Thomas /ˈtɒməs/; Tom /tɒm/
Timothy /ˈtɪməθi/; Tim /tɪm/
William /ˈwɪljəm/; Bill /bɪl/

Appendice 3

Nomi geografici

Paesi

Afghanistan /æfˈgænɪstɑːn; *USA* -stæn/; Afghan /ˈæfgæn/, Afghani /æfˈgɑːni/, Afghanistani /æfˌgænɪˈstɑːni; *USA* -ˈstæni/

Africa /ˈæfrɪkə/; African /ˈæfrɪkən/

Albania /ælˈbeɪniə/; Albanian /ælˈbeɪniən/

Algeria /ælˈdʒɪəriə/; Algerian /ælˈdʒɪəriən/

America ☛ (the) United States (of America)

America /əˈmerɪkə/; American /əˈmerɪkən/

Andorra /ænˈdɔːrə/; Andorran /ænˈdɔːrən/

Angola /æŋˈgəʊlə/; Angolan /æŋˈgəʊlən/

Antarctica /ænˈtɑːktɪkə/; Antarctic

Antigua and Barbuda /ænˌtiːgə ən bɑːˈbjuːdə/; Antiguan /ænˈtiːgən/, Barbudan /bɑːˈbjuːdən/

(**the**) **Arctic Ocean** /ˌɑːktɪk ˈəʊʃn/; Arctic

Argentina /ˌɑːdʒənˈtiːnə/, the Argentine /ˈɑːdʒəntaɪn/; Argentinian /ˌɑːdʒənˈtɪniən/, Argentine

Armenia /ɑːˈmiːniə/; Armenian /ɑːˈmiːniən/

Asia /ˈeɪʃə, ˈeɪʒə/; Asian /ˈeɪʃn, ˈeɪʒn/

Australia /ɒˈstreɪliə, ɔːˈs-/; Australian /ɒˈstreɪliən, ɔːˈs-/

Austria /ˈɒstriə, ˈɔːs-/; Austrian /ˈɒstriən, ˈɔːs-/

(**the**) **Bahamas** /bəˈhɑːməz/; Bahamian /bəˈheɪmiən/

Bangladesh /ˌbæŋgləˈdeʃ/; Bangladeshi /ˌbæŋgləˈdeʃi/

Barbados /bɑːˈbeɪdɒs/; Barbadian /bɑːˈbeɪdiən/

Belgium /ˈbeldʒəm/; Belgian /ˈbeldʒən/

Belize /bəˈliːz/; Belizean /bəˈliːziən/

Bolivia /bəˈlɪviə/; Bolivian /bəˈlɪviən/

Bosnia-Herzegovina /ˌbɒzniə ˌhɜːtsəgəˈviːnə/; Bosnian /ˈbɒzniən/

Botswana /bɒtˈswɑːnə/; Botswanan /bɒtˈswɑːnən/, *anche* the Tswanan /ˈtswɑːnən/

Brazil /brəˈzɪl/; Brazilian /brəˈzɪliən/

Bulgaria /bʌlˈgeəriə/; Bulgarian /bʌlˈgeəriən/

Burundi /bʊˈrʊndi /; Burundian /bʊˈrʊndiən/

Cambodia /kæmˈbəʊdiə/; Cambodian /kæmˈbəʊdiən/

Cameroon /ˌkæməˈruːn/; Cameroonian /ˌkæməˈruːniən/

Canada /ˈkænədə/; Canadian /kəˈneɪdiən/

Cape Verde Islands /ˌkeɪp ˈvɜːd aɪləndz/; Cape Verdean /ˌkeɪp ˈvɜːdiən/

(**the**) **Caribbean Sea** /ˌkærəˌbiːən ˈsiː/; Caribbean

Central African Republic /ˌsentrəl ˌæfrɪkən rɪˈpʌblɪk/

Chad /tʃæd/; Chadian /ˈtʃædiən/

Chile /ˈtʃɪli/; Chilean /ˈtʃɪliən/

China /ˈtʃaɪnə/; Chinese /ˌtʃaɪˈniːz/

Colombia /kəˈlɒmbiə/; Colombian /kəˈlɒmbiən/

Congo /ˈkɒŋgəʊ/ Congolese /ˌkɒŋgəˈliːz/

(**the Democratic Republic of the**) **Congo** /ˈkɒŋgəʊ/

Costa Rica /ˌkɒstə ˈriːkə/; Costa Rican /ˌkɒstə ˈriːkən/

Côte d'Ivoire /ˌkəʊt diːˈvwɑː/

Croatia /krəʊˈeɪʃə/; Croatian /krəʊˈeɪʃən/

Cuba /ˈkjuːbə/; Cuban /ˈkjuːbən/

Cyprus /ˈsaɪprəs/; Cypriot /ˈsɪpriət/

(**the**) **Czech Republic** /ˌtʃek rɪˈpʌblɪk/; Czech /tʃek/

Denmark /ˈdenmɑːk/; Danish /ˈdeɪnɪʃ/, Dane /deɪn/

(**the**) **Dominican Republic** /dəˌmɪnɪkən rɪˈpʌblɪk/; Dominican /dəˈmɪnɪkən/

Ecuador /ˈekwədɔː(r)/; Ecuadorian /ˌekwəˈdɔːriən/

Egypt /ˈiːdʒɪpt/; Egyptian /iˈdʒɪpʃn/

El Salvador /el ˈsælvədɔː(r)/; Salvadorean /ˌsælvəˈdɔːriən/

Equatorial Guinea /ˌekwəˌtɔːriəl ˈgɪni/; Equatorial Guinean /ˌekwəˌtɔːriəl ˈgɪniən/

Ethiopia /ˌiːθiˈəʊpiə/; Ethiopian /ˌiːθiˈəʊpiən/

Europe /ˈjʊərəp/; European /ˌjʊərəˈpiːən/

Fiji /ˌfiːˈdʒiː; *USA* ˈfiːdʒiː/; Fijian /ˌfiːˈdʒiːən; *USA* ˈfiːdʒiən/

Finland /ˈfɪnlənd/; Finnish /ˈfɪnɪʃ/, Finn /fɪn/

France /frɑ:ns; *USA* fræns/; French /frentʃ/, Frenchman /ˈfrentʃmən/, Frenchwoman /ˈfrentʃwʊmən/

Gabon /gæˈbɒn; *USA* -ˈbəʊn/; Gabonese /ˌgæbəˈni:z/

The Gambia /ˈgæmbiə/; Gambian /ˈgæmbiən/

Germany /ˈdʒɜ:məni/; German /ˈdʒɜ:mən/

Ghana /ˈgɑ:nə/; Ghanaian /gɑ:ˈneɪən/

Gibraltar /dʒɪˈbrɔ:ltə(r)/; Gibraltarian /ˌdʒɪbrɔ:lˈteəriən/

Greece /gri:s/; Greek /gri:k/

Guatemala /ˌgwɑ:təˈmɑ:lə/; Guatemalan /ˌgwɑ:təˈmɑ:lən/

Guinea /ˈgɪni/; Guinean /ˈgɪniən/

Guinea-Bissau /ˌgɪni bɪˈsaʊ/

Guyana /gaɪˈænə/; Guyanese /ˌgaɪəˈni:z/

Haiti /ˈheɪti/; Haitian /ˈheɪʃn/

Holland /ˈhɒlənd/ ☛ (the) Netherlands

Honduras /hɒnˈdjʊərəs; *USA* -ˈdʊə-/; Honduran /hɒnˈdjʊərən; *USA* -ˈdʊə-/

Hong Kong /ˌhɒŋ ˈkɒŋ/

Hungary /ˈhʌŋgəri/; Hungarian /hʌŋˈgeəriən/

Iceland /ˈaɪslənd/; Icelandic /aɪsˈlændɪk/

India /ˈɪndiə/; Indian /ˈɪndiən/

Indonesia /ˌɪndəˈni:ziə; *USA* -ˈni:ʒə/; Indonesian /ˌɪndəˈni:zɪən; *USA* -ʒn/

Iran /ɪˈrɑ:n/; Iranian /ɪˈreɪniən/

Iraq /ɪˈrɑ:k/; Iraqi /ɪˈrɑ:ki/

(**the Republic of**) **Ireland** /ˈaɪələnd/; Irish /ˈaɪrɪʃ/

Israel /ˈɪzreɪl/; Israeli /ɪzˈreɪli/

Italy /ˈɪtəli/; Italian /ɪˈtæliən/

Jamaica /dʒəˈmeɪkə/; Jamaican /dʒəˈmeɪkən/

Japan /dʒəˈpæn/; Japanese /ˌdʒæpəˈni:z/

Jordan /ˈdʒɔ:dn/; Jordanian /dʒɔ:ˈdeɪnˈiən/

Kenya /ˈkenjə/; Kenyan /ˈkenjən/

Korea /kəˈrɪə; *USA* kəˈri:ə/; North Korea, North Korean /ˌnɔ:θ kəˈrɪən; *USA* kəˈri:ən/; South Korea, South Korean /ˌsaʊθ kəˈrɪən; *USA* kəˈri:ən/

Kuwait /kuˈweɪt/; Kuwaiti /kuˈweɪti/

Laos /laʊs/; Laotian /ˈlaʊʃn; *USA* leɪˈəʊʃn/

Lebanon /ˈlebənən; *USA* -nɒn/; Lebanese /ˌlebəˈni:z/

Libya /ˈlɪbiə/; Libyan /ˈlɪbiən/

Liechtenstein /ˈlɪktənstaɪn, lɪxt-/; Liechtenstein, Liechtensteiner /ˈlɪktənstaɪnə(r), ˈlɪxt-/

Luxembourg /ˈlʌksəmbɜ:g/; Luxembourg, Luxembourger /ˈlʌksəmbɜ:gə(r)/

Madagascar /ˌmædəˈgæskə(r)/; Madagascan /ˌmædəˈgæskən/, Malagasy /ˌmæləˈgæsi/

Malawi /məˈlɑ:wi/; Malawian /məˈlɑ:wiən/

Malaysia /məˈleɪziə; *USA* -ˈleɪʒə/; Malaysian /məˈleɪziən; *USA* -ˈleɪʒn/

Maldives /ˈmɔ:ldi:vz/; Maldivian /mɔ:lˈdɪviən/

Mali /ˈmɑ:li/; Malian /ˈmɑ:liən/

Malta /ˈmɔ:ltə/; Maltese /ˌmɔ:lˈti:z/

Mauritania /ˌmɒrɪˈteɪniə; *USA* ˌmɔ:r-/; Mauritanian /ˌmɒrɪˈteɪniən; *USA* ˌmɔ:r-/

Mauritius /məˈrɪʃəs; *USA* mɔ:-/; Mauritian /məˈrɪʃn; *USA* mɔ:-/

Mexico /ˈmeksɪkəʊ/; Mexican /ˈmeksɪkən/

Monaco /ˈmɒnəkəʊ/; Monegasque /ˌmɒniˈgæsk/

Mongolia /mɒŋˈgəʊliə/; Mongolian /mɒŋˈgəʊliən/, Mongol /ˈmɒŋgl/

Montserrat /ˌmɒntsəˈræt/; Montserratian /ˌmɒntsəˈreɪʃn/

Morocco /məˈrɒkəʊ/; Moroccan /məˈrɒkən/

Mozambique /ˌməʊzæmˈbi:k/; Mozambiquean /ˌməʊzæmˈbi:kən/

Namibia /nəˈmɪbiə/; Namibian /nəˈmɪbiən/

Nepal /nɪˈpɔ:l/; Nepalese /ˌnepəˈli:z/

(**the**) **Netherlands** /ˈneðələndz/; Dutch /dʌtʃ/, Dutchman /ˈdʌtʃmən/, Dutchwoman /ˈdʌtʃwʊmən/

New Zealand /ˌnju: ˈzi:lənd; *USA* ˌnu:-/; New Zealand, New Zealander /ˌnju: ˈzi:ləndə(r); *USA* ˌnu:-/

Nicaragua /ˌnɪkəˈrægjuə; *USA* -ˈrɑ:gwə/; Nicaraguan /ˌnɪkəˈrægjuən; *USA* -ˈrɑ:gwən/

Niger /ni:ˈʒeə(r); *USA* ˈnaɪdʒər/; Nigerien /ni:ˈʒeəriən/

Nigeria /naɪˈdʒɪəriə/ Nigerian /naɪˈdʒɪəriən/

Norway /ˈnɔ:weɪ/; Norwegian /nɔ:ˈwi:dʒən/

Oman /əʊˈmɑ:n/; Omani /əʊˈmɑ:ni/

Pakistan /ˌpɑ:kɪˈstɑ:n; *USA* ˈpækɪstæn/; Pakistani /ˌpɑ:kɪˈstɑ:ni; *USA* ˌpækɪˈstæni/

Panama /ˈpænəmɑ:/; Panamanian /ˌpænəˈmeɪniən/

Papua New Guinea /ˌpæpuə ˌnjuː ˈgɪni; *USA* -ˌnuː-/; Papuan /ˈpæpuən/
Paraguay /ˈpærəgwaɪ; *USA* -gweɪ/; Paraguayan /ˌpærəˈgwaɪən; *USA* -ˈgweɪən/
Peru /pəˈruː/; Peruvian /pəˈruːviən/
(the) **Philippines** /ˈfɪlɪpiːnz/; Philippine /ˈfɪlɪpiːn/, Filipino /ˌfɪlɪˈpiːnəʊ/
Poland /ˈpəʊlənd/; Polish /ˈpəʊlɪʃ/, Pole /pəʊl/
Portugal /ˈpɔːtʃʊgl/; Portuguese /ˌpɔːtʃuˈgiːz/
Romania /ruˈmeɪniə/; Romanian /ruˈmeɪniən/
Russia /ˈrʌʃə/; Russian /ˈrʌʃn/
Rwanda /ruˈændə/; Rwandan /ruˈændən/
San Marino /ˌsæn məˈriːnəʊ/; San Marinese /ˌsæn ˌmærɪˈniːz/
Sao Tomé and Principe /ˌsaʊ təˌmeɪ ən ˈprɪnsɪpeɪ/
Saudi Arabia /ˌsaʊdi əˈreɪbiə/; Saudi /ˈsaʊdi/, Saudi Arabian /ˌsaʊdi əˈreɪbiən/
Senegal /ˌsenɪˈgɔːl/; Senegalese /ˌsenɪgəˈliːz/
(the) **Seychelles** /seɪˈʃelz/; Seychellois /ˌseɪʃelˈwa/
Sierra Leone /siˌerə liˈəʊn/; Sierra Leonean /siˌerə liˈəʊniən/
Singapore /ˌsɪŋəˈpɔː(r), ˌsɪŋgə-; *USA* ˈsɪŋgəpɔːr/; Singaporean /ˌsɪŋəˈpɔːriən, ˌsɪŋgə-/
Slovakia /sləʊˈvɑːkiə, -ˈvæk-/; Slovak /ˈsləʊvæk/
(the) **Solomon Islands** /ˈsɒləmən aɪləndz/
Somalia /səˈmɑːliə/; Somali /səˈmɑːli/
(the Republic of) **South Africa** /ˌsaʊθ ˈæfrɪkə/; South African /ˌsaʊθ ˈæfrɪkən/
Spain /speɪn/; Spanish /ˈspænɪʃ/, Spaniard /ˈspænɪəd/
Sri Lanka /sri ˈlæŋkə; *USA* -ˈlɑːŋ-/; Sri Lankan /sri ˈlæŋkən; *USA* -ˈlɑːŋ-/
St Lucia /snt ˈluːʃə; *USA* seɪnt-/
Sudan /suˈdɑːn; *USA* -ˈdæn/; Sudanese /ˌsuːdəˈniːz/
Surinam /ˌsʊərɪˈnæm/; Surinamese /ˌsʊərɪnæˈmiːz/
Swaziland /ˈswɑːzilænd/; Swazi /ˈswɑːzi/
Sweden /ˈswiːdn/; Swedish /ˈswiːdiʃ/, Swede /swiːd/
Switzerland /ˈswɪtsələnd/; Swiss /swɪs/
Syria /ˈsɪriə/; Syrian /ˈsɪriən/
Taiwan /taɪˈwɑːn/; Taiwanese /ˌtaɪwəˈniːz/
Tanzania /ˌtænzəˈniːə/; Tanzanian /ˌtænzəˈniːən/
Thailand /ˈtaɪlænd/; Thai /taɪ/
Tibet /tɪˈbet/; Tibetan /tɪˈbetn/
Togo /ˈtəʊgəʊ/; Togolese /ˌtəʊgəˈliːz/
Trinidad and Tobago /ˌtrɪnɪdæd ən təˈbeɪgəʊ/; Trinidadian /ˌtrɪnɪˈdædiən/, Tobagan /təˈbeɪgən/, Tobagonian /ˌtəʊbəˈgəʊniən/
Tunisia /tjuˈnɪziə; *USA* tuˈniːʒə/; Tunisian /tjuˈnɪziən; *USA* tuˈniːʒn/
Turkey /ˈtɜːki/; Turkish /ˈtɜːkɪʃ/, Turk /tɜːk/
Uganda /juːˈgændə/; Ugandan /juːˈgændən/
United Arab Emirates /juˌnaɪtɪd ˌærəb ˈemɪrəts/
(the) **United States of America** /juˌnaɪtɪd ˌsteɪts əv əˈmerɪkə/; American /əˈmerɪkən/
Uruguay /ˈjʊərəgwaɪ/; Uruguayan /ˌjʊərəˈgwaɪən/
Vatican City /ˌvætɪkən ˈsɪti/
Venezuela /ˌvenəˈzweɪlə/; Venezuelan /ˌvenəˈzweɪlən/
Vietnam /viˌetˈnæm; *USA* -ˈnɑːm/; Vietnamese /viˌetnəˈmiːz/
(the) **West Indies** /ˌwest ˈɪndiz/; West Indian /ˌwest ˈɪndiən/
Yemen Republic /ˌjemən rɪˈpʌblɪk/; Yemeni /ˈjeməni/
Yugoslavia /ˌjuːgəʊˈslɑːviə/; Yugoslavian /ˌjuːgəʊˈslɑːviən/, Yugoslav /ˈjuːgəʊslɑːv/
Zambia /ˈzæmbiə/; Zambian /ˈzæmbiən/
Zimbabwe /zɪmˈbɑːbwi/; Zimbabwean /zɪmˈbɑːbwiən/

Come formare il plurale

Per formare il plurale si deve aggiungere una ***-s*** alla fine della parola (per esempio *a Haitian*, *two Haitians*) eccetto che per ***Swiss*** e per le parole che finiscono in ***-ese*** (come *Japanese*) che sono invariabili. I nomi di nazionalità che terminano in ***-man*** o ***-woman*** al plurale diventano ***-men*** o ***-women***, per esempio *three Frenchmen*.

Città e regioni

Ecco i nomi di alcune città e regioni italiane e straniere che hanno un nome diverso in inglese.

Amburgo	Hamburg /ˈhæmbɜːg/
Atene	Athens /ˈæθɪnz/
Barcellona	Barcelona /ˌbɑːsəˈləʊnə/
Belgrado	Belgrade /belˈgreɪd/
Berlino	Berlin /bɜːˈlɪn/
il Cairo	Cairo /ˈkaɪrəʊ/
Città del Vaticano	Vatican City /ˌvætɪkən ˈsɪti/
Dublino	Dublin /ˈdʌblɪn/
Edimburgo	Edinburgh /ˈednbərə/
Firenze	Florence /ˈflɒrəns/
Francoforte	Frankfurt /ˈfræŋkfɜːt/
Genova	Genoa /ˈdʒenəʊə/
Gerusalemme	Jerusalem /dʒəˈruːsələm/
Ginevra	Geneva /dʒɪˈniːvə/
Lisbona	Lisbon /ˈlɪzbən/
Lombardia	Lombardy /ˈlɒmbədi/
Londra	London /ˈlʌndən/
Lubiana	Ljubljana /luːˈbljɑːnə/
Mantova	Mantua /ˈmæntjuə/
le Marche	the Marches /ˈmɑːtʃɪz/
Marsiglia	Marseilles /mɑːˈseɪ/
Milano	Milan /mɪˈlæn/
Monaco di Baviera	Munich /ˈmjuːnɪk/
Mosca	Moscow /ˈmɒskəʊ/
Napoli	Naples /ˈneɪplz/
Nizza	Nice /niːs/
Padova	Padua /ˈpædjuə/
Parigi	Paris /ˈpærɪs/
Pechino	Beijing /ˌbeɪˈdʒɪŋ/
Piemonte	Piedmont /ˈpiːdmɒnt/
Praga	Prague /prɑːg/
Puglia	Apulia /əˈpjuːliə/
Roma	Rome /rəʊm/
Salisburgo	Salzburg /ˈsæltsbɜːg/
San Paolo	São Paulo /saʊ ˈpaʊluː/
San Pietroburgo	St Petersburg /snt ˈpiːtəzbɜːg/
Sardegna	Sardinia /sɑːˈdɪniə/
Sicilia	Sicily /ˈsɪsɪli/
Strasburgo	Strasbourg /ˈstræzbɜːg/
Torino	Turin /tjʊəˈrɪn/
Toscana	Tuscany /ˈtʌskəni/
Varsavia	Warsaw /ˈwɔːsɔː/
Venezia	Venice /ˈvenɪs/
Zagabria	Zagreb /ˈzɑːgreb/
Zurigo	Zurich /ˈzjʊərɪk/

Fiumi, mari e montagne

l'Adriatico	the Adriatic /ˌeɪdriˈætɪk/
le Alpi	the Alps /ælps/
le Ande	the Andes /ˈændiːz/
gli Appennini	the Apennines /ˈæpɪnaɪnz/
le Apuane	the Apuan Alps /ˌæpjuən ˈælps/
l'Arno	the Arno /ˈɑːnəʊ/
l'Atlantico	the Atlantic /ətˈlæntɪk/
il Cervino	the Matterhorn /ˈmætəˌhɔːn/
il Danubio	the Danube /ˈdænjuːb/
le Dolomiti	the Dolomites /ˈdɒləmaɪts/
le Ebridi	the Hebrides /ˈhebrɪdiːz/
l'Egeo	the Aegean /ɪˈdʒiən/
l'Elba	Elba /ˈelbə/
l'Etna	Mount Etna /ˈetnə/
l'Everest	Mount Everest /ˈevərɪst/
lo Ionio	the Ionian Sea /aɪˌəʊniən ˈsiː/
la Manica	the English Channel /ˌɪŋglɪʃ ˈtʃænl/
il Mare del Nord	the North Sea /ˌnɔːθ ˈsiː/
il Mediterraneo	the Mediterranean /ˌmedɪtəˈremiən/
le Montagne Rocciose	the Rockies /ˈrɒkiz/
il Monte Bianco	Mont Blanc /mɒn ˈblɒŋk/
il Nilo	the Nile /naɪl/
l'Oceano Indiano	the Indian Ocean /ˌɪndiən ˈəʊʃn/
le Orcadi	Orkney /ˈɔːkni/
il Pacifico	the Pacific /pəˈsɪfɪk/
i Pirenei	the Pyrenees /ˌpɪrəˈniːz/
il Po	the Po /pəʊ/
il Reno	the Rhine /raɪn/
il Rio delle Amazzoni	the Amazon /ˈæməzn/
la Senna	the Seine /seɪn/
il Tamigi	the Thames /temz/
il Tevere	the Tiber /ˈtaɪbə(r)/
il Tirreno	the Tyrrhenian Sea /tɪˈriːniən/
il Vesuvio	Vesuvius /vɪˈsuːviəs/

Appendice 4

Le Isole Britanniche

La Gran Bretagna, **Great Britain** (**GB**), comprende l'Inghilterra – **England** /ˈɪŋɡlənd/, la Scozia – **Scotland** /ˈskɒtlənd/ e il Galles – **Wales** /weɪlz/.

Il nome ufficiale dello stato è **the United Kingdom (of Great Britain and Northern Ireland)** (**UK**) e oltre alla Gran Bretagna comprende l'Irlanda del Nord. Spesso il termine **Britain** è usato come sinonimo di **the United Kingdom**.

The British Isles è un termine geografico che indica le isole di Gran Bretagna e Irlanda /ˈaɪələnd/) e le isole minori circostanti.

Città principali delle Isole Britanniche

Aberdeen /ˌæbəˈdiːn/
Bath /bɑːθ; *US* bæθ/
Belfast /ˌbelˈfɑːst/
Berwick-upon-Tweed /ˌberɪk əpɒn ˈtwiːd/
Birmingham /ˈbɜːmɪŋəm/
Blackpool /ˈblækpuːl/
Bournemouth /ˈbɔːnməθ/
Bradford /ˈbrædfəd/
Brighton /ˈbraɪtn/
Bristol /ˈbrɪstl/
Caernarfon /kəˈnɑːvn/
Cambridge /ˈkeɪmbrɪdʒ/
Canterbury /ˈkæntəbəri/
Cardiff /ˈkɑːdɪf/
Carlisle /kɑːˈlaɪl/
Chester /ˈtʃestə(r)/
Colchester /ˈkəʊltʃɪstə(r)/
Cork /kɔːk/
Coventry /ˈkɒvəntri/
Derby /ˈdɑːbi/
Douglas /ˈdʌɡləs/
Dover /ˈdəʊvə(r)/
Dublin /ˈdʌblɪn/
Dundee /dʌnˈdiː/
Durham /ˈdʌrəm/
Eastbourne /ˈiːstbɔːn/
Edinburgh /ˈednbərə/
Ely /ˈiːli/
Exeter /ˈeksɪtə(r)/
Galway /ˈɡɔːlweɪ/
Glasgow /ˈɡlɑːzɡəʊ/
Gloucester /ˈɡlɒstə(r)/
Hastings /ˈheɪstɪŋz/
Hereford /ˈherɪfəd/
Holyhead /ˈhɒlihed/
Inverness /ˌɪnvəˈnes/
Ipswich /ˈɪpswɪtʃ/
Keswick /ˈkezɪk/
Kingston upon Hull /ˌkɪŋstən əpɒn ˈhʌl/
Leeds /liːdz/
Leicester /ˈlestə(r)/
Limerick /ˈlɪmərɪk/
Lincoln /ˈlɪŋkən/
Liverpool /ˈlɪvəpuːl/
London /ˈlʌndən/
Londonderry /ˈlʌndənderi/
Luton /ˈluːtn/
Manchester /ˈmæntʃɪstə(r)/
Middlesbrough /ˈmɪdlzbrə/
Newcastle upon Tyne /ˌnjuːkɑːsl əpɒn ˈtaɪn/
Norwich /ˈnɒrɪdʒ/
Nottingham /ˈnɒtɪŋəm/
Oxford /ˈɒksfəd/
Plymouth /ˈplɪməθ/
Poole /puːl/
Portsmouth /ˈpɔːtsməθ/
Ramsgate /ˈræmzɡeɪt/
Reading /ˈredɪŋ/
Salisbury /ˈsɔːlzbəri/
Sheffield /ˈʃefiːld/
Shrewsbury /ˈʃrəʊzbəri/
Southampton /saʊˈθæmptən/
St Andrews /snt ˈændruːz; *US* seɪnt/
Stirling /ˈstɜːlɪŋ/
Stoke-on-Trent /ˌstəʊk ɒn ˈtrent/
Stratford-upon-Avon /ˌstrætfəd əpɒn ˈeɪvn/
Swansea /ˈswɒnzi/
Taunton /ˈtɔːntən/
Warwick /ˈwɒrɪk/
Worcester /ˈwʊstə(r)/
York /jɔːk/

Le Isole Britanniche

Appendice 5
Gli Stati Uniti d'America

Gli stati che fanno parte degli USA

Alabama /ˌæləˈbæmə/
Alaska /əˈlæskə/
Arizona /ˌærɪˈzəʊnə/
Arkansas /ˈɑːkənsɔː/
California /ˌkælɪˈfɔːniə/
Colorado /ˌkɒləˈrɑːdəʊ/
Connecticut /kəˈnetɪkət/
Delaware /ˈdeləweə(r)/
Florida /ˈflɒrɪdə/
Georgia /ˈdʒɔːdʒə/
Hawaii /həˈwaɪi/
Idaho /ˈaɪdəhəʊ/
Illinois /ˌɪlɪˈnɔɪ/
Indiana /ˌɪndɪˈænə/
Iowa /ˈaɪəwə/
Kansas /ˈkænzəs, ˈkænsəs/
Kentucky /kenˈtʌki/
Louisiana /luːˌiːzɪˈænə/
Maine /meɪn/
Maryland /ˈmeərilænd/
Massachusetts /ˌmæsəˈtʃuːsɪts/
Michigan /ˈmɪʃɪgən/
Minnesota /ˌmɪnɪˈsəʊtə/
Mississippi /ˌmɪsɪˈsɪpi/
Missouri /mɪˈzʊri/
Montana /mɒnˈtænə/
Nebraska /nəˈbræskə/
Nevada /nəˈvɑːdə/
New Hampshire /ˌnjuː ˈhæmpʃə(r)/
New Jersey /ˌnjuː ˈdʒɜːzi/
New Mexico /ˌnjuː ˈmeksɪkəʊ/
New York /ˌnjuː ˈjɔːk/
North Carolina /ˌnɔːθ kærəˈlaɪnə/
North Dakota /ˌnɔːθ dəˈkəʊtə/
Ohio /əʊˈhaɪəʊ/
Oklahoma /ˌəʊkləˈhəʊmə/
Oregon /ˈɒrɪgən/
Pennsylvania /ˌpensəlˈveɪniə/
Rhode Island /ˌrəʊd ˈaɪlənd/
South Carolina /ˌsaʊθ kærəˈlaɪnə/
South Dakota /ˌsaʊθ dəˈkəʊtə/
Tennessee /ˌtenəˈsiː/
Texas /ˈteksəs/
Utah /ˈjuːtɑː/
Vermont /vɜːˈmɒnt/
Virginia /vəˈdʒɪniə/
Washington /ˈwɒʃɪŋtən/
West Virginia /ˌwest vəˈdʒɪniə/
Wisconsin /wɪsˈkɒnsɪn/
Wyoming /waɪˈəʊmɪŋ/

Città principali

Atlanta /ətˈlæntə/
Anchorage /ˈæŋkərɪdʒ/
Baltimore /ˈbɔːltɪmɔː(r)/
Boston /ˈbɒstən/
Chicago /ʃɪˈkɑːgəʊ/
Cincinnati /ˌsɪnsɪˈnæti/
Cleveland /ˈkliːvlənd/
Dallas /ˈdæləs/
Denver /ˈdenvə(r)/
Detroit /dɪˈtrɔɪt/
Honolulu /ˌhɒnəˈluːluː/
Houston /ˈhjuːstən/
Indianapolis /ˌɪndiəˈnæpəlɪs/
Kansas City /ˌkænzəs ˈsɪti/
Los Angeles /lɒs ˈændʒəliːz/
Miami /maɪˈæmi/
Milwaukee /mɪlˈwɔːki/
Minneapolis /ˌmɪniˈæpəlɪs/
New Orleans /ˌnjuː ɔːˈliːənz/
New York /ˌnjuː ˈjɔːk/
Philadelphia /ˌfɪləˈdelfiə/
Pittsburgh /ˈpɪtsbɜːg/
San Diego /ˌsæn diˈeɪgəʊ/
San Francisco /ˌsæn frənˈsɪskəʊ/
Seattle /siˈætl/
St Louis /snt ˈluːɪs/
Washington D.C. /ˈwɒʃɪŋtən ˌdiː ˈsiː/

Gli Stati Uniti d'America e il Canada

Appendice 6

L'Australia e la Nuova Zelanda

Gli stati che fanno parte dell'Australia

Australian Capital Territory /ɒˌstreɪliən ˌkæpɪtl ˈterətri, ɔːˌs-/
New South Wales /ˌnjuː saʊθ ˈweɪlz; *US* ˌnuː/
Northern Territory /ˌnɔːðən ˈterətri/
Queensland /ˈkwiːnzlənd/
South Australia /ˌsaʊθ ɒˈstreɪliə, ɔːˈs-/
Tasmania /tæzˈmeɪniə/
Victoria /vɪkˈtɔːriə/
Western Australia /ˌwestən ɒˈstreɪliə, ɔːˈs-/

Città principali

Adelaide /ˈædəleɪd/
Auckland /ˈɔːklənd/
Brisbane /ˈbrɪzbən/
Canberra /ˈkænbərə/
Darwin /ˈdɑːwɪn/
Hobart /ˈhəʊbɑːt/
Melbourne /ˈmelbən/
Perth /pɜːθ/
Sydney /ˈsɪdni/
Wellington /ˈwelɪŋtən/

L'Australia e la Nuova Zelanda

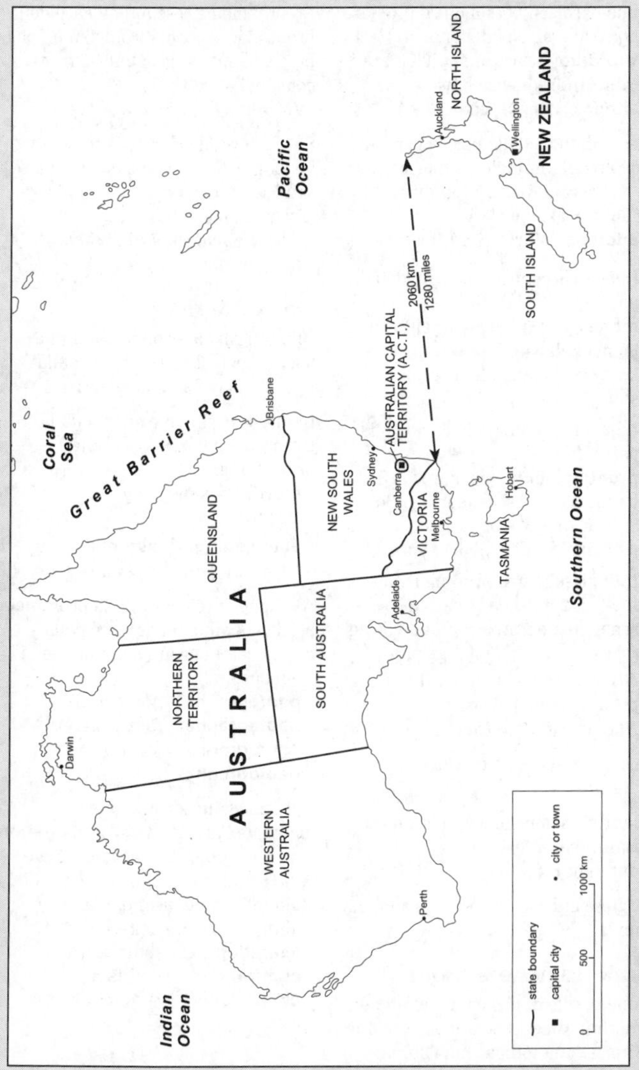

Appendice 7

La pronuncia

Alcune parole si possono pronunciare in modi diversi. Nel dizionario ***Oxford Study*** troverai le più comuni, in ordine di frequenza d'uso.

either /ˈaɪðə(r), ˈiːðə(r)/

Se la pronuncia della parola cambia notevolmente in inglese americano, questa verrà indicata preceduta dall'abbreviazione *USA*.

address /əˈdres; *USA* ˈædres/

/ ˈ/ Indica l'accento principale della parola
money /ˈmʌni/ ha l'accento sulla prima sillaba.
lagoon /ləˈguːn/ ha l'accento sulla seconda sillaba.

/ˌ/ Indica l'accento secondario della parola.
pronunciation /prəˌnʌnsɪˈeɪʃn/ ha un accento secondario sulla sillaba /ˌnʌn/ e un accento principale sulla sillaba /ˈeɪ/.

(r) In inglese non si pronuncia la **r** finale a meno che la parola seguente non inizi con una vocale.
La **r** non si pronuncia nella frase *His car broke down*, ma si pronuncia nella frase *His car is brand new*.

Come viene indicata questa differenza?

Nella trascrizione fonetica la **r** è stata messa tra parentesi.

car /kɑː(r)/

In inglese americano la **r** si pronuncia sempre.

Forme toniche e atone

Alcune parole di uso comune (**an**, **as**, **from**, **that**, **of**, ecc) possono avere due pronunce, una tonica e una atona: quest'ultima è la più frequente.

Prendiamo per esempio il caso della preposizione **from** /frəm, frɒm/, che normalmente si pronuncia /frəm/, come nella frase

He comes from Spain.

Se si trova alla fine della frase o se vogliamo dare un'enfasi particolare, utilizzeremo la pronuncia tonica /frɒm/, come nel caso di

The ˌpresent's not ˈfrom John, it's ˈfor him.

Parole derivate

In molti casi la pronuncia di una parola derivata è la somma della pronuncia dei suoi elementi.

In questi casi non è stata data la trascrizione fonetica, perché è prevedibile.

slowly = **slow** + **-ly**
/sləʊli/ /sləʊ + li/

astonishingly = **astonish** + **ing** + **ly**
/əˈstɒnɪʃɪŋli/ /əˈstɒnɪʃ + ɪŋ + li/

Abbiamo però aggiunto la pronuncia per le voci in cui l'accento della parola cambia con l'aggiunta della desinenza.

photograph /ˈfəʊtəgrɑːf/
photographer /fəˈtɒgrəfə(r)/
photographic /ˌfəʊtəˈgræfɪk/
photography /fəˈtɒgrəfi/

Nel caso delle parole derivate mediante l'aggiunta del suffisso **-tion**, la regola vuole che l'accento cadá sulla penultima sillaba e perciò non è stata indicata la pronuncia.

alter /ˈɔːlte(r)/
alteration /ˌɔːltəˈreɪʃn/
confirm /kənˈfɜːm/
confirmation /ˌkɒnfəˈmeɪʃn/

Appendice 8
Abbreviazioni e simboli

abbr	abbreviazione
Aeron	Aeronautica
agg	aggettivo
agg interr	aggettivo interrogativo
agg poss	aggettivo possessivo
Agr	Agricoltura
Amm	Amministrazione
Anat	Anatomia
antiq	antiquato
Archit	Architettura
art det	articolo determinativo
art indet	articolo indeterminativo
Astron	Astronomia
Auto	Automobilismo
avv	avverbio
avv interr	avverbio interrogativo
avv neg	avverbio negativo
avv rel	avverbio relativo
Biol	Biologia
Bot	Botanica
Chim	Chimica
Cine	Cinema
comp	comparativo
Comm	Commercio
cong	congiunzione
Dir	Diritto
dispreg	dispregiativo
Econ	Economia
Elettr	Elettricità, Elettronica
escl	esclamazione
euf	eufemistico
fem	femminile
fig	figurato
Fin	Finanza
Fis	Fisica
form	formale
Fot	Fotografia
Fr	francese
GB	Gran Bretagna
Geog	Geografia
Geol	Geologia
Geom	Geometria
Gramm	Grammatica
inform	informale
+ing	più la forma *-ing*
Irl	Irlanda
lett	letterale
Ling	Linguistica
Mat	Matematica
Mecc	Meccanica
Med	Medicina
Meteor	Meteorologia
Mil	Militare
Mus	Musica
Naut	Nautica
n pr	nome proprio
part avv	particella avverbiale
pass	passato
pl	plurale
pp	participio passato
pref	prefisso
prep	preposizione
pron	pronome
pron interr	pronome interrogativo
pron pers	pronome personale
pron poss	pronome possessivo
pron rel	pronome relativo
qc	qualcosa
qn	qualcuno
Relig	Religione
s	sostantivo
sb	somebody
scherz	scherzoso
sf	sostantivo femminile
sing	singolare
sm	sostantivo maschile
smf	sostantivo maschile e femminile
sm-sf	sostantivo che ha desinenze diverse per il maschile e per il femminile
sth	something
superl	superlativo
Teat	Teatro
Tec	Tecnica, Tecnologia
Telec	Telecomunicazioni
v	verbo
v aus modale	v ausiliare modale
vi	verbo intransitivo
v impers	verbo impersonale
v rifl	verbo riflessivo
v pl	verbo al plurale
v sing	verbo al singolare
v sing o pl	verbo al singolare o al plurale
vt	verbo transitivo
Zool	Zoologia

LOC	locuzioni e espressioni
▭	inquadra le note grammaticali, culturali e di uso
◆	precede le categorie grammaticali (aggettivo, verbo, avverbio, ecc)
☛	può precedere una breve nota sulla parola che stai consultando oppure rimandarti ad un'altra parola.

Verbi irregolari

Infinito	Passato	Participio passato
arise	arose	arisen
awake	awoke	awoken
be	was/were	been
bear[2]	bore	borne
beat	beat	beaten
become	became	become
begin	began	begun
bend	bent	bent
bet	bet, betted	bet, betted
bid	bid	bid
bind	bound	bound
bite	bit	bitten
bleed	bled	bled
bless	blessed	blessed
blow	blew	blown
break[1]	broke	broken
breed	bred	bred
bring	brought	brought
broadcast	broadcast	broadcast
build	built	built
burn	burnt, burned	burnt, burned
burst	burst	burst
bust[2]	bust, busted	bust, busted
buy	bought	bought
cast	cast	cast
catch	caught	caught
choose	chose	chosen
cling	clung	clung
come	came	come
cost	cost, costed	cost, costed
creep	crept	crept
cut	cut	cut
deal[3]	dealt	dealt
dig	dug	dug
dive	dived; (*USA*) dove	dived
do[2]	did	done
draw[2]	drew	drawn
dream	dreamt, dreamed	dreamt, dreamed
drink	drank	drunk
drive	drove	driven
eat	ate	eaten
fall	fell	fallen
feed	fed	fed
feel	felt	felt
fight	fought	fought
find	found	found
flee	fled	fled
fling	flung	flung
fly	flew	flown
forbid	forbade; (*USA*) forbad	forbidden
forecast	forecast, forecasted	forecast, forecasted
forget	forgot	forgotten
forgive	forgave	forgiven
freeze	froze	frozen
get	got	got; (*USA*) gotten
give	gave	given
go[1]	went	gone
grind	ground	ground
grow	grew	grown
hang	hung, hanged	hung, hanged
have	had	had
hear	heard	heard
hide[1]	hid	hidden
hit	hit	hit
hold	held	held
hurt	hurt	hurt
keep	kept	kept
kneel	knelt; (*spec USA*) kneeled	knelt; (*spec USA*) kneeled
knit	knitted	knitted
know	knew	known
lay[1]	laid	laid
lead[2]	led	led
lean[2]	leant, leaned	leant, leaned
leap	leapt, leaped	leapt, leaped
learn	learnt, learned	learnt, learned
leave	left	left
lend	lent	lent
let	let	let
lie[2]	lay	lain
light	lit, lighted	lit, lighted
lose	lost	lost
make[1]	made	made
mean[1]	meant	meant
meet[1]	met	met